HERNANDES DIAS LOPES

COMENTÁRIO EXPOSITIVO DO NOVO TESTAMENTO

VOLUME 1 | *Os Evangelhos*

hagnos

© 2019 por Hernandes Dias Lopes

1ª edição: outubro de 2019
2ª reimpressão: outubro de 2024

Revisão: Josemar de S. Pinto, Andrea Filatro e Raquel Fleischner
Diagramação: Sonia Peticov
Capa: Douglas Lucas
Editor: Aldo Menezes
Coordenador de produção: Mauro Terrengui
Impressão e acabamento: Imprensa da Fé

As opiniões, interpretações e conceitos desta obra são de responsabilidade de quem a escreveu e não refletem necessariamente o ponto de vista da Hagnos.

Todos os direitos desta edição reservados à
EDITORA HAGNOS LTDA.
Rua Geraldo Flausino Gomes, 42, conj. 41
CEP 04575-060 — São Paulo, SP
Tel.: (11) 5990-3308

E-mail: hagnos@hagnos.com.br | Home page: www.hagnos.com.br

Editora associada à Associação Brasileira de Direitos Reprográficos (ABDR)

Dados Internacionais de Catalogação na Publicação (CIP)

Lopes, Hernandes Dias
Comentário Expositivo do Novo Testamento: Os Evangelhos / Hernandes Dias Lopes. – São Paulo: Hagnos, 2019. (Volume 1)

ISBN 978-85-7742-261-6 (volume 1)

1. Bíblia. NT: Comentários I. Título

19-1331 CDD 225.7

Índices para catálogo sistemático:
1. Bíblia. NT: Comentários 225.7

Angélica Ilacqua CRB-8/7057

DEDICO ESTA OBRA, o *Comentário Expositivo do Novo Testamento – Volume 1 – Os Evangelhos*, a meus pais, Francisco Dias Lopes (*in memoriam*) e Alaide de Souza Lopes (*in memoriam*). Eles me ensinaram os primeiros passos da vida cristã. Investiram em minha vida e oraram por mim, incansavelmente. Foram meus amigos e conselheiros. Devo o que sou a eles. Por isso, com reconhecimento e gratidão, dedico este fruto do meu trabalho a eles, como expressão de minha profunda gratidão e do meu sincero amor.

HERNANDES DIAS LOPES

Sumário

Prefácio 13

Mateus

Introdução 17

1. A linhagem humana do Rei (Mt 1.1-17) 31
2. A linhagem divina do Rei (Mt 1.18-25) 39
3. As diferentes reações ao Rei (Mt 2.1-23) 50
4. O arauto do Rei (Mt 3.1-12) 67
5. O batismo do Rei (Mt 3.13-17) 79
6. A tentação do Rei (Mt 4.1-11) 84
7. O Rei inicia Seu ministério (Mt 4.12-25) 92
8. As credenciais dos súditos do reino (Mt 5.1-12) 102
9. A influência da igreja no mundo (Mt 5.13-16) 146
10. Jesus, o cumprimento da lei (Mt 5.17-20) 154
11. Jesus, o verdadeiro intérprete da lei (Mt 5.21-48) 158
12. A verdadeira espiritualidade (Mt 6.1-18) 169
13. O testemunho do cristão diante do mundo (Mt 6.19-34) .. 179
14. Julgar ou não julgar? (Mt 7.1-29) 188
15. O poder e a compaixão do Rei diante da miséria extrema do homem (Mt 8.1-4) 197
16. Jesus cura à distância (Mt 8.5-13) 203
17. A cura da sogra de Pedro (Mt 8.14,15) 206
18. Libertando os cativos e curando os enfermos (Mt 8.16,17) .. 209
19. O preço de ser um seguidor de Jesus (Mt 8.18-22) 211
20. O poder de Jesus sobre a natureza (Mt 8.23-27) 213
21. O poder de Jesus sobre os demônios (Mt 8.28-34) 218
22. O poder de Jesus para perdoar pecados (Mt 9.1-8) 222
23. O poder libertador do Evangelho (Mt 9.9-17) 227
24. O poder de Jesus sobre a enfermidade (Mt 9.20-22) 234

25. O poder de Jesus sobre a morte (Mt 9.18,19,23-26) — 237
26. O poder extraordinário da fé (Mt 9.27-31) — 240
27. Admiração e blasfêmia (Mt 9.32-34) — 243
28. Os fundamentos da missão (Mt 9.35-38) — 245
29. A escolha dos apóstolos (Mt 10.1-4) — 249
30. As diretrizes ministeriais de Jesus (Mt 10.5-42) — 256
31. Quando a dúvida assalta a fé (Mt 11.1-19) — 266
32. O convite da salvação (Mt 11.20-30) — 274
33. O legalismo escraviza, Jesus liberta (Mt 12.1-8) — 286
34. Amor e ódio num lugar de adoração (Mt 12.9-14) — 291
35. A missão do Messias (Mt 12.15-21) — 298
36. A blasfêmia contra o Espírito Santo (Mt 12.22-32) — 302
37. Um diagnóstico profundo (Mt 12.33-50) — 312
38. Diferentes respostas à Palavra de Deus (Mt 13.1-23) — 318
39. O Reino de Deus visto por meio de parábolas (Mt 13.24-52) — 330
40. O perigo da incredulidade (Mt 13.53-58) — 337
41. Um homem que ouve, mas não crê (Mt 14.1-12) — 340
42. A primeira multiplicação de pães e peixes (Mt 14.13-21) — 344
43. Vencendo as tempestades da vida (Mt 14.22-36) — 350
44. A tradição religiosa divorciada da Palavra de Deus (Mt 15.1-20) — 361
45. O clamor de uma mãe aflita aos pés do Salvador (Mt 15.21-28) — 370
46. O poder extraordinário de Jesus (Mt 15.29-39; 16.1-12) — 375
47. O primado de Pedro ou a supremacia de Cristo? (Mt 16.13-28) — 382
48. A supremacia de Cristo (Mt 16.13-20) — 389
49. O preço e a glória de ser discípulo de Cristo (Mt 16.21-28) — 394
50. Diferentes tipos de espiritualidade (Mt 17.1-27) — 403
51. Os valores absolutos do Reino de Deus (Mt 18.1-14) — 416
52. Os passos da disciplina cristã (Mt 18.15-20) — 423
53. Perdoados e perdoadores (Mt 18.21-35) — 427
54. Casamento e divórcio (Mt 19.1-12) — 437
55. Jesus e as crianças (Mt 19.13-15) — 454
56. Jesus e as riquezas (Mt 19.16-30) — 461
57. Os trabalhadores na vinha (Mt 20.1-16) — 471
58. A marcha rumo a Jerusalém (Mt 20.17-28) — 476
59. Das trevas irrompe a luz (Mt 20.29-34) — 485
60. A aclamação do Rei (Mt 21.1-27) — 492

61. Parábolas do reino (Mt 21.28–22.1-14)   503
62. Perguntas desonestas (Mt 22.15-46)   509
63. Solenes advertências de Jesus sobre os falsos líderes religiosos (Mt 23.1-39)   518
64. O sermão profético de Jesus (Mt 24.1-51)   530
65. Parábolas escatológicas (Mt 25.1-46)   547
66. Jesus à sombra da cruz (Mt 26.1-35)   560
67. A angústia do Rei (Mt 26.36-46)   576
68. A noite do pecado, a hora das trevas (Mt 26.47-75)   583
69. A humilhação do Rei (Mt 27.1-66)   597
70. A ressurreição e o comissionamento do Rei (Mt 28.1-20)   614

Marcos

1. As boas-novas do evangelho de Cristo (Mc 1.1)   633
2. A legitimidade do ministério de Cristo (Mc 1.2-11)   645
3. A tentação de Jesus (Mc 1.12,13)   655
4. A pregação de Jesus Cristo (Mc 1.14,15)   667
5. Pescadores de homens (Mc 1.16-20)   680
6. A autoridade do Filho de Deus (Mc 1.21-28)   692
7. As áreas do ministério de Jesus (Mc 1.29-39)   703
8. Uma grande miséria diante do grande Deus (Mc 1.40-45)   713
9. A história de um milagre (Mc 2.1-12)   725
10. As bênçãos singulares do evangelho de Jesus (Mc 2.13-28)   737
11. O valor de uma vida (Mc 3.1-6)   749
12. Motivos decisivos para você vir a Jesus (Mc 3.7-12)   759
13. A escolha da liderança espiritual da igreja (Mc 3.13-19)   769
14. A blasfêmia contra o Espírito Santo (Mc 3.20-35)   779
15. Diferentes respostas à Palavra de Deus (Mc 4.1-20)   788
16. O poder da Palavra na implantação do Reino (Mc 4.21-33)   799
17. Surpreendidos pelas tempestades da vida (Mc 4.35-41)   810
18. Quanto vale uma vida (Mc 5.1-20)   822
19. O toque da fé (Mc 5.24-34)   832
20. Jesus, a esperança dos desesperançados (Mc 5.21-24,35-43)   841
21. Portas abertas e fechadas (Mc 6.1-29)   849

22. Um majestoso milagre (Mc 6.30-44)   859
23. Quando Jesus vem ao nosso encontro nas tempestades (Mc 6.45-56)   863
24. A verdadeira espiritualidade (Mc 7.1-23)   878
25. A vitória de uma mãe intercessora (Mc 7.24-30)   887
26. Um esplêndido milagre (Mc 7.31-37)   895
27. Atitudes de Jesus diante de circunstâncias desfavoráveis (Mc 8.1-21)   906
28. Discernimento espiritual, uma questão vital (Mc 8.22-33)   915
29. Discipulado, o mais fascinante projeto de vida (Mc 8.34-9.1)   924
30. Três tipos de espiritualidade (Mc 9.2-32)   933
31. Os valores absolutos do Reino de Deus (Mc 9.33-50)   944
32. O ensino de Jesus sobre casamento e divórcio (Mc 10.1-12)   954
33. O lugar das crianças no Reino de Deus (Mc 10.13-16)   964
34. Que lugar o dinheiro ocupa na sua vida? (Mc 10.17-31)   973
35. A maior marcha da história (Mc 10.32-45)   981
36. Uma trajetória das trevas para a luz (Mc 10.46-52)   989
37. A manifestação pública do Messias (Mc 11.1-33)   998
38. O drama de Jesus em Jerusalém (Mc 12.1-44)   1008
39. A segunda vinda de Cristo (Mc 13.1-37)   1021
40. Diferentes reações a Jesus (Mc 14.1-31)   1035
41. Getsêmani, a hora decisiva (Mc 14.32-42)   1044
42. A prisão, o processo e a negação (Mc 14.43-72)   1054
43. A humilhação do Filho de Deus (Mc 15.1-47)   1067
44. A ressurreição do Filho de Deus (Mc 16.1-20)   1081

Lucas

Introdução   1095
1. O prefácio de Lucas (Lc 1.1-4)   1105
2. O nascimento do precursor de Jesus (Lc 1.5-25)   1110
3. O nascimento do Filho de Deus (Lc 1.26-45)   1119
4. O tempo de celebrar chegou (Lc 1.46-80)   1127
5. Deus desceu até nós (Lc 2.1-52)   1134

6. O pregador e a pregação (Lc 3.1-20) 1145
7. O batismo e a genealogia de Jesus (Lc 3.21-38) 1161
8. A tentação de Jesus (Lc 4.1-11) 1169
9. A autorrevelação de Jesus (Lc 4.14-30) 1180
10. Um poderoso ministério de libertação, cura e pregação (Lc 4.31-44) 1185
11. Pescadores de homens (Lc 5.1-11) 1191
12. Nunca perca a esperança (Lc 5.12-16) 1197
13. Um poderoso milagre de Jesus (Lc 5.17-26) 1202
14. A mensagem libertadora do evangelho (Lc 5.27–6.1-5) 1206
15. Um grande milagre diante de uma grande oposição (Lc 6.6-11) 1213
16. A escolha dos apóstolos (Lc 6.12-16) 1217
17. Jesus prega aos ouvidos e aos olhos (Lc 6.17-49) 1223
18. Uma grande fé e um grande milagre (Lc 7.1-10) 1236
19. A caravana da vida e a caravana da morte (Lc 7.11-17) 1241
20. Os conflitos de um homem de Deus (Lc 7.18-35) 1245
21. A mulher pecadora diante do Salvador (Lc 7.36-50) 1251
22. A suprema importância da palavra de Deus (Lc 8.1-21) 1256
23. O poder de Jesus sobre a natureza (Lc 8.22-25) 1270
24. O poder de Jesus sobre os demônios: o gadareno (Lc 8.26-34) 1277
25. O poder de Jesus sobre a enfermidade (Lc 8.43-48) 1284
26. O poder de Jesus sobre a morte (Lc 8.40-42, 49-56) 1292
27. Uma cruzada evangelística (Lc 9.1-17) 1299
28. A identidade de Jesus e o preço do discipulado (Lc 9.18-45) 1304
29. As faces de espiritualidade (Lc 9.28-45) 1314
30. Atitudes perigosas (Lc 9.46-62) 1324
31. Evangelização, uma obra de consequências eternas (Lc 10.1-24) 1331
32. Amor ao próximo, evidência da vida eterna (Lc 10.25-37) 1337
33. Uma coisa só é necessária (Lc 10.38-42) 1344
34. A suprema importância da oração (Lc 11.1-13) 1349
35. O poder de Jesus sobre os demônios: o demônio mudo (Lc 11.14-28) 1353
36. Não desperdice as oportunidades (Lc 11.29-36) 1359
37. Arrancando a máscara da hipocrisia (Lc 11.37-54) 1363
38. O fermento da hipocrisia (Lc 12.1-12) 1367
39. Cuidado com a avareza (Lc 12.13-21) 1372

40. Cuidado com a ansiedade (Lc 12.22-34) 1377
41. Necessidades imperativas da vida cristã (Lc 12.35-59) 1386
42. Uma solene convocação ao arrependimento (Lc 13.1-9) 1391
43. A cura de uma mulher encurvada (Lc 13.10-17) 1399
44. O avanço vitorioso do Reino de Deus (Lc 13.18-35) 1404
45. Lições de Jesus na casa de um fariseu (Lc 14.1-35) 1411
46. O pródigo amor de Deus que procura o perdido (Lc 15.1-32) 1423
47. Como lidar com as riquezas terrenas (Lc 16.1-18) 1436
48. Contrastes na vida, na morte e na eternidade (Lc 16.19-31) ... 1443
49. Advertências solenes (Lc 17.1-37) 1450
50. Deus responde à oração (Lc 18.1-14) 1461
51. As crianças são bem-vindas ao Reino de Deus (Lc 18.15-17) ... 1468
52. O perigo das riquezas (Lc 18.18-30) 1473
53. Jesus a caminho de Jerusalém (Lc 18.31-43) 1480
54. O encontro da salvação (Lc 19.1-10) 1488
55. Jerusalém, o rei está chegando (Lc 19.11-48) 1496
56. O dia das perguntas em Jerusalém (Lc 20–21.1-4) 1506
57. Os sinais e a preparação para a segunda vinda de Cristo (Lc 21.5-38) 1518
58. A paixão de Jesus (Lc 22.1-38) 1532
59. Getsêmani, a agonia à sombra da cruz (Lc 22.39-46) ... 1547
60. A prisão, a negação e o processo (Lc 22.47-71) 1557
61. O julgamento civil de Jesus (Lc 23.1-25) 1574
62. A via dolorosa, o calvário, a morte e o sepultamento de Jesus (Lc 23.26-56) 1584
63. Jesus ressuscitou e voltou ao céu (Lc 24.1-53) 1599

João

Introdução 1617

1. Jesus, perfeitamente Deus, perfeitamente homem (Jo 1.1-18) 1626
2. O testemunho sobre Jesus, o Messias (Jo 1.19-51) 1641
3. Glória, autoridade e conhecimento (Jo 2.1-25) 1652
4. Novo nascimento, uma necessidade vital (Jo 3.1-21) ... 1669
5. A grande salvação (Jo 3.16) 1686

6. Jesus, o noivo e a testemunha (Jo 3.22-36)   1695
7. O testemunho de Jesus em Samaria e na Galileia (Jo 4.1-54)   1701
8. O médico divino manifesta seu poder (Jo 5.1-16)   1726
9. Jesus dá testemunho de si mesmo (Jo 5.17-47)   1734
10. Uma multidão alimentada (Jo 6.1-15)   1744
11. Um mar revolto acalmado (Jo 6.16-21)   1752
12. Jesus, o pão da vida, um poderoso discurso (Jo 6.22-71)   1763
13. Jesus, a água da vida (Jo 7.1-53)   1773
14. Condenada pelos homens, perdoada por Jesus (Jo 8.1-11)   1786
15. Jesus, a luz do mundo (Jo 8.12-59)   1796
16. Jesus, a verdadeira luz que traz luz ao cego (Jo 9.1-41)   1806
17. Jesus, o bom pastor (Jo 10.1-42)   1815
18. Jesus, a ressurreição e a vida (Jo 11.1-57)   1830
19. A manifestação pública de Jesus (Jo 12.1-50)   1847
20. Jesus, o servo onipotente (Jo 13.1-38)   1868
21. Jesus, o terapeuta da alma (Jo 14.1-31)   1886
22. A intimidade com Jesus e a inimizade do mundo (Jo 15.1–16.4)   1899
23. O ministério do Espírito Santo (Jo 16.5-33)   1915
24. A oração do Deus Filho ao Deus Pai (Jo 17.1-26)   1923
25. Prisão, julgamento religioso e negação de Jesus (Jo 18.1-27)   1936
26. O julgamento de Jesus no tribunal romano (Jo 18.28–19.16)   1955
27. A crucificação, a morte e o sepultamento de Jesus (Jo 19.17-52)   1967
28. A gloriosa ressurreição de Jesus (Jo 20.1-31)   1979
29. Manifestação, restauração e comissão (Jo 21.1-25)   1988

Prefácio

TENHO IMENSA ALEGRIA EM APRESENTAR aos nossos leitores, esta edição especial, *Comentário Expositivo do Novo Testamento, Volume 1, Os Evangelhos*. Faço-o com entusiasmo e isso, por três razões eloquentes:

Em primeiro lugar, os evangelhos apresentam o conteúdo do que Jesus fez e ensinou. Nos evangelhos lemos sobre o nascimento e o crescimento de Jesus, sua vida e sua morte, seus ensinos e seus milagres, seu sepultamento e sua ressurreição, sua ascensão e a promessa do derramamento do Espírito Santo.

Em segundo lugar, os evangelhos tratam da pessoa mais importante do universo. Falam de Jesus, o Cristo. Ele é o Filho de Deus, o Verbo eterno, pessoal e divino que se fez carne, a exata expressão do ser de Deus, o resplendor da glória. Nele habitou corporalmente toda a plenitude da divindade. Não deixou de ser Deus ao se fazer homem nem deixou de ser homem ao retornar ao céu como Deus. Ele é o cabeça, o fundamento, o dono, o edificador e o protetor da igreja. É o bom, o grande e o supremo pastor. Ele é maior do que os anjos, do que os profetas, do que Moisés, do que Arão, do que Josué. Ele é o grande EU SOU: Ele é o pão da vida, a luz do mundo, a porta das ovelhas, o bom pastor, a ressurreição e a vida, o Caminho, e a Verdade, e a Vida. Ele é a Videira verdadeira. Ele é o Advogado, o Justo. O grande Sumo Sacerdote. Ele é o único Mediador entre Deus e os homens, o único nome dado entre os homens pelo qual importa que sejamos salvos. Ele é o Alfa e o Ômega, o Princípio e o Fim, o Rei dos reis e o Senhor dos senhores.

Em terceiro lugar, os evangelhos mesmo apresentando a mesma pessoa, Jesus Cristo, apresentam-no com ênfases diferentes. Mateus foi escrito para os judeus e apresenta Jesus como o Rei dos judeus. Por essa causa, Mateus prova por meio de sua genealogia que Jesus procede de Abraão e Davi, os dois principais troncos da nação israelita. Mateus é o evangelho que mais cita o Antigo Testamento. Marcos escreveu para os romanos e apresenta Jesus como servo. Por essa causa não traz sua genealogia e dá mais ênfase a seus feitos do que a seus ensinamentos. Lucas escreveu para os gregos, e sua grande ênfase é mostrar Jesus como o homem perfeito. Por essa causa recua sua genealogia a Adão. Porque Jesus é o homem perfeito, Lucas é o evangelista que mais enfatiza os detalhes de seu nascimento e de sua infância. Lucas é o evangelho que mais enfatiza a vida de oração de Jesus. João escreveu já no final do primeiro século, quando os três evangelhos sinóticos (Mateus, Marcos e Lucas), já circulavam nas igrejas por mais de vinte anos. A grande tese de João é provar que Jesus é verdadeiramente Deus. Para isso, demonstra que Jesus tem os mesmos atributos de Deus e realiza as mesmas obras.

Minha ardente expectativa é que a leitura e o exame mais detido desta obra possa enriquecer sua vida espiritual como abençoou a minha ao escrevê-la. Boa leitura!

Hernandes Dias Lopes

Mateus

Jesus, o Rei dos reis

Introdução

O ANTIGO TESTAMENTO fecha suas cortinas cerca de 400 anos antes de Cristo, estando Israel debaixo do domínio do Império Medo-Persa. O período entre o Antigo e o Novo Testamento é conhecido como interbíblico. Durante esses 400 anos, Israel viu o declínio do Império Medo-Persa e a ascensão do Império Grego-Macedônio. Viu, também, a queda do Império Grego e seu território sendo dominado alternadamente pelos ptolomeus e pelos selêucidas. Ainda contemplou, no século II a.C., a guerra dos Macabeus e o domínio da família hasmoneia. Israel vê, finalmente, o domínio de Roma, no ano 63 a. C., quando Pompeu conquistou seu território e nomeou como governante Antipater, pai de Herodes, o Grande.

Israel viu o governo da família herodiana desde o ano 37 a.C. com a ascensão de Herodes, o Grande, e o governo de seus filhos nas diversas tetrarquias após sua morte (Lc 3.1-3). Quando o Novo Testamento abre suas cortinas, Israel está sob o domínio do Império Romano e debaixo do reinado de Herodes, o Grande.

A importância

Renan, o grande crítico francês, afirmou que "Mateus é o livro mais importante que já foi escrito".[1] Michael Green, nessa mesma linha de pensamento, diz que o evangelho de Mateus é, talvez, o mais importante documento no Novo Testamento, porque nele encontramos o mais completo e sistemático registro do nascimento, vida, ensino, morte e ressurreição do fundador do cristianismo, Jesus, o Messias.[2] Em grandeza de concepção e no rigor com que uma massa de material

---
[1] EARLE, Ralph. *O Evangelho segundo Mateus.* In: *Comentário Bíblico Beacon.* Vol. 6. Rio de Janeiro, RJ: CPAD, 2015, p. 21.
[2] GREEN, Michael. *The Message of Matthew.* Downers Grove, IL: Inter-Varsity Press, 2000, p. 19.

se subordina a grandes ideias, nenhum livro dos dois testamentos, tratando de um tema histórico, deve ser comparado com Mateus.[3] Michael Green diz que, entre os pais antigos, o evangelho de Mateus é citado mais do que qualquer outro evangelho.[4] O mesmo autor, ainda, entende que Mateus não é um livro biográfico propriamente dito, embora contenha biografia. Não é um livro basicamente histórico, embora reflita o aspecto histórico. Mas é a proclamação das boas novas: as boas novas da salvação aguardada no judaísmo, e que para os cristãos havia chegado em Jesus de Nazaré.[5]

Mateus foi testemunha ocular e auditiva do conteúdo que registrou em sua obra. Ele se apoia na fonte mais segura de toda historiografia, a saber, o verdadeiro testemunho presencial dos fatos. Quando a obra foi escrita, os apóstolos e os irmãos de Jesus ainda viviam. Logo, não é admissível falar que Mateus usou lendas e sagas, uma vez que lendas e sagas se formam somente depois que se rompeu a ligação com os acontecimentos. Muito menos se pode falar em mitos, uma vez que mitos são ideias transformadas em histórias. Os apóstolos, os parentes de Jesus e as testemunhas presenciais certamente impediriam na raiz o surgimento de qualquer lenda ou mito nos evangelhos.[6]

O autor

Como os outros evangelhos, este também é anônimo. O nome do escritor não é mencionado em sua obra. Este evangelho começa com as palavras do texto, sem um título e sem o nome do autor. Há um consenso unânime, entrementes, sobre sua autoria. Desde os pais da Igreja até hoje, reconhece-se Mateus como o autor do evangelho que leva seu nome. William Hendriksen afirma: "A tradição é unânime em apontar Mateus como o autor. Ela nunca menciona outro".[7] D. A. Carson afirma que o testemunho universal da igreja primitiva é que o apóstolo Mateus

---

[3] EARLE, Ralph. *O Evangelho segundo Mateus*, p. 21.
[4] GREEN, Michael. *The Message of Matthew*, p. 11.
[5] GREEN, Michael. *The Message of Matthew*, p. 19.
[6] RIENECKER, Fritz. *Evangelho de Mateus*. Curitiba, PR: Esperança, 1998, p. 19.
[7] HENDRIKSEN, William. *Mateus*. Vol. 1. São Paulo, SP: Cultura Cristã, 2010, p. 127.

escreveu este evangelho.⁸ Entre os pais da Igreja, Irineu, Orígenes e Eusébio, se citarmos as primeiras fontes, todos atestam isso.⁹ Por que Mateus não usou seu nome em sua própria obra? Talvez por modéstia ou mesmo porque não julgou importante, uma vez que a comunidade primitiva, que recebeu sua obra, bem sabia quem ele era.¹⁰

Sabemos muito pouco acerca de Mateus. À luz do seu chamado (9.9-13; Mc 2.13-17; Lc 5.27-32), somos informados de que ele era "cobrador de impostos". Consequentemente, devia ser um indivíduo odiado, uma vez que os judeus odiavam profundamente os membros de sua própria nação que prestavam serviço a seus conquistadores. Barclay diz que "Mateus deve ter sido considerado um traidor de seu próprio povo".¹¹

Em todo o Novo Testamento, Mateus é citado apenas cinco vezes. No primeiro evangelho, ouvimos dele em 9.9 e 10.3 e depois em Marcos 9.28, Lucas 6.15 e Atos 1.13. O nome *Mateus* significa "dádiva de Deus". A história do chamado de Mateus não aparece apenas em Mateus 9.9, mas é mencionada por Marcos (2.14) e Lucas (5.27). Marcos e Lucas usam o nome Levi, e não Mateus. Por quê? Rienecker sugere que o Mateus certamente foi um segundo nome que o Senhor deu ao publicano na ocasião do seu chamado. Com esse cognome, que significa "dádiva de Deus", Jesus queria expressar a importância da partida imediata e do seguimento sem delongas.¹²

É digno de nota que, em todas as outras listas de apóstolos, o nome Mateus aparece sem o título "publicano". Somente o próprio Mateus conservou a designação da profissão de "publicano" como uma evidência de que Jesus veio para chamar pecadores e especialmente aqueles que eram mais pecadores do que os pecadores comuns.¹³

---

⁸CARSON, D. A. *Matthew*. In: *The Expositor's Bible Commentary*. Vol. 8. Grand Rapids, MI: Zondervan Publishing House, 1984, p. 17.
⁹ELWELL, Walter A.; YEARBROUGH, Robert W. *Descobrindo o Novo Testamento*. São Paulo, SP: Cultura Cristã, 2002, p. 78.
¹⁰RIENECKER, Fritz. *Evangelho de Mateus*, p. 20.
¹¹BARCLAY, William. *Mateo II*. Buenos Aires: Editorial La Aurora, 1973, p. 12.
¹²RIENECKER, Fritz. *Evangelho de Mateus*, p. 23.
¹³RIENECKER, Fritz. *Evangelho de Mateus*, p. 23.

Os pais da Igreja Papias, Irineu, Orígenes, Eusébio e Jerônimo afirmaram que Mateus escreveu este evangelho primeiramente em hebraico.[14] Já Tasker, erudito professor do Novo Testamento, defende a tese de que, sendo Mateus bilíngue, ele mesmo traduziu sua obra do hebraico para o grego.[15] Embora alguns pais da Igreja, como Irineu, Clemente de Alexandria, Orígenes, Jerônimo, Agostinho e quase todos os outros autores antigos, tenham defendido a tese de que Mateus foi o primeiro evangelho a ser escrito,[16] e escrito em hebraico, outros estudiosos, em face das evidências internas, questionam essas informações e afirmam que Marcos foi o primeiro a ser escrito[17] e que tanto Mateus como Lucas o usaram como fonte de seus escritos.[18] Nessa mesma toada, Bittencourt, afirma: "Partindo do trabalho de Marcos, cuja conexão com Pedro e a cidade de Roma lhe dava grande autoridade, Mateus escreve seu evangelho, provavelmente em Antioquia da Síria".[19]

William Hendriksen registra: "A convicção de que Mateus e Lucas, cada um independentemente, usaram Marcos é compartilhada por eruditos de todo o mundo".[20] William Barclay corroborando a tese de que Marcos foi o primeiro evangelho a ser escrito, destaca o fato de que Mateus reproduz em seu texto nada menos que 606 versículos de Marcos, enquanto Lucas reproduz 31 versículos dos 55 versículos de Marcos que Mateus não usa. Assim, há somente 24 versículos de Marcos que não aparecem em Mateus ou Lucas.[21]

Michael Green destaca cinco aspectos da vida de Mateus, como vemos a seguir.[22]

Primeiro, Mateus recebeu um novo nome. Marcos 2.14 chama-o de Levi, filho de Alfeu, e Lucas 5.27 faz o mesmo. Seu nome original era

---

[14]GREEN, Michael. *The Message of Matthew*, p. 20.
[15]EARLE, Ralph. *O Evangelho segundo Mateus*, p. 21.
[16]MIRANDA, Osmundo Afonso. *Estudos Introdutórios nos Evangelhos Sinóticos*. São Paulo, SP: Casa Editora Presbiteriana, 1989, p. 107.
[17]BRUCE, F. F. *Merece confiança o Novo Testamento?* São Paulo: Vida Nova, 1965, p. 45.
[18]GREEN, Michael. *The Message of Matthew*, p. 21.
[19]BITTENCOURT, B. P. *O Novo Testamento*. São Paulo, SP: ASTE, 1965, p. 28.
[20]HENDRIKSEN, William. *Mateus*, p. 53.
[21]BARCLAY, William. *Mateo I*. Buenos Aires: Editorial La Aurora, 1973, p.8,9,12.
[22]GREEN, Michael. *The Message of Matthew*, p. 24,25.

Levi, filho de Alfeu. Depois que começou a seguir a Jesus, ele recebeu o nome de Mateus, "dádiva de Deus", como aconteceu com Simão, que passou a ser chamado de Pedro. Jesus viu o que Levi era e antecipou o que ele deveria ser, "dádiva de Deus". É digno de nota que apenas o próprio Mateus registra isso, em seu chamado (9.9).

Segundo, Mateus pertenceu a uma fascinante família. Marcos e Lucas nos falam que ele era filho de Alfeu. Outro apóstolo também era filho de Alfeu, ou seja, Tiago (Mc 3.18). Provavelmente eles eram irmãos. Esse Tiago, filho de Alfeu, não deve ser confundido com Tiago, irmão de João, filho de Zebedeu. Na lista dos apóstolos, Tiago, filho de Alfeu, vem sempre próximo de Tadeu, Simão, o Zelote, e Judas Iscariotes. Se considerarmos que os zelotes eram revolucionários e estavam prontos a pegar em espadas para resistir o governo de Roma, e se considerarmos que Iscariotes pode vir de *sicário*, a palavra latina para "zelote", então, provavelmente, Tiago, filho de Alfeu, recebeu influência desses revolucionários resistentes ao governo de Roma. Se isso é fato, dentro dessa mesma família, Levi se apresenta como um publicano, um coletor de impostos, alguém que vai na contramão dessa posição ideológica, uma vez que coopera com Roma em sua dominação.

Terceiro, Mateus era um coletor de impostos que deixou tudo para seguir a Jesus. Um publicano era um colaboracionista de Roma. Não apenas trabalhava na área aduaneira, recolhendo impostos, mas também explorava o povo, recebendo mais do que o devido. Por isso, os publicanos eram tão odiados pelos judeus, que os classificavam como ladrões e assassinos, negando-lhes a participação nas sinagogas (Lc 18.9-14). É importante ressaltar que Levi trabalhava na coletoria de Cafarnaum, a principal estrada de Damasco ao Egito, que passava através de Samaria e Galileia. Assim, ele trabalhava para o governo de Herodes Antipas, o tetrarca da Galileia. Certamente esse trabalho era assaz lucrativo. De publicano, colaboracionista de Roma, torna-se um seguidor de Jesus, um apóstolo de Jesus e o autor deste importante evangelho.

Quarto, Mateus ofereceu uma festa para Jesus (9.10). Tão logo teve um encontro com Cristo, ele demonstrou amor aos outros publicanos, abrindo sua casa para recebê-los, a fim de que pudessem ouvir Jesus. Provavelmente todos os seus amigos estavam entre seus pares, uma vez que, na comunidade judaica, os publicanos eram desprezados. Mateus não apenas foi transformado; também se tornou instrumento nas mãos de Cristo para a transformação de outros.

Quinto, Mateus trouxe consigo sua caneta quando atendeu ao chamado de Cristo. Tinha habilidade para escrever. Era homem dos livros e colocou essa habilidade a serviço do evangelho.

Os destinatários

Mateus escreveu principalmente para os judeus crentes, provavelmente de Antioquia da Síria,[23] uma cidade de fala grega, mas com uma substancial população judaica.[24] Sua grande ênfase é provar que Jesus é o Messias prometido nas Escrituras. Embora a mensagem deste evangelho se destine a todos os povos, de todos os lugares e de todos os tempos, seu endereçamento primário foi ao povo judeu.

Michael Green está certo em dizer que não há *apartheid* na igreja a quem Mateus endereça este evangelho. Eles clamavam pelo nome do Messias (10.40-42; 19.29; 24.9). Eram escravos, irmãos, filhos, pequeninos de Jesus (5.22-24,47; 7.3-5; 12.49; 18.1-14; 19.13,14; 23.8). Esses haviam recebido a Cristo como Messias e Senhor. Haviam sido batizados em seu nome. E agora desejavam saber como viver melhor para ele entre seus compatriotas, que os consideravam inimigos da lei, da religião e do povo de Israel.[25]

A data

Embora não haja como definir categoricamente uma data, é quase certo que este evangelho foi escrito antes da destruição de Jerusalém, uma vez que esse fato é profetizado por Jesus, no monte das Oliveiras, mas não há nenhum registro de seu cumprimento. A destruição de Jerusalém ocorreu no ano 70 d.C., e Mateus 24.15-28 deixa claro que

---

[23]PINTO, Carlos Osvaldo Cardoso. *Foco & Desenvolvimento no Novo Testamento*. São Paulo, SP: Hagnos, 2014, p. 34.
[24]CARSON, D. A. *Matthews*, p. 21.
[25]GREEN, Michael. *The Message of Matthew*, p. 27.

as advertências proféticas de Jesus ainda não tinham ocorrido. Portanto, o evangelho de Mateus deve ser anterior ao ano 70 d.C.[26]

Vale ressaltar ainda que Mateus é o evangelho que contém mais advertências e críticas contra os saduceus que qualquer outro livro do Novo Testamento. Uma vez que os saduceus deixaram de ser uma força viva no judaísmo depois do ano 70 d.C., o evangelho deve ser datado antes da destruição de Jerusalém.[27] Fritz Rienecker tem razão ao dizer que Mateus precisa ter surgido antes do ano 66 d.C., quando iniciou a guerra dos Judeus e a comunidade teve de emigrar, atravessando o rio Jordão.[28]

A questão sinótica

Mateus, Marcos e Lucas são conhecidos como os evangelhos sinóticos. O termo "sinótico" vem de duas palavras gregas que significam "ver conjuntamente". *Sinótico* significa literalmente, "que se pode ver ao mesmo tempo". A razão deste nome é que esses três evangelhos oferecem o relato dos mesmos acontecimentos da vida de Jesus.[29] Fritz Rienecker esclarece: "A questão recebe o nome de sinótica porque, compilando-se os textos paralelos de Mateus, Marcos e Lucas, possibilita-se uma visão de conjunto, ou seja, uma sinopse da vida de nosso Salvador".[30]

Os evangelhos sinóticos evidenciam uma ampla concordância textual, não obstante mantenham algumas peculiaridades e diferenças. Mesmo olhando para Jesus, sua vida e sua obra por um mesmo ângulo, cada evangelista destaca aspectos específicos da obra e dos ensinamentos de Jesus.

O que podemos ver em Mateus que não se encontra em Marcos e Lucas? 1) O convite aos cansados e sobrecarregados (11.28-30); 2) as parábolas do joio entre o trigo, do tesouro, da pérola, da rede (13.24-30,36-52); 3) o imposto do templo (17.24-27); as parábolas do

---

[26]PINTO, Carlos Osvaldo Cardoso, *Foco & Desenvolvimento no Novo Testamento*, p. 34.
[27]PINTO, Carlos Osvaldo Cardoso, *Foco & Desenvolvimento no Novo Testamento*, p. 34.
[28]RIENECKER, Fritz. *Evangelho de Mateus*, p. 27.
[29]BARCLAY, William. *Mateo I*, p. 8.
[30]RIENECKER, Fritz. *Evangelho de Mateus*, p. 21.

credor incompassivo (18.23-35), dos trabalhadores na vinha (20.1-16), dos filhos desiguais (21.28-32), das dez virgens, dos talentos e do julgamento do mundo (25.1-46); 4) e os guardas do sepulcro (27.62-66).[31]

As **características** de Mateus

Nenhum livro do Novo Testamento influenciou mais os escritores do segundo século do que o evangelho de Mateus.[32] D. A. Carson diz que, durante os três primeiros séculos da igreja, Mateus é o mais reverenciado e o mais frequentemente citado evangelho sinótico.[33] Michael Green explica que Mateus organizou seu material em cinco blocos distintos:[34]

Capítulos 1 a 4 • Introdução: genealogia, infância (1–2); batismo e começo do ministério (3– 4);
Capítulos 5 a 7 • Ensinamento 1 – O Sermão do Monte;
Capítulos 8 a 9 • Os milagres de cura operados por Jesus;
Capítulo 10 • Ensinamento 2 – O comissionamento dos discípulos;
Capítulos 11 a 12 • A rejeição de João e de Jesus pelos judeus;
Capítulo 13 • Ensinamento 3 – As parábolas do reino;
Capítulos 14 a 17 • Milagres, controvérsias com fariseus, a confissão de Pedro e a transfiguração;
Capítulo 18 • Ensinamento 4 – A igreja;
Capítulo 19 a 22 • Jesus vai a Jerusalém e ensina;
Capítulos 23 a 25 • Ensinamento 5 – Julgamento e fim dos tempos;
Capítulos 26 a 28 • Os últimos dias, morte e ressurreição de Jesus.

A principal divisão deste evangelho vem de Mateus 13.57. A primeira parte está conectada com seu ministério na Galileia, e a segunda parte, com seu ministério na Judeia. Este versículo sintetiza a primeira parte e aponta para a segunda. Assim, a rejeição de Jesus na Galileia nos prepara para ver uma maior rejeição em Jerusalém, ou seja, como

---

[31] RIENECKER, Fritz. *Evangelho de Mateus*, p. 21.
[32] TASKER, R. V. G. *Mateus: introdução e comentário*. São Paulo, SP: Vida Nova, 1999, p. 13.
[33] CARSON, D. A. *Matthews*, p. 19.
[34] GREEN, Michael. *The Message of Matthew*, p. 30.

Israel virou as costas ao seu rei. Embora um profeta seja rejeitado em sua terra, ele é aceito fora de sua terra, e isso nos prepara para o fato de que a cruz e a ressurreição começam a forjar um novo povo de Deus entre os gentios.[35]

As **ênfases** de Mateus

Mateus traz algumas ênfases em sua obra, como as que passamos a destacar a seguir.

Em primeiro lugar, ***Mateus foi escrito primordialmente para os judeus***. Mateus, como nenhum outro evangelista, mostra a estreita conexão entre o Antigo e o Novo Testamento. Michael Green diz que Mateus providencia uma maravilhosa conexão para o correto entendimento do Antigo Testamento, mostrando sua continuidade e a diferença entre cristianismo e judaísmo.[36]

Warren Wiersbe diz que, em seu evangelho, Mateus apresenta pelo menos 129 citações ou alusões ao Antigo Testamento. Ele escreveu principalmente a leitores judeus para mostrar-lhes que Jesus Cristo era, de fato, o Messias prometido. Seu nascimento em Belém (1.22,23) cumpriu a profecia de Isaías 7.14. Sua fuga para o Egito e seu retorno da terra dos faraós (2.14,15) cumpriram a profecia de Oseias 11.1. Quando Jesus se estabeleceu em Nazaré (2.22,23), cumpriram-se várias profecias do Antigo Testamento.[37] Mateus é o evangelho que foi escrito para os judeus. Quando a mulher siro-fenícia buscou a ajuda de Jesus, a resposta que recebeu foi esta: *Não fui enviado senão às ovelhas perdidas da casa de Israel* (15.24). Quando Jesus enviou os doze para a itinerância evangelística, ele os enviou às ovelhas perdidas da casa de Israel (10.5,6). É óbvio, outrossim, que Mateus não se limita a Israel. Ao contrário, deixa claro que o evangelho deve alcançar também os gentios (8.11). O evangelho deve ser pregado em todo o mundo (24.13), e a grande comissão deve estender-se a todas as nações (28.19).

---

[35] GREEN, Michael. *The Message of Matthew*, p. 33,34.
[36] GREEN, Michael. *The Message of Matthew*, p. 37.
[37] WIERSBE, Warren W. *Comentário bíblico expositivo*. Vol. 5. Santo André, SP: Geográfica Editora, 2006, p. 9.

Em segundo lugar, **Mateus destaca a realeza de Cristo**. Mateus é conhecido como "o evangelho do Rei". Se Lucas deu ênfase em Jesus como o Homem perfeito, Marcos como o Servo perfeito, e João como o Filho de Deus, Mateus apresenta Jesus como Rei. Tasker diz, corretamente, que Jesus é aqui apresentado primeira e principalmente como o Rei Messiânico, Filho da Casa Real de Davi, o Leão de Judá.[38] Ele abre seu evangelho provando que Jesus é Filho de Davi e o herdeiro de seu trono (1.1,2). O título "Filho de Davi" é usado mais frequentemente em Mateus (15.22; 21.9; 21.15) do que nos outros evangelhos. Jesus nasceu para ser Rei. Os magos vêm do Oriente procurar o rei dos judeus (2.2). A entrada triunfal em Jerusalém é uma declaração dramatizada da realeza de Jesus (21.1-11). Diante de Pilatos, Jesus aceita o título de Rei (27.11). Até sobre o cimo de sua cruz foi escrito em latim, grego e hebraico: *Jesus, o Rei dos judeus* (27.37). As últimas declarações de Jesus antes de retornar ao céu foram: *Toda autoridade me foi dada no céu e na terra* (28.18).

Em terceiro lugar, **Mateus está especialmente interessado na igreja**. Mateus, com cores fortes, destacou a igreja. Ele é o único evangelista a usar a palavra "igreja" depois da confissão de Pedro em Cesareia de Filipe (16.13-23 – compare com Mc 8.27-33 e Lc 9.18-22). Mateus é o único que diz que as disputas devem ser resolvidas pela igreja (18.17). A igreja não se restringe a Israel, mas é composta por todos os filhos de Abraão, ou seja, todos os crentes, oriundos de todos os povos. A universalidade do evangelho já aparece em Mateus 2.1-12, quando os magos vêm do Oriente para adorar o menino Jesus. Este realiza milagres para socorrer os judeus e até os elogia por sua fé (8.5-13; 15.21-28). A rainha de Sabá é elogiada por Jesus (12.42). Em suas parábolas, Jesus deixa claro que a bênção rejeitada por Israel era estendida para outras nações (22.8-10; 21.40-46). Em seu sermão profético, Jesus destaca que o evangelho deveria ser pregado a todas as nações (24.14), e a comissão de Jesus inclui todas as nações da terra (28.19,20).

Em quarto lugar, **Mateus dá forte ênfase ao reino dos céus**. Mateus concentra-se no reino dos céus. No Antigo Testamento, a nação de Israel

---

[38]TASKER, R. V. G. *Mateus: introdução e comentário*, p. 16.

era o Reino de Deus na terra (Êx 19.6). A mensagem do reino foi inicialmente pregada por João Batista (3.1,2), depois por Jesus (4.23) e também pelos seus apóstolos (10.1-7). A exigência para participar desse reino é o arrependimento, e não apenas a aceitação de algumas regras. Neste evangelho, Mateus mostra o significado do reino, o caráter do reino, a vinda do reino, as demandas do reino, a expansão do reino, os inimigos do reino, e a relação entre o reino e a igreja.[39]

Em quinto lugar, *Mateus está preocupado essencialmente com os ensinamentos de Cristo*. Mateus é um evangelho acuradamente didático. Ele apresenta vários discursos de Jesus. Intercala com esmerada perícia ensinamentos com obras, e discursos com milagres. Concordo com Wiersbe quando ele diz que Mateus descreve Jesus como um Homem de ação e um Mestre, registrando pelo menos vinte milagres específicos e seis mensagens principais: o Sermão do Monte (caps. 5 a 7), a comissão dos apóstolos (cap. 10), as parábolas do reino (cap. 13), as lições sobre o perdão (cap. 18), as acusações contra os escribas e fariseus (cap. 23) e o discurso profético no monte das Oliveiras (caps. 24 a 25). Pelo menos 60% do livro é dedicado aos ensinamentos de Jesus.[40]

Em sexto lugar, *Mateus destaca com cores vivas a segunda vinda de Cristo*. Mais do que qualquer outro evangelista, Mateus destaca a doutrina das últimas coisas, uma vez que seu discurso escatológico é o mais amplo. Além disso, ele amplia sua mensagem com três parábolas escatológicas (25.1-46). Mateus manifesta seu interesse especial em tudo aquilo que é concernente às últimas coisas e ao juízo final.[41]

Em sétimo lugar, *Mateus enfatiza a universalidade das boas novas do evangelho*. O evangelho do reino é destinado a judeus e gentios. Não obstante Mateus ser o mais judaico dos evangelhos, ele deixa meridianamente claro em sua obra que os gentios estão incluídos nos planos de Deus. Mulheres gentias como Raabe e Rute estão na genealogia do Messias (1.5). Os magos do Oriente vieram adorar a Jesus, enquanto os líderes de Israel não o reconheceram (2.1-12). Jesus mesmo se dirigiu

---
[39]GREEN, Michael. *The Message of Matthew*, p. 43-47.
[40]WIERSBE, Warren W. *Comentário bíblico expositivo*, p. 10.
[41]BARCLAY, William. *Mateo I*, p. 14.

aos gentios (4.15). Um centurião gentio é elogiado por Jesus acima dos judeus por causa de sua fé (8.10), e muitos gentios tomarão assento com os patriarcas, enquanto os filhos do reino serão lançados fora (8.11,12). Os gentios colocarão sua esperança no Messias (12.17-21). A mulher cananita é elogiada por sua fé no Filho de Davi, em forte contraste com os líderes judeus (15.1-28). A pedra de esquina, Jesus, rejeitada pelos construtores judeus, será o fundamento da missão aos gentios (21.42,43). O Reino de Deus será tirado dos judeus incrédulos e dado a um povo que produza frutos (21.41,43). A grande comissão para fazer discípulos é endereçada a todas as nações (28.18-20).

Em oitavo lugar, **Mateus destaca os embates de Jesus com os religiosos de Israel**. Nos tempos do ministério de Jesus, havia vários grupos em Israel. Os partidos que mais se acomodaram ao governo romano foram os *herodianos*; os que menos se acomodaram a esse governo foram os *zelotes*, os radicais de esquerda daquela época. Os isolacionistas, os que não queriam ter muita interação com a sociedade, eram os *essênios*. Eles optaram por sair da cultura a fim de buscar uma vida santa, para a qual, conforme eles acreditavam, Deus os chamara. Os *saduceus* eram muitas vezes os inimigos dos fariseus e também companheiros deles, pois eram membros do Sinédrio, a organização judia governante. Eles rejeitaram as tradições orais e não acreditavam na ressurreição do corpo, doutrinas essas defendidas pelos fariseus. Os *fariseus* se dividiam em dois grupos, denominados de acordo com os dois grandes rabinos Hillel e Shammai. Este interpretava a lei de forma rigorosa, e aquele, de forma progressista e liberal.[42]

Frequentemente, o evangelista Mateus chama a atenção para os embates de Jesus com os escribas e fariseus e também com os saduceus. Quando o partido dos fariseus surgiu? O precursor religioso e filosófico dos fariseus é Esdras (7.10). Os fariseus surgiram como uma reação ao helenismo de Alexandre, o Grande, que construiu seu império, incluindo a Palestina, de 336 a 323 a.C. Alexandre espalhou a cultura grega nos domínios do seu império: a literatura, as instituições, o entretenimento, as ideias, os nomes, as normas, as moedas e a língua.

---

[42] HOVESTOL, Tom. *A neurose da religião*. São Paulo, SP: Hagnos, 2009, p. 40.

Tudo isso ajudou a corroer a identidade dos judeus. O helenismo tornou-se uma ameaça tão grande para Israel nesse tempo quanto era a idolatria dos séculos anteriores. Os judeus piedosos, chamados de fariseus, resistiram a essa aculturação grega, numa espécie de movimento de reavivamento do judaísmo.

Os fariseus, mais tarde, no século II a.C., através de Matias e Judas Macabeu, lideraram a revolta contra o governo sírio, que, com punhos de aço, tentou erradicar o judaísmo e profanar a religião judaica. As ações de Antíoco Epifânio, em 167 a.C., de ligar o Júpiter dos gregos com o Deus de Israel e sacrificar um suíno no altar do templo, desencadearam a revolta dos Macabeus. Esse ato é comumente chamado de "o abominável da desolação" (24.15). Sob a liderança de Judas Macabeu, o controle da Palestina foi tirado das mãos dos sírios e entregue aos judeus, pela primeira vez em 400 anos. O templo de Jerusalém foi então novamente dedicado a Deus na festa das Luzes. Nesse cenário, os fariseus tornaram-se proeminentes, formando uma dinastia política e um partido oficial. Mais tarde, porém, João Hircano aliou-se aos saduceus, que eram mais liberais, uma vez que Hircano, além de rei, queria também ser sacerdote.[43]

Cerca de 150 anos antes do ministério público de Jesus Cristo surgiram, então, os dois grandes partidos do judaísmo sobre os quais lemos no Novo Testamento, os fariseus e os saduceus. Os fariseus continuaram com a ideologia patriótica dos macabeus, e os saduceus, com as inclinações helenistas. Os saduceus enfatizavam a centralidade do templo e dos rituais, enquanto a base de operações dos fariseus eram as sinagogas.[44] Tom Hovestol diz que os fariseus buscavam ser puros como os puritanos e piedosos como os pietistas.[45] O Talmude descreve sete tipos distintos de fariseus: 1) O fariseu *ombro* usava suas boas ações em seu ombro para que todos pudessem vê-lo; 2) O fariseu *espere um pouquinho* sempre achava uma desculpa para adiar uma boa ação; 3) O fariseu *contundido* fechava os olhos para não ver uma mulher e trombava com as

---

[43]HOVESTOL, Tom. *A neurose da religião*, p. 243-248.
[44]HOVESTOL, Tom. *A neurose da religião*, p. 246.247.
[45]HOVESTOL, Tom. *A neurose da religião*, p. 36.

paredes, contundindo-se; 4) O fariseu *corcunda* sempre andava encurvado, um sinal de falsa humildade; 5) O fariseu *cálculo contínuo* sempre contava o número de suas boas ações; 6) O fariseu *receoso* sempre tremia de medo por causa da ira de Deus; 7) O fariseu *amoroso para com Deus* era uma cópia de Abraão que vivia pela fé e com amor. A piedade dos fariseus, como a nossa, era uma mistura de atitudes falsas e verdadeiras.[46]

Com o tempo, o fervor dos fariseus tornou-se apenas um zelo legalista. A forma tomou o lugar da essência. Os saduceus, por sua vez, por amor ao dinheiro, fizeram do templo um covil de salteadores. Jesus combateu tanto os fariseus como os saduceus, e eles, mesmo sendo rivais, uniram-se para matar o Filho de Deus.

---

[46] HOVESTOL, Tom. *A neurose da religião*, p. 96,97.

1

A linhagem humana do Rei

Mateus 1.1-17

O NOVO TESTAMENTO INICIA, COMO O ANTIGO TESTAMENTO, com um livro de gênesis, isto é, com um livro da origem. O evangelho de Mateus é aberto com a árvore genealógica de Cristo.[1] Em grego, a expressão *biblos geneseos*, significa "registro das origens" (1.1). Assim, o nascimento de Jesus assinala um novo começo, não apenas para Israel, mas para toda a raça humana.[2] No Antigo Testamento, tratava-se do nascimento do primeiro Adão; aqui no Novo Testamento, trata-se do nascimento do segundo Adão.[3] William Hendriksen destaca o fato de que em Mateus 1.1-17 deparamos com uma genealogia descendente, ao passo que Lucas 3.23-38 nos apresenta uma árvore genealógica ascendente.[4]

O povo judeu nos dias de Jesus atribuía grande importância a registros genealógicos. Tais registros eram guardados pelo Sinédrio, e utilizados com o objetivo de manter a pureza da descendência. Josefo, o famoso historiador judeu, que serviu na corte romana, iniciou sua autobiografia

---

[1] HENDRIKSEN, William. *Mateus*. Vol. 1, p. 138.
[2] RICHARDS, Lawrence O. *Comentário histórico-cultural do Novo Testamento*. Rio de Janeiro, RJ: CPAD, 2012, p. 10.
[3] RIENECKER, Fritz. *Evangelho de Mateus*, p. 31.
[4] HENDRIKSEN, William. *Mateus*. Vol. 1, p. 138.

com uma listagem de seus ancestrais. De modo semelhante, Mateus inicia seu evangelho traçando a linhagem da Jesus.[5]

D. A. Carson diz que no Antigo Oriente Médio a genealogia servia largamente a diversas funções como: econômica, tribal, política e doméstica.[6] É claro que essa não era a melhor forma de iniciar uma obra se esta fosse endereçada primariamente aos gentios; porém, como os judeus, os destinatários primeiros deste evangelho, davam suprema importância à genealogia, Mateus usa esse método para provar que Jesus Cristo não é uma figura isolada nem um inovador, mas alguém que foi prometido por Deus, em abundantes profecias. Seu nascimento é o cumprimento de suas preciosas promessas a seu povo. A profecia envolve uma verdade gloriosa, a saber, que o universo é regido por um plano eterno de Deus e que Ele trabalha eficazmente na história para que esse plano ordenado jamais seja frustrado, mas que se cumpra assim como Ele determinou.

O evangelista Mateus apresenta a linhagem humana de Jesus (1.1-17), bem como sua linhagem divina (1.18-25). Matthew Henry afirma que o Antigo Testamento começa com o livro da criação do mundo, e é a sua glória que seja assim; mas a glória do Novo Testamento é começar com a genealogia daquele que criou o mundo.[7] O clímax da obra de Deus em favor da humanidade através dos séculos é Jesus.[8]

Carlos Osvaldo tem razão ao dizer que, desta forma, Jesus Cristo é apresentado como o judeu por excelência, pois além de ser descendente de Abraão, com direito às promessas da aliança abraâmica (Gn 12.1-3; 15.1-21), é também descendente de Davi, com direito às promessas da aliança davídica (2Sm 7).[9] É claro que Jesus não era um mero herdeiro judeu das promessas abraâmicas; Ele cumpria a promessa feita a Abraão. Jesus Cristo, o ungido de Deus, o Messias, é o mais alto de todos os reis, e o mais sacerdotal de todos os sacerdotes, assim como o mais inspirado

---

[5]Mounce, Robert H. *Mateus*. São Paulo, SP: Editora Vida, 1996, p. 15.
[6]Carson, D. A. *Matthew*, p. 62.
[7]Henry, Matthew. *Comentário bíblico Novo Testamento – Mateus a João*. Rio de Janeiro, RJ: CPAD, 2010, p. 2.
[8]Green, Michael. *The Message of Matthew*, p. 57.
[9]Pinto, Carlos Osvaldo Cardoso, *Foco & Desenvolvimento no Novo Testamento*, p. 38.

e inspirador entre todos que alguma vez foram profetas de Deus.¹⁰ As profecias do Antigo Testamento afirmavam que o Messias nasceria de uma mulher (Gn 3.15), da descendência de Abraão (Gn 22.18), da tribo de Judá (Gn 49.10) e da família de Davi (2Sm 7.12,13).

Mateus abre seu evangelho assim: *Livro da genealogia de Jesus Cristo, filho de Davi, filho de Abraão* (1.1). Mateus usa os dois nomes, *Jesus Cristo*. O primeiro é o nome *Jesus*, dado pelo anjo a José (1.21), descrevendo a missão da criança. O segundo nome era originalmente um adjetivo verbal, que significa *ungido*.¹¹

No versículo de abertura de seu evangelho, Mateus já toca a nota que há de soar através de toda a sua narrativa. Ele está interessado, primeira e principalmente, em mostrar que Jesus é o Messias, descendente direto da casa real de Davi e da posteridade de Abraão, a quem as promessas divinas foram primeiro dadas e com quem se pode dizer que a "história sagrada" tenha começado. Consequentemente, Jesus não é um inovador nem uma figura isolada.¹² O título "Filho de Davi" ocorre ao longo do evangelho de Mateus (9.27; 12.23; 15.22; 20.30,31; 21.9,15; 22.42,45). Vale destacar que Davi recebeu uma clara promessa da parte de Deus: *Este edificará uma casa ao meu nome, e eu estabelecerei para sempre o trono do seu reino* (2Sm 7.13). Um membro de sua posteridade seria rei através das gerações: *Ele permanecerá enquanto existir o sol e enquanto durar a lua, através das gerações* (Sl 72.5). Deus ainda prometeu: *Farei durar para sempre a sua descendência; e, o seu trono, como os dia do céu* (Sl 89.29). R. C. Sproul diz que a expressão "Filho de Davi" é empregada mais por Mateus do que por qualquer outro evangelista, pois o Messias viria dos lombos do maior rei do Antigo Testamento: seria fruto da semente e da linhagem de Davi.¹³

Matthew Henry prossegue nessa mesma linha de pensamento e diz que o objetivo de Mateus é provar que o nosso Senhor Jesus Cristo é o Filho de Davi e o Filho de Abraão, e, portanto, daquela nação e

---

¹⁰Earle, Ralph. *O Evangelho segundo Mateus*, p. 29.
¹¹Robertson, A. T. *Comentário Mateus & Marcos*. Rio de Janeiro, RJ: CPAD, 2012, p. 22.
¹²Tasker, R. V. G. *Mateus: introdução e comentário*, p. 24.
¹³Sproul, R. C. *Mateus*. São Paulo, SP: Cultura Cristã, 2017, p. 10.

daquela família através da qual o Messias estava para surgir. Abraão e Davi eram os grandes depositários da promessa relativa ao Messias. A promessa da bênção foi feita a Abraão e à sua semente, e a do poder, a Davi e à sua semente.[14]

Mateus organizou a genealogia de Jesus Cristo em três grupos de quatorze nomes cada um (1.17), demostrando sua preocupação com simetria. Concordo com A. T. Robertson quando ele diz que Mateus não quer dizer que só havia quatorze descendentes em cada uma das três listas genealógicas.[15] Hendriksen, por sua vez,[16] vê no fato de Jesus ser apresentado ao final da lista de três quatorzes que nEle o novo e o antigo se encontram. Ele é o Alfa e o Ômega, o Princípio e o Fim, o coração e o centro de tudo. Fora dEle não existe salvação. Ele é o Messias, o autêntico antítipo de Davi. E, no decurso da história da redenção, como aqui simbolizada em suas três grandes etapas, o plano de Deus, traçado desde a eternidade, foi perfeitamente realizado.

O primeiro grupo vai de Abraão até Davi (1.2-6a); o segundo, de Salomão até o cativeiro da Babilônia (1.6b-11); e o terceiro, do cativeiro da Babilônia até Jesus (1.12-16). Sunderland Lewis entende que Mateus, ao usar esses três grupos de quatorze nomes cada, foi indubitavelmente influenciado pelo simbolismo dos números do Antigo Testamento. O primeiro grupo compreende o tempo dos patriarcas e juízes, a primavera do povo judeu. O segundo grupo compreende o tempo dos reis, o tempo de verão e o outono da nação. O terceiro grupo compreende o tempo da decadência dos judeus, o inverno de sua existência política.[17] Nessa mesma linha de pensamento, William Barclay diz que os hebreus não possuíam números em seu sistema de escrita e usavam as letras como numerações, cada uma com um valor definido, como 1 para A, 2 para B e assim sucessivamente. As consoantes da palavra "David" em hebraico são DWD. Em hebraico D representa 4, e W representa 6.

---

[14]HENRY, Matthew. *Comentário bíblico* Novo Testamento – Mateus a João, p. 2.
[15]ROBERTSON, A. T. *Comentário de Mateus & Marcos*, p. 23.
[16]HENDRIKSEN, William. *Mateus*. Vol. 1, p. 143.
[17]LEWIS, Sunderland. *Matthew*. In: *The Preacher's Homiletic Commentary*. Vol. 21. Grand Rapids, MI: Baker Books, 1996, p. 8.

Portanto, DWD é a soma de 4 + 6 + 4 = 14. Com isso, essa genealogia tem o propósito de demonstrar que Jesus é o Filho de Davi.[18]

As Escrituras nos apresentam a genealogia de Jesus em duas perspectivas. Mateus começa com Abraão e segue adiante até Jesus, e Lucas começa com Jesus e retrocede até Adão. Mateus apresenta Jesus como o Rei dos judeus e Lucas como o Homem perfeito. Em Mateus, temos a genealogia de José, que seria a genealogia legal de Jesus de acordo com o costume judaico. Em Lucas, entretanto, temos a genealogia da realeza de Jesus através de Maria, que, como seria de se esperar, Lucas registra por estar escrevendo para os gentios.[19] Marcos e João não tratam da genealogia de Jesus Cristo, por causa do propósito para o qual escreveram. Escrevendo para os romanos, Marcos apresenta Jesus como servo e destaca suas obras mais do que suas palavras. João, escrevendo um evangelho universal, tem como escopo apresentar Jesus como o Filho de Deus e, como tal, Ele não tem genealogia.

Algumas lições importantes podem ser aprendidas a partir da genealogia de Jesus Cristo.

Na **genealogia de Jesus Cristo**, vemos que Deus sempre **cumpre** a Sua Palavra

Deus havia prometido em Sua Palavra que, na família de Abraão, todas as famílias da terra, ou seja, todas as nações, seriam benditas (Gn 12.3) e que da família de Davi haveria de sair o Salvador (Is 11.1). Portanto, ao chamar Cristo de Filho de Davi e Filho de Abraão, Mateus demonstra que Deus é fiel à Sua promessa e cumpre tudo o que diz. Matthew Henry diz acertadamente que, quando Deus prometeu a Abraão um filho, o qual deveria ser a grande bênção do mundo, talvez ele esperasse que este fosse seu filho imediato; mas ficou comprovado que se tratava de um descendente que estava a 42 gerações de distância, cerca de 2 mil anos.[20]

John Charles Ryle diz que esses dezessete versículos provam que Jesus descendeu de Davi e de Abraão e que a promessa de Deus se

---

[18] BARCLAY, William. *Mateo I*, p. 18,19.
[19] ROBERTSON, A. T. *Comentário Mateus & Marcos*, p. 22.
[20] HENRY, Matthew. *Comentário bíblico Novo Testamento – Mateus a João*, p. 3.

cumpriu.²¹ A Palavra de Deus não pode falhar. As promessas de Deus são fiéis e verdadeiras. O que Deus promete, Ele cumpre. Ele vela pelo cumprimento da Sua Palavra.

Na genealogia de Jesus de Cristo, vemos que pessoas más fazem parte da família do Salvador

Destacamos a seguir quatro pontos a esse respeito.

Em primeiro lugar, *vemos na genealogia de Jesus Cristo mulheres em cuja vida há marcas reprováveis*. Tamar coabitou com o seu próprio sogro, Judá, e dele gerou dois filhos gêmeos: Perez e Zera. Raabe era prostituta em Jericó; Rute era moabita; e Bate-Seba, mãe de Salomão, adulterou com Davi. Provavelmente nenhum personagem gostaria de destacar em sua biografia mulheres com esse passado. Mas por que elas estão inseridas na genealogia de Jesus Cristo? Para reforçar a verdade de que o Filho de Deus se identificou com os pecadores a quem veio salvar. Charles Spurgeon diz que Jesus é o herdeiro de uma linhagem na qual flui o sangue da prostituta Raabe e da camponesa Rute; ele é parente dos caídos e dos humildes e mostrará o seu nome até mesmo aos mais pobres e vis.²²

Em segundo lugar, *vemos na genealogia de Jesus homens em cuja vida há marcas de mentira*. Os patriarcas mencionados aqui, Abraão, Isaque e Jacó, tiveram momentos de fraqueza na área da mentira. Eles não só se omitiram, mas esconderam a verdade e inverteram os fatos com medo de sofrerem com as consequências de seus atos. Foram fracos e repreensíveis. Isso prova que Deus nos escolhe não pelos nossos méritos, mas apesar dos nossos deméritos.

Em terceiro lugar, *vemos na genealogia de Jesus homens em cuja vida há marcas de violência*. Na lista da genealogia de Jesus, há homens como Davi, cujas mãos estavam cheias de sangue. Roboão governou Judá com truculência. O rei Acaz queimou seus filhos, perseguiu seu próprio povo e cerrou ao meio o profeta Isaías. Manassés foi muito violento. Ele encheu

---

²¹RYLE, John Charles. *Comentário expositivo do Evangelho segundo Mateus*. São Paulo, SP: Imprensa Metodista, 1959, p. 10.
²²SPURGEON, Charles H. *O Evangelho segundo Mateus*. São Paulo, SP: Hagnos, 2018, p. 21.

Jerusalém de sangue. Foi um monstro. Um tormento para seu próprio povo. Oh, jamais escolheríamos homens dessa estirpe para integrar nossa família! Oh, a genealogia de Jesus Cristo aponta-nos para a infinita misericórdia de Deus! Ele ama com amor eterno os mais indignos.

Em quarto lugar, *vemos na genealogia de Jesus homens em cuja vida há marcas de idolatria*. Salomão, por causa de suas muitas mulheres, sucumbiu à idolatria. Roboão fez um bezerro de ouro e construiu novos templos em Israel para desviar o povo de Deus. Acaz fechou a casa de Deus e encheu Jerusalém de ídolos abomináveis. Manassés foi astrólogo, idólatra e feiticeiro. Levantou altares pagãos e prostrou-se diante de todo o exército dos céus. Oh, na esteira da genealogia de Jesus Cristo temos pessoas que nos deixam perplexos por causa de sua afrontosa rebeldia contra Deus! Isso prova, de forma incontestável, que Deus ama os objetos de sua ira e enviou Jesus para identificar-se com os pecadores e salvá-los de seus pecados.

Mas, antes de ficarmos mais chocados com essa assombrosa lista, olhemos para nós mesmos. Somos indignos. Somos pecadores. Somos culpados. Nosso coração é desesperadamente corrupto. Por que Deus nos escolheu? Por que Ele nos amou? Por que Ele não poupou o seu próprio Filho, antes por todos nós O entregou, para morrer em nosso lugar? A resposta é: por causa de sua graça, que é maior do que o nosso pecar.

Na genealogia de Jesus Cristo, vemos como Deus **quebra grandes barreiras**

Michael Green tem razão ao dizer que Mateus nos mostra, pela genealogia de Jesus Cristo, três verdades sublimes, como vemos a seguir.[23]

Em primeiro lugar, *a barreira entre homem e mulher é quebrada*. O antigo desprezo pela mulher desaparece. Homem e mulher são amados por Deus e incluídos no plano de Deus.

Em segundo lugar, *a barreira entre judeus e gentios é quebrada*. Em Jesus não há judeu nem grego, nem sábio nem ignorante, nem escravo nem livre. Mateus mostra aqui o evangelho que alcança todos os povos.

---

[23] GREEN, Michael. *The Message of Matthew*, p. 59.

Em terceiro lugar, *a barreira entre pessoas boas e más é quebrada*. Na esteira da genealogia de Jesus, há pessoas piedosas e pessoas ímpias, pessoas que andaram com Deus e pessoas que se insurgiram contra Deus. John Charles Ryle chama a atenção para o fato de que pais piedosos tiveram filhos malvados e ímpios, enquanto homens perversos tiveram filhos piedosos. A graça não é herança de família; é necessário mais do que bons exemplos e bons conselhos para nos tornarmos filhos de Deus. Os que nascem de novo não são gerados do sangue, nem da vontade da carne, nem da vontade do homem, mas de Deus (Jo 1.13).[24] É importante ainda ressaltar que mesmo as pessoas mais virtuosas dessa longa lista eram pecadoras. O apóstolo Paulo é enfático ao dizer: *Pois todos pecaram e destituídos estão da glória de Deus* (Rm 3.23).

Na genealogia de Jesus Cristo, vemos como a **graça** de Deus **alcança pecadores** como nós

Assim como os personagens elencados por Mateus foram homens e mulheres pecadores, da mesma forma esses versículos demonstram que nada está fora do alcance da misericórdia divina.

John Charles Ryle está certo ao dizer que,

> mesmo que os nossos pecados sejam tão grandes como os de qualquer pessoa mencionada por Mateus, eles não nos fecharão as portas do céu, desde que nos arrependamos e creiamos no evangelho. Assim como o Senhor não se envergonhou de nascer de uma mulher cuja genealogia contém nomes como os que acabamos de considerar, também não se envergonhará de nos chamar de irmãos e de nos dar a vida eterna.[25]

---

[24] RYLE, John Charles. *Comentário expositivo do Evangelho segundo Mateus*, p. 10.
[25] RYLE, John Charles. *Comentário expositivo do Evangelho segundo Mateus*, p. 10.

2

A linhagem divina do Rei

Mateus 1.18-25

MATEUS PASSA DA LINHAGEM HUMANA do Rei para sua linhagem divina, mostrando que o nascimento de Jesus foi absolutamente diferente da origem de todas as pessoas mencionadas na genealogia anterior, uma vez que ele nasceu não de um relacionamento físico entre José e Maria, mas foi concebido por obra do Espírito Santo no ventre de Maria. Sua concepção foi sobrenatural e seu nascimento foi virginal. Como homem, Jesus não teve pai e, como Deus, não teve mãe. Jesus Cristo, sendo Deus eterno, existia antes de Maria, de José ou de qualquer outro membro de sua genealogia. Ele disse aos judeus: ... *antes que Abraão existisse, EU SOU* (Jo 8.58).

Algumas verdades devem ser aqui destacadas, como vemos a seguir.

A **gravidez sobrenatural** de Maria (1.18)

A. T. Robertson diz que Mateus está a ponto de descrever não a gênese do céu e da terra, mas a gênese daquele que fez o céu e a terra, e que ainda fará um novo céu e uma nova terra.[1]

Mateus e Lucas relatam o nascimento de Jesus em perspectivas diferentes. Mateus trata do assunto na perspectiva de José, e Lucas, na

---
[1] ROBERTSON, A. T. *Comentário de Mateus & Marcos*, p. 25.

perspectiva de Maria. As duas narrativas se harmonizam. Mateus fala sobre José como pai adotivo, e Lucas fala sobre Maria como mãe real. Mateus e Lucas insistem que Jesus não teve pai humano.[2] Podemos sintetizar essa magna verdade assim: Como homem, Jesus não teve pai; como Deus, Jesus não teve mãe.

Tasker diz que uma das calúnias que os cristãos primitivos tiveram de refutar foi a de que Jesus teria nascido de uma união fora do casamento.[3] Maria estava comprometida com José, como sua noiva, mas o casamento ainda não havia sido consumado.

Naquele tempo, o noivado era um compromisso mais solene do que o é em nossa cultura. Era firmado diante de testemunhas. Era um contrato que não podia ser quebrado particularmente, mas apenas por um processo legal. Pública e legalmente o casamento já era considerado uma realidade, mas de fato ainda não estava consumado. Fritz Rienecker, nessa mesma linha de pensamento, explica que, sob o aspecto jurídico, o noivado era equivalente ao matrimônio, pois a noiva já era considerada legalmente esposa. Se um noivo morria, a mulher se tornava "viúva". O casamento propriamente consistia apenas na solene cerimônia de levar a noiva para a casa do noivo. O texto deixa isso claro, como podemos ver a seguir. As expressões que dizem, no versículo 19, *José, esposo de Maria*; versículo 20, Maria é a *mulher de José*; e versículo 24, José recebeu *a sua mulher*, comprovam essa realidade.[4]

Corroborando essa ideia, Tasker aponta que um contrato de casamento judeu diferia radicalmente de um noivado moderno. O casal cujo casamento estivesse contratado não poderia legalmente separar-se, exceto pelo divórcio ou pela morte de um deles, o que tornaria o outro viúvo ou viúva.[5]

Foi, portanto, no interregno do noivado à consumação do casamento que o anjo Gabriel visitou Maria em Nazaré. Nessa ocasião, Maria foi comunicada de que seria mãe do Salvador, de que desceria sobre ela a

---

[2]ROBERTSON, A. T. *Comentário de Mateus & Marcos*, p. 26.
[3]TASKER, R. V. G. *Mateus: introdução e comentário*, p. 26.
[4]RIENECKER, Fritz. *Evangelho de Mateus*, p. 38.
[5]TASKER, R. V. G. *Mateus: introdução e comentário*, p. 26.

sombra do Altíssimo e de que, pela ação soberana do Espírito Santo, ela conceberia e daria à luz o Filho de Deus. R. C. Sproul está correto ao afirmar que o pai da criança no ventre de Maria não era um amante ilícito, tampouco José; a paternidade fora concretizada pela atividade sobrenatural do Espírito Santo. No Credo Apostólico, recitamos: "Jesus Cristo [...] foi concebido pelo Espírito Santo, nasceu da virgem Maria...". Esses dois aspectos milagrosos, sua concepção e seu nascimento, eram partes integrantes da fé da igreja cristã nos primeiros séculos.[6] Hendriksen é enfático ao dizer que, à parte da revelação especial, a ideia de um nascimento virginal não se encontra em lugar algum na literatura judaica antiga.[7]

A fuga secreta de José (1.19)

O anjo Gabriel apareceu para Maria, mas não para José. Imediatamente depois da visita do anjo a Maria, ela foi ao encontro de sua prima Isabel, na Judeia, e ali, ficou três meses, até o nascimento de João Batista. Ao retornar a Nazaré, sua gravidez era notória. José teve uma luta curta e trágica entre a sua consciência legal e o seu amor.[8] Maria não compartilha com José o fato miraculoso, e José, sendo justo e não querendo infamá-la, resolveu divorciar-se sem alarde. José prefere sofrer o dano a expor Maria ao opróbrio público. Charles Spurgeon aconselha: "Quando nós precisamos fazer algo grave, devemos escolher a forma mais terna, ou talvez não precisemos fazê-lo de modo algum".[9]

Fritz Rienecker diz que havia dois caminhos para esse divórcio de José: *publicamente*, isto é, mediante um processo, ou *privadamente*, por acordo tácito mediante uma carta de divórcio. A consequência do processo seria uma *pena*, que no domínio romano consistiria em expor Maria à vergonha pública. José escolheu o outro caminho, que era separar-se entregando a Maria uma carta de divórcio, privadamente, com o consentimento dela. Desse modo, o escândalo não viria a público.[10]

---

[6]Sproul, R. C. *Mateus*, p. 15.
[7]Hendriksen, William. *Mateus*. Vol. 1, p. 168.
[8]Robertson, A. T. *Comentário de Mateus & Marcos*, p. 27.
[9]Spurgeon, Charles H. *O Evangelho segundo Mateus*, p. 26.
[10]Rienecker, Fritz. *Evangelho de Mateus*, p. 39.

A infidelidade no período do noivado era considerada adultério e era motivo suficiente para romper o noivado. Ainda mais, o adultério era castigado com a morte por apedrejamento, aplicado a ambos, ao homem e à mulher (Dt 22.23,24). Como Israel estava sob o domínio do Império Romano, a pena de morte foi tirada dos judeus e era executada somente pelos romanos. Em João 18.31, os judeus dizem a Pilatos: *Não nos é lícito matar ninguém*. Mas José, por amor a Maria e pela grandeza de seu caráter justo, prefere sair de cena e não incriminar sua noiva.

A anunciação feita a José (1.20)

A mente de José era um turbilhão. A gravidez de Maria tornou-se uma tempestade em sua alma. José estava atordoado com esse vendaval que desabou sobre sua cabeça. Enquanto ponderava nestas coisas, um anjo do Senhor apareceu a ele, em sonhos, para esclarecer seus questionamentos e remover de seu coração o medo. Rienecker está certo ao dizer: "Nessa circunstância incrivelmente tensa, em que não se vislumbrava saída alguma, e na qual pareciam sobrar para as duas pessoas religiosas José e Maria apenas o adultério e a vergonha, tornava-se necessária a intervenção de um poder maior, a saber, o poder do próprio Deus".[11]

O anjo chama-o de Filho de Davi. José não deveria rejeitar o filho de Maria, mas conferir a ele uma linhagem real. Concordo com Michael Green quando ele diz que Mateus está interessado não no aspecto biológico de Jesus, mas em seu *status* legal. Legalmente, Jesus era filho de José e dele herdou sua linhagem davídica. Biologicamente, Mateus sustenta que Jesus não era filho de José. Ele nasceu da virgem Maria através de uma intervenção direta do Espírito Santo.[12]

José também não deveria rejeitar Maria, mas deveria aceitá-la como bem-aventurada entre as mulheres. O que estava em seu ventre não era fruto do pecado, mas obra do Espírito Santo. Maria não fora infiel ao noivo, mas era serva do Altíssimo, para cumprir seu propósito. Os judeus relacionavam o Espírito de Deus à obra da criação. Pelo seu

---

[11] RIENECKER, Fritz. *Evangelho de Mateus*, p. 39.
[12] GREEN, Michael. *The message of Matthew*. 2000, p. 61.

Espírito, Deus deu ordem ao caos (Gn 1.2), fez os céus e o exército deles (Sl 33.6), criou os animais e as plantas (Sl 104.30) e deu vida ao homem (Jó 33.4).

O nome e a missão dada ao filho de José (1.21)

José, como pai legal de Jesus, teve o direito de dar nome a Ele. Seu nome descrevia Sua missão. Seria chamado Jesus, porque salvaria o Seu povo de seus pecados. Jesus não era um filho ilegítimo, mas o Salvador do Seu povo. Não seria uma vergonha para a família, mas a esperança dos pecadores. O evangelista João registra: *Deus não enviou o Filho ao mundo para julgar o mundo, mas para que o mundo fosse salvo por ele* (Jo 3.17). John Charles Ryle diz que Jesus nos salva da culpa do pecado, do domínio do pecado, da presença do pecado e das consequências do pecado.[13]

Jesus é a forma grega do nome hebraico "Josué", que significa "Jeová é salvação". Muito tempo antes, o salmista havia dito: *É Ele quem redime a Israel de todas as suas iniquidades.* Tudo no Antigo Testamento aponta para Jesus. Os patriarcas falaram dEle. Os profetas apontaram para Ele. O cordeiro da Páscoa era um símbolo dEle. Para Ele o tabernáculo apontou. A arca da aliança era um símbolo dEle. As festas de Israel e os sacrifícios feitos no templo, tudo apontava para Ele. O sábado era uma sombra dEle. Ele é a realidade. Ele é a consumação. Nele convergem todas as coisas, tanto as do céu como as da terra.

Michael Green está correto ao dizer que Mateus registra no primeiro capítulo de seu evangelho a progressão da revelação de Deus. Primeiro, Deus falou através da história, o que fica claro na genealogia de Jesus (1.1-17); segundo, Deus falou através de sonhos. Cinco vezes nos primeiros dois capítulos, Deus se fez conhecer por meio de sonhos (1.20); terceiro, Deus falou através de anjos, seus mensageiros espirituais que apareceram em sonhos ou visões (1.20; 2.13,19); quarto, Deus falou através das Escrituras, uma vez que tudo isso aconteceu para se

---

[13] RYLE, John Charles. *Meditações no Evangelho de Mateus.* São José dos Campos: Fiel, 2014, p. 8.

cumprirem as Escrituras (1.22), deixando claras a confiabilidade do Antigo Testamento e a unidade das Escrituras; quinto, Deus revelou a Si mesmo, através do seu Filho, o Emanuel, Deus conosco (1.23).[14]

O cumprimento da promessa de Deus (1.22,23)

O nascimento de Jesus não foi fruto do acaso, mas cumprimento de profecia (Is 7.14). Sua concepção não era evidência da infidelidade de Maria, mas da fidelidade de Deus em cumprir Sua promessa. A promessa de que a virgem conceberia e daria à luz um filho, devendo ele ser chamado de Emanuel, Deus conosco, era não o desfazimento de um noivado firmado pelo amor entre dois jovens, mas a concretização da maior prova de amor do próprio Deus. Concordo com Charles Spurgeon quando ele diz que, para animar José e fortalecê-lo, as Sagradas Escrituras são trazidas à sua memória; e, verdadeiramente, quando estamos em um dilema, nada nos concede tanta confiança quanto manter os oráculos sagrados guardados no coração.[15]

Vale destacar que a palavra hebraica *almah*, traduzida aqui por "virgem", jamais é usada para uma mulher casada, nem na Bíblia nem em qualquer outro lugar. Na profecia de Isaías 7.14 a palavra *almah* não pode ser ao mesmo tempo virgem e não virgem.[16] Qual é a importância doutrinária de Jesus ter nascido de uma virgem por obra do Espírito Santo? Hendriksen responde:

> Se Cristo tivesse sido o filho de José e Maria por geração ordinária, Ele teria sido uma pessoa humana e, como tal, um participante da culpa de Adão, e, por isso, um pecador, incapaz de salvar a si mesmo, daí também incapaz de livrar outros de seus pecados. Para que pudesse nos salvar, o Redentor tinha de ser Deus e homem, homem sem pecado, numa só pessoa. A doutrina do nascimento virginal satisfaz todas essas exigências.[17]

---

[14]GREEN, Michael. *The Message of Matthew*, p. 60.
[15]SPURGEON, Charles H. *O Evangelho segundo Mateus*, p. 28.
[16]HENDRIKSEN, William. *Mateus*. Vol. 1, p. 175,176.
[17]HENDRIKSEN, William. *Mateus*. Vol. 1, p. 182,183.

Deus havia falado muitas vezes, de muitas maneiras, aos pais, pelos profetas, mas, agora, Deus vem pessoalmente, na pessoa de Seu Filho, para armar sua tenda entre nós. Na humanidade velada, vemos a divindade. Ele é Deus manifestado em carne (1Tm 3.16). Nele habita corporalmente toda a plenitude da divindade (Cl 2.9). Ele vem como Emanuel, Deus conosco. Jesus não é simplesmente um profeta que vem falar da parte de Deus; Ele é o próprio Deus. Ele é o resplendor da glória e a exata expressão do Seu ser. Ele é Deus da mesma substância, Deus de Deus, Luz de Luz, coigual, coeterno e consubstancial com o Pai. Tem os mesmos atributos e realiza as mesmas obras.

A obediência de José (1.24)

José não hesita, não questiona nem protela a ação. Imediatamente obedece à ordem do anjo: volta a Maria e a recebe como sua mulher, consumando o casamento. Maria precisa de proteção e amor, e foi isso que José proporcionou nessa difícil, porém, gloriosa missão dada a ela, pelo Deus Altíssimo.

A consumação da promessa divina (1.25)

Mateus deixa claro que José não coabitou com Maria até o nascimento de Jesus e obedeceu à orientação do anjo, colocando o nome Jesus no menino. Fica evidente que, após o nascimento de Jesus, José e Maria viveram a vida comum do lar e tiveram um relacionamento sexual normal de marido e mulher. A perpétua virgindade de Maria não tem amparo nas Escrituras. Tasker corrobora esse fato dizendo: "O sentido primário deste versículo poderia ser que, após o primogênito de Maria ter nascido, José manteve com ela relações sexuais normalmente".[18] Concordo com Othoniel Motta quando ele diz que a expressão "enquanto não" sugere que "depois sim". Ademais, o uso da palavra "primogênito" para descrever Jesus, em vez de *unigênito* (Lc 7.12; 9.39), reforça a ideia de que Maria teve outros filhos e filhas, e de que Jesus,

---

[18]TASKER, R. V. G. *Mateus: introdução e comentário*, p. 28.

obviamente, teve irmãos e irmãs, conforme se pode ver no registro dos evangelhos.[19]

A superação do medo (1.18-25)

A mensagem do nascimento de Jesus, o Emanuel, trouxe medo para Zacarias (Lc 1.3), Maria (Lc 1.30), José (Mt 1.18-20) e os pastores (Lc 2.10). Na verdade, o inesperado provoca medo em nosso coração. Tudo estava indo bem com José: ele estava noivo da jovem de seus sonhos e estava fazendo planos para o futuro.

José, então, descobre que Maria está grávida. Parece que Deus chegou tarde demais à casa de Zacarias e Isabel, os pais de João Batista. Eles já estavam velhos para terem uma criança. Parece que Deus chegou cedo demais na casa de Maria, pois ela era ainda uma jovem desposada com José, mas ainda não havia consumado o casamento. Se na cultura atual já traz grande constrangimento a gravidez antes do casamento, imagine naquele tempo! Na cultura judaica, isso era motivo para apedrejamento e morte sumária da moça e do rapaz. Rapidamente o mundo de José entra em colapso. Ele começou a ter medo do futuro.

Vejamos a seguir algumas lições práticas deste texto.

Em primeiro lugar, **não devemos ter medo quando as coisas parecem inexplicáveis** (1.18). Há cinco pontos a ressaltar aqui.

Primeiro, José ficou com medo porque concluiu que Maria tinha sido infiel. Nós geralmente chegamos a conclusões equivocadas sobre realmente o que está acontecendo com as pessoas à nossa volta. Ficamos com medo. Ficamos chocados e até mesmo decepcionados quando tiramos conclusões apressadas. Foi por isso que Jesus nos alertou sobre o perigo de julgarmos os outros. *Não julgueis para que não sejais julgados. Porque com a medida com que julgardes, sereis também julgados* (7.1).

Segundo, enquanto José estava se preocupando, cheio de medo, Deus estava trabalhando um plano maravilhoso para a sua vida. Às vezes, ficamos deprimidos porque deixamos de descansar na soberania de Deus. Ele está no controle de tudo. Achamos que o nosso caminho se

---

[19]MOTTA, Othoniel. *O Evangelho de São Mateus*, 1933, p. 95.

fechou. Achamos que o nosso futuro acabou. Achamos que a vida perdeu o sentido. Mas não sabemos que Deus está trabalhando algo novo e glorioso para nos abençoar e nos surpreender.

Terceiro, José estava com medo de Maria ter sido infiel ou imoral, mas nela estava se cumprindo a profecia bíblica de que uma virgem daria à luz o Messias (Is 7.14). Os temores de José só viam pela frente uma tragédia, mas Deus estava apontando o cumprimento de uma profecia messiânica. Ele via um futuro trágico, Deus apontava um caminho cheio de luz. José temia porque não olhava para as circunstâncias na perspectiva de Deus. Precisamos olhar para vida com os olhos de Deus.

Quarto, José estava com medo porque não compreendia todos os fatos. O que José pensou que era pecaminoso, na verdade, era sagrado. Maria não era uma noiva infiel, mas uma serva fiel e obediente ao Deus vivo. Seu ventre hospedava não o fruto do pecado, mas a obra do Espírito Santo. Ela carregava no ventre não um filho ilegítimo, mas o Filho de Deus. Ela trazia no seu ventre não o fracasso de um sonho, mas o Salvador do mundo.

Quinto, nós devemos ter mais cautela ao sermos precipitados acerca do fracasso dos outros. Muitas vezes julgamos os outros de forma precipitada. Fazemos juízo temerário e sofremos por isso, sem conhecermos profundamente o que de fato está acontecendo. Só Deus conhece. Só Deus pode julgar. Devemos ser mais cautelosos ao julgarmos e condenarmos as pessoas apenas pelas aparências.

Em segundo lugar, ***não devemos ter medo da opinião pública*** (1.19). Destacamos três pontos importantes.

Primeiro, José nos ensina que devemos proteger as pessoas, em vez de expô-las ao opróbrio público. José tinha dois caminhos para lidar com Maria: 1) Divorciar-se dela publicamente, fazendo sua própria defesa. Para proteger-se teria de expô-la. Para salvar sua honra, teria de comprometer a honra de Maria. Mas a Bíblia diz que José era homem justo e não queria infamá-la. Quem ama cobre multidão de pecados. Quem ama não expõe o outro ao opróbrio. 2) Ele resolveu, então, deixá-la secretamente. Dispôs-se a sofrer o dano. Ele não queria que Maria tivesse sua reputação destruída por um suposto pecado. Ele temeu o que outros poderiam fazer com Maria, ao tomarem conhecimento dos fatos que ele suspeitava.

Segundo, José temeu porque permitiu que a opinião dos outros determinasse seu futuro. A nossa responsabilidade é fazer o que Deus determina que façamos. Quando tememos o que os outros vão pensar de nós, deixamos de fazer o que Deus nos manda fazer. Quando tememos o que os outros vão pensar ou falar, nós nos afastamos das pessoas que mais amamos por causa das nossas suspeitas infundadas. Maria, irmã de Marta, quando derramou o perfume de nardo puro sobre Jesus, não levou em conta a censura dos discípulos. O amor é pródigo em sua gratidão. O temor da opinião pública pode nos manter distantes do melhor de Deus para a nossa vida. José estava a ponto de abandonar Maria e viver sozinho, renunciando ao seu amor e à sua amada. Se ele o fizesse, teria se privado do melhor de Deus para a sua vida. O medo da opinião dos outros pode nos levar a fazer coisas inconvenientes. A Bíblia diz que quem teme aos homens cai em ciladas, mas quem teme a Deus descansa (Pv 29.25).

Terceiro, aqueles que estão no centro da vontade de Deus não precisam temer acerca da reação das pessoas. Você não deve agradar a homens, mas sim a Deus. A voz da multidão e a opinião da massa nem sempre expressam a verdade, muito menos a vontade de Deus.

Em terceiro lugar, **não devemos ter medo quando somos assolados pela angústia mental** (1.20). Destacaremos aqui alguns pontos.

Primeiro, José ficou com medo porque sua mente não se desligou do problema, em vez de buscar o esclarecimento dos fatos. Ele deve ter pensado no problema continuamente. Logo depois da visita do anjo Gabriel, Maria viajou para Judeia e lá ficou por três meses na casa da prima Isabel. O texto nos dá a entender que Maria guardou em silêncio o que aconteceu. José deve ter ficado em profunda angústia com a viagem misteriosa da sua noiva. Por que viajar agora? Por que por tanto tempo? Por que o silêncio? Por que ela apareceu grávida? O que vão pensar as pessoas? Como ficará sua reputação? O que vão pensar de Maria? Sua mente é um turbilhão. Ele não consegue dormir. Está em crise. Nossos problemas, às vezes, nos tiram o sono, o apetite. Não conseguimos desligar nossa mente. Não conseguimos descansar. Não conseguimos racionar direito. Ficamos aturdidos. Confusos.

Segundo, José ficou com medo, ainda que sua ansiedade fosse realmente infundada. O que ele pensou que poderia trazer a morte, trouxe a libertação da morte (1.21). Maria não seria apedrejada, sua reputação não seria destruída, nem seu casamento com José estaria acabado. A gravidez de Maria traria o Sol da Justiça, a salvação de Deus. O Filho de Maria se chamaria JESUS e EMANUEL. O Salvador do pecado e o Deus conosco. Ele veio para trazer salvação. Ele veio para estar conosco.

O que José pensou que poderia ser a ruína do nome de Maria, na verdade, imortalizou o nome dela, pois nela se cumpriu a profecia (1.23). Maria tornou-se a mãe do Salvador. Ela teve o único e sublime privilégio de amamentar o Criador do universo, de carregar nos braços Aquele que sustenta os céus e a terra, de ensinar os primeiros passos Àquele que é o caminho para Deus. José estava sofrendo por algo oposto à verdade dos fatos. Sua suposição era não só infundada, mas diametralmente equivocada. O que ele pensou que poderia arruinar a reputação de Maria entre os homens, isso a fez bendita entre as mulheres. Maria, em vez de ter seu nome manchado, sua reputação maculada, seu caráter desonrado, tornou-se através dessa gravidez bendita entre as mulheres.

Terceiro, muitos de nossos temores são infundados; devemos substituir nossos temores pela fé. O medo é o oposto da fé; aonde ele chega, a fé vai embora. Temos porque desviamos os olhos de Deus, deixamos de olhar para vida na perspectiva de Deus, deixamos de confiar que Deus está no controle de tudo.

Quarto, quando Deus resolve nossos medos, nosso coração se dispõe à obediência (1.24,25). Sobre que assunto da sua vida Deus precisa lhe dizer: "Não tenha medo"? Deus é poderoso para encontrar você também em seus medos, da mesma forma que Ele encontrou José, e transformar suas angústias em motivo de celebração. Lance sobre o Senhor todas as suas ansiedades. Ele tem cuidado de você. A mensagem do nascimento de Jesus remove de nós o medo, enchendo o nosso peito de fé e a nossa boca de júbilo.

3

As diferentes reações ao Rei

Mateus 2.1-23

O NASCIMENTO DE JESUS, o Filho de Deus, foi planejado na eternidade. Antes que houvesse céus e terra, antes que os anjos ruflassem suas asas, antes que os astros brilhassem no firmamento, a promessa do nascimento de Jesus já havia sido firmada nos refolhos da eternidade.

O nascimento de Jesus foi profetizado na história. Todo o Antigo Testamento foi uma preparação para a sua chegada. Foi anunciado por Deus no Éden, logo depois da queda dos nossos pais (Gn 3.15). A vinda de Jesus ao mundo foi antevista pelos patriarcas, descrita pelos profetas e esperada pelo povo da aliança. Todos os símbolos do judaísmo eram sombra de Jesus. As festas judaicas apontavam para Ele. Os sacrifícios oferecidos eram tipos dEle. O tabernáculo era um símbolo dEle. A arca da aliança era uma representação dEle. O vaso com maná, as tábuas da lei e a vara de Arão que floresceu, que estavam dentro da arca, representavam a Ele. O templo era um símbolo dele. Tudo isso era sombra; Ele, a realidade.

Deus preparou o mundo para a Sua chegada. Os judeus ofereceram sua linhagem e legaram ao mundo as Escrituras. Os gregos deram ao mundo uma língua universal, e os romanos, uma lei universal. Na plenitude dos tempos, Jesus nasceu. Nasceu de mulher. Nasceu sob a lei para ser o nosso Redentor (Gl 4.4). O Eterno entrou no tempo.

O Verbo eterno, pessoal, divino, criador, autoexistente e fonte da vida se fez carne. O Infinito foi concebido no ventre de uma virgem e nasceu numa manjedoura. Aquele que nem o céu dos céus pode conter foi enfaixado em panos. O Criador do universo vestiu pele humana e andou entre nós. Seu nascimento é o único celebrado na história. Não celebramos o nascimento dos faraós do Egito nem dos césares de Roma. Não comemoramos o aniversário de reis nem de filósofos. Não celebramos o nascimento de Buda, nem de Confúcio, nem de Maomé. E por quê? Porque todos eles estão mortos! Mas Jesus está vivo, por isso ainda hoje celebramos o seu nascimento.

Jesus é o personagem mais paradoxal da história. É o mais amado e o mais odiado. Atrai a uns e incomoda a outros. Alegra a uns e apavora a outros. Jesus é amado e odiado porque está vivo. Os homens não amam nem odeiam perpetuamente aqueles que estão mortos.

Quem hoje ama ou odeia os carrascos faraós do Egito? Quem odeia os sanguinários reis da Assíria? Quem nutre ódio hoje pelos perversos reis da Babilônia? Quem odeia hoje Alexandre, o Grande, o homem que fazia curvar diante de sua bravura todos os povos da terra? Quem odeia hoje os devassos e monstruosos imperadores romanos? Quem ama ou odeia hoje Napoleão Bonaparte? Eles são esquecidos porque estão mortos! Mas Jesus é amado ou odiado hoje porque ele está vivo. Ele venceu a morte. É por isso que não comemoramos o seu nascimento de 100 em 100 anos, mas todos os anos!

Aquele menino que nasceu numa manjedoura em Belém é o timoneiro da história. Ele está assentado na sala do comando do universo. Ele é o sustentáculo da nossa vida e a âncora da nossa esperança. Ele é o pilar da nossa fé e a razão da nossa existência. Por isso, Ele é também odiado hoje, porque a Sua pessoa incomoda os mentores do mal; a Sua santidade perturba os impuros; a Sua palavra desafia os malabarismos filosóficos dos homens; o Seu plano eterno desestabiliza os sonhos megalomaníacos dos poderosos; a Sua vida e a Sua doutrina condenam a estultícia dos amantes dos prazeres. Fritz Rienecker diz, corretamente, que Jesus foi perseguido pelos seus e adorado por estranhos.[1]

---

[1] RIENECKER, Fritz. *Evangelho de Mateus*, p. 41.

Voltando nossa atenção para o texto em análise, vemos a seguir as diferentes reações ao Rei.

Rejeição e hostilidade (2.1,3,4,7-9,12,13,15-20)

Mateus, diferentemente de Lucas, que dá uma contextualização histórica mais ampla (Lc 3.1-3), mostrando que o nascimento de Jesus ocorreu no governo de César Augusto, vai direto à província de Israel, informando que Jesus nasceu nos dias do rei Herodes.

O Novo Testamento menciona quatro Herodes: Herodes, o Grande; Herodes Antipas; Herodes Agripa I; e Herodes Agripa II. O primeiro Herodes reinou de 39 a.C. a 4 a.C. Herodes Antipas, filho de Herodes, o Grande, foi o tetrarca da Galileia. Herodes Agripa I, perseguiu a igreja em Jerusalém e mandou passar Tiago, irmão de João, ao fio da espada e ordenou a prisão de Pedro. Herodes Agripa II, foi aquele que disse a Paulo em Cesareia: *Por pouco me persuades a me fazer cristão* (At 26.28).

Quem foi Herodes, o Grande? Era filho de Antipater, edumeu, feito rei em 37 a. C. O senado romano conferiu-lhe o título de "rei dos judeus". Herodes, o Grande, fundou a dinastia herodiana que governou Israel e suas redondezas desde 37 a.C., até a guerra com Roma em 66-70 d.C. O seu governo estendeu-se até 4 a.C.[2] Na equivocada cronologia de Dionísio Exíguo, o monge do século VI, que estabeleceu o calendário moderno,[3] o nascimento de nosso Senhor foi situado mais tarde por cerca de 6 anos. Portanto, Jesus nasceu, de fato, 6 anos antes do ano 0.[4]

Herodes, o Grande, foi conhecido por suas grandes realizações. Foi ele quem ampliou e embelezou o templo de Jerusalém. Foi ele quem construiu o porto de Cesareia. Foi ele quem construiu a fortaleza de Massada às margens do Mar Morto e outras fortalezas como Herdem. Essas fortalezas foram construídas como refúgio para o caso de ele ser deposto. Foi ele quem construiu também a fortaleza Antônia, em Jerusalém, onde mais tarde Jesus foi julgado por Pilatos.

---

[2]MOTTA, Othoniel. *O Evangelho de São Mateus*, p. 96.
[3]STERN, David H. *Comentário judaico do Novo Testamento*. Belo Horizonte, MG: Atos, 2008, p. 33.
[4]RIENECKER, Fritz. *Evangelho de Mateus*, p. 42.

Mas Herodes, o Grande, foi conhecido também, e sobretudo, por suas atrocidades. Ele era paranoico em relação ao poder.⁵ Foi um rei truculento, egoísta, assassino e tirano. Era a essência da crueldade e do terror. Governou com mão de ferro e esmagou impiedosamente todos aqueles que julgava serem uma ameaça ao seu governo. Assassinou seus rivais um após o outro. Foi esse rei cruel que quis eliminar o infante Jesus mandando matar todas as crianças de Belém e arredores de 2 anos para baixo. Sua biografia está manchada de sangue. Vejamos:

- Herodes, o Grande casou-se nove vezes.
- Destronou a dinastia heroica dos macabeus. Dizimou toda a família dos macabeus até o último herdeiro.
- Mandou assassinar 45 aristocratas, membros do Sinédrio, ou seja, mais da metade do Sinédrio que era composto de 71 membros, com medo de que eles pudessem ser uma ameaça ao seu trono. Por outro lado, tentava conquistar a simpatia do povo, através da ampliação majestosa do templo.
- Mandou matar 300 oficiais da corte.⁶
- Casou-se com Mariana, uma mulher da nobreza, e, com medo de concorrência da família dela, forjou acusações contra eles e os matou um a um.
- A pedido de sua sogra Alexandra, nomeou Aristóbulo, seu cunhado, como sumo sacerdote, quando este tinha apenas 17 anos. Mas, como Aristóbulo granjeou a simpatia do povo, mandou afogá-lo.
- Horrorizada com as crueldades de Herodes, Alexandra tentou fugir para o Egito, para o abrigo de Cleópatra. Para iludir a polícia que a vigiava, tentou simular um enterro, mas a descobriram e ela foi morta.
- O imperador Cesar Augusto chamou-o a Roma para lhe passar uma descompostura por suas crueldades, mas, antes de ir a Roma, temendo que sua mulher Mariana o traísse, mandou matá-la.
- Tentou remediar o mal que estava fazendo, enviando seus dois netos, Alexandre e Aristóbulo, para estudar em Roma. Salomé, irmã de

---

⁵STERN, David H. *Comentário judaico do Novo Testamento*, p. 34.
⁶GREEN, Michael. *The Message of Matthew*, p. 71.

Herodes, disse-lhe que eles iriam dominá-lo e tomar o reino. Sem titubear, mandou estrangular os dois filhos.[7]
- Cesar Augusto, o imperador, sabendo disso, disse: "É melhor ser um porco do que ser filho de Herodes".
- Foi esse rei que ficou alarmado quando soube que havia nascido uma criança em Belém, destinada a reinar em Israel, e por isso mandou matar todas as crianças de Belém.
- Cinco dias antes de morrer na estância hidromineral de Jericó, mandou matar seu filho primogênito, Antípater, para que este não tomasse seu trono.
- Percebendo que sua morte geraria alegria ao povo, fez sua irmã Salomé prometer-lhe que mataria um número de judeus distintos, que mandara prender, para que assim houvesse quem chorasse por ocasião de sua morte. A ordem não foi cumprida.

Quais foram as atitudes de Herodes em relação a Jesus? O texto em tela mostra-nos sua hostilidade.

Em primeiro lugar, *o pânico do rei* (2.3). O rei Herodes e a cidade de Jerusalém ficaram alarmados ao saberem que havia nascido um menino com o propósito de ser rei dos judeus. Herodes era um homem inseguro. Tinha obsessão pelo poder. A cidade de Jerusalém, conhecedora de suas atrocidades, temia outra onda de fúria do monarca cruel. Hendriksen escreve: "É compreensível que toda a Jerusalém se sinta igualmente muitíssimo abalada. Ao ouvir a má notícia, o velho rei reaviva as últimas brasas de sua energia moribunda e entra em ação. De fato, ele se torna muito ativo: reúne, convoca, envia, perscruta, se ira, mata, e então, morre".[8]

Em segundo lugar, *a curiosidade do rei* (2.4-6). O rei convoca todos os principais sacerdotes e escribas do povo para indagar onde o Cristo deveria nascer. A resposta desses especialistas foi precisa. Ele deveria nascer em Belém da Judeia, pois assim apontava a profecia de Miqueias 5.2. Em vez de o esclarecimento dos principais sacerdotes

---
[7]BARCLAY, William. *Mateo I*, p. 35.
[8]HENDRIKSEN, William. *Mateus*. Vol. 1, p. 207.

e escribas trazer sossego para a alma de Herodes, agravou ainda mais seu tormento.

Em terceiro lugar, *a sagacidade do rei* (2.7). Herodes chamou secretamente os magos e inquiriu deles quanto ao tempo preciso em que a estrela lhes aparecera no Oriente. Ele estava colhendo informações precisas. Estava fazendo um diagnóstico da situação. Queria reunir todas as informações, para ter certeza de que aquela criança não escaparia de suas mãos.

Em quarto lugar, *a estratégia sutil do rei* (2.8a). Herodes, pensando estar no controle da situação, enviou os magos a Belém com o propósito de que se informassem cuidadosamente acerca do menino. Esqueceu-se Herodes, entretanto, que os magos estavam ali não para atender à sua agenda perversa, mas para cumprirem o plano eterno do Rei dos reis.

Em quinto lugar, *a dissimulação do rei* (2.8b). Herodes tentou encobrir sua crueldade com o manto da piedade, dizendo aos magos: *... e, quando o tiverdes encontrado, avisai-me para eu também ir adorá-lo*. Herodes tornou-se dissimulado e hipócrita. A hipocrisia é o abismo entre o que se fala e o que se sente. Havia palavras doces em seus lábios, mas crueldade em seu coração. Seu propósito não era adorar Jesus, mas o eliminar. Spurgeon escreve sobre essa atitude de Herodes: "O assassinato estava em seu coração, mas pretextos piedosos estavam em sua língua".[9]

Em sexto lugar, *a crueldade do rei* (2.13). Os magos estavam sendo governados pelo céu e não pela terra, por Deus e não pelos homens, por isso, não voltaram à presença de Herodes, mas regressaram ao Oriente por outro caminho (2.12). De igual forma, um anjo do Senhor adverte José a fugir de Belém com o menino e sua mãe para o Egito, porque Herodes intentava matá-lo.

Em sétimo lugar, *a fúria do rei* (2.16). Ao perceber que fora iludido pelos magos, Herodes enfureceu-se grandemente e mandou matar todos os meninos de Belém e de todos os arredores, que tivessem 2 anos para baixo. Esse rei cruel inunda Belém e arredores com sangue inocente. Não há limites em sua fúria. Ele está disposto a fazer qualquer coisa para não ver seu trono ameaçado. O historiador Flávio Josefo não menciona

---

[9]SPURGEON, Charles H. *O Evangelho segundo Mateus*, p. 34.

esse episódio na câmara de horrores de Herodes, mas esse incidente deu azo ao cumprimento da profecia feita por Jeremias 31.15.[10]

Em oitavo lugar, *a morte do rei* (2.19,20). Os inimigos de Cristo morrem. Eles se levantam e caem. Vociferam e tombam. Viram pó e caem no esquecimento. Jesus, porém, permanece vivo, vitorioso, imperturbável. John Charles Ryle está certo ao dizer que a morte arrebata os reis do mesmo modo que arrebata os outros homens. Onde estão os faraós, os neros, os dioclecianos que a ferro e fogo perseguiram o povo de Deus? O Senhor vive eternamente, mas seus inimigos são mortais. A verdade prevalece sempre.[11] Othoniel Motta diz que Herodes morreu um ano após o nascimento de Jesus, depois de um reinado cruel de 33 anos em que ele se tornou o algoz da própria família. A Arquelau, seu filho, coube o governo da Judeia, da Samaria e da Idumeia. A Galileia e a Pereia couberam ao seu irmão Herodes Antipas.[12]

Indiferença e descaso (2.4-6)

O propósito principal de Mateus neste capítulo é mostrar a recepção que o mundo deu ao Rei messiânico recém-nascido. Homenagem de longe, hostilidade de perto; recepção pelos gentios, rejeição pelos judeus.[13] Quando Jesus nasceu em Belém, não havia lugar nas hospedarias (Lc 2.7). Na cidade de Davi, não havia lugar para o Filho de Davi, o herdeiro do trono, nascer. A cidade tratou-o com indiferença. Essa Belém de Judá foi o palco da vida de Rute e Boaz (Rt 1.1,2; Mt 1.5) e a casa de Davi, descendente de Rute e antepassado de Jesus (Mt 1.5). Davi nasceu nessa cidade e foi ungido por Samuel (1Sm 17.12). A cidade veio a chamar-se *cidade de Davi* (Lc 2.11). Jesus, que nasceu nessa *casa do pão*, intitulou-se *o pão da vida* (Jo 6.35). O pão da vida foi rejeitado na casa do pão.

Agora, em Jerusalém, estão os principais sacerdotes e os escribas do povo, que, embora conhecessem precisamente as profecias sobre Jesus,

---

[10]ROBERTSON, A. T. *Mateus*. Rio de Janeiro, RJ: CPAD, 2012, p. 41.
[11]RYLE, John Charles. *Evangelho segundo São Mateus*, p. 15.
[12]MOTTA, Othoniel. *O Evangelho de São Mateus*, p. 98.
[13]ROBERTSON, A. T. *Mateus*, p. 35.

não se importam com Ele. Ao procurarem pelo recém-nascido Rei dos judeus, o que os magos veem em Jerusalém é um sentimento de medo e terror, porque se temia um novo banho de sangue do desconfiado e furioso Herodes.

O sacerdote principal era o que tinha certas funções privativas que os simples sacerdotes não tinham. Só ele, por exemplo, podia, uma vez por ano, penetrar no Santo do Santos. Era um só. O plural do nosso texto explica-se pelo fato de que o título se estendia também aos que já tinham ocupado o cargo. Os escribas eram funcionários encarregados de copiar a Lei para uso das sinagogas. Depois assim foram chamados os que se entregavam ao ensino da Lei.[14] Ainda vale destacar que, nesse tempo, a classe sacerdotal estava corrompida. Prova disso é que, no tempo em que João Batista iniciou seu ministério, havia dois sumos sacerdotes, Anás e Caifás (Lc 3.2).

O que o texto deixa claro é que tanto a liderança eclesiástica como os teólogos de Israel agiram com gelada indiferença a Jesus. Os magos cruzaram desertos e vieram do Oriente a Jerusalém para conhecê-Lo e adorá-Lo, e esses especialistas da religião, há dez quilômetros de Jerusalém, não se interessaram em ir vê-Lo e adorá-Lo. Charles Spurgeon alerta: "Que nunca seja o meu caso ser um mestre de geografia, profecia e teologia bíblica e ainda assim carecer dAquele de quem a Escritura fala".[15]

Quem eram os principais sacerdotes? Eram membros da seita dos saduceus. Essa classe tornou-se aristocrata. Eles fizeram do templo um lugar de negócio. Tornaram-se liberais na teologia e amantes do dinheiro. Constituíram-se nos mais acirrados inimigos de Jesus. Quem eram os escribas do povo? Eram os membros da seita dos fariseus. Eram os doutores da lei. Conheciam a verdade, mas não a praticavam. Tinham conhecimento, mas não compromisso; informação, mas não transformação. Eles sabiam tudo sobre o nascimento de Jesus, mas não foram adorá-Lo. A indiferença deles tornou-se mais tarde ódio consumado e, por não adorarem o Rei infante da manjedoura, cravaram-Lhe numa cruz!

---

[14]MOTTA, Othoniel. *O Evangelho de São Mateus*, p. 97.
[15]SPURGEON, Charles H. *O Evangelho segundo Mateus*, p. 33.

O Sinédrio era o supremo conselho dos judeus, a corte suprema de julgamento. Era formado dos principais sacerdotes, escribas e anciãos. Os dois primeiros grupos eram formados de pessoas ligadas à vida eclesiástica, e os anciãos eram membros do conselho que não pertenciam nem aos saduceus nem aos fariseus. Eram os vogais. Quando havia necessidade de decidir apenas uma questão teológica, os anciãos não precisavam estar presentes. Logo, não são citados neste episódio. Mas sua participação era imprescindível quando o Sinédrio se reunia para uma função política ou judicial.[16]

Rendição e adoração (2.1,2,7-12)

Este registro da visita dos magos não tem paralelo em nenhum outro documento cristão.[17] Sabemos, entrementes, que os magos eram gentios. Sua pátria era a região situada entre os rios Tigre e Eufrates. Embora John Charles Ryle afirme que não podemos saber a nacionalidade deles,[18] Othoniel Motta diz que os magos eram sacerdotes persas. Por extensão, o termo passou a designar os astrólogos caldeus. Quanto a serem reis, a serem três e a se chamarem Belchior, Balthazar e Gaspar, são coisas da tradição, sem o menor fundamento histórico.[19] Nessa mesma linha de pensamento, Fritz Rienecker diz que os magos eram membros de uma distinta classe de sacerdotes e eruditos babilônicos. Não apenas estudavam a sua teologia pagã, mas também as ciências naturais, sobretudo a astronomia. Eram convocados como conselheiros do rei em todos os negócios importantes do Estado. Pertenciam à principal nobreza do país e gozavam da dignidade de príncipes (Jr 39.3,13). Por isso, a tradução "sábios" feita por Lutero é justificável.[20]

A. T. Robertson observa que é possível que esses homens fossem prosélitos judeus e soubessem da esperança messiânica.[21] Os judeus que

---

[16]RIENECKER, Fritz. *Evangelho de Mateus*, p. 42.
[17]CHAMPLIN, R. N. *O Novo Testamento interpretado versículo por versículo*. Vol. 1. São Paulo: Hagnos, 2014, p. 271.
[18]RYLE, John Charles. *Evangelho segundo São Mateus*, p. 12.
[19]MOTTA, Othoniel. *O Evangelho de São Mateus*, p. 96.
[20]RIENECKER, Fritz. *Evangelho de Mateus*, p. 41.
[21]ROBERTSON, A. T. *Mateus*, p. 37.

foram dispersos para a Babilônia eram conhecedores da famosa profecia de Balaão contida em Números 24.17: *Vê-Lo-ei, mas não agora; contemplá-Lo-ei, mas não de perto; uma estrela procederá de Jacó, de Israel subirá um cetro que ferirá as têmporas de Moabe e destruirá todos os filhos de Sete.* Essa era uma profecia messiânica. Eles divulgaram essa esperança messiânica entre os gentios. O profeta Daniel era um desses judeus que influenciaram o reino da Babilônia (Dn 2.48; 5.11). Concordo com Fritz Rienecker quando ele diz que "a notícia do nascimento de um rei que estava para vir ao mundo também era conhecida no mundo pagão".[22] Os magos já deviam conhecer essa expectativa da chegada do Messias. Sabiam que sua estrela haveria de surgir no horizonte. É importante ressaltar que os magos não viram uma estrela, mas "a sua estrela" (2.2). David Stern está certo, portanto, ao dizer que isso parece fazer uma alusão a Números 24.17, quando Balaão profetiza sobre a estrela de Jacó.[23]

Tasker é oportuno quando registra que o Rei rival nascido em Belém, Jesus, o Filho de Davi, estava destinado a exercer seu reinado de acordo com o ideal de realeza colocado diante de Davi pelo próprio Deus. Era um ideal segundo o qual o rei era visto na figura de um "pastor" (2Sm 5.2; Ez 34.23). Dessa forma, o evangelista, não sem razão, muda "o que há de reinar em Israel" para "o Guia que há de apascentar o meu povo Israel", em harmonia com a Septuaginta em Miqueias 5.2 que afirma que tal governante "se levantaria e alimentaria seu rebanho na força do Senhor".[24]

Esses magos do Oriente revelam três atitudes que merecem destaque, como vemos a seguir.

Em primeiro lugar, *o que eles fizeram antes de encontrarem a Cristo*. O texto em apreço nos revela três atitudes dos magos.

Primeiro, eles não mediram esforços (2.1). Eles vieram do Oriente a Jerusalém. Foi uma longa viagem pelos desertos tórridos, sendo castigados por calor rigoroso durante o dia e frio implacável à noite. Foram dias, semanas, meses de uma jornada cheia de perigos. Eles, entretanto,

---

[22]RIENECKER, Fritz. *Evangelho de Mateus*, p. 43.
[23]STERN, David H. *Comentário judaico do Novo Testamento*, p. 34.
[24] TASKER, R. V. G. *Mateus:* introdução e comentário, p. 31.

não mediram esforços. Estavam determinados a ver o Rei. Estavam dispostos a adorar o Rei. Estavam preparados para honrar ao Rei.

Segundo, eles buscaram informações onde estava a palavra (2.2). Eles viram a estrela do Messias no Oriente, mas a estrela não os acompanhou até Jerusalém. Eles sabiam que em Jerusalém estavam os estudiosos das Escrituras. Foram buscar informação precisa sobre o Messias não nos místicos do Oriente, mas na Palavra de Deus em Jerusalém.

Terceiro, eles perseveraram em buscar a Jesus (2.9). Os magos viram como o rei Herodes ficou alarmado. Eles viram que Jerusalém ficou transtornada diante da reação de Herodes. Eles sabiam que estavam correndo sério risco viajando pelo território governado por esse rei insano. Mesmo assim, não retornaram ao Oriente, mas prosseguiram em sua viagem rumo a Belém, até encontrarem Cristo e se curvarem diante dEle, reconhecendo sua dignidade para ser adorado.

Em segundo lugar, *o que eles fizeram ao encontrarem Jesus*. O texto descreve três atitudes dos magos depois que encontram Jesus.

Primeiro, eles se alegraram intensamente (2.10). Se Jesus despertava ódio em Herodes e indiferença nos principais sacerdotes e escribas do povo, para os magos Jesus foi motivo da intensa alegria. Na verdade, Jesus é a alegria daqueles que O encontram e O adoram.

Segundo, eles adoraram a Jesus com humildade (2.11a). Os magos entraram numa casa, e não numa gruta. O nascimento de Jesus já tinha ocorrido há uns dois anos. Portanto, todos os desenhos que retratam os magos numa estrebaria não são biblicamente corretos. Ao entrarem na casa, os magos não adoraram a estrela nem a Maria, a mãe de Jesus, mas o menino Jesus. Eles abriram mão de seu prestígio e se curvaram. Eles humildemente se prostraram. Charles Spurgeon está correto quando escreve: "Aqueles que buscam por Jesus o verão. Aqueles que realmente o veem, o adorarão. Aqueles que o adoram, consagrarão seus bens a Ele".[25]

Concordo com as palavras de R. C. Sproul: "Os magos foram a Belém não para homenagear um rei, mas para adorar a divindade".[26] William Hendriksen é assaz oportuno quando escreve:

---

[25]SPURGEON, Charles H. *O Evangelho segundo Mateus*, p. 35.
[26]SPROUL, R. C. *Mateus*, p. 21.

Toda a ênfase de Mateus acerca dos magos é colocada naquilo que é mais importante: "Viemos para adorá-lo". Não se nos dá uma descrição detalhada da estrela. Não se nos diz como os magos relacionaram a estrela ao nascimento. Não se nos diz quantos magos eram, como estavam vestidos, como morreram, ou onde foram sepultados. Tudo isso, e muito mais, foi intencionalmente deixado envolto em sombra com o fim de que contra esse fundo escuro a luz pudesse brilhar com muito mais resplendor. Esses magos, quem quer que tenham sido, de onde quer que tenham vindo, "vieram para adorá-lo" [...]. Se mesmo o mundo gentílico lhe atribuía adoração, não deveriam os judeus – que receberam os oráculos de Deus – também fazê-lo? E para os gentios há esta mensagem de alento: O Rei dos judeus deseja também ser o seu Rei.[27]

Terceiro, eles presentearam Jesus com ouro, incenso e mirra (2.11b). Eles levaram tesouros para Jesus, num claro reconhecimento de que Ele era o Messias. Pelo costume do Oriente, combinava-se a veneração com a oferta de presentes. Os presentes ouro e incenso remetem a Isaías 60.6. O ouro é o presente para um rei. O incenso é o presente para a divindade. A mirra é o presente para quem está destinado a morrer.[28] Assim, os magos reconheceram que Jesus é o Rei dos reis, o Deus que encarnou e Aquele que estava destinado a morrer a amarga morte de cruz.[29] Até mesmo no berço de Jesus as dádivas predisseram que Ele haveria de ser o verdadeiro Rei, o perfeito Sumo Sacerdote e, no final, o supremo Salvador.[30] Concordo com Lawrence Richards quando ele diz que os magos levaram presentes, e assim, financiaram a viagem de Jesus, Maria e José ao Egito no momento exato em que eles precisavam escapar.[31]

Em terceiro lugar, *o que eles fizeram depois que encontram Cristo*. O texto em tela nos mostra duas atitudes dos magos.

Primeiro, eles viveram dentro da orientação de Deus (2.12a). Aqueles que atenderam a uma revelação natural, a sua estrela, agora

---

[27]HENDRIKSEN, William. *Mateus*. Vol. 1, p. 194.
[28]TASKER, R. V. G. *Mateus: introdução e comentário*, p. 33.
[29]RIENECKER, Fritz. *Evangelho de Mateus*, p. 46.
[30]MOUNCE, Robert H. *Mateus*, p. 25.
[31]RICHARDS, Lawrence O. *Comentário histórico-cultural do Novo Testamento*, p. 14.

recebem uma revelação especial. Eles foram advertidos pelo próprio Deus por meio de sonho a não voltarem à presença de Herodes. Deus frustrou o propósito do rei cruel e guiou os magos de volta à sua terra, sem retorno a Jerusalém. Aqueles que se encontram com Cristo vivem em obediência às orientações divinas.

Segundo, eles voltaram por outro caminho (2.12b). Diz o texto: *... eles regressaram por outro caminho a sua terra*. Quem tem um encontro com Cristo nunca mais anda pelos mesmos caminhos. Há uma mudança de mente, de coração, de vida, de rota, de caminho.

John Charles Ryle diz que podemos aprender três importantes lições com os magos: 1) Há verdadeiros servos de Deus em lugares onde absolutamente não esperaríamos encontrá-los; 2) nem sempre são os que mais glória tributam a Cristo os que possuem maior privilégio religioso; 3) para ser um verdadeiro cristão, não basta apenas conhecer as profecias contidas nas Escrituras.[32]

Prudência e providência (2.13-23)

O texto em apreço trata de três assuntos: a fuga para o Egito, a matança dos inocentes e o retorno do Egito. A dolorosa experiência de Israel está se repetindo 1.500 anos depois com o Rei de Israel. Destacamos esses três fatos a seguir.

Em primeiro lugar, *a fuga para o Egito* (2.13-15). Mais uma vez, José recebe a visita de um anjo em sonho. Agora não é mais para receber Maria, mas para fugir com ela e o menino para o Egito. Mais uma vez, José obedece imediatamente à ordem divina (2.13). Os termos "dispõe-te" e "foge" indicam a pressa e a urgência da instrução. Prudência e providência precisam andar de mãos dadas. A fúria de Herodes se voltara contra o menino Jesus. A morte o espreitava para eliminá-lo na infância. José precisava fugir e fugir imediatamente. Nessa mesma noite, iniciou-se a fuga (2.14). Era preciso caminhar por desertos perigosos e montanhas escarpadas e selvagens. Mateus nada informa sobre o incômodo da viagem de centenas de quilômetros nem sobre a permanência

---
[32]RYLE, John Charles. *Evangelho segundo São Mateus*, p. 12,13.

no Egito como estrangeiros e fugitivos. Tasker destaca o fato de que a terra que antes fora um lugar de opressão agora era um refúgio para o qual a sagrada família pôde ir, livrando-se do perigo.[33]

Por que a fuga? Por que o Egito? Mateus explica: *Para que se cumprisse o que fora dito pelo Senhor, por intermédio do profeta: Do Egito chamei o meu Filho* (2.15). A profecia de Oseias 11.1 não podia falhar. Essa filiação divina de Israel é um modelo da verdadeira e singular filiação divina de Jesus. Concordo com Fritz Rienecker quando ele diz que o cumprimento das Escrituras sempre é a efetivação do plano da salvação. Deus está no comando, Deus conduz a história de acordo com o seu plano. Apesar de sua astúcia, Herodes é extremamente tolo. O Senhor, porém, tem em suas mãos não somente Herodes, mas todos os grandes e poderosos. Herodes pode presumir que governa o mundo, contudo não faz outra coisa que precisa acontecer e está acontecendo, a saber, a vontade de Deus. A história do mundo é a história da salvação, *até que Ele venha*.[34]

Tasker tem razão ao dizer que a citação descrita em Oseias 11.1 no versículo 15: *Do Egito chamei o meu Filho* parece ter a intenção de sugerir ao leitor que o Messias é a personificação do verdadeiro Israel antigo; e também que Ele era um segundo Moisés, maior que o primeiro. Sua suprema obra de salvação tinha como modelo o poderoso ato de salvação realizado por Deus através de Moisés a favor do povo escolhido. E, tal como Moisés foi chamado para ir ao Egito e libertar Israel, filho primogênito de Deus (Êx 4.22) da escravidão física, assim também Jesus foi chamado do Egito em sua infância, através da divina mensagem dada a José, para salvar a humanidade da escravidão do pecado.[35]

Em segundo lugar, ***a matança dos inocentes*** (2.16-18). Iludido pelos magos, Herodes se enfurece sobremaneira. Seu ódio, como fogo crepitante, espalha-se por Belém e arredores. Aquele que já enchera Jerusalém de sangue, agora, promove uma chacina em Belém e arredores (2.16). Por que esse derramamento de sangue? Novamente, para se cumprirem

---

[33]TASKER, R. V.G. *Mateus: introdução e comentário*, p. 33.
[34]RIENECKER, Fritz. *Evangelho de Mateus*, p. 48,49.
[35]TASKER, R. V. G. *Mateus: introdução e comentário*, p. 33,34.

as Escrituras (2.17,18)! Ramá situa-se aproximadamente 8 quilômetros ao norte de Jerusalém. Lá Jeremias se lamentou (Jr 31.15). Lá teve a visão da inconsolável mãe das tribos. O túmulo de Raquel ali está (Gn 35.16-20; 48.7). Mateus interpreta esse clamor audível no tempo de Jeremias como uma profecia do clamor que se ouviu na chacina das crianças em Belém.[36]

Tasker, nessa mesma linha de pensamento, diz que, quando a fina flor da população de Jerusalém foi deportada pelos babilônios, deve ter parecido que Deus tinha abandonado o seu povo; e Jeremias nesta notável passagem retratou Raquel a lamentar a sorte destes exilados passando cambaleantes diante do túmulo dela em Ramá a caminho de uma terra estranha. Mas, tão logo Jeremias dá voz a este lamento citado por Mateus, o Senhor lhe diz: *Reprime a tua voz de choro, e as lágrimas de teus olhos; porque há recompensa para as tuas obras* (Jr 31.16). Raquel, que tem sido chamada a *mater dolorosa* do Antigo Testamento, havia morrido ao dar à luz Benjamin, mas não havia sofrido em vão, pois os sofrimentos de seus descendentes exilados não se provariam destituídos de propósito. *Pois os teus filhos voltarão, foi o Senhor dizendo a Jeremias, da terra do inimigo.* Assim, de fato, aconteceu. Na tristeza do exílio babilônico, uma nova vida se tornou possível para um Israel revivificado. Semelhantemente, a tristeza das mães privadas de seus filhos assassinados por Herodes estava destinada, na divina providência, a resultar em grande recompensa.[37]

Até mesmo situações adversas e dolorosas como essa matança das crianças em Belém não fogem ao controle de Deus na história. Tudo isso fazia parte do plano redentor de Deus. Portanto, quando os grandes deste mundo agem com fúria e crueldade combatendo a Deus e o seu povo, estão apenas realizando a sua vontade e concretizando o que ele planejou e determinou.

Em terceiro lugar, *a volta para a Galileia* (2.19-23). Aos homens está ordenado morrerem (Hb 9.27), e Herodes morreu sob a mais terrível agonia (2.19). Diz-se que definhou de câncer intestinal. Fritz

---

[36]RIENECKER, Fritz. *Evangelho de Mateus*, p. 49.
[37]TASKER, R. V. G. *Mateus: introdução e comentário*, p. 34,35.

Rienecker tem plena razão ao afirmar que Deus tem o braço mais comprido que todos os seus inimigos. Morreram os que atentaram contra a comunidade de Jesus, e morrem e desaparecem sempre aqueles que cometem tais atos. É o que consta em letras garrafais sobre a história da humanidade.[38]

Mais uma vez, José recebe a visita de um anjo do Senhor em sonho, ordenando-lhe voltar para a terra de Israel, e mais uma vez José obedece incontinente (2.20,21). Há poucos registros da vida de José nas Escrituras, mas sempre que aparece ele está ouvindo a voz de Deus e obedecendo à orientação divina.

Herodes, o Grande morreu, mas Arquelau, seu filho, que passou a reinar na Judeia, em seu lugar, era do mesmo estofo, homem cruel e violento. Aqui a prudência humana e a orientação divina se irmanam. José temeu ir para a Judeia e, por divina advertência, prevenido em sonho, retirou-se para as regiões da Galileia (2.22). Fritz Rienecker esclarece essa transição da seguinte maneira:

> Em Israel muitos tinham a esperança de que, com a morte de Herodes, também acabaria a crueldade herodiana. Contudo, a situação era outra. Realmente o poderoso reino de Herodes decaiu em pedaços. Mas a dinastia de Herodes continuou. Em seu testamento ele havia determinado que seu reino fosse dividido entre seus filhos. Arquelau deveria receber a Judeia, Idumeia e Samaria. Herodes Antipas receberia a Galileia e a Transjordânia meridional. Filipe deveria herdar a Transjordânia setentrional. O imperador Cesar Augusto confirmou o testamento. Em Lucas 3.1 somos informados dessa subdivisão. Arquelau não é mais citado no texto de Lucas porque foi deposto pelo imperador Augusto no ano 6 d.C., justamente por causa de sua crueldade, e seu território foi entregue a um procurador romano.[39]

José foi habitar com Maria e Jesus na cidade de Nazaré, para cumprir o que fora dito por intermédio dos profetas: *Ele será chamado Nazareno* (2.23). Othoniel Motta diz que esta citação constitui uma

---

[38]RIENECKER, Fritz. *Evangelho de Mateus*, p. 50,51.
[39]RIENECKER, Fritz. *Evangelho de Mateus*, p. 51.

das maiores dificuldades do Novo Testamento, uma vez que os termos Nazaré e Nazareno não se encontram explicitamente em nenhum livro do Antigo Testamento.⁴⁰ Embora o nome "Nazaré" não seja mencionado no Antigo Testamento, Rienecker afirma que seguramente Mateus pensou em Isaías 11.1: *Do tronco de Jessé sairá um rebento, e das suas raízes, um renovo*. A palavra "renovo ou broto" no hebraico é *nezér*. Jesus é chamado por Isaías de *nezér*. A partir do seu local de residência, Nazaré, Jesus é designado nazareno (2.23; Mc 1.24). Sobre a cruz de Jesus foi escrito: "Jesus, nazareno, rei dos judeus". Para a comunidade cristã, esse título significa que Jesus como Nazareno é o broto de Jessé, sobre o qual Isaías falou. Assim, Mateus vê a mão coordenadora e diretiva de Deus na circunstância de que, no Antigo Testamento, o Messias é chamado de *nezér* e no Novo Testamento, de *nazareno*.⁴¹

Nessa mesma linha de pensamento, Michael Green demonstra que o uso no plural, ... *para que se cumprisse o que fora dito por intermédio dos profetas: Ele será chamado Nazareno* (2.23), nos dá a chave dessa complexa alusão. Um homem de Nazaré era desprezado nos dias de Jesus (Jo 1.45,46). A região era chamada "Galileia dos gentios" (4.15). Ora, havia várias profecias mostrando que o Messias seria desprezado (Sl 22.6; Is 53.3). Ainda, como já foi explicado no parágrafo anterior, o Messias, o renovo, o rei da linhagem de Davi, seria conhecido como *nezér*, nazareno (Is 11.1).⁴² Desta maneira, o título "nazareno" aponta tanto para a exaltação do Messias, pois Ele seria de linhagem real, ou seja, o broto de Jessé, filho de Davi, quanto como para sua humilhação. Ele seria um homem desprezado e rejeitado, inclusive por seu próprio povo. Warren Wiersbe destaca que o termo "nazareno" passou a ser usado tanto para Jesus quanto para seus seguidores (At 24.5). Em diversas ocasiões, o Mestre é chamado de "Jesus de Nazaré" (21.11; Mc 14.67; Jo 18.5,7).⁴³

---

⁴⁰MOTTA, Othoniel. *O Evangelho de São Mateus*, p. 98.
⁴¹RIENECKER, Fritz. *Evangelho de Lucas*, p. 52.
⁴²GREEN, Michael. *The Message of Matthew*, p. 73.
⁴³WIERSBE, Warren W. *Comentário bíblico expositivo*, p. 16.

4

O **arauto** do **Rei**

Mateus 3.1-12

ENTRE OS CAPÍTULOS 2 E 3 DE MATEUS, há um intervalo de quase 30 anos. Há muita especulação acerca do que aconteceu a Jesus nesse período, o que fez e onde esteve. Como a Bíblia silencia acerca desse assunto, preferimos não ter ouvidos onde a Palavra de Deus não tem voz. Tudo o que sabemos é que Jesus era conhecido como carpinteiro de Nazaré. Marcos registra a pergunta das pessoas: *Não é este o carpinteiro, filho de Maria, irmão de Tiago, José, Judas e Simão? E não vivem aqui entre nós suas irmãs? E escandalizavam-se nele* (Mc 6.3). Já Mateus registra o mesmo episódio enfatizando sua filiação: *Não é este o filho do carpinteiro? Não se chama sua mãe Maria, e seus irmãos Tiago, José, Simão e Judas?* (13.55). Dessas informações depreendemos que Jesus morou em Nazaré até o início do seu ministério e que nesse tempo exerceu a profissão de carpinteiro.

Mateus não indica a data em que João Batista apareceu. Lucas, porém, dá detalhes históricos a respeito do mundo político e religioso e do aparecimento de João Batista, o precursor de Jesus (Lc 3.1,2). Menciona que João começou a pregar quando Tibério César era imperador de Roma e Pôncio Pilatos era governador da Judeia, sendo Herodes Antipas tetrarca da Galileia, seu irmão Filipe, tetrarca da região de Itureia e Traconites, e Lisâneas, tetrarca de Abilene. Lucas, informa, ainda, que João começou a pregar quando Anás e Caifás eram sumos sacerdotes.

Mateus resume esse circunstanciamento histórico em apenas uma frase: "naqueles dias". Com nossa atenção voltada ao texto em tela, destacamos algumas lições a seguir.

O tempo do **aparecimento** do arauto (3.1)

Mateus, de forma sucinta, informa que *naqueles dias, apareceu João Batista pregando no deserto da Judeia* (3.1). Há indícios, conforme os papiros do mar Morto, de que João Batista pertencia ao grupo chamado *essênios*.[1] O precursor de Jesus inicia seu ministério de pregação e batismo quando o mundo político e religioso estava vivendo um grande caos. Desde o palácio de Tibério César, aos governos da Judeia e Galileia, corriam soltas a corrupção e a violência. Tibério, Pôncio Pilatos, Herodes Antipas, Filipe e Lisâneas não eram homens de grande reputação moral nem gestores que respeitavam o povo sobre o qual governavam. No cenário religioso, a situação era ainda mais desoladora. O sacerdócio estava corrompido. Os saduceus, partido religioso do qual procediam os sacerdotes, eram uma elite rendida aos interesses financeiros. Eles haviam transformado a casa de Deus num covil de salteadores. Além de negarem doutrinas essenciais das Escrituras, como a existência dos anjos, a imortalidade da alma, a ressurreição dos mortos e a integridade do Antigo Testamento, ainda se tornaram colaboracionistas de Roma para manterem seu *status* religioso. Os fariseus, por sua vez, eram cegos guiando outros cegos. Transformaram a religião numa plataforma de opressão com o seu legalismo pesado. É nesse ambiente hostil que João aparece pregando.

Vale destacar que João surge depois de 400 anos de silêncio profético. A voz de Deus não era ouvida. O templo havia sido reedificado. Os sacrifícios eram feitos. As festas aconteciam. Mas a Palavra de Deus não era ouvida. A Palavra de Deus veio a João nesse tempo de sequidão espiritual, quando tanto a liderança política e religiosa como o povo

---

[1]CHAMPLIN, R. N. *O Novo Testamento interpretado versículo por versículo.* Vol. 1, p. 280.

estavam rendidos ao pecado. A última profecia no Antigo Testamento encontra-se no livro de Malaquias: *Eis que eu vos enviarei o profeta Elias, antes que venha o grande e terrível Dia do Senhor; ele converterá o coração dos pais aos filhos e o coração dos filhos a seus pais, para que eu não venha e fira a terra com maldição* (Ml 4.5,6). Quatrocentos anos depois, essa profecia foi cumprida – de acordo com Jesus, na pessoa de João Batista. Nosso Senhor declarou que João veio no poder e do espírito de Elias (Lc 1.17).[2]

A mensagem do arauto (3.2)

João Batista não é um pregador de amenidades nem um profeta da conveniência. Sua mensagem é contundente. Ele conclama o povo ao arrependimento e dá uma razão eloquente para que este se volte a Deus: "Porque o Reino de Deus está próximo". Arrependimento é a grande manchete do Reino de Deus. Esse foi, também, o conteúdo da pregação dos profetas, dos apóstolos e do próprio Senhor Jesus. Arrepender-se é mudar de mente. É sentir tristeza pelo pecado segundo Deus. É mudar de atitude. Não há perdão sem arrependimento. Não há salvação onde não há evidência de conversão.

O arrependimento é necessário porque o reino está próximo. Nas Escrituras, um "reino" não é tanto um lugar, mas sim uma esfera de influência, um campo no qual a vontade do rei tem força dinâmica. O reino dos céus, consequentemente, representa a força dinâmica da vontade de Deus invadindo o mundo e operando suas poderosas transformações.[3]

A credencial do arauto (3.3)

João Batista não é um aventureiro inconsequente. Não vem de moto próprio nem cai de paraquedas. Ele não aparece do nada. Seu aparecimento e sua mensagem estavam meticulosamente profetizados. Ele vem em cumprimento à Palavra de Deus. Ele não promove a si mesmo. Não cria a sua própria mensagem. João não pregou o que ele quis, o que ele

---

[2]SPROUL, R. C. *Mateus*, p. 31.
[3]RICHARDS, Lawrence O. *Comentário histórico-cultural do Novo Testamento*, p. 16.

inventou, o que os escribas e fariseus disseram. Ele não pregou uma corrente de pensamento positivo nem mesmo uma linha doutrinária formulada pelos doutores da época. Ele pregou a Palavra. Voltou a atenção do povo para as Escrituras. Recorreu ao profeta Isaías e aí fundamentou sua mensagem. Nós não criamos a mensagem, nós a transmitimos. Nós não somos a fonte da mensagem, apenas seus instrumentos.

João Batista não prega uma mensagem antropocêntrica para atrair as multidões. Ele é o engenheiro de trânsito do reino. Ele veio para preparar o caminho do Senhor. Antes de os reis chegarem nas províncias distantes do império, enviavam seus engenheiros para preparar o caminho. Montes e vales precisavam virar planície. Caminhos tortos e fora do lugar precisavam ser endireitados e aplanados. O verdadeiro arrependimento remove os montes da soberba, aterra os vales do desespero, endireita os caminhos tortos do pecado e da hipocrisia e coloca no lugar todas as áreas da vida que estão fora do propósito de Deus.

João veio preparar o caminho do Senhor. Veio pavimentar a estrada da chegada do Messias. Seu ministério foi preparar o caminho, apresentar o Messias e sair de cena.

A manifestação do arauto (3.4)

O precursor do Messias não vem com estardalhaço, tocando trombetas para mostrar sua grandeza. Ele não chama atenção para si nem acende as luzes da ribalta sobre si. Seu aparecimento é humilde. O que importa não é o pregador, mas a pregação; não é o mensageiro, mas a mensagem; não é o obreiro, mas a obra. João começa seu ministério num lugar estranho, o deserto da Judeia. Ele se veste de uma maneira estranha, com pelos de camelo. Ele se alimenta de uma maneira estranha, com gafanhotos e mel silvestre. Charles Spurgeon diz que as vestes indicavam sua simplicidade, sua austeridade e sua autonegação. Sua comida, o produto do deserto onde morava, mostrou que ele não se importava com luxos.[4] João Batista não era um homem dado às rodas dos poderosos nem frequentador dos banquetes requintados. Ele não pregava

---

[4]SPURGEON, Charles H. *O Evangelho segundo Mateus*, p. 43.

no templo nem nas concorridas ruas de Jerusalém, mas no deserto da Judeia, um lugar inóspito, cheio de montes e vales, coberto de pedras e areias escaldantes.

O impacto da mensagem do arauto (3.5,6)

O ministério de João Batista teve um resultado estrondoso. Mesmo pregando no deserto, multidões se desabalaram das cidades e vilas para ouvi-lo. Pessoas de Jerusalém, toda a Judeia e toda a circunvizinhança do Jordão, foram ter com ele e eram por ele batizadas no rio Jordão, confessando seus pecados.

Não é o lugar que faz o homem; é o homem que faz o lugar. João Batista não está pregando no templo, mas no deserto. Porque ele era uma voz, essa voz foi ouvida. Porque a ele veio a Palavra do Senhor, o povo veio a ele para ouvi-lo. Nem sempre Deus trabalha pelas vias oficiais. Deus vira a mesa. Deus não se adapta aos esquemas humanos. João chama as multidões para fora do templo e para fora de Jerusalém, rumo ao deserto. É preciso que se comece algo radicalmente novo.

Quando as multidões rumaram ao deserto para ouvi-lo, João não lhes fez cócegas nos ouvidos, nem lhes pregou amenidades, mas as feriu com a verdade, convocando todos ao arrependimento. Sua mensagem exigia uma mudança radical. Ninguém pode esperar em Cristo, se primeiro não se desesperar de si mesmo. Ninguém pode confiar em Cristo sem primeiro descrer de seus próprios méritos. Não obstante pregar com inarredável veemência, multidões vinham a João Batista, confessando seus pecados (3.6).

O alerta do arauto (3.7-10)

O sermão de João Batista no deserto não foi politicamente correto. Ele não pregou para agradar seus ouvintes, mas para feri-los com a espada do Espírito e levá-los ao arrependimento. Alguns pontos devem ser aqui destacados.

Em primeiro lugar, *o perigo mortal da hipocrisia* (3.7a). *Vendo ele, porém, que muitos fariseus e saduceus vinham ao batismo, disse-lhes: Raça de víboras.* Embora R. C. Sproul diga que os fariseus e os saduceus não vinham para ser batizados, mas para investigar o que João estava fazendo, com o propósito de relatar às autoridades de Jerusalém,[5] entendo que João viu a podridão e a hipocrisia da profissão de fé que os fariseus e saduceus estavam fazendo e usou a linguagem adequada para descrever o caso: "Raça de víboras...". Era habitual João Batista ver ninhadas de cobras pelas tocas e fendas das pedras. Quando as cobras sentiam o calor do fogo, corriam para segurança da toca.[6] Ao chamá-los de raça de víboras, João Batista revela a disparidade brutal entre a palavra de arrependimento que eles traziam nos lábios e as atitudes perversas que carregavam no coração.

Os fariseus representavam a superstição hipócrita; os saduceus, a descrença carnal.[7] Os fariseus eram conservadores na teologia, mas complacentes consigo mesmos na ética. Havia um abismo entre o que pregavam e o que viviam. Agiam como atores, representando um papel de piedade, quando na verdade, estavam cheios de rapina. Os saduceus eram aristocratas, liberais quanto à doutrina, amantes do poder e do dinheiro. Quando João viu que esses líderes também vinham para o batismo, chamou-os de "raça de víboras", mostrando-lhes que o veneno que carregavam era pior do que o veneno das serpentes, pois o veneno das serpentes foi o próprio Deus quem nelas colocou, mas o veneno da hipocrisia que aqueles carregavam no coração fora neles colocado pelo diabo.

Em segundo lugar, **o perigo real do inferno** (3.7b).... *quem vos induziu a fugir da ira vindoura?* João Batista não evitou falar de temas graves como a ira vindoura. É melhor escutar sobre o inferno do que ir para lá. É melhor exortar as pessoas a fugirem da ira vindoura do que acalmá-las com o anestésico da mentira, mantendo-as no caminho da perdição.

Em terceiro lugar, **o perigo do falso arrependimento** (3.8). *Produzi, pois, frutos dignos de arrependimento*. Richards diz, corretamente, que a palavra grega *matanoiete*, "arrependimento", pede uma mudança

---

[5]SPROUL, R. C. *Mateus*, p. 33.
[6]ROBERTSON, A. T. *Mateus*, p. 50,51.
[7]ROBERTSON, A. T. *Mateus*, p. 50.

radical de coração e mente; uma mudança que resultará em um estilo de vida radicalmente diferente. Daí a ênfase de João: *Produzi, pois, frutos dignos de arrependimento.*[8] João Batista não prega arrependimento e novamente arrependimento, mas arrependimento e frutos dignos de arrependimento. O falso arrependimento, ou o arrependimento infrutífero, é aquele professado com os lábios e não demonstrado pela vida. O verdadeiro arrependimento evidencia-se pelos seus frutos. Concordo com A. T. Robertson quando ele diz que os frutos não são a mudança de coração, mas os atos que dela resultam. Qualquer um pode fazer atos externamente bons, mas só o homem bom pode fazer uma colheita de atos e hábitos certos.[9]

Em quarto lugar, **o perigo da falsa confiança religiosa** (3.9). *E não comeceis a dizer entre vós mesmos: Temos por pai a Abraão, porque eu vos afirmo que destas pedras Deus pode suscitar filhos a Abraão.* Muitos judeus nos dias de João Batista acreditavam que, pelo simples fato de correr em suas veias o sangue de Abraão, o pai da nação, eles já estavam salvos. Porém, os verdadeiros filhos de Abraão não são aqueles que têm o sangue de Abraão correndo nas veias, mas aqueles que têm a fé de Abraão habitando em seu coração.

Em quinto lugar, **o perigo da vida infrutífera** (3.10). *Já está posto o machado à raiz das árvores; toda árvore, pois, que não produz fruto é cortada e lançada ao fogo.* O homem não é o que sente nem o que fala, mas o que faz. A árvore é conhecida por seus frutos. Linguagem religiosa sem vida de piedade é um arremedo grotesco de conversão. Uma árvore que não produz fruto está sentenciada à morte. O machado afiado do juízo já está em sua raiz, e o seu destino será o fogo. A mensagem de João é: arrepender e viver ou não se arrepender e morrer. Charles Spurgeon é enfático quando escreve: "O cortador de todas as árvores infrutíferas chegou. O grande lenhador pôs o seu machado à raiz das árvores. Ele ergue o seu machado, golpeia, e a árvore infrutífera é abatida e lançada ao fogo".[10]

---

[8] RICHARDS, Lawrence O. *Comentário histórico-cultural do Novo Testamento*, p. 15.
[9] ROBERTSON, A. T. *Mateus*, p. 51.
[10] SPURGEON, Charles H. *O Evangelho segundo Mateus*, p. 45.

A postura do arauto (3.11,12)

O evangelista Lucas diz que a multidão que veio a João no deserto começou a cogitar se ele não seria o próprio Messias (Lc 3.15). Queriam colocar João num pedestal, num lugar elevado que não lhe pertencia. Queriam honrá-lo mais do que o próprio Deus o havia honrado. João, porém, não aceitou a glória que só pertence ao Filho de Deus. João Batista sabe que não é o Messias. Não quer ocupar o lugar do noivo. Não se sente mais importante do que é. Seu princípio é: "Convém que ele cresça e que eu diminua". Sua postura é: "Eu não sou digno de desatar as correias de suas sandálias". Seu papel é apresentar Jesus e sair de cena. Ele é uma voz, e não a mensagem. Ele testifica da luz, mas não é a luz. Ele aponta para o Cordeiro de Deus, mas não é o Cordeiro. Ele testemunha da vida, mas não é a vida. John Charles Ryle destaca que nenhum outro pregador, entretanto, jamais recebeu tão grandes elogios da parte de Jesus, o Cabeça da igreja.[11]

Hoje muitos pregadores buscam glória para si mesmos. Querem os holofotes. Buscam reconhecimento. Querem prestígio. Colocam-se no pedestal. Um pregador fiel sempre exaltará a Jesus e jamais permitirá que atribuam a si ou ao seu ofício qualquer honra que pertence ao seu divino Mestre. Afirmará como Paulo: *Porque não pregamos a nós mesmos, mas a Cristo Jesus como Senhor e a nós mesmos como vossos servos, por amor de Jesus* (2Co 4.5).

Três verdades saltam aos nossos olhos aqui, como vemos a seguir.

Em primeiro lugar, **João reconhece sua limitação** (3.11a). *Eu vos batizo com água, para arrependimento...* João Batista confessa a limitação do seu ministério. Ele pode batizar com água, mas só Jesus batiza com o Espírito Santo e com fogo. Ele pode administrar os sacramentos, mas só Jesus pode conferir as bênçãos do sacramento. Ele pode usar o símbolo, mas só Jesus pode conceder o simbolizado. Ele pode apontar para o Salvador, mas só o Salvador pode dar salvação. Ele pode pregar sobre remissão de pecados, mas só Jesus pode perdoar pecados. Ele pode pregar fielmente o evangelho, mas não pode fazer com que seus

---

[11] RYLE, John Charles. *Meditações no Evangelho de Mateus*, p. 16.

ouvintes recebam o evangelho. Ele pode aplicar-lhes a água do batismo, mas não pode purificar sua natureza pecaminosa. Pode entregar o pão e o vinho da Ceia do Senhor, mas não pode capacitar as pessoas a se apropriarem do corpo e do sangue de Jesus pela fé. Pode ir até certo ponto, mas não além disso.

Em segundo lugar, **João reconhece a supremacia indisputável de Cristo** (3.11b). ... *mas aquele que vem depois de mim é mais poderoso do que eu, cujas sandálias não sou digno de levar. Ele vos batizará com o Espírito Santo e com fogo.* João Batista reconhece que ele é apenas uma voz, e não o Verbo. Reconhece que veio para testificar da verdadeira luz, mas ele não é a luz. Reconhece que ele é amigo do noivo, mas não o noivo. Reconhece que ele batiza com água, mas não com o Espírito Santo e com fogo. Seu lema é: *Convém que ele cresça e que eu diminua* (Jo 3.30). João Batista se refere ao batismo com o Espírito e com fogo.

Orígenes, entre os pais da Igreja, e escritores modernos como Neander, Meyer, De Wette e Lange interpretam o batismo com fogo como um batismo de impenitentes com o fogo do inferno, distinto do batismo com o Espírito.[12] Outros estudiosos ainda, como Warren Wiersbe[13], William MacDonald,[14] e Craig S. Keener,[15] entre outros, pensam de igual forma. Defendem que João está se referindo a dois batismos diferentes e opostos, um de graça e outro de juízo. Entendo, porém, amparado nos mais conceituados estudiosos das Escrituras, que o batismo com o Espírito e o batismo com fogo são análogos e complementares.

A vasta maioria dos exegetas bíblicos defende também esse posicionamento. O reformador João Calvino lança luz sobre o tema quando escreve: "A palavra *fogo* é acrescentada como um epíteto, e é aplicada ao Espírito, porque ele remove nossa poluição, como o fogo purifica

---

[12]Lewis, Sundarland; Booth, Henry. *The Preacher's Complete Homiletic Commentary on the Gospel according to St. Matthew.* Grand Rapids, MI: Baker Books, 1996, p. 34.
[13]Wiersbe, Warren W. *Comentário bíblico expositivo*, p. 18.
[14]MacDonald, William. *Believer's Bible Commentary.* Nashville: Thomas Nelson Publishers, 1995, p. 1211.
[15]Keener, Craig S. *Comentário histórico-cultural da Bíblia.* São Paulo, SP: Vida Nova, 2017, p. 53.

o ouro".¹⁶ A. T. Robertson corrobora essa visão, dizendo que Espírito e fogo estão unidos por uma preposição como se fosse um batismo duplo.¹⁷ A mesma pessoa é batizada com ambos os batismos. João não fala: "Ele vos batizará com Espírito *ou* com fogo, mas com Espírito *e* com fogo". D. A. Carson, nessa mesma linha de pensamento, declara: "A preposição *e* governa tanto o batismo com o Espírito quanto o batismo com fogo. Isso sugere um conceito unificado".¹⁸

A água toca a superfície, mas o fogo penetra na substância das coisas. O fogo ilumina, aquece, purifica e alastra. William Hendriksen diz: "É verdade que, toda vez que uma pessoa é retirada das trevas e posta na maravilhosa luz de Deus, ela está sendo batizada com o Espírito Santo e com fogo".¹⁹

O fogo aqui é uma imagem de juízo, mas do juízo misericordioso que purifica e limpa, como o fogo do ourives. Russel Norman Champlin esclarece dizendo que a interpretação mais comum do batismo com fogo é que ele indica o caráter do batismo com Espírito, ou seja, o fogo tanto limpa e purifica como destrói o mal.²⁰ Corrobora com esse mesmo pensamento o renomado expositor Matthew Henry.²¹

Richards, ainda, coloca esse magno assunto da seguinte maneira:

> Alguns entendem "fogo" aqui como um símbolo do julgamento (como Is 34.10; 66.24; Jr 7.20), ao passo que outros o veem como um símbolo de purificação (como Is 1.25; Zc 13.9; Ml 3.2,3). Como tanto o Espírito quanto o fogo são controlados pela mesma preposição, *en*, "e" que não é repetida no texto. Portanto, a segunda interpretação é preferível.²²

---

¹⁶CALVIN, John. *Calvin's Commentaries*. Vol. XVI. Grand Rapids, MI: Baker Books, 2009, p. 199.
¹⁷ROBERTSON, A. T. *Mateus*, p. 51.
¹⁸CARSON, D. A. *Matthew*, p. 105.
¹⁹HENDRIKSEN, William. *Mateus*. Vol. 1, p. 259.
²⁰CHAMPLIN, R. N. *O Novo Testamento interpretado versículo por versículo*. Vol. 1, p. 283.
²¹HENRY, Matthew. *Comentário bíblico* Novo Testamento – *Mateus a João*, p. 24.
²²RICHARDS, Lawrence O. *Comentário histórico-cultural do Novo Testamento*, p. 16.

Nessa mesma linha de pensamento, R. C. Sproul diz que esse fogo limpa, purifica e produz o mesmo que o crisol: o ouro puro da santificação. Não pense que você tem um Salvador que o deixará fora do fogo. Ele o manterá fora do fogo eterno, mas, até lá, você permanecerá na fornalha como Sadraque, Mesaque e Abede-Nego.[23] Seguindo o mesmo raciocínio, James Hastings diz que o batismo com fogo penetra e limpa o que a água não consegue fazer. O fogo tem o poder de refinar o metal, tirando dele suas escórias. O fogo produz uma chama de ardor e entusiasmo.[24]

De acordo com as Escrituras, foram muitas as vezes em que Deus se revelou ao seu povo usando a figura do fogo. Ele apareceu a Moisés no monte Horebe, numa chama de fogo do meio de uma sarça que ardia e não se consumia (Êx 3.2). Conduziu o povo de Israel pelo deserto quarenta anos, nas noites escuras e tenebrosas, através de uma coluna de fogo (Êx 13.22). Deus desceu sobre o Sinai em fogo (Êx 19.18). O aspecto da glória do Senhor era como fogo (Êx 24.17). Ali do Sinai Deus falou a Moisés do meio do fogo (Dt 4.12). O Senhor respondeu com fogo à oração de Elias e provou ao povo apóstata de Israel que só Ele é Deus (1Rs 18.38). Deus respondeu à oração de Davi com fogo, quando este lhe ofereceu sacrifício (1Cr 21.26). No altar do Tabernáculo, o fogo era mantido continuamente aceso (Lv 6.9). Desceu fogo do céu, quando Salomão acabou de orar, consagrando ao Senhor o templo de Jerusalém, e a glória do Senhor encheu a casa (2Cr 7.1). Elias foi trasladado da terra ao céu por um carro de fogo e cavalos de fogo (2Rs 6.17). Isaías orou para que Deus fendesse os céus e descesse e se manifestasse como quando o fogo inflama gravetos (Is 64.1,2). Zacarias disse que Deus se coloca protetoramente ao nosso redor como muro de fogo (Zc 2.5). Ele faz dos seus ministros labaredas de fogo (Hb 1.7). O nosso Deus é fogo (Hb 12.29). O seu trono é fogo (Dn 7.9). A sua palavra é fogo (Jr 23.29). Jesus batiza com fogo (3.11), e o Espírito Santo desceu no Pentecostes em línguas como de fogo (At 2.3).[25]

---

[23]SPROUL, R. C. *Mateus*, p. 34.
[24]HASTINGS, James. *The Great Texts of the Bible*. Vol. VIII. Grand Rapids, MI: Wm B. Eerdmans Publishing Company, n. d., p. 39-43.
[25]LOPES, Hernandes Dias. *Batismo com fogo*. Belo Horizonte, MG: Betânia, 2014, p. 22,23.

Fritz Rienecker diz que o Espírito e o fogo são o elemento da nova vida que continuamente julga e purifica, como também continuadamente aquece e promove a vida. Assim deve ser entendida a palavra: "Ele vos batizará com o Espírito Santo e com fogo".[26] É, ainda, oportuna a explicação de Richards: "Não fiquemos satisfeitos com a água. Nós precisamos é do fogo do Espírito".[27] Esse foi o pedido feito a Deus pelo jovem missionário Ashbel Green Simonton, quando plantava em solo brasileiro a Igreja Presbiteriana do Brasil. John Wesley escreve: "Ele vos encherá com o Espírito Santo, inflamando vosso coração com aquele fogo de amor, que as muitas águas não podem apagar. E isso foi feito, com visível aparência, quando o Espírito desceu em línguas como de fogo, no dia do Pentecostes".[28]

Em terceiro lugar, *João reconhece o perigo de retardar o arrependimento* (3.12). *A sua pá, Ele a tem na mão e limpará completamente a sua eira; recolherá o seu trigo no celeiro, mas queimará a palha em fogo inextinguível.* A igreja visível é formada de trigo e joio, ovelhas e cabritos, salvos e perdidos. Mas chegará o dia em que a separação será feita. Esse dia vai revelar a diferença entre os salvos e os perdidos, os crentes e os hipócritas, o trigo a ser recolhido no celeiro e a palha que queimará em fogo inextinguível.

---

[26]RIENECKER, Fritz. *Evangelho de Mateus*, p. 62.
[27]RICHARDS, Lawrence O. *Comentário histórico-cultural do Novo Testamento*, p. 17.
[28]WESLEY, John. *Matthew*. In: *The Classic Bible Commentary*. Wheaton, IL: Crossway Books, 1999, p. 914.

5
O batismo do Rei

Mateus 3.13-17

NA MESMA ÉPOCA EM QUE O MINISTÉRIO DE JOÃO BATISTA alcançava o seu apogeu e ele recebia multidões no deserto da Judeia confessando os seus pecados, para serem batizadas e receberem remissão de pecados, Jesus sai da Galileia e vai para o Jordão, a fim de ser também batizado.

Esse extraordinário acontecimento é tão relevante para a história da redenção que os quatro evangelistas registram o batismo de Jesus. Lições importantes devem ser destacadas, à luz do texto em tela.

O **tempo oportuno** do batismo (3.13)

Mateus faz o seguinte registro: *Por esse tempo, dirigiu-se Jesus da Galileia para o Jordão, a fim de que João o batizasse* (3.13). João foi levantado por Deus para preparar o caminho do Senhor. Ele era o precursor do Messias. Devia aterrar os vales, nivelar os montes, endireitar os caminhos tortos e aplainar os caminhos escabrosos. Multidões fluíam ao seu encontro no deserto para serem batizadas. Fariseus, saduceus, soldados e publicanos também vinham para ser batizados. Nesse tempo oportuno da história é que Jesus inaugura o seu ministério. É tempo de revelar-se ao povo como o Messias. É tempo de identificar-se com o povo a quem veio salvar.

Jesus já havia sido circuncidado ao oitavo dia, e o batismo cristão ainda não tinha sido instituído. O batismo de João era um batismo preparatório e transitório. Seu objetivo era levar as pessoas ao arrependimento, a fim de que recebessem perdão de pecados. O batismo de João tinha como propósito levar o povo de volta para Deus. Todas as pessoas que vinham a esse batismo precisavam ter plena consciência de seu pecado e precisavam ainda se arrepender do pecado e, depois do batismo, produzir frutos dignos de arrependimento. O ritual em si não tinha o poder de mudar as pessoas. Mas era um símbolo da transformação operada por Deus.

É nesse momento histórico de volta do povo para Deus, por meio do arrependimento, confissão, batismo e mudança de vida, que Jesus aparece para identificar-se com o povo e também receber o batismo.

O motivo real do batismo (3.14,15)

Vejamos o registro de Mateus: *Ele, porém, o dissuadia, dizendo: Eu é que preciso ser batizado por ti, e tu vens a mim? Mas Jesus lhe respondeu: Deixa por enquanto, porque, assim, nos convém cumprir toda a justiça. Então, ele o admitiu* (3.14,15). Mateus é o único evangelista que registra a conflito de João ao ser procurado por Jesus para ser batizado. Ele sabia que Jesus não tinha pecado pessoal do qual se arrepender. Ele sabia que Jesus não precisava ser perdoado. Por isso, procurou dissuadi-lo, dizendo que ele, sim, precisava do batismo que Jesus administrava, o batismo com o Espírito e com fogo, mas Jesus não necessitava do batismo que ele ministrava, o batismo com água, o batismo de arrependimento. Nas palavras de William Barclay, "a convicção de João era que ele necessitava do que Jesus podia dar, e não Jesus do que ele, João, oferecia".[1] Charles Spurgeon, destacando a humildade de João Batista, diz que ele nunca se esquivou de um dever, mas recusou sim uma honra.[2]

Diante do conflito de João, Jesus explica que a razão de estar se submetendo ao batismo é porque estava se identificando com o seu

---
[1] BARCLAY, William. *Mateo I*, p. 65.
[2] SPURGEON, Charles H. *O Evangelho segundo Mateus*, p. 49.

povo, a quem veio salvar. Ao identificar-se com o povo, assumiu seu lugar, levou sobre si seu pecado e sofreu em si mesmo a ira de Deus e o duro golpe da lei. Foi para cumprir as demandas da justiça que Jesus foi batizado. Com isso, resta claro que Jesus foi batizado por um motivo diferente dos demais que vieram ao batismo. Aqueles foram batizados porque pessoalmente haviam pecado contra Deus, estavam debaixo da ira de Deus e precisavam demonstrar arrependimento antes de receberem remissão de pecados. Jesus, contudo, foi batizado não por pecados pessoais, porque não os tinha nem mesmo porque precisava receber o perdão de Deus, uma vez que era o deleite do Pai. Ele foi batizado porque se fez um com o seu povo, a quem veio salvar. Foi batizado porque o pecado do seu povo estava sobre ele e, então, para cumprir a justiça, ele recebeu o batismo de arrependimento para a remissão de pecados.

Nessa mesma linha de pensamento, Norman Shields diz: "Jesus considerava como essencial que Ele se identificasse com esses pecadores e fosse tratado como se Ele fosse um deles. Assim fazendo, Ele ilustrou o fato de que Ele tinha vindo para salvar o seu povo dos seus pecados (1.21)".[3] Tasker complementa: "Submetendo-se ao batismo, Jesus estava aceitando seu destino. Como membro de seu povo e parte da humanidade, Ele toma sobre si os pecados deles, e no batismo Ele os atira sobre si com santa ira, dedicando-se ao mesmo tempo à sua santa vocação".[4]

Fritz Rienecker é ainda mais enfático:

> Por que Jesus deixou-se batizar? Sabemos da importância do batismo de João. Ele significava o juízo sobre a pessoa culpada. Jesus tinha necessidade de tal juízo? Não, por causa de Si próprio Ele não precisava deixar-Se batizar. Ele submeteu-Se ao batismo não somente exteriormente, como a uma cerimônia, ou para nos dar um exemplo, a saber, de que também precisamos deixar-nos batizar. Jesus sabia que precisava realizar e construir o que esse batismo representa. Estava cônscio de que Ele é o Cordeiro de Deus que leva embora o pecado

---

[3] SHIELDS, Norman A. *Mateus, um panorama*. Santo Amaro, SP: PES, 2016, p. 32.
[4] TASKER, R. V. G. *Mateus: introdução e comentário*, p. 39.

do mundo. Por isso responde ao Batista: Convém cumprir toda a justiça. Ele sabe que o caminho da decisão redentora de Deus passa pela sua morte vicária.[5]

O significado espiritual do batismo (3.16,17)

O batismo de Jesus teve três significados importantes: identificação, unção e aprovação. O primeiro ponto já foi explanado nos versículos anteriores. Agora analisaremos os outros dois.

Em primeiro lugar, *o batismo de Jesus marca sua unção* (3.16). *Batizado Jesus, saiu logo da água, e eis que se lhe abriram os céus, e viu o Espírito de Deus descendo como pomba, vindo sobre Ele.* Os céus se abrem, o Espírito Santo desce e a voz de Deus fala. Agora os céus estão novamente "rasgados", como diz Marcos, ou "abertos", conforme Mateus. Abrem-se as regiões que até então estavam trancadas aos seres humanos. Em Jesus, ficou livre o caminho ao coração paterno de Deus. A terra recebeu de novo o céu. E novamente é possível ser nascido do céu.[6]

Lucas nos informa que, no momento em que os céus se Lhe abriram, Jesus estava orando (Lc 3.21). Mateus e Marcos dizem que foi logo ao sair da água (3.16; Mc 1.10). João, entretanto, diz que foi o Batista que viu o Espírito descer do céu como pomba e pousar sobre Ele (Jo 1.32). Todos os evangelistas registram esse momento singular da descida do Espírito sobre Jesus, ungindo-O para o cumprimento de Sua missão. Concordo com Rienecker quando ele diz que "aqui o Espírito Santo é compreendido como instrumentalização pública para a atividade que o Senhor de agora em diante irá exercer".[7]

Mesmo sendo Jesus o Filho de Deus, Ele não dispensou a unção do Espírito. Mesmo sendo o Homem perfeito, Ele não abdicou do poder do Espírito para realizar Sua obra. Tasker destaca nesta passagem um grande paradoxo, uma vez que sobre o Messias, que devia batizar com fogo, o Espírito tenha descido em Seu batismo como pomba, símbolo

---

[5]RIENECKER, Fritz. *Evangelho de Mateus*, p. 64.
[6]RIENECKER, Fritz. *Evangelho de Mateus*, p. 65.
[7]RIENECKER, Fritz. *Evangelho de Mateus*, p. 65.

de suavidade e mansidão. Em Jesus, na realidade, nos defrontamos com a *bondade e a severidade de Deus* (Rm 11.22).[8]

Em segundo lugar, **o batismo de Jesus marca sua aprovação pelo Pai** (3.17). *E eis uma voz dos céus, que dizia: Este é o meu Filho amado, em quem Me comprazo*. Marcos e Lucas afirmam que a voz do céu foi endereçada diretamente a Jesus, e não aos circunstantes, como o faz Mateus: *Tu és o Meu Filho amado, em quem Me comprazo* (Mc 1.11; Lc 3.22). Jesus não apenas se identifica com Seu povo pecador, a quem veio salvar, mas o Pai O identifica como o Seu Filho amado, em que Ele se compraz, e dá esse mesmo testemunho dEle como o Seu Filho amado diante do povo.

Nessa passagem, vemos a presença da Santíssima Trindade: o Filho sendo batizado, o Espírito Santo descendo sobre Ele em forma de pomba e o Pai confirmando sua filiação. R. C. Sproul diz que, assim como as três pessoas da Trindade haviam estado na criação, todas elas também estiveram presentes nesse momento inicial da redenção.[9] Fritz Rienecker destaca o profundo contraste entre o início e o fim do presente capítulo de Mateus. Lá no início, as mais duras palavras de condenação de João Batista; aqui no final, o Cordeiro de Deus, que tomou sobre si todo o juízo ao deixar-se batizar no lugar dos pecadores. Lá a lei, aqui o evangelho; lá juízo, aqui a graça.[10]

---

[8]TASKER, R. V. G. *Mateus: introdução e comentário*, p. 40.
[9]SPROUL, R. C. *Mateus*, p. 37.
[10]RIENECKER, Fritz. *Evangelho de Mateus*, p. 66.

6

A tentação do Rei

Mateus 4.1-11

TODOS OS EVANGELHOS SINÓTICOS afirmam que a tentação de Jesus se deu imediatamente após o seu batismo. Mateus, portanto, situa a tentação em um tempo definido: "A seguir", e em um lugar específico: "no deserto".¹ Jesus sai da água do batismo para o deserto da tentação. Do sorriso do Pai para a carranca do diabo. Do revestimento do Espírito para a prova mais amarga. Não há nenhum intervalo entre a unção e a prova, entre a voz gloriosa do Pai e a voz cavernosa do tentador.

É difícil entender que Jesus, como Filho de Deus, pudesse ser tentado. Mas é da mesma maneira difícil ver que Ele, como ser humano, pudesse escapar da tentação. Ele foi tentado em tudo para nos socorrer nos momentos em que nós somos tentados (Hb 2.10,18; 4.15; 5.7-9).

Apenas os evangelhos sinóticos relatam a tentação de Jesus. É digno de nota que Mateus, Marcos e Lucas informem que Jesus jejuou, mas nenhum deles afirme expressamente que Jesus orou. Sabemos isso por inferência, e não por declaração do texto. Tanto Marcos como Mateus nos informam que Ele foi tentado não *depois* de quarenta dias de jejum,

---

¹ROBERTSON, A. T. *Mateus*, p. 55.

mas *durante* os quarenta dias de jejum. Mateus apresenta as três tentações de forma diferente de Lucas, e somente Lucas mostra que o diabo deixou Jesus até o momento oportuno, mas voltou à carga com outros métodos, usando outras circunstâncias.

À guisa de introdução, destacamos a seguir quatro verdades do texto em tela.

Primeiro, *o diabo não é um ser mítico ou lendário*. O diabo não é uma ideia subjetiva nem uma energia negativa. É um anjo caído, um ser perverso, maligno, assassino, ladrão e mentiroso. Ele é a antiga serpente, o dragão vermelho, o leão que ruge, o deus deste século, o príncipe da potestade do ar, o espírito que atua nos filhos da desobediência. Ele age sem trégua. Não descansa nem tira férias. Foi o diabo quem oprimiu Jó, enganou Davi e fez Pedro cair em perigoso pecado. Ele é o adversário de nossa alma.[2]

Segundo, *a tentação é inevitável*. Não há pecado em ser tentado. Foi o Espírito Santo que compeliu Jesus ao deserto. Não é propriamente satanás quem está atacando Jesus, mas é Jesus quem está invadindo o seu território.

Terceiro, *a tentação vem nas horas mais esplêndidas da vida*. Jesus acabou de sair do Jordão, cheio do Espírito, e foi conduzido pelo Espírito ao deserto. Não houve nenhum intervalo entre a glória do batismo de Cristo e a dureza da tentação. Jesus vai repentinamente do sorriso aprovador do Pai para as ciladas do maligno. Jesus saiu da água do batismo para o fogo da tentação. A tentação não foi um acidente, mas um apontamento. Não houve nenhuma transição entre o céu aberto do Jordão e a escuridão medonha do deserto. A vida cristã não é uma apólice de seguros contra os perigos.

Quarto, *o mesmo Jesus que venceu o diabo nos assiste quando somos tentados*. Não precisamos temer o diabo, mas buscar refúgio em Jesus. Ele é o mais valente que amarra o diabo, saqueia sua casa e lhe tira os despojos. Ele é o Sumo Sacerdote que nos socorre quando somos tentados (Hb 2.18).

---

[2]RYLE, John Charles. *Meditações no Evangelho de Mateus*, p. 21.

As estratégias do diabo

O diabo é astuto e maligno. Na sua sanha tentadora, usa todo o seu arsenal, aproveita-se de cada circunstância e busca tirar proveito das realidades existenciais. Destacamos a seguir alguns pontos.

Em primeiro lugar, *o diabo não se afasta de nós pelo fato de sermos filhos de Deus e estarmos cheios do Espírito Santo* (4.1-3). O diabo não começa com uma negação direta, mas com uma dúvida. A dúvida é uma arma sutil do diabo: *Se és Filho de Deus...* (4.3). Essa foi a mesma estratégia que a serpente usou para tentar Eva: *É assim que Deus disse: Não comereis de toda árvore do jardim?* (Gn 3.1). No caso de Jesus, o diabo pôs em dúvida a verdade do batismo: *Este é o meu Filho amado* (Mt 3.17). *Tu és o meu Filho amado* (Mc 1.11; Lc 3.22). Na verdade, o diabo pôs em dúvida toda uma vida. Desde o início, Jesus estava empenhado nos negócios do seu Pai. Agora, sua filiação é questionada. O diabo também questiona nosso relacionamento com Deus. Ele tenta enfiar a cunha da dúvida nas brechas da nossa mente.

Em segundo lugar, *o diabo não deixa de nos tentar pelo fato de orarmos e jejuarmos*. Jesus estava orando e jejuando durante quarenta dias e nesse tempo o diabo tentou desviar Jesus. Ele não tentou Jesus *depois* dos quarenta dias. Mateus nos informa que ele tentou Jesus durante os *quarenta* dias. Tentou não *depois* que orou e jejuou, mas *enquanto* orava e jejuava. Quem não vigia e ora, esse não consegue resistir. A oração não afugenta o diabo, mas fortalece você. Jesus disse: *Orai e vigiai para não cairdes em tentação*. Pedro não vigiou nem orou, por isso negou a Jesus.

Em terceiro lugar, *o diabo nos tenta em coisas pertinentes*. O diabo atacou Jesus em três áreas: a área física, a satisfação de uma necessidade; a área religiosa, a presunção; e a área política, a ambição.

A tentação física – a satisfação das necessidades (4.3,4)

Para melhor compreensão desta passagem, destacamos alguns pontos.

Em primeiro lugar, *o diabo tenta tirar proveito das nossas necessidades* (4.1,2). O tentador adaptou a tentação às circunstâncias: ele tentou um homem faminto com pão.³ Jesus estava com fome, com o físico debilitado, o estômago vazio, o corpo latejando em profunda agonia depois de quarenta dias de jejum. Todos os poros do seu corpo clamavam por pão. Eva estava perto da árvore proibida. Davi estava vagando pelo palácio na viração da tarde quando viu Bate-Seba se banhando. Pedro estava seguindo a Jesus de longe.

Em segundo lugar, *o diabo nos tenta em nosso ponto forte e em nosso ponto fraco*. O diabo tentou Jesus em sua filiação: *Se és Filho de Deus* (4.3). Tentou-o também em sua necessidade física. Depois de quarenta dias e quarenta noites de jejum, Jesus teve fome. Então, o diabo sugere que Jesus atenda a suas próprias necessidades, transformando pedras em pães. O diabo tentou Jesus em sua natureza divina e em sua natureza humana. Como Deus, Ele é o Filho amado do Pai; como Homem, Ele teve fome. Precisamos nos acautelar em relação às ciladas do diabo. O apóstolo Pedro tinha muita segurança em si e caiu. O apóstolo Paulo diz: *Porque, quando sou fraco, então, é que sou forte* (2Co 12.10).

Em terceiro lugar, *o diabo questiona a bondade de Deus*. O diabo, ao tentar Jesus, sugerindo-lhe transformar pedras em pães, estava também questionando o cuidado de Deus, a bondade de Deus. Ainda hoje, ele nos tenta, sugestionando-nos: Se Deus é bom, por que você está com fome? 2) Se Deus o ama, por que você está em apuros? 3) Se Deus é fiel, por que você está doente? 4) Se Deus é amor, por que você perdeu o emprego?

Em quarto lugar, *o diabo explora as circunstâncias adversas*. Jesus estava no deserto; depois de orar e jejuar quarenta dias, estava com fome, sozinho e junto das feras:

- Tu estás só – A solidão. Será que um Pai abandonaria seu Filho?
- Tu estás no deserto – É este um lugar para um herdeiro de Deus?
- Tu estás com fome – Como um Pai de amor poderia deixar o Seu Filho sofrer?
- Tu estás com as feras – Péssimas companhias para o Filho de Deus.

---

³SPURGEON, Charles H. *O Evangelho segundo Mateus*, p. 53.

Em quinto lugar, *o diabo sugestiona Jesus a abandonar sua dependência do Pai*. A expressão "Se Tu és" pode ser traduzida também por "Já que és". Já que és o Filho de Deus, já que tens poder, faça alguma coisa por Ti mesmo! Asafe, no Salmo 73, mostra o perigo que enfrentou ao ser tentado pela prosperidade do ímpio. Ele chegou a pensar: o que adianta ser crente? Estou sofrendo! A mulher de Jó, ao receber o cálice do sofrimento, revoltada contra Deus, disse para o marido: *Ainda conservas a tua integridade? Amaldiçoa a Deus e morre* (Jó 2.9).

Em sexto lugar, *o diabo sugere que Jesus resolva o problema econômico do povo faminto, usando a política de que os fins justificam os meios*. O diabo está sugerindo que Jesus tenha um reino de milagres, um reino de pão sem cruz. É como se ele dissesse a Jesus: "Dê pão ao povo, e ele Te seguirá". Tasker diz que Jesus foi tentado a aceitar a doutrina diabólica de que os fins justificam os meios.[4]

Em sétimo lugar, *o diabo sugere que Jesus satisfaça imediatamente seus desejos à parte do propósito de Deus*. O diabo tenta Jesus, insinuando que o prazer de comer deve estar acima de obedecer ao propósito de Deus. O diabo torna o pecado gostoso, atraente, imperativo. O diabo sugere que Jesus fuja do sofrimento e da privação. Sua proposta é: satisfaça-se; não se reprima!

A tentação religiosa – a presunção (4.5-7)

Quando Jesus citou a Bíblia para o diabo, ele partiu para o segundo *round* da tentação, com a Bíblia na mão. Destacaremos a seguir alguns pontos.

Em primeiro lugar, *o diabo tenta Jesus com a Bíblia na mão*. Ao perceber que o desejo de Jesus era obedecer a Deus e glorificá-Lo através da Palavra, o diabo o tenta com a Palavra. Na primeira tentação, o diabo queria levar Jesus a desconfiar de Deus. Agora, quer levá-lo a uma confiança falsa na proteção de Deus. O diabo torceu o sentido do Salmo 91 e omitiu outra parte. Ele usou a Bíblia para tentar. A Palavra de Deus na boca do diabo não é Palavra de Deus, mas palavra do diabo, pois ele a toma, a torce e a usa para tentar.

---

[4]Tasker, R. V. G. *Mateus: introdução e comentário*, p. 43.

A promessa de livramento do Salmo 91 é válida quando você anda em todos os caminhos de Deus. Ou seja, Deus não é parceiro de sua loucura!

Em segundo lugar, *o diabo é sempre um mau intérprete das Escrituras*. Ele sempre torce a Palavra. É assim que surgem tantas seitas e heresias com gente de Bíblia na mão, mas guiada pelo diabo. O diabo foi o primeiro teólogo liberal. Ele é o patrono dos falsos exegetas.

Em terceiro lugar, *o diabo queria que Jesus realizasse um milagre para se exibir*. Isso não é fé; é presunção. Os homens gostam de coisas sensacionais. Estão ávidos pelo sobrenatural. De igual modo, o diabo quer nos levar a pecar confiados na graça de Deus. "Siga em frente; Deus não deixará você cair." "Isso não tem nada a ver." "Todo mundo faz." "Não seja antiquado." "Fique tranquilo, Deus perdoa. A graça é suficiente." Jesus, porém, responde ao diabo: *Também está escrito: Não tentarás ao Senhor, teu Deus* (4.7). Um texto não deve ser analisado separadamente e ampliado de forma desproporcional, como se fosse a Bíblia inteira; cada pronunciação do Senhor deve ser considerada em conexão com outras partes das Escrituras. "Está escrito" deve ser colocado ao lado de "também está escrito".[5]

A tentação política – a ambição (4.8-10)

O diabo tem um arsenal variado e usa todas as armas para alcançar seus nefastos propósitos. Três fatos nos chamam a atenção a seguir.

Em primeiro lugar, *o diabo percebe que Jesus está comprometido com o Reino de Deus e então lhe oferece os reinos deste mundo* (4.8,9). O diabo queria fazer de Jesus um novo césar. O poder de Roma estaria em suas mãos. Seu povo oprimido quebraria o jugo da escravidão e reinaria com Ele. Jerusalém, e não Roma, seria a sede do Seu governo. O diabo diz para Jesus: "Há um suspiro lá no vale por libertação política. Atenda o povo". O diabo oferece a Jesus um reino de glória sem cruz, um reino de *glamour*.

Em segundo lugar, *o diabo exige uma adoração aberta* (4.9). Agora, na terceira tentação, o diabo não sugere que Jesus desconfie, nem que

---

[5] SPURGEON, Charles H. *O Evangelho segundo Mateus*, p. 55.

tenha uma confiança falsa, mas que apostate de Deus. Aqui o diabo mostra as suas garras e quer assumir o lugar do Todo-poderoso Deus.

Em terceiro lugar, *o diabo é um estelionatário* (4.9). O diabo promete o que não tem. Diz a Jesus: *Tudo isto Te darei se, prostrado, me adorares*. O evangelista Lucas registra as palavras do tentador: *Dar-te-ei toda esta autoridade e a glória destes reinos, porque ela me foi entregue, e a dou a quem eu quiser* (Lc 4.6). O diabo promete todos os reinos a Jesus, dizendo que ele tinha autoridade para fazer isso. Mentira! Ele promete o que não tem. Ele esconde que é um ser derrotado, condenado e infeliz. Concordo com R. C. Sproul: "A oferta que satanás fez a Jesus, não era algo que ele podia dar. Satanás não tem glória alguma para dar".[6]

A **persistência** do diabo

O diabo tentou Jesus de diversas formas. Ele muda de tática. Tem muitos estratagemas. O evangelista Lucas diz que o diabo se apartou de Jesus até o momento oportuno (Lc 4.13). Ele voltou, tentando-o pela multidão, usando Pedro e ainda os demais discípulos.

Esse episódio nos ensina a necessidade de nos mantermos sempre vigilantes. Não ensarilhe as armas. Não há momento mais perigoso do que depois de uma vitória. Aquele que pensa estar em pé veja que não caia.

Como **vencer as tentações** do diabo

Aprendemos com o texto em tela quatro formas que Jesus usou para vencer as tentações do diabo, como exploramos a seguir.

Em primeiro lugar, *ter uma vida de intimidade com Deus por meio do jejum e da oração* (4.2). Jesus tinha prazer no Pai, e o Pai tinha prazer no Filho. Quem ama a Deus, ora; quem tem apetite pelo pão do céu, jejua. Quem anda com Deus, tem poder para resistir ao diabo. O problema não é a presença do inimigo, mas a ausência de Deus.

---

[6]SPROUL, R. C. *Mateus*, p. 46.

Em segundo lugar, ***ter uma vida cheia do Espírito Santo e ser guiado pelo Espírito*** (4.1). Estamos sempre cheios: do Espírito Santo ou de nós mesmos. Jesus viveu na plenitude do Espírito Santo e foi guiado pelo Espírito. Não vencemos a tentação na força da carne. Só quando somos cheios do Espírito e somos guiados pelo Espírito é que alcançamos vitória nas tentações.

Em terceiro lugar, ***ter a Palavra de Deus no coração e nos lábios***. A Bíblia é a espada do Espírito. Nada de racionalizações: o que eu penso, o que eu acho, o que as pessoas falam. Jesus disse: Está escrito! A única arma que Jesus usou para vencer o diabo foi a Palavra de Deus. R. C. Sproul diz que João Calvino chamava a Bíblia de *Vox Dei* – A voz de Deus – e disse que nós devemos receber esta palavra como se a estivéssemos ouvindo diretamente dos lábios do próprio Deus.[7]

Em quarto lugar, ***ter uma atitude de resistir ao diabo***. Não devemos subestimar, nem temer, nem fugir do diabo, mas resistir a ele. O diabo precisou bater em retirada. Precisamos entender que o diabo já foi vencido, e Aquele que o venceu nos assiste quando somos tentados (Hb 2.18). Estamos em Cristo. Sua vitória é a nossa vitória! Você não precisa enfiar a cabeça na coleira do diabo. Você não é mais escravo do pecado. Você foi tirado da potestade de satanás, da casa do valente, do reino das trevas. Você agora está assentado com Cristo nas regiões celestes.

Um **banquete** no **deserto**

Depois que o diabo bateu em retirada, os anjos chegaram para servi-Lo. Depois da luta, a vitória. Depois do vale, os mananciais. Depois da dor, o refrigério. Depois do choro, a alegria. Depois da fome e do jejum sob a dependência de Deus, o banquete servido pelos anjos. R. C. Sproul diz que os anjos serviram a Jesus o café da manhã mais fantástico que um ser humano já provou.[8] Os anjos são espíritos ministradores em favor dos que herdam a salvação (Hb 1.14). O anjo do Senhor acampa-se ao redor dos que O temem e os livra.

---

[7] Sproul, R. C. *Mateus*, p. 44,45.
[8] Sproul, R. C. *Mateus*, p. 47.

7

O Rei inicia Seu ministério

Mateus 4.12-25

O REGISTRO DE MATEUS NA PASSAGEM em tela não tem a preocupação de seguir a cronologia dos fatos. Mateus não indica nenhuma conexão cronológica entre este texto e o material precedente.[1] De acordo com Fritz Rienecker, tudo o que o evangelho de João narra nos capítulos 1.43 a 4.54 está condensado aqui nos versículos 12 a 17.[2] Mateus registra aqui a saída de Jesus da Judeia para a Galileia, depois da prisão de João Batista. Ralph Earle diz que a prisão de João Batista é o ponto de partida cronológico do grande ministério de Jesus na Galileia, como indicado nos dois primeiros evangelhos (Mc 1.14).[3]

Destacamos a seguir quatro pontos importantes.

O retiro de Jesus para a Galileia (4.12-17)

Destacamos a seguir alguns fatos no texto em tela.

Em primeiro lugar, ***fugindo dos conflitos de forma preventiva*** (4.12). *Ouvindo, porém, Jesus que João fora preso, retirou-se para a Galileia.* O evangelista João informa que Jesus deixa a Judeia e vai para a

---
[1] HENDRIKSEN, William. *Mateus*. Vol. 1, p. 295.
[2] RIENECKER, Fritz. *Evangelho de Mateus*, p. 71.
[3] EARLE, Ralph. *O Evangelho segundo Mateus*, p. 48.

Galileia em virtude do crescimento de sua popularidade na Judeia, especialmente pelo fato de os fariseus terem concluído que seus discípulos estavam batizando mais discípulos do que João Batista (Jo 3.26; 4.1-3). É claro que Mateus não está tratando aqui daquela ida para a Galileia logo depois de seu batismo e tentação, quando foi rejeitado em Nazaré (Lc 4.14-30).

A razão precípua de Jesus deixar a Judeia rumo à Galileia era para evitar um conflito prematuro com os fariseus. O tempo haveria de chegar, mas não precisava ser antecipado. William Hendriksen diz, corretamente, que o Senhor sabia que para cada evento em sua vida havia um tempo determinado no decreto de Deus. E sabia também que o momento apropriado para sua morte ainda não havia chegado. Tão logo chegasse esse momento, Ele voluntariamente entregaria sua vida (Jo 10.18; 13.1; 14.31). Então, o faria, porém, não antes.[4]

Outro motivo é que a Galileia era um lugar estratégico, por algumas razões: Primeiro, porque era uma região superpovoada. Havia cerca de 204 vilas na Galileia, com mais de 15 mil habitantes cada. Portanto, Jesus vai para uma região onde havia mais pessoas para ouvi-lo. Segundo, porque a Galileia era um território aberto a novas ideias. A palavra "Galileia" provém do hebraico *Galil*, que significa "círculo". Essa região estava rodeada de pagãos. Era conhecida como Galileia dos gentios. Seus vizinhos eram Fenícia, Síria e Samaria. Portanto, a Galileia estava em constante contato com as influências e ideias não judaicas. Corroborando essa ideia, Norman Shields diz que a Galileia tinha sido subjugada sucessivamente pelos assírios, pelos babilônios, pelos gregos da Síria e pelos romanos; assim, estava sob grande influência gentílica e pagã – daí o termo usado por Isaías: "a Galileia dos gentios".[5] Concordo com Michael Green quando ele diz que vemos nesta agenda de Jesus não apenas um vislumbre, mas uma poderosa ênfase na obra missionária endereçada aos gentios.[6] Terceiro, porque as grandes rotas do mundo passavam pela Galileia. A rota do mar que atravessava

---

[4]HENDRIKSEN, William. *Mateus*. Vol. 1, p. 297.
[5]SHIELDS, Norman A. *Mateus, um panorama*, p. 38.
[6]GREEEN, Michael. *The Message of Matthew*. 2000, p. 85.

a Galileia, vinda de Damasco, conduzia ao Egito e aos lugares mais distantes do mundo conhecido.[7] Cafarnaum era um lugar de destacamento militar (8.5-13) e centro de administração político-financeira (9.9).

Em segundo lugar, **buscando o cumprimento das profecias** (4.13-16). *E, deixando Nazaré, foi morar em Cafarnaum, situada à beira-mar, nos confins de Zebulom e Naftali; para que se cumprisse o que fora dito por intermédio do profeta Isaías...* William Hendriksen diz que em Sua graça soberana Deus fez algo totalmente inesperado. Ele enviou seu Filho não principalmente à aristocracia de Jerusalém, mas especialmente às desprezadas, dolorosamente afligidas e em grande parte ignorantes massas da Galileia, uma população mista gentílico-judaica. Foi na Galileia e sua vizinhança que Jesus passou a maior parte de sua vida encarnada sobre a terra. Foi ali que Ele cresceu; também dali foi que posteriormente viajou de cidade em cidade, de aldeia em aldeia. Foi nessa região que Ele reuniu em torno de Si um grupo de discípulos.[8]

Nessa mesma linha de pensamento, Spurgeon diz que a grande luz se encontrou com a grande escuridão; os que estavam distantes foram visitados por Aquele que congrega os dispersos de Israel. Nosso Senhor não atrai aqueles que se gloriam em sua luz, mas aqueles que desfalecem em sua escuridão. Ele vem com a vida celeste não para aqueles que se gloriam de sua própria vida e poder, mas para aqueles que estão sob condenação e sentem as sombras da morte privando-os da luz e da esperança.[9]

Jesus não retorna a Nazaré, onde já havia sido rejeitado, mas vai estabelecer-se em Cafarnaum, situada às margens do mar da Galileia, cidade aduaneira por onde passava a mais importante estrada que ligava Damasco ao norte e o Egito ao sul. Estrategicamente Jesus deixa Nazaré, uma pequena cidade sem expressão, para fazer de Cafarnaum seu quartel-general. Cafarnaum tinha um comércio robusto e por ali pessoas trafegavam todos os dias.

A palavra "Cafarnaum" significa, literalmente, "vila de Naum", e Naum significa "compassivo". Logo, o nome Cafarnaum pode ser

---

[7]BARCLAY, William. *Mateo I*, p. 78-80
[8]HENDRIKSEN, William. *Mateus*. Vol. 1, p. 299.
[9]SPURGEON, Charles H. *O Evangelho segundo Mateus*, p. 60,61.

interpretado como "vila de compaixão ou consolação".¹⁰ Como dissemos, essa cidade tornou-se o quartel-general de Cristo, onde Ele realizou muitos milagres (11.23; 8.5-17; 9.1-8,18-34; 12.9-13; 17.24-27; Lc 4.23,31-37; 7.1-10). Jesus adotou de tal forma Cafarnaum como a cidade base de seu ministério galileu, que o evangelista Mateus diz que Cafarnaum era a sua própria cidade (9.1).

Além dessas vantagens logísticas para seu ministério, Jesus optou por Cafarnaum para que se cumprisse o que fora dito por intermédio do profeta Isaías (Is 9.1-7). Essa oprimida região, dominada e arrasada pela Assíria em 722 a.C., mergulhada em densas trevas, tornou-se fortemente marcada pela presença de gentios. Porém, a profecia de Isaías anunciava que, para esse povo que jazia em trevas, haveria de raiar a luz. Essa luz chegou com Jesus. Jesus veio como uma grande luz para pessoas obscurecidas por trevas morais e espirituais. Ele é a verdadeira luz que, vinda ao mundo, ilumina a todo homem (Jo 1.9). Estou de pleno acordo com o que diz Michael Green: "Quanto mais escura é a noite, mais intensamente a luz brilha".¹¹

Em terceiro lugar, *pregando a mensagem essencial do reino* (4.17). *Daí por diante, passou Jesus a pregar e a dizer: Arrependei-vos, porque está próximo o reino dos céus.* A mesma mensagem pregada por João Batista, o precursor, foi também pregada por Jesus. Se a voz de João estava impedida de bradar, uma vez que ele estava encerrado em prisão, Jesus faz soar sua onipotente voz: *Arrependei-vos, porque está próximo o reino dos céus.* Arrependimento foi a mensagem dos profetas, de João Batista, de Jesus e de seus apóstolos. Ninguém pode entrar no reino sem antes se arrepender de seus pecados. Não podemos esperar em Deus sem antes nos desesperarmos de nós mesmos. O arrependimento abrange as três áreas vitais da vida: razão, emoção e vontade. A palavra grega *metanoia*, "arrependimento", significa mudar de mente, sentir tristeza segundo Deus e dar meia-volta. Uma pessoa arrependida reconhece seu pecado, sente tristeza por ele e o abandona, voltando-se para Deus.

---

[10] HENDRIKSEN, William. *Mateus.* Vol. 1, p. 297.
[11] GREEN, Michael. *The Message of Matthew*, p. 85.

William Barclay destaca o fato de que a palavra grega *kerusso*, "pregar", usada aqui, significa a proclamação que faz o arauto antes da chegada do rei. Trata-se do homem encarregado de levar mensagens diretamente do rei e anunciá-las ao povo. Essa proclamação traz uma nota de certeza e autoridade.[12] Jesus, sendo o rei, é também o pregador. A pregação é a maior responsabilidade da igreja e a maior necessidade do mundo. John Charles Ryle declara, com razão, que não existe outra atividade tão honrada como a de um pregador. Por isso, os dias mais resplandecentes da igreja de Cristo sempre foram aqueles em que a pregação do evangelho foi mais honrada, enquanto os dias mais tenebrosos da igreja sempre têm sido aqueles em que a pregação é desvalorizada.[13]

Jesus está ordenando que seus ouvintes se arrependam, porque está próximo o reino dos céus (4.17b). William Hendriksen diz que esta mensagem não foi proclamada imediatamente ou de uma vez por todas ao mundo inteiro. Desde o princípio, sua difusão seria progressiva: deveria alcançar primeiro o judeu (10.5,6), em seguida, paulatinamente, também todas as nações (24.14; 28.19; At 13.46; Rm 1.16). Portanto, não causa estranheza que o anúncio "o reino dos céus está próximo" se ouça primeiro dos lábios de João Batista, em seguida seja confirmado por Jesus e, por ordem de Cristo, seja repetido pelos discípulos (10.7), com a intenção de que, finalmente, alcance o mundo inteiro: todas as nações. Então virá o fim.[14]

O **chamado** de Jesus **aos discípulos** (4.18-22)

Os quatro primeiros discípulos chamados por Jesus são pescadores. Pedro e André são irmãos e, de igual forma, Tiago e João. Entre eles, estavam os três apóstolos mais íntimos de Jesus. Pedro tornou-se o grande líder dos apóstolos tanto antes de sua queda como depois de sua restauração. Seu nome sempre aparece em primeiro lugar na lista dos apóstolos (10.2-4; At 1.13). André, embora não tenha tanta projeção como seu irmão, foi quem levou Pedro a Cristo e está sempre guiando

---
[12]BARCLAY, William. *Mateo I*, p. 82.
[13]RYLE, John Charles. *Meditações no Evangelho de Mateus*, p. 23.
[14]HENDRIKSEN, William. *Mateus*. Vol. 1, p. 301,302.

pessoas a Jesus (Mt 14.18; Jo 1.40-42; 6.8,9; 12.22). Tiago, filho de Zebedeu, foi o primeiro dos doze a usar a coroa de mártir (At 12.1,2), e João foi o discípulo amado, que reclinou a cabeça sobre o peito de Jesus e a quem Jesus confiou sua mãe (Jo 19.26,27). Este foi o único apóstolo de Jesus que não passou pelo martírio. Pedro foi crucificado de cabeça para baixo (Jo 21.18,19; 2Pe 1.14,15). André foi crucificado em uma cruz em forma de X depois de afirmar que não podia pregar a respeito da cruz sem aceitar a oportunidade de ser morto em uma cruz.[15]

Vamos examinar um pouco mais esses quatro primeiros discípulos.

Em primeiro lugar, *o chamado dos irmãos que lançavam as redes* (4.18-20). Simão, chamado Pedro, e André foram os primeiros discípulos chamados por Jesus. Eram pescadores e estavam lançando suas redes para pescar. Embora Pedro tenha se destacado como líder, foi André quem o levou a Cristo (Jo 1.40-42). Aos dois, Jesus dá uma ordem para virem a Ele e então lhes faz uma promessa, a promessa de que seriam pescadores de homens. Esses dois irmãos foram capturados pela rede da graça a fim de recrutarem homens para o reino dos céus. O resultado é que eles deixaram imediatamente as redes e O seguiram.

William Barclay enfatiza o fato de existir uma estreita conexão entre um pescador e um pescador de homens. O pescador precisa ter paciência, perseverança, coragem, noção exata do momento correto de agir, usar o método adequado para cada tipo de peixe e não chamar a atenção para si mesmo, mas se manter oculto.[16]

Em segundo lugar, *o chamado dos irmãos que consertavam as redes* (4.21,22). Em seguida, Jesus viu outros dois irmãos, Tiago e João, filhos de Zebedeu, que estavam consertando as redes em companhia de seu pai. Jesus os chamou, e eles, no mesmo instante, deixando o barco e seu pai, seguiram a Jesus. O chamado de Jesus foi eficaz. O rompimento com o passado foi imediato. Treze vezes, no evangelho de Mateus, vemos Jesus dizer às pessoas: "Segue-me". Citando Charles Spurgeon, Sproul diz que o chamado de Jesus é imperativo, adequado e eficaz.[17]

---

[15]SPROUL, R. C. *Mateus*, p. 53.
[16]BARCLAY, William. *Mateo I*, p. 85,86.
[17]SPROUL, R. C. *Mateus*, p. 55,56.

A consagração ao discipulado foi plena. Esses quatro homens sempre ocuparam o primeiro lugar na lista dos apóstolos.

O tríplice ministério de Jesus (4.23-25)

Jesus já tinha passado pela água do batismo e pelo fogo da tentação. Seu ministério já estava suplantando o robusto ministério de João Batista em termos de adesão das multidões (Jo 4.1-3). Então, Jesus deixou a Judeia para evitar conflitos precoces com as autoridades religiosas e foi para a Galileia (Mt 4.23). Sua fama transbordava para além das fronteiras de Israel (Mt 4.24). Multidões fluíam de todos os cantos da nação para segui-Lo (Mt 4.25). O texto em relevo nos mostra três áreas do ministério de Jesus: ensino, pregação e cura. Barclay diz que Jesus veio pregando para derrotar toda ignorância. Veio ensinando para derrotar todos os mal-entendidos. Veio curando para derrotar todo o sofrimento humano.[18] Jesus converteu Seus próprios ensinamentos em ação, e em ação misericordiosa.

Em primeiro lugar, *Jesus ensinou nas sinagogas* (4.23). A sinagoga era a instituição mais importante na vida de um judeu. Só havia um templo, o templo de Jerusalém, mas havia uma sinagoga em cada comunidade judia. Se o templo era o lugar dos sacrifícios, a sinagoga era o ambiente do ensino. Barclay diz que as sinagogas eram as universidades religiosas daquela época.[19] Estrategicamente Jesus começou seu ministério docente nas sinagogas.

Jesus foi o Mestre dos mestres, o mensageiro e a mensagem, o profeta e a profecia, o professor e o conteúdo do Seu ensino. Não ensinou a doutrina dos rabinos nem o pensamento de sua época. Ensinou as Escrituras, mostrando que Ele era o cumprimento de toda a esperança prometida no Antigo Testamento. Jesus não foi um alfaiate do efêmero, mas o escultor do eterno. Ele não ensinou nulidades, mas a verdade eterna. Ensinou nas sinagogas, lugar onde as pessoas se reuniam para ouvir a leitura da lei. Ensinou no lugar onde as pessoas buscavam

---

[18]BARCLAY, William. *Mateo I*, p. 90.
[19]BARCLAY, William. *Mateo I*, p. 87.

conhecimento. Ensinou com fidelidade, com regularidade, com irretocável precisão. Nós, de igual forma, imitando a Jesus, devemos, no cumprimento da grande comissão, ensinar a Palavra aqui e acolá, em nossa terra e além fronteiras, usando todos os métodos legítimos e disponíveis, até que as pessoas cheguem à maturidade e alcancem a estatura do varão perfeito.

Em segundo lugar, *Jesus pregou o evangelho do reino* (4.23). Jesus era um mestre e também um pregador. Ele veio para pregar. Pregar não a opinião dos doutores da lei nem a última corrente de pensamento dos grandes rabinos. Ele veio para pregar a Palavra de Deus, o evangelho do reino. O evangelho do reino é o evangelho da graça que chama o homem ao arrependimento e lhe promete remissão de pecados. O evangelho que, pela obra de Cristo, transporta o pecador do reino das trevas para o reino da luz, da potestade de satanás para o domínio de Deus. O evangelho que abre a porta da salvação pela fé em Cristo sem o concurso das obras. O evangelho que apresenta a bondade e a severidade de Deus, a graça e o juízo, a redenção e a condenação, a vida e morte. Este evangelho não é criação do homem, mas dádiva de Deus. Destaca não as pretensas virtudes do homem, mas a soberana graça de Deus. Este evangelho do reino é a única boa notícia que pode tirar o homem da escravidão para a liberdade, das trevas para a luz, do juízo condenatório para a justificação pela fé. Este evangelho é o poder de Deus para a salvação de todo aquele que crê. A igreja não tem outra mensagem; o mundo não tem outra esperança.

William Hendriksen diz que o reino possui quatro conceitos: 1) o reinado, o governo ou soberania reconhecidos de Deus (6.10; Lc 17.21); 2) a completa salvação, com todas as bênçãos espirituais e materiais – ou seja, bênçãos para a alma e para o corpo (Mc 10.25,26); 3) a igreja, a comunidade de homens em cujo coração Deus é reconhecido como rei (16.18,19); 4) o universo redimido (25.34).[20]

Em terceiro lugar, *Jesus curou toda sorte de doenças e enfermidades* (4.23). A palavra grega *malakian* descreve a doença ocasional, ao passo

---

[20] HENDRIKSEN, William. *Mateus*. Vol. 1, p. 308.

que a palavra grega *noson* descreve a doença crônica.[21] Jesus cuidou da alma e do corpo, das necessidades espirituais e das necessidades físicas. Seu ministério foi marcado pela compaixão. A dor que latejava no peito das pessoas doía também em seu coração. Seu ministério não foi dentro de quatro paredes. Ele saía para encontrar as pessoas onde elas estavam, e elas vinham a Ele de onde estavam. Ele estancou o sofrimento efêmero e resolveu o problema eterno. Trouxe pleno perdão para os pecados e pleno alívio para as dores. Seu ministério de socorro aos aflitos pavimenta o caminho para a igreja seguir suas pegadas. Não obstante nos fale o poder pleno e absoluto que nEle há, devemos ser revestidos de sua compaixão a fim de exercermos, dentro de nossos limites, o exercício da misericórdia. A igreja não pode olvidar aqueles que sofrem. Não pode passar de largo daqueles que jazem feridos à beira do nosso caminho. A igreja é o braço estendido da misericórdia de Deus num mundo enfermo que soluça e geme sem esperança. O que pulsa no coração de Deus deve também pulsar em nosso coração. A misericórdia não é para ser discutida, mas para ser praticada!

William Hendriksen diz que os milagres de cura que Cristo realizou tinham um significado tríplice: 1) confirmavam sua mensagem (Jo 14.11); 2) revelavam que de fato Ele era o Messias da profecia (11.2-6; Is 35.5; 53.4,5; 61.1); 3) provavam que, em certo sentido, o reino já havia chegado, porque o reino inclui bênçãos tanto para o corpo como para a alma.[22]

O esplêndido sucesso do ministério de Jesus (4.24,25)

Mateus faz um registro eloquente, embora sucinto, do esplêndido sucesso do ministério de Jesus. Sua fama avançou para além das fronteiras de Israel, chegando à Síria. Levaram a Jesus todos os doentes, acometidos de várias enfermidades e tormentos: endemoninhados, lunáticos e paralíticos, e a todos Ele curou. Numerosas multidões vinham a Ele de Jerusalém, Judeia, dalém do Jordão, bem como de

---

[21] ROBERTSON, A. T. *Mateus*, p. 61.
[22] HENDRIKSEN, William. *Mateus*. Vol. 1, p. 309.

Decápolis, ou seja, das dez cidades que se estendiam do nordeste de Samaria para o nordeste da Galileia: Damasco, Kanata, Dion, Hippos, Gadara, Abila, Scitópolis, Pella, Geresa e Filadélfia.[23] Mounce diz que Decápolis era uma federação de dez cidades helenísticas que haviam sido incorporadas à Judeia; mais tarde, elas seriam tiradas de sob o controle judaico, por Pompeu, indo fazer parte da Síria.[24]

---

[23]HENDRIKSEN, William. *Mateus*. Vol. 1, p. 311.
[24]MOUNCE, Robert H. *Mateus*, p. 45.

8

As **credenciais** dos súditos do **reino**

Mateus 5.1-12

MATEUS ESTÁ APRESENTANDO JESUS como um segundo Moisés, maior do que o primeiro. A lei prescrita por Jesus não é nenhum código de regras exteriores que possa ser seguido ao pé da letra, mas, sim, uma série de princípios, ideias e motivos para a conduta, a lei gravada no coração.[1] Tasker, citando C. H. Dodd, diz que o "Sermão do Monte" é a ética absoluta do Reino de Deus.[2]

No célebre Sermão do Monte, Jesus mostrou, de forma eloquente, que o Reino de Deus é um reino de ponta-cabeça. A pirâmide está invertida. Feliz é aquele que nada ostenta diante de Deus e ainda chora pelos seus pecados. Feliz é aquele que abre mão dos seus direitos em vez de oprimir aqueles que reivindicam até direitos que não têm. Feliz é o que abre sua mão ao necessitado e não o que explora para enriquecer-se. Feliz é o que constrói pontes de contato entre as pessoas e não aquele que cava abismos de inimizades entre as pessoas. Feliz é o que ama e pratica a justiça, e não aquele que usa as filigranas da lei para auferir vantagens próprias. Feliz é aquele que busca a santidade e não aquele que rasga a cara em ruidosas gargalhadas carregadas de lascívia.

---

[1] Tasker, R. V. G. *Mateus: introdução e comentário*, p. 47.
[2] Tasker, R. V. G. *Mateus: introdução e comentário*, p. 48.

No Reino de Deus, ser perseguido por causa da justiça é melhor do que fazer injustiça e pousar de benemérito da sociedade.

A ética do Reino de Deus não afrouxa as exigências da lei para render-se à licenciosidade sem freios. Se, nos reinos do mundo, o forte prevalece sobre o fraco e o poder da vingança esmaga até os inocentes, no Reino de Deus, o perdão é maior do que a vingança e a busca da reconciliação é melhor do que a vitória num tribunal. Nos reinos do mundo, os homens se satisfazem com as ações certas sob a investigação da lei; no Reino de Deus, até mesmo as motivações do coração são contadas. Odiar alguém é matá-lo no coração; olhar para uma mulher com intenção impura é adulterar com ela. Se os tribunais da terra só podem julgar palavras e ações, no Reino de Deus, o tribunal divino julga até mesmo as intenções.

Na ética do mundo, o casamento está cada vez mais enfraquecido e o divórcio está cada vez mais robusto. No Reino de Deus, divorciar-se por qualquer motivo é entrar pelos corredores escuros do adultério e arruinar não apenas a própria vida, mas também a família. Na ética do mundo, o sexo tornou-se banal e promíscuo. Toda sorte de aberrações sexuais é aplaudida e incentivada, mas no Reino de Deus se exigem a pureza no coração e a fidelidade nos relacionamentos.

Na ética do mundo, a espiritualidade é uma encenação na passarela da vaidade. Os homens são aplaudidos por aquilo que aparentam ser e não pelo que de fato são. No Reino de Deus, a espiritualidade verdadeira não busca holofotes nem aplauso dos homens, porque visa exclusivamente agradar a Deus, que tudo vê em secreto e a todos sonda. Na ética do mundo, os homens julgam temerariamente, ao mesmo tempo que expõem os pecados do próximo, promovendo a si mesmos. No Reino de Deus, o indivíduo é rigoroso ao tratar seus próprios pecados, mas é compassivo para lidar com os pecados do próximo. Na ética do mundo, ser grande é acumular riquezas na terra, construir impérios financeiros e ostentar poder econômico. No Reino de Deus, ser rico é ajuntar tesouros no céu, onde os ladrões não roubam nem a traça e a ferrugem corroem. Nos reinos do mundo, os homens vivem ansiosos pelas coisas que perecem, enquanto os filhos de Deus buscam em primeiro lugar o Reino de Deus, que é eterno. Na ética do mundo, os falsos profetas são tidos em alta conta e recebem dos homens todo prestígio e acolhida. Mas, para os filhos do reino, eles são falsos ministros, que pregam um falso evangelho, produzindo falsos crentes.

Na ética do mundo, o que importa é aparência. Por isso, a insensatez prevalece. Os homens escutam a verdade, mas não a colocam em prática. Constroem sua casa sobre a areia, para vê-la desmoronar na chegada da tempestade. No Reino de Deus, não basta ouvir ou conhecer; é preciso praticar. Não basta construir sua casa; é preciso construí-la sobre a rocha. Não basta ter uma casa segura aos olhos dos homens; é preciso que essa casa permaneça inabalável diante das tempestades da vida.

O Reino de Deus está em oposição aos reinos deste mundo. Os reinos deste mundo são aplaudidos agora, mas entrarão em colapso depois. Ostentam sua riqueza agora, mas depois ficarão completamente desamparados. Drapejam suas bandeiras de sucesso agora, mas serão cobertos de opróbrio na manifestação de nosso glorioso Redentor. Então, todos os reinos deste mundo passarão, mas o reino de Cristo, mesmo sendo agora um reino de ponta-cabeça, jamais findará.

Vamos, agora, considerar este célebre sermão em seus detalhes. Jesus nos fala sobre a verdadeira felicidade no prólogo do Seu Sermão do Monte. A felicidade não é um lugar aonde se vai, mas a maneira como se caminha. Jesus, aqui nas bem-aventuranças, nos dá a receita da verdadeira felicidade. John MacArthur diz que o negócio de Jesus é a felicidade.[3] Ele põe diante de nós o mapa que nos leva a esse paraíso cobiçado. Os tesouros riquíssimos da verdadeira felicidade estão ao nosso alcance. A felicidade não é uma utopia, mas algo factível, concreto, tangível, ao nosso alcance. A boa notícia é que a felicidade não é algo que compramos com dinheiro, mas um presente que recebemos de Deus.

A felicidade não está nas coisas que vemos; é uma atitude do coração. Não é um pagamento de nossas virtudes, mas um presente da graça. Não é algo que conquistamos pelo nosso esforço, mas um dom que recebemos pela fé. O que o mundo promete e não consegue dar,

---

[3] MacArthur, John Jr. *O caminho da felicidade*. São Paulo, SP: Cultura Cristã, 2001, p. 13.

Jesus oferece gratuitamente. É importante afirmar que esse roteiro está na contramão de todas as orientações dadas pelo mundo. Não é um caminho aberto da terra para o céu, mas do céu para a terra. Não é algo que o homem faz para agradar a Deus, mas o que Deus faz para o homem. A verdadeira felicidade não é prêmio, é presente; não é merecimento, é graça!

John Stott, expositor bíblico de escol, afirma que as bem-aventuranças enfatizam oito sinais principais da conduta e do caráter cristãos, especialmente em relação a Deus e aos homens.[4]

Assim como o fruto do Espírito expressa o caráter do cristão e não as diversas facetas dele, de igual forma, as bem-aventuranças são oito atributos do mesmo grupo de pessoas. Um cristão maduro tem todas essas oito qualidades, e não apenas algumas delas. John Stott explica: "As oito qualidades juntas constituem as responsabilidades; e as oito bênçãos, os privilégios, a condição de cidadãos do Reino de Deus".[5]

As bem-aventuranças não são qualidades inatas ou adquiridas pelo esforço humano. Nenhum homem poderia possuir essas bem-aventuranças à parte da graça de Deus.

A felicidade é o resultado de um correto relacionamento com Deus, conosco mesmos e com nosso próximo. As oito bem-aventuranças apontam para esse quádruplo relacionamento: atitude em relação a si mesmo (5.3,4); em relação ao pecado (5.5,6); em relação a Deus (5.7-9); em relação ao mundo (5.10-12).

A felicidade consiste na correta relação com Deus. As duas primeiras bem-aventuranças falam sobre a maneira correta de nos aproximarmos de Deus. Feliz é o humilde de espírito e feliz é o que chora. Esses conceitos estão na contramão dos valores do mundo, que enaltecem a arrogância e a presunção. A palavra grega *ptokós,* traduzida por "humilde", significa pobre, carente, completamente desprovido dos bens mais necessários. Trata-se do mendigo que nada tem para exigir ou reivindicar. Feliz é o homem que se aproxima de Deus sabendo de sua total

---

[4]STOTT, John R. W. *Contracultura cristã – A mensagem do Sermão do Monte.* São Paulo, SP: ABU, 1981, p. 11.
[5]STOTT, John R. W. *Contracultura cristã – A mensagem do Sermão do Monte,* p. 23.

falência espiritual e desta maneira se agarra à graça de Deus. A palavra usada para "choro" é a mais forte do vocabulário grego. Era usada para descrever o choro pela perda de um ente querido. Trata-se de um choro profundo, doloroso e amargo. Feliz é aquele que chora pelos seus pecados e sente tristeza diante de Deus pelas mazelas do seu coração. Aqueles que se aproximam de Deus, conscientes de sua total necessidade e lamentando seus pecados, são muito felizes. São felizes porque recebem consolo e também a herança do reino dos céus.

A felicidade consiste na correta relação conosco mesmos. Jesus disse que os mansos e os puros de coração são bem-aventurados. Uma pessoa mansa tem controle de si mesma. A palavra grega *praus* era usada para se referir a um animal domesticado. Ele tem força, mas usa essa força para o bem, e não para o mal. Uma pessoa que não tem domínio próprio arruína a sua própria vida e a vida dos outros. Uma pessoa feliz, igualmente, cuida da fonte de sua própria alma; vela pela pureza do seu coração. A felicidade não está nas iguarias do mundo. Aí pode existir muita aventura, mas nenhuma felicidade verdadeira.

A felicidade consiste na correta relação com o próximo. Jesus aborda as três últimas bem-aventuranças falando sobre a nossa relação com o próximo. Felizes são os misericordiosos, os pacificadores e os perseguidos por causa da justiça. A felicidade não está em explorar o próximo, mas em servi-lo. A felicidade não está em destruir o próximo ou cavar abismos para separar as pessoas, mas em construir pontes de reconciliação entre elas. A felicidade não está em sofrer ou fazer alguém sofrer pela prática da injustiça, mas em praticar a justiça e estar disposto a ser perseguido por essa causa. Os misericordiosos alcançarão misericórdia, os pacificadores serão chamados filhos de Deus e os perseguidos por causa da justiça receberão a herança do reino.

Vamos examinar, agora, mais detidamente, cada uma das oito bem-aventuranças.

Bem-aventurados os **humildes de espírito** (5.1-3)

... Bem-aventurados os humildes de espírito, porque dos tais é o Reino de Deus (Mt 5.1-3).

O Antigo Testamento terminou com uma "maldição"; o Novo Testamento começa com uma "bem-aventurança", diz Spurgeon.[6] O texto das bem-aventuranças abre o que nós chamamos do maior sermão da história, o Sermão do Monte. Jesus é o maior pregador de todos os tempos, porque Ele é a própria Palavra encarnada. Thomas Watson acertadamente diz que Suas palavras são oráculos; Suas obras, milagres; Sua vida, um modelo; Sua morte, um sacrifício. Enquanto nós não podemos conhecer todas as facetas dos nossos ouvintes, Ele conhece o coração de todos os homens.[7]

Destacamos a seguir alguns pontos importantes sobre essa primeira bem-aventurança.

Em primeiro lugar, *a verdadeira felicidade é um grande paradoxo aos olhos do mundo*. Leon Morris diz que essa bem-aventurança revela o vazio dos valores do mundo. Exalta aquilo que o mundo despreza e rejeita aquilo que o mundo admira.[8] Os valores do Reino de Deus são como uma pirâmide invertida. Jesus diz que feliz é o pobre de espírito, e não a pessoa autossuficiente, arrogante e soberba. Concordo com William Barclay quando ele diz que as bem-aventuranças não são simples afirmações, mas exclamações enfáticas: "Que feliz é o pobre de espírito!"[9]

Thomas Watson diz que o mundo pensa que feliz é aquele que está no pináculo, no lugar mais alto, mas Cristo pronuncia como bem-aventurado aquele que está no vale.[10]

Em segundo lugar, *a verdadeira felicidade não está nas coisas externas, mas nas realidades internas*. Jesus não disse que bem-aventurados são os ricos. Essa felicidade não está centrada em coisas externas. As riquezas não satisfazem. Deus colocou a eternidade no coração do homem. Nem todo o ouro da terra poderia preencher o vazio da nossa alma. A verdadeira felicidade está centrada não na posse das bênçãos, mas na fruição da intimidade com o abençoador.

---

[6]SPURGEON, Charles H. *O Evangelho segundo Mateus*, p. 66.
[7]WATSON, Thomas. *The Beatitudes*. Pennsylvania: The Banner of Truth Trust. Carliste, 2000, p. 13.
[8]MORRIS, Leon L. *Lucas: introdução e comentário*. São Paulo, SP: Vida Nova, 1983, p. 120.
[9]BARCLAY, William. *Mateo I*, p. 96.
[10]WATSON, Thomas. *The Beatitudes*, p. 39.

De acordo com James Hastings, há uma tendência em todas as possessões materiais de obscurecer as necessidades que elas não podem satisfazer. Uma mão cheia ajuda o homem a esquecer-se de um coração vazio. As coisas que esvaziam a vida são comumente aquelas que prometem preenchê-la.[11] Jesus falou do homem que derrubou seus celeiros e construiu outros novos e maiores e estocou abundante provisão, dizendo à sua própria alma para comer e regalar-se. Mas, como coisas não satisfazem o vazio da alma, Jesus chamou esse rico de louco.

Em terceiro lugar, *a verdadeira felicidade não é apenas uma promessa para o futuro, mas sobretudo uma realidade para o presente*. Jesus não disse: Bem-aventurados *serão* os pobres de espírito, mas bem-aventurados *são*. Os crentes não serão felizes apenas quando chegarem ao céu; eles já são felizes agora. Eles são felizes não apenas na glória, mas a caminho da glória.

É claro que ser pobre de espírito não significa pobreza financeira. Francisco de Assis foi o patrono daqueles que pensam que renunciar às riquezas financeiras para viver na pobreza ou num monastério dava crédito ao homem diante de Deus. Tal opinião não tem amparo nas Escrituras.[12] A pobreza em si não é um bem, como a riqueza em si não é um mal. Uma pessoa pode ser pobre financeiramente e não ser pobre de espírito. A pobreza financeira pode ser resultado da obra do diabo, da exploração, da ganância e da preguiça. Concordo com Martyn Lloyd-Jones quando ele diz: "Não há mérito nem vantagem na pobreza. A pobreza não serve de garantia da espiritualidade".[13] A pobreza bem-aventurada é a do "pobre de espírito", a do espírito que reconhece sua própria falta de recursos para fazer frente às exigências da vida e encontra a ajuda e a fortaleza que necessita em Deus.[14]

Também ser pobre de espírito não significa ter uma vida espiritual pobre. Jesus não está elogiando aqueles que são espiritualmente pobres, descuidados com a vida espiritual. Ser pobre em santidade, verdade, fé

---

[11] HASTINGS, James. *The Great Texts of the Bible – St. Matthew.* Vol. VIII, p. 70.
[12] LLOYD-JONES, Martyn. *Estudos no Sermão do Monte.* São Paulo, SP: Fiel, 1984, p. 39.
[13] LLOYD-JONES, Martyn. *Estudos no Sermão do Monte*, p. 38.
[14] BARCLAY, William. *Mateo I*, p. 100.

e amor é uma grande tragédia. Jesus condenou a igreja de Laodiceia: *Sei que tu és pobre, miserável, cego e nu* (Ap 3.17). Vivemos numa geração faminta de riquezas terrenas e inapetente das riquezas espirituais. A maioria dos crentes vive uma vida espiritual rasa. São crentes fracos, tímidos, vulneráveis, espiritualmente trôpegos.

De igual modo, pobreza de espírito não é o mesmo que uma autoestima achatada. Jesus não está afirmando que as pessoas que pensam menos de si mesmas são felizes. Autoestima baixa não é um bem, mas um mal. Ser pobre ou humilde de espírito significa ter uma opinião correta de si mesmo (Rm 12.3). Warren Wiersbe explica que ser "pobre de espírito" não é uma falsa humildade, como a pessoa que diz: "Não tenho valor algum, não sou capaz de fazer nada".[15]

Ser pobre de espírito é a base para as outras virtudes. A primeira bem-aventurança é o primeiro degrau da escada. Se Jesus começasse com a pureza de coração, não haveria esperança para nós. Primeiro precisamos estar vazios, para depois sermos cheios, diz Martyn Lloyd-Jones.[16] Não podemos ser cheios de Deus, enquanto não formos esvaziados de nós mesmos. Esta virtude é a raiz; as outras são os frutos.

Ser pobre de espírito é reconhecer nossa total dependência de Deus. No grego, há duas palavras para designar "pobreza": A primeira delas é *Penês* – é usada para descrever o homem que precisa trabalhar para ganhar a vida. É aquele que não tem nada que lhe sobre. É o homem que não é rico, mas que também não padece necessidades. Ele não possui o supérfluo, mas tem o básico.[17] A segunda palavra é *Ptokós* – descreve a pobreza absoluta e total daquele que está afundado na miséria. É ser pobre como um mendigo. Trata-se da pessoa extremamente necessitada. Aquele que não tem nada.[18] *Ptokós* significa que você é tão pobre que precisa mendigar. Em Lucas 16.20,22, a palavra *ptokós* é usada em conexão ao mendigo Lázaro. *Penês* significa que você pode

---

[15] WIERSBE, Warren W. *Comentário bíblico expositivo*, p. 23.
[16] LLOYD-JONES, Martyn. *Estudos no Sermão do Monte*, p. 37.
[17] BARCLAY, William. *Mateo I*, p. 98.
[18] RIENECKER, Fritz; ROGERS, Cleon. *Chave linguística do Novo Testamento Grego*. São Paulo, SP: Vida Nova, 1985, p. 9.

se sustentar.¹⁹ *Ptokós* é a palavra que Jesus usou. Feliz é o homem que reconhece sua total carência e coloca a sua confiança em Deus. No hebraico, a palavra "pobre" designava o homem humilde que põe toda sua confiança em Deus.²⁰

Martyn Lloyd-Jones é enfático quando escreve:

> Não estamos aqui considerando um homem face a face com outro, mas estamos considerando homens frente a frente com Deus. E se alguém, na presença de Deus, sentir alguma outra coisa qualquer, além da mais total penúria de espírito, isso apenas significará, em última análise, que tal pessoa nunca esteve na presença do Senhor. Esse é o significado da primeira bem-aventurança.²¹

John Stott corrobora esse pensamento quando diz que ser pobre de espírito é reconhecer nossa pobreza espiritual ou, falando claramente, a nossa falência espiritual diante de Deus, pois somos pecadores, sob a santa ira de Deus, e nada merecemos além do juízo de Deus. Nada temos a oferecer, nada a reinvindicar, nada com que comprar o favor dos céus.²² Já John Charles Ryle diz que os humildes de espírito são aqueles que estão convencidos dos seus pecados e não procuram ocultá-los a Deus.²³ Ser pobre de espírito é agir como o publicano: "Senhor, compadece-te de mim, um pecador".

Só os pobres de espírito podem entrar no reino dos céus. O reino dos céus pertence aos pobres de espírito. A porta do céu é estreita, e aqueles que se consideram grandes aos seus olhos não podem entrar lá. Charles Spurgeon está correto quando escreve: "Aqueles que possuem nenhuma importância aos seus próprios olhos são aqueles, em todo o universo, que possuem sangue real. A maneira de subir ao reino é descer em nós mesmos".²⁴

---

¹⁹MacArthur, John Jr. *O caminho da felicidade*, p. 53.
²⁰Barclay, William. *Mateo I*, p. 99.
²¹Lloyd-Jones, Martyn. *Estudos no Sermão do Monte*, p. 40.
²²Stott, John R. W. *Contracultura cristã – A mensagem do Sermão do Monte*, p. 28.
²³Ryle, John Charles. *Comentário expositivo do Evangelho segundo Mateus*, p. 23.
²⁴Spurgeon, Charles H. *O Evangelho segundo Mateus*, p. 67.

John Stott coloca esse princípio com clareza:

> O reino é concedido ao pobre, não ao rico; ao frágil, não ao poderoso; às criancinhas bastante humildes para aceitá-lo, não aos soldados que se vangloriam de poder obtê-lo através de sua própria bravura. Nos tempos de nosso Senhor, quem entrou no reino não foram os fariseus, que se consideravam ricos, tão ricos em méritos que agradeciam a Deus por seus predicados; nem os zelotes, que sonhavam com o estabelecimento do reino com sangue e espada; mas foram os publicanos e as prostitutas, o refugo da sociedade humana, que sabiam que eram tão pobres que nada tinham para oferecer nem para receber. Tudo o que podiam fazer era clamar pela misericórdia de Deus; e Ele ouviu o seu clamor.[25]

O reino dos céus não é geográfico nem político. Lawrence Richards diz, corretamente, que o reino dos céus representa a força dinâmica da vontade de Deus operando no mundo.[26] O reino dos céus excede ao esplendor dos maiores reinos do mundo, porque o fundador desse reino é o próprio Deus. Esse reino é mais rico do que todas as riquezas de todos os reinos. O reino dos céus também excede a todos os demais em perfeição. As glórias de Salomão serão nada. As glórias dos palácios dos xeiques dos Emirados Árabes serão palhoças. O reino dos céus excede também a todos os outros reinos em segurança, beleza e riqueza. Nada contaminado vai entrar lá; nenhuma maldição entrará pelos portões da Cidade Santa. O reino dos céus excede a todos os outros reinos em estabilidade. Os reinos do mundo caíram e cairão, mas o Reino de Deus permanecerá para sempre. O crente mais pobre é mais rico do que os reis mais opulentos da terra.

Bem-aventurados **os que choram** (5.4)

Esta bem-aventurança contém o maior paradoxo do cristianismo. Poderíamos traduzir: "Felizes os infelizes".[27] A concepção de que

---

[25]STOTT, John R. W. *Contracultura cristã – A mensagem do Sermão do Monte*, p. 29.
[26]RICHARDS, Lawrence O. *Comentário histórico-cultural do Novo Testamento*, p. 24.
[27]STOTT, John R. W. *Contracultura cristã – A mensagem do Sermão do Monte*, p. 30.

"felizes são os tristes" opõe-se a tudo o que conhecemos. Toda a estrutura de nossa vida – a loucura pelo prazer, a busca de emoções e o tempo, dinheiro e entusiasmo gastos atrás de diversão e passatempo – é uma expressão do desejo do mundo de evitar o choro, a tristeza e a dor. No entanto, Jesus diz: "Felizes os tristes. Consolados serão os que choram".[28]

A principal ideia do texto é: bem-aventurado o homem que está desesperadamente entristecido por seu próprio pecado e indignidade.[29] Que espécie de tristeza é esta que pode produzir a maior felicidade?

A palavra usada por Jesus para "chorar", *panthoutes*, significa lamentar e prantear pelo morto. Essa palavra tem o sentido de afligir-se com uma profunda tristeza que toma conta de todo ser, de tal maneira que não se pode ocultar.[30] Martyn Lloyd-Jones diz que esta bem-aventurança condena aquelas risotas, aquela jovialidade e felicidade aparentes que os homens deste mundo exibem, proferindo um "ai" contra os mesmos.[31]

A palavra "chorar", segundo William Barclay, é o termo mais forte da língua grega para denotar dor e sofrimento. Essa é a palavra usada para descrever a morte de um ente querido. Na Septuaginta, é a palavra que descreve o lamento de Jacó quando creu que José, seu filho, estava morto (Gn 37.34). Não se trata apenas da dor que faz doer o coração, mas da dor que nos faz chorar.[32] John MacArthur diz que a expressão "os que choram" usada por Jesus nesta bem-aventurança é a mais forte de todas as nove palavras gregas usadas nas Escrituras para sofrimento.[33] Concordo com John Stott quando ele afirma que, nesse contexto, aqueles que receberam a promessa do consolo não são, em primeiro lugar, os que choram a perda de uma pessoa querida, mas aqueles que choram a perda da inocência, de sua justiça, de seu respeito próprio. Cristo não se refere à tristeza do luto, mas à tristeza do arrependimento.[34]

---

[28] MACARTHUR, John Jr. *O caminho da felicidade*, p. 63.
[29] BARCLAY, William. *Mateo I*, p. 103.
[30] RIENECKER, Fritz; ROGERS, Cleon. *Chave linguística do Novo Testamento Grego*, p. 9.
[31] LLOYD-JONES, Martyn. *Estudos no Sermão do Monte*, p. 48.
[32] BARCLAY, William. *Mateo I*, p. 101.
[33] MACARTHUR, John Jr. *O caminho da felicidade*, p. 69.
[34] STOTT, John R. W. *Contracultura cristã – A mensagem do Sermão do Monte*, p. 30.

Nem todos os que choram são felizes e nem todos os que choram serão consolados. Então, de que tipo de choro Jesus está falando? É claro que não se trata do choro carnal. Thomas Watson diz que o choro carnal é aquele em que uma pessoa lamenta a perda de coisas exteriores, e não a perda da pureza.[35] A tristeza do mundo produz morte (2Co 7.10). Amnom chorou de tristeza até possuir sua própria irmã, para depois desprezá-la (2Sm 13.2). Acabe chorou por não ter a vinha de Nabote, a qual cobiçava (1Rs 21.4). Faraó chorou por ter feito o bem, por ter libertado o povo. Ele se arrependeu de seu arrependimento (Êx 14.15).

Esse choro também não é o choro do remorso e do desespero. Esse foi o choro de Judas Iscariotes. Ele viu seu pecado e se entristeceu. Ele confessou seu pecado e justificou a Cristo, dizendo que havia traído um inocente. Judas fez restituição, mas ele está no inferno, não obstante ter feito muito mais do que muitos fazem hoje. Ele confessou seu pecado. Ele devolveu o dinheiro que cobiçou. Sua consciência o acusou de ter adquirido aquele dinheiro de forma vil. E, embora Judas tenha chorado pelo seu pecado, aquelas não foram lágrimas de arrependimento, mas de remorso. Thomas Watson chama esse choro de diabólico.[36]

De igual modo, esse não é o choro do medo das consequências do pecado. Quando Caim matou seu irmão Abel, Deus o confrontou. Ele, então, disse: *É tamanho o meu castigo, que já não posso suportá-lo* (Gn 4.13). Seu castigo afligiu-o mais do que o seu pecado. Chorar apenas pelo medo do castigo, apenas pelo medo do inferno, é como o ladrão que chora porque foi apanhado, e não pela sua ofensa. As lágrimas do ímpio são forçadas pelo fogo da aflição, e não pelo quebrantamento do arrependimento.

John Charles Ryle interpreta corretamente quando diz que felizes são aqueles que lamentam a causa do seu pecado e manifestam pesar por suas próprias imperfeições. O pecado é para eles verdadeira tortura. Quando se lembram dele, choram; o pecado é para eles carga mui pesada, e dificilmente o suportam.[37]

---

[35] WATSON, Thomas. *The Beatitudes*, p. 59.
[36] WATSON, Thomas. *The Beatitudes*, p. 59.
[37] RYLE, John Charles. *Comentário expositivo do Evangelho segundo Mateus*, p. 23.

Thomas Watson fala sobre quatro aspectos positivos acerca do significado da expressão de Jesus: *Bem-aventurados os que choram* (Mt 5.4): É um choro espontâneo, espiritual, pelo nosso próprio pecado e pelo pecado dos outros.[38]

Hoje nós choramos pelos tempos difíceis, mas não pelos corações duros. Muitos, em vez de chorar pelo pecado, alegram-se nele. A Bíblia cita aqueles que se alegram de fazer o mal (Pv 2.14), aqueles que se deleitam na injustiça (2Ts 2.12). Esses são piores do que os condenados que estão no inferno. Os ímpios que estão no inferno não se deleitam mais no pecado. Ora, se Cristo verteu o seu sangue pelo pecado, alegrar-nos-emos nele? O choro pelo pecado é o único caminho para nos livrarmos da ira vindoura.

O choro pelo pecado é o melhor uso que podemos fazer de nossas lágrimas. Se você chorar apenas por perdas de coisas materiais, desperdiçará suas lágrimas. Isso é como chuva sobre a rocha: não tem benefício. Mas o choro do arrependimento é composto por lágrimas bem-aventuradas, por lágrimas que curam e que libertam.[39]

O choro pelo pecado é um sinal do novo nascimento. Assim como a criança chora ao nascer, aquele que nasce de novo também chora ao pecar.[40] Um coração de pedra jamais se derrete em lágrimas de arrependimento.

O choro pelo pecado produz alegria. O choro pelo pecado é o caminho da verdadeira alegria. O choro pelo pecado previne o choro no inferno. O inferno é um lugar de choro e ranger de dentes (Mt 8.12). Mas, agora, Deus recolhe as nossas lágrimas no seu odre (Sl 56.8). Agora Jesus diz: *Ai de vós, os que agora rides! Porque haveis de lamentar e chorar* (Lc 6.25). Agora as lágrimas são bem-aventuradas lágrimas. Agora é o tempo certo de chorar pelo pecado. Agora o choro é como chuva da primavera. Mas, se não chorarmos agora, iremos chorar tarde demais!

É melhor derramar lágrimas de arrependimento do que lágrimas de desespero. Aquele que chora agora é bem-aventurado. Aquele que

---

[38] WATSON, Thomas. *The Beatitudes*, p. 62-69.
[39] WATSON, Thomas. *The Beatitudes*, p. 75.
[40] WATSON, Thomas. *The Beatitudes*, p. 75.

chora no inferno é amaldiçoado. Aquele que destampa as feridas da alma e chora pelo pecado livra a alma da morte eterna.

O choro pelo pecado pavimenta a estrada para a Nova Jerusalém. Para entrar no céu, não basta ir à igreja, dar esmolas, fazer caridade. O único caminho é você chorar pelos seus pecados e receber a consolação da graça em Cristo. Jesus disse: *Se, porém, não vos arrependerdes, todos igualmente perecereis* (Mt 18.3). Só há um remédio que cura a doença mortal da alma: o verdadeiro arrependimento.

Aquele que chora pelo seu pecado tem uma recompensa. A palavra grega *paraklethesontai*, "consolados", significa confortar, achar conforto, ser consolado.[41] As lágrimas do arrependimento não são lágrimas perdidas, mas sementes de conforto. Cristo tem o óleo da alegria para derramar sobre aqueles que choram. Cristo transforma o odre de lágrimas em vinho novo de alegria. O choro pelo pecado é a semente que produz a flor da eterna alegria. O vale de lágrimas conduz-nos ao paraíso da alegria. Jesus disse: *A vossa tristeza se converterá em alegria* (Jo 16.20).

Bem-aventurados os mansos (5.5)

Esta bem-aventurança está na contramão dos valores do mundo. Martyn Lloyd-Jones diz que a humanidade pensa em termos de força, de poderio militar, bélico, econômico e político. Quanto mais agressivo, mais forte. Esse é o pensamento do mundo.[42] Jesus, porém, diz que não são os fortes e os arrogantes que são felizes; nem são eles que vão herdar a terra, mas os mansos.

O que não significa ser manso? Martyn Lloyd-Jones lança luz sobre o entendimento desse assunto mencionando os pontos a seguir.[43]

Ser manso não é um atributo natural. A mansidão não é apenas ter uma boa índole; não é ser uma pessoa educada socialmente. Não é apenas algo externo, convencional, mas uma atitude interna, uma obra da graça no coração, um fruto do Espírito. Ser manso não é virtude; é graça. Ninguém é naturalmente manso. Somente aqueles que reconhecem que

---

[41] RIENECKER, Fritz; ROGERS, Cleon. *Chave linguística do Novo Testamento Grego*, p. 9.
[42] LLOYD-JONES, Martyn. *Estudos no Sermão do Monte*, p. 57.
[43] LLOYD-JONES, Martyn. *Estudos no Sermão do Monte*, p. 61.

nada merecem diante de Deus e choram pelos seus próprios pecados podem ser mansos diante de Deus e dos homens.

Ser manso não é ser frouxo. Ser manso não é ser tímido, covarde, medroso, fraco e indolente. As pessoas mansas foram profundamente vigorosas e enérgicas. Elas tiveram coragem para se posicionar com firmeza contra o erro. Enfrentaram açoites, prisões e a própria morte por seus posicionamentos. Os mártires foram pessoas mansas. Jesus era manso e humilde de coração, mas usou o chicote para expulsar os vendilhões do templo e teve coragem para morrer numa cruz, em nosso lugar. John MacArthur está correto quando declara que mansidão não significa impotência, mas domínio próprio.[44] Aquele que não tem domínio é como uma cidade derribada (Pv 25.28), mas o que tem domínio próprio é melhor do que o que toma uma cidade (Pv 16.32).

Ser manso não é apenas controle emocional externo. Há pessoas que conseguem manter a calma, o domínio próprio, diante de situações adversas, mas não conseguem abrandar as chamas da alma. São como um vulcão que está sempre em ebulição por dentro. Elas não explodem, mas vivem cheias de fogo por dentro. São apenas aparentemente calmas. Mantêm as aparências diante dos homens, mas não são calmas aos olhos de Deus. Não falam mal, mas desejam mal. Não fazem o mal, mas se alegram intimamente com o fracasso dos seus inimigos.

O que significa ser manso? Thomas Watson comenta sobre esses aspectos positivos.[45]

Uma pessoa mansa é submissa à vontade de Deus. Uma pessoa mansa não se rebela contra Deus nem murmura. Ela aceita a vontade de Deus de bom grado. Ela diz como Jó: *Temos recebido o bem de Deus, porventura, não receberíamos também o mal?* (Jó 2.10). Uma pessoa mansa é como Paulo: sabe viver contente em toda e qualquer situação (Fp 4.11). Ela está sempre dando graças a Deus, sabendo que todas as coisas cooperam para o seu bem (Rm 8.28).

Uma pessoa mansa está debaixo do controle de Deus. O manso é aquele que foi domesticado. A palavra grega *praus* significa manso, meigo.

---

[44] MacArthur, John Jr. *O caminho da felicidade*, p. 88.
[45] Watson, Thomas. *The Beatitudes*, p. 105-113.

Trata-se da atitude humilde e mansa que se expressa na submissão às ofensas, livre de malícia e de desejo de vingança.[46] Era empregada para descrever "um animal domesticado". Um potro selvagem pode causar uma destruição. Um potro domado é útil. Nessa mesma linha de pensamento, Warren Wiersbe diz que o adjetivo "manso" era usado pelos gregos para descrever um cavalo domado e se refere ao poder sob controle.[47] Uma brisa suave refresca e alivia, mas um furacão mata. O manso morreu para si mesmo. Ele foi domesticado pelo Espírito. A mansidão é fruto do Espírito. O manso está sob autoridade e sob o controle de Deus. Ele obedece as rédeas do Altíssimo.

William Barclay diz que no grego a palavra *praus* era um dos termos mais elevados do vocabulário ético. Aristóteles fala sobre a virtude da mansidão. Para ele, a virtude era o equilíbrio entre dois extremos. Aristóteles definia a mansidão como o justo equilíbrio entre a ira excessiva e a falta absoluta de ira, ou impassividade.[48] O mesmo escritor diz que foi a ausência dessa virtude o que constituiu a ruína de Alexandre, o Grande, discípulo de Aristóteles, quando num ataque de fúria, dominado pela embriaguez, arrojou uma lança e matou a seu melhor amigo. Ninguém pode governar os outros se não aprendeu a governar a si mesmo. Porém, o homem que se entrega plenamente ao controle de Deus obtém a mansidão que o capacita a herdar a terra.[49]

O manso é aquele que tem a força sob controle. Ele tem domínio próprio. A Bíblia diz que mais forte é o que domina o seu espírito do que aquele que conquista uma cidade. Mansidão não é o mesmo que fraqueza, pois tanto Moisés quanto Jesus foram homens mansos. Essa bem-aventurança pode ser sintetizada assim: "Bem-aventurado o homem cujos instintos, paixões e impulsos estão sob controle. Bem-aventurado o homem que aprendeu a dominar-se".[50]

O manso é aquele que não reivindica os seus próprios direitos. Martyn Lloyd-Jones diz que o indivíduo que é manso não exige coisa alguma

---

[46] RIENECKER, Fritz; ROGERS, Cleon. *Chave linguística do Novo Testamento Grego*, p. 9.
[47] WIERSBE, Warren W. *Comentário bíblico expositivo*, p. 24.
[48] BARCLAY, William. *Mateo I*, p. 104,105.
[49] BARCLAY, William. *Mateo I*, p. 107.
[50] BARCLAY, William. *Mateo I*, p. 105.

para si mesmo. Não considera todos os seus legítimos direitos como algo a ser reclamado. Não faz exigências quanto à sua posição, aos seus privilégios, às suas possessões e à sua situação na vida.[51]

O manso é aquele que está disposto a sofrer o dano. Como Paulo escreveu aos coríntios, numa demanda entre irmãos, ele está pronto a sofrer o dano em vez de buscar levar vantagem (1Co 6.7).

Uma pessoa mansa reconhece diante dos homens aquilo que ela reconhece diante de Deus. Não temos nenhuma dificuldade de fazer uma oração de confissão e dizer: "Ó Deus, tem misericórdia de mim, porque eu sou um mísero pecador!" Nós admitimos isso. Confessamos isso. Mas, se alguém vier nos chamar de pecador, logo rechaçamos. Não admitimos ser diante dos homens aquilo que admitimos ser diante de Deus. Não aceitamos que os homens nos tratem como de fato somos: míseros pecadores. Não admitimos que os homens lancem em nosso rosto aquilo que confessamos diante de Deus.

O manso é aquele que não luta para defender sua própria honra. É aquele que já está no chão; não tem medo da queda. O indivíduo que é verdadeiramente manso é aquele que se admira de que Deus e os homens possam pensar dele tão bem quanto pensam, tratando-o tão bem quanto o tratam. Isso, ao que me parece, é a qualidade essencial do indivíduo que é manso, diz Martyn Lloyd-Jones.[52]

Uma pessoa mansa suporta injúrias e até recompensa o mal com o bem. Uma pessoa mansa não é facilmente provocada. Um espírito manso não se inflama facilmente. Jesus não revidou ultraje com ultraje. Em vez de despejar ira sobre seus algozes, orou em favor deles.

Há importantes recompensas para os mansos. Eles recebem uma profunda e gloriosa felicidade. Jesus diz que os mansos são felizes, bem-aventurados. A palavra *Macarios* era usada pelos gregos para descrever a felicidade dos deuses. É uma felicidade plena, completa, independente das circunstâncias, baseada num relacionamento íntimo e permanente com o Deus vivo. Essa felicidade não é externa, mas interna. Não está fundamentada na posse de riquezas, mas é um estado

---

[51]LLOYD-JONES, Martyn. *Estudos no Sermão do Monte*, p. 62.
[52]LLOYD-JONES, Martyn. *Estudos no Sermão do Monte*, p. 63.

de espírito apesar da pobreza. Não depende de circunstâncias favoráveis, mas reina suprema apesar das circunstâncias adversas. Essa felicidade não é fruto dos prazeres da carne, do *glamour* do mundo, da fascinação da riqueza ou dos holofotes da fama. Essa felicidade não é resultado das viagens psicodélicas, movida pelos vapores do álcool, badalada pelos ritmos alucinantes. Não se trata de uma felicidade química, postiça, comprada por dinheiro ou introjetada nas veias. Essa felicidade é falsa, momentânea. Tem gosto de enxofre. Ela conduz à morte. A verdadeira felicidade tem sua origem no céu. Ela procede de Deus. E dura para sempre!

Os mansos recebem também a herança da terra. Mesmo sendo estrangeiros na terra (Hb 11.37), os mansos são aqueles que herdam a terra. Eles comem o melhor dessa terra. O ímpio tem a posse temporal da terra, mas o manso usufrui as benesses da terra. O manso é uma pessoa satisfeita. Sente-se contente. Nada tem, mas possui tudo. Paulo diz: *entristecidos, mas sempre alegres; pobres, mas enriquecendo a muitos; nada tendo, mas possuindo tudo* (2Co 6.10). Paulo diz: *Eu aprendi a viver contente em toda e qualquer situação. Eu tudo posso naquele que me fortalece* (Fp 4.11-13).

Mais do que tudo isso, o manso é cidadão do céu. O manso é filho de Deus. O manso é herdeiro de Deus e coerdeiro com Cristo. Do Senhor é a terra e a sua plenitude. Tudo que pertence ao Pai pertence ao filho (1Co 3.21-23). Os mansos são os verdadeiros herdeiros de tudo o que é do Pai. Receberemos a herança original de domínio sobre a terra que Deus deu a Adão. É a reconquista do paraíso.

Eles conquistam a terra não pelas armas, não pela força, mas por herança. O manso herda as bênçãos da terra. O ímpio pode ter abundância de dinheiro, mas o manso tem abundância de paz (Sl 37.11). O ímpio não tem o que parece ter. Ele tem propriedades, terras, mas não pode levar nada, não herda nada. Mas o manso, mesmo desprovido agora, tem a herança, a posse eterna de tudo o que é do Pai. A Bíblia diz: *Uns se dizem ricos sem terem nada; outros se dizem pobres, sendo mui ricos* (Pv 13.7).

O manso desfrutará também da terra restaurada, redimida do seu cativeiro. Ele habitará no novo céu e na nova terra (Ap 21.2,3). Reinará com Cristo sobre a terra. O manso não apenas herda a terra, mas também o céu. O manso tem a terra apenas como a sua casa de inverno, mas tem no céu uma mansão permanente, eterna, casa feita não por mãos, eterna no céu (2Co 5.1-8).

Bem-aventurados **os que têm fome e sede de justiça** (5.6)

A quarta bem-aventurança fala sobre o apetite espiritual: *Bem-aventurados os que têm fome e sede de justiça, pois serão fartos"* (Mt 5.6). Os verbos no grego são muito fortes. *Peinao* significa estar necessitado, sofrer de fome profunda. A palavra *dipsao* traz em si a ideia de sede de verdade. Jesus coloca os estímulos físicos mais fortes em uma ação contínua – os que têm fome, os que têm sede.[53] Só os que têm fome e sede é que serão saciados. Os que têm fome e sede de justiça são saciados e também muito felizes. Porém, se você não tem fome e sede de justiça, deve se questionar se já está no reino.

É importante ressaltar que a felicidade não precede à justiça, mas esta precede àquela. Martyn Lloyd-Jones afirma corretamente que, sempre que alguém põe a felicidade acima da justiça, quanto à ordem de prioridade, tal esforço está condenado ao fracasso mais miserável. Só são felizes as pessoas que buscam primeiramente a justiça. Ponha-se a felicidade no lugar que pertence à justiça, e a felicidade nunca será obtida.[54] John Charles Ryle está coberto de razão quando diz que felizes são aqueles que preferem ser santos a ser ricos ou sábios.[55]

A felicidade também não está ao alcance daqueles que têm fome e sede de felicidade ou de experiências ou mesmo de bênçãos. Se quisermos ser verdadeiramente felizes e abençoados, então precisamos ter fome e sede de justiça. Felicidade e bênçãos são resultado da justiça.

A fome espiritual é uma das características do povo de Deus. A ambição suprema do povo de Deus não é material, mas espiritual. Os cristãos aspiram às coisas mais excelentes. Eles buscam em primeiro lugar o Reino de Deus e sua justiça (Mt 6.33).

---

[53]MacArthur, John Jr. *O caminho da felicidade*, p. 104.
[54]Lloyd-Jones, Martyn. *Estudos no Sermão do Monte*, p. 68.
[55]Ryle, John Charles. *Comentário expositivo do Evangelho segundo Mateus*, p. 23.

Thomas Watson, puritano inglês do século XVII, disse que Jesus está falando aqui da justiça imputada e da justiça implantada.[56] John Stott, um dos maiores expositores bíblicos do século XX, diz que a justiça bíblica tem três aspectos: legal, moral e social. A justiça legal trata da nossa justificação, um relacionamento certo com Deus. A justiça moral trata da conduta que agrada a Deus, a justiça interior, de coração, de mente e de motivações. A justiça social refere-se à busca pela libertação do homem de toda opressão, junto com a promoção dos direitos civis, de justiça nos tribunais, da integridade nos negócios e da honra no lar e nos relacionamentos familiares.[57]

De que tipo de alimento devemos ter apetite?

Em primeiro lugar, *devemos ter apetite pela justiça imputada, ou seja, pela justiça diante de Deus*. O homem é pecador, pois todos pecaram e destituídos estão da glória de Deus (Rm 3.23). Todos terão de comparecer perante o justo tribunal de Cristo (2Co 5.10). Naquele dia, os livros serão abertos e seremos julgados segundo as nossas obras (Ap 20.11-15). Pelas obras, ninguém poderá ser justificado diante de Deus, pois o padrão para entrar no céu é a perfeição (Mt 5.48). Só pessoas perfeitas podem entrar no céu. Nada contaminado entrará no céu (Ap 21.27). A Bíblia diz que, se guardarmos toda a lei e tropeçarmos num único ponto, seremos culpados de toda a lei (Tg 2.10). Maldito é aquele que não perseverar em toda a obra da lei para cumpri-la (Gl 3.13). Nenhum homem pode alcançar o padrão da perfeição exigido pela lei, pois não há homem que não peque. Pecamos por palavras, obras, omissão e pensamentos. Desta maneira, não temos a mínima chance de sermos justificados diante do tribunal de Deus pelos nossos próprios méritos.

Como, então, um homem pode ser justo diante de Deus? Aquilo que o homem não pode fazer, Deus fez por ele. Deus enviou o seu Filho ao mundo como o nosso representante e fiador. Quando Cristo foi à cruz, ele o foi em nosso lugar. Quando ele estava suspenso no madeiro, Deus fez cair sobre ele a iniquidade de todos nós. Ele foi moído pelos nossos

---

[56] WATSON, Thomas. *The Beatitudes*, p. 122.
[57] STOTT, John R. W. *Contracultura cristã – A mensagem do Sermão do Monte*, p. 34,35.

pecados e traspassado pelas nossas transgressões. Naquele momento, ele foi feito pecado por nós. Ele foi feito maldição por nós. O sol escondeu o rosto dele, e o próprio Deus não pôde ampará-lo. Antes de expirar, porém, Jesus deu um grande brado: *Está consumado!* (Jo 19.30). Está pago! Jesus pegou o escrito de dívida que era contra nós, quitou-o, rasgou-o e encravou-o na cruz (Cl 2.14). Agora estamos quites com a lei de Deus. Agora não temos mais nenhum débito pendente com a justiça de Deus. Agora nenhuma condenação há mais para aqueles que estão em Cristo Jesus (Rm 8.1). Nós fomos justificados! Cristo morreu em nosso lugar, em nosso favor, levando sobre o seu corpo os nossos pecados, encravando na cruz a nossa dívida e comprando na cruz a nossa eterna redenção. Cristo é a nossa justiça (1Co 1.30). Thomas Watson está correto quando diz que o mais fraco dos crentes que crê em Cristo tem tanto da justiça de Cristo quanto o mais forte dos santos.[58]

Em segundo lugar, ***devemos ter apetite pela justiça implantada, ou seja, uma nova vida com Deus***. O fato de crermos em Cristo e sermos salvos não significa que a nossa natureza pecaminosa foi arrancada de nós. Recebemos uma nova natureza, um novo coração, uma nova vida, mas a velha natureza não foi extirpada. Existe dentro de nós a luta entre a carne e o espírito. Quem tem fome e sede de justiça deseja ardentemente ser transformado progressivamente. Quem tem fome e sede de justiça aspira às coisas do céu, ama a santidade, tem prazer nas coisas de Deus, deleita-se em Deus e ama a sua lei. Sua aspiração mais elevada não é ajuntar tesouros na terra, mas no céu. Seu prazer não está nos banquetes do mundo, mas nos manjares do céu. Quem tem fome e sede de justiça deseja ardentemente ter mente pura, coração puro, vida pura. Quem tem fome e sede de justiça quer sempre mais. Está satisfeito, mas nunca saciado. Ama, mas quer amar mais. Ora, mas quer orar mais. Estuda a Palavra, mas quer estudar mais. Obedece, mas quer obedecer mais.

Em terceiro lugar, ***devemos ter apetite pela justiça promovida, ou seja, a justiça social***. Se a justiça imputada se refere à justiça legal e a implantada, à justiça moral, a justiça promovida diz respeito à justiça social.

---

[58] WATSON, Thomas. *The Beatitudes*, p. 122.

De acordo com John Stott, quem tem fome e sede de justiça abomina o mal, ataca a corrupção e declara guerra contra todo esquema de opressão. Luta pela justiça social, exige justiça nos tribunais, defende o direito do fraco e pleiteia a causa dos oprimidos.[59]

Quem tem fome e sede de justiça luta por uma sociedade na qual não haja fraude, falso testemunho, perjúrio, roubo e desonestidade nos negócios pessoais, nacionais e internacionais. Quem tem fome e sede de justiça luta para que leis justas sejam estabelecidas, os justos governem e os magistrados julguem com equidade. Quem tem fome e sede de justiça denuncia o pecado e promove o bem; ama a verdade e abomina a mentira. Sua oração contínua é: *Venha o teu reino, faça-se a tua vontade, assim na terra como no céu* (Mt 6.10). Deseja justiça diante de Deus, para si e entre os homens. Martyn Lloyd-Jones diz que, se cada homem e mulher neste mundo soubesse o que significa "ter fome e sede de justiça", não haveria perigo de explodirem conflitos armados. Esse é o caminho para a verdadeira paz.[60]

Os filhos de Deus sempre lutaram pelas grandes causas sociais. O cristianismo sempre levantou a bandeira das grandes transformações sociais. Jesus Cristo restaurou a dignidade das mulheres e das crianças. Os apóstolos cuidaram dos pobres. A reforma do século XVI devolveu às nações a visão bíblica do trabalho, da vocação, da economia, da ciência e, sobretudo, da verdadeira fé. As nações que nasceram sob a luz da reforma cresceram e prosperaram, rompendo as peias do obscurantismo medieval. John Wesley lutou bravamente pela causa da abolição da escravatura.

Em 1789, William Wilberforce posicionou-se perante o parlamento britânico e veementemente clamou pelo dia em que homens, mulheres e crianças não fossem mais comprados e vendidos como animais de carga. A cada ano, nos 18 anos seguintes, seu projeto de lei foi derrotado, mas ele não esmoreceu em sua luta contra a escravidão. Até que, finalmente, em 1833, quatro dias antes da sua morte, o parlamento aprovou um projeto de lei abolindo completamente a escravidão na

---

[59]STOTT, John R. W. *Contracultura cristã – A mensagem do Sermão do Monte*, p. 35.
[60]LLOYD-JONES, Martyn. *Estudos no Sermão do Monte*, p. 66.

Inglaterra. Em 1963, Martin Luther King Jr., em pé nos degraus do Memorial de Lincoln, em Washington, D.C., descreveu um mundo sem preconceito, ódio ou racismo. Disse ele: "Eu tenho um sonho de que meus quatro filhos vão um dia viver em uma nação na qual eles não serão julgados pela cor da sua pele, mas pelo teor do seu caráter". Ele lutou com desassombro contra o famigerado preconceito racial na América e, mesmo tombando como mártir dessa causa, deixou um legado vitorioso que ainda inspira aqueles que têm fome e sede de justiça a continuarem nessa peleja. Martin Luther King Jr. morreu, mas o seu sonho permanece vivo!

Duas bênçãos são destinadas aos que têm fome e sede de justiça: eles são saciados e felizes. A palavra que Jesus usou para bem-aventurados é novamente *Makarios*. Refere-se ao mais elevado bem-estar possível para o ser humano. Era o texto que os gregos usavam para exprimir o tipo de existência feliz dos deuses.[61] A felicidade que Jesus dá é verdadeira. Só ela nos satisfaz. Aquele que tem fome e sede de justiça é saciado, embora jamais deixe de continuar ansiando por Deus. Lenski afirma: "Esta fome e esta sede continuam e, na verdade, aumentam no simples ato de saciá-las".[62] John MacArthur Jr. vê esse fato como um grande paradoxo: satisfeito, mas nunca saciado.[63]

Jesus está ensinando que os famintos de Deus não serão despedidos vazios nem serão decepcionados. Ele promete felicidade e saciedade. Ele promete alegria e satisfação. Ele promete plenitude e a dá a todos quantos têm fome e sede de justiça. Entretanto, ninguém jamais será satisfeito sem que antes esteja faminto e sedento.

Bem-aventurados **os misericordiosos** (5.7)

As quatro primeiras bem-aventuranças tratam da nossa relação diante de Deus. Esta fala sobre a nossa ação diante dos homens. As primeiras tratam da questão do ser, esta progride para a questão do fazer. Martyn

---

[61]WILLARD, Dallas. *A conspiração divina*. São Paulo, SP: Mundo Cristão, 2001, p. 144.
[62]LENSKI, R. C. *The Interpretation of St Matthew's Gospel*. Augsburg: R. C. Lenski, 1943, p. 189.
[63]MACARTHUR, John Jr. *O caminho da felicidade*, p. 109.

Lloyd-Jones diz que o evangelho cristão põe toda a sua ênfase sobre a questão do ser, e não sobre a questão do fazer. O evangelho dá muito maior importância às nossas atitudes do que às nossas ações.[64] Depois de lançar os alicerces do *ser*, estamos, agora, prontos a examinar a questão do *fazer*. No cristianismo, o ser vem antes do fazer. Quem é, faz. A fé sem obras é morta (Tg 2.17).

John MacArthur diz que as quatro primeiras bem-aventuranças são princípios totalmente interiores, tratando da maneira como você se vê diante de Deus. Esta quinta bem-aventurança, embora também seja uma atitude interior, começa a se ampliar e atingir as outras pessoas. Esta bem-aventurança é o fruto das outras quatro. Quando estamos abatidos como mendigos no espírito, quando choramos, quando somos mansos e quando temos fome e sede de justiça, o resultado é que seremos misericordiosos para com os outros. As quatro primeiras bem-aventuranças são atitudes interiores, e as últimas quatro são as coisas que as atitudes manifestam.[65]

Os romanos não consideravam a misericórdia uma virtude, mas uma enfermidade da alma.[66] Vivemos num tempo em que a misericórdia parece ter desaparecido da terra. Mas essa não é uma constatação nova. Os judeus eram tão cruéis quanto os romanos. Eram orgulhosos, egocêntricos, hipócritas e acusadores. Hoje, pensamos que, se formos misericordiosos, as pessoas vão nos explorar ou vão pular no nosso pescoço.

Nesta bem-aventurança Jesus falou que a misericórdia é tanto um dever como uma recompensa. Os misericordiosos alcançarão misericórdia.

Qual é o conceito bíblico de misericórdia? Misericórdia é lançar o coração na miséria do outro e estar pronto em qualquer tempo para aliviar a sua dor. A palavra hebraica para misericórdia é *chesed*, "a capacidade de entrar em outra pessoa até que praticamente podemos ver com os seus olhos, pensar com sua mente e sentir com o seu coração. É mais do que sentir piedade por alguém.[67]

---

[64] LLOYD-JONES, Martyn. *Estudos no Sermão do Monte* p. 88.
[65] MACARTHUR, John Jr. *O caminho da felicidade*, p. 115.
[66] MACARTHUR, John Jr. *O caminho da felicidade*, p. 117.
[67] BARCLAY, William. *Mateo I*, p. 112.

Richard Lenski diz que o substantivo grego *eleos*, "misericórdia", sempre trata da dor, da miséria e do desespero, que são resultados do pecado. A misericórdia sempre concede alívio, cura e ajuda.[68] Misericórdia é ver uma pessoa sem alimento e lhe dar comida; é ver uma pessoa solitária e lhe fazer companhia. É atender às necessidades e não apenas senti-las.

O maior exemplo de misericórdia foi demonstrado por Jesus. Ele curou os doentes, alimentou os famintos, abraçou as crianças, foi amigo dos pecadores, tocou os leprosos. Fez com que os solitários se sentissem amados. Consolou os aflitos, perdoou os pecadores e restaurou os que haviam caído em opróbrio.

A misericórdia não é uma virtude natural. Por natureza, o homem é mau, cruel, insensível, egoísta, incapaz de exercer a misericórdia. Você precisa de um novo coração, antes de ter um coração misericordioso. Deus é o Pai de misericórdias (2Co 1.3). Dele procede toda misericórdia. Quando a exercemos, nós o fazemos em Seu nome, por Sua força e para a Sua glória.

A misericórdia não é sentimento nem palavras, mas ação. Devemos acudir ao necessitado. Davi diz: *Bem-aventurado o que acode ao necessitado; o Senhor o livra no dia do mal. O Senhor o protege, preserva-lhe a vida e o faz feliz na terra; não o entrega à discrição dos seus inimigos. O Senhor o assiste no leito da enfermidade; na doença, tu lhe afofas a cama* (Sl 41.1-3).

Devemos nutrir terna compaixão pelos necessitados. A Bíblia diz: *Se abrires a tua alma ao faminto e fartares a alma aflita, então, a tua luz nascerá nas trevas, e a tua escuridão será como o meio-dia* (Is 58.10).

Devemos ser liberais na contribuição. Deus diz: *Quando entre ti houver algum pobre de teus irmãos, em alguma das tuas cidades, na tua terra que o Senhor, teu Deus, te dá, não endurecerás o teu coração, nem fecharás as tuas mãos a teu irmão pobre; antes, lhe abrirás de todo a tua mão e lhe emprestarás o que lhe falta, quanto baste para a sua necessidade* (Dt 15.7,8). Deus providenciou várias leis para cuidar dos pobres: nas colheitas, não se podia apanhar o que caía no chão; era dos pobres. Paulo exorta os

---

[68] LENSKI, R. C. *The Interpretation of St Matthew's Gospel*, p. 191.

ricos: ... *pratiquem o bem, sejam ricos de boas obras, generosos em dar e prontos a repartir* (1Tm 6.18).

Por que devemos exercer misericórdia? Thomas Watson elenca algumas razões para sermos misericordiosos, como vemos a seguir.[69]

Em primeiro lugar, **devemos ser misericordiosos porque a prática das boas obras é o grande fim para o qual fomos criados** (Ef 2.10). O apóstolo Paulo diz: *Pois somos feitura dele, criados em Cristo Jesus para as boas obras, as quais Deus de antemão preparou para que andássemos nelas.* Todas as criaturas cumprem o papel para o qual foram criadas: as estrelas brilham, os pássaros cantam, as plantas produzem segundo a sua espécie. O propósito da vida é servir. Aquele que não cumpre a missão para a qual foi criado é inútil. Diz o adágio: "Quem não vive para servir, não serve para viver".

Em segundo lugar, **devemos ser misericordiosos porque pela prática da misericórdia nós resplandecemos o caráter de Deus, que é misericordioso.** *Sede misericordiosos como também é misericordioso vosso Pai* (Lc 6.36). Deus é o Pai de toda misericórdia (2Co 1.3). Deus se deleita na misericórdia (Mq 7.18). As suas ternas misericórdias estão sobre todas as suas obras (Sl 145.9). Quando você demonstra misericórdia, reflete Deus em sua vida.

Em terceiro lugar, **devemos ser misericordiosos porque a demonstração de misericórdia é um sacrifício agradável a Deus**. A Bíblia diz: *Não negligencieis, igualmente, a prática do bem e a mútua cooperação; pois, com tais sacrifícios, Deus se compraz* (Hb 13.16). Quando você abre a mão para ajudar o necessitado, é como se você tivesse adorando a Deus. O anjo do Senhor disse a Cornélio: *Cornélio* [...] *as tuas orações e as tuas esmolas subiram para memória diante de Deus* (At 10.4). A prática da misericórdia é uma liturgia que agrada o coração de Deus. Dar pão ao que tem fome, vestir o nu, visitar o enfermo e o preso e acolher o forasteiro é servir ao próprio Senhor Jesus (Mt 25.31-46). Segundo João Batista, repartir pão e vestes é uma maneira concreta de demonstrar o verdadeiro arrependimento (Lc 3.11).

---

[69] WATSON, Thomas. *The Beatitudes*, p. 162-165.

Em quarto lugar, ***devemos ser misericordiosos porque um dia daremos conta da nossa administração***. A Bíblia diz que somos mordomos e vamos um dia comparecer perante o tribunal de Deus para prestar contas da nossa administração (Lc 16.2). É um grande perigo fechar as mãos aos necessitados. No dia do juízo os homens serão julgados pelo que deixaram de fazer aos necessitados: *Apartai-vos de mim [...] porque tive fome e não me destes de comer; tive sede, e não me destes de beber; sendo forasteiro, não me hospedastes; estando nu, não me vestistes; achando-me enfermo e preso, não fostes ver-me* (Mt 25.41-43).

Quais são as recompensas concedidas aos misericordiosos? A Palavra de Deus nos fala sobre algumas recompensas que os misericordiosos receberão, como seguem.

Em primeiro lugar, *eles receberão de Deus o que deram aos outros*. John MacArthur destaca o fato de que a recompensa da misericórdia não virá daqueles a quem ela foi ministrada, mas de Deus. Jesus Cristo foi a pessoa mais misericordiosa que já existiu, e o povo clamou pelo Seu sangue. Jesus não recebeu misericórdia de alguma das pessoas a quem distribuiu misericórdia. Dois sistemas impiedosos, o romano e o judeu, se uniram para matá-lo. A misericórdia sobre a qual se fala aqui não é uma virtude humana que traz sua própria recompensa. Não é esta a ideia. Então, o que o Senhor está querendo dizer? Simplesmente o seguinte: Sejam misericordiosos para com os outros, e Deus será misericordioso para com vocês. Deus é o sujeito da segunda frase.[70]

Eles receberão de Deus exatamente o que deram aos outros. Eles manifestam aos outros misericórdia, e de Deus recebem misericórdia. Não são os homens que lhes recompensarão com misericórdia, mas Deus. O misericordioso abre as torneiras celestiais sobre a sua cabeça. Ele abre os celeiros do céu para abastecer a própria alma. Ser misericordioso não é o meio de ser salvo, mas é o meio de demonstrar que se está salvo pela graça. John Stott esclarece melhor este ponto, nas seguintes palavras:

> Não que possamos merecer a misericórdia através da misericórdia, ou o perdão através do perdão, mas porque não podemos receber a

---

[70] MacArthur, John Jr. *O caminho da felicidade*, p. 118.

misericórdia e o perdão de Deus se não nos arrependermos, e não podemos proclamar que nos arrependemos de nossos pecados se não formos misericordiosos para com os pecados dos outros. Assim, ser manso é reconhecer diante dos outros que nós somos pecadores; ser misericordioso é ter compaixão pelos outros, pois eles também são pecadores.[71]

O seu coração é misericordioso? Você sente a dor do outro? Abrem-lhe o coração, a mão e o bolso? Você se importa com as almas que pereçem? Importa-se com a reputação das pessoas? Você tem usado o que Deus lhe deu para abençoar as pessoas? O mundo tem sido melhor porque você existe?

Bem-aventurados **os puros de coração** (5.8)

Se existe na brilhante constelação das bem-aventuranças uma estrela fulgurante, é esta que vamos agora considerar. Esta bem-aventurança aborda a essência da vida cristã. Esse é o alvo final da vida: ver a Deus. Martyn Lloyd Jones diz que "ver a Deus" é o alvo final de todo empreendimento, o propósito mesmo da religião.[72] James Hastings acrescenta que ver a Deus tem sido o último propósito de toda filosofia, a última esperança de toda ciência, e permanecerá sendo o último desejo de todas as nações.[73]

John MacArthur destaca que os puros de coração não são aqueles que observam a limpeza no exterior. Não são aqueles que participam das cerimônias. Não são aqueles que possuem a religião da realização humana.[74]

Vamos interpretar este texto a partir de suas três expressões principais: "pureza", "coração" e "verão a Deus".

Em primeiro lugar, *onde a pureza deve ser cultivada?* John Stott diz acertadamente que esta pureza se refere à pureza interior, a qualidade daqueles que foram purificados da imundície moral, em oposição à

---

[71] STOTT, John R. W. *Contracultura cristã – A mensagem do Sermão do Monte*, p. 38.
[72] LLOYD-JONES, Martyn. *Estudos no Sermão do Monte*, p. 98.
[73] HASTINGS, James. *The Greats Texts of the Bible – St. Matthew*. Vol. VIII., p. 86.
[74] MACARTHUR, John Jr. *O caminho da felicidade*, p. 136.

imundície cerimonial.⁷⁵ O professor Tasker define os limpos de coração como "os íntegros, livres da tirania de um 'eu' dividido".⁷⁶ O coração é tido como o centro da personalidade. Não indica meramente a sede dos afetos e das emoções. Nas Escrituras, "coração" inclui mente, emoção e vontade. Refere-se ao homem na sua totalidade.⁷⁷ Jesus está afirmando que a pureza deve penetrar em todos os corredores da nossa vida: nossos pensamentos, emoções, motivações, desejos e vontade. A Bíblia diz: *Sobre tudo o que se deve guardar, guarda o teu coração, porque dele procedem as fontes da vida* (Pv 4.23).

A Palavra de Deus é categórica em afirmar que o coração é a fonte de todas as nossas dificuldades. Jesus esclareceu: *Porque do coração procedem maus desígnios, homicídios, adultérios, prostituição, furtos, falsos testemunhos, blasfêmias* (Mt 15.19). Martyn Lloyd-Jones alerta para o erro de pensar que o mal está apenas no meio ambiente.⁷⁸ Adão caiu no paraíso, num ambiente perfeito. O profeta Jeremias diz que o coração é enganoso, mais enganoso do que todas as coisas e desesperadamente corrupto (Jr 17.9). John Locke, Augusto Comte e Jean Jacques Rousseau estavam equivocados acerca do homem. Todos eles negaram a realidade do mal inerente. Para eles, o mal estava nas estruturas, no ambiente, ou seja, fora do homem. O mal, porém, não vem de fora, mas de dentro do homem. Nós fomos concebidos em pecado, nascemos em pecado e dentro de nós pulsa um coração carregado de pecado. Sigmund Freud, o pai da psicanálise, diz que os nossos problemas são *alógenos*, isto é, gerados fora de nós. Mas Jesus diz que os nossos problemas são *autógenos*, ou seja, gerados dentro do nosso coração.

Em segundo lugar, **o que significa pureza de coração?** William Barclay fala sobre dois sentidos da palavra grega *kátharos*, que significa "limpos, puros, sem mescla, não adulterados".⁷⁹ Primeiro, *o sentido comum*. A palavra grega *kátharos* tem vários significados: 1) Era usada para designar a roupa suja que foi lavada; 2) Era usada para designar o

---

⁷⁵STOTT, John R. W. *Contracultura cristã – A mensagem do Sermão do Monte*, p. 38.
⁷⁶TASKER, R. V. G. *Evangelho segundo Mateus*. São Paulo, SP: Vida Nova, 1980, p. 34.
⁷⁷LLOYD-JONES, Martyn. *Estudos no Sermão do Monte*, p. 101.
⁷⁸LLOYD-JONES, Martyn. *Estudos no Sermão do Monte*, p. 102.
⁷⁹BARCLAY, William. *Mateo I*, p. 115.

trigo que tinha sido separado da sua palha. Com o mesmo significado, era usado para um exército do qual se tinham eliminado os soldados descontentes ou medrosos; 3) Era usada para descrever o vinho ou leite que não havia sido adulterado mediante adição de água; algo sem mescla; 4) Era usado para o ouro puro sem escória.

John MacArthur diz que o termo *kátharos* significa sem mistura, sem fusão, sem adulteração, peneirado ou sem resíduos.[80] Segundo, *o sentido bíblico*. O termo "puro" significa destituído de hipocrisia. Uma devoção não dividida. O salmista diz: *Dispõe-me o coração para só temer o teu nome* (Sl 86.11). A nossa grande dificuldade é nosso coração dúplice. Uma parte do nosso ser quer conhecer, adorar e agradar a Deus, mas outra porção quer algo diferente. O apóstolo Paulo diz: *Porque no tocante ao homem interior, tenho prazer na lei de Deus; mas vejo nos meus membros outra lei que, guerreando contra a lei da minha mente, me faz prisioneiro da lei do pecado que está nos meus membros* (Rm 7.22,23). O coração limpo é o coração que não está dividido. Significa, também, destituído de contaminação. É um coração sem mácula, puro, íntegro. *Buscai a santificação, sem a qual ninguém verá o Senhor* (Hb 12.14). Desta maneira, poderíamos sintetizar essa bem-aventurança como segue: "Bem-aventurado é o homem cujas motivações são sempre íntegras e sem mescla de mal algum, porque este é o homem que verá a Deus".

Em terceiro lugar, **qual é a recompensa de se ter um coração puro?** "... porque verão a Deus". James Hastings fala sobre três tipos de visão: a visão física, mental e espiritual.[81] A primeira visão é a física. Por meio dela, distinguimos objetos materiais e contemplamos o mundo físico à nossa volta. A segunda visão é a mental. Esta é a visão dos cientistas e poetas. Esta faculdade ajuda os homens a descobrirem as leis da ciência e a fazerem analogias e conexões com as mais variadas ideias. A terceira visão é a espiritual. Esta capacita os homens de fé e os puros de coração a verem o invisível. Deus é invisível, mas os puros de coração verão a Deus.

---

[80]MacArthur, John Jr. *O caminho da felicidade*, p. 143.
[81]Hastings, James. *The Greats Texts of the Bible – St. Matthew*. Vol. VIII, p. 90.

A gloriosa recompensa dos puros de coração é que eles verão a Deus. O verbo grego está no futuro contínuo. Em outras palavras, eles verão continuamente a Deus.[82] Eles verão a Deus nesta vida e na vida porvir. Agora, vemos a Deus pela fé. Agora, nós O vemos nas obras da criação, da providência e da redenção. Mas, então, nós O veremos face a face. Agora vemos como por espelho, mas, então, veremos já sem véu. Então, conheceremos como também somos conhecidos. A visão de Deus na vida porvir é o céu dos céus. Embora nos deleitaremos na incontável assembleia dos santos, embora nossa união aos coros angelicais será uma grande glória, a maior de todas as glórias, e a maior de todas as recompensas será a visão que teremos de Deus. Essa é a promessa mais consoladora. Jó encontrou refúgio para a sua dor quando disse: *Eu sei que o meu redentor vive, e por fim se levantará sobre a terra. Depois, revestido esse meu corpo da minha pele, em minha carne verei a Deus. Vê-Lo-ei por mim mesmo, os meus olhos o verão.* (Jó 19.25-27).

Aqueles que não têm o coração puro não verão a Deus, pois a Bíblia diz que sem santificação ninguém verá o Senhor (Hb 12.14). Porém, os limpos de coração verão a Deus. Mais do que tesouros, mais do que glórias humanas, nossa maior recompensa é Deus. Ele é melhor do que todas as suas dádivas. Ele é a nossa herança, a nossa recompensa. Teremos a Deus, veremos a Deus, por toda a eternidade! Oh, que glória isso será!

Bem-aventurados **os pacificadores** (5.9)

Existem cerca de quatrocentas referências sobre paz na Bíblia. John MacArthur diz que as Escrituras começam com paz no jardim do Éden e terminam com paz na eternidade. O pecado do homem interrompeu a paz no Éden. Na cruz, Cristo se tornou a nossa paz e um dia, Ele, o Príncipe da Paz, virá para estabelecer plenamente o seu reino eterno de paz.[83]

---

[82]MacArthur, John Jr. *O caminho da felicidade*, p. 147.
[83]MacArthur, John Jr. *O caminho da felicidade*, p. 149.

Deus Se autodenomina o *Deus da paz* (Fp 4.9), mas não há paz no mundo. Isso por causa da oposição de satanás e da desobediência do homem. Martyn Lloyd-Jones pergunta:

> Por que há tantas guerras no mundo? Por que se mantém essa constante tensão internacional? O que há com este mundo? Por que já tivemos duas guerras mundiais só no século XX? E por que essa ameaça perene de novas guerras, além de toda essa infelicidade, turbulência e discórdia entre os homens? De conformidade com essa bem-aventurança, só existe uma resposta para essa indagação – o pecado.[84]

As tentativas de estabelecer a paz no mundo são todas malogradas. As conferências que visam promover a paz entre as nações fracassam. A Organização das Nações Unidas não se sustenta como agenciadora da paz. Não haverá paz nas estruturas, nos governos, entre as nações, se ela não for implantada no coração. Enquanto o Príncipe da Paz, Jesus Cristo, não reinar no coração do homem, este será um ser beligerante e em conflito consigo, com o próximo e com Deus. Martyn Lloyd-Jones está correto quando diz: "Enquanto os homens estiveram produzindo esses males, não haverá paz. Aquilo que existe no interior do homem inevitavelmente há de aflorar à superfície".[85]

O homem está em guerra com Deus, consigo mesmo, com o próximo e com a natureza. A paz que saudamos hoje começa a desmoronar amanhã. Não temos paz política, econômica, social nem familiar. A paz é meramente aquele breve momento glorioso na história em que todos param para recarregar as armas. Depois da Segunda Guerra Mundial, o mundo ficou preocupado em desenvolver uma agência para a paz mundial, por isso, em 1945, surgiu a Organização das Nações Unidas (ONU), com o lema: "Libertar as nações vindouras do flagelo da guerra". Desde então, não tem havido um dia de paz na terra. Nenhum. A paz é uma quimera, diz John MacArthur.[86]

---

[84]LLOYD-JONES, Martyn. *Estudos no Sermão do Monte*, p. 111.
[85]LLOYD-JONES, Martyn. *Estudos no Sermão do Monte*, p. 112.
[86]MACARTHUR, John Jr. *O caminho da felicidade*, p. 150.

Não temos capacidade de conviver uns com os outros. Existem dissoluções de famílias, discórdias nas instituições e guerras entre as nações. O homem não tem paz consigo mesmo, por isso o mundo ao seu redor está mergulhado no caos. O século XX começou com profundo otimismo humanista. Mas veio a Primeira Guerra Mundial, e cerca de 30 milhões de pessoas foram mortas. Logo veio a Segunda Guerra Mundial, e 60 milhões de pessoas pereceram. O comunismo abocanhou um terço dos habitantes do planeta e levou milhões à morte. Hoje, vemos terríveis guerras étnicas, tribais e religiosas. O mundo é um barril de pólvora.

Mas o que é paz? Antes de definirmos positivamente o que é paz, vejamos o aspecto negativo, ou seja, o que não é paz.

Em primeiro lugar, *não é paz de cemitério*. Algumas pessoas definem paz como ausência de conflito. Não existe conflito em um cemitério. Mas paz é muito mais do que a ausência de conflito. É a presença da justiça que produz relacionamentos verdadeiros. A paz não é apenas a suspensão da guerra; é a criação da justiça que reúne inimigos em amor.[87]

Em segundo lugar, *não é trégua*. Há grande diferença entre trégua e paz. Uma trégua quer dizer que você apenas deixa de atirar por um tempo. A paz vem quando a verdade é conhecida, o problema é resolvido, e as partes se abraçam.[88] A paz não é algo passageiro e superficial. A paz derruba o muro da inimizade e constrói, sobre o abismo do ódio, a ponte da reconciliação.

Em terceiro lugar, *não é fuga do confronto*. A paz na Bíblia nunca se esquiva dos problemas. Não é paz a qualquer preço. Apaziguamento não é paz. A paz tem um alto preço. Ela custou o sangue de Cristo. Dietrick Bonhoeffer criou o termo "graça barata". Existe também uma espécie de paz barata. Proclamar paz, paz, onde não há paz, é obra do falso profeta.[89] A paz supera e resolve o problema; não equivale a sublimar nem a enterrar o problema vivo. A paz constrói pontes em vez de

---

[87] MacArthur, John Jr. *O caminho da felicidade*, p. 151.
[88] MacArthur, John Jr. *O caminho da felicidade*, p. 151.
[89] Stott, John R. W. *Contracultura cristã – A mensagem do Sermão do Monte*, p. 41.

cavar abismos. Sem confronto, teremos apenas um cessar-fogo, uma guerra fria, um tempo para recarregar as armas.

Em quarto lugar, *não é sacrifício da verdade*. Muitos hoje querem a paz e a união de todos, mas à custa da verdade. Nesse sentido, Jesus veio trazer não a paz, mas a espada (Mt 10.34). Não há unidade fora da verdade. A paz com todos e a santificação precisam andar juntas (Hb 12.14). Por essa razão, o ecumenismo é uma falácia. Não temos nenhuma ordem de Cristo para buscarmos a união sem pureza: pureza de doutrina e de conduta. Uma união barata produz uma evangelização barata.[90] Esses são atalhos proibidos que transformam o evangelista num mercador fraudulento, degradam o evangelho e prejudicam a causa de Cristo. A Bíblia nos proíbe de sermos cúmplices com as obras infrutíferas das trevas (Ef 5.11). A Bíblia condenou a aliança de Josias com o ímpio rei Acabe (2Cr 19.2). A Bíblia ordena: *Não vos ponhais em jugo desigual com os incrédulos, porque que sociedade pode haver entre a justiça e a iniquidade? Ou que comunhão da luz com as trevas [...]* (2Co 6.14).

Vejamos, agora, o aspecto positivo, o que é paz. A palavra "paz", tanto no hebraico como no grego, nunca é um estado negativo. Nunca significa apenas a ausência de conflito. A paz inclui o bem-estar geral do homem. É a libertação do mal e a presença de todas as coisas boas. A paz é um estado de harmonia com Deus, consigo mesmo e com o próximo.[91]

O pacificador está em paz com Deus, anuncia o evangelho da paz, tem o ministério da reconciliação e é um embaixador de Deus, rogando aos homens que se reconciliem com Ele (2Co 5.18-20). O pacificador é aquele que ama os seus inimigos, abençoa aqueles que lhe maldizem, ora por aqueles que lhe perseguem (Mt 5.45). Jesus ordena: *Tende paz uns com os outros* (Mc 9.50). Paulo diz: *Se possível, quanto depender de vós, tende paz com todos os homens* (Rm 12.18).

Quais são as recompensas do pacificador? A Palavra de Deus fala sobre a recompensa do pacificador, como vemos a seguir.

---

[90]STOTT, John R. W. *Contracultura cristã – A mensagem do Sermão do Monte*, p. 42.
[91]BARCLAY, William. *Mateo I*, p. 118.

Em primeiro lugar, *a recompensa do pacificador é ser chamado filho de Deus*. A língua grega usa *huios* para filhos, e não *tekna*, que significa crianças. *Tekna* nos fala sobre uma afeição terna. *Huios* nos fala sobre dignidade, honra e consideração.[92] Amamos nossos filhos mais do que nossa casa, nosso carro, nossos bens. Nossos filhos são nossa maior herança. O pacificador é filho do Deus vivo. Esse título é mais honroso do que ser o mais exaltado príncipe da terra. A Bíblia diz que somos a menina dos olhos de Deus. A pupila é a parte mais sensível do corpo. É a parte mais frágil e delicada. Você a protege. Deus age da mesma forma com os seus filhos. Se você tocar em um de seus filhos, está colocando o dedo na menina dos olhos de Deus.

Em segundo lugar, *os filhos de Deus são muito preciosos para Deus*. A Bíblia diz que somos o seu tesouro particular (Ml 3.17). Diz que Deus nos dará um nome eterno (Is 56.5). Diz que Deus recolhe nossas lágrimas em seu odre (Sl 56.8). Quando morremos, nossa morte é preciosa aos seus olhos (Sl 116.15). Deus nos fez reis, príncipes e sacerdotes. Somos seus herdeiros. Deus diz que seus filhos são os notáveis em quem Ele tem todo o seu prazer (Sl 16.3). A Bíblia diz que nós somos os vasos de honra de Deus (2Tm 2.21). A Bíblia diz que os filhos são dignos de honra (Is 43.4). Nós somos a herança de Deus. Nossa posição é mais elevada do que a dos anjos. Eles nos servem. Nós somos coparticipantes da natureza divina. Estamos ligados a Cristo. Somos membros do corpo de Cristo. A Bíblia diz que nós nos assentaremos com Ele no seu trono (Ap 3.21).

Em terceiro lugar, *os pacificadores são feitos filhos de Deus por adoção*. Não nascemos filhos de Deus; somos feitos filhos de Deus por adoção. No que a adoção consiste? Thomas Watson nos ajuda a entender esse magno assunto com as observações a seguir.[93]

Adoção é a transferência de uma família para outra. Nós fomos transferidos da velha família de Adão para a família de Deus. Éramos escravos, cegos, perdidos, e filhos da ira (Ef 2.2,3). Mas, agora, somos filhos de Deus, membros da Sua família. Ele é nosso Pai. Cristo é o nosso

---

[92] MacArthur, John Jr. *O caminho da felicidade*, p. 161,162.
[93] Watson, Thomas. *The Beatitudes*, p. 220,221.

irmão mais velho. Os santos são nossos irmãos e coerdeiros, e os anjos são espíritos que nos servem.

Adoção consiste em uma imunidade e desobrigação de todas as leis que nos prendiam à antiga família. Agora não somos mais escravos do pecado. Agora fomos libertos do império das trevas. Não estamos mais presos à potestade de satanás. Agora somos novas criaturas.

Adoção consiste em uma legal investidura dos direitos da nova família. Recebemos um novo nome. Antes éramos escravos; agora somos filhos. Antes éramos pecadores rendidos à escravidão; agora somos livres e santos. Recebemos também uma gloriosa herança. Somos herdeiros de Deus e coerdeiros com Cristo.

No que a adoção divina difere da adoção humana?

A adoção humana via de regra visa suprir uma carência dos filhos naturais. Deus sempre foi completo em si mesmo. Deus sempre se deleitou no Seu Filho unigênito. Equivocam-se aqueles que pensam que Deus era incompleto até nos criar à Sua imagem e semelhança. Deus era perfeito, completo e feliz antes de lançar os fundamentos da terra e antes de criar-nos à Sua imagem.

A adoção humana é restrita; a de Deus é ampla. A herança do pai é repartida em partes para os filhos. Os herdeiros de Deus possuem tudo o que é do Pai. Tudo o que Deus tem é nosso.

A adoção humana é feita sem sacrifício; a divina custou a vida do Seu Filho. A nossa adoção custou a morte do Seu Filho Unigênito. O Filho eternamente gerado do Pai precisou morrer para fazer-nos filhos adotivos. Deus selou nossa certidão de nascimento com o sangue do Seu Filho. Quando Deus criou todas as coisas, ele apenas falou; mas, quando nos adotou, o sangue do Seu Filho precisou ser derramado.

A adoção humana confere apenas benefícios terrenos; a adoção divina confere bênçãos celestiais. Deus nos concede mais do que bens; Ele nos concede uma nova vida, um novo coração, uma nova mente, uma nova herança, um novo lar, a vida eterna. Essa verdade derruba por terra a visão míope da teologia da prosperidade. A nossa riqueza não é terrena, mas celestial. Não é material, mas espiritual. O nosso tesouro não está na terra, mas no céu. A nossa casa permanente não é aqui, mas no Paraíso!

Bem-aventurados **os perseguidos por causa da justiça** (5.10-12)

Para nós, é quase incompreensível associar perseguição com felicidade. Perseguição e felicidade parecem-nos coisas mutuamente exclusivas. Esse é o grande paradoxo do cristianismo. Mas Jesus termina as bem-aventuranças dizendo que o mais elevado grau de felicidade está ligado à perseguição. Obviamente não são felizes todos os perseguidos, mas os perseguidos por causa da justiça.[94]

A nossa religião deve custar para nós as lágrimas do arrependimento e o sangue da perseguição, diz Thomas Watson.[95] A cruz vem antes da coroa. O sofrimento precede a glória. Importa-nos entrar no reino por meio de muitas tribulações (At 14.22).

Martyn Lloyd-Jones diz que o crente é perseguido por ser determinado tipo de pessoa e por se comportar de certa maneira.[96] Porque você é um cristão, o mundo o odeia, como odiou a Cristo: *Se o mundo vos odeia, sabei que, primeiro do que a vós outros, me odiou a mim. Se vós fôsseis do mundo, o mundo amaria o que era seu; como, todavia, não sois do mundo, pelo contrário, dele vos escolhi, por isso, o mundo vos odeia* (Jo 15.18,19).

Qual é a natureza dessa perseguição? O mundo ataca sua vida e sua honra. O mundo fere-o com as armas e com a língua. Procura destruir sua vida e também sua reputação. Há duas maneiras de perseguir uma pessoa, como vemos a seguir.

Em primeiro lugar, ***a perseguição das armas*** (Mt 5.10). Ao longo dos séculos, a igreja tem sofrido perseguição. Os crentes foram perseguidos em todos os lugares e em todos os tempos. Paulo disse: *Todo aquele que quiser viver piedosamente em Cristo será perseguido* (2Tm 3.12). Depois de ser apedrejado em Listra, Paulo encorajou os novos crentes, dizendo-lhes: ... *através de muitas tribulações, nos importa entrar no Reino de Deus* (At 14.22). Escrevendo aos filipenses, Paulo disse: *Porque*

---
[94] LLOYD-JONES, Martyn. *Estudos no Sermão do Monte*, p. 120.
[95] WATSON, Thomas. *The Beatitudes*, p. 259.
[96] LLOYD-JONES, Martyn. *Estudos no Sermão do Monte*, p. 119.

vos foi concedida a graça de padecerdes por Cristo e não somente de crerdes nEle (Fp 1.29). Os cristãos primitivos foram duramente perseguidos tanto pelos judeus como pelos gentios.

Em segundo lugar, **a perseguição da língua** (Mt 5.11). O cristão é atacado não apenas pela oposição e pela espada do mundo, mas também pela língua dos ímpios. A língua é como fogo e como veneno. Ela mata. Ela é uma espada desembainhada (Sl 55.21). Você pode matar uma pessoa tirando-lhe a vida ou destruindo-lhe o nome. Três são as formas da perseguição pela língua, como vemos a seguir.

Injúria (Mt 5.11). A palavra *oneididzo* significa jogar algo na cara de alguém, maltratar com palavras vis, cruéis e escarnecedoras. Cristo foi acusado de ser beberrão e endemoninhado. Pesaram sobre os cristãos muitas coisas horrendas. Eles foram chamados de canibais, imorais, incendiários, rebeldes, ateus. Chamaram Paulo de tagarela, impostor e falso apóstolo.

Mentira (Mt 5.11). A arma do diabo é a mentira. A mentira é a negação, a ocultação e a alteração da verdade. Chamaram Jesus de beberrão, possesso e filho ilegítimo. O cristão é abençoado por Deus e amaldiçoado pelo mundo.

Falar mal (Mt 5.11). Os cristãos são alvos da maledicência. É a inimizade da serpente contra a semente sagrada. A língua é fogo e veneno. Ela tem uma capacidade avassaladora para destruir. É como uma fagulha numa floresta. Provoca destruição total. Ela é como veneno que mata rapidamente.

Quem são os perseguidos? A perseguição no verso 10 é generalizada: *Bem aventurados, os perseguidos por causa da justiça, porque deles é o reino dos céus*, enquanto no verso 11 é personalizada: *Bem-aventurados sois quando, por minha causa, vos injuriarem, e vos perseguirem, e, mentindo, disserem todo mal contra vós*.[97] Ambos os versos, porém, referem-se ao mesmo grupo. Quem são eles? São os mesmos descritos nos versículos 3 a 9: os humildes, os que choram, os mansos, os que têm fome e sede de justiça, os misericordiosos, os limpos de coração e os pacificadores.

---

[97] MacArthur, John Jr. *O caminho da felicidade*, p. 168.

Os apóstolos de Cristo foram perseguidos de forma implacável. André, irmão de Pedro, foi amarrado na cruz para ter morte lenta. Pedro ficou preso nove meses e depois foi crucificado de cabeça para baixo. Paulo foi decapitado por ordem de Nero. Tiago foi passado ao fio da espada por ordem de Herodes Agripa I. Mateus, Bartolomeu e Tomé foram martirizados. João foi deportado para a ilha de Patmos. Os apóstolos eram considerados o lixo do mundo, a escória de todos.

John MacArthur diz que hoje estamos fabricando celebridades tão rapidamente como o mundo.[98] Hoje os crentes querem ser estrelas e gostam do sucesso, das coisas espetaculares. Hoje, as pessoas apresentariam Paulo assim: Formado na Universidade de Gamaliel, poliglota, amigo pessoal de muitos reis, maior plantador de igrejas do mundo, maior evangelista do século, dado por morto, arrebatado ao céu. Mas quais as credenciais que Paulo dá si mesmo? Vejamos:

> *São ministros de Cristo? (Falo como fora de mim.) Eu ainda mais: em trabalhos, muito mais; muito mais em prisões; em açoites, sem medida; em perigos de morte, muitas vezes. Cinco vezes recebi dos judeus uma quarentena de açoites menos um; fui três vezes fustigado com varas; uma vez, apedrejado; em naufrágio, três vezes; uma noite e um dia passei na voragem do mar; em jornadas, muitas vezes; em perigos de rios, em perigos de salteadores, em perigos entre patrícios, em perigos entre gentios, em perigos na cidade, em perigos no deserto, em perigos no mar, em perigos entre falsos irmãos; em trabalhos e fadigas, em vigílias, muitas vezes; em fome e sede, em jejuns, muitas vezes; em frio e nudez. Além das coisas exteriores, há o que pesa sobre mim diariamente, a preocupação com todas as igrejas* (2Co 11.23-28).

Quando sofrer é uma bem-aventurança? Quando sofremos por causa da justiça (5.10). Alguns tomam a iniciativa de opor-se a nós não por causa dos nossos erros, mas porque não gostam da justiça da qual temos fome e sede. A perseguição é simplesmente o conflito entre dois sistemas de valores irreconciliáveis. Sofrer pelo erro não é bem-aventurança, mas vergonha e derrota. Sofrer pelo erro é punição e castigo, e não felicidade. Sofrer porque foi flagrado no erro não é ser

---

[98] MACARTHUR, John Jr. *O caminho da felicidade*, p. 189.

bem-aventurado. Um aluno não é feliz ao receber nota zero por ter sido flagrado na prática da cola. Um funcionário não é feliz ao ser mandado embora por negligência. Um cristão não é feliz ao ser perseguido por ter transgredido a lei de Deus. Os crentes de Tiatira sofreram financeiramente por não participarem dos sindicatos comerciais que tinham suas divindades padroeiras. Os crentes sofriam porque, quando se convertiam, eram desprezados pelos outros membros da família.

Sofrer é bem-aventurança, ainda, quando sofremos por causa de nosso relacionamento com Cristo (5.11). O mundo não odeia o cristão, mas odeia a justiça, odeia a Cristo nele.[99] Não é a nós que o mundo odeia primariamente, mas à verdade que representamos. O mundo está atrás de Cristo, é a Ele que o mundo ainda está tentando matar. O mundo odiou Jesus e o levou à cruz. Assim, quando o mundo vê Cristo em sua vida, em suas atitudes, o mundo também odiará você. Às vezes, essa perseguição promovida pela língua não procede apenas do mundo pagão, mas dos próprios religiosos: Jesus foi mais duramente perseguido pelos fariseus, escribas e sacerdotes. A religião apóstata tornou-se o braço do anticristo.

Vejamos por exemplo a perseguição na igreja primitiva. A igreja primitiva foi implacavelmente perseguida. Os crentes foram expulsos de Jerusalém. Eles foram espalhados pelo mundo. Nero iniciou uma sangrenta perseguição contra a igreja. Alguns crentes eram jogados aos leões esfaimados da Líbia. Outros eram queimados na fogueira. Os crentes eram untados com resina e depois incendiados vivos para iluminar os jardins de Roma. Alguns crentes eram enrolados em peles de animais para os cães de caça morderem. Os crentes eram torturados e esfolados vivos. Chumbo fundido era derramado sobre eles. Placas de latão em brasa eram fixadas nas partes mais frágeis do corpo. Partes do corpo eram cortadas e assadas diante dos seus olhos.[100]

O Império Romano tinha uma grande preocupação com sua unificação. Na época de Cristo, o Império Romano estendeu seu domínio desde as Ilhas Britânicas até o rio Eufrates, desde o norte da Alemanha

---

[99] MacArthur, John Jr. *O caminho da felicidade*, p. 190.
[100] Barclay, William. *Mateo I*, p. 122.

até a África do Norte.[101] Roma era adorada como deusa. Depois, o imperador passou a personificar Roma. Os imperadores passaram a ser chamados "Senhor e Deus". O culto ao imperador passou a ser o grande elo da unificação política de Roma. Era obrigatório uma vez por ano todos os súditos do império queimarem incenso ao deus imperador num templo romano. Todos deviam dizer: "César é o Senhor". Mas os cristãos se recusavam e eram considerados revolucionários, traidores e ilegais. Por isso eram presos, torturados e mortos.[102] John MacArthur coloca esse fato assim:

> Era obrigatório que, uma vez por ano, todas as pessoas no Império Romano queimassem incenso para César e dissessem: "César é o Senhor". Quando alguém acendia seu incenso, recebia um certificado chamado *libelo*. Tendo recebido esse certificado, ele poderia adorar qualquer deus que quisesse. Os romanos queriam, em primeiro lugar, apenas se certificar de que todos convergiam para um ponto comum: César. Os cristãos não declaravam outra coisa senão "Jesus é o Senhor", por isso, nunca recebiam o *libelo*. Consequentemente, estavam sempre cultuando a Deus de maneira ilegal.[103]

Vejamos, agora, as perseguições religiosas ao longo dos séculos. Os crentes foram perseguidos pela intolerância e pela inquisição religiosa. Alguns pré-reformadores foram queimados vivos, como John Huss e Jerônimo Savonarola. John Wicliff precisou se esconder. Lutero ficou trancado num mosteiro. William Tindayle foi esquartejado. Os calvinistas franceses, chamados de huguenotes, foram perseguidos e assassinados na França com crueldade indescritível. Foram caçados, torturados, presos e mortos com desumanidade. A partir de 1559, o governo francês caiu nas mãos de Catarina de Médicis, que, educada na escola maquiavélica, estava disposta a sacrificar a vida dos súditos para alcançar a realização de suas ambições políticas. Na fatídica noite de São Bartolomeu, em 24 de agosto de 1572, cerca de 70 mil

---

[101]MACARTHUR, John Jr. *O caminho da felicidade*, p. 175.
[102]BARCLAY, William. *Mateo I*, p. 124.
[103]MACARTHUR, John Jr. *O caminho da felicidade*, p. 175.

crentes franceses foram esmagados e mortos numa emboscada. Rios de sangue jorraram de homens e mulheres que ousaram crer em Cristo e professar sua fé no Salvador. Ao tomar conhecimento do massacre da Noite de São Bartolomeu, o rei da Espanha, Felipe II, genro de Catarina de Médicis, encorajou a sua sogra a agir ainda com maior despotismo e violência, buscando exterminar os huguenotes da França e assim varrer todo o vestígio de protestantismo daquela terra.[104]

Na Inglaterra, Maria Tudor ascendeu ao trono em 1553 e governou até 1558. Essa rainha matou tantos crentes que isto lhe valeu a alcunha de "Maria, a Sanguinária". Ela levou à estaca os líderes cristãos e passou ao fio da espada milhares de crentes. O comunismo ateu e o nazismo nacionalista levaram milhões de crentes ao martírio no século XX. Na Coreia do Norte, na China e ainda hoje nos países comunistas e islâmicos, os crentes são presos, torturados e mortos.

Como devemos enfrentar essa perseguição? Com profunda alegria! Não devemos buscar a vingança como o incrédulo, nem ficar de mau humor como uma criança embirrada, nem ficar lambendo nossa própria ferida cheios de autopiedade, nem negar a dor como os estoicos, muito menos gostar de sofrer como os masoquistas. As palavras usadas por Jesus descrevem uma alegria intensa, maiúscula, superlativa, absoluta. A palavra "exultai", *agalliasthe*, significa saltar, pular, gritar de alegria.[105]

Qual é a recompensa divina aos perseguidos por causa da justiça? Uma felicidade superlativa! (5.10,11). A palavra *Makarios*, como já temos visto, descreve uma felicidade plena, copiosa, superlativa, eterna. Essa felicidade não é circunstancial. Não depende do que acontece à nossa volta. Ela vem do alto. Está dentro de nós. Jesus parabeniza aqueles que o mundo mais despreza e chama de bem-aventurados aqueles que o mundo persegue.

Outra recompensa é a posse de um reino glorioso (5.10). Essa última bem-aventurança termina como começou a primeira. Os perseguidos por causa da justiça recebem o reino dos céus. Aqui eles podem

---

[104]LOPES, Hernandes Dias. *Panorama da História da Igreja*. São Paulo, SP: Candeia, 2005, p. 78,79.
[105]MACARTHUR, John Jr. *O caminho da felicidade*, p. 194.

perder os bens, o nome e a vida, mas recebem um reino eterno, glorioso para sempre. Os sofrimentos do tempo presente não se comparam às glórias a serem reveladas em nós (Rm 8.18). Os perseguidos podem ser jogados numa prisão, podem ser torturados, podem ser martirizados, mas eles recebem uma herança incorruptível, gloriosa. Eles são filhos e herdeiros. Um dia ouvirão Jesus lhes dizer: "Vinde, benditos de meu Pai, entrai na posse do reino que vos está preparado desde a fundação do mundo".

Os perseguidos por causa da justiça sabem que a recompensa final não é nesta vida (5.12). O mundo odeia pensar no futuro. O ímpio detesta pensar na eternidade. Ele tem medo de pensar na morte, mas o cristão sabe que sua recompensa está no futuro. Ele olha para frente e sabe que tem o céu. Sabe que tem a coroa. Disse Paulo, na antessala do martírio: *Eu sei que o tempo da minha partida é chegada [...]. Agora a coroa da justiça me está preparada...* (2Tm 4.6-8). Nós aguardamos a cidade celestial (Hb 11.10). Crisóstomo, um grande cristão do quinto século, foi preso e chamado diante do imperador Arcadius por pregar a Palavra. Este ameaçou bani-lo. Crisóstomo disse: "Majestade, não podes me banir, pois o mundo é a casa do meu Pai". "Então, terei de matá-lo." Crisóstomo respondeu: "Não podes, pois minha vida está guardada com Cristo em Deus". Alcadius ameaçou: "Seus bens serão confiscados". Crisóstomo retrucou: "Majestade, isso não será possível. Meus tesouros estão nos céus". "Eu te afastarei dos homens e não terás amigos." O servo de Deus respondeu: "Isso não podes fazer, porque tenho um amigo nos céus que disse: 'De maneira alguma te deixarei, jamais o abandonarei'".[106]

Os perseguidos por causa da justiça sabem que são seguidores de uma bendita estirpe (5.12). Quando você estiver sendo perseguido por causa da justiça e por causa de Cristo, saiba que não está sozinho nesta arena, nesta fornalha, neste campo juncado de espinhos. Atrás de você marchou um glorioso exército de profetas de Deus. A perseguição é um sinal de genuinidade, um certificado de autenticidade cristã, *pois assim perseguiram os profetas que viveram antes de vós*. Se somos perseguidos

---

[106] MacArthur, John Jr. *O caminho da felicidade*, p. 197,198.

hoje pertencemos a uma nobre sucessão. Os ferimentos são como medalhas de honra para o cristão. Jesus disse: *Ai de vós quando todos vos louvarem* (Lc 6.26).

Dietrich Bonhoeffer, executado no campo de concentração nazista de Flossenburg por ordem de Heinrich Himmler, em abril de 1945, disse que o sofrimento é uma das características dos seguidores de Cristo. Sofrer por Cristo é mais honroso do que ter um reino sobre a terra. Precisamos considerar que o nosso sofrimento aqui é leve e momentâneo quando visto à luz da recompensa eterna (2Co 4.17). Os sofrimentos do tempo presente não podem ser comparados com a glória a ser revelada em nós (Rm 8.18). Somos bem-aventurados!

9

A influência da igreja no mundo

Mateus 5.13-16

NO TEXTO EM TELA, Jesus deixa de pronunciar bênçãos e passa a comunicar responsabilidades, diz R. C. Sproul.[1] Jesus faz uma transição daquilo que somos para aquilo que fazemos.

A igreja e o mundo são essencialmente diferentes. A igreja é chamada do mundo, está no mundo, mas não é do mundo. É enviada de volta ao mundo para testemunhar ao mundo.

A igreja só é relevante quando é totalmente diferente do mundo. A amizade da igreja com o mundo é um desastre (Tg 4.4; 1Jo 2.15-17; Rm 12.2). Quando a igreja tenta imitar o mundo para atraí-lo, ela perde sua capacidade transformadora. John Stott diz que, mesmo a igreja sendo perseguida pelo mundo (5.10-12), ela é chamada para servir a este mundo que a persegue (5.13-16).[2] A igreja responde ao ódio e às mentiras do mundo com o amor e a verdade.

É digno de nota que, ao serem usados para o seu devido propósito, tanto o sal como a luz se desgastam. Isso é uma evidência eloquente de que não podemos desenvolver uma espiritualidade egocentralizada, como a dos fariseus, mas uma espiritualidade altruísta, como a de Jesus.

---

[1] SPROUL, R. C. *Mateus*, p. 77.
[2] STOTT, John. *Contracultura cristã – A mensagem do Sermão do Monte*, p. 49.

Jesus usa duas metáforas eloquentes para descrever a influência da igreja no mundo. A primeira delas é o sal, que trata de sua influência interna. A segunda é a luz, que descreve sua influência externa. O sal influencia sem ser visto. A luz influencia sem deixar de ser vista. O sal influencia ao infiltrar-se. A luz influencia ao irradiar-se. O sal, embora não possa ser visto, é sentido. A luz, embora não possa deixar de ser vista, é reveladora.

A igreja é o **sal da terra** (5.13)

Tasker está coberto de razão ao dizer que a mais evidente característica geral do sal é que ele é essencialmente diferente do meio em que é posto. Seu poder está precisamente nesta diferença.[3] Como o sal da terra, a igreja possui várias funções importantíssimas, as quais passamos a descrever a seguir.

Em primeiro lugar, *o sal é antisséptico e inibe a decomposição* (5.13). Quando Jesus proferiu este discurso, não havia refrigeração. A única maneira de preservar os alimentos da decomposição era o uso do sal. O sal impede a putrefação dos alimentos, preservando-os da corrupção. Plutarco diz que a carne é um corpo morto e forma parte de um corpo morto. Se abandonada a si mesmo, logo perde seu frescor, mas o sal a preserva e impede sua corrupção. O sal é como uma nova alma enxertada no corpo morto.[4]

Ainda hoje apreciamos a carne de sol. O sal lhe preserva e lhe dá sabor. A presença da igreja no mundo refreia o mal. A igreja tem um papel antisséptico no mundo. Sua influência impede que o mundo se deteriore em sua galopante corrupção. Concordo com as palavras de Robert Mounce: "A conduta correta dos crentes impede que a sociedade fique rançosa completamente".[5]

R. C. Sproul é enfático: "Uma das tarefas da igreja é impedir que o mundo se autodestrua".[6] E estou de acordo com Tasker quando ele

---

[3]Tasker, R. V. G. *Mateus: introdução e comentário*, p. 50.
[4]Barclay, William. *Mateo I*, p. 129.
[5]Mounce, Robert H. *Mateus*, p. 53.
[6]Sproul. R. C. *Mateus*, p. 78.

diz que "os discípulos são chamados a ser um purificador moral em um mundo em que os padrões morais são baixos, instáveis ou mesmo inexistentes".[7] Não somos chamados a ser o mel do mundo, mas o sal da terra. O sal precisa ser esfregado na carne e, quando isso acontece, ele arde, mas seu resultado é preservador.

É digno de nota que a igreja não é sal no saleiro, mas sal da terra. O sal precisa entrar em contato com aquilo que deve ser salgado para exercer o seu papel. A igreja não influencia o mundo isolando-se dele, mas entrando em contato com ele, sendo diferente dele, penetrando nele com sua saneadora influência. Muitas pessoas, ao se tornarem crentes, se isolam das outras pessoas, se trancam numa estufa, numa redoma de vidro, numa bolha espiritual, e se tornam sal no saleiro e depois sal insípido. Elas não se apresentam, não se inserem, não influenciam, não salgam. Tornam-se antissociais e antiespirituais.

John Stott é muito oportuno ao escrever:

> O sal cristão não tem nada de ficar aconchegado em elegantes e pequenas despensas eclesiásticas; nosso papel é o de sermos "esfregados" na comunidade secular, como o sal é esfregado na carne, para impedir que apodreça. E, quando a sociedade apodrece, nós, os cristãos, temos a tendência de levantar as mãos para o céu, piedosamente horrorizados, reprovando o mundo não cristão; mas não deveríamos, antes, reprovar-nos a nós mesmos? Ninguém pode acusar a carne fresca de deteriorar-se. Ela não pode fazer nada. O ponto importante é: onde está o sal?[8]

R. C. Sproul, falando sobre a influência benfazeja da igreja no mundo como sal da terra, escreve:

> O advento do cristianismo foi o que salvou a cultura ocidental da completa barbárie. O sistema universitário foi uma invenção da igreja cristã. Foi a igreja cristã que introduziu as artes – música, pintura e literatura.

---

[7]TASKER, R. V. G. *Mateus: introdução e comentário*. 1999: p. 50,51.
[8]STOTT, John. *Contracultura cristã – A mensagem do Sermão do Monte*, p. 57.

Muitos dos maiores artistas mundiais foram cristãos, e o mesmo se aplica na esfera musical, com Bach, Mendelsohn, Handel e Vivaldi. Além disso, a igreja cristã iniciou o movimento beneficente no mundo ocidental. Foi ela, em cumprimento à ordem de Jesus para cuidar dos órfãos, que introduziu os orfanatos. Todas as sementes da abolição da escravatura haviam sido semeadas nas páginas do Novo Testamento. Logo, em um sentido muito real, a igreja de Cristo tem sido o conservante utilizado por Deus para evitar que a civilização ocidental venha a implodir em sua corrupção interna.[9]

Em segundo lugar, *o sal é condimento e dá sabor* (5.13). Uma comida insossa é intragável. O sal tem o papel de dar sabor aos alimentos. Torna o alimento apetitoso, agradável ao paladar. O mundo está cansado de seu próprio pecado. O pecado cansa. O pecado adoece. O pecado escraviza. A presença da igreja no mundo, refletindo nele a glória de Deus, revela às pessoas uma qualidade de vida superlativa. Mostra ao mundo que a vida com Deus é deleitosa. Demonstra ao mundo que só na presença de Deus tem plenitude de alegria e delícias perpetuamente.

É importante ressaltar, outrossim, que, se a comida sem sal é intragável, uma comida com excesso de sal também é insuportável. A igreja não foi chamada para condenar o mundo, mas para demonstrar ao mundo o amor de Deus e chamar as pessoas do mundo ao arrependimento e a à fé salvadora.

Em terceiro lugar, *o sal provoca sede* (5.13). O sal tem a capacidade de provocar sede. Vivemos num mundo caído, onde as pessoas não têm sede pelas coisas espirituais nem apetência pelo pão do céu. A presença da igreja no mundo provoca esse interesse pelas coisas de Deus. A igreja como sal se insere, se infiltra e, assim, provoca nas pessoas o desejo de conhecer a Deus. Sem a presença da igreja, o mundo se tornaria um ambiente insuportável para se viver. A igreja é o grande freio moral do mundo.

Em quarto lugar, *o sal para ser útil precisa conservar sua salinidade* (5.13). A eficácia do sal é condicional. Ele precisa conservar sua salinidade.

---

[9]Sproul, R. C. *Mateus*, p. 79.

Stott afirma corretamente que o cloreto de sódio é um produto químico muito estável, resistente a quase todos os ataques. Não obstante, pode ser contaminado por impurezas, tornando-se, então, inútil e até mesmo perigoso. O que perdeu a sua propriedade de salgar não serve nem mesmo para adubo.[10] É óbvio que a salinidade do cristão é o seu caráter transformado pela graça, conforme descrito nas bem-aventuranças. Segue-se que, se os cristãos forem assimilados pelo mundo em vez de influenciarem o mundo, perderão complemente sua utilidade. Concordo plenamente com Stott quando ele escreve: "A influência dos cristãos na sociedade e sobre a sociedade depende da sua diferença, e não da sua identidade".[11] Nessa mesma linha de pensamento, Martyn Lloyd-Jones diz que a glória do evangelho é que, quando a igreja é absolutamente diferente do mundo, ela invariavelmente o atrai. É então que o mundo se sente inclinado a ouvir a sua mensagem.[12]

A igreja é a **luz do mundo** (5.14-16)

William Barclay diz que a luz tem três funções primordiais: ser vista por todos, servir de guia e servir como advertência.[13] John Charles Ryle reforça que, entre todas as coisas criadas, a luz é a mais útil. A luz fertiliza o solo. A luz guia. A luz reanima. A luz foi a primeira coisa que Deus trouxe à existência. Sem a luz, este mundo seria um vazio obscuro.[14] Se a igreja influencia ao inserir-se no mundo como sal, ela é vista como a luz. Sua mensagem aponta o caminho a seguir, e seu testemunho adverte acerca dos perigos ao longo do caminho.

A igreja exerce um papel positivo de transformação no mundo. A vida da igreja é sua primeira mensagem. A igreja só tem uma mensagem, se ela tem realmente vida. Sem testemunho, não há proclamação. A vida precede ao trabalho. O exemplo é mais importante do que a atividade.

---

[10]STOTT, John. *Contracultura cristã – A mensagem do Sermão do Monte*, p. 51.
[11]STOTT, John. *Contracultura cristã – A mensagem do Sermão do Monte*, p. 51,52.
[12]LLOYD-JONES, Martyn. *Estudos no Sermão do Monte*, p. 102.
[13]BARCLAY, William. *Mateo I*, p. 132-135.
[14]RYLE, John Charles. *Meditações no Evangelho de Mateus*, p. 29.

O apóstolo Paulo diz que devemos resplandecer como luzeiros no mundo (Fp 2.15). Essa luz inclui o que o cristão diz e faz, ou seja, o seu testemunho verbal e as suas boas obras. Concordo com Stott quando ele diz que essas obras são obras da fé e do amor. Expressam não apenas a lealdade a Deus, mas também nosso interesse por nossos semelhantes. Sem as obras, o nosso evangelho perderia sua credibilidade; e Deus, a sua honra.[15]

Da mesma forma que o sal para ser útil precisa conservar sua salinidade, a luz para ser útil não pode ser escondida. A igreja precisa ser como uma cidade edificada sobre o monte ou como uma luz no velador. A verdade não pode ser escondida, mas proclamada. A igreja não pode se esconder, mas deve resplandecer. A luz aponta para algo ou alguém, e não para si mesma. Somos a luz do mundo, e a nossa luz deve refletir Cristo. Na medida em que espargimos no mundo a luz de Cristo, através das boas obras, o Pai é glorificado no céu e os homens são servidos na terra.

O fato de a igreja ser a luz do mundo implica que o mundo está em trevas. O diabo cegou o entendimento dos incrédulos. O reino do diabo é o reino das trevas (Cl 1.13). Ele é o príncipe das trevas. As pessoas andam em trevas. Suas obras são conhecidas como obras das trevas. Os pecadores não sabem de onde vieram e nem para onde vão. Eles nem sabem em que tropeçam. Não apenas vivem nas trevas, mas aborrecem a luz. O papel da igreja no mundo, portanto, é vital.

A metáfora da luz enseja-nos algumas lições oportunas, como vemos a seguir.

Em primeiro lugar, *a luz é símbolo da verdade*. O mundo jaz no maligno, e o diabo é o pai da mentira. Seu reino é reino de trevas. Mentiras filosóficas, morais e espirituais mantêm as pessoas prisioneiras do engano. A verdade é luz. A luz resplandece nas trevas, e as trevas não podem prevalecer contra ela. A igreja é a luz do mundo e, onde a igreja chega com sua benfazeja influência, aí as trevas da ignorância, do engano e da mentira são dissipadas.

---

[15] STOTT, John. *Contracultura cristã – A mensagem do Sermão do Monte*, p. 53.

Em segundo lugar, *a luz é símbolo da pureza*. As trevas escondem a sujeira do pecado. O pecado é imundo. A iniquidade se aninha sob as asas da escuridão. Adultérios, roubos, assassinatos, mentiras, maldades e promiscuidades são maquinados e praticados debaixo do manto das trevas. A escuridão é lôbrega. As trevas escondem a podridão nauseabunda do pecado. Mas, onde a luz chega, ela vence as trevas, revela tudo que estava escondido pelas trevas e produz limpeza e purificação. Concordo com as palavras de R. C. Sproul: "A escuridão não é páreo para a luz".[16] A luz é símbolo de pureza. A presença da igreja no mundo é saneadora!

Em terceiro lugar, *a luz é símbolo de vida*. Não há vida sem luz. Não houvera luz, e não haveria o fenômeno da fotossíntese. Sem fotossíntese, não haveria plantas e, sem elas, não haveria a oxigenação e, sem a oxigenação, não sobreviveríamos. Logo, a presença da igreja no mundo é que mantém no mundo a vida. Sem a igreja no mundo, ele pereceria em seu pecado.

Para influenciar o mundo, a igreja precisa ser antes de fazer, pregar aos olhos antes de pregar aos ouvidos, ter a vida certa, e não apenas a doutrina certa. Há muitas pessoas que são ortodoxas de cabeça e hereges de conduta. São ortodoxas na teoria e liberais na prática. Defendem doutrinas certas e vivem uma vida errada. São zelosas das tradições da igreja, mas vivem na prática do pecado. Pregam o que não vivem. Exigem dos outros o que não praticam. Coam mosquito e engolem camelo.

Em quarto lugar, *a luz é símbolo de direção*. Nos aeroportos do mundo inteiro, as pistas são iluminadas e circunscritas pela luz, a fim de que o piloto possa pousar com segurança. A luz aponta a direção certa a seguir. Quem anda na luz sabe para onde vai. Quem anda na luz não tropeça. Jesus é a luz do mundo, pois tem luz própria. Ele é o Sol da justiça. A igreja, mesmo não tendo luz própria como a lua, reflete no mundo a luz de Cristo, o Sol da justiça.

Em quinto lugar, *a luz é símbolo de alerta*. A luz é colocada nas estradas sempre que um perigo jaz à frente. A luz alerta para o perigo e avisa

---

[16] SPROUL, R. C. *Mateus*, p. 50.

aos viajantes sobre a necessidade de cautela. Assim, a igreja proclama ao mundo sua voz profética. A igreja exerce o papel de atalaia, mostrando ao mundo o perigo grande e grave de viver despercebidamente no pecado.

Em sexto lugar, *a luz é símbolo de calor*. A luz é fonte de aquecimento e sem luz não suportaríamos o frio glacial das baixas temperaturas. A presença da igreja no mundo torna a vida suportável.

A igreja precisa **praticar boas obras** (5.16)

Quando a luz da igreja brilha, os homens devem ver não sua pujança, mas suas boas obras. A palavra grega *kalos*, traduzida por "boas", indica que essas obras não devem ser apenas boas, mas também belas e atraentes.[17] Mas a igreja não faz boas obras a fim de atrair a atenção dos homens para si; ela o faz para levá-los a conhecerem a bondade de Deus e a glorificá-Lo. Quando um cristão faz boas obras, ele as realiza pelo poder de Deus e para a glória de Deus.

---
[17] BARCLAY, William. *Mateo I*, p. 135.

10

Jesus, o cumprimento da lei

Mateus 5.17-20

AS DECLARAÇÕES DE JESUS REGISTRADAS nesta passagem são as mais surpreendentes de todas as que Jesus faz neste sermão. Jesus reafirma o caráter eterno da lei. R. C. Sproul diz que, no Sermão do Monte, encontramos a exposição mais detalhada da lei de Deus em todo o Novo Testamento.[1] Os judeus usavam o termo "lei" em quatro acepções diferentes: 1) Os dez mandamentos; 2) O Pentateuco; 3) A lei e os profetas; 4) A lei oral ou a tradição dos anciãos.[2] É óbvio que a lei que Jesus quebrou, como curar em dia de sábado, não foi a lei de Deus, mas a tradição dos escribas, que distorceu e desfigurou a lei de Deus.

Os escribas e fariseus se apresentavam como os grandes guardiões da lei e acusavam Jesus de violá-la, porém eram os fariseus que deturpavam a lei tanto por meio de suas tradições como por intermédio de uma vida hipócrita. Eles desobedeciam à lei que afirmavam proteger.[3] Para corrigir esse mal-entendido, Jesus deixa claro que não veio para revogar a lei ou os profetas, mas para cumprir. A lei, como verdade de Deus, não contém erros nem pode falhar. Os céus e a terra passarão,

---

[1] SPROUL, R. C. *Mateus*, p. 83.
[2] BARCLAY, William. *Mateo I*, p. 136-138.
[3] WIERSBE, Warren W. *Comentário bíblico expositivo*, p. 24.

mas os mínimos detalhes da lei se cumprirão à risca. Violar a lei de Deus e ensiná-la aos homens com deturpações é considerado um grave pecado, porém observá-la e ensiná-la traz grande recompensa. A justiça dos súditos do reino não é externa nem teatral como a dos escribas e fariseus, antes é interna, sincera e real. Uma justiça apenas de aparência não é suficiente para alguém entrar no reino dos céus.

O texto em apreço enseja-nos algumas importantes lições, como vemos a seguir.

A consistência entre o Antigo e o Novo Testamento (5.17)

O Antigo Testamento traz a revelação da lei e dos profetas, e o Novo Testamento apresenta Jesus e o evangelho. Não há conflito nem contradição entre a antiga e a nova dispensação. Jesus não veio para deitar por terra a lei e os profetas. Veio para cumprir tudo que a lei simbolizava e tudo o que os profetas disseram. A lei é a promessa; Jesus é o cumprimento da promessa. A lei era a sombra; Jesus é a realidade. Jesus não veio para desautorizar a lei, mas para cumpri-la. Não veio para refutar os profetas, mas para ser a essência de tudo o que eles disseram. Jesus cumpriu a lei em seu nascimento, em seus ensinamentos e em sua morte e ressurreição. Nessa mesma linha de pensamento, John Charles Ryle escreve:

> Tomemos cuidado para não desprezar o Antigo Testamento, sob nenhum pretexto. A religião do Antigo Testamento é embrião do cristianismo. O Antigo Testamento é o evangelho em botão; o Novo Testamento é evangelho aberto em flor. O Antigo Testamento é o evangelho brotando; o Novo Testamento é o evangelho já em espiga formada. Os santos do Antigo Testamento enxergaram muitas coisas como que por um espelho, obscuramente. Porém, todos contemplavam pela fé o mesmo Salvador e foram guiados pelo mesmo Espírito Santo que hoje nos guia.[4]

Warren Wiersbe diz corretamente que Jesus cumpriu os tipos e as cerimônias do Antigo Testamento para que esses não fossem mais

---

[4] RYLE, John Charles. *Meditações no Evangelho de Mateus*, p. 30.

necessários ao povo de Deus (Hb 9-10). Colocou de lado a antiga aliança e firmou uma nova aliança.[5]

Nessa mesma linha de pensamento, A. T. Robertson explica que a palavra "cumprir" significa "encher por completo". Foi o que Jesus fez com a lei cerimonial, que apontava para Ele. Jesus também guardou a lei moral. "Ele veio completar a lei, revelar a total profundidade do significado que estava ligado a quem a guardava".[6] Resta claro que Jesus não contradiz o que foi dito, mas o coloca em foco ético mais nítido, numa espécie de intensificação radical das exigências da lei.[7]

A infalibilidade da lei e dos profetas (5.18)

Os opositores de Jesus insinuavam que Ele estava sabotando a revelação de Deus dada a Moisés. Porém, longe disso, Jesus afirmou categoricamente que nem um *i* ou um *til* da lei jamais passarão até que tudo se cumpra. A Palavra de Deus é inerrante e infalível. A mente que a produziu não é humana, mas divina. A verdade nela contida não caduca com o tempo, mas é eterna. A lei apontava para Cristo. Os profetas falaram de Cristo. A lei cerimonial era uma sombra da realidade que é Cristo. Ele é o fim da lei (Rm 10.4). Os profetas anunciaram o nascimento, a vida, o ministério, as obras, a morte, a ressurreição e o senhorio de Cristo. Tudo isso, rigorosamente se cumpriu nEle.

A penalidade para aqueles que violam e ensinam errado os mandamentos da lei (5.19)

Tanto a lei cerimonial como a lei moral são expressões da santidade de Deus. A lei precisa ser corretamente entendida para que seu propósito seja corretamente alcançado. Os escribas e fariseus torciam a lei em nome da lei. Eles deturpavam seu sentido para ostentarem uma espiritualidade de faixada. Vangloriavam-se ao mesmo tempo que violavam a lei e ensinavam ao povo preceitos de homens, em vez de ensinar com

---

[5] WIERSBE, Warren W. *Comentário bíblico expositivo*, p. 25.
[6] ROBERTSON, A. T. *Mateus*, p. 70.
[7] MOUNCE, Robert H. *Mateus*, p. 55.

fidelidade a lei. Violar a lei é quebrá-la. Ensinar a lei de maneira errada é ser falsa testemunha de Deus. Violar a lei traz consequências graves para o transgressor. Ensinar esses desvios traz desdobramentos terríveis para quem ouve esse falso ensino. A lei não é para ser quebrada, mas obedecida. Não é apenas para ser guardada, mas também para ser transmitida. Com isso, Jesus está mostrando que a prática deve preceder a pregação. O mestre deve viver a doutrina antes de ensiná-la aos outros. Os escribas e fariseus falavam, mas não praticavam; pregavam, mas não faziam (23.3).

Se a quebra da lei e o ensino errado da lei trazem um apequenamento ao transgressor travestido de mestre, a observância da lei e seu ensino fiel proporcionam grande honra: ... *esse será considerado grande no reino dos céus* (5.19).

Uma justiça de faixada não é suficiente
para entrar no reino dos céus (5.20)

Jesus deixa claro que os escribas e fariseus, que torciam a lei e oprimiam o povo com um discurso legalista, ostentando uma santidade aparente e uma justiça apenas exterior, estavam fora do reino dos céus. Para entrar no reino dos céus, é necessário não ostentar, mas ser humilde de espírito. É necessário não se gabar de sua justiça, mas chorar pelos seus pecados. É necessário não defender seus direitos, mas ser manso. É necessário ter fome não de prestígio, mas de justiça. É necessário não oprimir os órfãos e as viúvas, mas ser misericordioso. É necessário não agasalhar hipocritamente toda sorte de imundícia no coração, mas ser limpo de coração. É necessário não ferir as pessoas com seu legalismo pesado, mas ser pacificador. É necessário não criar contendas e odiar as pessoas em nome de Deus, mas se dispor a sofrer por causa da justiça. Essa é a justiça que excede em muito a justiça dos escribas e fariseus.

11
Jesus, o verdadeiro intérprete da lei

Mateus 5.21-48

NO TEXTO EM APREÇO, Jesus se apresenta como o verdadeiro intérprete da lei, contrastando a hermenêutica tendenciosa dos escribas com o correto espírito da lei. Jesus não está aqui contrapondo-se ao que a lei diz, mas opondo-se à falsa interpretação dos doutores da lei. Concordo com William Barclay quando ele diz que Jesus fala com uma autoridade que nenhum outro homem sonhou jamais assumir.[1] Por isso, ao terminar o sermão, as multidões estavam maravilhadas da sua doutrina; porque Ele as ensinava como quem tem autoridade e não como os escribas (7.28,29). Os profetas, por exemplo, diziam: "Assim diz o Senhor". Não pretendiam possuir autoridade pessoal alguma. O que faziam era repetir o que haviam ouvido de Deus.

Mateus seleciona seis contrastes entre a correta interpretação oferecida por Jesus e a interpretação equivocada dos escribas. Vejamos a seguir.

A interpretação de Jesus sobre **o homicídio** (5.21-26)

R. C. Sproul ajuda-nos a compreender essa passagem, quando escreve:

---
[1] BARCLAY, William. *Mateo I*, p. 144.

Os rabinos acreditavam que o mandamento para não matar era cumprido quando não se cometia assassinato em primeiro grau, mas Jesus mostra que este mandamento é muito mais profundo do que o ato externo de homicídio. Cristo indica que a lei foi dada por intermédio de Moisés de forma elíptica – isto é, nem todo o conteúdo inerente ao mandamento foi expresso em palavras. Sempre que nos deparamos com três ou quatro pontos no meio de uma frase ou um parágrafo, isto indica que determinado conteúdo foi deliberadamente deixado de fora. Estes pontos são chamados de "elipses". Quando há elipses na lei, isto significa que, além da proibição específica, a lei também proíbe o contexto mais amplo relacionado ao ato em questão. Assim, quando Deus diz que não devemos matar, isto consequentemente significa que nós não devemos fazer qualquer coisa que prejudique a vida do próximo. O homicídio começa com raiva e ódio sem motivo, incluindo ofensas, calúnias e desavenças entre pessoas. É por isso que Jesus disse que ninguém escapa do peso da lei simplesmente abstendo-se do assassinato em si [...]. O outro aspecto da elipse é este: mesmo sem afirmá-lo, a lei ordena o contrário daquilo que proíbe e proíbe o contrário daquilo que ordena. Portanto, Jesus está dizendo aqui que, além de não devermos jamais matar o próximo por causa da importância da vida humana, também devemos promover a segurança, o bem-estar e a santidade da vida.[2]

O que foi dito aos antigos não é a lei, porque sempre que a Palavra de Deus está em destaque, lê-se: "Está escrito, assim diz o Senhor". O que está, portanto, em relevo aqui com a expressão: "Ouvistes o que foi dito aos antigos" é a interpretação dos rabinos acerca do sexto mandamento. Estes reduziam o significado da proibição divina apenas ao ato do homicídio. Também atenuavam a penalidade da transgressão dizendo que "quem matar está sujeito a julgamento".

Jesus amplia a abrangência do pecado, destacando que a ira, o insulto e as palavras de desprezo implicam a quebra do sexto mandamento (5.22). Jesus aqui assume um tom de superioridade em relação aos regulamentos mosaicos e aos seus intérpretes. Ele vai mais fundo,

---

[2] SPROUL, R. C. *Mateus*, p. 90.

ao próprio âmago da questão. Ele encontra o princípio por trás do preceito e o endossa.[3] Warren Wiersbe está correto quando interpreta: "Jesus não diz que a ira conduz ao homicídio, mas sim que a ira é uma forma de homicídio".[4] Robert Mounce destaca que a cólera que Jesus menciona aqui é *orge*, uma fúria interna que se multiplica, em comparação com *thymos*, uma fúria passageira.[5]

Os rabinos limitavam o sexto mandamento ao ato do homicídio; Jesus, porém, deixa claro que o espírito da lei se liga não apenas ao ato, mas também à motivação. A lei perscruta não apenas as ações exteriores, mas também as motivações interiores. Embora os tribunais da terra não tenham competência para julgar a ira e palavras insultuosas, o tribunal de Deus julga o foro íntimo. Daremos contas a Deus não apenas de nossos atos, mas também de nossas palavras e intenções.

O insulto proferido aqui, traduzido em algumas versões por "raca" (5.22), tem origem aramaica e significa "eu cuspo em você". Corroborando essa ideia, Lawrence Richards diz que "raca" vem da palavra aramaica *rak*, que significa "cuspir".[6] Barclay acrescenta que chamar alguém de "raca" era o mesmo que chamá-lo de estúpido, idiota, imprestável.[7] E o mesmo autor ressalta:

> A ira persistente é má; piores ainda são as palavras de desprezo, mas o pior de tudo é a malícia que destrói o bom nome do próximo. O homem que é escravo de sua ira, e se dirige ao próximo com palavras de desprezo, destruindo seu bom nome, pode nunca ter assassinado alguém, mas em seu coração é um assassino.[8]

O termo "inferno de fogo" advém de uma ravina ao sul de Jerusalém, nos dias de Jesus, chamada vale de Hinom, onde se atirava o lixo da cidade e onde o fogo não se apagava. Antes, era o lugar no qual os

---

[3]ROBERTSON, A. T. *Mateus*, p. 71.
[4]WIERSBE, Warren W. *Comentário bíblico expositivo*, p. 26.
[5]MOUNCE, Robert H. *Mateus*, p. 55.
[6]RICHARDS, Lawrence O. *Comentário histórico-cultural do Novo Testamento*, p. 26.
[7]BARCLAY, William. *Mateo I*, p. 150.
[8]BARCLAY, William. *Mateo I*, p. 153.

cananitas queimavam seus filhos em sacrifício a Moloque (1Rs 11.7). A geena tornou-se o símbolo do castigo futuro.[9]

Jesus ilustra sua correta interpretação da lei com dois exemplos: um da vida religiosa, outro da vida comercial. A oferta agradável a Deus precisa vir de alguém que tenha o coração livre de ofensa e mágoa. Reconciliar-se com os desafetos deve preceder a oferta no altar. Primeiro Deus aceita a vida do adorador, depois sua oferta. Spurgeon diz que a regra aqui é: primeiro as pazes com o homem e, depois, a aceitação de Deus.[10]

De igual modo, Jesus mostra que uma demanda judicial por causa de uma dívida deve ser resolvida antes que essa pugna seja levada ao tribunal. Tanto o perdão quanto a reparação precisam ser feitas com pressa, a fim de que tenhamos paz com Deus e com o próximo. Warren Wiersbe diz que a pessoa que se recusa a perdoar seu irmão está destruindo a mesma ponte sobre a qual precisa andar.[11]

A interpretação de Jesus sobre **o adultério** (5.27-30)

Depois de tratar do sexto mandamento, Jesus volta sua atenção, agora, para o sétimo mandamento. Os rabinos limitavam o adultério apenas à infidelidade sexual. Jesus, porém, amplia o significado desse pecado para o olhar lascivo e para o coração impuro. Embora os homens não possam julgar o olhar adúltero e o coração impuro, Deus, que sonda os corações, condena a intenção como se pecado consumado fosse. Não basta ir para a cama do adultério para quebrar o sétimo mandamento; basta ter a intenção de arrastar para a cama a pessoa ilicitamente desejada.

Concordo com Warren Wiersbe quando ele diz que o desejo e a prática não são idênticos, mas, em termos espirituais, são equivalentes. O "olhar" que Jesus menciona não é apenas casual e de relance; antes, é um olhar fixo e demorado, com propósitos lascivos. Portanto, o homem descrito por Jesus olha para a mulher com o propósito de alimentar

---

[9]MOUNCE, Robert H. *Mateus*, p. 56.
[10]SPURGEON, Charles H. *O Evangelho segundo Mateus*, p. 81.
[11]WIERSBE, Warren W. *Comentário bíblico expositivo*, p. 26.

seus apetites sexuais interiores, como um substituto para o ato sexual em si. Não é uma situação acidental, mas um ato planejado.[12]

O homem é um ser em conflito. É uma guerra civil ambulante. Há uma luta constante entre o espírito e a carne. O velho homem está sempre querendo erguer sua fronte para nos arrastar para o pecado. Platão compara a alma a um carro guiado por dois cavalos. Um dos cavalos, manso e dócil, obedece às rédeas e à voz do condutor. O outro, selvagem, ainda não domesticado, procura a todo tempo rebelar-se. O nome do primeiro cavalo é "razão"; o nome do segundo é "paixão". A vida é sempre um conflito entre as exigências da paixão e o controle da razão.[13]

Como lidar com os pecados da impureza? Jesus adota um tratamento radical, e não gradual. É claro que Ele não defende a amputação física do olho direito e da mão direita, mas a amputação moral, uma cirurgia espiritual. Jesus não está ordenando a mutilação do corpo, mas o controle do corpo para não se render ao pecado. Não se faz concessão ao pecado. Nessa mesma linha de pensamento, Mounce escreve: "Jesus não está ensinando uma doutrina masoquista de automutilação com objetivos espirituais, e tampouco está sugerindo que o caminho para resolver o problema dos maus desejos é infligir cirurgia física radical".[14] A vitória nessa área não é resistir, mas fugir! Aquele que está sendo tentado nessa área sexual deve deixar de olhar e deve deixar de manusear. R. C. Sproul está correto quando diz: "Um problema radical exige uma solução radical".[15] Diz a lenda grega que Odisseu, enquanto voltava de Troia para casa em seu navio, foi amarrado ao mastro para evitar a tentação do canto das sereias. Ele estava ciente da facilidade com que poderia se desviar e levar o barco à ruína. Às vezes, esse tipo de ação radical é necessário.

A. T. Robertson destaca que a expressão "te faz tropeçar" significa "armar uma armadilha". Significa o pau na armadilha que salta e a fecha,

---

[12]Wiersbe, Warren W. *Comentário bíblico expositivo*, p. 26,27.
[13]Barclay, William. *Mateo I*, p. 147.
[14]Mounce, Robert H. *Mateus*, p. 57.
[15]Sproul, R. C. *Mateus*, p. 96.

quando o animal a toca. Trata-se da lingueta do alçapão.[16] Mounce corrobora essa ideia ao escrever: "Essa armadilha é provida de isca e uma tampa que, detonada, fecha a armadilha prendendo o incauto animal. Há muita ironia em que o olho, supostamente criado para prevenir as quedas, venha a tornar-se o *skandalon* causador do tropeço".[17]

A interpretação de Jesus sobre **o divórcio** (5.31,32)

Antes de examinarmos o significado do matrimônio e a questão do divórcio dentro da cultura judaica, é necessário analisar esse momentoso assunto à luz do seu contexto grego e romano. William Barclay diz que a cultura judaica foi fortemente influenciada nessa questão pelos gregos e romanos.[18]

Uma das causas que produziram a morte da civilização grega foi o conceito humilhante da mulher. Esse baixo conceito da mulher levou o casamento ao naufrágio. Entre os gregos, as relações extraconjugais eram tidas como normais. Segundo Demóstenes, o maior orador grego, o homem grego tinha prostitutas para o prazer, concubinas para os interesses domésticos e esposas para gerar filhos legítimos. Os gregos exigiam fidelidade da mulher em relação ao marido, mas o homem estava livre para viver suas muitas aventuras, sem nenhum compromisso de fidelidade à sua mulher. Em Corinto, havia o templo de Afrodite, onde mil prostitutas serviam como sacerdotisas e à noite desciam para o cais, onde se prostituíam com os homens que chegavam e saíam da cidade.

Além da prática da prostituição, na Grécia surgiu um grupo de mulheres chamadas *hetairas*. Estas eram as amantes dos homens considerados importantes: constituíam o grupo das mulheres mais cultas e realizadas da época. Thaís era a *hetaira* de Alexandre Magno, que depois da morte deste se casou com Ptolomeu e chegou a fundar uma dinastia de reis no Egito. Aspasia era a *hetaira* de Péricles, grande orador e estadista grego. É sabido que foi ela quem ensinou a ele a arte

---

[16]ROBERTSON, A. T. *Mateus*, p. 73.
[17]MOUNCE, Robert H. *Mateus*, p. 57.
[18]BARCLAY, William. *Mateo I*, p. 164-168.

da oratória e quem escrevia seus discursos. Epicuro, o famoso filósofo, tinha como *hetaira* a igualmente famosa Leontina. A *hetaira* de Sócrates era Diotima. Enquanto os homens mantinham sua esposa em total reclusão, em que a pureza era obrigatória, os gregos buscavam o prazer fora do matrimônio.

Essa cultura de devassidão dos gregos influenciou a cultura romana. Se os romanos conquistaram os gregos politicamente, os gregos venceram os romanos com sua decadente cultura. O divórcio tornou-se tão comum como o casamento. Sêneca fala de mulheres que casavam para se divorciar e se divorciavam para casar.

Os rabinos eram muito complacentes com a questão do divórcio (Dt 24.1). Bastava ao homem dar à mulher uma carta de divórcio e ele estava livre para repudiá-la (5.31). Estes subscreviam a escola do rabino Hillel, que defendia que o homem podia divorciar-se de sua mulher por vários motivos, até mesmo por razões fúteis. Jesus, entretanto, deixa claro que o divórcio, exceto por relações sexuais ilícitas, expõe a mulher repudiada a um novo relacionamento, e esse novo relacionamento com outro homem é visto aos olhos de Deus como adultério. Isso porque o que Deus une não pode ser desfeito pelo homem (Mt 19.6). Mesmo que uma carta de divórcio tenha sido dada e que o casamento tenha sido desfeito segundo as leis dos homens, esse casamento não foi desfeito segundo a lei de Deus. Por isso, um novo relacionamento é uma quebra da aliança. É adultério. A imputação da culpa do adultério dessa mulher repudiada recai sobre o marido que a repudiou.

A interpretação de Jesus sobre **os juramentos** (5.33-37)

No Antigo Testamento, os juramentos deviam ser feitos em nome de Deus. Os fariseus alteraram isso para que, em promessas menores, não precisassem jurar pelo Seu nome. Em vez disso, juravam pelo templo, pela terra, pela cidade de Jerusalém e por todas as coisas sagradas.[19]

É óbvio que Jesus não proíbe juramentos em tribunais, porque Ele mesmo respondeu a Caifás sob juramento (26.63,64). Jesus proíbe todas

---
[19] Sproul, R. C. *Mateus*, p. 101.

as formas de profanação.[20] Os rabinos, jeitosamente, usavam os juramentos para esconder seus falsos ensinos e sua falsa moralidade. Jesus, porém, acentua que não se devem fazer juramentos com o intuito de com eles esconder a verdade. Integridade nas palavras é melhor do que torrentes de juramentos. A nossa palavra deve ser: sim, sim; não, não. O que disto passar vem do maligno, o pai da mentira. Robert Mounce, citando Schweitzer, esclarece esse ponto: "Quando a palavra humana se deteriora de tal modo que sob certas circunstâncias sim pode significar não, e não sim, a comunidade está destruída".[21]

A interpretação de Jesus sobre a **vingança** (5.38-42)

Jesus começa citando uma das leis mais antigas, *a Lex Talionis*, a lei da reciprocidade direta. Podemos vê-la em Êxodo 21.23-25: *Mas, se houver dano grave, então, darás vida por vida, olho por olho, dente por dente, mão por mão, pé por pé, queimadura por queimadura, ferimento por ferimento, golpe por golpe*. A mesma lei aparece em Levítico 24.19,20: *Se alguém causar defeito em seu próximo, como ele fez, assim lhe será feito: fratura por fratura, olho por olho, dente por dente; como ele tiver desfigurado a algum homem, assim se lhe fará*. Ainda essa lei está registrada em Deuteronômio 19.21: *Não o olharás com piedade: vida por vida, olho por olho, dente por dente, mão por mão, pé por pé*.

Lawrence Richards diz que este princípio não tinha a intenção de encorajar a vingança, mas sim de limitá-la.[22] Nessa mesma linha de pensamento, William Barclay destaca que a retaliação nunca era aplicada pela pessoa ferida ou por seus parentes, mas sempre por um juiz. E mais, essa lei não representa toda a ética do Antigo Testamento[23], como podemos ver em Levítico 19.18: *Não te vingarás, nem guardarás ira contra os filhos do teu povo; mas amarás o teu próximo como a ti mesmo. Eu sou o Senhor*. Ainda Provérbios 25.21: *Se o que te aborrece tiver fome, dá-lhe pão para comer; se tiver sede, dá-lhe água para beber*.

---

[20]ROBERTSON, A. T. *Mateus*, p. 74.
[21]MOUNCE, Robert H. *Mateus*, p. 59.
[22]RICHARDS, Lawrence O. *Comentário histórico-cultural do Novo Testamento*, p. 26.
[23]BARCLAY, William. *Mateo I*, p. 174-178.

Corrobora esse pensamento Robert Mounce:

> Uma das mais antigas leis do mundo baseia-se no princípio da retaliação equitativa. Chamava-se *lex talionis* e era tão velha como Hamurabi, rei do século 18 a.C. Encontra-se três vezes no Antigo Testamento (Êx 21.24; Lv 24.20; Dt 19.21). A intenção original era restringir a vingança ilimitada. Deveria ser entendida como apenas "olho por olho" e apenas "dente por dente". Além disso, nunca teve o objetivo de propiciar qualquer retaliação individual; pertencia ao tribunal, e era aplicável pelo juiz. Agora, Jesus troca a retaliação limitada por nenhuma retaliação.[24]

Jesus, aqui no Sermão do Monte, elimina a antiga lei da vingança limitada, que permitia a retaliação, para introduzir a reação transcendental diante das injustiças sofridas. Jesus destaca três coisas vitais da vida: honra, vontade e bens inalienáveis. Mesmo que as pessoas nos desonrem, ferindo nosso rosto; mesmo que as pessoas nos constranjam a andar, ferindo nossa vontade; mesmo que as pessoas tomem de nós a roupa do corpo, bem inalienável, devemos reagir transcendentalmente. O cristão não paga o mal com o mal, mas o mal com o bem. Não domina apenas suas ações, mas também suas reações.

Estou de acordo com as palavras de A. T. Robertson: "Jesus queria dizer que a vingança pessoal é tirada de nossas mãos. O Senhor também condena as guerras agressivas ou as ofensivas que as nações fazem entre si, mas não necessariamente a guerra defensiva ou a defesa contra o roubo e assassinato. O pacifismo profissional pode ser mera covardia".[25]

Em Mateus 5.42, Jesus reafirma o que Moisés ensinara em Deuteronômio 15.7-11. Nunca devemos nos negar a dar. Dar é tanto um privilégio como uma responsabilidade. Mais bem-aventurado é dar que receber (At 20.35).

A interpretação de Jesus sobre **o amor ao próximo** (5.43-48)

Os rabinos alteraram a lei de Deus, acrescendo ao mandamento: *... e odiarás o teu inimigo* (5.43). Jesus repudia firmemente essa

---

[24] MOUNCE, Robert H. *Mateus*, p. 59.
[25] ROBERTSON, A. T. *Mateus*, p. 75.

conclusão rabínica. Essa declaração não aparece na lei. Não consta em Levítico 19.18. Foi um acréscimo ilegítimo dos mestres da lei. Passagens como Êxodo 23.4,5 indicam exatamente o contrário.

O Talmude nada diz sobre amor pelos inimigos. Em Romanos 12.20, Paulo cita Provérbios 25.22 para provar que devemos tratar os nossos inimigos amavelmente. Jesus nos ensinou a orar pelos nossos inimigos, e ele mesmo o fez quando estava pendurado na cruz.[26] O amor aqui descrito é ágape, que significa benevolência invencível, infinita boa vontade.[27] Isso significa que devemos amar a pessoa não importa quem ela é ou o que ela tenha feito contra nós. Esse amor não é questão apenas de sentimento, mas, sobretudo, de atitude, atitude benevolente.

Jesus refuta a tendenciosa hermenêutica dos doutores da lei, dizendo que, em vez de odiar os inimigos, devemos amá-los e orar por eles (5.44). Em vez de imitar os vingadores, devemos, como filhos, imitar a Deus, que derrama suas bênçãos comuns aos bons e maus (5.45). Amar somente aqueles que nos amam apenas nos nivela com os publicanos (5.46). Saudar apenas aqueles que nos cumprimentam não nos torna melhores do que os gentios (5.47). Nosso padrão deve ser mais elevado. Devemos ser perfeitos, como perfeito é o nosso Pai Celeste (5.48).

Concordo com Robert Mounce quando ele diz que esta última declaração de Jesus (5.48) com frequência é mal interpretada. Tem servido como texto base para a doutrina da perfeição cristã, que requer do cristão impecabilidade moral absoluta. A perfeição para a qual Jesus conclama seus seguidores está definida no contexto. O perfeito amor é um interesse ativo por todas as pessoas, em todos os lugares, independentemente de elas receberem ou não esse amor.[28]

Concluímos, dizendo que essa passagem nos ensina quatro lições essenciais.

Em primeiro lugar, *uma ordem* (5.43,44). Em vez de odiar nossos inimigos, devemos amá-los e orar por eles.

---

[26]ROBERTSON, A. T. *Mateus*, p. 76.
[27]BARCLAY, William. *Mateo I*, p. 186.
[28]MOUNCE, Robert H. *Mateus*, p. 61,62.

Em segundo lugar, *uma condição* (5.45). A única maneira de sermos identificados como filhos de Deus é imitando o caráter de Deus, pois ele derrama suas bênçãos comuns não apenas sobre os bons, mas também sobre os maus. O amor de Deus não é um sentimento; é uma ação. Assim, também devemos amar os nossos inimigos.

Em terceiro lugar, *uma recompensa* (5.46,47). Amar os iguais é nivelar-se aos publicanos. Saudar apenas os irmãos é assemelhar-se aos gentios. Para recebermos a recompensa de Deus, nossa justiça precisa ir além, nosso amor precisa ir além, nossas obras precisam ir além.

Em quarto lugar, *um desafio* (5.48). Em vez de imitar publicanos e gentios, devemos imitar a Deus. Sendo Ele perfeito, ama e abençoa até aqueles que não o reconhecem. Devemos fazer o mesmo. Assim, seremos como Ele.

12

A verdadeira espiritualidade

Mateus 6.1-18

DEPOIS DE MOSTRAR JESUS COMO O VERDADEIRO intérprete da lei, Mateus passa a mostrar o ensino de Jesus sobre a verdadeira espiritualidade. Damos a seguir alguns destaques.

O perigo da **ostentação espiritual** (6.1)

Jesus já havia ensinado que aqueles que são perseguidos por causa da justiça são bem-aventurados (5.10), e que a justiça dos súditos do reino precisa exceder em muito a dos escribas e fariseus (5.20). Agora, Jesus alerta para o perigo de uma justiça que se autopromove e busca os holofotes do reconhecimento (6.1). A espiritualidade ostentatória é apresentada com o fim de ganhar o reconhecimento dos homens, e nisso consiste toda a sua recompensa. Destacamos no versículo em pauta três fatos comentados a seguir.

Em primeiro lugar, *a prática da justiça* (6.1). *Guardai-vos de exercer a vossa justiça diante dos homens...* . A justiça deve ser praticada, mas não como uma propaganda para o autoengrandecimento. Quem deve receber a glória pela justiça praticada é Deus, e não o homem. Exercer justiça diante dos homens é uma consumada hipocrisia.

A palavra "hipocrisia" origina-se do antigo teatro. O hipócrita era um ator. Quando os atores desempenham um papel, fingem ser alguém que não são.¹ Warren Wiersbe corrobora essa ideia, ressaltando que hipócrita é um ator que usa máscara, alguém que usa a religião deliberadamente para esconder seus pecados e promover o benefício próprio.² R. C. Sproul assegura que o cristão só é hipócrita se disser que não peca. Hipocrisia é quando fingimos ser algo que não somos, ou quando tentamos fazer os outros acreditarem que não praticamos algo que, na verdade, praticamos.³ Tasker, citando as palavras de Levertoff, registra: "Embora os discípulos devam ser vistos praticando boas obras, eles não devem fazer boas obras com o objetivo de serem vistos".⁴

Em segundo lugar, *a motivação da justiça* (6.1). ... *com o fim de serdes visto por eles...* Uma espiritualidade que busca ser vista pelos homens com o propósito de ganhar a aprovação dos homens, em vez de revestir-se de humildade com o fim de agradar a Deus, é soberba e está na contramão da verdadeira espiritualidade.

Em terceiro lugar, *a recompensa da justiça* (6.1). ... *doutra sorte, não tereis galardão junto de vosso Pai celeste*. Deus não requer apenas ação certa, mas, sobretudo, motivação certa. Aqueles que ostentam justiça para ganhar aplausos dos homens não receberão nenhum galardão da parte de Deus.

A verdadeira espiritualidade **em relação aos homens**
O exercício da misericórdia aos necessitados (6.2-4)

As três principais obrigações religiosas dos judeus piedosos eram dar esmolas, orar e jejuar. Mesmo as coisas mais sagradas, entretanto, podem ser corrompidas pelas motivações egoístas.

Examinamos o texto em apreço a seguir.

Em primeiro lugar, *a misericórdia é uma expressão legítima da espiritualidade cristã* (6.2). A esmola era um dos quesitos mais importantes

---

¹Sproul, R. C. *Mateus*, p. 110.
²Wiersbe, Warren W. *Comentário bíblico expositivo*, p. 29.
³Sproul, R. C. *Mateus*, p. 110.
⁴Tasker, R. V. G. *Mateus: introdução e comentário*, p. 57.

da espiritualidade judaica. Robert Mounce diz que dar dinheiro aos pobres era um dos mais sagrados deveres no judaísmo.[5] O socorro aos necessitados é uma expressão da verdadeira fé. Quem ama a Deus prova isso amando ao próximo. Quem foi alvo da misericórdia divina é instrumento da misericórdia ao próximo. O homem não é salvo pelas obras da caridade, mas evidencia sua salvação através delas. A salvação não é *pelas* boas obras, mas *para* as boas obras. A graça é a causa da salvação, a fé é o instrumento, e as boas obras, o resultado.

Em segundo lugar, **a misericórdia é uma prática esperada do cristão** (6.2). Jesus não diz "se deres esmola", mas *quando deres esmola*. Com isso, afirma que se espera que o cristão dê esmola. Um coração regenerado prova sua transformação em atos de misericórdia. O cristão tem o coração aberto, o bolso aberto, as mãos abertas e a casa aberta.

Em terceiro lugar, **a misericórdia não pode ser ostentatória** (6.2). A prática da misericórdia não pode ser ostentatória. Não é suficiente fazer a coisa certa: dar esmolas; é preciso também fazer com a motivação certa. Dar esmolas e depois tocar trombeta, chamando atenção para si, é uma espiritualidade farisaica, e não cristã.

Em quarto lugar, **a misericórdia ostentatória só tem recompensa dos homens, e não de Deus** (6.2). O hipócrita é a pessoa que desempenha um papel no palco como se outra pessoa fosse. Concordo com Robert Mounce quando ele escreve: "É mais fácil alguém fazer de conta que é reta, do que ser reta de verdade".[6] A recompensa do hipócrita, que faz propaganda de seus próprios feitos, é receber o aplauso dos homens e nada mais. A palavra grega *apecho* era um termo técnico comercial usado com frequência no sentido de pagamento completo, com o valor total recebido.[7] Robertson, nessa mesma linha de pensamento, aponta que a palavra traz a ideia de "recibo". O que Jesus, portanto, está dizendo é que eles já receberam o recibo de quitação plena e rasa de toda a recompensa que tinham de receber.[8]

---

[5]MOUNCE, Robert H. *Mateus*, p. 63.
[6]MOUNCE, Robert H. *Mateus*, p. 64.
[7]MOUNCE, Robert H. *Mateus*, p. 64.
[8]ROBERTSON, A. T. *Mateus*, p. 80.

Em quinto lugar, *a misericórdia precisa vir de mãos dadas com a discrição* (6.3). O cristão não dá ao pobre para ser visto nem para ser exaltado pelos homens, mas dá para que o necessitado seja suprido e para que Deus seja glorificado.

Em sexto lugar, *a misericórdia feita com a motivação certa recebe de Deus a recompensa* (6.4). Aquilo que é feito ao próximo em secreto, longe dos holofotes, recebe de Deus, que vê em secreto, a verdadeira recompensa.

A verdadeira espiritualidade **em relação a Deus**
A vida de oração em secreto (6.5-8)

Destacamos a seguir algumas lições oportunas.

Em primeiro lugar, *um cristão é alguém que ora* (6.5). Jesus não diz: "E, se orares...", mas: *E, quando orares*. Não há cristianismo verdadeiro sem oração. Quem nasce de novo, clama: *Aba, Pai*.

Em segundo lugar, *um cristão não ora para chamar a atenção para si* (6.5). A oração ostentatória não é endereçada a Deus, mas é feita diante dos homens, para chamar a atenção dos homens, para receber recompensa apenas dos homens.

Em terceiro lugar, *um cristão não é um ator no palco, mas um pecador quebrantado longe dos holofotes* (6.6). O quarto aqui mencionado era o lugar onde se guardavam as provisões da casa, um cômodo sem janelas, absolutamente fechado aos olhos dos expectadores. Nessa mesma toada, Robert Mounce diz que a palavra grega *tameion* pode referir-se a uma "despensa", o único quarto da casa que não tem porta e, por isso mesmo, é passível de privacidade.[9] O Pai vê em secreto e recompensa em secreto. Oração não é um discurso de ostentação diante dos homens, mas um derramar do coração diante de Deus. Tasker tem razão ao dizer que o contraste aqui não é entre o caráter secreto da visão do Pai e o caráter público da sua recompensa, mas entre a maravilhosa recompensa que o Pai dá e a recompensa relativamente miserável da aprovação humana.[10]

---

[9] MOUNCE, Robert H. *Mateus*, p. 65.
[10] TASKER, R. V.G. *Mateus: introdução e comentário*, p. 58,59.

Em quarto lugar, *um cristão não imita os hipócritas fazendo cócegas em sua vaidade espiritual, mas ele se deleita em Deus, seu Pai* (6.6). A oração é uma conversa íntima com o Pai. Orar é deleitar-se em Deus, mais do que rogar as bênçãos de Deus. A dádiva, por mais excelente, não serve como substituto do doador. Deus é melhor do que suas bênçãos.

Em quinto lugar, *um cristão não imita os pagãos multiplicando palavras em vãs repetições* (6.7,8). Charles Spurgeon diz que as orações cristãs são medidas pela sinceridade, e não pela duração.[11] Os pagãos repetiam palavras e mais palavras, com o fim de serem ouvidos por seus deuses, mas o cristão é alguém que está na presença dAquele que sonda os corações e conhece as necessidades do cristão antes mesmo que este faça algum pedido. A expressão grega *me battalogesete*, traduzida por "vãs repetições", traz a ideia de mero palavrório ou tagarelice, palavreado oco, conversa tola, repetição vazia. Traduz a expressão popular: blá-blá-blá". Podemos ilustrar isso com a prática dos adoradores de Baal (1Rs 18.26) e com os adoradores da deusa Diana (At 19.34).[12]

A oração que agrada a Deus (6.9-15)

Jesus ensina seus discípulos a orar. Essa não é uma oração para ser repetida como uma fórmula, mas para nos ensinar princípios acerca de quem é Deus e de quem somos nós. John Charles Ryle ressalta que a oração do Pai Nosso consiste em dez partes ou sentenças. Há uma declaração que diz respeito ao Ser a quem oramos. Há três petições referentes ao nome de Deus, ao Seu reino e à Sua vontade. Há quatro petições a respeito de nossas necessidades diárias, nossos pecados, nossas debilidades e perigos. Há uma declaração sobre os nossos sentimentos a respeito do próximo. Há uma atribuição final de louvor. Em todas estas partes da oração, somos ensinados a dizer "nós" ou "nosso". Devemos nos lembrar das outras pessoas tanto quanto de nós mesmos.[13]

Essa oração está dividida em quatro partes, como vemos a seguir.

---

[11] SPURGEON, Charles H. *O Evangelho segundo Mateus*, p. 95.
[12] ROBERTSON, A. T. *Mateus*, p. 81.
[13] RYLE, John Charles. *Meditações no Evangelho de Mateus*, p. 38.

O fundamento da oração (6.9)

Jesus lança os fundamentos da oração, destacando três pontos, como vemos a seguir.

Em primeiro lugar, ***devemos nos dirigir a Deus como Pai*** (6.9). Deus não é um ser distante, mas está perto de nós, como Pai. Ama-nos, conhece-nos, protege-nos, abençoa-nos. Registro aqui as palavras oportunas de R. C. Sproul:

> Um estudioso alemão do Novo Testamento, Joachim Jeremias, escreveu um livro há muitos anos e fez nele uma afirmação surpreendente: em nenhum momento da história judaica e em nenhuma literatura judaica até o décimo século na Itália, é possível encontrar um judeu dirigindo-se a Deus como Pai. As notáveis exceções, disse ele, são as orações de Jesus no Novo Testamento. Em todas as orações, exceto uma, Jesus dirigiu-se a Deus diretamente como Pai e, em todas as vezes, seus contemporâneos pegaram em pedras para assassiná-lo, acusando-o de blasfemo. O que quero dizer com isso é que nós usamos a declaração inicial desta oração de forma tão rotineira, que perdemos totalmente de vista seu significado fundamental. Na estrutura bíblica, Deus tem um filho, o Filho unigênito. Portanto, a única pessoa em toda a história que tem o direito legítimo de chamar Deus de "Pai" é Jesus. Não obstante, Jesus, ao ensinar os discípulos a orar, instruiu-os a se dirigirem a Deus como "Pai nosso".[14]

Em segundo lugar, ***devemos nos dirigir a Deus como nosso Pai*** (6.9). Só podemos chamar Deus de "Pai nosso" porque Ele nos adotou. Somente pelo Espírito Santo, o qual nos uniu a Cristo e promove nossa adoção à família de Deus, é que agora podemos dizer: "Aba, Pai".[15] Somos membros da família de Deus. Somos irmãos uns dos outros. Somos filhos do mesmo Pai. Warren Wiersbe destaca o fato de que todos os pronomes da oração estão no plural, não no singular. Ao orar, é preciso lembrar que somos parte da família de Deus, constituída de cristãos de todo o mundo.[16]

---

[14] SPROUL, R. C. *Mateus*, p. 124.
[15] SPROUL, R. C. *Mateus*, p. 124.
[16] WIERSBE, Warren W. *Comentário bíblico expositivo*, p. 30.

Em terceiro lugar, *devemos nos dirigir a Deus como nosso Pai que está no céu* (6.9). O fato de termos intimidade com Deus não anula sua grandeza insondável e sua glória incomparável. Ele é o nosso Pai que está no céu. Ele é elevado. Sublime. Glorioso.

O conteúdo da oração – as petições da oração em relação a Deus (6.9b,10)

Antes de buscarmos nossos interesses ou mesmo pleitearmos nossas necessidades, devemos nos voltar a Deus para admirá-lo, adorá-lo e exaltá-lo. Três são os pedidos aqui apresentados, como vemos a seguir.

Em primeiro lugar, *o nome de Deus* (6.9). Devemos orar pela santificação do nome de Deus. Deus é santo em Si mesmo e não podemos agregar valor à Sua plena santidade. Mas devemos orar para que o nome de Deus seja reverenciado, honrado, temido e obedecido.

Em segundo lugar, *o Reino de Deus* (6.10). Devemos orar para que o Reino de Deus venha a nós. O Reino de Deus é o governo de Deus sobre os corações. Na medida em que o evangelho é anunciado e os pecadores se arrependem e creem, o Reino de Deus vai alargando suas fronteiras. Orar, portanto, pela vinda do reino e acovardar-se no testemunho do evangelho é uma contradição. R. C. Sproul, citando Calvino, diz: "É tarefa da igreja dar visibilidade ao reino invisível".[17] Nossa vida precisa ser o palco da manifestação do Reino de Deus neste mundo.

Em terceiro lugar, *a vontade de Deus* (6.10). Devemos orar para que a vontade de Deus seja feita na terra como ela é feita nos céus. Citando Robert Law, Warren Wiersbe escreve: "A oração é um instrumento poderoso não para realizar a vontade do homem no céu, mas para realizar a vontade de Deus na terra".[18] Deus, e não o homem, é o centro do universo. Sua vontade é boa, perfeita e agradável e deve prevalecer na terra. Michael Green está correto quando diz que "oração não é informar a Deus o que Ele ainda não sabe, nem oração é procurar

---

[17] SPROUL, R. C. *Mateus*, p. 129.
[18] WIERSBE, Warren W. *Comentário bíblico expositivo*, p. 30.

mudar a mente de Deus. Oração é a adoração submissa da criatura ao seu Criador".[19]

O conteúdo da oração – as petições da oração em relação a nós (6.11-15)

Depois de rogarmos para que o nome de Deus seja santificado, que Seu reino venha e que Sua vontade seja feita, Jesus passa a ensinar-nos a rogar ao Pai por nós mesmos. Mais uma vez, ele destaca três áreas, que comentamos a seguir.

Em primeiro lugar, *em relação ao presente, devemos pedir o suprimento de nossas necessidades* (6.11). Devemos pedir não luxo, mas pão. Pedir não egoisticamente, mas pedir o pão nosso. Pedir pão não para o acumularmos, mas o pão de cada dia. Spurgeon diz que não pedimos o pão que pertence a outros, mas somente para o que é honestamente o nosso próprio alimento.[20] A palavra "pão" aqui deve ser entendida como símbolo de todas as nossas necessidades físicas e materiais. Deus nos criou pelo seu poder, nos redimiu por sua graça e nos sustenta por sua providência.

Em segundo lugar, *em relação ao passado, devemos pedir o perdão das nossas dívidas* (6.12). Temos dívidas impagáveis com Deus e não podemos saldá-las. Nossas dívidas são os nossos pecados. Precisamos não só de pão para o nosso corpo, mas também e, sobretudo, de perdão para a nossa alma. Riqueza material sem perdão espiritual é consumada miséria.

Este é o único item da oração que Jesus amplia (6.14,15), mostrando que o perdão divino a nós está condicionado ao perdão que concedemos ao próximo. O perdão vertical só acontece quando o horizontal é uma realidade.

Em terceiro lugar, *em relação ao futuro, devemos pedir livramento da tentação* (6.13a). A tentação em si não é pecaminosa, mas se cairmos em tentação pecamos contra Deus, contra o nosso próximo e contra

---

[19] GREEN, Michael. *The Message of Matthew*, p. 99.
[20] SPURGEON, Charles H. *O Evangelho segundo Mateus*, p. 96.

nós mesmos. Precisamos, portanto, rogar a Deus para nos livrar do mal, ou seja, do maligno. Nossas tentações procedem do nosso coração corrupto e do tentador maligno. Precisamos nos acautelar.

O propósito da oração (6.13b)

Jesus conclui a oração como começou, com Deus. Devemos reconhecer três verdades gloriosas, como vemos a seguir.

Em primeiro lugar, *a Deus pertence o reino*. O reino é do Senhor e do seu Cristo. Esse reino não é político nem geográfico. É o domínio de Deus sobre seus súditos. É o governo universal de Cristo nos corações.

Em segundo lugar, *a Deus pertence o poder*. Ele tem todo o poder nos céus e sobre a terra. Seu poder é ilimitado. Ele pode tudo quanto Ele quer. Nada Lhe é impossível.

Em terceiro lugar, *a Deus pertence a glória para sempre*. A Sua glória Deus não a dá a ninguém nem mesmo a divide com ninguém. Ele tem glória em Si mesmo e toda a criação proclama a sua glória. Sua glória está em Seu Filho e também na igreja.

A verdadeira espiritualidade **em relação a si mesmo**
A prática do jejum longe dos holofotes (6.16-18)

John Charles Ryle diz que jejum é a abstinência ocasional de alimentos, a fim de levar o corpo em sujeição ao espírito.[21] Patriarcas, profetas e reis jejuaram. Jesus, os apóstolos e os cristãos primitivos jejuaram. Jejuar é abster-se do bom para alcançar o melhor. Quando comemos, nós nos alimentamos do pão da terra, símbolo do pão do céu; mas, quando jejuamos, nós nos alimentamos não do símbolo, mas do simbolizado, ou seja, do próprio Pão do céu! Destacamos a seguir algumas lições preciosas.

Em primeiro lugar, *um cristão é alguém que não despreza a disciplina do jejum* (6.16). Mais uma vez, Jesus não diz: "Se jejuares...", mas: *Quando jejuares...* Jesus pressupõe que um cristão é alguém que jejua.

---

[21] RYLE, John Charles. *Meditações no Evangelho de Mateus*, p. 41.

O único jejum que Deus exigia do povo judeu era aquele da celebração anual do Dia da Expiação (Lv 23.27). Os fariseus, porém, jejuavam duas vezes por semana (Lc 18.12) e o faziam de modo visível para todos. É óbvio que não é errado jejuar, se fizermos isso da forma certa, com a motivação certa. Os homens e as mulheres nos tempos do Antigo Testamento jejuaram. Jesus jejuou (Mt 4.3). Os crentes da igreja primitiva jejuaram (At 13.2). Tom Hovestol deixa claro que o jejum é uma prática universal:

> O jejum é proeminente no hinduísmo, islamismo, judaísmo e cristianismo, entre outras religiões, e serve a propósitos ritualísticos, ascéticos, religiosos, místicos e até políticos. Exige-se o jejum dos muçulmanos durante o ramadã; dos judeus durante o *Yom Kippur*, e dos católicos romanos durante a Quaresma e o Advento.[22]

Em segundo lugar, *um cristão entende que o jejum não é autopropaganda, mas autoquebrantamento* (6.16,17). Se o hipócrita toca trombeta ao dar esmola, o falso espiritual desfigura o rosto quando jejua. Em ambas as situações, o propósito é o mesmo: ser visto e reconhecido pelos homens como uma pessoa espiritual e virtuosa. Não jejuamos para fazer propaganda de nossa espiritualidade, mas para nos humilharmos diante de Deus.

Em terceiro lugar, *um cristão pratica o jejum não para receber recompensa dos homens, mas para agradar a Deus* (6.18). O jejum não é para ser visto pelos homens, com o fim de receber deles o reconhecimento, mas deve ser praticado na presença de Deus, que vê em secreto e recompensa em secreto. Concordo com Warren Wiersbe quando ele diz que o hipócrita coloca reputação no lugar do caráter, as palavras vazias no lugar da oração, o dinheiro no lugar da devoção sincera e o louvor superficial dos homens no lugar da aprovação eterna de Deus.[23]

---

[22]Hovestol, Tom. *A neurose da religião*, p. 113.
[23]Wiersbe, Warren W. *Comentário bíblico expositivo*, p. 31.

13

O testemunho do cristão diante do mundo

Mateus 6.19-34

DEPOIS DE TRATAR DAS PRÁTICAS ESPIRITUAIS como esmola, oração e jejum longe dos holofotes, no lugar secreto, Jesus volta sua atenção para o testemunho público dos súditos do reino. Aquele que vive em secreto na presença de Deus, deve reverberar seu testemunho, de forma pública diante dos homens. Quem somos determina o que fazemos.

Buscando uma correta interpretação dessa passagem bíblica, faremos quatro perguntas com o propósito de ajudá-lo a colocá-la em prática: onde você coloca seus tesouros? Como são os seus olhos? A quem você serve como Senhor? O que ocupa o primeiro lugar em sua vida?

Onde está seu tesouro: no céu ou na terra? (6.19-21)

Jesus, no texto em apreço, dá duas ordens e um esclarecimento. A primeira ordem é negativa, e a segunda, positiva. Depois Ele dá uma explicação de por que fez essa dupla ordenança.

Em primeiro lugar, **uma ordem negativa** (6.19). *Não acumuleis para vós outros tesouros sobre a terra, onde a traça e a ferrugem corroem e onde ladrões escavam e roubam.* É claro que Jesus não está aqui condenando a riqueza, pois quando esta vem como fruto do trabalho e bênção de Deus, ela não traz desgosto. Também Jesus não está aqui proibindo a previdência, pois a Escritura nos exorta a considerar a ação das formigas que trabalham no verão para ficarem abastecidas no inverno. Ainda Jesus não está condenando você usufruir os benefícios do seu trabalho. O que Ele condena no texto é o acúmulo para si, a ganância desmedida e a avareza mesquinha. Os tesouros nos são dados para serem repartidos, e não para serem egoisticamente acumulados. Nada trouxemos e nada levaremos deste mundo. Entramos no mundo nus e sairemos dele nus. Não há gaveta em caixão. Aqui nossos tesouros são carcomidos por ferrugem, destruídos por traças e subtraídos por ladrões. O problema não é possuirmos dinheiro, mas o dinheiro nos possuir. O problema não é guardar dinheiro no bolso, mas entronizá-lo no coração. O problema não é o dinheiro, mas o amor ao dinheiro.

Em segundo lugar, **uma ordem positiva** (6.20). *Mas ajuntai para vós outros tesouros no céu, onde traça nem ferrugem corrói, e onde ladrões não escavam, nem roubam.* Ajuntar tesouros no céu não é criar uma linha de crédito celestial. Isso não é acumular méritos pessoais diante de Deus nem manter um saldo robusto no banco do céu em virtude das boas obras praticadas nesta vida. Quando usamos, porém, nossos tesouros para promover a causa do evangelho e para socorrer os necessitados, isso é investir para a eternidade. Nesse sentido, ganhamos o que damos e perdemos o que retemos.

Em terceiro lugar, **uma explicação necessária** (6.21). *Porque, onde está o teu tesouro, aí estará também o teu coração.* O nosso tesouro arrasta nosso coração. Nosso coração estará na terra ou no céu, dependendo de onde colocamos nosso tesouro, se na terra ou no céu.

Como são os seus olhos? (6.22,23)

Jesus, no texto em tela, faz uma declaração, duas advertências – uma positiva e outra negativa – e uma conclusão.

Em primeiro lugar, **uma declaração solene** (6.22). *São os olhos a lâmpada do corpo...* Nossos olhos são o farol do nosso corpo. Podem nos enlevar ou nos derrubar; podem nos conduzir à prática do bem ou à prática do mal; podem nos levar pelas veredas da justiça ou puxar-nos para os caminhos escorregadios da iniquidade.

Em segundo lugar, **uma advertência positiva** (6.22). ... *se os teus olhos forem bons, todo o teu corpo será luminoso.* Os olhos bons são aqueles que se alegram com a beleza da criação divina sem a deturpar e sem a desejar maliciosamente.

Em terceiro lugar, **uma advertência negativa** (6.23). *Se, porém, os teus olhos forem maus, todo o teu corpo estará em trevas...* Os olhos maus são cheios de cobiça e ganância. São olhos cheios de impureza e lascívia. São olhos que não se deleitam com o belo para dar glória a Deus, mas que cobiçam maliciosamente o belo para o seu prazer pecaminoso.

Em quarto lugar, **uma conclusão solene** (6.23b). ... *Portanto, caso a luz que em ti há sejam trevas, que grandes trevas serão.* Um cego tem olhos, mas não tem luz. Um cego anda em trevas. Não sabe para onde vai nem em que tropeça. Tudo para ele está cercado de densa escuridão. Assim eram os fariseus, cegos guiando cegos. Charles Spurgeon faz aqui um solene alerta:

> Se nossa religião nos leva a pecar, é pior do que a descrença. Se nossa fé for presunção, nosso zelo for egoísmo, a nossa oração for formalidade, a nossa esperança for uma ilusão e a nossa experiência for entusiasmo, a escuridão é tão grande, que até mesmo o nosso Senhor ergue as mãos com espanto e diz: "quão grandes trevas serão".[1]

A quem você serve como Senhor? (6.24)

Destacamos quatro realidades solenes no texto em tela: *Ninguém pode servir a dois senhores; porque ou há de aborrecer-se de um e amar ao outro; ou se devotará a um e desprezará ao outro. Não podeis servir a Deus e às riquezas* (6.24). Vejamos.

Em primeiro lugar, *Jesus diz que o dinheiro não é neutro* (6.24). Jesus diz que as riquezas são uma entidade, e não uma coisa. Chama riquezas de *Mamom* e não de moedas. As riquezas têm poder de subjugar as pessoas e torná-las escravas. A palavra *Mamom* é uma transliteração

---

[1] SPURGEON, Charles H. *O Evangelho segundo Mateus*, p. 103.

de um termo hebraico que significa "o que se armazena", ou de outro termo hebraico que significa "no que se confia". Portanto, essa palavra refere-se à personificação da riqueza.[2]

Em segundo lugar, *Jesus diz que o dinheiro é um Senhor que exige dedicação exclusiva* (6.24). Jesus não chamou o diabo, o mundo nem mesmo César de "Senhor", mas chamou as riquezas, *Mamom*, de "Senhor". Esse senhor é carrasco. Escraviza seus súditos. Por amor ao dinheiro, pessoas se casam e se divorciam, matam e morrem, corrompem e são corrompidas. O dinheiro é um senhor que exige devoção exclusiva de seus súditos.

Em terceiro lugar, *Jesus diz que nem Deus nem as riquezas aceitam devoção parcial* (6.24). Deus não aceita dividir sua glória com ninguém. Ele não aceita coração dividido entre duas devoções. É possível um indivíduo ser empregado de dois patrões, mas não é possível um servo servir a dois senhores.

Em quarto lugar, *Jesus diz que não se pode servir a Deus e às riquezas* (6.24). Jesus é categórico: *Não podeis servir a Deus e às riquezas*. Quem serve a Deus não pode viver mais debaixo do jugo de *Mamom*. Quem é escravo de *Mamom* não pode ser servo de Deus.

O que ocupa o primeiro lugar em sua vida: o reino dos céus ou as coisas materiais? (6.25-34)

Você é uma pessoa ansiosa? Você é daquele tipo de gente que vive roendo as unhas, antecipando os problemas? Os problemas ainda estão longe e você pensa que eles estão batendo à sua porta? Você sofre pensando no que vai comer, no que vai vestir? Em onde vai morar, onde vai trabalhar, onde seu filho vai estudar?

A ansiedade é o mal deste século. Atinge homens e mulheres, jovens e velhos, doutores e analfabetos, religiosos e ateus. As pessoas andam com os nervos à flor da pele. São como um vulcão prestes e entrar em erupção. São como um barril de pólvora pronto a explodir.

---

[2]TASKER, R. V. G. *Mateus: introdução e comentário*, p. 63.

O que **não é ansiedade**

Antes de entendermos o que é ansiedade, vejamos o que a ansiedade não é.

Em primeiro lugar, *ansiedade não é desprezar as necessidades do corpo*. Jesus nos ensinou a orar: *O pão nosso de cada dia dá-nos hoje* (6.11). Mas o mundo está adotando um conceito reducionista, degradando o homem ao nível dos animais. Parece que o bem-estar físico é o único objetivo da vida.

Em segundo lugar, *ansiedade não é proibir a previdência quanto ao futuro*. A Bíblia aprova o trabalho previdente da formiga. Também os passarinhos fazem provisão para o futuro, construindo ninhos e alimentando os filhotes. Muitos migram para climas mais quentes antes do inverno. O que Jesus proíbe não é a previdência, mas a preocupação ansiosa. O apóstolo Paulo aconselha: *Não andeis ansiosos de coisa alguma...* (Fp 4.6). O apóstolo Pedro exorta: *Lançai sobre Ele toda a vossa ansiedade, porque Ele tem cuidado de vós* (1Pe 5.7).

Em terceiro lugar, *ansiedade não é estar isento de ganhar a própria vida*. Não podemos esperar o sustento de Deus assentados, de braços cruzados. Temos de trabalhar. Cristo usou o exemplo das aves e das plantas: ambas trabalham. Os pássaros buscam o alimento que Deus proveu na natureza. As plantas extraem do solo e do sol o seu sustento.

Em quarto lugar, *ansiedade não é estar isento de dificuldades*. Estar livre de ansiedade e estar livre de dificuldade não é a mesma coisa. Embora Deus vista a erva do campo, não impede que ela seja cortada e queimada. Embora Deus nos alimente, Ele não nos isenta de aflições e apertos, inclusive financeiros.

O que **é ansiedade**

Jesus fala sobre cinco evidências da ansiedade, como vemos a seguir.

Em primeiro lugar, *a ansiedade é destrutiva* (6.25). A palavra ansiedade (6.25) significa "rasgar" enquanto a palavra inquietação (6.31) significa "constante suspense". Essas duas palavras eram usadas para descrever um navio surrado pelos ventos fortes e pelas ondas encapeladas de uma tempestade. A palavra ansiedade vem de um antigo termo anglo-saxônico que significa "estrangular". Ela puxa em direção oposta. Gera uma esquizofrenia existencial. Warren Wiersbe, citando Corrie Ten Boon, diz que a ansiedade não esvazia o amanhã do seu sofrimento; ela esvazia o hoje do seu poder. Ansiedade é ser crucificado entre dois ladrões: o ladrão do remorso em relação ao passado e o ladrão da preocupação em relação ao futuro.[3]

Em segundo lugar, *a ansiedade é enganadora* (6.25,26). A ansiedade tem o poder de criar um problema que não existe. Muitas vezes sofremos não por um problema real, mas por um problema fictício, gerado pela nossa própria mente perturbada. Os discípulos olharam para Jesus andando sobre as águas vindo para socorrê-los e, cheios de medo, pensaram que era um fantasma. É sabido que as pessoas se preocupam mais com males imaginários do que com males reais. Estatisticamente falando, setenta por cento dos problemas que nos deixam ansiosos nunca vão acontecer. Sofremos desnecessariamente.

A ansiedade tem o poder de aumentar os problemas e diminuir nossa capacidade de resolvê-los. Uma pessoa ansiosa olha para uma casa de cupim e pensa que está diante de uma montanha intransponível. As pessoas ansiosas são como os espias de Israel, só enxergam gigantes de dificuldades à sua frente e veem a si mesmos como gafanhotos. Davi agiu de forma diferente dos soldados de Saul. Enquanto todos viam a ameaça do gigante Golias, Davi olhou para a vitória sobre o gigante. Geazi olhou os inimigos de Israel e ficou com medo, ao passo que Eliseu olhou com outros olhos e viu os valentes de Deus cercando sua cidade.

A ansiedade tem o poder de tirar os nossos olhos de Deus e colocá-los nas circunstâncias. A ansiedade é um ato de incredulidade, de falta de confiança em Deus. Onde começa a ansiedade, aí termina a fé.

A ansiedade tem o poder de tirar os nossos olhos da eternidade e colocá-los apenas nas coisas temporais. Uma pessoa ansiosa restringe a vida ao corpo e às necessidades físicas. Jesus disse que aqueles que fazem provisão apenas para o corpo, e não para a alma, são loucos.

---

[3]WIERSBE, Warren W. *Comentário bíblico expositivo*, p. 33.

John Rockefeller disse que o homem mais pobre é aquele que só tem dinheiro.

Em terceiro lugar, *a ansiedade é inútil* (6.27). Côvado aqui não se refere a estatura (45 cm), mas prolongar a vida, dilatar a existência. A preocupação, segundo Jesus, ao invés de alongar a vida, pode muito bem encurtá-la. A ansiedade nos mata pouco a pouco. Rouba nossas forças, mata nossos sonhos, mina nossa saúde, enfraquece nossa fé, tira nossa confiança em Deus e nos empurra para uma vida menos do que cristã. Os hospitais estão cheios de pessoas vítimas da ansiedade. A ansiedade mata! Como já afirmamos, o sentido da palavra ansiedade é estrangular, é puxar em direções opostas. Quando estamos ansiosos, teimamos em tomar as rédeas da nossa vida e tirá-las das mãos de Deus.

A ansiedade nos leva a perder a alegria do hoje por causa do medo do amanhã. As pessoas se preocupam com exames, emprego, casas, saúde, namoro, empreendimentos, dinheiro, casamento, investimentos. A ansiedade é incompatível com o bom senso. É uma perda de tempo. Precisamos viver um dia de cada vez. Devemos planejar o futuro, mas não viver ansiosos por causa dele.

Preocupar-nos com o amanhã não nos ajuda nem amanhã nem hoje. Se alguma coisa nos rouba as forças hoje, isso significa que vamos estar mais fracos amanhã. Significa que vamos sofrer desnecessariamente se o problema não chegar a acontecer e que vamos sofrer duplamente se ele vier a acontecer.

Em quarto lugar, *a ansiedade é cega* (6.25b,26). A ansiedade é uma falsa visão da vida, de si mesmo e de Deus. A ansiedade nos leva a crer que a vida é feita só daquilo que comemos, bebemos e vestimos. Ficamos tão preocupados com os meios que nos esquecemos do fim da vida, que é glorificar a Deus. A ansiedade não nos deixa ver a obra da providência de Deus na criação. Deus alimenta as aves do céu. As aves do céu não semeiam, não colhem, não têm despensa (provisão para uma semana) nem celeiro (provisão para um ano).

Vejamos a seguir alguns dos argumentos de Jesus contra a ansiedade.

Primeiro, *do maior para o menor*. Se Deus nos deu um corpo com vida, e se o nosso corpo é mais do que o alimento e as vestes, Ele nos dará alimentos e vestes (6.25). Deus é o responsável pela nossa vida e pelo nosso corpo. Se Deus cuida do maior (nosso corpo), não podemos confiar nEle para cuidar do menor (nosso alimento e nossas vestes)?

Segundo, *do menor para o maior*. As aves e as flores são apresentados como exemplo (6.26,28). Martinho Lutero disse que Jesus está fazendo das aves nossos professores e mestres. O mais frágil pardal se transforma em teólogo e pregador para o mais sábio dos homens, dizendo: "Eu prefiro estar na cozinha do Senhor. Ele fez todas as coisas. Ele sabe das minhas necessidades e me sustenta." Os lírios se vestem com maior glória que Salomão. Valemos mais que as aves e os lírios. Se Deus alimenta as aves e veste os lírios do campo, não cuidará de seus filhos? O problema não é o pequeno poder de Deus; o problema é a nossa pequena fé (6.30).

Em quinto lugar, *a ansiedade é incrédula* (6.31,32). A ansiedade nos torna menos do que cristãos. Ela é incompatível com a fé cristã e nos assemelha aos pagãos. A ansiedade não é cristã. É gerada no ventre da incredulidade; é pecado. Quando ficamos ansiosos com respeito ao que comer, ao que vestir e coisas semelhantes, passamos a viver num nível inferior aos dos animais e das plantas. Toda a natureza depende de Deus, e Ele jamais falha. Somente os homens, quando julgam depender do dinheiro, se preocupam, e o dinheiro sempre falha.

Como podemos encorajar as pessoas a colocarem a sua confiança em Deus com respeito ao céu, se não confiamos em Deus nem em relação às coisas da terra? Um crente ansioso é uma contradição. A ansiedade é o oposto da fé. É uma incoerência pregar a fé e viver a ansiedade. Peter Marshall diz que as úlceras não deveriam se tornar o emblema da nossa fé. Mas, geralmente, elas se tornam!

A ansiedade nos leva a perder o testemunho cristão. Jesus está dizendo que a ansiedade é característica dos gentios e dos pagãos, daqueles que não conhecem a Deus. Mas um filho de Deus tem convicção do amor e do cuidado de Deus (Rm 8.31,32).

Como **vencer a ansiedade**

Jesus não apenas faz o diagnóstico, mas também dá o remédio para a cura da ansiedade, como vemos a seguir.

Em primeiro lugar, *vencemos a ansiedade quando entendemos que Deus é nosso Pai e conhece todas as nossas necessidades* (6.32). Vencemos a ansiedade quando confiamos em Deus (6.30). A fé é o antídoto para a ansiedade. Deus nos conhece e nos ama. É o nosso Pai. Ele sabe do que temos necessidade. Se pedirmos um pão, Ele não nos dará uma pedra; se pedirmos um peixe, Ele não nos dará uma cobra. Nele vivemos e nEle existimos. Ele é o Deus que nos criou e nos mantém a vida. Ele nos protege, nos livra, nos guarda e nos sustenta.

O apóstolo Paulo nos ensinou a vencer a ansiedade orando a Deus (Fp 4.6,7). A ansiedade é um pensamento errado e um sentimento errado. Quando olhamos para a vida na perspectiva de Deus, a nossa mente é guardada pela paz de Deus. Quando alimentamos nossos sentimentos com a verdade de que Deus conhece e supre as nossas necessidades, então a paz de Deus guarda o nosso coração. A paz é uma sentinela que guarda a cidadela da nossa mente e do nosso coração.

Em segundo lugar, *vencemos a ansiedade quando sabemos que, ao cuidadarmos das coisas de Deus, ele cuida das nossas necessidades* (6.33). Aqui temos uma ordem e uma promessa. A ordem é buscar o governo de Deus, a justiça de Deus, a vontade de Deus e o reinado de Deus em nosso coração em primeiro lugar. Deus, e não nós, deve ocupar o topo da nossa agenda. Os interesses de Deus, e não os nossos, devem ocupar nossa mente e nosso coração. Somos desafiados a buscar o governo e o domínio de Cristo em todas as áreas da nossa vida: casamento, lar, família, vida profissional, lazer. A promessa é que, quando cuidamos das coisas de Deus, Ele cuida das nossas necessidades. ... *todas essas coisas vos serão acrescentadas* (6.33). Deus faz hora extra em favor dos seus filhos. Ele trabalha em favor daqueles que nEle esperam.

Em terceiro lugar, *vencemos a ansiedade quando descansamos no cuidado diário de Deus* (6.34). Não administramos o futuro. Antecipar o futuro e começar a sofrer por ele não é prudente. Devemos cuidar do hoje e deixar o amanhã nas mãos dAquele que cuida de nós.

14

Julgar ou não julgar?

Mateus 7.1-29

JESUS INTRODUZ UM NOVO TEMA EM SEU SERMÃO, tratando agora do complexo tema do julgamento. Ao mesmo tempo que condena o julgamento temerário (7.1-15), ele incentiva o julgamento daqueles que desprezam a mensagem de Deus e atacam os mensageiros (7.6). O que Jesus está condenando aqui, portanto, é o hábito de fazer crítica ferina e dura, e não o exercício da faculdade crítica pela qual os homens podem fazer, e se espera que façam, em ocasiões específicas, juízos de valor, e escolham entre diferentes programas e planos de ação.[1]

Warren Wiersbe tem razão ao dizer que os escribas e fariseus julgavam falsamente a si mesmos, às outras pessoas e até mesmo a Jesus. Esse julgamento falso era alimentado por sua falsa justiça.[2]

Vamos examinar o texto em apreço.

O julgamento **temerário** (7.1-5)

O texto apresenta-nos algumas verdades solenes, como vemos a seguir.

Em primeiro lugar, **uma ordem expressa** (7.1a). *Não julgueis...* Não temos conhecimento suficiente para julgar imparcialmente nem temos poder para condenar. Esse julgamento subjetivo, temerário e tendencioso

---

[1] TASKER, R. V. G. *Mateus: introdução e comentário*, p. 63.
[2] WIERSBE, Warren W. *Comentário bíblico expositivo*, p. 34.

não deve ser praticado pelos súditos do reino. Resta claro que Jesus está se referindo ao hábito de condenar e criticar. Trata-se da crítica tendenciosa e injusta. Fritz Rienecker, nessa mesma linha de pensamento, escreve:

> Jesus se refere nesta passagem à atitude condenável de julgar sem amor, a qual ocorre com especial facilidade pelas costas do próximo. E qual é em geral o motivo do julgamento frio e da condenação pelas costas? É a satisfação malévola secreta com a desgraça do próximo. O próprio "eu" quer destacar-se com tanto maior brilho diante do fundo escuro da pretensa injustiça do outro. Gostamos de rebaixar o outro para que nós mesmos pareçamos grandes.[3]

Em segundo lugar, **uma justificativa clara** (7.1b). *... para que não sejais julgados.* Quem julga será julgado. Quem se assenta na cadeira do juiz assentar-se-á no banco dos réus. A seta que você lança contra o outro volta-se contra você. Robertson acredita que Jesus esteja aqui citando um provérbio semelhante a "quem tem telhado de vidro não joga pedra no telhado dos outros".[4]

Em terceiro lugar, **um critério justo** (7.2). *Pois, com o critério que julgardes, sereis julgados; e, com a medida com que tiverdes medido, vos medirão também.* Quando o homem exerce o juízo temerário, está não apenas usurpando um julgamento que só pertence a Deus, mas está, também, estabelecendo o critério para seu próprio julgamento. A mesma régua que a pessoa usa para medir o outro, a fim de julgá-lo, será usada para seu próprio julgamento. Warren Wiersbe diz que os fariseus faziam o papel de Deus ao condenar os outros, mas não levavam em consideração que, um dia, eles próprios seriam julgados.[5]

Em quarto lugar, **um discernimento necessário** (7.3,4). É mais fácil enxergar um cisco no olho do irmão do que uma tábua em nossos próprios olhos. Somos complacentes conosco mesmos e implacáveis com

---

[3]RIENECKER, Fritz. *Evangelho de Mateus*, p. 115.
[4]ROBERTSON, A. T. *Mateus*, p. 91.
[5]WIERSBE, Warren W. *Comentário bíblico expositivo*, p. 34.

os outros. Somos rasos demais para ver nossos erros e profundos demais para examinar os erros dos outros. Devemos ter discernimento não para ver com lentes de aumento os pecados dos outros, mas devemos ter clara visão para socorrermos o nosso irmão em seu desconforto. Warren Wiersbe está correto ao afirmar que os fariseus julgavam e criticavam os outros para exaltar a si mesmos (Lc 18.9-14), mas os cristãos devem julgar a si mesmos para ajudar a exaltar os outros.[6] Concordo com R. C. Sproul quando ele diz: "Nada divide a igreja com mais rapidez do que a ação daqueles que julgam duramente seus irmãos".[7]

Em quinto lugar, *uma denúncia solene* (7.5). Jesus chama de hipócrita aquele que vê transgressões pequenas na vida dos outros e não consegue enxergar os grandes pecados em sua própria vida. Antes de tratar dos outros, precisamos enfrentar a nós mesmos.

O julgamento **necessário** (7.6)

Fica evidente no texto em tela que Jesus não condena o julgamento. Como disse Charles Spurgeon, você não deve julgar, mas não deve agir sem julgamento.[8] Precisamos ter olhos abertos, ouvidos atentos e discernimento claro sobre a realidade à nossa volta. Jesus diz que devemos distinguir as ovelhas dos cães, dos porcos e dos lobos. Dar aos cães o que é santo e lançar pérolas aos porcos é agir insensatamente. Para saber quem são os cães e os porcos, é preciso julgamento. Para distinguir um falso profeta de um profeta verdadeiro, é preciso discernimento. O apóstolo João diz que devemos provar se os espíritos, de fato, procedem de Deus (1Jo 4.1).

Os cães não sentem atração pelo que é santo. Provavelmente o texto faz referência à carne oferecida em sacrifício que não deve ser arremessada aos cães. Não é que os cães não a devorariam, pois o fariam com muita gana, mas seria uma profanação dá-la a eles (Êx 22.31). De igual modo, as pérolas parecem ervilhas ou bolotas e enganariam os porcos

---

[6]WIERSBE, Warren W. *Comentário bíblico expositivo*, p. 34.
[7]SPROUL, R. C. *Mateus*, p. 163.
[8]SPURGEON, Charles H. *O Evangelho segundo Mateus*, p. 112.

até que descobrissem que foram ludibriados. Os porcos ou javalis pisoteiam e dilaceram com as presas qualquer coisa que os enfureça.[9] Em observância a esse princípio, é que Jesus se recusou a falar com Herodes (Lc 23.9), bem como responder aos líderes religiosos que tentaram armar-lhe uma cilada (21.23-27). Foi por causa dessa mesma verdade que Paulo se recusou a argumentar com as pessoas que resistiam à Palavra de Deus (At 13.44-49). Tasker ainda comenta que, "as verdades que Cristo ensinou, suas pérolas de grande preço, não devem ser distribuídas indiscriminadamente aos que as ridicularizam e as desprezam, tornando-se cada vez mais antagônicos".[10]

O julgamento **das motivações**
A prática da oração (7.7-12)

Jesus passa do julgamento dos ouvintes irreverentes para a necessidade de examinar-nos a nós mesmos. Nada perscruta mais nosso interior do que nossas próprias orações. Três verdades são aqui apresentadas, como vemos a seguir.

Em primeiro lugar, *a ordem de orar* (7.7). Há uma tríplice ordem aqui: pedi, buscai e batei. A oração tem a ver com humildade, perseverança e ousadia. Os imperativos presentes, "continue a pedir", "continue a buscar" e "continue a bater" indicam que a oração não é um ritual semipassivo em que de vez em quando partilhamos nossos interesses com Deus. A oração exige vigor e persistência. Os que permanecem pedindo são os que recebem; os que permanecem buscando são os que acham. Deus abre a porta aos que permanecem batendo.[11]

Em segundo lugar, *a promessa a quem ora* (7.7,8). Quem pede recebe, quem busca acha, a quem bate se lhe abrirão as portas. A promessa divina é: Todo o que pede, recebe; todo o que busca, acha; todo o que bate, abrir-lhe-á. Não recebe o que pede, mas recebe o que precisa, e este recebe o melhor.

---

[9]ROBERSTON, A. T. *Mateus*. 2012, p. 92.
[10]TASKER, R. V. G. *Mateus: introdução e comentário*, p. 64.
[11]MOUNCE, Robert H. *Mateus*, p. 74.

Em terceiro lugar, *a generosidade de quem atende a oração* (7.9-12). Um pai terreno, por mais que ame seus filhos, nem sempre dá o melhor para eles, mas o nosso Pai Celeste, sendo perfeito e nos amando com amor perfeito, dá-nos o melhor. Como o Pai age conosco, devemos agir com o nosso próximo, fazendo a ele o que gostaríamos que ele fizesse a nós. Essa é a regra de ouro dos relacionamentos. Essa é a regra do amor. Essa é a síntese da lei e dos profetas. A. T. Robertson diz que a forma negativa desta regra de ouro (7.12) consta em Tobias 4.15: "Não faças a ninguém o que não queres que te façam". Este dito era usado por Hillel, Filon, Isócrates e Confúcio. Jesus, porém, coloca o dito na forma positiva.[12] Concordo com R. C. Sproul quando ele escreve: "Não podemos controlar o que os outros dizem a nosso respeito ou fazem conosco, mas podemos controlar o que dizemos a respeito deles e fazemos com eles. Devemos pensar em fazer *por* eles, em vez de fazer *com* e *contra* eles".[13]

O julgamento **do falso caminho** (7.13,14)

Há somente duas portas e dois caminhos. Pela porta larga entram muitas pessoas. Pelo caminho largo transitam multidões. Nesse caminho tudo é possível, nada é proibido, tudo é permitido. Esse caminho conduz à perdição. A outra porta é estreita e são poucos que entram por ela. O caminho é apertado e são poucos o que acertam com ele, mas esse é o caminho que conduz para a vida.

Há aqui duas lições solenes a considerar, como vemos a seguir.

Em primeiro lugar, *o caminho da perdição é a estrada das liberdades sem limites* (7.13,14). O mundo oferece prazeres, diversões, riquezas, sucesso, fama, e nada exige em troca. Nessa estrada das facilidades, é proibido proibir. Nesse caminho espaçoso, o homem é convidado a beber todas as taças dos prazeres. Nessa jornada de prazeres imediatos, nada é sonegado ao homem. Mas esse caminho congestionado conduz à perdição.

---

[12] ROBERTSON, A. T. *Mateus*, p. 92.
[13] SPROUL, R. C. *Mateus*, p. 169.

Em segundo lugar, *o caminho da vida é a estrada da renúncia* (7.13,14). O caminho estreito é sinuoso, íngreme e apertado. Exige renúncia, sacrifício e esforço. Poucos são aqueles que acertam com ele, mas o seu final é a glória, a vida eterna.

O julgamento **dos falsos profetas** (7.15-20)

Há no texto em pauta algumas lições importantes, que vemos a seguir.

Em primeiro lugar, *os falsos profetas parecem inofensivos* (7.15). Os falsos profetas são lobos, mas se apresentam como ovelhas. São assassinos da verdade, mas andam com a Bíblia na mão. Têm a voz sedosa, mas seus dentes são afiados. Parecem inofensivos, mas são lobos roubadores. Os falsos profetas já existiam nos tempos do Antigo Testamento. Jesus prediz a vinda de falsos cristos e falsos profetas, que desviarão a muitos (24.24). No tempo determinado, eles surgirão como se fossem anjos de luz. Entre eles, haveria os judaizantes (2Co 11.13-15), os protognósticos (1Tm 4.1; 1Jo 4.1). Por fora, parecem "ovelhas", mas por dentro são "lobos devoradores". Vale destacar que os lobos são mais perigosos do que cães e porcos.[14]

Em segundo lugar, *os falsos profetas são conhecidos por sua doutrina e por suas obras* (7.16-18). Um falso profeta não é apenas um lobo, mas também uma árvore má. A seiva que o alimenta vem do maligno. A mensagem que está em sua boca é a mentira. Por ser uma planta venenosa, nenhum fruto nutritivo pode ser colhido dele. Uma árvore má não pode produzir bons frutos; apenas frutos maus, pois essa é sua natureza. Tanto sua doutrina como sua vida são pervertidas. Tanto suas palavras como suas obras são carregadas de veneno.

Em terceiro lugar, *os falsos profetas serão condenados* (7.19). Porque os falsos profetas são como uma árvore má, serão cortados e lançados ao fogo. Sua condenação é inexorável. Seu destino é a destruição.

Em quarto lugar, *os falsos profetas precisam ser identificados* (7.20). Teologia errada desemboca em vida errada. Ensino falso deságua em práticas erradas. Um falso mestre nunca será um padrão de santidade

---

[14]ROBERTSON, A. T. *Mateus*, p. 93.

nem jamais andará piedosamente. Porque é uma árvore má, seus frutos serão maus. Desta forma, pelos frutos podem ser identificados, julgados e condenados.

O julgamento **dos falsos crentes** (7.21-23)

O texto em tela, desmascarando os falsos crentes, mostra como podemos identificá-los. Para melhor compreensão da passagem, vemos a seguir como podemos distinguir um crente verdadeiro de um falso crente.

Em primeiro lugar, *um crente verdadeiro é conhecido não apenas por aquilo que professa* (7.21). Veja que a profissão de fé aqui registrada é ortodoxa e fervorosa. Esse falso crente chama Jesus de Senhor e o faz com intensidade em sua voz: "Senhor, Senhor". Mesmo assim, há um abismo entre o que ele fala e o que ele vive; entre o que ele diz e o que ele pratica. Há um hiato entre sua teologia e sua ética, entre seu credo e sua conduta. R. C. Sproul lança luz sobre este tema:

> Essas palavras de Jesus são atordoantes. Ele está dizendo que nem todos os que se dirigissem a Ele com palavras de profundo afeto (Senhor, Senhor) seriam salvos. Ele disse que alguns entrariam em sua presença no dia do juízo e, tratando-o com intimidade, procurariam lembrá-lo de tudo o que haviam feito em seu benefício. Em termos atuais, diriam: "Amado Senhor, não pregamos nós em Teu favor? Não demos testemunho por Tua causa? Não ensinamos em escolas dominicais por Tua causa? Não fomos aos campos missionários por Tua causa? Não demos dízimos por Tua causa?" Tais pessoas acreditariam sinceramente que estavam em um relacionamento íntimo com Jesus e que O haviam servido com fidelidade. Porém, Ele afirmou que estariam enganadas. Jesus disse: "Nunca vos conheci. Apartai-vos de mim, os que praticais a iniquidade".[15]

Em segundo lugar, *um crente verdadeiro é conhecido não apenas pelas suas obras* (7.22,23). Esses falsos crentes pleitearão, no dia do juízo, o reconhecimento de suas obras portentosas: profecia, expulsão de demônios e muitos milagres. Todas as obras aqui mencionadas são sobrenaturais.

---

[15]SPROUL, R. C. *Mateus*, p. 181.

Não se questiona a realidade delas, mas se reprovam todas, porque a vida daqueles que as praticaram estava imiscuída em iniquidade. Deus não está interessado apenas no que fazemos, mas também, e sobretudo, em como o fazemos. Deus requer obra certa e motivação certa. Ele quer verdade no íntimo. Concordo com A. T. Robertson quando ele diz que naquele dia Jesus lhes arrancará a pele de ovelha e exporá o lobo voraz.[16]

Em terceiro lugar, *um crente verdadeiro é conhecido pela obediência* (7.21). Quem vai entrar no reino dos céus não são aqueles que fazem profissões de fé ortodoxas e emocionantes, nem aqueles que fazem obras milagrosas, mas aqueles que obedecem à vontade do Pai. Não é possível substituir obediência por *performance*. Tasker tem razão ao dizer que Jesus afirma aqui com grande ênfase que a conduta correta, o fazer a vontade do Pai, e não a adoração de lábios, é que constitui o passaporte para a travessia da porta que conduz à vida e que resulta num veredito de absolvição naquele dia do juízo.[17]

Em quarto lugar, *um crente verdadeiro será distinguido do crente falso no dia do juízo* (7.23). Enquanto caminhamos neste mundo, o joio estará misturado com o trigo, mas, no dia do juízo, os falsos crentes serão desmascarados e ouvirão seu veredito do reto Juiz: *Nunca vos conheci. Apartai-vos de mim, os que praticais a iniquidade*.

O julgamento **do falso fundamento** (7.24-27)

Jesus termina seu célebre sermão citando dois construtores, duas casas e dois fundamentos. Ele também fala sobre as circunstâncias que virão sobre essas casas: chuva no telhado, vento na parede e rios no alicerce. Uma casa fica de pé e permanece inabalável diante da tempestade; a outra vai ao chão e desaba, sendo grande sua ruína. Charles Spurgeon diz que de alto a baixo, e de todos os lados, vieram as provações: chuva, inundações e vento. Nenhum anteparo é interposto, pois todos esses combateram aquela casa.[18] A casa que estava edificada sobre a rocha não caiu; a outra desabou.

---

[16] ROBERTSON, A. T. *Mateus*, p. 93.
[17] TASKER, R. V. G. *Mateus: introdução e comentário*, p. 67.
[18] SPURGEON, Charles H. *O Evangelho segundo Mateus*, p. 122.

O construtor que edificou sobre a rocha é prudente; o que edificou sobre a areia é insensato. O sábio construtor é aquele que ouve as palavras de Jesus e as coloca em prática; o insensato é aquele que, mesmo ouvindo-as, não obedece. O construtor sábio investe no fundamento, aquilo que ninguém vê, para dar segurança à casa na hora da tempestade. O construtor insensato não investe no alicerce e, mesmo sua casa tendo bela aparência nos tempos de bonança, não consegue resistir à força da tempestade.

Ao longo da história muitos foram os ataques ao fundamento da igreja. Os fariseus rejeitaram a Cristo, a pedra fundamental da igreja, mesmo prestando lealdade a Abraão (Jo 8.56), a Moisés (Jo 5.46) e a Deus, o Pai (Lc 10.16; Jo 5.23). Fica claro que os fariseus não podiam rejeitar Jesus sem rejeitar Abraão, Moisés e até mesmo Deus Pai.[19] Nos primeiros séculos do cristianismo, o gnosticismo rejeitou Jesus, ao afirmarem seus seguidores ter conhecimentos secretos, percepções superiores ao ensinamento dos apóstolos. Esse ataque continuou na Idade Média, quando a figura do papa usurpou a centralidade de Cristo como o fundamento e o Cabeça da igreja e o único Mediador entre Deus e os homens. No século XVIII, esse ataque continuou com o iluminismo. No século XIX, prosseguiu com o liberalismo e, no século XX, com o neoliberalismo. Hoje, o ataque ao fundamento da igreja vem do secularismo de um lado e do sincretismo de outro. Somente a casa edificada sobre a rocha ficará de pé. Somente em Cristo, o homem pode livrar-se da tempestade do juízo!

O julgamento **do pregador** (7.28,29)

Quando Jesus terminou seu sermão, as multidões estavam chocadas e fora de si, maravilhadas de Sua doutrina. Estavam maravilhadas por causa de seu conteúdo e forma. Ele não ensinava apenas a verdade, mas ensinava como quem tem autoridade. Jesus não era um hipócrita como os escribas, que falavam e não faziam. Ele é avalista de Suas palavras. Jesus não é um alfaiate do efêmero, mas o escultor do eterno.

---

[19]SPROUL, R. C. *Mateus*, p. 186,187.

15

O poder e a compaixão do Rei diante da miséria extrema do homem

Mateus 8.1-4

INÍCIO ESTE CAPÍTULO LEMBRANDO as oportunas palavras de John Charles Ryle de que convinha que o maior sermão jamais pregado fosse imediatamente seguido por uma forte prova de que o pregador era o Filho de Deus. Aqueles que ouviram o Sermão do Monte foram forçados a confessar que, assim como "jamais alguém falou como este homem", da mesma forma ninguém jamais fez tais prodígios.[1]

Antes de expor a passagem em tela, é necessário esclarecer alguns pontos. Até aqui Mateus apresentou a pessoa do Rei (Mt 1-4) e em seguida esclareceu os princípios do Rei (Mt 5-7). Agora, ele apresenta o poder do Rei (Mt 8-9). Nos capítulos 9-10 deste evangelho, Mateus faz o registro de dez milagres envolvendo graça para os rejeitados (8.1-22), paz para os atribulados (8.23-9.17), restauração para os devastados (9.18-38). Esses milagres tinham um tríplice propósito: compaixão pelo homem (4.23-25), cumprimento das profecias (8.17; Is 29.18,19; 35.4-6) e demonstração da verdade salvadora.[2] Lawrence Richards diz que esses milagres seguem uma ordem ascendente, demonstrando Seu

---
[1] RYLE, John Charles. *Meditações no Evangelho de Mateus*, p. 52,53.
[2] WIERSBE, Warren W. *Comentário bíblico expositivo*, p. 39.

poder sobre as doenças (8.14-27), a natureza (8.23-27), o sobrenatural (8.28-32), o pecado (9.1-8) e a própria morte (9.18-26).[3]

Fica meridianamente claro que Jesus jamais fez milagres para atrair, com eles, as multidões. Ao contrário, com certa frequência, orientava as pessoas curadas a não contar nada a ninguém.[4]

Este milagre, a purificação do leproso (8.1-4), está registrado nos três evangelhos sinóticos. Mateus é o evangelista que faz o mais sucinto relato do episódio. Também é o único que põe esse acontecimento imediatamente depois do Sermão do Monte (8.1). Somente Marcos nos conta que Jesus se sentiu "profundamente compadecido" à vista desse homem aflito; todos os evangelhos sinóticos, contudo, afirmam que Jesus, desafiando as regulamentações, "estendendo a mão, tocou-lhe". Jesus deixou que o constrangimento do amor divino tomasse precedência sobre a injunção que proibia tocar num leproso.[5] Quatro verdades são aqui tratadas, como vemos a seguir.

Uma doença humanamente incurável (8.2)

A lepra, causada pelo bacilo de Hansen, era a mais temida doença do primeiro século.[6] Além de incurável, trazia o drama do isolamento. Uma pessoa diagnosticada com lepra recebia uma sentença de morte. Era arrancada do convívio familiar. Não podia mais frequentar as sinagogas nem mesmo ir periodicamente ao templo para participar das grandes festas. Um leproso deveria ser recolhido a um leprosário e ali passar o resto de seus dias, vendo seu corpo apodrecer até a morte.

O leproso era considerado imundo (Lv 13.45,46). William Barclay diz que naquela época nenhuma enfermidade convertia o ser humano em uma ruína tão grande e por tanto tempo como a lepra.[7] Essa infecção terrível obrigava a vítima a viver separada dos outros e a gritar: "Imundo! Imundo!", quando alguém se aproximava, para que não fosse

---

[3]RICHARDS, Lawrence O. *Comentário histórico-cultural do Novo Testamento*, p. 37.
[4]Veja, por exemplo, Mateus 9.30; 12.16; 17.9; Marcos 1.34; 5.43; 7.36; 8.26.
[5]TASKER, R. V. G. *Mateus: introdução e comentário*, p. 69.
[6]MOUNCE, Robert H. *Mateus*, p. 81.
[7]BARCLAY, William. *Mateo I*, p. 310.

contaminado. Por isso, R. C. Sproul diz que a lepra era a única doença em Israel que envolvia não somente um parecer médico, mas também um parecer eclesiástico.[8]

A lepra era um símbolo do pecado (Is 1.5,6) e até mesmo da maldição divina: Miriam, Geazi e Asa foram atacados por lepra como sinal do juízo divino. Uma pessoa leprosa paulatinamente ia sendo deformada pela doença. As cartilagens do corpo eram devastadas. A pessoa ia apodrecendo viva, a ponto de tornar-se uma carcaça humana malcheirosa. As características da lepra são as mesmas do pecado: insensibiliza, separa, deforma e mata. À luz de Levítico 13, há uma estreita conexão entre a lepra e a natureza do pecado: não é um mal superficial (Lv 13.3), espalha-se (Lv 13.8), contamina e isola (Lv 13.45,46) e serve apenas para ser destruído pelo fogo (Lv 13.52,57).[9] Fritz Rienecker diz que a lepra era a pior enfermidade em três sentidos: no aspecto físico, social e religioso. O enfermo era devastado em sua pele, sua carne e seus ossos. O enfermo era isolado de sua família e da sociedade. O enfermo ficava impuro cerimonialmente.[10]

Um **doente** resolutamente **esperançoso** (8.2)

O evangelista Lucas, que era médico, dando um diagnóstico mais preciso da terrível doença desse indivíduo, diz que ele estava coberto de lepra. Mesmo estando sentenciado e à beira da morte, ouve falar sobre Jesus. Então, sai furtivamente do leprosário e se esgueira no meio da multidão, com a esperança da cura. Sua atitude enseja-nos algumas preciosas lições, como vemos a seguir.

Em primeiro lugar, *ele não desistiu apesar das circunstâncias* (8.2). Esse homem já estava no estágio mais avançado de sua doença. Era uma carcaça humana. Uma chaga viva. Seu corpo estava mutilado pela doença. Estava apodrecendo vivo. Um mau cheiro insuportável exalava do seu corpo. Ele não podia aproximar-se de ninguém. Era impuro!

---
[8]SPROUL, R. C. *Mateus*, p. 189.
[9]WIERSBE, Warren W. *Comentário bíblico expositivo*, p. 40.
[10]RIENECKER, Fritz. *O Evangelho de Mateus*, p. 126,127.

Não obstante já estar sentenciado à morte, não desistiu de receber um milagre de Jesus.

Em segundo lugar, *ele se aproxima de Jesus apesar de ser impuro* (8.2). Ninguém deve sentir-se demasiadamente impuro para aproximar-se de Jesus. Ele é o amigo dos pecadores. Todo aquele que vem a Ele com o coração quebrantando não é lançado fora.

Em terceiro lugar, *ele adora a Jesus apesar de ser leproso* (8.2). A lepra era o único mal para o qual a medicina rabínica não prescrevia remédio algum. Era uma doença incurável. Uma causa perdida. Um problema insolúvel. Mas os impossíveis dos homens são possíveis para Jesus. Esse homem não vem com arrogância, mas com humildade. Não faz nenhuma exigência, mas se prostra e adora.

Em quarto lugar, *ele suplica a Jesus apesar de sentenciado à morte* (8.2). O homem demonstra duas atitudes fundamentais em relação a Jesus: confiança plena em seu poder e submissão absoluta à sua vontade. Ele sabia que Jesus tinha poder para curá-lo, mas se submete humildemente ao seu querer. William Barclay tem razão ao dizer que o leproso se aproximou de Jesus confiantemente, humildemente e reverentemente. Ele pede, não exige. Ele se prostra e adora![11]

O **Salvador** absolutamente **compassivo** e **poderoso** (8.3)

Jesus não pega em pedras para expulsar o leproso nem insufla a multidão contra ele, chamando-o de maldito. Ao contrário, Jesus se aproxima ainda mais dele, tocando-o, curando-o e dando-lhe perfeita saúde. Alguns pontos merecem destaque, como vemos a seguir.

Em primeiro lugar, *o toque da compaixão* (8.3). Jesus toca esse homem porque se importa com ele. Havia muito tempo que aquele enfermo não sabia o que era um toque, um abraço. Sempre que alguém se aproximava dele, precisava fugir. Jesus identifica uma doença que devastava suas emoções, produzindo-lhe um sentimento de desvalor: o de sentir-se um monturo.

---

[11] BARCLAY, William. *Mateo I*, 1973, p. 312,313.

Em segundo lugar, *a palavra de poder* (8.3). Jesus não só tem compaixão, mas também poder. Sua vontade é na direção da cura, da libertação, da restauração. O impuro não tornou impuro o puro, mas o puro tornou puro o impuro. Jesus tocou-o e, em vez de ficar contaminado, o homem leproso é que ficou purificado. Não há doença incurável para Jesus. Seu poder é ilimitado.

Em terceiro lugar, *a cura imediata* (8.3). O homem ficou limpo imediatamente. Sua cura foi instantânea e completa. Não restou nenhuma sequela. Nenhum resquício. Quando Jesus faz, Ele faz completo. J. Heading diz corretamente que os milagres de Jesus sempre foram imediatos, completos e permanentes.[12]

Um **testemunho público** necessário (8.4)

Jesus dá duas ordens ao homem curado – uma negativa e outra positiva, como vemos a seguir.

Em primeiro lugar, *a ordem negativa* (8.4a). O mandamento "Não o digas a ninguém" visava suprimir a excitação e prevenir a hostilidade.[13] Mateus não registra a desobediência a essa ordem. O homem, porém, não ficou calado, mas passou a propalar o que Jesus havia feito em sua vida. A ordem de Jesus tinha a ver com duas precauções. A primeira era não criar uma mentalidade errada acerca de sua missão no mundo; a segunda era não antecipar um confronto com os opositores. Havia entre os judeus a expectativa de um messias libertador que haveria de quebrar o jugo de Roma. Jesus, porém, não queria alimentar esse sentimento dos judeus. Ele veio para quebrar o jugo espiritual. J. Heading esclarece esse ponto:

> A fama produz curiosidade, mas milagres não eram feitos para satisfazer nenhuma curiosidade. O Senhor desejava afastar as multidões curiosas. Em João 6.26, o povo o seguiu simplesmente porque foram saciados; a ressurreição de Lázaro fez com que muitos ficassem curiosos

---
[12]HEADING, John. *Mateus*. Ourinhos, SP: Edições Cristãs, 2002, p. 157.
[13]ROBERTSON, A. T. *Mateus*, p. 97.

(Jo 12.18). Herodes estava curioso para ver algum milagre do Senhor (Lc 23.8). Marcos 1.45 diz que este leproso "começou a apregoar muitas coisas", contrariando assim as instruções do Senhor, portanto o Senhor permaneceu nos lugares desertos e não entrava na cidade. A desobediência pode afastar a presença do Senhor.[14]

O homem curado não obedeceu a essa ordem, e Marcos nos informa que Jesus não pôde entrar na cidade (Mc 1.45). No entanto, as multidões foram até Ele.

Em segundo lugar, *a ordem positiva* (8.4b). A ordem de ir ao sacerdote e fazer a oferta estabelecida por Moisés tinha o propósito de respeitar as normas de saúde estabelecidas, uma vez que o sacerdote era a autoridade sanitária que dava o diagnóstico da doença, e só ele poderia legalmente considerar alguém livre desse mal (Lv 14.1-57).

Com isso, Jesus também estava dizendo que seus milagres são verificáveis. Lawrence Richards registra que os mesmos líderes religiosos que estavam entre os mais duros críticos a Jesus foram forçados a examinar o leproso curado e afirmar que ele estava limpo.[15] E, além disso, Jesus estava protegendo esse homem de quaisquer suspeitas ou acusações. Estava legitimando sua volta para casa, para a sua família, para o seu convívio social e religioso.

---

[14]HEADING, John. *Mateus*, p. 158.
[15]RICHARDS, Lawrence O. *Comentário histórico-cultural do Novo Testamento*, p. 38.

16

Jesus cura à distância

Mateus 8.5-13

MATEUS RELATA DOIS MILAGRES "GENTIOS": este e o da cura da menina siro-fenícia (15.21-28). Em ambos os casos, o Senhor ficou impressionado com a grande fé dos gentios. Além disso, nos dois milagres, o Senhor curou à distância.[1]

Este é o segundo milagre registrado por Mateus depois que Jesus desceu do monte das Bem-aventuranças. Jesus entra em Cafarnaum, o quartel-general de seu ministério e, tão logo chega, vai ao seu encontro um centurião, fazendo-lhe veemente pedido em favor de seu servo que estava em casa, sofrendo horrivelmente, com uma paralisia. Jesus dispõe-se a ir curá-lo, mas o centurião não se sente digno de receber Jesus em sua casa. Roga-lhe apenas que cure seu servo à distância. Jesus admira-se de sua fé e atende-lhe o pedido, e imediatamente o servo fica curado. Esta passagem enseja-nos quatro lições, como vemos a seguir.

Uma grande **necessidade** (8.5,6)

Jesus desce do monte das Bem-aventuranças depois de proferir palavras de sabedoria para realizar grandes curas, demonstrando o seu poder.

---

[1] WIERSBE, Warren W. *Comentário bíblico expositivo*, p. 40.

Um centurião romano, que tinha sob sua autoridade cem soldados, movido por compaixão, vai a Jesus interceder em favor de seu criado. O criado do centurião está em casa, acamado, sofrendo horrivelmente com paralisia. A enfermidade sempre traz desconforto e sofrimento. Também revela a fragilidade e a impotência humana. Há momentos em que nossas necessidades são tais que a ciência, o dinheiro e os recursos humanos são insuficientes para minorá-las e resolvê-las. É nesse momento que esse centurião, despojando-se de qualquer vaidade, vai a Jesus, implorando em favor do seu criado.

Uma grande **decisão** (8.7)

Lucas, registrando esse mesmo episódio, destaca que os líderes de Israel pleiteiam diante de Jesus a causa desse homem. Mesmo ele não se considerando digno de receber Jesus em sua casa, eles o consideravam um homem digno de atenção de Jesus, uma vez que ele mesmo, com recursos próprios, havia construído a sinagoga de Cafarnaum. Jesus, ao ouvir a súplica do centurião, resolve imediatamente atender a seu pleito. Jesus nunca despreza um coração quebrantado. Aqueles que se achegam a Ele com humildade jamais são despedidos vazios. Spurgeon diz que não é o mérito, mas a miséria, que deve ser a nossa alegação para com o Salvador.[2]

Uma grande **fé** (8.8-12)

Diante da decisão de Jesus de ir à sua casa para curar seu criado, o centurião se sentiu indigno de tamanha honra e rogou para Jesus curá-lo à distância. Mounce diz, com razão, que havia pouco Jesus estendera a mão para tocar um leproso. Portanto, Jesus jamais hesitaria em entrar na casa de um gentio.[3] Sendo homem que exercia autoridade sobre cem soldados e sabendo que suas ordens eram cumpridas por seus subalternos, ele se coloca debaixo de autoridade de Jesus, reconhecendo sua majestade e soberania.

---

[2]SPURGEON, Charles H. *O Evangelho segundo Mateus*, p. 128.
[3]MOUNCE, Robert H. *Mateus*, p. 83.

Jesus, admirado, diz aos que o seguiam que nem mesmo em Israel havia encontrado fé tão genuína e robusta (8.10). Então, Jesus aproveita o ensejo para ensinar aos circunstantes que muitos gentios viriam do Oriente e do Ocidente e tomariam lugar no reino dos céus, ao passo que os judeus, os filhos do reino, seriam lançados para fora, nas trevas, onde há choro e ranger de dentes. Concordo com Spurgeon quando ele diz que o céu será preenchido. Se os prováveis não virão, os improváveis virão. Que inversão! O mais próximo é lançado fora, e o mais distante é aproximado. O centurião vem do campo até Cristo, e o israelita vai da sinagoga para o inferno. A prostituta se curva aos pés de Jesus em arrependimento, enquanto o fariseu hipócrita rejeita a grande salvação.[4]

Um grande milagre (8.13)

A fé honra a Jesus e Jesus honra a fé. Jesus ordena ao centurião que vá para casa e receba o milagre conforme sua fé. Naquela mesma hora, o servo do centurião é curado. Fé não é apenas acreditar que Jesus pode, mas também, e sobretudo, que Jesus quer.

---

[4] SPURGEON, Charles H. *O Evangelho segundo Mateus*, p. 129,130.

17
A cura da sogra de Pedro

Mateus 8.14,15

A CURA DA SOGRA DE PEDRO está registrada nos três evangelhos sinóticos, Mateus, Marcos e Lucas. Há pequenas nuances que distinguem as narrativas. Marcos informa que tanto a sogra como o irmão André moravam com Pedro (Mc 1.29,30). Mateus diz que a sogra de Pedro estava acamada ardendo em febre (8.14). Marcos registra apenas que ela estava acamada, com febre (Mc 1.30). Mas Lucas, sendo médico, dá um diagnóstico mais preciso: *achava-se enferma, com febre muito alta* (Lc 4.38). Robert Mounce sugere que essa febre muito alta era devido à malária, muito comum naquela região.[1] Mateus diz que Jesus a tomou pela mão (8.15). Marcos informa que Jesus, aproximando-se, tomou-a pela mão (Mc 1.31). E Lucas, descrevendo Jesus como médico, completa: *Inclinando-se ele para ela* (Lc 4.39). Mateus e Marcos informam que a febre a deixou (8.15; Mc 1.31). Lucas, por sua vez, diz que Jesus repreendeu a febre, e esta a deixou (Lc 4.39). Mateus aponta que ela se levantou a passou a servi-Lo (8.15). Marcos informa que ela passou a servi-los (Mc 1.31), e Lucas encerra: *E logo se levantou, passando a servi-los* (Lc 4.39).

Que lições podemos aprender desse milagre?

---
[1] MOUNCE, Robert H. *Mateus*, p. 84.

Jesus **vai à casa** de Pedro (8.14)

Pedro era um pescador. Tinha uma sociedade com seu irmão André e os filhos de Zebedeu, Tiago e João. Eram empresários de pesca. Embora Pedro tenha nascido em Betsaida, morava em Cafarnaum. Com ele moravam seu irmão André e sua sogra. Pedro era um homem hospitaleiro, pois abrigava em seu lar tanto sua sogra como seu irmão.

Era sábado, pois Jesus estava na sinagoga e daí vai imediatamente para a casa de Pedro, a pedido de seus discípulos. Mesmo sendo seu dia de descanso, atende os aflitos e dá prioridade àqueles que sofrem. A piedade não torna saudáveis os lugares insalubres. A santidade não garante imunização contra a enfermidade. Os crentes também ficam doentes. Os salvos também enfrentam terríveis sofrimentos.

Precisamos de Jesus em nossa casa. Há aflições dentro do nosso lar e, quando Jesus chega, chegam a cura, a libertação, a paz, a alegria, a salvação.

Jesus **cura a sogra** de Pedro (8.15a)

Duas verdades devem ser aqui observadas, como vemos a seguir.

Em primeiro lugar, *o toque amoroso de Jesus*. Mateus diz que Jesus a tomou pela mão. Marcos acrescenta o fato de que Jesus, aproximando-se, tomou-a pela mão. Lucas oferece, ainda, outro detalhe: *Inclinando-se ele para ela*.

Em segundo lugar, *a autoridade absoluta de Jesus*. Mateus e Marcos dizem que, logo que Jesus a tomou pela mão, a febre a deixou. As curas de Jesus eram instantâneas e completas. Lucas diz que Jesus repreendeu a febre, e ela a deixou (Lc 4.39). Nenhuma enfermidade pode resistir ao poder de Jesus. Quando Jesus chega à casa de Pedro sua sogra está acamada e ardendo em febre. A palavra grega "acamada" significa "prostrada". E a palavra grega empregada aqui para febre é a mesma usada para fogo. Mateus diz que a mulher ardia em febre.

Jesus **é servido pela sogra** de Pedro (8.15b)

Destacamos a seguir três aspectos da cura da sogra de Pedro.

Em primeiro lugar, *foi uma cura imediata*. A febre a deixou. As curas realizadas por Jesus foram instantâneas e completas. Não havia necessidade de período de convalescença. O cego imediatamente passava a ver, o surdo passava a ouvir, o mudo passava a falar, o aleijado passava a andar.

Em segundo lugar, *foi uma cura completa*. Logo ela se levantou. A sogra de Pedro não ficou debilitada na cama, com sequelas da febre. O mesmo poder que repreendeu a febre fortaleceu-a para que se levantasse.

Em terceiro lugar, *foi uma cura permanente*. Imediatamente depois da cura, ela passou a servi-lo. A sogra de Pedro não apenas se levantou, mas começou a servir. Foi restituída não apenas à plena saúde, mas, também, ao pleno trabalho.

18

Libertando os cativos e curando os enfermos

Mateus 8.16,17

ONDE JESUS ESTAVA, PARA ALI CORRIAM OS AFLITOS. Ele vivia como que em um hospital – e era um hospital de pessoas com doenças incuráveis. Ele expulsou demônios e não se omitiu diante de nenhuma enfermidade.[1] Os cativos eram libertos, e os enfermos eram curados.

O ministério de **libertação** (8.16a)

Depois da cura no recôndito de um lar, Jesus realiza seu ministério de cura e libertação em lugar público. Mesmo estando já tarde e com o esgotamento de uma intensa agenda, Jesus não afrouxa as mãos. Ele veio libertar os cativos e desfazer as obras do diabo. A Palavra de Deus retrata os demônios como ativamente hostis ao ser humano, atormentando homens e mulheres com doenças (4.22; 12.22; 15.22; Lc 4.33-35) e loucura (Mc 5.1-20; Lc 8.27-29).

Destacamos a seguir alguns pontos. Em primeiro lugar, *os endemoninhados eram trazidos*. Essas pessoas estavam prisioneiras do diabo. Viviam no cabresto do inimigo. Eram capachos do destruidor. Não tinham forças nem disposição de virem a Jesus. Por isso, foram levadas a Jesus.

---

[1] SPURGEON, Charles H. *O Evangelho segundo Mateus*, p. 131.

Em segundo lugar, *os endemoninhados eram muitos*. Aquela região, chamada de Galileia dos gentios, era um reduto de trevas e paganismo. Muitas pessoas eram oprimidas e possuídas pelos demônios. Ainda hoje, há muitas pessoas instigadas e possuídas pelos espíritos malignos.

Em terceiro lugar, *os endemoninhados eram libertos*. Jesus não usou mandingas para expulsar demônios. Expulsou-os apenas com a palavra. Nada de misticismo. Sua autoridade não decorria de fontes externas. Nem mesmo os demônios podiam resistir à Sua autoridade.

O ministério de **cura** (8.16b,17)

Três verdades são destacadas a seguir.

Em primeiro lugar, *o poder de Jesus é ilimitado*. Jesus curou todos os que estavam doentes. Havia, como há até hoje, doenças curáveis e incuráveis. A ciência tem suas limitações. Porém, Jesus desconhece impossibilidades. Ele pode tudo quanto quer.

Em segundo lugar, *o poder de Jesus é prometido*. O ministério de cura de Jesus foi anunciado pelos profetas e, quando ele cura os enfermos, está chancelando suas credenciais como o Messias. Seus milagres são sinais de sua messianidade.

Em terceiro lugar, *o poder de Jesus é empático*. Jesus tomou as nossas dores e carregou com as nossas doenças. A. T. Robertson diz que a compaixão de Jesus era tão intensa que Ele realmente sentia as enfermidades e dores das outras pessoas. Em nossos fardos, Jesus se põe debaixo da carga junto conosco e nos ajuda a carregar.[2]

---

[2] ROBERTSON, A. T. *Mateus*, p. 100.

19

O **preço** de ser um **seguidor** de Jesus

Mateus 8.18-22

DIANTE DA GRANDE MULTIDÃO que se aglutinava ao seu redor, Jesus ordenou aos discípulos que passassem para o outro lado. Ele não cortejava notoriedade. Não se impressionava com popularidade. Não buscava a glória vinda dos homens.

Este episódio é registrado apenas por Mateus e Lucas. Não há concordância entre os dois evangelistas quanto à disposição da matéria. Mateus coloca o episódio no contexto das curas em Cafarnaum, e Lucas, depois da experiência da transfiguração. Lucas menciona três personagens, e Mateus, apenas duas pessoas. Mateus informa que o primeiro personagem era um escriba, mas Lucas nada informa sobre sua identidade. Os dois personagens mencionados por Mateus demonstram certo interesse em seguir Jesus, mas não tinham uma clara prioridade em fazê-lo.

Vejamos esses dois casos a seguir.

Em primeiro lugar, ***uma motivação errada*** (8.18-20). Este proponente anônimo em Lucas é um escriba em Mateus. Ele se dispõe entusiasticamente a seguir Jesus para onde quer que Ele vá, mas está motivado pelas vantagens que poderia receber. Jesus, porém, joga uma pá de cal em seu entusiasmo, mostrando que o Filho do Homem não tem onde reclinar a cabeça. Aqueles que querem seguir Jesus motivados por vantagens pessoais e terrenas recebem dEle imediata resistência. O seguidor de Jesus não deve contar com uma vida de luxo. Os candidatos a discípulos precisam considerar o preço do discipulado. Precisam entender que não serão aceitos enquanto não decidirem conscientemente pagar o preço de seguir um líder rejeitado.

A notável expressão "Filho do Homem" surge aqui pela primeira vez em Mateus. Jesus usa essa expressão como título messiânico. O termo é usado nos evangelhos cerca de 80 vezes, sendo que 33 apenas em Mateus.

Em segundo lugar, *uma prioridade errada* (8.21,22). Se o primeiro homem foi muito rápido, o segundo foi muito lento.[1] Este, mediante a ordem de Jesus "Segue-me", colocou à frente do discipulado, uma causa mais urgente. Antes de seguir Jesus, ele queria cuidar de seu pai até sua morte. Isso seria uma espécie de atraso indefinido. Depois de sepultar o pai, então estaria pronto a seguir Jesus. Mas Jesus deixa claro que pregar o reino é a maior de todas as prioridades. Nenhuma outra agenda pode se interpor entre o discípulo e a pregação do evangelho do reino. A lealdade a Jesus e seu reino é mais importante do que a lealdade às normas culturais de sua sociedade. Em outras palavras, as exigências culturais da comunidade não são desculpas aceitáveis para o fracasso no discipulado. A. T. Robertson, citando João Crisóstomo, diz: "Ainda que seja uma boa ação enterrar os mortos, a melhor é pregar Cristo".[2]

---

[1] SPURGEON, Charles H. *O Evangelho segundo Mateus*, p. 134.
[2] ROBERTSON, A. T. *Mateus*, p. 102.

20

O poder de Jesus sobre a natureza

Mateus 8.23-27

ESTE EPISÓDIO ESTÁ REGISTRADO nos três evangelhos sinóticos. Mateus é o que faz o registro mais objetivo desse milagre. Marcos coloca o ocorrido logo após o ensinamento de Jesus por meio de parábolas. Mateus e Lucas, por sua vez, desvinculam o fato de seu contexto histórico. As lições do milagre, porém, são as mesmas.

Jesus acalmou duas tempestades no mar da Galileia. Esse é o primeiro milagre. Esse mar é chamado também de lago de Genezaré ou mar de Tiberíades. É um lago de águas doces, de 21 quilômetros de comprimento por 14 quilômetros de largura. É encurralado pelas montanhas de Golã do lado oriental e pelas montanhas da Galileia do lado ocidental. Esse lago está 224 metros abaixo do nível do mar Mediterrâneo. As elevadas montanhas que o rodeiam são cortadas por profundas ravinas que funcionam como enormes funis pelos quais sopram ventos violentos, vindos de cima, os quais agitam o mar de repente, sem prévia advertência. O bote que leva Jesus é apanhado numa tempestade desse tipo.[1]

À guisa de introdução, destacamos quatro verdades a seguir.

---

[1] MOUNCE, Robert H. *Mateus*, p. 86.

Em primeiro lugar, *as tempestades são inevitáveis*. Elas chegam para todos, ricos e pobres, homens e mulheres, doutores e analfabetos, crentes e descrentes. A vida não é indolor. Não vivemos numa estufa nem mesmo numa colônia de férias.

Em segundo lugar, *as tempestades são inesperadas*. Elas chegam inesperadamente, sem aviso prévio. Colhem-nos de surpresa e muitas vezes ameaçam nossa jornada. Periodicamente, os ventos gelados que descem do monte Hermom, em rajadas súbitas, emparedados pelas montanhas, batem na superfície aquecida desse lago e dão início imediatamente a uma tempestade de vento. A expressão *grande tempestade* (8.24) na língua grega é *seismos megas*, que traduzida ao pé da letra seria "um grande terremoto". É assim, também, em nossa vida. As crises chegam quando menos esperamos e conspiram contra nós. Nossas crises podem nos colher de surpresa, mas jamais surpreendem o Senhor Jesus.

Em terceiro lugar, *as tempestades são inadministráveis*. Os discípulos tentaram controlar o barco no mar revolto, mas este era varrido pelas ondas. Eles perderam o controle. Não tinham destreza nem poder para chegar ao porto desejado. Assim também são as tempestades da vida, maiores do que nossas forças. Nossas tempestades podem ser maiores do que nossas forças, mas jamais ameaçam o poder de Jesus.

Em quarto lugar, *as tempestades são pedagógicas*. As tempestades vêm para nos fortalecer, e não para nos destruir. Deus não desperdiça sofrimento na vida de seus filhos. As tempestades são pedagógicas.

Vejamos então cinco preciosas lições na passagem.

A tempestade (8.23,24)

Jesus é o primeiro a entrar no barco. Seus discípulos seguem-No. Nenhuma tempestade à vista. A viagem parecia segura. Mas, subitamente, o mar se agita, o vento encrespa as ondas, e o barco começa a ser varrido de um lado para o outro. Nesse momento, Jesus dormia! Que lições depreendemos desta passagem?

Em primeiro lugar, *mesmo quando Jesus está conosco, enfrentamos tempestades na vida*. Mateus nos informa que Jesus foi o primeiro a entrar no barco, e Marcos nos diz que Jesus deu uma ordem aos discípulos: *Passemos para a outra margem* (Mc 4.35). Essa mesma ordem é repetida em Lucas 8.22. O fato de Jesus estar conosco não nos isenta de tempestades na caminhada. Ele nunca nos prometeu ausência de aflições; prometeu-nos, sim, estar conosco todos os dias até a consumação dos séculos.

Em segundo lugar, **nas horas mais tempestuosas, parece-nos que Jesus está dormindo**. Jesus passara aquele dia ensinando as parábolas do reino. Estava exausto. Entrou no barco, pegou um travesseiro e foi para a popa tirar um cochilo. Quando a tempestade veio, com toda a sua fúria, Ele estava dormindo. Mesmo o barco sendo sacudido de um lado para o outro, Ele permaneceu sereno, descansando nos braços do Pai. Às vezes, ainda hoje, quando enfrentamos as tempestades mais borrascosas da vida, temos a sensação de que Jesus está dormindo.

O clamor (8.25)

Baldados todos os esforços dos discípulos, percebendo que eles não tinham força nem destreza para conduzir o barco rumo ao outro lado, acordaram Jesus, e clamaram: *Senhor, salva-nos! Perecemos!* Marcos é mais contundente em seu registro: *Mestre, não te importa que pereçamos?* (Mc 4.38). O que Mateus coloca como um pedido em tom de exclamação, Marcos apresenta como uma pergunta com tom de censura. Spurgeon diz que os discípulos inquietaram Jesus mais do que a tempestade. Eles o despertaram com gritos. A pequena fé orou: "Salva-nos". e o grande medo gritou: "Perecemos!" Aqui havia três coisas: Primeiro, a reverência por Jesus: "Senhor"; segundo, uma súplica inteligente: "Salva-nos"; terceiro, um argumento irresistível: "Perecemos".[2]

Precisamos recorrer a Jesus nas horas da nossa aflição. A Palavra de Deus nos ensina: *Invoca-me no dia da angústia; eu te livrarei, e tu me glorificarás* (Sl 50.15).

O confronto (8.26a)

Enquanto Marcos e Lucas colocam o milagre antes do confronto, Mateus apresenta o confronto antes do milagre. Primeiro Jesus

---
[2]SPURGEON, Charles H. *O Evangelho segundo Mateus*, p. 138.

confronta os discípulos, depois Ele acalma os ventos e o mar. Spurgeon diz que Jesus falou com os homens primeiramente, porque eles eram os mais difíceis de lidar; o vento e o mar poderiam ser repreendidos depois.³ Existem horas em que a maior tempestade que enfrentamos não é o mar agitado ao redor de nós, mas a incredulidade dentro de nós. Jesus é poderoso para fazer sossegar o vendaval dentro da nossa alma e também para acalmar as circunstâncias que nos assolam.

Quando a fé é pequena, o medo é grande. Quando perdemos a percepção de que Jesus está conosco nas tempestades, ficamos alarmados e pensamos que vamos perecer. O medo e a fé não coexistem. A fé vence o medo, e a presença de Jesus acalma as tempestades do coração e faz sossegar os ventos e o mar. Spurgeon está correto quando escreve: "Se estamos certos de que temos alguma fé, devemos estar errados em ter qualquer medo".⁴

O milagre (8.26b)

O contexto mostra que Jesus tem poder sobre a natureza, os demônios, a enfermidade e a morte. Jesus tem todo poder. Os ventos escutam sua voz, e o mar se aquieta diante de sua ordem. Aquilo que é maior do que nós está rigorosamente debaixo do seu comando soberano. No lugar da tempestade, vem a bonança. No lugar do medo, vem a paz. No lugar do naufrágio, vem o salvamento.

A admiração (8.27)

As tempestades não vêm para nos destruir, mas para produzir em nosso coração profunda admiração por Jesus. Aqueles homens assustados, na iminência de perecerem, estão agora dizendo: *Quem é este que até os ventos e o mar lhe obedecem?* (Mc 4.41). Respondemos que este é Aquele que, com o Pai e o Espírito Santo, nos refolhos da eternidade, traçou um plano perfeito e vitorioso para a nossa salvação. Este é Aquele que fez todas as coisas e sem Ele nada do que foi feito se fez. Este é a

---
³SPURGEON, Charles H. *O Evangelho segundo Mateus*, p. 139.
⁴SPURGEON, Charles H. *O Evangelho segundo Mateus*, p. 139.

semente da mulher, que esmagou a cabeça da serpente. Este é Aquele sobre quem os patriarcas falaram e a quem os profetas apontaram. Este é Aquele cujo cordeiro da Páscoa é um símbolo. Este é Aquele que foi simbolizado pelo tabernáculo, pela arca da aliança, pelo santuário, pelos sacrifícios, pelas festas, pelo sábado. Tudo era sombra dEle. Este é Aquele que na plenitude dos tempos nasceu de mulher, sob a lei, para ser nosso redentor. Este é o Verbo que se fez carne e habitou entre nós. Este é Aquele que andou por toda a parte fazendo o bem e libertando os oprimidos do diabo. Este é Aquele que deu vista aos cegos, voz aos mudos, audição aos surdos. Este é Aquele que purificou os leprosos, levantou os paralíticos e ressuscitou os mortos. Este é Aquele que morreu pelos nossos pecados e ressuscitou para nossa justificação. Este é Aquele que voltou ao céu e está assentado à destra de Deus Pai intercedendo por nós. Este é Aquele que governa os céus e a terra e voltará em glória para reinar com sua igreja. Este é o nosso grande Deus e Salvador Jesus Cristo.

21

O **poder** de Jesus sobre os **demônios**

Mateus 8.28-34

ESTE EPISÓDIO ESTÁ REGISTRADO nos três evangelhos sinóticos. Mateus é o que apresenta o relato mais sucinto, e Marcos, o mais exaustivo. Mateus diz que eram dois homens, e Marcos e Lucas dizem que era um homem. Não há contradição entre os evangelistas, apenas Marcos e Lucas colocam sua ênfase no homem que, certamente, era o mais problemático.

Somente Marcos narra o que aconteceu com o homem endemoninhado depois de liberto e de que forma Jesus o comissiona como mensageiro de boas-novas entre os seus. Somente Mateus informa que os sepulcros onde os homens possessos viviam eram um caminho e que eles estavam a tal ponto furiosos que ninguém por ali podia passar.

Vejamos a seguir algumas importantes lições do texto.

O **poder devastador** dos demônios (8.28)

Jesus desembarca no lado oriental do mar da Galileia, no território gentio de Gadara, depois de uma avassaladora tempestade. Ele sai da fúria do mar para a fúria dos demônios. Nesse despenhadeiro, entre os sepulcros, dois homens endemoninhados e demasiadamente furiosos ameaçavam quem por ali passava. Esse fato enseja-nos duas lições, como vemos a seguir.

Em primeiro lugar, *os demônios desumanizam as pessoas*. Esses homens viviam longe do convívio familiar e até mesmo do convívio social, pois estavam entre os sepulcros. Viviam entre os mortos.

Em segundo lugar, *os demônios brutalizam as pessoas*. Esses dois homens estavam demasiadamente furiosos. Eram uma ameaça aos transeuntes. Eram agentes de violência, um poço de ódio, um transtorno para a sociedade.

O **medo avassalador** dos demônios (8.29)

Ao verem a Jesus, os demônios gritaram: *Que temos nós contigo, ó Filho de Deus! Vieste aqui atormentar-nos antes do tempo?* Concordo com A. T. Robertson quando ele diz que Jesus trata os demônios como seres reais e separa a existência deles da personalidade humana.[1] Depreendemos desse versículo duas verdades, como vemos a seguir.

Em primeiro lugar, *Jesus é o libertador dos homens e o atormentador dos demônios*. Aqueles que imprimiam terror no coração dos outros agora eram eles próprios vítimas do medo.[2] Eles sabem que estão debaixo da autoridade de Jesus. Sabem que serão julgados e condenados. Eles temem e tremem diante dAquele que manda no céu, na terra e no inferno. Eles sabem que já estão sentenciados ao juízo final, e agora rogam para que não sejam atormentados antes desse dia final.

Em segundo lugar, *Jesus é reconhecido pelos demônios como o Filho de Deus*. A teologia dos demônios é mais ortodoxa do que a teologia dos teólogos liberais. Eles creem e tremem.

O **pedido desesperador** dos demônios (8.30-32)

Dois fatos nos chamam a atenção nesta passagem, como vemos a seguir.

Em primeiro lugar, *o pedido dos demônios* (8.30,31). Eles pedem para não serem atormentados antes do tempo e para serem mandados à manada de porcos que pastavam na região. Esse era um território

---
[1]ROBERTSON, A. T. *Mateus*, p. 103.
[2]TASKER, R. V. G. *Mateus: introdução e comentário*, p. 74.

gentio e, por isso, os porcos eram criados e comercializados.³ Os demônios pedem para continuar nesse mesmo reduto.

Em segundo lugar, *a concessão de Jesus* (8.32). Ao deferir o pedido dos demônios, eles saíram dos homens e entraram na manada de porcos, os quais se precipitaram montanha abaixo e pereceram afogados no mar. À luz de Marcos 5.9, sabemos que se tratava de uma legião de demônios, ou seja, uma corporação de seis mil soldados. E sabemos, ainda, à luz de Marcos 5.13, que se tratava de dois mil porcos. Por que Jesus atendeu ao pedido dos demônios? Por quatro razões pelo menos: Primeiro, para mostrar ao mundo que os demônios não são seres mitológicos, mas seres reais e malignos. Segundo, para mostrar o poder devastador dos demônios, capaz de levar à morte dois mil porcos. Terceiro, para mostrar os valores distorcidos do mundo, que ama mais os porcos do que as pessoas. Quarto, para mostrar que Ele, Jesus, é quem tem autoridade. Os demônios ficam se Ele permitir, e saem se Ele mandar.

A **rejeição veemente** dos gadarenos (8.33,34)

Mateus nada informa sobre o novo estado dos dois endemoninhados libertos, de sua súplica para acompanhar Jesus e de seu envio aos seus para contar-lhes tudo o que Senhor fizera por eles. Apenas destaca a fuga dos porqueiros à cidade e o relatório dados sobre a derrocada dos porcos e a libertação dos dois homens. Em face disso, a cidade toda saiu para encontrar-se com Jesus, porém não para adorá-lo, nem mesmo para alegrar-se com a libertação dos dois endemoninhados, mas para rogar que Jesus se retirasse da terra deles. Esse fato enseja-nos algumas lições, como vemos a seguir.

Em primeiro lugar, *o perigo de valorizarmos mais os porcos do que os homens*. Os gadarenos não se alegraram com a libertação desses dois homens, mas se entristeceram pela perda dos porcos. Para eles, os porcos valiam mais que pessoas. Tasker diz que em todos os séculos subsequentes o mundo tem recusado Jesus porque prefere os porcos.⁴

---

³MOUNCE, Robert H. *Mateus*, p. 88.
⁴TASKER, R. V. G. *Mateus: introdução e comentário*, p. 75.

Em segundo lugar, *o perigo de rejeitar o único que pode dar esperança*. Os gadarenos não rogaram a Jesus para ficar com eles, como os dois caminhantes de Emaús, mas Lhe rogaram que se retirasse da terra deles. Perderam uma grande oportunidade de serem visitados pela graça, de terem sido visitados pela grande salvação de Deus. Concluo com as solenes palavras de Charles Spurgeon:

> Esta é uma rara ocorrência de uma cidade inteira encontrando Jesus, e essa cidade foi unânime em seu apelo a Ele. Infelizmente, foi uma unanimidade má! Aqui uma cidade inteira estava reunida em oração, rogando contra a sua própria bênção. Pense no Senhor entre eles, curando a pior das doenças e ainda sendo instado a se afastar deles! Eles queriam estar longe do único ser glorioso que poderia abençoá-los. A oração deles foi horrível, mas foi atendida e Jesus saiu de seus termos. Ele não forçará a sua companhia a ninguém. Ele será um convidado bem-vindo ou irá embora.[5]

---

[5]Spurgeon, Charles H. *O Evangelho segundo Mateus*, p. 144.

22

O poder de Jesus para perdoar pecados

Mateus 9.1-8

ESTE EXTRAORDINÁRIO MILAGRE está registrado nos três evangelhos sinóticos. Jesus sai da região de Gadara, no lado leste do mar da Galileia, e volta de barco para Cafarnaum, a cidade que adotou como seu quartel-general. Ele está em sua própria casa (9.1), onde uma multidão se amontoa para ouvi-Lo, bloqueando até mesmo a porta de entrada (Mc 2.2). No meio de toda essa gente que ouvia seus ensinamentos, estavam também fariseus e mestres da lei (Lc 5.17). Jesus acabara de vir de um tempo de oração, e o poder do Senhor estava sobre Ele para curar (Lc 5.16,17).

É nesse momento que quatro homens levam a Jesus um paralítico (Mc 2.3). Não podendo entrar na casa por causa da multidão postada à porta, eles descobriram o eirado da casa e introduziram o paralítico, colocando-o diante de Jesus (Lc 5.18). Ao ver a fé daqueles amigos, Jesus profere palavras de perdão ao enfermo e acaba por receber imediatamente a censura dos escribas e fariseus. Mas Jesus cala seus críticos, curando o enfermo e ordenando-o a voltar para sua casa, enquanto o povo dá glória a Deus e se admira de tão estupendo milagre.

Esse episódio enseja-nos algumas importantes lições, como vemos a seguir.

Jesus honra a fé dos amigos do paralítico (9.1,2)

Um homem paralítico é levado a Cristo porque ele não pode ir por si mesmo. Seus amigos tiveram a visão, a criatividade, a perseverança e a fé de colocarem aquele homem na presença de Jesus. O que eles não podiam fazer por ele, sabiam que Jesus era poderoso para fazer. Eles carregaram o homem sobre seu leito rua afora. Não desistiram de ver um milagre em sua vida, mesmo quando a multidão não abriu caminho junto à porta da casa. Correndo todos os riscos e enfrentando todos os desafios, fizeram o inesperado e abriram o telhado para introduzir o enfermo no interior na casa, à frente de Jesus. O homem está triste e paralisado; o peso do pecado está em sua consciência, e seu corpo está em prisão, diz Spurgeon. [1]

Jesus honrou a fé desses homens e, por causa da atitude deles, Jesus perdoou e curou o paralítico.

Jesus cura o paralítico (9.2)

Jesus prova sua divindade realizando um poderoso milagre na vida desse paralítico. Quatro foram as curas operadas em sua vida, como vemos a seguir.

Em primeiro lugar, *a cura emocional* (9.2). Jesus diz a esse homem: *Tem bom ânimo...* O paralítico tinha um desânimo crônico. Seus amigos têm fé; ele tem desânimo. Se dependesse dele, preferiria ter ficado prostrado em sua cama. Mas Jesus trata de seus sentimentos e cura-o emocionalmente.

Em segundo lugar, *a cura psicológica* (9.2). Jesus chama esse homem de "filho". Esse homem rendido ao desânimo estava com as emoções amassadas e com um profundo senso de desvalor. Ele se sentia menos do que gente, apenas um peso morto para sua família. Jesus cura suas emoções e também seus traumas. Levanta sua autoestima, chamando-o de filho.

Em terceiro lugar, *a cura espiritual* (9.2). Jesus cura o paralítico espiritualmente, dizendo-lhe: ... *estão perdoados os teus pecados*. Só Deus perdoa pecados. Portanto, Jesus ao perdoar os pecados desse enfermo, está

---

[1]SPURGEON, Charles H. *O Evangelho segundo Mateus*, p. 146.

provando que não é blasfemador charlatão, mas o próprio Deus entre os homens.

Robert Mounce explica que no mundo antigo havia uma crença generalizada segundo a qual a doença era resultado imediato do pecado (Jo 9.1-3). Visto ser aceito em geral que só Deus pode perdoar pecados (Is 43.25), o ponto de vista dos escribas de que Jesus cometera blasfêmia (9.3) ao declarar os pecados do paralítico perdoados, parecia irrefutável. A única alternativa seria que Jesus fosse verdadeiramente Deus, conclusão que os escribas decidiram rejeitar. Jesus, percebendo seus pensamentos, propôs-lhes uma prova. Se aceitassem a premissa de que as enfermidades eram o resultado do pecado, se alguém tivesse o poder de curar, deveriam aceitar-Lhe a autoridade para perdoar os pecados determinantes daquela enfermidade. É por isso que Jesus, então, lhes diz: *Para que saibais que o Filho do Homem tem na terra autoridade para perdoar pecados* (9.6). É digno de nota que em nenhuma outra passagem, exceto Lucas 7.48, Jesus é mostrado perdoando pecados. Embora Lhe tivesse sido dado o nome de Jesus porque ele *salvará o seu povo dos pecados deles* (1.21), esse perdão adviria como resultado de sua morte expiatória (26.28), e não de um ministério de absolvição.[2]

Em quarto lugar, *a cura física* (9.6,7). Chegou a hora da verdade. Jesus comprova seu poder divino de perdoar, ordenando ao paralítico levantar-se, tomar seu leito e voltar para sua casa. O resultado foi imediato. O homem saltou sobre os próprios pés. A cura operou-se instantaneamente. O homem levantou-se e partiu para sua casa. Suas articulações foram regeneradas. Seus músculos atrofiados foram restaurados. O homem recebeu uma cura completa e imediata. A. T. Robertson é oportuno, quando escreve: "A cura física do paralítico tornou-se o sinal visível para provar o poder messiânico de Jesus de, na terra, perdoar pecados como Deus perdoa.[3] Fritz Rienecker diz que na vida desse paralítico Cristo comprovou visivelmente em suas pernas aquilo que antes tinha realizado invisivelmente em seu coração.[4]

---

[2] Mounce, Robert H. *Mateus*, p. 91.
[3] Robertson, A. T. *Mateus*, p. 108.
[4] Rienecker, Fritz. *Evangelho de Mateus*, p. 150.

Jesus confronta seus críticos (9.3-8)

Os escribas, os mestres da lei e os fariseus, como fiscais de plantão, estavam naquela casa não para beber dos ensinamentos de Jesus, mas para o apanharem em algum ponto falho. Como já destacamos na introdução desta obra, os fariseus tornaram-se os principais opositores de Jesus. Tom Hovestol diz que os fariseus são os atores coadjuvantes mais importantes no grande drama da salvação. Eles são mencionados em mais de cem versículos no Novo Testamento.[5] O mesmo autor alerta para o fato de que, ao examinarmos as Escrituras, é possível descobrir que os inimigos mais implacáveis de Jesus raramente são as pessoas "mundanas". Os principais inimigos dos justos são muitas vezes as pessoas religiosas. Os principais oponentes de Jesus são os fariseus; os de Paulo, os judaizantes; e a igreja primitiva tinha de contender constantemente com os falsos mestres.[6]

Logo que Jesus declarou que o homem estava curado, os escribas e fariseus disseram consigo: *Ele blasfema* (9.3). Marcos diz que eles arrazoavam em seu coração: *Por que fala Ele deste modo? Isto é blasfêmia! Quem pode perdoar pecados, senão um, que é Deus?* (Mc 2.6,7).

Em que consistia o erro desses críticos contumazes?

Em primeiro lugar, ***um conhecimento limitado da pessoa de Jesus*** (9.3,4). Jesus já havia visto a fé dos quatro amigos que levaram o paralítico e agora conhece os pensamentos dos críticos. Eles estavam certos e errados. Certos porque, na verdade, só Deus pode perdoar pecados. Errados porque não haviam entendido ainda que Jesus era o próprio Deus feito carne. Porque não entendiam que Ele era o próprio Deus entre os homens, perseguiram-No, enquanto deveriam estar adorando-O. Aquilo que eles entendiam ser blasfêmia de Jesus era, na verdade, blasfêmia na boca deles, pois negavam a divindade de Cristo.

Em segundo lugar, ***um conhecimento limitado do poder de Jesus*** (9.6,7). Jesus apanhou os escribas e fariseus com as cordas de sua própria teologia. Eles entendiam que o perdão sempre precede à cura e

---

[5]HOVESTOL, Tom. *A neurose da religião*, p. 42.
[6]HOVESTOL, Tom. *A neurose da religião*, p. 46,47.

que a cura é uma evidência do perdão. Jesus deixa claro que é Deus e tem autoridade para perdoar pecados, ao curar o paralítico e enviá-lo de volta à sua casa. A cura do paralítico era notória e irrefutável. Portanto, seu poder para perdoar era incontestável. O perdão é um ato que só pode ser visto por Deus; a cura é evidência que é impossível de não ser vista pelos homens.

Este estupendo milagre produziu alguns resultados, como vemos a seguir.

Primeiro, *Ele calou a boca dos críticos* (9.6,7). Jesus silenciou a objeção capciosa dos escribas. Ninguém pode interpor-se no caminho de Jesus e prevalecer. A voz dos críticos emudece diante do poder de Jesus para perdoar e curar. Jesus cura tanto o espírito quanto a carne. Ele perdoa a alma e cura o corpo.

Segundo, *Ele promoveu a glória de Deus* (9.8). Deus foi glorificado por esse milagre. Quando as obras de Deus são feitas na terra, o nome de Deus é glorificado no céu.

Terceiro, *Ele produziu temor nas multidões* (9.8). Quando os pecadores são perdoados e os enfermos são curados, isso produz temor nos corações.

Quarto, *Ele gerou alegria na família* (9.7). Esse homem, que fora motivo de sofrimento em seu lar, agora volta para sua casa curado, restaurado, perdoado e salvo. Concordo com Charles Spurgeon quando ele escreve: "A restauração de um homem pela graça é mais comemorada em sua própria casa".[7]

---

[7] SPURGEON, Charles H. *O Evangelho segundo Mateus*, p. 149.

23

O **poder** libertador do Evangelho

Mateus 9.9-17

DEPOIS QUE JESUS PERDOA E CURA UM PARALÍTICO, mandando-o de volta para sua casa, Ele convoca um homem rejeitado e odiado em Israel a deixar seu trabalho e segui-Lo. Tanto em Marcos 2.14 quanto em Lucas 5.27, Mateus recebe o nome de Levi, embora este não ocorra em nenhuma das listas dos doze apóstolos (10.3; Mc 3.18; Lc 6.15; At 1.13). Ou Mateus é nome que se deu a Levi, quando se tornou discípulo, ou ambos os nomes pertencem à mesma pessoa, desde o começo.[1]

A passagem em apreço enseja-nos algumas lições, como vemos a seguir.

O evangelho abre as portas da graça **aos rejeitados** (9.9)

Jesus está ainda em Cafarnaum, cidade aduaneira, no caminho de Damasco para o Egito, rota por onde passavam grandes caravanas com suas mercadorias. Ali, Mateus tinha seu posto de coletoria. Ele cobrava impostos sobre os produtos que trafegavam por essa rota comercial, além, outrossim, de cobrar impostos dos barcos que cruzavam o lago para sair do território de Herodes. Os publicanos eram uma classe

---
[1] MOUNCE, Robert H. *Mateus*, p. 92.

odiada em Israel. Trabalhavam para o Império Romano e, no exercício dessa profissão, extorquiam o povo, cobrando mais do que o estipulado. Eram vistos pelos judeus como traidores da pátria. Eram considerados gentios e pagãos por seus compatrícios. Tinham um enorme desfavor público. A. T. Robertson diz que os publicanos eram detestados porque praticavam extorsão.[2]

Robert Mounce ajuda-nos ainda a compreender essa realidade, com as seguintes palavras:

> Nos dias de Jesus os romanos impuseram pesados impostos sobre o povo, para todo tipo de coisas. Além dos três principais impostos (territorial, de renda e per capita), havia impostos sobre todas as mercadorias importadas. Todas as caravanas que utilizavam as principais estradas e todos os navios que aportavam eram taxados. Mateus era membro de um grupo desprezadíssimo de funcionários que cobravam impostos do povo judeu, entregando-os a Herodes Antipas, o tetrarca da Galileia e Pereia. Mateus com certeza instalara seu escritório à beira da grande estrada que ligava Damasco ao mar.[3]

É a esse homem odiado pelo povo que Jesus chama para segui-Lo. É a esse homem colaboracionista do Império Romano que Jesus convoca para ser um apóstolo. É esse homem que amealha riquezas cobrando pesados tributos ao povo que escreve o primeiro evangelho. A graça de Deus é surpreendente: alcança os inalcançáveis. Abre a porta da salvação para os rejeitados. John MacArthur Jr. diz que, segundo o padrão de seus dias, Mateus era o pecador mais vil e mais miserável em Cafarnaum. Sendo um publicano, era uma ferramenta voluntária a serviço do governo de Roma, ocupado com a tarefa odiosa de arrancar de seu próprio povo o dinheiro dos impostos. Mateus era visto como um traidor de Israel. Os publicanos não podiam entrar na sinagoga. Eram considerados animais imundos e tratados como porcos. Não podiam servir de testemunhas em nenhum julgamento, porque

---

[2] ROBERTSON, A. T. *Mateus*, p. 108.
[3] MOUNCE, Robert H. *Mateus*, p. 92.

não eram de confiança. Eram contados como mentirosos, ladrões e assassinos. A tradição rabínica dizia que era impossível a um homem como Mateus arrepender-se.[4]

Jesus não argumenta com Mateus, apenas ordena-lhe segui-Lo. O Senhor tem autoridade e a exerce. Sua voz é poderosa. Sua vontade é soberana.

Mateus não questiona nem adia sua decisão. Atende ao chamado de Jesus imediatamente. Diz o texto: "Ele se levantou e o seguiu". Oh, poder glorioso é o poder de Jesus para transformar homens da pior estirpe em vasos de honra. John Charles Ryle diz, corretamente, que Mateus atendeu prontamente ao chamado de Jesus e em consequência recebeu uma grande recompensa. Ele escreveu um dos evangelhos, um livro que se tornou conhecido em todo o mundo. Tornou-se uma bênção para outras pessoas. Deixou atrás de si um nome que é mais conhecido do que o nome de príncipes e reis. O homem mais rico do mundo ao morrer logo é esquecido. Porém, enquanto durar o mundo, milhões de pessoas conhecerão o nome de Mateus, o publicano.[5]

O evangelho abre as portas da graça
aos que se reconhecem pecadores (9.10-13)

Mateus não se contenta em seguir Jesus. Ele quer apresentar Jesus a seus amigos. Oferece um banquete a Jesus e convida seus amigos para um encontro com o seu Senhor. Sua casa se enche de publicanos e pecadores. Quem é alcançado pela graça não retém esse privilégio apenas para si. Quem foi alcançado é também um enviado. Quem achou pão com fartura anuncia isto a outrem.

Os convidados de Mateus não eram pessoas respeitáveis aos olhos dos fariseus. Eram a escória da sociedade. As pessoas mais desprezadas da comunidade. Não podiam participar da sinagoga nem testemunhar nos tribunais.[6] Os fariseus, como fiscais alheios, não perderam

---

[4]MacArthur, John Jr. *O Evangelho segundo Jesus*. São José dos Campos, SP: Fiel, 1991, p. 71-73.
[5]Ryle, John Charles. *Meditações no Evangelho de Mateus*, p. 60.
[6]Sproul, R. C. *Mateus*, p. 233,234.

a oportunidade de participar também desse encontro. Estão ali para censurar Jesus mais uma vez. Se no caso do paralítico eles acusaram Jesus de blasfemar, colocando-se como Deus, agora o acusam de ter comunhão com pecadores e publicanos, a escória da sociedade (9.11).

Lawrence Richards diz que a literatura rabínica contém diversas listas de profissões desprezadas. Proeminentes entre os banidos sociais estavam os coletores de impostos, ou publicanos, que obtinham o seu direito de cobrar impostos mediante uma oferta de dinheiro e depois extorquiam mais dinheiro do que era devido para enriquecerem.[7] Na cartilha dos fariseus, a graça era apenas para pessoas decentes como eles e jamais para pecadores e publicanos. Jesus, porém, como médico do corpo e da alma, via-se compelido a entrar em estreito contato com os desterrados sociais.[8] Tom Hovestol está correto quando escreve: "O ápice de considerar-me justo é condenar os outros pelos pecados de minha alma".[9]

Jesus responde aos fariseus com ironia, mostrando que não eram os sãos que precisavam de médico, mas sim os doentes. Os sãos eram os fariseus, que viam a si mesmos como não padecendo nenhuma necessidade, embora a verdadeira condição deles fosse bem o contrário. Os doentes eram os marginalizados que reconheciam a necessidade de cura.[10] Jesus ensina, portanto, que só aqueles que se reconhecem doentes procuram um médico. Da mesma forma, só aqueles que se reconhecem pecadores buscam o abrigo de sua graça. Os fariseus se consideravam sãos e justos e, por isso, rejeitavam a graça.

Jesus ainda ensina que a religiosidade pomposa daqueles que se consideram justos não é aceita por Deus. Ao contrário, Deus quer misericórdia, e não holocaustos. A citação é de Oseias 6.6. O ministério de Jesus entre os cerimonialmente inaceitáveis é um ato de misericórdia, algo que agrada mais a Deus do que a atenção cansativa devotada pelos fariseus às ofertas sacrificiais.[11]

---

[7] RICHARDS, Lawrence O. *Comentário histórico-cultural do Novo Testamento*, p. 39.
[8] ROBERTSON, A. T. *Mateus*, p. 109.
[9] HOVESTOL, Tom. *A neurose da religião*, p. 49.
[10] MOUNCE, Robert H. *Mateus*, p. 93.
[11] MOUNCE, Robert H. *Mateus*, p. 93.

John MacArthur Jr. diz que a resposta de Jesus é um poderoso argumento triplo: apela para a experiência (ao comparar os pecadores a enfermos que precisam de um médico); para as Escrituras, fazendo voar pelos ares o orgulho dos fariseus, ao dizer-lhes: *Ide, porém, e aprendei* (9.13); e para sua autoridade pessoal, ao declarar: *Eu não vim chamar justos, e, sim, pecadores ao arrependimento* (9.13; Lc 5.32). É como se Jesus dissesse: "Vocês afirmam que são justos, e recebo isso como uma autoavaliação. Mas, se é este o caso, nada tenho a dizer-lhes, pois vim chamar pecadores ao arrependimento".[12]

Tom Hovestol diz oportunamente que, se entendermos corretamente o ataque que Jesus desferiu à tradição dos fariseus, a forma com que esmagou seu sistema, como Ele destruiu as cercas que eles ergueram, como expôs a insinceridade velada deles, é fácil perceber de que maneira esse grupo passou a desprezá-lo.[13] Na mente desses fariseus legalistas, eles eram justos e bons, enquanto os demais homens eram injustos e maus. Porém, nenhum homem pode ser realmente bom até que saiba quanto é mau ou quanto poderia sê-lo. Nenhum homem é bom até que tenha espremido de sua alma a última gota do óleo dos fariseus.[14]

O evangelho abre as portas da graça para a uma vida de jubilosa celebração (9.14,15)

No parágrafo anterior, a questão era se Jesus deveria estar comendo com marginais; agora a questão é se Ele devia comer.[15] Jesus está sendo questionado agora não mais pelos fariseus, mas pelos discípulos de João. Os discípulos querem saber por que eles jejuam, mas os discípulos de Jesus não o fazem. Ao responder, Jesus reafirma que o jejum é um exercício espiritual legítimo e que chegará o dia em que seus discípulos jejuarão, mas agora, enquanto está com eles, estão como numa festa de

---

[12]MacArthur, John Jr. *O Evangelho segundo Jesus*, p. 74,75.
[13]Hovestol, Tom. *A neurose da religião*, p. 51.
[14]Hovestol, Tom. *A neurose da religião*, p. 52.
[15]Mounce, Robert H. *Mateus*, p. 93.

casamento, e esse não é um tempo para jejuar, mas para celebrar. A vida cristã não é um funeral, mas uma festa. Não é um rosário de tristeza, mas uma celebração de alegria.

Charles Spurgeon, nessa mesma toada, diz que Jesus é o esposo que veio para conquistar e ganhar sua noiva; aqueles que o seguiam eram os convidados, os melhores companheiros do noivo; eles deveriam regozijar-se enquanto o noivo estivesse com eles, pois a tristeza não é adequada para as bodas. Nosso Senhor é a nossa alegria; sua presença é o nosso banquete. Em sua presença, há plenitude de alegria; em sua ausência, há profundidade de miséria.[16]

O evangelho abre as portas da graça para uma vida radicalmente nova (9.16,17)

Robert Mounce diz que as duas ilustrações da vida diária salientam a descontinuidade essencial entre as antigas formas de adoração no judaísmo e o novo espírito da era messiânica. No contexto, o pano novo e o vinho fresco representam o espírito alegre do cristianismo. O vestuário velho e os odres também velhos representam as formas restritivas do antigo culto.[17] Vejamos.

Em primeiro lugar, *a vida cristã não é uma mera reforma, mas uma vida absolutamente nova* (9.16). A vida cristã não é um remendo novo numa estrutura velha. Não é a reforma de uma casa velha nem um verniz de religiosidade numa estrutura podre. O evangelho produz uma mudança radical. A graça é transformadora. Faz do pecador uma nova criatura. Tudo se faz novo. Charles Spurgeon é oportuno quando escreve:

> Jesus não veio para reparar o manto desgastado de Israel, mas para trazer novas vestes [...]. Seus discípulos não deveriam reparar a velha religião do judaísmo, que se tornou desgastada. Eles eram homens novos, que não haviam sido escolhidos pelo espírito da tradição [...]. Jesus não veio para consertar nossa velha religiosidade exterior, mas para fazer

---

[16]SPURGEON, Charles H. *O Evangelho segundo Mateus*, p. 156,157.
[17]MOUNCE, Robert H. *Mateus*, p. 94.

um novo manto de justiça para nós. Todas as tentativas de adicionar o evangelho ao legalismo somente servirão para piorar as coisas.[18]

Em segundo lugar, *a vida cristã não pode ser acondicionada numa estrutura arcaica* (9.17). O farisaísmo com o seu legalismo pesado era como um odre velho, que não podia suportar o vinho novo da mensagem do reino dos céus. O poder do evangelho não pode ser aprisionado em velhas e arcaicas estruturas eclesiásticas. O vinho novo da vida cristã rompe os odres velhos das tradições religiosas. Charles Spurgeon, nessa mesma linha de pensamento, diz que o judaísmo, em sua condição degenerada, era um odre velho que já havia passado de seu prazo de utilidade, e nosso Senhor não deitaria o vinho novo do reino dos céus nele.[19]

Tasker diz que o vinho novo do perdão messiânico não seria conservado nos remendados odres do legalismo judaico.[20] Concordo com Richards quando ele diz que nossas categorias teológicas não devem nunca ter a mesma autoridade que as Escrituras. À medida que cada geração enfrenta novos desafios, precisamos retornar à Palavra de Deus, pedindo ao Espírito Santo que abra nosso coração e nossa mente para compreender a aplicar sua verdade.[21]

Fritz Rienecker diz, com razão, que essa palavra de Jesus tem máxima importância para todos os tempos. Mostra-nos quanto o Senhor ressaltou a importância da forma para o conteúdo. Revela com que clareza o Senhor reconheceu como imprescindível que a forma do cristianismo corresponda à sua natureza interior. Ou seja, não se pode colocar a forma acima da vida nem prender obstinadamente o espírito exuberante pela organização.[22]

---

[18]SPURGEON, Charles H. *O Evangelho segundo Mateus*, p. 157.
[19]SPURGEON, Charles H. *O Evangelho segundo Mateus*, p. 158.
[20]TASKER, R. V. G. *Mateus: introdução e comentário*, p. 78.
[21]RICHARDS, Lawrence O. *Comentário histórico-cultural do Novo Testamento*, p. 40.
[22] RIENECKER, Fritz. *Evangelho de Mateus*, p. 158.

24

O poder de Jesus sobre a enfermidade

Mateus 9.20-22

JESUS ESTAVA A CAMINHO DA CASA DE JAIRO, para atender à sua urgente necessidade, quando esta mulher hemorrágica toca, com fé, na orla de suas vestes e fica imediatamente curada. O milagre não se restringiu ao alívio imediato do sofrimento físico, mas abrangeu uma bênção maior, a salvação de sua vida.

Este episódio foi registrado também por Marcos e Lucas. Tanto Marcos quanto Lucas informam que a mulher sofria havia 12 anos e que despendera todos os seus bens com os médicos sem lograr nenhum êxito no tratamento. De igual modo, tanto Marcos como Lucas registram que Jesus interpele os transeuntes acerca do toque, pois sentira que dele saíra poder. Ainda Marcos e Lucas declaram que a mulher se prostrou aos pés de Jesus, reconhecendo sua cura. Mateus faz o registro mais sucinto desse ocorrido. Destacamos a seguir algumas lições oportunas.

Um **sofrimento** prolongado (9.20a)

Mateus registra: *E eis que uma mulher, que durante doze anos vinha padecendo de uma hemorragia...* Essa mulher é incógnita. Seu nome não é mencionado. O destaque é ao seu sofrimento. A hemorragia crônica não apenas a deixara anêmica, mas também impura. Essa mulher não podia casar-se, se fosse solteira, e não podia relacionar-se com o marido, se fosse casada. Não podia frequentar a sinagoga nem se relacionar com outras pessoas.

Além de amargar sofrimento tão atroz, vê seus recursos financeiros desidratando sem nenhum sinal de melhora. Assim como o sangue escoa de seu corpo, seus bens escoam na busca de uma cura que não vem. Seu estado se agrava à medida que os anos avançam.

Um toque de fé (9.20b,21)

Mateus prossegue: ... *veio por trás dEle e lhe tocou na orla da veste; porque dizia consigo mesma: Se eu apenas lhe tocar a veste, ficarei curada*. Essa mulher esconde-se no meio da multidão que segue a Jesus. Ele está na companhia de Jairo e de seus discípulos. Jesus está indo atender a uma causa urgente. A filha única do chefe da sinagoga está morta, e Jesus está a caminho para levantá-la da morte.

A mulher ouve acerca de Jesus. Não tentou agendar um encontro com Ele. Nem sequer o interrompeu para pedir ajuda. Ela confia que, se apenas tocar na orla de sua veste, ficará curada.[1] Na mesma medida em que sua vida se debilitava por causa da hemorragia, sua fé se fortalecia. Ela tinha plena convicção de que bastava um toque. Mesmo que fosse sutil, anônimo, sem holofotes. Concordo, entretanto, com as palavras de Tasker: "Foi a presença e o poder de Jesus (Mc 5.30), não a fé da mulher, que efetuaram a cura. A fé desempenha o papel vital de liberar a atividade divina".[2]

Uma graça maravilhosa (9.22a)

O texto é enfático: *E Jesus, voltando-se e vendo-a, disse: Tem bom ânimo, filha, a tua fé te salvou...* . Mateus não registra a pergunta de Jesus: Quem me tocou? Vai direto ao ponto e registra as palavras de encorajamento àquela mulher. Essa mulher experimenta três curas antes de receber a cura física: a cura emocional, existencial e espiritual. Vejamos.

---

[1] SPROUL, R. C. *Mateus*, p. 244.
[2] TASKER, R. V. G. *Mateus: introdução e comentário*, p. 80

Em primeiro lugar, *a cura emocional*. Jesus ordena a essa mulher ter bom ânimo. Ela já estava desanimada com a medicina. Os recursos dos homens não puderam lhe ajudar. Mas, agora, Jesus ordena que ela tenha bom ânimo. Jesus cura suas emoções amassadas pelos dramas da vida.

Em segundo lugar, *a cura existencial*. Jesus chama-a de filha. Essa mulher carregava muitos complexos. Era descartada. Não podia desfrutar da vida pública. Sentia-se sem valor, sem dignidade, sem prestígio. Sabendo das aflições de sua alma, Jesus restabelece em seu coração a dignidade da vida e chama-a de filha.

Em terceiro lugar, *a cura espiritual*. Jesus diz a ela: *A tua fé te salvou*. Essa mulher tinha uma doença mais devastadora que a hemorragia. Estava perdida. Seus pecados arruinavam sua alma. Ela recebe de Jesus perdão, antes de receber dEle a cura.

Uma **cura** imediata (9.22b)

Mateus conclui o relato assim: ... *e, desde aquele instante, a mulher ficou sã*. O último estágio de sua cura foi a cura física. A hemorragia foi estancada. O mal foi debelado. A doença foi vencida. O poder de Jesus prevaleceu. A cura foi completa, imediata e eficaz.

25

O poder de Jesus sobre a morte

Mateus 9.18,19,23-26

ESTE É O SEGUNDO MILAGRE de ressurreição operado por Jesus e registrado nos evangelhos. Depois de curar uma mulher que sofria de uma hemorragia crônica havia 12 anos, ressuscita a filha de Jairo, de 12 anos. Jesus demonstra poder sobre a enfermidade e também sobre a morte.

Este episódio está registrado nos três evangelhos sinóticos. Mateus faz o mais breve dos registros. Diferentemente de Marcos e Lucas, Mateus começa seu registro dizendo que a menina já estava morta quando Jairo se aproxima de Jesus. Mateus não registra as palavras de Jesus a Jairo, apenas destaca a caminhada de Jesus com Jairo até sua casa para ressuscitar sua filha. Semelhantemente, Mateus não faz nenhuma menção das palavras de Jesus endereçadas à menina morta; apenas diz que Jesus a tomou pela mão, e ela se levantou. Ainda, Mateus não menciona a ordem de Jesus à família para alimentar a menina; apenas destaca que esse acontecimento correu por toda aquela terra.

Destacamos a seguir algumas lições oportunas.

O sofrimento **nos leva aos pés de Jesus** (9.18a)

Mateus escreve: *Enquanto estas coisas lhes dizia, eis que um chefe, aproximando-se, O adorou e disse: Minha filha faleceu agora mesmo...* (9.18). Esse chefe é chamado por Marcos e Lucas de Jairo. Era chefe da sinagoga de

Cafarnaum. Homem de reconhecida reputação e destacado testemunho na sociedade. Homem de vida ilibada e respeitado pelo povo. A doença chegou à sua casa, e a morte arrancou de seus braços sua filha única, de apenas 12 anos. Essa tempestade de dor levou Jairo até Jesus. Seu sofrimento atroz fê-lo curvar-se aos pés do Salvador para adorá-Lo. Mais pessoas foram a Cristo na dor do que na alegria. Quando a angústia visita nossa casa, prostramo-nos aos pés de Jesus.

A fé não vê impossibilidades (9.18b)

Jairo continuou: ... *mas vem, impõe a mão sobre ela, e viverá* (9.18). A fé ri das impossibilidades. A fé vê o invisível e apropria-se do impossível. O último milagre de ressurreição ocorrera no ministério de Eliseu, há mais de 700 anos. Mas, agora, um grande profeta fora levantado. Jairo ouvira falar de como Jesus ressuscitara o filho único da viúva de Naim. A fé acende em sua alma a chama da esperança, e ele crê que nem mesmo a morte de sua filha poderia limitar o poder de Jesus.

Jesus sempre caminha conosco
em nossas aflições (9.19)

Mateus registra: *E Jesus, levantando-se, o seguia, e também os seus discípulos* (9.19). Jesus nunca mandou embora aqueles que foram a Ele com o coração quebrantado. Ele caminha conosco em nossa dor. Ele não nos despreza nem nos desampara no dia da nossa aflição. Quando Jesus caminha conosco, não precisamos ter medo de más notícias. Quando Ele vai conosco, a morte nunca tem a última palavra.

O solo da ressurreição prevalece
sobre o coral da morte (9.23,24)

O vozerio dos tocadores de flauta e o alvoroço do povo na casa de Jairo anunciavam o drama da morte de uma menina, que era a alegria de seus pais e ao mesmo tempo a garantia de seu futuro. Naquela casa enlutada, o coral da morte erguia seu lamento fúnebre. Lamentos extravagantes e gritos frenéticos se faziam ouvir. É diante desse coral da morte que Jesus faz o solo da ressurreição. Mateus assim registra: *Tendo Jesus chegado à casa do chefe e vendo os tocadores de flauta e o povo em alvoroço, disse: Retirai-vos, porque não está morta a menina, mas dorme. E riam-se dEle*. Aqueles que estão desprovidos de fé escancararam a boca para o riso da zombaria, em vez de erguerem um cântico de vitória por causa da poderosa presença de Jesus, diante de quem a morte não pode erguer sua fronte altiva. Os incrédulos são retirados da casa antes de o milagre acontecer. Aos que não creem não lhes é permitido ver o milagre!

Quando Jesus está conosco, **a morte não tem a última palavra** (9.25)

Jesus já havia demonstrado seu poder sobre o mar, os ventos, os demônios, a enfermidade e, agora, demonstra seu poder sobre a morte. Mateus escreve: *Mas, afastado o povo, entrou Jesus, tomou a menina pela mão, e ela se levantou*. Antes de Jesus entrar, ele afasta o povo incrédulo. Ao entrar, toma a menina pela mão, e ela se levanta da morte para a vida. O impossível aconteceu. A dor do luto foi estancada. A morte foi vencida. A alegria voltou àquela casa. O solo da ressurreição prevaleceu sobre o coral da morte. Fritz Rienecker registra esse milagre da seguinte maneira: "Com majestade régia, Jesus ordena à morte que devolva a sua presa. Nenhum sussurro, nenhuma fórmula, nem mesmo uma oração, mas somente: 'Eu te digo'. Assim como Ele ordena aos demônios, também dá ordens à morte, e ela obedece. Chama o "espírito", e ele retorna".[1]

O poder de Jesus torna-se notório (9.26)

O poder de Jesus sobre a morte tornou-se tão notório que esse acontecimento correu por toda aquela terra. Esses sinais confirmavam a messianidade de Cristo. Suas palavras eram irresistíveis, e suas obras, irrefutáveis.

---

[1] RIENECKER, Fritz. *Evangelho de Mateus*, p. 161.

26

O poder extraordinário da fé

Mateus 9.27-31

JESUS ACABARA DE PARTIR DA CASA DE JAIRO, quando dois cegos O seguiram até sua casa. Eles clamavam sem cessar, rogando compaixão ao Filho de Deus. Jesus pergunta se eles tinham fé para crer que Ele era poderoso para realizar o milagre. Eles sem detença afirmam que sim. Então, Jesus atende-lhes o pedido, e seus olhos são abertos. Não obstante Jesus lhes tivesse alertado para não contar a ninguém esse prodígio, eles saíram a divulgar esse grande milagre e a fama de Jesus continuou espalhando-se por toda aquela terra.

Esse episódio enseja algumas lições, que vemos a seguir.

O clamor daqueles que têm fé (9.27)

Os dois cegos seguem Jesus, clamando por misericórdia. A cegueira não é uma doença dos olhos, mas a morte dos olhos. Assim como Jesus ressuscitara a filha de Jairo, eles rogam a Jesus para ressuscitar seus olhos. Estão mergulhados na escuridão. A não ser que Jesus opere neles o milagre, fecharão as cortinas da vida imersos em densas trevas. Eles nada exigem, apenas suplicam. Eles não pedem justiça, apenas compaixão. Eles reconhecem que Jesus é o Messias prometido, o Filho de Davi. Quando esses dois cegos chamam Jesus de "Filho de Davi", isso era muito mais do que reconhecer sua linhagem. Esse é um título messiânico. Sproul tem razão ao dizer que o reinado de Davi teve um fim. A idade de ouro transformou-se em bronze no reinado de Salomão, seu filho; e, após o reinado de Salomão, o reino se transformou em ferrugem ao ser dividido em dois. O registro dos reis de Israel e Judá é uma história de perversidade presente na vida e cultura do Antigo Testamento até ambos os reinos serem conquistados.[1]

A confiança inabalável da fé (9.28)

Ao entrar em sua casa e vendo que os cegos ainda clamavam por sua compaixão, Jesus lhes pergunta: *Credes que eu posso fazer isso? Responderam-Lhe: "Sim, Senhor"*. A fé vê o invisível, ouve o inaudível e toma posse do impossível. A fé não se concentra nas limitações intransponíveis dos homens, mas na onipotência absoluta de Jesus. A fé não é sugestionamento emocional. Seu objeto é o próprio Deus. Não se fundamenta em misticismo. Não é crendice. Não é fanatismo. A fé tem um alicerce sólido. A. T. Robertson diz que os homens tinham fé e Jesus lhes recompensa a fé.[2]

Devemos nos aproximar de Jesus com plena certeza de fé. Ele pode o impossível. Para Ele, não há doença incurável nem vida irrecuperável. Ele pode tudo quanto quer. Para Ele, não há impossíveis. Sua compaixão é sem limites, e Seu poder é incomensurável.

A confirmação do poder da fé (9.29)

Mateus registra: *Então, lhes tocou os olhos, dizendo: Faça-se-vos conforme a vossa fé*. A fé move as mãos de Jesus, e Jesus não apenas ressuscita os olhos desses cegos, mas lhes toca com ternura. A fé honra a Cristo, e Cristo honra a fé. Os cegos receberam a visão de Cristo, mas conforme a sua fé. Porque creram, eles viram. Porque confiaram, eles saíram da escuridão para a luz.

---

[1] SPROUL, R. C. *Mateus*, p. 250.
[2] ROBERTSON, A. T. *Comentário de Mateus*, p. 111.

A vitória retumbante da fé (9.30,31)

O texto informa: *Abriram-se-lhes os olhos*. O milagre aconteceu. As células mortas ganharam vida. A parte morta do corpo voltou a viver. A fé que clama também confia, e a fé que confia recebe o milagre. A cura foi instantânea e completa. A luz voltou aos olhos daqueles dois cegos e, mesmo sob severa advertência para não fazerem propaganda do milagre, os homens não calaram a sua voz. Jesus advertiu-os para terem cautela porque não queria atrair oposição das autoridades judaicas precocemente nem queria que o povo O visse apenas como um operador de milagres.

Após a ressurreição da filha de Jairo, a fama do milagre correu por toda aquela terra (9.26). Agora, depois da cura dos dois cegos, a fama de Jesus se espalhou mais uma vez por toda aquela terra (9.31). Os gloriosos feitos de Jesus, como ondas gigantescas, vão crescendo e se espalhando por toda a Galileia.

27

Admiração
e blasfêmia

Mateus 9.32-34

LOGO QUE OS DOIS HOMENS CURADOS saíram da casa de Jesus, trouxeram-lhe um mudo endemoninhado. Jesus expulsou o demônio do homem e ele passou a falar. Enquanto as multidões admiradas diziam nunca ter visto tal coisa em Israel, os fariseus murmuravam e blasfemavam, dizendo que Jesus expelia os demônios pelo maioral dos demônios. Esse episódio enseja-nos algumas lições.

O poder dos demônios é real (9.32)
A mudez desse homem levado a Jesus não tinha uma causa física, mas espiritual. O que estava nele não era uma enfermidade, mas um demônio. Nenhum remédio podia aliviar-lhe o sofrimento. Os demônios não são mitos. Não são seres lendários. São seres espirituais malignos. Atormentam os homens com sofrimento físico, emocional e espiritual. Esse homem tem língua, mas sua língua está impedida. Ele vive no cativeiro do silêncio. Jesus não lida com os sintomas, mas com a fonte da doença. A mudez era o sintoma, mas a causa era um demônio. O demônio havia silenciado o homem e, assim, quando o demônio foi expulso, o mal se foi; e, quando o mal se foi, o mudo falou.

O poder de Jesus é absoluto (9.33a)

Se o poder dos demônios é real, o poder de Jesus é absoluto. Os demônios estão debaixo de sua autoridade. Não podem resistir ao seu poder. Eles saem se Jesus mandá-los embora e ficam se Jesus o permitir. Tão logo Jesus expeliu o demônio, o homem passou a falar. Sua língua foi destravada.

A admiração da multidão é genuína (9.33b)

Esse extraordinário milagre produziu grande admiração nas multidões. Elas não puderam se conter, mas exclamaram: *Jamais se viu tal coisa em Israel*. Afirmam, portanto, a singularidade de Jesus. Ele não é um entre tantos homens revestidos de poder. Ele é o Todo-poderoso Deus. Até mesmo as chaves da morte e do inferno estão em suas mãos (Ap 1.18).

A blasfêmia dos fariseus é condenável (9.34)

Movidos por inveja, os fariseus, vendo as multidões deixar suas fileiras para seguir Jesus e receber dEle tão magníficos milagres, não podendo negar seus gloriosos feitos, atribuíram esses feitos ao poder do maioral dos demônios. A. T. Robertson tem razão ao dizer que os fariseus, incapazes de negar a realidade dos milagres, procuram desacreditá-los tentando relacionar Jesus com o próprio diabo, o príncipe dos demônios.[1] Nessa mesma linha de pensamento, Fritz Rienecker diz que, como não podem negar *os fatos* de suas curas, os fariseus precisam difamar *a causa* desses eventos poderosos como sendo inspirados pelo diabo.[2] Charles Spurgeon aponta que os fariseus sugeriram que tal poder sobre os demônios se dava em virtude de um pacto profano de Jesus com o príncipe dos demônios.[3] Aqui os fariseus cruzaram a linha demarcatória. Aqui caíram no abismo da apostasia plena e irremediável. Aqui blasfemaram contra o Espírito Santo, o pecado sem perdão, pois atribuíram a satanás o milagre realizado por Jesus pelo poder do Espírito Santo.

---

[1] ROBERTSON, A. T. *Comentário de Mateus*, p. 112.
[2] RIENECKER, Fritz. *Evangelho de Mateus*, p. 164.
[3] SPURGEON, Charles H. *O Evangelho segundo Mateus*, p. 173.

28

Os fundamentos da missão

Mateus 9.35-38

O TEXTO EM APREÇO TRATA DO MINISTÉRIO ITINERANTE de Jesus e oferece as ênfases de seu ministério: ensino, pregação e curas. Vamos examinar o texto:

O exemplo de Jesus (9.35)

Antes de Jesus enviar os discípulos, dando-lhes claras instruções, Ele lhes deu seu exemplo. O exemplo não é uma forma de ensinar, mas a única maneira eficaz de fazê-lo. O ministério de Jesus foi dividido em três atividades fundamentais: ensino, pregação e cura. Essas atividades nos revelam que o Cristo que *fala* é o mesmo Cristo que *trabalha*. Ou seja, a atuação de Jesus se dá com palavras e atos, com cuidado pela alma e cuidado pelo corpo.[1] Vejamos essas três atividades com mais detalhes a seguir.

Em primeiro lugar, *o ministério do ensino* (9.35). Jesus não era um mestre comum, mas o Mestre dos mestres. Não era um alfaiate do efêmero, mas o escultor do eterno. Ensinou não banalidades, mas a verdade. Ensinou não como os escribas e fariseus, mas com autoridade.

---

[1] RIENECKER, Fritz. *Evangelho de Mateus*, p. 166.

Não ensinou dentro de uma sala de aula, mas percorreu todas as cidades e povoados. Só na Galileia havia 204 cidades com mais de 15 mil habitantes. Seu ensino ultrapassou as fronteiras de uma sala. Foi para a rua, para as vielas, para as vilas, para os campos. Onde estava o povo, lá estava Jesus ensinando. Aos sábados, Ele ia às sinagogas para abrir o sagrado livro e ensinar o povo.

Em segundo lugar, *o ministério da pregação* (9.35). Em vez de Jesus gastar tempo com Seus críticos, Ele percorria todas as cidades e aldeias, ensinando, pregando e curando. Charles Spurgeon diz que esta foi a sua resposta às calúnias e blasfêmias dos fariseus. Em vez de perder o foco com os homens maus, Jesus demonstrou maior zelo em fazer o bem.[2] Jesus não pregava as doutrinas correntes dos rabinos nem uma mensagem de ataque ao sistema político vigente. Pregava o evangelho do reino, as boas-novas de salvação. A palavra grega *kerusso*, traduzida aqui por "pregando", traz a ideia do arauto. O arauto é aquele que traz uma mensagem do rei. Jesus foi enviado pelo Pai para pregar (Mc 1.38).

Em terceiro lugar, *o ministério de cura* (9.35). Jesus curou não apenas algumas doenças, mas toda sorte de doenças e enfermidades. Ele tratou do corpo e da alma. Terapeutizou o corpo e lancetou os abcessos da alma. Por intermédio de suas mãos, os cegos viram, os surdos ouviram, os mudos falaram, os aleijados andaram, os leprosos foram purificados, os endemoninhados foram libertos e os aflitos foram consolados. Nas palavras de William Barclay, "Jesus transformou as palavras da verdade cristã em ações de amor cristão".[3]

A compaixão de Jesus (9.36)

Jesus viu o povo num tempo em que os líderes espirituais de Israel eram incapazes de ver o povo. Ele viu o povo e tinha compaixão dele. A palavra grega *splagchnizomai*, traduzida por "compaixão", é a palavra mais forte na língua grega para expressar a compaixão a outro ser humano.

---

[2]Spurgeon, Charles H. *O Evangelho segundo Mateus*, p. 173.
[3]Barclay, William. *Mateo I*, p. 371.

Deriva-se do substantivo *splagchna*, que significa "entranhas".[4] Não há missão sem compaixão. Não há ministério eficaz sem misericórdia. Jesus amava pessoas. Ele gostava de gente. Importava-Se com elas. Era capaz de diagnosticar as angústias, as aflições e a exaustão das multidões. Via essas multidões como ovelhas sem pastor, frágeis, indefesas, inquietas, sem proteção, sem provisão.

Precisamos sentir compaixão pelas pessoas. Muitos obreiros fraudulentos olham as multidões apenas para explorá-las. Veem as ovelhas apenas como fonte de lucro. Arrancam sua lã e comem sua carne em vez de apascentá-las.

A constatação de Jesus
A carência de obreiros (9.37)

Jesus alerta seus discípulos acerca da vastidão da seara e do pequeno número de obreiros. Há escassez e deficiência de trabalhadores. O trigo maduro está pronto para a colheita; as multidões estavam prontas para serem ensinadas, mas havia poucos capazes de instruí-las. A demanda é maior do que a oferta. Nosso campo é o mundo. Precisamos ir até os confins da terra, pregando o evangelho a toda criatura, fazendo discípulos de todas as nações. Os fariseus olhavam as multidões sem nenhuma compaixão, como palha que devia ser queimada no fogo; Jesus, porém, via as multidões como uma linda seara a ser colhida e entesourada. Para que a ceifa seja realizada, é necessário mais ceifeiros. Cada salvo deveria ser um ceifeiro. Há uns que vão, há outros que ficam, mas todos devem trabalhar na seara.

Depois de 2 mil anos de Jesus ter vindo ao mundo, ter morrido pelos nossos pecados e ter ressuscitado para a nossa justificação, ainda há milhares de etnias não alcançadas. Muitos povos ainda não têm sequer um versículo da Bíblia traduzido para seu idioma. A carência é imensa. O tempo urge. Se falharmos em ganhar essa geração, teremos fracassado rotundamente. A ignorância não é um caminho para Deus. As falsas religiões prosperam. A igreja não pode se acovardar.

---

[4] BARCLAY, William. *Mateo I*, p. 372.

O mandamento de Jesus (9.38)

Antes de Jesus enviar Seus discípulos a pregar, ordena que eles orem e orem para que o Senhor da seara mande mais trabalhadores para a Sua seara. Não podemos cumprir essa missão sozinhos. Precisamos de mais trabalhadores.

Não somos nós quem despertamos vocações. É Deus quem chama. É Deus quem manda trabalhadores. Somente Deus pode mandar ceifeiros. Charles Spurgeon diz que ministros feitos pelo homem são inúteis.[5] Nós precisamos orar para que aqueles que estão fazendo investimentos apenas para esta vida possam erguer os olhos e ver os campos brancos para a ceifa. A obra missionária se faz com os joelhos que oram, com os pés que vão e com as mãos que ofertam. A. T. Robertson diz que a oração é o remédio oferecido por Jesus para essa crise da falta de obreiros.[6] John Charles Ryle é oportuno quando diz que pela oração alcançamos aquele sem o qual o trabalho e o dinheiro disponível são em vão. Mediante a oração, obtemos a ajuda do Espírito Santo. O dinheiro pode financiar. As universidades podem conferir erudição. As congregações podem eleger obreiros, e as autoridades eclesiásticas podem ordená-los. Porém, somente o Espírito Santo pode fazer os verdadeiros ministros do evangelho ou levantar obreiros leigos para a seara espiritual, obreiros que não têm de que se envergonhar.[7]

---

[5] SPURGEON, Charles H. *O Evangelho segundo Mateus*, p. 176.
[6] ROBERTSON, A. T. *Comentário de Mateus*, p. 112.
[7] RYLE, John Charles. *Meditações no Evangelho de Mateus*, p. 65.

29

A **escolha** dos
apóstolos

Mateus 10.1-4

A PRIMEIRA COLEÇÃO DE DISCURSOS DE JESUS FOI O SERMÃO DO MONTE (Mt 57), onde Ele falou do caráter dos súditos do reino e da espiritualidade do reino. Agora, no segundo discurso (Mt 10), Jesus dá instruções aos discípulos em como pregar o evangelho do reino. Warren Wiersbe diz que, antes de Jesus enviar Seus embaixadores para ministrar, pregou um "sermão de ordenação" para encorajá-los e prepará-los.[1]

Uma escolha soberana (10.1a)

Mateus é o mais sucinto dos três evangelhos sinóticos no registro desse importante episódio. Marcos diz que Jesus subiu ao monte e chamou os que Ele mesmo quis, e esses vieram para junto dEle (Mc 3.13). Lucas diz que Jesus Se retirou para o monte, a fim de orar, e passou a noite orando a Deus. E, quando amanheceu, chamou a Si os Seus discípulos (Lc 6.12). Mateus não menciona o tempo de oração que precedeu a escolha nem mesmo enfatiza o fato de Jesus ter escolhido soberanamente os que Ele mesmo quis. Fica, porém, implícito que, ao escolher

---

[1] WIERSBE, Warren W. *Comentário bíblico expositivo*, p. 45.

Seus doze discípulos (10.1), também chamados de apóstolos (10.2), Jesus foi absolutamente soberano nessa escolha. Nenhuma indicação humana nem pressão externa induziu Jesus a escolher este ou aquele. Ele faz todas as coisas conforme o conselho de sua vontade.

R. C. Sproul diz que há enorme diferença entre discípulo e apóstolo. Por definição, apóstolo é alguém enviado por um indivíduo poderoso que recebe dele autoridade. Como consequência, a pessoa enviada carrega a mesma autoridade de quem a enviou, e as ordens dela devem ser obedecidas como se viessem do próprio emissor.[2] Quando Jesus chamou os discípulos, delegou a eles a autoridade que havia recebido de Deus. Jesus deu aos apóstolos poder (*exousia*) sobre os demônios e doenças. Expulsar demônios ou curar doenças exige um poder que, por natureza, os homens não têm. Trata-se de um poder sobrenatural. Jesus outorgou esse poder aos doze para que eles fossem capazes de realizar essas obras poderosas.[3]

Uma autoridade concedida (10.1b)

Marcos registra que Jesus designou doze para estarem com Ele, pregarem e exercerem autoridade de expelir demônios (Mc 3.14,15). Lucas só faz menção da escolha dos discípulos e relata o nome deles, mas não cita nenhuma autoridade a eles conferida para pregar ou expulsar demônios (Lc 6.12,13). Mateus, por sua vez, não menciona o fato de Jesus ter designado os apóstolos para estarem com Ele nem menciona o fato de Jesus tê-los enviado a pregar, mas aponta que Jesus deu a eles a autoridade sobre espíritos imundos para os expelir e para curar toda sorte de doenças e enfermidades (10.1). É óbvio que essa tríplice autoridade foi dada aos apóstolos: pregar, libertar e curar. Vamos discorrer um pouco mais sobre esse importante tema a seguir.

Em primeiro lugar, ***autoridade para pregar***. Embora a aflição física fosse imensa, a aflição espiritual era maior ainda. Daí a pregação ser a maior responsabilidade da igreja e a maior necessidade do mundo.

---

[2] SPROUL, R. C. *Mateus*, p. 261.
[3] SPROUL, R. C. *Mateus*, p. 262.

Em segundo lugar, **autoridade para libertar**. O homem sem Cristo é um prisioneiro. Prisioneiro dos demônios, de suas paixões e do sistema do mundo. O homem responde à pregação com arrependimento e fé, mas o homem precisa, também, ser liberto das forças espirituais que o oprimem.

Em terceiro lugar, **autoridade para curar**. O pecado produziu no homem doenças e enfermidades. No bojo da missão de Jesus, está também a cura dos males físicos. Os apóstolos receberam autoridade para curar toda sorte de doenças e enfermidades. A igreja tem uma missão terapêutica no mundo. O evangelho produz efeitos não só na alma, mas também no corpo (Tg 5.13-16). Como fica claro, os apóstolos receberam poderes especiais e a autoridade de Cristo para realizar milagres. Tais milagres faziam parte de suas "credenciais" (At 2.43; 5.12; 2Co 12.12; Hb 2.1-4). Eles curaram enfermos, purificaram leprosos, expulsaram demônios e ressuscitaram mortos. Esses quatro ministérios são paralelos aos milagres realizados por Jesus em Mateus 8 e 9. Era preciso possuir algumas qualificações para ser um apóstolo, como ter visto o Cristo ressurreto (1Co 9.1), ter tido comunhão com Ele (At 1.21,22) e ter sido escolhido por Ele (Ef 4.11). Os apóstolos lançaram os alicerces da igreja (Ef 2.20). De acordo com Apocalipse 21.14, os nomes dos doze apóstolos estão inscritos nos alicerces das muralhas da nova Jerusalém. Seguindo esses critérios, nenhum cristão nos dias de hoje pode ser considerado apóstolo.[4]

Um grupo heterogêneo (10.2-4)

Esta é a primeira menção dos doze apóstolos em Mateus. Os doze apóstolos representam o novo Israel: as doze tribos de Israel encontram sua contrapartida nos doze discípulos. Eles são chamados aqui de apóstolos (10.2); aliás, esta é a única vez que a palavra aparece em Mateus.[5] Esses poucos a quem Jesus confiou sua missão e aos quais concedeu sua autoridade viraram o mundo de cabeça para baixo (At 17.6).

---

[4]WIERSBE, Warren W. *Comentário bíblico expositivo*, p. 45,46.
[5]MOUNCE, Robert H. *Mateus*, p. 99.

As três listas dos apóstolos registradas pelos evangelhos sinóticos possuem ligeira diferença. Marcos coloca o nome de André, irmão de Pedro, depois dos filhos de Zebedeu. Lucas coloca o nome de Mateus antes do nome de Tomé e substitui o nome Tadeu por Judas, filho de Tiago. Tasker é da opinião de que Judas deveria o ser o seu nome original, mas, depois, devido ao estigma ligado ao nome de Judas Iscariotes, foi substituído por Tadeu, que significa "ardoroso".[6] Mateus coloca o nome dos doze em pares e é o único evangelista que traz a informação de que Mateus era publicano.[7] Fritz Rienecker enfatiza que, nas quatro listas do Novo Testamento, essas doze pessoas estão distribuídas em três grupos de quatro integrantes cada, sem que aconteça troca de um apóstolo de um grupo para outro. Disso parece resultar que o colegiado de apóstolos era formado por três círculos concêntricos, cujo relacionamento com Jesus se dava em graus decrescentes de intimidade.[8]

O grupo escolhido por Jesus era assaz heterogêneo. Havia homens da extrema direita como Mateus, que trabalhava a favor do Império Romano como cobrador de impostos, e Simão, o Zelote, que defendia a luta armada contra o regime dos imperialistas. Esses homens eram galileus, exceto Judas Iscariotes, e também iletrados. Quatro deles eram pescadores. Dois deles, Tiago, filho de Alfeu, e Tadeu não são mencionados em nenhum outro lugar da Bíblia. Passaram incógnitos. Vamos detalhar a seguir um pouco mais sobre a vida de cada um deles.

Em primeiro lugar, **Simão Pedro**. Pedro, chamado Simão, era um pescador por profissão. nascido em Betsaida (Jo 1.44), morava em Cafarnaum (8.5,14). Era um homem que falava sem pensar. Era inconstante, contraditório e temperamental. No início, não era um bom modelo de firmeza e equilíbrio. Ao contrário, estava constantemente mudando de um extremo para outro.

Pedro mudou da confiança para a dúvida (14.28,30); de uma profissão de fé clara em Jesus Cristo para a negação deste mesmo Cristo (16.16,22); de uma declaração veemente de lealdade para uma negação

---

[6]TASKER, R. V. G. *Mateus: introdução e comentário*, p. 85.
[7]TASKER, R. V. G. *Mateus: introdução e comentário*, p. 85.
[8]RIENECKER, Fritz. *Evangelho de Mateus*, p. 170.

vexatória (26.33-35,69-75; Mc 14.29-31,66-72; Lc 22.33,54-62); de *nunca me lavarás os pés* para *não somente os pés, mas também as mãos e a cabeça* (Jo 13.8,9). Ele vivia sempre nos limites extremos, ora fazendo grandes declarações: *Tu és o Cristo, o Filho do Deus vivo*; ora repreendendo a Cristo. Pedro fazia promessas ousadas sem poder cumpri-las: *Por ti darei minha vida*, e logo depois negava a Cristo. Pedro é o homem que fala sem pensar, que repreende a Cristo, que dorme na batalha, que foge e segue Jesus de longe, que nega a Cristo. No entanto, Jesus chama as pessoas não por aquilo que elas são, mas por aquilo que elas virão a ser em suas mãos. Depois que Pedro foi restaurado, tornou-se um homem de oração, um homem ousado que não temia prisões nem açoites. Ao pregar, os corações se derretiam. Ao orar pelos enfermos, eles eram curados.

Em segundo lugar, **Tiago e João**. Eles eram explosivos, temperamentais, filhos do trovão. Um dia, pediram que Jesus mandasse fogo do céu para consumir os samaritanos (Lc 9.54). Eles eram também gananciosos e amantes do poder. A mãe deles pediu a Jesus um lugar especial para eles no reino (20.20,21). Tiago foi o primeiro a receber a coroa do martírio (At 12.2). Enquanto ele foi o primeiro a chegar ao céu, seu irmão, João, foi o último a permanecer na terra. Enquanto Tiago não escreveu nenhum livro da Bíblia, João escreveu cinco livros: o evangelho, três epístolas e o Apocalipse.

Em terceiro lugar, **André, irmão de Pedro**. Era um homem que sempre trabalhava nos bastidores. Foi ele quem levou o irmão Pedro a Cristo (Jo 1.40-42). Foi ele quem levou o garoto com um lanche a Jesus (Jo 6.8,9).

Em quarto lugar, **Filipe de Betsaida**. Filipe era de Betsaida, cidade de André e Pedro (Jo 1.44). Foi ele quem encontrou Natanael e o convidou para ver a Jesus (Jo 1.45,46). Era um homem cético, racional. Quando Jesus perguntou: *Onde compraremos pães para lhes dar a comer?* (Jo 6.5), ele respondeu: *Não lhes bastariam duzentos denários de pão, para receber cada um o seu pedaço* (Jo 6.7). Jesus disse: o problema não é ONDE? Mas QUANTO? Quando Jesus estava ministrando a aula da saudade, no Cenáculo, no último dia, Filipe levantou a mão no fundo da classe e perguntou: *Senhor, mostra-nos o Pai, e isso nos basta* (Jo 14.8).

Em quinto lugar, **Bartolomeu**. Bartolomeu é o mesmo Natanael que Filipe levou a Cristo.[9] Era um homem preconceituoso. Foi ele quem perguntou: *De Nazaré pode sair alguma coisa boa?* (Jo 1.46).

Em sexto lugar, **Mateus**. Era empregado do Império Romano, um coletor de impostos (9.9). Era publicano, uma classe repudiada pelos judeus (10.3). Tornou-se o escritor do evangelho mais conhecido no mundo.

Em sétimo lugar, **Tomé**. Era um homem de coração fechado para crer. Quando Jesus disse: ... *e vós sabeis o caminho para onde Eu vou* (Jo 14.4), Tomé respondeu: *Eu não sei para onde vais, como saber o caminho?* (Jo 14.5). Tomé não creu na ressurreição de Cristo e disse: *Se eu não vir nas suas mãos o sinal dos cravos, e ali não puser o meu dedo, e não puser minha mão no seu lado, de modo algum acreditarei* (Jo 20.25). Contudo, quando o Senhor ressurreto apareceu para ele, prostrou-se-lhe aos pés em profunda devoção e disse: *Senhor meu e Deus meu!* (Jo 20.28).

Em oitavo lugar, **Tiago, filho de Alfeu, e Tadeu**. Nada sabemos desses dois apóstolos. Eles faziam parte do grupo. Pregaram, expulsaram demônios, mas nada sabemos mais sobre eles. Eles não se destacaram.

Em nono lugar, **Simão, o zelote**. Ele era membro de uma seita do judaísmo extremamente nacionalista.[10] Os zelotes eram aqueles que defendiam a luta armada contra Roma. Eram do partido de esquerda radical. Simão, o zelote, estava no lado oposto de Mateus. Eram posições radicalmente opostas. Os zelotes opunham-se ao pagamento de tributos a Roma e promoviam rebeliões contra o governo romano.

Em décimo lugar, **Judas Iscariotes**. Ele era natural da vila de Queriot, localizada no sul da Judeia, ou seja, era o único discípulo não galileu. Ocupou um lugar de confiança dentro do grupo. Era o tesoureiro e o administrador do patrimônio do "colégio apostólico". Não obstante esses privilégios, ele não era convertido. Era ladrão e roubava da bolsa (Jo 12.6).

Judas Iscariotes vendeu o seu Senhor por trinta moedas de prata.

---

[9]SPURGEON, Charles H. *O Evangelho segundo Mateus*, p. 181.
[10]UNGER, Merrill F. *The New Unger's Bible Hand Book*. Chicago, Illinois: Moody Publishers, 1984, p. 387.

Era mesquinho, infiel, avarento, traidor e diabólico. Judas foi um instrumento do diabo (Jo 6.70,71). Depois de ter recebido as trinta moedas de prata como recompensa para entregar Jesus (26.14-16), Judas ainda teve a chance de arrepender-se, pois Jesus disse ao grupo apostólico: *Um dentre vós me trairá* (26.21). Mas Judas ainda teve a audácia de perguntar a Jesus: *Acaso, sou eu, Mestre?* (26.25). Judas serviu de guia para a soldadesca armada até os dentes que foi prender Jesus no Getsêmani (26.47), traindo o Filho de Deus com um beijo. Judas traiu Jesus e não se arrependeu. Preferiu o suicídio ao arrependimento (27.3-5; At 1.18). A tragédia chocante da vida de Judas é prova não da impotência de Cristo, mas da impenitência do traidor. Charles Spurgeon alerta para a descrição que segue o seu nome: *aquele que o traiu*. Queira Deus que isso nunca seja citado após o nome de nenhum um de nós![11]

Jesus transformou esses homens limitados e fez deles grandes instrumentos para transformar o mundo. Metade dos apóstolos não teve seus nomes destacados e nem são registradas quaisquer obras que tenham realizado por Cristo. Esses homens foram um elo digno com o passado de Israel e um fundamento sólido para a igreja do futuro.

---
[11]SPURGEON, Charles H. *O Evangelho segundo Mateus*, p. 181.

30
As diretrizes ministeriais de Jesus

Mateus 10.5-42

OS DOZE APÓSTOLOS SÃO AGORA ENVIADOS, a fim de proclamarem a mensagem do reino. Vejamos as diretrizes dadas por Jesus a esses homens chamados para serem enviados.

Instruções necessárias (10.5-15)

Depois de dar o exemplo aos seus discípulos (9.35), agora Jesus comissiona seus apóstolos (10.5).

Destacamos a seguir algumas lições.

Em primeiro lugar, **Jesus dá o comissionamento** (10.5). Jesus envia os doze para uma grande jornada evangelística. A palavra grega *apesteilen*, traduzida por "enviou", vem da mesma raiz da palavra grega traduzida por "apóstolos". Marcos diz que Jesus os envia de dois em dois (Mc 6.7). Na comissão aos doze apóstolos, Jesus concede a eles poder e autoridade. Poder é a capacidade de realizar uma tarefa, autoridade é o direito de realizá-la, e Jesus concedeu ambos a eles.

Em segundo lugar, **Jesus dá a direção** (10.5b,6). Essa foi uma missão de Israel para Israel. A Galileia era rodeada por nações pagãs por todos os lados, exceto ao sul. Nesta direção, estava Samaria, área em que os israelitas que não foram deportados se misturaram racialmente com as forças de ocupação.¹ Jesus ordena aos doze apóstolos seguirem não rumo aos gentios, mas, de preferência, às ovelhas perdidas da casa de Israel. Concordo com as palavras de A. T. Robertson de que a proibição de ir aos gentios e samaritanos só se aplicou a esta aventura inicial. Os apóstolos tinham de dar a primeira oportunidade aos judeus e não se envolver com tensões inter-raciais que prejudicariam a sua causa nesta fase.² Somente depois da morte de Jesus, quando ele voltaria no triunfante poder da sua ressurreição, eles receberiam a comissão para evangelizarem o mundo dos gentios (28.18-20).³

Em terceiro lugar, *Jesus dá a mensagem* (10.7,8). A missão dos discípulos era proclamar a vinda do reino e preparar o caminho do Rei. Os discípulos não criaram a mensagem; apenas a entregaram. Não levaram aos homens sua opinião, mas o evangelho do reino. Essa mensagem deveria ser pregada aos ouvidos e aos olhos. Eles deveriam pregar a proximidade do reino, curar os enfermos, ressuscitar os mortos e libertar os endemoninhados. A cura e a libertação fazem parte do evangelho. O Messias veio para libertar os cativos. Ele se manifestou para libertar os oprimidos do diabo e desfazer suas obras. O reinado de Deus não estava penetrando num vácuo de poder.

Charles Spurgeon chama a atenção para o fato de que esses atos de misericórdia estão em escala ascendente. Tudo isso, porém, deveria ser feito sem dinheiro ou recompensa: as suas capacidades não tinham sido compradas, suas mensagens não deveriam ser vendidas.⁴ Concordo com Fritz Rienecker quando ele diz que o envio dos doze abrange duas dimensões. A primeira é a pregação (10.7), e a segunda, o exercício da misericórdia (10.8). Ajudar com palavras e com ação, esses são os dois lados do envio. O envio autêntico sempre tem duas mãos. A mão direita traz a palavra; mão esquerda, o amor. A mão direita traz o pão da vida; a mão esquerda, o pão de cada dia.⁵

---

¹Mounce, Robert H. *Mateus*, p. 100.
²Robertson, A. T. *Comentário de Mateus*, p. 116.
³Tasker, R. V. G. *Mateus: introdução e comentário*, p. 82,83.
⁴Spurgeon, Charles H. *O Evangelho segundo Mateus*, p. 182.
⁵Rienecker, Fritz. *Evangelho de Mateus*, p. 173.

Em quarto lugar, ***Jesus dá a provisão*** (10.9,10). Os discípulos não deveriam levar excesso de bagagem, mas apenas o suficiente para a jornada. Jesus não promete a eles luxo, mas o suficiente. Promete a eles não conforto, mas alimento. A obra é urgente, e o foco não está no conforto dos enviados, mas nas necessidades das pessoas que precisam ser alcançadas. Os obreiros devem concentrar suas atenções na tarefa em andamento, e não nos preparativos minuciosos. Deviam viajar sem carga, para poderem ir mais rápido e mais longe. Jesus não promete aos evangelistas luxo nem fausto, mas provisão adequada. O pregador cujas afeições estão centradas no dinheiro, em vestes, diversões e busca de prazeres evidentemente está compreendendo mal a sua vocação.

Os apóstolos deveriam confiar no provedor, e não na provisão. Eles não deveriam levar ouro, prata, cobre, túnica extra, alforje ou dinheiro. Deviam confiar na provisão divina enquanto faziam a obra. Jesus estava lhes mostrando que o trabalhador é digno do seu salário. Jesus queria que eles fossem adequadamente supridos, mas não a ponto de cessarem de viver pela fé. Jesus alerta sobre o perigo da ostentação. Os mensageiros não deviam ser temidos nem invejados. Eles não deviam fazer da obra de Deus uma fonte de lucro.

Em quinto lugar, ***Jesus dá a estratégia cultural*** (10.11-13a). Os discípulos deveriam ir de cidade em cidade, de povoado em povoado e de casa em casa. Eles, que eram uma bênção nas mãos de Deus, deveriam ir com uma bênção para as famílias dignas que lhes franqueariam as portas. O que torna uma casa digna é a prontidão em receber os pregadores e sua mensagem. Outrossim, os evangelistas são dignos de seu sustento (1Co 9.14,15; 2Co 11.8), mas devem ter sensibilidade cultural. Não devem buscar casas mais ricas nem famílias mais aquinhoadas. Devem entrar numa casa e ficar ali até o fim da jornada. Os apóstolos deveriam ser sensíveis à cultura do povo. Deveriam comer o que se colocava na mesa em vez de ficar mudando de casa, enquanto permaneciam numa cidade.

Vale destacar que a hospitalidade era um dever sagrado no Oriente. Da hospitalidade faziam parte a saudação, lavar os pés, oferecer comida, proteger e acompanhar na despedida. Os pregadores não podem violentar a cultura do povo ao pregar a Palavra de Deus. O evangelho deve ser anunciado dentro do contexto cultural de cada povo.

Em sexto lugar, *Jesus dá a orientação para aproveitar as portas abertas e não forçar as portas fechadas* (10.13b,14a). Onde houvesse rejeição, os apóstolos não deveriam permanecer; ao contrário, deveriam seguir adiante. Era preciso buscar portas abertas. Paulo orou por portas abertas e, onde elas se abriam, ele permanecia pregando, mas, onde elas se fechavam, ele ia adiante. O critério do investimento era o vislumbre de portas abertas.

Em sétimo lugar, *Jesus dá uma advertência sobre o perigo de rejeitar o evangelho* (10.14b,15). Os apóstolos deveriam sacudir o pó de suas sandálias e considerar aquele território pagão. Esse era um gesto de vigoroso desfavor.[6] Qualquer lugar, seja uma casa, vila ou cidade, que recuse aceitar o evangelho, deve ser considerado impuro, como se fosse um solo pagão. Não há salvação fora do evangelho. Não há salvação onde a Palavra de Deus é rejeitada. Rejeitar o enviado de Jesus é o mesmo que rejeitar a Jesus, aquele que envia. Receber os enviados de Jesus é o mesmo que recebê-lo (10.40). Rejeitar o evangelho do reino e seus benefícios imediatos e eternos é agravar ainda mais sua condenação no dia do juízo.

Charles Spurgeon diz que as cidades malditas da planície (Sodoma e Gomorra) parecem ter tido uma terrível condenação, mas a sua porção não será tão insuportável quanto a daqueles a quem o evangelho é pregado com toda a liberdade; e, ainda assim, elas não desejam receber os seus mensageiros, nem mesmo ouvir a sua mensagem.[7]

Michael Horton, por outro lado, soa o alarme ao denunciar os pregadores modernos que têm diluído e radicalmente alterado o conteúdo do evangelho para transformá-lo apenas numa mensagem de terapia.[8] Um evangelho palatável para agradar os ouvidos dos pecadores é ineficaz para salvá-los. Isso é outro evangelho, um falso evangelho. O verdadeiro evangelho é repugnante aos lobos, mas é o evangelho que traz em suas asas salvação.

---

[6]ROBERTSON, A. T. *Comentário de Mateus*, p. 118.
[7]SPURGEON, Charles H. *O Evangelho segundo Mateus*, p. 185.
[8]HORTON, Michael. *Christless Christianity: The Alternative Gospel of the American Church*. Grand Rapids, MI: Baker, 2008, p. 75,76.

Advertências oportunas (10.16-23)

O texto em apreço contém solenes e oportunas advertências, que consideramos a seguir.

Em primeiro lugar, *um campo perigoso* (10.16a). O mundo sempre foi e sempre será hostil ao evangelho. Os mensageiros não são enviados para receber aplausos do mundo, mas para serem perseguidos pelo mundo. São ovelhas enviadas para o meio de uma alcateia de lobos. Os lobos são predadores de ovelhas. Quanto mais fiel for a igreja no mundo, mais o mundo perseguirá a igreja. Charles Spurgeon, entretanto, argumenta: "Quando Jesus envia ovelhas, elas podem ir sem medo, ainda que ao meio de lobos. Ele as envia não para lutar com os lobos, nem para retirá-los de seus covis, mas para transformá-los".[9]

Em segundo lugar, *uma atitude necessária* (10.16b). Jesus orienta seus discípulos a manterem prudência e simplicidade em pleno equilíbrio. Eles devem ser prudentes como as serpentes e símplices como as pombas. O obreiro de Deus não deve provocar oposição gratuita nem negociar a verdade para viver em paz com o mundo. A. T. Robertson diz que a combinação de cautela e inocência é necessária para a proteção das ovelhas e a derrota dos lobos.[10]

Em terceiro lugar, *uma oposição generalizada* (10.17). A perseguição será política e religiosa. Os servos de Deus serão entregues nos tribunais e açoitados nos redutos religiosos. Cautela é a instrução dada por Jesus aos seus discípulos.

Em quarto lugar, *um propósito claro* (10.18). Mesmo quando os discípulos de Cristo são perseguidos, acusados e açoitados por causa de seu nome, o propósito de Deus não é frustrado. O Senhor permite isso para que, nessas circunstâncias, seus discípulos deem fiel testemunho de sua fé perante reis, governadores e todos os gentios.

Em quinto lugar, *uma promessa segura* (10.19,20). Jesus promete dar os seus discípulos palavras de sabedoria vindas do Espírito Santo nessas horas críticas de enfrentamento de tribunais, prisões e açoites.

---

[9]SPURGEON, Charles H. *O Evangelho segundo Mateus*, p. 188.
[10]ROBERTSON, A. T. *Comentário de Mateus*, p. 119.

Como o apóstolo entendeu, um cristão preso é um embaixador em cadeias. Os homens podem prender um cristão, mas não podem algemar a Palavra de Deus. É óbvio que Jesus não está aqui desaconselhando os pastores a não preparar sermões.

Em sexto lugar, *uma perseguição familiar* (10.21). Os discípulos precisam estar preparados para toda sorte de embate e perseguição. A perseguição mais intensa não vem de fora, mas de dentro da própria família. Um irmão entregará à morte outro irmão, e o pai, ao filho. Filhos se levantarão para matar seus próprios progenitores.

Charles Spurgeon diz, com razão, que ódios desnaturados emanam de amargura religiosa. A antiga serpente não apenas se esforça para envenenar a relação da criatura com o Criador, mas mesmo a de filho com o pai e a da mãe com o filho.[11] Tasker afirma que os discípulos devem esperar perseguição, pois são discípulos e emissários dAquele que foi desprezado e sofreu abusos, cujo ensino sempre causará divisões entre os homens, e não menos entre os membros da mesma família. Porém, nenhum volume de perseguição será capaz de impedir que estes apóstolos do Mestre proclamem em público o que dEle aprenderam em secreto.[12]

Em sétimo lugar, *uma perseverança recompensada* (10.22). Os discípulos receberão o ódio do mundo, mas também a recompensa de Deus. Aqueles que perseverarem até o fim serão salvos e receberão as venturas da vida eterna.

Em oitavo lugar, *uma atitude prudente* (10.23). A fé não anula o bom senso. Um cristão não deve expor-se a riscos desnecessários. Se a perseguição vem sobre ele numa cidade, ele deve fugir para outra cidade. Os discípulos não deveriam parar em uma cidade e contender com os magistrados, criando confusão e desordem, mas rapidamente deveriam sair quando sofressem oposição cruel. É o máximo de tolice tentar forçar os homens a aderirem à religião; avançamos com brandura, e não pela violência.[13] Como havia mais de duzentas cidades na Galileia, Jesus

---

[11]Spurgeon, Charles H. *O Evangelho segundo Mateus*, p. 190.
[12]Tasker, R. V.G. *Mateus: introdução e comentário*, p. 83.
[13]Spurgeon, Charles H. *O Evangelho segundo Mateus*, p. 191.

diz que eles nem chegariam a percorrer todas elas até que ele próprio fosse crucificado e voltasse a eles ressurreto dentre os mortos.

Encorajamento importante (10.24-33)

Depois de admoestar seus discípulos, Jesus encoraja-os, dando-lhes quatro palavras de estímulo, como vemos a seguir.

Em primeiro lugar, *o discípulo não tem imunidade especial, mas um exemplo superior* (10.24,25). Se o mundo odiou a Jesus, odiará seus discípulos também. Se chamaram Jesus de Belzebu, o senhor das moscas, ou senhor dos sacrifícios idólatras, um epíteto ultrajante,[14] o que não farão aos seus domésticos? Os discípulos não devem esperar vida fácil na medida em que saírem pregando, curando e libertando. A hostilidade do mundo, porém, não deve fazê-los desanimar. Nessas horas, eles precisam olhar como o seu Senhor também foi tratado pelo mundo. O sofrimento é algo esperado. Charles Spurgeon tem razão ao dizer: "Se recebermos o mesmo tratamento que o nosso Senhor, temos honra suficiente, e isso é mais do que temos o direito de esperar".[15]

Em segundo lugar, *o discípulo não precisa ter medo dos homens, pois o poder humano sobre ele é limitado* (10.26-28). Os discípulos devem ter intrepidez para pregar. O mundo pode nos perseguir e até matar o nosso corpo, mas não tem o poder de matar a nossa alma. O poder do mundo é limitado. Devemos temer a Deus, que pode fazer perecer no inferno tanto a alma como o corpo. É o temor de Deus que nos livra do temor dos homens. Tasker interpreta corretamente a passagem quando diz que nenhum volume de perseguição será capaz de impedir que estes apóstolos do Messias proclamem em público o que dele aprenderam em secreto.[16] A pessoa que teme a Deus não tem mais nada a temer. Concordo com Warren Wiersbe quando ele escreve: "O julgamento dos homens no presente não nos assusta, pois vivemos em função do julgamento vindouro de Deus".[17]

---

[14]ROBERTSON, A. T. *Comentário de Mateus*, p. 120.
[15]SPURGEON, Charles H. *O Evangelho segundo Mateus*, p. 192.
[16]TASKER, R. V. G. *Mateus: introdução e comentário*, p. 83.
[17]WIERSBE, Warren W. *Comentário bíblico expositivo*, p. 48.

Em terceiro lugar, *o discípulo não precisa ter medo das circunstâncias, pois sua vida é preciosa para Deus e está sob os seus cuidados* (10.29-31). Nem um pardal, cujo valor é tão pequeno, pode cair em terra sem o consentimento de nosso Pai. Portanto, não precisamos temer as circunstâncias porque valemos muito mais para Deus. Até mesmo os fios de cabelo de nossa cabeça estão contados, e nenhum deles se perderá (Lc 21.18).

Em quarto lugar, *o discípulo deve ter coragem para confessar a Cristo na terra, para que Jesus o confesse diante do Pai que está nos céus* (10.32,33). Mesmo que o discípulo, no cumprimento de sua missão, seja preso e torturado, não deve negar a Cristo diante dos homens. A confissão na terra produz confirmação no céu. A negação na terra produz reprovação nos céus. Um dia estaremos diante do trono do julgamento, quando as recompensas serão distribuídas (1Co 5.10; Rm 10.14). Os servos fiéis ouvirão seu Senhor dizer-lhes: *Muito bem, servo bom e fiel!*

Renúncia imperativa (10.34-39)

Ser discípulo não é um programa ameno, mas um chamado para o sacrifício. Jesus, no texto em apreço, fala sobre quatro verdades solenes, que comentamos a seguir.

Em primeiro lugar, **Cristo causa divisão dentro da própria família** (10.34-36). Jesus veio não para estabelecer uma paz a qualquer preço, mas para trazer a espada da divisão entre o homem e seu pai, entre a filha e sua mãe e entre a nora e sua sogra. Quando o evangelho é recebido por uns e rejeitado por outros, isso levanta a perseguição dentro da própria família e, assim, os inimigos do homem serão os da sua própria casa (10.36). A. T. Robertson diz acertadamente que não é sentimentalismo piegas que Cristo prega, nem paz a qualquer preço. A cruz de Cristo é a resposta à oferta do diabo de fazer concessões ao domínio mundial. Para Cristo, o Reino de Deus é retidão viril, e não mero sentimentalismo.[18] Concordo com Fritz Rienecker quando ele diz que não é o discípulo que tem de tomar a espada, mas é o inimigo que usa a

---

[18] ROBERTSON, A. T. *Comentário de Mateus*, p. 122.

espada. O inimigo quer exterminar o cristianismo. A luta até os extremos é a consequência natural e necessária da atuação de Jesus.[19]

Em segundo lugar, **Cristo exige renúncia** (10.37). O amor à família é natural, mas, se pai e mãe, filho e filha se interpuserem entre nós e Cristo, devemos escolher a Cristo. Nosso amor a Cristo deve estar acima do nosso amor à família. Quem amar mais pai e mãe, filho e filha do que a Cristo não é digno dEle. Nossos familiares não podem se transformar em nossos ídolos. Temos de estar prontos para fazer aquilo que Lutero exortou os cristãos na Marselhesa da reforma: "Se temos de perder os filhos, bens, mulher; embora a vida vá, por nós Jesus está".[20]

Em terceiro lugar, **Cristo exige sacrifício** (10.38). Jesus deixa claro que o caminho do discipulado é tomar a cruz e segui-Lo. É a primeira vez que Jesus usa a palavra cruz neste evangelho. A cruz é instrumento de morte. Tomar a cruz significa enfrentar o maior sacrifício. É não considerar a vida preciosa para si mesmo. Nas palavras de Tasker, o discípulo precisa estar disposto a sofrer a morte de mártir, como um criminoso sentenciado, forçado a levar o madeiro da cruz ao lugar da execução.[21] Charles Spurgeon chama a atenção para o fato de que há uma cruz para cada um, de modo que ela pode ser considerada "a sua cruz". E mais, não devemos arrastar a cruz atrás de nós, mas tomá-la sobre nós. Carregando a cruz, devemos seguir após Jesus, pois carregar uma cruz sem seguir a Cristo é algo absolutamente miserável.[22]

Em quarto lugar, **Cristo mostra que seus valores estão em oposição aos valores do mundo** (10.39). No mundo, quem acha a vida, ganha; no Reino de Deus, quem ganha a vida, perde. Perder a vida por causa de Cristo é ganhá-la. Tasker escreve: "Assegurar a sua vida negando a fé sob perseguição, ou, de outra maneira, conformar-se com o mundo à custa da sua própria consciência é perder a vida".[23]

---

[19]RIENECKER, Fritz. *Evangelho de Mateus*, p. 183.
[20]Hino Castelo Forte, escrito por Martinho Lutero em 1529.
[21]TASKER, R. V. G. *Mateus: introdução e comentário*, p. 87.
[22]SPURGEON, Charles H. *O Evangelho segundo Mateus*, p. 198.
[23]TASKER, R. G. V. *Mateus: introdução e comentário*, p. 87.

Recompensa garantida (10.40-42)

Depois de falar sobre a renúncia que os discípulos devem fazer, Jesus conclui seu discurso mencionando as recompensas que seus discípulos receberão. Destacamos a seguir três verdades.

Em primeiro lugar, *o discípulo tem a recompensa de representar aquele que o envia* (10.40). O discípulo é pequeno, vulnerável e frágil, mas quem o recebe, recebe aquele que o enviou, e quem recebe a Jesus, recebe o Pai, que o enviou. Logo, o discípulo que vai fazendo a obra, representa o Deus que envia para a obra. Tem sua autoridade.

Em segundo lugar, *aqueles que recebem os enviados de Deus receberão galardão semelhante ao dos enviados* (10.41). Quem recebe um profeta enviado por Cristo recebe o galardão de profeta. E quem recebe um justo recebe o galardão de um justo.

Em terceiro lugar, *aqueles que cuidam dos enviados de Cristo não perderão o seu galardão* (10.42). O menor ato de serviço ao menor discípulo de Cristo será recompensado como se tivesse sido prestado ao próprio Cristo. Até mesmo o gesto mais singelo de oferecer um copo de água fria a um mensageiro de Deus não ficará esquecido aos olhos de Deus. Esse, de modo algum, ficará sem galardão.

Encerra-se aqui primeira seção principal de Mateus, a revelação do Rei. Vimos até este ponto sua pessoa (1-4), seus princípios (5-7) e seu poder (8-10).[24]

---

[24]WIERSBE, Warren W. *Comentário bíblico expositivo*, p. 49.

31

Quando a **dúvida** assalta a **fé**

Mateus 11.1-19

CINCO VEZES EM MATEUS ocorre uma fórmula de transição entre os grandes discursos da narrativa: *E aconteceu que, concluindo Jesus* (7.28); *e aconteceu que, acabando Jesus* (11.1); *e aconteceu que Jesus, concluindo* (13.53); *e aconteceu que, concluindo Jesus* (19.1); e *e aconteceu que, quando Jesus concluiu* (26.1). Consequentemente, a divisão de capítulo não deveria estar aqui, pois 11.1 pertence à seção precedente.[1]

Este episódio foi registrado apenas por Mateus e Lucas. Jesus está num ritmo intenso de trabalho. Ele não apenas dá instruções a seus discípulos e os envia a pregar, mas também os comissiona a ensinar e a pregar nas cidades deles (11.1). É no meio dessa azáfama evangelística intensa de Jesus que João Batista, da prisão de Maquerós, a leste do mar Morto[2], envia mensageiros a Jesus expressando as angústias de sua alma.

O filho do deserto está preso. O ministério de Jesus cresce, enquanto João Batista é esquecido na prisão. Os milagres de Jesus são notórios, enquanto o seu precursor vive na escuridão lôbrega do cárcere. As multidões fluem a Jesus e recebem seus milagres, enquanto João

---

[1] ROBERTSON, A. T. *Comentário de Mateus*, p. 127.
[2] MOUNCE, Robert H. *Mateus*, p. 111.

amarga o ostracismo de uma prisão imunda no calor escaldante do deserto da Judeia.

Concordo com Tasker quando ele diz que João, embora uma figura única na história bíblica, não era um super-homem. Ele estava sujeito, como todos os seres humanos, à depressão e à decepção. Não surpreende, pois, que, quando confinado ao cárcere, na fortaleza de Maquerós, junto ao mar Morto, depois de ter sido detido por Herodes, estivesse ficando impaciente e começando a perguntar por que Jesus não afirmava suas prerrogativas messiânicas de modo mais categórico e aberto. Talvez ele também esperasse que, se Jesus fosse o Messias, asseguraria a sua libertação do cárcere, onde era vítima das perversas maquinações de Herodes e Herodias.[3]

João está preso, mas seus discípulos levam a ele as notícias dos milagres operados por Jesus. É nesse contexto que quatro verdades saltam aos nossos olhos no texto em tela.

A dúvida que **atormenta a alma** (11.2,3)

Os milagres de Cristo eram públicos e chegavam ao conhecimento de João na prisão. Este, homem do deserto, estava encerrado na prisão, na masmorra de Maquerós, nas proximidades do mar Morto. Diante de tantos sinais extraordinários operados por Jesus, João talvez tivesse a expectativa de ser libertado daquela masmorra por uma intervenção sobrenatural. John Charles Ryle entende que a dúvida aqui não é de João Batista, mas foi formulada em benefício de seus discípulos.[4] Entendo, porém, que homens de Deus têm, também, seus momentos de fraqueza. Charles Spurgeon diz que pensamentos obscuros podem ficar mais avultados quando reprimidos em uma cela estreita.[5] Porém, em virtude de as circunstâncias não mudarem, João envia dois de seus discípulos a Jesus, para saber se Ele era mesmo o Messias, ou haveria de esperar outro. Quais seriam as possíveis dúvidas de João?

---

[3]Tasker, R. V. G. *Mateus: introdução e comentário*, p. 90,91.
[4]Ryle, John Charles. *Meditações no Evangelho de Mateus*, p. 75.
[5]Spurgeon, Charles H. *O Evangelho segundo Mateus*, p. 203.

Em primeiro lugar, *como conciliar as maravilhas que Jesus opera com a dolorosa situação que o atinge?* Jesus cura enfermos, liberta os endemoninhados e ressuscita mortos, mas onde está Jesus que não vai ao encontro do seu profeta para libertá-lo? Esse é, também, o nosso drama. Como conciliar o poder de Jesus com as angústias que sofremos? Como conciliar o poder de Jesus com a inversão de valores da sociedade: Herodes no trono e João Batista na cadeia? Como conciliar o poder de Jesus num tempo em que uma moça fútil, uma mulher adúltera e um rei bêbado podem atentar contra a vida do maior homem, do maior profeta, sem nenhuma intervenção do céu?

Em segundo lugar, *como conciliar o silêncio de Jesus com a urgente necessidade de seu precursor?* Por que Jesus não se pronunciou em defesa de João? Por que não fez um discurso desbancando a prepotência de Herodes? Por que Jesus não foi apresentar-se como advogado de João Batista? Não é fácil conviver com o silêncio de Jesus na hora da aflição. João esperou libertação, mas sua cabeça foi cortada pela lâmina afiada de um soldado romano.

Em terceiro lugar, *como conciliar a não intervenção de Jesus com a mensagem de juízo que ele anunciara sobre o Messias?* João anunciou um Messias que traria o juízo de Deus. O Messias que colocaria o machado na raiz da árvore. O Messias que recolheria a palha e a jogaria na fornalha acesa. João esperou que Jesus viesse exercer seu juízo, sua vingança, brandindo a espada, com uma corte celestial para libertá-lo. Mas o que João escuta é sobre os atos de misericórdia de Jesus. O Messias não se move para libertá-lo. Enquanto Jesus está cuidando dos enfermos, João está mais próximo do martírio.

Em quarto lugar, *a dúvida de João é alimentada não pelo calabouço, mas por expectativas não correspondidas.* João está enfrentando problemas, e Jesus continua suas atividades normalmente. O que vale a pena destacar é que João não engoliu suas dúvidas. Ele as expôs. Ele fez perguntas. Ele buscou a Jesus para resolver seus conflitos. Os homens de Deus, às vezes, são assaltados pela dúvida. Os homens mais santos são suscetíveis às dúvidas mais profundas. Isso aconteceu com outros servos de Deus no passado. Moisés quase desistiu certa ocasião (Nm 11.10-15). Elias pediu para morrer (1Rs 19). Jeremias também teve seu momento de angústia (Jr 20.7-9,14-18). Até o apóstolo Paulo chegou a ponto de desesperar-se da própria vida (2Co 1.8,9).

A resposta que **pacifica o coração** (11.4-6)

Duas coisas merecem destaque, como vemos a seguir.

Em primeiro lugar, *o que Jesus não disse*. Jesus não fica zangado diante das nossas dúvidas sinceras. Deus não rejeitou as perguntas de Abraão, de Jó e de Moisés, nem Jesus rejeitou as perguntas de João Batista. Por outro lado, Jesus não livrou João da prisão. Aquele que andou sobre o mar podia mudar o pensamento de Herodes e ferir de cegueira os soldados. Aquele que expulsou demônios podia abrir as portas da prisão de Maquerós. Mas Jesus não fez isso. Nenhum plano de batalha. Nenhum grupo de salvamento. Nenhuma espada flamejante. Apenas uma mensagem do reino.

Em segundo lugar, *O que Jesus fez*. Em vez de Jesus responder aos discípulos de João com palavras, responde-lhes com obras, com ações poderosas, curando muitos de moléstias, flagelos e espíritos malignos, e dando vista a muitos cegos (11.4,5). As obras evidenciadas por Jesus não são de juízo, mas de misericórdia. Jesus então diz para os mensageiros falarem a João Batista o que estavam vendo e ouvindo: os cegos veem, os coxos andam, os leprosos são purificados, os surdos ouvem, os mortos ressuscitam, e aos pobres é anunciado o evangelho (11.5). Talvez João quisesse ouvir: "Meus exércitos já estão reunidos. Cesareia, a sede do governo romano, está por cair. O juízo já começou". Mas Jesus manda dizer: "A misericórdia de Deus está aqui".

Três verdades devem ser aqui destacadas, como vemos a seguir.

Jesus dá provas de que Ele é o Messias (11.5). Esses sinais seriam operados pelo Messias que haveria de vir (Is 29.18,19; 35.4-6; 42.1-7). Não era, portanto, necessário esperar outro Messias, pois o Jesus histórico é o Messias de Deus! Concordo com Tasker quando ele escreve: "A réplica de Jesus aos mensageiros de João expressa a sua consciência de que as suas obras de cura e de exorcismo são indicações do seu messiado (11.2-6)".[6] E Spurgeon acrescenta acertadamente: "Jesus é a sua própria prova.

---

[6]TASKER, R. V. G. *Mateus: introdução e comentário*, p. 87.

Se os homens quiserem argumentos em favor do evangelho, que eles ouçam e vejam o que Ele é e o que faz. Digamos, portanto, à nossa alma na prisão da dúvida o que temos visto Jesus fazer".[7]

Jesus prega aos ouvidos e aos olhos (11.4). Jesus fala e faz, prega e demonstra, revela conhecimento e também poder. Jesus prega aos ouvidos e aos olhos. A mensagem de Jesus a João tem três ênfases, como vemos a seguir.

Primeiro, a mensagem de Jesus mostra que o Reino de Deus abre as portas para que os rejeitados sejam aceitos. Ninguém era mais discriminado na sociedade do que os cegos, os coxos, os leprosos e os surdos. Eles não tinham valor. Eram feridas cancerosas da sociedade. Eram excesso de bagagem à beira da estrada. Mas a estes que a sociedade chamava de escória, Jesus valorizou, restaurou, reciclou, curou, levantou e devolveu a dignidade da vida. Jesus manda dizer a João que o reino que Ele está implantando não tem os mesmos valores dos reinos deste mundo.

Segundo, a mensagem de Jesus mostra que no Reino de Deus a sepultura não tem força e a morte não tem a última palavra. O problema do homem não é o tipo de morte que enfrenta, mas o tipo de ressurreição que o aguarda. Se Jesus é o nosso Senhor, então a morte não tem mais poder sobre nós. Seu aguilhão foi arrancado. A morte foi vencida.

Terceiro, a mensagem de Jesus mostra que no Reino de Deus há uma oferta gratuita de vida eterna. O Reino de Deus é para o pobre, que se considera falido espiritualmente, não importando sua condição social. Enquanto João está pedindo a solução do temporário, Jesus está cuidando do eterno.

Jesus adverte sobre o perigo de não o reconhecer como Messias (11.6). Feliz é aquele que não encontra em Cristo motivo de tropeço. As vicissitudes da vida não podem abalar os fundamentos da nossa fé.

As credenciais que dignificaram João Batista (11.7-15)

Jesus envia os mensageiros de volta a João Batista e, então, em vez de fazer uma censura ao seu precursor, enaltece-o diante do povo.

---

[7] SPURGEON, Charles H. *O Evangelho segundo Mateus*, p. 204.

Cinco fatos sobre João Batista devem ser aqui destacados, como vemos a seguir.

Em primeiro lugar, *um homem que não se dobra diante das circunstâncias adversas* (11.7). João Batista não era um caniço agitado pelo vento, que se curva diante das adversidades. Era um homem incomum e inabalável. Ele preferiu ir para a prisão e ficar com a consciência livre a ficar livre com a consciência prisioneira. Ele preferiu a morte à conivência com o pecado do rei Herodes. O martírio é preferível à apostasia!

Em segundo lugar, *um homem que não se dobra às seduções do poder* (11.8). João Batista era um homem insubornável. Ele não viveu bajulando os poderosos, tecendo-lhes elogios apesar de seus pecados. Ao contrário, confrontou-os com firmeza granítica e robustez hercúlea. Ele não vendeu sua consciência para alcançar o favor do rei. Não buscou as glórias deste mundo para angariar favores efêmeros, mas cumpriu cabal e fielmente o seu ministério.

Em terceiro lugar, *um homem preparado por Deus para uma grande obra* (11.9,10). João Batista era um grande profeta. Veio ao mundo em cumprimento à profecia. Seu nascimento foi um milagre, sua vida foi um exemplo, seu ministério foi uma obra de preparação para a chegada do Messias, e sua morte foi uma demonstração de indobrável coragem. Spurgeon está certo quando escreve: "João era tudo o que os maiores profetas foram; e ele esteve mais próximo de Jesus do que os demais; os passos do seu Mestre vinham logo atrás de seus calcanhares".[8]

Em quarto lugar, *um homem enaltecido pelo Filho de Deus* (11.11). João Batista era um grande homem. Entre todos os grandes homens da antiga dispensação, João Batista foi o maior de todos (Mt 11.11). Muitos profetas apontaram para o Messias que haveria de vir, mas foi João Batista quem disse: *Eis o Cordeiro de Deus que tira o pecado do mundo* (Jo 1.29). Foi ele quem preparou o caminho do Senhor (3.3-6). Foi ele quem batizou Jesus para que este desse início ao seu ministério.

Morris diz, com razão, que Jesus não parou ali. Disse que o menor no Reino de Deus é maior do que João Batista. A vinda de Jesus marcava

---

[8]SPURGEON, Charles H. *O Evangelho segundo Mateus*, p. 205.

uma linha divisória. Ele veio inaugurar o reino. E o menor daquele reino é maior do que o maior entre os homens. João pertencia à era da promessa. O menor do reino é maior não por causa de quaisquer qualidades que venha a possuir, mas, sim, porque pertence ao tempo do cumprimento. Jesus não está subestimando a importância de João; está colocando a membresia do reino na perspectiva apropriada.[9]

Warren Wiersbe, na mesma linha de pensamento, diz que João foi arauto do Rei, anunciando o reino. Os cristãos de hoje são filhos do reino e amigos do Rei (Jo 15.15).[10] Tasker acrescenta: "Como precursor imediato do Messias, João é maior do que os profetas que predisseram a vinda do Messias, mas ele mesmo não é súdito do reino que o Messias viera inaugurar (11.7-15).[11]

Em quinto lugar, *um homem que veio em cumprimento de profecias* (11.12-15). João Batista veio no espírito e no poder de Elias. Assim como Elias, na força do Senhor, confrontou o rei Acabe, o povo e os profetas de Baal, conclamando o povo de Israel a abandonar os ídolos e a voltar-se para Deus, João Batista também confrontou o rei Herodes Antipas, o povo e as autoridades religiosas de Israel, conclamando o povo ao arrependimento. A. T. Robertson esclarece esse ponto assim:

> Aqui Jesus identifica João Batista como o "Elias" prometido em Malaquias. As pessoas entendiam que Malaquias 4.1 significava que Elias voltaria. João Batista negou que ele fosse o Elias renascido (Jo 1.21). Mas Jesus afirma que João Batista desempenhou o papel de Elias (17.12). E enfatiza o ponto: "Quem tem ouvidos para ouvir ouça".[12]

A **rejeição aos enviados** de Deus (11.16-19)

Jesus comparou aquela geração a meninos imaturos, que não se contentavam com coisa alguma. João pregava uma mensagem severa e vivia de forma austera, e eles o rejeitaram, acusando-o de endemoninhado

---
[9] MORRIS, Leon L. *Lucas: introdução e comentário*, p. 136.
[10] WIERSBE, Warren W. *Comentário bíblico expositivo*, p. 255.
[11] TASKER, R. V. G. *Mateus: introdução e comentário*, p. 87,88.
[12] ROBERTSON, A. T. *Comentário de Mateus*, p. 130.

(11.16-18). Jesus andava entre o povo, identificava-se com o povo e pregava uma mensagem de salvação repleta de graça, e eles acusaram Jesus de glutão, beberrão e amigos dos pecadores (11.19). Aquela perversa geração recusou o precursor do Messias e também o Messias. Richards diz que Deus havia enviado dois mensageiros a essa geração: João Batista, o poderoso pregador nos moldes de Elias, e Jesus, cujo ministério foi marcado pela bondade e pelos milagres de cura. No entanto, os "doutores da lei" rejeitaram a ambos.[13] Warren Wiersbe destaca que eles não queriam nem o funeral nem o casamento, pois nada lhes agradava.[14]

---

[13]RICHARDS, Lawrence O. *Comentário histórico-cultural do Novo Testamento*, p. 155.
[14]WIERSBE, Warren W. *Comentário bíblico expositivo*, p. 255.

32

O **convite** da salvação

Mateus 11.20-30

À GUISA DE INTRODUÇÃO, destacamos a seguir duas verdades solenes.

Em primeiro lugar, *aqueles que rejeitam a oferta da salvação buscam sempre motivos para se desculparem* (11.16-19). Deus enviou João Batista pregando arrependimento, a fim de preparar o caminho para a chegada de Cristo, e os judeus disseram: ele tem demônio. O maior homem entre os nascidos de mulher é chamado de endemoninhado pelos incrédulos. Suas mentes estavam cegas pelo preconceito.

Deus enviou Jesus pregando o evangelho e os judeus disseram: Ele é um glutão, bebedor de vinho e amigo dos pecadores. Ao último profeta e ao próprio Filho de Deus os homens rechaçaram.

Em segundo lugar, *aqueles que voluntariamente se tornam impenitentes não escaparão das consequências de seus pecados* (11.20-24). Jesus destaca aqui a responsabilidade humana. Essas cidades deveriam ter se arrependido, e Cristo não lhes teria acusado. O arrependimento é um dever. Quanto mais os homens ouvem e veem a obra do Senhor, maior é a sua obrigação de se arrependerem.[1] A questão prática era a culpa daquelas cidades favorecidas na medida em que permaneciam

---
[1]SPURGEON, Charles H. *O Evangelho segundo Mateus*, p. 212.

insensíveis à visitação que teria convertido os sidônios pagãos; sim, e os faria se arrependerem rapidamente: *há muito*, e isso de forma mais humilhante: *com saco e com cinza*. É um fato triste que os nossos ouvintes impenitentes rejeitem a graça que traria canibais aos pés do Salvador.[2]

Jesus disse que haverá menor rigor para Tiro, Sidom e Gomorra, no dia do juízo, do que para as cidades que tinham visto seus milagres e ouvido sua pregação. As mais degradadas cidades do mundo estarão em situação mais confortável no dia do juízo do que aqueles que se recusaram a se arrepender e crer no evangelho de Cristo. Fritz Rienecker destaca a gravidade de rejeitar a graça. Ele diz que nada, nenhum pecado, por maior e mais execrável que seja, pode ser comparado a isso. Quem ouviu a mensagem da redenção pelo sangue de Cristo, e apesar disso continua seu próprio caminho em oposição a Deus, sobrecarrega-se com uma culpa maior que a do pior criminoso.[3]

Tasker afirma que a importante cidade de Cafarnaum, situada na costa do mar da Galileia, pela qual passava a grande estrada de Damasco ao Mediterrâneo, achava-se segura e próspera, satisfeita e autossuficiente. Foi tentada a dizer, é o que Jesus deixa entrever pela forma da pergunta que ora lhe dirige (11.23), aquilo que Isaías retratou como sendo dito por Babilônia: *Eu subirei ao céu; acima das estrelas de Deus exaltarei o meu trono... subirei acima das mais altas nuvens, e serei semelhante ao Altíssimo*. E à espera da sua arrogância está uma condenação parecida com a que se prediz nas palavras dirigidas pelo profeta à Babilônia: Serás precipitado ao inferno (Is 14.13-15). É castigo maior do que aquele que sobrevirá a Sodoma no dia do juízo.[4]

É neste contexto de rejeição e juízo que Jesus vai nos ensinar cinco importantes lições sobre a verdadeira conversão: humildade (11.25,26), revelação (11.27), arrependimento (11.28), fé (11.28) e submissão (11.29,30).[5]

Vamos examinar a passagem em tela, olhando cinco verdades magnas a seguir.

---

[2]SPURGEON, Charles H. *O Evangelho segundo Mateus*, p. 213.
[3]RIENECKER, Fritz. *Evangelho de Mateus*, p. 193.
[4]TASKER, R. V. G. *Mateus: introdução e comentário*, p. 95.
[5]MACARTHUR, John Jr. *O Evangelho segundo Jesus*, p. 124-130.

O orgulho fecha a porta da graça, enquanto a humildade é sua porta de entrada (11.25,26)

Depois de enfatizar a doutrina da responsabilidade humana (11.20-24), Jesus passa a tratar da gloriosa doutrina da eleição (11.25-27). Depois de pronunciar palavras de juízo sobre Corazim, Betsaida e Cafarnaum e falar que os sábios e entendidos estavam desprovidos de entendimento espiritual, Jesus fala a respeito da revelação do Pai aos pequeninos. Depois de falar sobre as trevas espessas do juízo, Ele passa a tratar da aceitação da salvação. Os humildes e pequenos aceitam mais o evangelho do que os sábios e poderosos deste mundo.[6]

Charles Spurgeon destaca aqui quatro verdades sobre a eleição: Primeiro, o autor da eleição (11.25). Deus, o Pai é o autor da eleição. É o Pai quem escolhe e revela suas bênçãos. Segundo, os sujeitos da eleição (11.25). Os sujeitos da eleição podem ser vistos sob dois aspectos: escolhidos e rejeitados. Os pequeninos veem porque as santas verdades são reveladas a eles. Os homens que são sábios e entendidos aos seus próprios olhos não podem ver, porque confiam em sua própria fraca luz e não aceitarão a luz de Deus. Terceiro, a razão da eleição (11.26). A eleição é feita sobre o fundamento da soberana vontade do Pai. Quarto, o meio através do qual a eleição opera (11.27). Tudo foi entregue a Jesus, o Mediador. Não há outra maneira de conhecer o Pai a não ser por meio de Jesus.[7] O próprio Filho é um mistério que ninguém conhece, a não ser o Pai ou aquele a quem o Pai quiser revelar (16.17).

Tasker tem razão ao dizer que os prósperos e autossuficientes habitantes das cidades da Galileia podiam estar cegos para a verdadeira natureza de Jesus e do significado das suas ações. Mas Jesus mesmo, longe de ter ressentimento pessoal, deu graças a Deus porque havia alguns, na maioria os menos sofisticados e os menos importantes, que se voltavam para Ele para satisfazerem as suas mais profundas necessidades, pois compreenderam quem Ele era realmente.[8] Robert Mounce é oportuno quando escreve:

---

[6]RYLE, John Charles. *Comentário expositivo do Evangelho segundo Mateus*, p. 56.
[7]SPURGEON, Charles H. *O Evangelho segundo Mateus*, p. 214,215.
[8]TASKER, R. V. G. *Mateus: introdução e comentário*, p. 96.

Os sábios e entendidos são os escribas e fariseus, guardiões oficiais da sabedoria israelita. Paulo se refere depreciativamente ao "sábio" e sagaz "inquiridor deste século", observando que, de acordo com as Escrituras, Deus destruirá *a sabedoria dos sábios* e aniquilará *a inteligência dos entendidos* (1Co 1.19,20). Os pequeninos são os seguidores de Jesus que, desembaraçados das ideias preconcebidas sobre como Deus deveria agir, aceitam Jesus e suas obras poderosas com fé simples.[9]

William Barclay observa que devemos prestar atenção para entendermos bem o que Jesus quis dizer com essas palavras. Jesus está muito longe de condenar a capacidade intelectual; o que Ele condena é o orgulho intelectual. O coração, e não a cabeça, é a morada do evangelho. Não é a inteligência que fecha a porta, mas o orgulho. Jesus não relaciona a ignorância com a fé, mas relaciona a modéstia com a fé. Um homem pode ser culto como Salomão, mas, se não tiver humildade, fecha a porta da graça com as próprias mãos.[10]

Deus ainda continua enchendo de bens os famintos e despedindo vazios os ricos (Lc 1.53). O orgulho fecha a porta da graça. Aqueles que se julgam grandes por seus talentos, virtudes, riquezas, poder e merecimentos jamais poderão ser salvos, pois jamais sentirão necessidade de arrependimento e jamais sentirão necessidade do Salvador.

John Charles Ryle diz que, para darmos o primeiro passo no caminho do céu, é necessário saber que estamos no caminho do inferno e que necessitamos do Espírito Santo para guiar-nos e ensinar-nos.[11]

Somente através de Jesus os pecadores poderão conhecer a Deus (11.27)

Jesus se dirige a Deus como seu Pai e como o Senhor do céu e da terra. Ele destaca sua soberania na salvação e sua sabedoria em distribuí-la. Só podemos conhecer a Deus porque Ele se revelou a nós. Os sábios e entendidos são cegos espirituais. Eles confiam em sua própria sabedoria

---

[9]MOUNCE, Robert H. *Mateus*, p. 116.
[10]BARCLAY, William. *Mateo II*, p. 20,21.
[11]RYLE, John Charles. *Comentário expositivo do Evangelho segundo Mateus*, p. 56.

e desprezam o conhecimento de Deus. Por outro lado, Deus se revela aos pequeninos, àqueles que são desprovidos da sabedoria do mundo.

Jesus é quem revela o Pai. Jesus não é apenas *um* filho de Deus; Ele é *o* Filho de Deus. Ele é quem revela o Pai a nós. Ele é da mesma essência do Pai. Ele é coigual, coeterno e consubstancial com o Pai. Ele e o Pai são um. Ele é Deus de Deus e Luz de luz. Se você quer ver como Deus é, se você quer ver a mente de Deus, o coração de Deus, a natureza de Deus, se você quer ver a atitude de Deus em relação aos pecadores, você precisa olhar para Jesus.[12]

Ele é o caminho, e ninguém pode ir ao Pai senão por Ele. Ele é a porta, e ninguém pode entrar no céu a não ser por Ele. Ele é o único nome dado entre os homens pelo qual importa que sejamos salvos. Ele é o único Mediador que nos reconcilia com o Pai. Ele é o Caminho, a Verdade e a Vida e ninguém pode ir ao Pai senão por Ele. Ele é a Porta. Nas Suas mãos estão as chaves do Paraíso. Ele é o Pastor: ouçamos sua voz e O sigamos. Ele é o Médico: necessitamos, portanto, do seu auxílio, se desejamos libertar-nos da lepra do pecado. Ele é o Pão da vida: necessitamos alimentar-nos dEle. Ele é a Água da vida. Devemos nos dessedentar nEle. Ele é a luz do mundo, devemos segui-Lo.[13]

O mais glorioso de todos os convites (11.28a)

Tendo Jesus toda autoridade e todo o poder, Ele nos faz o mais glorioso de todos os convites. Esse convite só é registrado por Mateus. O convite de Jesus é dirigido em primeira instância àqueles sobre cujas costas os fariseus lançavam pesadas cargas, exigindo meticulosa observância das intrincadas elaborações que fizeram da lei.

O convite de Jesus tem três características, que comentamos a seguir.

Em primeiro *lugar, é um convite universal* (11.28). "Vinde a mim todos vós...". Jesus dirige essas palavras exatamente nas mesmas cidades onde foi rejeitado. Mesmo naquelas cidades onde é chamado de glutão e beberrão, Ele está disposto a receber e perdoar as pessoas.

---

[12]BARCLAY, William. *Mateo II*, p. 22.
[13]RYLE, John Charles. *Comentário expositivo do Evangelho segundo Mateus*, p. 56,57.

Jesus não disse à humanidade pecadora: "Afastem-se de mim", mas sim: *Vinde a mim*.

Esse convite é dirigido a todos os homens, de todos os lugares, de todos os tempos, de todas as culturas, de todos os estratos sociais. É dirigido ao rico e ao pobre, ao doutor e ao analfabeto, às crianças e aos idosos, aos homens e às mulheres, aos ateus e aos religiosos.

Esse convite é dirigido a você. Jesus não tem preconceitos; Ele não faz acepção de pessoas. Ele não escolhe as pessoas pela cor da sua pele, pelo seu *status* social ou pela sua religião. Ele ama a todos sem distinção e convida a todos à salvação. A porta da graça está aberta. A porta do céu está escancarada. O banquete da salvação está preparado. E o convite é dirigido a você, agora!

Jesus convida você, agora. Ele está pronto a aliviar a sua bagagem. Ele está pronto a perdoar seus pecados. Ele está pronto a dar a você um novo coração, uma nova mente, uma nova vida, um novo futuro.

Jesus convida a você como você está. Venha a Cristo mesmo cansado e sobrecarregado. É Ele quem vai aliviar você. É Ele quem vai dar a você descanso. Há muitos que estão descansando em Jesus, mas ainda há lugar para você vir e descansar nEle também. Só nEle você encontra descanso para sua alma.

Em segundo lugar, *é um convite para uma relação pessoal com Jesus* (11.28). "Vinde *a mim...*". A salvação não é uma relação com uma instituição. Jesus não convida para ir à religião, às obras; à caridade; à penitência; ao sacrifício. Ele convida: Vinde a mim. Ele convida para uma relação pessoal com Ele. Ele convida você para ir a ele. Ele é a fonte. Ele é o Caminho. Ele é a Porta. Ele é o Mediador. Ele é o Salvador. Ele é a Vida Eterna. Só Jesus satisfaz. Só Ele pode perdoar seus pecados. Só Ele pode reconciliar você com Deus. Só Ele pode guiá-lo ao céu.

A sua religião não pode salvar você. A sua igreja não pode salvar você. A sua doutrina não pode salvar você. As suas obras não podem salvar você. Maria não pode salvar você. Pedro não pode salvar você. Só Jesus pode dar sentido à sua vida e dar a você a vida eterna.

O que leva Jesus a convidar você a ir a Ele? Não é porque Ele seja incompleto sem você. Não é porque Ele precisa de você. Não é porque você merece. Não é porque você tem méritos. É pela graça de Deus. A causa do amor de Cristo está nEle mesmo.

Em terceiro lugar, *é um convite para aqueles que têm consciência de sua necessidade* (11.28). "... todos vós *que estais cansados e sobrecarregados*". O verbo *kopiáo* descreve um cansaço que se instala após pesado trabalho corporal, enquanto *portizo* expressa o estar sob pesada carga de responsabilidade.[14] Concordo com John Charles Ryle quando ele diz que Jesus não se dirige àqueles que se sentem justos e dignos em si mesmos, mas a todos os que sentem um peso no coração e desejam tornar-se livres da carga do pecado.[15]

Esse convite de Jesus é dirigido em primeira instância àqueles sobre cujas costas os fariseus lançavam pesadas cargas, exigindo meticulosa obediência às suas pesadas tradições.[16] William Barclay destaca que, para um judeu ortodoxo, a religião era algo que consistia em pesadas cargas.[17] Jesus disse que os fariseus *atam fardos pesados* [e difíceis de carregar] *e os põem sobre os ombros dos homens; entretanto, eles mesmos nem com o dedo querem movê-los* (23.4). Eles tinham regras e mais regras, preceitos e mais preceitos. Viviam esmagados debaixo dessas inúmeras regras e tradições. Jesus diz, porém, que o seu jugo é suave e o seu fardo é leve. A palavra "suave" significa do tamanho certo, pois seu jugo é feito sob medida para nossa vida e nossas necessidades, e não é pesado realizar sua vontade.[18]

O convite da salvação não é oferecido àqueles que se julgam bons, justos, merecedores. É endereçado aos que têm consciência da sua necessidade, aos pecadores, aos injustos, aos que gemem debaixo da canga pesada de seus pecados, aos que sofrem pelo peso da culpa, aos que choram por suas mazelas.

O convite de Jesus é dirigido aos que se sentem cansados, tristes, sem amparo. Jesus chama a si aqueles que desejam libertar-se do profundo desânimo de que se acham possuídos, provocado quer pelo

---

[14] RIENECKER, Fritz. *Evangelho de Mateus*, p. 198.
[15] RYLE, John Charles. *Meditações no Evangelho de Mateus*, p. 81.
[16] TASKER, R. V. G. *Mateus: introdução e comentário*. Edições Vida Nova: São Paulo, SP, p. 97.
[17] BARCLAY, William. *Mateo II*, p. 23.
[18] WIERSBE, Warren W. *Comentário bíblico expositivo*, p. 51.

pecado, quer pelo infortúnio, quer pelo remorso.[19] Concordo com Sproul quando ele diz que não há fardo mais esmagador para a alma humana do que a culpa. Quando carregamos culpas não resolvidas, culpas não perdoadas, elas nos oprimem e minam nossa alegria. Na magnífica alegoria *O Peregrino*, de John Bunyan, quando Cristão saiu da Cidade da Destruição, ele carregou um peso enorme nas costas que o perturbou até que fosse descarregado na cruz. Essa bagagem que o oprimia era a culpa.[20]

Jesus destaca dois pontos, como vemos a seguir.

Há pessoas cansadas que precisam de descanso. Se você está cansado de seus pecados, se você está cansado de lutar sozinho para vencer suas fraquezas, se você está cansado de tentar fazer o melhor para Deus e fracassar, então esse convite é para você.

Se você está cansado de gemer sob o peso da culpa, com a consciência atormentada pelos flageladores, se você anda perturbado e sem paz, fustigado e atormentado pelo acusador, então esse convite é para você.

Se você está cansado de guardar preceitos e mais preceitos, regras e mais regras, enfastiado com um legalismo opressor, sem paz na alma, sem alegria no coração, sem certeza de vida eterna, então esse convite é para você.

Se você está cansado de viver no cabresto do diabo, prisioneiro do legalismo, da impureza, da cobiça, da maldade, acorrentado pelas grossas correntes dos vícios, então esse convite é para você.

Se você está cansado de lutar sozinho para se libertar de práticas que atormentam a sua alma no recesso da sua vida íntima, então esse convite é para você. Jesus oferece a você descanso!

Há pessoas sobrecarregadas que precisam de alívio. O pecado é um peso. O pecado é maligníssimo. O pecado é pior do que a pobreza, do que a doença e do que a morte. Ele faz você gemer debaixo de uma carga esmagadora. Você está achatado, esmagado, amassado e não sabe como sair debaixo desse peso opressor, então é hora de correr para Jesus e deixar que esse fardo role para a cruz de Cristo.

---

[19] RYLE, John Charles. *Comentário expositivo do Evangelho segundo Mateus*, p. 57.
[20] SPROUL, R. C. *Mateus*, p. 314.

Se você está sobrecarregado por causa do pecado, da culpa, do remorso e do medo da morte, esse convite de Jesus é para você.

Se você está sobrecarregado pela ansiedade, pela angústia, pelo desespero, esse convite de Jesus é para você.

Se você está sobrecarregado por sofrimento, doença, pobreza, opressão e conflitos familiares, esse convite de Jesus é para você.

Se você está sobrecarregado por dúvidas, tentações, conflitos e prisões morais, esse convite de Jesus é para você.

A mais gloriosa de todas as **promessas** (11.28b)

Jesus promete: "... e achareis descanso para as vossas almas". O descanso para a alma não está na religião, não está na igreja, não está nos credos, não está nas obras, não está nas preces, não está na ioga, não está na meditação transcendental, não está nas penitências, não está na psicologia de autoajuda. Está em Jesus. Só ele pode aliviar nossa bagagem. Só ele pode dar-nos o alívio. Só Jesus pode nos dar verdadeiro descanso para a alma.

Vivemos num mundo que busca o prazer. Um mundo que corre atrás de satisfação e felicidade. Mas as festas do mundo terminam em cinzas. No fundo da garrafa, está não o descanso da mente, mas o tormento da alma. Na cama do adultério, está não o prazer que satisfaz, mas o gosto de enxofre. Nas viagens fantasiosas das drogas, está não a paz interior, mas uma dependência avassaladora que faz arder até os ossos com o fogo do inferno. A satisfação não está no sucesso. Muitos daqueles que chegam ao topo dessa pirâmide se atiram de lá de cima no abismo do suicídio ou das drogas. A satisfação da alma não está no dinheiro. A riqueza material não preenche esse vazio da sua alma. Essa satisfação só pode ser encontrada em Jesus.

Assim como a pomba de Noé encontrou uma arca sobre a qual pôde repousar, também você pode encontrar em Jesus Cristo tranquilidade, proveniente do perdão dos seus pecados, e descanso, resultado da paz com Deus. Jesus oferece a você descanso para a consciência através de sua expiação e de seu perdão. Jesus oferece a você descanso para a mente, pela sua infalível instrução da verdade. Jesus oferece a você descanso para o coração pelo derramamento de seu amor no seu coração.

Jesus oferece a você descanso para a alma pela certeza que lhe dá de seu amor, perdão e graça.

William Hendriksen tem razão quando diz que tal descanso não é só negativo, ausência de incerteza, temor, ansiedade e desespero; positivamente é paz na mente e, no coração, certeza de salvação.[21]

A mais gloriosa de todas as **parcerias** (11.29,30)

> *Tomai sobre vós o meu jugo e aprendei de mim, porque sou manso e humilde de coração e achareis descanso para as vossas almas. Pois o meu jugo é suave e o meu fardo é leve* (Mt 11.29,30).

Destacamos a seguir algumas verdades importantes.

Em primeiro lugar, *Jesus nos chama para uma vida de propósito* (11.29). "Tomai sobre vós o meu jugo". Fritz Rienecker fala sobre o jugo como um instrumento de trabalho.[22] Somos chamados ao trabalho, e não à ociosidade. Somos chamados à ação, e não à contemplação. Somos chamados ao engajamento, e não ao isolamento.

O jugo mais conhecido é o jugo duplo. Muitas vezes são dois animais que trabalham sob a mesma canga. No jugo duplo, os dois animais se colocam lado a lado para trabalharem juntos. Um ajuda o outro a puxar a carga e trabalhar. O desafio é trabalhar ao lado de Jesus, em parceria com Ele. Jesus está conosco. Ele nos ajuda a levar o fardo. Ele não nos promete ausência de luta, mas nos promete companhia. Ele nos promete ajuda e parceria.

O jugo também sugere alívio considerável do trabalho. O jugo de Jesus, de igual forma, facilita o trabalho, uma vez que Ele mesmo nos capacita a fazer a sua obra. O Espírito Santo nos assiste em nossa fraqueza.

O jugo ainda proporciona um direcionamento seguro para o alvo. Quantos saltos para o lado um animal não daria e em quantos desvios não entraria, se não fosse dirigido sempre de novo pelo jugo e por Aquele que dirige o jugo para o rumo certo!

---

[21]HENDRIKSEN, William. *El Evangelio segund San Mateo*, p. 527.
[22]RIENECKER, Fritz. *Evangelho de Mateus*, p. 199.

Jugo também remete a submissão. O homem sempre será escravo. Ou você está debaixo de jugo de Cristo, ou estará debaixo do jugo do pecado. O jugo do pecado escraviza; o jugo de Cristo liberta. O jugo do pecado mata; o jugo de Cristo dá vida.

Em segundo lugar, **Jesus nos chama para uma vida de discipulado** (11.29). *... e aprendei de mim porque sou manso e humilde de coração.* Jesus nos chama não apenas para a salvação, mas, também, para o discipulado. Ele nos chama não para aprendermos regras, mas para aprendermos dEle. Seus mandamentos não são como as regras opressoras do legalismo. Seus mandamentos são deleitosos. Seus caminhos são retos. Sua Palavra é melhor do que o ouro e mais deliciosa do que o mel.

O caminho da vida que Jesus deseja que os seus discípulos sigam é a Sua própria vida. O nosso guia de conduta não é mais um amontoado de regras que pesa sobre nós como uma pesada carga, mas o exemplo de Cristo. "Aprendei de mim" é a instrução que Ele dá. E ser aluno de Jesus é ter um Professor muito gentil e inclinado à mansidão e humildade, que nunca se impacienta com os que são lentos para aprender e jamais é intolerante com os que tropeçam.[23]

Jesus é manso e humilde. Ele não oprime, liberta; Ele não condena, perdoa; Ele não esmaga, alivia. Ele restaura o caído; levanta o abatido; põe de pé o prostrado. Ele reergueu Davi de seu adultério. Levantou Pedro de sua negação. Libertou Maria Madalena. Deu salvação a Zaqueu. Curou o cego de Jericó. Deu um novo sentido de viver para a mulher samaritana. Ele pode fazer o mesmo com você.

Em terceiro lugar, **Jesus nos garante que a vida com Ele é deleitosa, e não uma caminhada cheia de opressão e gemidos** (11.29,30). *... e achareis descanso para as vossas almas. Pois o meu jugo é suave e o meu fardo é leve.* A palavra grega para jugo "suave" é *chrestos*, que significa "adequado", "bem adaptado".[24] Na Palestina, os jugos dos bois eram feitos de madeira. Levava-se o boi para tirar a medida e então sob medida se fazia o jugo.[25] O jugo precisa ser adequado, ou seja, precisa ajustar-se

---

[23]TASKER, R. V. G. *Mateus: introdução e comentário*, p. 97.
[24]MOUNCE, Robert H. *Mateus*, p. 118.
[25]BARCLAY, William. *Mateo II*, p. 24.

bem, estar sob medida. O jugo de Jesus se adapta bem. Ele é adequado. A vida com Jesus é adequada, feliz, bem-aventurada. Seu jugo não esfola nosso pescoço. Jesus não oprime seus filhos. Robert Mounce diz que o fardo de Jesus é leve porque não se trata de mera obediência a mandamentos externos, mas de lealdade a uma Pessoa.[26] Jesus mesmo disse: *Se você me ama, você guarda os meus mandamentos.* Quando recordamos o amor de Deus, quando sabemos que nossa carga consiste em amar a Deus e aos homens, a carga se converte em uma canção.

Certamente Jesus não promete a seus discípulos uma vida de inatividade ou repouso, nem isenção de tristezas ou lutas, mas lhes assegura que, se eles se mantiverem bem unidos a Ele, acharão alívio de esmagadores fardos, como os da angústia arrasadora, do sentimento de frustração e futilidade, e da desgraça de uma consciência carregada de pecados.[27]

O diabo oprime, mas Jesus liberta. O pecado cansa, mas a graça alivia. O mundo desencanta, mas Jesus salva. A vida sem Cristo é um arremedo de vida, mas a vida com Ele é o mais fascinante projeto de vida.

Vinde! Tomai! Aprendei! Eis os imperativos da graça!

---

[26]MOUNCE, Robert H. *Mateus*, p. 118.
[27]TASKER, R. V. G. *Mateus: introdução e comentário*, p. 98.

33

O legalismo escraviza, Jesus liberta

Mateus 12.1-8

O SÁBADO JUDAICO tinha se transformado numa ferramenta de opressão nas mãos dos legalistas. Em vez de ser um deleite para o homem, o sábado se tornara o carrasco do homem. Tornara-se um fardo insuportável em vez de um elemento terapêutico. John Charles Ryle diz, corretamente, que Jesus não aboliu a lei do sábado. Tão somente Ele a liberou das intereipretações incorretas, purificando-a de adições inventadas pelos homens. Jesus não arrancou do decálogo o quarto mandamento. Apenas o desnudou das miseráveis tradições pelas quais os fariseus haviam incrustado o dia, transformando-o em uma carga insuportável, ao invés de ser uma bênção.[1]

Deus deu a lei do sábado a Israel no Sinai (Ne 9.13,14) e fez desse dia um sinal entre Ele e a nação (Êx 20.8-11; 31.12-17). O sábado é uma lembrança da conclusão da "antiga criação", enquanto o Dia do Senhor lembra a obra consumada do Senhor em sua "nova criação". O sábado refere-se ao descanso depois do trabalho e é relacionado à lei, enquanto o Dia do Senhor se refere ao descanso antes do trabalho e é relacionado à graça.[2] O sábado era sombra (Os 2.11), e a realidade

---
[1] RYLE, John Charles. *Meditações no Evangelho de Mateus*, p. 83.
[2] WIERSBE, Warren W. *Comentário bíblico expositivo*, p. 245.

é Cristo (Cl 2.16,17). Jesus foi categórico ao afirmar que o sábado foi criado para o homem, e não o homem para o sábado (Mc 2.27). No propósito de Deus, o sábado é uma instituição da misericórdia, que deve servir ao ser humano para o bem, para repouso e restauração (Dt 5.14; Êx 23.12), para bênção e santificação. Deus deseja abençoar, presentear e alegrar por intermédio do sábado. O sábado deve servir para o ser humano como repouso e equilíbrio da alma. Os fariseus, porém, distorciam o benefício de Deus, transformando-o em flagelo. Concordo com William Hendriksen quando ele diz que, por meio de seu legalismo excessivamente minucioso, esses homens estavam constantemente sepultando a lei de Deus debaixo do pesado fardo de suas tradições.[3]

Os evangelhos registram sete confrontos entre Jesus e os fariseus a respeito do sábado (12.1-8,9-14; Lc 13.10-17; 14.1-6; Jo 5.1-9; 7.21-24; 9.1-41). As leis que cresceram em volta do sábado eram volumosas. Essas leis estavam oprimindo as pessoas em vez de oferecer a elas um descanso para a alma. As cercas do sábado, conforme construídas pelos fariseus, evoluíram de tal forma que impediam os atos de misericórdia e até mesmo condenavam aqueles que realizavam esses atos, enquanto Deus sempre colocou a compaixão acima do ritual.[4]

Por essa causa, os fariseus, ao verem os discípulos de Jesus colhendo e comendo espigadas nas searas em dia de sábado, debulhando-as com as mãos (12.1,2; Mc 2.23; Lc 6.1), advertiram Jesus nesses termos: *Eis que os Teus discípulos fazem o que não é lícito fazer em dia de sábado* (12.2).

Em face dessa posição legalista dos fariseus, Jesus aproveitou o ensejo para ensinar preciosas lições, como vemos a seguir.

Em primeiro lugar, **os discípulos não estavam fazendo algo proibido pela lei** (12.1,2). A prática de colher espigas nas searas para comer estava rigorosamente em conformidade com a lei de Moisés (Dt 23.24,25). Mas os escribas e fariseus estavam escondendo a verdadeira lei de Deus debaixo da montanha de tradições tolas que eles tinham fabricado. Eles haviam acrescentado à lei 39 regras sobre a maneira de guardar o sábado, tornando a sua observância um fator escravizante e opressor.

---

[3] HENDRIKSEN, William. *Mateus*. Vol. 2. São Paulo: Cultura Cristã, 2010, p. 13,14.
[4] HOVESTOL, Tim. *A neurose da religião*, p. 148,156.

Segundo as estritas normas dos fariseus, os discípulos haviam quebrado a lei do sábado, e isso era um pecado mortal.

Em segundo lugar, *o conhecimento da Palavra de Deus nos liberta da opressão do legalismo* (12.3,4). Spurgeon está certo quando diz que comer o pão santo por blasfêmia, gracejo ou leviandade poderia ser a causa da morte do transgressor, mas fazê-lo por necessidade urgente não foi censurável no caso de Davi.[5] Por isso, Jesus combate o legalismo com as Escrituras. Ele cita as Escrituras para os fariseus e mostra como Davi quebrou a lei cerimonial comendo com seus homens os pães da proposição só permitidos aos sacerdotes (1Sm 21.1-6). Só os sacerdotes podiam comer esse pão da proposição (Lv 24.9), mas a necessidade humana prevaleceu sobre a lei cerimonial. Se pois Davi tinha o direito de ignorar uma provisão cerimonial divinamente ordenada, quando a necessidade assim exigia, quanto mais seu antítipo, Jesus, o Ungido de Deus, tinha em um sentido muito mais profundo o direito de pôr de lado uma regra humana totalmente injustificada acerca do sábado.[6] Concluímos, pois, dizendo que, se Davi tinha o direito de ignorar as provisões cerimoniais, divinamente ordenadas, quando a necessidade assim exigia, não teria Jesus, o Filho de Deus, num sentido muito mais evidente, o direito, sob as mesmas condições de necessidade, de deixar de lado os regulamentos sabáticos não autorizados, feitos pelo homem?

Warren Wiersbe, analisando esse episódio na perspectiva de Mateus, afirma que Jesus usou três argumentos para defender os seus discípulos: o que Davi fez (12.3,4), o que os sacerdotes fizeram (12.5,6) e o que o profeta Oseias diz (12.7-9).[7]

O pão da proposição nunca foi tão sagrado como quando foi utilizado para alimentar um grupo de homens famintos. O sacerdote entendeu que a necessidade dos homens é mais importante do que os regulamentos cerimoniais. O dia do descanso nunca é tão sagrado como quando é usado para prestar ajuda aos necessitados. O árbitro final com respeito aos ritos sagrados não é o legalismo, mas o amor.

---

[5] SPURGEON, Charles H. *O Evangelho segundo Mateus*, p. 221.
[6] HENDRIKSEN, William. *Mateus*. Vol. 2, p. 16.
[7] WIERSBE, Warren W. *Comentário bíblico expositivo*. Vol 5, 2006, p. 52.

Jesus está dizendo com isso que a religião cristã não consiste em regras. As pessoas são mais importantes do que o sistema. A melhor maneira de adorar a Deus é ajudando as pessoas. Esse é o único modo autêntico de dá-las a Deus, pois Deus se preocupa mais em suprir as necessidades humanas do que em resguardar regulamentos religiosos.

Em terceiro lugar, *o exercício da misericórdia é mais importante do que a oferta de sacrifícios* (12.5-7). Concordo com Robert Mounce quando ele diz que Jesus não tem o propósito de rebaixar a lei cerimonial ao compará-la com a lei moral. A questão é que os atos de bondade assumem precedência sobre os ritos religiosos, quando a pessoa precisar tomar uma decisão em determinada situação. O Reino de Deus tem importância superior à da legislação cerimonial, a qual meramente preparou o caminho para a chegada desse reino. Se os fariseus houvessem entendido esse princípio, não teriam criticado os discípulos por haverem apanhado uns grãos de trigo no sábado.[8]

Nessa mesma direção, Tasker tem razão ao dizer que a necessidade humana deve ter precedência sobre os tecnicismos legais. Os fariseus, portanto, estavam cegos para a grande verdade guardada como relíquia em Oseias 6.6: *Misericórdia quero e não holocaustos* (9.13; 12.7). As obras da piedade são lícitas e necessárias no sábado. Deus é misericordioso e espera que o Seu povo mostre misericórdia para os demais e não critique os misericordiosos. A ausência dessa misericórdia não pode ser substituída pela oferta de sacrifícios, ainda que numerosos.[9] Concordo com as palavras de Sproul: "Quando houver conflito entre ritual e misericórdia, sempre devemos escolher misericórdia".[10]

Reafirmamos, portanto, que a melhor maneira de adorar a Deus é ajudando as pessoas. A melhor maneira de fazer uso das coisas sagradas é pondo-as a serviço dos que padecem necessidade. Concordo com A. T. Robertson quando ele diz que no Antigo Testamento a verdadeira adoração sempre era mais importante do que as formas de adoração.[11]

---

[8]MOUNCE, Robert H. *Mateus*, p. 123.
[9]TASKER, A. G. V. *Mateus: introdução e comentário*, p. 99.
[10]SPROUL, R. C. *Mateus*, p. 319.
[11]ROBERTSON, A. T. *Comentário de Mateus*, p. 138.

Em quarto lugar, *o senhorio de Cristo traz liberdade, e não escravidão* (12.8). Jesus é maior do que o templo (12.6) e também é o Senhor do sábado. Seu senhorio não é escravizante nem opressor. O legalismo é um caldo mortífero que envena, asfixia e mata as pessoas. Ele é vexatório e massacrante. Chegou a ponto de transformar o que Deus criou para aliviar o homem, o sábado, num tirano cruel.

William Hendriksen interpreta a questão corretamente quando escreve: "O sábado foi instituído para ser uma bênção para o homem: para a conservação de sua saúde, para fazê-lo feliz e para torná-lo mais santo. O homem não foi criado para ser escravo do sábado".[12] O mesmo autor diz, corretamente, que, ao longo da antiga dispensação, a semana começava com seis dias de trabalho. Estes eram seguidos de um dia de descanso. Depois, pelo trabalho de seu sofrimento vicário, Cristo, o grande Sumo Sacerdote, alcançou para o povo de Deus o eterno descanso sabático (Hb 4.9). A ordem trabalho-descanso, portanto, se inverte para descanso-trabalho: muito apropriadamente, a semana agora começa com o dia de descanso.[13]

O governo de Jesus traz liberdade e alegria. Agostinho disse que, quanto mais servos de Cristo somos, mais livres nos sentimos. Jesus é maior do que o templo (12.6), maior do que Jonas (12.41), maior do que Salomão (12.42). Ele é o Senhor do sábado (12.8). Warren Wiersbe conclui:

> É importante observar que Jesus apelou para um rei, um sacerdote e um profeta, pois Ele é Rei, Sacerdote e Profeta; também afirmou ser "maior" em três aspectos: como Sacerdote, Ele é "maior do que o templo" (12.6); como Profeta, Ele é "maior do que Jonas (12.41); e como Rei, Ele é "maior do que Salomão" (12.42).[14]

---

[12] HENDRIKSEN, William. *Mateus.* Vol. 2, p. 18.
[13] HENDRIKSEN, William. *Mateus.* Vol. 2, p. 19.
[14] WIERSBE, Warren W. *Comentário bíblico expositivo*, p. 52.

34

Amor e ódio num lugar de adoração

Mateus 12.9-14

ESTE EPISÓDIO ESTÁ REGISTRADO pelos três evangelhos sinóticos. Mateus é o mais sucinto na sua narrativa. Lucas nos informa que Jesus entrou na sinagoga para ensinar e que ali estava um homem com a mão direita mirrada (Lc 6.6). Ali também estavam os fariseus, não com o propósito de adorar, mas para buscar uma oportunidade de acusarem Jesus de ser transgressor do sábado (12.9). Lucas informa que entre os fariseus estavam também os escribas (Lc 6.7).

Essa polêmica acerca do sábado estava posta e se constituía no principal ponto de tensão. Jesus não se submetia à tradição criada pelos homens para desfigurar o sábado e torná-lo uma ferramenta de opressão. A oposição, que era velada e indireta, agora ganha contornos de uma conspiração para matar Jesus (Mc 3.6).

À medida que Mateus relata a história, o conflito entre Jesus e Seus adversários começa a intensificar-se. Nos versículos 1 a 8, os fariseus lançaram seu ataque contra os discípulos, mas, nos versículos 9 a 14, a oposição deles é endereçada diretamente a Jesus. A essas alturas, esses inimigos de plantão já viam Jesus como inimigo. Ele havia arrogado para Si o poder de perdoar pecados (9.6,7), comia com publicanos e pecadores (9.11), transgredia suas regras sabáticas (12.1-8). Agora, Jesus cura o homem que não estava correndo perigo. Há aqui uma situação tensa (12.9-12), um milagre espantoso (12.13) e uma reação furiosa (12.14). Destacamos a seguir esses três pontos.

Uma **situação tensa** (12.9-12)

Jesus tinha o hábito de ir às sinagogas aos sábados. Onde o povo estava, ali também estava Jesus. A sinagoga era um lugar de ensino da lei e por isso Jesus entrou ali para ensinar (Lc 6.6). Ali estava um homem com a mão direita ressequida e atrofiada, talvez aguardando de Jesus um milagre ou mesmo plantado pelos opositores de Jesus. Os fariseus, antevendo que Jesus faria ali um milagre, anteciparam uma pergunta capciosa a Ele, na expectativa de reunir material para acusá-lo de ser um transgressor do sábado.

Perguntaram: *É lícito curar no sábado?* (12.10). Jesus, que nunca caíra na armadilha dos fariseus nem jamais se deixara embaraçar por perguntas de algibeira, respondeu-lhes com outra pergunta: *Qual dentre vós será o homem que, tendo uma ovelha, e, num sábado esta cair numa cova, não fará todo o esforço, tirando-a dali?* (12.11). Depois de responder à pergunta dos fariseus, Jesus faz um juízo de valores, indagando: *Ora, quanto mais vale um homem que uma ovelha?* (12.12a). Então, arremata, fazendo uma afirmação irretocável: *Logo, é lícito, nos sábados, fazer o bem* (12.12b). A conduta ética e o exercício da misericórdia são sempre mais importantes do que a obediência cerimonial. Quanto vale uma vida para os fariseus? (12.10-12). Mateus deixa claro que os fariseus davam mais valor aos rituais do que à vida humana. Destacamos a seguir três pontos.

Em primeiro lugar, ***os fariseus dão mais valor aos rituais do que à vida humana*** (12.10-12). Jesus já havia ensinado que o sábado fora criado por causa do homem (Mc 2.27) e que Ele era o Senhor do sábado (12.8), porém os fariseus se importavam mais com suas tradições do que com a vida humana. Os fariseus não viram um homem necessitado, mas apenas uma oportunidade de acusarem Jesus como violador do sábado. Era mais importante para eles proteger suas leis do que libertar um homem do sofrimento.

É importante enfatizar que o zelo deles não era pela Palavra de Deus, mas pela tradição dos homens. Eles haviam acrescentado 39 regras do que não se podia fazer no sábado e entre elas estava o curar um enfermo. Só o perigo de vida teria servido como exceção. Os fariseus estavam valorizando muito mais os rituais criados pelos rabinos do que a ordem divina de amar e zelar pelo bem-estar do próximo. Era um dia de sábado, dentro de uma sinagoga e, mesmo sendo no dia de Deus, na hora da adoração a Deus, os fariseus estavam tramando todo o mal contra Jesus (Pv 5.14). O entendimento embotado dos fariseus, ao verem Jesus curando um homem no sábado, levou-os à conclusão de que sua autoridade não procedia de Deus. Mas Jesus revelou que suas tradições eram ridículas. Deus é Deus de pessoas, e não de tradições engenhosamente fabricadas pelos homens. O melhor tempo para socorrer alguém é quando esse indivíduo está passando por uma necessidade. Antes de defender nossas tradições, precisamos perguntar: elas servem aos propósitos de Deus? Revelam o caráter de Deus? Ajudam as pessoas a entrar na família de Deus ou as mantêm fora dessa relação? Têm fortes raízes bíblicas? Tradições saudáveis precisam passar por esses testes.

Em segundo lugar, *os fariseus dão mais valor à aparência do que à verdade* (12.14). Eles coavam um mosquito e engoliam um camelo. Eram mais leais ao seu sistema religioso do que a Deus. O que era pior: restaurar a saúde de uma pessoa enferma ou tramar a morte e alimentar o ódio por uma pessoa inocente? Devia Jesus estar envergonhado por fazer o bem? E eles não estavam envergonhados de fazer o mal?

Nenhum cristão deve hesitar em fazer o bem no dia do Senhor. O exercício da misericórdia, a cura do enfermo, o alívio da dor do aflito deve ser sempre praticado sem escrúpulo. Fazer o bem no dia do Senhor não é certamente buscar o nosso próprio prazer ou o nosso próprio lucro, alerta John Charles Ryle.[1] Conforme disse Fritz Rienecker, para Jesus existe somente uma única questão: o bem precisa ser feito, imediatamente![2]

Em terceiro lugar, *os fariseus dão mais valor a um animal do que ao ser humano* (12.11,12). Os fariseus haviam perguntado a Jesus se era lícito curar no sábado (12.10), ao que Jesus respondeu: *Qual dentre vós será*

---

[1] RYLE, John Charles. *Mark.* Downers Grove, IL: Inter-Varsity Press, 1993, p. 33.
[2] RIENECKER, Fritz. *Evangelho de Mateus*, p. 203.

o homem que, tendo uma ovelha, e, num sábado esta cair numa cova, não fará todo o esforço, tirando-a dali? Ora, quanto mais vale um homem que uma ovelha? Logo, é lícito, nos sábados, fazer o bem (12.11,12). Os fariseus socorriam uma ovelha, mas não um homem. Eles davam mais valor a um animal do que a um homem doente. Tinham mais compaixão de uma ovelha do que de um homem. Valorizavam mais os ritos, os animais e o dinheiro do que o ser humano. Tasker diz que, se for aceito que a salvação de um animal ferido é ocupação válida no sábado, então, a salvação de um ser humano ferido é uma ocupação mais válida ainda, e especialmente se quem o faz é aquele que é o Senhor do sábado e que demonstra seu poder supremo mostrando misericórdia e fazendo o bem.[3]

Três fatos podem ser destacados, ainda, sobre os fariseus neste texto.

Eles fiscalizam Jesus (12.10). Os fariseus não são adoradores, mas detetives. Não querem ouvir a Palavra de Deus, mas impor suas ideias aos outros. Não ouvem os ensinos de Jesus, mas o censuram. Não entram na sinagoga para socorrer os aflitos, mas olham para eles apenas como objetos descartáveis. Os fariseus estavam na sinagoga para observar Jesus e ajuntar mais provas contra Ele. Estavam interessados na acusação, e não na cura.

Eles são confrontados por Jesus (12.11,12). Jesus desmascara a falsa teologia dos fariseus. Mostra-lhes que o sábado não foi dado por Deus para encolher a mão de fazer o bem. O sábado é tempo oportuno para a prática do bem e a defesa da vida. Os fariseus estavam preocupados com o dia, ao passo que Jesus estava interessado em salvar vidas nesse dia.

Eles se endurecem contra Jesus (12.14). O mesmo sol que amolece a cera endurece o barro. Ao ser confrontados por Jesus, em vez de se arrependerem, eles se encheram de furor e saíram da sinagoga para conspirarem contra Jesus a fim de tirar-Lhe a vida. A partir desse milagre, já entraram em contato com os herodianos para tramarem a morte de Jesus (Mc 3.6). Hendriksen escreve: "A miséria produz estranhas confrarias, especialmente quando está vinculada à inveja. Reunidos os dois grupos, agora tramam como aniquilar Jesus".[4]

---

[3]Tasker, R. V. G. *Mateus: introdução e comentário*, p. 88.
[4]Hendriksen, William. *Mateus*. Vol. 2, p. 23.

Um **milagre** espantoso (12.13)

Os fariseus estavam preocupados com rituais, e Jesus, com a vida de um homem. Eles se importavam com o dia, e Jesus, com a prática do bem nesse dia. Na sinagoga, havia um homem cuja mão direita estava ressequida, rendido ao complexo de inferioridade e incapacitado de trabalhar. Jesus alivia seu sofrimento, restaura sua autoestima e devolve-lhe a saúde. No campo, Jesus baseou sua defesa nas Escrituras do Antigo Testamento (12.3-7), mas, na sinagoga, tomou como base a natureza da lei divina do sábado. Deus deu a lei para ajudar as pessoas, não para prejudicá-las. *O sábado foi estabelecido por causa do homem e não o homem por causa do sábado* (Mc 2.27). Qualquer homem ali presente salvaria uma ovelha no sábado, então por que não salvar um homem criado à imagem de Deus? (12.11,12).

Desfeitos os embaraços levantados pelos fariseus, refutada a intenção perversa deles, Jesus se volta para o homem enfermo, dando-lhe uma ordem expressa: *Estende a mão* (12.13). Diante dessa ordem absoluta, o homem responde com obediência imediata: *Estendeu-a* (12.13). O resultado foi glorioso: ... *e ela ficou sã como a outra* (12.13).

Destacamos a seguir dois fatos.

Em primeiro lugar, ***uma deficiência severa*** (12.10). Esse homem tinha um defeito físico notório. Sua mão destra estava não apenas inativa, mas ressequida (Lc 6.6). Esse homem sofria não apenas fisicamente, mas, também, emocionalmente. Seu problema era uma causa perdida para a medicina, um problema insolúvel para os homens. O melhor que ele tinha estava seco e mirrado. Há pessoas mirradas ainda hoje no meio da congregação, gente com deformidades físicas, emocionais e morais. Gente que carrega o peso dos traumas e das avassaladoras deficiências.

Em segundo lugar, ***uma cura extraordinária*** (12.13). O ministério de ensino não pode ser divorciado do ministério de socorro. Precisamos falar e fazer, ensinar e agir. Jesus não apenas ensinava a Palavra de Deus na sinagoga; Ele também socorria os aflitos. Ele não via as pessoas apenas como um auditório, mas como pessoas que precisavam ser socorridas em suas aflições. Jesus curou o homem da mão ressequida, ainda que isso tenha despertado a fúria dos fariseus contra Ele.

Jesus dá a esse homem três ordens para sarar seus traumas emocionais e curar sua enfermidade.

Levanta-te (Lc 6.8). Antes de ser curado, esse homem precisava admitir publicamente sua deficiência. Talvez esse homem vivesse se escondendo, cheio de complexos. Mas Jesus quer que ele assuma quem é para depois receber a cura.

Vem para o meio (Lc 6.8). Mais um passo deve ser dado em direção à cura. Esse homem deve mostrar a todos a sua real situação antes de ser curado por Jesus.

Estende a mão (12.13). Agora a fé precisa ser exercida. Aquilo que nunca conseguiu fazer, ele fará em obediência à ordem expressa de Jesus. A fé crê no impossível, toca o intangível e toma posse do impossível! O resultado? ... *e ela ficou sã como a outra* (12.13). Quando se obedece à ordem de Jesus, a fé toma posse do milagre, pois Aquele que ordena é o mesmo que dá poder para que a ordem se cumpra. Quando Deus ordena, Ele também capacita. São oportunas aqui as palavras de Fritz Rienecker:

> Jesus nos ensina a não capitular diante do mal em nenhuma circunstância, mas, sim, partir para o ataque com a força do alto, com a ajuda do poder divino. Cristo nos mostra como se deve introduzir no império de satanás o Reino de Deus, como a mão ressequida, atrofiada e morta precisa ser transformada em uma mão viva, que restaura, traz ofertas, ora e luta.[5]

Uma **reação furiosa** (12.14)

Os fariseus rejeitaram a luz, taparam os ouvidos às Escrituras e saíram da sinagoga não para mudarem sua conduta, mas para conspirarem contra Jesus, sobre como Lhe tirariam a vida (12.14). Já que não podiam silenciá-Lo, resolveram matá-Lo. A cegueira espiritual deles era tanta que acusaram Jesus de quebrar o sábado por fazer o bem, mas não se viam como transgressores do sábado tramando o mal.

---

[5] RIENECKER, Fritz. *Evangelho de Mateus*, p. 204.

Esses espiões da fé só conseguem olhar para os outros, e não para si mesmos. Transformam a verdade em mentira e atacam aqueles que não se enquadram dentro de sua míope cosmovisão. Seus pensamentos foram devassados por Jesus. Aquele que tudo vê, tudo conhece e a todos sonda tirou a máscara deles e expôs sua intenção maligna.

Muitos ainda hoje vão à igreja e saem piores, mais duros e mais culpados. John Charles Ryle pergunta: Por que tantos entre os profetas do Senhor foram mortos? Por que os nomes dos apóstolos foram rejeitados pelos judeus como malignos? Por que os primeiros mártires cristãos foram executados? Por que John Huss, Jeronimo Savonarola, Ridley e Latimer foram queimados na fogueira? Não por causa de algum pecado que houvessem cometido. Todos sofreram porque eram homens piedosos.[6]

Jesus sabia que a cura daquele homem da mão mirrada desencadearia uma perseguição que culminaria em sua morte na cruz. A partir, dali os fariseus começaram a perseguir a Jesus e a orquestrar com os herodianos a Sua morte. O evangelista Marcos é o único que fala sobre essa coligação espúria entre os fariseus e os herodianos para tramarem a morte de Jesus. Os herodianos eram um partido político judeu radical que esperava restaurar a linha de Herodes, o grande, ao trono. Eles apoiavam o domínio de Roma sobre a Palestina e assim estavam em direto conflito com os líderes judeus. Os fariseus e os herodianos não tinham nada em comum até Jesus ameaçá-los. Jesus ameaçou a autoridade dos fariseus sobre o povo e ameaçou os herodianos ao anunciar Seu reino eterno. Assim os fariseus e herodianos, inimigos históricos, se uniram para tramar a morte de Jesus. As facções inimigas entre os judeus foram esquecidas momentaneamente de suas rivalidades, unidas por seu ódio ao Senhor. Foi o inimigo comum, Jesus, que uniu esses dois grupos rivais. Aquela foi uma estranha coalizão entre os falsos santos e os sacrílegos. Tramar a morte de Jesus no sábado não era visto por eles como violação do sábado, mas curar uma pobre pessoa doente o era. De fato, a cegueira deles era terrível.

---

[6] RYLE, John Charles. *Meditações no Evangelho de Mateus*, p. 85.

35
A missão do Messias

Mateus 12.15-21

A CONSPIRAÇÃO CONTRA JESUS, urdida pelos fariseus e herodianos, já estava posta e, por isso, Jesus se afasta dali; muitos, porém, o seguem, sendo todos por Ele curados (12.15). Em vez de fazer estardalhaço acerca de Seu poder, Jesus ordena às pessoas curadas que não O exponham à publicidade (12.16). A razão dessa postura é que isso se enquadrava dentro da profecia de Isaías acerca de sua missão como Messias (Is 42.1-4).

A profecia de Isaías, citada apenas por Mateus, descreve o Messias de algumas formas, que destacamos a seguir.

O Messias tem **poder**, mas **não altivez** (12.15,16)

Ele cura, mas não faz propaganda de Seu poder. Ele faz as obras de Deus, mas não busca holofotes. A humildade de Jesus reprova toda altivez humana. Hendriksen tem razão quando diz que Jesus não buscava fama. Ele não desejava sobressair como operador de milagres. A exibição vã e a glória terrena não constituíam a razão de Sua encarnação e peregrinação entre os homens.[1]

---
[1] HENDRIKSEN, William. *Mateus*. Vol. 2, p. 24.

O Messias é o **servo** e ao mesmo tempo o **amado de Deus** (12.17,18a)

Ele é o servo escolhido de Deus, em quem o Senhor se compraz. Jesus é o deleite do Pai, em quem Ele tem todo o seu prazer. Mesmo sendo da mesma forma de Deus, não julgou como usurpação o ser igual a Deus, antes a Si mesmo se esvaziou e assumiu a forma de servo. Mateus traça um nítido contraste entre os ímpios fariseus, oponentes de Cristo, com Cristo mesmo, o amado Filho do Pai, sempre disposto a fazer a vontade dAquele que o enviou.[2]

O Messias é **revestido com o Espírito** e anuncia **juízo aos gentios** (15.18b)

Jesus foi concebido por obra do Espírito Santo. Foi revestido com o Espírito Santo em Seu batismo. Cheio do Espírito Santo, venceu o diabo no deserto. Capacitado pelo Espírito Santo, deu início ao Seu ministério de pregação, cura e libertação. Realizou prodígios pelo poder do Espírito Santo. E, subindo aos céus, derramou o Espírito Santo sobre a igreja, para que ela fosse até os confins da terra, anunciando aos gentios tanto a salvação de Deus como o Seu juízo.

O Messias **vem humildemente**, e **não com arrogância** (12.19)

Jesus entrou no mundo de forma despretensiosa. Nasceu de uma virgem pobre, num lugar pobre. Cresceu num lugar pobre e não tinha onde reclinar a cabeça. Jamais ostentou Seu poder para demonstrar proeminência entre os homens. Era manso e humilde de coração. Fritz Rienecker diz que o quadro maravilhoso do Salvador traçado por Mateus dará novas forças e consolo para a nossa vida. Cabe-nos andar calmamente o caminho que Deus delineou para cada um, sem olhar para a direita ou para a esquerda, sem ter em mente alvos e desejos pessoais. Contudo, devemos andar nosso caminho em direção do alvo,

---

[2] HENDRIKSEN, William. *Mateus*. Vol. 2, p. 25.

através de todos os obstáculos e dificuldades, unicamente correspondendo de modo obediente à vontade do Pai, comedidos e não obstante firmes e conscientes, humildes mas com passo seguro.[3]

O Messias vem agindo com **misericórdia**, e **não com truculência** (12.20)

Lawrence Richards diz que a cana quebrada é a flauta do pastor, produzida a partir de gentis pancadinhas em uma cana até que a casca amoleça e se solte uma única peça. Se a casca quebrasse, a vara estaria arruinada, e a cana, agora inútil, seria quebrada e jogada fora. Da mesma maneira, o morrão (torcida que fumega), usado em um lampião, queimava quando coberto com carvão e fuligem, tornando-se inútil. A imagem é poderosa: o Servo de Deus não aparecerá primeiramente como um Conquistador, varrendo todos os pecadores diante dEle. Ele virá como Aquele que é completamente movido pela compaixão, a ponto de não estar disposto a descartar nem mesmo os quebrados e inúteis da sociedade de Israel. Até que chegue o dia do juízo.[4]

Jesus usou Seu poder para curar e restaurar. Estendeu suas mãos não para esmagar os fracos, mas para ajudá-los. Não usou Seu poder para condenar, mas para perdoar. Não veio para condenar, mas para salvar. Foi amigo dos pecadores. Acolheu os inacolhíveis. Tocou os intocáveis. Alimentou os famintos. Deu esperança aos desassistidos de esperança. Charles Spurgeon diz que os mais fracos não são rejeitados por nosso Senhor Jesus, embora aparentemente inúteis como uma cana quebrada ou mesmo realmente inofensivos como uma torcida que fumega. Ele é terno e não adota atitudes severas. Jesus sustenta e perdoa aqueles que são desagradáveis aos Seus olhos. Ele deseja ligar a cana quebrada e soprar a fumaça do morrão, acendendo a chama da vida.[5] Nessa mesma linha de pensamento, William Hendriksen diz que Jesus curará o doente (4.23-25; 9.35; 11.5; 12.15), buscará e salvará os publicanos e

---

[3]RIENECKER, Fritz. *Evangelho de Mateus*, p. 205.
[4]RICHARDS, Lawrence O. *Comentário histórico-cultural do Novo Testamento*, p. 46.
[5]SPURGEON, Charles H. *O Evangelho segundo Mateus*, p. 230.

pecadores (9.9,10), confortará os que choram (5.4), animará os temerosos (14.13-21), encherá de convicção os que têm dúvidas (11.2-6), alimentará os famintos (14.13-21) e concederá perdão aos que se arrependem de seus pecados (9.2). Ele é o genuíno Emanuel (1.23).[6] Nessa mesma toada, Sproul diz que o Messias continuará cuidando das canas quebradas e protegendo as torcidas que fumegam. Continuará buscando e salvando os perdidos até que a cortina da história se feche. Além disso, a missão do Messias vai além da casa de Israel: *E, no seu nome, esperarão os gentios*.[7]

O Messias, sendo judeu, é a **esperança dos gentios** (12.21)

Seu nome é o único nome em quem os povos têm salvação. Não há outro Redentor. Não há outro Mediador. Só em Jesus há salvação.

---

[6]Hendriksen, William. *Mateus*. Vol. 2, p. 27.
[7]Sproul, R. C. *Mateus*, p. 326.

36

A blasfêmia contra o Espírito Santo

Mateus 12.22-32

ENTRAREMOS AQUI NUM DOS PONTOS mais controversos e delicados, registrado nos evangelhos, a questão da blasfêmia contra o Espírito Santo. Não há consenso entre os estudiosos. Por isso, daremos alguns esclarecimentos, antes de entrarmos na exposição do texto.

O que não é blasfêmia contra o Espírito Santo

Elencamos a seguir seis fatos que não podem ser confundidos com a blasfêmia contra o Espírito Santo.

Em primeiro lugar, *não é incredulidade final.* Billy Graham, em seu livro *O Espírito Santo*, diz que a blasfêmia contra o Espírito Santo é a rejeição total e irrevogável de Jesus Cristo.[1] Não obstante o fato de que a incredulidade até a hora da morte seja um pecado imperdoável, visto que não há oportunidade de salvação depois da morte, o contexto prova que Jesus está dizendo que o pecado imperdoável é um pecado que se comete não no leito da enfermidade, mas antes da morte.[2]

---

[1] GRAHAM, Billy. *O Espírito Santo*. São Paulo, SP: Vida Nova, 1978, p. 121.
[2] PALMER, Edwin H. *El Espiritu Santo*. Edinburgh: El Estandarte de la Verdad, n. d, p. 227.

Em segundo lugar, **não é rechaçar por um tempo a graça de Deus**. Muitas pessoas vivem na ignorância, na desobediência por longos anos, e depois são convertidas ao Senhor. Por um tempo, Paulo rejeitou a graça de Deus (At 26.9; 1Tm 1.13). Os próprios irmãos de Jesus não creram nEle até sua ressurreição (3.21; Jo 7.5).

Em terceiro lugar, **não é negação de Cristo**. Paulo perseguiu a Cristo (At 9.4). Pedro negou a Cristo (26.69-75). Os irmãos de Cristo no início não criam nEle (Jo 7.5). Cristo disse que quem blasfemasse contra o Filho seria perdoado (Lc 12.10). Um ateu não necessariamente cometeu o pecado imperdoável.[3]

Em quarto lugar, **não é negação da divindade do Espírito Santo**. Se assim fosse, nenhum ateu poderia ser convertido. Se fosse essa a interpretação, nenhum membro da seita Testemunha de Jeová poderia ser salvo.

Em quinto lugar, **não é a mesma coisa que os pecados contra o Espírito Santo**. A Palavra de Deus menciona alguns pecados contra o Espírito Santo que não são a blasfêmia contra Ele, como vemos a seguir.

Primeiro, não é entristecer o Espírito Santo (Ef 4.30). Um crente pode entristecer o Espírito Santo, porém jamais pode cometer o pecado imperdoável. Davi entristeceu ao Espírito Santo, mas se arrependeu.

Segundo, não é apagar o Espírito Santo (1Ts 5.19). Um crente pode apagar o Espírito Santo, deixando de obedecer-Lhe, deixando de honrá-lo, mas jamais pode blasfemar contra o Espírito Santo.

Terceiro, não é resistir ao Espírito Santo (At 7.51). Muitas pessoas que, durante um tempo, resistem ao Espírito Santo, depois, se humilham diante dEle, como alguns dos sacerdotes que rejeitaram a mensagem de Estevão, mas posteriormente foram convertidos a Cristo.

Quarto, não é mentir ao Espírito Santo (At 5.3). Ananias mentiu ao Espírito Santo através da dissimulação. Muitas pessoas ainda hoje tentam impressionar os outros para ganhar o aplauso deles e por isso mentem ao Espírito Santo, aparentando ser quem não são.

Em sexto lugar, **não é a queda dos salvos**. Os salvos não podem blasfemar contra o Espírito Santo, pois quem o pratica é réu de pecado

---

[3]PALMER, Edwin H. *El Espiritu Santo*, p. 228.

eterno (Mc 3.29), enquanto o ensino claro das Escrituras é que, uma vez salvo, salvo para sempre (Jo 10.28). É impossível uma pessoa salva cair permanentemente e perecer (Fp 1.6). O texto de Hebreus 6.4,5 não se refere às pessoas salvas, mas aos réprobos, aqueles que deliberadamente rejeitam a graça e, por isso, estão incluídos no pecado da blasfêmia contra o Espírito Santo.[4]

O que é blasfêmia contra o Espírito Santo

A palavra *blasfêmia* significa injuriar, caluniar, vituperar, difamar, falar mal. A blasfêmia contra o nome de Deus era um pecado imperdoável no Antigo Testamento (Lv 24.10-16). Por isso, os fariseus e os escribas julgaram Jesus passível de morte porque Ele dizia ser Deus, o que para eles era blasfêmia (Mc 2.7; Mc 14.64; Jo 10.33). A alma que pecava por ignorância trazia oferenda pelo pecado, mas a pessoa que pecava deliberadamente era eliminada, ao cometer um pecado imperdoável (Nm 15.30).

Pecar consciente e deliberadamente contra um conhecimento claro da verdade é evidência da blasfêmia contra o Espírito Santo, e, por natureza, este pecado faz com que o perdão seja impossível, porque a única luz possível é deliberadamente apagada.

A blasfêmia contra o Espírito é a atitude consciente e deliberada de negar a obra de Deus em Cristo pelo poder do Espírito e atribuir o que Cristo faz ao poder de satanás. A blasfêmia consiste no fato de afirmar que o poder que age em Cristo não é o Espírito Santo, mas satanás. É afirmar que Cristo está não apenas possesso, mas possesso do maioral dos demônios. É dizer que Cristo é aliado de satanás, em vez de estar engajado contra Ele. O pecado imperdoável é uma espécie de apostasia total.

Aquele que cometeu este pecado nunca terá perdão. Toda a igreja pode orar por ele, mas ele nunca será salvo. De fato, a igreja nem deveria orar por ele, pois cometeu pecado para a morte (1Jo 5.16), é réu de pecado eterno (Mc 3.29) e não terá perdão nem neste mundo nem no vindouro (12.32).

---

[4]PALMER, Edwin H. *El Espíritu Santo*, p. 231-233.

Tendo em vista essas considerações preliminares, vamos agora nos deter na exposição do texto bíblico em apreço, ou seja, Mateus 12.22-33. Destacamos a seguir alguns pontos.

Em primeiro lugar, *a libertação do endemoninhado* (12.22). Jesus libertou e curou um endemoninhado cego e mudo. Ao sair o demônio, o homem passou a ver e a falar. Os demônios não podem resistir à Sua autoridade, e a enfermidade não pode resistir ao Seu poder. Tasker diz que o poder de satanás já estava sendo desfeito que e a sua panóplia seria destruída por Aquele que estava armado com o poder de Deus, irresistível afinal. O fúnebre dobrar dos sinos pelo príncipe do mal foi ressoando quando o Reino de Deus no ministério de Jesus, o Messias, foi-se tornando realidade entre os homens.[5]

Em segundo lugar, *a admiração da multidão* (12.23). Diante do poder extraordinário de Jesus para curar e libertar, a multidão, tomada de admiração, interroga: *É este, porventura, o Filho de Davi?* Os sinais operados por Jesus eram uma confirmação de seu Messiado.

Em terceiro lugar, *a acusação dos fariseus* (12.24). Mateus diz que os acusadores foram os fariseus (12.24), ao passo que, para Marcos, foram os escribas (Mc 3.22). Qual foi o teor da acusação dos fariseus? *Este não expele demônios senão pelo poder de Belzebu, o maioral dos demônios!* (12.24). "Belzebu" era um dos nomes do deus filisteu Baal (2Rs 1.1-3) e significa "senhor das moscas". Em vez de os líderes religiosos se alegrarem por ter Deus enviado o Redentor, eles se rebelaram contra o Cristo de Deus e difamaram Sua obra, atribuindo-a a satanás.

Os fariseus, por inveja deliberada e consciente, acusam Jesus de ser aliado e agente de satanás e de estar possesso do maioral dos demônios. Eles atribuem as obras de Cristo não ao poder do Espírito Santo, mas à influência de satanás. A acusação contra Cristo foi a seguinte: Jesus, habitado por Belzebu e em parceria com satanás, estava expulsando demônios pelo poder derivado desse espírito mau.

Em quarto lugar, *a refutação de Jesus* (12.25-28). Jesus refutou o argumento dos escribas contando-lhes duas parábolas com o mesmo

---

[5]TASKER, R. V. G. *Mateus: introdução e comentário*, p. 89.

significado: o reino dividido e a casa dividida. Com essas duas parábolas, Jesus mostra quanto o argumento dos escribas era ridículo e absurdo. Satanás estaria destruindo sua própria obra e derrubando seu próprio império. Estaria havendo uma guerra civil no reino do maligno. Não há poder onde há divisão. Robert Mounce chama esse argumento de *reductio ad absurdum,* uma vez que os reinos engajados em guerra civil estão a caminho da autodestruição. Portanto, se uma parte do reino de satanás estiver expulsando outra, em breve nada sobrará.[6] Tratando ainda deste assunto no texto paralelo de Marcos, William Hendriksen argumenta:

> Se o que os escribas diziam era verdade, o dominador estaria destruindo o seu próprio domínio; o príncipe, o seu próprio principado. Primeiro, ele estaria enviando os seus emissários, os demônios, para criar confusão e desordem no coração e na vida dos seres humanos, destruindo-os, muitas vezes pouco a pouco. Depois, como se existisse uma base de ingratidão e loucura suicida, ele estaria suprindo o poder necessário para a derrota vergonhosa e expulsão dos seus próprios servos obedientes. Nenhum reino assim dividido contra si mesmo consegue sobreviver por muito tempo.[7]

O reino de satanás é um sistema fechado. A aparência pluralista é ilusória. Contra Jesus, Pilatos e Herodes se uniram e se tornaram amigos (Lc 23.12). Herodes e Pilatos *com gentios e gente de Israel se uniram contra o servo santo de Deus* (At 4.27). Isso faz sentido: satanás junta suas forças e não trabalha contra si mesmo. As forças do mal destroem as do bem, e não umas às outras. O argumento dos adversários é desprovido de bom senso e prenhe de irracionalidade.

Em quinto lugar, *a explicação de Jesus* (12.29,30). Jesus explica Sua vitória sobre os demônios e satanás: *Ou como pode alguém entrar na casa do valente e roubar-lhe os bens sem primeiro amarrá-lo? E, então, lhe saqueará a casa* (12.29). Não há libertação para o homem a não ser pela

---

[6]Mounce, Robert H. *Mateus,* p. 127.
[7]Hendriksen, William. *Marcos.* São Paulo, SP: Cultura Cristã, 2003, p. 179.

vitória de Jesus sobre satanás. Hendriksen argumenta corretamente que, longe de Jesus ser um parceiro de satanás, Ele está engajado em derrotá-lo. Durante o seu ministério terreno, os enfermos estavam sendo curados, os mortos ressuscitados, os leprosos purificados, os demônios expulsos, os pecados perdoados, a verdade difundida e as mentiras refutadas.[8]

Jesus explica que, em vez de ser aliado de satanás e estar agindo na força dele, está saqueando sua casa e arrancando dela e de seu reino aqueles que estavam cativos (At 26.18; Cl 1.13). Jesus está ensinando algumas preciosas lições, como vemos a seguir.

Primeiro, satanás é o valente. Jesus não nega o poder de satanás nem subestima a sua ação maligna; antes, afirma que ele é um valente.

Segundo, satanás tem uma casa. Satanás tem uma organização e seus súditos estão presos e seguros nessa casa e nesse reino.

Terceiro, Jesus tem autoridade sobre satanás. Jesus é o mais valente. Ele tem poder para amarrar satanás. Jesus venceu satanás e rompeu o seu poder. Isso não significa que satanás está inativo, mas sob autoridade. Por mais ativo e forte que seja Belzebu, ele não tem poder para impedir os acontecimentos, pois está amarrado. O seu poder está sendo seriamente diminuído pela vinda e obra de Cristo. Jesus venceu satanás no deserto e triunfou sobre todas as suas investidas. Esmagou sua cabeça na cruz, triunfando sobre suas hostes (Cl 2.15). Satanás é um inimigo limitado e está debaixo da autoridade absoluta de Jesus.

Quarto, Jesus tem poder para libertar os cativos das mãos de satanás. Jesus não apenas amarra satanás, mas, também, arranca de suas mãos os cativos. O poder que está em Jesus não é o poder de Belzebu, mas o poder do Espírito Santo. Satanás está sendo e continuará a ser progressivamente destituído dos seus "bens", ou seja, a alma e o corpo dos seres humanos, e isso não somente por meio de curas e expulsões demoníacas, mas principalmente por meio de um majestoso programa missionário (Jo 12.31,32; Rm 1.16). Os milagres de Cristo, longe de serem provas do domínio de Belzebu, como se o maligno fosse o grande capacitador, são profecias de seu julgamento.

---

[8]HENDRIKSEN, William. *Mateus*. Vol. 2, p. 32.

Quinto, o perigo da neutralidade (12.30). É impossível ser neutro nessa guerra espiritual. Nessa tensão entre o Reino de Deus e a casa de satanás, não há campo neutro. Não há um reino intermediário entre o reino de satanás e o Reino de Deus. Ninguém pode ficar em cima do muro. A neutralidade representa uma oposição a Cristo. Há duas forças espirituais agindo no mundo, e devemos escolher uma delas. Satanás espalha e destrói, mas Jesus Cristo ajunta e constrói. Devemos fazer uma escolha e, se optarmos por não escolher um lado, já teremos decido ficar contra o Senhor. O homem está no Reino de Deus ou na potestade de Deus (At 26.18). Está no reino da luz ou no império das trevas (Cl 1.13). É liberto por Cristo ou está na casa do valente (12.29). Com respeito às coisas espirituais não há neutralidade nem indecisão. O homem é escravo de sua liberdade. Ele não pode deixar de decidir. Até a indecisão é uma decisão, a decisão de não decidir. Quem não se decide por Cristo, decide-se contra Cristo. Quem com Ele não ajunta, espalha. William Barclay, citando W. C. Allen, diz: "Nesta luta contra as fortalezas de satanás, só há dois lados, com Jesus ou contra ele, ou seja, ajuntar com Jesus ou espalhar com satanás".[9]

Em sexto lugar, *a exortação de Jesus* (12.31,32). Jesus introduz essa solene exortação com um alerta profundo: *Por isso, vos declaro: todo pecado e blasfêmia serão perdoados aos homens; mas a blasfêmia contra o Espírito não será perdoada. Se alguém proferir alguma palavra contra o Filho do Homem, ser-lhe-á isso perdoado; mas, se alguém falar contra o Espírito Santo, não lhe será isso perdoado, nem neste mundo nem no porvir* (12.31,32). Marcos diz: *Mas aquele que blasfemar contra o Espírito Santo não tem perdão para sempre, visto que é réu de pecado eterno. Isto, porque diziam: Está possesso de um espírito imundo* (Mc 3.29,30). Estes versos ressaltam duas solenes verdades, como vemos a seguir.

Primeiro, a imensa misericórdia de Deus. Ele perdoa todos os pecados. O sangue de Cristo nos purifica de todo pecado. *Se confessarmos nossos pecados, Ele é fiel e justo para nos perdoar os pecados* (1Jo 1.9). Deus perdoa os pecados que cometemos contra Ele e contra o próximo.

---

[9]BARCLAY, William. *Mateo II*, p. 46,47.

O monte mais alto da maldade é sobrepujado pelo cume da graça de Deus. Geralmente as pessoas perdem essa promessa e preocupam-se apenas com a advertência que se segue. Mas precisamos estar convencidos de que, quando há confissão e arrependimento, nenhum pecado está além da possibilidade do perdão de Deus. Essa doutrina do livre e completo perdão é a coroa e a glória do evangelho.

Segundo, o imenso perigo de se cruzar a linha divisória da paciência de Deus. Há um pecado que não tem perdão nem neste mundo nem no vindouro; é a blasfêmia contra o Espírito Santo. Por esse pecado, uma alma pode perecer eternamente no inferno. Esse pecado não é simplesmente uma palavra ou ação, mas uma atitude. Não é apenas rejeitar a Jesus, mas rejeitar o poder que está atrás dEle.

Os pecados mais horrendos podem ser perdoados. Manassés era feiticeiro e assassino, mas se arrependeu. Nabucodonosor era um déspota sanguinário, mas se arrependeu. Davi adulterou e matou, mas foi perdoado. Saulo perseguiu a igreja de Deus, mas foi convertido. Maria Madalena era possessa, mas Jesus a transformou. A blasfêmia contra o Espírito Santo, porém, não tem perdão. Quem pratica esse pecado atravessa a linha divisória da oportunidade e torna-se réu de pecado eterno.

O processo de endurecimento chega a um ponto em que é impossível que essa pessoa seja renovada para o arrependimento (Hb 6.4-6). Deus entrega a pessoa a si mesma e a uma disposição mental reprovável (Rm 1.24-28). Ela comete o pecado para a morte (1Jo 5.16). Não tem perdão para sempre, visto que é ré de pecado eterno (Mc 3.29). Só lhe resta uma expectativa horrível de juízo (Hb 10.26-31).

Por que a blasfêmia contra o Espírito Santo não pode ser perdoada? Porque aqueles que a cometem dizem que Jesus é ministro de satanás, que a fonte de seu poder não é o Espírito Santo, mas Belzebu. É imperdoável porque rejeitam ao Espírito Santo e a Cristo, dizendo que o Salvador é ministro de satanás. É imperdoável porque é um pecado consciente, intencional e deliberado de atribuir a obra de Cristo pelo poder do Espírito Santo a satanás. Esse pecado constitui uma irreversível dureza de coração. William Barclay diz que, quando uma pessoa chega a esse estado, é impossível arrepender-se. Se alguém não pode reconhecer o bem quando o vê, não pode desejá-lo. Se alguém não pode reconhecer que o mal é mal, não pode arrepender-se dele. E, se não pode arrepender-se, não pode ser perdoada, porque o arrependimento é a única condição necessária para o perdão.[10]

A blasfêmia contra o Espírito Santo não é um pecado de ignorância. Não é por falta de luz. Para que uma pessoa seja perdoada, ela precisa estar arrependida. O perdão precisa ser desejado. Os fariseus, entretanto, mesmo sob a evidência incontroversa das obras de Cristo, negam e invertem essa obra. Eles não sentiam nenhuma tristeza por seu pecado. Substituíram a penitência pela insensibilidade, e a confissão pela intriga. Portanto, devido à sua insensibilidade criminosa e completamente indesculpável, eles estavam condenando a si mesmos. Eles fecharam a porta da graça com suas próprias mãos. Robert Mounce diz que o pecado imperdoável é o estado de insensibilidade moral causado pela contínua recusa em atender ao clamor do Espírito de Deus.[11] Charles Spurgeon destaca que o indivíduo culpado desse pecado ultrajante, de imputar as obras de Cristo e seu poder gracioso à agência diabólica, pecou em uma condição na qual a sensibilidade espiritual está morta e o arrependimento se tornou moralmente impossível.[12] Hendriksen argumenta que a blasfêmia contra o Espírito Santo é o resultado de gradual progresso no pecado. Entristecer o Espírito (Ef 4.30), se não há arrependimento, leva à resistência ao Espírito (At 7.51), a qual, se continuada, se desenvolve até que o Espírito é apagado (1Ts 5.19). Então, vem a blasfêmia contra o Espírito (12.31,32).[13]

Concluindo, destacamos três implicações a seguir.

Primeiro, *evitar o julgamento*. Billy Graham diz que devemos tocar neste assunto com muito cuidado. Devemos hesitar em sermos dogmáticos em nossas afirmações sobre aqueles que cruzaram essa linha divisória da paciência de Deus. Devemos deixar essa decisão com Deus. Somente Deus sabe se e quando alguém ultrapassa essa linha do pecado para a morte.

---

[10]Barclay, William. *Mateo II*, p. 52.
[11]Mounce, Robert H. *Mateus*, p. 129.
[12]Spurgeon, Charles H. *O Evangelho segundo Mateus*, p. 236.
[13]Hendriksen, William. *Mateus*. Vol. 2, p. 36.

Segundo, *evitar o desespero*. Muitos crentes ficam angustiados e preocupados de terem cometido esse pecado imperdoável. Ninguém pode sentir tristeza pelo pecado sem a obra do Espírito Santo. Quem comete esse pecado jamais sente tristeza por ele. O medo excruciante de pensar ter cometido o pecado imperdoável é, por si só, evidência de que tal pessoa não o cometeu.

Terceiro, *evitar a leviandade*. Aqueles que zombam de Deus e da Sua graça podem cruzar essa linha invisível e perecerem para sempre.

37
Um diagnóstico profundo

Mateus 12.33-50

DEPOIS QUE JESUS TRATOU DO PECADO SEM PERDÃO, Ele alertou para o perigo de parecer uma coisa e ser outra. Aqueles que são piedosos precisam demonstrar essa piedade por sua conduta. A árvore determina o fruto, e o fruto revela a natureza da árvore. Concordo com Hendriksen quando ele escreve: "Fruto e árvore vão juntos. Não devem separar-se".[1] As palavras diagnosticam o coração, e o coração se faz conhecido pelas palavras. Vejamos alguns pontos importantes.

O **fruto** revela a **árvore**, e a **boca** revela o **coração** (12.33-37)

Jesus usa duas figuras para ilustrar a verdade de que a nossa natureza revela as nossas ações e as nossas palavras são a radiografia do nosso coração. Depois, faz um alerta. Vejamos essas duas figuras a seguir.

Em primeiro lugar, *os frutos revelam a natureza da árvore* (12.33). Uma árvore é boa ou má. Se é boa, produz bons frutos; se é má, produz frutos maus. Não se colhem figos de espinheiros nem se vindimam uvas de abrolhos. Uma árvore sempre produzirá frutos segundo a sua

---
[1] HENDRIKSEN, William. *Mateus*. Vol. 2, p. 37.

natureza. Uma laranjeira, produzirá laranjas, uma mangueira produzirá mangas e uma macieira produzirá maçãs. Uma laranjeira não é laranjeira porque produz laranjas; ela produz laranjas porque é laranjeira. É de sua natureza produzir laranjas, e não mangas. Assim também são a conduta, as palavras e as ações de um homem: refletem a sua natureza. A conduta é o grande teste do caráter. Nossa conduta é o que os homens falarão a nosso respeito em nosso funeral, mas o nosso caráter é aquilo que os anjos testemunharão a nosso respeito na presença de Deus.

Em segundo lugar, *as palavras revelam o que está no coração* (12.34,35). O coração de uma pessoa é um reservatório, um armazém.[2] É como um tesouro bom ou mau. O homem bom tira do bom tesouro o bem; o homem mau tira do mau tesouro o mal. Da mesma forma, o homem tira do coração suas palavras, pois a boca fala do que está cheio o coração. Tentar encobrir a sujeira do coração com palavras bonitas é hipocrisia. É o mesmo que tentar encontrar as virtudes mais nobres nos abismos mais profundos da iniquidade. A conversa de um homem revela o estado de seu coração. Nossas palavras desvendam as profundezas da nossa alma. Nossas palavras trazem à luz as camadas abissais do nosso coração. Se o que está no coração é bom, o excedente que vaza será bom; se o conteúdo do ser interior é ruim, o que vaza pela boca será também ruim.

Em terceiro lugar, *nossas palavras testemunharão contra nós no tribunal de Deus* (12.36,37). No dia do juízo, as palavras frívolas que proferimos levantar-se-ão contra nós. Essas palavras serão testemunhas de acusação ou defesa. Justificar-nos-ão ou nos condenarão. Nossas palavras podem dar vida ou matar (Pv 18.21). Nossa língua tem o poder de dirigir como um leme de um navio ou como o freio de um cavalo. Também tem o poder de destruir como veneno ou como fogo. Ainda, a língua pode ser uma fonte de águas doces ou amargas. Precisamos usar nossas palavras para abençoar, e não para maldizer; para edificar a vida alheia, e não para denegri-la; para promover o bem, e não para espalhar o mal; para glorificar a Deus, e não para blasfemar contra Seu nome.

---

[2]HENDRIKSEN, William. *Mateus*. Vol. 2, p. 38.

A procura de sinais revela uma cegueira incorrigível (12.38-42)

Os escribas e fariseus ouviram muitos ensinamentos e viram muitos milagres, mas a perversidade persiste. Querem sinais. Desejam provas. Buscam evidências. Só que eles não estavam vendo por falta de luz, mas por falta de olhos espirituais. Eram cegos.

Eles estavam perdendo a grande oportunidade de ouvir com os ouvidos da alma e ver com os olhos da fé. O Filho de Deus estava entre eles, e ainda estavam agarrados na incredulidade. O Messias havia chegado, e eles ainda queriam mais sinais. A lei e os profetas apontavam para Jesus, que estava entre o povo fazendo o bem e libertando os oprimidos do diabo. João Batista preparou o caminho de sua chegada e apontou para Ele, dizendo: *Eis o Cordeiro de Deus que tira o pecado do mundo* (Jo 1.29), mas os Seus não O receberam (Jo 1.11).

A expulsão de demônios não era para eles uma legitimação divina suficiente de sua condição de Messias. Eles queriam um sinal do céu. A exigência do sinal, porém, era tão somente um pretexto para justificar sua incredulidade. Jesus já tinha curado enfermos, purificado leprosos, ressuscitado mortos e eles ainda se mantinham reféns de seu coração endurecido. Até mesmo quando Jesus estava dependurado no madeiro, disseram-lhe: "Desce da cruz e creremos em ti". O problema deles, entretanto, não era evidência suficiente, mas cegueira incorrigível.

O Mestre usa duas ilustrações para mostrar a cegueira dos escribas e fariseus: Jonas (12.38-41) e Salomão (12.42).

Jonas – a morte, o sepultamento e a ressurreição de Jesus nos confrontam (12.38-41)

Os escribas e fariseus pediram um sinal para Jesus. Ao apresentarem sua solicitação, observam as formas exteriores da cortesia e do respeito. Tal polidez, contudo, não passava de mera aparência. Esses homens odiavam a Jesus.[3] Queriam uma prova incontestável de que, de fato, Ele era o Messias, mesmo depois de tantas evidências e provas. Queriam algo

---

[3] HENDRIKSEN, William. *Mateus*. Vol. 2, p. 40.

emocionante, excitante, sensacional, um sinal do céu. Jesus deu-lhes o sinal de Jonas, que representa sua morte, sepultamento e ressurreição. É a morte e a ressurreição de Jesus que provam incontestavelmente que Ele é o Messias, o Filho de Deus (Rm 1.4), e foi isso que Pedro pregou a Israel no dia de Pentecostes (At 2.22-36). O testemunho da igreja primitiva girava em torno da ressurreição de Jesus (At 1.22; 3.15; 5.30-32; 13.32,33). Jonas era um milagre vivo, como também o é o nosso Senhor.

Jonas foi um sinal para os ninivitas, assim como o Filho do Homem o será para esta geração (12.40). Da mesma forma que Jonas passou no ventre do grande peixe três dias e três noites (Jn 1.17), Jesus também passou três dias e três noites no ventre da terra. A evidência mais eloquente de que Jesus era o Messias não eram seus sinais espetaculares nem seus milagres estupendos, mas Sua morte, Seu sepultamento e Sua ressurreição.

Jesus diz que, no dia do juízo, os ninivitas se levantarão para condenar essa geração (12.41), pois aqueles atenderam a pregação de Jonas e se arrependeram, mas Jesus, sendo maior do que Jonas, não foi ouvido por sua geração, que permaneceu incrédula e perversa. Pessoas menos iluminadas obedeceram a uma pregação menos iluminada; pessoas muito mais iluminadas, porém, se negaram a obedecer à Luz do mundo.

Salomão – a sabedoria de Jesus nos confronta (12.42)

A ênfase deste versículo não está nas obras de um profeta, mas na sabedoria de um rei. A rainha do sul, a rainha de Sabá, se levantará no juízo para condenar aquela geração, pois fez uma longa viagem, dos confins da terra, para ouvir a sabedoria de Salomão (1Rs 10). Sendo Jesus maior do que Salomão, não creram em Suas palavras, mesmo estando entre eles.

As duas figuras usadas por Jesus abrangiam os gentios. Os ninivitas gentios, ao ouvirem Jonas, se arrependeram e foram poupados. A rainha de Sabá, sendo gentia, ao ouvir as palavras do rei Salomão, maravilhou-se e creu. Se com todos os seus privilégios, os judeus não se arrependerem, o povo de Nínive e a rainha de Sabá testemunharão contra eles no julgamento final.

A **falta de compromisso** com Deus, a grande ameaça (12.43-45)

Jesus trata aqui de um homem que foi liberto de um espírito imundo, mas deixou de comprometer-se com Deus. O demônio que saiu do homem ainda o chama de "minha casa". O demônio saiu, mas o Espírito Santo não entrou. A vida tornou-se melhor, mas a transformação não aconteceu. Então, o demônio que saiu, ao ver a casa vazia, varrida e ornamentada, voltando com outros sete demônios, piores do que ele, vem e habita naquele homem, e o seu último estado torna-se pior do que o primeiro. A palavra grega *katoichei*, traduzida aqui por "habitar", significa "estabelecer-se", "viver permanentemente".

Muitas pessoas pensam que, pelo fato de não fumarem, não beberem, não adulterarem, não fazerem falso juramento, já são por isso cristãos. Mas uma série de zeros não fazem um cristão. Um milhão de negativas não produz sequer um positivo. Uma pessoa com a mente vazia é digna de lástima. Nas questões espirituais, não avançar equivale a retroceder.

Praticar a Palavra de Deus, o maior de todos privilégios (12.46-50)

Mateus conclui a sua temática sobre a suprema importância de praticar a Palavra, trazendo a lume um episódio ocorrido com a família de sangue de Jesus. Satanás não se importa com o fato de aprendermos verdades bíblicas, desde que não vivamos de acordo com elas. A verdade que permanece na mente é apenas acadêmica e não chegará ao coração se não for praticada pela vontade.

Robert Mounce tem razão ao dizer que não apenas os religiosos judeus, mas até a própria família de Jesus, falharam em não entender sua missão e sua mensagem.[4] A mãe de Jesus e seus irmãos, preocupados com o seu bem-estar, em virtude da esmagadora demanda de Seu ministério, foram ao Seu encontro. Alguns de seus amigos já haviam dito que Ele estava fora de si (Mc 3.21). Como em tantas ocasiões,

---
[4] Mounce, Robert H. *Mateus*, p. 132.

havia uma multidão à porta, fazendo uma espécie de cordão de isolamento. Eles não puderam se aproximar. Então, mandaram um recado para Jesus, dizendo que Sua mãe e Seus irmãos estavam do lado de fora e queriam vê-Lo.

Nesse momento, Jesus aproveita o ensejo para concluir Seu ensino sobre a supremacia da Palavra, dizendo aos circunstantes: *Quem é minha mãe e quem são meus irmãos? E estendo a mão para os discípulos, disse: Eis minha mãe e meus irmãos. Porque qualquer que fizer a vontade de meu Pai celeste, esse é meu irmão, irmã e mãe* (12.48-50). Com isso, Jesus não estava desmerecendo Sua família de sangue; estava, sim, enaltecendo privilégio ainda maior, o privilégio de ouvir e praticar a Palavra de Deus. Mais importante do quer ter feito parte da família de sangue de Jesus é participar de sua família espiritual e ser membro da família de Deus. Os familiares espirituais lhe estão mais próximos que os parentes de sangue. Concordo com Charles Spurgeon quando ele diz que todos os crentes em Jesus fazem parte da família real, são feitos príncipes e irmãos de Cristo.[5]

Reafirmamos que é acima de qualquer suspeita que Jesus não está repudiando sua família. Ele pensou em Sua mãe até mesmo quando estava pendurado na cruz, na agonia de realizar a redenção do mundo (Jo 19.26,27). O que Ele quer dizer é que nosso dever diante de Deus deve tomar a precedência sobre todas demais coisas. Concordo com William Hendriksen quando ele escreve: "Laços espirituais são muito mais importantes do que os laços físicos".[6]

---

[5]SPURGEON, Charles H. *O Evangelho segundo Mateus*, p. 249.
[6]HENDRIKSEN, William. *Mateus*. Vol. 2, p. 55.

38

Diferentes respostas à Palavra de Deus

Mateus 13.1-23

ESTE É O TERCEIRO DISCURSO DE JESUS registrado por Mateus. Nele, Jesus conta sete parábolas para descrever o avanço espiritual do "reino dos céus" nesta era.[1] Carlos Osvaldo Pinto diz que as duas parábolas iniciais lidam com a questão do estabelecimento do reino; as duas seguintes lidam com seu crescimento no mundo; a quinta e a sexta lidam com seu valor; e a última trata das responsabilidades dos discípulos no reino.[2]

Jesus foi o Mestre dos mestres e sabia disso (Jo 13.13). Como já dissemos, Ele não foi um alfaiate do efêmero, mas o escultor do eterno. Foi o mestre por excelência, e isso por três motivos: pela grandeza de sua doutrina, pela irrepreensibilidade de seu exemplo e pela excelsitude de seus métodos.

Jesus contou parábolas e histórias. Usou símbolos e imagens. Símbolos falam mais do que palavras, e imagens são mais eloquentes do que discursos. Quando Jesus falou sobre humildade, não fez um discurso, mas pegou uma criança nos braços. Quando falou sobre a influência do mal, não dragou os porões da iniquidade, mas disse que

---

[1] WIERSBE, Warren W. *Comentário bíblico expositivo*, p. 57.
[2] PINTO, Carlos Osvaldo Cardoso, *Foco & Desenvolvimento no Novo Testamento*, p. 51.

um pouco de fermento leveda a massa toda. Quando falou sobre a influência interna e externa da igreja, disse que seu povo é o sal da terra e a luz do mundo.

Jesus usou parábolas. O termo grego *parabole* significa "colocar ao lado para medida ou comparação como parâmetro".[3] Mounce está correto quando diz que a parábola é uma história simples da vida diária que ilustra uma verdade ética ou religiosa.[4] Tasker, porém, diz que Jesus adotou deliberadamente o método de ensinar por parábolas num particular estágio do seu ministério com o fim de reter a mais ampla verdade sobre si e sobre o reino do céus, privando disso as multidões que se tinham mostrado surdas às suas reivindicações e que não foram responsivas aos seus apelos. De agora em diante, quando Jesus se dirige à multidão incrédula, Ele fala somente em parábolas (13.34), que privadamente interpreta para os seus discípulos. Resta claro, portanto, dizer que as parábolas do reino não são ilustrações gerais de verdades morais e espirituais fáceis de entender, mas são elementos essenciais da revelação de Deus que se estava efetuando concretamente na pessoa e na obra de Jesus, o Messias.[5] William Hendriksen corrobora dizendo que o propósito de Jesus ao usar parábolas era ao mesmo tempo revelar e ocultar. Revelar de forma mais plena a verdade àqueles que aceitaram o mistério e ocultá-la daqueles que rejeitaram o óbvio, sendo ambos esses propósitos claramente indicados nesta passagem (13.10.17).[6]

Jesus deixa claro que as parábolas são janelas abertas para uns e uma porta fechada para outros. Assim, por meio de parábolas, Jesus revelou o mistério do Reino de Deus. O que é um mistério? É aquilo que não pode ser conhecido à parte da revelação divina! Este mistério é revelado a uns e encoberto a outros. As parábolas tanto revelam como ocultam a verdade. São uma mina de informações para os sinceros, mas um juízo sobre os descuidados. Em virtude da dureza de coração dos fariseus (13.13,15), eles ouviam, mas não entendiam. Por isso, eram

---

[3] ROBERTSON, A. T. *Comentário de Mateus*, p. 148.
[4] MOUNCE, Robert H. *Mateus*, p. 135.
[5] TASKER, R. V. G. *Mateus: introdução e comentário*, p. 107-109.
[6] HENDRIKSEN, William. *Mateus*. Vol. 2, p. 59,60.

confrontados com a responsabilidade de sua própria cegueira e impenitência. O Senhor endurece aqueles que endureceram a si mesmos. Quando o faraó endurece seu coração (Êx 7.22; 8.15,19,32; 9.7), Deus endurece o coração do faraó (Êx 9.12).[7] Quando as pessoas, por sua própria vontade, rejeitam o Senhor e tratam Sua mensagem com desdém, mesmo sendo avisadas dos perigos e das promessas, Ele, então, as endurece, para que aquelas que não quiserem se arrepender não sejam mais capazes de fazê-lo e ser, então, perdoadas. O maior juízo de Deus é entregar o homem ao seu próprio desejo (Rm 1.24,26,28).

Deus deu ao faraó muitas oportunidades para submeter-se às advertências de Moisés. Diante da sua resistência, Deus disse: *Muito bem, faraó, faça-se a sua vontade. O Senhor então endureceu o coração de faraó* (Êx 9.12). Deus não endureceu o coração do faraó contra sua vontade. Ele simplesmente confirmou o que o faraó livremente escolheu: resistir a Deus (Rm 9.14-18). Hendriksen tem razão ao dizer que o endurecimento humano é seguido do endurecimento divino.[8]

A parábola do semeador é a porta de entrada para o entendimento de outras parábolas. Esta parábola é uma espécie de chave hermenêutica para a compreensão das outras parábolas. Quem não compreender sua mensagem não poderá alcançar o significado espiritual das demais. Esta parábola precisa de aplicação, e não de explicação. Nesta parábola, Jesus falou sobre seis verdades fundamentais: o semeador, a semente, o solo, a semeadura, o crescimento e a colheita.

A parábola revela, ainda, que Jesus não se impressiona com as multidões que O seguiam. A maioria daquelas pessoas que seguia Cristo não produziria frutos dignos de arrependimento. O coração delas era uma espécie de solo pobre.

A parábola mostra quatro tipos de solos, que simbolizam quatro tipos de resposta à Palavra de Deus: o coração que não corresponde (13.19), o coração impulsivo (13.20,21), o coração preocupado com outras coisas (13.22) e o coração que corresponde (13.23).[9] Vejamos.

---

[7] HENDRIKSEN, William. *Mateus.* Vol. 2, p. 65.
[8] HENDRIKSEN, William. *Mateus.* Vol. 2, p. 66.
[9] HENDRIKSEN, William. *Mateus.* Vol. 2, p. 71.

À beira do caminho, **corações endurecidos** (13.4,19)

Para melhor compreensão dessa estratégica parábola, buscamos detalhes oferecidos também pelos outros evangelhos sinóticos. Jesus enfatiza três características do coração endurecido, como vemos a seguir.

Em primeiro lugar, *um coração endurecido ouve a Palavra, mas não a compreende* (13.19). Um coração duro é como um solo batido pelo tropel daqueles que vão e vêm. É o coração inquieto e perturbado com a passagem e o tropel das coisas do mundo, umas que vão, outras que vêm, outras que atravessam e todas que passam, e nestes é pisada a Palavra de Deus. Esse ouvinte é o homem indiferente que a rotina da vida insensibilizou. Essa pessoa conforma-se com o rodar dos carros e a passagem dos homens, e vai vivendo a vida sem abrir sulcos na alma para a bendita semente da verdade.

John MacKay diz que, para muitos homens, o mais sério de todos os problemas é não perceber nenhum problema. Eles estão satisfeitos consigo mesmos. Agarrados ao hábito, escravos da rotina, orgulhosos de suas crenças ou da ausência delas, consumidos no prazer, nada levam a sério. O mais leve pretexto é bastante para que não assistam a uma conferência, ou não leiam um livro, ou não façam nem recebam uma visita que possa prejudicar, de algum modo, o seu prestígio ou conturbar o seu sossego monótono e artificial.[10] John MacArthur Jr., nessa mesma linha de pensamento, diz que esse tipo de ouvinte é insensível, apático, distante, indiferente, negligente e até hostil. Não quer saber do evangelho. A mensagem bate nele e volta.[11]

Um coração duro ouve, mas lhe faltam compreensão e entendimento espiritual. Ele escuta o sermão, mas não presta atenção. A Palavra de Deus não produz nenhum efeito nele mais do que a chuva na pedra. Esses ouvintes são semelhantes àqueles denunciados pelo profeta Ezequiel: *Eis que tu és para eles como quem canta canções de amor, que tem voz suave e tange bem; porque ouvem as tuas palavras, mas não as põem por obra* (Ez 33.32). Há uma multidão de ouvintes que domingo após

---

[10]MacKay, John. ... *Eu vos digo*. Lisboa: Papelaria Fernandes, 1962, p. 262,263.
[11]MacArthur, John Jr. *O Evangelho segundo Jesus*, p. 140.

domingo vai à igreja, mas satanás rouba a semente de seus corações. Semana após semana eles vivem sem fé, sem temor, sem rendição ao Senhor Jesus. Neste mesmo estado geralmente eles morrem, são sepultados e se perdem eternamente no inferno. A. T. Robertson diz que o diabo está sempre ocupado arrebatando ou apoderando-se, como um bandido, da Palavra do reino antes que ela tenha tempo de germinar.[12]

Em segundo lugar, *um coração endurecido é onde a semente é pisada* (Lc 8.5). A semente que é pisada pelos homens nem chega a brotar. A semente que o diabo teme é aquela que os homens pisam.[13] O solo se torna duro quando muitos pés transitam por ele. Aqueles que abrem o coração para todo tipo de pessoas e influências estão em perigo de desenvolver corações insensíveis. Esses corações são como campos de pouso que precisam ser arados antes de receber a semeadura da Palavra (Jr 4.3; Os 10.12). John MacArthur Jr., comentando sobre esses caminhos da Galileia, escreve:

> A Palestina era coberta de campos. Não eram rodeados por muros ou cercas, sendo que seus únicos limites eram trilhas estreitas. A terra dessas trilhas era batida, comprimida, não cultivada, nunca arada ou amolecida. O constante pisar dos pés dos transeuntes, bem como o clima seco, compactava o solo dessas trilhas de uma tal maneira que se tornavam duros como um asfalto. A semente que caía ali não penetrava o solo, mas ficava ali até serem pisadas pelos homens e comidas pelas aves.[14]

Em terceiro lugar, *um coração endurecido é onde a semente é roubada pelo diabo para que o ouvinte não creia e seja salvo* (Lc 8.12). Antonio Vieira diz que todas as criaturas do mundo se armaram contra esta sementeira. Todas as criaturas quantas há no mundo se reduzem a quatro gêneros: criaturas racionais, como os homens; criaturas sensitivas, como os animais; criaturas vegetativas, como os espinhos; e criaturas insensíveis, como as pedras. E não há mais. Faltou alguma dessas que se não armassem contra a semeadura? Nenhuma! A natureza insensível

---

[12]ROBERTSON, A. T. *Comentário de Mateus*, p. 153.
[13]VIEIRA, Antonio. *Sermões*. Vol. 1. Lisboa: Lello & Irmãos Editores, 1951, p. 33.
[14]MACARTHUR, John Jr. *O Evangelho segundo Jesus*, p. 137.

a perseguiu nas pedras; a vegetativa, nos espinhos; a sensitiva, nas aves; a racional, nos homens. As pedras a secaram; os espinhos a afogaram; as aves a comeram; e os homens a pisaram.[15]

A semeadura atrai imediatamente satanás (13.19). O ouvinte tipo "à beira do caminho" ouve, mas satanás arrebata a semente do seu coração. Satanás é um opositor da evangelização. Onde o semeador sai a semear, satanás sai para roubar a semente. A evangelização é não apenas um campo de semeadura, mas também um campo de batalha espiritual. O diabo cega o entendimento dos incrédulos (2Co 4.4). Como parte do seu ataque cósmico contra Deus, satanás e seus agentes buscam ativamente destruir a Palavra no coração daqueles que a ouvem, antes mesmo que ela comece a crescer. Sem dúvida, ele também está ativo nos lugares pedregosos e nos espinheiros, combatendo a frutificação da Palavra.

Solo rochoso, **corações superficiais** (13.5,6,20,21)

John MacArthur Jr. está correto quando diz que o "solo rochoso" não se refere a um solo pedregoso; qualquer agricultor que cultivasse um campo removeria dele todas as pedras que pudesse. Contudo, por todo o Israel, há uma camada de rochas calcárias no subsolo. Em certos lugares, essa camada chega tão próximo à superfície que restam apenas alguns centímetros até o topo. À medida que a semente cai nesses lugares rasos e começa a germinar, suas raízes logo alcançam essa camada rochosa, sem terem para onde se expandir. Sem condições de aprofundar-se, as novas plantas geram uma folhagem exuberante, fazendo-se mais atraentes do que o restante da plantação. Mas, em vindo o sol, tais plantas são as primeiras a morrer, porque as suas raízes não podem aprofundar-se em busca de umidade. Essa parte da plantação acabava mirrando bem antes de poder frutificar.[16] No solo rochoso, a semente tem um início promissor, mas um final frustrante. Como podemos descrever esse solo? Como podemos caracterizar esse coração superficial?

---

[15]VIEIRA, Antonio. *Sermões.* Vol. 1, p. 3.
[16]MACARTHUR, John Jr. *O Evangelho segundo Jesus*, p. 137,138.

Em primeiro lugar, *um coração superficial tem uma resposta imediata à Palavra de Deus, mas irrefletida* (13.5,20). Tanto Mateus como Marcos usam, por duas vezes, a palavra "logo" com o sentido de "imediatamente". Essas pessoas agem "no calor do momento". Elas *imediatamente* aceitam a Palavra (13.20) e o fazem até mesmo com alegria. Então, *imediatamente* se escandalizam (13.21). Sua decisão é baseada na emoção, e não na reflexão. São os ouvintes emotivos, entusiastas "fogos de palha", sentem alegria, mas passageira.[17] John MacKay chama esse ouvinte de homem leviano porque ele abraça com alegria o que não entende, apenas pela novidade da ideia, ou para agradar ao que a anunciou.[18] Esse é o ouvinte volúvel, que muda de lado conforme sopra o vento. O terreno pedroso representa as pessoas que vivem e reagem superficialmente. Elas mostram uma promessa inicial que não se confirma. Tanto sua resposta quanto seu abandono são rápidos.

Em segundo lugar, *um coração superficial não tem profundidade nem perseverança* (13.5,21). Esse ouvinte não tem raiz em si mesmo. Sua fé é temporária. Na verdade, sua resposta ao evangelho foi apenas externa. Não houve novo nascimento nem transformação de vida. Houve adesão, mas não conversão; entusiasmo, mas não convicção. Vale destacar que esse ouvinte parece estar em vantagem em relação às demais pessoas. Sua resposta é imediata, e seu crescimento inicial é espantoso. Mas não tem profundidade, nem umidade, nem resistência ao calor do sol. A vida que o sol traz gera nele morte. Fica evidente que esse ouvinte construiu sua vida cristã numa base falsa. Ele não construiu sua fé em Cristo, mas nas vantagens imediatas que lhe foram oferecidas. Não havia umidade, raiz nem suporte para crescimento e frutificação. Hoje vemos muitas pessoas pregando saúde, prosperidade e sucesso. As pessoas abraçam imediatamente esse evangelho do lucro, das vantagens imediatas, mas elas não perseveram, porque não têm raiz, não têm umidade, não suportam o sol, não permanecem na congregação dos justos. Elas se escandalizarão e se desviarão.

---

[17] CAMARGO, Sátila do Amaral. *Ensinos de Jesus atrás de suas Parábolas*. São Paulo, SP: Imprensa Metodista, 1970, p. 30.
[18] MACKAY, John. ... *Eu vos digo*, p. 264.

Em terceiro lugar, *um coração superficial não avalia os custos do discipulado* (13.6,21). Esse ouvinte abraça não o evangelho, mas outro evangelho, o evangelho da conveniência. Ele crê não em Cristo, mas num outro cristo. Quando, porém, chegam a angústia e a perseguição por causa da Palavra, logo se escandaliza, porque não havia calculado o custo de seguir a Cristo. Esses ouvintes se desviaram porque não entenderam que o verdadeiro discipulado implica autonegação, sacrifício, serviço e sofrimento. Eles ignoraram o fato de que o caminho da cruz é o que nos leva à bem-aventurança eterna.

Esse ouvinte tem prazer em ouvir sermões em que a verdade é exposta. Ele fala com alegria e entusiasmo acerca da doçura do evangelho e da felicidade de ouvi-lo. Chora em resposta ao apelo da pregação e fala com intensidade acerca de seus sentimentos. Mas infelizmente não há estabilidade em sua religião. Não há uma obra real do Espírito Santo em seu coração. Seu amor por Deus é como a névoa que cedo passa (Os 6.4). Na verdade, esse ouvinte ainda está totalmente enganado. Não há real obra de conversão. Mesmo com todos seus sentimentos, alegrias, esperanças e desejos, ele está realmente no caminho da destruição.

Solo cheio de espinhos, **corações ocupados** (13.7,22)

John MacArthur Jr. mais uma vez está correto quando define o solo cheio de espinhos como tendo uma boa aparência. Esse solo é profundo, rico, argiloso e fértil. À época da semeadura, parecia limpo e preparado. A semente que ali caiu começou a germinar, mas as raízes fibrosas das pragas que se escondiam sob a superfície também brotaram e sufocaram a plantação. A planta cultivada carece de cuidado, mas os espinheiros não. Crescem mais rapidamente e soltas suas folhas, que sombreiam a planta cultivada, não deixam que esta tome sol. Suas raízes são mais fortes e, portanto, absorvem toda a umidade do solo. No fim, as plantas boas acabam sufocadas.[19]

---

[19] MacArthur, John Jr. *O Evangelho segundo Jesus*, p. 138.

O semeador saiu a semear (13.3); parte da semente caiu entre os espinhos, e os espinhos cresceram e a sufocaram (13.7). Jesus explica que *o que foi semeado entre os espinhos é o que ouve a palavra, porém os cuidados do mundo e a fascinação das riquezas sufocam a palavra, e fica infrutífera* (13.22). Destacamos a seguir algumas lições.

Em primeiro lugar, **um coração ocupado ouve a Palavra de Deus, mas também se distrai com outras coisas** (13.7,22). Mateus e Marcos dizem que a semente caiu entre os espinhos (13.7; Mc 4.7), e Lucas diz que os espinhos cresceram com a semente (Lc 8.7). Esses espinhos representam ervas daninhas espinhosas. Não havia arado que conseguisse arrancar suas raízes de até 30 centímetros de profundidade. Em alguns lugares, esses espinheiros formavam uma cerca viva fechada, no meio da qual alguns pés de cereal até conseguiam crescer, mas ficavam medíocres e não carregavam a espiga. Essa semente disputou espaço com outras plantas. Ela não recebeu primazia; ao contrário, os espinhos concorreram com ela e a sufocaram (13.22). Os espinhos cresceram, mas a Palavra foi sufocada. Marcos retrata esse coração como um campo de batalha disputado (Mc 4.19). O espírito do mundo o inunda como uma enxurrada e sufoca a semente da Palavra. Uma multiplicidade de interesses toma o lugar de Deus. Esse ouvinte não tem uma ordem de prioridade correta, pois são muitas as coisas que tratam de tirar Cristo do lugar principal.

Em segundo lugar, **um coração ocupado é sufocado pela concorrência dos cuidados do mundo** (13.22). Esse ouvinte chegou a ouvir a Palavra, mas os cuidados do mundo prevaleceram. O mundo falou mais alto que o evangelho. As glórias do mundo tornaram-se mais fascinantes que as promessas da graça. A concupiscência dos olhos, a concupiscência da carne e a soberba da vida tomaram o lugar de Deus na vida desse ouvinte. Ele pode ser chamado de crente mundano. Ele quer servir a dois senhores. Quer agradar a Deus e ser amigo do mundo. Quer atravessar o oceano da vida com um pé na canoa do mundo e outro dentro da igreja.

Em terceiro lugar, **um coração ocupado é sufocado pela concorrência da fascinação da riqueza** (13.22). Esse ouvinte dá mais valor à terra que ao céu, mais importância aos bens materiais do que a graça de Deus.

O dinheiro é o seu deus. A fascinação da riqueza fala mais alto que a voz de Deus. O esforço para conseguir posição social, por meio de posses e segurança material, traz ansiedade tal que sufoca as aspirações por Deus.

Em quarto lugar, *um coração ocupado é sufocado pela concorrência de muitas ambições* (Mc 4.18,19). Marcos menciona *demais ambições* e Lucas cita os *deleites da vida* (Lc 8.14). Esse ouvinte é obcecado pelos prazeres da vida. Ele é um hedonista, e não um cristão.

Em quinto lugar, *um coração ocupado é infrutífero* (13.22). A semente fica mirrada. Ela nasce, mas não encontra espaço para crescer. Ela chega até a crescer, mas não produz fruto. Esse ouvinte desvirtua-se numa coisa aparente, numa casca vazia, numa sombra pálida. É como a igreja de Sardes: tem nome de que vive, mas está morto (Ap 3.1). Concordo com A. T. Robertson quando ele diz que as primeiras três classes não dão fruto, mostrando que não são salvas, pois toda pessoa que pertence ao Semeador é frutífera.[20]

A terra boa, **corações frutíferos** (13.8,23)

John MacArthur Jr., afirma, corretamente, que este solo é fofo, ao contrário daquele à beira do caminho. É profundo, o que não acontece com o rochoso. É limpo, diferentemente do solo infestado de pragas. Aqui a semente abre-se para a vida e produz enorme colheita, a cem, a sessenta e a trinta por um.[21]

Há três fatos importantes que destacamos a seguir.

Em primeiro lugar, *um coração frutífero ouve e compreende a Palavra de Deus* (13.23). Mateus diz que esse ouvinte ouve a Palavra e a compreende. Marcos diz que esse indivíduo ouve e recebe a Palavra (4.20). Lucas diz que ele ouve com bom e reto coração e também retém a Palavra (Lc 8.15). Essas pessoas não apenas ouvem, mas ouvem com o coração aberto, disposto, com o firme propósito de obedecer. Elas colocam em prática a mensagem e por isso frutificam. O texto não diz "acolhe com

---

[20]ROBERTSON, A. T. *Comentário de Mateus*, p. 154.
[21]MACARTHUR, John Jr. *O Evangelho segundo Jesus*, p. 138.

alegria", mas "acolhe e frutifica". A boa terra, ou o coração receptivo, faz três coisas: ouve, recebe e prática. Nesses dias tão agitados, poucos são os que param para ouvir a Palavra. Mais escasso são aqueles que meditam no que ouvem. Só os que ouvem e meditam podem colocar em prática a Palavra e frutificar. Essas pessoas são aquelas que verdadeiramente se arrependem do pecado, depositam sua confiança em Cristo, nascem de novo e vivem em santificação e honra. Elas aborrecem o pecado e a ele renunciam. Amam a Cristo e servem-No com fidelidade.

Cada um dos três corações infrutíferos é influenciado por um diferente inimigo: no coração endurecido, satanás mesmo rouba a semente; no coração superficial, os enganos da carne através do falso sentimento religioso impedem a semente de crescer; no coração ocupado, as coisas do mundo impedem a semente de frutificar. Esses são os três grandes inimigos do cristão: o diabo, a carne e o mundo (Ef 2.1-3).

Em segundo lugar, *um coração frutífero produz fruto* (13.8,23). Mateus diz que parte da semente caiu em boa terra e deu fruto (13.8). Marcos diz que produziu fruto que vingou e cresceu (Mc 4.8,9). O que distingue esse campo dos demais é que nele a semente não apenas nasce e cresce, mas o fruto vinga e cresce. Lucas diz que ele frutifica com perseverança (Lc 8.15). Jesus está descrevendo aqui o verdadeiro crente, porque o fruto, ou seja, uma vida transformada, é a evidência da salvação (2Co 5.17; Gl 5.19-23). Os outros três tipos de corações não produziram fruto, ou seja, não nasceram de novo. A marca do verdadeiro crente é que ele produz fruto. A árvore é conhecida pelo seu fruto. Uma árvore boa produz fruto bom. A marca dessa pessoa não é apenas fruto por algum tempo, mas perseverança na frutificação. Há uma constância na sua vida cristã. Essa pessoa não se desvia por causa das perseguições do mundo nem fica fascinada pelos prazeres do mundo e deleites da vida. Sua riqueza está no céu, e não na terra; seu prazer está em Deus, e não nos deleites da vida.

É importante frisar que o semeador semeia a Palavra de Deus. Há muitos semeadores que semeiam doutrinas de homens, e não a Palavra de Deus. Semeiam o que os homens querem ouvir, e não o que os homens precisam ouvir. Semeiam o que agrada aos ouvidos, e não o que salva a alma. Essa semente pode parecer muito fértil, mas não produz fruto que permanece para a vida eterna.

Outros pregadores pregam palavras de Deus, e não a Palavra de Deus. O diabo também pregou palavras de Deus, mas ele usou a Bíblia para tentar. Palavras de Deus na boca do diabo não são a Palavra de Deus, mas a palavra do diabo. E elas não podem produzir frutos dignos de Deus.

Em terceiro lugar, **um coração frutífero produz frutos em diferentes proporções** (13.8,23). Hendriksen diz que a importância da frutificação espiritual, como marca do verdadeiro crente, é enfatizada no Antigo Testamento (Sl 1.1-3; 92.14), nos evangelhos (3.10; 7.17-20; 12.33-35) e no restante do Novo Testamento (At 2.38; Gl 5.22; Ef 5.9).[22] Jesus deixa claro que, embora todas as sementes sejam frutíferas, nem todas produzem na mesma proporção. Marcos descreve essa produção em ordem ascendente: trinta, sessenta e cem por um (Mc 4.8,20); enquanto Mateus a descreve em ordem descendente: a cem, a sessenta e a trinta por um (13.8). Embora todos os corações sejam frutíferos, nem todos são frutíferos na mesma proporção. Há uma diferença no grau de frutificação. Nem todos são igualmente consagrados e cheios do Espírito Santo. Nem todos são igualmente comprometidos em produzir frutos para Deus (Jo 15.5).

Esta parábola, enseja-nos três conclusões solenes, como vemos a seguir.

Primeiro, não devemos subestimar as forças opositoras à semeadura. Jesus terminou a parábola dizendo: *Quem tem ouvidos, para ouvir, ouça* (13.9). O diabo, o mundo e a carne se armam para impedir a conversão dos pecadores.

Segundo, não devemos superestimar as respostas imediatas. As aparências enganam. Nem toda pessoa que diz "Senhor, Senhor" entrará no reino dos céus. Muitas pessoas vão aderir à fé cristã, mas apenas temporariamente, sem perseverança, sem conversão.

Terceiro, não devemos subestimar o poder da Palavra. A verdade é tão poderosa que até nos terrenos pedregosos e cheios de espinhos ela nasce e no bom solo produz a cem, a sessenta e trinta por um.

---

[22] HENDRIKSEN, William. *Mateus.* Vol. 2, p. 75.

39

O Reino de Deus visto por meio de parábolas

Mateus 13.24-52

NESTE TERCEIRO GRUPO DE DISCURSOS, Jesus ensina por meio de parábolas. Já consideramos no capítulo anterior a principal dessas parábolas. Agora, veremos as outras seis que se seguem.

A parábola do joio e do trigo – o verdadeiro e o falso crente (13.24-30,36-43)

De forma semelhante à parábola do semeador, esta parábola é também de fácil entendimento. Jesus explica, a pedido dos discípulos (13.36), o significado da parábola (13.37-39). O semeador aqui não é o crente alcançado pela graça, mas o Filho do Homem. O campo é o mundo. A boa semente aqui não é a Palavra, mas os filhos do reino; o joio, por sua vez, são os filhos do maligno. O inimigo que o semeou é o diabo; a ceifa é a consumação dos séculos; e os ceifeiros são os anjos.

O diabo é um opositor da obra de Deus. Como ele não pode destruir o crente verdadeiro, a boa semente semeada na boa terra, ele planta no meio do povo de Deus, o falso crente. Warren Wiersbe alerta para essa realidade quando diz que devemos ter cuidado com as falsificações de satanás, pois ele possui crentes falsos (2Co 11.26), que acreditam num evangelho falso (Gl 1.6-9). Ele estimula uma falsa justificação (Rm 10.1-3) e tem até mesmo uma igreja falsa (Ap 2.9). No final dos tempos, chegará ao cúmulo de produzir um falso Cristo (2Ts 2.1-12).[1] John MacArthur Jr. esclarece esse ponto assim:

> Os crentes não se disfarçam de filhos do diabo. O oposto disso é que é verdade. Satanás se finge de anjo de luz, e os seus servos imitam os filhos da justiça (1Co 11.14,15). Quando as Escrituras reconhecem a dificuldade em se distinguir as ovelhas dos bodes, a questão central não é que os crentes possam parecer incrédulos, mas, pelo contrário, que os ímpios frequentemente parecem justos. Em outras palavras, o rebanho deve estar alerta para os lobos vestidos de ovelhas, e não tolerar ovelhas que fazem o papel de lobo.[2]

Destacamos a seguir algumas lições.

Em primeiro lugar, *os crentes verdadeiros e os crentes falsos estão juntos na igreja visível* (13.24-26). Os filhos do reino e os filhos do maligno estão presentes na igreja. Crescem juntos. Nem sempre é fácil distinguir um do outro. Eles têm algumas semelhanças. O crente verdadeiro foi plantado por Deus, mas o crente falso foi plantado pelo diabo. O crente verdadeiro é diferente do crente falso por sua origem e natureza. O crente verdadeiro procede de Deus e tem uma vida transformada. O crente falso procede do diabo e tem uma vida de mera aparência de piedade. John Charles Ryle, nessa mesma linha de pensamento, diz que a igreja visível é um vasto campo onde crescem, lado a lado, o trigo e o joio. Devemos estar preparados para encontrar crentes e incrédulos, convertidos e não convertidos, os filhos do reino e os filhos do maligno, todos misturados uns com os outros.[3]

Em segundo lugar, *não temos autorização para arrancar os crentes falsos do meio dos crentes verdadeiros* (13.27,28). Não temos competência para arrancar o joio do meio do trigo, porque nossos critérios de avaliação são passíveis de erro. Correríamos o perigo de arrancar trigo como se joio fosse. Então, essa separação só acontecerá na segunda vinda de Cristo, quando os anjos farão precisa distinção entre um e

---

[1] WIERSBE, Warren W. *Comentário bíblico expositivo*, p. 57.
[2] MACARTHUR, John Jr. *O Evangelho segundo Jesus*, p. 148.
[3] RYLE, John Charles. *Meditações no Evangelho de Mateus*, p. 98.

outro. Naquele dia, então, o trigo irá para o celeiro de Deus, e o joio irá para o fogo.

Em terceiro lugar, *a disciplina na igreja precisa ser cautelosa para não jogar fora o trigo nem promover o joio* (13.29). A igreja precisa ter muita cautela para não tirar da igreja trigo pensando ser joio ou proteger na igreja joio como se trigo fosse. O extremo rigor na disciplina pode bandear para esse risco fatal. Na verdade, só o Senhor conhece aqueles que são Seus (2Tm 2.19). Charles Spurgeon alerta para o fato de que disciplinadores precipitados muitas vezes expulsam o melhor e mantêm o pior. Onde o mal é claro e aberto, não podemos hesitar em lidar com ele; mas, onde é questionável, é melhor esperarmos até que tenhamos uma orientação mais completa.[4] Hendriksen é mais enfático: "Quão amiúde não têm os homens de eminente posição eclesiástica tentado expulsar da igreja os que, por uma ou outra razão, não os favoreciam, ainda quando às vezes eles não haviam cometido falta alguma?"[5] John Charles Ryle escreve: "Quem não se importa com o que acontece ao trigo, contanto que possa desarraigar o joio, demonstra possuir bem pouco da mente de Cristo".[6]

Em quarto lugar, *embora o falso crente por um tempo possa ser visto como verdadeiro crente, sua verdadeira identidade será manifestada na segunda vinda de Cristo* (13.30). Na consumação dos séculos, na segunda vinda de Cristo, os anjos, os ceifeiros de Deus, não errarão no diagnóstico. Eles farão uma separação rigorosa e precisa entre joio e trigo. Jamais trigo será lançado no fogo, e jamais joio será recolhido no celeiro de Deus. No céu não há hipócrita nem no inferno crentes verdadeiros. Naquele dia, diz John Charles Ryle, os santos e fiéis servos de Cristo receberão glória, honra e vida eterna. Os mundanos, os ímpios, os descuidados e os não convertidos serão lançados dentro da fornalha acesa.[7]

Em quinto lugar, *tanto a bem-aventurança eterna como a condenação eterna são realidades inevitáveis* (13.30,40-43). O trigo, os crentes

---

[4]SPURGEON, Charles H. *O Evangelho segundo Mateus*, p. 264.
[5]HENDRIKSEN, William. *Mateus*. Vol. 2, p. 89.
[6]RYLE, John Charles. *Meditações no Evangelho de Mateus*, p. 99.
[7]RYLE, John Charles. *Meditações no Evangelho de Mateus*, p. 100.

verdadeiros, será reunido no celeiro, e os molhos de joio serão atados e jogados na fornalha. Na mesma medida em que uns serão bem-aventurados, os outros serão atormentados. O engano da obra do diabo não dura para sempre. As máscaras dos falsos crentes cairão. E eles sofrerão penalidade de eterna destruição (Jd 6,7; Ap 14.9-11; 20.10), enquanto os filhos do reino desfrutarão de felicidade eterna (Ap 21.1-5). Hendriksen está certo ao escrever: "Os recipientes da graça aqui serão os recipientes da glória lá".[8]

A parábola do grão de mostarda – o crescimento externo e visível do Reino de Deus (13.31,32)

Esta parábola aponta para o progresso do Reino de Deus no mundo. Três verdades nos chamam a atenção, como vemos a seguir.

Em primeiro lugar, *o Reino de Deus começou de forma humilde e despretensiosa* (13.31,32). A igreja, agente do reino, começou pequena e fraca em seu berço. A semente da mostarda é um símbolo proverbial daquilo que é pequeno e insignificante. Era a menor semente das hortaliças (13.32). Foi usada para representar uma fé pequena e fraca (Lc 17.6). O reino chegou com um bebê deitado numa manjedoura. Jesus nasceu em uma família pobre, numa cidade pobre, e cresceu como filho de um carpinteiro pobre. Ele não tinha onde reclinar a cabeça. Seus apóstolos eram homens iletrados. O Messias foi entregue nas mãos dos homens, preso, torturado e crucificado entre dois criminosos. Seus próprios discípulos O abandonaram. A mensagem da cruz era escândalo para os judeus e loucura para os gentios. Em todas as coisas do reino, o mundo vê as marcas da fraqueza. Aos olhos do mundo, o começo da igreja reveste-se de consumada fraqueza.

Em segundo lugar, **grandes resultados desenvolvem-se a partir de pequenos começos** (13.32). Grandes rios surgem em pequenas nascentes de água; o carvalho forte e alto cresce a partir de uma pequena noz. A parábola do grão de mostarda é a história dos contrastes entre um começo insignificante e um desfecho surpreendente; entre o oculto

---

[8]HENDRIKSEN, William. *Mateus*. Vol. 2, p. 87.

hoje e o revelado amanhã. O Reino de Deus é como tal semente: seu tamanho atual e sua aparente insignificância não são de modo algum, indicadores de sua consumação, a qual abrangerá todo o universo.

A igreja cresceu a partir do Pentecostes de forma exponencial. Aos milhares, os corações iam se rendendo à mensagem do evangelho. Os corações duros eram quebrados. Doutores e analfabetos capitulavam diante do poder da Palavra de Deus. A igreja expandiu-se por toda a Ásia, África e Europa. O Império Romano, com sua força, não pôde deter o crescimento da igreja. As fogueiras não puderam destruir o entusiasmo dos cristãos. As prisões não intimidaram os discípulos de Cristo que, por todas as partes, preferiam morrer a blasfemar. Os cristãos preferiam o martírio à apostasia.

A igreja continua ainda crescendo em todo o mundo. De todos os continentes, aqueles que confessam o Senhor Jesus vão se juntando a essa grande família, a esse imenso rebanho, a essa incontável hoste de santos. Nas palavras do profeta Daniel, o Reino de Deus é como uma pedra que quebra todos os outros reinos e enche toda a terra (Dn 2.34,35), como as águas cobrem o mar (Hc 2.14).

As aves que se aninham nos seus ramos frequentemente são um símbolo das nações da terra (Ez 17.23; 31.6; Dn 4.12). E, de fato, quarenta anos depois da morte e ressurreição de Cristo, o evangelho tinha chegado a todos os grandes centros do mundo romano. Desde aquele tempo, ele continua se expandindo e ganhando pessoas de todas as raças e nações.

A parábola do fermento – a influência interior e invisível do Reino de Deus (13.33)

Se a parábola da semente da mostarda se refere à expansão externa do reino, a parábola do fermento remete à sua influência invasiva, secreta e interna. O fermento aqui não é usado no sentido negativo como noutros textos (Êx 12.14-20; 1Co 5.7), mas é usado para falar sobre sua influência rápida, silenciosa e eficaz. Uma vez que a obra da graça se iniciou em um coração, ela jamais permanecerá quieta. Pouco a pouco, ela influenciará a consciência, as afeições, a mente e a vontade, até que todo o homem seja afetado pelo seu poder e ocorra uma completa transformação.

Foi pela influência do evangelho que as grandes causas sociais foram promovidas: a libertação da escravidão, a valorização das crianças e das mulheres, o amparo aos idosos, o alívio à pobreza, a valorização do conhecimento, das ciências e das belas artes, a promoção do crescimento econômico e social da sociedade. O evangelho não aliena os homens. Ao contrário, transforma-os e faz deles agentes de transformação.

William Barclay, analisando o texto paralelo de Lucas, diz que essas duas parábolas encerram quatro lições: 1) o Reino de Deus começa de forma pequena, como a menor das sementes; 2) o Reino de Deus trabalha sem ser visto, de modo silencioso, como o fermento age na massa; 3) o Reino de Deus trabalha de dentro para fora, pois a massa não pode crescer a não ser que o fermento nela opere esse crescimento; 4) o Reino de Deus provém de fora. A massa não tem poder de mudar a si mesma, tampouco nós o temos.[9]

Jesus fala por meio de parábolas (13.34,35)

As parábolas eram janelas abertas para uns e portas fechadas para outros. Às multidões Jesus falava por parábolas, para que se cumprisse a profecia de Salmo 78.2: *Abrirei os lábios em parábolas e publicarei enigmas dos tempos antigos*. Marcos, entretanto, acrescenta que *tudo Jesus explicava em particular aos seus próprios discípulos* (Mc 4.34).

A parábola do **tesouro escondido** (13.44)

Essa parábola revela o valor incomparável do reino dos céus. Esse reino vale o maior investimento. É prudente aquele que abre mão de tudo para tomar posse do reino. Esse reino vale mais que todos os tesouros, pois é o tesouro por excelência. É óbvio que o dinheiro não compra a salvação. Ela é um dom gratuito de Deus (Is 55.1). Hendriksen diz que só podemos comprá-la no sentido em que granjeamos uma posse lícita dela. Fazemos isso pela graça, mediante a fé no Senhor Jesus Cristo, compreendendo que até mesmo a fé é dom divino.[10]

---

[9]Barclay, William. *Lucas*, p. 175,176.
[10]Hendriksen, William. *Mateus*. Vol. 2, p. 93.

A parábola da **pérola** (13.45,46)

As pérolas, geralmente obtidas do Golfo Pérsico ou do Oceano Índico, eram de um valor fabuloso, muito além do poder aquisitivo da pessoa comum. Somente os ricos podiam adquiri-las.[11] A parábola da pérola de grande valor tem o mesmo significado que a parábola anterior. O reino dos céus é mais valoroso do que as melhores pérolas, do que os mais ricos tesouros. Investir do reino dos céus é fazer o melhor, o mais sábio e o mais duradouro de todos os investimentos. É um investimento de consequências eternas.

A parábola da **rede** (13.47-50)

A parábola da rede, à semelhança da parábola do joio, revela que a igreja visível é formada de convertidos e não convertidos, "bons" e "ruins". Muitos são arrastados pela rede pescadora do evangelho, e nessa rede vêm os verdadeiros convertidos e os supostamente convertidos. Somente na consumação do século é que os maus serão separados dos justos e lançados na fornalha.

O pai de família (13.51,52)

Os ensinos de Jesus precisam ser entendidos. Aqueles que são versados no reino dos céus se assemelham a um pai de família que tira do seu depósito coisas novas e coisas velhas. Concordo com John Charles Ryle quando ele diz que Jesus está fazendo aqui uma poderosa aplicação das sete admiráveis parábolas deste capítulo. A aplicação pessoal tem sido chamada de "alma da pregação". Um sermão sem aplicação é como uma carta enviada sem o endereço do destinatário.[12]

---

[11] HENDRIKSEN, William. *Mateus*. Vol. 2, p. 93.
[12] RYLE, John Charles. *Meditações no Evangelho de Mateus*, p. 103.

40

O perigo da incredulidade

Mateus 13.53-58

NAZARÉ FOI A CIDADE QUE MAIS CONVIVEU COM JESUS. Ali Ele passou sua infância e juventude. Ali era carpinteiro. Dali Ele saiu para iniciar seu ministério público. A cidade de Jesus não O reconheceu como Messias e por incredulidade o expulsou. Quatro fatos são dignos de nota com respeito à incredulidade do povo de Nazaré, como vemos a seguir.

Primeiro, a indesculpabilidade da incredulidade. Nesse tempo, Jesus já havia se manifestado plenamente ao mundo e havia operado muitos milagres em Cafarnaum, a 30 quilômetros de Nazaré.

Segundo, a causa da incredulidade. O povo tornou-se incrédulo por causa da origem de Jesus. Viam-No apenas como o carpinteiro, filho de Maria, cujos irmãos e irmãs eles conheciam. Além do mais, Jesus não tinha estudado em escolas rabínicas e eles não podiam explicar seu conhecimento nem seu poder.

Terceiro, a reprovação da incredulidade. Jesus disse que um profeta não tem honra em sua própria terra. Seus irmãos não creram nEle. Sua cidade não creu nEle. Os líderes religiosos não creram nEle. A familiaridade, em vez de gerar fé, produziu preconceito e incredulidade.

Quarto, a consequência da incredulidade. Jesus ficou admirado com a incredulidade deles e ali não realizou nenhum milagre; em vez disso, deixou a cidade. Enfermos deixaram de ser curados e pecadores deixaram de ser perdoados por causa da incredulidade.

Vejamos a seguir alguns pontos de destaque neste texto.

O perigo da **admiração sem fé** (13.53,54a)

Jesus já havia sido expulso da sinagoga de Nazaré no começo do Seu ministério (Lc 4.16-30). Naquela ocasião, quiseram matá-Lo; então, Jesus mudou-Se para Cafarnaum (4.13; 9.1). Agora, Jesus vai outra vez a Nazaré, dando ao povo uma nova oportunidade.

Nazaré era a cidade mais privilegiada do mundo, pois ali o Filho de Deus havia passado sua infância e juventude, permitindo que os nazarenos vissem muito de perto "a glória de Deus na face de Cristo" (2Co 4.6). Por trinta anos, Jesus andou pelas ruas de Nazaré e o povo contemplou sua vida irrepreensível, mas, quando Ele lhes anunciou o evangelho, eles rejeitaram tanto a mensagem como o mensageiro. Eles admiraram Sua sabedoria e o Seu poder, mas rejeitaram Sua mensagem.

O perigo da **familiaridade com o sagrado** (13.54b-57)

A familiaridade com Jesus produziu preconceito e não fé. Nada é mais perigoso para a alma do que se acostumar com o sagrado. A origem e a profissão de Jesus foram obstáculos para os seus compatrícios. Às vezes, estamos demasiadamente próximos das pessoas para ver sua grandeza. Eles pensaram que o conheciam, mas seus olhos estavam cegos pela incredulidade. Egidio Gioia diz que, na religião, a familiaridade gera o desprezo por causa da inveja.[1] Hendriksen acrescenta: "O que Jesus disse é que onde quer que um profeta tenha honra, certamente não será entre seu povo e sua família".[2]

---

[1] GIOIA, Egidio. *Notas e comentários à harmonia dos Evangelhos*. Rio de Janeiro, RJ: JUERP, 1969, p. 164.
[2] HENDRIKSEN, William. *Mateus*. Vol. 2, p. 99.

O perigo do **conhecimento divorciado da fé** (13.54c-57)

O povo de Nazaré reconhecia que Jesus fazia coisas extraordinárias e tinha uma sabedoria sobre-humana. Eles levantaram várias perguntas: donde Lhe vêm esta sabedoria e estes poderes miraculosos? Não é este o filho do carpinteiro? Não se chama Sua mãe Maria, e Seus irmãos, Tiago, José, Simão e Judas? Não vivem entre nós todas as suas irmãs? Donde Lhe vem, pois, tudo isso? Eles tinham a cabeça cheia de perguntas e o coração vazio de fé. Porque eles não puderam explicá-Lo, então O rejeitaram. O contraste entre o humilde carpinteiro e o profeta sobrenatural foi muito grande para eles compreenderem. Então eles escolheram a descrença, uma escolha que deixou Jesus admirado (Mc 6.6).

O perigo de **fechar as portas para o profeta** e seus milagres (14.57,58)

Quão terrivelmente desastroso é o pecado da incredulidade. A incredulidade rouba do povo as maiores bênçãos. Onde se rejeita o doador, a dádiva é sem sentido, talvez até prejudicial. Como um princípio geral, o poder segue a fé. Na maioria das vezes, Jesus operou maravilhas em resposta e em cooperação com a fé.

Jesus não estava disposto a fazer milagres onde as pessoas o rejeitavam por preconceito e incredulidade. Na ausência da fé, Jesus não poderia fazer obras poderosas, segundo o propósito de seu ministério, pois operar milagres onde a fé está ausente, na maioria dos casos, seria meramente agravar a culpa dos homens e endurecer seus corações contra Deus.

A incredulidade é o mais tolo e inconsequente dos pecados, pois leva as pessoas a recusarem a mais clara evidência, a fechar os olhos ao mais límpido testemunho, e ainda a crer em enganadoras mentiras. Pior de tudo, a incredulidade é o pecado mais comum no mundo. Milhões são culpados desse pecado por todos os lados.

41

Um homem que ouve, mas não crê

Mateus 14.1-12

A FAMÍLIA HERODIANA tem uma passagem sombria pela história. Era uma família cheia de mentiras, assassinatos, traições e adultério. Herodes, o Grande, foi um rei insano, desconfiado e inseguro. Ele se casou dez vezes e matou esposas e filhos. Mandou matar as crianças de Belém, pensando com isso eliminar o infante Jesus, rei dos judeus.

Herodes Antipas era o filho de Herodes, o Grande (2.1). Mounce diz que a árvore genealógica de Herodes, o Grande, é notavelmente complexa. Herodias se casara com Herodes Filipe de Roma (14.3), que era filha de Herodes, o Grande, e de Mariane II. A filha dela, Salomé (14.6-11), se casara com Filipe, o tetrarca (Lc 3.1), meio-irmão de Herodes Antipas (filho caçula de Herodes, o Grande, e de sua esposa samaritana Maltace).[1]

Herodes Antipas era chamado de rei, mesmo que o seu título oficial fosse "tetrarca" (Lc 3.19), o governador de uma quarta parte da nação. Quando seu pai morreu, os romanos dividiram seu território entre seus três filhos; e Antipas foi feito tetrarca da Galileia e Pereia, aos 16 anos, de 4 a.C. até 39 d.C. Herodes Agripa foi o Herodes que mandou

---

[1] MOUNCE, Robert H. *Mateus*, p. 157.

prender Pedro e matar Tiago (At 12). Era neto de Herodes, o Grande. Agripa II foi o Herodes que julgou Paulo (At 25.13–26.32).

Herodes Antipas era culpado de incesto, pois se casou com sua cunhada e sobrinha Herodias. De acordo com Warren Wiersbe, ele ouviu a voz da tentação em vez de ouvir a voz de Deus. Outras vozes o haviam advertido, como a voz do profeta (14.3-5), a voz da consciência (14.1,2), a voz de Jesus (Lc 23.6-11) e a voz da história. Herodes perdeu seu prestígio e poder. Seus exércitos foram derrotados pelos árabes, e seus pedidos (sob pressão da esposa) para ser coroado rei foram negados pelo imperador Calígula. Herodes foi banido para a Gália (França), onde morreu.[2]

Vejamos a seguir algumas características desse homem que fechou a porta da graça com as suas próprias mãos.

Em primeiro lugar, *Herodes foi um homem atormentado pela culpa* (14.1-3). Ao ouvir a fama de Jesus, disse ser João Batista ressurreto. Herodes temia João Batista vivo, mas agora o teme ainda mais morto. Sua consciência está atormentada, e ele não sabe como se livrar dela. Uma consciência culpada vive assombrada. Herodes divorciou-se da sua mulher para casar com Herodias, mas não consegue divorciar-se de si mesmo, nem se livrar de sua consciência culpada. Ninguém pode evitar viver consigo mesmo; e, quando o ser interior se transforma no acusador, a vida se torna insuportável. Concordo com as palavras de John Charles Ryle: "Um homem ímpio não precisa de outro atormentador, sobretudo no caso de crimes de sangue, mais do que o seu próprio coração".[3]

Duas coisas atormentam Herodes: o assassinato de João Batista e o medo de haver ele ressuscitado. João Batista havia se interposto no caminho do pecado de Herodes. Este, para agradar sua mulher e acalmar sua consciência, colocou João na prisão, um calabouço chamado Maquerós, em elevada colina ao leste do mar Morto. Herodes prendeu João, porque a palavra de João prendeu Herodes. Depois mandou decapitá-lo. Herodias temia o povo, Herodes temia a João, mas este não

---

[2] WIERSBE, Warren W. *Comentário bíblico expositivo*, p. 63.
[3] RYLE, John Charles. *Meditações no Evangelho de Mateus*, p. 106.

temia nem um nem outro. João Batista morreu em paz, mas aqueles viveram em tormento.

Em segundo lugar, **Herodes foi um homem prisioneiro da superstição** (14.2). Herodes pensa que Jesus é João Batista que ressuscitou para perturbá-lo. Ele está tão confuso acerca de Jesus quanto a multidão da Galileia. Sua crença está desfocada. Sua teologia é mística e supersticiosa, e uma teologia assim traz tormento, e não libertação. A superstição é uma fé baseada em sentimentos e opiniões. Não emana das Escrituras; por isso, não oferece segurança nem paz.

Em terceiro lugar, **Herodes foi um homem culpado de adultério e incesto** (14.3,4). Herodes Antipas era casado com uma filha do rei Aretas, rei de Damasco. Divorciou-se dela para casar com Herodias, mulher de seu irmão Filipe de Roma, não o Filipe, o Tetrarca. Herodias era cunhada e sobrinha de Herodes. Era filha de Aristóbulo, seu meio-irmão. Ao casar com Herodias, portanto, Herodes Antipas cometeu pecado de adultério e incesto, violando assim a moral e a decência (Lv 18.16,20,21). Herodias divorciou-se de Filipe para casar com Antipas depois que este se divorciou da sua esposa, a filha de Aretas, rei da Arábia.[4] O casamento do rei foi duramente condenado por João Batista e de forma reiterada. Este não era um profeta da conveniência, mas a voz de Deus quer no deserto quer no palácio. João estava pronto a ser preso e a morrer, mas não a calar sua voz. Herodes prendeu João, colocou-o em cadeias e encerrou-o em um profundo e terrível calabouço que formava parte de seu palácio e castelo em Maquerós.[5] Charles Spurgeon diz que João Batista recebeu a sua coroa no céu, embora tivesse perdido a sua cabeça na terra.[6]

Em quarto lugar, **Herodes foi um homem cheio de conflitos** (14.5). Herodes teme a João (Mc 6.20), gosta de ouvi-lo, respeita-o, mas manda prendê-lo. A voz de Herodias falava mais alto que a voz da sua consciência. Ele não foi corajoso o suficiente para obedecer à palavra de João, mas agora se sente escravo da sua própria palavra e manda matar

---

[4]ROBERTSON, A. T. *Comentário de Mateus*, p. 164.
[5]HENDRIKSEN, William. *Mateus*. Vol. 2, p. 105.
[6]SPURGEON, Charles H. *O Evangelho segundo Mateus*, p. 283.

um homem inocente. Não basta admirar e gostar de ouvir grandes pregadores. Herodes fez isso, mas pereceu. Herodes e Herodias estavam tão determinados a continuar na prática do pecado que taparam os ouvidos à voz da consciência e mais tarde silenciaram o profeta, mandando degolá-lo. Herodes silenciou João, mas não conseguiu silenciar sua própria consciência culpada.

Em quinto lugar, **Herodes foi um homem inconsequente em suas promessas** (14.6-12). Herodes festeja com seus convivas. As festas reais eram extravagantes tanto na demonstração de riqueza quanto na provisão de prazeres. Homens, mulheres, luxo, mundanismo, bebidas, músicas profanas e danças, pecados e satanás com seus emissários. Nessa festa havia de tudo, menos o temor de Deus. É nesse contexto que Herodes fez promessas irrefletidas à filha de Herodias (14.7; Mc 6.22,23). Para manter sua palavra, manda decapitar o homem a quem respeitava e temia. Herodes era um homem que agia por impulso e falava antes de pensar. Ele está no trono, mas quem comanda é Herodias. Ele fala muito e pensa pouco. Quando age, o faz de forma insensata. Sua festa de aniversário tornou-se uma festa macabra. O bolo de aniversário não veio coberto de velas, mas de sangue, com a cabeça do maior homem entre os nascidos de mulher, o precursor do Messias. Faltou-lhe coragem moral para temer a Deus, em vez de temer quebrar os seus votos insensatos, a pedido de uma mulher vingativa e de convivas coniventes.

Em sexto lugar, **Herodes foi um homem que fechou a porta da graça com as próprias mãos** (14.9-12). Herodes transgrediu sua consciência e mandou decapitar João Batista para cumprir seu voto tolo, a fim de atender uma mulher vingativa e não perder a pose diante de seus convivas. Em vez de Herodes ouvir o profeta de Deus, prendeu-o, matou-o e endureceu ainda mais o coração. Mais tarde, Jesus o chamou de raposa. Quando estava sendo julgado, Jesus esteve com ele face a face, mas Herodes zombou de Jesus. Foi exilado e morreu na escuridão em que sempre viveu. No ano 39 d.C., Herodes Agripa, seu sobrinho, o denunciou ao imperador romano Calígula, e ele foi deposto e banido para um exílio perpétuo em Lyon, na Gália, onde morreu.

42

A primeira multiplicação de pães e peixes

Mateus 14.13-21

ESTE É O ÚNICO MILAGRE, à parte da ressurreição de Jesus, narrado pelos quatro evangelistas. Os três evangelhos sinóticos colocam o registro deste episódio extraordinário imediatamente depois da morte de João Batista e da confusão mental de Herodes. Marcos informa que, em virtude da agenda congestionada dos discípulos e da morte de João Batista, Jesus toma a decisão de sair com seus discípulos para um tempo de descanso num lugar deserto (Mc 6.30-32). Mateus também afirma que o milagre aconteceu num lugar deserto (14.13,15). Lucas diz que esse retiro ocorreu numa cidade chamada Betsaida (Lc 9.10). João diz que o ocorrido se deu no monte (Jo 6.3). Fica evidente que esse monte ficava próximo de Betsaida e que o lugar era deserto, uma vez que por ali não havia como comprar pão para aquela vasta multidão.

A passagem enseja-nos algumas lições, que comentamos a seguir.

O cuidado de Jesus com seus discípulos (14.13a)

Em virtude do esgotamento dos discípulos e da tristeza pela morte de João Batista, Jesus sai com eles para um lugar deserto, para um tempo de refrigério. O convite de Jesus ao descanso é a expressão de Seu cuidado pastoral pelos discípulos. Enquanto curam os outros, os discípulos não estão isentos da estafa provocada pelo trabalhar com pessoas. Jesus enfatiza também que precisamos cuidar de nós mesmos antes de cuidarmos dos outros.

A compaixão de Jesus pela multidão (13.13b,14)

Jesus se compadece da multidão, em vez de vê-la como estorvo. Jesus acolhe a multidão, em vez de despedi-la faminta e enferma.

O verbo "compadecer-se" expressa, no Novo Testamento, o grau mais elevado de simpatia pelo que sofre. Denota uma preocupação profunda que se traduz em auxílio ativo. Essa palavra significa literalmente "condoer-se por dentro" e é muito mais forte do que a simples solidariedade. Trata-se de um termo usado seis vezes nos evangelhos; em cinco dessas ocasiões, é relacionado a Jesus Cristo. Em duas ocasiões, o Senhor compadeceu-Se ao ver multidões famintas (14.14; 15.32). Os dois homens cegos (20.34) e o leproso (Mc 1.41) também despertaram a compaixão de Jesus; Ele ainda Se apiedou do sofrimento da viúva de Naim (Lc 7.13).[1] De modo algum Jesus despede a multidão por estar de férias; antes, Ele vai ao encontro da multidão para socorrê-la. Jesus não veio para despedir as pessoas, mas para salvá-las. Jesus encarou aquela multidão como ovelhas sem pastor. Os líderes religiosos de Israel não estavam cuidando espiritualmente do povo. Uma ovelha é um animal frágil e dependente que precisa de sustento, direção e proteção.

Jesus supre as necessidades da multidão em vez de pensar apenas no seu bem-estar. Jesus faz três coisas para suprir a necessidade dessa multidão. Primeiro, Ele ensinou a multidão acerca do Reino de Deus. Não ensinou banalidades, mas falou acerca do reino. Supriu a necessidade da mente. Segundo, Ele curou os enfermos. Jesus atendeu às necessidades físicas. Terceiro, Ele alimentou a multidão. Aquele pão era um símbolo do pão do céu (Jo 6.22-40). Assim, Jesus atende não apenas a suas necessidades físicas, mas também espirituais.

---

[1] WIERSBE, Warren W. *Comentário bíblico expositivo*, p. 63,64.

A incapacidade dos discípulos (14.15)

Depois de um dia intenso de atividade com a multidão carente, no qual Jesus ensinou e curou os enfermos, os discípulos resolvem agir. Eles se sentem impotentes diante da situação, mas fazem suas sugestões, como vemos a seguir.

Os apóstolos querem despedir a multidão (14.15). O argumento dos apóstolos estava repleto de prudência. Eles viam quatro dificuldades intransponíveis, como vemos a seguir.

Em primeiro lugar, *o local era deserto*. Um local ermo não era um ambiente favorável para uma multidão com mulheres e crianças. O deserto era tanto um lugar de descanso como de prova. Jesus não estava apenas cuidando da multidão, mas também provando Seus discípulos.

Em segundo lugar, *a hora já estava avançada*. A noite em breve cairia com suas sombras espessas, e aquela multidão estaria exposta a toda sorte de perigos.

Em terceiro lugar, *havia uma grande multidão*. Havia um grande déficit no orçamento deles. A despesa era maior do que a receita. Eles eram poucos, e os recursos também eram poucos para atender a tão grande multidão. O melhor plano deles é muito ruim. Eles não veem outra solução a não ser despedir a multidão. Que a multidão arranje solução para seus próprios problemas. Charles Spurgeon destaca que o Senhor tem pensamentos mais nobres do que esses. Ele mostrará Sua generosidade real à faminta multidão.[2]

Em quarto lugar, *eles não tinham recursos para suprir a necessidade da multidão*. Para os apóstolos, tudo era desfavorável: o local era deserto, a hora estava avançada, a multidão era enorme, e eles não tinham dinheiro suficiente. Os discípulos enfatizam o que eles não têm.

---

[2]SPURGEON, Charles H. *O Evangelho segundo Mateus*, p. 288.

A ordem de Jesus (14.16,17)

Jesus ordena que os apóstolos alimentem a multidão. A ordem é perturbadora: *Dai-lhes vós mesmos de comer* (14.16). Os apóstolos foram confrontados com três problemas humanamente insolúveis, como vemos a seguir.

Em primeiro lugar, *era uma grande multidão*. Havia cinco mil homens além de mulheres e crianças. Era uma grande demanda e uma urgente necessidade a ser atendida por eles. A despesa era imensamente maior do que a receita.

Em segundo lugar, *os apóstolos não tinham onde comprar pão*. O problema é que eles estavam num deserto, e não na cidade. Havia um problema de logística. Ainda que tivessem recursos, não havia onde buscar tanto pão para alimentar aquela multidão.

Em terceiro lugar, *os apóstolos não tinham dinheiro suficiente*. Eles não apenas estavam no lugar errado, na hora errada, mas também lhes faltavam recursos financeiros suficientes. Era um beco sem saída. Os discípulos estavam encurralados por circunstâncias insuperáveis. Mais uma vez, Spurgeon é oportuno quando escreve: "É bom que saibamos quão pobres somos e quão longe estamos de ser capazes de satisfazer as necessidades do povo ao nosso redor".[3]

O milagre realizado por Jesus (14.18-21)

Jesus, antes de operar o milagre da multiplicação dos pães e dos peixes, toma algumas medidas pedagógicas, que comentamos a seguir.

Em primeiro lugar, *é preciso saber quais são os recursos disponíveis* (14.17; Mc 6.38). O milagre de Deus acontece quando o homem decreta sua falência. Eles tinham um déficit imenso. Era um orçamento desfavorável: cinco pães e dois peixes para alimentar uma grande multidão.

Em segundo lugar, *é preciso colocar o pouco que se tem nas mãos de Jesus* (14.18). Jesus deseja que entreguemos em Suas mãos o que possuímos.

---

[3]SPURGEON, Charles H. *O Evangelho segundo Mateus*, p. 288.

Ele fará com que o pouco seja suficiente para muitos.[4] O garoto entregou seu lanche a André, este o levou a Jesus, e Jesus o multiplicou. Não podemos fazer o milagre, mas podemos levar o que temos e colocá-lo nas mãos de Jesus. Warren Wiersbe diz que precisamos começar com o que temos e entregar tudo o que temos ao Senhor.[5]

Em terceiro lugar, *é preciso organização para que todos sejam atendidos* (14.19). Nosso Deus é Deus de ordem. Ele criou o universo com ordem. Ele não é Deus de confusão. Não deveria haver tumulto. Todos deveriam ser igualmente atendidos.

Em quarto lugar, *o milagre acontece nas mãos de Jesus, mas as mãos dos discípulos devem repartir o pão* (14.19b). Jesus ensina a seus discípulos onde eles devem esperar os suprimentos da graça: *Erguendo os olhos ao céu...*. Só de Deus vem pão com fartura para alimentar as multidões famintas. Somos cooperadores de Deus. O milagre vem de Jesus, mas nós o repartimos com a multidão. Não temos o pão, mas o distribuímos a partir das mãos de Jesus. Charles Spurgeon diz que Jesus é o anfitrião da festa, e nós somos os seus garçons.[6]

Em quinto lugar, *o alimento que Jesus oferece satisfaz plenamente* (14.20). Jesus tem pão com fartura. Aquele que se alimenta dele não tem mais fome. Ele satisfaz plenamente. Assim como Deus alimentou o povo com maná no deserto, agora Jesus está alimentando a multidão. O mesmo Deus que multiplicou o azeite da viúva está agora multiplicando pães e peixes. O mesmo Jesus que transformou a água em vinho está agora exercendo o Seu poder criador para multiplicar os pães e os peixes.

Em sexto lugar, *não se deve desperdiçar a provisão divina* (14.20b,21). O dom de Deus não deve ser desperdiçado. O pão é fruto da graça de Deus, e não podemos jogar fora a graça de Deus. O que sobeja precisa ser aproveitado. Concordo com William Hendriksen quando ele diz que o desperdício é algo pecaminoso.[7] Charles Spurgeon observa que,

---

[4] SPURGEON, Charles H. *O Evangelho segundo Mateus*, p. 288.
[5] WIERSBE, Warren W. *Comentário bíblico expositivo*, p. 64.
[6] SPURGEON, Charles H. *O Evangelho segundo Mateus*, p. 289.
[7] HENDRIKSEN, William. *Mateus*. Vol. 2, p. 116.

ao alimentarmos os outros, nosso estoque aumenta. Aquilo que sobrou foi maior do que aquilo que deram. Aqueles que enchem as bocas dos outros terão as suas próprias cestas cheias. Todos ficam satisfeitos quando Jesus dá o banquete.[8]

O evangelista João coloca este texto no contexto da proximidade da Páscoa e do célebre sermão de Jesus sobre o pão da vida (Jo 6.1-71). Os milagres de Jesus eram pedagógicos. Ele estava multiplicando os pães para ilustrar a gloriosa verdade de que Ele é o Pão da Vida.

---

[8] SPURGEON, Charles H. *O Evangelho segundo Mateus*, p. 290.

43

Vencendo as tempestades da vida

Mateus 14.22-36

JESUS ESTAVA SAINDO DE FÉRIAS com seus discípulos. Eles estavam tão cansados que não tinham tempo nem para comer (Mc 6.31). Além da agenda congestionada, haviam acabado de receber a dolorosa notícia que João Batista tinha sido degolado na prisão de Maquerós, por ordem de um rei bêbado, a pedido de uma mulher adúltera.

Jesus, então, proporciona aos discípulos um justo e merecido descanso (14.13; Mc 6.31). Eles saem para um lugar solitário. Mas, ao chegarem no destino, uma multidão de gente carente, doente e faminta já havia descoberto o plano e antecipado a cavarana dos discípulos (14.14; Mc 6.33). Para espanto e surpresa dos discípulos, Jesus não despede a multidão; antes, cancela as férias e passa o dia ensinando, curando e alimentando aquele povo aflito como ovelhas sem pastor. Pior, ao fim do dia, em vez de Jesus continuar o programa das férias, compele seus discípulos a entrar no barco e voltar para casa (14.22).

Por que Jesus despediu os discípulos antes de despedir a multidão (14.22)? Por duas razões, pelo menos, como vemos a seguir.

Primeiro, para livrá-los de uma tentação. O evangelista João nos informa que a intenção da multidão era fazê-lo rei (Jo 6.14,15). Jesus estava poupando os discípulos dessa tentação, ou seja, de uma visão distorcida da sua missão. Os doze não estavam prontos para enfrentar esse tipo de teste, visto que sua visão do reino ainda era muito nacional e política.[1] Jesus não se curvou à tentação da popularidade; antes, manteve-se em seu propósito e resistiu à tentação por meio da oração.

Segundo, para interceder por eles na hora da prova (14.23). Jesus não tinha tempo para comer (Mc 3.20), mas tinha tempo para orar. A oração era a sua própria respiração. Jesus estava no monte em oração quando os viu em dificuldade (Mc 6.48). O Senhor nos vê quando a tempestade nos atinge. Não há circunstância que esteja fora do alcance de sua intervenção. Os nossos caminhos jamais estão escondidos aos Seus olhos. Ele está junto ao trono do Pai, intercendo por nós (Rm 8.34). Ele sente o fardo que carregamos e sabe pelo que estamos passando (Hb 4.14-16).

O mínimo que esses discípulos podiam esperar era uma viagem tranquila de volta para casa, uma vez que o tempo de descanso fora interrompido. Mas, ao voltarem, eles são colhidos por uma terrível tempestade. Esse episódio encerra grandes lições e traz à baila as grandes tensões da alma humana.

As **tempestades da vida** chegam (14.22-24)

A vida não se desenrola numa estufa espiritual nem numa colônia de férias. As tempestades chegam, e chegam para todos. Elas são inevitáveis: alcançam ricos e pobres, doutores e analfabetos, crentes e descrentes. Elas são imprevisíveis: chegam sem aviso prévio, colhendo-nos de surpresa. Elas são inadministráveis: fogem ao nosso controle. Elas são pedagógicas: sempre nos ensinam uma lição. Os discípulos de Jesus enfrentam uma avassaladora tempestade. Não temos imunidades especiais. Deus nos livra nas tempestades, mas não das tempestades.

Muitas vezes, as maiores tempestades que enfrentamos não são aquelas que acontecem fora de nós, mas aquelas que agitam a nossa alma e levantam vendavais furiosos em nosso coração. Os tufões mais violentos não são aqueles que agitam as circunstâncias, mas aqueles que deixam turbulentos os nossos sentimentos.

---

[1] WIERSBE, Warren W. *Comentário bíblico expositivo*, p. 65.

As tempestades da vida chegam mesmo quando estamos no caminho da obediência (14.22-24)

Jesus não pediu, não sugeriu nem aconselhou os discípulos a passar para o outro lado do mar. Ele os compeliu, os obrigou (14.22). Os discípulos não tinham opção; deviam obedecer. E, ao obedecerem, foram empurrados para o epicentro de uma avassaladora tempestade. Como entender isso? Por que Deus permite que sejamos apanhados de surpresa por situações adversas? Por que Deus nos empurra para o epicentro da crise? Por que somos sacudidos por vendavais maiores que nossas forças? Por que acidentes trágicos, perdas dolorosas e doenças graves assolam aqueles que estão fazendo a vontade de Deus?

É mais fácil entender que a obediência sempre nos leva para os jardins engrinaldados de flores, e não para a fornalha da aflição. É mais fácil aceitar que a obediência nos livra da tempestade, em vez de crer que ela nos arrasta para as torrentes mais caudalosas. Fica claro, portanto, que a presença de problemas nem sempre significa que estamos fora do propósito de Deus ou que Deus é indiferente à nossa dor. Na verdade, a vida cristã não é uma sala *vip* nem um parque de diversões. Não fique desanimado por causa das tempestades de sua vida. Elas podem ser inesperadas para você, mas não para Deus. Elas podem estar fora do seu controle, mas não do controle do Altíssimo. Você pode não entender a razão delas, mas elas são instrumentos pedagógicos de Deus na sua vida.

Warren Wiersbe esclarece esse ponto:

> Ao ler a Bíblia, descobrimos que há dois tipos de tempestades: as que vêm para a correção, quando Deus nos disciplina, e as que vêm para o aperfeiçoamento, quando Deus nos ajuda a crescer. Jonas enfrentou uma tempestade porque havia desobedecido a Deus e, portanto, deveria ser corrigido. Os discípulos enfrentaram uma tempestade porque haviam obedecido a Cristo e precisavam ser aperfeiçoados. Jesus os havia testado numa tempestade anteriormente, quando estava no barco com eles (8.23-27). Mas agora ele os testou permanecendo fora do barco.[2]

---

[2] WIERSBE, Warren W. *Comentário bíblico expositivo*, p. 65.

As tempestades da vida se agravam quando Jesus parece demorar (14.23,24)

Os discípulos de Jesus passaram horas amargas e de grande desespero procurando remar contra a maré (Mc 6.48). O mesmo mar, tão conhecido deles, está agora irreconhecível. O inesperado mostra a sua carranca. O trivial transforma-se num monstro assustador. O barco é levantado por vagalhões em fúria, e o vento, encurralado pelas montanhas de Golã de um lado e pelas montanhas da Galileia do outro, increspa as ondas e sova o frágil barco com desmesurado rigor. Todo o esforço de controlar a embarcação esvai-se no coração daqueles bravos combatentes. Nesse momento de pavor, os discípulos esperam pela presença de Jesus, mas Ele não chega; antes, a tempestade se agrava. Essa é uma das maiores tensões da vida: a demora de Deus!

Esse foi o drama vivido pela família de Betânia. Quando Lázaro ficou enfermo, Marta e Maria mandaram um recado para Jesus: *Está enfermo aquele a quem amas* (Jo 11.3). Quem ama tem pressa em socorrer a pessoa amada. Quem ama se importa com o objeto do seu amor. As irmãs de Lázaro tinham certeza de que Jesus iria socorrê-las. Certamente as pessoas perguntavam a elas: "Será que Jesus ama mesmo vocês? Será que ele virá curar Lázaro? Será que chegará a tempo?" A todas essas perguntas perturbadoras, Marta deve ter respondido com segurança: "Certamente ele vem. Ele nunca nos abandonou. Ele nunca nos decepcionou". A certeza foi substituída pela ansiedade, esta pelo medo, e o medo pela decepção. Lázaro morreu, e Jesus não chegou. Marta ficou engasgada com essa dolorosa e constrangedora situação. Quatro dias se passaram depois do sepultamento de Lázaro. Só então Jesus chegou. Marta correu ao seu encontro e logo despejou sua dor: *Senhor, se estiveras aqui, não teria morrido meu irmão* (Jo 11.21). A demora de Jesus havia aberto uma ferida em sua alma. Sua expectativa de livramento foi frustrada. Sua dor não foi terapeutizada. Suas lágrimas não foram enxugadas. A vida do seu irmão não foi poupada. Marta está tão machucada que não pode mais crer na intervenção sobrenatural de Jesus (Jo 11.39,40). Antes de censurar Marta, deveríamos sondar o nosso próprio coração. Quantas vezes, as pessoas nos ferem com perguntas venenosas: "O teu Deus, onde está?" Se Deus se importa com você, por que você está passando por problemas? Se Deus ama você, por que você está doente? Se Deus satisfaz todas as suas necessidades, por que você está sozinho, nos braços da solidão? Se Deus é bom, por que Ele não poupou você ou a pessoa que você ama daquele trágico acidente? Se Deus é o Pai de amor, por que a pessoa que você ama foi arrancada dos seus braços pelo divórcio ou pela morte? Muitas vezes o maior drama que enfrentamos não é a tempestade, mas a demora de Deus em vir nos socorrer.

Jesus, na verdade, não estava longe nem indiferente ao drama dos seus discípulos; estava no monte orando por eles (14.23; Mc 6.46-48). Quando você pensa que o Senhor está longe, na verdade Ele está trabalhando a seu favor, preparando algo maior e melhor para você. Ele não dorme nem cochila, mas trabalha para aqueles que nEle esperam. Ele não chega atrasado, nem a tempestade está fora do seu controle. Jesus não chegou atrasado a Betânia. A ressurreição de Lázaro foi um milagre mais notório do que a cura de um enfermo. Sossegue o seu coração. Jesus sabe onde você está, como você está e para onde Ele vai lhe levar.

Nas tempestades da vida, **Jesus sempre vem ao nosso encontro** (14.25,26)

Os problemas são como as ondas do mar: quando uma onda se quebra na praia, a outra já está se formando. Muitas vezes, quando você tenta se recuperar de um solavanco, outra onda chega, açoita-o de novo e o joga ao chão. Mas, quando você pensa que a causa está perdida, que a esperança já se dissipou, então Jesus surge no horizonte da sua história. Quando você decreta a falência dos seus recursos, Jesus chega e põe um ponto final na crise.

Jesus não chegou atrasado ao mar da Galileia. O seu socorro veio na hora oportuna. Aquela tempestade só tinha uma finalidade: levar os discípulos a uma experiência mais profunda com Jesus. As tempestades não são autônomas nem chegam por acaso. Estão na agenda de Deus. Fazem parte do currículo de Deus em nossa vida. Não aparecem simplesmente; elas são enviadas pela mão da providência. É conhecida a expressão usada por William Cowper, poeta inglês, que diz que, "por trás de toda providência carrancuda, esconde-se uma face sorridente".

Nas tempestades da vida, Jesus vem ao nosso encontro mesmo quando achamos que não há mais esperança de livramento (14.25)

A noite era dividida pelos judeus em quatro vigílias: a primeira, das 6h da tarde às 9h da noite; a segunda, das 9h à meia-noite; a terceira, da meia-noite às 3h da madrugada; e a quarta, das 3h da madrugada às 6h da manhã. Aqueles discípulos entraram no mar ao cair da tarde. Ainda era dia quando chegaram ao meio do mar (14.23,24). De repente, o mar começou a agitar-se, varrido pelo vento forte que soprava (Jo 6.18), e o barco foi açoitado pelas ondas (14.24). Eles remaram com todo empenho do cair da tarde até as 3h da madrugada, e ainda estavam no meio do mar, no centro do problema, no ponto mais fundo, mais perigoso, sem sair do lugar.

Às vezes, temos a sensação de que os nossos esforços são inúteis. Remamos contra a maré. Esforçamo-nos, choramos, clamamos, jejuamos, mas o perigo não se afasta. Nessas horas, os problemas tornam-se maiores que as nossas forças. Sentimo-nos esmagados debaixo dos vagalhões. Perdemos até mesmo a esperança do salvamento (At 27.20). Mas, quando tudo parece perdido, quando chega a hora mais escura, a madrugada da nossa história, Jesus aparece para pôr fim à nossa crise.

Jesus sempre vem ao nosso encontro, ainda que na quarta vigília da noite. O Senhor não vem quando desejamos; ele vem quando necessitamos. O tempo de Deus não é o nosso. Deus não livrou os amigos de Daniel *da* fornalha; livrou-os *na* fornalha. Deus não livrou Daniel *da* cova dos leões, livrou-o *na* cova. Deus não livrou Pedro *da* prisão, mas *na* prisão.

Há momentos, portanto, em que Deus não nos livra *da* morte, mas *na* morte. Nem sempre Deus nos poupa do sofrimento, mas nos livra e nos leva para a Casa do Pai através dEle. Deus não livrou Paulo da espada de Roma, mas o conduziu à glória através do martírio.

Nas tempestades da vida, Jesus vem ao nosso encontro colocando o que nos ameaça debaixo dos seus pés (14.25,26)

Os discípulos esperavam com ansiedade o socorro de Jesus, mas, quando ele veio, eles não o discerniram. Aquela era uma noite trevosa. O mar estava coberto por um manto de total escuridão. Ocasionalmente, os relâmpagos luzidios riscavam os céus e despejavam um faixo de luz sobre os ondas gigantescas que faziam o barco rodopiar. Exaustos, desesperançados e cheios de pavor, num dessses lampejos os discípulos enxergam uma silhueta caminhando resolutamente sobre as ondas. Assustados e tomados de medo, gritaram: é um fantasma!

Eles esperavam por Jesus, mas não de maneira tão estranha. O Senhor vem a eles de forma inusitada, andando sobre as ondas. Não apenas a tempestade era pedagógica, mas também o era a maneira como Jesus chega aos discípulos. Esse episódio nos ensina duas grandes lições, como vemos a seguir.

A primeira lição é que as ondas que nos ameaçam estão literalmente debaixo dos pés de Jesus. O mar era um gigante imbatível, e as ondas suplantavam toda a capacidade de resistência dos discípulos. Mas aquilo que era maior do que os discípulos, e que conspirava contra eles, estava literalmente debaixo dos pés do Senhor Jesus. Ele é maior do que os nossos problemas. As tempestades da nossa vida podem estar fora do nosso controle, mas não fora do controle de Jesus. Ele calca sob seus pés aquilo que se levanta contra nós.

A segunda lição é que Jesus faz da própria tempestade o seu caminho para chegar à nossa vida. Ele não apenas anda sobre a tempestade, mas faz dela a estrada para ter acesso à nossa vida. Muitas vezes, o sofrimento é a porta de entrada de Jesus em nosso coração. Ele usa até os nossos problemas para aproximar-se de nós. O profeta Naum diz que o Senhor tem o seu caminho na tormenta e na tempestade (Na 1.3). Mais pessoas se encontram com o Senhor nas noites escuras da alma do que nas manhãs radiosas de folguedo. As mais ricas experiências da vida são vivenciadas no vale da dor. Com certeza, os caminhos de Deus não são os nossos. Eles são mais altos e mais excelentes!

Nas tempestades da vida, **Jesus vem para nos dar pleno livramento** (14.27-32)

Jesus não apenas vem ao nosso encontro na hora da nossa aflição, mas vem para nos socorrer. Ele tem amor e poder. O texto em apreço nos ensina algumas preciosas lições, como vemos a seguir.

Em primeiro lugar, ***Jesus vem para acalmar as tempestades da nossa alma*** (14.27). A primeira palavra de Jesus não foi ao vento nem ao mar, mas aos discípulos. Antes de acalmar a tempestade, ele acalmou os discípulos. Antes de aquietar o vento, ele fez serenar a alma dos discípulos. Jesus distinguiu que a tempestade que estava dentro deles era maior do que a tempestade que que estava fora deles. A tempestade da alma era mais avassaladora do que a tempestade das circunstâncias. O problema interno era maior que o externo. Jesus compreendeu que o maior problema deles não era circunstancial, mas existencial; não eram os fatos, mas os sentimentos.

Jesus disse aos assustados discípulos: *Tende bom ânimo! Sou eu. Não temais!* (14.27). Antes de mudar o cenário que rodeava os discípulos, Jesus acalmou o coração deles, usando dois argumentos, como vemos a seguir.

Primeiro, Jesus levanta o ânimo deles. É natural perdemos o ânimo depois de uma longa tempestade. Havia se dissipado toda esperança de livramento no coração daquele grupo. Então, a primeira palavra não é de censura, mas de ânimo. Jesus se importa com os nossos sentimentos. Ele é o supremo psicólogo. Ele nos dá um banho de consolação e encorajamento antes de começar a transformar a nossa situação.

Segundo, Jesus diz que sua presença é o antídoto para o nosso medo. Jesus usa um só argumento para banir o medo dos discípulos: Sua presença com eles. Ele disse aos discípulos: *Sou eu. Não temais* (14.27). Entre o medo e o ânimo, está Jesus. Onde Cristo está, a tempestade se aquieta, o tumulto se converte em paz, o impossível se torna possível, o insuportável se torna suportável, e os homens passam o vale do desespero sem se desesperar. A presença de Cristo conosco é a nossa conquista da tempestade. O Criador do céu e da terra está conosco. Aquele que sustenta o universo é quem nos socorre. Jesus prometeu estar conosco todos os dias. Mesmo quando não O vemos, ele está presente. Mesmo quando a tempestade vem, Ele está no controle.

Em segundo lugar, ***Jesus vem para corrigir nossas ideias distorcidas*** (14.26,27). Quando os discípulos viram Jesus andando sobre as águas, registraram erradamente os sinais da Sua presença divina. Pensaram que Ele era um fantasma. Em vez de gritar para Ele, eles gritaram seu medo um na cara do outro. Aquele era um brado de terror, porque supersticiosamente eles pensavam que os espíritos da noite traziam desgraças. A superstição é uma crendice forte ainda hoje. Mesmo nos dias de hoje, existem pessoas, incluindo membros de igreja, que consultam adivinhadores; e que, na sexta-feira 13, quando um gato preto cruza o seu caminho, entendem tal coincidência como indicando mau agouro; ou recuam, horrorizados, para não passar por baixo de uma escada; ou, quando se dirigem a um quarto de número 13 – assumindo que há tal quarto –, lá derramam uma quantidade razoável de sal! Além disso, essas pessoas se recusam, enfaticamente, a fazer essas coisas se o horóscopo indica o dia como sendo "azarado" para elas.

Em terceiro lugar, ***Jesus vem para socorrer-nos do nosso naufrágio*** (14.28-31). Ouvindo a voz de Jesus, Pedro dispõe-se a ir ao Seu encontro. Movido pela fé, caminhou sobre as ondas revoltas. Porém, reparando na força do vento, teve medo e, começando a submergir, gritou: *Salva-me, Senhor!* Jesus, prontamente, estendendo a mão, tomou-o e lhe disse: *Homem de pequena fé, por que duvidaste?* Jesus sempre nos socorre quando, nas tempestades da vida, clamamos por seu socorro. Pedro é uma espécie de gangorra: ora em cima, ora embaixo. Ele oscila entre fé e incredulidade, exaltação a Cristo e reprovação a Cristo, lealdade a Cristo e negação a Cristo. Na passagem em apreço, Pedro vai da confiança à dúvida. William Hendriksen chega a escrever sobre ele: "Pessoa interessantíssima, esse Pedro. Parece não fazer nada pela metade. Quando é bom, é muito bom; quando é mau, é muito mau; e, quando se arrepende, chora amargamente".[3]

Em quarto lugar, ***Jesus vem para acalmar as tempestades das circunstâncias*** (14.32). Jesus, depois que acalmou os discípulos, também pôs fim à tempestade. Mateus registra: *Subindo ambos para o barco, cessou o vento.* Jesus ainda hoje continua acalmando as tempestades da nossa vida. Ele faz o nosso barco parar de balançar. Estanca o fluxo da nossa angústia e amordaça a boca da crise que berra aos nossos ouvidos. Quando Jesus chega, a tempestade precisa se encolher. Sua voz é

---

[3] Hendriksen, William. *Mateus*. Vol. 2, p. 123.

mais poderosa que a voz do vento. Ele é o Senhor da natureza. Tudo que existe está sob sua autoridade. O vento ouve sua voz, e o mar Lhe obedece. As ondas se aquietam diante da Sua Palavra.

Jesus é poderoso para acalmar as nossas tempestades existenciais. A tempestade conjugal que assola a sua vida pode ser solucionada por Ele. O divórcio doloroso do cônjuge e dos filhos, que está fazendo sangrar seu peito, pode ser estacando por Ele. A crise financeira que jogou você ao chão e o deixou falido, desempregado e endividado pode ser resolvida por Ele. A enfermidade que rouba os seus sonhos, drena suas forças e estiola o seu vigor pode ser curada. A depressão que aperta o seu peito, tira o seu oxigênio e afunda você num pântano de angústia, embassando seus olhos, pode ser vencida. O medo que suga as suas energias pode acabar. A tempestade pode ser maior do que você, mas ela está debaixo dos pés de Jesus.

Nas tempestades da vida, **Jesus vem para reconhecermos que Ele é digno de adoração** (14.33)

Por que Deus permite tempestades em nossa vida? Primeiro, para reconhecermos quão grande Ele é, o verdadeiro Filho de Deus. Segundo, para que O adoremos. As tempestades abrem os olhos da nossa alma e nos colocam de joelhos!

Nas tempestades da vida, **Jesus vem para curar os enfermos** (14.34-36)

Quando Jesus chegou a Genesaré, outra multidão O reconheceu. Do meio da dor, brotava um clamor, um rogo para que os enfermos tocassem em Jesus, e todos quantos tocavam saíram curados. Devemos nos esforçar de igual modo para levar todos aqueles que estão necessitados de remédio espiritual ao Médico dos médicos, para serem curados. Nele há uma fonte inesgotável de vida, perdão, cura e salvação.

Charles Spurgeon diz que nosso Rei é Mestre tanto na terra como no mar. Seja sobre o mar de Genesaré, seja na terra de Genesaré, o Seu poder e majestade supremos são infalivelmente comprovados. Ele acalma as tempestades e cura as enfermidades. Ele toca as ondas com os pés, e elas ficam firmes; ele toca os corpos doentes com as mãos, e eles ficam curados.[4]

As curas de Jesus não podem ser esteriotipadas. Algumas vezes Jesus tocava as pessoas para as curar (8.3); outras vezes, eram as pessoas que tocavam em Jesus para serem libertas do seu mal (9.21). Noutras ocasiões, não havia toque algum envolvido (12.13). Por onde quer Jesus passava, a virtude fluía dEle para aliviar as pessoas de seus fardos.

---

[4]SPURGEON, Charles H. *O Evangelho segundo Mateus*, p. 299,300.

44

A **tradição** religiosa **divorciada** da Palavra de Deus

Mateus 15.1-20

JESUS ESTÁ EM JERUSALÉM, a sede da conspiração contra Ele. Mateus descreveu vários confrontos entre Jesus e os líderes. Eles o acusaram de assumir prerrogativas divinas (9.3), relacionar-Se com pessoas "ruins" (9.11), permitir que os Seus discípulos "não guardassem" o sábado (12.2), e de Ele mesmo não guardar o sábado (12.10) e expulsar demônios por Belzebu (12.24). Esta confrontação, agora, centra-se ao redor de uma questão básica (15.2): "O que deve regular a vida: A tradição humana ou a Palavra de Deus?" A resposta de Jesus abre clareiras sobre a verdadeira espiritualidade.

Quando a tradição religiosa **toma o lugar da Palavra de Deus** (15.1,2)

As tradições fazem parte inalienável de nossa vida. Tom Hovestol diz que, sem as tradições, não saberíamos quem somos (nossa identidade), de onde viemos (nossas raízes), em que acreditamos (nossa estrutura mental) nem como deveríamos nos comportar (nosso estilo de vida). Portanto, as tradições são padrões habituais e familiares de fazer as coisas conforme nos passaram aqueles que vieram antes de nós.[1]

---

[1] HOVESTOL, Tom. *A neurose da religião*, p. 122.

Sproul está certo quando diz que as tradições não são negativas em si mesmas, porém elas jamais podem ocupar o lugar da Palavra de Deus. Ele exemplifica isso com a Dieta de Worms, em 1521, quando Lutero respondeu a seus interlocutores, que exigiam que ele se retratasse de seus escritos. Ele respondeu: *A menos que eu seja convencido pelas Escrituras e pela razão pura, não aceitarei a autoridade dos papas e dos concílios, pois eles se contradizem – minha consciência permanecerá cativa à Palavra de Deus. Não posso e não retirarei coisa alguma, porque ir contra a própria consciência não é certo nem seguro. Deus me ajude. Amém.*[2]

O problema dos fariseus é que eles colocaram essas tradições acima da Palavra de Deus, transformando a tradição, a fé viva dos mortos, em tradicionalismo, a fé morta dos vivos. John Leith alerta para o fato de que, quando as tradições são mortas, elas só se conservam através do legalismo de seus adeptos.[3] William Hendriksen diz que esses fariseus estavam mais preocupados com "a tradição dos anciãos" do que com a Palavra de Deus. Substituíam a genuína piedade pelo mero legalismo, a atitude de coração e mente pela conformidade externa da tradição e a alegre obediência pela torturante escrupulosidade.[4]

Tom Hovestol ainda alerta para o perigo de as igrejas contemporâneas viverem presas a essa tradição que virou tradicionalismo. Assim ele escreve:

> Na igreja, quase tudo que fazemos se fundamenta nas tradições concebidas pelos homens. Os dias, as horas e os lugares em que nos reunimos para adoração não passam de tradições. As reuniões que temos e os ministérios que oferecemos são, em grande parte, fundamentados na tradição, não nas Escrituras. O modo de nos vestir, a estrutura do nosso culto, nosso estilo de música e os instrumentos usados são ditados em grande parte pela tradição. Temos tradições teológicas, tradições denominacionais, tradições psicológicas, tradições sociológicas, tradições étnicas, tradições nacionais e, até mesmo, tradições geográficas.

---

[2] SPROUL, R. C. *Mateus*, p. 416.
[3] LEITH, John H. *A tradição reformada*. São Paulo, SP: Pendão Real, 1997, p. 29.
[4] HENDRIKSEN, William. *Mateus*. Vol. 2, p. 135.

O problema é, que, muitas vezes, nós as elevamos ao patamar de verdades inabaláveis, exatamente como os fariseus fizeram.[5]

Voltemos ao texto em pauta. Alguns escribas e fariseus fazem uma pergunta em tom de censura a Jesus: *Por que transgridem os teus discípulos a tradição dos anciãos? Pois não lavam as mãos, quando comem* (15.2). A tradição dos anciãos era um corpo de literatura oral oriunda de um desejo de expor a lei escrita, e aplicá-la às novas circunstâncias. A tradição dos anciãos, em nome de ser uma santa tradição, estava roubando a prioridade e a centralidade das Escrituras e perpetuando-se. As tradições tendem a ser mantidas muito depois de terem perdido sua utilidade. Mas devemos deixar claro que não é a cultura que deve julgar as Escrituras, mas as Escrituras é que devem julgar todas as culturas e tradições dos homens. A mensagem das Escrituras é o fundamento, e não os usos e costumes. Esses vêm e vão. Podem ser úteis e também tornar-se prejudiciais. Precisamos ousar mudar os métodos sem jamais negociar a verdade. Sproul corrobora dizendo: "Regras externas – não comer, não tocar, não mexer – não são capazes de resolver o verdadeiro problema, a saber, o mal presente no coração dos homens. Só Jesus, operando pelo poder de Seu Espírito Santo, pode transformar o coração".[6]

Destacamos dois pontos a seguir.

Em primeiro lugar, *os acusadores* (15.1). Jesus estava em Genezaré, às margens do mar da Galileia, quando os fariseus e escribas vieram para interrogá-Lo. Esses homens eram fiscais da vida alheia. Eram caçadores de heresias. Tinham a língua afiada para denunciar qualquer pessoa que deles divergisse. Eram detetives, e não pastores. Eram rigorosos na observância de sua tradição religiosa, mas transgressores da Palavra de Deus.

Os escribas eram os especialistas da lei. Eles a estudavam, a interpretavam e a ensinavam ao povo. Mais exatamente, eles transmitiam para sua própria geração as tradições, as quais, de geração em geração, tinham sido passadas com respeito à interpretação e aplicação da lei.

---

[5]Hovestol, Tom. *A neurose da religião*, p. 121.
[6]Sproul, R. C. *Mateus*, p. 419.

Essas tradições tinham tido sua origem no ensino de rabinos veneráveis do passado. Os fariseus, por sua vez, eram aqueles que tentavam fazer todos crerem que eles, os separatistas, estavam vivendo de acordo com o ensino dos escribas.

Em segundo lugar, *a acusação* (15.2). Esses farejadores de heresia acusaram os discípulos de Jesus de transgredirem a tradição dos anciãos. O que lhes incomodava era que os discípulos comiam sem lavar as mãos. As acusações sobre "lavar as mãos" não tinham nenhuma relação com a higiene. Referiam-se às lavagens cerimoniais praticadas pelos judeus mais ortodoxos.[7] Essas regras foram impostas pelos anciãos, mas não tinham amparo na Palavra de Deus. Lavar as mãos antes das refeições não é uma exigência do Antigo Testamento. Era uma lei de purificação criada pelos homens, mas não estabelecida por Deus. Essa lavagem de mãos, como já afirmamos, não tinha nada a ver com higiene pessoal ou a ordenança da lei, mas apenas com a tradição dos escribas e fariseus. Isso era mais um fardo que eles inventaram para o povo carregar (23.4). Concordo com A. T. Robertson quando ele diz que a questão era pôr a tradição dos anciãos no lugar dos mandamentos de Deus. Jesus apoia a verdadeira justiça e a liberdade espiritual, e não a escravidão à mera cerimônia e tradição. Os rabinos colocavam a tradição (a lei oral) acima da lei de Deus.[8]

Quando a tradição religiosa transgride a Palavra de Deus (15.3-9)

Destacamos alguns pontos a seguir.

Em primeiro lugar, ***uma tradição que está em oposição à Palavra de Deus*** (15.3). Em vez de Jesus sucumbir à acusação dos fariseus e escribas, devolve a pergunta a eles, encurralando-os com a verdade: *Por que transgredis vós também o mandamento de Deus por causa da vossa tradição?* (15.3). Charles Spurgeon pergunta: "O que é uma tradição quando comparada com um mandamento? O que é uma tradição quando está

---

[7]WIERSBE, Warren W. *Comentário bíblico expositivo*, p. 68.
[8]ROBERTSON, A. T. *Comentário de Mateus*, p. 176.

em conflito com um mandamento? Quem são os anciãos quando comparados com Deus?"⁹

Os discípulos quebravam uma tradição humana, os acusadores transgrediam um mandamento de Deus. Os discípulos não pecavam contra Deus ao comerem sem lavar as mãos, os fariseus e escribas pecavam contra Deus seguindo rigorosamente o manual de suas tradições. A tradição dos anciãos levava as pessoas à transgressão, e não à obediência aos mandamentos de Deus. Os fariseus e escribas estavam enganados quanto à natureza do pecado. A santidade é uma questão de afeição interna, e não de ações externas. Eles pensavam que eram santos por praticarem ritos externos de purificação. O contraste entre os fariseus e escribas e os discípulos de Cristo não era apenas entre a lei e os ritos, entre a verdade de Deus e a tradição dos homens, mas uma divergência profunda sobre a doutrina do pecado e da santidade.¹⁰ Este conflito não é periférico, mas toca o âmago da verdadeira espiritualidade.

Ainda hoje, muitos segmentos evangélicos coam mosquito e engolem camelo. Os escribas e fariseus, em nome de uma espiritualidade sadia, negligenciaram o mandamento de Deus, jeitosamente rejeitaram o preceito de Deus e invalidaram a Palavra de Deus. Eles eram culpados de colocar a mera tradição humana acima do mandamento divino, uma regra feita pelo homem acima de um mandamento dado por Deus. Os rabinos haviam dividido a lei mosaica, ou Torá, em 613 decretos distintos, com 365 deles contendo proibições, enquanto 248 eram orientações positivas. Além disso, em conexão a cada decreto, haviam desenvolvido distinções arbitrárias entre o que consideravam "permitido" e o que "não era permitido". Por meio dessas distinções, eles tentavam regular cada detalhe da conduta dos judeus: seus sábados, viagens, comida, jejuns, abluções, comércio e relações interpessoais.

Em segundo lugar, *uma tradição que invalida a Palavra de Deus* (15.4-6). Jesus cita um caso específico dessa transgressão jeitosamente elaborada pelos anciãos. Trata-se da lei do Corbã. *Karban* (termo técnico para sacrifício, encontrado em Ez 20.28) era a prática de devotar

---

⁹Spurgeon, Charles H. *O Evangelho segundo Mateus*, p. 303.
¹⁰Wiersbe, Warren W. *Be Diligent*, p. 70.

coisas a Deus e, desse modo, arrebatá-las de outras pessoas que poderiam ter legítimo direito a elas.[11] É mandamento de Deus que os filhos honrem pai e mãe (Êx 20.12; Dt 5.16). Mas alguns filhos, desonrando seus progenitores, os desamparavam. Em vez de assistir os pais, esses filhos diziam: "Não podemos socorrê-los, porque o que temos e o que vocês esperam de nós é oferta ao Senhor". Com essa manobra, eles invalidavam a Palavra de Deus, com o manual de sua tradição em mãos.

Dando mais um passo na compreensão do assunto em tela, destacamos que a palavra Corbã quer dizer "um presente"[12] ou "dedicado a Deus", e se empregava quando um homem queria dedicar seus bens à tesouraria do templo. Mas, por um acordo com os sacerdotes israelitas, podia "dedicar" seu dinheiro ou sua propriedade ao templo, ao mesmo tempo que desfrutava deles durante a sua vida, deixando-os como um legado a serviço do templo. Caso este homem, segundo a santa obrigação natural e legal, tivesse o dever de manter os pais idosos ou enfermos, os mesmos sacerdotes lhes impediam de ajudá-los com esses fundos que eram "Corbã", para não subtrair o legado do templo. Este caso suscitou a justa indignação do Senhor, pois por um ímpio subterfúgio, e sob uma aparência de piedade, se violava um dos principais mandamentos de Deus.

Em terceiro lugar, *uma tradição que produz hipocrisia, e não adoração* (15.7-9). A tradição dos anciãos produzia hipocrisia, e não adoração sincera. Charles Spurgeon afirma: "Eles se importavam com a lavagem das mãos e, ainda assim, puseram as mãos sujas na santíssima lei de Deus".[13] Jesus evoca o profeta Isaías, dizendo: *Este povo honra-me com os lábios, mas o seu coração está longe de mim. E em vão me adoram, ensinando doutrinas que são preceitos de homens* (15.8,9). Jesus deu a Seus oponentes as Escrituras em vez da tradição. Quebrou suas armas de madeira com a espada do Espírito. As Sagradas Escrituras devem ser nossa arma contra uma espiritualidade de meras tradições. Concordo com Charles Spurgeon quando ele escreve: "A forma mais meticulosa de devoção é

---

[11]MOUNCE, Robert H. *Mateus*, p. 160.
[12]WIERSBE, Warren W. *Comentário bíblico expositivo*, p. 68.
[13]SPURGEON, Charles H. *O Evangelho segundo Mateus*, p. 304.

adoração vã, se ela é regulada pelo mandamento de homens e se aparta da ordem do próprio Senhor".[14]

Hipócrita é o homem que esconde suas intenções reais por trás de uma máscara de virtude simulada. É aquele que fala uma coisa e sente outra. Há um abismo entre suas palavras e seus sentimentos, um hiato entre suas ações e seu coração, uma esquizofrenia entre seu mundo interior e o exterior. O hipócrita é um enganador, fraudulento, impostor, uma serpente sobre a relva, e um lobo em pele de cordeiro. Ele finge ser o que, na verdade, não é.

Quando a tradição religiosa **não discerne a Palavra de Deus** (15.10-20)

Destacamos alguns pontos a seguir.

Em primeiro lugar, *uma parábola esclarecedora* (15.10-14). Em vez de praticar purificações cerimoniais, devemos afiar nosso entendimento e nossos ouvidos. Em vez de serem prisioneiros do legalismo farisaico, Jesus exorta a multidão a ter uma espiritualidade governada pelo entendimento da verdade de Deus. Jesus dá grande ênfase à necessidade de ouvir e compreender. Não podemos seguir interpretações enganosas; antes, devemos inclinar nossos ouvidos à Palavra de Deus. Para elucidar esse intrincado problema, Jesus lança mão de uma parábola. Nesse momento, a conversa deixa de ficar restrita apenas aos fariseus e escribas acusadores e aos discípulos acusados, pois Jesus convoca a multidão. A parábola de Jesus é assaz objetiva: *Não é o que entra pela boca o que contamina o homem, mas o que sai da boca, isto, sim, contamina o homem* (15.11). Concordo com Mounce quando ele escreve: "Esse conceito revolucionário destruiria todo o sistema ritualístico judaico. Ameaçava a ideia básica da religião, uma vez que a fonte última da contaminação é o coração, e não a dieta alimentar".[15]

Os discípulos comunicam a Jesus, a seguir, a reação dos fariseus em face do Seu ensino. Eles estavam escandalizados. Em vez de se curvar à

---
[14]SPURGEON, Charles H. *O Evangelho segundo Mateus*, p. 305.
[15]MOUNCE, Robert H. *Mateus*, p. 161.

verdade, os fariseus colocaram tropeços para seus próprios pés. Em vez de Jesus retroceder em Seu ensino para agradar aos fariseus, foi ainda mais contundente, dizendo: *Toda planta que meu Pai celestial não plantou será arrancada. Deixai-os; são cegos, guias de cegos. Ora, se um cego guiar outro cego, cairão ambos no barranco* (15.13,14). É importante ressaltar que, quando Jesus ouve de seus discípulos que esse pronunciamento ofendera os fariseus, longe de amenizá-lo, Ele assinala a Seus discípulos que os fariseus não somente eram desacreditados expositores da vontade divina, mas também estavam inteiramente fora do Reino de Deus. Eram "plantas" que o Pai Celestial não plantara e finalmente terá de desarraigar.[16]

Em segundo lugar, *uma explicação necessária* (15.15-18). Embora a parábola de Jesus tenha sido tão clara e objetiva, Pedro pediu a Jesus uma explicação particular do seu significado. O pedido de Pedro causou a estranheza de Jesus: *Jesus, porém, disse: Também vós não entendeis ainda?* (15.16). Jesus esclarece aos discípulos o óbvio: o que entra pela boca é eliminado para um lugar escuso, mas o que sai da boca procede do coração. E é exatamente isso que contamina o homem. Jesus está acabando com a paranoia da religião legalista e suas listas intermináveis de poder e não pode. Jesus está declarando puros todos os alimentos. Não podemos considerar impuro o que Deus tornou puro (At 10.15). O alimento desce ao estômago, mas o pecado sobe ao coração. O alimento que comemos é digerido e evacuado, mas o pecado permanece no coração, produzindo contaminação e morte.

Em terceiro lugar, *um alerta oportuno* (15.19,20). O coração do homem é o laboratório onde o pecado é processado. Do coração emana aquilo que, de fato, contamina o homem. O coração é um solo crivado de ervas daninhas. De acordo com Tasker, as palavras de um homem, que sobem do coração, são muitas vezes expressões de pensamentos assassinos, adúlteros, falsos e difamadores que constituem a mola mestra das suas más ações.[17] Nessa mesma linha de pensamento, Spurgeon diz que assassinatos não começam com o punhal, mas com a maldade

---

[16]TASKER, R. V. G. *Mateus: introdução e comentário*, p. 119.
[17]TASKER, R. V. G. *Mateus: introdução e comentário*, p. 119,120.

do coração. Adultérios e prostituições são primeiramente entretidos no coração antes de serem efetuados pelo corpo. O coração é a gaiola de onde estas aves impuras voam. Todos esses males terríveis fluem de uma fonte, o coração do homem.[18]

Quando a tradição religiosa **não discerne a fonte contaminadora do homem** (15.19,20)

Jesus arremata o assunto, deixando meridianamente claro que a contaminação não vem de comer sem lavar as mãos. A contaminação não vem de fora, mas procede de dentro; emana do coração. O coração é o laboratório onde o pecado é processado. O coração é a fonte poluidora da vida.

Jesus aponta o coração como a fonte dos sentimentos, aspirações, pensamentos e ações dos homens. Essa fonte é, também, a fonte de toda contaminação moral e espiritual. Jesus não tinha ilusões sobre a natureza humana como alguns teólogos liberais e mestres humanistas da atualidade. Mateus cita sete pecados que brotam do coração contra doze pecados mencionados por Marcos (Mc 7.21,22). O remédio é um novo coração. É mais difícil ter um coração limpo do que mãos limpas.

---

[18]SPURGEON, Charles H. *O Evangelho segundo Mateus*, p. 309.

45

O **clamor** de uma **mãe** aflita aos pés do Salvador

Mateus 15.21-28

ENQUANTO OS LÍDERES DE ISRAEL BUSCAVAM JESUS PARA, dissimuladamente, acusá-lo de transgressor, os gentios, que nada conheciam da lei, procuravam Jesus para nEle encontrar resposta aos seus grandes dramas. Jesus deixa esse ambiente carregado de religiosismo legalista e vai para as bandas de Tiro e Sidom. Warren Wiersbe diz que Jesus não apenas ensinou que toda comida era pura, mas praticou esse ensinamento ao visitar regiões gentias. Deixou Israel e se retirou para a região de Tiro e Sidom. Para os judeus, os gentios eram considerados tão "imundos" que, por vezes, eram chamados de "cães".[1] Mas vemos aqui o contraste entre a incredulidade dos judeus e a fé dessa mulher, gentia de nascimento.

É nesse território gentio que vem a Jesus uma mulher cananeia cuja filha está endemoninhada. Essa mulher apresenta com humildade e perseverança a sua causa. Mesmo enfrentando obstáculos, não desiste de esperar de Jesus um milagre. Jesus não apenas libertou à distância sua filha, mas enalteceu sua fé.

Este texto nos mostra uma mãe aflita aos pés do Salvador. Mães aflitas estão por todos os lados. Por que sofrem as mães? Pelos seus

---

[1] WIERSBE, Warren W. *Comentário bíblico expositivo*, p. 69.

filhos. Essa mãe, embora gentia, possuía grande fé. Embora tivesse chegado abatida, saiu vitoriosa. Isso porque a fé vem da graça divina, e não da família que se tem ou da igreja que se frequenta. Uma pequena fé levará a sua alma ao céu, mas uma grande fé trará o céu à sua alma.

Vejamos algumas preciosas lições da passagem em tela.

Uma mãe aos pés do Salvador **tem discernimento** sobre o que está acontecendo com os filhos (15.21,22a)

Duas verdades nos chamam a atenção, como vemos a seguir.

Em primeiro lugar, *ela discerne o problema que atinge sua filha* (15.22). Essa mãe sabia quem era o inimigo da sua filha. Ela sabia que o problema de sua filha era espiritual. Ela tem consciência que existe um inimigo real que estava conspirando contra a sua família para destruí-la.

Peter Marshal, capelão do senado americano, pregou um célebre sermão no dia das mães e afirmou que elas são as guardas das fontes. As mães são os instrumentos que Deus usa para purificar as fontes que contaminam os filhos.

Em segundo lugar, *ela discerne a solução do problema que atinge sua filha* (15.22). Essa mãe percebeu que o problema da sua filha não era apenas uma questão conjuntural. Não se tratava simplesmente de estudar numa escolha melhor, morar num bairro mais seguro e ter mais conforto. Ela já tinha buscado ajuda em todas as outras fontes e sabia que só Jesus podia libertar a sua filha.

Ela vai a Jesus. Busca-O. Chama-O de Filho de Davi, seu título popular, aquele que fazia milagres. Depois chama-O de Senhor. Finalmente, ela se ajoelha (15.23). Ela começa clamando e termina adorando. Ela começa atrás de Jesus e termina aos Seus pés.

Uma mãe aos pés do Salvador **transforma a necessidade em adoração** (15.22b)

Três verdades devem ser aqui destacadas, como vemos a seguir.

Em primeiro lugar, *seu clamor foi por misericórdia* (15.22). Ela está aflita e precisa de ajuda. Ela pede ajuda a quem pode ajudar. Ela não se conforma de ver sua filha sendo destruída. A sua dor levou-a a Jesus.

Ela viu os problemas como oportunidades para se derramar aos pés do Salvador. O sofrimento pavimentou o caminho do seu encontro com o Filho de Deus. Aquela mãe transformou sua necessidade em estrada para encontrar-se com Cristo. Transformou sua necessidade em oportunidade de prostrar-se aos pés do Senhor. Transformou o problema no altar da adoração. Deus, às vezes, adia a solução dos nossos problemas, para que nós nos prostremos aos Seus pés.

Em segundo lugar, *seu clamor foi com senso de urgência* (15.22). Aquela mãe não perdeu a oportunidade. Aquela foi a única vez em que Jesus se dirigiu às terras de Tiro e Sidom. As oportunidades passam. É tempo de as mães clamarem a Deus pelos filhos. É tempo de as mães Se unirem em oração pelos filhos. Precisamos ter um senso de urgência no nosso clamor. Como você se comportaria se visse seu filho numa casa em chamas? Certamente teria urgência em intervir para a sua salvação. Tem você a mesma urgência para ver seus filhos salvos?

Em terceiro lugar, *seu clamor é cheio de empatia* (15.22). O problema da filha é o seu problema. Seu clamor era: *Tem compaixão de mim*; *Senhor, socorre-me*. Era sua filha quem estava possessa. Ela sofria como se fosse a própria filha. A dor da sua filha era a sua dor. O sofrimento da filha era o seu sofrimento. A libertação da filha era a sua causa mais urgente.

Uma mãe aos pés do Salvador está disposta a **enfrentar qualquer obstáculo** para ver a filha liberta (15.23-27)

Essa mãe é determinada. Como Jacó, ela se agarra ao Senhor sem abrir mão da bênção. Ela não descansa nem dá descanso a Jesus. Ela enfrentou três obstáculos antes de ver o milagre de Jesus acontecendo na vida de sua filha.

Em primeiro lugar, *o obstáculo do desprezo dos discípulos de Jesus* (15.23). Os discípulos não pedem a Jesus para atender essa mãe, mas para despedi-la. Não se importam com a sua dor, mas querem se ver livre dela. Eles não intercedem em favor dela, mas contra ela. Eles a desprezam em vez de ajudá-la. Tentam afastá-la de Jesus em vez de ajudá-la a se lançar aos pés do Salvador.

Em segundo lugar, *a barreira do silêncio de Jesus* (15.23). O silêncio de Jesus é pedagógico. Há momentos em que os céus ficam em total silêncio diante do nosso clamor. É mais fácil crer quando estamos cercados de milagres. O difícil é continuar crendo e orando pelos filhos quando os céus estão em silêncio, quando as coisas parecem estar indo de mal a pior.

Em terceiro lugar, *a barreira da resposta de Jesus* (15.24-26). Jesus usa expressões que poderiam ser desanimadoras para aquela mulher. Primeira, não fui enviado senão à Casa de Israel (15.24). Foram palavras desanimadoras. A mulher, porém, em vez de sair desiludida e revoltada, veio e o adorou, dizendo: *Senhor, socorre-me!* Em vez de desistir de sua causa, ela adora e ora. Segunda, não é bom tomar o pão dos filhos e lançá-los aos cachorrinhos (15.26). Essa mãe, longe de ficar magoada com a comparação, converte a palavra desalentadora em otimismo. Transforma a derrota em vitória. Busca o milagre da libertação da filha, ainda que isso represente apenas migalhas da graça.

Mas por que Jesus agiu assim com essa mãe? Para despertar em seu coração uma fé robusta. Deus agiu assim noutras épocas, com Abraão. Foram 25 anos para dar-lhe Isaque. Agora, depois que o menino estava grande, pede-o em sacrifício.

Uma mãe aos pés do Salvador **triunfa pela fé** e toma posse da vitória dos filhos (15.28)

Duas verdades merecem destaque, como vemos a seguir.

Em primeiro lugar, *Jesus elogia a fé daquela mãe* (15.28). Mãe, não desista de seus filhos. Eles são filhos da promessa. Eles não foram criados para o cativeiro. A fé é morta para a dúvida, surda para o desencorajamento, cega para as impossibilidades e nada vê a não ser o seu sucesso em Deus. A fé honra a Deus, e Deus honra a fé. *Ó mulher, grande é a tua fé!* É conhecida a expressão de George Muller: A fé não é saber que Deus pode; é saber que Deus quer. A fé é o elo que liga a nossa insignificância à onipotência divina.

Em segundo lugar, *aquela mãe recebeu pela vitória de sua fé a libertação de sua filha* (15.28). Jesus disse: *Faça-se contigo como queres.*

E, desde aquele momento, sua filha ficou sã. A fé reverteu a situação. O pedido foi atendido. A bênção chegou. A fé venceu. A fé em Jesus ri das impossibilidades. Fé é crer no que não vemos, e a recompensa dessa fé é ver o que cremos. Aquela mãe voltou para a sua casa aliviada e encontrou a sua filha liberta. Ela perseverou. Ela se humilhou. Ela adorou. Ela orou. Ela prevaleceu pela fé.

46

O poder extraordinário de Jesus

Mateus 15.29-39; 16.1-12

JESUS DEIXA A REGIÃO DE TIRO E SIDOM e está de volta a um dos montes nas cercanias do mar da Galileia, na região de Decápolis – dez cidades predominantemente gentias que constituíam uma confederação com autorização dos romanos para cunhar suas próprias moedas, presidir os próprios tribunais e até mesmo comandar o próprio exército.[1] Destacamos a seguir alguns pontos importantes.

As curas operadas por Jesus (15.29-31)

Mateus faz a transição entre a libertação da filha da mulher siro-fenícia e a cura de coxos, aleijados, cegos e muitos outros trazidos por muitas multidões. O palco é um monte, junto ao mar da Galileia. Esses enfermos foram deixados aos pés de Jesus, e a todos Ele curou. O povo, ao ver esses esplêndidos milagres, ficou maravilhado: os mudos falavam, os aleijados andavam, os cegos viam. Por causa desses prodígios, o povo glorificava o Deus de Israel.

Warren Wiersbe destaca o contraste entre os gentios e os líderes judeus que conheciam as Escrituras do Antigo Testamento nestes termos:

---
[1] WIERSBE, Warren W. *Comentário bíblico expositivo*, p. 70.

Os gentios glorificavam ao Deus de Israel, mas os líderes judeus disseram que Jesus estava operando em conjunto com satanás (12.22-24). Os milagres de Jesus não levaram as cidades de Israel ao arrependimento (11.20-24), mas os gentios creram nEle. Os milagres de Jesus deveriam ter convencido os judeus de que Ele era o Messias (Is 29.18,19; 35.4-6; Mt 11.1-6). Ele se admirou com a fé do soldado gentio e da mulher cananeia e também se espantou com a incredulidade do Seu próprio povo (Mc 6.6).[2]

A **compaixão** de Jesus (15.32)

Essa grande multidão está num lugar deserto há três dias, muitos deles vindo de lugares distantes. A pessoa, o ensino e as obras de Jesus atraíam de forma irresistível essas pessoas. A presença de Jesus era tão magnética, e as Suas palavras e ações eram tão maravilhosas, que aqueles que O circundavam julgavam que era impossível deixá-Lo. O tempo, o cansaço, a fome ou mesmo seus afazeres não os impediram de permanecer três dias num lugar deserto ouvindo atentamente as palavras de Jesus.

A **insensibilidade** dos discípulos (15.33)

A compaixão de Deus é contraposta à insensibilidade dos discípulos. Na primeira multiplicação dos pães, os discípulos tomaram a iniciativa de pedir para Jesus despedir a multidão (14.15). A questão enfrentada nesta circunstância, porém, era mais grave do que na primeira multiplicação dos pães. Lá o problema básico era arranjar dinheiro para comprar pão (Jo 6.7). Naquele caso, a comida poderia ser comprada nas cidades e vilas da vizinhança (14.15; Mc 6.36). Aqui, porém, nem lugar havia para comprar pão. O lugar era deserto, a multidão era grande, e o tempo já assinalava sinais de perigo para essa gente. Os discípulos, com o coração endurecido, não veem saída para o problema. Eles nem sequer se lembraram do primeiro milagre. Eles têm memória curta e coração endurecido. Destacam as dificuldades das circunstâncias, e não o poder de Jesus para realizar o milagre. Veem o problema, e não a solução.

---

[2]WIERSBE, Warren W. *Comentário bíblico expositivo*, p. 70.

O **poder** de Jesus (15.34-39)

Três verdades merecem destaque, conforme comentamos a seguir.

Em primeiro lugar, *o pouco nas mãos de Jesus é muito* (15.34). Apenas sete pães e alguns peixinhos podem transformar-se no começo de um grande milagre. Quando colocamos o pouco nas mãos de Jesus, Ele pode realizar grandes milagres. Com Cristo, tudo é possível. O conhecimento exato do suprimento completamente inadequado (humanamente falando) fará com que reconheçam a grandiosidade do milagre.

O pão é a vida. A palavra hebraica para "deserto", porém, significa "separado da vida". Assim, "pão no deserto" é uma contradição de termos, uma impossibilidade – ou uma possibilidade só para Deus. Quando os nossos recursos acabam ou são insuficientes, Jesus pode ainda fazer o milagre da multiplicação. Precisamos aprender a depender mais do provedor do que da provisão. Ele ainda continua multiplicando os nossos pequenos recursos para alimentarmos as multidões famintas.

Jamais devemos duvidar do poder de Cristo para suprir a necessidade espiritual de todas as pessoas. Ele tem pão com fartura para toda alma faminta. Os celeiros do céu estão sempre cheios. Devemos estar seguros de que Cristo tem suprimento suficiente para todas as necessidades temporais e eternas do seu povo. Ele conhece suas necessidades e suas circunstâncias. Ele é poderoso para suprir cada uma das nossas necessidades. Aquele que alimentou a multidão jamais mudou. Ele é o mesmo e tem o mesmo poder e compaixão.

Em segundo lugar, *a ação divina não exclui a cooperação humana* (15.35,36). A soberania de Deus não anula a responsabilidade humana. Cristo realizou o milagre, mas contou com a participação daquelas pessoas.

Primeiro, Ele fez o milagre a partir dos sete pães e alguns peixinhos (15.34,35). Ele poderia ter criado do nada aqueles pães e peixes, como fez na criação, mas resolveu começar a partir do que eles já possuíam. A ajuda passa pela cessão obediente dos meios próprios (15.34-36). Até os doentes se tornam cooperadores de Deus quando da sua cura: Tenha o desejo de ser curado, venha até aqui, levante-se, estenda a mão! Aqui a pequena provisão própria é considerada. As atividades de Deus não tornam o homem passivo. Quando Jesus perguntou aos discípulos: *Quantos pães tendes?*, estava mostrando que eles não tinham o suficiente. Isso os ajudou a analisar a situação, abriu-lhes os olhos para a inadequação de seus recursos, relembrou-os do milagre anterior e encorajou-os a descansarem em Deus.

Segundo, Ele requer ordem. Jesus pediu para a multidão assentar-se no chão. Aqui não há relva, pois é uma região deserta.

Terceiro, Ele deu graças. Precisamos agradecer o que temos antes de vermos o milagre acontecendo. O milagre é precedido por gratidão, e nunca por murmuração.

Quarto, Ele partiu o pão. O milagre aconteceu quando o pão foi partido. O milagre da vida deu-se quando Jesus também Se entregou e Seu corpo foi partido.

Quinto, Ele usou os discípulos para alimentar a multidão. Jesus fez o milagre da multiplicação, mas coube aos discípulos o trabalho da distribuição.

Em terceiro lugar, *a provisão divina é sempre maior do que a necessidade humana* (15.37,38). Não há escassez na mesa de Deus. Ele põe diante do seu povo uma mesa no deserto. Na mesa do Pai, há pão com fartura. Todos comeram e se fartaram, e ainda sobejou. Eram quatro mil homens e eles ainda recolheram sete cestos. Estes cestos são maiores do que os cestos da primeira multiplicação. Estes são grandes balaios, a mesma palavra usada para o cesto que Paulo desceu pela muralha de Damasco para salvar sua vida (At 9.25). As duas palavras gregas são bem distintas: *kophinos*, usada em Mateus 14.20, era um cesto de vime; e *spyris*, usada aqui em Mateus 15.37, era uma cesta maior de vime, ou um grande balaio. Warren Wiersbe esclarece melhor esse ponto:

> A palavra grega *spyris*, traduzida por *cestos* em Mateus 15.37 refere-se a cestos grandes, como aquele usado para descer Paulo pela muralha de Damasco (At 9.25). A palavra grega *kophinos*, traduzida por *cesto*, em Mateus 14.20, representa o cesto comum, de tamanho pequeno, que as pessoas usavam para transportar comida ou outras coisas menores. O uso de duas palavras diferentes no original também comprova que se trata de dois milagres distintos.[3]

---
[3] WIERSBE, Warren W. *Comentário bíblico expositivo*, p. 71.

R. C. Sproul destaca que, assim como Jesus havia alimentado cinco mil judeus, além de mulheres e crianças, ele alimentou também quatro mil gentios, além de mulheres e crianças. Este era um indício da futura expansão do Reino de Deus para além das fronteiras de Israel – para os gentios.[4]

O sinal da ressurreição de Jesus (15.39–16.1-4)

Desta feita, Jesus não despede os discípulos sozinhos. Ele despede as multidões, entra no barco e vai para o território de Magadã (15.39). Ao chegarem, os fariseus e os saduceus, como espiões da vida alheia, como detetives religiosos e opositores contumazes, estão de bote armado contra Jesus para tentá-lo, pedindo-lhe um sinal vindo do céu (16.1). Temos aqui a combinação dos dois partidos, fariseus e saduceus, que se detestavam um ao outro excessivamente. O ódio une estranhos aliados. Eles odiavam Jesus mais do que uns aos outros.[5]

Jesus desmascara a hipocrisia desses religiosos que sabiam interpretar o tempo, mas não o sinal dos tempos. Jesus chama-os de geração má e adúltera e recusa-se a atender ao pedido deles. Diz-lhes que o único sinal que lhes será dado é o sinal de Jonas, ou seja, de sua vitória sobre a morte. William Hendriksen observa que, por meio daquele sinal, a morte expiatória de Cristo e a gloriosa ressurreição do túmulo, Ele triunfaria completamente sobre eles e provaria ser Ele mesmo o Messias (Rm 1.4). Esse seria o sinal de Sua plena vitória sobre Seus inimigos (26.64).[6] Em vez de Jesus desperdiçar tempo com esses opositores, retirou-se deles.

A advertência de Jesus (16.5-12)

Destacamos dois fatos a seguir.

Em primeiro lugar, *a necessidade de guardar-se das más influências* (16.5,6). Jesus alerta Seus discípulos para se acautelarem sobre o fermento dos fariseus e dos saduceus. Jesus não está se referindo ao

---
[4]SPROUL, R. C. *Mateus*, p. 426.
[5]ROBERTSON, A. T. *Comentário de Mateus*, p. 183.
[6]HENDRIKSEN, William. *Mateus*. Vol. 2, p. 165.

fermento do pão, mas ao fermento da doutrina. A justiça própria, o formalismo e a religião vazia dos fariseus, bem como o liberalismo teológico dos saduceus, eram o cerne da advertência de Jesus. Contra essas duas heresias é que Jesus alerta os seus discípulos. Tasker, nessa mesma linha de pensamento, diz que as doutrinas deles eram o legalismo rígido e os sofismas casuísticos dos fariseus, assim como o oportunismo político e o materialismo mundano dos saduceus.[7] Os falsos profetas e os falsos ensinos têm prejudicado mais os cristãos ao longo da história do que as próprias perseguições sangrentas.

Na Bíblia, o fermento é um símbolo do mal. A cada Páscoa celebrada, os judeus precisavam tirar todo o fermento de casa (Êx 12.18-20). O fermento não era permitido nas ofertas (Êx 23.18; 34.25; Lv 2.11; 6.17). O mal, como o fermento, também fica escondido, mas se espalha e contamina o todo (Gl 5.9). A Bíblia usa o fermento como figura de falsa doutrina (Gl 5.1-9), infiltração do pecado na igreja (1Co 5.7) e hipocrisia (Lc 12.1). É nesse contexto que Jesus exorta os discípulos sobre a hipocrisia dos fariseus e o mundanismo dos saduceus.

Fariseus e saduceus faziam parte dessa comitiva inquisitória. Os saduceus faziam parte do partido sacerdotal, ao qual os sumos sacerdotes geralmente pertenciam. A oligarquia sacerdotal, por sua própria natureza e necessidade de sobrevivência, era dependente dos favores de Herodes. Os saduceus eram meio helenistas. Eles se opunham à doutrina da ressurreição do corpo e da imortalidade da alma. Eram mundanos. O fermento dos fariseus era o tradicionalismo; o fermento dos saduceus era o ceticismo. O legalismo dos fariseus os separava de Deus da mesma forma que o ceticismo dos saduceus. Apesar de suas aparentes diferenças, os fariseus e os saduceus demonstravam a mesma dureza de coração.

O fermento tem a capacidade de penetrar em toda a massa. O fermento e o ensino se assemelham em vários aspectos: ambos operam de modo invisível, são muito poderosos e têm a tendência natural de aumentar sua esfera de influência (1Co 5.16; Gl 5.9). Tanto no Antigo

---

[7] TASKER, R. V. G. *Mateus: introdução e comentário*, p. 124.

como no Novo Testamento, "fermento" frequentemente simboliza o mal. Assim, o ministério de Jesus é caracterizado por "conceder o pão", enquanto os fariseus e os saduceus disseminam "fermento".

Em segundo lugar, *a necessidade de ter discernimento espiritual* (16.7-12). Os discípulos tinham uma boa memória para guardar os fatos, mas um pobre entendimento para discerni-los. Os discípulos pareciam obtusos, lerdos para crer e cegos para ver. Eles foram lentos para discernir o milagre dos pães e a lição principal que o milagre encerrava, ou seja, revelar Jesus, aquele por meio de quem o Reino de Deus chegou para judeus e gentios. Os discípulos, por essa razão, não conseguiram alcançar o teor da advertência de Cristo. Eles estavam pensando em provisão alimentar, enquanto Jesus os alertava sobre o fermento das falsas doutrinas. Sproul alerta para o fato de que hoje, com muita frequência, qualquer doutrina é considerada ruim. As pessoas dizem que não querem aprender doutrina, pois só precisam de Jesus. Mas a Bíblia é doutrina em quase sua totalidade.[8] O que foi a reforma do século XVI senão uma volta à sã doutrina? Precisamos não apenas erguer o estandarte da sã doutrina, mas também rejeitar a falsa doutrina.

Mateus 16.5-12, em combinação com Marcos 8.14-21, nos alerta contra quatro erros: o tradicionalismo dos fariseus, o secularismo dos herodianos, a incredulidade dos saduceus e o pessimismo dos discípulos.

Warren Wiersbe, fazendo uma aplicação desta passagem, diz que devemos atentar para o fato de que os inimigos da verdade normalmente são pessoas religiosas vivendo de acordo com as tradições humanas. Portanto, devemos ter cuidado com qualquer sistema religioso que apresente justificativas para o pecado. Devemos nos acautelar com a adoração proveniente apenas dos lábios, e não do coração.[9]

---

[8] SPROUL, R. C. *Mateus*, p. 431.
[9] WIERSBE, Warren W. *Comentário bíblico expositivo*, p. 71.

47

O primado de Pedro ou a **supremacia** de Cristo?

Mateus 16.13-28

EM VIRTUDE DA IMPORTÂNCIA DO TEMA, fazemos neste capítulo uma análise mais detalhada do suposto primado de Pedro, uma vez que este é o texto usado para fundamentar essa ideia.

Segundo os historiadores católicos, já tivemos 266 papas. A morte de João Paulo II, o terceiro mais longo pontificado da história, reacendeu na mente do povo o dogma da legitimidade e infalibilidade do papa. Duzentos chefes de Estado estiveram no funeral, que foi acompanhado por mais dois milhões de pessoas. A imprensa deu larga cobertura à questão do pontificado romano.

Sucede-o Bento XVI, o teólogo conservador do Vaticano. Em virtude de sua renúncia, o papa Francisco assume a liderança da igreja romana em 2013. Daremos, portanto, aqui um breve esclarecimento à luz das Escrituras sobre o chamado primado de Pedro.

A primeira coisa que precisamos deixar meridianamente claro é que o nome *Igreja Católica Apostólica Romana* contém uma contradição de termos. Se ela é católica (universal), não pode ser romana. Se é romana, não pode ser católica. Calvino diz: "Roma não é uma igreja e o papa não é um bispo. Não pode ser mãe das igrejas, aquela que não é igreja, e nem pode ser príncipe dos bispos, aquele que não é bispo." (*Institutas*, p. 903).

O catolicismo romano não é a primeira igreja cristã. A igreja cristã, da qual procedem todos os segmentos do cristianismo, não pode ser chamada de nenhuma denominação, seja romana, presbiteriana ou batista. Até o quarto século, não havia denominações. O catolicismo romano é um desvio da religião cristã, e a reforma, uma volta ao cristianismo bíblico. O papa Bento XVI, Joseph Ratzinger, não aceita que o catolicismo romano chame as igrejas "discidentes" de coirmãs, mas de igrejas deficientes, visto que, no seu entendimento, a única igreja verdadeira é a católica romana. O ensino católico romano diz que o papa é coroado com uma tríplice coroa, como rei do céu, da terra e do inferno. Ele esgrima "as duas espadas, a espiritual e a temporal".[1]

Destacamos a seguir alguns pontos.

Pedro nunca foi **papa**

Pedro nunca foi papa nem o papa é sucessor de Pedro. E isso por várias razões que passaremos a elencar a seguir.

Em primeiro lugar, *o texto básico, ou seja, Mateus 16.18, usado para provar o primado de Pedro, é mal interpretado pelo catolicismo romano*. Para os romanistas, Mateus 16.18 é a carta magna do papado. Três são as interpretações sobre quem é a pedra: 1) Pedro; 2) A declaração de Pedro; 3) Cristo. Vamos examinar este texto dedicadamente para tirarmos nossas conclusões. A palavra Pedro, *Pétros*, é fragmento de pedra, enquanto a palavra pedra é *Pétra*, rocha. *Pétros* é um substantivo masculino, enquanto *Pétra* é um substantivo feminino. O demonstrativo *te toute* (essa) encontra-se no feminino, ligando-se, portanto, gramatical e logicamente à palavra feminina *Pétra*, à qual imediatamente procede. O demonstrativo feminino não pode concordar em número e gênero com um substantivo masculino.

Se Cristo tencionasse estabelecer Pedro como fundamento da igreja, teria dito: "Tu és Pedro e sobre ti (*epi soi*) edificarei a minha igreja".[2] Todo o contexto próximo está focado na pessoa de Cristo: 1) a opinião

---
[1]HENDRIKSEN, William. *Mateus*. Vol. 2, p. 174.
[2]TASKER, R. V. G. *Mateus: introdução e comentário*, p. 130.

do povo a seu respeito como Filho do Homem (termo messiânico); 2) a opinião dos discípulos a seu respeito; 3) a correta declaração de Pedro de sua messianidade e divindade; 4) a declaração de Jesus de que Ele é o fundamento, o dono, o edificador e protetor da igreja; 5) a declaração de que Ele veio para morrer; 6) a demonstração da Sua glória na transfiguração. Não se tratava de uma conversa particular de Pedro com Cristo, mas de uma dinâmica de grupo na qual Jesus discutiu o propósito da sua vinda ao mundo (Mt 16.13-23).

O contexto mostra que Jesus está se referindo a Si na terceira pessoa desde o começo, e isso concorda com o uso que faz de *Pétra* na terceira pessoa. Veja outros exemplos quando Cristo usou a terceira pessoa (21.42-44; Jo 2.19,21)

Jesus elogiou a Pedro pela inspirada declaração de que Cristo é o Filho do Deus vivo, e é sobre essa *Pétra*, Cristo, que a igreja é fundada. Os teólogos romanos dizem que, no aramaico, *Cephas* significa *pedra*. Mas, no aramaico, *Cephas* não é traduzido por *Pétra*, pedra, mas por *Pétros*, fragmento de pedra (Jo 1.42). Ainda, pedra, *pétra*, é radical, e Pedro, *Pétros*, deriva de *Pétra*, e não *Pétra*, de *Pétros*; assim como Cristo não vem de cristão, mas cristão, de Cristo.

O catolicismo romano diz que, se Cristo é o fundamento, não pode ser o edificador. Mas aqui há uma superposição de imagens como em João 10, onde Jesus diz que é o pastor e também a porta. No Antigo Testamento, *Pétra* nunca é usado para nenhum ser humano, mas só para Deus (Is 28.16; Sl 118.22). Pedro mesmo declara que Cristo, e não ele, é a Pedra (At 4.11,12; 1Pe 2.4-9). O apóstolo Paulo claramente define que Cristo é a Pedra (1Co 3.11; 10.4; Ef 2.20).

Em segundo lugar, *a afirmação de que Cristo entregou as chaves do reino apenas para Pedro está equivocada*. As chaves não foram dadas só a Pedro (18.18; 28.18-20). As chaves representam a pregação do evangelho. A chave é o evangelho (At 2.14-41; 15.7-11). Pedro usou essas chaves para abrir a porta do reino aos judeus (At 2), aos samaritanos (At 8) e aos gentios (At 10). Cristo é a porta do céu (Jo 10.9). Só Cristo tem o poder de abrir e fechar a porta (Ap 3.7).

Em terceiro lugar, *a vulneralidade de Pedro para ser a pedra fundamental, a igreja*. Pedro era um homem vulnerável, de altos e baixos, avanços e recuos. Vejamos:

Primeiro, Pedro, o contraditório. Imediatamente depois de afirmar a messianidade e a divindade de Cristo, Pedro tenta impedi-lo de ir a cruz, pelo que é chamado de satanás (16.22,23).

Segundo, Pedro, o desprovido de entendimento. Logo em seguida, na transfiguração, sem saber o que falava, tentou colocar Jesus no mesmo nível de Moisés e Elias (Mc 9.5,6).

Terceiro, Pedro, o autoconfiante. Pedro disse para Jesus que, ainda que todos o abandonassem, ele jamais o faria, e que estaria pronto a ir com Cristo tanto para a prisão como para a morte (26.33-35; Lc 22.33,34), mas Jesus o alertou de que ele o negaria naquela mesma noite, três vezes, antes que o galo cantasse.

Quarto, Pedro, o dorminhoco. No Getsêmani, o auge da grande batalha travada por Cristo, Pedro não vigia com Cristo, mas dorme (26.40).

Quinto, Pedro, o violento. Pedro sacou a espada no Getsêmani e cortou a orelha de Malco (Jo 18.10,11), no que foi repreendido por Cristo.

Sexto, Pedro, o medroso. Quando Cristo foi preso, Pedro passou a segui-Lo de longe e não foi ao monte do Calvário (Lc 22.54).

Sétimo, Pedro, o discípulo que nega a Jesus. Pedro negou, jurou e praguejou, dizendo que não conhecia Jesus (26.70,72,74). A igreja de Cristo não pode estar edificada sobre nenhum homem.

Em quarto lugar, ***o primado de Pedro não é reconhecido pelos demais apóstolos***. Destacamos a seguir alguns pontos importantes.

Primeiro, Pedro não nomeia apóstolo para o lugar de Judas. O único caso de substituição de apóstolo, Matias no lugar de Judas, não foi uma escolha de Pedro (At 1.15-26).

Segundo, Pedro obedece às ordens dos apóstolos. Pedro é enviado juntamente com João pelos apóstolos a Samaria, em vez de Pedro enviar alguém. Ele obedece a ordens, em vez de dar ordens (At 8.14,15).

Terceiro, Pedro não dirige o primeiro concílio da igreja. As decisões doutrinárias da igreja não são decididas por Pedro. Ainda, o primeiro concílio da igreja cristã em Jerusalém foi dirigido por Tiago, e não por Pedro (At 15.13-21).

Quarto, todas as vezes em que os discípulos discutiram quem era o mais importante entre eles, receberam de Cristo severa exortação.

Em três circunstâncias, os discípulos discutiram a questão da primazia entre eles, e Cristo os repreendeu (20.25-28; Mc 9.35; Lc 22.24).

Quinto, o ministério de Pedro foi designado por Deus como dirigido principalmente aos judeus, e não aos gentios. O apóstolo dos gentios foi Paulo, enquanto Pedro foi o apóstolo dos judeus (Gl 2.7,8).

Sexto, Pedro não é primaz de Jerusalém. Paulo o chama de coluna da igreja, juntamente com outros apóstolos, mas não o menciona em primeiro lugar (Gl 2.9).

Sétimo, o pastor das igrejas gentílicas não é Pedro, e sim Paulo. Paulo não se considera inferior a nenhum apóstolo (2Co 12.11) e diz que sobre ele pesa a preocupação com todas as igrejas (2Co 11.28).

Oitavo, Pedro é repreendido pelo apóstolo Paulo. Pedro tornou-se repreensível em Antioquia, no que é duramente exortado por Paulo (Gl 2.11-14).

Nono, no Novo Testamento, os apóstolos se associam como iguais em autoridade. Nenhuma distinção foi feita em favor de Pedro (1Co 12.28; Ef 2.20). Paulo não deu prioridade a Pedro ao combater a primazia dada por um grupo a esse discípulo, equiparando-o a si e a Apolo, e dando suprema importância apenas a Cristo (1Co 1.12).

Em quinto lugar, **Pedro não reivindicou autoridade papal**. Destacamos quatro pontos a seguir.

Primeiro, Pedro não aceitou veneração de homens. Quando Cornélio se ajoelhou diante de Pedro e o adorou, Pedro imediatamente o levantou e disse: *Ergue-te, que eu também sou homem* (At 10.26). Nem mesmo Pedro tentou perdoar pecados (At 8.22).

Segundo, Pedro autodenominou-se apenas servo e apóstolo de Cristo. Quando Pedro escreveu suas cartas, se fosse papa, precisaria defender seu primado, mas não o fez (1Pe 1.1; 2Pe 1.1).

Terceiro, Pedro considerou-se presbítero entre os demais, e não acima deles. Pedro reprovou a atitude de dominar sobre o rebanho e chamou a si mesmo de presbítero entre os demais, e não acima deles (1Pe 5.1-4).

Quarto, Pedro condenou o que o romanismo aprova. Quando examinamos o ministério do apóstolo Pedro e lemos suas duas cartas, constatamos que ele combateu severamente as "detestáveis idolatrias" (2Pe 4.3) e "o domínio" dos líderes sobre o rebanho de Deus (1Pe 5.3), que o romanismo aprova e pratica.

Em sexto lugar, ***Pedro não foi bispo da igreja de Roma***. De acordo com a tradição do catolicismo romano, Pedro foi bispo da igreja de Roma por 25 anos, de 42 d.C. a 67 d.C., quando foi crucificado de cabeça para baixo por ordem de Nero. Destacamos sete pontos a seguir.

Primeiro, a Bíblia não tem nenhuma palavra sobre o bispado de Pedro em Roma. A palavra Roma aperece apenas nove vezes na Bíblia, e Pedro nunca foi mencionado em conexão com ela. Não há nenhuma alusão a Roma em nenhuma de suas epístolas. O livro de Atos nada mais fala sobre Pedro depois de Atos 15, a não ser que ele fez muitas viagens com sua mulher (1Co 9.5). A versão católica *Confraternity Version* traduz *esposa* por *irmã*, mas a palavra grega é *gune*, e não *adelphe*.

Segundo, não há nenhuma menção de que Pedro tenha sido o fundador da igreja de Roma. Possivelmente os romanos presentes no Pentecoste (At 2.10,11) foram os fundadores da igreja.

Terceiro, no ano 60 d.C., quando Pedro escreveu sua primeira carta, não estava em Roma. Pedro escreveu essa carta do Oriente, e não do Ocidente. Ele estava na Babilônia, Assíria, e não em Roma (1Pe 5.13). Flávio Josefo diz que na província da Babilônia havia muitos judeus.

Quarto, Paulo escreve sua carta à igreja de Roma em 58 d.C. e não menciona Pedro. Nesse período, Pedro estaria no auge no seu pontificado em Roma, mas Paulo não remete sua carta a Pedro e dirige a carta à igreja como seu instrutor espiritual (Rm 1.13). No capítulo 16 da carta aos Romanos, Paulo faz 26 saudações aos mais destacados membros da igreja de Roma e não menciona Pedro. Se Pedro já era bispo da igreja de Roma havia 16 anos (42-58 d.C.), por que razão Paulo diz: *Porque muito desejo ver-vos, a fim de repartir convosco algum dom espiritual, para que sejais confirmados* (Rm 1.11)? Não seria um insulto gratuito a Pedro? Não seria presunção de Paulo com o papa da igreja? Se Pedro fosse papa da igreja de Roma, por que Paulo diz que não costumava edificar sobre o fundamento de outrem: *esforçando-me deste modo por pregar o evangelho, não onde Cristo já fora anunciado, para não edificar sobre fundamento alheio* (Rm 15.20)?

Quinto, Paulo escreve cartas de Roma e não menciona Pedro. Enquanto Paulo esteve preso em Roma (61 a 62 d.C.), os judeus crentes de Roma foram visitá-lo e nada se fala a respeito de Pedro, visto que os judeus nada sabem acerca dessa "seita" que estava sendo impugnada. Se Pedro estava lá, como esses líderes judeus nada sabiam sobre o cristianismo? (At 28.16-30). Ainda, Paulo escreve várias cartas da prisão em Roma (Efésios, Filipenses, Colossenses, Filemom) e envia saudações dos crentes de Roma às igrejas, mas não menciona Pedro. Também, durante sua segunda prisão, Paulo escreveu sua última carta, 2Timóteo, em 67 d.C. Paulo diz que todos os seus amigos o abandonaram e que apenas Lucas estava com ele (2Tm 4.10,11). Pedro estava lá? Se Pedro estava, faltou-lhe cortesia por nunca ter visitado e assistido Paulo na prisão.

Sexto, não há nenhum fato bíblico ou histórico em que Pedro transfira seu suposto cargo de papa a outro sucessor. Não apenas está claro à luz da Bíblia e da história que Pedro não foi papa, como também não há nenhuma evidência bíblica ou histórica de que os papas são sucessores de Pedro. Ainda que Pedro tenha sido o bispo de Roma, o primeiro papa da Igreja (o que já está fartamente provado com irrefragáveis provas que não foi), não temos prova de que haja legítima sucessão apostólica; e, se houvesse, os supostos sucessores deveriam subscrever as mesmas convicções teológicas de Pedro. O catoliscimo romano crê, defende e prega doutrinas estranhas às Escrituras, que bandeiam para uma declarada apostasia religiosa. Assim, é absolutamente incongruente afirmar que o papa possa ser um legítimo sucessor de Pedro, quando sua teologia e sua prática estão em flagrante oposição ao que apóstolo Pedro creu e pregou. Pedro condenou o que os papas aprovam.

Sétimo, os pais da igreja e os reformadores não acreditaram no bispado de Pedro em Roma. Nenhum dos pais da igreja primitiva dá apoio à crença de que Pedro era bispo em Roma, até Jerônimo no século V. Assim, o catolicismo romano edifica o seu sistema papal não sobre a doutrina do Novo Testamento, nem sobre fatos da história, mas apenas sobre tradições sem fundamento. Calvino diz: "Posto que os escritores estão de acordo em que Pedro morreu em Roma, não o contradirarei. Mas que haja sido bispo de Roma, sobretudo, por muito tempo, não há quem me possa fazer crer" (*Instituta*. Vol. 2, p. 884).

O texto de Mateus 16.13-20, portanto, não afirma o primado de Pedro e, sim, a supremacia de Cristo. É disso que trataremos no capítulo seguinte.

48

A supremacia de Cristo

Mateus 16.13-20

JESUS ESTÁ EM CESAREIA DE FILIPE. Essa cidade ficava nas encostas do monte Hermom, cerca de 40 quilômetros ao norte do mar da Galileia e a 190 quilômetros de Jerusalém. Essa era uma região sob forte influência de várias religiões: havia sido o centro do culto a Baal; possuía templos do deus grego Pan; e Herodes, o Grande, havia construído ali um templo em homenagem a César Augusto.[1] É em meio a essas superstições pagãs, onde eles também estavam livres da interferência de Herodes Antipas, que Jesus buscou adequada oportunidade para obter de seus discípulos resposta a duas perguntas: Que opiniões o povo em geral tinha dEle? E quem os discípulos pensavam que Ele realmente era?[2] O povo estava rendido à mais completa confusão. Seus discípulos, porém, reconheceram-No como o Cristo, o Messias, o Filho do Deus vivo.

Esta passagem enseja-nos quatro verdades solenes: uma confusão (16.13,14), uma revelação (16.15-17), uma declaração (16.18,19) e uma advertência (16.20). Vejamos esses quatro pontos a seguir.

---

[1] WIERSBE, Warren W. *Comentário bíblico expositivo*, p. 73.
[2] TASKER, R. V. G. *Mateus: introdução e comentário*, p. 125.

Uma **confusão** (16.13,14)

A Galileia estava rodeada de povos pagãos e recebia muito a influência grega. É nessa região que Jesus pergunta a seus discípulos: *Quem diz o povo ser o Filho do homem?"* (16.13). Mounce explica que o objetivo dessa pergunta não é simplesmente saber o que os outros estão dizendo, mas corrigir na mente dos discípulos qualquer má interpretação da missão de Jesus.[3]

A resposta dos discípulos revela a confusão dominante entre o povo: *Uns dizem: João Batista; outros: Elias; e outros, Jeremias ou algum dos profetas* (16.14). Vale destacar que todas essas pessoas mencionadas já estavam mortas, exceto Elias, que fora trasladado. Achavam que Jesus era uma pessoa rediviva. Viam nEle semelhanças com personalidades que já haviam passado pela terra e aqui deixado sua marca. Concordo com A. T. Robertson quando ele diz que as multidões só o estavam seguindo superficialmente, e nutriam expectativas vagas acerca dEle como um Messias político.[4] Embora os três personagens citados tivessem pontos de convergência com a vida de Jesus, Este era absolutamente distinto daqueles.

João Batista podia preparar os homens para entrar no reino, mas só Jesus é a porta do reino. Elias era um homem de oração e empreendeu triunfante guerra contra a falsa religião, derramando o sangue dos falsos profetas, mas Jesus venceu a maior batalha, derramando o próprio sangue em resgate do Seu povo. Jeremias é tipo de Cristo pelo seu exemplo de paciente resistência a sofrimento imerecido. Mas Jeremias foi um profeta, e nada mais. Ele profetizou a nova aliança, mas só Jesus inaugurou a nova aliança em Seu sangue.[5]

Certamente, a opinião do povo sobre Jesus revelava suas crenças místicas. Eles pensavam na possibilidade de alguém voltar a viver no corpo de outra pessoa. Essa crença na metempsicose ou transmigração das almas já era defendida pelos gregos há mais de quinhentos anos. O povo estava rendido à confusão. Sua opinião sobre o Filho do Homem

---
[3]MOUNCE, Robert H. *Mateus*, p. 169.
[4]ROBERTSON, A. T. *Comentário de Mateus*, p. 185.
[5]TASKER, R. V. G. *Mateus: introdução e comentário*, p. 126.

estava equivocada. Ainda hoje o povo crê em outro Cristo, e não no Cristo revelado nas Escrituras.

Uma **revelação** (16.15-17)

A pergunta de Jesus, agora, é endereçada aos próprios discípulos: *Mas vós, continuou ele, quem dizeis que eu sou?* (16.15). Simão Pedro, o falante, não suportando que ninguém falasse em sua frente, respondeu pelo grupo: *Tu és o Cristo, o Filho do Deus vivo*. Pedro dá uma resposta lúcida, objetiva e verdadeira. Jesus é o Messias. Ele não é apenas um grande profeta, mas o próprio Filho do Deus vivo. Jesus aceita a confissão como verdadeira e confirma, assim, a sua divindade.

Talvez Simão Pedro esperasse até mesmo um elogio de Jesus por uma declaração tão precisa acerca de sua natureza, mas Jesus declara: *Bem-aventurado és, Simão Barjonas, porque não foi carne e sangue que to revelaram, mas meu Pai, que está nos céus*. Jesus deixa claro que Pedro só sabe quem Ele é, porque o Pai lhe revelara isso. Do contrário, como o povo, Pedro também estaria rendido à mais completa confusão. Só podemos conhecer a Cristo por revelação divina, e não por investigação humana.

Uma **declaração** (16.18,19)

Jesus declara a Pedro sua vulnerabilidade, ou seja, ele é um fragmento de pedra, e ao mesmo tempo revela sua autossuficiência, apresentando-Se a si mesmo como a rocha, sobre a qual a igreja é estabelecida. Essa é a primeira ocorrência da palavra *ekklesia*, "igreja", no Novo Testamento. Significa, literalmente, "uma assembleia convocada". A palavra ocorre mais de cem vezes no Novo Testamento e pelo menos noventa vezes referindo-se à congregação local. No entanto, este primeiro uso de *ekklesia* indica que Jesus tinha em mente a igreja como um todo, ou seja, a igreja universal, composta por todos aqueles que confessam a mesma fé declarada por Pedro.[6]

---

[6]WIERSBE, Warren W. *Comentário bíblico expositivo*, p. 74,75.

O nome próprio *Petros*, "Pedro", significa, literalmente, um desmembramento menor de um rochedo maciço.[7] Portanto, o que Jesus disse a Pedro é o seguinte: "Eu também te digo que tu és um fragmento de pedra, mas sobre esta rocha que sou Eu, da qual tu és um pedaço, edificarei minha igreja". Ainda, o pronome demonstrativo "esta", em vez de "essa", pedra, revela que Jesus está falando sobre Si mesmo, e não sobre Pedro. A. T. Robertson diz que a ênfase não está em "Tu és Pedro", em constraste com "Tu és o Cristo", mas em "o Pai te revelou uma verdade e Eu também te conto outra".[8] Resta claro, portanto, que a pedra sobre a qual a igreja está eficada é Cristo, e não Pedro. Pedro e os demais crentes de todos os tempos são pedras vivas (1Pe 2.5), edificados sobre o fundamento que é Cristo (1Co 3.11).

Destacamos a seguir dois pontos importantes.

Em primeiro lugar, **a singuridade indisputável de Jesus** (16.18). Jesus faz quatro declarações acerca de Si mesmo, que comentamos a seguir.

Primeiro, Jesus é o fundamento da igreja. Jesus é a pedra fundamental sobre a qual a igreja está edificada. Ele é o verdadeiro fundamento, e não há outro. Isso confere com o que o próprio Pedro afirmou (At 4.11,12), bem como com o que Paulo ensinou (1Co 3.11). A metáfora da rocha é usada apenas para Deus no Antigo Testamento (Dt 32.4; Sl 18.2). Por isso, o salmista pergunta: *Pois quem é Deus, senão o Senhor? E quem é rochedo senão o nosso Deus?* (Sl 18.31).

Segundo, Jesus é o dono da igreja. A igreja tem um dono, e este é Jesus. Ele comprou a igreja com o próprio sangue (At 20.28). A igreja é Sua propriedade exclusiva (1Pe 2.9).

Terceiro, Jesus é o edificador da igreja. Quem edifica a igreja não somos nós; é Jesus. Ele é quem atrai para Si mesmo os que são salvos por Sua graça.

Quarto, Jesus é o protetor da igreja. Aquele que morreu pela igreja, intercede pela igreja e voltará para a igreja, é o seu protetor. As portas do inferno não prevalecerão contra ela.

---

[7]ROBERTSON, A. T. *Comentário de Mateus*, p. 187.
[8]ROBERTSON, A. T. *Comentário de Mateus*, p. 186.

Em segundo lugar, *o ministério singular de Pedro* (16.19). As chaves do reino dos céus são o evangelho, e Pedro foi o homem usado por Deus para usar essas chaves, pregando o evangelho aos judeus (Atos 2), aos samaritanos (Atos 8) e também aos gentios (Atos 10). Não é Pedro quem abre e fecha. Este é Jesus (Ap 3.7). Essas chaves foram dadas não somente a Pedro, mas também aos demais apóstolos (18.18-20). Pedro tem as mesmas chaves dadas a todo pregador do evangelho. Concordo, portanto, com Warren Wiersbe quando ele diz que em nenhum lugar desta passagem, nem no restante do Novo Testamento, o texto bíblico afirma que Pedro ou seus supostos sucessores possuíam qualquer posição especial ou privilégio na igreja. Pedro afirma claramente em suas duas epístolas que não passava de um apóstolo (1Pe 1.1), de um presbítero (1Pe 5.1) e de um servo (2Pe 1.1).[9]

Uma **advertência** (16.20)
Depois de afirmar a bem-aventurança de Simão Pedro por declarar sua messianidade e sua filiação divina, e após apresentar a Si mesmo como o fundamento, o dono, o edificador e o protetor da igreja, Jesus adverte os discípulos a não divulgar essa informação para ninguém: *Então, advertiu os discípulos de que a ninguém dissessem ser ele o Cristo* (16.20). Jesus não queria antecipar um conflito com as forças políticas nem mesmo criar antecipadamente uma expectativa distorcida na mente do povo acerca de Sua missão.

---

[9] WIERSBE, Warren W. *Comentário bíblico expositivo*, p. 75.

49

O **preço** e a glória de ser **discípulo** de Cristo

Mateus 16.21-28

DEPOIS QUE JESUS DEIXA CLARO para seus discípulos quem Ele é e o que Ele faz, passa a uma nova etapa de seu ensino. Revela a seus discípulos sua paixão e o preço a ser considerado para aqueles que o seguem. Nas palavras de Carlos Osvaldo Pinto, "a revelação sobre a pessoa do Rei leva à revelação sobre o seu programa, que serve ao propósito de explicar a necessidade da cruz".[1]

A passagem em apreço trata de seis verdades, que vamos expor a seguir.

Uma **necessidade** imperativa (16.21)

Longe de o messiado de Jesus cumprir as expectativas populares da quebra de um jugo político, o próprio Messias seguirá a Jerusalém para sofrer muitas coisas nas mãos dos líderes de seu próprio povo, como também dos anciãos, dos principais sacerdotes e dos escribas. Os anciãos são os respeitáveis líderes da comunidade. Os principais sacerdotes eram a elite do grupo dos saduceus, e os escribas eram os eruditos em Bíblia membros do grupo dos fariseus. Esses três grupos

---
[1] PINTO, Carlos Osvaldo Cardoso, *Foco & Desenvolvimento no Novo Testamento*, p. 54.

formavam o Sinédrio (o concílio oficial que governava a vida religiosa e política dos judeus).[2]

Jesus declara aos discípulos tanto sua morte como sua ressurreição; tanto seu sofrimento como sua recompensa; tanto sua humilhação como sua exaltação. Jesus tem pleno discernimento do que vai Lhe acontecer. Sua morte não foi um acidente nem sua ressurreição, uma surpresa. Como diz Tasker, Jesus sabe que, embora todas as estradas que levam para longe de Jerusalém estejam abertas diante dEle, é a estrada para Jerusalém que Ele tem de palmilhar, e é nessa cidade "santa" que Ele terá de sofrer indignidades e injustiças nas mãos das autoridades religiosas, ser morto e ressuscitar no terceiro dia.[3]

Uma **reprovação** reprovada (16.22,23)

Esta pormenorizada e medonha previsão dos sofrimentos que aguardam seu Mestre provoca horror no coração de Pedro. Que o Deus vivo deva submeter seu Filho a tal humilhação e crueldade é mais do que ele pode ouvir. Tasker diz, corretamente, que a explosão de Pedro, reprovando Jesus, foi bem intencionada, mas revelou tão completa incompreensão da vocação de Jesus que, se Ele lhe desse ouvidos estaria fazendo precisamente o que o diabo o tentara a fazer no deserto.[4] Mounce esclarece que essa repreensão de Pedro significa: "Deus te perdoe por dizer uma coisa tão errada e chocante".[5] Na perspectiva de Pedro, Messias e sofrimento eram duas realidades irreconciliáveis.[6] Porém, a religião humanista que subtrai a cruz é de inspiração satânica.

O mesmo Pedro que acabara de ser declarado bem-aventurado por Jesus por sua profissão de fé tão cristalina e robusta, este chama Jesus à parte e passa a reprová-lo, dizendo: *Tem compaixão de Ti, Senhor; isso de modo algum Te acontecerá* (16.22). A resposta de Jesus é contundente: *Arreda, satanás! Tu és para mim pedra de tropeço, porque não cogitas das*

---

[2]MOUNCE, Robert H. *Mateus*, p. 173.
[3]TASKER, R. V. G. *Mateus: introdução e comentário*, p. 128.
[4]TASKER, R. V. G. *Mateus: introdução e comentário*, p. 128.
[5]MOUNCE, Robert H. *Mateus*, p. 173.
[6]HENDRIKSEN, William. *Mateus*. Vol. 2, p. 187.

coisas de Deus e sim das dos homens (16.23). Se a igreja estivesse fundamentada sobre Pedro, estaria edificada sobre areia movediça. O Pedro elogiado por Jesus é imediatamente o Pedro repreendido por Ele. O Pedro que recebe a revelação do Pai é imediatamente o Pedro instrumentalizado por satanás. A. T. Robertson diz, corretamente, que não há instrumentos de tentação mais temíveis do que amigos bem-intencionados, que se importam mais com o nosso bem-estar do que com o nosso caráter. Em Pedro, satanás, que fora expulso, voltara mais uma vez.[7]

É claro que Jesus não está dizendo com isso que Pedro é satanás, nem que esteja possesso. Nem mesmo Jesus está mandando Pedro arredar. Jesus está vendo nas palavras de Pedro a mesma tentação de satanás no deserto e está usando as mesmas palavras que usou para expulsar satanás. Satanás, que deixara Jesus até momento oportuno (Lc 4.13), está de volta, usando Pedro para tentar Jesus a fugir da cruz. Satanás deve arredar; Pedro não. Pedro é apóstolo e nele Jesus continuará investindo.

Um **preço** a ser considerado (16.24)

A penosa lição que Pedro e todos os apóstolos tinham de aprender agora era que seguir a Jesus significava seguir a um Jesus crucificado. Seguir a Cristo, portanto, é estar preparado para sofrer na companhia de Cristo as indignidades que um condenado deve sofrer.[8] As condições para o discipulado são o rompimento de todos os elos que prendem um homem a si mesmo. É obliterar o eu, como princípio dominante da vida, a fim de transformar Deus nesse princípio.[9]

Esta passagem é particularmente pesada e solene. Aquele que não se dispõe a carregar a cruz não usará a coroa. A grande tensão deste texto é entre encontrar prazer neste mundo à parte de Deus ou encontrar Deus neste mundo e todo o nosso prazer nEle. Jesus sabia que as multidões que O seguiam estavam apenas atrás de milagres e prazeres terrenos e

---

[7] ROBERTSON, A. T. *Comentário de Mateus*, p. 191.
[8] TASKER, R. V. G. *Mateus: introdução e comentário*, p. 129.
[9] MOUNCE, Robert H. *Mateus*, p. 174.

não estavam dispostas a trilhar o caminho da renúncia nem a pagar o preço do discipulado. Jesus não somente abraça o caminho da cruz, mas exige o mesmo de seus seguidores (16.24). Foram várias as tentativas para afastar Jesus da cruz: satanás o tentou no deserto, a multidão quis fazê-lo rei e Pedro tentou reprová-Lo, mas Jesus rechaçou todas as propostas com veemência.

Tendo afirmado os requisitos de Deus para o Messias (16.21), Jesus declara, agora, as exigências de Deus para o discípulo. A natureza e o caminho do discípulo são padronizados de acordo com quem Jesus é e para onde Ele está indo.

O discipulado é uma proposta oferecida a todos indistintamente. Jesus se dirige não apenas aos discípulos, mas também à multidão (Mc 8.34). O discipulado não é apenas para uma elite espiritual, mas para todos quantos quiserem seguir a Cristo. É para todos uma questão de vida ou morte, de vida eterna em oposição à morte eterna.

Jesus mostra aqui o preço do discipulado. Seguir Jesus é seguir o crucificado. É abraçar um projeto que exige renúncia, sacrifício e perseverança. Ser discípulo não é apenas professar doutrinas certas; é seguir o Cristo crucificado. É negar a si mesmo e também tomar sua cruz.

A proposta de Jesus não é para uma vida de amenidades. A vida cristã não é um convite para um parque de diversões, mas uma jornada de renúncia e morte.

Jesus só tem uma espécie de seguidor: discípulos! Ele ordenou sua igreja a fazer discípulos, e não admiradores (28.19). O discipulado é o mais fascinante projeto de vida. Há alguns aspectos importantes a serem destacados, como vemos a seguir.

Em primeiro lugar, *o discipulado é um convite pessoal* (16.24). Jesus começa com uma chamada condicional: "Se alguém quer". A soberania de Deus não violenta a vontade humana. É preciso existir uma predisposição para seguir a Cristo. Jesus mencionou quatro tipos de ouvintes: os endurecidos, os superficiais, os ocupados e os receptivos. Muitos querem apenas o glamour do evangelho, mas não a cruz. Querem os milagres, mas não a renúncia. Querem prosperidade e saúde, mas não arrependimento. Querem o paraíso na terra, e não a bem-aventurança no céu. Precisamos calcular o preço do discipulado. Ele não é barato.

Em segundo lugar, *o discipulado é um convite para uma relação pessoal com Jesus* (16.24). Ser discípulo não é ser um admirador de Cristo, mas um seguidor. Um discípulo segue as pegadas de Cristo. Assim como Cristo escolheu o caminho da cruz, o discípulo precisa seguir a Cristo não para o sucesso, mas para o calvário. Não há coroa sem cruz, nem céu sem renúncia. Ser discípulo não é abraçar simplesmente uma doutrina; é seguir uma pessoa. É seguir a Cristo para o caminho da morte. "Vir após mim" é o ligar-se a Cristo, como seu discípulo.[10]

Em terceiro lugar, *o discipulado é um convite para uma renúncia radical* (16.24). Cristo nos chama não para a afirmação do eu, mas para sua renúncia. Precisamos depor as armas antes de seguir a Cristo. Precisamos abdicar do nosso orgulho, soberba, presunção e autoconfiança antes de seguirmos as pegadas de Jesus. Entrementes, negar-se a si mesmo não significa aniquilação pessoal, mas rendição total à vontade de Deus.

Em quarto lugar, *o discipulado é um convite para morrer* (16.24). Tomar a cruz é abraçar a morte; é escolher a vereda do sacrifício. A cruz era um instrumento de morte vergonhosa. *Era necessário que [...] sofresse muitas coisas e fosse rejeitado* (16.21). A carta aos Hebreus fala sobre a crucificação de Jesus com termos fortes: *Expondo-o à ignomínia* (Hb 6.6), *o opróbrio de Cristo* (Hb 11.26), *não fazendo caso da ignomínia* (Hb 12.2), *sofreu fora da porta* (Hb 13.12) e *levando o seu vitupério* (Hb 13.13). O que o condenado faz sob coação, o discípulo de Cristo faz de boa vontade. A cruz não é apenas um emblema ou um símbolo cristão, mas um instrumento de morte. Lucas fala sobre tomar a cruz dia a dia (Lc 9.23). O discípulo é alguém carimbado para morrer. Essa cruz, obviamente, não é uma doença, um inimigo, uma fraqueza, uma dor, um filho rebelde, um casamento infeliz. Os monges viram nessa cruz a exigência da autoflagelação e da renúncia ao casamento. Essa cruz, porém, remete à nossa disposição de morrer para nós mesmos, para os prazeres e deleites. É considerar-se morto para o pecado e andar com um atestado de óbito no bolso.

---

[10] HENDRIKSEN, William. *Marcos*, p. 419.

Em quinto lugar, *o discipulado é um convite para uma caminhada dinâmica com Cristo* (16.24). Seguir a Cristo é algo sublime e dinâmico. Esse desafio nos é exigido todos os dias, em nossas escolhas, decisões, propósitos, sonhos e realizações. Seguir a Cristo é imitá-lo. É fazer o que Ele faria em nosso lugar. É amar o que Ele ama e aborrecer o que Ele aborrece. É viver a vida na Sua perspectiva. Seguir a Cristo é confiar nEle (Jo 3.16), caminhar em Seus passos (1Pe 2.21) e obedecer ao Seu comando (Jo 15.14).

Um paradoxo a ser compreendido (16.25)

Certamente, o discipulado implica o maior paradoxo da existência humana. Os valores de um discípulo estão invertidos: ganhar é perder, e perder é ganhar. O discípulo vive num mundo de ponta-cabeça. Para ele, ser grande é ser servo de todos. Ser rico é ter a mão aberta para dar. Ser feliz é renunciar aos prazeres do mundo. Satanás promete glória, mas no fim dá sofrimento. Cristo oferece uma cruz, mas no fim oferece uma coroa que conduz à glória.

Como uma pessoa pode ganhar a vida e ao mesmo tempo perdê-la?

Em primeiro lugar, *quando busca a felicidade sem Deus*. Vivemos numa sociedade embriagada pelo hedonismo. As pessoas estão ávidas pelo prazer. Elas fumam, bebem, dançam, compram, vendem, viajam, experimentam drogas e fazem sexo na ânsia de encontrar felicidade. Mas, depois que experimentam todas as taças dos prazeres, percebem que não havia aí o ingrediente da felicidade. Salomão buscou a felicidade no vinho, nas riquezas, nos prazeres e na fama e viu que tudo era vaidade (Ec 2.1-11).

Em segundo lugar, *quando busca salvação fora de Cristo*. Há muitos caminhos que conduzem os homens para a religião, mas um só caminho que conduz o homem a Deus. O homem pode ter fortes experiências e arrebatadoras emoções na busca do sagrado, no afã de encontrar-se com o Eterno, porém, quanto mais mergulha nas águas profundas das filosofias e religiões, mais distante fica de Deus e mais perdida fica sua vida. Uma pessoa pode perder sua vida quando ama o pecado, crê em superstições humanas, negligencia os meios de graça e recusa-se a receber o evangelho em seu coração.

Em terceiro lugar, *quando busca realização em coisas materiais*. O mundo gira em torno do dinheiro. É a mola que move o mundo. É o maior senhor de escravos. O dinheiro é mais do que uma moeda; é um ídolo, um espírito, um deus. O dinheiro é Mamom. Muitos se esquecem de Deus na busca do dinheiro e perdem a vida nessa corrida desenfreada. A possessão de todos os tesouros que o mundo contém não compensa a ruína eterna. Esses tesouros nem mesmo podem nos fazer felizes enquanto os temos. Fernão Dias Paes Leme, o bandeirante das esmeraldas, empreendeu sua vida e gastou sua saúde em busca de pedras preciosas. Mas, quando estava com a sacola cheia de pedras verdes, a febre mortal atacou seu corpo e ele, delirando, tentava empurrar as pedras para dentro do seu coração. Morreu só, sem alcançar a pretensa felicidade que buscava na riqueza.

Como pode uma pessoa perder a vida e ganhá-la?

Em primeiro lugar, *quando renuncia aos prazeres desta vida para receber a bem-aventurança eterna*. Ganhar o mundo e perder a alma é loucura. Beber as taças dos prazeres aqui e depois sorver a taça cheia da ira de Deus é consumada insensatez. Os prazeres deste mundo são falsos e ainda passageiros; as alegrias de Deus são reais e eternas.

Em segundo lugar, *quando renuncia às riquezas deste mundo para obter uma herança eterna*. As riquezas deste mundo fascinam, mas não podem dar felicidade nem segurança. O amor ao dinheiro leva o homem à ruína e destruição, mas a herança eterna é uma riqueza imarcescível.

Em terceiro lugar, *quando renuncia à ilusão que se vê, para receber o real que ainda não se pode ver*. O que se vê é efêmero; o que se não vê é eterno. O que se vê perece, mas o que se não vê dura para sempre. Nossa herança está segura nos céus. Nosso tesouro não pode ser roubado nem carcomido pela traça.

Uma avaliação a ser observada (16.26)

Jesus conclama seus discípulos a fazerem uma avaliação. Mesmo que alguém chegasse ao cume, a ponto de ganhar o mundo inteiro, mas perdesse sua alma para conquistar essa posição, isso não lhe traria real proveito. Nenhuma vantagem terrena e temporal compensa a perda da alma.

Três fatos devem ser destacados, como vemos a seguir.

Em primeiro lugar, *o dinheiro não pode comprar a bem-aventurança eterna* (16.26). Transigir com os absolutos de Deus, vender a consciência e a própria alma para amealhar riquezas é uma grande tolice. A vida é curta, e o dinheiro perde o valor para quem é conduzido ao túmulo. A morte nivela os ricos e os pobres. Nada trouxemos e nada levaremos do mundo. Passar a vida correndo atrás de um tesouro falaz é loucura. Pôr sua confiança na instabilidade e efemeridade da riqueza é estultícia.

A apostasia de Jesus em nenhum lugar é recompensada com a posse do mundo inteiro. O salário muitas vezes será bem mirrado: talvez trinta moedas de prata e uma corda (26.15; 27.5). O que importa é como aparecerá aos olhos de Deus o balanço da nossa vida. Até porque, depois de tudo, Deus é o auditor que, ao final, deveremos enfrentar.

Em segundo lugar, *a salvação da alma vale mais do que riquezas* (16.26). É melhor ser salvo do que ser rico. A riqueza só pode nos acompanhar até o túmulo, mas a salvação será gozada por toda a eternidade. Jesus chamou de louco o homem que negligenciou a salvação da sua alma e pôs sua confiança nos bens materiais. A morte chegou e, com ela, o juízo e, com o juízo, a condenação.

Em terceiro lugar, *a perda da alma é uma perda irreparável* (16.26). O dinheiro se ganha e se perde. Mesmo depois de perdê-lo, é possível readquiri-lo. Mas, quando se perde a alma, não há como reavê-la. É impossível mudar o destino eterno de uma pessoa. O rico que estava no inferno não teve suas orações ouvidas, nem seu tormento aliviado (Lc 16.23-26). Algumas pessoas vendem a honra, os princípios, a consciência e até mesmo sua alma eterna para alcançar bens, popularidade e prazeres terrenos. Porém, nenhuma quantidade de dinheiro, poder ou *status* pode comprar de volta uma alma perdida. Vender a alma por dinheiro é um péssimo negócio. Essa troca é um engodo. A um morto nada mais pertence; ele é que pertence à morte. No julgamento final, essa conta não fechará.

Uma recompensa a ser considerada (16.27,28)

A verdadeira recompensa não é aquela que aculamos na terra, mas aquela que Jesus trará consigo quando vier em sua glória. Renunciar aos prazeres desta vida para obter a bem-aventurança eterna terá retribuição segura. Aproveitar os prazeres do agora em detrimento das recompensas por vir é pura perda. Alguns de seus discípulos veriam, num antegozo, essa glória de Cristo no monte da Transfiguração, e essa glória seria robustamente revelada em breve no fulgor triunfante de seu túmulo vazio.

50

Diferentes tipos de espiritualidade

Mateus 17.1-27

O HOMEM É UM SER RELIGIOSO. Desde os tempos mais remotos, o homem tem levantado altares. Há povos sem leis, sem governos, sem economia, sem escolas, mas nunca sem religião. O homem tem sede do Eterno. Deus mesmo colocou a eternidade no coração do homem. Cada religião busca oferecer ao homem o caminho de volta para Deus. As religiões são repetições do malogrado projeto da Torre de Babel.

Só há duas religiões no mundo: a revelada e aquela criada pelo próprio homem. Uma tenta abrir caminhos da terra ao céu; a outra abre o caminho para a terra a partir do céu. Uma é humanista; a outra é teocêntrica. Uma prega a salvação pelas obras; a outra, pela graça. O cristianismo é a revelação que o próprio Deus faz de Si mesmo e do Seu plano redentor. As demais religiões representam um esforço inútil de o homem chegar até Deus através dos seus méritos.

O homem é um ser que idolatra a si mesmo, declarando-se o centro de todas as coisas. Na pregação contemporânea, Deus é quem está a serviço do homem, e não o homem a serviço de Deus. A vontade do homem é que deve ser feita no céu, e não a vontade de Deus na terra. O homem contemporâneo não busca conhecer a Deus, mas procura sentir-se bem. A luz interior tornou-se mais importante do que a revelação escrita. O culto não é racional, mas sensorial. O homem não quer conhecer; quer sentir. O sentimento prevaleceu sobre a razão. As emoções assentaram-se no trono, e a religião está se transformando num ópio, num narcótico que anestesia a alma e coloca em sono profundo as grandes inquietações da alma.

Vamos examinar esse momentoso assunto na exposição de Mateus 17.1-27. O texto em tela oferece-nos uma resposta sobre os modelos de espiritualidade, como vemos a seguir.

A **espiritualidade do monte**
– êxtase sem entendimento (17.1-8)

Pedro, Tiago e João, que formavam o círculo mais íntimo dos apóstolos, sobem o monte da Transfiguração com Jesus, mas não alcançam as alturas espirituais da intimidade com Deus. Há uma bela transição entre o capítulo 16 de Mateus e este capítulo 17; no anterior, Cristo falou sobre a cruz, e agora Ele revela a glória. O caminho da glória passa pela cruz.

Que monte era esse? A tradição diz que é o monte Tabor; outros pensam que se trata do monte Hermom. Mas a geografia não interessa, pois não fazemos peregrinações sagradas. A fé no Senhor vivo que está presente em todos os lugares faz com que montes sagrados entrem em esquecimento. Concordo com A. T. Robertson quando ele diz que o monte da Transfiguração não diz respeito à geografia.[1]

A mente dos três discípulos estava confusa e o coração, fechado. Eles estavam cercados por uma aura de glória e luz, mas um véu lhes embaçava os olhos e lhes tirava o entendimento. Para melhor compreendermos essa passagem, lançaremos mão do registro dos outros evangelistas sinóticos. Vejamos alguns pontos importantes a seguir.

Em primeiro lugar, *os discípulos andam com Jesus, mas não conhecem a intimidade do Pai* (Lc 9.28,29). Jesus subiu o monte da Transfiguração para orar. A motivação de Jesus era estar com o Pai. A oração era o oxigênio da Sua alma. Todo o seu ministério foi regado de intensa e

---

[1] ROBERTSON, A. T. *Comentário de Mateus*, p. 195.

perseverante oração.² Jesus está orando, mas em momento nenhum os discípulos estão orando com Ele. Eles não sentem necessidade nem prazer na oração. Eles não têm sede de Deus. Estão no monte a reboque, por isso não estão alimentados pela mesma motivação de Jesus.

Em segundo lugar, **os discípulos estão diante da manifestação da glória de Deus, mas, em vez de orar, eles dormem** (Lc 9.28,29). Jesus foi transfigurado porque orou. Os discípulos não oraram e por isso foram apenas espectadores. Porque não oraram, ficaram agarrados ao sono. A falta de oração pesou-lhes as pálpebras e cerrou-lhes o entendimento. As coisas mais santas, as visões mais gloriosas e as palavras mais sublimes não encontraram guarida no coração dos discípulos. As coisas de Deus cansavam seus olhos, entediavam seus ouvidos e causavam-lhes sono.

Em terceiro lugar, **os discípulos experimentam um êxtase, mas não têm discernimento espiritual** (17.1-8). Os discípulos contemplaram quatro fatos milagrosos: a transfiguração do rosto de Jesus, a aparição em glória de Moisés e Elias, a nuvem luminosa que os envolveu, e a voz do céu que trovejava em seus ouvidos. Nenhuma assembleia na terra jamais foi tão esplendidamente representada: lá estava o Deus Trino, Moisés e Elias, o maior legislador e o maior profeta. Lá estavam Pedro, Tiago e João, os apóstolos mais íntimos de Jesus. Apesar de estarem envoltos num ambiente de milagres, faltou-lhes discernimento em quatro questões básicas, que comentamos a seguir.

Primeiro, eles não discerniram a centralidade da Pessoa de Cristo (17.4,8). Pedro está cheio de emoção, mas vazio de entendimento. Quer construir três tendas, dando a Moisés e a Elias a mesma importância de Jesus. Quer igualar Jesus aos representantes da lei e dos profetas. Como o restante do povo, ele também está confuso quanto à verdadeira identidade de Jesus (16.13,14). Não discerne a divindade de Cristo. Anda com Cristo, mas não Lhe dá a glória devida ao Seu nome (17.4). Onde Cristo não recebe a preeminência, a espiritualidade está fora de foco. Jesus é maior do que Moisés e Elias. A lei e os profetas apontaram para Ele.

---

²Lucas 3.21,22; 4.1-13; 5.15-17; 6.12-16; 9.18-22,28-31; 22.39-46; 23.34-43.

Tanto Moisés como Elias, tanto a Lei como os Profetas, tiveram seu cumprimento em Cristo (Hb 1.1,2; Lc 24.25-27). Moisés morreu, e seu corpo foi sepultado, mas Elias foi arrebatado aos céus. Quando Jesus retornar, Ele ressuscitará os corpos dos santos que morreram e arrebatará os santos que estiverem vivos (1Ts 4.13-18). Concordo com Tasker quando ele diz que o propósito primário do aparecimento de Moisés e Elias foi saudar o seu divino Sucessor, e depois de deixá-Lo só em Sua incontestável supremacia, o único objeto de adoração dos Seus discípulos.[3]

O Pai corrigiu a teologia de Pedro, dizendo-lhe: *Este é o meu Filho amado, em quem me comprazo; a ele ouvi* (17.5). Jesus não pode ser confundido com os homens, ainda que com os mais ilustres. Ele é Deus. Para Ele deve ser toda devoção. Nossa espiritualidade deve ser cristocêntrica. A presença de Moisés e Elias naquele monte, longe de empalidecer a divindade de Cristo, confirmava que de fato Ele era o Messias apontado pela lei e pelos profetas. John Charles Ryle faz um solene alerta:

> Bispos, padres, diáconos, cardeais, o papa, os concílios, pregadores e ministros de grupos evangélicos são continuamente exaltados a uma posição que Deus jamais tencionou que preenchessem, usurpando assim a honra devida somente a Cristo. Os melhores homens não passam de homens, mesmo em seus melhores momentos. Os patriarcas, os profetas e os apóstolos – os mártires, os pais da Igreja, os reformadores, os puritanos – todos são meros pecadores, que precisam do Salvador – santos, úteis, dignos de honra em seus respectivos lugares, mas apenas pecadores, e nada mais. Nunca podemos permitir que eles sejam interpostos entre nós e Cristo. Somente Jesus Cristo é "o Filho em quem o Pai se compraz".[4]

Segundo, eles não discerniram a centralidade da missão de Cristo. Moisés e Elias apareceram para falar sobre a iminente partida de Jesus

---

[3]TASKER, R. V. G. *Mateus: introdução e comentário*, p. 131.
[4]RYLE, John Charles. *Meditações no Evangelho de Mateus*, p. 138.

para Jerusalém (Lc 9.30,31). A agenda daquela conversa era a cruz. A cruz é o centro do ministério de Cristo. Ele veio para morrer. Sua morte não foi um acidente, mas um decreto do Pai desde a eternidade (Ap 13.8). Cristo não morreu porque Judas o traiu por dinheiro, porque os sacerdotes o entregaram por inveja, ou porque Pilatos o condenou por covardia. Ele voluntariamente Se entregou por suas ovelhas (Jo 10.11), pela Sua igreja (Ef 5.25).

Toda espiritualidade que desvia o foco da cruz é cega de discernimento espiritual. Satanás tentou desviar Jesus da cruz, incitando Herodes a matá-Lo. Depois, ofereceu-Lhe um reino. Mais tarde, levantou uma multidão para fazê-Lo rei. Em seguida, incitou Pedro para reprová-Lo. Ainda quando estava suspenso na cruz, a voz do inferno vociferou na boca dos insolentes judeus: *Desça da cruz, e creremos nele* (27.42). Se Cristo descesse da cruz, nós desceríamos ao inferno. A morte de Cristo nos trouxe vida e libertação.

O vocábulo grego usado para "partida" (Lc 9.31) é a palavra êxodo. A morte de Cristo abriu as portas da nossa prisão e nos deu liberdade. Moises e Elias entendiam isso, mas os discípulos estavam sem discernimento a respeito dessa questão central do cristianismo (Lc 9.44,45). Hoje há igrejas que aboliram dos púlpitos a mensagem da cruz. Pregam sobre prosperidade, curas e milagres, mas esse não é o evangelho da cruz; é outro evangelho e deve ser anátema!

Terceiro, eles não discerniram a centralidade de seus próprios ministérios (17.4). Eles disseram: *Bom é estarmos aqui*. Eles queriam a espiritualidade da fuga, do êxtase, e não do enfrentamento. Queriam as visões arrebatadoras do monte, não os gemidos pungentes do vale. Mas é no vale que o ministério se desenvolve.

É mais cômodo cultivar a espiritualidade do êxtase, do conforto. É mais fácil estar no templo, perto de pessoas coiguais, do que descer ao vale cheio de dor e opressão. Não queremos sair pelas ruas e becos. Não queremos entrar nos hospitais e cruzar os corredores entupidos de gente com a esperança morta. Não queremos ver as pessoas encarquilhadas nas salas de quimioterapia. Evitamos olhar para as pessoas marcadas pelo câncer nas antecâmaras da radioterapia. Desviamo-nos das pessoas caídas na sarjeta. Não queremos subir os morros semeados de barracos, onde a pobreza extrema fere a nossa sensibilidade. Não queremos visitar as prisões insalubres nem pôr os pés nos guetos encharcados de violência. Não queremos nos envolver com aqueles que vivem oprimidos pelo diabo nos bolsões da miséria ou encastelados nos luxuosos condomínios fechados. É fácil e cômodo fazer uma tenda no monte e viver uma espiritualidade escapista, fechada entre quatro paredes. Permanecer no monte é fuga, é omissão, é irresponsabilidade. A multidão aflita nos espera no vale!

Quarto, eles estão envolvidos por uma nuvem celestial, mas têm medo de Deus (17.6,7). Eles se encheram de medo a ponto de caírem de bruços. A espiritualidade deles é marcada pela fobia do sagrado. Eles não encontram prazer na comunhão com Deus através da oração; por isso, revelam medo de Deus. Veem Deus como uma ameaça. Eles se prostram não para adorar, mas para temer. Eles estavam aterrorizados (Mc 9.6). Pedro, o representante do grupo, não sabia o que dizia (Lc 9.33). Deus não é um fantasma cósmico. Ele é o Pai de amor. Jesus não alimentou a patologia espiritual dos discípulos; pelo contrário, mostrou sua improcedência: *Aproximando-se deles, tocou-lhes Jesus, dizendo: Erguei-vos, e não temais* (17.7). O medo de Deus revela uma espiritualidade rasa e sem discernimento.

A **espiritualidade do vale**
– discussão sem poder (17.14-21)

Os nove discípulos de Jesus estavam no vale cara a cara com o diabo, sem poder espiritual, colhendo um grande fracasso. A razão era a mesma dos três que estavam no monte: em vez de orar, estavam discutindo. Aqui aprendemos várias lições, como vemos a seguir.

Em primeiro lugar, *no vale há gente sofrendo o cativeiro do diabo sem encontrar na igreja solução para o seu problema* (17.14,15). Aqui está um pai desesperado. O diabo invadiu a sua casa e está arrebentando com a sua família. Está destruindo seu único filho (Mc 9.18).

Aquele jovem estava possuído por uma casta de demônios que tornavam sua vida um verdadeiro inferno. No auge do seu desespero, o pai do jovem correu para os discípulos de Jesus em busca de ajuda, mas eles estavam sem poder (17.16).

A igreja tem oferecido resposta para uma sociedade desesperançada e aflita? Temos confrontado o poder do mal? Conhecimento apenas não basta; é preciso revestimento de poder. O Reino de Deus não consiste em palavras, mas em poder.

Em segundo lugar, *no vale há gente desesperada precisando de ajuda, mas os discípulos estão perdendo tempo, envolvidos numa discussão infrutífera* (Mc 9.14-18). Os discípulos estavam envolvidos numa interminável discussão com os escribas, enquanto o diabo agia livremente sem ser confrontado. Eles estavam perdendo tempo com os inimigos da obra, em vez de fazer a obra (Mc 9.16).

A discussão, muitas vezes, é saudável e necessária. Mas passar o tempo todo discutindo é uma estratégia do diabo para nos manter fora da linha de combate. Há crentes que passam a vida inteira discutindo empolgantes temas na Escola Dominical, participando de retiros e congressos, mas nunca entram em campo para agir. Sabem muito e fazem pouco. Discutem muito e trabalham pouco.

Os discípulos estavam discutindo com os opositores da obra (Mc 9.14). Discussão sem ação é paralisia espiritual. O inferno vibra quando a igreja se fecha dentro de quatro paredes, em torno dos seus empolgantes assuntos. O mundo perece enquanto a igreja está discutindo. Há muita discussão, mas pouco poder. Muita verborragia, mas pouca unção. Há multidões sedentas, mas pouca ação da igreja.

Em terceiro lugar, *no vale, enquanto os discípulos discutem, há um poder demoníaco sem ser confrontado* (17.15; Mc 9.17,18). Há dois extremos perigosos que precisamos evitar no trato dessa matéria, conforme comentamos a seguir.

Primeiro, subestimar o inimigo. Os liberais, os céticos e os incrédulos negam a existência e a ação dos demônios. Para eles, o diabo é uma figura lendária e mitológica. Negar a existência e a ação do diabo é cair nas malhas do mais ardiloso satanismo.

Segundo, superestimar o inimigo. Há segmentos chamados evangélicos que falam mais no diabo do que em Jesus. Pregam mais sobre exorcismo do que sobre arrependimento. Vivem caçando demônios, neurotizados pelo chamado movimento de batalha espiritual.

Como era esse poder maligno que estava agindo no vale?

Primeiro, o poder maligno que estava em ação na vida daquele menino era assombrosamente destruidor (17.15; Mc 9.18,22; Lc 9.39). A casta de demônios fazia esse jovem rilhar os dentes, convulsionava-o e lançava-o no fogo e na água, para matá-lo. Os sintomas desse jovem apontam para uma epilepsia. Mas não era um caso comum de epilepsia, pois, além de estar sofrendo dessa desordem convulsiva, ele era também um surdo-mudo. O espírito imundo que estava nele o havia privado de falar e ouvir. A possessão demoníaca é uma realidade dramática que tem afligido muitas pessoas ainda hoje. Os ataques àquele jovem eram tão frequentes e fortes que o menino não queria mais crescer, mas ia definhando.

Segundo, o poder maligno em ação no vale atingia as crianças (17.18; Mc 9.21,22). A palavra grega usada para meninice é *bréfos*, termo que descreve a infância desde o período intrauterino. O diabo não poupa nem mesmo as crianças. Aquele menino vivia dominado por uma casta de demônios desde sua primeira infância. Se satanás investe desde cedo na vida das crianças, não deveríamos nós, com muito mais fervor, investir na salvação delas? Se as crianças podem ser cheias de demônios, não poderiam ser também cheias do Espírito de Deus?

Terceiro, o poder maligno em curso age com requintes de crueldade (Lc 9.38). Esse jovem era filho único. O coração do Filho único de Deus enchia-se de compaixão por esses filhos únicos, por seus pais e por muitos, muitos outros! Ao atacar esse rapaz, o diabo estava destruindo os sonhos de uma família. Onde os demônios agem, há sinais de desespero. Onde eles atacam, a morte mostra sua carranca. Onde eles não são confrontados, a invasão do mal desconhece limites.

Em quarto lugar, *no vale os discípulos estão sem poder para confrontar os poderes das trevas* (17.16; Mc 9.18; Lc 9.40). Por que os discípulos estão sem poder?

Primeiro, porque há demônios e demônios (17.21). Há demônios mais resistentes que outros (17.19,21). Há hierarquia no reino das trevas (Ef 6.12).

Segundo, porque os discípulos não oraram (17.19-21). Não há poder espiritual sem oração. O poder não vem de dentro, mas do alto. "Remover montanhas" significava, como expressão idiomática dos judeus, "remover dificuldades". O sentido do versículo é que a fé vigorosa pode realizar o aparentemente impossível, pois o homem de fé saca dos recursos divinos.[5] Concordo com as palavras de Spurgeon: "Aquele que quiser vencer o demônio em certos casos deve primeiro vencer o céu por meio da oração e a si mesmo pela autonegação".[6]

Terceiro, porque os discípulos não jejuaram (17.21). O jejum nos esvazia de nós mesmos e nos reveste com o poder do alto. Quando jejuamos, estamos dizendo que dependemos totalmente dos recursos de Deus.

Quarto, porque os discípulos tinham uma fé tímida (17.19,20). A fé não olha para a adversidade, mas para as infinitas possibilidades de Deus. Jesus disse para o pai do jovem: *Se podes, tudo é possível ao que crê* (Mc 9.23). O poder de Jesus opera, muitas vezes, mediante a nossa fé. Spurgeon está correto ao dizer: "Nossa fé pode ser pequena como um grão de mostarda, mas, se for viva e verdadeira, ela nos une ao Onipotente".[7]

A espiritualidade de Jesus (17.9-13,22-27;)

A transfiguração foi uma antecipação da glória, um vislumbre e um ensaio de como será o céu (Mt 16.27,28). A palavra grega para "transfigurar" é *metamorphothe,* de onde vem a palavra metamorfose. O verbo refere-se a uma mudança externa que procede de dentro.[8] Nas palavras de A. T. Robertson, "apresenta a essência real de uma coisa em distinção ao seu aspecto meramente externo".[9] Essa não é uma mudança meramente de aparência, mas uma mudança completa para outra forma. Muitas vezes, os discípulos viram Jesus empoeirado, faminto e exausto, além de perseguido, sem pátria e sem proteção. De repente, passa uma labareda por esta casca de humilhação, indubitável, inesquecível (2Pe 1.16-18). Por alguns momentos, todo Ele estava permeado

---

[5]Tasker, R. V. G. *Mateus: introdução e comentário*, p. 134.
[6]Spurgeon, Charles H. *O Evangelho segundo Mateus*, p. 359,360.
[7]Spurgeon, Charles H. *O Evangelho segundo Mateus*, p. 359.
[8]Wiersbe, Warren W. *Comentário bíblico expositivo*, p. 78.
[9]Robertson, A. T. *Comentário de Mateus*, p. 196.

de luz. Sproul diz que a glória que Pedro, Tiago e João contemplaram no monte da Transfiguração não era um reflexo; ela vinha de dentro do próprio Senhor. A fonte era o ser de Cristo, descrito como *o resplendor da glória* (Hb 1.3).[10] Aprendemos a seguir algumas verdades fundamentais sobre a espiritualidade de Jesus.

Em primeiro lugar, **a espiritualidade de Jesus é fortemente marcada pela oração** (Lc 9.28). Jesus subiu o monte da Transfiguração com o propósito de orar e, porque Ele orou, seu rosto transfigurou e suas vestes resplandeceram de brancura (Lc 9.29). Mateus diz que *o Seu rosto resplandecia como o sol, e as suas vestes tornaram-se brancas como a luz* (17.2). A oração é uma via de mão dupla, onde nos deleitamos em Deus, e Ele tem prazer em nós (17.5). O maior anseio de quem ora não são as bênçãos de Deus, mas o Deus das bênçãos.

Dois fatos são dignos de destaque na transfiguração de Jesus, como vemos a seguir:

Primeiro, o Seu rosto transfigurou (17.2). Mateus diz que o Seu rosto resplandecia como o sol. O nosso corpo precisa ser vazado pela luz do céu. Devemos glorificar a Deus no nosso corpo. A glória de Deus precisa brilhar em nós e resplandecer através de nós.

Segundo, Suas vestes também resplandeceram de brancura (17.2; Lc 9.29). Mateus diz que suas vestes resplandeceram como a luz (17.2). Marcos nos informa que as Suas vestes se tornaram resplandecentes e sobremodo brancas, como nenhum lavandeiro na terra as poderia alvejar (Mc 9.3). Para o oriental, roupa e pessoa são uma coisa só. Assim, ele pode descrever vestimentas para caracterizar quem as usa (Ap 1.13; 4.4; 7.9; 10.1; 12.1; 17.4; 19.13). As nossas vestes revelam o nosso íntimo mais do que cobrem o nosso corpo. Elas retratam nosso estado interior e demonstram o nosso senso de valores. As nossas roupas precisam ser também santificadas e vazadas pela glória de Deus.

A oração de Jesus no monte ainda nos evidencia outras duas verdades, como vemos a seguir.

Primeiro, na transfiguração, Jesus foi consolado antecipadamente para enfrentar a cruz (Lc 9.30,31). Quando oramos, Deus nos consola

---

[10] SPROUL, R. C. *Mateus*, p. 447.

antecipadamente para enfrentarmos as situações difíceis. Jesus passaria por momentos amargos: seria preso, açoitado, cuspido, ultrajado, condenado e pregado numa cruz. Mas, pela oração, o Pai o capacitou a beber aquele cálice amargo sem retroceder. Quem não ora desespera-se na hora da aflição. É pela oração que triunfamos.

Segundo, em resposta à oração de Jesus, o Pai confirmou o seu ministério (17.4,5). Os discípulos sem discernimento igualaram Jesus a Moisés e Elias, mas o Pai defendeu Jesus, dizendo-lhes: *Este é o Meu Filho amado, em quem me comprazo; a Ele ouvi*. Mateus registra: *Então, eles, levantando os olhos, a ninguém viram, senão Jesus* (17.8). Marcos é mais enfático: *E de relance, olhando ao redor, a ninguém mais viram com eles, senão Jesus* (Mc 9.8). O Pai reafirma seu amor ao Filho e autentica sua autoridade, falando de dentro da nuvem luminosa aos discípulos. Aquela era a mesma nuvem que havia guiado Israel quando saía do Egito (Êx 13.21), que apareceu ao povo no deserto (Êx 16.10; 24.15-18), que apareceu a Moisés (Êx 19.9) e que encheu o templo com a glória do Senhor (1Rs 8.10). No Antigo Testamento, a nuvem é o veículo da presença de Deus, a habitação de Sua glória, da qual Ele fala.

Você não precisa se defender, você precisa orar. Quando você ora, Deus sai em sua defesa. Quando você cuida da sua piedade, Deus cuida da sua reputação.

Em segundo lugar, *a espiritualidade de Jesus não é autoglorificante* (17.9-13). Além de não defender o seu ministério, Jesus não tocou trombetas para propagar suas gloriosas experiências. Sua espiritualidade não era autoglorificante (17.9). Quem elogia a si mesmo demonstra uma espiritualidade trôpega. João Batista, que veio no poder e no espírito de Elias, já havia dado testemunho a Seu respeito (Jo 1.29) e, agora, o Pai também dá testemunho a Seu respeito (17.5), mas Jesus não toca trombeta; antes, ordena que Seus discípulos não contem a ninguém a visão beatífica que viram no cume do monte (17.9).

Em terceiro lugar, *a espiritualidade de Jesus é marcada pela obediência ao Pai* (17.22,23; Mc 9.30,31; Lc 9.44,51,53). A obediência absoluta e espontânea à vontade do Pai foi a marca distintiva da vida de Jesus. A cruz não era uma surpresa, mas uma agenda. Ele não morreu como mártir; Ele se entregou. Ele foi para a cruz porque o Pai O entregou por amor (Jo 3.16; Rm 5.8; 8.32). A conversa de Moisés e Elias com Jesus foi sobre sua partida para Jerusalém (Lc 9.31). A expressão usada foi êxodos. O êxodo foi a libertação do povo de Israel do cativeiro egípcio. Sua morte nos trouxe libertação e vida. Logo que desceu do monte, Jesus demonstrou com resoluta firmeza que estava indo para a cruz (Lc 9.31,44,51,53). Ele chorou (Hb 7.5) e suou sangue (Lc 22.39-46) para fazer a vontade do Pai. Ele veio para isso (Jo 17.4) e, ao morrer na cruz, declarou isso triunfantemente (Jo 19.30). A verdadeira espiritualidade implica obediência (7.22,23).

Em quarto lugar, *a espiritualidade de Jesus é marcada por profunda humildade* (17.24-27). Jesus e Seus discípulos regressam agora aos domínios de Herodes Antipas. Marcos diz que esse retorno é secreto (Mc 9.30), e eles visitam Cafarnaum pela última vez. Logo que chegam, Pedro é confrontado por aqueles que cobravam o imposto se Jesus também pagava impostos.[11]

Aqui está um grande paradoxo: o Rei dos reis, o Criador do universo, era tão pobre que não tinha duas dracmas para pagar o imposto anual do templo. O milagre registrado aqui, segundo Warren Wiersbe, tem seis características[12]: 1) É registrado apenas por Mateus, um coletor de impostos. Jesus deixa claro que os reis humanos não cobram impostos de seus filhos e Ele, sendo o Filho de Deus, estaria isento desse imposto, pois o templo era a Casa de seu Pai; contudo, para não produzir escândalo, Ele paga o imposto. 2) É o único milagre que Jesus realizou para suprir suas próprias necessidades. Jesus fez de um peixe o Seu tesoureiro. O milagre foi realizado para evitar o escândalo. Jesus não queria que as pessoas se ofendessem vendo um judeu deixando de contribuir para o templo. John Charles Ryle diz que se oculta uma profunda sabedoria nas palavras: ... *para que não os escandalizemos* (17.27). Elas nos ensinam, com toda a clareza, que existem questões acerca das quais o povo de Cristo deveria abafar as suas próprias opiniões. Dos direitos de Deus jamais deveríamos desistir; mas dos nossos próprios direitos, ocasionalmente, podemos desistir,

---

[11]Tasker, R. V. G. *Mateus: introdução e comentário*, p. 134.
[12]Wiersbe, Warren W. *Comentário bíblico expositivo*, p. 81,82.

com real proveito.¹³ 3) É o único milagre envolvendo dinheiro. O imposto em questão havia sido instituído no tempo de Moisés (Êx 30.11ss). 4) É o único milagre em que Jesus usou apenas um peixe. Pedro já havia feito uma pesca milagrosa (Lc 5.1-11) e faria outra (Jo 21.6). Nesse caso, porém, apenas um peixe foi usado. Jesus conhece e controla os detalhes. 5) É um milagre realizado em favor de Pedro. Jesus já havia curado a sogra de Pedro, ajudou-o numa pescaria milagrosa, permitiu que ele andasse sobre as águas, curou a orelha de Malco e livrou Pedro da prisão. Não é de se admirar que Pedro tenha escrito: *Lançando sobre Ele toda a vossa ansiedade, porque ele tem cuidado de vós* (1Pe 5.7). 6) É o único milagre cujo resultado não se encontra registrado. O que depreendemos é que Pedro foi, pescou o peixe, encontrou a moeda e pagou o imposto.

William Hendriksen está correto quando diz que este relato indica o penetrante conhecimento de Cristo (17.25a), a consciência de Sua filiação divina (17.25b), Sua consideração pelos demais (17.27a), Sua autoridade mesmo sobre o mar e seus habitantes (17.27b) e sua generosidade (17.27c).¹⁴

Em quinto lugar, *a espiritualidade de Jesus é marcada por poder para desbaratar as obras do diabo* (17.17,18; Mc 9.25-27). O ministério de Jesus foi comprometido com a libertação dos cativos (Lc 4.18; At 10.38). Ao mesmo tempo que Ele é o libertador dos homens, é o flagelador dos demônios. Jesus expulsou a casta de demônios do menino endemoninhado e disse: *Sai [...] e nunca mais tornes a ele* (Mc 9.25-27). O poder de Jesus é absoluto e irresistível. Os demônios bateram em retirada, o menino foi liberto, devolvido ao seu pai, e todos ficaram maravilhados ante a majestade de Deus (Lc 9.43). Charles Spurgeon diz, com razão, que basta uma palavra de Cristo, e satanás foge. Marcos, o evangelista, chama este espírito maligno de "mudo e surdo", mas ele ouviu a Jesus e respondeu à Sua voz com um grande grito; agitando-o com violência, saiu para nunca mais voltar.¹⁵

Para Jesus, não há causa perdida nem vida irrecuperável. Ele veio libertar os cativos!

---

¹³RYLE, John Charles. *Meditações no Evangelho de Mateus*, p. 143.
¹⁴HENDRIKSEN, William. *Mateus*. Vol. 2, p. 217.
¹⁵SPURGEON, Charles H. *O Evangelho segundo Mateus*, p. 358.

51

Os valores absolutos do Reino de Deus

Mateus 18.1-14

CHEGAMOS AGORA AO QUARTO GRANDE DISCURSO de Jesus registrado por Mateus. Mounce diz que o capítulo 18 deste evangelho tem a aparência de um primitivo manual eclesiástico, tratando de assuntos como humildade, (18.1-4), responsabilidade (18.5-7), autorrenúncia (18.8-10), cuidado individual (18.11-14), disciplina (18.15-20), comunhão fraternal (18.21,22) e perdão (18.23-35).[1] Jesus acabara de falar sobre autossacrifício, e os discípulos perguntam sobre autopromoção. Enquanto Jesus fala que está pronto a dar sua vida, os discípulos discutem quem entre eles é o maior (18.1). Eles estão na contramão do ensino e do espírito de Jesus.

Mateus faz uma transição da espiritualidade de Jesus para os valores que devem marcar a vida de um súdito do reino dos céus. Tasker diz que o reino dos céus tem valores essencialmente diferentes dos que caracterizam as instituições terrenas e as organizações seculares. Nesse reino, os humildes não são os que procuram autoafirmação; esses são os verdadeiramente grandes (18.1-5). Nesse reino, o inferior e mais apagado súdito fiel e leal a seu Rei tem valor infinito. Em consequência, a suprema ofensa feita pelos mais fortes e mais dominadores é a de

---

[1] MOUNCE, Robert H. *Mateus*, p. 183.

tornar mais difícil o discipulado dos irmãos mais fracos e mais sensíveis (18.6,7). Mostrar desprezo por quaisquer irmãos de Cristo, por menos importantes, por mais jovens e por mais imaturos espiritualmente que sejam, é de fato desprezar os que têm acesso direto ao Rei e são objetos permanentes de Seu amor (18.11). Ele deseja que eles nunca pereçam, e o Seu interesse por eles deve refletir-se nos outros membros da comunidade messiânica. Se um deles se desviar do rebanho, não se devem poupar esforços para conseguir o seu regresso a salvo (18.12-14).[2]

Algumas verdades devem ser destacadas a seguir.

A humildade, o portal de entrada no reino dos céus (18.1-5)

Assim como Jesus abriu o portal das bem-aventuranças com a humildade (5.3), responde agora a uma pergunta dos discípulos sobre a preeminência no reino dos céus, mostrando que os valores do reino estão invertidos. O maior é o menor. Ser grande é ser como uma criança. A porta de entrada no reino é o reconhecimento de sua dependência plena de Deus.

Destacamos alguns pontos a seguir.

Em primeiro lugar, *o equivocado entendimento dos discípulos sobre a natureza do reino* (18.1). Os discípulos ainda alimentavam pensamentos errados sobre a natureza do reino. Imaginavam um reino terreno e político, em que a grandeza de uma pessoa consistia na alta posição que ocupava.

No Reino de Deus, não há espaço para o amor à preeminência. Os discípulos não só perguntam sobre a questão da preeminência no reino, mas discutem entre si quem é o maior entre eles (Mc 9.33,34). Eles pensam em projeção, grandeza e especial distinção. A ambição deles é a projeção do eu, e não do outro. Jesus repreende seus discípulos tratando da necessidade da humildade (18.1), do exemplo da humildade (18.2-6) e do custo da humildade (18.7-9).[3] Mas o que é

---
[2]TASKER, R. V. G. *Mateus: introdução e comentário*, p. 138.
[3]WIERSBE, Warren W. *Comentário bíblico expositivo*, p. 83.

humildade? É a graça que, quando você sabe que a possui, acabou de perdê-la. A verdadeira humildade não é pensar em si mesmo de modo depreciativo; antes, é simplesmente nem pensar em si mesmo.[4] Nessa mesma linha de pensamento, Mounce, citando McNeile, diz: "O maior é aquele que não tem a mínima ideia de sua grandeza".[5]

A ambição e o desejo de preeminência dos discípulos soavam mal, sobretudo em face do que Jesus acabara de lhes falar, sobre seu sofrimento e morte. O Rei da glória, o Senhor dos senhores, o Criador do universo, dava claro sinal de seu esvaziamento e humilhação, a ponto de entregar voluntariamente sua vida em favor dos pecadores, enquanto os discípulos, cheios de vaidade e soberba, discutem sobre qual deles era o maior.

Os discípulos estavam pensando no reino de Jesus em termos de um reino terreno e acerca de si mesmos como os principais ministros de Estado. Essa distorção teológica dos discípulos perdurou até mesmo depois da ressurreição de Jesus (At 1.6).

O orgulho ainda é um dos pecados mais comuns encrustados na natureza humana. Esse pecado é tão antigo quanto a queda de Lúcifer. Foi a causa da queda dos nossos pais no Éden. Não foi essa a experiência de Senaqueribe (2Cr 32.14,21), Nabucodonosor (Dn 4.30-33) e Herodes Agripa (At 12.21-23)? A Bíblia diz que aquele se exalta será humilhado, mas o que se humilha será exaltado.

Em segundo lugar, *a porta de entrada do reino é a conversão* (18.2,3). O reino não é dado aos que se consideram grandes, mas aos que se reconhecem pequenos. Não é aos arrogantes que pertence o reino, mas aos humildes de espírito. São aqueles que se voltam de sua soberba para confiarem plenamente na graça que entram no reino.

Em terceiro lugar, *o reino pertence aos humildes* (18.3). Jesus não estava aqui ensinando a inocência das crianças, mas mostrando que a marca de uma criança é sua plena dependência e segura confiança. Os discípulos deviam não expulsar as crianças, mas ser como elas. Spurgeon diz: "Os apóstolos eram convertidos em um sentido, mas mesmo eles

---

[4] WIERSBE, Warren W. *Comentário bíblico expositivo*, p. 83.
[5] MOUNCE, Robert H. *Mateus*, p. 183.

precisavam de uma nova conversão. Eles precisavam ser convertidos do egoísmo à humildade".[6] Fritz Rienecker tem razão ao dizer que a mola mestra do Reino de Deus é esta: todos descem para a pobreza, fraqueza e modéstia, para se tornarem ricos em Cristo. É por isso que os discípulos precisam dar meia-volta e se igualar às crianças na modéstia e na fraqueza.[7]

Em quarto lugar, *os valores do reino divergem dos valores do mundo* (18.4,5). No reino dos céus, o menor é o maior, e o mais humilde é o mais exaltado. O mundo valoriza a força, o poder, a riqueza, a soberba; mas, no Reino de Deus, aquele que se faz pequeno é o maior. A pirâmide está invertida. O reino dos céus é um reino de ponta-cabeça. No reino dos homens, uma criança era desprezada, mas, no reino dos céus, quem recebe uma criança por amor a Cristo, e em nome de Cristo, recebe ao próprio Cristo.

No Reino de Deus, os menores são absolutamente importantes (18.2-5). Naquele tempo, as crianças não recebiam atenção dos adultos. Não havia o Estatuto da Criança e elas eram despercebidas pelos adultos. Jesus, entretanto, valoriza as crianças e diz que quem receber uma criança, a menor pessoa, a menos importante no conceito da sociedade, recebe a Ele, e quem O recebe, recebe o Pai que O enviou. A criança pequena representa os esquecidos, não notados ou excluídos que, por qualquer motivo, parecem não ser levados em consideração por nós. Quem, porém, vai ao encontro do seu menor irmão na comunidade, a partir de Jesus, misteriosamente é presenteado com o próprio Jesus.

Ser grande no Reino de Deus é cuidar daqueles que são menos valorizados, daqueles que são mais carentes e mais necessitados. Jesus nos encoraja a demonstrar amor, atenção e cuidado aos mais fracos que creem nEle. Jesus ensina essa lição de forma comovente, pois toma uma criança como exemplo e diz aos Seus discípulos: *E quem receber uma criança, tal como esta, em Meu nome, a Mim Me recebe* (18.5).

A ambição humana não vê outro sinal de grandeza a não ser coroas, *status*, riquezas e elevada posição na sociedade. Porém, o Filho de Deus

---

[6]SPURGEON, Charles H. *O Evangelho segundo Mateus*, p. 368,369.
[7]RIENECKER, Fritz. *Evangelho de Mateus*, p. 312.

declara que o caminho para a grandeza e o reconhecimento divino é devotar-se ao cuidado dos mais tenros e fracos da família de Deus. Há uma grande recompensa em dedicar-se ao cuidado daqueles que são desprezados e esquecidos pela sociedade. Há um reconhecimento divino àqueles que investem na restauração dos que são marginalizados e abandonados pela sociedade. Esse trabalho pode passar despercebido pelos homens e pode até mesmo ser ridicularizado por alguns, mas será visto e recompensado por Deus.

O **pecado**, a maior de todas as **ameaças à vida** (18.6-9)

Jesus passa a alertar Seus discípulos sobre o risco não apenas de pecar, mas de induzir outros a pecarem. Destacamos alguns pontos a seguir.

Em primeiro lugar, *ser pedra de tropeço para alguém é pior do que a morte* (18.6). Induzir alguém a pecar, armando uma cilada para seus pés, é um pecado tão grave que o suicídio por afogamento seria mais recomendável. É uma possibilidade monstruosa servir, em vez de à fé, ao abandono da fé, e privar irmãos da salvação eterna. Assim como Deus responde ao menor gesto de amor pelo irmão (Mc 9.41), Ele também reage a tal injustiça (18.6; Mc 9.42). Spurgeon escreve: "Abençoar um pequenino é agradar ao próprio Salvador. Perverter o simples ou ofender os humildes será o caminho certo para a terrível condenação".[8]

Em segundo lugar, *provocar escândalos é uma tragédia* (18.7). Charles Spurgeon diz que este é um mundo triste devido às pedras de tropeço. Enquanto o homem for homem, o seu entorno será tentador.[9] O escândalo é a língua do alçapão, o gatilho que desarma a arapuca, a isca que atrai e aciona a armadilha para prender o animal incauto. Os escândalos fazem as pessoas tropeçar e cair. Levam as pessoas para longe de Deus e as mantêm sob os grilhões do pecado. O mundo é uma fábrica de escândalos. Os escândalos são inevitáveis, mas o homem por meio do qual os escândalos vêm, esse está debaixo de severo juízo.

---

[8] SPURGEON, Charles H. *O Evangelho segundo Mateus*, p. 372.
[9] SPURGEON, Charles H. *O Evangelho segundo Mateus*, p. 372.

Em terceiro lugar, *a atitude contra o pecado deve ser radical* (18.8,9). Usar as mãos, os pés e os olhos para pecar é consumada loucura. As mãos que agem, os pés que andam e os olhos que veem devem estar a serviço do bem e não do mal, da santidade e não da iniquidade. O que vemos, o que fazemos e aonde vamos pode constituir-se em tropeço para a nossa alma. A mão simboliza nossa maneira de fazer as coisas; o pé representa nosso caminhar pelo mundo; e o olho é a figura de todos os desejos que surgem do coração.

Jesus não ensina a amputação física, mas o radical enfrentamento do pecado. Não está recomendando aqui a mutilação ou uma cirurgia física literal, visto que já havia ensinado que o mal procede não dos membros do corpo, mas do coração (15.19). Ele está ensinando que devemos ser radicais na remoção de qualquer obstáculo que se interponha em nosso caminho de entrada no reino. Essa erradicação pode ser uma intervenção cirúrgica tão dolorosa quanto a amputação de um membro do corpo.

O Reino de Deus, portanto, exige renúncia de tudo aquilo que nos afasta da santidade. Tudo o que se constitui tropeço no caminho da santidade deve ser radicalmente removido. Qualquer sacrifício é insignificante em comparação com o supremo valor de pertencer a Cristo.

Precisamos extirpar hábitos, abandonar prazeres, renunciar a alguma amizade e separar-nos de algo que havia se tornado uma parte da nossa própria vida. Nessa mesma linha de pensamento, o apóstolo Paulo ordena: *Fazei morrer a vossa natureza terrena* (Cl 3.5). Está incluída aí a separação determinada do pecado.

A tentação deve ser abrupta e decisivamente cortada. Brincar com ela é mortal. Meias medidas são destrutivas. A cirurgia precisa ser radical. Neste exato momento, e sem nenhuma vacilação, o livro obsceno deveria ser queimado; a foto escandalosa, destruída; o filme destruidor da alma, condenado; os laços sociais sinistros, mesmo que íntimos, quebrados; e o hábito venenoso, descartado. Na luta contra o pecado, o crente tem de lutar duramente. Acobertar o erro nunca leva ninguém à vitória (1Co 9.27).

Os **pequeninos** são muito importantes aos olhos de Deus (18.10-14)

As crianças, desprezadas na época, são apresentadas como modelo (18.1-5). Fazê-las tropeçar é pior do que a própria morte (18.6). Os pequeninos não podem ser desprezados (18.10), uma vez que são ovelhas de Cristo, e o Pai não deseja que nenhuma delas pereça (18.14). Destacamos a seguir alguns pontos.

Em primeiro lugar, *os pequeninos não podem ser desprezados* (18.10). Os homens classificam as pessoas entre grandes e pequenos, fortes e fracos, homens e mulheres, ricos e pobres, mas Deus não faz acepção de pessoas. Para Deus, todos têm o mesmo valor. Portanto, desprezar aqueles que os homens consideram pequeninos é uma ofensa ao próprio Deus. William Hendriksen, citando Abraham Kuyper, diz que Mateus 18.10 não enfatiza que os anjos falam a Deus em nosso favor, mas, antes, que Deus, através de Seus anjos, cuida de seus escolhidos.[10] Os anjos são fiéis amigos dos redimidos (13.41; 25.31,32; Lc 15.10; 16.22; 1Co 4.9; Gl 3.19; 2Ts 1.7; 1Pe 1.12; Hb 1.14).

Em segundo lugar, *os pequeninos devem ser resgatados* (18.11). Quando Cristo morreu, Ele deu sua vida em resgate daqueles que o Pai Lhe deu. Ele veio buscar e salvar o perdido, seja grande ou pequeno, rico ou pobre, homem ou mulher.

Em terceiro lugar, *os pequeninos devem ser procurados* (18.12,13). Jesus ilustra Seu ensinamento com uma parábola, a parábola da ovelha perdida. A ovelha é um animal frágil, míope, que tem mania de afastar-se do rebanho. A ovelha que se extravia não consegue voltar por si mesma. Precisa ser procurada, resgatada e trazida de volta para a segurança do aprisco. Esse resgate deve ser motivo de júbilo e celebração.

Em quarto lugar, *os pequeninos não devem perecer* (18.14). Jesus veio para resgatar todos aqueles que o Pai Lhe deu (Jo 6.37-44). Nenhum deles se perdeu, exceto o filho da perdição (Jo 17.12).

---

[10] HENDRIKSEN, William. *Mateus*. Vol. 2, p. 234.

Os **passos** da disciplina cristã

Mateus 18.15-20

JESUS TRATA, NO TEXTO EM APREÇO, de um dos temas mais sensíveis das Escrituras. O que devemos fazer quando um irmão da igreja peca contra nós? Quais são os passos da disciplina cristã? Temos aqui um caso de ofensa pessoal. O ofendido deve procurar o ofensor. Seguindo a orientação de Warren Wiersbe, trataremos de quatro pontos a seguir.[1]

Manter a questão no âmbito **particular** (18.15)

Temos aqui um caso de ofensa pessoal. Se uma pessoa pecou contra você, o assunto não deve ser guardado no escrínio do seu coração, para deixar florescer ali a mágoa, nem deve ser levado para sua família ou seus amigos, expondo publicamente a situação. Essa forma de agir amplia e agrava o problema. Devemos abordar a pessoa que pecou contra nós de forma particular, numa conversa a sós com ela. O objetivo dessa conversa não é humilhar a pessoa nem mesmo nos defender, ganhando a discussão, mas ganhar nosso irmão.[2] O apóstolo Paulo lança luz sobre esse delicado tema quando ensina: *Irmãos, se alguém for surpreendido*

---
[1] WIERSBE, Warren W. *Comentário bíblico expositivo*, p. 84,85
[2] WIERSBE, Warren W. *Comentário bíblico expositivo*, p. 84.

nalguma falta, vós, que sois espirituais, corrigi-o com espírito de brandura; e guarda-te para que não sejas também tentado (Gl 6.1).

Pedir **ajuda** a **outros** (18.16)

Caso esse confronto pessoal não logre êxito, não devemos desistir. Devemos dar mais um passo rumo à paz e à reconciliação. Então, estamos liberados para repartir esse assunto com uma ou duas pessoas maduras na fé, que devem ir conosco ao irmão ofensor, servindo de testemunhas e conselheiras (2Co 13.1). Spurgeon diz que, possivelmente, o ofensor pode perceber o que é dito por outros irmãos, embora ele seja parcial em relação a você; ou ele pode acrescentar seriedade à reclamação de várias pessoas, o que não sentiria se a queixa fosse de um só.[3]

O propósito aqui é evitar que o pecado se espalhe como um fermento e assim levede a massa toda. Está claro que problemas de relacionamentos estremecidos ou rompidos na igreja não podem ser deixados de lado, mas precisam ser tratados com honestidade, prudência e urgência.

Pedir a **ajuda** da **igreja** (18.17)

Mesmo que as duas ações anteriores tenham fracassado, o ofendido não deve desistir de procurar a paz. Mais um passo deve ser dado. Agora ele deve contar o ocorrido à igreja. Aqui a assembleia dos santos deve pleitear com o ofensor para que ele se arrependa e a ofensa seja tratada, perdoada, e a comunhão seja restabelecida.

É notório que a disciplina na igreja tem sido negligenciada em nossos dias. Os reformadores entendiam que uma das marcas da igreja verdadeira é o correto uso da disciplina. A disciplina é fartamente ensinada nas Escrituras (1Co 5.1-13; 2Ts 3.6-16; 2Tm 2.23-26; Tt 3.10). Obviamente, a disciplina tem dois propósitos, o preventivo e o interventivo. O preventivo é evitar que a igreja caia no pecado. O interventivo é buscar a recuperação do faltoso. Quando o indivíduo que

---

[3]SPURGEON, Charles H. *O Evangelho segundo Mateus*, p. 378.

pecou demonstra impenitência e contumácia, o caso deve ser levado ao conhecimento da igreja.

No caso de esse irmão recusar ouvir a igreja, o caminho é a exclusão, ou seja, considerá-lo como gentio e publicano, ou seja, uma pessoa incorrigível e não convertida. Em outras palavras, é não o reconhecer mais como um irmão e não ter com ele comunhão (1Co 5.11). Charles Spurgeon tem razão ao observar que mesmo a exclusão não põe termo às afeições da igreja por essa pessoa, uma vez que a igreja deve amar os gentios de fora e buscar ardentemente sua salvação. Isso significa dizer que, desde o primeiro passo até o último na busca da paz, nada deve ser feito por vingança, mas tudo deve ser realizado com afeição, objetivando auxiliar o irmão. Daí, o ofensor que não quiser a reconciliação incorre em grande culpa por resistir às tentativas amorosas feitas em obediência ao comando do grande Cabeça da igreja.[4]

Manter o **caráter espiritual** da igreja (18.18-20)

Destacamos a seguir alguns pontos importantes.

Em primeiro lugar, *a autoridade da Palavra de Deus* (18.18). Pela disciplina, Deus exerce sua autoridade dentro da igreja local e, por meio desta, restaura Seus filhos que estavam em pecado. Aqui o Senhor da igreja reconhece que essas chaves dadas a Pedro (16.19) estão nas mãos de toda a igreja. Aqueles que ligam são todos os discípulos, ou a totalidade da igreja, que foi convocada para reconciliar os dois irmãos.[5]

Em segundo lugar, *o poder da oração* (18.19). A palavra "concordar", usada aqui para dois irmãos que oram a Deus, corresponde ao termo "sinfonia". Warren Wiersbe tem razão ao dizer que a igreja deve concordar em oração ao buscar disciplinar um membro ofensor. É através da Palavra e da oração que descobrimos a vontade do Pai sobre a questão.[6] Concordo com Spurgeon quando ele escreve: "Dois crentes unidos em desejo santo e oração solene terão grande poder diante de

---

[4]SPURGEON, Charles H. *O Evangelho segundo Mateus*, p. 379.
[5]SPURGEON, Charles H. *O Evangelho segundo Mateus*, p. 379,380.
[6]WIERSBE, Warren W. *Comentário bíblico expositivo*, p. 85.

Deus. Em vez de desprezar, portanto, o propósito de tão pequena reunião, devemos apreciá-la, uma vez que o Pai a aprecia".[7]

Em terceiro lugar, **a indispensabilidade da comunhão em adoração** (18.20). A igreja local deve ser uma comunidade de adoração que reconhece a presença do Senhor em seu meio. E, quando os crentes vivem em união, é ali que o Senhor ordena a sua vida e a sua bênção para sempre (Sl 133.1). Spurgeon está correto ao dizer: "A presença de Jesus é o centro constante da assembleia, a autorização para a sua reunião e o poder com que a igreja age".[8]

---

[7]SPURGEON, Charles H. *O Evangelho segundo Mateus*, p. 380.
[8]SPURGEON, Charles H. *O Evangelho segundo Mateus*, p. 381.

53

Perdoados e perdoadores

Mateus 18.21-35

A PARÁBOLA DO CREDOR INCOMPASSIVO, registrada em Mateus 18.23-35, ilustra o ensino de Jesus sobre o perdão (18.21,22). Devemos perdoar nosso irmão na mesma medida em que fomos perdoados por Deus. Porque fomos perdoados de uma dívida impagável, devemos, semelhantemente, perdoar aos nossos irmãos. Pedro pergunta a Jesus: *Senhor, até quantas vezes meu irmão pecará contra mim, que eu lhe perdoe? Até sete vezes? Jesus respondeu-lhe: Não te digo que até sete vezes, mas até setenta vezes sete* (18.21,22). Os rabinos haviam chegado à conclusão de que uma pessoa devia ser perdoada três vezes por um pecado reincidente, mas não uma quarta vez. Assim, a oferta de Pedro de perdoar até sete vezes era verdadeiramente generosa. William Hendriksen tem razão ao dizer que a pergunta de Pedro cheirava a rabinismo. Soava como se o espírito de perdão fosse uma mercadoria que se podia pesar, medir e contar; como se pudesse ser parcelada pouco a pouco até um limite bem definido, quando a distribuição tinha de parar.[1]

O uso que Cristo faz de setenta vezes sete mostra que o perdão deve ser oferecido sem limites ou restrições.[2] Portanto, setenta vezes sete não

---

[1] HENDRIKSEN, William. *Mateus.* Vol. 2, p. 245,246.
[2] RICHARDS, Lawrence O. *Comentário histórico-cultural do Novo Testamento*, p. 63.

é um cálculo matemático. Setenta vezes sete é um emblema. Devemos perdoar ilimitadamente, como Deus em Cristo nos perdoou (Cl 3.13). Concordo com William Hendriksen quando ele diz que o espírito do genuíno perdão não conhece fronteiras. É um estado de coração, não uma matéria de cálculo.[3]

O texto em apreço nos apresenta duas verdades magnas: o perdão que recebemos de Deus e o perdão que devemos dar ao nosso irmão. Vejamos.

O **perdão** que recebemos de Deus (18.23-27)

Jesus nos fala em primeiro lugar sobre o perdão que recebemos de Deus. Ele ilustra essa verdade sublime narrando a parábola do credor incompassivo. Há nesta parábola algumas lições dignas de destaque, como vemos a seguir.

Em primeiro lugar, ***Deus ajusta contas conosco*** (18.23). Nós somos confrontados por Deus. Precisamos prestar contas da nossa vida a Ele. Deus é o supremo juiz. Ele é justo e santo. Sua lei é perfeita e santa. Precisamos passar pelo crivo do seu reto juízo. Somos pesados na balança de Deus. Ele coloca o Seu prumo na nossa vida e sonda o nosso coração. Ele vasculha as nossas emoções e examina os nossos pensamentos. Ele pesa as nossas motivações e avalia as nossas obras. Ele conhece as nossas palavras e vê os nossos passos. Ele traz à tona os sentimentos e desejos secretos do nosso coração. Estamos aquém de suas exigências. Somos todos devedores.

Em segundo lugar, ***nós temos uma dívida impagável*** (18.24,25). Jesus usou uma hipérbole ao falar sobre a dívida desse homem. Tasker diz que a quantia do primeiro débito é deliberadamente dada com exagero para tornar mais vívido o contraste com o segundo débito.[4] O servo devia 10 mil talentos. Era impossível que uma pessoa devesse naquela época uma soma tão astronômica. Um talento equivale a 35 quilos de ouro. Dez mil talentos equivalem a 350 mil quilos de ouro.

---

[3]Hendriksen, William. *Mateus*. Vol. 2, p. 246.
[4]Tasker, R. V. G. *Mateus: introdução e comentário*, p. 141,142.

Todos os impostos da Judeia, Pereia, Samaria e Galileia durante um ano somavam 800 talentos. Dez mil talentos representavam todos os impostos da nação por 13 anos. O que Jesus queria enfatizar é que aquele homem possuía uma dívida impagável. Ganhando um denário por dia, ele precisaria trabalhar 150 mil anos para pagar a sua dívida. A promessa do devedor de quitar a dívida era absolutamente impossível de ser cumprida. Isso significa que nenhum ser humano pode saldar a sua dívida com Deus. Nenhum ser humano pode satisfazer as demandas da justiça de Deus. Nenhum homem pode cumprir a lei de Deus. A lei é santa, mas nós somos pecadores. A lei é espiritual, mas nós somos carnais. A lei é perfeita, mas nós somos cheios de ambiguidades e contradições. Assim, todos nós carecemos da misericórdia de Deus para sermos perdoados. O perdão não é algo que meremos, mas a dádiva de Deus da qual precisamos.

Em terceiro lugar, *o perdão de Deus é imerecido* (18.26,27). O perdão não é merecimento; é graça. O servo devedor não exige nada; apenas suplica misericórdia. Não reivindica seus direitos; roga seu favor. Mesmo tendo uma dívida impagável, foi perdoado pelo rei. De igual modo, Deus nos perdoa não por quem nós somos, mas por quem Ele é. A base do perdão não é o mérito humano, mas a graça divina. O servo disse: *Sê paciente comigo, e tudo te pagarei* (18.26). Esta é uma promessa impossível de cumprir. Nós jamais pagaremos a nossa dívida com Deus. Ela é impagável. Assim como o etíope não pode mudar a cor da sua pele nem o leopardo pode remover as suas manchas, também não podemos apagar os nossos próprios pecados. Consequentemente, o perdão de Deus é fruto da sua graça. Nós não merecemos o perdão de Deus. Ele nos amou quando éramos pecadores. Ele nos escolheu quando éramos um tição tirado do fogo. Ele nos atraiu para si quando éramos inimigos e nos deu vida quando estávamos mortos. Jesus perdoou os algozes que o pregaram na cruz. O Filho de Deus foi zombado, escarnecido, cuspido, açoitado e fustigado. Ele carregou a cruz publicamente sob os apupos de uma multidão tresloucada e sanguissedenta. Foi cravado na cruz como um criminoso. Seus inimigos o insultavam mesmo depois de suspendê-Lo no leito vertical da morte. Apesar da crueldade inumana, Jesus não apenas pediu que o Pai perdoasse os Seus malfeitores, mas também lhes atenuou a culpa, dizendo que eles não sabiam o que faziam. O perdão de Deus é imerecido. Ele perdoou um mentiroso como Abraão, um adúltero como Davi, um feiticeiro assassino como Manassés, um covarde como Pedro, uma prostituta como Maria Madalena. Ele perdoa pecadores miseráveis como você e eu.

Em quarto lugar, *o perdão de Deus é completo* (18.27). O homem que devia dez mil talentos foi completamente perdoado. Ele recebeu o perdão de uma dívida imensa, impagável. A dívida foi quitada completamente. Assim também é o perdão de Deus. É completo. É total. É cabal. Nada mais resta para ser pago. Assim como o oriente se afasta do ocidente, da mesma forma Deus afasta de nós as nossas transgressões. Deus desfaz os nossos pecados como a névoa, lança-os para trás de Suas costas e deles não mais Se lembra. Ele lança os nossos pecados nas profundezas do mar e nos proíbe de dragar essas profundezas. Dívida perdoada é dívida cancelada. Deus nunca mais lança no nosso rosto os pecados dos quais Ele nos perdoa. Ele não cobra mais uma dívida que Ele já perdoou. Seu perdão é completo.

Em quinto lugar, *o perdão de Deus é baseado em sua compaixão* (18.27). O perdão de Deus é pura graça. Ele nos perdoa por causa da Sua infinita compaixão. Um professor de Escola Dominical ministrava todos os domingos para um grupo de crianças carentes de uma favela. As crianças viviam expostas à miséria extrema. Eram desprovidas das coisas mais elementares. Certo dia, aquele professor, condoído da situação de um aluno, resolveu comprar algumas roupas e calçados e levar à sua casa. Quando o professor estava se aproximando, o menino que ainda guardava os resquícios de sua vida rebelde jogou uma pedra no homem que trazia os pacotes de presentes. A pedra alvejou o professor, que ficou ferido. Após ser tratado no hospital, o professor voltou com os mesmos presentes à casa do menino. O pai, com receio, o recebeu. O professor, então, disse: "Eu vim trazer esses presentes para o seu filho." No mesmo dia, aquele pai envergonhado levou o filho pelo braço até a casa do professor e lhe disse: "Eu vim devolver os presentes que o senhor deu ao meu filho. Foi meu filho quem atirou a pedra no senhor. Meu filho não merece esses presentes." O professor, porém, de pronto respondeu: "O seu filho não merece, mas ele precisa." Assim também é o perdão que Deus nos dá. Nós não o merecemos, mas precisamos desesperadamente dele.

O **perdão** que devemos **dar** (18.21,22,28-35)

Pedro está interessado em saber até onde vai o perdão? Qual é o limite? Quando estamos autorizados a não perdoar mais? Por isso sua pergunta: *Senhor, até quantas vezes meu irmão pecará contra mim, que eu lhe perdoe? Até sete vezes?* (18.21). Já existe em sua pergunta uma disposição robusta de compaixão. Perdoar sete vezes a mesma pessoa não é natural. A resposta de Jesus, porém, é desconcertante. Extrapola todos os limites da razoabilidade. Vai além de qualquer capacidade humana. Jesus responde: *Não te digo que até sete vezes, mas até setenta vezes sete* (18.22). Como já afirmamos, essa cifra estonteante não é um cálculo matemático, mas um emblema do perdão ilimitado. Esse é o perdão que recebemos de Deus e é o perdão que devemos oferecer ao nosso irmão. Somos perdoados para perdoarmos. Os perdoados devem perdoar. Os que receberam graça devem ser canais da misericórdia. Os que receberam perdão não podem sonegar perdão. Nunca teremos justificavas para não perdoar, pois devemos perdoar assim como Deus em Cristo nos perdoou (Cl 3.13). Spurgeon está correto quando escreve: "Não devemos nos ocupar em contabilizar as ofensas ou em conferir quantas vezes nós as perdoamos".[5]

Já consideramos o perdão que recebemos de Deus (18.23-27). Agora, vamos considerar o perdão que devemos dar aos nossos irmãos (18.28-35). Destacamos a seguir alguns pontos importantes.

Em primeiro lugar, *a falta de perdão é uma evidência de dureza de coração* (18.28-30). O mesmo homem que fora perdoado de uma dívida impagável de 10 mil talentos, agora encontra um conservo que lhe devia 100 denários. Este suplica sua misericórdia, mas o homem perdoado não age com compaixão e joga o devedor na prisão. Tasker diz que esse miserável cruel se aquecia ainda ao calor do sol da misericórdia real quando tratou de seu conservo com tanta falta

---

[5]SPURGEON, Charles H. *O Evangelho segundo Mateus*, p. 382.

de misericórdia.⁶ A. T. Robertson explica que um talento era o valor equivalente a 6 mil denários, o que equivalia a 6 mil dias úteis de trabalho ou 30 anos de trabalho. Um único talento era quase a renda de uma vida inteira. Os impostos imperiais da Judeia, Idumeia e Samaria elevavam-se a somente 6 talentos, enquanto a Galileia e Pereia pagavam 200 talentos.⁷ Dez mil talentos representavam 150 mil anos de trabalho a um denário por dia. Cem denários representavam apenas 3 meses de trabalho. A desproporção das duas dívidas era imensa. Dez mil talentos são 600 mil vezes maior do que 100 denários. Aquele que fora perdoado de uma soma colossal não consegue perdoar um valor irrisório. Aquele que fora alvo de imensa compaixão não consegue ser compassivo com o seu conservo. A lição que Jesus nos ensina nesta parábola é que recebemos de Deus um perdão infinitamente maior do que aquele que devemos conceder a quem nos deve. Também Jesus deixa claro que um coração que não perdoa não pode ser perdoado. À luz do texto, a falta de perdão traz sérias consequências.

Em segundo lugar, *a falta de perdão é sinal de ingratidão a Deus* (18.32). Jamais conseguiremos entender o perdão a menos que tenhamos consciência do perdão que recebemos de Deus. Cem denários é 600 mil vezes menor do que 10 mil talentos. O credor incompassivo não perdoou seu conservo, porque não compreendeu a grandeza do perdão que havia recebido. Assim somos nós. Não conseguiremos ministrar perdão às pessoas que nos devem e nos ofendem, se não atentarmos para a grandeza imensa do perdão que recebemos de Deus. Quando sonegamos perdão às pessoas que nos ofendem, estamos sendo ingratos a Deus. Quando nos recusamos a perdoar alguém, estamos fazendo pouco caso do imenso perdão que recebemos de Deus.

Em terceiro lugar, *a falta de perdão desperta a ira de Deus* (18.34). Quando recusamos perdoar alguém, ofendemos a Deus e provocamos a Sua ira, pois Ele nos perdoou sem nenhum merecimento nosso. Seu perdão foi um ato de compaixão e graça. O perdão não é uma questão de justiça, nem o pagamento de uma dívida, mas o seu cancelamento.

---

⁶TASKER, R. V. G. *Mateus: introdução e comentário*, p. 142.
⁷ROBERTSON, A. T. *Comentário de Mateus*, p. 209.

Sempre que fechamos o nosso coração para sonegar perdão, provocamos a ira de Deus. Uma pessoa que não perdoa é imperdoável e está debaixo da ira de Deus. Uma pessoa que não perdoa está excluída da bem-aventurança eterna. O céu é o lugar dos perdoados, e quem não perdoa não pode entrar no céu.

Em quarto lugar, *a falta de perdão gera profunda tristeza às pessoas* (18.31). Onde o coração se fecha para o perdão, não floresce a alegria da comunhão. Onde prevalece a mágoa, morre o amor. A falta de perdão destrói relacionamentos, intoxica o ambiente, abre feridas no coração das pessoas que vivem à nossa volta e gera grande tristeza. Uma pessoa entupida de mágoa contamina o ambiente em que vive. A Bíblia diz que a raiz de amargura perturba e contamina. Uma pessoa empapuçada de mágoa é alguém que não tem paz. Uma pessoa que não perdoa vive perturbada pelos seus próprios sentimentos. Mas, também, uma pessoa que não perdoa contamina os outros à sua volta. A mágoa é um gás venenoso que vaza e destrói as pessoas ao redor; a falta de perdão gera tristeza e sofrimento não apenas para a pessoa que a agasalha, mas também para aqueles que convivem com ela. O ódio é como um vulcão em erupção cujas lavas se espalham como ácido destruidor.

Em quinto lugar, *a falta de perdão aprisiona tanto o ofensor quanto o ofendido* (18.30,34). Quem não perdoa adoece física, emocional e espiritualmente. O servo perdoado que não perdoou foi entregue aos flageladores. Reter perdão é viver numa masmorra. É ser atormentado pelo azorrague da culpa. É alimentar-se de absinto. É envenenar o coração. Quem não perdoa não tem paz. Quem não perdoa não pode orar nem ofertar. Quem não perdoa não pode ser perdoado. Quando nutrimos mágoa no coração, tornamo-nos prisioneiros dos nossos próprios sentimentos. A falta de perdão é uma masmorra, uma prisão e um calabouço da nossa própria alma. Quando deixamos de perdoar, nós aprisionamos as pessoas e ficamos também cativos. Tornamo-nos escravos da pessoa a quem odiamos. Não nos libertamos da pessoa por quem sentimos mágoa. Uma pessoa magoada vive acorrentada pelos sentimentos de desafeto. Sua mente não sossega, seu coração não descansa, sua alma não tem paz. Uma pessoa que não perdoa vive no cabresto de suas paixões. Vive acorrentada e dominada pela própria pessoa a quem quer descartar. Quando nos fechamos para o perdão, somos lançados numa terrível prisão emocional, numa escura e infecta cadeia espiritual. A falta de perdão nos faz ferver por dentro. A falta de perdão é como uma tempestade na alma. Essa atitude desestabiliza a vida, adoece os relacionamentos, fere o coração, enfraquece o corpo, abala as emoções e destrói o relacionamento com Deus.

Em sexto lugar, *a falta de perdão produz flagelo* (18.34). O credor incompassivo foi entregue aos verdugos até saldar sua dívida. Como sua dívida era impagável, ele foi flagelado durante toda a sua vida. Quem são os verdugos? Os verdugos são os flageladores da consciência. Quem não perdoa não tem paz. Quem não perdoa vive atormentado pela culpa, pelo ódio, pela mágoa. Quem não perdoa não é livre. Quem não perdoa vive debaixo do chicote do tormento emocional. A falta de perdão traz desespero e flagelo para a alma. Torna a vida azeda e insuportável. Quem não perdoa não é feliz. Quem se alimenta de ódio morre asfixiado pelo seu próprio veneno. Os verdugos podem ser também os demônios. O ódio congelado no coração é uma porta aberta para o inimigo. O diabo e seus demônios são carrascos que flagelam e torturam os seus súditos. Existem muitas pessoas que vivem no cabresto do diabo, sendo flagelados pelos demônios, porque carregam no peito um coração cheio de mágoa e vazio de perdão. A falta de perdão pavimenta a vitória do diabo na vida da pessoa (2Co 2.10,11). Concordo com Warren Wiersbe quando ele escreve: "A pior prisão do mundo é a prisão de um coração rancoroso e amargurado".[8]

Em sétimo lugar, *a falta de perdão fecha a porta da misericórdia de Deus* (18.35). Sonegar perdão ao irmão é privar-se do próprio perdão de Deus. O servo que se recusou a ter compaixão de seu conservo, como ele próprio fora alvo da misericórdia, provocou não apenas a ira de seu senhor, mas também atraiu tormentos para sua própria vida. Quem entrega o servo sem compaixão aos verdugos é o próprio rei. Até quando esse servo impenitente será atormentado? Esse flagelo não tem fim, pois o texto diz: ... *até que lhe pagasse toda a dívida* (18.34).

---

[8] WIERSBE, Warren W. *Comentário bíblico expositivo*, p. 87.

Quem não perdoa aos seus devedores não recebe o perdão de Deus (6.14,15). Deus nos trata como tratamos aos nossos devedores. Se fecharmos o nosso coração para o próximo, sonegando-lhe o nosso amor e retendo-lhe o perdão, fechamos as comportas da misericórdia de Deus sobre a nossa própria vida. Quem não perdoa não pode adorar a Deus (5.23-26). Não podemos amar a Deus e odiar o nosso irmão. Não podemos ter comunhão com Deus e viver brigados com o nosso irmão. Não podemos ter o caminho aberto da intimidade com Deus se construímos barricadas no relacionamento com o nosso próximo. Antes de Deus aceitar o nosso culto, ele precisa aceitar a nossa vida. Deus rejeitou Caim e a sua oferta. Antes de olhar para a oferta de Caim, Deus viu o seu coração cheio de inveja, mágoa e ódio por seu irmão Abel. Deus rejeitou o culto de Caim porque primeiro rejeitou a sua própria vida. Quem não perdoa não consegue orar com eficácia (Mc 11.25). A falta de perdão destrói a nossa relação com Deus e consequentemente impede que as nossas orações sejam ouvidas. Um coração cheio de ódio está completamente vazio do espírito de súplica. Um coração azedo e magoado não consegue orar com eficácia. Ainda que ore, suas orações serão interrompidas. Quem não perdoa não tem saúde (Tg 5.16). O ódio recalcado eleva a pressão arterial, perturba o trabalho digestivo, ulcera o estômago, conduz a um esgotamento nervoso, tira o apetite, rouba o sono, provoca infarto. Quem vive fervendo por dentro morre aos poucos. Quem não espreme o pus infeccioso da mágoa adoece emocional, espiritual e fisicamente.

Jesus conclui a parábola com uma advertência severa: o Pai celeste tratará de forma semelhante a qualquer um que de coração não perdoar a seu companheiro e irmão na fé em Cristo. O ensino amplia o tema central de Mateus 6.15: os que não perdoam não serão perdoados.[9] Sem o exercício do perdão, não existe o recebimento de perdão. Quem nega perdão ao irmão não recebe perdão do Pai. O perdão não pode ser apenas um discurso de palavras vazias, mas uma expressão sincera que emana do íntimo. Só entram no céu os perdoados; só têm comunhão com Deus e com os irmãos os perdoadores.

---

[9] MOUNCE, Robert H. *Mateus*, p. 188.

Fica claro, à luz desta parábola, que somos devedores a Deus (18.23); nenhum de nós pode pagar sua própria dívida (18.25); nossa dívida foi paga (18.27); só podemos ter convicção do perdão que recebemos pelo sensor do perdão que damos (18.35); a pessoa não perdoada está destinada ao castigo eterno (18.34,35). Ficam, então, o alerta e a lição central da parábola: motivado pela gratidão, o pecador perdoado deve sempre perdoar aos seus devedores.[10]

---

[10]HENDRIKSEN, William. *Mateus*. Vol. 2, p. 252.

54

Casamento
e divórcio

Mateus 19.1-12

DEPOIS QUE JESUS CONCLUIU SUAS PALAVRAS SOBRE O PERDÃO, deixou a Galileia e foi para a Judeia, a leste do Jordão. Multidões o seguiram e ali, além do Jordão, ele curou seus enfermos (19.1,2). É nessa geografia que Jesus é abordado pelos fariseus sobre a questão do divórcio. Mais uma vez, os fariseus se esforçam para encontrar meios de desacreditar Jesus e seu ensino.[1]

Os **fundamentos** do **casamento** (19.1-12)

Os fariseus estavam constantemente testando a Jesus ou mesmo se opondo a Ele (12.2,14; 15.1; 16.1). Eles já tinham tentado pegar Jesus em contradição a respeito do sábado e dos sinais, mas haviam fracassado. Agora, eles tentam Jesus novamente acerca de um dos mais controversos assuntos, o divórcio.[2]

Os fariseus buscaram arrastar Jesus para o debate de Deuteronômio 24.1, com o objetivo de colocá-Lo contra Moisés[3] e, consequentemente,

---

[1] TASKER, R. V. G. *Mateus: introdução e comentário*, p. 142.
[2] WIERSBE, Warren W. *The Bible Exposition Commentary*. Vol. 1. Colorado Springs, CO: Chariot Victor Publishing, 1989, p. 68.
[3] WESLEY, John. *Matthew*, p. 911-949.

contra Deus (19.3,7). Pelo fato de Jesus ter entrado no domínio de Herodes, a região da Pereia (19.1; 14.1), os fariseus esperavam que Sua resposta tivesse a mesma linha da pregação de João Batista sobre o divórcio (14.4), provocando a fúria de Herodes e, assim, colocando Jesus sob o risco de um perigoso inimigo.[4] Os fariseus esperavam que Jesus dissesse alguma coisa que O envolvesse no caso do adultério entre Herodes e Herodias, de tal forma que Ele tivesse o mesmo destino de João Batista, decapitado por ter acusado Herodes de unir-se ilicitamente a Herodias.[5]

Na verdade, os fariseus não estavam sendo sinceros quando perguntaram para Jesus: ... *é lícito ao marido repudiar a sua mulher por qualquer motivo?* (19.3). O propósito deles era colocar Jesus em uma situação embaraçosa: contra Moisés ou contra Herodes, que tinha casado com a mulher de seu irmão. Se Cristo tivesse respondido à pergunta negativamente, eles poderiam afirmar que Jesus estaria impropriamente abolindo a lei de Moisés; e, se Sua resposta fosse afirmativa, eles poderiam dizer que Ele não era profeta de Deus, mas um promotor da lascívia humana.[6] A perversa intenção dos fariseus, contudo, não confundiu Jesus; ao contrário, Ele usou a oportunidade para ensinar sobre o casamento e o divórcio, interpretando corretamente os princípios da criação sobre o casamento e a lei de Moisés sobre o divórcio.[7]

A resposta de Jesus aos fariseus revela que, antes de tratar do divórcio, devemos entender o que as Escrituras ensinam sobre o casamento:

> *Então, respondeu Ele: Não tendes lido que o Criador, desde o princípio, os fez homem e mulher e que disse: Por esta causa deixará o homem pai e mãe e se unirá a sua mulher, tornando-se os dois uma só carne? De modo que já não são mais dois, porém uma só carne. Portanto, o que Deus ajuntou não o separe o homem* (Mt 19.4-6).

---

[4]Knox, Chamblin J. *Matthew*. In: *Baker Commentary on the Bible*, ed. By Walter A. Elwell. Grand Rapids, MI: Baker Book House, 1989, p. 719-760.
[5]Carson, D. A. *Matthew*, p. 87.
[6]Carson, D. A. *Matthew*, p. 87.
[7]Carson, D. A. *Matthew*, p. 87.

O casamento é a mais básica e influente unidade social no mundo. Precisamos entender o que significa casamento antes de começarmos a discutir sobre divórcio. Muitos divórcios acontecem porque os casais não entendem ou não creem no que Deus ensina sobre o casamento. Jay Adams diz que o estudo sobre o casamento é a estrada que abre os horizontes para o estudo sobre o divórcio.[8]

Quando Jesus foi questionado sobre a questão do divórcio, em vez de iniciar com Deuteronômio, ele voltou ao livro de Gênesis. O que Deus fez quando realizou o primeiro casamento nos ensina positivamente o que Ele tem em mente para o homem e a mulher acerca do casamento. Richard France comenta:

> Em vez de entrar no debate proposto pelos fariseus, Jesus novamente (como em Mt 5.32) declarou que divórcio por qualquer razão é incompatível com o propósito de Deus para o casamento. Assim sendo, Jesus estabeleceu a intenção original do Criador, expressa em Gênesis 1.27 e 2.24 acima da provisão de Deuteronômio 24.1-4, que foi dada somente por causa da dureza dos corações. A regulamentação do divórcio foi uma concessão para lidar com o resultado do pecado, e não uma expressão do propósito de Deus para a humanidade. O divórcio pode ser necessário, mas nunca é uma coisa boa em si mesma. O princípio divino de que os dois se tornam uma só carne somente pode ser cumprido por um casamento indissolúvel.[9]

Qual é o ponto central do ensino de Jesus sobre o casamento? Qual é a sua interpretação? Em Mateus 19.4, Jesus diz que Deus criou o homem e a mulher. Gênesis 1.27 registra que Deus os criou à Sua própria imagem e semelhança. Homem e mulher, portanto, têm a capacidade de conhecer a Deus e amá-lo. Eles também têm a capacidade de conhecer e amar um ao outro. O ser humano é um ser moral e espiritual. Mas Jesus disse, também, que Deus criou o casamento. Jay Adams afirma que, contrariamente

---

[8] ADAMS, Jay. *Marriage, divorce and remarriage.* Grand Rapids, MI: Zondervan Publishing House, 1980, p. 3.
[9] FRANCE, Richard. *Matthew.* In: *New Bible Commentary,* ed. By G. J. WENHAM et. al. Downers Grove, IL: Intervarsity Press, 1994, p. 904-945.

a muitos pensamentos e ensinos contemporâneos, o casamento não é um expediente humano. Deus diz que Ele mesmo estabeleceu, instituiu e ordenou o casamento desde o início da história humana.[10]

O texto de Gênesis 2.18-24 revela que o casamento nasceu no coração de Deus quando não havia ainda legisladores, leis, Estado nem igreja. Walter Kaiser Jr. afirma que o casamento é um dom de Deus aos homens e às mulheres.[11] Deus não somente criou o casamento, mas também o abençoou (Gn 1.28). O casamento, portanto, nasceu no céu, e não na terra; nasceu no coração de Deus, e não no coração do homem. É expressão do amor de Deus, e não fruto da lucubração humana. O casamento é a pedra fundamental da sociedade humana. É a célula-mãe da sociedade. Dele dependem todas as outras instituições. Até mesmo a igreja está estribada no casamento. A igreja é aquilo que são as famílias que a compõem.

O casamento é um relacionamento profundo que demanda o abandono de outros relacionamentos. É uma separação, antes de ser uma união. O casamento exige abnegação e devoção. O casamento precisa de constante renúncia e contínuo investimento. O casamento só pode dar certo para pessoas altruístas, que oferecem mais do que cobram, que fazem mais depósitos do que retiradas. O segredo de um casamento feliz não é apenas encontrar a pessoa certa, mas ser a pessoa certa. O casamento pode ser a antessala do céu ou o porão do inferno, um largo horizonte de liberdade ou uma sufocante prisão, um abrigo seguro ou uma arena de brigas, contendas e intérminas discussões.

É da mais alta importância entender a natureza do casamento no plano de Deus, conforme registrado no livro de Gênesis. Quando questionado sobre divórcio e casamento, Jesus retornou ao livro de Gênesis, e nós devemos fazer o mesmo. De acordo com a interpretação de Jesus, a natureza do casamento deve ser considerada como segue.

Em primeiro lugar, *o casamento é heterossexual* (19.5). Deus criou o homem e a mulher, macho e fêmea (Gn 1.27); assim, o relacionamento

---

[10]ADAMS, Jay. *Marriage, divorce and remarriage*. p. 3,4.
[11]KAISER JR., Walter. *Toward Old Testament Ethics*. Grand Rapids, MI: Zondervan Publishing House, 1983, p. 181.

conjugal só é possível entre um homem e uma mulher, entre um macho e uma fêmea biológicos. Consequentemente, o chamado casamento homossexual não é casamento à luz da Palavra de Deus nem à luz das ciências biológicas. Pelo contrário, segundo Norman Geisler, essa união é uma relação sexual ilícita.[12] A união homossexual é uma abominação para Deus (Rm 1.24-28).

O homossexualismo é claramente condenado nas Escrituras. Deus criou o homem e a mulher e instituiu o casamento heterossexual (Gn 1.27; 2.24). Os cananitas foram eliminados da terra pela prática da homossexualidade (Lv 18.22-29). De igual forma, a cidade de Sodoma foi destruída por Deus pela prática vil da homossexualidade (Gn 29.5; Jd 7). O ensino bíblico é claro: *Com homem não te deitarás, como se fosse mulher; é abominação* (Lv 18.22). Deus demonstrou o seu repúdio aos adúlteros e homossexuais que levavam as ofertas do seu pecado para oferecer ao Senhor (Dt 23.17,18). O homossexualismo é visto nas Escrituras como um mal (Jz 19.22,23). O apóstolo Paulo afirma que o homossexualismo é uma imundícia e uma desonra (Rm 1.24), é uma paixão infame e uma relação contrária à natureza (Rm 1.26), é uma torpeza e um erro (Rm 1.27). Paulo ainda afirma que o homossexualismo é uma disposição mental reprovável e uma coisa inconveniente (Rm 1.28). O homossexualismo traz consequências graves no tempo e na eternidade. Quem o pratica receberá em si mesmo a merecida punição do seu erro (Rm 1.27) e jamais poderá entrar no Reino de Deus, exceto quando houver conversão e abandono da prática do pecado (1Co 6.9,10). O apóstolo Paulo define a sodomia ou a homossexualidade como uma transgressão da lei de Deus (1Tm 1.9,10).

O homossexualismo traz corrupção de valores e o juízo de Deus. Onde o homossexualismo grassou, os povos se corromperam, a família se desintegrou e o juízo de Deus foi derramado. Os cananitas foram eliminados da terra por causa do juízo de Deus. Sodoma e Gomorra foram consumidas pelo fogo do céu por causa de suas perversidades morais. O Império Romano caiu nas mãos dos bárbaros porque já

---

[12]GEISLER, Norman L. *Christian Ethics: Options and Issues*. Grand Rapids, MI: Baker Book House, 2000, p. 278.

estava podre por dentro. A homossexualidade era uma prática degradante que corroeu o império desde os imperadores até os escravos. Hoje, faz-se apologia desse pecado. Os homens perderam o temor de Deus e se insurgiram contra a Sua Palavra. Por mais popular que essa prática reprovável possa ser, ela sempre será vista como coisa abominável aos olhos de Deus. O homem muda, mas Deus não muda. Os homens podem sancionar a prática homoafetiva e até mesmo validar pelas leis a união homossexual, mas a eterna Palavra de Deus sempre condenará essa prática como um dos terríveis males que provoca a santa ira de Deus.

É preciso ficar claro, entretanto, que o homossexualismo é um pecado que tem perdão. Uma pessoa não nasce homossexual nem precisa viver como tal. Há esperança para aqueles que estão presos pelos laços desse vício degradante. Assim como o adultério é uma prática aprendida, assim também é o homossexualismo. Paulo diz que alguns crentes da igreja de Corinto eram homossexuais, mas, uma vez convertidos a Jesus Cristo, foram lavados, justificados e libertos daquela prática abominável (1Co 6.9,10). Aqueles que vivem com esse conflito não devem cauterizar a consciência, justificando sua prática, mas devem se arrepender e voltar para o Senhor, o único que pode libertar e salvar.

Em segundo lugar, *o casamento é monogâmico* (19.5). A monogamia é o padrão de Deus para o casamento. Deus não criou duas mulheres para um homem nem dois homens para uma mulher (Gn 2.24). Tanto a poligenia (um homem com várias mulheres), quanto a poliandria (uma mulher com vários homens) estão fora do padrão de Deus. Warren Wiersbe diz que casamentos homossexuais ou outras variantes são frontalmente contrários à vontade de Deus, não importa quanto os psicólogos, ativistas sociais ou juristas e legisladores digam o contrário.[13] O absoluto propósito de Deus para a raça humana em relação ao casamento sempre foi e há de ser a monogamia.

A monogamia é o padrão de Deus para a humanidade em todas as gerações. O apóstolo Paulo diz: *cada um* (singular) *tenha a sua própria esposa, e cada uma* (singular), *o seu próprio marido* (1Co 7.2). Falando

---

[13] WIERSBE, Warren W. *The Bible Exposition Commentary*, p. 69.

sobre a qualificação do presbítero, Paulo adverte: *É necessário, portanto, que o bispo seja... esposo de uma só mulher...* (1Tm 3.2). Todos os textos do Novo Testamento que tratam da família construíram sua base sobre o decreto original da monogamia estabelecida no Antigo Testamento (5.31,32; 19.3-9; Mc 10.2-12; Lc 16.18).

Norman Geisler diz que há muitos argumentos contra a poligamia no Antigo Testamento. Elencamos alguns deles a seguir. Primeiro, *a monogamia foi ensinada por precedência*. Deus deu a Adão apenas uma mulher e a Eva apenas um homem. Esse princípio deve reger toda a humanidade em todos os tempos. Segundo, *a monogamia foi ensinada por preceito*. Deus falou a Moisés: *Tampouco para si multiplicará mulheres...* (Dt 17.17). Terceiro, *a monogamia foi ensinada como um preceito moral contra o adultério*. Assim diz a lei de Deus: *Não cobiçarás... a mulher do teu próximo* (singular) (Êx 20.17). Isso implica que havia somente uma esposa legítima que o próximo podia ter. Quarto, *a monogamia foi ensinada pela proporção populacional*. Grosso modo, o nascimento de homens e mulheres é semelhante. Se Deus tivesse designado a poligamia, deveria existir um número muito maior de mulheres do que de homens. Finalmente, *a monogamia é ensinada através das severas consequências decorrentes da poligamia*. Todas as pessoas que praticaram a poligamia no Antigo Testamento sofreram amargamente por isso. Salomão é um exemplo clássico (1Rs 11.4).[14]

Em terceiro lugar, *o casamento é monossomático* (19.5). A Bíblia diz: *Por isso, deixa o homem pai e mãe e se une à sua mulher, tornando-se os dois uma só carne* (Gn 2.24). Marido e mulher eram dois antes do casamento, mas, agora, são um. Não obstante continuem sendo duas pessoas distintas, são entretanto, uma só carne. Por isso, a esposa deve ser amada pelo marido como ele ama o seu próprio corpo. O marido deve amar a esposa como ama a si mesmo, ou seja, como ama a sua própria carne. A união conjugal é a mais próxima e íntima relação de todo o relacionamento humano. A união entre marido e mulher é mais estreita do que a relação entre pais e filhos. Os filhos de um homem são partes de si mesmo, mas sua esposa é ele mesmo (Ef 5.28,29).

---

[14]GEISLER, Norman. *Christian Ethics: Options and Issues*, p. 281.

João Calvino diz que o vínculo do casamento é mais sagrado do que o vínculo que prende os filhos aos seus pais. A esposa é mais preferida do que o pai e a mãe. O marido deve ser mais intimamente unido à esposa do que aos seus próprios pais. Nada, a não ser a morte, deve separá-los.[15] A expressão "uma só carne" condena a poligamia, o divórcio, bem como a devassidão. Se a mútua união de duas pessoas é consagrada por Deus, a infidelidade conjugal está abertamente desautorizada.

Em quarto lugar, *o casamento é indissolúvel* (19.6). O casamento deve ser para toda a vida. É uma união permanente. No projeto de Deus, o casamento é indissolúvel. Ninguém tem autoridade para separar o que Deus uniu. Marido e mulher devem estar juntos na alegria e na tristeza, na saúde e na doença, na prosperidade e na adversidade. Só a morte pode separá-los (Rm 7.2; 1Co 7.39).

O divórcio é uma coisa horrenda aos olhos de Deus. Não há divórcio sem dor, sem trauma, sem feridas, sem vítimas. É impossível rasgar o que marido e mulher se tornaram (uma só carne), sem muito sofrimento. Embora a sociedade pós-moderna esteja fazendo apologia do divórcio, os princípios de Deus não mudaram, não mudam e jamais mudarão. Somente a morte (1Co 7.2), a infidelidade conjugal (19.9) e o completo abandono (1Co 7.15) podem legitimar o divórcio e cancelar o pacto conjugal. O divórcio, portanto, não é apenas antinatural, mas, também, uma rebelião contra Deus e uma conspiração contra a sua lei.

Em quinto lugar, *o casamento não é compulsório* (19.10-12). O casamento foi criado por Deus para resolver o problema da solidão do homem. Mas Deus chamou algumas pessoas para serem uma exceção à sua própria regra (Gn 2.18,24), providenciando as condições necessárias para viverem uma vida como solteiros (19.10-12; 1Co 7.7).

A resposta dos discípulos ao ensino de Cristo mostrou que eles discordaram do Mestre. Jesus, entretanto, deixou claro que cada homem e mulher deve considerar a vontade de Deus a respeito do casamento.

---

[15]CALVIN, John. *Harmony of Matthew, Mark, and Luke – Calvin's Commentaries.* Vol. XVI, p. 379.

Concordo com A. T. Roberson quando ele escreve: "A doutrina de Cristo sobre o casamento não só o separava diametralmente das opiniões farisaicas de todas as nuanças de significado, mas era demasiadamente elevada até para os doze".[16]

Alguns abdicam do casamento por causa de problemas físicos ou emocionais desde o nascimento. Outros não se casam por causa de suas responsabilidades na sociedade, ou seja, são feitos eunucos pelo homem. Alguns, como o apóstolo Paulo, permanecem solteiros para que possam servir melhor ao Senhor. Outros ainda se fizeram eunucos, como Orígenes, um dos pensadores mais influentes da igreja primitiva, que se castrou, vindo mais tarde a entender seu erro.[17]

O Senhor Jesus explicou que há três tipos de eunucos: alguns homens são eunucos porque nasceram sem a capacidade de relacionamento sexual e reprodução. Outros são eunucos porque foram castrados pelos homens. Os reis orientais sujeitavam os atendentes de seus haréns a uma cirurgia para fazê-los eunucos.[18] Mas Jesus tinha em mente aqueles que haviam feito a si mesmos eunucos por amor ao Reino de Deus. Esses homens poderiam se casar, visto que não possuíam nenhum impedimento físico. Contudo, por dedicação a Jesus e ao seu reino, eles abdicaram do casamento para se consagrarem integralmente à causa de Cristo. O apóstolo Paulo refere-se a esse tipo de compromisso: ... *aquele que não é casado cuida das coisas do Senhor, de como agradar ao Senhor* (1Co 7.32). O celibato não é imposto, mas uma abstinência voluntária. Jesus disse que nem todos os homens são aptos para esse mister. Somente aqueles que são capacitados por Deus podem tomar esse caminho. Assim diz o apóstolo Paulo: *Quero que todos os homens sejam tais quais como também eu sou; no entanto, cada um tem de Deus o seu próprio dom; um, na verdade, de um modo; outro, de outro* (1Co 7.7). É importante ressaltar que Jesus nem os apóstolos veem o celibato como um estado intrinsicamente mais santo que o casamento (1Tm 4.1-3; Hb 13.4).

---

[16]ROBERTSON, A. T. *Comentário de Mateus*, p. 218.
[17]MOUNCE, Robert H. *Mateus*, p. 193.
[18]MOUNCE, Robert H. *Mateus*, p. 193.

Divórcio, a dissolução do casamento (19.3-9)

Os fariseus formularam a pergunta sobre divórcio para Jesus para experimentá-Lo (19.3). Talvez esperassem que ele falasse sobre o divórcio de um modo ofensivo a Herodes e a Herodias (14.3). O lugar não era distante de Maquerós, onde João Batista fora preso e decapitado por denunciar o casamento ilícito do rei Herodes com Herodias. A oposição dos fariseus a Jesus era intermitente.[19] Os fariseus desejavam enredar Jesus no surrado debate Shammai-Hillel. A. T. Robertson diz que a escola de Shammai assumia o ponto de vista rígido e não popular do divórcio só por falta de castidade, ao passo que a escola de Hillel defendia a visão liberal e popular do divórcio fácil por qualquer capricho momentâneo. O marido poderia se divorciar caso visse uma mulher mais bonita ou se a esposa deixasse queimar o almoço.[20]

Jesus, obviamente, dissociou-se da frouxidão do rabi Hillel. No entanto, Ele não entrou no jogo estéril de uma discussão inútil. Aproveitou o momento para reafirmar verdades fundamentais sobre o casamento. Primeiro, Jesus endossou a estabilidade do casamento. Os laços matrimoniais são mais do que um contrato humano: são um jugo divino. Segundo, Jesus declarou que a provisão mosaica do divórcio era uma concessão temporária ao pecado humano. O que os fariseus denominavam "mandamento" Jesus chamava de "permissão" e permissão relutante, devido à obstinação humana, antes que devido à intenção divina. O erro dos fariseus estava em ignorar a diferença entre a vontade absoluta de Deus (o casamento) e a provisão legal à pecaminosidade humana (o divórcio). Terceiro, Jesus chamou de adultério o segundo casamento depois do divórcio, caso este não tivesse base sancionada por Deus. Se acontecem um divórcio e um segundo casamento sem a sanção de Deus, então qualquer outra união que se segue, sendo ilegal, é adúltera. Quarto, Jesus permitiu o divórcio e o segundo casamento sobre a base única da imoralidade. A imoralidade é a única cláusula de exceção estabelecida por Jesus.[21]

---

[19] Veja Mateus 12.2,14,24,38; 15.1; 16.1; 22.17,35.
[20] ROBERTSON, A. T. *Comentário de Mateus*, p. 216.
[21] STOTT, John. *Grandes questões sobre sexo*. Niterói, RJ: Vinde Comunicações, 1993, p. 77-81.

O ensino de Jesus sobre este magno assunto é absolutamente claro e necessário para nortear a nossa geração. Quando a artimanha dos fariseus, revelada por uma pergunta capciosa sobre o divórcio, foi desmantelada pela resposta de Jesus, elucidando que o casamento fora criado por Deus, mas o divórcio pela dureza do coração humano, eles contra-atacaram com outra pergunta sutil: *Replicaram-lhe: Por que mandou, então, Moisés dar carta de divórcio e repudiar?* (19.7). Longe de embaraçar Jesus, esta segunda pergunta dos fariseus deu a Ele a oportunidade de explicar sobre o divórcio. Respondeu-lhes Jesus: *Por causa da dureza do vosso coração é que Moisés vos permitiu repudiar vossa mulher; entretanto, não foi assim desde o princípio. Eu, porém, vos digo: quem repudiar sua mulher, não sendo por causa de relações sexuais ilícitas, e casar com outra comete adultério* [e o que casar com a repudiada comete adultério] (19.8,9). A. T. Robertson tem razão ao dizer que a ordenança original nunca foi ab-rogada nem substituída, mas continua em vigor.[22]

A partir deste texto, é possível tirar algumas conclusões sobre o ensino de Jesus sobre o divórcio.

Em primeiro lugar, **o divórcio não é compulsório** (19.7,8). O casamento foi instituído por Deus, o divórcio não. O casamento é ordenado por Deus, o divórcio não. O casamento agrada a Deus, o divórcio não. Ao contrário, Deus odeia o divórcio (Ml 2.16). Deus permite o divórcio, mas jamais o ordena. O divórcio jamais foi o ideal de Deus para a família.

A pergunta dos fariseus: ... *por que mandou, então, Moisés dar carta de divórcio e repudiar?* (19.7), revela o uso equivocado que os judeus faziam de Deuteronômio 24 nos dias de Jesus. William Hendriksen destaca que os fariseus estão muito mais interessados na *concessão* de Deuteronômio 24 do que na *instituição* de Gênesis 1.27 e 2.24.[23]

O que Moisés disse sobre o divórcio?

> *Se um homem tomar uma mulher e se casar com ela, e se ela não for agradável aos seus olhos, por ter ele achado cousa indecente nela, e se ele lhe*

[22]ROBERTSON, A. T. *Comentário de Mateus*, p. 217.
[23]HENDRIKSEN, William. *Mateus*. Vol. 2, p. 260.

lavrar um termo de divórcio, e lho der na mão, e a despedir de casa; e se ela, saindo de sua casa, for e se casar com outro homem; e se este a aborrecer, e lhe lavrar termo de divórcio, e lho der na mão, e a despedir da sua casa ou se este último homem, que a tomou para si por mulher, vier a morrer, então, seu primeiro marido, que a despediu, não poderá tornar a desposá-la para que seja sua mulher, depois que foi contaminada, pois é abominação perante o Senhor; assim, não farás pecar a terra que o Senhor, teu Deus, te dá por herança (Dt 24.1-4).

É importante dizer que não foi Moisés quem instituiu o divórcio. Esse instituto já existia antes de Moisés. Os códigos mais antigos da humanidade já configuravam o divórcio como uma instituição social inquestionável. O código de Hamurabi (1792-1750 a.C.) legislou claramente sobre o divórcio: a) Artigo 128 – O casamento, sem contrato escrito, é nulo de pleno direito; b) Artigo 134 – Admite o divórcio para a mulher de um prisioneiro que não lhe tenha deixado o suficiente para sobreviver; c) Artigo 136 – Admite o divórcio para a mulher de um foragido; d) Artigos 137 e 140 – Admitem o divórcio por qualquer motivo, desde que sejam respeitados os direitos de dote e herança; e) Artigo 141 – Dá ao marido o direito de divorciar de uma mulher de má índole e casar com outra; f) Artigo 142 – Dá à mulher o direito de divorciar de um marido relaxado, impotente, irresponsável ou desonesto; g) Artigos 144 e 147 – Tratam do concubinato; h) Artigo 148 – Diz que o marido pode casar-se com outra mulher se a primeira for acometida de doença incurável, mas deverá cuidar dela.

Abraão foi herdeiro da cultura semítica. Essa cultura influenciou Abraão, seus filhos e alcançou os hebreus que foram para o Egito, chegando até Moisés. Ele, que fora educado em toda a sabedoria do Egito (At 7.22), tinha clara noção da cultura assiro-babilônica. Então, Moisés não foi o primeiro legislador a tratar do divórcio. Moisés não ordenou o divórcio; ele apenas o permitiu, mas não por qualquer motivo.

O ensino de Moisés sobre Divórcio em Deuteronômio 24.1-4 revela três pontos básicos. Primeiro, o divórcio foi permitido com o objetivo de proibir o homem de tornar a casar-se com a primeira esposa, caso tivesse se divorciado dela. O propósito da lei era proteger a mulher do primeiro esposo imprevisível e talvez cruel. Desta forma, a lei não foi estabelecida para estimular o divórcio. Warren Wiersbe diz que Moisés deu apenas um mandamento: a esposa divorciada não poderia voltar para o primeiro marido, caso fosse rejeitada pelo segundo marido.[24] Segundo, a permissão do divórcio era apenas no caso de o marido encontrar na esposa alguma coisa indecente. Finalmente, se o divórcio era permitido, também o era o segundo casamento. Todas as culturas do mundo antigo entendiam que o divórcio trazia consigo a permissão de um novo casamento.[25]

Os fariseus interpretaram equivocadamente a lei de Moisés sobre o divórcio; eles a entenderam como um mandamento; Cristo a chamou de uma permissão, uma tolerância. Moisés não ordenou o divórcio; ele o permitiu. É de suma importância entender pelo menos três ensinos fundamentais de Jesus sobre esse magno assunto, em sua resposta aos fariseus.

O primeiro ensino é que há uma absoluta diferença entre ordenança (*eneteilato*) e permissão (*epetrepsen*). John Murray, em seu precioso livro *Divorce*, é enfático em reafirmar essa incontroversa interpretação de Jesus: divórcio não é uma ordenança, mas, sim, uma permissão.[26] Jesus, como supremo e infalível intérprete das Escrituras, deu o verdadeiro significado de Deuteronômio 24.1-4. Deus instituiu o casamento, e não o divórcio. Deus não é o autor do divórcio; o homem é o seu originador. Walter Kaiser diz que, diferentemente do casamento, o divórcio é uma instituição humana. Não obstante o divórcio ser reconhecido, permitido e regulamentado na Bíblia,[27] ele não foi instituído por Deus.[28] Jay Adams salienta que o divórcio é uma inovação humana.[29]

Edward Dobson explica que a provisão mosaica sobre o divórcio visava a proteção da esposa de um marido mau, e não representava uma

---

[24]WIERSBE, Warren W. *Comentário bíblico expositivo*, p. 90,91.
[25]STOTT, John. *Grandes questões sobre sexo*, p. 73-75.
[26]MURRAY, John. *Divorce*. Phillipsburg, NJ: Presbyterian and Reformed Publishing Company, 1961, p. 32.
[27]Levítico 21.7,14; 22.13; Números 30.9; Deuteronômio 22.19,29; 24.1-4; Isaías 50.1; Jeremias 3.1; Ezequiel 44.22.
[28]KAISER JR, Walter. *Toward Old Testament Ethics*, p. 200,201.
[29]ADAMS, Jay. *Marriage, divorce and remarriage*. p. 27.

autorização para ele se divorciar dela ao seu bel-prazer.[30] De acordo com Adam Clarke, conceituado intérprete das Escrituras, Moisés percebeu que, se o divórcio não fosse permitido, em muitos casos, as mulheres poderiam ser expostas a grandes dificuldades e sofrimentos pela crueldade de seus maridos.[31]

O divórcio jamais deve ser encarado como sendo ordenado por Deus, ou como uma opção moralmente neutra. Ele é uma evidência clara de pecado, o pecado da dureza de coração. Portanto, Jesus desarmou a falsidade dos fariseus, revelando que Moisés permitiu o divórcio em razão da obstinação do coração humano, e não em virtude de sua aprovação como algo bom e recomendável pela lei.

O segundo ensino de Jesus é sobre relações sexuais ilícitas (19.9). É importante observar que a lei de Moisés prescrevia a penalidade de morte para todos aqueles que cometiam adultério.[32] Os próprios inimigos de Cristo, os escribas e fariseus, apelaram para essa lei quando tentaram Jesus, jogando aos seus pés uma mulher apanhada em flagrante adultério e exigindo dEle uma posição (Jo 8.1-11). A experiência de José, desposado com Maria (1.18-25), indica que os judeus usaram o divórcio em vez do apedrejamento para lidar com uma esposa adúltera. Quando José descobriu que Maria, sua mulher ainda não desposada, estava grávida, mas não sabendo ele ainda que ela estava grávida por obra do Espírito Santo, resolveu deixá-la secretamente. Sua deserção era o mesmo que se divorciar dela. Em vez de exigir o apedrejamento de Maria, José usou o expediente do divórcio. A penalidade de morte estabelecida no Antigo Testamento foi substituída pelo divórcio no Novo Testamento. Isso é o que ensina Jesus: *Também foi dito: Aquele que repudiar sua mulher, dê-lhe carta de divórcio. Eu, porém, vos digo: qualquer que repudiar sua mulher, exceto em caso de relações sexuais ilícitas, a expõe a tornar-se adúltera; e aquele que casar*

---

[30]DOBSON, Edward G. *The Complete Bible Commentary*. Nashville, TN: Thomas Nelson Publishers, 1999, p. 1212.
[31]CLARKE, Adam. *Clarke's Commentary – Matthew-Revelation*. Vol. V. Nashville, TN: Abingdon, n. d., p. 190.
[32]Levítico 20.10; Deuteronômio 22.22.

com a repudiada comete adultério (5.31,32). Por implicação, diz John Murray, Jesus revogou a penalidade de morte para o adultério e legitimou o divórcio nesse caso.[33]

O terceiro ensino de Jesus sobre o divórcio é sobre a dureza dos corações (19.8). O divórcio acontece porque os corações não são sensíveis. O divórcio é um produto de corações duros. O divórcio só floresce no deserto árido da insensibilidade e da falta de perdão. O divórcio representa a desobediência aos imutáveis princípios de Deus. É uma conspiração contra a lei de Deus. O divórcio é uma consequência do pecado, e não uma expressão da vontade de Deus. Deus odeia o divórcio, diz o profeta Malaquias: *Porque o Senhor, Deus de Israel, diz que odeia o repúdio...* (Ml 2.16). Ele é uma profanação da aliança feita entre o homem e a mulher da sua mocidade, uma deslealdade, uma falta de bom senso, um ato de infidelidde (Ml 2.10-16). O divórcio é a negação dos votos de amor, compromisso e fidelidade. É a apostasia do amor.

A dureza de coração é a indisposição de obedecer a Deus e perdoar um ao outro. Onde não há perdão, não há casamento. Onde a porta se fecha para o perdão, abre-se uma avenida para a amargura, e o destino final dessa viagem é o divórcio. O divórcio acontece não por determinação divina, mas porque os corações são duros. O divórcio não é uma ordenança divina. Não é compulsório nem mesmo em caso de adultério. O perdão e a restauração são melhores do que o divórcio.

Em segundo lugar, **o divórcio é permitido** (19.9). O divórcio não é o ideal de Deus para o homem e a mulher. Deus não o instituiu. Na verdade, Ele odeia o divórcio, diz o profeta Malaquias (Ml 2.16). Jesus disse que Deus permitiu o divórcio, mas nunca o estabeleceu como fruto da sua vontade: *Respondeu-lhes Jesus: Por causa da dureza do vosso coração é que Moisés permitiu repudiar vossa mulher; entretanto, não foi assim desde o princípio* (19.8). Deus criou o homem e a mulher, instituiu o casamento, abençoou-o e estabeleceu o propósito de que ambos guardem seus votos de fidelidade até que a morte os separem. Jesus é enfático: *... Portanto, o que Deus ajuntou não o sapare o homem* (19.6).

---
[33] MURRAY, John. *Divorce*, p. 119.

Matthew Henry, ilustre intérprete das Escrituras, diz que homem nenhum recebeu a autoridade de separar o que Deus uniu: nem o marido, nem a esposa, nem o magistrado civil, nem o sacerdote religioso.[34] Portanto, onde quer que o divórcio aconteça, ele não é o perfeito propósito de Deus para o casamento. Jamais representa uma norma ou um padrão de Deus para o homem. Por causa da dureza de coração, Jesus permitiu o divórcio em caso de adultério, mas não o permitiu em outros casos (19.9).

O divórcio só é permitido quando o cônjuge infiel se torna obstinado em sua recusa de interromper a prática da infidelidade conjugal. A consequência desse ensino é que o cônjuge traído pode, legitimamente, divorciar-se do cônjuge infiel, sem estar, por isso, sob o juízo de Deus. A infidelidade marital é um ataque à própria essência do vínculo matrimonial. Neste caso, o cônjude que trai está "separando" o que Deus uniu. Obviamente, o perdão deve ser oferecido antes desse passo final. Contudo, o perdão implica o arrependimento da pessoa faltosa. Um cônjuge não arrependido de sua infidelidade e contumaz no seu pecado pode ser deixado através do divórcio, embora essa decisão não seja compulsória.

Jesus expressamente declarou: ... *por causa da dureza do vosso coração é que Moisés vos permitiu repudiar vossa mulher; entretanto, não foi assim desde o princípio*.[35] Com isso, Jesus está dizendo que o cônjuge traído não precisa se divorciar compulsoriamente por causa da infidelidade de seu consorte. Existe outro caminho que pode e deve ser percorrido: o caminho do perdão, da cura paciente e da restauração do relacionamento quebrado. Essa deve ser a abordagem cristã para esse problema. Mas, infelizmente, por causa da dureza dos corações, é impossível, algumas vezes, curar as feridas e salvar o casamento. O divórcio é a opção final, e não a primeira opção.

Em terceiro lugar, **o divórcio por qualquer motivo não é válido** (19.9). Jesus deu a cláusula exceptiva para o divórcio: *Eu, porém, vos digo: quem*

---

[34]HENRY, Matthew. *Matthew to John*. Vol. V. New York, NY: Fleming H. Revell Company, n. d., p. 269.
[35]Mateus 19.8.

repudiar sua mulher, não sendo por causa de relações sexuais ilícitas, e casar com outra comete adultério [e o que casar com a repudiada comete adultério] (19.9). Jesus declara que o casamento é uma união física permanente que só pode ser quebrada por uma causa física: a morte ou a infidelidade sexual. John A. Broadus observa que Jesus foi enfático em afirmar que o divórcio não só não era permitido "por qualquer motivo" (19.3), mas não era permtido por motivo algum, exceto por "relações sexuais ilícitas" (19.9).[36] A única exceção e a única razão legal para pôr fim a um casamento é *porneia*, o termo grego que abrange adultério, homossexualismo e bestialidade. Tasker corrobora essa ideia quando diz que a palavra grega *porneia* é abrangente, incluindo adultério, fornicação e perversão sexual.[37] O julgamento de Jesus sobre a questão do adultério é mais leve que a lei judaica. A lei judaica sentenciava com pena de morte os adúlteros. Mas o julgamento de Jesus sobre o divórcio é mais pesado do que a lei judaica. Para Jesus, só havia uma cláusula exceptiva para o divórcio, e não várias, e esta eram as relações sexuais ilícitas. O que, portanto, Jesus quis dizer com "quem repudiar sua mulher, não sendo por causa de relações sexuais ilícitas e casar com outra comete adultério [e o que casar com a repudiada comete adultério]"? Sproul responde: "Jesus estava dizendo que, se um casal se divorcia em oposição à lei divina, os cônjuges permanecem casados aos olhos de Deus mesmo se o Estado tiver dissolvido o casamento. Logo, alguém que se divorcia de forma não bíblica e se casa novamente entra em um relacionamento adúltero".[38]

---

[36]BROADUS, John A. *Comentário de Mateus*. Vol. II. Rio de Janeiro, RJ: Casa Batista de Publicações, 1967, p. 134.
[37]TASKER, R. V. G. *Mateus: introdução e comentário*, p. 146.
[38]SPROUL, R. C. *Mateus*, p. 501.

55

Jesus e as crianças

Mateus 19.13-15

JESUS ESTAVA A CAMINHO DA JUDEIA (19.1). Ele marchava para a cruz. Foi nessa caminhada dramática, dolorosa, que Ele encontrou tempo em Sua agenda e espaço em Seu coração para acolher as crianças, orar por elas e abençoá-las.

Mateus 19.3-30 apresenta uma sequência lógica: casamento (19.3-12), crianças (19.13-15) e propriedades (19.16-30). Tasker é oportuno quando diz que pode ou não ser significativo que, em Mateus e em Marcos, embora não em Lucas, esta bela história seja colocada imediatamente após a passagem sobre o divórcio. De qualquer forma, o bem-estar das crianças sempre deve ser preocupação primacial dos cristãos nas decisões que venham a tomar sobre o divórcio.[1]

Jesus, apesar de caluniado e perseguido pelos escribas e fariseus, era considerado pelo povo como profeta (Lc 24.19). Daí a confiança do povo em levar a Ele suas crianças para que por elas orasse e impusesse as mãos.

Há três grupos que merecem destaque aqui, como vemos a seguir.

Em primeiro lugar, *os que levam as crianças a Jesus* (19.13). As crianças não foram; elas foram levadas. Algumas delas eram crianças de colo,

---
[1]Tasker, R. V. G. *Mateus: introdução e comentário*, p. 147.

outras foram andando, mas todas foram levadas. Devemos ser facilitadores, e não obstáculo para as crianças se aproximarem de Cristo.

Os pais ou mesmo parentes reconheceram a necessidade de levar as crianças a Cristo. Eles não as consideraram insignificantes nem acharam que elas pudessem ficar longe de Cristo. Aqueles que levam as crianças a Cristo reconhecem que elas precisam dEle. Era costume naquela época os pais levarem seus filhos aos rabinos para que eles orassem por eles. As crianças podem e devem ser levadas a Cristo. Na cultura grega e judaica, as crianças não recebiam o valor devido, mas no Reino de Deus elas não apenas são acolhidas, mas também são tratadas como modelo para os demais.

Adolf Pohl, comentando o texto paralelo de Marcos, interpreta corretamente o ensino de Jesus, quando afirma:

> Não deixe as crianças esperar; não hesite em trazê-las para as mãos de Jesus; não conte com "mais tarde": mais tarde, quando você for maior, quando entender mais a Bíblia, quando for batizado etc. As crianças podem ser trazidas com muita confiança no poder salvador de Jesus. O reinado de Deus rompe a barreira da idade assim como a barreira sexual (o evangelho para mulheres), da profissão (para cobradores de impostos), do corpo (para doentes), da vontade pessoal (para endemoninhados) e da nacionalidade (para gentios). Portanto, também as crianças podem ser trazidas dos seus cantos para que Jesus as abençoe.[2]

Em segundo lugar, *os que impedem as crianças de irem a Cristo* (19.13b). Os discípulos de Cristo mais uma vez demonstram dureza de coração e falta de visão. Em vez de serem facilitadores, tornaram-se obstáculos para as crianças irem a Cristo. Eles não achavam que as crianças fossem importantes, mesmo depois de Jesus ter ensinado claramente sobre isso (18.1-5). A. T. Robertson é enfático quando escreve: "É uma tragédia fazer as crianças sentirem que estão incomodando em casa e na igreja".[3]

Os discípulos repreendiam aqueles que levavam as crianças por acharem que Jesus não devia ser incomodado por questões irrelevantes.

---

[2] POHL, Adolf. *Evangelho de Marcos*. Curitiba, PR: Esperança, 1998, p. 297.
[3] ROBERTSON, A. T. *Comentário de Mateus*, p. 218.

O verbo grego usado pelos discípulos indica que eles continuaram repreendendo enquanto as pessoas levavam seus filhos. Eles agiam com preconceito. Podemos impedir as pessoas de levarem as crianças a Cristo por comodismo, por negligência ou por uma falsa compreensão espiritual.

Em terceiro lugar, *os que abençoam as crianças* (19.15). Jesus demonstra amor, cuidado e atenção especial com todos aqueles que eram marginalizados na sociedade. Ele dava valor aos leprosos, aos enfermos, aos publicanos, às prostitutas, aos gentios e, agora, às crianças. Jesus impõe as mãos sobre as crianças e ora por elas (19.13,15). Concordo com Tasker quando ele diz que é evidência da bondade essencial de Jesus que, numa época em que as crianças eram consideradas insignificantes e destituídas de importância, elas se sentissem irresistivelmente atraídas por Ele, quando estendeu os braços para acolhê-las com o Seu abraço.[4]

O texto em tela tem quatro grandes lições, como vemos a seguir.

Um **encorajamento** (19.14)

O encorajamento era para os pais das crianças e para as próprias crianças, embora a palavra tenha sido dirigida aos discípulos: *Deixai os pequeninos, não os embaraceis de vir a Mim, porque dos tais é o Reino de Deus* (19.14). Jesus manda abrir o caminho de acesso a Ele para que as crianças possam se aproximar. Algumas verdades são enfatizadas a seguir.

Em primeiro lugar, *a afeição de Jesus às crianças* (19.14). Não é a primeira vez que Jesus demonstra amor às crianças. Ele diz que quem recebe uma criança em seu nome é como se estivesse recebendo a Ele próprio (18.5). Jesus afirma, por outro lado, que fazer uma criança tropeçar é uma atitude gravíssima (18.6). Agora, Jesus acolhe as crianças, ora por elas e impõe as mãos sobre elas (19.14,15).

Em segundo lugar, *o convite de Jesus para os pais levarem os filhos* (19.13,14). Jesus encoraja os pais ou qualquer outra pessoa a levarem as crianças a Ele. As crianças podem crer em Cristo e são exemplo para aqueles que creem. Levar as crianças a Cristo é a coisa mais importante que podemos fazer por elas.

---

[4] TASKER, R. V. G. *Mateus: introdução e comentário*, p. 148.

Devemos aprender com esta passagem sobre a grande atenção que as crianças devem receber da igreja de Cristo. Nenhuma igreja pode ser considerada saudável se não acolher bem as crianças. Jesus, o Senhor da igreja, encontrou tempo para dedicar-se às crianças. Ele demonstrou que o cuidado com as crianças é um ministério de grande valor.

Em terceiro lugar, *o convite de Jesus para as crianças irem até Ele* (10.14). As crianças de colo precisam ser levadas a Cristo, mas outras podiam ir por si mesmas. Elas não deveriam ser vistas como impossibilitadas nem impedidas de irem a Cristo. Na religião judaica, somente depois dos 13 anos uma criança podia iniciar-se no estudo da lei. Mas Jesus revela que as crianças devem ir a Ele para receberem Seu amor e Sua graça.

Uma **reprovação** (19.13,14)

O evangelista Marcos é mais contundente do que Mateus e Lucas no registro desse episódio. Ele mostra como Jesus ficou indignado com Seus discípulos pelo fato de eles terem repreendido as pessoas que levavam as crianças para serem tocadas por Ele (Mc 10.13,14). Jesus se indignou quando viu que os discípulos afastaram as pessoas em vez de aproximá-las dEle. A palavra grega *aganakteo* sugere uma forte emoção. Este é o único lugar nos evangelhos em que Jesus dirige sua indignação aos discípulos, exatamente quando eles demonstram preconceito com as crianças. Jesus fica indignado quando a igreja fecha a porta em vez de abri-la. Jesus fica indignado quando identifica o pecado do preconceito na igreja.

Jesus já ficara indignado com Seus inimigos, mas agora fica indignado com os discípulos. É a única vez que o desgosto de Jesus se direcionou aos próprios discípulos, quando eles se tornaram estorvo em vez de bênção, quando eles levantaram muros em vez de construir pontes.

A indignação de Jesus aconteceu concomitantemente com o Seu amor. A razão pela qual Ele se indignou com os Seus discípulos foi o seu amor profundo e compassivo para com os pequeninos, e todos os que os levaram a Ele. Uma ordem dupla reverte as medidas deles: *Deixai vir a mim os pequeninos, não os embaraceis.*

Por que Jesus reprovou os discípulos?

Primeiro, porque a conduta deles foi errada com aqueles que levavam as crianças. Os pais daquelas crianças as levaram a Jesus porque criam que Ele era profeta, que Ele poderia orar por elas e abençoá-las. Elas estavam indo à pessoa certa com a motivação certa e mesmo assim foram barradas pelos discípulos.

Segundo, porque a conduta deles foi errada com as próprias crianças. Jesus já havia falado que as crianças tinham a capacidade de crer nEle e que é um grave pecado servir de tropeço às crianças (18.6). Os discípulos estavam imitando os fariseus que se colocavam no meio do caminho impedindo as pessoas de entrarem no reino.

Terceiro, porque a conduta deles foi errada com o próprio Jesus. A atitude deles fazia as pessoas concluírem que Jesus era uma pessoa preconceituosa e sofisticada como as autoridades religiosas de Israel. Jesus, entretanto, já havia dado fartas provas de sua compaixão com os necessitados e excluídos.

Quarto, porque a conduta deles foi contrária ao ensino de Cristo. O ensino de Jesus é claro: *Em verdade vos digo: Quem não receber o Reino de Deus como uma criança de maneira nenhuma entrará nele* (18.3). Jesus está demonstrando que não há nenhuma virtude em nós que nos recomende ao reino. Se quisermos entrar no reino, precisamos despojar-nos de toda pretensão como uma criança.

Quinto, porque a conduta deles foi contrária à prática de Cristo. Jesus nunca escorraçou as pessoas. Ele jamais mandou embora aqueles que o buscaram (Jo 6.37). Ele convida a todos (11.28). O evangelista Marcos diz que Jesus tomou as crianças em Seus braços, impôs sobre elas as mãos e as abençoou (Mc 10.16).

Os discípulos demonstraram zelo sem entendimento. Eles queriam blindar Jesus, protegendo-O de desgastes desnecessários, especialmente naquela hora de grande tensão, quando Jesus estava indo para Jerusalém para ser preso. Porém, Jesus revela Seu grande apreço às crianças e interrompe sua jornada para abençoar as crianças e repreender os discípulos.

Os discípulos demonstraram a dúvida deles acerca da capacidade das crianças de entenderem Jesus. Os discípulos devem ter julgado as crianças incapazes de discernir as coisas espirituais e assim procuraram mantê-las longe de Jesus. Nem os filósofos gregos nem os rabinos judaicos concediam grande importância às crianças. Na época de Jesus, dar atenção a uma criança era uma perniciosa perda de tempo, tal qual beber muito vinho ou associar-se com os ignorantes. Somente com 13 anos um menino podia tomar sobre si a responsabilidade de cumprir a lei. Falamos para as crianças se comportarem como os adultos, mas Jesus ensinou que os adultos devem imitar as crianças.

Os discípulos devem ter pensado que as crianças estavam aquém da possibilidade de serem salvas. Mas as crianças fazem parte da família de Deus. Elas estão incluídas no pacto que Deus fez conosco. Os nossos filhos são santos (1Co 7.14). Eles não devem ser impedidos de ir a Cristo. Receber uma criança em nome de Jesus é receber a Jesus. A criança não apenas deve ir a Cristo, mas se constitui em modelo para os que creem. Quando uma criança é salva, ela pode dedicar toda sua vida a Cristo.

Como uma criança pode ser impedida de ir a Jesus?

Primeiro, quando deixamos de ensiná-las a Palavra de Deus. Timóteo aprendeu as sagradas letras que o tornaram sábio para a salvação desde sua infância (2Tm 3.15). A Bíblia diz: *Ensina a criança no caminho em que deve andar, e, ainda quando for velho, não se desviará dele* (Pv 22.6). Os pais devem ensinar os filhos de forma dinâmica e variada (Dt 6.1-9).

Segundo, quando deixamos de dar exemplo a elas. Escandalizar uma criança e servir de tropeço para ela é um pecado de consequências graves (18.6). Ensinamos as crianças não só com palavras, mas, sobretudo, com exemplo. Influenciamos as crianças sempre, seja para o bem ou para o mal.

Terceiro, quando julgamos que as crianças não merecem a nossa maior atenção. Os discípulos julgaram que aquela não era uma causa tão importante a ponto de ocupar lugar na agenda de Jesus. Eles, na intenção de poupar Jesus e administrar sua agenda, revelaram seu preconceito para com as crianças e sua escala de valores desprovida de discernimento espiritual.

Uma **revelação** (19.14)

Jesus é enfático, quando afirma: ... *porque dos tais é o reino dos céus* (19.14). Isso tem a ver com a natureza do reino dos céus. O que Jesus *não* quis dizer com essa expressão? É óbvio que Ele não quis dizer que as crianças são criaturas inocentes. O pecado original atingiu toda a raça. Somos concebidos em pecado e nos desviamos desde a concepção. A inclinação do nosso coração é para o mal, e as crianças não são salvas por serem crianças inocentes. Elas também precisam nascer de novo e crer no Senhor Jesus. No Novo Testamento, as crianças não são anjinhos. Elas são briguentas (1Co 3.1-3), imaturas (1Co 3.11; Hb 5.13), fáceis de seduzir (6.4), imprudentes (1Co 14.20), volúveis (Ef 4.14) e dependentes (Gl 4.1,2).

O que Jesus quis dizer, quando disse que às crianças pertence o reino dos céus? É que as crianças vão a Cristo com total confiança. Elas creem e confiam. Elas se entregam e descansam. Devemos despojar-nos da nossa pretensa capacidade e sofisticação e retornar à simplicidade dos infantes, confiando em Jesus com uma fé simples e sincera. Jesus está dizendo que o Reino de Deus não pertence aos que dele se acham "dignos"; ao contrário, é um presente aos que são "tais" como crianças, isto é, insignificantes e dependentes. Os que reivindicam seus méritos não entrarão nele, pois Deus dá o Seu reino àqueles que dele nada podem reivindicar.

Uma **atitude** (19.15)

Jesus não apenas acolhe as crianças e repreende os discípulos, mas também ora por elas e impõe as mãos sobre elas. Os pais levaram as crianças para que Jesus as tocasse (Lc 18.15) e orasse por elas (19.13). Jesus, em vez de concordar com os discípulos, mandando-as embora, chamou-as para junto de Si (Lc 18.16) e impôs sobre elas as mãos (19.15).

56
Jesus e as riquezas
Mateus 19.16-30

DEPOIS DE FALAR SOBRE CASAMENTO E DIVÓRCIO e ainda depois de orar e impor as mãos sobre as crianças, Jesus passa a falar sobre o perigo das riquezas. Essa sequência tem muita lógica, diz William Hendriksen.[1] O dinheiro é o ídolo que tem o maior número de adoradores neste mundo. Pessoas casam, divorciam, matam e morrem pelo dinheiro. No Sermão do Monte, Jesus disse que não podemos servir a Deus e às riquezas ao mesmo tempo (6.24).

De todas as pessoas que buscaram a Cristo, este homem é o único que saiu pior do que chegou. Ele foi amado por Jesus (Mc 10.21), mas, mesmo assim, desperdiçou a maior oportunidade da sua vida. A despeito de ter procurado a pessoa certa, de ter abordado o tema certo, de ter recebido a resposta certa, ele tomou a decisão errada. Ele amou mais o dinheiro do que a Deus, mais a terra do que o céu, mais os prazeres transitórios desta vida do que a salvação da sua alma.

John MacArthur Jr. é oportuno quando diz que o evangelismo moderno está preocupado com decisões, estatísticas, "ir à frente", macetes, apresentações pré-fabricadas, "conversas de vendedor", manipulação

---
[1] ROBERTSON, A. T. *Comentário de Mateus*, p. 224.

emocional e até intimidação.² Jesus, porém, não tornou a mensagem mais palatável para fisgar esse jovem rico. Revelou a ele que a salvação é para aqueles que estão dispostos a abandonar tudo.

Este acontecimento é relatado nos três evangelhos sinóticos. Quando combinamos os fatos, vemos que esse homem era rico, jovem e ocupava posição de liderança; porém, nada disso preencheu o vazio do seu coração. Para uma melhor compreensão, vamos examinar também o registro de Marcos e Lucas.

As riquezas **não satisfazem** (19.16-22)

Destacamos vários predicados excelentes desse jovem: ele era rico, proeminente, ético, preocupado com seu coração e reverente. Entretanto, todos os atributos que listaremos a seguir não puderam preencher o vazio da sua alma.

Em primeiro lugar, *ele era jovem* (19.20). Esse jovem estava no alvorecer da vida. Tinha toda a sua vida pela frente e toda a oportunidade de investir o seu futuro no reino dos céus. Ele tinha saúde, vigor, força, sonhos.

Em segundo lugar, *ele era riquíssimo* (Lc 18.23). Esse jovem possuía tudo que este mundo podia oferecer: casa, bens, conforto, luxo, banquetes, festas, joias, propriedades, dinheiro. Ele era dono de muitas propriedades. Embora jovem, já era muito rico. Certamente ele era um jovem brilhante, inteligente e capaz.

Em terceiro lugar, *ele era proeminente* (Lc 18.18). Lucas diz que ele era um homem de posição. Ele possuía um elevado *status* na sociedade. Ele tinha fama e glória. Apesar de ser jovem, já era rico; apesar de ser rico, era também líder famoso e influente na sociedade. Talvez ele fosse um oficial na sinagoga. Tinha reputação e grande prestígio.

Em quarto lugar, *ele era virtuoso* (19.20). *Tudo isso tenho observado, que me falta ainda?*. Aquele jovem julgava ser portador de excelentes predicados morais. Ele se olhava no espelho da lei e dava nota máxima para si mesmo. Considerava-se um jovem íntegro. Não vivia em orgias

---

²ROBERTSON, A. T. *Comentário de Mateus*, p. 224.

nem saqueava os bens alheios. Vivia de forma honrada, dentro dos mais rígidos padrões morais. Possuía uma excelente conduta exterior. Era um modelo para o seu tempo. Um jovem que a maioria das mães gostaria de ter como genro. Era um jovem que emoldurava o sonho da maioria dos pais contemporâneos.

Em quinto lugar, *ele era insatisfeito com sua vida espiritual* (19.20). *Que me falta ainda?*. Ele tinha tudo para ser feliz, mas seu coração ainda estava vazio. Na verdade, Deus pôs a eternidade no coração do homem e nada deste mundo pode preencher esse vazio. Seu dinheiro, reputação e liderança não preencheram o vazio da sua alma. Ele estava cansado da vida que levava. Nada satisfazia seus anseios. Ser rico não basta; ser honesto não basta; ser religioso não basta. Nossa alma tem sede de Deus. A. T. Robertson diz que esse jovem sofria de um paradoxo psicológico. Ele não se achava em falta em relação ao cumprimento de todos esses mandamentos. Mesmo assim, sua consciência estava intranquila. Jesus citou o que ele não tinha. O jovem pensava na bondade em termos quantitativos (uma série de atos), e não em termos qualitativos (pertinente à natureza de Deus). A pergunta revelava convencimento orgulhoso ou desespero patético? Talvez houvesse um pouco de ambos.[3]

Em sexto lugar, *ele era uma pessoa sedenta de salvação* (19.16). Sua pergunta foi enfática: *Mestre, que farei eu de bom, para herdar a vida eterna?*. Ele estava ansioso por algo mais que não havia encontrado no dinheiro. Ele sabia que não possuía a vida eterna, a despeito de viver uma vida correta aos olhos dos homens. Ele não queria enganar a si mesmo. Ele queria ser salvo. Como diz Tasker, esse jovem tinha muita riqueza na casa, mas muita pobreza na alma.[4]

Em sétimo lugar, *ele foi a Jesus, a pessoa certa* (19.16; Mc 10.17). Ele foi a Jesus; buscou o único que pode salvar. Ele já tinha ouvido falar de Jesus. Sabia que Ele já salvara muitas pessoas. Sabia que Jesus era a solução para a sua vida, a resposta para o seu vazio. Ele não buscou atalhos, mas entrou pelo único que leva ao céu.

---

[3]ROBERTSON, A. T. *Comentário de Mateus*, p. 224.
[4]ROBERTSON, A. T. *Comentário de Mateus*, p. 224.

Em oitavo lugar, *ele foi a Jesus com pressa* (Mc 10.17). *E, pondo-se Jesus a caminho, correu um homem ao seu encontro*. Naquela época, pessoas tidas como importantes não corriam em lugares públicos, mas esse jovem correu. Ele tinha pressa. Esse jovem não podia mais esperar, não podia mais protelar sua decisão. Ele não se importava com a opinião das pessoas. Ele tinha urgência para salvar a sua alma.

Em nono lugar, *ele foi a Jesus de forma reverente* (Mc 10.17). *... e ajoelhando-se, perguntou-lhe: "Bom Mestre, que farei para herdar a vida eterna?* Esse jovem se humilhou, caindo de joelhos aos pés de Jesus. Ele demonstrou ter um coração quebrantado e uma alma sedenta. Não havia dureza de coração nem resistência. Ele se rendeu aos pés do Senhor.

Em décimo lugar, *ele foi amado por Jesus* (Mc 10.21). *E Jesus, fitando-o, o amou* (10.21). Jesus viu o seu conflito, o seu vazio, a sua necessidade; viu o seu desespero existencial e se importou com ele e o amou.

As riquezas **enganam** (19.16-22)

As virtudes do jovem rico eram apenas aparentes. Ele superestimava suas qualidades. Ele deu a si mesmo nota máxima, mas Jesus tirou sua máscara e revelou-lhe que a avaliação que fazia de si, da salvação, do pecado, da lei e do próprio Jesus eram muito superficiais.

Em primeiro lugar, *ele estava enganado a respeito da salvação* (19.16). Ele viu a salvação como uma questão de mérito, e não como um presente da graça de Deus. Ele perguntou: *... Mestre, que farei eu de bom, para herdar a vida eterna?*. Seu desejo de ter a vida eterna era sincero, mas estava enganado quanto à maneira de alcançá-la. Ele queria obter a salvação por obras e não pela graça. Ele acreditava na salvação pelas obras.[5]

Todas as religiões do mundo ensinam que o homem é salvo pelas suas obras. Na Índia, multidões que desejam a salvação deitam sobre camas de prego ao sol escaldante; balançam-se sobre um fogo baixo; sustentam uma mão erguida até se tornar imóvel; fazem longas

---

[5]ROBERTSON, A. T. *Comentário de Mateus*, p. 224.

caminhadas de joelhos. No Brasil, vemos as romarias, onde pessoas sobem conventos de joelhos e fazem penitência pensando alcançar com isso o favor de Deus.

Muitas pessoas pensam que no dia do juízo Deus vai colocar na balança as obras más e as boas obras, e a salvação será o resultado da prevalência das boas obras sobre as obras más. Mas a salvação não consiste naquilo que fazemos para Deus, mas no que Deus fez por nós em Cristo Jesus.

Em segundo lugar, *ele estava enganado a respeito de si mesmo* (10.17-20). O jovem rico não tinha consciência de quão pecador ele era. Ele pensou que suas virtudes externas podiam agradar a Deus. Porém, as Escrituras dizem que todos somos como o imundo, e todas as nossas justiças, como trapo da imundícia aos olhos do Deus santo (Is 64.6).

O jovem rico pensou que guardava a lei, mas havia quebrado os dois principais mandamentos da lei de Deus: amar a Deus e ao próximo. Ele era idólatra. Seu deus era o dinheiro. Seu dinheiro era apenas para o seu deleite. Sua teologia era baseada em não fazer coisas erradas, em vez de em fazer coisas certas. Jesus cita para esse jovem apenas os mandamentos da segunda tábua da lei e o fez para mostrar-lhe que aquele que não ama a seu irmão a quem vê não pode amar a Deus a quem não vê (1Jo 4.20).[6]

Jesus disse para o jovem rico: ... *só uma coisa te falta: Vai, vende tudo o que tens, dá-o aos pobres e terás um tesouro no céu; então, vem e segue-me* (Mc 10.21). O que faltava a ele? O novo nascimento, a conversão, o buscar a Deus em primeiro lugar. Ele queria a vida eterna, mas não renunciou aos seus ídolos. O jovem rico não foi chamado à pobreza como um fim, mas ao discipulado de Jesus. John MacArthur Jr. tem razão em dizer que não se pode ir a Jesus Cristo pedindo salvação tão somente com base em carências psicológicas, ansiedade, falta de paz, sensação de desespero, falta de alegria, ou desejo de ser feliz. A salvação é para aqueles que odeiam o seu pecado e desejam dar as costas às coisas desta vida. É para pessoas que compreendem que têm vivido em

---

[6]ROBERTSON, A. T. *Comentário de Mateus*, p. 224.

rebeldia contra o Deus santo. É para aqueles que querem dar meia-volta e viver para a glória de Deus.[7]

Em terceiro lugar, *ele estava enganado a respeito da lei de Deus* (19.18-20). Ele mediu sua obediência apenas por ações externas, e não por atitudes internas. Concordo com Warren Wiersbe quando ele diz que Jesus não introduziu o assunto da lei para mostrar ao jovem como ser salvo, mas para mostrar-lhe que precisava ser salvo.[8] Aos olhos de um observador desatento, ele passaria no teste, mas Jesus identificou a cobiça em seu coração. Este é o mandamento subjetivo da lei. Ele não pode ser apanhado por nenhum tribunal humano. Só Deus consegue diagnosticá-lo. Jesus viu no coração desse homem o amor ao dinheiro como a raiz de todos os seus males (1Tm 6.10). O dinheiro era o seu deus; ele confiava nele e o adorava. O jovem "tinha muitas propriedades". Ele as possuía; elas o possuíam, pois tinham se apoderado firmemente dele.[9]

Em quarto lugar, *ele estava enganado a respeito de Jesus* (19.16; Mc 10.17). Ele chama Jesus de Bom Mestre, mas não está pronto a Lhe obedecer. Ele pensa que Jesus é apenas um rabi, e não o Deus verdadeiro feito carne. Jesus queria que o jovem se visse a si mesmo como um pecador antes de ajoelhar-se diante do Deus santo. Não podemos ser salvos pela observância da lei, pois somos rendidos ao pecado. A lei é como um espelho: ela mostra a nossa sujeira, mas não remove as manchas. O propósito da lei é trazer o pecador a Cristo (Gl 3.24). A lei pode levar o pecador a Cristo, mas não pode tornar o pecador semelhante a Cristo. Somente a graça pode fazer isso.

Em quinto lugar, *ele estava enganado acerca da verdadeira riqueza* (19.21,22). Depois de perturbar a complacência do homem com a constatação de que uma coisa lhe faltava, Jesus o desafia com uma série de cinco imperativos: *Vai, vende* os teus bens, *dá-o* aos pobres e terás um tesouro no céu; depois, *vem,* e *segue-me* (19.21). Esses cinco imperativos são apenas uma ordem que exige uma só reação. Ele deve renunciar

---

[7]ROBERTSON, A. T. *Comentário de Mateus*, p. 224.
[8]ROBERTSON, A. T. *Comentário de Mateus*, p. 224.
[9]ROBERTSON, A. T. *Comentário de Mateus*, p. 224.

àquilo que se constitui no objeto de sua afeição antes de poder viver debaixo do senhorio de Deus. O jovem rico perdeu a riqueza eterna, por causa da riqueza temporal. Ele rejeitou a Cristo e a vida eterna. Agarrou-se ao seu dinheiro e com ele pereceu. Saiu triste e pior, por ter rejeitado a verdadeira riqueza, aquela que não perece. O homem rico se torna o mais pobre entre os pobres. Warren Wiersbe é oportuno quando diz que em parte alguma da Bíblia somos ensinados que um pecador é salvo ao vender seus bens e doá-los aos pobres. Jesus nunca disse para Nicodemos fazer isso, nem o ordenou a nenhum outro pecador cuja história se encontre registrada nos evangelhos. Jesus sabia que o rapaz era cobiçoso e amava as riquezas. Mesmo com todas as suas qualidades tão louváveis, o jovem continuava não amando a Deus de todo o coração. Os bens eram seu deus, e por isso, foi incapaz de obedecer à ordem: *Vai, vende* [...] *vem e segue-Me*.[10]

O amor às riquezas **leva à perdição** (19.22-26)

Concordo com Sproul quando ele diz que a Bíblia é desprovida de qualquer cosmovisão que exalte a virtude da pobreza ou despreze o vício das riquezas.[11] A pobreza não é virtude, nem a riqueza é pecado. O problema não é a riqueza, mas a autossuficiência. O problema não é ter dinheiro, mas o dinheiro nos ter. O problema não é a riqueza, mas a riqueza como um substituto de Deus.

Há duas verdades que enfatizamos a seguir.

Em primeiro lugar, *os que confiam na riqueza não podem confiar em Deus* (19.23-26). Como já temos afirmado, o dinheiro é mais do que uma moeda; é um deus. O dinheiro é o maior dono de escravos do mundo. Ele é um espírito; ele é Mamom. Ninguém pode servir a dois senhores ao mesmo tempo. Ninguém pode servir a Deus e às riquezas. A confiança em Deus implica o abandono de todos os ídolos. Quem põe a confiança no dinheiro, não pode confiar em Deus para a sua própria salvação. Nosso coração somente tem espaço para uma

---

[10]ROBERTSON, A. T. *Comentário de Mateus*, p. 224.
[11]ROBERTSON, A. T. *Comentário de Mateus*, p. 224.

única devoção, e nós só podemos nos entregar para o único Senhor. John Charles Ryle é enfático ao escrever: "Um ídolo afagado no coração pode arruinar uma alma para sempre".[12]

Jesus não está condenando a riqueza, mas a confiança nela. A raiz de todos os males não é o dinheiro, mas o amor a ele (1Tm 6.10). Há pessoas ricas e piedosas. O dinheiro é um bom servo, mas um péssimo patrão. A questão não é possuir dinheiro, mas ser possuído por ele.

Jesus ilustrou a impossibilidade da salvação daquele que confia no dinheiro: *É mais fácil passar um camelo pelo fundo de uma agulha do que entrar um rico no Reino de Deus* (19.24). O camelo era o maior animal da Palestina, e o fundo de uma agulha o menor orifício conhecido na época. Alguns intérpretes tentam explicar que esse fundo da agulha era uma porta da muralha de Jerusalém pela qual um camelo só podia passar ajoelhado e sem carga. Mas isso altera o centro do ensino de Jesus: a impossibilidade definitiva de salvação para aquele que confia no dinheiro. Outros pensam que essa figura se refere à amarra de um navio ou a um desfiladeiro estreito. Concordo, entretanto, com A. T. Robertson, quando ele diz que, por meio dessa comparação, quer seja ela um provérbio oriental quer não, Jesus deseja expressar o impossível. Os esforços para explicá-lo como algo possível estão fadados ao erro, quer se refira à amarra de um navio ou a um desfiladeiro estreito, quer a uma porta de entrada pela qual os camelos têm de ajoelhar-se para passar. Jesus diz incisivamente que se tratava de algo impossível (19.26).[13]

Em segundo lugar, ***a salvação é uma obra milagrosa de Deus*** (19.25,26). Os discípulos ficaram aturdidos com a posição radical de Jesus e perguntaram: *Sendo assim, quem pode ser salvo?* (19.25). Jesus, porém, fitando neles o olhar, disse: *Isso é impossível aos homens, mas para Deus tudo é possível* (19.26). A conversão de um pecador é uma obra sobrenatural do Espírito Santo. Ninguém pode salvar a si mesmo. Ninguém pode regenerar a si mesmo. Somente Deus pode fazer de um amante do dinheiro um adorador do Deus vivo.

---

[12]ROBERTSON, A. T. *Comentário de Mateus*, p. 224.
[13]ROBERTSON, A. T. *Comentário de Mateus*, p. 224.

A **pobreza rica** (19.27-30)

Três fatos nos chamam a atenção acerca dos discípulos, como comentamos a seguir.

Em primeiro lugar, *a abnegação* (19.27,29). *Então, lhe falou Pedro: Eis que nós tudo deixamos e Te seguimos; que será, pois, de nós?*. Seguir a Cristo é o maior projeto da vida. Vale a pena abrir mão de tudo para ganhar a Cristo. Ele é a pérola de grande valor. Alguns intérpretes acusam Pedro de demonstrar aqui um espírito mercantilista (19.27). A afirmação de Pedro revela uma visão comercial da vida cristã. A teologia da prosperidade está ensinando que ser cristão é uma fonte de lucro.

Em segundo lugar, *a motivação* (19.29). Não basta deixar tudo por amor a Cristo; é preciso fazê-lo pela motivação certa. Jesus é claro em sua exigência: ... *por causa do meu nome...* (19.29). Precisamos fazer a coisa certa com a motivação certa. O objetivo da abnegação não é receber recompensa. Não servimos a Deus por aquilo que Ele dá, mas por quem Ele é (Dn 3.16-18). Mas Jesus diz que precisamos deixar casas, irmãos, irmãs, pai, mãe, mulher, filhos, campos, por causa do seu nome (19.29).

Em terceiro lugar, *a recompensa* (10.29b,30). Jesus garante aos seus discípulos que todo aquele que O segue não perderá o que realmente é importante, quer nesta vida quer na vida por vir. Jesus menciona duas recompensas e duas realidades.

Primeiro, há uma recompensa imediata. Seguir a Cristo é um caminho venturoso. Deus não tira, Ele dá. Ele dá generosamente. Quem abre mão de alguma coisa ou de alguém por amor de Cristo e pelo evangelho, recebe muitas vezes mais (19.29).

Segundo, há uma recompensa futura (19.29). No mundo por vir, receberemos a vida eterna. Esta vida é superlativa, gloriosa e feliz. Então, receberemos um novo corpo, semelhante ao corpo da glória de Cristo. Reinaremos com Ele para sempre.

Em quarto lugar, *a surpreendente realidade* (19.30). Jesus foi categórico: *Porém muitos primeiros serão últimos; e os últimos, primeiros* (19.30). Para o público em geral, o rico ocupa um lugar de proeminência, e os pobres discípulos, o último lugar. Mas Deus vê as coisas na perspectiva da eternidade – e o primeiro se torna o último, enquanto o último se torna o primeiro. Tasker diz que este versículo final da seção indica que os que chegarem por último no Reino de Deus serão tratados em igualdade de condições com os que chegaram primeiro, verdade que Jesus passa a ilustrar na parábola que se segue.[14]

---

[14] ROBERTSON, A. T. *Comentário de Mateus*, p. 224.

57

Os trabalhadores na vinha

Mateus 20.1-16

ESTA PARÁBOLA É UMA SEQUÊNCIA LÓGICA do ensinamento de Jesus no texto anterior. É uma ilustração do que Jesus acabara de ensinar (19.30). No reino dos céus, aqueles que deixam tudo para seguir a Cristo ganham nesta vida e na vida vindoura. Porém, muitos primeiros serão últimos, e os últimos, primeiros.

Esta é essencialmente uma parábola acerca do reino dos céus, onde a graça de Deus é o fator predominante e onde são totalmente irrelevantes as concepções comerciais da moralidade. Jesus não está aqui lançando luz sobre a questão de como os trabalhadores devem ser pagos, ou sobre os outros problemas econômicos com os quais o homem moderno se preocupa tanto. Qualquer tentativa de interpretar a parábola segundo essas linhas está condenada ao fracasso.[1] Spurgeon corrobora essa ideia: "O chamado para o trabalho, a capacidade e a recompensa são todos a partir de um princípio de graça, e não de mérito".[2]

Fica claro, portanto, que esta parábola não tem a ver com leis trabalhistas. Nem mesmo trata de direitos humanos. Não é uma retribuição das obras. O ensino básico é que Deus nos convoca para fazermos parte

---

[1] ROBERTSON, A. T. *Comentário de Mateus*, p. 224.
[2] ROBERTSON, A. T. *Comentário de Mateus*, p. 224.

de seu reino em tempos diferentes, e a todos aqueles a quem Ele chama, Ele oferece a mesma coisa. Isso é graça. Concordo com Tasker quando ele diz que os benefícios do reino dos céus são os mesmos para todos quantos se sujeitarem ao governo do seu Rei, sempre que se coloquem sob o Seu domínio. Nesta questão, os judeus não têm precedência sobre os gentios; e o homem que é convertido cedo em sua vida não está por isso credenciado a obter de Deus melhor tratamento do que o homem que é muito mais velho quando passa pela experiência do novo nascimento, pois todos recebem igualmente o melhor tratamento.[3]

O eixo central da parábola está no versículo 15: *Porventura, não me é lícito fazer o que quero do que é meu? Ou são maus os teus olhos porque eu sou bom?* Lawrence Richards diz que Deus se relaciona com os seres humanos com base na sua generosidade, não com base no que um homem ou uma mulher merece.[4]

Destacamos a seguir algumas lições da parábola.

O chamado de Deus (20.1-7)

A praça era o lugar onde se encontravam os trabalhadores que trabalhavam por dia e era ali que os empregadores os contratavam. Todas as manhãs, antes de o sol se levantar, ajuntava-se na praça um numeroso grupo de camponeses, com pás nas mãos, esperando serem contratados a fim de trabalhar durante o dia nos campos.[5] Há pessoas que são chamadas no alvorecer da vida; outras são chamadas na juventude; outras também são chamadas na fase adulta; outras ainda na velhice. Há até mesmo aqueles que são chamados no leito de morte. Mesmo aqueles que são chamados na última hora recebem a recompensa da graça, a vida eterna.

A bondade de Deus (20.8,9)

O mesmo paraíso está à espera tanto do homem que experimentou a graça divina na última hora da vida, como daquele que foi chamado

---

[3] ROBERTSON, A. T. *Comentário de Mateus*, p. 224.
[4] ROBERTSON, A. T. *Comentário de Mateus*, p. 224.
[5] ROBERTSON, A. T. *Comentário de Mateus*, p. 224.

primeiro para ser discípulo de Cristo. Dado que a salvação é inteiramente uma questão da graça de Deus, Ele é livre para fazer o que quiser com o que é Seu.[6] O pai de família, na parábola, cuida de tudo pessoalmente. Ele contrata e ordena o pagamento. Cada um de nós será chamado para receber a nossa recompensa quando nosso dia findar. O Senhor cuidará para que, nas operações da Sua graça, tanto a Sua soberania quanto a Sua bondade sejam abundantes.[7]

A justiça de Deus (20.10-14)

Foi só com os que foram enviados de manhã cedo à vinha que o empregador estabeleceu acordo. Aos enviados à terceira, à sexta e à nona horas, foi dito que eles receberiam salário justo, não sendo especificada a quantia. E, aos que foram chamados à hora undécima, não se lhes disse nem mesmo que seriam pagos (20.7).[8]

A. T. Robertson diz que os que chegaram para trabalhar primeiro alimentavam falsas esperanças até que receberam o que tinham aceitado receber.[9] Se o primeiro tivesse sido pago primeiro e liberado, não teria havido murmurador, mas o murmurador foi necessário para pôr em relevo a lição. Era necessário à história que os chamados primeiro testemunhassem o pagamento feito aos chamados por último, para que se ressaltasse tanto a justiça como a bondade de Deus.

Charles Spurgeon destaca o fato de que, diante da graça, os corações invejosos aumentam em amargura. Os murmuradores não disseram que o generoso senhor lhes tinha rebaixado, mas que ele tinha exaltado outros que trabalharam só uma hora. Sua queixa foi: *Tu os igualaste a nós*. Eles não estavam apenas insatisfeitos com o que haviam recebido, mas também invejosos do que os outros receberam.[10] Nisso, ele usou seu próprio dinheiro como quis, da mesma forma que Deus também dispensa a graça como Ele quer. Ele nunca é injusto com ninguém;

---

[6]TASKER, R. V. G. *Mateus: introdução e comentário*, p. 152.
[7]SPURGEON, Charles H. *O Evangelho segundo Mateus*, p. 412,413.
[8]TASKER, R. V. G. *Mateus: introdução e comentário*, p. 152.
[9]ROBERTSON, A. T. *Comentário de Mateus*, p. 224.
[10]SPURGEON, Charles H. *Mateus*. Vol. 2, p. 288.

mas, quanto aos dons da graça, Ele não se comprometerá com as nossas ideias de equidade.[11] John Charles Ryle diz que vemos um homem que é chamado ao arrependimento e fé ainda na infância, como Timóteo, e vemos outro homem, que é chamado na undécima hora, como o ladrão na cruz, salvo como um tição tirado do fogo – um dia, um pecador endurecido e impenitente, e, no dia seguinte, no paraíso. Mesmo assim, o evangelho nos informa que esses dois homens estão perdoados diante de Deus. Ambos foram igualmente lavados no sangue de Cristo e revestidos da justiça de Cristo. Ambos estão igualmente justificados, ambos foram aceitos e ambos estarão à direita de Cristo, no último dia.[12]

A **soberania** de Deus (20.15,16)

O queixoso tem um olho invejoso, ao passo que o proprietário de terras tem um olho generoso. Os trabalhadores não protestaram por não receberem maior pagamento, mas simplesmente porque os contratados mais tarde receberam igual paga. Em outras palavras, ficaram enciumados com a generosidade do patrão (20.15).[13] Mas, se a misericórdia é do Senhor, Ele pode concedê-la a quem quiser; e, se a recompensa do serviço é completamente graciosa, o Senhor pode recompensar como Lhe apraz.[14]

Os adjetivos mudam de lugar em comparação a Mateus 19.30. O ponto principal é o mesmo, embora essa ordem se ajuste melhor à parábola. Afinal de contas, o trabalho não se acha inteiramente na quantidade de tempo gasto nesse esforço. William Hendriksen diz que a lição principal da parábola é esta: não esteja entre os primeiros que se tornarão os últimos.[15]

Warren Wiersbe faz quatro aplicações oportunas dessa parábola: 1) Não devemos superestimar nossos méritos (19.27; 20.10). Servir a Cristo apenas em função de benefícios temporais e eternos é perder

---

[11]Spurgeon, Charles H. *O Evangelho segundo Mateus*, p. 414.
[12]Ryle, John Charles. *Meditações no Evangelho de Mateus*, p. 164.
[13]Tasker, R. V. G. *Mateus: introdução e comentário*, p. 152.
[14]Spurgeon, Charles H. *O Evangelho segundo Mateus*, p. 415.
[15]Hendriksen, William. *Mateus*. Vol. 2, p. 289.

as melhores bênçãos que ele tem para nós. 2) Não devemos nutrir orgulho (19.27,30; 20.16). Aqueles que a seus olhos ou aos olhos dos outros parecem estar em primeiro lugar podem ser os últimos. 3) Não devemos focar nossa atenção nos outros para compararmos resultados (20.10-15). A Palavra de Deus nos ensina a não julgar nada antes do tempo (1Co 4.5). Vemos apenas o trabalho e o trabalhador, mas Deus vê o coração e a motivação. 4) Não devemos nutrir nenhum sentimento de ressentimento ou injustiça (20.11,12). A bondade do dono não os levou ao arrependimento (Rm 2.4), mas revelou o verdadeiro caráter do coração deles: egoísmo.[16]

---

[16] WIERSBE, Warren W. *Comentário bíblico expositivo*, p. 97.

58
A marcha rumo a Jerusalém

Mateus 20.17-28

JESUS COMEÇA SUA MARCHA RUMO A JERUSALÉM. Houve muitas marchas importantes na história: de exércitos, de estudantes e de trabalhadores. Esta, porém, ocorrida no caminho para Jerusalém, via Jericó, foi a maior e mais importante marcha da história. Foi uma marcha de consequências eternas.

Esta é a marcha dos contrastes. Jesus sobe a Jerusalém corajosamente, enquanto seus discípulos estão cheios de temor (Mc 10.32). Ele sobe para dar sua vida; eles sobem com intenções egoístas. Jesus sobe para servir; eles, para aspirar grandeza. Jesus se humilha; os discípulos se exaltam.

Quanto mais perto da cruz Jesus chega, mais o coração dos discípulos está endurecido e mais seus olhos estão turvos. Quanto mais Jesus se esvazia, mais eles se enchem de si mesmos; quanto mais baixo Ele desce, mais eles querem subir.

Esta é a terceira vez que Jesus fala sobre sua morte (16.21-23; 17.22,23; 20.17-19) e, à medida que torna o assunto mais claro, vê os discípulos mais confusos. Quando Jesus pela primeira vez falou sobre sua morte, Pedro O reprovou (16.22). Quando Jesus pela segunda vez falou sobre seu sofrimento e morte, os discípulos ficaram tristes (17.23). Marcos, entretanto, acrescenta que eles discutiam entre si sobre quem era o maior entre eles (Mc 10.33,34). Agora, quando Jesus fala pela terceira vez e com mais detalhes, Tiago e João buscam glórias pessoais e os outros dez se irritam com eles, porque se sentem traídos (20.21,24). Nas duas primeiras predições, Jesus havia falado sobre o que haveria de Lhe acontecer; agora, Ele fala onde as coisas vão acontecer, na santa cidade de Jerusalém, e também fala explicitamente a respeito da cruz (20.19).[1] Esses homens, porém, pareciam cegos para o significado da cruz. Mateus é o único autor sinótico que indica a natureza da morte de Jesus. Ele emprega o termo *stauroo* (crucificar), enquanto os demais falam em *apokteino* (matar). A crucificação não era o método judaico de punição. Sua origem remonta aos fenícios, passando depois para outras nações. Era empregada comumente contra escravos, estrangeiros e criminosos da pior espécie.[2]

Este incidente lança luz sobre a pessoa de Cristo e a identidade dos discípulos. Jesus é amoroso, paciente e perseverante em Seu amor (Jo 13.1), enquanto os discípulos demonstram ser lerdos para compreender as coisas de Deus.

Olhemos a seguir para este texto sob três perspectivas.

A marcha da **salvação** (20.17-19,28)

Destacamos a seguir cinco verdades sobre a marcha da salvação.

Em primeiro lugar, *a determinação de Jesus* (20.17). A cruz não foi um acidente na vida de Jesus, mas uma agenda. Ele veio ao mundo para morrer. Não há nada de involuntário e desconhecido na morte de Cristo. Ele jamais foi demovido desse plano nem pela tentação de satanás, nem pelo apelo das multidões, nem pela agrura desse caminho. Resolutamente, Ele marchou para Jerusalém e para a cruz como um rei caminha para a sua coroação. A cruz foi o trono de onde Ele despojou os principados e potestades e glorificou o Pai, dando Sua vida em resgate de muitos.

O sofrimento de Cristo foi amplamente preanunciado pelos profetas (Lc 18.31). Jesus, por três vezes, alertou seus discípulos acerca dessa hora,

---

[1] WIERSBE, Warren W. *Comentário bíblico expositivo*, p. 97.
[2] MOUNCE, Robert H. *Mateus*, p. 199.

mas os discípulos nada compreendiam acerca destas coisas (Lc 18.34). Para eles, a ideia de um Messias morto não fazia sentido, mesmo com a predição adicional: *Mas ao terceiro dia ressurgirá* (20.19).

Em segundo lugar, **a liderança de Jesus** (Mc 10.32). Jesus ia adiante dos seus discípulos nessa marcha para Jerusalém. Não havia nEle nenhum sinal de dúvida ou temor. Quando subimos a estrada da perseguição, do sofrimento e da morte, temos a convicção de que Jesus vai à nossa frente. Ele nos lidera nessa jornada. Não precisamos temer os perigos, nem mesmo o pavor da morte, pois Jesus foi e vai à nossa frente, abrindo o caminho e tirando o aguilhão da morte.

Em terceiro lugar, *o sofrimento de Jesus* (20.18,19). Mateus enumera vários degraus do sofrimento de Jesus nessa marcha para Jerusalém.

Primeiro, Jesus foi entregue aos líderes religiosos. Jesus foi entregue aos principais sacerdotes e aos escribas. Eles tramaram contra Jesus ao longo do seu ministério. Subornaram testemunhas e insuflaram o povo contra Ele. Mancomunaram-se com os romanos para prendê-Lo. Compraram Judas para entregá-Lo em suas mãos.

Segundo, Jesus foi condenado à morte pelo Sinédrio. O Sinédrio era o supremo tribunal dos judeus. Eles tinham autoridade para condenar uma pessoa à morte, mas não tinham o poder de executar o sentenciado.

Terceiro, Jesus foi entregue aos gentios. O Sinédrio entregou Jesus a Pilatos, o governador romano. Este, depois de tentar esquivar-se da decisão, pressionado pela multidão, acovardou-se e, mesmo agindo contra sua consciência, condenou Jesus à morte de cruz.

Quarto, Jesus foi escarnecido. Tiraram Sua túnica e despojaram-No de Suas roupas. Zombaram dEle, colocando uma coroa de espinhos em Sua cabeça. Blasfemavam contra Ele, pedindo que profetizasse enquanto cobriam Seu corpo de bofetadas.

Quinto, Jesus foi cuspido (Mc 10.34). Essa era a forma mais humilhante de desprezar uma pessoa. Jesus, o eterno Filho de Deus, o Criador do universo, sendo servido e adorado pelos anjos, esvaziou-Se de Sua glória e humilhou-Se a ponto de ser cuspido pelos homens.

Sexto, Jesus foi açoitado. Ele foi surrado, espancado, ferido e traspassado. Esbordoaram Sua cabeça. Arrancaram Sua carne e esborrifaram Seu sangue com açoites crudelíssimos. Ele foi ferido e moído.

Sétimo, Jesus foi crucificado. Judeus e romanos se uniram para matar Jesus, condenando-O à morte de cruz. Suas mãos foram rasgadas, Seus pés foram feridos, e seu lado traspassado com uma lança.

Em quarto lugar, *a morte expiatória de Jesus* (20.28). Jesus deixa claro não apenas o fato da Sua morte, mas também o Seu propósito. Jesus não morreu como um mártir, mas como um redentor. Sua vida não Lhe foi tirada; Ele voluntariamente a deu.

Jesus deu a Sua vida em resgate de muitos. A palavra grega para "resgatar" traz a ideia de libertar um escravo ou um cativo mediante o pagamento de um resgate. Com Sua morte, Jesus nos comprou para Deus; pela sua morte, fomos libertos do cativeiro do pecado e recebemos vida. Ele morreu não apenas para possibilitar a nossa redenção, mas para nos salvar. Sua morte é expiatória. Ele levou sobre Si o castigo que nos traz a paz. Ele levou sobre o Seu corpo, no madeiro, os nossos pecados. Ele foi ferido pelas nossas transgressões e moído pelas nossas iniquidades.

Jesus deu a Sua vida não para resgatar a todos, mas a muitos. Ele deu Sua vida por Suas ovelhas, por Sua igreja. Passagens como Isaías 53.8, Mateus 1.21, João 10.11,15; 17.9, Efésios 5.25, Atos 20.28 e Romanos 8.32-35 claramente mostram quem são estes "muitos". Sua morte não apenas possibilitou a nossa salvação, mas a efetivou.

O preço do resgate foi pago não a satanás (como Orígenes sustentava), mas ao Pai (Rm 3.23-25), que, juntamente com o Filho e o Espírito Santo, tomou as providências para a salvação do Seu povo (Jo 3.16; 2Co 5.20,21).

Em quinto lugar, *a vitória de Jesus sobre a morte* (20.19). Jesus preanunciou não apenas Sua morte, mas também Sua ressurreição. Seu plano eterno passava pelo vale da morte, mas a morte não o poderia reter. Ele quebrou o poder da morte. Abriu o sepulcro de dentro para fora. Matou a morte e conquistou para nós imortalidade. Agora, a morte não tem mais a última palavra. A morte foi vencida.

A marcha da **ambição** (20.20-25)

Este episódio nos alerta sobre alguns perigos, que comentamos a seguir.

Em primeiro lugar, *um pedido egoísta* (20.20,21). Jesus enfatizou que em Seu reino o maior é medido pela fita métrica da humildade

(18.1-4); que a salvação pertence aos pequeninos e aos que se tornam semelhantes a eles (19.14); e que confiar plenamente no Senhor, negar-se a si mesmo e dar em vez de receber é a marca registrada de Seus verdadeiros seguidores (19.21).[3]

É nesse contexto que surge o pedido da ambição. Thiago e João tinham ouvido tudo isso, mas não haviam levado o ensino a sério. O evangelista Marcos coloca esse pedido egoísta nos lábios de Tiago e João. Mateus, por sua vez, afirma que a portadora do pedido foi Salomé, a mãe deles, a mulher de Zebedeu. Não obstante a aproximação dessa mulher a Jesus tenha sido de adoração e súplica de um favor, o que está evidente é que o pedido demonstra um desejo de proeminência na glória. Ela busca tronos e holofotes para os filhos. Enquanto Jesus percorre o caminho da renúncia e da cruz, Salomé e seus filhos seguem pela estrada da ambição. Jesus falou sobre uma cruz, porém eles estavam mais interessados numa coroa.[4]

O pedido de proeminência é feito sem discernimento e pelo motivo errado. A oração não é um cheque em branco para pedirmos o que queremos. A Palavra de Deus diz que muitos pedem e não recebem, porque pedem mal (Tg 4.3).

Vários são os motivos que devem ter estimulado a mulher de Zebedeu e seus filhos Tiago e João a buscarem a glória pessoal, como vemos a seguir.

Primeiro, a mãe deles tinha esse desejo. Ela estava por trás de tudo, como Mateus 20.20,21 mostra claramente.

Segundo, um entendimento errado acerca do Reino de Deus. Eles nutriam pensamentos triunfalistas acerca do reino. Pensavam em Cristo como um rei terreno e neles como Seus ministros de Estado. Esse pensamento perdurou até depois da ressurreição de Jesus (At 1.6). Warren Wiersbe escreve: "É triste ver na igreja hoje muitas celebridades, mas poucos servos. Há muitos querendo 'exercer autoridade' (20.25), mas poucos dispostos a pegar a bacia e a toalha para lavar os pés dos outros".[5]

---

[3]HENDRIKSEN, William. *Mateus*. Vol. 2, p. 293.
[4]WIERSBE, Warren W. *Comentário bíblico expositivo*, p. 97.
[5]WIERSBE, Warren W. *Comentário bíblico expositivo*, p. 98.

Tiago e João não queriam apenas tronos, mas os lugares de primazia no trono. Jesus corrige a noção errada deles, ensinando que o Reino de Deus não era de caráter político, mas espiritual. Eles nem imaginavam que, dentro em breve, dois bandidos iriam ocupar uma cruz à direita e outra à esquerda do Messias (27.38).

Terceiro, um uso errado da intimidade com Cristo. Eles faziam parte daquele grupo mais íntimo de Jesus, que fora com Ele à casa de Jairo, subira com Ele ao monte da Transfiguração e estariam com Ele mais de perto no jardim de Getsêmani. Eles queriam privilégios especiais. Numa linguagem contemporânea, seria uma espécie de carteirada.

Quarto, um nepotismo acentuado. A mãe de Tiago e João, Salomé, era irmã de Maria (27.56; Mc 15.40; Jo 19.25). Assim, esses dois discípulos eram primos de Jesus. Eles aproveitaram desse estreito laço familiar para buscarem vantagens pessoais.[6]

Warren Wiersbe acrescenta que esse pedido era fruto de: 1) ignorância (20.22); 2) visão mundana (20.21); 3) orgulho (20.21). O resultado foi a "indignação" dos outros discípulos (20.24). O egoísmo sempre promove dissenção e divisão.[7] John Charles Ryle diz que o orgulho é o causador dos maiores danos sofridos pelos santos de Deus depois da conversão. É um vício que se apega tão teimosamente ao coração humano que, se tivéssemos de nos desfazer de todas as nossas falhas, uma a uma, sem dúvida descobriríamos que essa seria a última e mais difícil de todas as faltas a eliminar. O orgulho é a vestimenta mais íntima, a qual vestimos primeiro e da qual nos despimos por último.[8]

Em segundo lugar, *uma resposta sem entendimento* (20.22,23). Tanto o pedido quanto a justificativa dos discípulos foram desprovidos de discernimento espiritual. Jesus lhes perguntou: *Podeis vós beber o cálice que eu estou para beber? Eles responderam: Podemos* (20.22). Jesus estava indo para a cruz, e não para um trono. Jesus cruzaria o caminho do sofrimento, e não dos aplausos humanos. A cruz precede a coroa como a morte precede a ressurreição. O caminho da glória não é revestido de

---

[6]Mounce, Robert H. *Mateus*, p. 199.
[7]Wiersbe, Warren W. *Comentário bíblico expositivo*, p. 97.
[8]Ryle, John Charles. *Meditações no Evangelho de Mateus*, p. 169.

tapetes vermelhos, mas é tingido do sangue dos mártires. Spurgeon diz que a nossa tarefa não é anelar por superioridade no reino, mas submissamente beber o cálice do sofrimento e mergulhar nas profundezas da humilhação que nosso Deus nos designa. Se o nosso cálice for amargo, este é o cálice de Cristo; se o nosso batismo for esmagador, este é o batismo com o que Ele foi batizado; e isso adoça o primeiro e impede que o outro seja um mergulho mortal.[9]

Beber o cálice significa experimentar, em profundidade, o sofrimento (26.39; Mc 14.36; Lc 22.42). Eles estão pedindo uma coisa e pensando receber outra. Eles querem glória enquanto pedem sofrimento. Jesus foi esmagado pela agonia e mergulhado num fluxo de tremendo sofrimento.

Pelo emprego dessa figura (cálice), Jesus esclarece que Ele vai receber sobre Si, voluntariamente, o juízo de Deus no lugar dos culpados (Is 53.5). A glória não é, ainda, o próximo passo no plano de Deus, como Tiago e João sugerem em seu pedido. Ao contrário, Jesus morrerá uma morte humilhante como o substituto dos pecadores. Essa é a Sua vocação messiânica; esse será o seu cálice, do qual ninguém mais pode compartilhar.

Quando Tiago e João disseram que podiam beber o cálice de Cristo, eles não discerniram o que falavam, pois o sofrimento de Cristo é único e exclusivo. O sofrimento de Cristo é vicário (20.28); o de Seus seguidores nunca poderá sê-Lo (Sl 49.7). Em certa medida, eles beberam do seu cálice, pois Tiago foi o primeiro apóstolo a ser martirizado (At 12.2), e João foi o último a morrer, depois de ser deportado para a Ilha de Patmos pelo imperador Domiciano (Ap 1.9).

Em terceiro lugar, *uma consequência inevitável* (20.24). O egoísmo de Tiago e João gera indignação nos outros dez discípulos. Eles se indignaram não pelo pecado dos dois, mas por acharem que haviam tramado contra eles, uma vez que aspiravam às mesmas coisas que os dois buscavam. Eles eram do mesmo estofo e tinham os mesmos desejos de ambição. A atitude espiritual dos dez não era melhor do que a

---

[9]SPURGEON, Charles H. *O Evangelho segundo Mateus*, p. 421.

dos outros dois. Como é fácil condenar nos outros o que justificamos em nós mesmos.[10]

A marcha da **grandeza** (20.25-28)

A grandeza pode ser avaliada de diferentes modos, como vemos a seguir.

Em primeiro lugar, *a grandeza segundo o mundo* (20.25). Semelhantemente a muitas pessoas hoje, os discípulos estavam cometendo o equívoco de seguir exemplos errados. Em vez de imitarem a Jesus, eles estavam admirando a glória e a autoridade dos governadores romanos, homens que amavam as posições e a autoridade.

Jesus, percebendo a ambição no coração dos Seus discípulos, chama-os à parte e ministra-lhes mais uma lição sobre o espírito de grandeza que predomina no mundo. Ser grande no conceito do mundo é ser servido e ter poder sobre os outros. Ser grande no conceito do mundo é usar o domínio sobre as pessoas para a desvantagem destas e para a vantagem de quem assim domina. Dominar sobre as pessoas é o fundamento sobre o qual a estrutura de dominação está alicerçada. Comumente o domínio é exercido no interesse daqueles que dominam.

Em segundo lugar, *a grandeza segundo Jesus* (20.26,27). No Reino de Deus, a pirâmide está invertida. A grandeza é medida pelo serviço, e não pela dominação. Ser grande é ser servo. Ser grande é estar a serviço dos outros, em vez de ser servido pelos outros. De acordo com William Hendriksen, o que Jesus está dizendo é que, no reino sobre o qual Ele governa, a grandeza é obtida seguindo o curso de ação que é exatamente o oposto ao que segue o mundo incrédulo. A grandeza consiste em doar-se, em entregar-se em serviço a favor de outros, para a glória de Deus. Ser grande significa amar.[11] Entre os discípulos, um novo tipo de relacionamento deve prevalecer, ou seja, os discípulos devem ser servos (*diakonos*) uns dos outros e escravos (*doulos*) de todos.

O padrão de Deus é que uma pessoa deve ser um servo antes de Deus promovê-la a uma posição de liderança. Foi desta maneira que

---

[10] HENDRIKSEN, William. *Mateus*. Vol. 2, p. 298.
[11] HENDRIKSEN, William. *Mateus*. Vol. 2, p. 298.

Deus trabalhou com José, Moisés, Josué, Davi e mesmo com Jesus (Fp 2.5-11). A não ser que saibamos o que seja obedecer a ordens, não saberemos dar ordens. Antes de uma pessoa exercer autoridade, deve saber o que é estar debaixo de autoridade.

Em terceiro lugar, **a grandeza exemplificada por Jesus** (20.28). Jesus é o Criador, o dono e o Senhor do universo. Mas, sendo Senhor, cingiu-se com a toalha e lavou os pés dos discípulos. Sendo Senhor, andou por toda parte fazendo o bem e libertando os oprimidos do diabo. Sendo Senhor, usou Seu poder não em benefício próprio, mas para socorrer os aflitos. Ele veio para servir, e não para ser servido.

O apóstolo Paulo fala sobre a necessidade de buscarmos o interesse uns dos outros e de servimos uns aos outros; e, para sustentar seu argumento, ele ordena: *Tende em vós o mesmo sentimento que houve também em Cristo Jesus* (Fp 2.5). Em seguida, relata o exemplo de Jesus, que, sendo Deus, esvaziou-Se e tornou-Se servo, humilhando-Se até a morte e morte de cruz (Fp 2.6-8). A exaltação dAquele que se humilha é uma coroação feita pelo próprio Pai (Fp 2.9-11).

No Reino de Deus, ser grande é ser servo e ser poderoso não é ter autoridade sobre muitos, mas servir a muitos. Tasker diz que, no Reino de Deus, dado que o próprio Rei é servo, o título "grande" se reserva para os que, inspirados por Seu exemplo, gastam-se livre e alegremente a serviço de outros.[12]

---

[12] TASKER, R. V. G. *Mateus: introdução e comentário*, p. 154.

59

Das trevas irrompe a luz

Mateus 20.29-34

ANTES DE ENTRARMOS NA EXPOSIÇÃO DESTA PASSAGEM, é mister esclarecer dois pontos de aparente contradição no registro dos evangelistas. A cura do cego Bartimeu está registrada nos três evangelhos sinóticos. Porém, existem nuances diferentes nos registros. Mateus cita dois cegos, e não apenas um (20.30), e Lucas registra que Jesus estava entrando em Jericó (Lc 18.35-43), e não saindo de Jericó, como nos informa Mateus e Marcos (20.29; Mc 10.46). Como entender essas aparentes contradições? É óbvio que nem Marcos nem Lucas afirmam que havia apenas um cego. Eles destacam Bartimeu, talvez por ser o cego mais conhecido e aquele que chamava a atenção com seu clamor. Portanto, não há nenhuma contradição nos relatos. Não sabemos, contudo, por que Marcos escreveu a respeito de Bartimeu e não disse nada em relação ao outro cego.

O segundo ponto de aparente contradição é o fato de Lucas dizer que Jesus se aproximava de Jericó (Lc 18.35), enquanto Mateus e Marcos afirmam que Jesus saía de Jericó (20.29; Mc 10.46). A questão é que no primeiro século havia duas Jericós: a velha Jericó, quase toda em ruínas, e a nova Jericó, cidade bonita, construída por Herodes, o Grande, logo ao sul da cidade velha. A cidade antiga estava em ruínas, mas Herodes, o Grande, havia levantado essa nova Jericó, onde ficava seu palácio de inverno, uma bela cidade ornada de palmeiras, jardins floridos, teatro, anfiteatro, residências e piscinas para banhos. Aparentemente, o milagre aconteceu na divisa entre a cidade nova e a velha, enquanto Jesus saía de uma e entrava na outra.[1]

Essa passagem de Jesus por Jericó, assinalava Sua última oportunidade. A cidade de Jericó, além de ser um posto de fronteira e alfândega (Lc 19.2), também era a última oportunidade de abastecimento de provisões e local de reuniões, em que grupos pequenos se organizavam para a viagem em conjunto à cidade de Jerusalém. Desta forma, protegidos contra os salteadores de estrada (Lc 10.30), os peregrinos partiam deste último oásis no vale do Jordão para o último trecho de uns 25 quilômetros, uma subida íngreme de mais de mil metros através do deserto acidentado da Judeia até a cidade do templo.

Jesus estava indo para Jerusalém. Ele marchava resolutamente para o calvário. Era a festa da Páscoa. Naquela mesma semana, Jesus seria preso, julgado, condenado e pregado na cruz. Era a última vez que Jesus passaria por Jericó. Aquela era a última oportunidade para esses dois cegos. Se eles não buscassem a Jesus, ficariam para sempre cativos de sua cegueira. A oportunidade tem asas; se não a agarrarmos quando ela passa por nós, podemos perdê-la para sempre. Nunca saberemos se a oportunidade que estamos tendo agora será a última da nossa vida.

Outra questão intrigante que deve ser levantada na introdução do texto em apreço é por que uma grande multidão estava acompanhando Jesus em sua subida para Jerusalém (20.29)? Aquele era o tempo da Páscoa, a mais importante festa judaica. A lei estabelecia que todo varão maior de 12 anos, que vivesse dentro de um raio de 25 quilômetros, era obrigado a comparecer à Festa da Páscoa. Obviamente, nem todos podiam fazer essa viagem. Esses, então, ficavam à beira do caminho desejando boa viagem aos peregrinos. Por essa razão, Jericó que, ficava a 25 quilômetros de Jerusalém, tinha as ruas apinhadas de gente. Além do mais, o templo tinha cerca de 20 mil sacerdotes e levitas distribuídos em 26 turnos. Muitos deles moravam em Jericó, mas na Festa da Páscoa

---

[1] ROBERTSON, A. T. *Comentário de Mateus*, p. 227,228.

todos deviam ir a Jerusalém. Certamente, muitas pessoas deviam estar acompanhando atentamente a Jesus, impressionadas por seus ensinos; outras estavam curiosas acerca desse rabino que desafiava os grandes líderes religiosos da nação. Era no meio dessa multidão mista que os dois cegos se encontravam.

A condição dos **dois cegos** antes do **encontro com Jesus**

Há vários aspectos dramáticos na vida desses dois cegos antes do encontro deles com Cristo, como vemos a seguir.

Em primeiro lugar, *eles viviam numa cidade condenada* (20.29,30). Jericó foi a maior fortaleza derrubada por Josué e seu exército na conquista da terra prometida (Js 6.20,21). Josué fez o povo jurar e dizer: *Maldito diante do Senhor seja o homem que se levantar e reedificar esta cidade de Jericó; com a perda do seu primogênito lhe porá os fundamentos e, à custa do mais novo, as portas* (Js 6.26). Jericó tinha seis características que faziam dela uma cidade peculiar, como vemos a seguir.

Primeiro, Jericó era uma cidade sob maldição. Herodes, o Grande, reconstruiu e adornou a cidade, mas isso não fez dela uma cidade bem-aventurada. Concordo com as palavras de Spurgeon: "Havia uma maldição sobre Jericó, mas a presença de Jesus trouxe uma bênção".[2] Ali um homem rico e dois cegos pobres foram salvos.

Segundo, Jericó era uma cidade encantadora. Era chamada a cidade das palmeiras e dos sicômoros. Quando o vento batia na copa das árvores, as palmeiras esvoaçavam suas cabeleiras, espalhando sua fragrância e encanto.

Terceiro, Jericó era uma cidade dos prazeres. Ali estava o palácio de inverno do rei Herodes. Ali ficavam as fontes termais. Ali moravam milhares de sacerdotes que trabalhavam no templo de Jerusalém. Jericó era a cidade da diversão e do lazer.

Quarto, Jericó era uma cidade que ficava no lugar mais baixo do planeta. A região onde está situada a cidade de Jericó fica a 400 metros abaixo do nível do mar Mediterrâneo. É a maior depressão da terra.

---

[2]SPURGEON, Charles H. *O Evangelho segundo Mateus*, p. 426.

Quinto, Jericó era uma cidade próxima ao mar Morto. O mar Morto é um lago de sal. Nele não existe vida. Trinta e três por cento da água desse mar é sal.

Sexto, Jericó era a cidade mais antiga do mundo. A cidade de Jericó foi palco de muitas histórias e por ali passaram muitas gerações.

Em segundo lugar, *eles eram cegos* (20.30). Faltava-lhes luz nos olhos. Um deles, Bartimeu, era também mendigo (Mc 10.46). Esses cegos estavam entregues às trevas e à miséria. Viviam a esmolar à beira da estrada, dependendo totalmente da benevolência dos outros. Um cego não sabe para onde vai; um mendigo não tem para onde ir.

Não há nenhuma cura de cego no Antigo Testamento; os judeus acreditavam que tal milagre era um sinal de que a era messiânica havia chegado (Is 29.18; 35.5).

Em terceiro lugar, *eles estavam à beira do caminho* (20.30). A multidão ia para a Festa da Páscoa, mas eles não podiam ir. A multidão celebrava e cantava; eles só podiam clamar por misericórdia. Eles viviam à margem da vida, da paz, da felicidade.

O encontro dos dois cegos com Jesus (20.30-33)

Consideremos a seguir alguns aspectos desse encontro.

Em primeiro lugar, *eles buscaram Jesus na hora certa* (20.29,30). Aquela seria a última vez que Jesus passaria por Jericó. Seria a última vez que Jesus subiria a Jerusalém. Seria a última oportunidade daqueles homens. Não há nada mais perigoso do que desperdiçar uma oportunidade. As oportunidades vêm e vão. Se não as agarrarmos, elas se perderão para sempre.

Em segundo lugar, *eles buscaram a pessoa certa* (20.30). Apesar de sua cegueira, esses dois cegos enxergaram mais do que os sacerdotes, escribas e fariseus. Estes tinham olhos, mas não discernimento. Aqueles dois homens eram cegos, mas enxergavam com os olhos da alma.

Eles chamaram Jesus de "Senhor, Filho de Davi", Seu título messiânico. O fato de esses cegos chamarem Jesus de "Filho de Davi" revela que eles reconheciam Jesus como o Messias, enquanto muitos que haviam testemunhado os milagres de Jesus estavam cegos a respeito da sua identidade, recusando-se a abrir seus olhos para a verdade. Esses dois cegos chamaram Jesus também de Senhor (20.30). Eles compreendiam que Jesus tinha poder e autoridade para dar-lhes visão.

Em terceiro lugar, **eles buscaram a Jesus com perseverança** (20.31). Esses dois cegos revelaram uma insubornável persistência. Ninguém pôde deter o seu clamor. Eles estavam determinados a dialogar com a única pessoa que podia ajudá-los. Seu desejo de estar com Cristo não era vago, geral ou nebuloso. Era uma vontade determinada e desesperada.

A multidão tentou abafar a voz dos cegos, mas eles clamavam ainda mais alto: *Senhor, Filho de Davi, tem misericórdia de nós* (20.31). A multidão foi obstáculo para Zaqueu ver Jesus e estava sendo obstáculo para esses dois cegos falarem com Jesus. Nem sempre a voz do povo é a voz de Deus e, geralmente, não é. Aqueles que tentavam silenciar a voz dos cegos faziam isso pensando que Jesus estava ocupado demais para dar atenção a um indigente.

Os cegos não se intimidaram nem desistiram de clamar pelo nome de Jesus diante da repreensão da multidão. Eles tinham pressa e determinação. Estavam cientes da sua necessidade e sabiam que Jesus era o único que poderia libertá-los de sua cegueira e dos seus pecados.

Em quarto lugar, **eles buscaram Jesus com humildade** (20.30,31). Aqueles dois cegos sabiam que não mereciam favor algum e apelaram apenas para a compaixão e a misericórdia de Jesus. Eles não pediram justiça, mas misericórdia. Eles não reivindicaram direitos, mas pediram socorro.

Em quinto lugar, **eles buscaram Jesus com objetividade** (20.32,33). Spurgeon escreve: "Ao som da oração, o Sol da Justiça fez uma pausa em seu percurso. O clamor dos crentes pode segurar o Filho de Deus pelos pés".[3] Eles sabiam exatamente do que necessitavam. Jesus perguntou para a mãe de Tiago e João: *Que queres?* (20.21). Perguntou para o paralítico no tanque de Betesda: *Queres ser curado?* (Jo 5.6). Quando esses dois cegos chegaram à presença de Jesus, ele lhes fez uma pergunta pessoal: *Que quereis que eu vos faça?* (20.32). Eles podiam

---

[3] SPURGEON, Charles H. *O Evangelho segundo Mateus*, p. 427.

pedir uma esmola, uma ajuda, mas foram direto ao ponto: *Senhor, que se nos abram os olhos* (20.33).

Antonio Vieira diz que há cegos piores do que esses cegos de Jericó. São aqueles que não querem ver. Aos cegos de Jericó que não tinham olhos, Cristo fez que eles vissem. Mas aos cegos que têm olhos e não querem ver, estes permanecerão em sua cegueira espiritual.[4] Uma coisa é ver com os olhos, e outra muito diferente é ver com o coração. Ludwig Beethoven, depois de cego, escreveu várias sinfonias. Fanny Crosby, completamente cega desde os quarenta dias de vida, escreveu mais de quatro mil hinos que trazem consolo ainda hoje para milhões de pessoas ao redor do mundo.

A segunda cegueira, pior do que a desses dois cegos de Jericó, é ver uma coisa e enxergar outra bem diferente. Eva viu exatamente o que não devia ver e como devia ver. Viu o que não devia ver, porque o fruto era venenoso. Viu como não devia ver, porque viu apenas aquilo que lhe agradava à vista e ao paladar.

O terceiro tipo de cegueira pior do que a cegueira desses dois cegos de Jericó é a daqueles que enxergam a cegueira dos outros, e não a própria. Os cegos deste tipo são capazes de descobrir um pequeno cisco no olho do vizinho e não se aperceberem de uma trave atravessada nos próprios olhos. São aqueles que investigam pequeninas falhas nos outros para alardeá-las como grandes crimes e pecados, esquecidos dos seus grandes e perniciosos defeitos.

Finalmente, existe ainda outro tipo de cegueira pior que a desses pobres mendigos de Jericó. É a daqueles que não permitem que os outros vejam. Os acompanhantes de Cristo naquela caminhada eram mais cegos do que aqueles cegos porque impediam que chegassem até Jesus o clamor e os gritos de angústia daqueles infelizes, burocratizando a misericórdia divina. É a cegueira daqueles que, por serem felizes, não permitem a felicidade dos outros.[5]

---

[4]Vieira, Antonio. *Mensagem de fé para quem não tem fé*. São Paulo, SP: Edições Loyola, 1981, p. 74-77.
[5]Vieira, Antonio. *Mensagem de fé para quem não tem fé*. São Paulo, SP: Edições Loyola, 1981, p. 74-77.

O resultado do encontro dos dois cegos com Jesus (20.34)

Quatro fatos merecem destaque aqui, como vemos a seguir.

Em primeiro lugar, *Jesus sentiu compaixão por eles* (20.34). Jesus ficou condoído ao ver as trevas em que esses homens estavam mergulhados e, em resposta ao clamor deles rogando compaixão e misericórdia, Jesus sente em suas entranhas o drama desses homens.

Em segundo lugar, *Jesus tocou em seus olhos* (20.34). Esses homens que viviam à beira da estrada, mendigando, certamente não sabiam o que era um toque, um abraço, uma aproximação. Jesus tocou seus olhos, para demonstrar que eles não eram um objeto descartável. Jesus toca não apenas em seus olhos, mas também nas profundezas de seus sentimentos, trazendo cura para suas emoções amarrotadas pelos dramas da vida. Somente Mateus registra que Jesus fez um gesto de compaixão, tocando os olhos dos cegos.

Em terceiro lugar, *Jesus curou-os da cegueira* (20.34). Os dois cegos tiveram seus olhos abertos. Eles saíram de uma cegueira completa para uma visão completa. Num momento, cegueira total; no seguinte, visão intacta. A cura foi total, imediata e definitiva.

Em quarto lugar, *Jesus liderou-os rumo a Jerusalém* (20.34). Mateus encerra seu relato dizendo que *O foram seguindo*, e Marcos diz que Bartimeu *seguia a Jesus estrada a fora* (Mc 10.52). Esses dois homens curados demonstram gratidão e provas de conversão. Eles não queriam apenas a bênção, mas, sobretudo, o abençoador. Eles seguiram Jesus para onde? Para Atenas, a capital da filosofia? Para Roma, a capital do poder político? Não, eles seguiram Jesus para Jerusalém, a cidade onde o Filho de Davi chorou, suou sangue, foi preso, sentenciado, condenado e pregado na cruz. Eles seguiram não uma estrada atapetada, mas um caminho juncado de espinhos. Não o caminho da glória, mas o caminho da cruz. Eles trilharam o caminho do discipulado.

Jesus passou por Jericó. Ele está passando hoje também pela nossa vida, cruzando as avenidas da nossa existência. Temos duas opções: clamar pelo Seu nome ou perder a oportunidade.

60

A aclamação do Rei

Mateus 21.1-27

A SEMANA DA PAIXÃO, que foi seguida pela ressurreição, começa aqui. Jesus entrará em Jerusalém para ser aclamado publicamente. Esta era a hora mais esperada do Seu ministério. Estava se cumprindo o seu desejo e propósito eterno. Sua hora havia chegado. Ele veio para dar sua vida e, agora, estava entrando triunfalmente em Jerusalém para cumprir esse plano eterno do Pai.

A Festa da Páscoa era o prazer dos judeus e o desespero dos romanos. Era festa para aqueles e o medo de uma insurreição para estes. Foi nesta maior festa pública dos judeus que Jesus se dirigiu a Jerusalém para morrer, e Ele desejou que toda a cidade soubesse disso. Algumas coisas Jesus fez e falou fora dos olhares expectantes da multidão, mas, quando chegou o tempo de Sua morte, ele fez Sua entrada pública em Jerusalém. Ele chamou a atenção das autoridades, dos sacerdotes, dos anciãos, dos mestres da lei, dos gregos e dos romanos para Si. Na festa da Páscoa, o grande Cordeiro da Páscoa estava para ser sacrificado.

O texto em tela tem várias lições importantes, que comentamos a seguir.

A entrada triunfal do Rei em Jerusalém (21.1-11)

A entrada de Jesus em Jerusalém nos enseja três verdades importantes, como vemos a seguir.

Em primeiro lugar, *a consumação de um plano eterno*. A vinda de Jesus ao mundo foi um plano traçado na eternidade. Ele preanunciou sua entrada em Jerusalém três vezes. Agora havia chegado o grande momento. Não há nada de improvisação. Nada de surpresa. Ele veio para esta hora.

Em segundo lugar, ***a demonstração de uma humildade constrangedora*** (21.1-7). A entrada de Jesus em Jerusalém foi externamente despretensiosa. Ele não entrou montando um cavalo fogoso, acompanhando de carruagens reais. Não entrou brandindo uma espada nem acompanhado de um exército. Não veio como um conquistador político, mas como o Redentor da humanidade.

A entrada triunfal de Jesus em Jerusalém foi totalmente diferente daquelas celebradas pelos conquistadores romanos. Quando um general romano retornava a Roma depois de sua vitória sobre os inimigos, era recebido por grande multidão. O general vitorioso desfilava em carruagem de ouro. Os sacerdotes queimavam incenso em sua honra, e o povo gritava seu nome, enquanto seus cativos eram levados às arenas para lutarem com animais selvagens. Esta era a entrada triunfal de um romano.

Ao montar um jumentinho, porém, Jesus estava dizendo que Sua missão era de paz e que Seu reino era espiritual. Ele estava cumprindo a profecia de Zacarias: *Alegra-te muito, ó filha de Sião; exulta, ó filha de Jerusalém: eis aí te vem o teu Rei, Justo e Salvador, humilde, montado em jumento, num jumentinho, cria de jumenta* (Zc 9.9). O fato de Jesus montar um jumentinho definia a natureza do Seu reino, que não havia de vir com força militar nem com ostentação carnal, mas por meios espirituais que o homem era incapaz de compreender à parte da iluminação do Espírito Santo.

Jesus demonstrou onisciência, sabendo onde estava o jumentinho. Demonstrou autoridade, dando ordens para trazer o jumentinho. Demonstrou domínio sobre o reino animal, pois montou um jumentinho que ainda não havia sido amansado.

Em terceiro lugar, *a proclamação pública do Messias* (21.8-11). Tanto a multidão que estava em Jerusalém como aquela que o acompanhava à cidade santa proclamavam o Messias com vozes de júbilo. Essa proclamação focou três verdades importantes, como vemos a seguir.

Apontou Jesus como o Salvador. A multidão gritou: *Hosana ao Filho de Davi! Bendito o que vem em nome do Senhor! Hosana nas maiores alturas!* (21.9). A palavra *Hosana* é um clamor pelo Salvador. Significa "salvar agora", ou "salve, nós suplicamos". Mounce diz que "Hosanas nas alturas" significa algo como "que os anjos nos céus cantem louvores".[1]

Apontou Jesus como o Rei. Jesus é o Rei e com Ele chegou Seu reino. Os reinos do mundo levantam-se e caem, mas o reino de Cristo jamais passará. Jesus é maior do que Davi. Davi inaugurou um reino terreno e temporal, mas o reino de Cristo é celestial e eterno. Com essa saudação, a multidão estava reconhecendo, em Jesus, o Messias que salva o seu povo dos seus pecados (1.21).

Apontou Jesus como o Profeta. A entrada de Jesus em Jerusalém alvoroçou a cidade, que estava quintuplicadamente povoada. Uma pergunta ecoou por toda a cidade: "Quem é este?" E as multidões clamavam: "Este é o profeta Jesus, de Nazaré da Galileia". Seu ensino era revestido de autoridade. Seu poder era irresistível. Sua graça era incomensurável.

O zelo do Rei (21.12,13)

O primeiro ato de Jesus ao entrar na cidade foi purificar o templo. No Novo Testamento, há duas palavras relacionadas ao templo. A primeira é *hieron*, que significa "o lugar sagrado". Isso incluía toda a área do templo, que cobria o cume do monte Sião e tinha uns 15 hectares de extensão. O local era rodeado por grandes muralhas. Havia um amplo espaço exterior chamado Pátio dos Gentios. Nele podia entrar qualquer judeu ou gentio. O pátio seguinte era o Pátio das Mulheres. As mulheres não podiam ir além desse pátio. Logo vinha o pátio chamado o Pátio dos Israelitas. ali se reunia a congregação nas grandes ocasiões e dali entregavam as oferendas aos sacerdotes. A outra palavra importante é *naos*, significando "o templo propriamente dito", que se levantava no pátio dos sacerdotes. Toda a área, incluindo os diferentes pátios, era recinto sagrado (*hieron*). O edifício especial levantado no pátio dos sacerdotes era o templo (*naos*).

---

[1]MOUNCE, Robert H. *Mateus*, p. 206.

Três verdades são aqui destacadas, como vemos a seguir.

Em primeiro lugar, *o propósito da casa de Deus* (21.13). O evangelista Marcos diz que Jesus entrou em Jerusalém, no templo, e a tudo observou (Mc 11.11). Nada escapou à sua checagem. Ele captou as impressões que conduziriam às ações do dia seguinte. Foi no dia seguinte que Ele voltou e fez uma faxina na casa de Deus. A casa de Deus havia perdido a razão de ser. Os sacerdotes a tinham transformado num mercado. O lucro tinha substituído o relacionamento com Deus. William Hendriksen diz que os mercadores do templo haviam pago generosamente por sua concessão, a qual adquiriram dos sacerdotes. Parte desse dinheiro chegava aos cofres do astuto e rico Anás e do habilidoso Caifás.[2]

Jesus, então, declara que sua casa não devia ser um lugar para excluir as pessoas pela barreira do comércio, mas um lugar de oração para todos os povos (21.12,13). Jesus chama a casa de Deus de sua casa. Ele é o próprio Deus. E ele tem zelo pela sua casa. No começo do Seu ministério, Ele pegou o chicote e expulsou os vendilhões do templo. Agora, no final do Seu ministério, ele vira as mesas e declara que a sua casa precisa cumprir o propósito de aproximar as pessoas de Deus, em vez de afastá-las.

A casa de oração tinha sido transformada em covil de salteadores. O covil dos salteadores é o lugar para onde os ladrões correm quando desejam se esconder. Em vez de as pessoas buscarem o templo para romperem com o pecado, elas estavam tentando se esconder das consequências do pecado no templo. O templo estava se transformando num esconderijo de ladrões. Spurgeon comenta: "Nosso Salvador comparou a casa de Seu Pai, quando ocupada por esses compradores e vendedores, com as cavernas nas montanhas, onde ladrões estavam acostumados a se esconder naquele tempo.[3]

Em segundo lugar, *a secularização da casa de Deus* (21.12).

O templo estava se transformando num mercado, numa praça de comércio. Os negociantes se instalaram dentro da casa de Deus a fim de vender produtos para os rituais do culto. Mancomunados com eles,

---

[2] HENDRIKSEN, William. *Mateus*. Vol. 2, p. 322.
[3] SPURGEON, Charles H. *O Evangelho segundo Mateus*, p. 439.

os sacerdotes rejeitavam os sacrifícios que as pessoas traziam, forçando os adoradores a comprarem dos feiristas do templo os animais para o sacrifício.

Moedas estrangeiras não eram aceitas para pagar o tributo do templo nem para fazer outras transações. A maior parte das moedas trazia estampas de símbolos pagãos, o que não era aceitável.[4] Consequentemente, aqueles que iam a Jerusalém adorar precisavam trocar o dinheiro, e ali estavam os cambistas instalados, sempre cobrando uma taxa exorbitante e repassando parte desse lucro aos sacerdotes, ministros do templo.

O templo havia perdido o propósito. Em vez de ser lugar de oração, era lugar da busca desenfreada do lucro. Mamom tinha tomado o lugar de Deus. Eles mudaram o chamado de Deus para celebrar sua glória em rentável comércio. E, assim fazendo, colocaram Deus a serviço do pecado. Jesus, então, faz uma faxina no templo. Três erros foram corrigidos, como vemos a seguir.

Primeiro, Jesus acaba com o comércio no templo. Ele expulsou os que ali vendiam e compravam. O culto havia se desviado do seu propósito. A religião havia se corrompido. A fé estava mercantilizada. Deus havia sido substituído pelo dinheiro. A oração tinha sido substituída pelo lucro. Hoje, vemos ainda igrejas se transformando em empresas particulares, o púlpito num balcão, o templo numa praça de barganha, o evangelho num produto, e os crentes em consumidores.

Segundo, Jesus acaba com a exploração no templo. Ele vira a mesa dos cambistas. Esses mercenários, conluiados com os sacerdotes, cobravam altas taxas dos estrangeiros que vinham adorar, na hora de trocar a moeda. Outros vendiam animais para o sacrifício com valores exorbitantes. Os sacerdotes tinham participação nesses lucros.

Terceiro, Jesus acaba com a passarela no templo (Mc 11.16). Algumas pessoas estavam usando o lugar do templo para transportar os seus produtos. A casa de Deus estava se transformando numa feira livre, num corredor de comércio, numa via pública para transportar mercadorias. Jesus acaba com essa prática vil.

---

[4] MOUNCE, Robert H. *Mateus*, p. 206.

Em terceiro lugar, *a purificação da casa de Deus* (21.12). O rei Josias purificou o templo. Neemias jogou os móveis de Tobias na rua. Jesus usou o chicote para expulsar os vendilhões no templo (Jo 2.13-17). Agora, Ele vira as mesas dos cambistas e as cadeiras dos que vendiam pombas e expulsa os que ali vendiam e compravam. Contrariamente às expectativas de muitos de que o Messias purificaria Jerusalém *dos* gentios, Jesus queria purificá-la *para* os gentios. Hoje, precisamos também fazer uma limpeza na casa de Deus de tudo aquilo que não faz parte do culto ao Senhor. William Hendriksen, citando o historiador Philip Schaff, diz que este autor traça um interessante paralelo entre a purificação do templo do primeiro século e a reforma do século XVI. Diz ele: "Jesus começou seu ministério público com a expulsão dos traficantes profanos do átrio do templo. A reforma começou com um protesto contra o tráfico das indulgências que profanava e degradava a religião cristã".[5]

A graça do Rei (21.14-17)

Há aqui um profundo contraste. Enquanto algumas pessoas são expulsas do templo, outras recebem as boas-vindas.[6] Três fatos merecem destaque a seguir.

Em primeiro lugar, *uma cura cheia de misericórdia* (21.14). Uma vez que a casa de Deus estava purificada, agora ela se transforma no palco da ação misericordiosa. Vieram a Jesus, no templo, cegos e coxos, e Ele os curou. Luz e movimento tomaram o lugar das trevas e da paralisia. Aqueles que viviam cercados de escuridão contemplaram a luz, e aqueles que viviam prisioneiros de um corpo entrevado passaram a andar. Agora, na casa de Deus, prevalecia não o comércio explorador, mas a misericórdia em ação.

Em segundo lugar, *um louvor cheio de entusiasmo* (21.15,16). Enquanto os principais sacerdotes e os escribas estavam enraivecidos pela manifestação do poder misericordioso de Jesus, as crianças

---

[5]HENDRIKSEN, William. *Mateus*. Vol. 2, p. 325.
[6]HENDRIKSEN, William. *Mateus*. Vol. 2, p. 325.

clamavam: "Hosana ao Filho de Davi". Os líderes religiosos estavam enfurecidos com Jesus, enquanto os meninos o exaltavam com efusivo entusiasmo. Os líderes religiosos estavam indignados, querendo que Jesus calasse a voz dos pequeninos, mas Jesus citou para eles as Escrituras, dizendo que é da boca de pequeninos e crianças de peito que Deus tira o perfeito louvor.

Em terceiro lugar, *uma retirada cheia de significado* (21.17). Jesus não perdeu o foco, discutindo com esses críticos de plantão. Deixou-os e foi pernoitar em Betânia. A palavra "Betânia" em hebraico significa "casa da depressão" ou "casa da miséria". Mas a casa de Marta, Maria e Lázaro foi uma casa de consolo para Jesus, mormente nessa última semana antes de sua morte.[7]

O juízo do Rei (21.18-22)

Tanto a condenação da figueira sem frutos como a purificação do templo foram atos simbólicos que ilustraram a triste condição espiritual da nação de Israel. A despeito de seus muitos privilégios e oportunidades, Israel estava externamente sem frutos (a árvore) e internamente corrupto (o templo). Tasker, nessa mesma linha de pensamento, diz que a purificação do templo foi uma denúncia simbólica feita pelo Messias ao culto do velho Israel, assim como a morte da figueira foi sua denúncia simbólica da nação judaica vista como privilegiado povo de Deus.[8] Mounce acrescenta que o íntimo relacionamento entre a purificação do templo e o ressecamento da figueira nos sugere que este último elemento incidental deve ser tomado como profecia: a nação judaica haveria de vir a ser julgada por não ter produzido o fruto que seria de se esperar de um povo privilegiado por Deus. Um pouco antes, João Batista havia dito aos fariseus e saduceus que *toda árvore que não produz bom fruto, será cortada e lançada ao fogo* (3.10).[9]

Que lições podemos aprender com esse milagre de Jesus, onde Ele expressou seu juízo?

---

[7] ROBERTSON, A. T. *Comentário de Mateus*, p. 234.
[8] TASKER, R. V. G. *Mateus: introdução e comentário*, p. 160.
[9] MOUNCE, Robert H. *Mateus*, p. 209.

Em primeiro lugar, *uma propaganda enganosa* (21.18,19). A figueira sem frutos é um símbolo da nação de Israel e do culto judaico. Eles tinham pompa, mas não vida; tinham rituais, mas não comunhão com Deus; tinham inúmeros sacerdotes, mas não homens de Deus. O eixo central desta passagem é a condenação da promessa sem cumprimento e a condenação da profissão de fé sem prática. John Charles Ryle alerta: "Não está cada ramo infrutífero da igreja visível de Jesus Cristo em um tremendo perigo de se tornar uma figueira seca? Altos privilégios e posições eclesiásticas, desacompanhadas de santidade, não são garantia da aprovação de Jesus".[10]

Havia muita folhagem, mas nenhum fruto. Jesus veio para os seus, mas estes não O receberam (Jo 1.11). Ao contrário, estavam endurecidos. Urdiam planos secretos para matá-lo. Estavam vestidos com o manto do fingimento e da falsidade.

Esta passagem nos enseja algumas lições solenes. Charles Spurgeon, em seu célebre sermão sobre a figueira murcha, lança luz sobre esse assunto, como vemos a seguir.

Primeiro, a figueira sem frutos aparenta superar as demais figueiras. A figueira sem frutos destacava-se entre as demais. Assim são aqueles que aparentam ser verdadeiros cristãos, mas só têm aparência. São loquazes na conversa e profundos na especulação teológica, mas são igualmente estéreis.

Segundo, a figueira sem frutos parecia desafiar as estações do ano. A presença de folhas implicava a presença de frutos. A figueira produz os frutos antes das folhas. Folhas pressupõem frutos. A figueira fazia propaganda do que não tinha. Assim também algumas pessoas parecem muito adiantadas em comparação com as pessoas ao seu redor, mas é só fachada, só aparência. Tasker diz que, do mesmo modo, a nação judaica apresentava perante o mundo a promessa de que era rica de frutos espirituais. Ainda que pudesse mostrar muitos sinais externos de que era religiosa, estava infrutífera por causa de seu legalismo estéril e do seu cerimonialismo superficial. Uma árvore assim sem fruto, apesar de parecer viva, está de fato morta.[11]

---

[10]RYLE, John Charles. *Meditações no Evangelho de Mateus*, p. 178.
[11]TASKER, R. V. G. *Mateus: introdução e comentário*, p. 160.

Terceiro, a figueira sem frutos atraiu a atenção de Jesus. Ele viu de longe essa árvore. As demais ainda não tinham folhas. Essa árvore era a única que estava em posição de destaque. Essa figueira representa aqueles que, sem nenhuma modéstia, tocam trombetas e anunciam frutos que não possuem.

Em segundo lugar, *uma investigação meticulosa* (21.18,19). O Rei Jesus vai investigar a figueira, assim como investigou a nação de Israel, o templo, os rituais e os corações. Ele ainda sonda os corações. Algumas lições devem ser destacadas, como vemos a seguir.

Primeiro, Jesus tem o direito de procurar frutos em nossa vida. Ele nos perscruta profundamente para ver se há fruto, alguma fé genuína, algum amor verdadeiro, algum fervor na oração. Se Ele não encontrar frutos, não ficará satisfeito. Ele tinha o direito de encontrar fruto porque o fruto aparece primeiro, depois as folhas. Aquela árvore estava fazendo propaganda de algo que não possuía. Jesus tem encontrado fruto na sua vida? O Pai é glorificado quando produzimos muito fruto (Jo 15.8)!

Segundo, Jesus não se contenta com folhas; Ele quer frutos. Jesus teve fome. Ele procurava frutos, e não folhas. Ele não se satisfaz com folhas. Ele não se satisfaz com aparência. Ele quer vida.

Terceiro, Jesus não se deixa enganar (Mc 11.13). Quando se aproxima de uma alma, Ele o faz com discernimento profundo. Dele não se zomba. A ele não podemos enganar. Já pensei ser figo aquilo que não passava de folha. Mas Jesus não comete esse engano. Ele não julga segundo a aparência. Se eu professo a fé sem a possuir, não é isso uma mentira? Se eu professo arrependimento sem o ter, não é isso uma mentira? Se eu participo da Ceia, mas estou em pecado e não amo os meus irmãos, não é isso uma mentira? Charles Spurgeon diz que a profissão de fé sem a graça divina é a pompa funerária de uma alma morta.[12]

Em terceiro lugar, *uma condenação dolorosa* (21.19,20). Se Jesus tinha poder para matar a árvore, por que não usou Seu poder para restaurar a árvore? Porque tinha lições importantes a transmitir. Jesus usou esse fato para ensinar sobre o fracasso da nação de Israel. A nação

---

[12]SPURGEON, C. H. *A figueira murcha*. São Paulo, SP: PES, s/d, p. 160.

de Israel poderia ter muitas folhas que o povo admirava, mas nenhum fruto que o povo pudesse comer.

Jesus decretou uma dupla condenação à figueira sem fruto.

Primeiro, a figueira secou desde a raiz (Mc 11.20). João Batista já havia alertado para o machado que estava posto na raiz das árvores (3.10). A falência dessa árvore foi total, completa e irremediável.

Segundo, a figueira nunca mais produziu fruto (21.19). Jesus sentenciou a figueira a ficar como estava. Este é o maior juízo de Deus ao homem: ficar como está. Jesus condenou a árvore infrutífera. Spurgeon diz que Jesus não apenas a amaldiçoou, ela já era uma maldição.[13] Ela não servia para o revigoramento de ninguém. A sentença foi: fica como está; estéril, sem fruto. Continue sem graça. Jesus dirá no dia final: "Apartai-vos" para aqueles que viveram a vida toda apartada. As Escrituras dizem: *Continue o imundo sendo imundo* (Ap 22.11).

Em quarto lugar, **uma lição primorosa** (21.21,22). Depois de condenar a religião formal, mas sem vida, Jesus mostra aos discípulos como ter um relacionamento certo com Deus através da fé (21.21). Ninguém pode aproximar-se de Deus sem crer que Ele existe. Na imaginação de um judeu, uma montanha significa alguma coisa forte e inamovível, um problema que se colocará em nosso caminho (Zc 4.7). Nós podemos mover essa montanha apenas pela nossa fé em Deus. A fé, contudo, não deve ser entendida à parte de outras verdades. Muitas pessoas apanham os versos 21 e 22 para defender que não devemos orar segundo a vontade de Deus; antes, se temos fé, Deus é obrigado a atender aos nossos pedidos. Essa visão está em desacordo com o ensino geral das Escrituras. Isso não é fé em Deus, mas fé na fé ou fé nos sentimentos. Fé não é presunção. Não podemos confundir fé com tentar a Deus. O diabo queria que Jesus se jogasse do pináculo do templo, para que o Pai o segurasse no ar. Mas isso é tentar a Deus, e não exercer a fé. O que Jesus ensina é que não devemos duvidar, ou seja, ter uma mente dividida, movendo-se para cá e para lá.[14]

---

[13]SPURGEON, C. H. *A figueira murcha*, p.24.
[14]ROBERTSON, A. T. *Comentário de Mateus*, p. 235.

A autoridade do Rei (21.23-27)

Destacamos a seguir alguns pontos neste texto.

Em primeiro lugar, *uma pergunta maliciosa* (21.23). Os líderes do templo e do culto buscam um meio para acusarem Jesus. Querem encontrar uma causa legítima para o condenarem à morte. Vieram a ele com uma pergunta de algibeira: *Com que autoridade fazes estas coisas? E quem te deu essa autoridade?* É claro que estavam se referindo à purificação do templo e à cura dos cegos e coxos no templo.

Em segundo lugar, *uma contrapergunta corajosa* (21.24,25a). Jesus não caiu na armadilha deles. Ao contrário, respondeu àquela pergunta capciosa com outra pergunta: *Donde era o batismo de João, do céu ou dos homens?* A pergunta de Jesus não foge do foco. O batismo de João tinha tudo a ver com sua autoridade. João era um profeta de Deus, reconhecido pelo povo, e eles rejeitaram a mensagem de João. Se eles respondessem não, o povo os condenaria. Se eles respondessem sim, estariam afirmando a autoridade divina de Jesus.

Em terceiro lugar, *uma farsa dolorosa* (21.25b-27a). Os principais sacerdotes, escribas e anciãos, encurralados pela pergunta de Jesus, preferiram mentir para não enfrentar a verdade. Abafaram a voz da consciência, taparam os ouvidos à verdade e mergulharam nas sombras espessas da hipocrisia.

Em quarto lugar, *uma firmeza gloriosa* (21.27b). Jesus não entrou numa discussão infrutífera com os inimigos nem perdeu tempo com suas perguntas de algibeira. Jesus confronta agora aquela curiosidade cheia de engano com um eloquente silêncio.

61

Parábolas do reino

Mateus 21.28–22.1-14

JESUS DEIXA SEUS INTERROGADORES SEM RESPOSTA, mas passa a contar parábolas. A primeira parábola (21.28-32) mostra que publicanos e meretrizes os precederiam no reino. A segunda parábola (21.33-46), ainda mais contundente, leva os principais sacerdotes e fariseus compreenderem que Jesus apontava para eles como os lavradores maus que mataram o filho do dono da vinha. A terceira parábola (22.1-14) mostra que os convidados de honra não aceitaram o convite para a festa das bodas do filho do rei; por isso, aqueles que eram considerados indignos foram levados à sala do banquete, banquete este que não admite que ninguém entre sem vestes nupciais.

Essas três parábolas ensejam-nos muitos preciosos e solenes ensinamentos.

A parábola **dos dois filhos** (21.28-32)

A parábola dos dois filhos só é registrada por Mateus. É a primeira de três parábolas dirigidas contra os líderes religiosos daqueles dias.[1]

---
[1] MOUNCE, Robert H. *Mateus*, p. 210.

Spurgeon diz que, nesta parábola, Jesus expõe as relações externas, porém falsas, daqueles homens para com Deus.²

O primeiro filho representa os judeus que professam a religião mosaica, mas rejeitam Jesus, enquanto o segundo filho representa os publicanos, cobradores de impostos e pecadores que se voltam ao Senhor, pela fé.³ O primeiro filho promete obediência com palavras, mas desobedece com as atitudes e com a vida. O segundo filho, que se nega a ir e depois muda de ideia e vai, corresponde aos publicanos e pecadores que, embora de início estivessem longe de ser justos, depois se arrependeram.⁴

No reino dos céus, os publicanos e as meretrizes marcham à frente dos eclesiásticos.⁵

A parábola **dos lavradores maus** (21.33-46)

Esta é uma parábola cujo significado é claro como cristal. A vinha representa a nação de Israel, a igreja judaica, criada, treinada, guardada e totalmente provida pelo Senhor.⁶ Os lavradores são os líderes religiosos de Israel. Os mensageiros são os profetas que foram desprezados, perseguidos e mortos. O filho é Jesus. E o castigo é que a posição que Israel havia ocupado seria transferida para a igreja.⁷ O modo como os judeus trataram os profetas de Deus e tratariam a Jesus ilustra explicitamente esta parábola.⁸

Havia três formas de arrendamento: uma quantia em dinheiro, uma proporção da colheita ou uma quantidade definida do produto, quer o ano fosse bom ou ruim.⁹

O ensino é meridianamente claro. Alerta para o fato de que as oportunidades podem ser perdidas para sempre. Israel foi escolhido por Deus para desempenhar um papel importante na história: ser luz para

---

²SPURGEON, Charles H. *O Evangelho segundo Mateus*, p. 454.
³MOUNCE, Robert H. *Mateus*, p. 210.
⁴TASKER, R. V. G. *Mateus: introdução e comentário*, p. 162.
⁵ROBERTSON, A. T. *Comentário de Mateus*, p. 237.
⁶SPURGEON, Charles H. *O Evangelho segundo Mateus*, p. 458.
⁷TASKER, R. V. G. *Mateus: introdução e comentário*, p. 162.
⁸ROBERTSON, A. T. *Comentário de Mateus*, p. 237.
⁹ROBERTSON, A. T. *Comentário de Mateus*, p. 237.

as nações. Mas esse povo desobedeceu a Deus, perseguiu seus profetas, rejeitou a mensagem e perdeu a oportunidade. Jesus conta esta parábola para revelar aos líderes aonde seus pecados iriam conduzi-los. Eles já tinham permitido que João Batista fosse morto, mas, em breve, eles mesmos iriam clamar pela morte do Filho de Deus.

Esta é a parábola do amor rejeitado. Jesus ensina aqui algumas preciosas lições, como vemos a seguir.

Em primeiro lugar, *o privilégio de Israel, o povo amado de Deus* (21.33). Depois de entrar no templo e purificá-lo (21.12,13), e após discutir a questão da autoridade no templo (21.23-27), a parábola da vinha também gira em torno dEle, pois, de acordo com os escritores antigos, como Josefo e Tácito, havia por sobre o pórtico do santuário herodiano uma grande videira dourada. O Talmude também aplicava o ramo da videira ao templo de Jerusalém. Portanto, os endereçados são os representantes do templo.

Israel é a vinha de Deus. Ele chamou esse povo não porque era o mais numeroso, mas por causa do Seu amor incondicional. Deus cercou Israel com seu cuidado: libertou, sustentou, guiou e abençoou esse povo. Deus plantou essa vinha. Cercou-a com uma sebe. Construiu nela um lagar. Colocou uma torre. Toda a estrutura estava pronta. Nada ficou por fazer. Tudo Deus fez por Seu povo.

Deus deu a Israel suas boas leis e ordenanças. Enviou-o a uma boa terra. Expulsou dela as sete nações. Deus passou por alto os grandes impérios e demonstrou Seu profundo amor a esse pequeno povo. Nenhuma família debaixo do céu recebeu tantos privilégios como a família de Abraão (Am 3.2). De igual forma, Deus também nos tem revelado o Seu amor, sendo nós pecadores. Nada merecemos de Deus e, ainda assim, Ele demonstra Sua imensa bondade e misericórdia para conosco.[10]

Em segundo lugar, **Deus tem direito de buscar frutos na vida do Seu povo** (21.34). A graça nos responsabiliza. Deus esperava frutos de Israel. Mas Israel se tornou uma videira brava (Is 5.1-7). Servo após servo foram a Israel procurando frutos e acabaram despedidos vazios. Profeta após

---

[10] RYLE, John Charles. *Mark*, p. 181.

profeta foram enviados a eles, mas em vão. Milagre após milagre foram operados entre eles sem nenhum resultado. Israel só tinha folhas, e não frutos (21.18-22). Deus nos escolheu em Cristo para darmos frutos (Jo 15.8).

Em terceiro lugar, *a rejeição contínua e deliberada ao amor de Deus* (21.35-39). Ao longo dos séculos, Deus mandou Seus profetas para falarem à nação de Israel, mas eles rejeitaram a mensagem, perseguiram e mataram os mensageiros (2Cr 36.16). Quanto mais Deus demonstrava a eles Seu amor, mais o povo se afastava de Deus e endurecia a sua cerviz. Finalmente, Deus enviou o Seu Filho, mas eles não O receberam (Jo 1.11). Estavam prestes a matar o Filho enviado pelo Pai. Os ouvintes de Jesus, ao mesmo tempo que ouviam essa parábola, estavam urdindo um plano para matarem o Filho de Deus (21.46). Assim como na parábola *lançaram mão do filho, o arrastaram para fora da vinha e o mataram* (21.39), também lançaram mão de Jesus no jardim do Getsêmani, o arrastaram no conselho de Caifás, o levaram para fora de Jerusalém e ali O mataram, no Calvário.[11]

Em quarto lugar, *o juízo de Deus aos que rejeitam Seu amor* (21.40-45). Deus pune os rebeldes e passa a vinha a outros. A oportunidade de Israel cessa, e aos gentios é aberta a porta da graça. Israel rejeitou o tempo da sua visitação. Rejeitou Aquele que poderia resgatá-lo. A Pedra era um conhecido símbolo do Messias (Êx 17.6; Dn 2.34; Zc 4.7; Rm 9.32,33; 1Co 10.4; 1Pe 2.6-8). Jesus anunciou um duplo veredicto: eles não apenas tinham rejeitado o Filho, mas também tinham rejeitado a Pedra. Só lhes restava então o julgamento.[12] O Filho, rejeitado pelas autoridades do templo, virá a ser a "pedra angular" do novo templo de Deus. Com essa guinada de ênfase na metáfora, Jesus olha para além de sua morte, para a sua vindicação na ressurreição e para a edificação de uma nova "casa para todas as nações".

Em quinto lugar, *endurecimento em vez de quebrantamento* (21.46). A parábola foi uma centelha na pólvora da oposição a Jesus. Os líderes religiosos interpretaram corretamente a parábola de Jesus, mas não se dispuseram a obedecer a Jesus. Ao contrário, endureceram ainda mais

---

[11]SPURGEON, Charles H. *O Evangelho segundo Mateus*, p. 461.
[12]WIERSBE, Warren W. *Be Diligent*, p. 115,116.

o coração e buscaram uma forma de eliminar Jesus. A retirada deles é apenas para buscarem novas estratégias que levem à morte do Messias (Mc 12.12). Esse episódio nos ensina que conhecimento e convicção apenas não podem nos salvar. É perfeitamente possível saber que estamos errados e ainda assim permanecer obstinadamente agarrados ao nosso pecado e perecer miseravelmente no inferno.

Esta parábola fala sobre três coisas: os preceitos, a paciência e a punição de Deus. Deus nos plantou para darmos fruto. Ele tem sido paciente na busca desses frutos em nossa vida. Se rejeitarmos sua Palavra e seus mensageiros, seremos, então, julgados inexoravelmente.

A parábola **das bodas** (22.1-14)

Somente Mateus registra esta parábola. Ela se ocupa da extensão do oferecimento do Reino de Deus, aqui representado como uma festa de casamento real, a outros além dos originalmente convidados, porque estes, quando chegou a hora, não quiseram vir. É tema dominante do evangelho de Mateus que os gentios seriam incluídos no povo de Deus porque o Israel original tinha, em sua maior parte, rejeitado a Jesus, o Messias. A parábola é de fato uma adicional elucidação do pronunciamento de Jesus: *Portanto, vos digo que o Reino de Deus vos será tirado e será entregue a um povo que lhe produza os respectivos frutos* (21.43).[13]

William Hendriksen diz que podemos dividir essa parábola em três partes: 1) o convite rejeitado (22.1-7); 2) o salão das bodas cheio (22.8-10); 3) a ausência de manto nupcial (22.11-14).[14] John Charles Ryle oferece-nos uma lúcida análise do texto e subscreveremos sua posição, destacando quatro verdades a seguir.[15]

Em primeiro lugar, *a salvação anunciada no evangelho é comparada a uma festa de casamento*. Somos chamados pelo evangelho ao banquete do Filho do Rei. A vida eterna é uma festa nobre, um banquete real, uma celebração eterna.

---

[13] TASKER, R. V. G. *Mateus: introdução e comentário*, p. 164.
[14] HENDRIKSEN, William. *Mateus*. Vol. 2, p. 350.
[15] RYLE, John Charles. *Meditações no Evangelho de Mateus*, p. 184-186.

Em segundo lugar, *os convites do evangelho são amplos, plenos, generosos e ilimitados*. O banquete da graça está pronto. Tudo foi preparado. Não precisamos pagar. A provisão é farta. É completa. A graça está pronta para assistir você. A Bíblia está pronta para instruí-lo. O evangelho coloca uma porta aberta diante de todos, ricos e pobres, homens e mulheres, grandes e pequenos. Ninguém é excluído.

Em terceiro lugar, *a salvação oferecida pelo evangelho é rejeitada por muitos daqueles a quem ela é oferecida*. Os convidados chamados pelos servos do rei não deram valor ao convite. Rejeitaram-no. Assim também hoje muitos escutam o evangelho, ouvem a pregação, mas rejeitam o convite da graça, desprezando a oferta do amor de Deus.

Em quarto lugar, *todos quantos professam falsamente a religião cristã serão desmascarados e condenados eternamente no último dia*. Qual é a vestimenta adequada segundo a parábola? Agostinho, bispo de Hipona, do quinto século, no norte da África, estava convencido de que é a justiça de Cristo. Se não estivermos vestidos desta justiça, não seremos bem-vindos nas bodas do Cordeiro no céu; toda a nossa justiça, segundo a Bíblia, é como um trapo de imundícia (Is 64.6). Somente poderemos entrar no reino dos céus se estivermos vestidos da justiça de Jesus, a qual é imputada a todos os que creem (Zc 3.3,4).[16] Ninguém participa desse banquete sem ser revestido com a justiça de Cristo, sem ser salvo pela graça, sem ter sido transformado pelo Espírito Santo. O homem sem vestes nupciais foi identificado, desmascarado e lançado fora do banquete. Ele ficou amordaçado, mudo de confusão e embaraçado. E foi lançado nas trevas exteriores, banido da face do Rei, condenado às penalidades eternas.

Concluo a exposição desta parábola com as palavras de William Hendriksen:

> O único pensamento da parábola, pois, é este: Aceite o gracioso convite de Deus, para que, enquanto outros entram na glória, não suceda de você se perder. Lembre-se, porém, de que a membresia na igreja visível não garante a salvação. O indispensável é que haja completa renovação, o revestir-se de Cristo.[17]

---

[16] SPROUL, R. C. *Mateus*, p. 563.
[17] HENDRIKSEN, William. *Mateus*. Vol. 2, p. 359.

62

Perguntas desonestas

Mateus 22.15-46

JESUS JÁ HAVIA ALERTADO AOS SEUS DISCÍPULOS que esperassem conflitos e sofrimentos em sua chegada a Jerusalém (16.21). As tensões daquele dia foram imensas. Os líderes religiosos emparedam-No em busca de uma prova contra Ele. Fazem perguntas capciosas e desonestas. Subornam emissários para tentá-Lo com lisonjas.

Vamos, agora, examinar o que aconteceu com Jesus nesse dia, conhecido como "o dia das perguntas". Já vimos a primeira pergunta (21.23) e como Jesus respondeu com outra pergunta, apanhando Seus interrogadores no laço de sua própria armadilha (21.24-27). Depois das três parábolas, volta o rosário de novas perguntas. Jesus, porém, com sabedoria, vira a mesa, colocando seus inquiridores, fariseus e herodianos, na defensiva. Esses dois grupos antagônicos se unem contra Jesus, pois Seus ensinamentos reprovavam tanto a justiça própria do primeiro como o mundanismo do segundo.[1]

A tentativa de **apanhar Jesus** em contradição **quanto ao tributo a César** (22.15-22)

Os líderes têm um propósito: matar Jesus! Eles precisam encontrar o modo certo de fazê-lo. Decidem, então, fazer-Lhe perguntas

---
[1] HENDRIKSEN, William. *Mateus*. Vol. 2, p. 361.

embaraçosas, com o fim de apanhá-Lo em alguma contradição. Desta maneira, poderiam acusá-Lo e levá-Lo à morte. O verbo grego *pagideuo*, "enlaçar", "armar o laço" ou "apanhar numa armadilha", ocorre só aqui no Novo Testamento.[2]

Esses acontecimentos têm o tenebroso contorno de uma conspiração. Jesus já havia se deparado com intenções letais e sinistras anteriormente (Lc 4.29; 13.31). Mas a primeira deles foi um ato de uma multidão; e a segunda, uma tentativa direta de assassinato. Em Jerusalém, porém, a tentativa de matá-Lo é uma trama, envolvendo uma cilada, um informante e subterfúgios que tentam burlar o escrutínio público. O termo grego usado no texto paralelo de Lucas 20.20 para os emissários subornados é *enkatheos*, que significa "espiões". É uma referência a agentes secretos que estão vigiando Jesus de perto, fingindo ser honestos, para pegá-Lo no contrapé.

Mateus nos informa que foram os fariseus que tentaram surpreender Jesus, para pegá-lo no contrapé. Eles não fizeram isso pessoalmente, mas enviaram seus discípulos e os herodianos. Esses emissários chegaram rasgando desabridos elogios a Jesus: *Mestre, sabemos que és verdadeiro e que ensinas o caminho de Deus, de acordo com a verdade, sem Te importares com quem quer que seja, porque não olhas a aparência, dos homens. Dize-nos, pois: que Te parece? É lícito pagar tributo a César ou não* (22.16,17).

Esse episódio propicia-nos algumas lições importantes, como vemos a seguir.

Em primeiro lugar, **as forças opostas se unem para atacar Jesus** (22.15-17). O evangelista Lucas diz que os escribas, que pertenciam ao partido dos fariseus, e os principais sacerdotes, que pertenciam ao partido dos saduceus, foram as pessoas que fizeram a pergunta a Jesus. Esses dois grupos de conservadores e progressistas, ortodoxos e liberais não eram unidos (At 23.6-9), mas se uniram contra Jesus. O evangelista Marcos acrescenta que os fariseus e os herodianos, que eram inimigos irreconciliáveis, se ajuntaram contra Jesus (Mc 3.6). Estavam

---

[2]ROBERTSON, A. T. *Comentário de Mateus*, p. 246.

em lados opostos, mas, quando se tratou de condenar Jesus, eles se uniram (Mc 12.13; 22.15,16). Forças opostas se unem contra a verdade. Os herodianos apoiavam a família de Herodes, que recebera poder de Roma para governar e cobrar impostos. Os fariseus, contudo, consideravam Herodes um usurpador do trono de Davi. Eles se opunham à taxa de impostos que os romanos tinham colocado sobre a Judeia e assim se ressentiam da presença de Roma em sua terra, mas contra Jesus esses inimigos se uniram.

Em segundo lugar, ***a bajulação é uma arma do inimigo*** (22.16). A bajulação é uma armadilha camuflada com lisonja. Os inimigos de Jesus, no caso aqui, são espiões contratados (Lc 20.19,20), que Lhe desfiam desabridos elogios, numa linguagem bajuladora, insincera e hipócrita. Eles ocultam seu propósito nefasto sob um manto de adulação lisonjeira. Jesus, porém, tira a máscara de seus inquiridores e expõe sua hipocrisia: *Jesus, porém, conhecendo-lhes a malícia, respondeu: Por que me experimentais, hipócritas?* (22.18).

Em terceiro lugar, *uma pergunta maliciosa* (22.17). Perguntaram a Jesus: *É lícito pagar tributo a César ou não?* Eles estavam seguros de que, qual fosse a resposta de Jesus, Ele estaria em situação embaraçosa. Se Jesus respondesse sim, o povo estaria contra Ele, pois seria visto como alguém que apoiava o sistema romano idólatra. Se respondesse não, Roma estaria contra Ele e os herodianos se apressariam em denunciá-Lo às autoridades romanas, acusando-O de rebelião (23.2). Se sua resposta fosse sim, ele perderia sua credibilidade junto ao povo; se Sua resposta fosse não, seria acusado de insubordinado e rebelde contra Roma.[3] Se Jesus permanecesse em silêncio, eles O acusariam de ser um covarde que não ousaria dizer o que pensava. Spurgeon diz que o laço foi lançado muito habilmente, mas aqueles que tão astuciosamente agiram não imaginavam que estavam montando uma armadilha na qual eles mesmos seriam capturados.[4]

Em quarto lugar, ***uma resposta desconcertante*** (22.19-22). Jesus responde: *Mostrai-Me a moeda do tributo* (22.19). Trouxeram-Lhe

---

[3]HENDRIKSEN, William. *Mateus.* Vol. 2, p. 362.
[4]SPURGEON, Charles H. *O Evangelho segundo Mateus,* p. 484.

um denário. E Ele lhes perguntou: *De quem é esta efígie e inscrição?* (22.20). Ao responderem: *De César,* Jesus ordena: *Dai, pois, a César o que é de César e a Deus o que é de Deus* (22.21). De acordo com William Hendriksen, Jesus não Se desviou do assunto, mas disse claramente: "Sim, paguem o imposto". Honrar a Deus não significa desonrar o imperador, recusando-se a pagar pelos privilégios (uma sociedade relativamente ordeira, proteção policial, boas estradas, tribunais etc.).[5] E concordo com as palavras de John Charles Ryle: "A igreja não deve abarcar o Estado, nem o Estado deve tentar engolfar a igreja".[6]

Jesus, assim, não absolutiza o poder de Roma nem isenta de responsabilidade o povo do seu compromisso com Deus. Somos cidadãos de dois reinos. Devemos lealdade tanto a um quanto ao outro. Devemos pagar nossos tributos bem como devolver o que é de Deus. Nessa mesma linha de pensamento, Robertson diz que a própria inscrição na moeda era um reconhecimento de dívida a César. O imposto não era um presente, mas uma dívida em troca de lei, ordem e estradas. Há o dever ao Estado e o dever a Deus. As duas esferas são distintas, mas ambas existem. O cristão não deve esquivar-se de nenhuma das duas.[7] Vale destacar que, na resposta de Jesus, Ele rejeitou a própria reivindicação de César, feita na moeda e sob outras formas, em que o imperador se apresentava não apenas como o governador de um reino físico, mas também de um reino espiritual, chamando a si mesmo de *Pontifix Maximus* ou Sumo Sacerdote. Jesus deixa claro que o imperador deve ser respeitado e obedecido enquanto sua vontade não colidir com a vontade de Deus. Por meio dessa resposta, Jesus desconcertou a seus inimigos.

O ensino das Escrituras é que o governo humano é estabelecido por Deus para o nosso bem (Rm 13.1; 1Tm 2.1-6; 1Pe 2.13-17). Mesmo quando a pessoa que ocupa o ofício não é digna de respeito, o ofício que ela ocupa deve ser respeitado. Jesus rejeitou a tendência de ver o diabo no Estado tanto como a de divinizá-lo. Demonizar pessoas ou instituições humanas são atitudes injustas. Não é necessário existir um conflito

---

[5]HENDRIKSEN, William. *Mateus.* Vol. 2, p. 364.
[6]RYLE, John Charles. *Meditações no Evangelho de Mateus*, p. 189.
[7]ROBERTSON, A. T. *Comentário de Mateus*, p. 247.

entre o espiritual e o temporal. Em síntese, Jesus diz para os orgulhosos fariseus não se omitirem em seu dever com César e para os mundanos herodianos não se omitirem em seu dever com Deus. Concordo com Spurgeon quando ele diz que, para nós, a lição desse incidente é que o Estado tem a sua função e que devemos cumprir os nossos deveres para com ele, mas não devemos esquecer que Deus tem o seu trono e não devemos permitir que o reino da terra nos transforme em traidores do reino dos céus. César deve manter a sua posição e não intencionar ir além dele, pois somente Deus deve ter o domínio espiritual sobre os homens.[8]

A armadilha deles falhou, e eles não puderam acusar Jesus nem de sedição nem de se curvar a Roma (22.22).

A tentativa de **apanhar Jesus** em contradição **quanto à ressurreição** (22.23-33)

Uma delegação de saduceus espera que uma pergunta teológica possa ter sucesso onde uma armadilha política falhou. Depois que os fariseus, versados nas Escrituras, haviam sido devidamente despachados pelo Senhor (22.22), também os saduceus fizeram sua tentativa, propondo-Lhe uma pergunta capciosa (22.23,24).

Essa passagem ensina-nos várias lições solenes, como vemos a seguir.

Em primeiro lugar, *o perigo de os hereges assumirem a liderança religiosa* (22.23). Os saduceus formavam a classe aristocrática da religião judaica. Essa aristocracia sacerdotal colaborou com as autoridades romanas e, no processo, ficou rica e orgulhosa da posição secular conquistada. Contrariamente aos fariseus, que aceitavam tanto a lei escrita quanto a lei oral, eles só aceitavam o Pentateuco e negavam as tradições orais, bem como os outros livros do Antigo Testamento. Os saduceus sentiram-se ameaçados pelas ações de Jesus no templo, pois o poder deles e a manutenção de sua riqueza dependiam do templo. Aqueles que ocupavam as funções mais importantes da religião judaica eram hereges doutrinariamente: negavam a vida depois da morte, a doutrina da ressurreição, a existência da alma, a existência dos anjos e demônios

---

[8]SPURGEON, Charles H. *O Evangelho segundo Mateus*, p. 487.

e o julgamento final (At 23.8). Mesmo assim, eles foram a Cristo para fazer uma pergunta relacionada à doutrina da ressurreição. O caso levantado por eles tinha o propósito de ridicularizar Jesus com essa doutrina magna do cristianismo. Os saduceus eram os liberais da época. Eram tidos como os intelectuais da época, mas negavam os fundamentos essenciais da fé.

Em segundo lugar, *uma pergunta maliciosa* (22.24-28). Os saduceus, hipocritamente, se aproximam de Jesus com refinada educação, chamando-O de Mestre. Suas palavras eram macias como manteiga, mas afiadas como espada (Is 55.21). Eles lançam uma pergunta, usando um caso hipotético e absolutamente improvável, ligado à prática do levirato (Dt 25.5-10). O termo "levirato" vem do latim *levir*, que significa "o irmão do marido". Sete irmãos casaram-se com a mesma mulher. Na ressurreição, os saduceus perguntam, quem vai ser o marido dessa mulher, visto que os sete a desposaram? A pergunta hipotética deles não era sincera. Eles nem acreditavam na doutrina da ressurreição. Estavam propondo um enigma para Jesus, a fim de colocá-lo num beco sem saída.

Em terceiro lugar, *uma resposta esclarecedora* (22.29-33). Jesus afirmou aquilo que os saduceus negavam: a existência dos anjos, a realidade da vida depois da morte e a esperança da ressurreição futura – e fez isso usando uma passagem de Moisés (a única parte do Antigo Testamento que eles aceitavam), já que eles não conheciam de fato as Escrituras. É evidente que Jesus poderia ter citado outras passagens para ensinar sobre a ressurreição futura, mas Ele tratou com seus adversários dentro do território deles. A resposta de Jesus sinaliza vários fatos importantes, como vemos a seguir.

Primeiro, a heresia é consequência do desconhecimento das Escrituras bem como do poder de Deus (Mt 22.29; Mc 12.24). Os saduceus pensaram que eram espertos, mas Jesus revelou a ignorância deles em duas coisas: o poder de Deus e a verdade das Escrituras. Se os saduceus conhecessem as Escrituras, saberiam que não existe nada em Deuteronômio 25.5,6 que se aplique à vida futura, e também saberiam que o Antigo Testamento, em várias passagens, ensina a ressurreição do corpo. E, se conhecessem o poder de Deus (Rm 4.17; Hb 11.19), teriam entendido que Deus é capaz de ressuscitar os mortos de tal modo que o casamento não seja mais necessário. Eles laboravam em erro porque não conheciam as Escrituras nem o poder de Deus. Os saduceus eram analfabetos da Bíblia e queriam embaraçar o Mestre dos mestres com perguntas capciosas.

Segundo, a morte coloca um fim no relacionamento conjugal (22.30; Lc 20.34,35). O casamento é uma relação apenas para esta vida. Não existe casamento eterno. A morte é o fim do relacionamento conjugal. Marido e mulher são uma só carne, mas não são um só espírito. Se fossem, a morte não poderia dissolver a relação conjugal. O ensino mórmon sobre casamento eterno, portanto, está em total desacordo com a Palavra de Deus. É uma crassa heresia. Na vida futura, não haverá relacionamento conjugal nem necessidade de procriação para preservação da raça. Seremos como os anjos. Spurgeon diz que a resposta de nosso Salvador combateu outro erro dos saduceus; seus interrogadores não criam em anjos, mas Jesus diz que na ressurreição seremos como os anjos.[9]

Terceiro, a morte não coloca um fim no nosso relacionamento com Deus (22.31-33; Lc 20.35-40). Jesus corrige a teologia distorcida dos saduceus que entendiam ser a morte um sinônimo de extinção. Abraão, Isaque e Jacó já estavam mortos, quando Deus se revelou a Moisés na sarça ardente dizendo: "Eu sou o Deus de Abraão, Isaque e Jacó". Para Deus, os patriarcas não são seres inexistentes. Embora sem corpo, eles vivem. Embora mortos fisicamente, estão vivos para Deus, pois a morte não interrompeu a sua relação com eles, como interrompeu o relacionamento deles com seus respectivos cônjuges. Esse registro revela que Moisés acreditava piamente na vida depois da morte. Os mesmos saduceus que professavam crer em Moisés erravam por não conhecer o ensino de Moisés.

A tentativa de **apanhar Jesus** em contradição **quanto ao grande mandamento** (22.34-40)

Uma vez que Jesus fizera calar os saduceus, os fariseus, na pessoa de um dos intérpretes da lei, mais uma vez entram em cena. Agora, lançam

---

[9]SPURGEON, Charles H. *O Evangelho segundo Mateus*, p. 492.

mão de outra pergunta de algibeira, buscando ocasião para colocar Jesus em contradição. O assunto agora é acerca do grande mandamento. Destacamos alguns pontos a seguir.

Em primeiro lugar, **uma pergunta nevrálgica** (22.34-36). Tendo silenciado os saduceus, são os fariseus que se aproximam agora para interrogar Jesus. Marcos diz que a pergunta foi feita por um dos escribas (Mc 12.28). Os escribas tinham determinado que os judeus eram obrigados a obedecer 613 preceitos da lei, 365 preceitos negativos e 248 positivos. Um de seus exercícios favoritos era discutir qual desses mandamentos era o mais importante. Esse doutor da lei quer saber qual é o principal mandamento da lei de Deus. Nessa mesma linha de pensamento, Robertson, citando Vincent, escreve: "Os escribas declararam que havia duzentos e quarenta e oito preceitos afirmativos, tantos quantos os membros do corpo humano; e trezentos e sessenta e cinco preceitos negativos, tantos quantos os dias do ano, totalizando seiscentos e treze, o número das letras do decálogo. Mas Jesus corta caminho por tais minúcias e vai direto ao cerne do problema.[10]

Em segundo lugar, **uma resposta magnífica** (22.37-40). A resposta de Jesus não consiste em um pensamento novo, mas na recordação daquilo que todo homem judeu pronunciava a cada manhã e a cada noite, o *shema* (Dt 6.4-6). Jesus sintetizou a lei no amor, e não em preceitos e rituais. Amor a Deus e ao próximo é o fim último da lei. Quem ama cumpre a lei. Jesus foge do legalismo dos fariseus, que impunha fardos pesados sobre os homens e os atormentava com uma infinidade de regras e preceitos. O fato novo abordado por Jesus foi unir esses dois mandamentos. Isso nenhum rabino havia feito até então.

A **pergunta de Jesus** coloca seus inquiridores em **situação embaraçosa** (22.41-46)

Jesus, de interrogado, passa a interrogador (22.41-46). Ele agora parte para o contra-ataque e começa a interrogar os fariseus, chegando, assim, ao apogeu da discussão. O Rei conduz a guerra ao país do inimigo.[11]

---

[10]ROBERTSON, A. T. *Comentário de Mateus*, p. 248.
[11]SPURGEON, Charles H. *O Comentário segundo Mateus*, p. 502.

As perguntas deles versaram sobre tributo, ressurreição e grande mandamento. Mas agora a pergunta que Jesus faz aos fariseus toca na sua própria pessoa. Essa é a maior questão: Quem é Jesus, o Cristo? Essa é a maior questão porque, se estivermos errados sobre o Cristo, estaremos errados sobre a salvação, perdendo, assim, a nossa própria alma.

O Cristo é ao mesmo tempo Filho de Davi e Senhor de Davi (22.42-44). Jesus veio da descendência de Davi segundo a carne (Rm 1.3), mas ele precede a Davi, é o Senhor de Davi, e seu reino jamais terá fim. Os fariseus não puderam ver a sublime verdade de que o Messias deveria ser Deus e homem, assim como não perceberam que, embora como homem o Messias fosse Filho de Davi, como Deus o Messias era o Senhor de Davi. Spurgeon, nessa mesma toada, destaca que esse era o problema que os fariseus precisavam resolver: se o Messias era o Filho de Davi, como Davi, pelo Espírito Santo, o chamou de seu Senhor? O Cristo deve ser mais do que mero homem; caso contrário, as palavras do salmista seriam inadequadas e até mesmo blasfemas.[12]

O mesmo Jesus que ocultou durante o seu ministério a sua verdadeira identidade, rogando para as pessoas não dizerem ao povo quem ele era, agora a revela com diáfana clareza. Chegara o tempo de cumprir cabalmente sua missão. Ele está indo para a cruz, mas sabe que é o Filho de Davi, o Senhor de Davi, o Messias prometido, cujo reinado não tem fim.

---

[12]SPURGEON, Charles H. *O Comentário segundo Mateus*, p. 503.

63

Solenes **advertências** de Jesus sobre os **falsos** líderes religiosos

Mateus 23.1-39

ESTE DISCURSO DE JESUS DIRIGIDO ÀS MULTIDÕES bem como aos seus discípulos é o último pronunciamento público registrado por este evangelista. O discurso de Jesus trata de três pontos vitais: o perfil do falso líder religioso, a condenação dos falsos líderes e o lamento de Jesus sobre a cidade de Jerusalém.

O perfil do falso líder religioso (23.1-12)

Mateus é o evangelho dos discursos e, neste capítulo 23, encontramos o discurso de Jesus contra os escribas e fariseus, líderes religiosos da nação de Israel. É a última mensagem pública de Jesus. Ele falou às multidões e aos seus discípulos. E o principal propósito desse discurso é confrontar o falso líder espiritual e a sua prática religiosa. Nesse duro discurso, Jesus chamou os fariseus de cegos, serpentes, filhos do inferno, assassinos, hipócritas e pessoas semelhantes a sepulcros caiados.

Como surgiram os fariseus? Quem eles são? No que acreditavam? Os fariseus surgiram em Israel, em resposta aos acontecimentos religiosos, culturais e políticos que afetaram a nação desde o Império Grego e, talvez, antes desse período. Eles se tornaram proeminentes durante o período dos macabeus (160-60 a.C.), e seus dois principais rabinos, Hillel e Shammai, apareceram durante as décadas finais antes do nascimento de Cristo. Suas respectivas escolas dominaram a cena religiosa em Israel pelos dois séculos seguintes. Shammai era conservador, e Hillel, moderado. Na época de Jesus, os fariseus haviam se tornado os líderes religiosos de Israel. Eles controlavam a sinagoga e tinham representantes no Sinédrio.[1]

Nesse solene discurso, Jesus, olhando para os escribas e fariseus, traça o perfil dos falsos líderes religiosos. Esses líderes falharam em três sentidos: são destituídos de sinceridade, de compaixão e de humildade.[2] Os escribas fechavam a porta do reino diante dos homens (23.13), seduziam os prosélitos (23.15), confundiam a verdade relativa ao juramento (23.16-22), revertiam os valores (23.23,24), incitavam o ritualismo (23.25,26), buscavam evidenciar seu caráter religioso, como se a aparência externa fosse um esconderijo adequado para a fraude e o crime (23.27,28) e alardeavam acerca de sua bondade superior como se fossem melhores que seus ancestrais que mataram os profetas (23.29-32). Por todos esses pecados se pronuncia juízo contra eles (23.33-36).[3]

Assim começa a passagem em apreço: *Então, falou Jesus às multidões e aos seus discípulos* (23.1). Trata-se de um discurso contundente proferido por Jesus. O seu propósito é denunciar publicamente os pecados praticados pelos escribas e fariseus. Como já demonstramos nesta obra, no início, o farisaísmo queria o bem. No tempo do exílio babilônico, pessoas sinceras se haviam reunido com a vontade e a decisão de levar a sério a lei de Deus. Após o retorno para Jerusalém, elas evitaram qualquer mistura com o mundo pagão e a forma de pensar dos pagãos. Por isso, eram chamadas de "os separados", "os fariseus". No entanto, a evolução posterior tornou-se um desenvolvimento falho. Os fariseus absolutizaram a letra da lei e caíram num legalismo de mera obediência formal da lei, negligenciando uma ética verdadeira de disposição interior e atitude do coração. Também se tornaram presunçosos por causa dessa fidelidade à lei, de modo que não buscavam mais a Deus, mas a si próprios.[4]

---

[1] HOVESTOL, Tom. *A neurose da religião*, p. 27.
[2] HENDRIKSEN, William. *Mateus*. Vol. 2, p. 381.
[3] HENDRIKSEN, William. *Mateus*. Vol. 2, p. 381,382.
[4] RIENECKER, Fritz. *Evangelho de Mateus*, p. 386.

Quais são os pecados denunciados por Jesus a respeito dessa liderança religiosa de Israel?

Em primeiro lugar, **usurpação de autoridade espiritual** (23.2). "Na cadeira de Moisés, se assentaram os escribas e os fariseus". Embora Jesus tenha reconhecido os escribas e fariseus como professores da lei, eles falharam, também, tanto na hermenêutica como na prática. Havia uma gritante discrepância entre ensinar e praticar.[5] A "cadeira de Moisés" significa o ofício de intérprete de Moisés.[6] Não há, porém, registro bíblico de que Deus tenha dado autoridade a esse grupo. Eles se assentaram; não foram sentados. Os fariseus se consideravam mais santos que os outros pecadores (Lc 15.1,2). Eram "os separados". Uma das principais características dos falsos profetas é arrogar para si uma posição que jamais lhes foi concedida. Por intermédio do profeta Jeremias, Deus alertou: *Não mandei esses profetas; todavia, eles foram correndo; não lhes falei a eles; contudo, profetizaram* (Jr 23.21). São profetas por conta própria. Eles não foram vocacionados nem enviados por Deus. Eles não ouviram Deus, contudo falam em nome de Deus.

Em segundo lugar, **não praticam o que ensinam** (23.3). *Fazei e guardai, pois, tudo quanto eles vos disserem, porém não os imiteis nas suas obras; porque dizem e não fazem*". Aqui Jesus não desaprova o ensino dos fariseus como Ele faz em outras ocasiões. Como mestres, eles têm o seu lugar. O problema é que eles não praticam o que ensinam. A vida deles não é avalista de sua doutrina. Assim, Jesus está apontando outra falha grave dos fariseus; ou seja, eles diziam uma coisa e faziam outra. Eram inconsistentes.

Os fariseus eram extremamente zelosos em guardar os rituais externos, mas não eram cuidadosos em obedecer à lei interiormente. Eram legalistas, ritualistas e hipócritas. Eles ensinavam, mas não praticavam o que ensinavam. Havia, no caso dos fariseus, um abismo entre a doutrina e a vida, a teologia e a ética, o credo e a conduta. A vida do líder religioso é a sua principal carta de apresentação. John Charles Ryle

---

[5] RIENECKER, Fritz. *Evangelho de Mateus*, p. 376.
[6] ROBERTSON, A. T. *Comentário de Mateus*, p. 251.

alerta-nos a fazer uma distinção entre o ofício de um mestre e o exemplo pessoal desse mestre.[7]

Como identificar os falsos profetas? Pelos seus frutos os conhecereis. *Colhem-se, porventura, uvas dos espinheiros ou figos dos abrolhos? Assim, toda árvore boa produz bons frutos, porém a árvore má produz frutos maus. Não pode a árvore boa produzir frutos maus, nem a árvore má produzir frutos bons. Toda árvore que não produz bom fruto é cortada e lançada ao fogo* (7.17-19). Toda a natureza se reproduz segundo a sua espécie. Esse princípio se aplica no mundo espiritual. A qualidade da árvore, boa ou ruim, determinará a qualidade do fruto. O critério é que se conhece a árvore pelo fruto ou a pessoa pela sua conduta. *Assim, pois, pelos seus frutos os conhecereis* (7.20).

Em terceiro lugar, **sonegam ao povo a verdade, mas oprimem o povo com preceitos humanos** (23.4). "Atam fardos pesados [e difíceis de carregar] e os põem sobre os ombros dos homens; entretanto, eles mesmos nem com o dedo querem movê-los". Spurgeon diz que as regras dos fariseus e suas observâncias morais e cerimoniais eram como enormes feixes ou fardos esmagadores transformados em um peso intolerável para qualquer homem suportar.[8] Os escribas e fariseus são chefes de serviço, e não carregadores de fardos ou ajudantes solidários.[9] Eles sobrecarregavam as pessoas, em vez de aliviá-las. Os crentes já tinham o Antigo Testamento para obedecer, mas os fariseus criaram centenas de mandamentos e tradições humanas para oprimir o povo. Eles não possuíam nenhuma sensibilidade espiritual. Eram legalistas e sempre procuravam tornar a religião mais pesada. Tudo ao contrário da graça de Jesus (11.28-30).

Os falsos profetas enganam o povo substituindo a Palavra de Deus por suas próprias doutrinas. No seu tempo, o profeta Jeremias, em nome de Deus, já denunciava os falsos profetas: *Tenho ouvido o que dizem aqueles profetas, proclamando mentiras em meu nome, dizendo: Sonhei, sonhei. Até quando sucederá isso no coração dos profetas que proclamam*

---

[7]RYLE, John Charles. *Meditações no Evangelho de Mateus*, p. 195.
[8]SPURGEON, Charles H. *O Comentário segundo Mateus*, p. 507.
[9]ROBERTSON, A. T. *Comentário de Mateus*, p. 251.

mentiras, que proclamam só o engano do próprio coração? (Jr 23.25,26). Hoje, há muitas pessoas confusas, feridas e doentes, vítimas dos falsos profetas. O falso líder religioso é um impostor inescrupuloso. Seduz as pessoas com palavras de bajulação, falsas promessas e vãs esperanças. Faz comércio das pessoas, tirando delas não somente os bens, mas as deixando falidas e desiludidas espiritualmente. São lobos em peles de ovelhas.

Em quarto lugar, **são obcecados pelos aplausos humanos** (23.5-7). *Praticam, porém, todas as suas obras com o fim de serem vistos dos homens; pois alargam os seus filactérios e alongam as suas franjas. Amam o primeiro lugar nos banquetes e as primeiras cadeiras nas sinagogas, as saudações nas praças e o serem chamados mestres pelos homens.* Esta era a falha fatal no caráter deles: fazer todas as coisas a fim de serem vistos pelos homens. Eles querem aparecer pelo que fazem, pela maneira de vestir, pela ocupação dos primeiros lugares nos eventos. Eles veneram as saudações públicas e são ávidos pelos títulos acadêmicos da religião. No uso rabínico, os filactérios significavam uma salvaguarda de proteção, como um talismã ou amuleto. Os rabinos usavam caixinhas de couro com quatro tiras de pergaminho, contendo quatro passagens da lei (Êx 3.3-10, 11-16; Dt 6.4-9, 11.13-21), usadas na testa e mão ou no braço como amuletos ou proteção. Os escribas e fariseus evidenciavam esses filactérios, mas ao mesmo tempo a Palavra de Deus não estava escondida em seu coração nem era obedecida em sua vida.[10] Tais coisas eram úteis como lembretes, mas eram fatais quando consideradas como talismãs. Jesus ridiculariza tamanha preocupação minuciosa por exterioridades e literalismo pretensioso.[11]

Os rabinos procuravam avidamente reconhecimento. Requeriam atenção especial para si mesmos. Queriam que todos apoiassem e aprovassem a sua dignidade ministerial, como alguns líderes religiosos ainda hoje fazem.[12]

---

[10]SPURGEON, Charles H. *O Comentário segundo Mateus*, p. 507.
[11]ROBERTSON, A. T. *Comentário de Mateus*, p. 252,253.
[12]ROBERTSON, A. T. *Comentário de Mateus*, p. 253.

Em quinto lugar, *são ávidos por títulos humanos* (23.8-12). Jesus deixa de falar às multidões e se volta para seus discípulos, alertando-os sobre o perigo de nutrir no coração a obsessão por títulos humanos. Jesus proibiu os seus discípulos de usar o título "Mestre": *Vós, porém, não sereis chamados mestres, porque um só é vosso Mestre, e vós todos sois irmãos* (23.8). Jesus também disse que não devemos usar o título de "Pai" com referência às coisas espirituais: *A ninguém sobre a terra chameis vosso pai; porque só um é vosso Pai, aquele que está nos céus* (23.9). E o terceiro título proibido é o de "Guia": *Nem sereis chamados guias, porque um só é vosso Guia, o Cristo* (23.10). Com isso, Jesus ensina que o verdadeiro líder espiritual coloca o crente cada vez mais sob a direção de Cristo. Ele faz discípulos para Jesus, e não para si mesmo.

Jesus encerra a primeira parte do seu sermão dizendo: *Mas o maior dentre vós será vosso servo. Quem a si mesmo se exaltar será humilhado; e quem a si mesmo se humilhar será exaltado* (23.11,12). Que exaltação mais gloriosa uma pessoa pode desejar? Ser exaltado por Deus por meio do serviço e da humildade (20.26,27)! William Hendriksen diz que esse provérbio ocorre nas Escrituras reiteradamente (Jó 22.29; Pv 29.13; Lc 14.11; Tg 4.6; 1Pe 5.5). Essa foi a dramática experiência de Senaqueribe (2Cr 32.14,21), de Nabucodonosor (Dn 4.30-33) e de Herodes Agripa (At 12.21-23).[13]

A condenação dos falsos líderes (23.13-36)

Nessa segunda parte do discurso, Jesus condena os escribas e fariseus. Uma série de oito "ais" proféticos foram proferidos por Deus contra o seu povo, como maldições da aliança (Is 5.8-23; Hc 2.6-20). Entretanto, a maldição de Jesus, aqui, se volta contra os falsos líderes espirituais. A palavra que Jesus mais usa para eles é "hipócritas". Essa palavra significa "ator", alguém que desempenha um papel num palco. É a pessoa que pretende ser melhor do que realmente é. Tal pessoa não passa de impostora, farsante, lobo vestido com pele de ovelha, víbora oculta nos

---

[13]HENDRIKSEN, William. *Mateus.* Vol. 2, p. 389.

arbustos.¹⁴ Hipócrita é aquela pessoa que alega ter um relacionamento com Deus, mas não tem e finge que tem. E o pior, tira proveito disto. Por isso, Jesus é tão implacável com eles, chamando-os de *lobos roubadores com peles de ovelhas* (7.15). São hipócritas, serpentes e raça de víboras. Quais são os "ais" proferidos por Jesus contra os escribas e fariseus?

Em primeiro lugar, **os falsos líderes são amaldiçoados porque não entram e ainda impedem as pessoas de entrar no reino** (23.13). *Ai de vós, escribas e fariseus, hipócritas, porque fechais o reino dos céus diante dos homens; pois vós não entrais, nem deixais entrar os que estão entrando!* Os escribas e fariseus não entravam no Reino de Deus e não deixavam ninguém entrar. Faziam tudo para impedir as pessoas de crerem em Cristo. Corroborando esse pensamento, A. T. Robertson escreve:

> Os doutores da lei são acusados de manter a porta da casa do conhecimento fechada e tirar a chave para que eles e o povo permaneçam na ignorância. Pelo seu ensino, esses guardas do reino obscureceram o caminho para a vida. É uma tragédia pensar que os pregadores e ensinadores do Reino de Deus podem trancar a porta para os que desejam entrar. Esses porteiros do reino batem a porta na cara das pessoas, estando eles mesmos do lado de fora onde permanecerão. Escondem a chave para impedir que outros entrem.¹⁵

Os falsos líderes agem assim ainda hoje. Eles não se salvam nem pregam a salvação. Envolvem o povo com curas, benefícios materiais, unções e campanhas de vitória, mas as pessoas não se arrependem nem creem em Jesus Cristo. Eles estão excluídos do reino e não deixam ninguém entrar. São cegos guiando cegos (Rm 2.17-24).

Em segundo lugar, **os falsos líderes são amaldiçoados porque, movidos pela cobiça, exploram os mais fracos** (23.14). [*Ai de vós, escribas e fariseus, hipócritas, porque devorais as casas das viúvas e, para o justificar, fazeis longas orações; por isso, sofrereis juízo muito mais severo!*] A expressão "devorais as casas das viúvas" significa que eles conseguiam administrar as

---

¹⁴HENDRIKSEN, William. *Mateus*. Vol. 2, p. 391,392.
¹⁵ROBERTSON, A. T. *Comentário de Mateus*, p. 255.

propriedades de muitas delas, explorando-as e tornando-as suas presas. Há uma maldição em Isaías 10.1,2, para quem comete isso; Deus é "juiz das viúvas" e dedica a elas um cuidado especial (Êx 22.22,23; Pv 15.25). Os fariseus disfarçavam suas más intenções com "longas orações". Por isso, eles receberão um grau mais alto de juízo: "mais severo".

Em terceiro lugar, *os falsos líderes são amaldiçoados porque faziam prosélitos para si mesmos* (23.15). *Ai de vós, escribas e fariseus, hipócritas, porque rodeais o mar e a terra para fazer um prosélito; e, uma vez feito, o tornais filho do inferno duas vezes mais do que vós!* Os escribas e fariseus de Jerusalém tinham um forte ímpeto "evangelístico". Eles estavam tentando propagar a sua influência nas sinagogas mais liberais dispersas por todo o mundo helenístico, e insistiam em que todos os conversos do paganismo deviam submeter-se ao pleno jugo da lei nos termos em que eles mesmos a impunham. O resultado foi que os conversos tendiam a tornar-se pior do que eles.[16]

Os fariseus faziam um esforço elogiável para fazer prosélitos para o farisaísmo, e não para Deus. O objetivo deles não era a glória de Deus nem o bem das pessoas, mas o crédito pessoal de fazer prosélitos e tê-los como presas. Os prosélitos de fariseus eram duas vezes piores na lei cerimonial, no legalismo e na perseguição contra os cristãos (At 13.45; 17.5; 18.6; 26.11). Por isso, Jesus diz: [...] *o tornais filho do inferno duas vezes mais do que vós!* Os hipócritas, embora se julguem filhos de Deus, são filhos do diabo ou filhos do inferno.

Em quarto lugar, *os falsos líderes são amaldiçoados porque conduzem o povo ao erro espiritual* (23.16-22). Os fariseus são "guias cegos" e, para provar a cegueira deles, Jesus mostra que eles faziam juramentos tolos. Eles faziam diferença de juramentos: jurar pelo santuário não era obrigatório, mas pelo ouro sim. Jesus mostra a tolice dessa diferença (23.17-19) e corrige o engano, dizendo: *Portanto, quem jurar pelo altar jura por Ele e por tudo o que sobre Ele está. Quem jurar pelo santuário jura por Ele e por Aquele que nEle habita; e quem jurar pelo céu jura pelo trono de Deus e por Aquele que no trono está sentado* (23.20-22). O objetivo do

---

[16]TASKER, R. V. G. *Mateus: introdução e comentário*, p. 172.

verdadeiro juramento é expressar algo em nome do Senhor. Juramentos são declarações solenes que invocam a Deus como testemunha das declarações e promessas feitas, pedindo a Deus que puna qualquer falsidade (Ed 10.5; Ne 5.12; 2Co 1.23; Hb 6.13-17). Todo cristão deve falar a verdade e honrar a palavra dada (5.37). Os fariseus levavam o povo a jurar por coisas que lhes dessem lucro e ganho pessoal.

Em quinto lugar, *os falsos líderes são amaldiçoados porque valorizam as coisas menores e desprezam as mais importantes da lei* (23.23,24). Os fariseus eram rígidos e exigentes nos menores detalhes da lei e relaxados nas questões mais importantes: *Ai de vós, escribas e fariseus, hipócritas, porque dais o dízimo da hortelã, do endro e do cominho e tendes negligenciado os preceitos mais importantes da Lei: a justiça, a misericórdia e a fé; devíeis, porém, fazer estas coisas, sem omitir aquelas! Guias cegos, que coais o mosquito e engolis o camelo!* (23.23,24). Eles se preocupavam em consagrar o dízimo das mínimas sementes (Lv 27.30; Dt 14.22), mas desprezavam a prática da justiça, da misericórdia e da fé (Sl 15; Mq 6.8). Jesus diz que eles deveriam continuar dando o dízimo, mas que fizessem também o mais importante da lei, ou seja, praticar a justiça, a misericórdia e a fé. Eles não podiam coar mosquitos e engolir camelos. O mosquito era o menor, e o camelo era o maior dos animais impuros. Tom Hovestol nos ajuda a entender melhor o contexto desta passagem, quando escreve:

> Os fariseus estavam preocupados com a ingestão de coisas que pudessem ser impuras, o que os tornaria ritualmente impuros. Um dos animais impuros a que eles mais dedicavam sua atenção era o mosquito, pois estes se juntavam regularmente em torno do vinho em fermentação. Para ter certeza de que não engoliriam um mosquito, os judeus chegavam a extremos, a ponto de passar o suco através de um tecido fino e chegavam até a beber com os dentes cerrados. Contudo, o maior animal impuro que os judeus conheciam era o camelo. Portanto, Jesus retratou um judeu coando meticulosamente o vinho e cerrando os dentes para evitar engolir um mosquito, enquanto tinha um camelo pendurado em sua mandíbula.[17]

---

[17]HOVESTOL, Tim. *A neurose da religião*, p. 206.

Infelizmente, muitos pegam este texto para ensinar que Jesus combateu o dízimo. É óbvio que não! O dízimo é uma prática do povo de Deus antes mesmo da outorga da lei, está presente na lei e também na dispensação da graça. O dízimo está presente no Pentateuco, nos livros históricos, poéticos, proféticos e no Novo Testamento. O que Jesus está combatendo aqui não é a prática do dízimo, mas o uso errado do dízimo. Os fariseus estavam usando a prática meticulosa do dízimo como um salvo-conduto para negligenciarem os principais preceitos da lei. Faziam do dízimo uma espécie de talismã.

Em sexto lugar, *os falsos líderes são amaldiçoados porque combatem o pecado exteriormente, e não no interior* (23.25,26). *Ai de vós, escribas e fariseus, hipócritas, porque limpais o exterior do copo e do prato, mas estes, por dentro, estão cheios de rapina e intemperança! Fariseu cego, limpa primeiro o interior do copo, para que também o seu exterior fique limpo!* O que contamina o homem não é o que entra ou que está do lado de fora, mas o que procede do seu coração corrupto (15.17-20). Primeiro é necessário limpar o coração (Sl 51.10). A. T. Robertson diz que este é um quadro moderno da maldade em altos cargos – tanto civis como eclesiásticos – em que a moralidade e a decência são impiedosamente espezinhadas.[18]

Em sétimo lugar, *os falsos líderes são amaldiçoados porque são fingidos espiritualmente* (23.27,28). *Ai de vós, escribas e fariseus, hipócritas, porque sois semelhantes aos sepulcros caiados, que, por fora, se mostram belos, mas interiormente estão cheios de ossos de mortos e de toda imundícia! Assim também vós exteriormente pareceis justos aos homens, mas, por dentro, estais cheios de hipocrisia e de iniquidade.* Jesus compara os fariseus aos sepulcros caiados. Externamente são bonitos, caiados de branco bem claro, passando a imagem de pureza. O problema é que, quando você abre o sepulcro, você tem contato com a sua impureza e podridão. Spurgeon está certo quando diz que o branqueamento das sepulturas não tinha apenas um propósito higiênico, mas era feito principalmente para manter as pessoas longe deles, para que não se contaminassem cerimonialmente.[19]

Em oitavo lugar, *os falsos líderes são amaldiçoados porque perseguem os servos de Deus* (23.29-36). Os escribas e fariseus fingiam honrar os profetas, adornando os seus sepulcros e dizendo: *Se tivéssemos vivido*

---

[18]ROBERTSON, A. T. *Comentário de Mateus*, p. 257.
[19]SPURGEON, Charles H. *O Evangelho segundo Mateus*, p. 516.

nos dias de nossos pais, não teríamos sido seus cúmplices no sangue dos profetas! (23.30). Com isso, eles mesmo reconhecem o pecado dos seus antepassados. Estêvão, o primeiro mártir do cristianismo, é duro e direto: *Vocês e seus pais se parecem! Assim como fizeram os vossos pais, também vós o fazeis* (At 7.51). Jesus passa a condená-los de forma clara, mostrando que a medida do pecado deles tinha enchido: *Serpentes, raça de víboras! Como escapareis da condenação do inferno? Por isso, eis que Eu vos envio profetas, sábios e escribas. A uns matareis e crucificareis; a outros açoitareis nas vossas sinagogas e perseguireis de cidade em cidade; para que sobre vós recaia todo o sangue justo derramado sobre a terra, desde o sangue do justo Abel até ao sangue de Zacarias, filho de Baraquias, a quem matastes entre o santuário e o altar"* (23.33-35). *Jesus envia embaixadores e missionários aos judeus, mas os fariseus irão acoitá-los, persegui-los, matá-los e crucificá-los* (At 13.46; 14.9; 17.13; Rm 15.31).

Jesus conclui dizendo algo muito sério: *Em verdade vos digo que todas estas coisas hão de vir sobre a presente geração* (23.36). Todo o castigo divino pelo sangue derramado dos justos no passado (de Abel a Zacarias) viria sobre aquela geração. A invasão dos romanos a Jerusalém, no ano 70 d.C., foi algo terrível. O fim dos falsos profetas é trágico e terrível.

O lamento de Jesus sobre Jerusalém (23.37-39)

Depois que Jesus descreve e condena os falsos líderes religiosos, passa a um pungente lamento sobre a cidade de Jerusalém. Tom Hovestol é oportuno quando diz que a forma como Jesus encerra esse assunto é muito apropriada, pois o conclui com lágrimas, não com escárnio; com choro, não com açoitamento. As denúncias feitas por Jesus partiram seu coração. Ele queria ajuntar esses fariseus debaixo de suas asas e cobri-los com Seu amor. Ele só queria que eles fossem honestos consigo mesmos e vissem a depravação de seu ser e a necessidade que tinham, para que buscassem a mensagem da graça e uma vida autêntica, em vez de uma religiosidade doentia.[20]

Destacamos dois pontos a seguir.

---
[20]HOVESTOL, Tom. *A neurose da religião*, p. 216.

Em primeiro lugar, *um lamento profundo de Jesus* (23.37). Esse transbordamento de dor é endereçado a Jerusalém, o símbolo do espírito da nação inteira. A Jerusalém que eles chamavam de santa, Jesus chama de assassina de profetas. A Jerusalém que eles exaltavam, Jesus diz que apedrejava os que a ela foram enviados. A Jerusalém que Jesus quis tantas vezes acolher sob suas asas, como uma galinha ajunta os seus pintinhos, expulsou Jesus para fora de seus muros e o crucificou no topo do Calvário.

Há ternura na linguagem figurada da galinha e seus pintinhos. Jesus suportaria o fragor da tempestade na cruz para oferecer a eles proteção eterna. Entretanto, eles não quiseram. A responsabilidade dos judeus pela sua sorte é atribuída diretamente a eles mesmos com a expressão final, "mas vós não o quisestes".

Em segundo lugar, *uma profecia dramática de Jesus* (23.38,39). Toda a casa dos judeus foi desolada quando Jesus se retirou deles; e o templo, a santa e bela casa, tornou-se uma desolação espiritual quando Cristo finalmente a deixou. Jerusalém foi longe demais para ser resgatada da destruição que buscou para si mesma, diz Spurgeon.[21] A rejeição do reino da graça implica a exclusão do reino da glória. Os judeus tão arrogantes e soberbos ao rejeitarem a Cristo, o Messias, veriam sua casa ficar deserta. Eles, que rejeitaram o convite da graça encarnado na pessoa de Jesus em sua primeira vinda, só voltariam a vê-lo no julgamento final, em sua gloriosa vinda, quando então seria tarde demais! Quando uma nação ou um homem persiste em rejeitar a Cristo, o fim é inevitável. Sua casa ficará deserta. Deus já não habita mais ali: esta é a desgraça final.

Soa, então, terrível a última frase: *Jesus saiu do templo e se retirou* (24.1).

---

[21] SPURGEON, Charles H. *O Evangelho segundo Mateus*, p. 521.

64

O sermão **profético** de Jesus

Mateus 24.1-51

ESTE É O MAIS COMPLETO SERMÃO PROFÉTICO de Jesus registrado nos evangelhos. O assunto central é a segunda vinda de Cristo. A segunda vinda de Cristo é um dos assuntos mais enfatizados em toda a Bíblia.

De fato, a segunda vinda de Cristo é um dos assuntos mais debatidos e também mais distorcidos. Muitos negam que Jesus voltará. Outros tentam marcar datas para Sua segunda vinda. Outros, ainda, dizem crer na segunda vinda de Cristo, mas vivem como se Ele jamais fosse voltar.

É desse importante tema que vamos tratar a seguir, à luz do texto em tela.

A **admiração** dos discípulos e a declaração de Jesus (24.1,2)

Jesus, tendo concluído seu discurso final no templo, partiu para nunca mais voltar. Os discípulos, que eram galileus e só iam a Jerusalém no período das festas, estavam mais e mais encantados com a exuberância do templo, ampliado e embelezado por Herodes, o Grande, pois este era um dos mais belos monumentos do primeiro século. Essa obra arquitetônica monumental era de mármore branco polido, tão belo como uma montanha de neve.[1] Foi dito acerca desse templo: "Aquele que nunca viu o templo de Herodes nunca viu um edifício majestoso".[2] Mas Jesus já havia dito que Sua casa será deixada deserta (23.38). Agora Jesus diz para eles que não restará pedra sobre pedra daquele colossal edifício religioso. Aquele majestoso templo de mármore branco, bordejado de ouro, o terceiro templo de Jerusalém, um dos mais belos monumentos arquitetônicos do mundo, seria arrasado pelos romanos quarenta anos depois no terrível cerco de Jerusalém.

A profecia acerca da **destruição de Jerusalém** e da **segunda vinda** de Cristo (24.3)

Os discípulos perguntam quando isso se daria e que sinais haveria da Sua vinda. Essa resposta tem a ver com a destruição de Jerusalém e também com a segunda vinda, a consumação dos séculos. A destruição do templo é um símbolo do que vai acontecer na segunda vinda. Jesus prediz a iminente destruição do templo de Jerusalém como um tipo da grande tribulação que virá no final dos tempos. R. C. Sproul destaca o impacto que essa profecia deve ter causado nos discípulos. A construção desse templo havia durado 46 anos. Era um edifício magnífico, o centro nevrálgico da religião judaica. E não só o templo, mas a cidade de Jerusalém também seria destruída (Lc 21.24b), e o seu povo seria disperso pelo mundo (Lc 21.24a).[3]

Lawrence Richards diz que, quando Jesus mencionou uma futura destruição do templo, os discípulos levantaram três questões sobre o futuro (24.1-3). As questões foram respondidas na ordem inversa neste capítulo. As questões eram: Que sinal haverá do fim do mundo? (respondida em 24.4-25), Que sinal haverá da Tua vinda? (respondida em 24.26-35) e Quando serão essas coisas? (respondida em 24.36-41). As respostas de Jesus podem ser resumidas assim: o fim do mundo será marcado por um sofrimento intenso, que se iniciará com

---

[1]ROBERTSON, A. T. *Comentário de Mateus*, p. 263.
[2]BROADUS, John A. *Comentário de Mateus*. Vol. II, p. 229.
[3]SPROUL, R. C. *Mateus*, p. 612.

o cumprimento da profecia de Daniel 9.27 sobre "a abominação da desolação" (24.15). Sua própria vinda será visível para todos, porque Ele retornará abertamente com um exército de anjos. Mas, quando isso vai acontecer, ninguém sabe. O restante do capítulo 24 e todo o capítulo 25 de Mateus desenvolvem um único tema. Até que Jesus volte realmente, o povo de Deus deve manter-se atento, sempre pronto, uma vez que Cristo poderá vir a qualquer momento (24.42-44). Como servos responsáveis pelo bem-estar dos outros, teremos de ser fiéis até que Jesus venha (24.45-51). Como damas de honra esperando para acompanhar o noivo até à casa da noiva, devemos estar vigilantes, preparados e prontos (25.1-13). Como aqueles a quem foram dados recursos por um senhor ausente, precisaremos usar o que temos e o que somos em seu benefício até Ele voltar (25.14-30). Um dia, o Rei voltará. Então, os justos serão bem-vindos em sua presença, ao passo que os injustos serão rejeitados para sempre (25.31-46).[4]

Os sinais da segunda vinda de Cristo (24.4-31)

Por uma questão didática, vamos classificar os sinais por blocos de temas, e não pela sequência dos versículos. Vejamos a seguir.

Em primeiro lugar, *sinais que mostram a graça* (24.14). Jesus morreu para comprar aqueles que procedem de toda tribo, raça, povo, língua e nação (Ap 5.9). A evangelização das nações é um sinal que deve preceder a segunda vinda de Cristo. A igreja deve aguardar e apressar o dia da vinda de Cristo (2Pe 3.12). Jesus está declarando que cada uma destas nações, em uma ou outra ocasião durante o curso da história, ouvirá o evangelho.[5] Este evangelho será um testemunho. Aqui não há promessa de segunda oportunidade. Spurgeon diz que o mundo é para a igreja como um andaime é para um edifício. Quando a igreja for edificada, o andaime será retirado; o mundo deve permanecer até o último eleito ser salvo, e então virá o fim.[6]

---

[4]RICHARDS, Lawrence O. *Comentário histórico-cultural do Novo Testamento*, p. 76.
[5]HENDRIKSEN, William. *Mateus*. Vol. 2, p. 424.
[6]SPURGEON, Charles H. *O Evangelho segundo Mateus*, p. 530.

William Hendriksen diz que a história das missões mostra que o evangelho tem se estendido do Oriente até o Ocidente.[7] Vejamos essa questão com mais detalhes a seguir.

No primeiro século, o apóstolo Paulo foi o grande bandeirante do cristianismo, plantando igrejas nas províncias da Galácia, Macedônia, Acaia e Ásia Menor.

Durante o período seguinte (100-303), desde a morte do apóstolo João até Constantino, mais de 164 mil mártires foram sepultados em um único grande sepulcro, ou seja, as catacumbas de São Sebastião em Roma.

De Constantino até Carlos Magno (313-800). As boas novas da salvação são levadas aos países da Europa Ocidental. Nesse tempo os maometanos apagaram a luz do evangelho em muitos países da Ásia e África.

De Carlos Magno até Lutero (800-1517), Noruega, Islândia e Groelândia são evangelizadas, e os escravos da Europa Oriental se convertem como um só corpo ao cristianismo.

De 1517 até 1792, originaram-se muitas sociedades missionárias, e o evangelho é levado até o Ocidente.

Em 1792, William Carey começa as missões modernas. A evangelização dos povos, contudo, é ainda uma tarefa inacabada.

Hoje, as redes sociais, os meios de comunicação modernos, têm acelerado o cumprimento dessa profecia. Bíblias têm sido traduzidas. Missionários têm se levantado. Podemos apressar o dia da vinda de Cristo.

Em segundo lugar, *sinais que indicam oposição a Deus*. Jesus cita quatro sinais que indicam oposição a Deus e ao seu povo, como vemos a seguir.

A tribulação (24.9,10,21,22). A vinda de Cristo será precedida de um tempo de profunda angústia e dor. Haverá perseguidores de fora e traidores de dentro.[8] Esse tempo é ilustrado com o tempo do cerco de Jerusalém, quando o povo foi encurralado pelos exércitos romanos e

---

[7]HENDRIKSEN, William. *Mateus*. Vol. 2, p. 425,426.
[8]SPURGEON, Charles H. *O Evangelho segundo Mateus*, p. 528.

eles foram mortos à espada, crucificados ou vendidos como escravos no mercado por um preço qualquer. Esse tempo será abreviado por amor aos eleitos. A igreja passará pela grande tribulação. Será o tempo da angústia de Jacó. A perseguição religiosa (24.9,10) tem estado presente em toda a história: os judaizantes, os romanos, a intolerância romana, os governos totalitários, o nazismo, o comunismo, o islamismo e as religiões extremistas. No século XX, tivemos o maior número de mártires da história. Essa grande tribulação descreve o mesmo período: 1) a apostasia; 2) a depravação moral; 3) o Anticristo. Esse é um tempo angustiante como nunca houve em toda a história.

A apostasia (24.4,5,23-26). É significativo que o primeiro sinal que Cristo apontou para a sua segunda vinda tenha sido o surgimento de falsos messias, falsos profetas, falsos cristãos, falsos ministros, falsos irmãos pregando e promovendo um falso evangelho nos últimos dias. Cristo declarou que um falso cristianismo marcará os últimos dias. Robertson, citando Flávio Josefo, diz que se atribui aos falsos cristos uma das razões para a manifestação violenta da população contra Roma que levou à destruição da cidade.[9]

Estamos vendo o ressurgimento do antigo gnosticismo, de um novo evangelho, de outro evangelho, de um falso evangelho nestes dias. A segunda vinda será precedida pelo abandono da fé verdadeira. O engano religioso estará em alta. Novas seitas, novas igrejas, novas doutrinas se multiplicarão. Haverá falsos profetas, falsos cristos, falsas doutrinas e falsos milagres. Vivemos hoje a explosão da falsa religião. O islamismo domina mais de 1 bilhão de pessoas. O catolicismo romano também reúne 1 bilhão de seguidores. O espiritismo kardecista e os cultos afro-brasileiros proliferam-se. As grandes religiões orientais como o budismo e o hinduísmo mantêm milhões de pessoas num berço de cegueira espiritual.

As seitas orientais e ocidentais têm florescido com grande força. Os desvios teológicos são graves: liberalismo, misticismo, sincretismo.

Os grandes seminários que formaram teólogos e missionários hoje estão vendidos aos liberais. Muitas igrejas históricas já se renderam

---

[9]ROBERTSON, A. T. *Comentário de Mateus*, p. 264.

ao liberalismo. Há igrejas mortas na Europa, na América e no Brasil, muitas delas vitimadas pelo liberalismo. Os liberais negam a doutrina da ressurreição e dizem que os milagres operados por Jesus não passam de mitos.

O misticismo, de igual modo, está adentrando os umbrais de muitas igrejas hoje. A verdade é torcida. O comércio está sendo introduzido nas igrejas. As indulgências da Idade Média estão sendo desengavetadas com novas roupagens. A igreja está se transformando numa empresa, o púlpito num balcão, o templo numa praça de barganha, o evangelho num produto de consumo, e os crentes em consumidores.

A depravação moral (24.12,13). A iniquidade se multiplicará, e o amor vai esfriar. O amor esfria quando a energia espiritual fica ressecada ou é esfriada por um vento maligno ou venenoso. O amor da fraternidade dá passagem ao ódio e desconfiança mútuos.[10] Vale ressaltar que o amor esfria, mas o ódio não. O mundo estará sem referência, perdido, confuso, sem balizas morais, sem norte ético. Testemunharemos a desintegração da família, a falência das instituições e o colapso dos valores morais e espirituais. O índice de infidelidade conjugal é alarmante. O índice de divórcio já passa de 50% em alguns países. O homossexualismo é aplaudido. A pornografia tornou-se uma indústria poderosa. O narcotráfico afunda a juventude no pântano das drogas. A corrupção moral está presente nas cortes, nos palácios e nos parlamentos. As instituições estão desacreditadas. A corrupção religiosa é alarmante. O sagrado foi vilipendiado.

A depravação moral pode ser vista em várias áreas:

- Revolução sexual – homossexualismo, infidelidade conjugal, falta de freios morais.
- Rendição às drogas – juventude chafurdada no atoleiro químico.
- Dissolução da família – divórcio do cônjuge e dos filhos.
- Violência urbana – as cidades tornaram-se campo de barbárie.
- A solidão – no século da comunicação e da rapidez dos transportes, as pessoas estão morrendo de solidão, na janela virtual do mundo, a internet.

---

[10] ROBERTSON, A. T. *Comentário de Mateus*, p. 266.

Nesse mar de apostasia, há uma ilha de perseverança (24.13). Jesus deixa claro que quem vai ganhar o prêmio não é o homem que começa a corrida, mas o que corre até a chegada. A salvação é para aqueles que perseveram até o fim.

O Anticristo (24.15). O sacrílego desolador citado por Daniel aplicou-se a Antíoco Epifânio no século II a.C. e também às legiões romanas que invadiram Jerusalém em 70 d.C. para fincar uma imagem do imperador dentro do templo. Eles são um símbolo e um tipo do Anticristo que virá no tempo do fim. O Espírito do Anticristo já está operando no mundo. Ele se opõe e se levanta contra tudo o que é Deus. Ele se levantará para perseguir a igreja. Ninguém resistirá ao seu poder e autoridade. Ele irá perseguir, matar, controlar. Muitos crentes serão mortos e selarão seu testemunho com a própria morte.

O Anticristo não é um partido, não é uma instituição nem mesmo uma religião. É um homem sem lei, uma espécie de encarnação de satanás, que agirá na força e no poder de satanás. Ele será levantado em tempo de apostasia. Ele governará com mão de ferro. Perseguirá cruelmente a igreja. Blasfemará contra Deus. Mas, no auge do seu poder, Cristo virá em glória e o matará com o sopro da sua boca. Ele será quebrado sem esforço humano. Nessa batalha final, o Armagedom, a única arma usada será a espada afiada que sairá da boca do Senhor Jesus.

Em terceiro lugar, *sinais que indicam o juízo divino*. Destacamos a seguir três sinais.

As guerras (24.6,7). A destruição de Jerusalém foi o começo do fim, o grande tipo e a antecipação de tudo o que acontecerá quando Cristo vier no último dia. A derrubada de Jerusalém foi *um* fim, mas não *o* fim: "... ainda não é o fim".[11] Rienecker registra as palavras de Tácito: "Começo a obra de escrever sobre uma época que é rica em tragédia, sangrenta por causa de batalhas, dilacerada por revoltas".[12] Ao longo da história tem havido treze anos de guerra para cada ano de paz. Desde 1945, após a Segunda Guerra Mundial, o número de guerras tem aumentado vertiginosamente. Registram-se mais de 300 guerras

---

[11] SPURGEON, Charles H. *O Evangelho segundo Mateus*, p. 527.
[12] RIENECKER, Fritz. *Evangelho de Mateus*, p. 391.

desde então, na formação de nações emergentes e na queda de antigos impérios. A despeito dos milhares de tratados de paz, os últimos cem anos foram denominados de o século da guerra. Nos últimos cem anos, já morreram mais de 200 milhões de pessoas nas guerras.

Segundo pesquisa do *Reshaping International Order Report*, quase 50% de todos os cientistas do mundo (500 mil) estão trabalhando em pesquisas de armas de destruição. Quase 40% dos recursos das nações são colocados na pesquisa e fabricação de armas. Falamos sobre paz, mas gastamos com a guerra. Gastamos mais de 1 trilhão de dólares por ano em armas e guerras. Poderíamos resolver o problema da fome, do saneamento básico, da saúde pública e da moradia do terceiro mundo com esse dinheiro.

O mundo está encharcado de sangue. Houve mais tempo de guerra do que de paz. A aparente paz do Império Romano foi subjugada por séculos de conflitos, tensões e guerras sangrentas. A Europa foi um palco tingido de sangue de guerras encarniçadas. O século XX foi batizado como o século da guerra.

Na Primeira Guerra Mundial (1914-1918), cerca de 30 milhões de pessoas foram mortas. Ninguém podia imaginar que, no mesmo palco dessa barbárie, vinte anos depois explodisse outra guerra mundial. A Segunda Guerra Mundial (1939-1945) ceifou 60 milhões de pessoas. Os gastos ultrapassaram 1 trilhão de dólares. Hoje falamos em armas atômicas, nucleares, químicas e biológicas. O mundo está em pé de guerra. Temos visto irmãos lutando contra irmãos e tribo contra tribo na Albânia, Ruanda, Bósnia, Kosovo, Chechênia, Sudão e Oriente Médio. São guerras tribais na África, guerras étnicas na Europa e Ásia, guerras religiosas na Europa. A cada guerra, erguemos um monumento de paz para começar outra encarniçada batalha.

Os terremotos (24.7,29). No ano 46 d.C., as cidades de Laodiceia, Hierápolis e Colossos foram submergidas por um grande terremoto. Em 79 d.C., Pompeia foi destruída. Ao longo dos séculos, os terremotos sacudiram a terra. De acordo com a pesquisa geológica dos Estados Unidos, foram registrados:

- De 1890 a 1930, apenas 8 terremotos medindo 6.0 na escala Richter.

- De 1930 a 1960, 18 terremotos.
- De 1960 a 1979, 64 terremotos catastróficos.
- De 1980 a 1996, mais de 200 terremotos dramáticos.

O mundo está sendo sacudido por terremotos em vários lugares. Os tufões e maremotos têm sepultado cidades inteiras, Desde o ano 79 d.C., no primeiro século, quando a cidade de Pompeia, na Itália, foi sepultada pelas cinzas de Vesúvio, o mundo está sendo sacudido por terremotos, maremotos, tufões, furacões e tempestades. Em 1755, por volta de 60 mil pessoas morreram por causa de um terrível terremoto em Lisboa. Em 1906, um terremoto avassalador destruiu a cidade de São Francisco, na Califórnia. Em 1920, a província de Kansu, na China, foi arrasada por um terremoto. Em 1923, Tóquio foi devastada por um terremoto. Em 1960, o Chile foi abalado por um terremoto que deixou milhares de vítimas. Em 1970, o Peru foi arrasado por um imenso terremoto.

Nos últimos anos, vimos o tsunami na Ásia invadir com ondas gigantes cidades inteiras. O furacão Katrina deixou a cidade de New Orleans debaixo de água. Dezenas de outros tufões, furacões, maremotos e terremotos têm sacudido os alicerces do planeta Terra, destruído cidades e levado milhares de pessoas à morte.

Só no século XX houve mais terremotos do que em todo o restante da história. A natureza está gemendo e entrando em convulsão. O aquecimento do planeta está levando os polos a um derretimento que pode provocar grandes inundações.

Apocalipse 6.12-17 anuncia que as colunas do universo são todas abaladas. O universo entra em colapso. Tudo o que é sólido é balançado. Não há refúgio nem esconderijo para o homem em nenhum lugar do universo. O homem desesperado busca fugir de Deus, esconder-se em cavernas e procurar a própria morte, mas nada nem ninguém pode oferecer refúgio para o homem. Ele terá de enfrentar a ira de Deus.

Quando Cristo vier, os céus se desfarão em estrepitoso estrondo. Deus vai redimir a própria natureza do seu cativeiro. Nesse tempo, a natureza vai estar harmonizada. Então as tensões acabarão, e a natureza será totalmente transformada.

As fomes e epidemias (24.7). A fome é um subproduto das guerras. Gastamos hoje mais de 1 trilhão de dólares com armas de destruição. Esse dinheiro resolveria o problema da miséria no mundo. A fome hoje mata mais que a guerra. O presidente americano Eisenhower, em 1953, disse: "O mundo não está gastando apenas o dinheiro nas armas. Ele está despendendo o suor de seus trabalhadores, a inteligência dos seus cientistas e a esperança das suas crianças. Nós gastamos num único avião de guerra 500 mil sacos de trigo e num único míssil casas novas para 800 pessoas".

A fome é um retrato vergonhoso da perversa distribuição das riquezas. Enquanto uns acumulam muito, outros passam fome. A fome alcança quase 50% da população do mundo. Crianças e velhos, com o rosto cabisbaixo de vergonha, com o ventre fuzilado pela dor da fome estonteante, disputam com os cães leprentos os restos apodrecidos das feiras.

Spurgeon faz uma pergunta perturbadora: Se fomes, pestes e terremotos são apenas o princípio das dores, o que podemos esperar ser o fim? Essa profecia deveria tanto alertar os discípulos de Cristo sobre o que eles poderiam esperar quanto os levar a se desapegarem do mundo no qual todas essas tristezas, e outras ainda maiores, serão experimentadas.[13]

A descrição da segunda vinda de Cristo

A segunda vinda de Cristo é descrita da seguinte forma no texto em tela.

Em primeiro lugar, *a segunda vinda será repentina* (24.27,28). Cristo virá como um relâmpago. É como o piscar do olho, o faiscar de uma estrela e o dardejar da cauda de um peixe. Ninguém poderá se preparar de última hora. Quando o noivo chegar, será tarde demais para buscar encher as lâmpadas de azeite. Viver a vida despercebidamente é uma loucura. Você está preparado para a vinda do Senhor Jesus? Essa pode ser a sua última oportunidade! Já é meia-noite! O noivo em breve chegará! Você está pronto para encontrar-se com ele?

---

[13]SPURGEON, Charles H. *O Evangelho segundo Mateus*, p. 527.

Jesus ilustra a realidade repentina de sua vinda, ao dizer: *Pois onde estiver o cadáver, aí se ajuntarão os abutres* (24.28). De acordo com R. C. Sproul, alguns dos melhores estudiosos do Novo Testamento entendem este versículo como uma referência aos judeus e aos romanos. Uma carcaça, naturalmente, é o corpo de um animal morto. No contexto da profecia de Jesus, quem estava morrendo era Israel. A nação estava sendo massacrada pela mão punitiva de Deus, e o instrumento de vingança era o exército romano. O principal símbolo das forças romanas era a águia, e havia um modelo desta ave no estandarte de cada legião. Assim, os discípulos veriam os abutres ajuntando-se em torno da carcaça quando as legiões de Roma rodeassem Jerusalém.[14]

Nessa mesma linha de pensamento, Charles Spurgeon afirma que o judaísmo havia se tornado um cadáver, morto e corrupto; comida adequada para os abutres ou águias de Roma. Aos poucos, chegará um dia em que haverá uma igreja morta em um mundo morto, e as águias do juízo do juízo divino se ajuntarão para despedaçar aqueles que ninguém poderá libertar. As aves de rapina se reúnem sempre que corpos mortos são encontrados; e os juízos de Cristo serão derramados quando o corpo político ou religioso se tornar insuportavelmente corrupto.[15]

Fritz Rienecker, comentando essa solene figura, diz: "Com a mesma certeza, o pecado e a miséria no mundo, quando a medida estiver completa, aproximarão a ação julgadora e salvadora do Cristo".[16] É nessa mesma linha de pensamento que William Hendriksen escreve: "Quando o mundo, moral e espiritualmente, se degenera a tal ponto que se assemelha a um cadáver em decomposição; noutros termos, quando o Senhor julga que a taça do mundo está transbordando de iniquidade, então, e não antes disso, Cristo virá para condenar esse mundo. Assim, sua vinda se torna uma necessidade divina.[17]

Em segundo lugar, *a segunda vinda será gloriosa* (24.30). Será uma vinda pessoal, visível e pública. Todo o olho o verá (Ap 1.7). Não haverá

---

[14]SPROUL, R. C. *Mateus*, p. 627.
[15]SPURGEON, Charles H. *O Evangelho segundo Mateus*, p. 533.
[16]RIENECKER, Fritz. *Evangelho de Mateus*, p. 395.
[17]HENDRIKSEN, William. *Mateus*. Vol. 2, p. 433.

um arrebatamento secreto e só depois uma vinda visível. Sua vinda é única. Jesus aparecerá no céu. Ele estará montado em um cavalo branco (Ap 19.11-16). Ele virá acompanhado de um séquito celestial. Virá do céu ao soar da trombeta de Deus. Descerá nas nuvens, acompanhado de seus santos anjos e dos remidos. Ele virá com grande esplendor.

Todos os povos que o rejeitaram vão se lamentar. Aquele será um dia de trevas, e não de luz para eles. Será o dia do juízo, no qual eles sofrerão penalidade de eterna destruição. As tribos da terra, conscientes de sua condição de perdidas, se golpearão nos peitos atemorizados pela exibição da majestade de Cristo em toda a sua glória. O terror dos iníquos descreve-se graficamente em Apocalipse 6.15-17, da seguinte maneira:

> *Os reis da terra, os grandes, os comandantes, os ricos, os poderosos e todo escravo e todo livre se esconderam nas cavernas e nos penhascos dos montes e disseram aos montes e aos rochedos: Caí sobre nós e escondei-nos da face daquele que se assenta no trono e da ira do Cordeiro, porque chegou o Grande Dia da ira deles; e quem é que pode suster-se?*

John Charles Ryle destaca a majestade da segunda vinda de Cristo comparando-a com sua primeira vinda:

> A segunda vinda pessoal de Jesus Cristo será tão diferente da primeira quanto possível. Ele veio a primeira vez como homem de tristezas, cercado de aflições. Nasceu em uma manjedoura, em Belém, pequenino e humilde, e assumiu a forma de servo, tendo sido desprezado e rejeitado pelos homens desde o início. Ele foi traído e entregue às mãos de homens iníquos, condenado por um julgamento injusto, escarnecido, açoitado, coroado de espinhos e, por fim, crucificado entre dois ladrões. Na segunda vez, Ele virá como Rei de toda a terra, com toda majestade real. Os príncipes e grandes homens deste mundo haverão de comparecer diante do Seu trono, para receberem uma sentença eterna. Diante dEle toda boca se calará, todo joelho se dobrará e toda língua confessará que Jesus Cristo é o Senhor.[18]

---

[18] RYLE, John Charles. *Meditações no Evangelho de Mateus*, p. 209.

Em terceiro lugar, *será vitoriosa* (24.31). Que contraste entre o ajuntamento dos abutres para devorar a carcaça podre e o ajuntamento dos eleitos de Cristo na grande convocação ao som de trombeta, pelos seus santos anjos.[19] Jesus virá para arrebatar a igreja. Os anjos recolherão os escolhidos dos quatro ventos, de uma a outra extremidade dos céus. Os eleitos de Deus serão chamados. A Bíblia diz que, quando Cristo vier, os mortos em Cristo ressuscitarão primeiro, com corpos incorruptíveis, poderosos e gloriosos, semelhantes ao corpo da glória de Cristo. Então, os que estiverem vivos serão transformados e arrebatados para encontrar o Senhor nos ares, e assim estaremos para sempre com o Senhor. Aquele dia será de vitória. Nossas lágrimas serão enxugadas. Então entraremos nas bodas do Cordeiro e ouviremos: "Vinde, benditos do meu Pai, entrai na posse do reino". John Charles Ryle diz que, nesse dia, os verdadeiros cristãos serão, por fim, todos reunidos. Os santos de todos os séculos e de todos os idiomas serão recolhidos entre todas as nações. Todos estarão lá, desde o justo Abel até a última alma que se converter a Deus, desde o mais antigo patriarca até a criança que é salva.[20]

Jesus virá também para julgar aqueles que o traspassaram (24.30). Ele virá julgar vivos e mortos. Aqueles que escaparam da justiça dos homens não poderão escapar do tribunal de Cristo. Naquele dia, o dinheiro não os livrará. Naquele dia, o poder político não os ajudará. Eles terão de enfrentar o Cordeiro a quem rejeitaram. Naquele tribunal, os ímpios terão testemunhas que se levantarão contra eles: suas palavras os condenarão. Suas obras os condenarão. Seus pensamentos os condenarão. Seus pecados escreverão sua sentença de morte eterna.

A preparação para a segunda vinda de Cristo

No que concerne à preparação para a segunda vinda de Cristo, destacamos a seguir cinco pontos.

Em primeiro lugar, *a segunda vinda será precedida por avisos claros* (24.32,33). Quando essas coisas começarem a acontecer, devemos saber

---

[19] SPURGEON, Charles H. *O Evangelho segundo Mateus*, p. 534.
[20] RYLE, John Charles. *Meditações no Evangelho de Mateus*, p. 210.

que está próxima a nossa redenção. A figueira já começou a brotar, e os sinais já estão gritando aos nossos ouvidos. O livro de Apocalipse nos mostra que Deus não derrama as taças do seu juízo sem antes tocar a trombeta. Os sinais da segunda vinda são trombetas de Deus embocadas para dentro da história. Jesus está avisando que Ele vem. Ele prometeu que vem. "Eis que venho sem demora." Ele prometeu que, assim como Ele foi para o céu, Ele também voltará. A Bíblia diz que Jesus virá em breve. Os sinais apontam que Sua vinda está próxima. A Palavra de Deus não pode falhar. Passarão o céu e a terra, mas a Palavra não há de passar. Essa Palavra é verdadeira. Prepare-se para encontrar com o Senhor seu Deus!

Em segundo lugar, *a segunda vinda será imprevisível* (24.36). A série de eventos que precederá o retorno de Cristo já foi descrita. No entanto, o momento preciso desse grande evento não é indicado.[21] Ninguém pode decifrar esse dia. Ele pertence exclusivamente à soberania de Deus. Quando os discípulos perguntaram a Jesus sobre esse assunto, Ele respondeu: *Não vos compete saber tempos ou épocas que o Pai reservou para a Sua exclusiva autoridade* (At 1.7). Daquele dia nem os anjos nem o Filho sabem. Aqueles que marcaram datas da segunda vinda de Cristo fracassaram. Aqueles que se aproximam das profecias com curiosidade frívola e com o mapa escatológico nas mãos são apanhados laborando em grave erro. Se não sabemos o dia nem a hora, seremos tidos por loucos se vivermos despercebidamente. Muitos críticos das Escrituras tentam desacreditar a pessoa de Cristo por essa informação. Como resolvemos esse problema? R. C. Sproul esclarece:

> Não há nada a ser resolvido se tivermos uma compreensão ortodoxa da encarnação. Jesus é verdadeiramente homem e verdadeiramente Deus. Em Jesus a verdadeira humanidade é unida à verdadeira divindade. A encarnação não resultou em uma mistura, na qual a divindade e a humanidade estão fundidas de tal forma que o divino não é realmente divino e o humano não é realmente humano. Uma natureza humana deificada deixaria de ser humana, e uma natureza divina humanizada deixaria de

---

[21] HENDRIKSEN, William. *Mateus*. Vol. 2, p. 442.

ser divina. Portanto, as únicas pessoas que têm problemas com a profecia de Jesus são aquelas que desejam deificar a natureza humana de Jesus.[22]

Em terceiro lugar, *a segunda vinda será inesperada* (24.37-39). Quando Jesus voltar, os homens estarão desatentos como esteve a geração antediluviana. A. T. Robertson diz que nos dias de Noé havia muita advertência, mas total despreparo. Hoje, de igual modo, a maioria das pessoas é indiferente quanto à segunda vinda de Cristo.[23] Quando Jesus voltar, as pessoas estarão entregues aos seus próprios interesses, sem se aperceberem da hora. Comer, beber, casar e dar-se em casamento não são coisas más. Fazem parte da rotina da vida. Mas viver a vida sem se aperceber que Jesus está prestes a voltar é viver como a geração antediluviana. Quando o dilúvio chegou, pegou a todos de surpresa. Muitos hoje estão comprando, vendendo, casando, viajando, descansando, jogando, brincando, pecando; esses continuarão vivendo despercebidamente até o dia em que Jesus virá. Então, será tarde demais. Não há nada de mal no que essas pessoas estão fazendo. Mas, quando estiverem tão envolvidos em coisas boas em si mesmas a ponto de se esquecerem de Deus, essas pessoas estarão maduras para o juízo.

Em quarto lugar, *a segunda vinda será para o juízo* (24.40,41). Naquele dia, será tarde demais para se preparar. Haverá apenas dois grupos: os que desfrutarão das bem-aventuranças eternas e os que ficarão para o juízo. Dois estarão no campo, um será levado e o outro deixado. Duas estarão trabalhando no moinho, uma será tomada e a outra deixada. Tomados para Deus, deixados para o juízo eterno. A divisão entre os piedosos e os ímpios, na segunda vinda de Cristo, será exata. Companheiros de trabalho serão separados para sempre naquele dia. John Charles Ryle descreve essa cena assim:

> No presente, o piedoso e o ímpio estão misturados e convivem juntamente. Nas igrejas, nas cidades, nos campos e por toda a parte, os filhos de Deus e os filhos deste mundo estão lado a lado. Mas isto não será

---

[22]SPROUL, R. C. *Mateus*, p. 637,638.
[23]ROBERTSON, A. T. *Comentário de Mateus*, p. 270.

65

Parábolas escatológicas

Mateus 25.1-46

JESUS AINDA ESTAVA ASSENTADO COM SEUS DISCÍPULOS no monte das Oliveiras quando proferiu três parábolas. As três parábolas registradas neste capítulo tratam da Parousia, com ênfase no juízo. Têm aspectos diferentes, mas enfatizam a mesma verdade central: a necessidade de estar preparado para o encontro com o Senhor. A parábola das dez virgens tem como foco principal a vigilância, a parábola dos talentos objetiva a diligência e a fidelidade, enquanto a descrição do grande dia do juízo evidencia a separação final entre os salvos e os não salvos.

A parábola das dez virgens – o noivo vem: esteja preparado (25.1-13)

Jesus compara o reino dos céus com uma festa de casamento. Esse é o pano de fundo desta parábola. No tempo de Jesus, normalmente havia três estágios no processo matrimonial. Primeiro, vinha o compromisso, quando era feito um contrato formal entre os respectivos pais da noiva e do noivo. Segundo, seguia-se o noivado, cerimônia realizada na casa dos pais da noiva, quando promessas mútuas eram feitas pelas partes contratantes diante de testemunhas, e o noivo dava presentes à sua noiva. Terceiro, o casamento, no qual o noivo, acompanhado dos seus amigos, buscava a noiva na casa de seu pai e a levava em cortejo de volta para sua casa, onde se fazia a festa do casamento.

No mundo antigo, as amigas da noiva iam até a casa dela para aguardar a chegada do noivo. Então, dava-se início a uma procissão da casa da noiva até a casa do noivo. É bem provável que esse seja o cortejo em que as dez virgens da história são retratadas como indo encontrar o noivo.

Robertson diz, com razão, que não há ponto especial quanto ao número 10. A cena gira em torno da casa da noiva, em direção da qual o noivo está indo para as festividades de casamento.[1] É óbvio que o noivo, no caso, é o Senhor Jesus, retratado em sua gloriosa e inesperada segunda vinda. O noivo promete buscar sua noiva, mas a hora não é marcada. A noiva precisa estar pronta, preparada. Portanto, o propósito primário dessa parábola é acentuar a importância de estar preparado para a vinda do noivo.

Essas dez virgens, portanto, representam a igreja à espera do retorno de seu Senhor. A igreja tem em seu seio, como está implícito, os que estão preparados e os que não estão.[2] Esta parábola ensina que a igreja está dividida em dois grandes grupos: não os ricos e os pobres, os capitalistas e socialistas, os sábios e ignorantes, os homens e as mulheres, mas os que estão preparados para a segunda vinda de Cristo e os que não estão. Esses últimos nunca nasceram de novo. Sua fé em Cristo é meramente intelectual, e não fé salvadora. Por ocasião da segunda vinda de Cristo, muitos que se dizem cristãos serão deixados de fora das bodas, como as cinco virgens néscias. Hoje, muitos são batizados, são membros da igreja, participam dos cultos, trabalham na igreja, mas nunca se converteram verdadeiramente. Quando Jesus voltar, esses ficarão de fora. R. C. Sproul diz que essa parábola deixa claro que havia uma enorme diferença entre essas virgens, assim como há uma profunda diferença entre os membros da igreja, a mesma diferença que há entre o joio e o trigo, entre os que são crentes nominais e os que são verdadeiramente convertidos.[3]

---

[1] ROBERTSON, A. T. *Comentário de Mateus*, p. 275.
[2] TASKER, R. V. G. *Mateus: introdução e comentário*, p. 184,185.
[3] SPROUL, R. C. *Mateus*, p. 648.

Tendo considerado esse pano de fundo cultural à guisa de introdução, vamos, agora, examinar a passagem em tela. B. C. Caffin aborda esta parábola da seguinte maneira: Jesus convida sua igreja para desfrutar de sua alegria (25.1); nós necessitamos de preparação para participarmos da alegria do Senhor (25.2-5); é possível fazer uma preparação inadequada (25.6-8); a segurança no futuro depende de diligência no passado (25.9,10); o Senhor não receberá aqueles que estiverem despreparados (25.11,12); e o cristão precisa cultivar um espírito vigilante (25.13).[4]

Vamos seguir essa mesma direção, destacando a seguir essas lições.

Em primeiro lugar, *Jesus convida sua igreja para desfrutar de sua alegria* (25.1). Como já enfatizamos, esta parábola compara o reino dos céus a uma festa de casamento. Esta festa é o casamento do nosso Senhor, o noivo da igreja. Ao mesmo tempo que somos a noiva, somos também os convidados para a festa. A figura da noiva está implícita e somos representados explicitamente como os convidados. A vida cristã é uma expectativa constante da vinda do nosso Senhor, o amado de nossa alma. Ele prometeu voltar para buscar sua igreja.

Em segundo lugar, *a igreja precisa de adequada preparação para participar da alegria do Senhor* (25.2-5). Todas eram virgens, todas tomaram suas lâmpadas e todas saíram ao encontro do noivo. Todas fizeram a profissão de que seguiriam o noivo, o que as levou a se separarem de suas outras companheiras e conhecidas.[5] Todas aguardam a vinda do noivo. Havia, porém, uma diferença vital e essencial entre elas: cinco eram prudentes, e cinco eram loucas. As cinco néscias só têm lâmpadas, mas não levaram azeite nas vasilhas. Elas podem ter pensado que, por terem lâmpadas, estavam seguras. Ou talvez tenham acreditado que, sendo o depósito secreto de azeite invisível, ele era desnecessário.

Hendriksen diz que a insensatez dessas cinco virgens consistia na inteira ausência de preparo pessoal.[6] Rienecker observa que o óleo, aqui, significa um bem espiritual imprescindível, insubstituível por nenhum

---

[4]CAFFIN, B. C. "St. Matthew". In: *The Pulpit Commentary*. Vol. 15. Grande Rapids, MI: Wm. B. Eerdmans Publishing Company, 1980, p. 494,495.
[5]SPURGEON, Charles H. *O Evangelho segundo Mateus*, p. 546.
[6]HENDRIKSEN, William. *Mateus*. Vol. 2, p. 450.

outro, com o qual devemos nos abastecer logo no início da vida de fé. Esse bem espiritual é o Espírito Santo. Sendo o óleo o símbolo do Espírito Santo, a prudência consiste em começar no Espírito, seguir a vida no Espírito e completá-la no Espírito.[7] Ninguém pode entrar no céu com azeite alheio. O apóstolo Paulo escreveu: ... *e se alguém não tem o Espírito de Cristo, esse tal não é dele* (Rm 8.9). A graça salvadora é uma possessão pessoal intransferível. A preparação do pai não serve para o filho, nem a do marido serve para a esposa. Ninguém entra no céu por procuração. Concordo com R. C. Sproul quando ele diz: "Não podemos compartilhar o Espírito Santo com aqueles que não o têm. Ninguém pode entrar no Reino de Deus pegando carona com quem tem fé genuína. Não é possível confiar na fé do pai, da mãe, da esposa ou de qualquer outra pessoa".[8]

Spurgeon diz corretamente que é a falta do óleo da graça a falha fatal na lâmpada de muitos que professam ser cristãos. Muitos têm um nome [Cristo] pelo qual viver, mas não têm a vida de Deus dentro de sua alma. Fazem uma profissão de que seguirão a Cristo, mas não têm o suprimento interior do Espírito de graça para mantê-los. Há um brilho ou luz passageira, mas não há luz permanente, e nem pode haver, pois, embora tenham lâmpadas, não levam nenhum azeite consigo.[9]

Em virtude de o noivo tardar, todas adormeceram. Mesmo aquelas virgens que tinham o azeite da graça não estavam sempre bem acordadas para servir ao seu Senhor e vigiar para a sua vinda. As prudentes, porém, esperavam com provisão, enquanto as néscias esperavam com presunção. As primeiras estavam prevenidas; as últimas, desassistidas. As prudentes tiveram uma preparação adequada; as insensatas, um despreparo evidente. Lâmpadas não possuem nenhuma utilidade quando desprovidas de azeite.

Em terceiro lugar, *é possível fazer uma preparação inadequada* (25.6-8). Foi no grito da meia-noite que o despreparo das néscias se tornou notório. Foi à meia-noite que só as aparências não se mostraram

---

[7] RIENECKER, Fritz. *Evangelho de Mateus*, p. 402.
[8] SPROUL, R. C. *Mateus*, p. 651.
[9] SPURGEON, Charles H. *O Evangelho segundo Mateus*, p. 547.

suficientes. A chegada do noivo não representou alegria para as imprudentes, mas o seu desespero. Esse dia para elas foi um dia de trevas, e não de luz. O preparo delas era insuficiente. Estavam sem azeite em suas lâmpadas. Estavam imersas em densa escuridão. Spurgeon alerta: "É uma pena que alguns somente buscarão abastecer suas lâmpadas quando estiverem para morrer ou quando o sinal do Filho do Homem aparecer no céu; mas, se buscarmos fazer esse trabalho sem o Espírito ou a graça de Deus, isso resultará em uma falha eterna.[10]

As virgens imprudentes pediram azeite às virgens prudentes, com uma justificava: *porque as nossas lâmpadas se apagaram* (25.8). Elas começaram agora a valorizar o que haviam outrora desprezado. O pavio seco ardeu por um tempo e depois desapareceu na escuridão, como o pavio de uma vela. Essas virgens loucas pensaram que tudo estava pronto, confiando em suas lâmpadas, mesmo sem a provisão do azeite. Fica aqui o alerta: aqueles que estão adiando o seu arrependimento para a hora de sua morte são como essas virgens loucas. Essa hora pode ser tarde demais. John Charles Ryle diz, com razão, que a segunda vinda de Cristo, seja quando for que aconteça, pegará os homens de surpresa. Os negócios estarão seguindo normalmente, na cidade e no campo, exatamente como agora. A política, o comércio, a agricultura, a compra, a venda e a busca do prazer estarão controlando a atenção dos homens, exatamente como agora. As igrejas ainda estarão cheias de divisões e disputando acerca de insignificâncias, e as controvérsias teológicas ainda estarão em voga. Pregadores ainda estarão chamando os homens ao arrependimento, e o povo continuará adiando o dia da decisão.[11]

Em quarto lugar, *a segurança no futuro depende de diligência no presente* (25.9,10). Concordo com Spurgeon quando ele diz que nenhum crente tem mais graça do que realmente precisa: as virgens prudentes não tinham azeite para dar.[12] As néscias pediram emprestado aquilo que é individual e intransferível. Não se empresta piedade. Não se compra relacionamento com Deus. Ou alguém tem essas realidades ou não

---

[10] SPURGEON, Charles H. *O Evangelho segundo Mateus*, p. 548.
[11] RYLE, John Charles. *Meditações no Evangelho de Mateus*, p. 215.
[12] SPURGEON, Charles H. *O Evangelho segundo Mateus*, p. 549.

alcança isso entre os homens. Essas bênçãos vêm do céu, e não as adquirimos na terra. A única maneira de ter segurança quanto ao futuro é ter diligência quanto ao presente. A graça salvadora, ensina-se aqui, é uma possessão pessoal intransferível. Quando chegar o dia final da salvação, ninguém poderá livrar o seu irmão. Cada qual será o árbitro de seu próprio destino.[13] A mera religião externa não tem o poder de iluminar.

Em quinto lugar, *a porta da festa estará fechada para aqueles que deixaram o preparo para a última hora* (25.11,12). As virgens néscias não encontraram azeite para comprar. Chegaram atrasadas. A porta estava fechada. O clamor delas não foi atendido. O Senhor não as reconheceu como participantes da festa. Elas estavam excluídas para sempre do gozo do Senhor. Quando a porta é fechada uma vez, jamais será aberta. A porta estará fechada para sempre (25.10). Portanto, qualquer esperança maior do que a revelada na Palavra de Deus é uma ilusão e um laço, diz Charles Spurgeon.[14] Naquele grande dia, aqueles que viveram sem azeite em suas lâmpadas gritarão por misericórdia, como os diluvianos gritaram a Noé, mas descobrirão que é tarde demais. Fica aqui o alerta: "Que importa invocá-lo com a palavra, quando as obras o negam?"[15] Manter a aparência de crente sem ser crente é um risco fatal. No dia em que Jesus voltar, a porta estará fechada para sempre. John Charles Ryle acrescenta: "A porta será fechada, enfim – fechada sobre toda dor e tristeza, fechada para todo este mundo malvado e ímpio, fechada para as tentações do diabo, fechada para todas as dúvidas e temores – fechada para nunca mais ser aberta".[16]

Em sexto lugar, *precisamos aguardar a volta do nosso Senhor com permanente vigilância* (25.13). Fritz Rienecker diz que as bodas são o arrebatamento dos fiéis vivos, o ressuscitar dos crentes adormecidos e a unificação de ambos com o Senhor nos ares.[17] Jesus voltará certamente, brevemente, pessoalmente, visivelmente, audivelmente,

---

[13]TASKER, R. V. G. *Mateus: introdução e comentário*, p. 185.
[14]SPURGEON, Charles H. *O Evangelho segundo Mateus*, p. 550.
[15]BROADUS, John A. *Comentário de Mateus*. Vol. II, p. 254.
[16]RYLE, John Charles. *Meditações no Evangelho de Mateus*, p. 216.
[17]RIENECKER, Fritz. *Evangelho de Mateus*, p. 403.

inesperadamente, repentinamente, inescapavelmente, gloriosamente, mas não sabemos o dia nem a hora. Precisamos viver na ponta das pés, aguardando ansiosamente sua vinda. Precisamos estar prontos quando a trombeta soar, proclamando: Eis o noivo, saí ao seu encontro!

A parábola dos talentos – como administrar os recursos de Deus (25.14-30)

Depois de falar de si mesmo como noivo, agora Jesus se apresenta como um homem de negócios que partiu para fora de sua terra. Depois de mostrar a necessidade de estarmos preparados para sua vinda, Ele mostra como devemos ser diligentes enquanto o aguardamos.[18] As virgens e os servos representam um só e o mesmo povo. A vigilância é a nota-chave da primeira parábola, e a diligência é a ênfase da segunda. A história sobre as virgens exorta a igreja a vigiar; a história sobre os talentos conclama a igreja a trabalhar.[19]

A viagem que Jesus fez quando voltou para o céu e até seu retorno é realmente longa, mas Ele não deixou Seus servos sem suprimento e sem trabalho nesse tempo de ausência.[20] Tanto a parábola das dez virgens como a parábola dos talentos têm a ver com os cristãos meramente nominais e os cristãos verdadeiros. Ambas dizem respeito à maneira como os crentes devem viver no intervalo entre a primeira e a segunda vinda de Cristo. As virgens esperam; os servos trabalham.

A palavra "talento" nesta parábola não se refere a habilidades, mas a uma unidade de peso. No mundo antigo, um talento era uma unidade de 35 quilos de ouro, prata ou bronze.[21] Tratava-se, portanto, de um valor exponencial.

O tema principal desta parábola é como devemos administrar os bens que o Senhor nos confiou até a Sua volta. É uma parábola sobre mordomia. Jesus é o dono dos bens; nós somos seus mordomos. Fritz Rienecker entende que esses talentos representam tudo o que

---

[18] SPROUL, R. C. *Mateus*, p. 654.
[19] RYLE, John Charles. *Meditações no Evangelho de Mateus*, p. 217.
[20] SPURGEON, Charles H. *O Evangelho segundo Mateus*, p. 554.
[21] SPROUL, R. C. *Mateus*, p. 654.

recebemos de Deus como dádivas naturais e sobrenaturais. Ele entende por dádivas naturais nosso corpo, nossos dons, nossos talentos, nossa boa educação, nossa vida profissional; e, por dádivas sobrenaturais, o próprio Espírito Santo, a salvação, a oração, a Palavra, e a graciosa direção diária.[22] O texto pode ser dividido assim: a distribuição dos talentos (25.14,15), o uso diversificado feito dos talentos (25.16-18), a prestação de contas quando do regresso do senhor (25.19-27), a lição ensinada (25.28-30).[23]

Como administrar os recursos que Deus colocou em nossas mãos?

Em primeiro lugar, *reconheça ao Senhor como Aquele que lhe confiou os Seus tesouros* (25.14-18). O Senhor, dono dos bens, ausenta-se do país e confia tesouros a seus servos. Que privilégio sermos achados dignos de cuidar dos bens do nosso Senhor! Que honra sermos objetos de Sua confiança! É pura generosidade do Senhor confiar às nossas mãos os seus tesouros. O Senhor, sendo generoso conosco, não deixa também de ser justo, uma vez que confia seus talentos a cada servo de acordo com sua própria capacidade (25.15). O Senhor não exige o mesmo de todos nem confia mais a alguém do que essa pessoa pode realizar. Deus nunca nos cobrará além daquilo que Ele mesmo nos deu. Ele não exigirá de nós além de nossa capacidade.[24]

Em segundo lugar, *trabalhe com zelo e fidelidade para honrar ao Senhor* (25.19-23). Você demonstra sua fidelidade multiplicando os recursos que seu Senhor colocou em suas mãos (25.20,21a,22,23a). Essa fidelidade será recompensada pelo Senhor (25.21,23). Você terá o elogio do Senhor, maiores responsabilidades e, ainda, a alegria da Sua intimidade.

Em terceiro lugar, *não seja negligente com os recursos do Senhor* (25.24-30). O servo mau e negligente nutriu um pensamento errado acerca de seu senhor. Considerou-o severo e injusto. Em vez de fazer render os recursos colocados em suas mãos, enterrou-os. Foi movido pelo medo, e não pelo zelo fiel. Sua negligência covarde resultou em esterilidade (25.24,25). O que foi colocado em suas mãos não apenas

---

[22]RIENECKER, Fritz. *Evangelho de Mateus*, p. 406.
[23]HENDRIKSEN, William. *Mateus*. Vol. 2, p. 454,455.
[24]RIENECKER, Fritz. *Evangelho de Mateus*, p. 405.

estagnou, mas retrocedeu, porque, se ele tivesse aplicado os recursos de seu senhor, pelo menos teria o lucro da correção monetária. Concordo com Fritz Rienecker quando ele diz que aquele que pensa somente em si não apenas prejudica a obra do Senhor, mas prejudica a si próprio também.[25] Ao servo inútil, o talento é tomado e transferido a outro. Vale destacar que a negligência é solenemente penalizada (25.26-30). É penalizada com a repreensão do seu Senhor (25.26,27), com a perda de responsabilidade (25,28,29) e com o banimento eterno da proximidade com seu Senhor (25.30).

A parábola das ovelhas e dos cabritos
– o julgamento das nações (25.31-46)

Nós temos a própria descrição de Jesus, o Rei dos reis, no dia do juízo. Hendriksen chega a dizer que este texto não é realmente uma parábola, embora contenha elementos parabólicos.[26] Trata-se de uma descrição poética da maneira pela qual a profecia de Jesus se cumprirá: *O Filho do Homem há de vir na glória de seu Pai, com os Seus anjos, e então retribuirá a cada um conforme as suas obras* (16.27).[27] Ele não é um juiz duro, destituído de compaixão, mas é um Juiz que ficou comovido pelo sentimento das nossas enfermidades.[28]

O texto enseja-nos algumas lições, que comentamos a seguir.

Em primeiro lugar, **Cristo julgará o mundo** (25.31-33). Aqui Jesus se apresenta como Filho do Homem e como Rei, pois se assentará no trono de sua glória. Jesus se apresenta ainda como o Juiz de todos os povos que estão reunidos com todos anjos diante do Seu trono de glória. O ajuntamento será imediatamente seguido por uma separação. Ele, que foi julgado pelas pessoas, julgará as pessoas. O condenado condenará. Seus juízes serão acusados, e Ele, o acusado, julgará.[29]

---

[25] RIENECKER, Fritz. *Evangelho de Mateus*, p. 406.
[26] HENDRIKSEN, William. *Mateus.* Vol. 2, p. 462.
[27] TASKER, R. V. G. *Mateus: introdução e comentário*, p. 188.
[28] TASKER, R. V. G. *Mateus: introdução e comentário*, p. 188.
[29] RIENECKER, Fritz. *Evangelho de Mateus*, p. 408.

R. C. Sproul observa que este tipo de ensinamento é muito difícil para aqueles que estão imersos na cultura ocidental moderna, a qual defende o pluralismo, o relativismo e o universalismo e sofre de uma alergia incurável a qualquer insinuação de exclusão. No entanto, alguns entrarão na bem-aventurança eterna no céu, e o restante entrará no sofrimento perpétuo do juízo no inferno.[30] John Charles Ryle descreve esta cena da seguinte maneira:

> Todos os julgados serão divididos em duas grandes categorias. Não haverá mais distinção nenhuma entre reis e súditos, patrões e empregados, clérigos ou leigos. Não se fará menção alguma de denominações ou partidos religiosos, porquanto todas as distinções do passado terão sido eliminadas. Graça ou nenhuma graça, conversão ou não conversão, fé ou nenhuma fé, estas serão as únicas distinções que prevalecerão naquele dia.[31]

Neste mundo, os tribunais podem ser corrompidos. Juízes podem ser subornados. Testemunhas podem ser compradas. Nos tribunais dos homens, inocentes são condenados e culpados são inocentados. Mas um dia todos comparecerão perante o reto Juiz, para um julgamento reto e justo. Ninguém escapará. As nações se reunirão em sua presença. Ele, que a todos sonda e a tudo vê, separará uns dos outros com meticulosa justiça. Nesse último grande dia do Senhor, todas as nações que já existiram e as que agora existem serão reunidas diante do tribunal de Cristo. No início, serão reunidas em uma massa homogênea, mas a miríade de multidões será rapidamente dividida em dois grupos: "e apartará uns dos outros". O Rei é quem fará a separação naquele dia terrível, "como o pastor aparta dos bodes as ovelhas". Nenhum bode ficará entre as ovelhas, e nenhuma ovelha permanecerá entre os bodes. A divisão será muito direta e pessoal: "uns dos outros". Aqueles não serão separados em nações, nem mesmo em famílias, mas cada indivíduo será colocado em seu devido lugar entre as ovelhas ou entre os bodes.[32]

---
[30]SPROUL, R. C. *Mateus*, p. 661.
[31]RYLE, John Charles. *Meditações no Evangelho de Mateus*, p. 220.
[32]SPURGEON, Charles H. *O Evangelho segundo Mateus*, p. 561.

Em segundo lugar, *o julgamento de Cristo resultará uma clara e justa distinção* (25.34-43). A grande distinção dos homens naquele grande dia do juízo não será entre ricos e pobres, doutores e analfabetos, religiosos e ateus, brancos e negros, mas entre os que são benditos do Pai e os que são malditos, os quais acabarão banidos para o fogo eterno. Nesse dia, os homens serão não apenas julgados com justiça, mas separados eternamente para destinos distintos e opostos. Hoje, pios e ímpios, santos e pervertidos, generosos e avarentos, todos vivem juntos. Naquele dia, uns entrarão no gozo do Senhor, e outros sofrerão penalidade de eterna destruição.

Todos os homens são enquadrados em apenas dois grupos: ovelhas e cabritos, salvos e perdidos, bem-aventurados ou condenados. As ovelhas são identificadas como *os justos* (25.37). Esses são colocados à direita do trono do Juiz. Os cabritos, por sua vez, são chamados de *malditos* (25.41).

Os justos são os eleitos, agora reunidos dos quatro cantos da terra. Asseguraram a sua eleição não por dizerem constantemente "Senhor, Senhor", nem por repetidas expressões verbais da sua fé, mas por numerosos atos de serviço em autossacrifício, prestado discretamente aos seus semelhantes. Jesus chama essas pessoas assistidas de "meus pequeninos irmãos" (25.40). Assistir essas pessoas é como assistir o próprio Senhor (25.34-40). Portanto, alimentando os famintos, dando de beber aos sedentos, acolhendo os forasteiros em suas casas, vestindo os nus, cuidando dos doentes e visitando os encarcerados, os justos inconscientemente prestam serviço a seu Senhor.[33] Assim, Cristo se identifica com os necessitados e sofredores. Concordo com Spurgeon quando ele escreve:

> Cristo tem muito mais simpatia com a tristeza de seus irmãos do que às vezes pensamos. Eles estão com fome? Ele diz: "Eu tive fome". Será que eles têm sede? Ele diz: "Eu tive sede". A simpatia de Cristo é contínua, e em todos os tempos vindouros Ele perpetuamente Se identificará com os sofrimentos de Seu povo tentado e aflito. Daí a oportunidade de servi-Lo desde já.[34]

---

[33]TASKER, R. V. G. *Mateus: introdução e comentário*, p. 189.
[34]SPURGEON, Charles H. *O Evangelho segundo Mateus*, p. 563.

Em terceiro lugar, *os homens serão julgados por aquilo que fizeram ao seu próximo* (25.34-45). Começando pelo grupo escolhido à Sua mão direita, a grande multidão, a qual ninguém podia contar (Ap 7.9), o Rei lhes dirá: *Vinde*. Eles haviam aceitado seu convite: *Vinde a mim* (11.28); agora Jesus lhes dá outro e mais glorioso *Vinde*. O Rei chama Seus amados por um nome excelente: *Benditos de meu Pai*. Informa-lhes ainda que pertence a eles uma herança que foi preparada desde a fundação do mundo.[35]

Jesus se dirige aos que estiverem à Sua esquerda: *Apartai-vos de mim*. Chama-os de *malditos*. Envia-os para *o fogo eterno preparado para o diabo e seus anjos*. Os motivos? Os pecados de omissão! Vale destacar que Jesus menciona aqui apenas os pecados de omissão. Os homens podem pensar que sua falta de amor por Cristo e sua negligência em cuidar de seus irmãos pobres são algo fútil, mas sua conduta será vista de outra forma no último grande dia. Mesmo assim, eles tentam se justificar.

As pessoas não serão julgadas por sua profissão religiosa nem por seu credo, nem mesmo por seu desempenho na adoração. O critério é o que fizemos para o nosso próximo. Socorrer aos pequeninos irmãos do Senhor é o mesmo que socorrê-Lo. Desamparar os mais pequeninos é desamparar ao próprio Senhor.

Se as lâmpadas com azeite apontam para o preparo íntimo do crente; e se a multiplicação dos valores trata de seu serviço abnegado, a presente parábola mostra a necessidade de transformarmos nosso discurso religioso em prática. A melhor maneira de servir a Cristo é servir aos necessitados ao alcance das nossas mãos.

Concordo, entretanto, com a posição de R. C. Sproul quando ele diz que a justificação é unicamente pela fé e que as obras não desempenham papel algum na salvação. No entanto, a justificação não é por fé desacompanhada. Todos os que têm fé salvadora passam imediatamente a realizar boas obras. Somos justificados não *pelas* obras, mas *para* as boas obras. Assim sendo, o maior teste que determina se estamos ou não em Cristo é a presença ou a ausência de frutos. Não somos

---

[35] SPURGEON, Charles H. *O Evangelho segundo Mateus*, p. 562.

justificados por nossas obras, mas, se não tivermos obras, haverá uma clara evidência de que não temos fé salvadora.³⁶

Em quarto lugar, *o julgamento final resultará em bem-aventurança e punição eterna* (25.34,41,46). O dia do Juízo será dia de luz para uns e dia de trevas para outros. Dia de bem-aventurança para uns e dia de severo juízo para outros. Dia de gozo para uns e dia de tormento eterno para outros. Só há dois destinos: céu de glória e inferno de fogo, gozo eterno e castigo eterno, comunhão com o Senhor e tormento com o diabo e seus anjos. Por contraste, aqueles que estavam vazios de amorosa bondade não poderão receber a amorosa bondade do seu Senhor.

Jesus conclui: *E irão estes (os bodes) para o tormento eterno, mas os justos (as ovelhas) para a vida eterna.* O tormento é da mesma duração que a vida. A separação entre os bodes e as ovelhas será eterna e imutável. John Charles Ryle resume a questão: "Tão certo quanto Deus é eterno, também o céu é um dia interminável, sem noite, e o inferno é uma noite interminável, sem dia".³⁷

---

³⁶Sproul, R. C. *Mateus*, p. 663.
³⁷Ryle, John Charles. *Meditações no Evangelho de Mateus*, p. 222.

66

Jesus à sombra da cruz

Mateus 26.1-35

TENDO CONCLUÍDO SUAS PALAVRAS sobre a destruição de Jerusalém, sobre a Sua segunda vinda e o juízo final, Jesus volta sua atenção para a sua morte iminente. Mateus 26 registra os eventos da quarta e quinta-feira da última semana da vida de Jesus. O Filho de Deus está mergulhando na sombra da cruz. O cenário já estava montado (26.2). A entrada triunfal de Jesus em Jerusalém deu-se no período de maior fluxo de pessoas na cidade santa, a Festa da Páscoa. A população da cidade quintuplicava nessa época.[1] Como já escrevemos, a Páscoa era a alegria dos judeus e o terror dos romanos. Essa festa tinha forte conotação política e seria a ocasião ideal para algum pretenso messias tentar subverter o domínio romano. Isso explica por que o rei Herodes e o governador Pôncio Pilatos estavam em Jerusalém, e não em Tiberíades e Cesareia, respectivamente. Sua grande preocupação era manter a paz.

A Festa da Páscoa e a Festa dos Pães Asmos corriam juntas e podiam ser consideradas a mesma festa (Lc 22.1). A Festa dos Pães Asmos era seguida pelo dia em que acontecia o sacrifício do cordeiro. Então, a celebração se prolongava por sete dias. A ligação entre a Ceia da Páscoa

---

[1] RICHARDS, Lawrence O. *Comentário histórico-cultural do Novo Testamento*, p. 83.

e a Festa dos Pães Asmos é tão grande que o termo "páscoa", algumas vezes, cobre ambas (22.1).

Judeus de todos os recantos do Império Romano subiam a Jerusalém para uma semana inteira de festejos. Nesse tempo, o povo judeu celebrava sua libertação do Egito. A festa girava em torno do cordeiro que devia ser morto, bem como dos pães asmos que relembravam os amargos sofrimentos do êxodo.

Jesus escolhe esta festa para morrer, pois Ele é o Cordeiro de Deus que tira o pecado do mundo (Jo 1.29), o nosso cordeiro pascal que foi imolado (1Co 5.7).

O texto em apreço, apresenta diversas atitudes em relação a Jesus. Vejamos a seguir.

A trama costurada contra Jesus (26.1-5)

Enquanto Jesus profetizava, as autoridades religiosas de Israel, como uma máfia, estavam tramando e conspirando contra ele.[2] Assim diz a profecia: *Os reis da terra se levantam, e os príncipes conspiram contra o Senhor e contra o seu Ungido* (Sl 2.2). Mateus registra a profecia de Jesus acerca da conspiração dos principais sacerdotes e anciãos do povo, dois dias antes da Páscoa, para prendê-Lo à traição e matá-Lo depois da festa (26.1- 5). Marcos, por sua vez, diz que foram os principais sacerdotes e os escribas que procuravam descobrir como O prenderiam, à traição, e o matariam depois da festa (Mc 14.1,2). Quando os homens pensam que estão no controle, estão apenas cumprindo uma agenda estabelecida por Deus.

William Hendriksen aponta que a colisão entre o conselho de Deus e a conspiração humana é clara. Essas passagens mostram que, enquanto as autoridades judaicas insistiam em que a prisão, o julgamento e a morte de Jesus não deviam ocorrer durante a festa, triunfou o decreto divino de que certamente ela devia ocorrer nesse tempo em particular. "Não durante a festa", dizem os conspiradores. "Durante a festa", declarou o Todo-poderoso.[3]

---

[2]SPROUL, R. C. *Mateus*, p. 667.
[3]HENDRIKSEN, William. *Mateus*. Vol. 2, p. 474,476.

Esse plano não era novo, já vinha de certo tempo. Eles já tinham escolhido a forma de fazê-lo, à traição. Mas aguardavam uma ocasião oportuna para o matarem e decidiram que deveria ser depois da festa. Isto não porque tivessem escrúpulos, mas porque temiam o povo. Altas posições no ministério da igreja não protegem aqueles que as ocupam contra a cegueira espiritual e o pecado. É incrível que esses homens religiosos tenham cometido o maior crime da história no feriado mais sagrado de Israel.

Vale ainda destacar que a iniciativa de se opor a Jesus é tomada pelos principais sacerdotes e os anciãos do povo, na sala de Caifás, o sumo sacerdote (26.3). Robert Mounce explica que, numa época anterior, o cargo de sumo sacerdote era hereditário e perpétuo, e seu titular o ocupava por toda a vida. Durante o cativeiro romano, os sacerdotes entravam e saíam de acordo com o gosto de seus senhores seculares. Caifás esteve nesse cargo de 18 a 36 d.C.[4]

Em todos os evangelhos, os fariseus eram os oponentes principais de Jesus no decurso de todo o Seu ministério, mas o partido sumo sacerdotal, o partido saduceu, assumiu a liderança disto no fim. Eram eles que detinham o poder político.

Os líderes da religião judaica temiam uma insurreição em favor de Jesus.

O jantar oferecido a Jesus em Betânia (26.6-13)

Jesus desperta sentimentos opostos entre as pessoas. Enquanto uns querem prendê-Lo e matá-Lo, outros querem honrá-lo, oferecendo-Lhe um jantar. Robert Mounce é da opinião que o relato paralelo de João coloca a cena do jantar na casa de Maria, Marta e Lázaro (Jo 12.1-8). Pode até ser que Simão tenha sido o pai de Lázaro e suas irmãs.[5] Jesus é amado por uns e odiado por outros; é adorado por uns e rechaçado por outros.

Esse jantar aconteceu na casa de Simão, o leproso. Não sabemos com segurança quem é esse homem, mas é curioso que ele receba o

---

[4]MOUNCE, Robert H. *Mateus*, p. 249.
[5]MOUNCE, Robert H. *Mateus*, p. 250.

epíteto de "leproso". Certamente, ele não era mais leproso, mas um homem que fora curado da lepra por Jesus. Todavia, o rótulo ficou. Rotular pessoas não é sensato, pois o enfermo está curado, o cativo está liberto, o perdido está salvo, mas o rótulo permanece.

Nesse jantar, uma mulher se destaca. Aqui em Mateus, como em Marcos e Lucas, essa mulher é incógnita, mas em João ela tem nome. É Maria, irmã de Marta e Lázaro. Destacamos a seguir alguns fatos acerca de sua atitude.

Em primeiro lugar, *ela fez o seu melhor* (26.6,7). O que no conceito dos discípulos era desperdício, Jesus interpretou como unção preparatória para seu sepultamento.[6] Maria veio com um vaso de alabastro, cheio de um perfume preciosíssimo, de nardo puro, contendo uma libra de perfume (aproximadamente meio litro), e ela não abriu o vaso, mas o quebrou e derramou todo o perfume sobre a cabeça de Jesus. Toda a casa encheu-se com a fragrância do perfume. A ação nobre de Maria deve ser contraposta à ação vil de Judas Iscariotes.

O frasco de alabastro, um carbonato de cal ou sulfato de cálcio hidratado, era uma pedra branca ou amarela. Recebia o nome de alabastro por causa da cidade do Egito onde era encontrado em abundância. Era o material usado no fabrico de frascos caros para guardar unguentos e perfumes preciosos, como mostram os escritos de escritores antigos, além de inscrições e papiros. Em geral, os recipientes de alabastro tinham a forma de pera e possuíam uma tampa cilíndrica, como um botão de rosa fechado.[7] Lawrence Richards diz que os vasos de perfume de alabastro eram tão valiosos no século primeiro, que eram frequentemente comprados como investimento.[8]

Ao quebrar o vaso em vez de abri-lo, Maria estava dizendo que não queria que sobrasse nem uma gota. Estava colocando o seu melhor, por completo, a serviço de Jesus. O perfume foi avaliado por Judas Iscariotes em mais de trezentos denários. Um denário era o salário diário de um trabalhador. Se o perfume tinha uma libra, e uma libra

---

[6]MOUNCE, Robert H. *Mateus*, p. 250.
[7]ROBERTSON, A. T. *Comentário de Mateus*, p. 287.
[8]RICHARDS, Lawrence O. *Comentário histórico-cultural do Novo Testamento*, p. 83.

representa 2,2 litros, isso significa que cada grama desse perfume custava um dia de serviço. Maria não reteve nada. Entregou tudo para expressar sua gratidão a Jesus. A. T. Robertson observa que um vaso de alabastro de nardo era um presente para um rei.[9]

Em segundo lugar, *ela fez sacrificialmente* (26.8,9). Esse perfume não era encontrado numa loja de perfumaria. Essa essência, chamada nardo, não tinha nenhuma mistura. Era nardo puro. Essa essência era raríssima e caríssima. O preço de uma libra romana desse perfume perfazia trezentos denários, o que correspondia ao salário anual de um trabalhador.[10] Essa essência só era encontrada na época na cordilheira do Himalaia, de um arbusto seco e moído, transportado no lombo de camelos. Essa jovem pobre, de uma família pobre, que morava numa aldeia pobre, comprou esse perfume gota a gota, grama a grama, para o dia mais esperado de sua vida, o dia de seus núpcias. Ela colocou a serviço de Jesus não apenas o seu melhor, mas o fez de forma sacrificial.

Em terceiro lugar, *ela fez apesar das críticas* (26.8,9). Não devemos esperar aplausos dos homens nem mesmo reconhecimento dos líderes da igreja quando estamos prestando nosso melhor serviço a Cristo. Maria enfrentou crítica por parte daqueles que deveriam ser seus imitadores. Quem criticou Maria deveria estar feliz com sua atitude. Os discípulos de Jesus indignaram-se com Maria (Mc 14.4), murmuraram contra ela (Mc 14.5) e a molestaram (Mc 14.6). Maria só tinha um vetor que governava sua vida: agradar a Jesus. Ela não se importou com as críticas, pois sua motivação era expressar seu amor e sua gratidão a Jesus. É impossível fazer a obra de Deus sem receber críticas. Quem tem medo de críticas não serve a Deus. Quem tem medo de críticas está mais interessado no aplauso dos homens do que na aprovação de Deus. Judas, que era ladrão, queria esse valor e ficou indignado com Maria por esse desperdício (Mc 14.4,5). Maria e Judas são colocados lado e lado em opostos extremos, ela gastando livremente em amor, ele vendendo o Mestre por dinheiro. O ato de amor de Maria e a repreensão

---
[9] ROBERTSON, A. T. *Comentário de Mateus*, p. 287.
[10] RIENECKER, Fritz. *Evangelho de Mateus*, p. 413.

de Jesus, além de outras motivações, provocaram Judas a praticar a sua ação desprezível.[11]

Em quarto lugar, *ela fez à pessoa certa* (26.10,11). Maria fez o seu melhor e o fez para Jesus. Ela recebeu a crítica de Judas Iscariotes, porque este era um falso filantropo. Foi desse banquete que ele saiu para procurar os principais sacerdotes e entregar Jesus por trinta moedas de prata, um décimo do valor do perfume que Maria dedicou a Jesus. Em face da proposta dos discípulos de empregar esses valores para socorrer os pobres, Jesus afirmou que eles teriam outras oportunidades para ajudar os necessitados, uma vez que nunca haverá na história um tempo em que os pobres deixarão de existir, mas Ele iria deixá-los e voltar ao céu, e essa oportunidade passaria para sempre.[12] É importante ressaltar que Jesus sempre cuidou dos pobres. Ele mesmo foi pobre, pregou aos pobres, alimentou os famintos pobres e curou os doentes pobres. Ele sempre requereu do seu povo que mostrasse amor por Ele, cuidando dos pobres;[13] agora, porém era a hora de sua partida, e Maria, como nenhuma outra pessoa, antecipou-se a ungi-Lo para a sepultura. Por isso, Jesus evitou que os discípulos continuassem a molestar Maria e defendeu sua ação generosa.

Em quinto lugar, *ela fez no tempo certo* (26.12). Embora o gesto de Maria tivesse sido fruto da prodigalidade de seu amor e de sua profunda gratidão, ela é lembrada não especialmente por sua generosidade, mas por sua visão. Enquanto os discípulos se recusavam a ouvir o que Jesus dizia sobre sua iminente crucificação, esta mulher compreendeu e agiu *preparando-Me para o Meu sepultamento*.[14]

Em sexto lugar, *ela fez com reflexos para a eternidade* (26.13). O que Maria fez no recôndito de uma casa humilde, na humilde aldeia de Betânia, tem sido contado dos outeiros da história e anunciado nos ouvidos do mundo. O que ela fez tem impactado todas as gerações. Sua ação reverbera até os dias atuais. Seu exemplo ainda haverá de inspirar futuras gerações.

---

[11] ROBERTSON, A. T. *Comentário de Mateus*, p. 288.
[12] SPROUL, R. C. *Mateus*, p. 670.
[13] SPURGEON, Charles H. *O Evangelho segundo Mateus*, p. 571.
[14] RICHARDS, Lawrence O. *Comentário histórico-cultural do Novo Testamento*, p. 83.

A traição é urdida contra Jesus (26.14-16)

O mesmo Judas que avaliou o perfume usado por Maria em mais de trezentos denários e ficou indignado com ela, porque queria apropriar-se desse valor, uma vez que era ladrão, saiu de Betânia para entregar Jesus aos principais sacerdotes (Jo 12.3-6). Judas negou seu nome, seu apostolado e seu Mestre. Vendeu-O por trinta moedas de prata, um mês de salário para um trabalhador diarista,[15] e passou a buscar uma ocasião oportuna para entregá-Lo.

Não há consenso acerca dos motivos que levaram Judas a trair Jesus. Alguns dizem que ele traiu Jesus porque era um mercenário. Outros dizem que sua motivação foi a desilusão com a atitude política de Jesus, que a seu ver abdicou de um reino terreno para implantar um reino espiritual. Outros ainda dizem que Judas traiu Jesus porque lhe faltou coragem quando viu o perigo ao seu redor. As Escrituras, entretanto, registram que foi a ganância que levou Judas a cometer esse terrível pecado (26.15). As trinta peças de prata são uma referência a Zacarias 11.2. Se o boi escornasse um servo, o dono do boi tinha de pagar essa quantia (Êx 21.32). Podia-se comprar um escravo por esse preço. Não há dúvida de que o preço espelhava deliberadamente o desprezo que o Sinédrio e Judas tinham por Jesus.[16]

Destacamos a seguir cinco fatos sobre Judas Iscariotes.

Em primeiro lugar, *Judas, um homem dominado por satanás* (Lc 22.3). Judas, embora apóstolo, nunca foi convertido. Ele era ladrão (Jo 12.6). Suas motivações não eram puras. Dominado pela ganância, ele é então possuído por satanás, que doravante governa sua mente, seu coração, suas palavras e suas ações. Satanás agora renova o seu ataque contra Jesus, que havia suspenso temporariamente (Lc 4.13). Ele havia retornado usando Simão Pedro (16.23). Agora usa Judas. Evidentemente, Judas abriu a porta do seu coração e permitiu a entrada de satanás. Então, satanás assumiu o controle, e Judas se tornou um demônio, como Jesus disse (Jo 6.70). Esta rendição a satanás, entretanto, de modo

---

[15] RICHARDS, Lawrence O. *Comentário histórico-cultural do Novo Testamento*, p. 83.
[16] ROBERTSON, A. T. *Comentário de Mateus*, p. 289.

algum isenta Judas da sua responsabilidade moral. A vida de Judas é um solene alerta. Quão profundamente uma pessoa pode cair depois de ter feito uma sublime confissão a respeito de Cristo. De apóstolo a ladrão. De ladrão a traidor. De traidor a possesso pelo diabo. É importante ressaltar que a possessão de Judas não o fez mudar o tom da voz nem revirar os olhos, mas o levou a vender Jesus por trinta moedas de prata.

Em segundo lugar, *Judas, um entreguista* (26.14,15). Judas Iscariotes era um dos doze. Andou com Jesus, ouviu Jesus, viu os milagres de Jesus, mas perdeu a maior oportunidade da sua vida. Sabendo da trama dos principais sacerdotes e dos capitães do templo para prenderem e matarem Jesus, procurou-os para entregá-Lo.

Em terceiro lugar, *Judas, um avarento* (26.15). Judas entrega Jesus por dinheiro, movido pela ganância. Os principais sacerdotes de bom grado deram dinheiro para ele. Compraram sua consciência e sua lealdade. O evangelista Mateus deixa meridianamente claro que a motivação de Judas em procurar os principais sacerdotes era a ganância: *Que me quereis dar, e eu vo-lo entregarei? E pagaram-lhe trinta moedas de prata* (26.15). A motivação de Judas em entregar Jesus era o amor ao dinheiro. Ele era ladrão (Jo 12.6). Seu deus era o dinheiro. Ele vendeu sua alma, sua consciência, seu ministério, suas convicções, sua lealdade. Tornou-se um traidor. A recompensa pela traição representou somente um décimo do valor do óleo da unção usado por Maria para ungir Jesus (Mc 14.3,4). O dinheiro recebido por Judas era o preço de um escravo ferido por um boi (Êx 21.32). Por essa insignificante soma de dinheiro, Judas traiu o seu Mestre. Judas constitui-se numa solene advertência contra os perigos do amor ao dinheiro (1Tm 6.10).

Em quarto lugar, *Judas, um dissimulado* (26.20-25). Jesus vai com seus discípulos até o Cenáculo, para comer a Páscoa. E Judas está entre eles. No Cenáculo, Jesus demonstrou seu amor por Judas, lavando seus pés (Jo 13.5), mesmo sabendo que o diabo já tinha posto em seu coração o propósito de traí-Lo (Jo 13.2). Judas não se quebranta nem se arrepende. Ao contrário, finge ter plena comunhão com Cristo, ao comer com Ele (26.23). Jesus pronuncia um "ai" de juízo sobre Judas, que dissimuladamente estava à mesa da comunhão, depois de ter recebido dinheiro para traí-Lo (26.24). Nesse momento, satanás entra em

Judas (Jo 13.27), que sai da mesa para unir-se aos inimigos de Cristo, a fim de entregá-Lo a eles.

Jesus já havia dito que seria traído (17.22,23; 20.17-19), mas agora declara especificamente que será traído por um amigo. O traidor não é nomeado; pelo contrário, a ênfase está na participação dEle na comunhão como um dos doze (26.20-25). Toda comunhão à mesa é, para o oriental, concessão de paz, fraternidade e confiança. Comunhão à mesa é comunhão de vida. A comunhão à mesa com Jesus tinha o significado de salvação e comunhão com o próprio Deus. Abalados e entristecidos com isso, os discípulos estão confusos. Cada um se preocupa com a acusação como se fosse contra si: *E eles, muitíssimo contristados, começaram um por um a perguntar-Lhe: Porventura, sou eu, Senhor?* (26.22). A autoconfiança dos discípulos foi abalada.

Em quinto lugar, **Judas, o advertido** (Lc 22.21,22). Judas trai Jesus à surdina, na calada da noite, mas Jesus o desmascara na mesa da comunhão. Jesus acentua sua ingratidão, de estar traindo seu Mestre. Jesus diz: *Todavia, a mão do traidor está comigo à mesa* (Lc 22.21). Aqui o supremo bem e o supremo mal se encontram lado a lado à mesa. O mal parece vitorioso na morte de Jesus, mas o bem é justificado na ressurreição.

Jesus declara que ele sofrerá severa penalidade por atitude tão hostil ao seu amor: *... ai daquele por intermédio de quem ele está sendo traído!* (Lc 22.22). Marcos acrescenta: *... melhor lhe fora não haver nascido!* (Mc 14.20,21). John Charles Ryle diz que é melhor nunca viver do que viver neste mundo sem ter fé, e morrer sem a graça divina. É melhor não existir do que não existir em Cristo.[17]

Todos os escritores sinóticos registram que essa traição era, de fato, parte do plano divino (26.24; Mc 14.21; Lc 22.22). Lucas sustenta que o mal triunfa somente segundo a permissão divina e que os homens assumem plena responsabilidade por suas más escolhas. Assim, o traidor participa cumprindo o plano de Deus. Ele o faz por livre vontade, não como um robô. A soberania divina não diminui a responsabilidade humana. Somos responsáveis por nossos próprios pecados. Judas foi

---

[17]Ryle, John Charles. *Meditações no Evangelho de Mateus*, p. 227,228.

seduzido pelo amor ao dinheiro. O fato de que Deus exerce sua providência sobre o mal que homens maus praticam, enquanto Ele leva a efeito o seu propósito, não os torna menos maus. Eles permanecem sendo homens responsáveis.

A Páscoa é celebrada (26.17-25)

A Páscoa era a maior festa de Israel. Olhando para o passado, remete à libertação do cativeiro egípcio, quando Deus desbancou as divindades do Egito e tirou de lá Seu povo com mão forte e poderosa. Olhando para o futuro, a Páscoa apontava para a cruz, onde Jesus abriria as portas da nossa escravidão e nos declararia livres. A cidade de Jerusalém está em total efervescência. Chegou a Páscoa! A grande hora havia chegado, a hora marcada na eternidade. A Festa da Páscoa, seguida da Festa dos Pães Asmos, era o tempo histórico do cumprimento desse plano eterno. Dois fatos nos chamam a atenção, como vemos a seguir.

Em primeiro lugar, *a preparação para a Páscoa* (26.17-19). Jesus manda Pedro e João preparar a Páscoa (Lc 22.8). O cordeiro, o pão sem levedo, o vinho e as ervas amargas não podiam faltar. O Cenáculo, um local espaçoso, já tinha sido escolhido. Jesus demonstra seu conhecimento sobrenatural acerca do local, do dono do local e das circunstâncias (Lc 228-13; Mc 14.12-16). Tudo foi encontrado rigorosamente conforme o que havia sido predito por Jesus.

Em segundo lugar, *o traidor é desmascarado* (26.20-25). Jesus já estava à mesa quando declarou que entre eles havia um traidor. Essa informação caiu como uma bomba, como um raio do céu, que os deixou aturdidos, exatamente no momento em que estavam prestes a comer o cordeiro da Páscoa.[18] Concordo, entretanto, com Spurgeon quando ele diz que, embora fosse um acontecimento desagradável para uma festa, era apropriado para a Páscoa, pois o mandamento de Deus para Moisés sobre o primeiro cordeiro pascal foi: "com ervas amargas o comerão" (Êx 12.8; Nm 9.11).[19] Os discípulos não suspeitaram uns dos outros,

---

[18]HENDRIKSEN, William. *Mateus*. Vol. 2, p. 486.
[19]SPURGEON, Charles H. *O Evangelho segundo Mateus*, p. 577.

mas cada um perguntou: "Porventura, sou eu, Senhor?" Spurgeon está certo ao afirmar: "Não podemos fazer qualquer bem em suspeitar de nossos irmãos, mas podemos fazer um grande serviço por suspeitar de nós mesmos. Suspeitar de si é o parente mais próximo da humildade".[20]

Jesus dá a senha para indicar Judas como traidor. Era aquele que metia a mão no prato com Jesus. Judas estava perto de Jesus, desfrutando de um tempo de comunhão com Ele, e mesmo assim o traiu. Judas era o tesoureiro do grupo apostólico, gozando de confiança dos seus pares, e mesmo assim traiu a Jesus. Judas não chama Jesus de Senhor, mas de Mestre. Jesus profere um ai de maldição sobre ele, demonstrando que a não existência de Judas seria melhor do que existência no caminho da traição. Spurgeon está certo quando diz que Judas primeiro tinha se vendido a satanás antes de ter vendido o próprio Senhor.[21]

A Ceia é inaugurada (26.26-30)

A Páscoa chega ao seu fim. Ela foi feita para culminar na Ceia do Senhor, como as estrelas da manhã são ofuscadas pela luz do sol.[22] William Hendriksen diz, com razão, que a Páscoa aponta para o sacrifício de Cristo prospectivamente; a Ceia do Senhor aponta para Ele retrospectivamente.[23] Não há mais necessidade de sacrificar cordeiros, pois o Cordeiro sem defeito e sem mácula, o Cordeiro de Deus que tira o pecado do mundo, será imolado, para realizar um sacrifício único, perfeito, eficaz e irrepetível. Jesus institui o sacramento da Ceia como memorial de sua morte, até a sua gloriosa volta. A nova aliança é inaugurada. Um novo pacto passa a vigorar. Alguns pontos devem ser destacados, como vemos a seguir.

Em primeiro lugar, *os símbolos do pacto* (26.26,27). Jesus abençoa e parte o pão, toma o cálice e dá graças. Pão e vinho são os símbolos de Seu corpo e de Seu sangue. Com estes dois elementos, Jesus instituiu a Ceia do Senhor. O sacramento é o símbolo visível de uma graça

---

[20]SPURGEON, Charles H. *O Evangelho segundo Mateus*, p. 577.
[21]SPURGEON, Charles H. *O Evangelho segundo Mateus*, p. 578.
[22]SPURGEON, Charles H. *O Evangelho segundo Mateus*, p. 578.
[23]HENDRIKSEN, William. *Mateus*. Vol. 2, p. 490.

invisível. Por meio do pão e do vinho, contemplamos o corpo e o sangue de Cristo e nos apropriamos pela fé de seus benefícios. A linguagem da nova aliança aqui é a única referência à nova aliança nos sinóticos (26.28; Mc 14.24; Lc 22.20). Ela foi adotada também por Paulo como uma referência ao evangelho (1Co 11.25; 2Co 3.6). O derramamento do sangue indica para nós a morte de Jesus na cruz, na qual uma nova aliança será inaugurada. Sua morte iminente substituirá os sacrifícios da lei antiga como novo modo de aproximação de Deus. Em virtude das muitas disputas e das acirradas brigas entre as denominações quanto ao significado da Ceia do Senhor, Fritz Rienecker, citando Johannes Gossner, alerta para o fato de que Jesus, ao instituir a Ceia, não nos deu Seu corpo e Seu sangue para mergulharmos em disputas doutrinárias, para quebrarmos a cabeça, para explicarmos ou duvidarmos, mas simplesmente para desfrutarmos dEle, para comermos e bebermos, para usufruirmos do crescimento na graça e no amor, e acima de tudo para alcançarmos a unidade dos fiéis uns com os outros e consigo mesmo.[24]

Olhando os demais evangelhos sinóticos, encontramos cinco verdades preciosas sobre a Ceia do Senhor, que comentamos a seguir.

Primeiro, a Ceia do Senhor é uma ordenança (Lc 22.19). *Fazei isto...* Até que Jesus volte, a igreja deve comer o pão e beber o cálice em memória de Cristo.

Segundo, a Ceia do Senhor é uma comemoração (Lc 22.19). *... em memória de mim*. O sacramento da Ceia é para recordamos quem Jesus foi, o que Jesus fez por nós e o que Jesus representa para nós.[25]

Terceiro, a Ceia do Senhor é um agradecimento (26.26,27; Lc 22.19). Mateus destaca que Jesus abençoou o pão e, ao tomar o cálice, deu graças. Lucas registra: *E, tomando um pão, tendo dado graças, o partiu...* Jesus não parte o pão, símbolo de Sua dolorosa morte, com lamentos e gemidos, mas com ações de graças.

Quarto, a Ceia do Senhor é uma comunhão (26.26; Lc 22.19). *... isto é o meu corpo oferecido por vós...* Jesus se refere a uma

---

[24]RIENECKER, Fritz. *Evangelho de Mateus*, p. 418.
[25]HASTINGS, James. *The Great Texts of the Bible – Luke*. Vol.10. Grand Rapids, MI: Wm B. Eerdmans Publishing Company, n. d., p. 434.

coletividade. A igreja deve se reunir para celebrar a Ceia. É um ato comunitário.

Quinto, a Ceia do Senhor é uma garantia (26.28; 22.20). Mateus diz que o sangue é derramado em favor de muitos, e não de todos, para remissão de pecados.[26] Lucas registra: *Semelhantemente, depois de cear, tomou o cálice, dizendo: Este é o cálice da nova aliança no Meu sangue derramado em favor de vós.* O sangue da nova aliança lembra Êxodo 24.8, em que o aspergir do sangue era um sinal de que o povo estava incluído no relacionamento proposto pela aliança.[27] Jesus inaugura a nova aliança em Seu sangue (Jr 31.31). Somos aceitos não por aquilo que fazemos para Deus, mas por aquilo que Ele fez por nós. Pelo sangue, temos livre acesso à presença de Deus.

O significado da Ceia do Senhor tem sido motivo de acirrados debates na história da igreja. Não é unânime o entendimento desses símbolos. Há quatro linhas de interpretação, como vemos a seguir.

- *A transubstanciação*. A igreja romana crê que o pão e o vinho se transubstanciam na hora da consagração dos elementos e se transformam em corpo, sangue, nervos, ossos e divindade de Cristo.
- *A consubstanciação*. A Igreja Luterana crê que os elementos não mudam de substância, mas Cristo está presente fisicamente nos elementos e sob os elementos.
- *O memorial*. O reformador Zuínglio entendia que os elementos da Ceia são apenas símbolos e que ela é apenas um memorial para nos trazer à lembrança o sacrifício de Cristo.
- *O meio de graça*. O calvinismo entende que a Ceia é mais do que um memorial; é também um meio de graça, de tal forma que somos edificados pela participação da Ceia, pois Jesus está presente espiritualmente, e nos alimentamos espiritualmente dEle pela fé.

Em segundo lugar, ***o significado do pacto*** (26.28). O que Jesus quis dizer quando afirmou: *Isto é o meu sangue, o sangue da* [nova] *aliança,*

---

[26]Isaías 53.12; Mateus 1.21; 20.28; Marcos 10.45; João 10.11,14,15,27,28; 17.9; Atos 20.28; Romanos 8.32-35; Efésios 5.25-27.
[27]MOUNCE, Robert H. *Mateus*, p. 252.

derramado em favor de muitos, para remissão de pecados? A palavra *aliança*, ou *pacto*, é comum na religião judaica. A base da religião judaica consistia no fato de Deus ter entrado num pacto com Israel. A aceitação do antigo pacto está registrada em Êxodo 24.3-8. O pacto dependia inteiramente de Israel guardar a Lei. A quebra da lei implicava a quebra do pacto entre Deus e Israel. Era uma relação totalmente dependente da lei e da obediência à lei. Deus era o Juiz. E, posto que ninguém podia guardar a lei, o povo sempre estava em débito. Mas Jesus introduz e ratifica um novo pacto, uma nova classe de relacionamento entre Deus e o homem. E esse pacto não depende da lei, depende do sangue que Jesus derramou. O antigo pacto era ratificado com o sangue de animais, mas o novo pacto é ratificado no sangue de Cristo.

A nova aliança está firmada no sangue de Jesus, derramado em favor de muitos. Na velha aliança, o homem buscava fazer o melhor para Deus e fracassava. Na nova aliança, Deus fez tudo pelo homem. Jesus Se fez pecado e maldição por nós. Seu corpo foi entregue, Seu sangue foi vertido. Ele levou sobre o Seu corpo, no madeiro, nossos pecados.

A redenção não é universal. Ele derramou Seu sangue para remir a muitos, e não para remir a todos (Is 53.12; 1.21; 20.28; Mc 10.45; Jo 10.11,14,15,27,28; 17.9; At 20.28; Rm 8.32-35; Ef 5.25-27). Se fosse para remir a todos, ninguém poderia se perder. A morte de Cristo foi vicária, substitutiva. Ele não morreu para possibilitar a salvação do Seu povo; ele morreu para efetivá-la (Ap 5.9).

Em terceiro lugar, *a consumação do pacto* (26.29,30). A Ceia do Senhor aponta para o passado, e ali vemos a cruz de Cristo e seu sacrifício vicário em nosso favor. Mas ela também aponta para o futuro, e ali vemos o céu, a festa das bodas do Cordeiro, quando Ele vai nos receber como Anfitrião para o grande banquete celestial. A ênfase está na reunião festiva com Ele, não na duração ou dificuldade do tempo de espera. O Crucificado, agora ressurreto, glorificado e entronizado, será o centro do banquete que Deus vai oferecer (Is 25.6; 65.13; Ap 2.7), e o sem-número de ceias desembocará na *Ceia das bodas do Cordeiro* (Ap 19.9).

A Ceia do Senhor não é um sacrifício, mas é uma cerimônia iminentemente celebrativa. Não é um funeral, mas uma festa. Não é apenas uma lembrança, mas um meio de graça. Não pode ser interrompida ao longo dos anos; deve ser realizada até que Jesus volte. Jesus estava com uma canção em seus lábios quando se encaminhou para aquela mais sombria hora, na qual travaria, para a nossa redenção, uma luta de sangrento suor.

O perigo da **autoconfiança** (26.31-35)

Pedro foi um líder incontestável entre seus pares. Foi líder antes de sua queda e depois de sua restauração. Pedro, porém, estava demasiadamente seguro de si. Era capaz de alçar os voos mais altos, para depois despencar das alturas. Era capaz de fazer os avanços mais audaciosos, para depois dar macha a ré com a mesma velocidade. Era capaz de prometer fidelidade irrestrita para depois cair nas malhas da covardia mais vergonhosa. Vejamos a seguir alguns pontos.

Em primeiro lugar, *uma advertência solene* (26.31). Tendo Jesus saído do Cenáculo rumo ao jardim do Getsêmani, alertou todos os discípulos acerca do que iria acontecer. Eles se escandalizariam e se dispersariam covardemente. Esse fato fora profetizado por Zacarias (Zc 13.7). Observemos que Jesus disse a seus discípulos: ... *todos vos escandalizareis* (26.31); e que Pedro responde a Jesus que jamais o abandonaria, ... *e todos os discípulos disseram o mesmo* (26.35). O resultado foi: ... *então, os discípulos todos, deixando-O, fugiram* (26.56).

Em segundo lugar, *uma promessa consoladora* (26.32). Jesus não apenas alerta seus discípulos acerca da fraqueza e dispersão deles, mas reafirma a Sua vitória sobre a morte e Sua liderança sobre eles depois de ressurreto.

Em terceiro lugar, *uma autoconfiança perigosa* (26.33,34). A despeito do alerta de Jesus, Pedro estava desprovido de discernimento espiritual. Confiado em si mesmo, considerou-se melhor do que seus condiscípulos e prometeu a Jesus lealdade total. Pensou que era mais crente, mais forte e mais confiável que seus pares. Ele queria ser uma exceção na totalidade apontada por Jesus. Pensou jamais se escandalizar com Cristo. Achou que estava pronto para enfrentar a prisão e até a morte. Jesus, entretanto, revela a Pedro que, naquela mesma noite, sua fraqueza seria demonstrada e suas promessas seriam quebradas. Os outros falharam, mas a falta de Pedro foi maior. Aquele que se sente seguro e se considera superior a todos os demais cairá ainda mais profundamente.[28] O apóstolo Paulo exorta: *Aquele, pois, que pensa estar em pé, veja que não caia* (1Co 10.12). A Palavra de Deus alerta: *O que confia no seu próprio coração é insensato* (Pv 28.26).

Em quarto lugar, **Pedro no palco da negação** (26.34,35). Diante da arrogante autoconfiança de Pedro, Jesus expõe sua fraqueza extrema e seu completo fracasso. Pedro veria sua valentia carnal se transformar em covardia vergonhosa. Pedro desceria vertiginosamente do topo de sua autoconfiança para as profundezas de sua queda. Ele, que afirmara com vívido entusiasmo: *Tu és o Cristo, o Filho do Deus vivo* (16.16), agora dirá àqueles que escarneciam de seu Senhor, com juras e praguejamentos: *Eu não conheço esse homem* (26.70-74). O termo grego usado aqui, *aparneomai*, significa "negar completamente".[29]

---

[28] SPURGEON, Charles H. *O Evangelho segundo Mateus*, p. 583.
[29] MOUNCE, Robert H. *Mateus*, p. 253.

67

A angústia do Rei

Mateus 26.36-46

O RELATO DA AGONIA DO SENHOR JESUS no jardim do Getsêmani é uma profunda e misteriosa passagem das Escrituras. Contém coisas que os mais sábios expositores não puderam expor plenamente. Ninguém jamais passou pelo que Jesus experimentou no Getsêmani. Seu sacrifício total, em completa obediência à vontade do Pai, era o único tipo de morte que poderia salvar os pecadores. O inferno, como ele é, veio até Jesus no Getsêmani e no Gólgota, e o Senhor desceu até ele, experimentando todos os seus terrores.

À guisa de introdução, destacamos a seguir três fatos.

Em primeiro lugar, *o local onde Jesus agonizou é indicado* (26.36). O jardim do Getsêmani fica no sopé do monte das Oliveiras, do outro lado do ribeiro Cedrom, defronte ao monte Sião, onde estava o glorioso templo. Getsêmani significa "prensa de azeite, lagar de azeite".

Foi neste lagar de azeite, onde as azeitonas eram esmagadas, que Jesus experimentou a mais intensa agonia. Ali Ele travou uma luta de sangrento suor. Ali o eterno Deus feito carne dobrou sua fronte e, com o rosto em terra, orou com forte clamor e lágrimas. Ali o bendito Filho de Deus se rendeu incondicionalmente à vontade do Pai para remir um povo por meio do Seu sangue. Ali Ele foi traspassado, esmagado e moído pelos nossos pecados. Seu corpo foi golpeado. Seu suor transformou-se em sangue. Ali Ele desceu ao inferno. Enquanto o primeiro Adão perdeu o paraíso num jardim, o segundo Adão o reconquistou noutro.

Em segundo lugar, *o contexto da agonia é descrito* (26.36). O evangelista João nos informa que Jesus saiu do Cenáculo para o jardim (Jo 18.1). Não foi uma saída de fuga, mas de enfrentamento. Ele não saiu para esconder-se, mas para preparar-Se. Ele não saiu para distanciar-Se da cruz, mas para caminhar em sua direção. Concordo com Fritz Rienecker quando ele diz que a luta no Getsêmani foi travada em torno da aceitação clara e espontânea da morte na cruz. O mesmo Jesus que havia recusado o domínio sobre nós sem Deus, na tentação do deserto, agora concorda em morrer por nós com Deus no jardim do Getsêmani.[1] O Getsêmani, portanto, fala a respeito de tristeza, oração, lágrimas, solidão, submissão, consolação e vitória.

No Cenáculo, Jesus ensinou os discípulos sobre a humildade, lavando seus pés. No Cenáculo, Jesus lhes deu um novo mandamento, desmascarou o traidor e alertou a Pedro acerca de sua negação. No Cenáculo, Jesus consolou os discípulos, falando-lhes acerca do envio do Espírito Santo e de Sua gloriosa segunda vinda. No Cenáculo, Jesus orou por eles. Só depois desse cuidado pastoral, é Jesus travou a Sua mais renhida luta no jardim do Getsêmani.

Em terceiro lugar, *o propósito da agonia é evidenciado* (26.36-39). Jesus admite Sua angústia para Si (26.37), para Seus discípulos mais achegados (26.38) e para o Pai (26.39). Jesus sabia que a hora agendada na eternidade havia chegado (Mc 14.35). Não havia improvisação nem surpresa. Essa hora passaria pelas angústias do Getsêmani e pela agonia do Calvário.

Destacamos a seguir as mensagens centrais desse drama doloroso de Jesus no Getsêmani.

A angústia avassaladora (26.36-38)

O profeta Isaías descreveu Jesus como homem de dores e que sabe o que é padecer (Is 53.3). Jesus sentiu tristeza, e não foi só no Getsêmani.

---

[1] RIENECKER, Fritz. *Evangelho de Mateus*, p. 420.

Ele ficou triste com a morte de Lázaro, e essa tristeza O levou a chorar. Contemplando a cidade de Jerusalém, assassina de profetas, rebelde e impenitente, Jesus chorou com profundos soluços sobre ela.

Agora, entre a ramagem soturna das oliveiras, sob o manto da noite trevosa, Jesus começou a sentir-se tomado de pavor e de angústia (Mc 14.33) e declarou: *A minha alma está profundamente triste até à morte* (26.38). Egidio Gioia aponta que, no Getsêmani, Jesus viu a negra nuvem da tormenta que se aproximava, célere, ao seu encontro, e, tão aterrorizantes eram os seus prenúncios, que o Senhor, na Sua natureza humana, sentiu profunda necessidade até da companhia e simpatia de seus queridos discípulos Pedro, Tiago e João, a quem disse: *Ficai aqui e vigiai comigo* (Mt 26.38).² Spurgeon escreveu: "A dor de sua alma era a alma de sua tristeza".³ Esses mesmos discípulos já haviam sido testemunhas do poder de seu Mestre na ressurreição da filha de Jairo, e também testemunhas da glória de seu Mestre no monte da Transfiguração; mas, agora, eram testemunhas da agonia de seu Mestre, no jardim do Getsêmani.⁴

É importante destacar dois pontos aqui, como vemos a seguir.

Primeiro, no que *não* consistia a angústia de Jesus. Sua angústia não foi causada pelo medo do sofrimento e da morte. Por que Jesus estava triste, então? Era porque Ele sabia que Judas estava se aproximando com a turba assassina? Era porque estava dolorosamente consciente de que Pedro O negaria? Era porque sabia que o Sinédrio O condenaria? Era porque sabia que Pilatos O sentenciaria? Era porque sabia que o povo gritaria diante do pretório romano: *Crucifica-O, crucifica-O*? Era porque sabia que Seus inimigos cuspiriam em Seu rosto e Lhe esbordoariam a cabeça? Era porque sabia que o Seu povo preferiria Barrabás a ele? Era porque sabia que os soldados romanos rasgariam Sua carne com açoites, feririam Sua fronte com uma zombeteira coroa de espinhos e O encravariam numa cruz no Gólgota? Era porque sabia que Seus discípulos O abandonariam na hora da sua agonia e morte? Certamente, essas

---

²GIOIA, Egidio. *Notas e comentários à harmonia dos Evangelhos*, p. 344.
³SPURGEON, Charles H. *O Evangelho segundo Mateus*, p. 587.
⁴BROADUS, John A. *Comentário de Mateus*. Vol. II, p. 299.

coisas estavam incluídas na Sua tristeza, mas não era por essa razões que Jesus estava triste até a morte. Jesus estava tomado de pavor e angústia pela antevisão de que seria desamparado pelo Pai (27.46). Este era o cálice amargo que estava prestes a beber (Jo 18.11) e que O levou ao forte clamor e lágrimas (Hb 5.7). O Mestre provou a borra amarga do cálice da morte pelo pecado. Rendeu-Se completamente à vontade do Pai e bebeu o cálice da ira de Deus contra o pecado até a última gota.[5]

Segundo, no que consistia a profunda tristeza de Jesus. Egidio Gioia diz que a essência desta profundíssima tristeza de Jesus estava no Seu extremo horror ao pecado. Jesus sentia que a pureza imaculada de Sua alma seria manchada e completamente enegrecida pelo pecado, não dEle, mas dos pecadores. Ele sentia a realidade da maldição da cruz. Sentia que seria maldito pela justíssima lei de Deus. Sentia que a espada da justiça divina cairia, inexorável, sobre Ele, traspassando-Lhe o coração.[6] Muitas pessoas já O haviam deixado (Jo 6.66), e os Seus discípulos também O abandonariam (26.56). Pior de tudo era que, na cruz, Ele clamaria: *Deus meu, Deus meu, por que me desamparaste?* (27.46). Robert Mounce diz, com razão, que a agonia de Jesus no Getsêmani não foi a antecipação da dor e crueldade da crucificação, mas a verdade horripilante que Ele era o Cordeiro prestes a ser sacrificado pelos pecados do mundo.[7]

A tristeza de Jesus era porque sua alma pura estava recebendo toda a carga do nosso pecado. O Getsêmani foi o prelúdio do Calvário. Ele foi a porta de entrada para a cruz. Foi no Getsêmani que Jesus travou a maior de todas as guerras. Ele se entristeceu porque sorveu o cálice da ira de Deus e sofreu a condenação que nós deveríamos sofrer.

A solidão perturbadora (26.39)

No Getsêmani, Jesus sofreu sozinho. Muitas coisas Ele disse às multidões. Quando, porém, falou a respeito de um traidor, já foi apenas para

---

[5]ROBERTSON, A. T. *Comentário de Mateus*, p. 295.
[6]GIOIA, Egidio. *Notas e comentários à harmonia dos Evangelhos*, p. 344.
[7]MOUNCE, Robert H. *Mateus*, p. 254.

os doze. E unicamente para três desses doze é que Ele disse: "A minha alma está profundamente triste até à morte". E, por fim, quando começou a suar sangue, já estava completamente sozinho. Os discípulos estavam dormindo. Mas ali Ele ganhou a batalha.

A oração triunfadora (26.36,39,42,44)

No Getsêmani, Jesus orou humildemente, agonicamente, perseverantemente e triunfantemente. O tempo todo é Jesus quem vigia, quem ora e, também, por isso, quem é preservado. Por causa da sua condição de testemunhas, é que os discípulos deveriam ficar com Ele, orando por si mesmos (26.41). Mounce é oportuno quando escreve: "No mais cruento e importante conflito da existência humana, Jesus demonstrou a vitória do espírito sobre a carne, enquanto seus discípulos demonstraram a vitória da carne sobre o espírito".[8]

Jesus não apenas orou no Getsêmani, mas também ordenou que os discípulos orassem e apontou a vigilância e a oração como um modo de escapar da tentação (26.41). Consideremos a seguir alguns aspectos especiais desta oração de Jesus.

Em primeiro lugar, *a posição com que Jesus orou* (26.39). O Verbo eterno, o Criador do universo, o Sustentador da vida, está de joelhos, com o rosto em terra, prostrado em humílima posição. Jesus se esvaziou, descendo do céu à terra. Agora, Aquele que sempre esteve em glória com o Pai está de joelhos, prostrado, angustiado, orando com forte clamor e lágrimas.

Em segundo lugar, *a atitude com que Jesus orou* (26.39,42,44). Três coisas nos chamam a atenção sobre a atitude de Jesus na oração, como vemos a seguir.

Primeiro, *submissão*. Jesus orou: *Pai, se possível, passe de mim este cálice! Todavia, não seja como Eu quero, e sim como Tu queres* (26.39). Lucas registra assim: *Pai, se queres, passa de mim este cálice; contudo, não se faça a Minha vontade, e sim a Tua* (Lc 22.42). Tanto a "hora" como o "cálice" se referem à mesma coisa: o derramar da ira de Deus! É a entrega do Filho

---

[8] MOUNCE, Robert H. *Mateus*, p. 255.

do Homem nas mãos dos pecadores, à mercê da ação deles. Aquele que estava ligado a Deus como nenhum outro haveria de tornar-se é alguém abandonado por Deus como nenhum outro.

O "seja feita a minha vontade, e não a Tua" levou o primeiro Adão a cair. Mas "o seja feita a Tua vontade, e não a Minha" abriu a porta de salvação para os pecadores. Jesus não apenas teve de sofrer, mas no fim também quis sofrer. Sua cruz foi, a cada momento, apesar das lutas imensas, Sua própria ação e Seu caminho trilhado conscientemente (Jo 10.18; 17.19). Ele foi entregue, mas também Se entregou a Si mesmo (Gl 1.4; 2.20).

Segundo, *perseverança*. Jesus orou três vezes, sempre focando o mesmo aspecto. Ele suou sangue não para fugir da vontade de Deus, mas para fazer a vontade de Deus. Oração não é buscar que a vontade do homem seja feita no céu, mas desejar que a vontade de Deus seja feita na terra. O evangelista Lucas esclarece que a persistência de Jesus era dupla: Ele orou não apenas três vezes, mas mais intensamente (Lc 22.44).

Terceiro, *agonia*. Jesus não apenas foi tomado de pavor e angústia (26.37), não apenas disse que Sua alma estava profundamente triste até a morte (26.38), mas o evangelista Lucas registra: *E, estando em agonia, orava mais intensamente. E aconteceu que o Seu suor se tornou como gotas de sangue caindo sobre a terra* (Lc 22.44). A ciência médica denomina este fenômeno de *diapédesi*, dando como causa uma violenta comoção mental. E foi este, realmente, o ponto culminante do sofrimento de Jesus, à sombra da cruz.[9]

Em terceiro lugar, **o triunfo da oração** (26.45,46). Depois de orar três vezes e mais intensamente pelo mesmo assunto, Jesus se apropriou da vitória. Ele encontrou paz para o Seu coração e estava pronto a enfrentar a prisão, os açoites, o escárnio, a morte. Marcos registra o que Jesus disse aos Seus discípulos: *Basta! Chegou a hora* (Mc 14.41). Jesus se levantou não para fugir, mas para ir ao encontro da turba (Jo 18.4-8). Ele estava preparado para o confronto. Jesus não mais falará de Seu

---

[9]GIOIA, Egidio. *Notas e comentários à harmonia dos Evangelhos*, p. 345.

sofrimento. A preparação para o sofrimento e a morte de Jesus está concluída; a paixão começa. Nesse momento, as mãos de Deus se retiram, e os pecadores põem as mãos nEle (26.57; Mc 14.46). Spurgeon, nessa linha de pensamento, escreve: "O esmagamento na prensa de azeite estava acabado. A longa espera pela hora da traição terminou; e Jesus Se levantou calmamente, divinamente fortalecido para passar pelas terríveis provações que ainda esperavam por Ele antes que cumprisse plenamente a redenção do Seu povo eleito".[10]

Os discípulos de Jesus não oraram nem vigiaram, por isso dormiram. Os seus olhos estavam pesados de sono, porque o seu coração estava vazio de oração. Porque não oraram, caíram em tentação e fugiram (26.56). Sem oração, a tristeza nos domina (Lc 22.45). Sem oração, agimos na força da carne (Jo 18.10). Pedro, aquele que acabara de se apresentar para o martírio, não possui nem mesmo a força de manter os olhos abertos. A queda de Pedro passou por vários degraus: a justiça própria, o sono, a fuga e a negação.

A consolação restauradora

Jesus entrou cheio de pavor e angustiado no jardim do Getsêmani e saiu consolado. Sua oração tríplice e insistente trouxe-lhe paz depois da grande tempestade. Ele Se dirigiu ao Pai, clamando: *Aba, Pai* (Mc 14.36). Lucas menciona o suor de sangue e também a consolação angelical (Lc 22.43). Jesus se levanta da oração sem pavor, sem tristeza, sem angústia. A partir de agora, Ele caminha para a cruz como um rei caminha para a coroação. Ele triunfou de joelhos no Getsêmani e está pronto a enfrentar os inimigos e a morrer vicariamente na cruz.

---

[10]SPURGEON, Charles H. *O Evangelho segundo Mateus*, p. 589.

68

A noite do **pecado**, a hora das **trevas**

Mateus 26.47-75

A HORA DAS TREVAS HAVIA CHEGADO. Foi o próprio Jesus quem definiu a sua prisão como a hora dos seus inimigos e o poder das trevas (Lc 22.53). Jesus foi preso no Getsêmani, abandonado pelos Seus discípulos, condenado pelos líderes religiosos e negado por Pedro. Não foi preso porque sucumbiu ao poder de Roma nem porque caiu nas teias de uma orquestração do Sinédrio. Os homens maus vêm com espadas e porretes para prenderem a Jesus como se Ele fosse um bandido ou um revolucionário. Mas, agindo assim, estavam cumprindo rigorosamente as Escrituras (26.56).

Destacamos a seguir três fatos solenes nesta noite do pecado, a hora das trevas.

A prisão de Jesus no Getsêmani (26.47-56)

Várias pessoas fizeram parte da trágica cena da prisão de Jesus no Getsêmani. Analisamos a seguir a participação de cada uma delas para o nosso ensino.

Em primeiro lugar, *o próprio Jesus* (26.55,56). Jesus mostrou à turba bem como aos Seus discípulos que nada estava acontecendo de improviso nem de forma acidental em sua prisão, mas para que se cumprissem as Escrituras (26.56).

Todas as etapas da caminhada de Jesus do Getsêmani ao Calvário foram prenunciadas séculos antes de Jesus vir ao mundo (Sl 22 e Is 53). A ira de Seus inimigos, a rejeição pelo seu próprio povo, o tratamento que Jesus recebeu como um criminoso, tudo foi conhecido e profetizado antes.

Jesus revela que o seu reino é espiritual e suas armas não são carnais. A hora da Sua paixão havia chegado, por isso Ele não foi preso, mas Se entregou (Jo 18.4-6). Em toda esta desordenada cena, Jesus é o único oásis de serenidade. Foi Jesus, e não a polícia do Sinédrio, quem dirigiu as coisas. A luta no jardim do Getsêmani havia terminado, e Jesus agora experimentava a paz de quem tinha a convicção de que estava fazendo a vontade de Deus.

Em segundo lugar, *Judas Iscariotes* (26.47-50). Destacamos a seguir quatro fatos acerca de Judas Iscariotes.

Primeiro, Judas Iscariotes, o ingrato (26.47). Mateus diz que Judas Iscariotes era um dos doze. Ele foi chamado por Cristo. Recebeu deferência especial entre os doze a ponto de cuidar da bolsa como tesoureiro do grupo. Ele ouviu os ensinos de Jesus e viu Seus milagres. Foi amado por Cristo e desfrutou do subido privilégio de ter comunhão com Ele. Jesus lavou seus pés e advertiu-o na mesa da comunhão. Mas Judas, dominado pelo pecado da avareza, abriu brecha para o diabo entrar em sua vida e, agora, ele se associa aos inimigos de Cristo para prendê-Lo.

Segundo, Judas Iscariotes, o traidor (26.48). A traição é uma das atitudes mais abomináveis e repugnantes. O traidor é alguém que aparenta ser inofensivo. É um lobo com pele de ovelha. Traz nos lábios palavras aveludadas, mas no coração carrega setas venenosas. Já na primeira menção de sua pessoa, Judas foi marcado como aquele que entregaria Jesus (10.4). Na segunda referência, nós o encontramos de tocaia, aguardando sua oportunidade (26.14-16). Nesta terceira e última menção, ele tem a sua chance e entrega a Jesus (26.48-50). Depois sai de cena, pois nos interrogatórios já não precisam mais dele. Judas Iscariotes é "aquele que entregou".

Terceiro, Judas Iscariotes, o enganado (26.48). Judas disse para os líderes religiosos e a turba que os acompanhava: *Aquele a quem eu beijar, é esse; prendei-O*. Marcos acrescenta: ... *levai-O com segurança*

(Mc 14.44b). Judas sabia que haviam fracassado todas as tentativas utilizadas até então para prender Jesus em palavras ou mesmo para matá-Lo. Ele pensou que Jesus reagiria à prisão ou que Seus discípulos lutariam por Ele. Não havia compreendido ainda que Jesus havia vindo ao mundo para esta hora. Judas nada compreendia do plano eterno de Jesus de dar sua vida em resgate do seu povo.

Quarto, Judas Iscariotes, o dissimulado (26.48-50). A senha de Judas para entregar Jesus era um beijo (26.48). Era costume saudar a um rabi com um beijo. Era um sinal de afeto e respeito por um superior amado. Quando Judas disse: *Aquele a quem eu beijar, é esse; prendei-O, e levai-O em segurança* (26.48), ele usou a palavra *filein* que é o termo comum. Mas, quando o texto diz que Judas, aproximando-se o beijou (26.49), a palavra é *katafilein*. A palavra *kata* está na forma intensiva, e *katafilein* é o termo para beijar como um amante beija a sua amada. Assim, Judas não apenas beija Jesus, mas o beija efusiva e demoradamente. A palavra *katafilein* significa não apenas beijar fervorosamente, mas prolongadamente.

O verbo grego *kataphileo* é aglutinação dos verbos amar/beijar mais o pronome intensivo. Isso sugere um espetáculo esmerado de afeição. É utilizado por exemplo para o beijo do pai ao filho pródigo que voltou para casa (Lc 15.20) e para a afeição dos presbíteros de Éfeso a Paulo, na sua despedida em Mileto (At 20.37).[1] O beijo prolongado de Judas tinha a intenção de dar à multidão uma oportunidade de ver a pessoa que devia ser presa. Judas usa o símbolo da amizade e do amor para trair o Filho de Deus, e Jesus mais uma vez tirou sua máscara, dizendo-lhe: *Judas, com um beijo trais o Filho do Homem?* (Lc 22.48). Esta frase deve ter ressoado nos ouvidos de Judas como uma marcha fúnebre durante o breve período de estéril remorso que precedeu sua vergonhosa morte.

É digno de nota que, na mesa da comunhão, todos os discípulos chamaram Jesus de Senhor, e apenas Judas o chamou de Mestre. Agora, Judas, semelhantemente, não ousa chamá-lo de Senhor. Na

---

[1]MOUNCE, Robert H. *Mateus*, p. 255.

verdade, nenhum homem pode dizer que Jesus é o Senhor, a não ser pelo Espírito Santo (1Co 12.3). Enquanto Judas trai Jesus com um beijo, este o chama de amigo. De fato, Jesus era amigo dos pecadores. O amor divino estava abrindo a porta da última oportunidade de arrependimento e salvação para Judas. Mas Judas estava completamente obcecado por satanás, ao qual havia voluntariamente permitido entrar em seu coração (Lc 22.3). Lawrence Richards, nessa mesma linha de pensamento, escreve: "A palavra grega para amigo aqui é *hetaire*. Essa palavra sugere que Jesus ainda mantém a porta aberta para Judas. Este porém tinha rejeitado a Cristo, mas Cristo ainda não o tinha rejeitado".[2]

Em terceiro lugar, *a grande turba* (26.47). A grande turba capitaneada por Judas Iscariotes, destacada para prender a Jesus, vinha da parte dos principais sacerdotes e anciãos do povo. Entre a turba estavam também esses principais sacerdotes, capitães do templo e anciãos (Lc 22.52). O Sinédrio tinha a seu dispor um grupo de soldados para manter a ordem do templo. João menciona uma "escolta" que consistia em 600 homens, um décimo de uma legião (Jo 18.3). O Sinédrio entendeu que um destacamento de soldados seria prudente e necessário. As autoridades romanas, por outro lado, estavam muito desejosas de evitar tumultos em Jerusalém durante a celebração das festividades, e rapidamente concordaram em fornecer o apoio da escolta de soldados.

Esse grupo foi armado até os dentes com tochas, lanternas, espadas e porretes para prender a Jesus (Mc 14.43). Até então, não tinham conseguido "apanhá-Lo" nem com palavras (22.15); agora, o próprio Deus o entrega. Jesus encara sozinho seus inimigos, sofre sozinho nas mãos deles, e sozinho vai dar a Sua vida em resgate de seu povo.

Em quarto lugar, **Pedro** (26.51-54). O Pedro dorminhoco (26.40,43,45) é agora o Pedro valente que saca da espada para desferir golpes (26.51-54). Mateus, Marcos e Lucas não mencionam o nome de Pedro, mas João afirma que o discípulo que feriu Malco com a espada foi Pedro (Jo 18.10,11). Por que somente João menciona o nome de Pedro e de Malco? Fritz Rienecker interpreta o fato corretamente quando escreve:

---

[2] RICHARDS, Lawrence O. *Comentário histórico-cultural do Novo Testamento*, p. 87.

Os autores sinóticos não dizem nem o nome do discípulo que ataca nem o do servo atingido. João cita o nome dos dois. Por quê? Enquanto o Sinédrio ainda detinha poder, a sabedoria determinava que não se mencionasse o nome de Pedro. Por isso também a tradição oral observou o silêncio sobre o assunto. Contudo, escrevendo após a morte de Pedro e a destruição de Jerusalém, João não foi mais detido por esse temor.[3]

Porque Pedro não havia orado nem vigiado, agora estava travando a batalha errada, com as armas erradas. Pedro fez uma coisa tola ao atacar Malco, pois não devemos usar armas carnais em batalhas espirituais (2Co 10.3-5). Ele usou a arma errada, no tempo errado, para o propósito errado, com a motivação errada. Não tivesse Jesus curado Malco, e Pedro poderia ter sido preso também; e em vez de três, poderia haver quatro cruzes no Calvário. Pedro ainda não havia compreendido que Jesus havia vindo para aquela hora e estava decidido a beber o cálice que o Pai Lhe havia dado (Jo 18.11).

Em quinto lugar, *os discípulos* (26.56). A falta de oração, vigilância e discernimento dos discípulos transformou-se em medo e covardia. Eles, que haviam prometido fidelidade irrestrita a Jesus horas antes (26.35), agora fogem assombrados na penumbra daquela noite fatídica. A promessa deles foi quebrada. Abandonaram Jesus no coração e, agora, distanciam-se dEle geograficamente. Spurgeon diz que Jesus não se surpreendeu pelo fato de todos os discípulos o abandonarem e fugirem, pois Ele havia predito que eles agiriam dessa forma. Jesus os conhecia melhor do que eles conheciam a si mesmos, por isso profetizou que o rebanho seria espalhado quando o pastor fosse ferido. Nem o amado João nem o prepotente Pedro resistiram ao teste daquele momento solene.[4]

O julgamento de Jesus no Sinédrio (26.57-68)

O processo que culminou na sentença da morte de Jesus estava eivado de muitos e gritantes erros. As autoridades judaicas tropeçaram nas

---
[3]RIENECKER, Fritz. *Evangelho de Mateus*, p. 424.
[4]SPURGEON, Charles H. *O Evangelho segundo Mateus*, p. 594.

próprias leis e atropelaram todas as normas legais no julgamento de Jesus. Tanto sua prisão no Getsêmani, como seu interrogatório na casa de Caifás, o sumo sacerdote, revelaram grandes deficiências na condução do processo.

Na verdade, as autoridades já haviam decidido matar Jesus antes mesmo de interrogá-Lo (26.1-4; Mc 14.1,2; Jo 11.47-53). Eles tinham planejado fazer isso depois da festa, para evitar uma revolta popular (26.4), mas a atitude de Judas de entregá-Lo antecipou o intento deles (26.14-16). O processo era apenas um simulacro de justiça, pois, do princípio ao fim, não tinha outra finalidade que a de dar uma aparência de legalidade ao crime já predeterminado.

Suas leis não permitiam a um prisioneiro ser interrogado pelo Sinédrio à noite. No dia antes de um sábado ou de uma festa, todas as sessões estavam proibidas. Nenhuma pessoa podia ser condenada a não ser por meio do testemunho de duas testemunhas, mas eles contrataram testemunhas falsas. O anúncio de uma pena de morte só podia ser feito um dia depois do processo. Nenhum condenação podia ser executada no mesmo dia, mas eles sentenciaram Jesus à morte durante a noite e logo cedo o levaram a Pilatos para que este lavrasse sua pena de morte. A reunião acusatória do Sinédrio, portanto, foi ilegal, uma vez que ocorreu à noite e o método usado também foi ilegal, visto que eles ouviram apenas testemunhas contra Jesus, e ainda testemunhas falsas.

Jesus passou por dois julgamentos: um eclesiástico e outro civil. O primeiro aconteceu nas mãos dos judeus; o segundo, nas mãos dos romanos. Tanto o julgamento judaico quanto o romano tiveram três estágios. O julgamento judaico foi aberto por Anás, o antigo sumo sacerdote (Jo 18.13-24). Em seguida, Jesus foi levado ao tribunal pleno para ouvir as testemunhas (26.57-68) e, então, na sessão matutina do dia seguinte para o voto final de condenação (27.1,2). Jesus foi depois enviado a Pilatos (27.2; Mc 15.1-5; Jo 18.28-38), que O enviou a Herodes (Lc 23.6-12), que O mandou de volta a Pilatos (Mc 15.6-15; Jo 18.39-19.6). Pilatos atendeu ao clamor da multidão e entregou Jesus para ser crucificado.

Os juízes de Jesus foram: Anás, o ganancioso, vingativo e venenoso como uma serpente (Jo 18.13); Caifás, rude, hipócrita e dissimulado

(Jo 11.49,50); Pilatos, supersticioso e egoísta (Jo 18.29); e Herodes Antipas, imoral, ambicioso e superficial. Vejamos a seguir quais foram os passos nesse processo. Para uma melhor compreensão de todo o cenário do julgamento de Jesus, vamos recorrer também ao registro dos demais evangelistas.

Em primeiro lugar, *Jesus diante de Anás* (Jo 18.13). Antes de ser levado ao Sinédrio, Jesus foi conduzido manietado pela escolta, o comandante e os guardas dos judeus até Anás. Este era sogro de Caifás, o sumo sacerdote. Apesar de ter sido destituído pelos romanos, muitos judeus consideravam Anás o verdadeiro sumo sacerdote, pois esse cargo era vitalício e sumamente honroso; como cabeça de toda a família, ele exercia enorme influência na direção da política da nação por meio do seu genro Caifás. O interrogatório de Jesus por este potentado tinha por objeto orientar o sumo sacerdote, ao mesmo tempo que oferecia tempo suficiente para a convocação de um quórum do Sinédrio durante as altas horas da noite.

Em segundo lugar, *Jesus diante do Sinédrio* (26.57-68). O Sinédrio era a suprema corte dos judeus, composta por 71 membros. Entre eles, havia saduceus, fariseus, escribas e homens respeitáveis, que eram os anciãos. O sumo sacerdote presidia o tribunal. Nesta época, os poderes do Sinédrio eram limitados porque os romanos governavam o país. O Sinédrio tinha plenos poderes nas questões religiosas. Parece que tinha também certo poder de polícia, embora não para aplicar a pena de morte. Suas funções não eram condenar, mas preparar uma acusação pela qual o réu pudesse ser julgado pelo governador romano.

Embora ilegalmente, o Sinédrio se reuniu naquela noite da prisão de Jesus para o interrogatório. Eles já tinham a sentença, mas precisavam de uma forma de efetivá-la. Os membros do Sinédrio eram movidos pela inveja (27.18), pela mentira (26.59,60), pelo engano (26.62-66) e pela violência (26.67,68). Resta claro que aqueles que interrogaram a Jesus não buscavam a verdade, mas, sim, evidências contra Ele.

Destacamos a seguir alguns pontos importantes.

Primeiro, as testemunhas (26.59-61). Segundo a lei, não era lícito condenar ninguém à morte a não ser pelo testemunho concordante de duas testemunhas (Nm 35.30), de modo que não havia "causa legal" contra ninguém até que se houvesse cumprido este requisito. As primeiras testemunhas se desqualificaram, pois suas histórias não concordavam entre si (Dt 17.6; Mc 14.59). Quão trágico é que um grupo de líderes religiosos estivesse encorajando o povo a mentir!

Segundo, o testemunho (26.59,60). Os principais sacerdotes e todo o Sinédrio procuraram testemunho falso contra Jesus, a fim de condená-Lo à morte, mas não acharam. Muitos testemunharam contra Jesus, mas os testemunhos não eram coerentes (Mc 14.56,59). Outros testemunharam falsamente, baseando-se nas palavras do Senhor em João 2.19: *Jesus lhes respondeu: Destrui este santuário, e em três dias o reconstruirei*. O próprio evangelista João interpreta as palavras de Jesus: *Ele, porém, se referia ao santuário do seu corpo* (Jo 2.21). Mas os acusadores torceram as palavras de Jesus, acrescentando algo que Jesus não havia dito: *Este disse: Posso destruir o santuário de Deus e reedificá-lo em três dias* (26.60b,61). Marcos é mais enfático no seu registro: *Nós O ouvimos declarar: Eu destruirei este santuário* edificado por mãos humanas *e em três dias construirei* outro, não por mãos humanas (Mc 14.58, grifos nossos).

Como vimos, essas falsas testemunhas mantiveram a velha e falsa versão dos judeus (Jo 2.20), dando a ideia de que Jesus havia planejado uma conspiração, um atentado militar contra o santuário de Jerusalém, destruindo, assim, o centro religioso da nação. Esta acusação foi explosiva porque, naquela época, a profanação de templos era um dos delitos mais monstruosos. Marcos nos informa que nem assim o testemunho deles era coerente (Mc 14.59). Aliás, Mateus e Marcos classificam essas acusações de "falso testemunho" (26.59; Mc 14.57-59), porque Jesus nunca dissera que Ele destruiria o Templo em Jerusalém. Não havendo testemunho contra Jesus, Ele devia ser solto.

Terceiro, o solene juramento (26.62-64). Diante das falsas acusações, Jesus guardou silêncio e não Se defendeu, cumprindo, assim, a profecia: ... *como ovelha muda perante os seus tosquiadores, ele não abriu a boca* (Is 53.7; 1Pe 2.23). O complô estava em risco de fracassar, mas Caifás estava determinado a condenar Jesus. Então, Ele deixa de lado toda diplomacia e, sob juramento, faz a pergunta decisiva a Jesus: *Eu te conjuro pelo Deus vivo que nos digas se Tu és o Cristo, o Filho de Deus*

(26.63). Jesus respondeu: *Tu o disseste; entretanto, eu vos declaro que, desde agora, vereis o Filho do Homem assentado à direita do Todo-poderoso e vindo sobre as nuvens do céu* (26.64). Lawrence Richards está correto quando diz que Jesus não somente afirmou Sua divindade, mas também advertiu o Sinédrio. Estava diante deles em uma condição de fraqueza; era um prisioneiro a quem eles afirmavam ter o direito de julgar. Mas o direito de julgamento definitivo pertence a Deus. Quando os juízes do Sinédrio virem Jesus novamente, Ele estará no lugar de autoridade, à direita de Deus Pai. Então, Jesus irá julgá-los.[5]

Mateus registra esta pergunta sob juramento: "Eu te conjuro pelo Deus vivo que nos digas se tu és o Cristo, o Filho de Deus". Robert Mounce assevera que era contra todos os procedimentos da lei judaica exigir que uma pessoa se autoincriminasse.[6] A resposta tão elevada e digna do Senhor a Caifás foi a primeira declaração pública na qualidade de Messias que o Senhor dera ao povo, e isso no momento em que, humanamente falando, a afirmação significava a morte. Essa declaração majestosa de Jesus constitui o "clímax cristológico" do evangelho de Mateus. À declaração acrescentou o Senhor a profecia da Sua segunda vinda em glória. Com esta resposta, Jesus demonstra Seu valor e Sua confiança, pois Ele sabia que Sua resposta significava Sua morte, mas não titubeou em dá-la com clareza, uma vez que tinha a total confiança do Seu triunfo final. Assim, Jesus proporciona ao Sinédrio todas as evidências que eles buscavam para o condenarem à morte. Fritz Rienecker é oportuno quando escreve:

> A controvérsia sobre a pessoa de Cristo persiste até hoje. Mais de cinquenta gerações passaram desde que Jesus declarou sob juramento que Ele é o Filho de Deus. Em cada geração esta questão foi levantada, houve lutas a favor e contra ela, e assim será até o fim – até que Ele, no Seu glorioso retorno, porá fim à controvérsia para sempre. Ou Cristo testemunhou a verdade e é Filho de Deus ou Ele cometeu perjúrio. Neste caso, o cristianismo seria o mais grandioso golpe que enganou o

---

[5]RICHARDS, Lawrence O. *Comentário histórico-cultural do Novo Testamento*, p. 84.
[6]MOUNCE, Robert H. *Mateus*, p. 258.

mundo. Uma posição intermediária, seria um absurdo e uma inverdade por excelência.[7]

Quarto, a condenação (26.65,66). A condenação de Jesus por blasfêmia da parte do Sinédrio foi tão ilegal quanto a pergunta sob juramento feito por Caifás, pois a lei exigia larga meditação antes de promulgar-se uma sentença condenatória. Não deram a Jesus nenhum direito de defesa, pois já haviam fechado os olhos contra a luz que resplandecia da vida do Senhor como também os ouvidos contra a Palavra divina que saía da sua boca (At 13.27).

Quinto, os insultos (14.67,68). Havia pouca consideração para um réu condenado, e imediatamente depois da sentença condenatória os servidores dos sacerdotes começaram a cuspir no rosto de Jesus e a Lhe dar murros e bofetadas. Ainda escarneceram dEle, perguntando: *Profetiza-nos, ó Cristo, quem é que Te bateu!* (26.68). Inicia-se aqui o cumprimento dos desprezos e dos sofrimentos físicos que Ele havia de sofrer (Is 50.6; 52.14–53.10). Embora Roma proibisse o Sinédrio de exercitar a penalidade de morte, seus membros manifestam sua ira contra Jesus. Alguns cospem, enquanto outros batem nEle. Alguns zombam e exigem que Ele profetize. Os guardas O espancam. Ironicamente, as ações deles só confirmam o papel profético e a messianidade de Jesus, cumprindo as predições que Ele mesmo fizera (16.21; 20.18,19).

A negação de Pedro (26.69-75)

Pedro foi um homem ambíguo e paradoxal. Sua biografia foi marcada por fortes contrastes. Ele tinha arroubos de intensa ousadia e atitudes de extrema covardia. Era um homem de altos e baixos, de escaladas e quedas, de bravura e fraqueza. O texto em tela nos fala sobre alguns aspectos da vida de Pedro, que comentamos a seguir.

Em primeiro lugar, **Pedro, o fugitivo** (26.56). O mesmo Pedro que prometera fidelidade irrestrita, num grau maior do que seus

---

[7]RIENECKER, Fritz. *Evangelho de Mateus*, p. 427.

condiscípulos (26.33), agora abandona Jesus e foge com eles na noite fatídica da prisão de Cristo.

Em segundo lugar, *Pedro, o que segue a Jesus de longe* (26.58a). A queda de Pedro foi progressiva. Ele desceu o primeiro degrau nessa queda quando, fundamentado na autoconfiança, quis ser mais espiritual que os outros. Agora, ele desce mais um degrau quando, depois da fuga covarde, tenta remediar a situação seguindo a Jesus de longe. Seguir a Jesus de longe é preparar-se para negá-Lo.[8]

Em terceiro lugar, *Pedro, o que se assenta na roda dos escarnecedores* (26.58b). Pedro desce mais um degrau na sua queda quando se esgueira na noite escura e se infiltra no pátio da casa do sumo sacerdote, onde Jesus estava sendo interrogado, e busca o aconchego de uma fogueira na presença dos escarnecedores (Mc 14.54). Aquele ambiente tornou-se um terreno escorregadio para seus pés e um laço para sua alma. Enquanto Jesus está sofrendo abuso físico e psicológico, não longe dali, no pátio do palácio, Pedro está se esquentando ao fogo.

Em quarto lugar, *Pedro, o covarde* (26.69,70). Uma criada identifica Pedro e lhe diz: "Também tu estavas com Jesus, o galileu", mas Pedro nega isso peremptoriamente, declarando: "Não sei o que dizes". O Pedro seguro da saída do Cenáculo torna-se um homem medroso e covarde no pátio da casa do sumo sacerdote. O Pedro autoconfiante, que prometera ir com Jesus à prisão e sofrer com Ele até a morte, agora nega a Jesus diante dos seus inimigos. O Pedro que pensou ser mais forte do que seus condiscípulos agora cava um abismo na sua alma, agredindo sua consciência e negando o que de mais sagrado possuía. Ele estava negando seu nome, sua fé, seu apostolado, seu Senhor.

Em quinto lugar, *Pedro, o perjuro* (26.71,72). Pedro não apenas nega que é discípulo de Jesus, mas faz isso com juramento. Pedro deixa o ambiente da primeira negação, saindo do pátio para o alpendre. Ali, outra criada o reconhece, dizendo aos circunstantes: "Este também estava com Jesus, o nazareno". Pedro negou outra vez, com juramento:

---

[8]BROADUS, John A. *Comentário de Mateus*. Vol. II, p. 307.

"Não conheço tal homem". Pedro empenha sua palavra, sua honra e sua fé para negar sua relação com Jesus. Qual era a função dos juramentos na cultura judaica? A Bíblia diz que *todos os homens são mentirosos* (Sl 116.11). Basicamente, fazemos juramentos sagrados para enfatizar que estamos falando a verdade. Então, quando Pedro negou Jesus com um juramento, foi como se ele estivesse dizendo: "Deus é testemunha de que eu não conheço esse homem".[9]

Em sexto lugar, **Pedro, o praguejador** (26.73,74). Além de negar a Jesus com juramento, Pedro desce o último degrau da sua queda quando começa a praguejar e a jurar na tentativa de esquivar-se de Jesus. O verbo grego traduzido aqui como "praguejar" tem relação com a palavra grega *anathema*, que significa "maldição". Pedro estava proferindo uma maldição sobre aqueles que o associavam a Jesus, dizendo que tais acusadores mereciam ser amaldiçoados. Ele disparou uma série de insultos diante da sugestão de que era um seguidor de Jesus, insistindo que não conhecia seu Senhor.[10]

Quanto mais Pedro negava, mais ele se denunciava. Mateus registra que, logo depois da segunda negação de Pedro, aproximaram-se dele os que ali estavam e sem rodeios disseram-lhe: *Verdadeiramente, és também um deles, porque o teu modo de falar o denuncia* (26.73). Os galileus falavam aramaico com um sotaque considerado horroroso pelos habitantes de Jerusalém. Reconhecendo agora que estava sem saída, Pedro começou a praguejar e a jurar, dizendo: "Não conheço esse homem!" Ele quis ser o mais forte e tornou-se o mais fraco. Ele quis ser melhor que os outros e tornou-se o pior. Ele quis colocar seu nome no topo da lista dos fiéis e caiu de forma mais vergonhosa para o último lugar. Pedro, abalado com as acusações, começou a praguejar e a jurar, negando o seu mais sagrado relacionamento. Spurgeon diz que mentir leva a jurar, e jurar, a praguejar; ninguém, a não ser o Senhor, sabe quão mais longe Pedro teria caído se não tivesse sido divinamente detido em sua carreira pecaminosa.[11]

---

[9]Sproul, R. C. *Mateus*, p. 705.
[10]Sproul, R. C. *Mateus*, p. 706.
[11]Spurgeon, Charles H. *O Evangelho segundo Mateus*, p. 601.

Em sétimo lugar, **Pedro, o arrependido** (26.74b,75). Mesmo não tendo falado contra Jesus, Pedro o nega de três modos: pleiteando ignorância, negando fazer parte da comunidade dos discípulos e refutando qualquer relação com Jesus. Diferentemente de Judas, Pedro e os outros discípulos não tentam destruir Jesus para se salvar. Eles não estão contra Jesus, mas falham em ser por Ele.

Há três coisas acerca da negação de Pedro que servem de alerta para nós. A primeira delas é quão profunda e vergonhosamente um cristão pode cair. Pedro era um apóstolo, um homem que conhecia o Senhor e tinha intimidade com Ele, mas negou o seu Senhor. A segunda coisa é como uma pequena tentação pode provocar uma grande queda. Pedro nega o Senhor diante de uma servente, e não diante de um austero tribunal. A terceira lição é que a queda traz aos salvos grande sofrimento. Pedro chorou, e chorou amargamente.

John Charles Ryle diz que a queda de Pedro ocorreu em cinco passos. O primeiro para a queda de Pedro foi a autoconfiança. Ele disse: *Ainda que venhas a ser um tropeço para todos, nunca o serás para mim* (26.33). O segundo passo foi a indolência. Seu Senhor lhe havia dito para vigiar e orar; em vez de obedecer, Pedro dormiu. O terceiro passo foi acomodar-se covardemente. Em lugar de ficar ao lado de seu Senhor, ele primeiro O abandonou e, depois, "seguia-O de longe". O quarto passo foi expor-se desnecessariamente a más companhias. Ele foi ao pátio do sumo sacerdote e "assentou-se entre os serventuários", como se fosse apenas um deles. Então, veio a queda final – o juramento, os impropérios e a tríplice negação.[12]

Três coisas conduziram Pedro ao arrependimento. A primeira delas foi o olhar penetrante de Jesus (Lc 22.61). O olhar de Cristo foi de repreensão e também de amor. Jesus tirou uma radiografia da alma de Pedro com Seu olhar. A segunda coisa foi lembrar-se da palavra de Cristo ao cantar do galo (26.74b, Mc 14.72). Jesus havia alertado a Pedro naquela noite que, antes de o galo cantar, ele o negaria (26.34). Isso de fato aconteceu. Robert Mounce diz que a mudança da guarda

---

[12] RYLE, John Charles. *Meditações no Evangelho de Mateus*, p. 241.

romana no forte Antonia, às três horas da madrugada, era marcada por um toque de trombeta conhecido como *gallicinium*, em latim "canto do galo". A referência de Mateus pode ter sido a esse toque instrumental, ou ao canto de um galo mesmo.[13] A terceira coisa é que Pedro caiu em si mesmo e desatou a chorar, e chorou amargamente (26.75). Em vez de engolir o veneno como Judas, Pedro o vomitou. Esse foi o choro do arrependimento, da vergonha pelo pecado, da tristeza segundo Deus. Pedro foi restabelecido na comunhão e no ministério (Mc 16.7; Jo 21.15-17).

---

[13]MOUNCE, Robert H. *Mateus*, p. 261.

69

A humilhação do Rei
Mateus 27.1-66

A HUMILHAÇÃO DE JESUS, O CRISTO, passou por vários estágios. Ele desceu do céu à terra; sendo Deus, fez-Se homem; sendo o Rei dos reis e o Senhor dos senhores, fez-Se servo; sendo santo, fez-Se pecado; sendo bendito, fez-Se maldição; sendo glorificado pelos anjos, foi cuspido pelos homens. No Getsêmani, suou sangue; no Sinédrio, foi cuspido, acusado falsamente e espancado; no pretório, foi açoitado e condenado à morte; no Calvário, foi pregado na cruz. Foi morto e sepultado. O apóstolo Paulo diz que Ele se humilhou até a morte, e morte de cruz (Fp 2.8).

Destacamos alguns pontos sobre a humilhação de Cristo a seguir.

Jesus no **Sinédrio** judaico (27.1,2)

Em seu livro *O julgamento de Jesus, o Nazareno*, Haim Cohn afirma que, no século XX, cerca de 60 mil livros foram escritos sobre a vida de Jesus, porém poucos dedicaram atenção especial ao seu julgamento e pouquíssimos foram escritos por juristas e de um ponto de vista jurídico. Isso é intrigante porque não existe nenhum outro julgamento que tenha gerado consequências tão profundas, concretas e reais como este.[1]

---

[1] COHN, Haim. *O julgamento de Jesus, o Nazareno*. Rio de Janeiro, RJ: Imago, 1990, p. 9.

Dois fatos nos chamam a atenção, como vemos a seguir.

Em primeiro lugar, *a ilegalidade da reunião anterior do Sinédrio* (26.57-68). Segundo as leis dos judeus, o Sinédrio não podia reunir-se à noite para interrogar uma pessoa nem mesmo para ouvir testemunhas contra ela. Mas Jesus foi preso, interrogado e sentenciado à morte numa reunião feita às pressas, nas caladas da noite.

Em segundo lugar, *a formalização de uma nova acusação* (27.1,2). O Sinédrio voltou a reunir-se na manhã de sexta-feira para planejar sua estratégia. Eles precisavam dar validade à reunião ilegal da noite anterior e também formalizar contra Jesus uma nova acusação que pudesse encontrar guarida diante da corte romana. As autoridades religiosas julgaram Jesus digno de morte por causa de blasfêmia (26.65,66), mas essa era uma questão religiosa e teológica que não tinha importância para os romanos. Então, os principais sacerdotes, junto com os anciãos, os escribas e todo o Sinédrio, formalizaram uma acusação política contra Jesus (Jo 19.12). Lucas menciona uma acusação tripartida de ensino sedicioso, embargo aos impostos e aspiração de realeza (Lc 23.2,3).[2]

Caifás considerava Jesus culpado de antemão e somente buscou um pretexto; Pilatos considerou Jesus inocente e buscou uma saída. Nos dois casos, Jesus foi "entregue", silenciou diante das acusações, recebeu a sentença de morte e foi cuspido e escarnecido.

No tribunal judaico, apresentou-se uma acusação teológica contra Jesus: blasfêmia. No tribunal romano, a acusação era política: sedição. Assim acusaram Jesus de delito contra Deus e contra César. John Stott diz que tanto no tribunal judaico como no romano seguiu-se certo procedimento legal: 1) a vítima foi presa; 2) a vítima foi acusada e examinada; 3) chamaram-se testemunhas; 4) então, o juiz deu o seu veredicto e pronunciou a sentença. Mas Marcos esclarece que: 1) Jesus não era culpado das acusações; 2) as testemunhas eram falsas; 3) a sentença de morte foi um horrendo erro judicial.[3]

Fritz Rienecker diz que, ao ser transferido para o procurador romano, Pôncio Pilatos, Jesus passa da esfera de Israel para a esfera do império

---

[2]MOUNCE, Robert H. *Mateus*, p. 263.
[3]STOTT, John. *A cruz de Cristo*. Miami, FL: Vida, 1991, p. 40,41.

mundial. Por meio dessa medida, Jesus foi expulso da comunidade de Israel. A partir do momento em que Cristo foi entregue nas mãos dos romanos, Ele deixou a história de Israel e entrou na história mundial. A partir de agora, Ele, com Seu sofrimento e Sua morte, pertence ao mundo todo.[4] É óbvio que Jesus foi conduzido perante Pilatos porque o Sinédrio não tinha direito, sem a aprovação romana, de executar seu decreto (Jo 18.31).

O suicídio de Judas Iscariotes (27.3-10)

Mateus interrompe a narrativa a fim de relatar o fim de Judas Iscariotes. O dinheiro que Judas recebeu não satisfez seu coração avarento. Ele não só não aproveitou o dinheiro como perdeu a própria vida. Vendo que Jesus fora condenado, tomado de remorso, Judas devolveu as trinta moedas de prata aos principais sacerdotes e confessou ter traído sangue inocente. R. C. Sproul diz que Judas não apenas devolveu as moedas, mas as atirou ao santuário. Ele estava com ódio não somente das moedas de prata, mas dele próprio. Portanto, decidiu dar cabo não só das moedas, como também de si mesmo.[5]

Judas reconheceu seu erro e penitenciou-se por isso, mas não chegou ao verdadeiro arrependimento. Não basta estar convencido do erro e sentir tristeza por ele. É preciso dar meia-volta e retornar para o Senhor. Em vez de correr para Jesus, Judas correu para a morte. Em vez de buscar a vida, mergulhou no abismo do suicídio. John A. Broadus mostra o trágico curso descendente de Judas, o homem que começou como um apóstolo: 1) avareza; 2) furto; 3) traição; 4) remorso; 5) suicídio; 6) seu próprio lugar (At 1.25).[6] Nas palavras de John Charles Ryle: "Judas, um apóstolo de Cristo, um ex-pregador do evangelho, um companheiro de Pedro e João, comete suicídio, e assim se precipita à presença de Deus, sem preparo e sem perdão".[7]

---

[4] RIENECKER, Fritz. *Evangelho de Mateus*, p. 430.
[5] SPROUL, R. C. *Mateus*, p. 710.
[6] BROADUS, John A. *Comentário de Mateus*. Vol. II, p. 317.
[7] RYLE, John Charles. *Meditações no Evangelho de Mateus*, p. 245.

O suicídio é uma grande tragédia. É a eliminação do ser na tentativa equivocada de reparar um erro ou mesmo por causa de não ver saída para vida. O suicídio é uma usurpação de uma prerrogativa divina. Só Deus dá a vida e só Ele tem autoridade para tirar a vida.

O valor devolvido não serve como oferta, mas, para cumprir a profecia, foi usado na compra do campo do oleiro, transformado em cemitério para os forasteiros. Spurgeon diz que o campo de sangue se tornou o memorial perpétuo da infâmia de Judas.[8]

Jesus no **pretório romano** (27.11-31)

Destacamos a seguir alguns pontos importantes no trato dessa matéria.

Em primeiro lugar, *os judeus acusam Jesus diante de Pilatos* (27.11,12). Os principais sacerdotes e anciãos, por ciúmes e inveja, acusaram Jesus porque não queriam perder a popularidade nem abrir mão do poder. Jeitosamente haviam criado mecanismos para enriquecerem por meio da religião e estavam mais interessados na glória pessoal do que na salvação. Como eles não tinham poder para matar ninguém (Jo 18.31), levaram Jesus a Pilatos, o quinto governador romano da Judeia (26 a 37 d.C.).

Logo que levaram Jesus ao pretório, Pilatos saiu para lhes falar e lhes disse: *Que acusação trazeis contra este homem?* (Jo 18.29). Os principais sacerdotes acusaram Jesus de muitas coisas (Mc 15.3) e com grande veemência (Lc 23.10). Jesus, porém, ficou em silêncio e não abriu Sua boca. O silêncio de Jesus foi ruidosamente eloquente. Durante as últimas horas de sua vida, em quatro ocasiões diferentes, Jesus "não abriu a Sua boca": na presença de Caifás (26.62,63), de Pilatos (27.13,14), de Herodes (Lc 23.9) e, novamente, de Pilatos (Jo 19.9). Isso falou mais alto do que qualquer palavra que pudesse ter dito. Esse silêncio se transformou em condenação para Seus atormentadores e era prova de Sua identidade como o Messias.

Mateus acentua a pluralidade das acusações levadas contra Cristo pelos principais sacerdotes e anciãos (27.13). O evangelista Marcos diz

---

[8]SPURGEON, Charles H. *O Evangelho segundo Mateus*, p. 607.

que os principais sacerdotes acusaram Jesus de muitas coisas (Mc 15.3), sem informar, porém, o conteúdo dessas acusações. Podemos, entretanto, buscá-las nos outros evangelistas.

Primeiro, acusaram Jesus de ser um malfeitor (Jo 18.30). Os acusadores inverteram a situação. Eles eram malfeitores, mas Jesus havia andado por toda parte fazendo o bem (At 10.38).

Segundo, acusaram Jesus de insubordinação (Lc 23.2). Eles disseram a Pilatos que encontraram Jesus pervertendo a nação, vedando pagar tributo a César e afirmando ser Ele o Cristo, o Rei.

Terceiro, acusaram Jesus de agitador do povo (Lc 23.5,14). Eles afirmaram: "Ele alvoroça o povo, ensinando por toda a Judeia, desde a Galileia, onde começou, até aqui".

Quarto, acusaram Jesus de blasfêmia (Jo 19.7). Eles disseram para Pilatos que Jesus Se fazia a Si mesmo Filho de Deus e, segundo a lei judaica, isso era blasfêmia, um crime capital para os judeus.

Quinto, acusaram Jesus de sedição (Jo 19.12). Os judeus clamavam a Pilatos: "Se soltas a este, não és amigo de César; todo aquele que se faz rei é contra César". Por inveja, acusaram Jesus de sedição política. Colocaram-No contra o Estado, contra Roma, contra César. Questionaram as suas motivações e a sua missão. A acusação contra Cristo é que Ele era o "Rei dos judeus". Embora Jesus tenha admitido que era Rei, explicou que o Seu reino não era deste mundo, de forma que não constituía nenhum perigo para César em Roma. Seja o que for que "rei dos judeus" tenha significado para Jesus, pelo menos não era derramar o sangue de outros, mas o Seu próprio pelos outros (20.28; 26.28). Essa acusação foi pregada em sua cruz em três idiomas: hebraico, grego e latim (Jo 19.19,20). O hebraico é a língua da religião; o grego é a língua da filosofia; e o latim é a língua da lei romana. Tanto a religião como a filosofia e a lei se uniram para condenar a Jesus.

Antonio Vieira, comentando sobre esse episódio, afirma que Jesus foi acusado de que queria ser rei dos judeus, mas foi precisamente condenado porque não quis ser rei dos judeus. No pretório, Pilatos perguntou a Jesus se Ele era rei. Qual o conceito de rei para Pilatos, para os acusadores, para o povo e para o próprio Jesus? Se o conceito de realeza era o entendido pelos acusadores, o crime era religioso. Se o conceito de realeza era o entendido por Pilatos, caracterizava-se como crime político. Havia, pois, o conceito de realeza do próprio Jesus, quando Ele diz solenemente que o Seu reino não é deste mundo. Ali não era uma escola filosófica ou academia jurídica para discutir os conceitos doutrinários sobre realeza. Jesus estava ali para construir com o próprio sangue este reinado de amor e justiça. O primeiro governo e autoridade existente no mundo foi instalado por Deus, ainda no paraíso, quando Ele criou o homem à Sua imagem e semelhança, e mandou que dominasse sobre os peixes do mar, as aves do céu e os animais da selva. Para governar animais irracionais, quis Deus que o homem tivesse entranhas divinas, fosse feito à Sua imagem e semelhança, tão sublime e tão grande era aos olhos de Deus a missão de governar. Mas Adão foi contaminado pelo orgulho e pela autossuficiência e quis ser igual a Deus. Este é o grande pecado dos que governam: tornar-se grandes como deuses para governarem os homens como demônios. Historicamente, todos aqueles que se atribuíram poderes divinos e se tornaram absolutos governaram como se Deus não existisse. Quando Jesus disse diante de Pilatos que Seu reino não era deste mundo, Ele traçava as coordenadas que O distinguiam de todos os poderes terrenos, ou seja, Seu reino não teria as características dos impérios humanos.[9]

Em segundo lugar, **Pilatos estava convicto da inocência de Jesus** (27.18). Pilatos estava convencido da inocência de Jesus e demonstrou isso três vezes. Pilatos percebeu a intenção maldosa dos principais sacerdotes. Ele sabia que as acusações contra Jesus eram meramente para proteger a instituição religiosa, não o trono de César. Faltou a Pilatos coragem para sustentar aquilo em que ele cria. Para melhor compreendermos a inocência de Jesus nesse julgamento, buscaremos informações nos outros evangelistas.

Primeiro, no início do julgamento (Lc 23.4). Quando o Sinédrio lhe levou o caso, Pilatos disse: "Não vejo neste homem crime algum".

Segundo, no meio do julgamento (Lc 23.13-15). Quando Jesus voltou, depois de ter sido examinado por Herodes, Pilatos disse aos sacerdotes

---

[9]VIEIRA, Antonio. *Mensagem de fé para quem não tem fé*, p. 144-147.

e ao povo: "Apresentastes-me este homem como agitador do povo; mas, tendo-O interrogado na vossa presença, nada verifiquei contra Ele dos crimes de que O acusais. Nem tampouco Herodes, pois no-Lo tornou a enviar. É, pois, claro que nada contra Ele se verificou digno de morte".

Terceiro, no final do julgamento (Lc 23.22). O evangelista Lucas nos informa que pela terceira vez Pilatos perguntou ao povo: "Que mal fez este? De fato, nada achei contra Ele para condená-Lo à morte". O evangelista João registra com grande ênfase o drama vivenciado por Pilatos nesse julgamento. Chegou um momento em que ele temeu (Jo 19.8) e procurou soltar Jesus (Jo 19.12).

Em terceiro lugar, **Pilatos tentou soltar Jesus e pacificar os judeus** (27.15-26). Pilatos estava plenamente convencido de duas coisas: a inocência de Jesus e a inveja dos judeus. Sua mulher alertou-o para não se envolver na condenação de Jesus, por ser ele justo (27.19). Mas, por covardia e conveniência política, Pilatos abafou a voz da consciência e condenou Jesus; antes, porém, fez quatro tentativas evasivas, segundo John Stott.[10]

Primeiro, ele transferiu a responsabilidade da decisão (Lc 23.5-12). Ao ouvir que Jesus era da Galileia, enviou-o para Herodes. Este, porém, devolveu Jesus sem sentença.

Segundo, ele tentou meias-medidas (Lc 23.16,22). Pilatos disse aos judeus: "Portanto, depois de castigá-lo, soltá-lo-ei". Essa foi uma ação covarde, pois, se Jesus era inocente, tinha de ser imediatamente solto, e não primeiramente açoitado. O açoite romano era algo terrível. O réu era atado e dobrado de tal maneira que suas costas ficavam expostas. O chicote era uma larga tira de couro, com pedaços de chumbo, bronze e ossos nas pontas. Através desses açoites, as vítimas tinham o corpo rasgado; às vezes, um olho chegava a ser arrancado. Alguns morriam durante os açoites, e outros ficavam loucos. Poucos eram os que suportavam esses castigos sem desmaiar. A flagelação romana era, de fato, executada de maneira bárbara. O delinquente era desnudado e amarrado a uma estaca ou coluna, e às vezes também simplesmente

---

[10] STOTT, John. *A cruz de Cristo*, p. 43,44.

jogado no chão, para ser chicoteado por vários carrascos até que estes se cansassem e pedaços de carne ensanguentada ficassem pendurados no corpo das vítimas.

Terceiro, ele tentou a coisa certa pela forma errada (27.16-21). Pilatos tentou fazer a coisa certa (soltar Jesus), pela forma errada (pela escolha da multidão). Propôs anistiar um prisioneiro criminoso, esperando que a multidão escolhesse Jesus, mas o povo preferiu Barrabás, um terrorista assassino. Marcos descreve Barrabás como homicida e tumultuador (Mc 15.7), enquanto Mateus o chama de "um preso muito conhecido" (27.16), e João o descreve como um salteador (Jo 18.40). A decisão da multidão por Barrabás revela as escolhas do homem sem Deus: a ilegalidade em lugar da lei; a guerra em lugar da paz; o ódio e a violência em lugar do amor. R. C. Sproul diz que Barrabás significa "filho do pai". Assim, de um lado havia Barrabás – filho do pai – e, de outro, Jesus – o Filho do Pai.[11]

Quarto, ele tentou protestar sua inocência (27.24). Pilatos lavou as mãos, dizendo: "Estou inocente do sangue deste justo". Pilatos não conseguiu livrar-se de sua consciência. No tempo do imperador Caio (37-41), ele caiu em tão grande desgraça que praticou o suicídio.[12]

Em quarto lugar, **Pilatos cedeu, entregando Jesus para ser crucificado** (27.22-26). Embora Pilatos tenha reconhecido a inocência de Jesus, sucumbiu à pressão e entregou Jesus para ser crucificado (Lc 23.23-25). Robert Mounce diz que a exigência da crucificação tinha origem no desejo dos líderes religiosos de demonstrar que a vida e a mensagem de Jesus estavam sob a maldição de Deus.[13] Eles disseram a Pilatos: "o seu sangue caia sobre nós e sobre nossos filhos" (27.25). Para Hendriksen, a impressão que se tem é que eles falaram isso de forma petulante e displicente. Além disso, sua resposta foi unânime: "todo o povo". Com tal resposta, o Israel daqueles dias estava rejeitando a Cristo, e no mesmo fôlego assumindo a plena responsabilidade por tê-lo feito.[14]

---

[11] SPROUL, R. C. *Mateus*, p. 715.
[12] BROADUS, John A. *Comentário de Mateus*. Vol. II, p. 319.
[13] MOUNCE, Robert H. *Mateus*, p. 266.
[14] HENDRIKSEN, William. *Mateus*. Vol. 2, p. 549.

Essa imprecação terrível deve ter sido lembrada por muitos quando os soldados de Tito não pouparam nem idade nem sexo, e a capital judaica se tornou o verdadeiro campo de sangue.[15] Fritz Rienecker registra:

> Jamais foi dita uma maldição mais horrenda. E jamais uma maldição se cumpriu de maneira tão terrível. Se aqueles que a proferiram naquela manhã na fortaleza de Antônia pudessem ver quarenta anos à frente, o seu sangue teria congelado nas veias. Mesmo antes do cerco de Jerusalém o sangue jorrava torrencialmente no país. No final do ano 66 foram trucidados vinte mil judeus em Cesareia por seus concidadãos gentios. Em Citópolis os sírios enfurecidos massacraram treze mil judeus. Algo semelhante aconteceu em outras cidades e aldeias. Em Alexandria, onde os judeus administravam para si dois bairros através de um etnarca, foram chacinados cinquenta mil deles, parcialmente pelos gregos, parcialmente por soldados romanos, e suas casas reduzidas a cinzas. Na conquista de Gamala pelos romanos foram mortos até mesmo os bebês. Mais cruel foi o massacre em Jerusalém. Diariamente morriam quinhentos ou mais na cruz, até que não houvesse mais madeira para confeccionar cruzes. Quando enfim, a cidade foi conquistada, a espada romana grassou sem piedade contra tudo o que a fome e a peste ainda tinham deixado com vida, quer criança ou velho, quer homem ou mulher.[16]

John Stott aponta quatro razões que levaram Pilatos a entregar Jesus para ser crucificado: Primeiro, o clamor da multidão (Lc 23.23). O clamor da multidão prevaleceu. Segundo, o pedido da multidão (Lc 23.24). Pilatos decidiu atender-lhes o pedido. Terceiro, a vontade da multidão (Lc 23.25). Quanto a Jesus, entregou-O à vontade deles. Quarto, a pressão da multidão (Jo 19.12). Os judeus disseram a Pilatos: "Se soltas a este, não és amigo de César". A escolha era entre a verdade e a ambição, entre a consciência e a conveniência.[17] A. T. Robertson diz que o herói do domingo se tornou o criminoso condenado à morte de sexta-feira.[18]

---

[15] SPURGEON, Charles H. *O Evangelho segundo Mateus*, p. 612.
[16] RIENECKER, Fritz. *Evangelho de Mateus*, p. 434,435.
[17] STOTT, John. *A cruz de Cristo*, p. 44.
[18] ROBERTSON, A. T. *Comentário de Mateus*, p. 314.

Depois de açoitar a Jesus, Pilatos o entregou para ser crucificado (27.26). Como já deixamos claro, o azorrague romano consistia em um curto cabo de madeira ao qual eram presas várias correias com os extremos providos de presilhas de chumbo ou bronze e pedaços de ossos muito afiados. Os açoites se abatiam especialmente nas costas da vítima, que ficava nua e encurvada. Com esses açoites, a carne era lacerada a ponto de ficarem profundamente expostas veias e artérias, e às vezes mesmo as entranhas e os órgãos internos se expunham entre os cortes.[19] Fica claro o que escreveu Isaías: *Mas Ele foi traspassado pelas nossas transgressões e moído pelas nossas iniquidades; o castigo que nos traz a paz estava sobre ele, e pelas suas pisaduras fomos sarados* (Is 53.5).

Em quinto lugar, **os soldados escarnecem de Jesus** (27.27-31). Os soldados se reuniram por esporte para ver o açoitamento. Esses soldados pagãos gostavam de mostrar desprezo pelos judeus e pelos condenados à morte.[20] Os soldados escarneceram de Jesus principalmente em relação às duas principais acusações apresentadas contra Ele: a acusação política de que Ele se fazia rei, e a acusação religiosa de que Ele se fazia Filho de Deus. Jesus foi escarnecido pelas acusações de blasfêmia e sedição.

Primeiro, zombaram dEle como rei (27.27-31). O manto escarlate e a coroa de espinhos eram uma maneira de ridicularizar a Jesus como rei.

Segundo, zombaram dEle como Filho de Deus (Mc 15.19,20). Esbordoaram-Lhe a cabeça e cuspiram nEle e, pondo-se de joelhos, O adoravam. Depois de todo esse escárnio, conduziram Jesus para fora, com o fim de crucificá-Lo. Açoitar antes da crucificação era um costume romano brutal e desumano. Fazia parte da pena de morte.

Jesus no **Calvário** (27.32-56)

Há vários pontos dignos de destaque aqui, como vemos a seguir.

Em primeiro lugar, **a caminhada para a cruz** (27.32-34). Jesus já estava com as forças esgotadas. Desde a noite anterior, Ele estivera

---

[19] HENDRIKSEN, William. *Mateus.* Vol. 2, p. 550.
[20] ROBERTSON, A. T. *Comentário de Mateus*, p. 316.

preso, sendo castigado. No pretório de Pilatos, acabara de ser açoitado e escarnecido. Seu corpo estava sangrando. Sob o peso da cruz, Jesus marcha do pretório para o Gólgota sob os apupos da multidão tresloucada e sanguissedenta e os açoites crudelíssimos dos soldados (Jo 19.16,17). Não aguentando mais o desmesurado castigo, Jesus cai exangue sob o lenho maldito. O fardo do pecado pelo mundo também Lhe estava partindo o coração.

Nesse ínterim, os soldados obrigaram Simão Cireneu a carregar a cruz (27.32). Simão Pedro orgulhosamente dissera que iria com Jesus até a prisão e até a morte (26.35; Lc 22.33), mas foi Simão Cireneu, e não Simão Pedro, que veio ajudar o Mestre. Este homem foi a Jerusalém para participar da Festa da Páscoa e se encontrou com o Cordeiro de Deus. Sua vida foi transformada, seus filhos Alexandre e Rufo se converteram ao evangelho, e sua esposa se tornou como uma mãe para o apóstolo Paulo (Rm 16.13). John A. Broadus, citando Calvino, diz: "À vista dos homens, esta tarefa trouxe-lhe a mais baixa degradação, mas à vista de Deus, a mais excelsa honra".[21]

Em segundo lugar, *a crucificação* (27.35-44). A crucificação era uma forma cruel e degradante de punição. Parece que os romanos a tomaram de empréstimo aos fenícios e cartagineses, e só a usavam contra escravos, estrangeiros e criminosos da pior espécie. A crucificação era a tortura mais cruel e mais horrível.[22] A morte de Cristo foi o mais horrendo crime. Judeus e gentios, religiosos e políticos, se uniram para condenarem Jesus. Pedro denunciou as autoridades judaicas por matarem o Autor da vida (At 3.15) e o crucificarem por mãos de iníquos (At 2.23). Destacamos alguns pontos importantes a seguir.

Primeiro, o local da crucificação (27.33). Gólgota, o local onde Jesus foi crucificado, era também conhecido como Lugar da Caveira. Naquele tempo, os criminosos condenados à morte de cruz não tinham direito a um sepultamento digno. Muitos deles eram deixados apodrecendo na cruz. Talvez o local tenha recebido esse nome não apenas por causa da

---

[21]Broadus, John A. *Comentário de Mateus*. Vol. II, p. 338.
[22]Mounce, Robert H. *Mateus*, p. 268.

sua aparência de caveira,²³ mas, também, por causa do horror de haver sempre ali corpos putrefatos.

Segundo, a dor física da crucificação. A morte de cruz era a forma de os romanos aplicarem a pena de morte. Os judeus consideravam maldito aquele que era dependurado na cruz (Gl 3.13). A pessoa morreria de câimbras, asfixiada e com dores crudelíssimas. A morte vinha por sufocação, esgotamento ou hemorragia.

Terceiro, a dor moral e espiritual da crucificação. Jesus foi escarnecido como profeta (Mc 15.29), como Salvador (27.40-42) e como rei (Mc 15.32). Spurgeon diz que eles zombaram de Jesus como Salvador: *Salvou os outros, e a si mesmo não pode salvar-se*. Zombaram dEle como rei: *Se é o Rei de Israel, desça agora da cruz, crê-lo-emos*. Zombaram dEle como crente: "Confiou em Deus; livre-o agora". E zombaram dEle como o Filho de Deus: "Porque disse: Sou Filho de Deus".²⁴

Jesus foi crucificado entre dois ladrões como um criminoso. A palavra grega aqui não é *kleptes* (ladrão batedor de carteira), mas *lestes* (salteador), a mesma usada para descrever Barrabás (Jo 18.40).²⁵ Jesus foi despido de suas vestes, que foram repartidas pelos soldados. Ele foi zombado quando pregaram em sua cruz a acusação que o levou à morte (27.37). Essa inscrição dava o nome e o lugar de origem: "JESUS NAZARENO", e a acusação pela qual ele fora condenado: "REI DOS JUDEUS", com a identificação: "ESTE É".²⁶ Jesus foi escarnecido pelos transeuntes que ainda alimentavam as mentiras espalhadas pelas falsas testemunhas (27.39,40). Ele foi vilipendiado pelos principais sacerdotes e escribas que o acusaram de impotente para ajudar a si mesmo (27.41,42). Ele foi insultado até mesmo por aqueles que com ele foram crucificados (27.44).

Tasker, nessa mesma linha de pensamento, diz que havia três grupos de adversários ao redor da cruz: 1) os pecadores ignorantes – os que por ali passavam e meneavam a cabeça, em desprezo (27.39,40); 2)

---

²³RIENECKER, Fritz. *Evangelho de Mateus*, p. 438.
²⁴SPURGEON, Charles H. *O Evangelho segundo Mateus*, p. 623.
²⁵RICHARDS, Lawrence O. *Comentário histórico-cultural do Novo Testamento*, p. 84.
²⁶ROBERTSON, A. T. *Comentário de Mateus*, p. 319.

os pecadores religiosos – os membros do Sinédrio que continuavam a insultar o Senhor, em parte para reprimir quaisquer sinais de sentimentalismo em seu favor, que pudessem levar a uma mudança de veredito (27.41-43); 3) os pecadores condenados – os ladrões que insultavam Jesus ao mesmo modo (27.44).[27]

Quarto, a última cartada de satanás (27.39,40; Mc 15.30,32). Satanás sempre tentou desviar Jesus da cruz. Agora, ele dá sua última cartada. O povo gritou para Jesus salvar-se a Si mesmo (27.40), e os principais sacerdotes e escribas o desafiaram: *Desça agora da cruz o Cristo, o rei de Israel, para que vejamos e creiamos* (Mc 15.32). Se Jesus salvasse a Si mesmo, não poderia salvar a nós. Se Ele descesse da cruz, nós desceríamos ao inferno. Porque Ele não desceu da cruz, nós podemos subir ao céu. De acordo com Spurgeon, porque Jesus era o Filho de Deus, Ele não desceu da cruz, mas ficou pendurado ali até que se consumasse o sacrifício pelo pecado do Seu povo. A cruz de Cristo é a escada de Jacó pela qual nós subimos ao céu.[28]

Quinto, as trevas sobre a terra (27.45). A penúltima praga que assolou o Egito antes da morte do cordeiro pascal foram três dias de trevas. E, antes de Jesus, o nosso Cordeiro Pascal, ser imolado na cruz, também houve três horas de trevas sobre a terra. É conhecida a expressão de Douglas Webster, que disse: "No nascimento do Filho de Deus houve luz à meia-noite; na morte do Filho de Deus, houve trevas ao meio-dia".[29] Spurgeon diz que o sol cobriu o rosto, e houve escuridão como que de dez noites, constrangido pelo fato de o grande Sol da Justiça estar em tal terrível escuridão.[30] A escuridão simboliza o julgamento de Deus sobre o nosso pecado; Sua ira consumindo-se no coração de Jesus, para que Ele, como nosso substituto, pudesse sofrer a agonia mais intensa, a aflição mais indescritível e o desamparo e isolamento mais terrível. O inferno foi até o Calvário nesse dia, e o Salvador desceu a Ele, experimentando os seus horrores em nosso lugar.

---

[27]TASKER, R. V. G. *Mateus: introdução e comentário*, p. 210.
[28]SPURGEON, Charles H. *O Evangelho segundo Mateus*, p. 622.
[29]WEBSTER, Douglas. *In the Debt of Christ*. Jacksonville, Fl: Highway Press, 1957, p. 46.
[30]SPURGEON, Charles H. *O Evangelho segundo Mateus*, p. 623.

Sexto, o grito de desamparo (27.46-49). Jesus já havia sido desamparado pelo povo, pelos líderes, pelos ladrões e agora estava sendo também desamparado pelo próprio Pai. Mateus registra: *Por volta da hora nona, clamou Jesus em alta voz, dizendo: Deus meu, Deus meu, por que Me desamparaste?* (27.46). Nesse momento, o universo inteiro se contorceu de dores. O sol escondeu o seu rosto e houve trevas sobre a terra ao meio-dia. Sede, desamparo e agonia são símbolos do próprio inferno. Foi na cruz que Cristo desceu ao inferno. Foi na cruz que Ele se fez pecado e maldição por nós. Foi na cruz que Ele sorveu o cálice amargo da ira de Deus contra o pecado. O que Ele temeu no Getsêmani, ele experimenta agora na cruz. Deus fez cair sobre Ele a iniquidade de todos nós. Ele foi ferido e traspassado. Terra e céu desampararam Jesus.

Em terceiro lugar, *a morte* (27.50-56). Jesus foi crucificado na terceira hora do dia, ou seja, às nove horas da manhã (Mc 15.25). Da hora sexta à hora nona, ou seja, do meio-dia às três horas da tarde, houve trevas sobre a terra (27.45). Nessas seis horas em que Jesus ficou na cruz, Ele proferiu sete palavras. Três delas foram em relação às pessoas: 1) palavra de perdão – *Pai, perdoa-lhes, porque não sabem o que fazem* (Lc 23.34); 2) palavra de salvação – *Hoje estarás comigo no paraíso* (Lc 23.43); 3) palavra de afeição – *Mulher, eis aí teu filho [...] eis aí Tua mãe* (Jo 19.26,27). Uma palavra foi em relação a Deus: *Deus meu, Deus meu, por que me desamparaste?* (27.46; Mc 15.34). E três palavras foram em relação a si mesmo: 1) palavra de agonia: *Tenho sede* (Jo 19.28); 2) palavra de vitória: *Está consumado* (Jo 19.30); 3) palavra de rendição: *Pai, nas tuas mãos entrego o meu espírito* (Lc 23.46).

Em quarto lugar, *o brado de triunfo* (27.50). Jesus não morreu como uma vítima, vencido contra a Sua vontade. Ele entregou sua vida porque quis, quando quis e como quis.[31] Jesus não morreu de esgotamento lento, mas com um brado alto.[32] Os evangelistas Mateus e Marcos não nos informam sobre qualquer palavra proferida por Jesus na cruz a não ser a palavra do desamparo, porém estão implícitas nesse brado

---

[31] MOUNCE, Robert H. *Mateus*, p. 270.
[32] ROBERTSON, A. T. *Comentário de Mateus*, p. 323.

a palavra de vitória e a palavra de rendição. Este grande brado inclui o *Está consumado* (Jo 19.30) e o *Pai, nas tuas mãos entrego o meu espírito* (Lc 23.46), de modo que não devemos entender esse brado como um grito de desespero, mas como uma voz de triunfo de quem estava consumando a obra da redenção ao custo infinito de sua agonia. Jesus estava consumando sua obra, esmagando a cabeça da serpente, triunfando sobre o diabo e suas hostes e comprando-nos para Deus. Ele morre como um vencedor. Jesus não foi morto; ele voluntariamente deu sua vida (Jo 10.11,15,17-18). Ele não morreu como um mártir; ele se entregou como sacrifício pelos pecados do seu povo. Qualquer pensamento de derrota é abafado pela força surpreendente do grito de Jesus. As trevas acabam no momento em que Jesus morre. Com a sua morte, Ele quebrou o poder das trevas.

Em quinto lugar, **o véu do santuário rasgado** (27.51). O véu rasgado indica a ab-rogação do sistema religioso judaico.[33] Significa a abolição e o término de toda a lei cerimonial judaica. Significa que o Santo dos Santos está aberto para toda a humanidade por meio da morte de Cristo (Hb 9.8). O caminho para Deus foi aberto. Jesus abriu um novo e vivo caminho para Deus (Hb 10.12-22). Ele mesmo é o caminho (Jo 14.6). Estava abolido o antigo sistema de ritos e sacrifícios. As restrições étnicas do templo em Jerusalém não mais vigoram. O resgate pago por Jesus é válido tanto para gentios como para judeus. Seu sacrifício foi perfeito, cabal e irrepetível. A porta do céu está aberta a todos em Cristo. Judeus e gentios têm livre acesso a Deus por meio de Cristo. Concordo com Spurgeon quando ele diz que a morte de Cristo foi o fim do judaísmo.[34] O judaísmo, como afluente, desaguou no rio do cristianismo e, por isso, deixa de existir como afluente. O véu foi rasgado. O acesso à presença de Deus está aberto, por meio de Cristo, a judeus e gentios.

Em sexto lugar, **os mortos ressuscitaram** (27.52,53). A morte de Cristo trouxe um terremoto a Jerusalém, e esse abalo sísmico fendeu as rochas e abriu os sepulcros; muitos corpos dos santos, que dormiam, ressuscitaram, entraram na cidade santa e apareceram a muitos.

---

[33]PINTO, Carlos Osvaldo Cardoso, *Foco & Desenvolvimento no Novo Testamento*, p. 60.
[34]SPURGEON, Charles H. *O Evangelho segundo Mateus*, p. 626.

Em sétimo lugar, *o reconhecimento do centurião romano* (27.54). O homem encarregado da centúria, a corporação de cem soldados romanos que acompanhara o séquito até o calvário, ao ouvir as palavras de Jesus, teve seu coração tocado e reconheceu que Jesus é verdadeiramente o Filho de Deus.

Em oitavo lugar, *o testemunho das mulheres* (27.55,56). Enquanto os discípulos de Jesus fugiram, com exceção de João, as mulheres que tinham sustentado Jesus com seus bens (Lc 8.1-3) e O acompanhado desde a Galileia para O servirem estavam observando o drama do Calvário. Elas demonstraram mais coragem e mais compromisso do que aqueles que prometeram ir com Jesus para a prisão e para a morte. Elas assistiram Jesus em Seu ministério e O acompanharam até a cruz. Observaram onde e como o corpo de Jesus foi sepultado e compraram aromas para embalsamar o Seu corpo (Lc 23.55,56). E foram as primeiras a ver o Cristo ressuscitado e as primeiras a anunciar Sua ressurreição (Lc 24.1-12).

Jesus na **sepultura** (27.57-61)

Destacamos duas verdades importantes a seguir.

Em primeiro lugar, *a coragem de José de Arimateia* (27.57-60). Pela lei romana, os condenados à morte perdiam o direito à propriedade e até mesmo o direito de serem enterrados. Frequentemente, o corpo dos acusados de traição permanecia apodrecendo na cruz. É digno de nota que nenhum parente ou discípulo tenha reivindicado o corpo de Jesus.

José de Arimateia era um ilustre membro do Sinédrio, o tribunal que havia condenado Jesus à morte. Ele certamente não fez parte daquela decisão ensandecida (Lc 23.51). Era um homem rico, mas esperava o Reino de Deus (Mc 15.43). E sabia quem era Jesus. Por isso, dirigiu-se resolutamente a Pilatos e pediu o corpo de Jesus para ser sepultado. Quando fez o pedido, usou a palavra grega *soma* (Mc 15.43); porém, quando Pilatos cedeu o corpo, a palavra grega usada foi *ptoma* (Mc 15.45). A primeira palavra se refere à personalidade total, fato que implica o cuidado e amor de José de Arimateia. A palavra usada por Pilatos dá ao corpo apenas o significado de cadáver ou carcaça. Esses diferentes termos representam atitudes diferentes dos homens acerca da vida e da morte.

Depois de baixar o corpo da cruz, José de Arimateia o envolveu num pano limpo de linho e o depositou no seu túmulo novo, que fizera abrir na rocha; e rolou uma grande pedra para a entrada do sepulcro. Só então, ele se retirou. José de Arimateia não se intimidou de ser vinculado a Jesus, um homem sentenciado à morte. Ele teve coragem para se posicionar.

Outras pessoas tinham honrado e confessado nosso Senhor quando o viram fazendo milagres, mas José o honrou e confessou ser seu discípulo quando o viu ensanguentado e morto. Outros tinham demonstrado amor a Jesus enquanto Ele estava falando e vivendo, mas José de Arimateia demonstrou amor quando Jesus estava silencioso e morto. Há verdadeiros cristãos sobre a terra de quem nada conhecemos, em lugares que jamais esperávamos encontrar.

Em segundo lugar, *a presença das mulheres* (27.61). Algumas mulheres não apenas subiram o Gólgota, mas desceram ao lugar da tumba. Elas tudo viram, e a tudo testemunharam (Lc 23.55). Mateus diz que Maria Madalena e a outra Maria se achavam ali, sentadas em frente da sepultura. Elas serviram a Jesus em vida e devotaram amor a Ele depois de morto e sepultado.

A guarda do sepulcro (27.62-66)

Os principais sacerdotes e os fariseus fazem uma nova investida, rogando a Pilatos uma atitude enérgica, a fim de evitarem que a profecia de Jesus de que ressuscitaria ao terceiro dia induzisse os discípulos a roubarem seu corpo e espalharem entre o povo o boato de sua ressurreição. Pilatos atende O pedido deles e monta uma escolta especial para guardar o sepulcro.

A segurança do sepulcro, porém, não pôde deter o Filho de Deus, nem a morte pôde retê-Lo. O túmulo foi aberto de dentro para fora. O lacre foi quebrado, a pedra foi rolada, a escolta foi envergonhada, e Jesus ressuscitou, matando a morte e triunfando sobre ela.

70

A ressurreição e o comissionamento do Rei

Mateus 28.1-20

A MORTE DE JESUS NÃO FOI UM ACIDENTE, nem Sua ressurreição foi uma surpresa. O evangelista Mateus registra quatro ocasiões em que Jesus previu sua morte e Sua ressurreição (16. 21-23; 17.22,23; 20.17-19; 26.2). Ele morreu pelos nossos pecados segundo as Escrituras. Foi sepultado e ressuscitou segundo as Escrituras (1Co 15.1-3).

As melhores notícias que o mundo já ouviu vieram do túmulo vazio de Jesus. Sem a ressurreição, o evangelho teria terminado como "más notícias". A história da Páscoa não termina em um funeral, mas sim com uma festa. O túmulo vazio de Cristo foi o berço da igreja. Não pregamos um Cristo que esteve vivo e agora está morto; pregamos o Cristo que esteve morto e está vivo pelos séculos dos séculos. Sua ressurreição é o alicerce da nossa fé. Nas palavras de Robert Mounce, "a ressurreição representa a pedra angular da fé cristã".[1]

A ressurreição de Cristo e o cristianismo permanecem em pé ou caem juntos. Sem a ressurreição de Cristo, o cristianismo seria uma religião vazia de esperança, um museu de relíquias do passado.

Paulo diz que, sem a ressurreição de Cristo, 1) nossa fé seria vã; 2) nossa pregação seria inútil; 3) nossa esperança seria vazia; 4) nosso

---

[1] MOUNCE, Robert H. *Mateus*, p. 275.

testemunho seria falso; 5) nossos pecados não seriam perdoados; 6) seríamos os mais infelizes de todos os homens.

Sem a ressurreição de Cristo, a morte teria a última palavra, e a nossa esperança do céu seria um pesadelo. Sem a ressurreição de Cristo, o cristianismo seria o maior engodo da história, a maior farsa inventada pelos cristãos. Os mártires teriam morrido por uma mentira, e uma mentira teria salvado o mundo. Mas de fato Cristo ressuscitou. A grande diferença entre o cristianismo e as grandes religiões do mundo é que o túmulo de Jesus está vazio. Você pode visitar o túmulo de Buda, Confúcio, Maomé, Alan Kardec, mas o túmulo de Jesus está vazio. Ele venceu a morte e está vivo pelos séculos dos séculos. Destacamos três verdades preciosas a seguir.

Primeiro, a ressurreição de Jesus é um fato histórico incontroverso. Muitas foram as tentativas de destruir as evidências desse fato auspicioso. Alguns disseram que Jesus não chegou a morrer na cruz e, ao ser colocado no túmulo cavado na rocha, reanimou-se. Outros, conforme registra Mateus, disseram que os discípulos subornaram os guardas e roubaram o Seu corpo (28.11-15). Outros ainda disseram que as mulheres foram ao túmulo errado e espalharam a notícia de que Ele havia ressuscitado. Há até mesmo aqueles que disseram que os romanos removeram o corpo para outro túmulo. As muitas aparições de Jesus ressurreto, porém, deitam por terra todas essas falaciosas alternativas (1Co 15.1-11). Nesse mais auspicioso fato da história, o céu se moveu, a natureza se agitou, a terra festejou, e o inferno tremeu.

Segundo, a ressurreição de Jesus é, também, um fato psicológico inegável. Os discípulos, acuados pelo medo, desânimo e pessimismo, foram poderosamente transformados. Tornaram-se ousados, valentes e poderosos no testemunho. Enfrentaram ameaças, açoites, prisões e martírio sem jamais recuar. Eles não teriam morrido por uma mentira. A mudança dos discípulos é uma prova incontroversa da ressurreição de Jesus.

Muitos dos discípulos morreram como mártires por causa dessa verdade. Ao longo dos quatro primeiros séculos, uma multidão de crentes morreu nas arenas e muitos foram queimados vivos por causa dessa verdade: Pedro foi crucificado; André foi crucificado; Tiago, filho de

Zebedeu, foi morto à espada; João, filho de Zebedeu, foi banido para a ilha de Patmos; Filipe foi crucificado; Bartolomeu foi crucificado; Tomé foi morto por uma lança; Mateus foi morto à espada; Tiago, filho de Alfeu, foi crucificado; Tadeu foi morto por flechas; Simão, o zelote, foi crucificado.

Terceiro, a ressurreição de Jesus é um fato sociológico notório. Uma igreja cristã foi estabelecida sobre a rocha desta verdade incontestável. Pessoas de todas as nações, raças, línguas e povos uniram-se em torno desta verdade suprema. A melhor prova da ressurreição é a existência da igreja cristã. Nenhum outro fato poderia ter transformado homens e mulheres tristes e desesperados em pessoas radiantes de gozo e inflamadas de um novo valor. De fato, o túmulo vazio de Cristo foi o berço da igreja. Por isso, o mundo odeia a Jesus. Ninguém odeia quem está morto. A oposição hostil a Jesus é porque Ele está vivo. O mundo nos odeia porque odeia Cristo em nós.

As mulheres vão ao sepulcro (28.1)

No relato da ressurreição, as mulheres têm o papel principal. As mulheres foram as últimas a saírem do Calvário e as primeiras a chegarem ao sepulcro.[2] Maria Madalena e a outra Maria tiveram cinco experiências naquela manhã de domingo: um desejo (28.1), um temor (28.5), uma consolação (28.6), uma comissão (28.7,8) e um encontro (28.9,10). Quando lemos os demais evangelhos, constatamos que havia, também, outras mulheres junto com Maria Madalena e esta outra Maria. Eram aquelas que haviam sustentado financeiramente o ministério de Jesus em sua itinerância pelas mais de duzentas cidades e aldeias da Galileia (Lc 8.1-3). Essas mulheres acompanharam Jesus até Jerusalém, mesmo sabendo que Ele havia profetizado sua morte. Elas honraram Jesus em vida, na morte e depois de sua ressurreição.

É digno de nota que as mulheres tenham ido ao sepulcro no primeiro dia da semana (28.1). Jesus levantou-se da morte no primeiro dia da semana (28.6). Ele derramou o seu Espírito no Pentecoste no

---

[2] SPURGEON, Charles H. *O Evangelho segundo Mateus*, p. 638.

primeiro dia da semana (At 2.1-4). No primeiro dia da semana, a igreja cristã passou a reunir-se para entrar em comunhão (At 20.7) e para fazer suas ofertas (1Co 16.2). João viu o Cristo glorificado na ilha de Patmos no primeiro dia da semana (Ap 1.10). O primeiro dia da semana tornou-se o dia da celebração do povo de Deus, a celebração da vitória sobre a morte.

Um grande **terremoto** (28.2-4)

A casa da morte estava fortemente guardada por uma grande pedra e pelo sinete de Pilatos. Um lacre estatal e um destacamento militar são, porém, insignificâncias diante de Deus. O poder do céu triunfa sobre o poder da terra.[3] Mateus nos informa acerca do grande terremoto que houve naquele primeiro dia da semana. Um anjo do Senhor desceu do céu, removeu a pedra e assentou-se sobre ela (28.2). É claro que o anjo não abriu a porta para Jesus sair, pois seu corpo ressurreto não tinha mais nenhuma limitação. Nessa mesma toada, A. T. Robertson diz que a pedra foi removida não para deixar sair o Senhor, mas para que as mulheres entrassem e comprovassem o fato do túmulo vazio.[4]

Mateus descreve esse anjo como um relâmpago e sua veste como a neve (28.3). Em face do grande terremoto e da abertura do sepulcro por um poder sobrenatural, os guardas tremeram, cheios de pavor, a ponto de ficarem como se estivessem mortos. Spurgeon escreve: "A morte estava sobrepujada e tudo que prendia Jesus à sepultura estava sendo removido. Quando o Rei despertou do sono da morte, fez o mundo tremer; o dormitório em que descansou por um tempo estremeceu quando o herói celeste se ergueu de sua cama".[5]

William Hendriksen explica que a pedra, o selo, a guarda – tudo isso dera certo senso de segurança aos principais sacerdotes e aos fariseus. Todavia, pelo prisma do céu, toda essa demonstração de força não passava de mera futilidade. No jardim de José de Arimateia, o

---

[3]RIENECKER, Fritz. *Evangelho de Mateus*, p. 450,451.
[4]ROBERTSON, A. T. *Comentário de Mateus*, p. 332.
[5]SPURGEON, Charles H. *O Evangelho segundo Mateus*, p. 638.

Todo-poderoso estava rindo (Sl 2.4). Ele fez ouvir Sua voz, e a terra se derreteu.⁶

A pedra removida é um memorial da vitória de Cristo sobre a morte. Jesus arrancou o aguilhão da morte e triunfou sobre ela. O túmulo não é o fim da nossa existência. A morte não tem mais a última palavra. A cruz não é o fim da história. A sexta-feira da paixão não é o fim do drama. Cristo ressuscitou!

A pedra removida é o fundamento sobre o qual erigimos nossa vida. A ressurreição de Cristo é a pedra de esquina da fé cristã, a coluna mestra do cristianismo. Nosso Redentor não está no túmulo. Você pode visitar o túmulo de Buda, Confúcio, Maomé e Alan Kardec, mas o túmulo de Jesus está vazio.

O anjo **proclama a ressurreição** de Jesus às mulheres (28.5-7)

O anjo não se dirige aos guardas, mas às mulheres que foram ao sepulcro. Mateus nos informa que o anjo está assentado na própria pedra removida do túmulo. Enquanto os guardas estão desmaiados, o anjo está sobranceiro proclamando que Jesus não está mais no túmulo. O túmulo foi aberto de dentro para fora. Nenhum poder conseguiu deter o Filho de Deus (Sl 16.10). A ressurreição de Jesus é uma obra do próprio Deus Pai (At 3.15; 4.10; Rm 4.24; 8.11; 10.9; 1Co 6.14; 15.15; 2Co 4.14; 1Pe 1.21).

Alguns fatos são dignos de nota, como vemos a seguir.

Em primeiro lugar, *as mulheres ocupam lugar especial no ministério de Jesus* (28.5). As mulheres sustentaram o ministério de Jesus, estiveram com Ele, em Sua agonia, e participaram de Seu sepultamento, honrando-o na vida e na morte. Agora, são as primeiras a ir ao túmulo, as primeiras a ser testemunhas da Sua ressurreição, as primeiras a adorar o Cristo ressurreto e as primeiras mensageiras da vitória de Cristo sobre a morte. John A. Broadus diz que as mulheres buscavam o Crucificado,

---

⁶HENDRIKSEN, William. *Mateus*. Vol. 2, p. 588.

mas acharam o Ressuscitado.⁷ Aquelas que foram as últimas junto à cruz e as primeiras junto ao túmulo agora são as primeiras a verem o Cristo ressurreto e as primeiras a proclamarem Sua ressurreição.

Em segundo lugar, *as mulheres são encorajadas pelo anjo* (28.5,6a). O anjo conhece o sentimento de temor e a motivação da estada daquelas mulheres no sepulcro. Sua mensagem para elas é de encorajamento: *Não temais; porque sei que buscais Jesus, que foi crucificado. Ele não está aqui, mas ressuscitou dos mortos...* (28.5,6a).

Em terceiro lugar, *as mulheres são convidadas a serem testemunhas do túmulo vazio* (28.6b). Depois de dar uma ordem para elas não temerem, o anjo dá agora outra ordem, para elas virem ver onde o corpo de Jesus estava depositado. Elas foram convidadas a serem as primeiras testemunhas oculares do fato mais auspicioso do cristianismo, a ressurreição do Rei dos reis.

Em quarto lugar, *as mulheres são enviadas aos discípulos de Jesus* (28.7). Depois de o anjo dar a primeira ordem: "Vinde", ele dá agora a segunda ordem: "Ide". Todo aquele que é testemunha da vitória de Jesus sobre a morte deve proclamar essa notícia. A ordem do anjo tem um caráter de urgência: "Ide, pois, depressa...". Tem também um público e uma mensagem certa: "... e dizei a seus discípulos que Ele ressuscitou dos mortos...". Tem ainda uma agenda a ser cumprida, para o encontro com o Ressuscitado: "... e vai para adiante de vós para a Galileia; ali o vereis. É como vos digo". Lawrence Richards diz que essa ordem dada às mulheres é excepcional porque o testemunho das mulheres não podia ser aceito nas cortes judaicas.⁸ Desta forma, o reino de Cristo mais uma vez inverte os valores e instrumentaliza aquelas que não eram aceitas.

Em quinto lugar, *as mulheres e os discípulos de Jesus devem compreender que o Cristo ressurreto vai à nossa frente* (28.7). Não precisamos temer o futuro, porque Aquele que morreu e venceu a morte por nós vai à nossa frente. O cristianismo não é apenas um corolário de doutrinas e dogmas, mas a pessoa bendita do Cristo ressurreto. O cristão não é

---

⁷BROADUS, John A. *Comentário de Mateus*. Vol. II, p. 350.
⁸RICHARDS, Lawrence O. *Comentário histórico-cultural do Novo Testamento*, p. 91.

aquele que apenas recita um credo, mas é aquele que segue uma pessoa. Como cristãos, pertencemos a um movimento, e não apenas a uma instituição. Ser cristão é seguir as pegadas do Cristo ressurreto que vai à nossa frente. Ser cristão é estar a caminho. O cristianismo é a religião do caminho, e Cristo é esse caminho.

Jesus já havia dito aos Seus discípulos que, depois da Sua ressurreição, encontraria com eles na Galileia (26.32). Agora, Ele confirma Seu encontro com eles na Galileia, onde eles viviam. Jesus Se encontra conosco dentro da nossa rotina diária. Ele está presente com Seu povo não apenas quando eles estão juntos em adoração, mas também quando estão dispersos na jornada da vida.[9]

Jesus ressurreto aparece às mulheres (28.8-10)

É digno de nota que uma dessas duas mulheres é Maria Madalena. Vemos nisso dois pontos a observar, como comentamos a seguir.

Primeiro, o milagre da transformação (Mc 16.9). A primeira testemunha da ressurreição de Jesus não foi Maria ou Pedro ou João, nem mesmo os onze discípulos, mas Maria Madalena, aquela de quem Jesus expulsara sete demônios. Naquele tempo, o testemunho das mulheres não era aceito pelos judeus, mas Jesus quebra esse paradigma e Se manifesta a essa mulher, evidenciando o milagre da transformação operada em sua vida. Aquele a quem muito é perdoado, muito ama. Jesus restaurou essa mulher do submundo demoníaco para a visão beatífica da sua gloriosa ressurreição.

Segundo, a prodigalidade da graça (Mc 16.10). Maria Madalena não foi apenas a primeira pessoa a ver o Cristo ressurreto, mas foi a primeira a anunciar a Sua ressurreição. Aquela que estava possuída de demônios agora se transforma na embaixadora das boas novas do evangelho.

Sem detença, as mulheres atendem à ordem angelical. Saem às pressas do sepulcro para encontrar os discípulos e contar a eles as boas novas.

---

[9]Beasley-Murray, Paul. *The Message of the Resurrection*. Westmont, Ill: InterVarsity Press, 2000, p. 32.

Um misto de medo e alegria inunda o coração delas na medida em cumprem essa gloriosa missão (28.8). É no meio dessa agenda da obediência à comissão do anjo que Jesus foi ao encontro delas, fazendo-lhes a seguinte saudação: "Salve!" Elas o reconheceram imediatamente, e prontamente aproximaram-se dEle, abraçando-Lhe os pés. As mulheres foram as primeiras a adorar o Cristo vivo, o vencedor da morte.

Jesus reitera às mulheres a mesma ordem angelical. Elas não deveriam temer, mas ir aos Seus discípulos, a quem Ele chama de "meus irmãos", ordenando que se dirijam à Galileia, pois, na mesma geografia em que eles foram chamados para o ministério, eles agora o veriam.

Jesus eleva os títulos daqueles que O seguem. A princípio, eles foram chamados de servos, depois de discípulos, pouco antes de Sua morte foram chamados de amigos e, agora, depois de Sua ressurreição, são chamados de irmãos.[10] Concordo com John Heading quando ele diz que a descrição "Meus irmãos" é uma expressão de graça, introduzindo-os na família celestial. Jesus já os havia chamado de "Meus servos" em relação a Ele como Senhor, de "Meus discípulos" em relação a Ele como Mestre, de "Minhas ovelhas" em relação a Ele como Pastor e de "Meus amigos" em relação a Ele como Homem. Agora, Ele os chama de "Meus irmãos" em relação a Ele como Filho.[11]

Hendriksen destaca que Jesus não Se refere aos discípulos como aqueles brigões habituais que, mesmo prometendo lealdade a Ele, O deixaram e fugiram. E também não se refere a eles como aqueles que, com exceção de João, não estiveram presentes em Sua crucificação e nem mesmo em Seu sepultamento. Mas Jesus Se refere a eles como Seus irmãos, como membros da Sua família, objetos do Seu amor, com quem Ele compartilha Sua herança.[12]

Essas mulheres foram as grandes heroínas no relato dos quatro evangelistas. Enquanto os discípulos de Cristo se escondem, elas se manifestam. Enquanto eles fogem, elas aparecem. Enquanto eles estão trancados entre quatro paredes, elas estão subindo o Gólgota, descendo

---

[10] BROADUS, John A. *Comentário de Mateus*. Vol. II, p. 351.
[11] HEADING, John. *Mateus*, p. 518.
[12] HENDRIKSEN, William. *Mateus*. Vol. 2, p. 592.

à tumba, vendo anjos, contemplando o Cristo ressurreto e correndo para anunciá-Lo. O amor e a devoção dessas mulheres devem nos estimular, diz Paul Beasley-Murray.[13]

A grande **comissão de satanás** (28.11-15)

Ao mesmo tempo que Jesus dá aos Seus discípulos a grande comissão, satanás, também, envia seus emissários para anunciar uma mentira. Onde um templo da verdade é levantado, satanás constrói também uma sinagoga da mentira.

Os mesmos principais sacerdotes que pagaram Judas Iscariotes para levar Jesus à morte agora pagam os soldados romanos para mentirem acerca de sua vitória sobre a morte. A comissão do diabo é espalhar a mentira em lugar da verdade. Destacamos a seguir cinco características da comissão do diabo.

Em primeiro lugar, *é uma comissão mentirosa* (28.11-13). Os guardas, ao verem o sepulcro aberto, não foram a Pilatos, mas aos principais sacerdotes. O plano desses líderes não funcionou. A segurança montada para manter a porta do sepulcro fechada, com o lacre do governador Pilatos, não resistiu ao poder da ressurreição. Carlos Osvaldo Pinto diz, com razão, que os líderes judeus temiam a própria verdade que haviam rejeitado.[14] Agora, eles pagam uma grande soma de dinheiro a esses soldados para que eles espalhem uma mentira descabida. Concordo com John A. Broadus quando ele diz que os esforços contra a verdade, às vezes, contribuem para o seu progresso; o selo e a guarda apenas tornaram mais evidente que o Senhor ressurgira dentre os mortos.[15]

Em segundo lugar, *é uma comissão contraditória* (28.13-15). A mentira é manca. Não pode ficar de pé diante dos fatos. Se os guardas estavam acordados, por que deixaram os discípulos roubarem Seu corpo; se estavam dormindo, não podem afirmar que os discípulos de Jesus O tenham roubado. Concordo com as palavras de Lawrence

---

[13] BEASLEY-MURRAY, Paul. *The Message of the Resurrection*, p. 28.
[14] PINTO, Carlos Osvaldo Cardoso, *Foco & Desenvolvimento no Novo Testamento*, p. 60.
[15] BROADUS, John A. *Comentário de Mateus*. Vol. II, p. 351.

Richards: "Uma pessoa dificilmente pode testemunhar sobre o que aconteceu enquanto dorme".[16] Essa versão mentirosa, comprada, entretanto, perdurou até o tempo em que Mateus escreveu este evangelho.

Em terceiro lugar, *é uma comissão vulnerável* (28.14). Os soldados receberam grande soma de dinheiro para anunciar uma mentira e receberam a promessa de proteção dos agentes do suborno. A proteção dos homens é frágil. Ainda que livre os malfeitores das consequências imediatas de seu delito, não pode livrá-los dos verdugos da consciência nem do justo tribunal de Deus.

Em quarto lugar, *é uma comissão motivada pela ganância* (28.15). Spurgeon diz que Cristo foi traído por dinheiro, e por dinheiro a verdade sobre a sua ressurreição foi escondida, tanto quanto foi possível.[17] O vetor que governou os soldados romanos a serem atalaias da mentira foi o amor ao dinheiro. Eles foram subornados. Venderam-se. Tornaram-se mensageiros de uma falácia para auferirem lucro. Fritz Rienecker afirma que, em troca de dinheiro, os soldados abandonaram a honra profissional, mentiram e repetiram o que lhes foi ordenado. Grande decadência![18]

Tasker informa que os soldados aceitaram o suborno e fizeram circular tão amplamente a história tramada, que ela continuava sendo propagada entre os judeus nos dias em que o evangelista estava escrevendo.[19] Spurgeon é oportuno quando escreve: "Nada vive tanto tempo quanto uma mentira, exceto a verdade".[20]

Em quinto lugar, *é uma comissão fracassada* (28.13). Lawrence Richards diz que um decreto promulgado por César e preservado no que é conhecido como "a inscrição de Nazaré" afirma que violar sepulcros é uma ofensa terrível que em certos casos poderia merecer a pena de morte. Os discípulos desmoralizados e oprimidos dificilmente poderiam ter reunido a coragem necessária para violar o sepulcro naquela

---

[16]RICHARDS, Lawrence O. *Comentário histórico-cultural do Novo Testamento*, p. 92.
[17]SPURGEON, Charles H. *O Evangelho segundo Mateus*, p. 646.
[18]RIENECKER, Fritz. *Evangelho de Mateus*, p. 453.
[19]TASKER, A.V.G. *Mateus: introdução e comentário*, p. 217.
[20]SPURGEON, Charles H. *O Evangelho segundo Mateus*, p. 647.

semana santa. E, se houvesse alguma evidência para apoiar a acusação, o Sinédrio certamente teria tentado sufocar o movimento cristão acusando os onze de violação e roubo de sepulcro.[21] Além disso, um soldado romano preferiria cometer suicídio a confessar que havia dormido em seu posto de sentinela.[22]

A grande **comissão de Jesus** (28.16-20)

Carlos Osvaldo Pinto ressalta que este último parágrafo do evangelho (28.16-20) deve ser comparado em primeiro lugar ao capítulo 10, para que a mudança seja vista em toda a sua magnitude. Ali (capítulo 10), Cristo, o Filho de Davi, delegou Seu poder para a evangelização de Israel. Aqui, Cristo, o Filho de Abraão, delega Sua autoridade para a evangelização do mundo.[23]

Os onze discípulos atenderam à ordem de Jesus e deixaram Jerusalém, rumando para a Galileia, e ali, no monte designado pelo Senhor, Ele se deu a conhecer a eles. Logo que o viram, eles o adoraram. Alguns, porém, duvidaram. É nesse cenário, num dos montes da Galileia, que Jesus entrega a Seus discípulos a grande comissão.

Todos os quatro evangelistas deram ênfase à grande comissão. Lucas ainda a repete no livro de Atos. Fica evidente, na grande comissão, que o propósito de Deus é o evangelho todo, por toda a igreja, em todo o mundo, a toda criatura. R. C. Sproul destaca o fato de que Jesus não está dando uma grande sugestão, mas uma grande comissão, ou seja, trata-se de uma ordem expressa do Rei dos reis, O qual possui toda a autoridade no céu e na terra.[24]

Tasker, citando H. B. Swete, é oportuno, quando escreve:

> Este evangelho começou com uma afirmação de que Jesus era da linhagem real de Davi, e registrou que, enquanto criança, foi reconhecido como "Rei dos judeus" pelos astrólogos vindos do oriente. Agora, depois

---

[21] RICHARDS, Lawrence O. *Comentário histórico-cultural do Novo Testamento*, p. 92.
[22] SPURGEON, Charles H. *O Evangelho segundo Mateus*, p. 646.
[23] PINTO, Carlos Osvaldo Cardoso, *Foco & Desenvolvimento no Novo Testamento*, p. 60.
[24] SPROUL, R. C. *Mateus*, p. 745.

de ser crucificado como "Rei dos judeus", ressuscitou dos mortos; e em seu estado glorificado como o Cristo ressurreto, sem reservas arroga-se a posse de completa autoridade no céu e na terra. Com esta conotação termina o evangelho.[25]

Cinco verdades devem ser aqui ressaltadas, como vemos a seguir.

Em primeiro lugar, *a competência do comissionador* (28.18). Que constrate havia nessa cena na Galileia com os gemidos no Getsêmani e com a escuridão do Gólgota! Jesus afirmou a sua onipotência e soberania universal. Na cruz, Ele foi proclamado "rei dos judeus", mas, quando João O vê glorificado em sua visão apocalíptica, na Sua cabeça havia muitos diademas, e em seu manto em sua coxa havia um nome escrito: "Rei dos reis e Senhor dos senhores".[26] Jesus tem toda autoridade (versão atualizada) e todo poder (versão corrigida). *Exousia*, "autoridade", neste contexto, refere-se ao poder e à jurisdição absolutos. Nada existe fora do controle soberano do Cristo ressurreto. É nesse fundamento que os discípulos deverão ir, fazendo discípulos de todos os povos.[27]

Esta declaração mostra que quem dá a ordem tem autoridade e competência para fazê-lo. Havia autoridade em Seus ensinamentos (7.29); Ele exerceu autoridade para curar (8.1-13) e até mesmo para perdoar pecados (9.6). Jesus tinha autoridade sobre satanás e delegou autoridade a Seus apóstolos (10.1). Ao final de Seu evangelho, Mateus deixa claro que Jesus tem *toda* autoridade (28.18).[28] A. T. Robertson diz que o Cristo ressurreto, sem dinheiro, ou exército, ou estado governamental, comissiona este grupo num dos montes da Galileia para conquistar o mundo.[29] Esse é o maior empreendimento que os seres humanos foram chamados a executar.

É condição básica de êxito, no cumprimento da grande comissão, sabermos que Jesus nos dará as condições de enfrentar o inimigo e as circunstâncias adversas sem temer e sem vacilar. Qualquer ordem

---

[25] TASKER, A.V.G. *Mateus: introdução e comentário*, p. 217.
[26] SPURGEON, Charles H. *O Evangelho segundo Mateus*, p. 648.
[27] MOUNCE, Robert H. *Mateus*, p. 278.
[28] WIERSBE, Warren W. *Comentário bíblico expositivo*, p. 140.
[29] ROBERTSON, A. T. *Comentário de Mateus*, p. 336.

dada pela autoridade máxima do universo exige atenção e respeito total. Portanto, ao proferir a ordem, Jesus quer ser obedecido de forma clara, completa e urgente.

Em segundo lugar, *o cerne da grande comissão* (28.19). A. T. Robertson diz corretamente que aqui está o programa mundial do Cristo ressurreto.[30] Todos os verbos deste versículo estão no gerúndio, mas fazer discípulos é uma ordem. Indo + batizando + ensinando = fazei discípulos. Robert Mounce coloca assim essa ideia: "Tanto *baptizontes* quanto *didaskontes* são particípios governados pelo imperativo *matheteusate*. A ideia principal da sentença é 'fazer discípulos mediante o batismo e o ensino'".[31]

Fica claro que Jesus não mandou fazer fãs. Quem precisa de fãs são os artistas. Jesus não mandou fazer admiradores. Os atores e jogadores de futebol é que buscam admiradores. Jesus não mandou apenas evangelizar e ganhar almas, abandonando os bebês espirituais. Ele quer discípulos. Jesus não mandou apenas recrutar crentes e encher as igrejas de pessoas. Ele quer convertidos maduros.

Um discípulo é um seguidor. Isso implica: 1) fazer do Reino de Deus seu tesouro; 2) renunciar a tudo por amor a Jesus; 3) guardar as palavras de Jesus. Hoje temos muita adesão e pouca conversão. Temos grandes ajuntamentos e pouco quebrantamento. Temos igrejas cheias de pessoas vazias de Deus e vazias de pessoas cheias de Deus. Temos grandes multidões que buscam as bênçãos, mas não a Deus. São religiosos, mas não discípulos de Cristo.

Em terceiro lugar, *o alcance da grande comissão* (28.19). A ordem de Jesus é: "Fazei discípulos de todas as nações". A palavra "nações" significa "etnias". Onde houver um povo, com sua língua, cultura e raça, ali o evangelho deve chegar. Deus comprou com o sangue de Cristo aqueles que procedem de toda tribo, língua, povo e nação (Ap 5.9). Esses devem ser chamados e discipulados. Concordo com John A. Broadus quando ele diz que o cristianismo é essencialmente uma religião missionária.[32]

---

[30]ROBERTSON, A. T. *Comentário de Mateus*, p. 336.
[31]MOUNCE, Robert H. *Mateus*, p. 279.
[32]BROADUS, John A. *Comentário de Mateus*. Vol. II, p. 354.

Em quarto lugar, *as implicações da grande comissão* (28.19). Há duas implicações no cumprimento da grande comissão. A primeira delas é a integração dos novos convertidos. Fazer discípulo implica integrar o indivíduo à igreja, por meio do sacramento do batismo em nome do Pai, do Filho e do Espírito Santo. David Stern é oportuno quando escreve: "O Novo Testamento não ensina o *triteísmo*, que é a crença em três deuses. Ele não ensina o *unitarismo*, que nega a divindade de Jesus, o Filho, e do Espírito Santo. Não ensina o *modalismo*, que diz que Deus aparece às vezes como o Pai, às vezes como o Filho, e às vezes como o Espírito Santo, como um ator trocando as máscaras".[33] Embora a palavra *trindade* não apareça nas Escrituras, o conceito dela está por toda Bíblia.

Todo convertido deve ser batizado e integrado à igreja. A igreja é importante. Não existe crente isolado, "desigrejado", fora do corpo. Uma ovelha fora do rebanho é presa fácil do devorador. Uma brasa fora do braseiro logo se cobre de cinzas. A igreja foi instituída por Cristo, e os novos crentes devem ser integrados a ela pelo batismo.

A segunda implicação é que a grande comissão envolve ensino aos novos convertidos. Três coisas merecem destaque nesse ensino. Primeiro, ensinar o que Jesus mandou (28.19). Não se trata de ensinar doutrinas de homens, modismos, tradições humanas e legalismo, mas ensinar o que Jesus ordenou. Segundo, ensinar todas as coisas (28.19). Ensinar não apenas as coisas mais agradáveis. Devemos ensinar toda a verdade, toda a Palavra, e dar não apenas o leite, mas também o alimento sólido. Terceiro, ensinar a guardar (28.19). Russell Norman Champlin tem razão ao dizer que devemos observar que o ensino precisa incluir os ensinamentos morais e éticos do Senhor Jesus, além de quaisquer outros ensinamentos que formam o corpo de doutrinas que Ele nos deixou.[34] Robert Mounce explica que o ensino aqui está estabelecido como algo ético, mais do que doutrinário.[35] Ensinar não é apenas guardar na cabeça doutrinas certas, mas é obedecer a essas

---

[33]STERN, David H. *Comentário judaico do Novo Testamento*, p. 111.
[34]CHAMPLIN, R. N. *O Novo Testamento interpretado versículo por versículo*. Vol. 1, p. 750.
[35]MOUNCE, Robert H. *Mateus*, p. 279.

doutrinas. O discípulo é aquele que obedece. Hoje, as pessoas querem conhecer, mas não querem obedecer. Jesus disse: *Vós sois meus discípulos se fazeis o que eu vos mando* (Jo 15.14).

Em quinto lugar, **motivos para cumprir a grande comissão** (28.18-20). Jesus oferece três motivos eloquentes para cumprirmos a grande comissão, como vemos a seguir.

Primeiro, o poder de Jesus à nossa disposição (28.18). Jesus expressou sua *exousia,* sua autoridade e liberdade absoluta de ação para enviar os apóstolos.[36] Se Jesus tem todo poder e autoridade, não sobrou nada para o diabo. O diabo é astuto, ardiloso e sagaz, mas Jesus tem todo o poder no céu e na terra. O poder do diabo foi tirado na cruz (Cl 2.15). Ele foi despojado. Está oco, vazio. O diabo não tem poder nem no inferno. As chaves da morte e do inferno estão nas mãos de Jesus (Ap 1.18). As portas do inferno não prevalecem contra a igreja (16.18). Toda a suprema grandeza do Seu poder está à nossa disposição (Ef 1.19).

Segundo, a ordem de Jesus (28.19). Se o Jesus ressurreto, o Rei soberano do universo, deu uma ordem, cabe-nos obedecer a ela de modo intransferível e impostergável. A grande comissão não pode transformar-se na grande omissão.

Terceiro, a presença de Jesus (28.20). O discipulado não constitui uma estrada solitária, porque o Senhor ressurreto promete que estará com os discípulos sempre, todos os dias, até a consumação dos séculos.[37] Champlin esclarece que Jesus está conosco não meramente como um rádio orientador, mas como amigo e Salvador.[38] A presença de Jesus é contínua, em todo lugar. Ele nunca nos desampara, nunca nos deixa. Ele é como sombra à nossa direita. Ele é o vigia que não dormita nem dorme. Não há situação em que sua presença não esteja conosco. Ele está conosco na vida e na morte, no tempo e na eternidade. John Charles Ryle escreve da seguinte forma sobre a presença de Jesus conosco:

---

[36]HEADING, John. *Mateus,* p. 521.
[37]MOUNCE, Robert H. *Mateus,* p. 279.
[38]CHAMPLIN, R. N. *O Novo Testamento interpretado versículo por versículo.* Vol. 1, p. 751.

Cristo está conosco todos os dias. Cristo está conosco em todo lugar que vamos. Ele está conosco diariamente para perdoar e absolver; conosco diariamente para santificar e fortalecer; conosco diariamente para defender e guardar; conosco diariamente para conduzir e guiar; conosco em tristezas e alegrias; conosco em saúde ou enfermidade; conosco na vida e na morte; conosco no tempo e na eternidade.[39]

A. T. Robertson diz que Jesus emprega aqui o presente profético. Ele está conosco todos os dias até que volte em glória. Ele há de estar com os discípulos quando for embora; estará com todos os discípulos, com todo o conhecimento, com todo o poder, com eles todos os dias (todos os tipos de dias: dias de fraqueza, tristeza, alegria e poder).[40] O mesmo autor é oportuno quando alerta para o fato de que esta bem-aventurada esperança não é um sedativo para uma mente ociosa e uma consciência complacente. Trata-se de um incentivo ao mais pleno esforço de prosseguirmos energicamente, apesar das dificuldades, até os rincões mais distantes do mundo, para que todas as nações conheçam Jesus e o poder da sua vida ressurreta. Assim, o evangelho de Mateus se encerra em uma chama de glória.[41]

O Cristo ressurreto garante, assim, a Seus discípulos e a todos os Seus seguidores ao longo da história a maior conclusão que qualquer livro poderia ter. A Jesus, o Rei dos reis, glória pelos séculos sem fim. Amém!

---

[39]RYLE, John Charles. *Meditações no Evangelho de Mateus*, p. 263.
[40]ROBERTSON, A. T. *Comentário de Mateus*, p. 337.
[41]ROBERTSON, A. T. *Comentário de Mateus*, p. 337.

Marcos

O evangelho dos milagres

1

As **boas-novas** do evangelho de Cristo

Marcos 1.1

MARCOS É CONSIDERADO UM DOS EVANGELHOS SINÓTICOS. O termo *sinótico* vem de duas palavras gregas, cujo significado é "ver conjuntamente".[1] Dessa maneira, Mateus, Marcos e Lucas tratam basicamente dos mesmos aspectos da vida e ministério de Cristo. Dos evangelhos sinóticos, Marcos é o mais breve.

O evangelho de Marcos é geralmente considerado o primeiro evangelho que foi escrito, diz Darrell Bock.[2] Embora esse fato não tenha um consenso unânime, a maioria dos estudiosos crê que Marcos foi escrito antes dos outros evangelhos. J. Vernon McGee defende a tese de que Marcos foi escrito por volta do ano 63 da era cristã.[3] Sendo, assim, William Barclay o considerava o livro mais importante do mundo, visto que serviu de fonte para os outros evangelhos e é o primeiro relato da vida de Cristo que a humanidade conheceu.[4]

Dos 661 versículos de Marcos, Mateus reproduz 606. Há apenas 55 versículos de Marcos que não se encontram em Mateus, mas Lucas

---
[1] BARCLAY, William. *Marcos*. Buenos Aires:Editorial La Aurora, 1974, p. 11.
[2] BOCK, Darrell L. *Jesus segundo as Escrituras*. Shedd Publicações, São Paulo, SP, 2006, p. 28.
[3] McGEE, J. Vernon. *Mark*. Atlanta: Thomas Nelson Publishers,1991, p.vii. 1991, p. vii.
[4] BARCLAY, William. *Marcos*, 1974, p. 11.

utiliza 31 destes. O resultado é que há somente 24 versículos de Marcos que não se encontram em Mateus ou Lucas. Isso parece provar que tanto Mateus quanto Lucas usaram o evangelho de Marcos como fonte.[5]

No entanto, por que quatro evangelhos? Nós temos quatro evangelhos, porque cada um foi escrito a um público diferente.[6] Mateus foi escrito para os judeus e apresentou Jesus como o rei. Marcos escreveu para os romanos e apresentou Jesus como servo. Lucas escreveu para os gregos e apresentou Jesus como o homem perfeito. João escreveu um evangelho universal e apresentou Jesus como Deus, o verbo encarnado. Assim, os evangelhos foram endereçados a pessoas diferentes e com propósitos diversos.

O autor do Evangelho de Marcos

Duas coisas nos chamam a atenção:

A primeira é *a identidade de Marcos descrita nas Escrituras*. O nome completo do autor desse evangelho é João Marcos, sendo que João é seu nome hebraico e Marcos seu nome romano. Temos várias informações importantes sobre esse personagem nas Escrituras:

Em primeiro lugar, **Marcos era filho de Maria, uma cristã que hospedava cristãos em sua casa** (At 12.12). Isso significa que João Marcos procedia de uma família aquinhoada de bens materiais e tinha familiaridade com a igreja, desde sua juventude.

Em segundo lugar, **Marcos participou da primeira viagem missionária de Paulo e Barnabé** (At 12.25). Ele saiu de Jerusalém com Paulo e Barnabé e foi morar em Antioquia da Síria, de onde foi com eles para a primeira viagem missionária na região da Galácia. João Marcos era um auxiliar *hypērtēs* de Barnabé e Saulo nessa primeira viagem missionária (At 13.5).

Em terceiro lugar, **Marcos desistiu da primeira viagem missionária no meio do caminho** (At 13.13). Não sabemos precisamente as razões que levaram Marcos a desertar dessa viagem. Elencamos três sugestões: Paulo decidiu largar a região costeira e ir para o interior, onde os

---

[5] BARCLAY, William. *Marcos*, 1974, p. 12.
[6] MCGEE, J. Vernon. *Mark*, 1991, p. viii.

perigos eram imensos; Paulo passou a ocupar a liderança da viagem, até então ocupada por Barnabé; a insegurança característica de sua própria juventude e inexperiência.

Em quarto lugar, *Marcos é rejeitado por Paulo na segunda viagem missionária* (At 15.37-40). A rejeição de Paulo ao ingresso do jovem Marcos na segunda viagem missionária teve repercussões profundas na agenda missionária da igreja e no relacionamento dos dois grandes líderes Paulo e Barnabé. Houve tal desavença entre eles, que Barnabé deixou Paulo e partiu para uma nova frente missionária, levando consigo a Marcos para Chipre, sua terra natal.

Em quinto lugar, *Marcos era primo de Barnabé* (Cl 4.10). Esse fato revela que a família de Marcos era abastada. Sua mãe tinha uma casa que servia de lugar de encontro da igreja primitiva e Barnabé era homem de posses (At 4.37). Isso também lança uma luz sobre o fato de que Barnabé, além de sua característica de consolador, não desamparou a Marcos, quando este foi barrado por Paulo no seu intento de participar da segunda viagem missionária.

Em sexto lugar, *Marcos esteve preso com Paulo em Roma* (Cl 4.10). Marcos tornou-se um grande líder cristão do século I. Jerônimo disse que ele foi ao Egito e ali plantou a igreja de Alexandria.[7] Agora, ele está preso em Roma, com Paulo, durante a sua primeira prisão.

Em sétimo lugar, *Marcos tornou-se um cooperador de Paulo* (Fm 24). A Carta a Filemom foi escrita no interregno entre a primeira e a segunda prisão de Paulo em Roma. Paulo destaca que nesse tempo Marcos era seu cooperador.

Em oitavo lugar, *Marcos foi chamado por Paulo para assisti-lo no final da sua vida* (2Tm 4.11). Marcos estava em Éfeso quando Paulo foi preso pela segunda vez. Agora, Paulo está num calabouço romano, aguardando o seu martírio. Paulo reconhece que o mesmo jovem que ele dispensara no passado agora lhe é útil e deseja tê-lo como seu cooperador no momento final da sua vida. Isso nos prova a mudança de conduta de Paulo, bem como sua mudança do novo conceito acerca de Marcos.

---

[7] HARRISON, Everett. *Introducción al Nuevo Testamento*. Grand Rapids, Michigan: TELL, 1980, p. 177; William Barclay. *Marcos*, 1974, p. 13.

Em nono lugar, **Marcos era considerado um filho de Pedro na fé** (1Pe 5.13). Marcos teve um estreito relacionamento com Pedro. O apóstolo o chama "meu filho". Possivelmente o próprio Pedro o tenha levado a Cristo e seja seu pai na fé. Quando Pedro saiu prisão, foi para a casa de Maria, mãe de Marcos, onde a igreja estava reunida.

Em décimo lugar, **Marcos é apontado pela maioria dos estudiosos como o jovem que se vestiu com um lençol para ver Jesus** (Mc 14.51,52). Nesse tempo, esse jovem era apenas um seguidor casual de Cristo. Era apenas um espectador curioso que queria acompanhar o desenrolar da prisão do rabi da Galileia, mas estava inadequadamente vestido no meio da multidão. Ao ser agarrado pela soldadesca que prendia a Jesus, fugiu desnudo.

A segunda coisa que nos chama a atenção é que *Marcos é considerado o autor do evangelho que leva o seu nome*. Embora Marcos não tenha sido um discípulo de Cristo, seguramente presenciou muitos fatos da sua vida, visto que morava em Jerusalém e sua casa tornou-se um ponto de encontro da igreja.

Os pais da igreja unanimemente aceitaram a autoria de Marcos deste evangelho.[8] Papias, um dos pais da igreja do começo do século II, afirma que o evangelho de Marcos é a compilação do testemunho pessoal de Pedro acerca da vida e ministério de Cristo. Marcos não foi discípulo de Cristo, mas de Pedro. De acordo com Papias, Marcos foi o *hermēneutēs* (intérprete) de Pedro.[9] William Hendriksen diz que não temos nenhuma razão para rejeitar a tradição de que Marcos foi, essencialmente, o "intérprete" de Pedro, pois o conteúdo do livro confirma essa conclusão.[10] Esse relato de Papias, que aparece em uma obra de Eusébio, bispo de Cesareia, autor da primeira grande História da Igreja,[11] no século IV, é o mais antigo registro da autoria de Marcos,

---

[8]Barton, Bruce B. et al. *Life Application Bible Commentary – Mark.* Wheaton, Illinois: Tyndale House Publishers, 1994, p.xii.
[9]GUNTHRIE, Donald. *New Testament Introduction,* 1990, p. 83.
[10]HENDRIKSEN, William. *Marcos.* São Paulo, SP: Editora Cultura Cristã, 2003, p. 24.
[11]POHL, Adolf. *Evangelho de Marcos.* Curitiba, PR: Editora Evangélica Esperança, 1998, p. 19.

Marcos, que foi o intérprete de Pedro, escreveu acuradamente tudo o que ele relembrou, tanto sobre o que Cristo disse quanto o que Cristo fez, porém não em ordem. Embora Marcos não tenha ouvido nem acompanhado o Senhor, mais tarde acompanhou Pedro, de quem recebeu todas as informações, de tal maneira que ele não cometeu nenhum engano em seu relato, não omitindo nada do que ouviu nem acrescentando qualquer falsa afirmação acerca do que recebeu.[12]

Outros pais da igreja, incluindo Justino, o mártir, Tertuliano, Clemente de Alexandria, Orígenes e Eusébio, confirmam Marcos como o autor desse evangelho.[13] Também associam o evangelho de Marcos com o testemunho do apóstolo Pedro.[14] Irineu, outro pai da igreja, afirma: "Depois da morte de Pedro e Paulo, também Marcos, discípulo e intérprete de Pedro, nos legou por escrito as coisas que foram pregadas por Pedro".[15] Marcos é o mais aramaico dos evangelhos, o que evidencia ser um relato da palavra falada de Pedro. O esboço desse evangelho ainda está afinado com o conteúdo do evangelho pregado por Pedro na casa de Cornélio (At 10).[16]

A data e o local em que o evangelho foi escrito

Robert Gundry afirma que Marcos foi o primeiro evangelho a ser escrito.[17] Não existe um consenso acerca da data da sua redação; entretanto, ele deve ter sido escrito entre 55 e 70 d.C., ou seja, antes da destruição de Jerusalém no ano 70 d.C., uma vez que ele não faz qualquer menção desse fato predito por Jesus (13.1-23). Jerusalém foi destruída pelo exército romano sob a liderança de Tito, depois de 143 dias de cerco.

---

[12]Eusebius. *Ecclesiastical History III*, p. 39.
[13]Barton, Bruce B. et al. *Life Application Bible Commentary – Mark*, 1994, p. xii.
[14]Gundry, Robert H. *Panorama do Novo Testamento*. São Paulo, SP:Edições Vida Nova, 1978, p. 86.
[15]Contra as heresias III. i.1.
[16]Harrison, Everett. *Introducción al Nuevo Testamento*. Grand Rapids, Michigan: TELL, 1980, p. 177.
[17]Gundry, Robert H. *Panorama do Novo Testamento*. São Paulo, SP: Edições Vida Nova, 1978, p. 85.

Durante essa batalha, seiscentos mil judeus foram mortos e milhares levados cativos.

Irineu e outros pais da igreja defenderam a tese de que Marcos foi escrito depois do martírio de Pedro e Paulo. Contudo, essa posição contraria a tese de alguns estudiosos que afirmam que Marcos foi o primeiro evangelho que foi escrito, sendo a fonte primária dos demais.[18]

O local onde Marcos escreveu o seu evangelho é Roma, uma vez que Marcos está presente com Paulo em sua primeira prisão e é chamado para estar com ele em sua segunda prisão.

Nesse tempo, Roma era a maior cidade do mundo, com mais de um milhão de habitantes[19] e Nero era o imperador. Ele começou a reinar em 54 d.C. com a idade de 16 anos. Os primeiros anos de seu reinado foram de relativa paz e, por isso, por volta do ano 60 d.C., Paulo apelou para ser julgado em Roma (At 25.10,11).

Na primeira prisão de Paulo, ele tinha liberdade de pregar aos líderes judeus (At 28.17-28), bem como a todas as pessoas que o procuravam (At 28.30,31), inclusive à própria guarda pretoriana (Fp 1.13; 4.22). Depois dessa primeira prisão, Paulo foi solto. Mas no ano 64 d.C. Nero pôs fogo em Roma e colocou a culpa nos cristãos. Doravante, uma perseguição sangrenta foi iniciada contra os cristãos.

Nesse tempo de terrível perseguição, Paulo foi novamente preso, possivelmente em Nicópolis, onde ele intentava passar o inverno (Tt 3.12). Transferido para Roma, Paulo foi colocado numa masmorra, no calabouço Marmetine, no centro de Roma, perto do fórum.[20] Nesse tempo, Marcos não estava em Roma, visto que Paulo pede a Timóteo para trazê-lo consigo (2Tm 4.11).

Para quem Marcos escreveu o evangelho

O consenso geral entre os estudiosos é que Marcos foi escrito de Roma para os cristãos que viviam em Roma.[21] Segundo William Hendriksen,

---

[18] BARTON, Bruce B. et al. *Life Application Bible Commentary – Mark,* 1994, p. xiii.
[19] BARTON, Bruce B. et al. *Life Application Bible Commentary – Mark,* 1994, p. xiii, xiv.
[20] BARTON, Bruce B. et al. *Life Application Bible Commentary – Mark,* 1994, p. xvi, xvii.
[21] GUTHRIE, Donald. *New Testament Introduction,* 1990, p. 73,74; Bruce B. Barton et al. *Life Application Bible Commentary – Mark,* 1994, p. xvi.

Marcos foi escrito para satisfazer o pedido urgente do povo de Roma por um resumo dos ensinos de Pedro.[22] As evidências podem ser destacadas como seguem:

Em primeiro lugar, **Marcos enfatiza mais as obras de Cristo que os seus ensinos**. Warren Wiersbe diz que o fato de Marcos ter escrito com os romanos em mente ajuda-nos a entender seu estilo e abordagem. A ênfase nesse evangelho é sobre atividade.[23] Os romanos estavam mais interessados em ação que em palavras, por isso Marcos descreve mais os milagres de Cristo que os seus ensinos. Marcos registra dezoito milagres e apenas quatro parábolas. O termo que liga os acontecimentos é a palavra *imediatamente*. Jesus está sempre se movendo de uma ação para outra. Ele está curando os cegos, limpando os leprosos, erguendo os paralíticos, libertando os possessos, acalmando a tempestade, levantando os mortos. Graham Twelftree, nessa mesma linha de pensamento, afirma que Marcos é mais um evangelho de ação que de ensino. As coisas acontecem *logo* ou *imediatamente* — uma das expressões favoritas de Marcos. Marcos só tem dois discursos, um é sobre as parábolas do reino (4.1-33), e o outro é escatológico (13.1-37). Há muitos milagres. Combinados com sumários de cura, essas unidades compreendem um terço do evangelho e quase metade dos primeiros dez capítulos.[24]

Em segundo lugar, **Marcos apresenta Jesus como servo**. Por esta causa o evangelho de Marcos não se inicia com genealogia. Os romanos não estavam interessados em genealogia, mas em ação. Um servo não tem genealogia. Jesus apresenta-se como aquele que veio para servir e não para ser servido (Mc 10.45).

Em terceiro lugar, **Marcos se detém em explicar os termos judaicos aos seus leitores**. Quando Jesus ressuscitou a filha de Jairo, tomou-a pela mão e lhe disse: *Talita cume*, que quer dizer: "Menina eu te mando, levanta-te".

---

[22]Hendriksen, William. *Marcos*. São Paulo, SP: Editora Cultura Cristã, 2003, p. 28,29.
[23]Wiersbe, Warren. *Be Diligent*. Wheaton, Illinois: Victor Books, 1987, p. 10.
[24]Twelftree, Graham H. *Jesus the Miracle Worker: A Historical and Theological Study*. Downers Grove. Illinois. InterVarsity, 1999, p. 57.

Em quarto lugar, **Marcos preocupou-se em explicar os costumes judaicos.** Em várias ocasiões, ele explica os costumes judaicos para seus leitores (7.3,4; 7.11; 14.12).

Em quinto lugar, **Marcos usou várias palavras latinas.** Isso pode ser constatado observando alguns textos (5.9; 12.15, 42 ; 15.16, 39).

Em sexto lugar, **Marcos foi o evangelista que menos citou o Antigo Testamento.** Ele, por exemplo, não cita em seu evangelho o termo "lei".

Em sétimo lugar, **Marcos usou a contagem de tempo romano.** Podemos constatar isso em (6.48; 13.35). Portanto, todas as evidências nos indicam que Marcos escreveu esse evangelho para os romanos.

A situação de Roma no século I

Quando o imperador Augusto morreu, no ano 14 d.C., Roma era uma cidade esplêndida. Ele chegou a gabar-se que tinha herdado uma cidade de barro e feito dela uma cidade de mármore.[25] A capital do império tinha cerca de um milhão de habitantes e hospedava várias culturas, povos e religiões. O porto de Roma, Óstia, tornou-se o centro do comércio mundial. Havia uma riqueza ostensiva na cidade de Roma. Construções monumentais eram erguidas e o luxo dos ricos era exorbitante. Ao mesmo tempo, havia também uma extrema pobreza e miséria. Os navios despejavam seus produtos por intermédio dos braços surrados dos escravos. Na cidade, prevaleciam a corrupção, a anarquia e a decadência moral. A bebedeira e a orgia faziam subir um mau cheiro da reluzente metrópole (Rm 13.11-14). Foi para essa cidade enfeitiçada pelo prazer que Marcos escreveu o seu evangelho.

Nessa cidade do prazer e do luxo, uma igreja foi plantada. Essa igreja foi duramente perseguida a partir do ano 64 d.C. Os cristãos eram queimados vivos, lançados nas arenas para serem pisoteados pelos touros, enrolados em peles de animais para serem devorados pelos cães raivosos.[26] Foi para essa igreja mártir que Marcos escreveu seu evangelho. Havia martírios atrás de si e à sua frente.

---

[25] POHL, Adolf. *Evangelho de Marcos*, 1998, p. 27,28.
[26] POHL, Adolf. *Evangelho de Marcos*, 1998, p. 29.

As características distintivas do Evangelho de Marcos

O Evangelho de Marcos tem algumas características peculiares:

Em primeiro lugar, *Marcos é totalmente kerigmático em sua ênfase*.[27] O livro começa focando o cerne da sua mensagem: *Princípio do evangelho de Jesus Cristo, Filho de Deus* (1.1). Jesus apresenta-Se nesse evangelho como pregador (1.14, 15; 1.38, 39). Por essa mensagem deve-se dar a vida (8.35; 10.29). Essa mensagem deve ser pregada ao mundo inteiro (13.10; 14.9; 16.15).

Em segundo lugar, *Marcos enfatiza a popularidade do ministério de Jesus*. Quando Jesus ensinava e por onde andava, as multidões se reuniam ao Seu redor (1.33, 45; 2.2,13,15; 3.7,9 ,20; 4.1,36; 5.21,24,31; 6.34; 8.1; 9.15,25; 10.1,46).

Em terceiro lugar, *Marcos enfatiza a questão da identidade de Jesus*.[28] O Pai Lhe disse: *Tu és meu Filho amado* (1.11; 9.7). Seus discípulos perguntaram: *Quem é este que até o vento e o mar lhe obedecem?* (4.41). Seus contemporâneos interrogavam: *Não é este o carpinteiro, filho de Maria?* (6.3). Herodes pensa que Ele é João Batista que ressuscitou. Outros: Ele é Elias, que voltou. Ainda outros: É um profeta! (6.15; 8.28). Os demônios confessam: *Tu és o santo de Deus* ou *Filho de Deus* (1.24; 3.11; 5.7). Seus parentes dizem: *Está fora de si* (3.21). Os rabinos dizem: *Está possesso* (3.22,30). Pedro confessa: *Tu és o Cristo* (8.29). Para Bartimeu, Ele é o Filho de Davi (10.47). Até Judas o identifica: *É esse!* (14.44). Caifás pergunta oficialmente: *És tu o Cristo?*, e Pilatos: *És tu o rei dos judeus?* (14.61 e 15.2) e recebem a resposta: *Eu o sou, Tu o dizes!* (14.62; 15.2). O comandante ao pé da cruz confessa: *Verdadeiramente, este homem era o Filho de Deus!* (15.39). Na manhã da Páscoa, os mensageiros celestiais dizem: *Ele ressuscitou* (16.6).

Em quarto lugar, *Marcos é o evangelho da ação*. Jesus é apresentado nesse evangelho como servo que está sempre em atividade. Marcos descreve Cristo, ocupado, se deslocando de um lugar para outro, curando, libertando, pregando e ensinando as pessoas. As obras de Cristo têm

---

[27] HARRISON, Everett. *Introducción al Nuevo Testamento*, 1980, p. 181.
[28] POHL, Adolf. *Evangelho de Marcos*, 1998, p. 33.

mais ênfase que as suas palavras. Marcos contém somente uma parábola que não é encontrada em nenhum outro evangelho (4.26-29), enquanto Lucas tem dezoito parábolas que lhe são peculiares. Entre os seis grandes discursos de Mateus, somente um, o das últimas coisas (Mt 24 e Mc 13), acha-se igualmente relatado em Marcos, e mesmo assim, de forma resumida.[29] Movimento é mais fascinante que o discurso.[30] O advérbio *euthys* (imediatamente, logo, então) ocorre mais de quarenta vezes em Marcos.[31] Marcos descreve Jesus como um rei ativo, energético, que se move rapidamente como um conquistador vitorioso sobre as forças da natureza, da doença, dos demônios e da morte.

Em quinto lugar, **Marcos apresenta Jesus como Filho de Deus**. Jesus disse ao povo, para os discípulos, para os líderes religiosos e para os opositores que Ele era o Filho de Deus. Ele demonstrou Seu poder para perdoar, curar, libertar e deter as forças da natureza. Ele provou ser o Filho de Deus rompendo os grilhões da morte e saindo da sepultura.[32]

Em sexto lugar, **Marcos apresenta Jesus como servo**. A mais espantosa mensagem de Marcos é que o Filho de Deus veio para ser servo. Aquele que é perfeitamente Deus, também é perfeitamente homem. O Messias entrou na história não para conquistar os reinos do mundo com espada, mas para servir aos homens, aliviar suas aflições, curar suas enfermidades, levantar os caídos, morrer na cruz para a remissão de seus pecados. Como servo, Jesus foi tentado, falsamente acusado, perseguido, ferido, cuspido, ultrajado, pregado na cruz.[33]

Em sétimo lugar, **Marcos apresenta Jesus como aquele que tem poder para operar milagres**. Marcos enfatiza mais os milagres de Cristo do que seus sermões. Em cada capítulo do evangelho, até Seu ministério final em Jerusalém, há pelos menos o registro de um milagre. Ele realizou

---

[29]HENDRIKSEN, William. *Marcos*. São Paulo, SP: Editora Cultura Cristã, 2003, p. 31-32.
[30]GUTHRIE, Donald. *New Testament Introduction*. Downers Grove: IllinoisIntervarsity Press, 1990, p. 61.
[31]HARRISON, Everett. *Introducción al Nuevo Testamento*, 1980, p. 182.
[32]1.1,9-11,21-34; 2.1-12,23-28; 3.7-12; 4.35-41; 5.1-20; 8.27-31; 9.1-13; 10.46-52; 11.1-19; 13.24-37; 14.32-42,60-65; 16.1-8.
[33]1.40-45; 3.1-12; 7.31-37; 8.22-26, 34-38; 9.33-50; 10.13-45; 12.38-44; 14.17-26,3250; 15.1-5,12-47.

milagres para demonstrar Sua compaixão pelas pessoas (1.41,42), para convencer as pessoas acerca de quem Ele era (2.112) e para ensinar os discípulos acerca da Sua verdadeira identidade como Deus (8.14-21).

Em oitavo lugar, **Marcos enfatiza o sofrimento de Cristo**. Nenhum outro evangelho deu tanta ênfase à paixão de Cristo quanto Marcos. Adolf Pohl registra esse fato de forma resumida:

> Jesus entra em cena de repente, sem que se diga uma só palavra sobre sua infância, juventude e vida adulta. Já no começo do capítulo 2 aparece a acusação de blasfêmia, cuja pena é a morte (2.7). No começo do capítulo 3, sua morte já está decidida (3.6). Na sequência, um grupo após o outro o condena: os parentes (3.21), os teólogos (3.22), o povo (4.12), os gentios (5.17), a cidade natal (6.3), o rei (6.14s.) e os religiosos (7.5). O anúncio da própria morte de Jesus ocupa neste livro a posição central como nenhum outro assunto (8.31; 9.31; 10.33s.). [...] Os dias finais em Jerusalém ocupam um espaço superdimensionado (a partir do capítulo 11), mais ou menos um terço do livro. A ressurreição é descrita em poucos versículos (16.1-8).[34]

A mensagem central do Evangelho de Marcos (1.1)

O primeiro versículo desse evangelho é tanto o título do livro quanto a síntese do seu conteúdo.[35] Ele traz a sua mensagem central. Alguns comentaristas como William Hendriksen relacionam a palavra "princípio" com a atuação de João Batista nos versículos seguintes,[36] mas a melhor compreensão é que Marcos está introduzindo o conteúdo de todo o evangelho.[37]

J. Vernon McGee diz que há três começos mencionados na Bíblia: Primeiro, *no princípio era o verbo* (Jo 1.1). Esse princípio está antes do tempo, no bojo da eternidade. Ele não pode ser datado. Segundo, *no princípio criou Deus os céus e a terra* (Gn 1.1). Esse começo é quando nos

---

[34]POHL, Adolf. *Evangelho de Marcos*, 1998, p. 34.
[35]BARTON, Bruce B. et al. *Life Application Bible Commentary – Mark*, 1994, p. 1.
[36]HENDRIKSEN, William. *Marcos*, 2003, p. 49.
[37]POHL, Adolf. *Evangelho de Marcos*, 1998, p. 41.

movemos da eternidade para o tempo. Nenhum estudioso conseguiu precisamente datar esse princípio, embora ele esteja dentro do tempo. Terceiro, *princípio do evangelho de Jesus Cristo, Filho de Deus* (Mc 1.1). Esse princípio começa quando Jesus Cristo se fez carne. Jesus Cristo é o evangelho. Esse princípio pode ser datado.[38] Marcos fala do princípio do evangelho, porque o evangelho estende-se à obra de Cristo por meio do Seu Espírito e sua igreja, conforme o ensino de Atos 1.1.

A parte mais importante do evangelho não é o que nós devemos fazer, mas o que Deus fez por nós em Cristo. O evangelho não é discussão nem debate, mas uma proclamação. O evangelho está centralizado na pessoa de Jesus Cristo. O conteúdo do evangelho é Jesus Cristo: Sua vida, obra, morte, ressurreição, governo e segunda vinda.

James Hastings diz que Cristo criou o evangelho pela sua obra; ele pregou o evangelho pelas suas palavras, mas ele é o próprio evangelho.[39]

Como Marcos escreveu seu evangelho para os romanos, que davam grande importância à concisão, vai direto ao assunto, e já no primeiro versículo destaca o título pleno do Senhor, que abarca sua humanidade, sua missão redentora e sua divindade.[40] Ele é plenamente homem (Jesus). Ele é o ungido de Deus (Cristo). Ele é plenamente divino (Filho de Deus).

Marcos iniciou sua mensagem, revelando-nos a essência do evangelho. Sem essa gloriosa doutrina, diz John Charles Ryle, não teremos nada sólido debaixo dos nossos pés. Nossos corações são fracos, nossos pecados são muitos. Nós precisamos de um redentor que seja capaz de salvar completamente e libertar-nos da ira vindoura. Nós temos esse salvador em Jesus Cristo. Ele é o Deus forte (Is 9.6).[41]

---

[38]McGee, J. Vernon. *Mark*, 1991, p. 18.
[39]Hastings, James. *The Great Texts of the Bible. St. Mark Vol. IX*. Grand Rapids, Michigan: Erdmans Publishing Company, n.d., p.17.
[40]Trenchard, Ernesto. *Una exposición del Evangelio según Marcos*. Madrid: ELB, 1971, p. 12.
[41]Ryle, John Charles. *Mark*. Wheaton, Illinois: Crossway Books, 1993, p.2.

2

A legitimidade do ministério de Cristo

Marcos 1.2-11

O EVANGELISTA MARCOS INICIA O EVANGELHO DE CRISTO apresentando várias testemunhas que legitimaram seu ministério. O próprio Marcos foi a primeira testemunha. Depois, ele cita o testemunho dos profetas, de João Batista, bem como o testemunho do Pai e do Espírito Santo.[1]

Legitimado pelas **Escrituras** (1.2,3)

A legitimidade do ministério de Cristo é atestada pelas Escrituras de três formas:

Em primeiro lugar, *a vinda de Cristo foi prometida pelo próprio Deus* (1.2).

A vinda de Cristo não foi um acidente, mas um apontamento. Adolf Pohl diz que aonde Jesus chegava, o Antigo Testamento vinha com Ele, pois quem não conhece o Antigo Testamento não pode conhecer a Jesus completamente.[2] John Charles Ryle afirma que o evangelho de Cristo é o cumprimento das Escrituras.[3]

---

[1] WIERSBE, Warren W. *Be Diligent*, 1987, p. 10-12.
[2] POHL, Adolf. *Evangelho de Marcos*, 1998, p. 48.
[3] RYLE, John Charles. *Mark*, 1993, p. 2.

Jesus não entrou no mundo por acaso nem de moto próprio. Sua vinda foi prometida, profetizada e preparada. Jesus foi prometido desde os tempos eternos. Ele foi anunciado no Éden (Gn 3.15). Os patriarcas falaram dEle. Todos os profetas apontaram para Ele. O Antigo Testamento anuncia sua vinda: nascimento, vida, morte, ressurreição e segunda vinda. O Novo Testamento descreve o Seu nascimento, vida, ministério, morte, ressurreição, ascensão e o estabelecimento da Sua igreja por meio dos apóstolos cheios do Espírito Santo. Tudo estava escrito e determinado.

Jesus está presente em todo o Antigo Testamento. Ele mesmo disse: *Examinais as Escrituras, porque julgais ter nelas a vida eterna, e são elas mesmas que testificam de mim* (Jo 5.39).

Em segundo lugar, *a vinda de Cristo foi profetizada por Isaías* (1.2,3). Isaías, o profeta palaciano, sete séculos antes de Cristo, anunciou o precursor do Messias: *Voz do que clama no deserto: Preparai o caminho do Senhor, endireitai as suas veredas* (1.3). Essa é uma citação de Isaías 40.3. Deus preparou o mundo para essa vinda: o mundo grego por intermédio da língua grega e da cultura helênica; o mundo romano por meio da *pax romana*, a abertura de estradas por todo o império, permitindo as viagens missionárias e o mundo judaico, mantendo viva a profecia e a esperança da chegada do Messias.

Em terceiro lugar, *a vinda de Cristo foi profetizada por Malaquias* (1.2). Marcos cita Isaías, mas menciona em primeiro lugar, a profecia dada por Malaquias: *Eis que envio diante da tua face o meu mensageiro, o qual preparará o teu caminho* (1.2). Embora Marcos faça a citação de dois profetas, ele menciona apenas Isaías, o mais popular dos dois.[4]

Essa profecia foi anunciada quatrocentos antes de Cristo (Ml 3.1). Malaquias foi o último profeta do Antigo Testamento. A geração apóstata do período pós-exílico questionava a promessa da vinda do Messias. Malaquias diz que o Senhor vai enviar o seu mensageiro, mas quando Ele vier, trará juízo para os impenitentes. Warren Wiersbe diz que as palavras *mensageiro* e *voz* referem-se a João Batista, o profeta que Deus enviou para preparar o caminho para o Seu Filho.[5]

---

[4] BARTON, Bruce B. et al. *Life Application Bible Commentary. Mark,* 1994, p. 4.
[5] WIERSBE, Warren W. *Be Diligent,* 1987, p. 11.

Legitimado pelo **precursor** (1.4-6)

Destacamos três fatos sobre o precursor do Messias:

Em primeiro lugar, *a natureza do ministério do precursor*. O evangelista Marcos ressalta três fatos:

Primeiro, ele vai adiante do Senhor, abrindo o caminho (1.2). Como um emissário do rei, ele vai adiante removendo o lixo e os obstáculos do caminho, tapando os buracos da estrada para a chegada do Rei. Adolf Pohl diz que João Batista era o mestre-de-obras da construção de estradas espirituais.[6] Warren Wiersbe diz que nos tempos antigos, antes de um rei visitar qualquer parte do seu reino, um mensageiro era enviado para preparar o caminho. Isso incluía a reparação de estradas e a preparação do povo.[7] João Batista preparou o caminho do Senhor ao conclamar a nação ao arrependimento. Sua tarefa era preparar o coração das pessoas para receber o Messias, diz William Hendriksen.[8]

João Batista é um homem humilde, embora tenha sido proclamado por Jesus como o maior de todos os profetas (Mt 11.11). Ele se sente indigno de fazer o papel de um escravo, ou seja, desatar as correias das sandálias de Cristo (1.7). Ele sabe quem ele é e sabe quem é Jesus. Ele se põe no seu lugar e alegra-se com a exaltação dAquele a quem veio preparar o caminho. Ele é como uma telefonista, só abre o caminho para você entrar em contato com a pessoa que deseja falar, quando essa pessoa entra no cenário, ela sai de cena.

João Batista claramente exaltou a Jesus e não a si mesmo (1.7; Jo 3.25-30). Ele reconheceu a superioridade de Cristo quanto à sua pessoa e quanto à sua missão.

Segundo, ele é voz que clama no deserto (1.3). João Batista, embora seja da classe sacerdotal, um levita, foi chamado por Deus para ser profeta. Ele não prega no templo nem nas praças da cidade santa para a elite judaica. Ele prega no deserto da Judeia, as terras ruins e ondulosas localizadas entre as montanhas e o mar Morto. Ele não é um eco, é uma voz. Ele é boca de Deus.

---

[6]POHL, Adolf. *Evangelho de Marcos*, 1998, p. 49.
[7]WIERSBE, Warren W. *Be Diligent*, 1987, p. 11.
[8]HENDRIKSEN, William. *Marcos*, 2003, p. 52.

O deserto era o lugar onde o povo de Deus nasceu. Foi ali que recebeu a lei e a aliança, presenciou os milagres de Deus e usufruiu a Sua direção.[9] Bruce Barton diz que João escolheu pregar no deserto por quatro razões: distanciar-se de qualquer distração, chamar a atenção do povo, romper com a hipocrisia dos líderes religiosos que preferiam o conforto em vez de fazer a obra de Deus e cumprir a profecia de Isaías.[10]

A palavra "clamar", *boaō*, significa clamar com profundo sentimento.[11] João Batista era uma tocha acesa. Ele pregava com paixão, com profundo senso de urgência.

Terceiro, ele prepara o caminho do Senhor (1.3). O trabalho de João Batista era preparar o caminho para Jesus. O verbo *preparar* está no imperativo, representando que João está falando como um general aos seus comandados.[12] João Batista faz quatro coisas importantes nessa preparação:

Ele aterra os vales. Um vale é uma depressão que separa dois montes. João Batista veio para unir o que estava separado. Ele veio para converter o coração dos pais aos filhos e o coração dos filhos aos pais.

Ele nivela os montes. Os montes falam de soberba e incredulidade. Esses montes são obstáculos no caminho. Eles precisam ser removidos pelo arado da Palavra de Deus.

Ele endireita os caminhos tortos. O caminho torto fala de vida dupla, de ausência de integridade. Deus não se contenta com aparência, com uma máscara. João Batista veio chamar a nação a uma volta sincera para Deus, mais do que simplesmente uma expressão vazia da religião.

Ele aplaina os caminhos escabrosos. Escabroso é tudo aquilo que está fora do lugar. João Batista veio para colocar as coisas certas e exortar as pessoas a acertarem suas vidas com Deus.

Em segundo lugar, *o conteúdo do ministério do precursor*. Duas verdades fundamentais são proclamadas por João Batista: a primeira delas é o batismo de arrependimento (1.4). O arrependimento é o portal do

---

[9]POHL, Adolf. *Evangelho de Marcos*, 1998, p. 49.
[10]BARTON, Bruce B. et al. *Life Application Bible Commentary. Mark*, 1994, p. 6, 7.
[11]BARTON, Bruce B. et al. *Life Application Bible Commentary. Mark*, 1994, p. 5.
[12]BARTON, Bruce B. et al. *Mark*, 1994, p.5.

evangelho. O arrependimento tem dois lados: dar as costas ao pecado e voltar a face para Deus. O arrependimento implica mudança de comportamento. É voltar-se do pecado para Deus.

Não há boas notícias do evangelho para aqueles que permanecem em seus pecados. Deus nos salva do pecado e não no pecado. Só aqueles que choram pelos seus pecados as lágrimas do arrependimento podem alegrar-se com a dádiva da vida eterna. O batismo não oferece perdão; ele é um sinal visível que revela que a pessoa está arrependida e recebeu o perdão de Deus para os seus pecados.[13]

O batismo era acompanhado de confissão de pecados. Confessar é concordar com o veredicto de Deus sobre o pecado e expressar o propósito de abandoná-lo para viver para Deus.[14] William Barclay fala que os pecados devem ser confessados a três pessoas distintas: a si mesmo, àqueles a quem ofendemos e a Deus.[15]

O pecado deve ser confessado para si mesmo. Somente quem tem convicção de pecado pode fazer uma sincera confissão. É mais difícil enfrentar a nós mesmos que os outros. O filho pródigo disse: *Pai, pequei contra o céu e diante de ti; já não sou digno de ser chamado Teu filho* (Lc 15.21). Davi disse: *O meu pecado está sempre diante de mim* (Sl 51.3).

O pecado deve ser confessado àqueles a quem ofendemos. É necessário eliminar as barreiras humanas antes que caiam as barreiras que nos separam de Deus.

O pecado deve ser confessado a Deus. O fim do orgulho é o princípio do perdão. Deus tem prazer na misericórdia, é rico em perdoar e não rejeita o coração quebrantado.

A segunda verdade anunciada por João Batista é a remissão de pecados (1.4). O verdadeiro arrependimento não é remorso nem introspecção doentia. Ele não produz doença emocional, mas redenção, libertação, perdão e cura. A palavra *remissão* traz a ideia de mandar embora e nos recorda a gloriosa promessa de que Deus perdoa os nossos pecados e os dissipa (Lv 16), afastando-os de nós como o

---

[13]BARTON, Bruce B. et al. *Life Application Bible Commentary. Mark*, 1994, p. 9.
[14]BARTON, Bruce B. et al. *Life Application Bible Commentary. Mark*, 1994, p. 10.
[15]BARCLAY, William. *Marcos*, 1974, p. 24-25.

oriente afasta-se do ocidente (Sl 103.12), desfazendo-os como a névoa (Is 44.22), lançando-os nas profundezas dos mares (Mq 7.18,19).[16]

Em terceiro lugar, *os resultados do ministério do precursor*. O primeiro resultado foi o impacto sobre as pessoas (1.5). O evangelista Marcos registra: *Saíam a ter com ele toda a província da Judeia e todos os habitantes de Jerusalém; e confessando os seus pecados, eram batizados por ele no rio Jordão* (1.5). A mensagem de João trouxe um profundo despertamento em toda a nação judaica.

Depois de quatrocentos anos de silêncio profético, a mensagem de João acordou a nação de sua sonolência espiritual e trouxe uma poderosa movimentação das multidões em toda a Palestina. A nação estava cansada com os grupos religiosos sem vida que existiam em Israel: fariseus, saduceus e essênios. Nesse cenário de desesperança política e religiosa, a Palavra de Deus veio a João. O próprio Jesus disse acerca de João: *Ele era a lâmpada que ardia e alumiava, e vós quisestes, por algum tempo, alegrar-vos com a sua luz* (Jo 5.35).

Ele não tinha títulos, diplomas ou outros atrativos aplaudidos pelo mundo, mas tinha o poder de Deus e a unção do Espírito. Apesar da sua inigualável popularidade, a ponto de atrair para o deserto toda a nação, parece-nos que poucas foram as pessoas realmente convertidas. Charles Ryle alerta-nos sobre o perigo de sermos iludidos pela popularidade e o perigo de confundirmos multidão congregada na igreja com genuína conversão. Ele diz que não é suficiente ouvir e admirar pregadores populares.

Ele acrescenta que não é prova de conversão adorarmos num lugar onde uma multidão se congrega. Devemos nos certificar de que estamos ouvindo a própria voz de Cristo e o seguindo.[17]

Por que João impactou as pessoas?

Primeiro, porque João viveu o que pregou. A vida do pregador fala mais alto do que sua mensagem. O sermão mais eloquente é o sermão da vida. João não era um eco, mas uma voz. João não era a luz, mas era como uma vela, brilhou com a mesma intensidade enquanto viveu. João

---

[16]HENDRIKSEN, William. *Marcos*, 2003, p. 55.
[17]RYLE, John Charles. *Mark*, 1993, p. 3, 4.

era corajoso e denunciou o pecado na vida do povo, dos líderes religiosos, dos soldados e do rei.

Segundo, porque João era um homem humilde. Apesar de sua popularidade, ser primo de Jesus, ser o precursor do Messias, ele se considerava menos que um escravo, indigno de desatar-Lhe as correias das sandálias.

Outro fato digno de mencionar é a centralidade da mensagem anunciada pelo precursor (1.3). A centralidade da mensagem de João era Jesus. Ele exaltou a Cristo. Apontou para Cristo. Revelou que Ele era mais poderoso do que ele. Afirmou que Jesus é aquele que batiza com o Espírito Santo. William Hendriksen diz que João destacou a majestade superior de Jesus (1.7) e a atividade superior de Jesus (1.8). Entre João e Jesus havia uma diferença qualitativa semelhante à que existe entre o Infinito e o finito, o Eterno e o temporal, a luz original do sol e a luz refletida pela lua (Jo 1.15-17).[18]

Essa é a tarefa de todo fiel ministro: apontar para Jesus como o único que pode salvar e para o Espírito Santo como Aquele que transforma o pecador.

Ressaltamos ainda a peculiaridade do mensageiro (1.4,6). João era um mensageiro estranho por três razões:

Em primeiro lugar, *por causa do lugar onde pregava*. Ele não pregava na cidade, no templo, nas praças, mas num lugar estranho, distante, inóspito, inadequado. Mesmo assim, as multidões afluíam de todos os lados para ouvi-lo.

Em segundo lugar, *por causa da sua dieta alimentar*. João Batista não era homem dado aos finos banquetes. Viveu longe dos holofotes. Era homem de hábitos frugais. Ele alimentava-se de gafanhotos e mel silvestre. Gafanhotos eram considerados alimentos limpos para os judeus (Lv 11.22).

Em terceiro lugar, *por causa da sua vestimenta*. João não usava roupas finas. Ele rompeu com o elitismo da classe sacerdotal, a aristocracia burocrática dos saduceus. Ele assemelhou-se ao profeta Elias. Para o seu tempo, ele era um homem de hábitos estranhos e não convencionais que destoavam do padrão.

---

[18] HENDRIKSEN, William. *Marcos*, 2003, p. 59.

Legitimado pelo seu **próprio ministério**

Destacamos três fatos auspiciosos:

Em primeiro lugar, ***Ele é poderoso*** (1.7). Diante de Jesus, o maior de todos os homens sente-se indigno de desatar-Lhe as correias das sandálias. Jesus tem a preeminência. Diante dEle, todo joelho se dobra no céu, na terra e debaixo da terra. João Batista reconheceu: *Após mim vem Aquele que é mais poderoso do que eu* (1.7). Ele tem poder sobre a natureza, os demônios, a enfermidade e a morte. Ele tem toda autoridade e todo o poder no céu e na terra.

Em segundo lugar, ***Ele batiza com o Espírito Santo*** (1.8). João batizava com água, mas Jesus batiza com o Espírito. A água é apenas símbolo do Espírito. Só Jesus pode dar o Espírito Santo. Jesus é o agente do batismo com o Espírito Santo. Ele foi para o Pai para derramar o Espírito.

O batismo com o Espírito Santo é visto como o batismo pelo Espírito no corpo de Cristo, conforme 1Coríntios 12.13 e isso é sinônimo de conversão.

O batismo com o Espírito Santo é visto também como capacitação de poder para testemunhar o evangelho. Esse batismo é distinto de conversão. Isso é o que ensina Lucas 3.16 ; 24.49; At 1.4-8.

Em terceiro lugar, ***Ele se identifica com os pecadores*** (1.9). O batismo de João era batismo de arrependimento. Jesus veio de Nazaré da Galileia, a cidade rejeitada pelos judeus. Sua origem é o primeiro choque. Ele não vem da Judeia nem da aristocracia religiosa de Jerusalém.

Por que Ele foi batizado se não tinha pecado pessoal?[19] Ele foi batizado por causa da natureza do Seu ministério, porque identificou-Se conosco e o Senhor fez cair sobre Ele a iniquidade de todos nós (Is 53.6).

William Barclay diz que o batismo de Jesus nos ensina quatro verdades importantes, como seguem:[20]

Primeira, o batismo de Jesus foi o momento da decisão. Durante trinta anos, Jesus viveu como carpinteiro na cidade de Nazaré. Desde a

---
[19] João 4.46; 2Coríntios 5.21; Hebreus 4.15; 1João 3.5.
[20] BARCLAY, William. *Marcos*, 1974, p. 28-30.

infância, entretanto, tinha consciência da Sua missão. Aos doze anos, já alertara José e Maria acerca da sua missão. Contudo, agora era tempo de agir e iniciar o Seu ministério. Seu batismo foi o selo dessa decisão.

Segunda, o batismo de Jesus foi o momento da identificação. Jesus veio ao mundo como nosso representante e fiador. Ele Se fez carne e habitou entre nós. Ele Se fez pecado e maldição por nós. Ele tomou sobre Si as nossas enfermidades e carregou sobre o seu corpo, no madeiro, os nossos pecados (1Pe 2.24). Ele não foi batizado por pecados pessoais, mas pelos nossos pecados imputados a Ele. Jesus foi batizado a fim de expressar Sua identificação com o povo, diz Ernesto Trenchard.[21]

Terceira, o batismo de Jesus foi o momento da aprovação. Quando Jesus saiu da água, o céu se abriu, o Pai falou e o Espírito Santo desceu. Ali estava a Trindade referendando o seu ministério. O Pai afirma sua filiação e declara que em Jesus e na Sua obra Ele tem todo o seu prazer. A pomba deu o sinal do término do julgamento após o dilúvio na época de Noé. A pomba agora dá o sinal da vinda do Espírito Santo sobre Jesus, abrindo-nos o portal da graça.

Quarta, o batismo de Jesus foi o momento da capacitação. Nesse momento, o Espírito Santo desceu sobre Ele. Ele foi cheio do Espírito Santo. Jesus como homem precisou ser revestido com o poder do Espírito Santo. Ele foi batizado com esse poder no Jordão. Ele foi guiado pelo Espírito Santo ao deserto. Ele retornou à Galileia no poder do Espírito Santo. Ele agiu no poder do Espírito na sinagoga. Ele foi ungido pelo Espírito para fazer o bem e curar todos os oprimidos do diabo (At 10.38).

Legitimado pelo **Pai** (1.9-11)

Duas gloriosas verdades são destacadas pelo evangelista Marcos:

Em primeiro lugar, ***Jesus é o Filho amado do Pai*** (1.11). A Trindade é gloriosamente revelada nesse texto. Quando o Filho identifica-se com o Seu povo no batismo, o céu se abre, o Espírito Santo desce e o Pai fala.

O concílio de Niceia em 325 d.C., declarou que o Pai e o Filho são coiguais, coeternos e consubstanciais. Eles sempre tiveram plena

---

[21] TRENCHARD, Ernesto. *Una Exposición del evangelio según Marcos*, 1971, p. 19.

comunhão na eternidade. Agora, no conselho da redenção, na eternidade, no pacto da graça, o Pai envia o Filho. O Filho se dispõe a fazer-Se carne, a Se despojar da Sua glória, a assumir um corpo humano.

A grande mensagem de Marcos é mostrar a estupenda verdade de que o Filho de Deus entrou no mundo como servo e veio para dar Sua vida pelos pecadores.[22] Jesus nasce pobre, num lar pobre, de uma mãe pobre, numa cidade pobre, para identificar-Se com homens pobres. O Pai declara o Seu amor pelo Filho, autentificando o Seu ministério. A palavra "amado" não somente declara afeição, mas também traz a ideia de singularidade.[23] *O Pai ama ao Filho, e todas as cousas tem confiado às Suas mãos* (Jo 3.35). A voz do céu proclama o inefável amor que existe entre o Pai e o Filho. A voz do céu aponta a completa aprovação do Pai à missão de Cristo como mediador e substituto.

Em segundo lugar, *Jesus é o Filho em quem o Pai tem todo o Seu prazer* (1.11). Nem todo filho amado é o deleite do pai. Davi amava a Absalão e foi capaz de chorar na sua morte amargamente, mas Absalão não era o deleite do seu pai. Jesus era o deleite do Pai, não apenas o Amado do Pai. De acordo com o adjetivo verbal *agapētos* usado aqui, esse amor é profundamente estabelecido, bem como continuamente ativo.[24]

---

[22]Marcos 1.1,11; 3.11; 5.7; 9.7; 12.1-11; 13.22; 14.61,62; 15.39.
[23]WIERSBE, Warren W. *Be Diligent*, 1987, p. 12.
[24]HENDRIKSEN, William. *Marcos*, 2003, p. 63,64.

3

A tentação de Jesus

Marcos 1.12,13

O EVANGELISTA MARCOS, nos primeiros onze versículos do capítulo primeiro, fala-nos sobre dois pontos importantes: as credenciais de Jesus e Sua preparação. O ministério de Cristo foi confirmado pelas Escrituras, pelos profetas, pelo precursor, pelos Seus próprios predicados e pelo Pai. Contudo, antes de Jesus começar efetivamente o Seu ministério, foi conduzido pelo Espírito ao deserto para vencer o diabo.

Vejamos algumas verdades importantes sobre a tentação de Jesus:

A ocasião (Mc 1.12)

Marcos inicia, dizendo: *E logo o Espírito O impeliu para o deserto* (1.12). Esta expressão "e logo" *kai euthys* é uma das grandes palavras de Marcos. Ele a usa 41 vezes.[1] Não houve nenhum intervalo entre a glória do batismo de Cristo e a dureza da sua tentação. Jesus vai repentinamente do sorriso aprovador do Pai para as ciladas do maligno.[2] Jesus saiu da água do batismo para o fogo da tentação.[3] Jesus passou

---

[1] HASTINGS, James. *The Great Texts of the Bible. Mark. Vol. 9*, nd., p. 22.
[2] HENDRIKSEN, William. *Marcos*, 2003, p. 66.
[3] BURN, John Henry. *The Preacher's Complete Homiletic Commentary in the Gospel according to St. Mark*. Grand Rapids, Michigan: Baker Books, 1996, p.15.

imediatamente da glória do batismo à prova da tentação.[4] Consagração e provação foram os dois elementos da inauguração do ministério de Jesus.[5] A tentação não foi um acidente, mas um apontamento. Não houve nenhuma transição entre o céu aberto do Jordão e a escuridão medonha do deserto. A vida cristã não é uma colônia de férias, mas um campo de batalhas. O fato de sermos filhos de Deus não nos isenta das provas, mas, às vezes, nos empurra para o centro delas.

A tentação de Jesus estava no plano eterno de Deus. No Jordão, o Pai testificou a Seu respeito e ficou provado que Ele era o Filho de Deus, mas no deserto, Ele foi tentado para provar que era o homem perfeito. No Jordão, Ele identificou-se com o homem a quem veio salvar. Mas no deserto, Ele provou que podia salvar o homem, porque ali triunfou sobre o diabo.

A plenitude do Espírito e o agrado do Pai não são garantias de uma vida fácil nem um salvo-conduto para a comodidade. Em vez de a unção do Espírito e o agrado do Pai O levar para uma vida palaciana, levou-O para o deserto da tentação. Muitas vezes, a vontade do Espírito de Deus nos conduzirá como conduziu a Jesus, para os lugares que nós precisamos ir, muito embora eles possam ser lugares perigosos.[6] Não obstante, esses lugares são o palco das nossas maiores vitórias.

O agente (Mc 1.12)

O Espírito Santo foi quem impeliu Jesus a ir ao deserto para ser tentado. William Hendriksen diz que podemos substituir a tradução "impeliu", *ekbállei*, por: encheu-o com uma grande urgência, moveu-o.[7] Esta palavra é extremamente forte. Ela foi usada onze vezes por Jesus para expelir os demônios (1.34,39).[8] Não devemos, com isso, pensar

---

[4]GIOIA, Egidio. *Notas e Comentários à Harmonia dos Evangelhos*, p. 51.
[5]THOMPSON, J. R. *The Pulpit Commentary – Mark and Luke*. Vol. 16. Grand Rapids, Michigan: Eerdmans Publishing Company, 1980, p. 12.
[6]BARTON, Bruce B. et al. *Life Application Bible Commentary – Mark*, 1994, p. 17.
[7]HENDRIKSEN, William. *Marcos*, 2003, p. 67.
[8]WIERSBE, Warren W. *Be Diligent*, 1987, p. 13.

que Jesus estava relutante, mas que estava intensamente determinado a ir em consonância com a direção do Espírito.[9]

J. R. Thompson diz que o mesmo Espírito que desceu sobre Jesus como uma pomba, agora o impele para o deserto, com o impulso de um leão, na força das asas de uma águia para ser tentado. O propósito dessa batalha espiritual era para que Jesus não apenas tivesse a natureza humana, mas também a experiência humana.[10] O propósito era que Ele fosse não apenas o nosso modelo, mas o nosso refúgio e consolador. O autor aos Hebreus esclarece:

> *Por isso mesmo, convinha que, em todas as cousas, se tornasse semelhante aos irmãos, para ser misericordioso e fiel sumo sacerdote nas cousas referentes a Deus e para fazer propiciação pelos pecados do povo. Pois, naquilo que Ele mesmo sofreu, tendo sido tentado, é poderoso para socorrer os que são tentados [...] foi Ele tentado em todas as cousas, à nossa semelhança, mas sem pecado. Acheguemo-nos, portanto, confiadamente, junto ao trono da graça, a fim de recebermos misericórdia e acharmos graça para socorro em ocasião oportuna.*[11]

É importante observar que a iniciativa da tentação foi do próprio Deus. Não é propriamente satanás quem está atacando Jesus, é Jesus quem está invadindo o seu território. Jesus é quem está empurrando as portas do inferno. Jesus está atacando o dono da casa (3.27). Adolf Pohl diz que o Reino de Deus não pode vir a não ser com confronto, pois não penetra em espaço sem dono. Satanás é perturbado em seu covil, e ele não fica sem reagir. Mas nessa reação, ele é fragorosamente derrotado.[12]

Essa tentação não foi arranjada por satanás, mas apontada pelo próprio Espírito de Deus. Jesus foi guiado ao deserto não por uma força maligna, mas conduzido pelo Espírito Santo. Se o diabo pudesse ter escapado daquele combate, certamente o faria. Ali no deserto foi lavrada sua derrota. A iniciativa dessa tentação, portanto, não foi de

---

[9]BARTON, Bruce B. et al. *Life Application Bible Commentary – Mark*, 1994, p. 18.
[10]THOMPSON, J. R. *The Pulpit Commentary. Mark and Luke*. Vol. 16, 1980, p. 12.
[11]Hebreus 2.17,18; 4.15,16.
[12]POHL, Adolf. *Evangelho de Marcos*, 1998, p. 61.

satanás, mas do Espírito Santo.[13] A tentação de Jesus fazia parte do plano e propósito de Deus, visto que antes de Jesus iniciar seu ministério Ele precisava apresentar a credencial de um vencedor.

A tentação de Jesus não procedia de dentro dEle, da sua mente, mas totalmente de fora, da insuflação de satanás.[14] Jesus em tudo foi semelhante a nós, exceto no pecado. Nós somos tentados por nossa cobiça (Tg 1.14). Quando satanás sussurra em nossos ouvidos uma tentação, um desejo interior nos aguça a dar ouvido a essa tentação. A cobiça, dessa forma, nos atrai e seduz e nos leva a cair na tentação. Com Cristo não aconteceu assim, pois o incentivo interior ao mal, ou o desejo para cooperar com a voz tentadora, não existia, diz William Hendriksen.[15] A tentação de Jesus não procedia de Deus, porque Ele a ninguém tenta nem procedia de dentro dEle, porque não tinha pecado pessoal.

O espírito Santo conduziu Jesus ao deserto para ser tentado porque o deserto da prova seria transformado no campo da vitória.

Nós não devemos procurar a tentação, pensando que ela seja o propósito de Deus para nós, antes devemos orar: *Não nos deixes cair em tentação* (Mt 6.13). Todos os evangelhos mostram que Jesus não procurou a tentação, mas foi conduzido a ela pelo Espírito. Jesus não foi compelido contra Sua vontade, Ele foi conduzido pelo Espírito porque esta era a vontade do Pai.[16] Deus tem um único Filho sem pecado, mas nenhum filho sem tentação.[17]

O tentador (1.13)

satanás não é um ser mítico e lendário, ele não é uma ideia subjetiva nem uma energia negativa. Ele é um anjo caído, um ser maligno, perverso, assassino, ladrão e mentiroso. Ele é a antiga serpente, o dragão

---

[13] HASTINGS, James. *The Great Texts of the Bible. Mark*, p. 24.
[14] GIOIA, Egidio. *Notas e Comentários à Harmonia dos Evangelhos*, p. 51.
[15] HENDRIKSEN, William. *Marcos*, p. 66.
[16] HASTINGS, James. *The Great Texts of the Bible. Mark*, p. 27-28.
[17] BURN, John. *The Preacher's Complete Homiletic Commentary on the Gospel according St. Mark*, 1996, p. 20.

vermelho, o leão que ruge, o destruidor, o deus deste século, o príncipe da potestade do ar, o espírito que atua nos filhos da desobediência. Esse ser maligno age sem trégua procurando, por todos os meios, atingir a todas as pessoas, em todos os lugares, em todos os tempos. Seu grande alvo é perseguir o amado Filho de Deus e sua noiva, a igreja. Sua obsessão é frustrar o soberano propósito de Deus.

Esse arqui-inimigo foi quem tentou Adão e Eva no jardim e os persuadiu a pecar. Foi ele quem tentou Jesus no deserto e foi derrotado. O primeiro Adão fracassou num jardim, o último Adão triunfou no deserto.[18] O verbo "sendo tentado", *peirazómenos*, descreve uma ação contínua, visto que Jesus foi tentado durante os quarenta dias.[19] Depois de derrotado por Jesus no deserto, satanás mudou de tática, mas não arriou suas armas (Lc 4.11).

O conteúdo

Marcos, pela celeridade de seu registro e laconicidade de suas palavras, não nos informa acerca do conteúdo da tentação. Adolf Pohl diz que em Marcos não vemos Jesus envolvido numa luta, como em Mateus e Lucas, mas como vitorioso.[20] Contudo, os outros evangelhos sinóticos, Mateus e Lucas, nos colocam a par de que foram três as setas principais do diabo na tentação:

A primeira tentação *apelou para as necessidades físicas*. Jesus estava jejuando havia quarenta dias. Seu corpo ficou debilitado e a fome O castigava. Satanás propôs a Jesus usar seu próprio poder para satisfazer sua necessidade, ou seja, fazer uma coisa boa, de um modo errado: mitigar a fome atendendo à voz do diabo. Satanás pôs em dúvida a bondade e a providência de Deus, abrindo-lhe outro caminho para atender a suas necessidades imediatas. Ele tentou a Jesus no ponto fraco, a fome e no ponto forte, a consciência de sua filiação divina. Jesus triunfa sobre satanás, citando as Escrituras e dizendo que não só

---
[18] TRENCHARD, Ernesto. *Una exposición del evangelio según Marcos*, 1971, p. 21.
[19] BARTON, Bruce B. et al. *Life Application Bible Commentary. Mark*, 1994, p. 19.
[20] POHL, Adolf. *Evangelho de Marcos*, 1998, p. 60.

de pão vive o homem, mas de toda a palavra que procede da boca do Senhor (Dt 8.3).

A segunda tentação *apelou para o orgulho espiritual*. Na primeira tentação, satanás tentou induzir Jesus a desconfiar da providência de Deus; na segunda, tentou levá-lo à presunção, à confiança falsa e temerária na proteção divina.[21] satanás tentou induzir Jesus a pular do pináculo do templo para ser sustentado pelos anjos. Satanás torceu o sentido do texto bíblico e omitiu outra parte. Ele usou a Bíblia para tentar a Jesus.

A terceira tentação *apelou para a ambição e o amor ao poder*. Satanás percebeu que Jesus estava focado no Reino de Deus. Então, lhe ofereceu um reino sem cruz, desde que Jesus o adorasse. Jesus rebateu-o fortemente, empunhando a adaga do Espírito, citando as Escrituras, dizendo que só Deus é digno de ser adorado.

As circunstâncias

Destacamos cinco fatores hostis que Jesus enfrentou nessa tentação:

Em primeiro lugar, *o deserto*. O deserto para onde Jesus foi enviado era mais desconfortável, severo e agressivo do que o mencionado no versículo 4, diz William Hendriksen.[22] Era o deserto de Jericó, um lugar ermo, cheio de montanhas e cavernas, de areias escaldantes durante o dia e frio gélido à noite.[23] O deserto era um lugar de desolação e solidão. Os grandes homens caíram não em lugares ou momentos públicos, mas na arena da solidão e nos bastidores dos lugares secretos. O deserto é o lugar das maiores provas e também das maiores vitórias. O deserto é o campo de treinamento de Deus.

Em segundo lugar, *a permanência no deserto durante quarenta dias*. O número quarenta é o número da provação.[24] Quarenta dias durou o dilúvio (Gn 7.12), o jejum de Moisés no Sinai (Êx 34.28), a caminhada de Elias até o Horebe (1Rs 19.8). Quarenta anos Israel permaneceu

---

[21]GIOIA, Egidio. *Notas e Comentários à Harmonia dos Evangelhos*, 1969, p. 53.
[22]HENDRIKSEN, William. *Marcos*, 2003, p. 67.
[23]BURN, John Henry. *The Preacher's Complete Homiletic Commentary on the Gospel according St. Mark*, 1996, p. 15.
[24]POHL, Adolf. *Evangelho de Marcos*, 1998, p. 61.

no deserto (Sl 95.10). Quarenta dias Jesus foi tentado por satanás no deserto (1.13). O texto de Marcos evidencia que Jesus foi tentado durante os quarenta dias, o tempo todo.[25] Foi uma tentação sem pausa, sem trégua. O adversário usou todo o seu arsenal, todas as suas armas, todos os seus estratagemas para afastar Jesus da sua missão. Jesus não foi tentado dentro do templo nem em seu batismo, mas no deserto, onde estava cansado, sozinho, com fome e esgotado fisicamente. O diabo sempre procura nos atacar quando estamos vulneráveis, quando estamos passando por estresse físico ou emocional.[26]

Em terceiro lugar, *a solidão*. Jesus saiu de um lugar público, cercado por uma multidão, onde viu o céu aberto, experimentou o revestimento do Espírito Santo e ouviu a doce voz do Pai confirmando sua filiação e afeição e foi compelido a ir para um lugar solitário, onde Lhe faltou a doce companhia de um amigo, a palavra encorajadora de alguém na hora da tentação. Jesus sempre teve fome de comunhão com Seus discípulos. Ele os designou para estarem com Ele (3.14). Jesus sempre viveu no meio da multidão, Ele tinha cheiro de gente. Contudo, agora, está sozinho, mergulhado na mais profunda solidão.

Em quarto lugar, *a fome*. Jesus orou e jejuou durante quarenta dias (Mt 4.2; Lc 4.2). Suas forças físicas estavam estioladas. Seu corpo debilitado. Seu estômago vazio. A fome fazia latejar todo o Seu corpo. Os efeitos físicos provocados por um jejum prolongado de quarenta dias são indescritíveis. Todo o corpo entra em profunda agonia.

Em quinto lugar, *as feras*. Aquele deserto era um lugar onde viviam hienas, lobos, serpentes, chacais, panteras e leões. William Hendriksen diz que a região onde Jesus jejuou e foi tentado constituía um cenário de abandono e perigo, um meio ambiente completamente oposto ao Paraíso, onde o primeiro Adão foi tentado.[27] Feras perigosas agravavam ainda mais esse tempo de prova. Não apenas no reino espiritual Jesus estava sendo tentado, mas o reino animal também conspirava contra Ele. Possivelmente, satanás tentou Jesus pelo medo e urgente

---

[25] McGee, J. Vermon, *Mark*, 1991, p. 22.
[26] Barton, Bruce B. et al. *Life Application Bible Commentary. Mark*, 1994, p. 18.
[27] Hendriksen, William. *Marcos*, 2003, p. 69.

desejo de voltar à civilização. É digno mencionar que Adão e Eva caíram num jardim, onde todas as suas necessidades eram supridas e todos os animais eram dóceis. Jesus triunfou sobre o diabo num deserto, onde todas as suas necessidades não estavam supridas e todos os animais eram feras.[28]

O propósito

Por que o Espírito Santo impeliu Jesus ao deserto para ser tentado? Qual era o propósito? O Espírito impeliu Jesus ao deserto, onde Deus o colocou à prova, não para ver se Ele estava pronto, mas para mostrar que Ele estava pronto para realizar Sua missão.[29] O propósito da tentação, visto pelo ângulo de Deus, não é nos fazer cair, mas nos fortalecer; não visa nossa ruína, mas nosso bem, diz William Barclay.[30] Quais são os propósitos da tentação de Jesus?

Em primeiro lugar, *Jesus foi tentado para provar Sua perfeita humanidade*. Porque Jesus era perfeitamente homem, Ele foi realmente tentado. Suas tentações foram reais. Ele se tornou semelhante a nós em todas as coisas, exceto no pecado (Hb 2.17). Ele foi tentado em todas as coisas, à nossa semelhança, mas sem pecado (Hb 4.15). Jesus não foi tentado para revelar-nos a possibilidade de pecar, mas para provar-nos sua vitória sobre o diabo e o pecado.

Em segundo lugar, *Jesus foi tentado para ser o nosso exemplo*. Jesus nos socorre em nossas fraquezas porque conhece o que passamos e também porque venceu as mesmas tentações que nos assediam. Assim, Ele pode compadecer-Se de nós.

Em terceiro lugar, *Jesus foi tentado para derrotar o diabo*. Lutamos contra um inimigo derrotado. Jesus já triunfou sobre ele. O evangelho de Marcos apresenta o rei vitorioso sobre a natureza, o diabo, as enfermidades e a morte. Porque Jesus venceu satanás, podemos cantar enquanto lutamos.

---

[28]BARTON, Bruce B. et al. *Life Application Bible Commentary. Mark*, 1994, p. 20.
[29]BARTON, Bruce B. et al. *Life Application Bible Commentary. Mark*, 1994, p. 19.
[30]BARCLAY, William. *Marcos*. 1974, p. 31.

As armas da vitória

Jesus, no Jordão, foi revestido com o Espírito Santo e conduzido por Ele ao deserto, onde venceu satanás. Quais foram as armas que Ele usou nesse embate para ter a vitória?

Em primeiro lugar, *a oração*. A razão da vitória de Jesus estava na sua intimidade com o Pai. O que leva as pessoas à derrota não é a presença do inimigo, mas a ausência de Deus. Se estamos na presença do Pai, triunfamos sobre o inimigo. Jesus transformou o deserto da tentação em jardim da comunhão. Quando oramos, prevalecemos.

Em segundo lugar, *o jejum*. Jesus iniciou o seu ministério terreno com quarenta dias de oração e jejum. Quem jejua tem saudade de Deus e nEle se deleita. O jejum tira os nossos olhos das outras coisas e nos faz concentrar em Deus. O jejum transformou a aridez do deserto num jardim de oração. Jejum é fome de Deus, é desespero por Deus. O apóstolo Paulo diz que nós comemos e jejuamos para a glória de Deus (1Co 10.31). Se comemos e jejuamos para a glória de Deus, qual é a diferença entre comer e jejuar? É que quando comemos, alimentamo-nos do pão da terra, o símbolo do pão do céu; mas quando jejuamos, alimentamo-nos do próprio pão do céu. Charles Spurgeon diz que os tempos mais gloriosos vividos pela sua igreja em Londres foram nos períodos que a igreja se dedicou à oração e ao jejum.[31]

Em terceiro lugar, *a Palavra de Deus*. Jesus triunfou sobre o diabo com a espada do Espírito, a Palavra de Deus. Ele rebateu todas as tentações com a Palavra: Está escrito! Vivemos hoje o drama do analfabetismo bíblico. Crentes ignorantes são presas fáceis do diabo. Vivemos ainda o drama da substituição da Palavra pelo misticismo sincrético. Muitos crentes estão usando armas fabricadas pelo próprio homem, armas carnais e não aquelas que são poderosas em Deus para destruir fortalezas e anular sofismas (2Co 10.4).

A vitória sobre a tentação

A vitória de Jesus sobre a tentação revela-nos alguns pontos importantes:

---

[31] PIPER, John, *A Hunger for God*. Wheaton Illinois: Crossway Books, 1997, p. 52.

Em primeiro lugar, *Jesus venceu a tentação por causa do Seu caráter santo*. O príncipe deste mundo veio, mas nada tinha com ele. Robert McCheyne diz que um homem piedoso é uma poderosa arma nas mãos de Deus.[32]

Em segundo lugar, *Jesus venceu a tentação por uma resoluta e determinada resistência*. A Palavra de Deus ensina: *Resisti ao diabo, e ele fugirá de vós* (Tg 4.7). Não podemos deixar brechas em nossa vida nem abrigar pecado em nosso coração, se quisermos vencer essa batalha espiritual.

Em terceiro lugar, *Jesus venceu a tentação porque conhecia a Palavra de Deus*. Satanás venceu Eva no jardim, porque torceu a Palavra de Deus e ela não se acautelou. Satanás citou a Bíblia para Jesus e novamente ele torceu o texto do Salmo 91, mas Jesus o retrucou e o venceu dando a verdadeira interpretação das Escrituras. O diabo é um mau exegeta. Ele torce a Palavra. A Palavra de Deus na boca do diabo é palavra do diabo e não Palavra de Deus.

Em quarto lugar, *Jesus resistiu ao diabo e foi servido pelos anjos*. O ministério dos anjos é algo glorioso na vida de Jesus. Eles anunciaram o Seu nascimento, serviram-No na sua tentação. Confortaram-No em Sua agonia. Os anjos serviram a Jesus do Seu nascimento à Sua agonia, da Sua agonia à Sua ressurreição e ascensão.[33]

Embora os evangelhos não mencionem o tipo de serviço que foi executado pelos anjos, podemos inferir que esse serviço, *diekónoun*, incluiria provisão para a nutrição do corpo.[34] Adolf Pohl é mais enfático: "Servir aqui indica trazer alimento (1.31), não ajuda na luta. É tema para o fim do jejum. Ficamos, então, com o quadro do paraíso. Os anjos colocaram de lado as espadas desembainhadas de Gênesis 3.24 e trouxeram ao novo Adão as provisões do Pai celestial".[35] J. R. Thompson diz que os anjos serviram uma mesa para Jesus no deserto.[36] Eles devem ter sido os garçons de Jesus no deserto.

---

[32]BONAR, Andrew. *Memoirs of McCheyne*. Chicago, Illinois. Moody Press, 1978, p. 95.
[33]THOMPSON, J. R. *The Pulpit Commentary. Mark and Luke*. Vol. 16, 1980, p. 13.
[34]HENDRIKSEN, William. *Marcos*, 2003, p. 70.
[35]POHL, Adolf. *Evangelho de Marcos*, 1998, p. 62.
[36]THOMPSON, J. R. *The Pulpit Commentary. Mark and Luke*. Vol. 16, 1980, p. 13.

De acordo com Mateus 4.11, o serviço dos anjos foi prestado a Jesus depois que o diabo foi completamente derrotado. John Henry Burn diz que há conexão entre os três mundos: terra, céu e inferno estão mais próximos do que imaginamos. Devemos nos regozijar na onipotência do Pai, no socorro do Filho, na direção do Espírito e no ministério desses amigos invisíveis (Hb 1.14) a fim de banirmos todo medo dos nossos inimigos espirituais.[37] Concluindo, podemos tirar algumas lições práticas:

Em primeiro lugar, *todo cristão deve esperar tempos de prova*. Deus nos prova, satanás nos tenta. Satanás busca nos destruir, Deus nos edificar.

Em segundo lugar, *todo cristão deve estar atento aos diversos métodos de satanás*. Satanás usou diversos estratagemas para tentar Jesus. Devemos ficar atentos às ciladas do diabo. Ele conhece os nossos pontos vulneráveis, bem como os nossos pontos fortes. Ele explora ambos.

Em terceiro lugar, *todo cristão deve acautelar-se acerca da perseverança de satanás*. Ele tentou Jesus durante quarenta dias. Mesmo depois de derrotado em todas as investidas, voltou com outras armas em outras ocasiões.

Em quarto lugar, *todo cristão precisa estar preparado para os dias de provas*. Jesus estava cheio do Espírito e foi guiado pelo Espírito. Ele estava se deleitando no amor do Pai e tinha comunhão com o Pai pela oração e jejum, mas tudo isso não o isentou da tentação.

Em quinto lugar, *todo cristão deve buscar em Jesus exemplo e socorro na hora das tentações*. Jesus foi tentado em todas as coisas, à nossa semelhança, por isso Ele pode nos entender e nos socorrer.

Em sexto lugar, *todo cristão precisa compreender que Deus não nos permite sermos provados além das nossas forças*. Temos uma gloriosa promessa em relação às tentações de toda sorte: *Não vos sobreveio tentação que não fosse humana; mas Deus é fiel e não permitirá que sejais tentados além das vossas forças; pelo contrário, juntamente com a tentação, vos proverá livramento, de sorte que a possais suportar* (1Co 10.13).

---

[37]BURN, John Henry. *The Preacher's Complete Homiletic Commentary on the Gospel according St. Mark*, 1996, p. 20.

Em sétimo lugar, *todo cristão precisa resistir ao diabo*. Devemos, também, seguir a orientação de Jesus: *Vigiai e orai para que não entreis em tentação* (Mt 26.41). De semelhante modo, Tiago nos exorta: *Resisti ao diabo, e ele fugirá de vós* (Tg 4.7).

4

A **pregação** de Jesus Cristo

Marcos 1.14,15

A PREGAÇÃO É A OBRA MAIS IMPORTANTE que se pode fazer no mundo. Nenhum trabalho pode ser mais primordial e mais urgente do que a pregação. Jesus Cristo, o Filho de Deus, fez-Se carne e tornou-Se um pregador, e para isso foi que Ele veio ao mundo (1.14,15; 1.38).

Jesus não apenas foi pregador, mas o pregador modelo. Aprendemos com Ele pela pedagogia do Seu ensino, pela grandeza dos Seus temas, e pelo exemplo da Sua vida. Jesus não foi um alfaiate do efêmero, mas um escultor do eterno. Ele não pregou banalidades, mas o evangelho de Deus. Ele não pregou para entreter as pessoas, mas para salvá-las.

A pregação é a maior necessidade da igreja e do mundo.

A pregação é o instrumento usado por Deus para chamar os pecadores

A fé vem pela pregação, e a pregação pela palavra de Cristo (Rm 10.17). Isso revela a supremacia da Palavra e a primazia da pregação. Devemos pregar não sobre a Palavra, mas a Palavra (2Tm 4.2). A Palavra é o conteúdo da mensagem e a autoridade do mensageiro. Deus não tem nenhum compromisso com a palavra do pregador, mas com a Sua própria Palavra. Esta não volta vazia!

A pregação de Jesus constitui-se modelo
para a pregação em todos os tempos

Jesus começa o Seu ministério pregando. Ele é conhecido como pregador. Sua pregação deve nos inspirar e também nos servir de paradigma. Marcos 1.14,15 fala sobre quatro verdades básicas acerca da pregação de Jesus: a ocasião, o lugar, o seu tema geral e seu conteúdo particular.[1]

A ocasião da Sua pregação

A pregação foi precedida de adequado preparo. Jesus só iniciou o seu ministério de pregação depois que foi revestido com o Espírito Santo e confirmado pelo Pai (1.10,11). Não há pregação sem capacitação divina. O próprio Filho de Deus não abriu mão do revestimento do Espírito Santo. Ele recebeu o Espírito no Jordão (1.10), foi conduzido pelo Espírito ao deserto (1.12). Retornou à Galileia no poder do Espírito Santo (Lc 4.14). Levantou-Se na sinagoga de Nazaré afirmando que o Espírito do Senhor estava sobre Ele (Lc 4.16-18). Realizou todo o Seu ministério sob a unção do Espírito (At 10.38).

Porém, Jesus também só iniciou a Sua pregação depois que triunfou sobre o diabo no deserto (1.12,13). Jesus entrou no covil do inimigo, tirou-lhe a armadura, triunfou sobre ele e agora enceta de forma vitoriosa o Seu ministério de pregação. Aqueles que querem ter um ministério de pregação precisam da unção do Espírito, a aprovação do Pai, o conhecimento da Palavra e a vitória sobre satanás.

A pregação de Jesus evidencia que Ele evitou embates desnecessários. A sabedoria determinou a estratégia de Jesus.[2] Ele deixou a Judeia depois da prisão de João para não entrar em disputas políticas que pudessem desviar o foco do Seu ministério. Ele não entrou em conflito com as forças religiosas e políticas que certamente se levantariam contra Ele na Judeia.

A jornada para a Galileia, na verdade, foi uma retirada estratégica da Judeia, onde o clima tenso acerca da prisão de João e o ciúme crescente

---
[1] HASTINGS, James. *The Great Texts of the Bible – Mark*, p. 69-89.
[2] WIERSBE, Warren W. *Be Diligent*, 1987, p. 14.

dos fariseus ao levantamento do novo pregador renderiam a Ele um perigoso e desnecessário confronto naquela época (Jo 4.1-3).³

William Hendriksen coloca essa retirada tática de Jesus para a Galileia nas seguintes palavras:

> Jesus sabia que a Sua grande popularidade na Judeia provocaria um grande ressentimento nos líderes religiosos dos judeus, e que isso, no curso natural dos acontecimentos, provocaria uma crise prematura. Tão logo chegasse o momento apropriado para Sua morte, Jesus, voluntariamente, entregaria Sua vida (Jo 10.11,14,15,18;13.1). Ele faria isso quando o momento chegasse, mas não antes disso.⁴

Embora a Galileia estivesse sob a jurisdição de Herodes Antipas, Sua missão na Galileia não O exporia à interferência do tetrarca (Mc 6.14; Lc 13.31; 23.8). Era Jerusalém, e não a Galileia, que derramava o sangue dos profetas. Certamente, Jerusalém não toleraria a Sua pregação. Então, Jesus busca um campo melhor para iniciar seu ministério de pregação (Jo 4.45).⁵

A pregação de Jesus começa após o seu precursor cumprir cabalmente o seu papel. João Batista foi levantado por Deus para cumprir um papel específico, preparar o caminho do Messias (1.2-40). Feito o seu trabalho, ele saiu de cena (Jo 3.22-30). Ele não era a luz. Ele não era o noivo. Ele não era o Cristo. João Batista disse acerca de Jesus: *Convém que Ele cresça e que eu diminua* (Jo 3.30). Quando a voz de João cessou de ribombar no deserto, Jesus levantou a Sua. O homem é imortal até terminar sua carreira e a missão que Deus lhe confiou. Nenhum poder na terra nem no inferno pode calar a voz daquele a quem Deus levanta até que os soberanos desígnios de Deus sejam cumpridos.

É importante destacar que o maior profeta, o precursor do Messias fecha as cortinas do seu ministério numa prisão, onde é degolado. O maior dos apóstolos termina o seu ministério numa masmorra, onde

---

³Hastings, James. *The Great Texts of the Bible – Mark*, p. 69-70.
⁴Hendriksen, William. *Marcos*, 2003, p. 76.
⁵Hastings, James. *The Great Texts of the Bible – Mark*, p. 70.

é decapitado. O próprio Jesus, o maior de todos os pregadores, é condenado à morte e morte de cruz. O pregador não ocupa uma posição popular, ele entra no covil do diabo e arromba as portas do inferno.

O lugar da Sua pregação

Jesus evita os holofotes ou conflitos humanos. Possivelmente, qualquer pregador famoso gostaria de iniciar sua cruzada de pregação pela grande capital religiosa do mundo, a monumental cidade de Jerusalém.

Lá estava a sagrada história do povo de Deus, ali era o palco central da religião. Nesse lugar, Salomão levantou o magnificente templo. Lá, um novo templo fora reerguido por Zorobabel e embelezado por Herodes, e era onde os sacerdotes oficiavam cultos esplêndidos. Lá, estavam os zelosos fariseus, os cultos escribas e a aristocracia saduceia.

Em Jerusalém, estavam as lembranças mais doces e as mais amargas, e as emoções pulsavam mais forte. Jerusalém era o berço e palco dos profetas, reis, cantores, sacerdotes, bem como dos grandes atos libertadores de Deus. Aquele lugar era a morada de Deus. Era a cidade do grande rei, onde estava o decantado monte Sião, era a morada de Deus.

Atenas podia ser famosa pela sua cultura, Roma pelo seu poder, mas Jerusalém era a cidade da fé, o palco dos avivamentos, o berço das esperanças mais elevadas do povo da promessa.[6] Tudo levava a crer que Jerusalém seria a plataforma do ministério de Jesus, Seu púlpito predileto, de onde proferiria seus sábios e poderosos sermões.

No entanto, Jesus se esquivou dos holofotes e também dos conflitos políticos e dos ciúmes religiosos. Ele, sabiamente, descartou qualquer situação que pudesse desviar o foco da sua missão. Não que Ele temesse os conflitos ou Se acovardasse de enfrentá-los. Ele marchou na direção deles na hora oportuna, no tempo de Deus. O que Jesus nos ensina é que nós não devemos antecipar crises nem desviar-nos da nossa meta. Ele nos ensina que não devemos alimentar o pecado humano, promovendo ciúmes e contendas desnecessariamente.

---

[6]HASTINGS, James. *The Great Texts of the Bible – Mark*, p. 71.

Jesus emboca seu ministério para uma região desprezada. A Galileia era considerada uma região de trevas. Era chamada Galileia dos gentios. Era terra de gente pobre, desprezada, enferma, possessa. Galileia era um lugar atrasado, o fim do mundo, longe dos holofotes da fama. Os preconceituosos chegavam a pensar que nada de bom poderia proceder dessa região (Jo 1.46).

Adolf Pohl diz que da perspectiva da cidade santa, esta Galileia — ainda mais separada pela Samaria semipagã — devia parecer uma ilha judaica sem esperança em meio às trevas pagãs (Mt 4.15).[7] Galileia ainda era o berço dos zelotes revoltosos. Quando Herodes ocupou o trono, no ano 39 a.C., a região já era um foco de distúrbios havia gerações (Lc 13.1-5). Foi nesse berço de trevas, conflitos, preconceitos e paganismo que o evangelho começou a ser proclamado.

Cafarnaum, na Galileia, tornou-se o quartel-general de Jesus durante os anos do Seu ministério. Bruce Barton sugere três razões porque Jesus deixou Nazaré para instalar-se em Cafarnaum: Primeiro, para sair da intensa oposição em Nazaré. Segundo, para exercer um maior impacto sobre as pessoas, visto que Cafarnaum era uma cidade mais populosa e com maior trânsito de pessoas. Terceiro, para cumprir a profecia de Isaías 9.1,2.[8]

O tema geral da Sua pregação

Jesus pregou o evangelho de Deus. O proclamado inicia seu ministério sendo o proclamador.[9] Jesus começou espalhando a alegria das boas-novas naquele berço de trevas e opressão. William Hendriksen diz que todos os verdadeiros servos de Deus contam a história, mas foi Deus (em Cristo) quem fez que houvesse uma história para ser contada.[10] O evangelho de Deus deve ser o tema de toda pregação cristã. Duas coisas precisam ser destacadas aqui:

Em primeiro lugar, *o evangelho*. Esta palavra significa boas-novas. Jesus veio trazer boas notícias. O evangelho nasceu na eternidade, foi

---

[7]POHL, Adolf. *Evangelho de Marcos*, 1998, p. 68
[8]BARTON, Bruce B. et al. *Life Application Bible Commentary – Mark*, 1994, p. 21-22.
[9]POHL, Adolf. *O Evangelho de Marcos*, 1998, p. 69.
[10]HENDRIKSEN, William. *Marcos*, 2003, p. 76.

preanunciado no Éden, profetizado pelos profetas, aguardado pelo povo da aliança. O evangelho é a promessa da vida, onde reinava a morte; a promessa da luz, onde reinavam as trevas; a promessa da libertação, onde reinava a escravidão.

O evangelho fala de perdão e não de condenação; de salvação e não de perdição. O evangelho é a mais esplêndida notícia que já soou neste mundo. Quando Jesus nasceu, o anjo publicou em Belém: *Eis que vos trago boas-novas de grande alegria, e que o será para todo o povo, é que hoje vos nasceu na cidade de Davi, o Salvador, que é Cristo, o Senhor* (Lc 2.11).

William Barclay fala sobre os vários aspectos do evangelho no Novo Testamento.[11]

a. *Trata-se de boas-novas com respeito à verdade* (Cl 1.5). O diabo cegou o entendimento dos incrédulos (2Co 4.4). O homem sem o evangelho está em trevas. Sem o evangelho, o homem não podia conhecer quem é Deus. Jesus veio para mostrar a verdade acerca de Deus. Jesus é a exegese de Deus.

b. *Trata-se de boas-novas de esperança* (Cl 1.23). O mundo sem o evangelho é profundamente marcado pelo pessimismo. A vida não faz sentido sem Jesus. As pessoas sem o evangelho entregam-se ao desespero e à própria morte.

c. *Trata-se de boas-novas de paz* (Ef 6.15). O homem sem o evangelho é uma guerra civil ambulante. É um ser em conflito, uma casa em ruínas. Robert Burns, o poeta escocês, disse acerca de si: "Minha vida é como as ruínas de um templo".[12] O evangelho traz restauração deste templo em ruína.

d. *Trata-se de boas-novas com respeito às promessas de Deus* (Ef 3.6). Fora do evangelho, a concepção que o homem tem de Deus é terrificante. Todas as religiões fora do cristianismo apresentam um deus iracundo e vingativo. Jesus veio para revelar-nos o coração amoroso de Deus.

---

[11]BARCLAY, William. *Marcos*, 1974, p. 35-36.
[12]BARCLAY, William. *Marcos*, 1974, p. 35.

e. *Trata-se de boas-novas com respeito à imortalidade* (2Tm 1.10). Para o pagão, a vida era o caminho para a morte. Porém, Jesus veio para vencer a morte e abrir-nos o caminho da vida eterna.
f. *Trata-se de boas-novas de salvação* (Ef 1.13). O evangelho traz a libertação da condenação do pecado e a oferta do dom precioso da vida eterna.

Em segundo lugar, *o evangelho de Deus*. Em Marcos 1.1, este evangelho é chamado evangelho de Cristo; agora, é chamado evangelho de Deus. A preposição *de* denota a fonte do evangelho, ou seja, o evangelho que vem de Deus e o evangelho de que Deus é o autor.[13] Warren Wiersbe diz que o evangelho de Deus revela que ele vem de Deus e nos leva para Deus.[14]

O evangelho de Deus não é uma religião. Todas as religiões foram tentativas do homem buscar a Deus. O evangelho é Deus buscando o homem. Todas as religiões tratam do que o homem pode fazer para agradar a Deus; o evangelho fala do que Deus fez pelo homem. As religiões são impotentes para reconciliar o homem com Deus, mas o evangelho nos aponta Jesus, o caminho vivo para Deus, em quem temos o perdão e a vida eterna.

O tema particular da Sua pregação

O evangelho anunciado por Jesus possui três temas particulares:

A plenitude do tempo

Adolf Pohl diz que o próprio Deus põe um fim à espera. Agradou-Lhe fazer soar a hora do perdão. Foi somente a sua boa vontade que decidiu: A medida está cheia, chegou a hora![15] Aquele momento que Deus havia ordenado desde a eternidade chegou, e o mistério dos séculos devia manifestar-se.[16]

---

[13]HASTINGS, James. *The Great Texts of the Bible – Mark*, p. 72.
[14]WIERSBE, Warren W. *Be Diligent*, 1987, p. 14.
[15]POHL, Adolf. *Evangelho de Marcos*, 1998, p. 70.
[16]TRENCHARD, Ernesto. *Una Exposición del Evangelio según Marcos*, 1971, p. 22.

Desde quando o homem pecou no Éden, Deus, na Sua grande misericórdia, declarou Seu plano eterno da salvação do pecador (Gn 3.15). O povo esperou a vinda do Messias milhares de anos. Finalmente, eis o dia chegado![17] Jesus veio ao mundo na plenitude dos tempos (Gl 4.4). Esse tempo mencionado por Jesus não é *kronos*, mas *kairós*, o tempo oportuno de Deus e não o tempo como uma mera duração. James Hastings diz que houve três coisas importantes na preparação para a vinda de Jesus ao mundo pagão:[18]

Em primeiro lugar, *o mundo foi preparado politicamente para a Sua pregação*. Para que o evangelho de Deus pudesse espalhar-se pelo mundo, duas coisas eram necessárias: uma língua comum e uma sistema social comum, ou seja, leis comuns e governo comum. Isso Deus fez através da civilização grega e romana.

Em segundo lugar, *o mundo foi preparado religiosamente para a Sua pregação*. As religiões pagãs, embora tivessem alguns sinais de verdade, estavam eivadas de erros graves. Elas não conheciam a pregação acerca do Deus Todo-poderoso, Criador e sustentador da vida. O paganismo não conhecia a figura do redentor. O evangelho trouxe uma mensagem absolutamente nova e revolucionária. O evangelho preenchia o vazio, satisfazia a alma, trazia libertação, cura, transformação, salvação.

Em terceiro lugar, *o mundo foi preparado moralmente para a Sua pregação*. A moralidade pagã era deficiente. Ela não podia construir um novo homem, uma nova família e uma nova sociedade. Os pagãos viviam imersos em muitos vícios. Havia a degradação da mulher. Os filhos eram apenas objeto dos pais. Não havia uma ética sadia para a sexualidade. O mundo estava sem referência. O evangelho veio oferecer um novo modelo, uma nova vida para a construção de uma nova sociedade.

Semelhantemente, houve três coisas no mundo judaico que pavimentaram o caminho para a pregação do evangelho:

a. *Os judeus esperavam um tempo de mudança*. Eles aguardavam uma era messiânica em que seriam libertados dos seus opressores.

---

[17] GIOIA, Egidio. *Notas e Comentários à Harmonia dos Evangelhos*, 1969, p. 83.
[18] HASTINGS, James. *The Great Texts of the Bible – Mark*, p. 73-74.

Eles sonhavam com um tempo melhor, quando veriam a salvação de Deus.
b. *As profecias do Antigo Testamento apontavam para essa mesma direção.* Havia profecias claras acerca do nascimento, vida, ministério, morte e ressurreição de Messias. Ele seria o libertador do seu povo.
c. *Os judeus se preparavam moralmente para a pregação do evangelho.* Deus ofereceu a eles a lei. Esta não podia salvá-los, mas os levaria ao Salvador. A lei lhes deu parâmetros e balizas.

A chegada do reino

Ernesto Trenchard diz que todos os reinos desde a queda do homem foram regidos pelas normas do diabo: o egoísmo, o domínio dos fortes, a violência, o orgulho, o lucro e a força truculenta dos exércitos. Toda vez que se levantava um novo reino, o povo estremecia. Mas o reino que Jesus proclama é o Reino de Deus, que traz salvação aos homens.[19]

William Hendriksen diz que o Reino de Deus indica a soberania, o domínio ou o reinado de Deus, reconhecido no coração e ativo na vida do Seu povo, efetuando completa salvação, sua constituição como uma igreja e, finalmente, um universo redimido.[20]

Destacamos aqui alguns pontos:

Em primeiro lugar, *a natureza do reino*. O Reino de Deus significa toda esfera em que a vontade de Deus é reconhecida e obedecida.[21] O reino veio em Jesus. Onde está o Rei, aí está o reino. O Reino de Deus chegou com Ele. Esse reino está entre nós e dentro de nós. O Reino de Deus é espiritual. É o reino do amor de Deus no coração do pecador arrependido e crente.[22]

Adolf Pohl diz que neste Jesus e em seus atos a realeza de Deus se pôs a caminho do futuro para adentrar no nosso mundo com uma ponta de lança (Mc 3:27). Jesus é a forma presente de encontro com o

---

[19]TRENCHARD, Ernesto. *Una Exposición del Evangelio según Marcos,* 1971, p. 21-22.
[20]HENDRIKSEN, William. *Marcos,* 2003, p. 77.
[21]HASTINGS, James. *The Great Texts of the Bible – Mark,* p. 75.
[22]GIOIA, Egidio. *Notas e Comentários à Harmonia dos Evangelhos,* 1969, p. 83.

reino.[23] Na linguagem de Orígenes, Jesus é o *autobasileia*. O Reino de Deus está presente, mas não ainda em sua plenitude. Este reino chegará à sua plenitude quando todos os inimigos estiveram debaixo dos pés do Senhor e todo o mal for julgado.

O Reino de Deus inverte os valores dos reinos deste mundo: é um reino de ponta-cabeça. O maior no Reino de Deus é o menor, é o que serve.

O Reino de Deus não é político nem geográfico, mas espiritual. O apóstolo Paulo diz: *O Reino de Deus consiste não em palavras, mas em poder* (1Co 4.20). Diz ainda: *Porque o Reino de Deus não é comida nem bebida, mas justiça, e paz, e alegria no Espírito Santo* (Rm 14.17).

Em segundo lugar, *a proximidade do reino*. Jesus estava dizendo que o reino tinha chegado nele e para os homens. Onde Jesus está, aí está o reino. Onde Jesus governa os corações, aí o reino está presente.

As condições para se entrar no reino

Jesus não tinha apenas uma boa-nova para pregar, mas também uma exigência a fazer. Ele aponta duas condições para se entrar no reino: arrependimento e fé.

Essas palavras, arrependimento e fé, podem ser consideradas um sumário do método de salvação.[24] J. Vernon McGee alerta para o fato de que atualmente a igreja tem pregado fé sem arrependimento, ou colocado a fé antes do arrependimento.[25] Quem se volta para Deus, volta-se do pecado para Ele. Quem não tem do que se arrepender, não demonstra verdadeira necessidade de crer. Onde não há verdadeiro arrependimento, não há fé autêntica. O arrependimento implica tristeza pelo pecado, confissão do pecado e fuga do pecado,[26] enquanto a fé implica confiança segura em Cristo. Vejamos, portanto, as condições para se entrar no reino:

---

[23]POHL, Adolf. *Evangelho de Marcos*. 1998, p. 71.
[24]BICKERSTETH, E. *The Pulpit Commentary. Mark*, Vol.16, 1980, p. 3.
[25]MCGEE, J. Vernon. *Mark*, 1991, p. 23.
[26]BURN, John Henry. *The Preacher's Complete Homiletic Commnetary on the Gospel according St Mark*, 1996, p. 24.

Em primeiro lugar, **arrependimento**. O arrependimento é aquilo que nos faz olhar para nós mesmos, enquanto a fé nos faz olhar para fora de nós. O arrependimento é a manchete de toda pregação evangélica. De Noé até as últimas testemunhas, o fardo que tem pesado sobre todos os pregadores é o mesmo: Arrependei-vos e crede![27]

Os profetas do Antigo Testamento, João Batista, Jesus, Pedro, Paulo chamaram o povo ao arrependimento.

Nós vivemos numa geração que não valoriza o arrependimento. Não vemos hoje os soluços que brotam dos Salmos, as confissões de Agostinho, ou a agonia do arrependimento dos puritanos.

O que é arrependimento? A palavra grega *metanoia* significa literalmente mudança de mente.[28] O arrependimento envolve a razão, a emoção e a vontade.

O arrependimento envolve a razão. O arrependimento é mudança de mente. É quando o pecador toma conhecimento da hediondez do seu pecado e da maravilhosa graça de Deus. É quando seus olhos são abertos e sua mente iluminada pela verdade. É a bondade de Deus que nos conduz ao arrependimento. Deus usa vários meios para levar-nos ao arrependimento: as obras da criação, o clamor da consciência, as calamidades da vida, a enfermidade, a morte física. Sobretudo, porém, o arrependimento é produzido pela obra do Espírito Santo, pois só Ele nos convence do pecado.

O arrependimento envolve a emoção. Arrependimento é tristeza segundo Deus (2Co 7.10). Ele envolve o elemento da penitência. É choro pelo pecado. Davi disse:

Pequei. Contra ti, contra ti somente pequei. Isaías disse: *Ai de mim.*

O arrependimento envolve a vontade. Arrependimento é dar meia-volta, é voltar-se do pecado para Deus, é mudança de atitude. Não é arrependimento e novamente arrependimento, mas arrependimento e frutos de arrependimento. Faraó disse: "pequei", apenas para se ver livre do terror e logo depois endurecer ainda mais o coração. Acã disse: "pequei", como um criminoso que é flagrado no seu delito. Balaão disse:

---

[27]Ryle, John Charles. *Mark*, 1993, p. 5.
[28]Barclay, William. *Marcos*, 1974, p. 36.

"pequei", mas continuou vendendo sua consciência por dinheiro. Judas disse: "pequei", mas enforcou-se. O arrependimento não é apenas tristeza pelas consequências do pecado, mas tristeza pelo pecado em si, diz William Barclay.[29]

O arrependimento não é apenas um sentimento, mas um ato da vontade, é abandonar o pecado e voltar-se para os braços do Pai. O filho pródigo caiu em si e voltou para a casa do Pai. Os 120 mil habitantes de Nínive voltaram-se para Deus em profundo quebrantamento. A multidão que ouviu o sermão de Pedro em Jerusalém perguntou: *Que faremos, irmãos?* A resposta imediata foi: *Arrependei-vos...*

Em segundo lugar, **crer no Evangelho**. Com a graça do arrependimento, Deus dá ao pecador o dom da fé salvadora. A fé não é meritória, mas o meio de apropriação daquilo que foi providenciado pela graça divina.[30] Adolf Pohl diz que em toda a Bíblia ninguém crê por si, simplesmente; só crê aquele com quem Deus falou. Onde não há nada para ouvir, não há nada para crer.[31]

Crer no evangelho significa acreditar que o que Jesus disse acerca do Pai e da sua gloriosa salvação é absolutamente verdadeiro. O que significa crer no evangelho? Egidio Gioia responde:

> Significa crer em Deus, porque o evangelho é de Deus. Significa crer no Filho de Deus, porque Jesus pregou o evangelho de Deus. Significa crer no Espírito Santo, porque o Espírito Santo ungiu a Jesus para pregar o evangelho. Significa crer nas Escrituras Sagradas, porque são a revelação da Trindade ao homem perdido. Significa crer nas promessas de Deus ao homem, porque são a verdade infalível. Significa crer que Jesus Cristo veio ao mundo para dar a Sua vida no sacrifício vicário da cruz, a fim de que todo aquele que nEle crer tenha a vida eterna. Crer no evangelho é crer em Cristo crucificado, ressuscitado e glorificado. Crer em Cristo é ter a vida eterna.[32]

---

[29]BARCLAY, William. *Marcos*, 1974, p. 36.
[30]THOMPSON, J. R. *The Pulpit Commentary. Mark*, 1980, p. 14.
[31]POHL, Adolf. *Evangelho de Marcos*, 1978, p. 71.
[32]GIOIA, Egidio. *Notas e Comentários à Harmonia dos Evangelhos*, 1969, p. 84.

Crer não é apenas um assentimento intelectual, que deságua em profunda emoção. Os demônios creem e tremem (Tg 2.19). A questão não é a fé, mas o objeto da fé. Crer implica confiança firme em Deus e numa entrega sem reservas a Jesus, descansando na sua obra sacrificial em nosso lugar e em nosso favor. A fé honra a Palavra de Deus e o Filho de Deus. A fé é a mão do mendigo estendida para receber o presente do Rei.

No dia 1º de julho de 1958, o grande equilibrista Charles Blondin estendeu um cabo de aço sobre a cachoeira de Niágara, e diante de uma multidão assustada e expectante, passou por sobre a cachoeira. Ganhou aplausos ruidosos e efusivos. Então, ele perguntou: "Vocês acreditam que eu possa levar alguém comigo sobre o cabo de aço?" A multidão, eufórica, afirmou positivamente. Então, ele convidou seu empresário para a inédita aventura. Quando estava no meio do abismo, um aventureiro maldoso cortou uma das cordas que sustentavam o cabo de aço. A multidão, estarrecida, percebeu a tragédia inevitável. Blondin, entretanto, disse ao seu empresário: "Agora você e eu somos um. O que eu fizer, faça também. Agarre-se a mim". Sob o olhar fixo e a respiração suspensa da multidão, Blondin caminhou resolutamente sobre as pedras pontiagudas e as águas espumentas do caudaloso rio e chegou a salvo do outro lado. A multidão foi ao delírio e aplaudiu demorada e ruidosamente o grande herói. Entre o céu e a terra há um grande abismo. Somente Jesus pode nos transportar em segurança para o céu. Precisamos confiar nEle e agarrar-nos a Ele e, então, seremos levados salvos para o Seu reino de luz!

5

Pescadores
de homens

Marcos 1.16-20

À GUISA DE INTRODUÇÃO, três verdades nos chamam a atenção:

Em primeiro lugar, *Jesus chama cooperadores para fazer a sua obra*. O Reino de Deus está sendo estabelecido e Jesus está recrutando trabalhadores. Os que são chamados à salvação são também convocados para um treinamento a fim de alcançar outros.

J. Vernon McGee diz que os evangelhos registram três ocasiões em que os discípulos foram chamados:[1]

A primeira, foi a chamada para a salvação. Essa chamada aconteceu na Judeia e está registrada em João 1.35-51. Jesus chamou André e Pedro e estes deixaram as fileiras de João Batista e o seguiram. Mas nessa ocasião, eles ainda voltaram para a Galileia e continuaram com sua atividade pesqueira.

A segunda, foi a chamada para o discipulado. Essa ocasião é descrita em Marcos 1.16-20, no mar da Galileia, quando Jesus chamou Pedro e André, Tiago e João para segui-Lo. Esse é o chamado para o discipulado. Eles seriam treinados para serem pescadores de homens. Contudo, somos informados em Lucas 5.1-11, que eles ainda voltaram

---

[1] McGee, J. Vernon. *Mark*, 1991, p. 24.

à pescaria no mar da Galileia. Foi nessa ocasião que Pedro disse para Jesus: *Senhor, afasta-te de mim, porque eu sou pecador*. Em outras palavras, estava pedindo para Jesus desistir dele e buscar alguém mais adequado para a grande missão. Mas Jesus não desistiu de Pedro.

A terceira, foi a chamada para o apostolado. Esse chamado está registrado em Marcos 3.14-21, quando Jesus separou, dentre seus discípulos, doze apóstolos para estarem com Ele e para os enviar a pregar e expulsar demônios. Esse foi o chamado para o apostolado.

Em segundo lugar, *Jesus chama para o Seu trabalho pessoas ocupadas*. Pessoas escolhidas por Deus para uma missão especial normalmente não são pessoas desocupadas e ociosas.[2] O trabalho de Deus exige energia e disposição. Quem coloca a mão no arado e olha para trás não é apto para o Reino de Deus. O Senhor chamou Moisés quando ele estava pastoreando as ovelhas no Sinai (Êx 3.1-14). Chamou Gideão, quando estava malhando trigo no lagar (Jz 6.11). Chamou Amós quando estava nos prados de Tecoa cuidando do gado (Am 7.14,15). Tirou Davi detrás das ovelhas para o colocar no palácio (Sl 78.70-72). Jesus chamou esses discípulos quando estavam pescando e consertando as suas redes.

William Barclay, citando o historiador Josefo, diz que nesse tempo havia muitos pescadores e podia-se ver no mar da Galileia cerca de 330 barcos de pesca.[3] A pescaria era a principal indústria para cerca de trinta cidades ao redor do mar da Galileia durante os dias de Jesus.[4] Dentre esses pescadores, Jesus chamou esses quatro homens para uma missão especial.

Em terceiro lugar, *Jesus chama para o Seu trabalho pessoas humildes*. Jesus não foi buscar Seus discípulos entre os estudantes de teologia das escolas rabínicas[5] nem dentre a elite sacerdotal. Nem mesmo chamou aqueles de refinado saber, ou possuidores de riquezas, mas recrutou-os das classes operárias, no meio dos pescadores. Deus escolheu as coisas loucas do mundo para envergonhar os sábios (1Co 1.26,27).

---

[2]Barton, Bruce B. *Life Application Bible Commentary. Mark*, 1994, p. 25.
[3]Barclay, William. *Marcos*, 1974, p. 37.
[4]Barton, Bruce B. et al. *Life Application Bible Commentary. Mark*, 1994, p. 24.
[5]Trenchard, Ernesto. *Una exposición del Evangelio según Marcos*, 1971, p. 22.

William Barclay diz que ninguém como Jesus creu no homem comum.⁶ É bem conhecida a frase de Abraão Lincoln: "Deus deve amar as pessoas comuns, pois fez muitas delas".

Jesus chamou homens iletrados e com eles revolucionou o mundo. Deus não precisa de estrelas, precisa de homens preparados por Ele e capacitados pelo Espírito Santo. João Wesley disse: "Dê-me cem homens que não temam nada senão a Deus e com eles abalarei o mundo".

John Charles Ryle disse que os primeiros seguidores de Cristo não foram os grandes deste mundo. Eles não tinham riquezas, fama nem poder. Isso prova que o Reino de Deus não depende dessas coisas. A causa de Cristo avança não por força nem por poder, mas pelo Espírito Santo (Zc 4.6). A igreja que começou com poucos pescadores e espalhou-se pelo mundo, só poderia ter sido fundada pelo próprio Deus.⁷

A natureza do chamado para serem pescadores de homens

Destacamos cinco verdades fundamentais acerca da natureza do chamado de Jesus:

Em primeiro lugar, *o chamado de Cristo é soberano*. O chamado de Cristo se dá verticalmente. Jesus os viu com um olhar de qualidade especial. Abrangeu-os não só com os olhos, mas também com o coração. E abrangeu-os com o coração para não mais perdê-los de vista.⁸

"Vinde após mim" é uma expressão, onde Jesus exercita sua soberania sobre Simão e André. Ele mostra que tem o poder de chamá-los para o serviço do Seu reino.⁹ Jesus pesca esses homens para serem pescadores de homens. Eles foram pescados para fora do anonimato. Eles foram pescados para serem colunas da igreja, luzeiros do mundo, ganhadores de almas.

---

⁶BARCLAY, William. *Marcos*, 1974, p. 38.
⁷RYLE, John Charles. *Mark*, 1993, p. 6.
⁸POHL, Adolf. *Evangelho de Marcos*, 1998, p. 74.
⁹HENDRIKSEN, William. *Marcos*, 2003, p. 82.

O chamado de Cristo é direto, imperativo e soberano. Jesus não deu explicações nem ofereceu vantagens; simplesmente os chamou e os chamou soberanamente.

Em segundo lugar, *o chamado de Cristo é para uma relação pessoal com Ele*. A expressão "segue-me" é o principal termo para descrever o chamado para o discipulado no evangelho de Marcos (2.14; 8.34; 10.21).[10] Jesus não os chamou para prioritariamente fazerem um trabalho, mas para um relacionamento. Ir a Cristo, seguir a Cristo, estar com Cristo é mais importante do que fazer a obra de Cristo. Jesus está mais interessado em quem nós somos do que no que fazemos. Relacionamento precede o desempenho. A vida precede o trabalho. A vida com Cristo precede o trabalho para Cristo.

William Barclay comenta esse chamado. Jesus não diz aos pescadores: "Tenho um sistema teológico que gostaria que vocês investigassem; tenho algumas teorias que gostaria que vocês conhecessem; tenho desenvolvido um sistema de ética que gostaria de discutir com vocês. Antes lhes disse: Sigam-me".[11]

A vida com Cristo precede o trabalho para Cristo. Santidade pessoal precede ministério cristão. Primeiro damos ao Senhor o nosso coração, depois consagramos a Ele tudo o que temos. Inverter essa ordem é o mesmo que trocar a raiz pelo fruto, a causa pelo efeito.[12]

Em terceiro lugar, *o chamado de Cristo exige pronta e imediata resposta*. O que esses discípulos responderam em palavras ao chamado de Cristo, nós não sabemos; mas a ação deles é cheia da melhor eloquência.[13] Os discípulos não hesitaram, não objetaram, não discutiram, não pediram tempo para pensar, não duvidaram, não questionaram, não impuseram condições, eles simplesmente obedeceram e atenderam ao chamado imediatamente.[14]

O chamado de Cristo para o discipulado é radical e urgente. Uma pessoa deve deixar tudo para trás para seguir a Jesus.[15] O chamado de

---

[10] BARTON, Bruce B. *Life Application Bible Commentary. Mark*, 1994, p. 25.
[11] BARCLAY, William. *Marcos*, 1974, p. 39.
[12] BURN, John Henry. *The Preacher's Homiletic Commentary. Mark*, 1996, p. 26.
[13] BURN, John Henry. *The Preacher's Homiletic Commentary. Mark*, 1996, p. 26.
[14] THOMPSON J. R. *The Pulpit Commentary. Mark and Luke*, 1980, p. 15.
[15] BARTON, Bruce B. et al. *Life Application Bible Commentary. Mark*, 1994, p. 26.

Cristo exige a renúncia do trabalho, da família, de si mesmo. A decisão dos discípulos não foi apenas pronta, mas definitiva e final, foi para toda a vida.

Em quarto lugar, *o chamado de Cristo passa por uma preparação*. *Vinde após mim, e Eu vos farei pescadores de homens* (1.17). O tempo do verbo *fazer* está no futuro. Seguir a Cristo ainda não é ser enviado; isto vem depois, diz Adolf Pohl.[16] Jesus os chama para a obra, mas antes os prepara para a obra. É Jesus quem os faz pescadores de homens. Ele é quem os ensina, os equipa, os prepara e os capacita para o trabalho. Eles deixam as redes encorajados pela promessa do Senhor de treiná--los para uma tarefa muito superior à que estavam engajados.[17]

Aqueles discípulos frequentaram a melhor escola do mundo, com o maior Mestre do mundo, sobre o mais importante assunto do mundo. O ensino de Jesus não era limitado a uma sala de aula. Ele não era um artesão do efêmero, mas um escultor do eterno. Não era um Mestre de banalidades, mas o Salvador do mundo. Ele não apenas transmitia informações, mas transformava vidas.

Nessa preparação Jesus andou com os discípulos, comeu com eles, socorreu-os nas suas aflições, exortou-os nas suas dúvidas, encorajou-os em suas fraquezas. Jesus não apenas os treinou com palavras, mas sobretudo, com exemplo. O exemplo não é uma forma de ensinar, mas a única eficaz.

Simão, o inconstante e covarde, haveria de tornar-se um intrépido apóstolo. João, o filho do trovão, haveria de ser o discípulo amado. Aqueles iletrados pescadores haveriam de revolucionar o mundo. O vaso é de barro, mas o poder é de Deus. Os instrumentos são frágeis, mas a mensagem é poderosa. Os pescadores são limitados, mas a pesca será gloriosa.

Em quinto lugar, *o chamado de Cristo para pescar homens é um trabalho de consequências eternas*. Jesus não os chamou para o ócio, mas para o serviço. Chamou-os para um trabalho, um glorioso trabalho: serem pescadores de homens. Aqueles que já haviam sido chamados

---

[16]POHL, Adolf. *Evangelho de Marcos*, 1998, p. 75.
[17]HENDRIKSEN, William. *Marcos*, 2003, p. 82.

para a salvação na Judeia (Jo 1.37-40), agora são chamados para serem pescadores de homens. Ganhar almas e vidas para Cristo é a sublime vocação desses primeiros discípulos.[18] Pescar homens não é um *hobby* nem um passatempo. Não é um esporte nem algo que fazemos para nos distrair. É o mais importante e mais urgente trabalho que se pode fazer no mundo.

Pescar homens é arrebatá-los do fogo. É tirá-los das trevas para a luz, da casa do valente para a liberdade, do reino das trevas para o reino da luz, da potestade de satanás para Deus.

Jesus não chama esses homens para um trabalho burocrático ou apenas para uma posição de liderança, mas sobretudo para um trabalho de ganhar almas, de buscar os perdidos, de arrancar pessoas da morte para a vida.

As exigências do chamado
para ser pescador de homens

Jesus fala sobre três exigências fundamentais para o chamado de um pescador de homens:

Em primeiro lugar, *o chamado de Cristo implica rompimento com o passado*. Aqueles quatro pescadores deixaram imediatamente as redes, o barco, o trabalho secular e seus empregados. Os irmãos Tiago e João deixaram até o próprio pai, Zebedeu, e seguiram a Jesus.[19] Pedro e André deixaram as redes.

Fazer parte do projeto de Deus exige renúncia. Eles deixaram para trás o trabalho, a profissão, a empresa e os sonhos financeiros. Eles abriram mão de tudo para investir o tempo, o coração e a vida no Reino de Deus.

A nova vocação liberou-os da vocação que tinham até então, e com isso, naturalmente, também da sua segurança econômica. Eles renunciaram a tudo para seguirem a Jesus.

Não há discipulado sem renúncia. Primeiro, é preciso deixar para trás os nossos sonhos e projetos para abraçar os projetos de Deus.

---

[18]GIOIA, Egidio. *Notas e Comentários à Harmonia dos Evangelhos*, 1969, p. 89.
[19]GIOIA, Egidio. *Notas e Comentários à Harmonia dos Evangelhos*, 1969, p. 89.

É preciso cortar as pontes que nos prendem ao passado como fez o profeta Eliseu ao ser chamado por Elias. Depois vem a recompensa, o Senhor nos transforma em vasos de honra, em instrumentos úteis, em embaixadores do seu reino, em ministros da reconciliação, em pescadores de homens.

Em segundo lugar, *o chamado de Cristo implica consagração do presente*. Seguir a Cristo é o mais fascinante projeto de vida. O Reino de Deus é a maior bandeira e a maior causa pela qual devemos viver. Devemos buscar em primeiro lugar o Reino de Deus. O reino é como uma pérola, como um tesouro que exige nosso total desapego de outras coisas.

Chamar os pecadores ao arrependimento e oferecer a eles o dom da vida eterna é a mais sublime missão que podemos ocupar na vida. Os próprios anjos gostariam de abraçar esse mister. Jesus deixou a glória e veio ao mundo para revelar o amor do Pai e morrer na cruz a favor do Seu povo. Ele tem um profundo amor pelos perdidos, por isso veio buscá-los. Ele não levou em conta a ignomínia da cruz, antes, suportou-a pela alegria que lhe estava proposta. Ele viu o penoso trabalho da Sua alma e ficou satisfeito. Seu amor pelo homem é tão grande que Ele recrutou outros trabalhadores para chamar os homens à salvação. Engajar-se nesse projeto deve ser a maior aspiração da nossa vida, o maior projeto da nossa história.

Em terceiro lugar, *o chamado de Cristo implica investimento do futuro*. Os discípulos seguiram a Cristo num projeto sem volta. Eles abraçaram uma causa que mudou o rumo da vida deles e a história do mundo. Eles deixaram as redes para abraçar um ministério de consequências eternas.

Eles tornaram-se os pilares da igreja. O caminho do discipulado é uma estrada sem volta.

A missão deles doravante era pescar homens. Jesus utiliza uma ponte, um gancho entre o trabalho deles e a nova vocação. Agora, a missão deles não era mais pescar peixes, mas homens; não era ganhar dinheiro, mas almas. O Senhor aproveita as experiências do passado como fatores pedagógicos em nosso trabalho para Ele.[20] Ganhar almas

---

[20] BARTON, Bruce B. et al. *Life Application Bible Commentary. Mark*, 1994, p. 24.

é o maior negócio deste mundo, o maior investimento. Quem ganha almas é sábio (Pv 11.30), quem a muitos conduz à justiça brilhará como as estrelas no firmamento (Dn 12.3).

O aprendizado prático para tornar-se um pescador de homens

A figura usada por Jesus é profundamente instrutiva. Jesus foi o maior Mestre na arte de usar coisas simples para ensinar verdades profundas. O que tem a ver a pescaria com o ganhar almas? Que conexão existe entre o peixe e o homem? O que tem a ver a arte de pescar com os métodos evangelísticos?

Rick Warren diz que o segredo do evangelismo efetivo não é somente compartilhar a mensagem de Cristo, mas também seguir a metodologia que Ele usou.[21] Um bom pescador precisa entender os peixes. Precisa saber onde os peixes estão no lago, a que hora os peixes gostam de comer, qual a isca a usar com os diferentes tipos de peixes e quando mudar de isca.

Há peixes que gostam de águas profundas, outros ficam no raso; outros, ainda, escondem-se nas pedras. Não existe uma estratégia padronizada para a pescaria.

Na evangelização é a mesma coisa. Jesus usou métodos diferentes de evangelismo para alcançar as diversas pessoas. A abordagem de Jesus com Nicodemos foi diferente da sua abordagem feita ao paralítico de Betesda. A metodologia que Ele usou com a mulher samaritana foi diferente da que usou para alcançar Zaqueu. Jesus não mudou a essência da mensagem, mas variou seus métodos.

O evangelismo aborda tanto o conteúdo quanto o método. Ele orienta não apenas o que falar, mas também como falar. Quando Jesus chamou os discípulos para serem pescadores de homens, estava lhes conferindo uma missão e lhes oferecendo uma metodologia.

Antes de enviar os discípulos para evangelizar, Jesus deu instruções específicas sobre com quem eles deveriam passar o seu tempo, a quem

---

[21] WARREN, Rick. *Uma Igreja com Propósitos*. São Paulo, SP: Editora Vida, 1997, p. 226.

eles deveriam ignorar, o que deveriam fazer e como deveriam compartilhar o evangelho (Mt 10; Lc 10).

Rick Warren identifica algumas regras que devem nortear os pescadores de homens:[22]

Em primeiro lugar, *saiba o que você está pescando*. Nem todos os peixes são pescados da mesma forma. Para cada tipo de peixe precisamos usar uma isca própria e o método certo. Esse mesmo princípio Jesus usou no evangelismo. Vejamos a instrução de Jesus: *A estes doze enviou Jesus, dando-lhes as seguintes instruções: Não tomeis rumo aos gentios, nem entreis em cidades de samaritanos; mas de preferência, procurai as ovelhas perdidas da casa de Israel* (Mt 10.5,6). Jesus mirou no tipo de pessoas que seus discípulos teriam mais chances de alcançar: pessoas como eles mesmos. O Senhor não estava sendo preconceituoso, mas estratégico. Ele definiu o alvo dos Seus discípulos para que eles pudessem ser eficientes e não para que se tornassem exclusivistas.[23]

Somos chamados a sermos pescadores de homens. Precisamos compreender três coisas fundamentais: Primeiro, o homem tem um valor infinito para Deus. Segundo, o homem pode perecer ou ser salvo eternamente. Terceiro, na missão de pescar homens, não usamos truques, mas a verdade.

Em segundo lugar, *vá aonde os peixes estão famintos*. Os peixes não estão com fome o tempo todo. Pescar onde os peixes não estão beliscando a isca é perda de tempo. O que podemos aprender dessa lei da pescaria?

Primeiro, o princípio da receptividade. Na parábola do semeador, Jesus falou sobre quatro tipos de pessoas: insensíveis, superficiais, distraídas e receptivas (4.1-20). Devemos tirar proveito dos corações receptivos que o Espírito Santo prepara.[24]

Segundo, há tempo de pescar e tempo de parar de pescar. Os discípulos não deveriam permanecer ao redor de pessoas não receptivas. Não devemos colher frutos verdes. Devemos concentrar o nosso maior

---

[22]WARREN, Rick. *Uma Igreja com Propósitos*, 1997, p. 227-247.
[23]WARREN, Rick. *Uma Igreja com Propósitos*, 1997, p. 227,228.
[24]WARREN, Rick. *Uma Igreja com Propósitos*, 1997, p. 228.

esforço onde há portas abertas e campos maduros para a ceifa. Observe a instrução de Jesus:

> E, em qualquer cidade ou povoado em que entrardes, indagai quem neles é digno; e aí ficai até vos retirardes. Ao entrardes na casa, saudai-a; se, com efeito, a casa for digna, venha sobre ela a vossa paz; se, porém, não o for, torne para vós outros a vossa paz. Se alguém não vos receber, nem ouvir as vossas palavras, ao sairdes daquela casa ou daquela cidade, sacudi o pó dos vossos pés.[25]

O apóstolo Paulo tinha a estratégia de aproveitar as portas abertas e não perder tempo batendo em portas fechadas.[26] Continuamente ele pedia as orações da igreja para que Deus abrisse portas à pregação.

Terceiro, precisamos atrair os peixes. Precisamos atrair os peixes se quisermos apanhá-los. Precisamos criar apetite nas pessoas e sermos receptivos a elas. Precisamos criar pontes para a pregação do evangelho. Precisamos demonstrar amor sincero pelas pessoas se quisermos ganhá-las para Cristo. Jesus atendia às necessidades das pessoas, alimentando-as, curando-as, libertando-as. Precisamos atrai-las, também, ensinando-as de forma prática e criativa. Hoje, a maior reclamação das pessoas é que as mensagens são entediantes, desagradáveis e sem nenhuma conexão com a vida. Hoje, estamos transformando pão em pedra.

Quarto, é preciso pescar em alto-mar, onde os peixes estão. Mudamos a ênfase bíblica, queremos que os peixes pulem na nossa rede. Queremos que os pecadores venham para os nossos templos, enquanto a ordem de Cristo é irmos a eles. Devemos ir lá fora onde os pecadores estão e ganhá-los para Jesus. O próprio Senhor Jesus não ficou dentro do templo, nem dentro da sinagoga, mas percorreu as cidades, vilas e povoados. Ele estava onde estava o povo.

Em terceiro lugar, **certifique-se de que está usando o método certo**. Há dois grandes riscos no evangelismo: o primeiro é mudar a mensagem;

---

[25] Mateus 10:11-14.
[26] WARREN, Rick. *Uma Igreja com Propósitos*, 1997, p. 229.

o segundo é engessar os métodos. O maior inimigo do sucesso no futuro é o nosso sucesso no passado. Não ouse mudar a mensagem, ouse mudar os métodos. Precisamos ler o texto e observar o povo. Conhecer a mensagem e conhecer o público que desejamos alcançar. Precisamos ser sensíveis às pessoas que estamos evangelizando. Alguns princípios são essenciais se quisermos lograr êxito em pescar homens:

Primeiro, devemos ser sensíveis à cultura local. Jesus disse: *Quando entrardes numa cidade e ali vos receberem, comei do que vos for oferecido* (Lc 10.8). Jesus estava dando mais do que um conselho sobre dieta aos apóstolos. Ele estava dizendo que eles deveriam ser sensíveis à cultura local.

Segundo, o nosso alvo deve determinar o nosso método. O apóstolo Paulo foi um grande pescador de homens. Ele nunca mudou sua mensagem, mas sempre variou seus métodos. Vejamos seu testemunho:

> *Porque, sendo livre de todos, fiz-me escravo de todos, a fim de ganhar o maior número possível. Procedi, para com os judeus, como judeu, a fim de ganhar os judeus; para os que vivem sob o regime da lei, como se eu mesmo assim vivesse, para ganhar os que vivem debaixo da lei, embora não esteja eu debaixo da lei. Aos sem lei, como se eu mesmo o fosse, não estando sem lei para com Deus, mas debaixo da lei de Cristo, para ganhar os que vivem fora do regime da lei. Fiz-me fraco para com os fracos, com o fim de ganhar os fracos. Fiz-me tudo para com todos, com o fim de, por todos os modos, salvar alguns. Tudo faço por causa do evangelho, com o fim de me tornar cooperador com ele.*[27]

Alguns críticos podem dizer que Paulo estava sendo um camaleão, agindo diferente com cada grupo, de uma forma hipócrita. Não é verdade. Ele estava sendo estratégico. Sua motivação era o desejo de ver as pessoas salvas.[28]

Terceiro, comece a abordagem evangelística onde as pessoas estão. Jesus mostrou a necessidade de conhecermos as necessidades e ansiedades das pessoas se quisermos fazer um evangelismo efetivo. A mensagem

---

[27] 1Coríntios 9.19-23.
[28] WARREN, Rick. *Uma Igreja com Propósitos*, 1997, p. 240.

precisa estar conectada com a vida. John Stott diz que o sermão é uma ponte entre dois mundos; ele liga o texto antigo ao ouvinte contemporâneo. Precisamos começar onde as pessoas estão, focando em suas necessidades, abrindo, assim, portas para o testemunho do evangelho. Jesus disse: *Curai enfermos, ressuscitai mortos, purificai leprosos, expeli demônios; de graça recebestes, de graça daí* (Mt 10.8). Quando o leproso foi a Jesus e ajoelhou-se pedindo misericórdia, Ele não começou dando uma aula sobre as leis de purificação, Ele apenas curou o homem.

Quarto, use mais de um método para apanhar um número maior de peixes. Devemos usar todos os meios disponíveis para alcançar o maior número possível de pessoas. Jesus usou todos os tipos de evangelismo e todos os métodos de abordagem. Precisamos usar o evangelismo pessoal, evangelismo de grupos pequenos, evangelismo de massa. Precisamos pregar no púlpito, na sala de Escola Dominical, nos lares, nas empresas, nas escolas, nos hospitais, em todo lugar, em todo tempo, para todas as pessoas. Precisamos usar a literatura, a televisão, o rádio, a internet e todos os meios legítimos para alcançar o maior número possível.

Quinto, pescar homens é a coisa mais séria, necessária e urgente do mundo. A pescaria é somente um esporte ou um *hobby* para a maioria das pessoas. Pescar homens, entretanto, não é um programa que fazemos num dia de folga. Deve ser um estilo de vida. Pescar homens é uma tarefa imperativa, intransferível e impostergável. Nesse negócio de consequências eternas, devemos investir nosso tempo, dinheiro e a própria vida.

6

A autoridade do Filho de Deus

Marcos 1.21-28

ADOLF POHL DIZ QUE ESSE TRECHO ESBOÇA, com os três seguintes, algo como um dia de trabalho de 24 horas de Jesus na cidade de Cafarnaum. Ele inicia com o culto de sábado, que ocorre no começo da manhã (1.21b), segue na casa de Pedro (1.29), à noite na rua (1.32), continua antes do raiar do sol (1.35) e termina durante a manhã com a partida da cidade (1.38). Aos quatro períodos do dia correspondem quatro cenários (sinagoga, casa, rua e deserto) e quatro plateias (judeus piedosos, grupo dos discípulos, multidão e tentador).[1] Esse texto tem lições importantes que merecem ser destacadas:

Em primeiro lugar, *Jesus é um pregador estratégico*. Expulso de Nazaré, Jesus não insiste numa cidade cujas portas estavam fechadas (Lc 4.29-31). Ele desce a Cafarnaum e faz dessa cidade seu quartel-general. Isso porque Cafarnaum era a maior e mais populosa das muitas cidades pesqueiras que estavam ao redor do mar da Galileia. Essa cidade vivia entre a riqueza e a decadência, visto que era o ponto de apoio das tropas romanas, campo de fértil influência gentílica. Esse era um lugar apropriado para Jesus desafiar os judeus e os gentios com o evangelho do Reino de Deus.[2]

---

[1] POHL, Adolf. *Evangelho de Marcos*, 1998, p. 78.
[2] BARTON, Bruce B. et al. *Life Application Bible Commentary. Mark*, 1994, p. 28.

Em segundo lugar, ***Jesus é um pregador que usa pontes para ensinar a Palavra***. Jesus usou a sinagoga como lugar oportuno para iniciar o seu ministério de ensino, pois ali o povo estava reunido com o propósito de estudar a Palavra de Deus. Jesus sempre caminhou na direção do povo.

A sinagoga foi criada no período do cativeiro babilônico, depois que o templo foi destruído[3] e tornou-se o principal lugar de culto do povo judeu. Nela o culto tinha apenas três elementos: oração, leitura da Palavra de Deus e sua exposição ou explicação. Não havia música nem sacrifícios.[4]

William Barclay diz que a sinagoga era primordialmente uma instituição de ensino.[5] A sinagoga era mais influente do que o templo, porque este era único, entretanto, as sinagogas se multiplicaram. Para cada grupo de dez famílias havia uma sinagoga.[6] Assim, onde quer que houvesse uma colônia judia, ali havia uma sinagoga.[7]

A sinagoga era também o lugar de reuniões da comunidade e servia como tribunal e escola.[8] Elas eram dirigidas por leigos e não por rabinos e mestres ou pregadores permanentes. Dessa maneira, os mestres visitantes sempre eram convidados para ensinar.[9] Isso foi uma porta aberta para Jesus. O apóstolo Paulo também utilizou essa porta aberta para anunciar o evangelho (At 13.14-16; 14.1; 17.1-4). Foi só no século II que o ensino tornou-se uma prerrogativa de teólogos estudados.[10]

Em terceiro lugar, ***Jesus é um pregador que tinha o hábito de estar na casa de Deus***. Jesus tinha o costume de ir assiduamente à sinagoga (Lc 4.16). Ele não ia apenas quando estava ensinando, mas também para adorar o Pai e ouvir sua Palavra. Ele cresceu em Nazaré frequentando a sinagoga, por isso, desenvolveu, também, o hábito de ensinar nela (Jo 18.20).

---

[3]Wiersbe, Warren W. *Be Diligent*, 1987, p. 15.
[4]Barclay, William. *Marcos*, 1974, p. 40.
[5]Barclay, William. *Marcos*, 1974, p. 40.
[6]Barton, Bruce B. et al. *Life Application Bible Commentary. Mark*, 1994, p. 28.
[7]Pohl, Adolf. *Evangelho de Marcos*, 1998, p. 79.
[8]Pohl, Adolf. *Evangelho de Marcos*, 1998, p. 79.
[9]Barton, Bruce B. et al. *Life Application Bible Commentary. Mark*, 1994, p. 28-29.
[10]Pohl, Adolf. *Evangelho de Marcos*, 1998, p. 80.

Em quarto lugar, *Jesus é um pregador que une conhecimento e poder espiritual*. Marcos, mais do que qualquer outro evangelista, enfatiza o poder de Jesus para expulsar demônios. Jesus é poderoso em palavras e também em obras. A ênfase de Marcos tem a ver com o seu público. Ele escreve para os romanos, povo que vivia atormentado pela ideia de espíritos malignos opressores e que valorizava mais o poder que as palavras.

A maior crítica contra a igreja hoje é que lhe falta autoridade e poder. Os pregadores falam, mas não têm autoridade.[11] Eles proferem a Palavra, mas não são boca de Deus. Eles pregam aos ouvidos, mas não aos olhos.

A autoridade de Jesus para ensinar (Mc 1.21,22)

Destacamos três verdades acerca da autoridade de Jesus para ensinar:

Em primeiro lugar, *Jesus tem autoridade para ensinar porque Ele é a própria verdade*. Os escribas eram os especialistas da lei nos dias de Jesus.[12] Eles foram os precursores do rabinato e os professores da lei. Eles deixavam o templo para os sacerdotes e a influência política para os sumos sacerdotes, forjando a nação nas sinagogas. Ali tudo estava na mão deles: o ensino, a jurisprudência, a interpretação e a tradição.[13]

Para dar credibilidade ao seu ensino, eles precisavam citar alguma autoridade. Mas Jesus não precisava citar nenhum mestre ou especialista na lei para dar credibilidade ao seu ensino. Ele não precisava recorrer a nenhuma outra fonte. Ele era a fonte. Ele é a verdade. Jesus nunca precisou recorrer a outra autoridade fora de si mesmo. Ele é o próprio Deus, de onde as Escrituras emanam. Ele conhece a Palavra, seu significado e sua correta interpretação. No sermão do monte, Ele contrastou o ensino que o povo ouviu com o Seu ensino, dizendo: "Eu, porém, vos digo".

Adolf Pohl comenta que o ensino de Jesus rompendo a tradição dos escribas chocou profundamente o povo:

---

[11]McGee, J. Vernon. *Mark*, 1991, p. 25
[12]Barton, Bruce B. et al. *Life Application Bible Commentary. Mark*, 1994, p. 29.
[13]Pohl, Adolf. *Evangelho de Marcos*, 1998, p. 79.

Para horror de todos, Jesus quebrou essa corrente de tradição. Ele não invocava os pais, mas o Pai. Falava não como rabino, mas como Filho. Pronunciou um novo início da revelação. Isso era algo monstruoso: Ele trazia a revelação em pessoa [...]. Ele não só considerava a tradição dos rabinos ultrapassada, mas até um corpo estranho. O judaísmo tinha deformado Moisés, violado a vontade original de Deus [...]. Perguntaram atônitos de onde vinha sua autoridade (1.27; 11.27 s.). Com base em que Ele tomava essa liberdade? Ele não tinha estudo nem formação (Jo 7.15), não vinha de família importante (6.1-5), nem pertencia a um dos partidos judaicos [...]. A isto se ajuntou mais tarde sua amizade com os pecadores, seus adeptos suspeitos, seus sofrimentos e, por fim, foi pendurado na cruz (15.32).[14]

As pessoas estavam completamente maravilhadas da Sua doutrina e da Sua autoridade (1.22). O evangelho de Marcos enfatiza a autoridade de Jesus para ensinar (1.22,27), autoridade sobre os demônios (1.25; 5.6,7); autoridade para perdoar pecados (2.10); autoridade sobre o templo e Sua administração (11.28-32); autoridade para continuar por intermédio dos seus discípulos a atacar o poder demoníaco (3.15; 6.7).[15]

Em segundo lugar, *Jesus tem autoridade para ensinar porque ensina com fidelidade a Palavra de Deus*. Os escribas acabaram torcendo as Escrituras, escamoteando a verdade e ensinando doutrinas de homens em lugar de exporem a verdade de Deus. Muito embora os escribas tenham sido os especialistas no estudo da lei, eles acabaram reduzindo os princípios da lei em intermináveis regras que, em vez de libertarem o povo, escravizavam-no ainda mais. A religião judaica tornou-se um pesado legalismo.[16]

Os escribas falharam como mestres em três aspectos: Primeiro, falharam quanto ao conteúdo. Eles pregaram doutrinas de homens, e não a Palavra de Deus. Segundo, falharam quanto ao método. Ensinaram de forma fria e não com zelo. Terceiro, falharam quanto ao propósito.

---

[14]POHL, Adolf. *Evangelho de Marcos*, 1998, p. 81.
[15]BARTON, Bruce B. et al. *Life Application Bible Commentary. Mark*, 1994, p. 29.
[16]BARCLAY, William. *Marcos*, 1974, p. 42.

Eles ensinaram com orgulho e ambição, procurando sua própria glória e não a de Deus.[17]

Os escribas acabaram se tornando os mais hostis inimigos de Cristo, perseguindo-o durante todo o seu ministério.

Das dezenove passagens em que aparecem nesse evangelho, em quinze eles aparecem como inimigos consumados de Jesus. A eles seguem os fariseus (2.18), os herodianos (3.6), os principais sacerdotes e anciãos (15.1), o sumo sacerdote (14.47), Pilatos (15.1), o povo (15.11) e os soldados (15.16).[18]

Em terceiro lugar, *Jesus tem autoridade para ensinar porque não é um alfaiate do efêmero, mas um escultor do eterno.* Jesus não foi um mestre de banalidades. Ele ensinou as coisas mais importantes acerca da vida, da morte e da eternidade. William Hendriksen faz um contraste entre os métodos de ensino de Jesus e o dos escribas:[19]

a. Ele falava a verdade (Jo 14.6; 18.37). Em contraste, uma argumentação corrupta e evasiva marcava os sermões de muitos escribas (Mt 5.21s.).
b. Ele falava acerca de assuntos de grande importância, como vida, morte e eternidade. Eles, com frequência, passavam o seu tempo com trivialidades (Mt 23.23; Lc 11.42).
c. Ele despertava a curiosidade dos seus ouvintes, por fazer uso constante e generoso de ilustrações (Mc 4.2-9,21,24,2634 ; 9.36; 12.1-11). O discurso deles era seco como poeira.

Jesus falava com autoridade porque a Sua mensagem vinha diretamente do coração e da mente do Pai (Jo 8.26) e, portanto, do seu próprio ser divino e das Escrituras. Eles estavam constantemente citando fontes falíveis — um escriba citava outro. Eles estavam tentando encontrar água em cisternas rotas.

---

[17]BURN, John Henry. *The Preacher's Homiletic Commentary. Mark*, 1996, p. 32.
[18]POHL, Adolf. *Evangelho de Marcos*, 1998, p. 79.
[19]HENDRIKSEN, William. *Marcos*, 2003, p. 86.

A autoridade de Jesus sobre os demônios (Mc 1.23-28)

Destacamos algumas verdades sobre essa questão:

Em primeiro lugar, *a possessão demoníaca é um fato inegável* (1.23). Há dois extremos que falseiam a verdade quanto a este assunto: o primeiro deles nega a realidade da possessão; o segundo, diz que toda insanidade mental é evidência dela.

Há ainda outros dois extremos: o primeiro é a afirmação de que o fenômeno da possessão foi limitado, quase que exclusivamente ao período de manifestação divina especial, durante o qual a igreja do Novo Testamento nasceu[20] e o segundo é a generalização indiscriminada da possessão, confundindo-a com perturbações mentais de toda a ordem. Tratar uma pessoa doente como possessa é um terrível engano e uma perversa atitude. Alguém já disse que é melhor chamar diabo de gente do que gente de diabo.

A possessão é um fato inegável tanto pelo registro infalível das Escrituras, quanto pelo testemunho inequívoco da experiência histórica. A possessão é uma realidade confirmada pela experiência e não apenas pelos dogmas.[21] Tanto a negação quanto sua confusão com doenças mentais estão em desacordo com o ensino das Escrituras.

Em segundo lugar, *na possessão, espíritos malignos assumem o controle da personalidade humana*. O diabo sempre quis imitar a Deus. Porque Deus é trino, o diabo também se manifestará ao mundo numa tríade maligna: o dragão, o anticristo e o falso profeta. Porque Deus se encarnou, ele também vai criar um simulacro da encarnação, na manifestação do anticristo. Porque Jesus ressuscitou, o diabo vai curar a ferida mortal do anticristo num simulacro da ressurreição. Porque Deus tem um povo selado, o diabo vai selar também os seus súditos com a marca da besta. Porque Deus habita no coração dos homens pelo Espírito, ele também entra nas pessoas através da possessão.

Uma pessoa possessa está sob o controle do espírito imundo que habita nela (1.23,24). Há vários espíritos em um só homem (1.24).

---

[20]HENDRIKSEN, William. *Marcos*, 2003, p. 88.
[21]CHAMPLIN, Russell Norman. *Mateus e Marcos*. Guarainguetá, SP: A Voz Bíblica. n.d., p. 667.

O endemoninhado de Gadara tinha uma legião de demônios, ou seja, seis mil demônios dentro de si (5.9).

A manifestação dos demônios na vida das pessoas é uma dramática realidade. Esses espíritos imundos arrastam as pessoas a toda sorte de imundície moral, pervertendo, corrompendo, enlameando. Apocalipse 9.1-11 fala de um bando de gafanhotos que saem do abismo e criam um ambiente lôbrego, atormentando os homens. Vivemos numa geração que obedece a ensinos de demônios, que cultua o satanismo e flerta com as trevas.

Em terceiro lugar, *os demônios, muitas vezes, se infiltram no meio da congregação do povo de Deus*. Havia um homem possesso na sinagoga. Os demônios não o levaram para os antros do pecado, mas para dentro do lugar sagrado de ensino da Palavra. Ele estava ali escondido, camuflado. Para muitos, talvez, era apenas mais um adorador e mais um estudioso das Escrituras.

Precisamos nos acautelar. É uma infantilidade pensar que nós estaremos protegidos da ação dos demônios dentro da igreja.[22] O demônio que estava aninhado nesse homem não temeu estar onde se falava do nome de Deus. Os demônios procuram constantemente, por todos os meios e em todos os lugares, mesmo na casa de Deus, destruir os homens.[23] Porém, onde Jesus está presente, os demônios não podem permanecer nem prevalecer.

Em quarto lugar, *os demônios procuram levar os homens a pecarem contra Deus*. Eles são espíritos imundos (1.23). Eles trabalham sem trégua para induzirem os homens a pecar contra Deus. Eles são anjos caídos que se uniram a satanás em sua rebelião e assim tornaram-se pervertidos e maus.

Esses espíritos imundos provocam grande sofrimento: eles levam seus súditos a serem capachos de sua vontade maligna, induzindo as pessoas ao pecado, à vergonha, ao opróbrio. Há pessoas que oferecem sacrifícios de animais. Há outras que ingerem sangue. Há aqueles que fazem despachos e oferendas nas ruas, encruzilhadas e até mesmo nos cemitérios para agradar ou aplacar a fúria desses espíritos opressores.

---

[22]BARTON, Bruce B. et al. *Life Application Bible Commentary. Mark*, 1994, p. 31.
[23]GIOIA, Egidio. *Notas e Comentários à Harmonia dos Evangelhos*, 1969, p. 90.

Muito embora nem todas as doenças procedam de satanás, algumas vezes, demônios podem causar nas pessoas mudez, surdez, cegueira e insanidade.[24]

Em quinto lugar, **as trevas não toleram a manifestação da luz** (1.23). Jesus é a luz do mundo. Quando ele chegou, as trevas não puderam ficar mais escondidas. A luz denuncia e espanca as trevas. Os demônios não podem se manter anônimos onde Jesus está presente. A presença manifesta de Deus torna-se insuportável para os demônios. Aquele frequentador disfarçado da sinagoga misturado no meio da congregação estava possuído pelo demônio, mas na presença de Jesus, aquela simbiose de profano com o religioso se rompeu.[25]

Em sexto lugar, **os demônios sabem quem é Jesus**. O espírito imundo que estava naquele homem disse a Jesus: *Bem sei quem és* (1.24). Jesus é conhecido no céu, na terra e no inferno (At 19.15). Enquanto o povo da sinagoga estava espantado acerca do que Jesus falava, e de quem Jesus era, o demônio não estava; ele sabia quem era Jesus. Os demônios sabiam que a vinda de Jesus estava quebrando o seu poder sobre os homens. Eles tinham perfeita compreensão de quem era Jesus, bem como de sua missão:

Primeiro, eles confessam a humanidade de Jesus. Chamam-no de Jesus Nazareno.

Segundo, eles confessam a divindade de Jesus. Eles sabiam que Jesus é o Santo de Deus.

Terceiro, eles sabem que Jesus é o libertador dos homens e o flagelador dos demônios. Os demônios sabem que Jesus vai um dia lançá-los todos no lago de fogo (Mt 25.41) e temem que Jesus antecipe esse fato (Mt 8.29). O endemoninhado de Gadara exclamou em alta voz: *Que tenho eu contigo, Jesus, Filho do Deus Altíssimo? Conjuro-te por Deus que não me atormentes!* (Mc 5.7).

Quarto, eles confessam que Jesus é o juiz que vai condená-los. Perguntaram: *Vieste para perder-nos?* (1.24). O verbo *vieste* não deve ser entendido com a conotação de procedência geográfica. William

---

[24]BARTON, Bruce B. et al. *Life Application Bible Commentary. Mark*, 1994, p. 30.
[25]POHL, Adolf. *Evangelho de Marcos*, 1998, p. 81.

Hendriksen diz que é melhor assumir o significado de "vieste do céu à terra...".[26] Os demônios sabiam que Jesus veio para atormentá-los e derrotá-los (Mt 8.29) e lançá-los no abismo (Mt 25.41).

Em sétimo lugar, *Jesus não aceita diálogo com os demônios* (1.25,26). Jesus repreende e ordena. Ele decreta uma ordem clara, concisa, peremptória e imediata: cala-te e sai desse homem! Larry Richards diz que o significado literal da palavra é "seja amordaçado". Apesar de o demônio poder gritar, ele não pronunciou nenhuma palavra.[27] O demônio obedeceu prontamente, pois isso era tudo o que podia fazer. Ele obedeceu, apesar de o fazer, como é evidente no texto, de má vontade: *Então, o espírito imundo, agitando-o violentamente e bradando em alta voz, saiu dele* (1.26).[28] A palavra de repreensão de Jesus não deixa acontecer a guerra de palavras que o espírito imundo tinha iniciado. Adolf Pohl assim descreve essa cena:

> Preste atenção na brevidade assombrosa: Jesus não pergunta o nome, não faz uma oração relâmpago, não fica fora de si em êxtase, não murmura fórmulas, não recorre a objetos como os exorcistas judeus, não usa raízes medicinais nem vapores anestésicos — nada além dessa ordem nua.[29]

A palavra grega usada para o verbo "repreendeu" significa reprovar ou envergonhar.[30] Jesus julgou o demônio e o expeliu. Jesus não usou encantamento ou palavras mágicas, simplesmente ordenou com autoridade e o demônio saiu. Os demônios estão debaixo da autoridade de Jesus. Eles só podem agir até onde Jesus o permitir. Ao fim, satanás e todos os seus demônios serão lançados no lago do fogo e serão atormentados para sempre (Ap 20.10).

Hoje, muitos pregadores entabulam longas conversas com os demônios na prática do exorcismo. Outros, até dão credibilidade à revelação

---

[26] HENDRIKSEN, William. *Marcos*, 2003, p. 89.
[27] RICHARDS, Larry. *Todos os Milagres da Bíblia*. Campinas, SP: United Press, 2003, p. 203.
[28] HENDRIKSEN, William. *Marcos*, 2003, p. 90.
[29] POHL, Adolf. *Evangelho de Marcos*, 1998, p. 82.
[30] BARTON, Bruce B. et al. *Life Application Bible Commentary. Mark*, 1994, p. 31.

dos demônios, mesmo sabendo que o diabo é o pai da mentira. Isso está em desacordo com o ensino das Escrituras.

Em oitavo lugar, *Jesus não aceita o testemunho dos demônios* (1.24,25). Não obstante o testemunho desse espírito imundo acerca de Jesus ter sido verdadeiro, confessando sua humanidade, divindade e seu papel de juiz, Jesus o mandou calar e sair. Jesus não aceita o reconhecimento que vem de um demônio corrupto (1.34). O Salvador não deseja nem necessita da ajuda dos demônios para anunciar ao povo quem Ele é. O apóstolo Paulo, de igual forma, não aceitou esse testemunho dos demônios (At 16.16-24).

É espantoso que os demônios davam testemunho acerca da messianidade de Jesus, enquanto os líderes religiosos rejeitaram esse fato glorioso. Os demônios tinham um grau de fé mais elevado que esses religiosos. Os demônios creem e tremem (Tg 2.19), enquanto os religiosos rejeitam e perseguem.

Concluímos, enfatizando que a autoridade de Jesus produz espanto entre os homens e derrota entre os demônios (1.27). Os homens de Cafarnaum estavam impactados com a autoridade de Jesus para ensinar a Palavra e também para expulsar os demônios. Quanto ao ensino, Jesus impactava pelo conteúdo, método e exemplo; quanto ao exorcismo, Jesus impactava pelo poder irresistível. Eles estavam profundamente impressionados com as palavras e ações de Jesus. A palavra *thambeõ* enfatiza o medo causado por um acontecimento surpreendente.[31]

J. R. Thompson diz que a autoridade de Jesus era absoluta. Ela foi reconhecida pelo próprio satanás que foi vencido no deserto e despojado na cruz. Ela foi reconhecida pelos anjos que O serviram e O honraram. Ela foi sentida pelos demônios que precisaram bater em retirada sob o poder de Suas ordens. Ela foi conhecida pela natureza, pois o vento e o mar Lhe obedeceram às ordens. Ela foi admitida pelos inimigos que muitas vezes ficaram calados diante da Sua sabedoria e poder. Seus discípulos reconheceram sua autoridade, deixando para trás o trabalho e a própria família para segui-Lo. Suas obras testificaram

---

[31] RICHARDS, Larry. *Todos os Milagres da Bíblia*, 2003, p. 204.

também a Sua autoridade. Mas de todos os testemunhos, o maior é o testemunho do próprio Pai.

Ele, do céu, selou Seu ministério, dizendo que era o Filho amado, em que Se deleitava.[32]

Outrossim, a autoridade de Jesus espalha-se entre os homens (1.28). A autoridade de Jesus não pode ficar confinada a uma sinagoga, a uma cidade, a um país. Ele tem toda autoridade no céu e na terra (Mt 28.18).

John Charles Ryle diz que podemos tirar desse texto, três lições práticas:[33]

Primeira, a inutilidade do mero conhecimento intelectual da religião. Os mestres da lei têm a cabeça cheia de luz, mas o coração cheio de sombras. Eles têm conhecimento, mas rejeitam a Jesus. O conhecimento sem a fé salvadora não nos salvará.

Segunda, o mero conhecimento de fatos e doutrinas do cristianismo não nos salvará. Tal crença não é melhor do que a crença dos demônios. Os demônios sabem que Jesus é o Cristo (1.24,34). Eles creem que um dia Ele julgará o mundo e os lançará no inferno. Há algumas pessoas que têm uma fé inferior à fé dos demônios. Não há descrença entre os demônios. Eles creem e tremem (Tg 2.19).

Terceira, precisamos nos certificar de que a nossa fé é uma fé do coração e também da cabeça. Precisamos conhecer a Cristo e também amá-Lo. Os demônios conhecem a Cristo, mas não O amam. Temem-No, mas não O obedecem com prazer. Os escribas conheciam a lei, mas negavam o Senhor da lei. Eles em vez de ensinarem o povo o caminho da verdade, desviaram o povo. Em vez de darem glória a Deus, exaltaram-se a si mesmos; em vez de reconhecerem o Salvador, perseguiram-No.

---

[32]THOMPSON, J. R. *The Pulpit Commentary. Mark and Luke*, p. 17.
[33]RYLE, John Charles. *Mark*, 1993, p. 8.

7

As áreas do ministério de Jesus

Marcos 1.29-39

O MINISTÉRIO DE JESUS foi marcado por duas grandes plataformas:

Em primeiro lugar, ***profunda intimidade com o Pai***. Jesus veio do céu à terra, mas jamais perdeu o contato com o céu. Ele veio do Pai, mas nunca abriu mão da intimidade com o Pai. Toda a Sua vida foi conduzida por um intenso senso da presença do Pai.

Em segundo lugar, ***profunda compaixão pelos necessitados***. Jesus sacrificava Seu descanso para atender às multidões aflitas e para socorrer os necessitados. As pessoas tinham sempre prioridade em sua agenda.

Veremos quatro áreas do ministério de Jesus:

O ministério de **cura** (Mc 1.29-34)

Destacamos quatro fatos dignos de observação:

Em primeiro lugar, ***Jesus usa Seu dia de descanso para socorrer os aflitos***. Jesus nunca esteve demasiado cansado para ajudar as pessoas. A necessidade delas era mais importante do que Seu próprio desejo de descanso.[1] Ele foi à sinagoga de manhã, ensinou e libertou e, agora, vai à casa de Pedro para curar sua sogra. Na sinagoga, o milagre foi público,

---

[1] BARCLAY, William. *Marcos*, 1974, p. 47.

na casa de Pedro, longe dos holofotes. Ele não precisava de público para fazer uso do Seu poder.[2]

Em segundo lugar, *os discípulos levaram seus problemas a Jesus. E logo Lhe falaram a respeito dela* (1.30). *E rogaram-Lhe por ela* (Lc 4.38). Pedro era um homem casado e sua sogra morava com ele. Quando esta ficou enferma, os discípulos levaram o problema a Jesus. Falaram para Ele sobre a enfermidade. Nós, de igual modo, devemos levar nossas causas ao Senhor. Podemos cantar com o poeta sacro: "Quando tudo perante o Senhor estiver, e todo o meu ser, Ele controlar. Só então, hás de ver, que o Senhor tem poder, quando tudo deixares no altar".

Isso nos prova que eles criam que Jesus era compassivo e poderoso. Jesus se importa com os problemas das pessoas e tem poder para socorrê-las.

Nós devemos, semelhantemente, contar para Jesus aquilo que nos aflige e levar nossas causas a Ele. Warren Wiersbe diz que não devemos deixar Jesus na igreja, mas devemos levá-Lo também à nossa casa e repartir com Ele nossas alegrias e nossos fardos.[3] Essa expressão: "e logo Lhe falaram a respeito dela" dá-nos confiança para vir a Jesus com nossas necessidades e problemas. Geralmente, nós buscamos todos os outros recursos antes de irmos ao Senhor. Devemos, buscá-lo em primeiro lugar. A Bíblia nos ensina a falarmos com Jesus sobre nossas necessidades. Todas as soluções para os nossos problemas devem começar pela oração.[4]

Quando ficamos doentes, procuramos um médico. Quando temos problemas, com a lei, procuramos um advogado. Quando precisamos de ajuda, procuramos um amigo, mas acima de tudo e em qualquer circunstância, devemos procurar primeiro o Senhor Jesus. Jacó clamou pelo socorro divino quando se viu com um problema (Gn 32.11). O rei Ezequias colocou a afrontosa carta de Senaqueribe diante de Deus e orou (2Rs 19.19). Quando Lázaro ficou doente suas irmãs procuraram a Jesus (Jo 11.3). A Bíblia nos ensina a lançar sobre Ele toda a nossa ansiedade (1Pe 5.7).[5]

---

[2]BARCLAY, William. *Marcos*, 1974, p. 47.
[3]WIERSBE, Warren W. *Be Diligent*, 1987, p. 18.
[4]BARTON, Bruce B. et al. *Life Application Bible Commentary. Mark*, 1994, p. 34.
[5]RYLE, John Charles. *Mark*, 1993, p. 9.

Em terceiro lugar, *as nossas causas impossíveis são possíveis para Jesus*. A sogra de Pedro estava acamada. A palavra "acamada", *katakeimai*, pode ser traduzida por "estar prostrada". A palavra grega para "febre" é a mesma palavra para fogo. Mateus diz que ela estava ardendo em febre (Mt 8.14). Lucas, que era médico, usando um termo mais técnico, diz que ela estava com uma febre muito alta (Lc 4.38).

Na Palestina havia três tipos de febres: 1) A febre de Malta — acompanhada de grande anemia e debilidade; 2) A febre tifoide — era uma febre intermitente; 3) A febre malária — as regiões pantanosas do Jordão eram infestadas de mosquitos da malária. Em Cafarnaum abundavam os casos de malária. O enfermo tinha acessos de febre e calafrios. Adolf Pohl diz que na região pantanosa ao redor de Cafarnaum, com seu clima subtropical, é provável que a sogra de Pedro tivesse sido acometida de malária. Essa não era uma enfermidade simples. Era chamada de febre mortal (Jo 4.52).[6]

Os discípulos estavam diante de uma causa impossível, mas eles levaram-na a Jesus. Eles contaram para Jesus e confiaram nEle e o milagre aconteceu. Embora essa seja uma cura na família de um discípulo, é a história de cura mais curta e mais singela dos evangelhos.

Em quarto lugar, *nenhuma enfermidade pode resistir ao poder de Jesus*. Ele curou o homem possesso na sinagoga num ambiente religioso, curou a sogra de Pedro em casa, num ambiente familiar e também uma multidão na rua, num ambiente aberto.

Jesus tocou a sogra de Pedro, deu ordem à febre e a mulher levantou. A doença ouve Sua voz. O vento obedece à Sua voz. O mar atende à Sua voz. Os anjos obedecem às Suas ordens. Os demônios batem em retirada à autoridade de Sua voz. Nada pode resistir ao Seu poder. William Hendriksen diz que a febre, ventos, as ondas, as tempestades, nada disso fazia diferença para Jesus. Ele exercia completo controle sobre tudo isso.[7]

O resultado foi que a febre a deixou. Todos os sintomas da febre desapareceram imediatamente. Ela se levantou e passou a servi-los.

---

[6]POHL, Adolf. *Evangelho de Marcos*, 1998, p. 83.
[7]HENDRIKSEN, William. *Marcos*, 2003, p. 93.

Não houve nenhum truque, nenhum engodo, nenhuma palavra mágica nem expediente para impressionar os circunstantes. A cura foi imediata: *e a febre a deixou* (1.31); totalmente: *logo se levantou* (Lc 4.38,39) e permanente: *passando ela a servi-los* (1.31).

A grande ênfase de Marcos nesse capítulo 1 é à vitória de Jesus sobre satanás (1.12,13), Sua autoridade sobre os demônios (1.23-26) e Sua autoridade sobre todas as doenças humanas (1.30,31).

A notícia da expulsão do demônio na sinagoga e da cura da sogra de Pedro correu célere e muitas pessoas renovaram as suas esperanças de cura para os seus entes queridos.[8] Depois da cura familiar, dentro da casa de Pedro, uma multidão é trazida a Jesus. Agora, Ele está na rua. Marcos fala de "todos os enfermos". Diz também que "curou a muitos" de toda "sorte de enfermidades". Para Jesus não há causa perdida.

Lucas faz um registro importante deste texto: *Ao pôr do sol, todos os que tinham enfermos de diferentes moléstias lhos traziam; e Ele os curava, impondo as mãos sobre cada um* (Lc 4.40). Jesus não apenas curou toda sorte de enfermidade, mas teve um cuidado especial com cada pessoa de *per si*. Ele nunca tratou as pessoas como um número numa massa. Ele sempre valorizou as pessoas mais marginalizadas. Ele impôs as mãos sobre cada pessoa.

O ministério de **libertação** (1.32-34)

No fim do sábado, quando o sol já declinava, o povo da cidade de Cafarnaum afluiu em massa para o local onde Jesus estava. Havia na multidão aqueles que apenas queriam ver as coisas acontecerem (1.33). Havia também pessoas escravizadas por poderes malignos e ainda pessoas enfermas. Há três coisas aqui que merecem destaque:

Em primeiro lugar, **as pessoas traziam os endemoninhados a Jesus** (1.32,33). A palavra grega "trouxeram" é *pherō*, que significa "carregar um fardo".[9] Muitas pessoas enfermas e endemoninhadas foram trazidas a Jesus, doutra sorte jamais poderiam vir. Eram levadas, ou pereceriam

---

[8] HENDRIKSEN, William. *Marcos*, 2003, p. 94.
[9] BARTON, Bruce B. et al. *Life Application Bible Commentary. Mark*, 1994, p. 35.

sem esperança. Devemos trazer os cativos a Jesus. Ele é o libertador dos homens e o flagelador dos demônios. O verbo grego está no tempo imperfeito, indicando, ainda, que eles "continuavam trazendo" as pessoas a Jesus, significando uma ação contínua.[10]

Marcos faz uma clara distinção entre enfermos e endemoninhados. Enquanto satanás pode causar doenças físicas, nem toda doença é causada pelo poder demoníaco.[11]

Egidio Gioia, de outro lado, considera a possessão como uma enfermidade tríplice: espiritual, mental e física. É um gênero de enfermidade produzida por agentes espirituais demoníacos, quando demônios aninham-se no corpo do ser humano. É uma estranha complicação de desordens físicas, morais e espirituais.[12]

Com um toque hiperbólico, Marcos diz que toda a cidade estava reunida à porta (1.33). A palavra grega "reunida à porta", *episynegmen*, literalmente significa "ir com outros e permanecer junto em um grupo".[13] Havia nessa multidão três grupos: Aqueles que eram necessitados de ajuda; aqueles que trouxeram seus amigos doentes e endemoninhados e aqueles que eram apenas curiosos e estavam ali para observar o que ia acontecer.[14]

Em segundo lugar, **Jesus libertava os endemoninhados** (1.34). Jesus libertava os possessos por algumas razões:

Primeiro, porque Ele veio para libertar os cativos. Seu ministério foi definido por Ele desde que começou sua agenda pública na sinagoga de Nazaré, como um ministério de libertação dos cativos e oprimidos (Lc 4.18). Lucas diz que Ele foi ungido para libertar os oprimidos do diabo (At 10.38).

Segundo, porque Ele veio para desfazer as obras do diabo. Jesus veio ao mundo para desbancar o diabo e suas hostes. Ao mesmo tempo em que liberta os cativos, ele aflige os demônios. Ele venceu o diabo na

---

[10]BARTON, Bruce B. et al. *Life Application Bible Commentary. Mark*, 1994, p. 36.
[11]WIERSBE, Warren. *Be Diligent*, 1987, p. 18.
[12]GIOIA, Egidio. *Notas e Comentários à Harmonia dos Evangelhos*, 1969, p. 94.
[13]BARTON, Bruce B. et al. *Life Application Bible Commentary. Mark*, 1994, p. 36.
[14]BARTON, Bruce B. et al. *Life Application Bible Commentary. Mark*, 1994, p. 36.

tentação, venceu-o libertando os endemoninhados, venceu-o nas outras diversas investidas e finalmente triunfou sobre ele na cruz, despojando-o e expondo-o ao desprezo (Cl 2.15). Jesus se manifestou para desfazer as obras do diabo (1Jo 3.8).

Terceiro, porque Ele sentia profunda compaixão pelas pessoas oprimidas. Os milagres de Jesus não eram realizados para chamar a atenção para si, mas para demonstrar sua compaixão pelos outros. Sua motivação não era a vaidade, mas o amor.

Em terceiro lugar, *Jesus não permitia que os demônios falassem* (1.34). Os demônios sabiam quem era Jesus. Sabiam que Ele é o Filho de Deus, o Santo de Deus, mas Jesus jamais aceitou o testemunho dos demônios. Estes não são mensageiros de Jesus.

Por que Jesus não permitiu que os demônios falassem? Bruce Barton alista três motivos: Primeiro, para silenciar os demônios. Jesus, assim, demonstrou sua autoridade e poder sobre eles. Segundo, Jesus desejou que as pessoas cressem que Ele era o Messias por causa do que disse e fez e não por causa das palavras dos demônios. Terceiro, Jesus queria revelar sua identidade como Messias no seu tempo certo e não de acordo com o tempo escolhido por satanás. Este queria que as pessoas seguissem a Cristo com o motivo errado. Queria que as pessoas seguissem a Cristo por aquilo que poderiam receber dEle e não por quem de fato Ele é, o Salvador do mundo.[15]

O ministério de **oração** (1.35-37)

Três fatos são dignos de observação acerca do ministério de oração de Jesus:

Em primeiro lugar, *o cansaço físico não impedia Jesus de orar* (1.35). Jesus se levantou alta madrugada, depois de um dia intenso de trabalho, e foi para um lugar deserto para orar. Ali Ele derramou o seu coração em oração ao seu Pai celestial. Ele tinha plena consciência de que não podia viver sem comunhão com o Pai, por meio da oração. Jesus entendia que intimidade com o Pai precede o exercício do ministério.

---

[15]BARTON, Bruce B. at all. *Life Application Bible Commentary. Mark*, 1994, p. 37.

Jesus dava grande importância à oração. Ele mesmo orou quando foi batizado (Lc 3.21). Orou uma noite inteira antes de escolher os doze apóstolos (Lc 6.12). Ele se retirava para orar quando a multidão o procurava apenas atrás de milagres (Lc 5.15-17). Ele orou antes de fazer uma importante pergunta aos discípulos (Lc 9.18) e também orou no monte de Transfiguração, quando o Pai O consolou antes de ir para a cruz (Lc 9.28). Ele orou antes de ensinar Seus discípulos a "Oração do Senhor" (Lc 11.1). Jesus orou no túmulo de Lázaro (Jo 11.41,42). Orou por Pedro, antes da negação (Lc 22.32). Orou durante a instituição da Ceia do Senhor (Jo 14.16; 17.1-24). Orou no Getsêmani (Mc 14.32-39), na cruz (Lc 23.34) e também após a ressurreição (Lc 24.30). Hoje, Ele está orando por nós (Rm 8.34; Hb 7.25).

John Charles Ryle diz que um mestre tão comprometido com a oração não pode ter servos descomprometidos com ela. Um servo sem oração é um servo sem Cristo, inútil, na estrada da destruição. Quando há pouca oração, a graça, a força, a paz e a esperança são escassas. Ryle pergunta:

> Se Jesus que era santo, inculpável, puro e apartado dos pecadores orou continuamente, quanto mais nós que somos sujeitos à fraqueza? Se Ele foi encontrado necessitando orar com alto clamor e lágrimas (Hb 5.7), quanto mais nós devemos clamar por nós, que ofendemos a Deus diariamente de tantas formas?[16]

Nós devemos orar com mais empenho se quisermos ter comunhão com o Pai. Devemos orar com mais fervor se quisermos fazer sua obra. Trabalho sem oração é presunção. Sigamos as pegadas do nosso Mestre!

Em segundo lugar, *a oração para Jesus era intimidade com o Pai e não desempenho diante dos homens* (1.35). Jesus buscava mais intimidade com o Pai do que popularidade. Ele era homem do povo, mas não governado pela vontade do povo. Sempre que os homens O buscaram apenas como um operador de milagres, viu nisso uma tentação, mais do que uma oportunidade e refugiava-Se em oração.

---

[16] RYLE, John Charles. *Mark*, 1993, p. 12.

Marcos registra três momentos quando Jesus preferiu o refúgio da oração: Primeiro, depois do seu bem-sucedido ministério de cura em Cafarnaum, quando a multidão O procurava apenas por causa dos milagres (1.35-37); Segundo, depois da multiplicação dos pães, quando a multidão O queria fazer rei (6.46). Terceiro, no Getsêmani, antes da Sua prisão, tortura e crucificação (14.32-42).

Em terceiro lugar, *Jesus dava mais valor à comunhão com o Pai do que ao sucesso diante dos homens* (1.37). A multidão desejava ver a Jesus novamente, mas não para ouvir sua Palavra, porém, para receber curas e ver operações de milagres.[17] Certamente Pedro não discerniu a superficialidade da multidão, sua incredulidade e sua falta de apetite pela Palavra de Deus. Todo pregador é fascinado com a multidão, mas Jesus algumas vezes fugiu dela para refugiar-Se na intimidade do Pai através da oração. O pregador que busca intimidade com Deus mais do que popularidade diante dos homens sabe ir ao encontro das multidões e também fugir delas. A intimidade com Deus em oração é mais importante do que sucesso no ministério. Em 1997, estive visitando a Igreja do Evangelho Pleno em Seul, na Coreia do Sul. Certa feita, o presidente da Coreia do Sul ligou para o pastor da igreja, Paul Yong Cho. A secretária lhe disse: "O pastor não pode atender o senhor, pois ele está orando". O presidente, inconformado, retrucou: "Eu sou o presidente da Coreia do Sul e quero falar com ele, agora!". A secretária, firmemente respondeu: "Ele não vai atender o senhor, pois ele está orando". Mais tarde, o presidente ligou para o pastor em tom de reprovação, por não ter sido atendido, mas o pastor lhe disse: "Eu não o atendi, porque estava falando com alguém muito mais importante do que o senhor. Eu estava falando com o Rei dos reis e Senhor dos senhores".

O ministério de **pregação** (Mc 1.38,39)

Destacamos três fatos sobre a pregação de Jesus:

Em primeiro lugar, *a pregação ocupava lugar central no ministério de Cristo* (1.38). Jesus revelou que Ele veio ao mundo para pregar e

---

[17] WIERSBE, Warren W. *Be Diligent*, 1987, p. 19.

ensinar. Ele deixou a glória que tinha com o Pai desde toda a eternidade para ser um evangelista.[18] Jesus veio ao mundo para proclamar libertação aos cativos (Lc 4.18). Ele é o divino missionário enviado pelo Pai, para evangelizar e salvar o mundo perdido. Em sua primeira viagem missionária, Ele a fez preceder por uma silenciosa madrugada de oração. Jesus nos ensina que a oração nos conduz à fonte do poder divino, é a chave que abre os tesouros celestiais e o segredo da vitória na esfera espiritual.[19]

Ele demonstrou sua confiança na supremacia da Palavra e na primazia da pregação. Ele veio para pregar. A pregação estava no centro do seu ministério. Deve estar também no centro da agenda dos apóstolos (At 6.4). É pela pregação que vem a fé salvadora (Rm 10.13-17).

Não há nenhum privilégio mais elevado que este, ser pregador da Palavra de Deus, embaixador do céu, ministro da reconciliação, portador de boas-novas. Spurgeon dizia aos seus alunos: "Se os reis vos convidarem para serdes ministros de Estado, não vos rebaixeis, deixando o honrado posto de embaixadores de Deus".

Jesus fez uma cruzada de pregação pelas sinagogas da Galileia. A frase por "toda a Galileia" indica que Jesus e Seus discípulos visitavam todos os povoados e aldeias sistemática e ordenadamente, pregando o evangelho do reino nas sinagogas e fazendo os milagres que ilustravam tanto Seu amor quanto o Seu poder.[20] Esse giro está registrado apenas num versículo (Mc 1.39), mas deve ter durado semanas ou até meses.[21] Jesus afirmou que era mais importante pregar o evangelho em outros lugares do que permanecer em Cafarnaum e curar os doentes. Ele não permitiu que o clamor popular mudasse Suas prioridades.[22]

Em segundo lugar, *a pregação para Jesus era mais importante do que os milagres* (1.38). Jesus não veio de Nazaré ou Cafarnaum, mas do céu[23] e isto não apenas para resolver os problemas temporais, mas para

---

[18]RYLE, John Charles. *Mark*, 1993, p. 13.
[19]GIOIA, Egidio. *Notas e Comentários à Harmonia dos Evangelhos*, 1969, p. 93.
[20]TRENCHARD, Ernesto. *Una Exposición del evangelio según Marcos*, 1971, p. 30.
[21]BARCLAY, William. *Marcos*, 1974, p. 52.
[22]WIERSBE, Warren W. *Be Diligent*, 1987, p. 19.
[23]João 1.11,12; 6.38; 8.42; 13.3; 18.37.

salvar o homem da condenação eterna. Sua obra vicária e expiatória era mais importante que Suas curas. Ele quis ser lembrado por Sua morte e não por Seus milagres.

Os discípulos, cheios de entusiasmo, disseram para ele que a multidão O procurava, mas Ele dava mais importância à oração e ao ministério da Palavra do que à popularidade. Jesus nunca permitiu que o povo ou seus discípulos dissessem o que Ele deveria fazer.[24]

Foi pela pregação que a igreja começou e foi estabelecida. É pela pregação que ela cresce saudavelmente. Pela pregação os pecadores são despertados. Pela pregação os santos são edificados. A pregação coloca o mundo de ponta-cabeça e lança ao chão os monumentos do paganismo. O Rei dos reis e o Senhor dos senhores foi um pregador.[25]

Em terceiro lugar, *a pregação de Jesus era dirigida aos ouvidos e aos olhos* (1.39). Jesus pregava e curava, pregava e expulsava demônios, falava e fazia. Ele pregava com sabedoria e também com poder. Palavra e ação para Jesus andam juntas. William Barclay disse que havia três pares de coisas que Jesus nunca separou:[26]

Primeiro, Ele nunca separou palavra de ação. O homem que emprega todas as suas energias em falar, mas nunca chega a fazer o que diz não é um discípulo de Cristo.

Segundo, Ele nunca separou o corpo da alma. Jesus tratou do corpo e da alma. Ele perdoou pecados e curou enfermidades. Ele deu aos famintos o pão da terra e também o pão do céu. A tarefa do cristianismo é redimir o homem integralmente. Devemos levar aos homens não apenas o evangelho, mas também educação, medicina, escolas e hospitais.

Terceiro, Ele nunca separou a terra do céu. Há pessoas que estão tão preocupadas com o céu que esquecem da terra e se convertem em visionários e idealistas pouco práticos. Há, de outro lado, aqueles que esquecem do céu e só pensam nas cousas terrenas. Jesus ensinou que a vontade de Deus deve ser feita na terra como ela é feita no céu. O céu e a terra precisam estar conectados.

---

[24] HENDRIKSEN, William. *Marcos*, 2003, p. 98.
[25] RYLE, John Charles. *Mark*, 1993, p. 14.
[26] BARCLAY, William. *Marcos*, 1974, p. 52,53.

8

Uma **grande miséria** diante do **grande Deus**

Marcos 1.40-45

ESSE TEXTO É UM DOS MAIS TOCANTES DO NOVO TESTAMENTO. Mais do que um fato, é um símbolo, um emblema da nossa vida. Ele nos mostra dois pólos distintos:

Em primeiro lugar, *a miséria extrema a que o homem pode chegar*. Esse texto pinta com cores vivas a dolorosa situação a que um ser humano pode chegar. Certo homem na Galileia começou a ter sintomas estranhos no seu corpo. Um dia, verificou que sua pele estava ficando escamosa e cheia de manchas. Sua esposa, assustada, recomendou-o a ir ao sacerdote. Ele foi, e recebeu o sombrio diagnóstico: "Você está com lepra, está impuro, imundo". Aquele homem voltou cabisbaixo, vestiu-se de trapo e sem poder abraçar sua família, retirou-se para uma caverna ou uma colônia de leprosos, fora da cidade.

Os anos se passaram, sua doença agravou-se. Agora, desenganado, coberto de lepra, corpo deformado, aguarda num total ostracismo social a chegada da morte. Até que um dia fica sabendo que Jesus de Nazaré estava passando pela Galileia. A esperança reacendeu no seu coração. Ele rompeu o bloqueio da aldeia, esgueirou-se pelas ruas e prostrou-se aos pés de Jesus.

Em segundo lugar, *a compaixão infinita do Filho de Deus*. A atitude natural de qualquer judeu seria escorraçar aquele leproso e atirar pedras nele. O leproso estava infringindo a lei, pois era impuro e não podia sair do seu isolamento. Mas Jesus sente compaixão por aquele homem chagado, toca-o, cura-o e devolve-o à sua família, restaurando-lhe a dignidade da vida.

Esse incidente é um exemplo solene da sombria condição humana afetada pela doença mortal do pecado. Também é um retrato da compaixão e do poder absoluto de Jesus, para curar e salvar.

Uma grande **necessidade**

Enquanto Jesus percorria as cidades da Galileia pregando o evangelho, apareceu um homem leproso. O evangelista Lucas, que era médico, usando uma linguagem mais precisa, diz que ele estava coberto de lepra (Lc 5.12). O mal já estava em estado avançado.

A palavra lepra vem de *lepros*, do verbo *lepein*, que significa descascar. Um leproso é alguém com a pele descascando. Naquela época, a lepra abrangia alergias de pele em geral, das quais os rabinos tinham relacionado 72, tanto de curáveis quanto incuráveis.[1] A palavra grega para lepra era usada para uma variedade de doenças similares; algumas delas eram contagiosas, degenerativas e mortais.[2] A lepra descrita no texto em apreço era deste tipo: uma doença insidiosa, repulsiva, lenta, progressiva, grave e incurável. Ela transformava o enfermo numa carcaça repulsiva. O leproso era considerado um morto-vivo. A cura da lepra era considerada como uma ressurreição.[3] Só Deus podia curar um leproso (2Rs 5.7).

A lepra era a pior enfermidade do mundo: a mais temida, a mais sofrida, a de consequências mais graves. O filme Ben-Hur retrata esse drama, quando Messala envia para a prisão a mãe e a irmã de Ben-Hur e elas ficam leprosas e são levadas para uma colônia de leprosos já com os corpos desfigurados pela doença contagiosa.

A lepra era um símbolo da ira de Deus contra o pecado. Os rabinos consideravam a lepra um castigo de Deus.[4] Ela foi infligida por Deus para punir rebelião (Miriã), mentira (Geazi) e orgulho (Uzias).

---

[1] POHL, Adolf. *Evangelho de Marcos*, 1998, p. 91.
[2] BARTON, Bruce B. et al. *Life Application Bible Commentary. Mark*, 1994, p. 41.
[3] POHL, Adolf. *Evangelho de Marcos*, 1998, p. 91.
[4] RICHARDS, Larry. *Todos os Milagres da Bíblia*, 2003, p. 212.

A lepra era um símbolo do pecado[5] e como tal, possui várias características:

Em primeiro lugar, *a lepra é mais profunda que a pele* (Lv 13.3). A lepra não era apenas uma doença dermatológica. Ela não ataca meramente a pele, mas, também, o sangue, a carne e os ossos, até o paciente começar a perder as extremidades do corpo.[6] Semelhantemente, o pecado não é algo superficial. Ele procede do coração e contamina todo o corpo. O homem está em estado de depravação total, ou seja, todos os seus sentidos e faculdades foram afetados pelo pecado. O pecado atinge a mente, o coração e a vontade.[7] Ele atinge os pensamentos, as palavras, os desejos, a consciência e a alma.

Em segundo lugar, *a lepra separa*. Larry Richards diz que o impacto social da lepra era ainda maior do que seus problemas físicos. Além do sofrimento infligido por tal doença, a pessoa deveria ficar isolada da comunidade.[8] A lepra aflige física e moralmente, pois os leprosos tinham de enfrentar a separação de seus queridos e o isolamento da sociedade.[9] O leproso precisava ser isolado, separado da família e da comunidade. Ele não poderia frequentar o templo nem a sinagoga. Precisava viver numa caverna ou numa colônia de leprosos. Todo contato humano era proibido.

A lei de Moisés proibia terminantemente a um leproso se aproximar de qualquer pessoa e quando alguém se aproximava, precisava gritar: Imundo! Imundo!, a fim de que nenhuma pessoa dele se aproximasse. A lei de Moisés diz: *As vestes do leproso, em quem está a praga, serão rasgadas, e os seus cabelos serão desgrenhados; cobrirá o bigode e clamará: Imundo, Imundo!* (Lv 13.45).

Assim é o pecado. Ele separa o homem de Deus (Is 59.2), do próximo (ódio, mágoas e ressentimentos) e de si mesmo (complexos, culpa e achatada autoestima).

Em terceiro lugar, *a lepra insensibiliza*. William Barclay fala de dois tipos de lepra que havia no período do Novo Testamento: Primeiro,

---

[5]GIOIA, Egidio. *Notas e Comentários à Harmonia dos Evangelhos*, 1969, p. 96.
[6]RYLE, John Charles. *Mark*, 1993, p. 15.
[7]RYLE, John Charles. *Mark*, 1993, p. 15.
[8]RICHARDS, Larry. *Todos os Milagres da Bíblia*, 2003, p. 211.
[9]GIOIA, Egidio. *Notas e Comentários à Harmonia dos Evangelhos*, 1969, p. 95.

a lepra nodular ou *tubercular*. Este tipo de lepra começa com dores nas juntas e com nódulos avermelhados e escuros na pele. A pele torna-se rugosa e as cartilagens começam a necrosar. Os pés e as mãos ficam ulcerados e o corpo deformado.

Segundo, *a lepra anestésica*. Esse tipo de lepra afetava as extremidades nervosas. A área afetada perdia completamente a sensibilidade. O paciente só descobria que estava doente quando sofria uma queimadura e não sentia dores. Com o avanço da doença, as cartilagens iam sendo necrosadas e o paciente perdia os dedos das mãos e dos pés.[10] A lepra atinge as células nervosas e deixa o doente insensível.

De forma semelhante, o pecado anestesia e calcifica o coração, cauteriza a consciência e mortifica a alma. Como a lepra, o pecado é progressivo. Um abismo chama outro abismo. É como um sapo num caldeirão de água. Levado ao fogo, o sapo vai se adaptando à temperatura da água e acaba morrendo queimado.

Em quarto lugar, **a lepra deixa marcas**. A lepra degenera, deforma, deixa terríveis marcas e cicatrizes. Quando a lepra atinge seu último estágio, o doente começa a perder os dedos, o nariz, os lábios, as orelhas. A lepra atinge os olhos, os ouvidos e os sentidos.

O pecado também deixa marcas no corpo (doenças), na alma (culpa, medo), na família (divórcio, violência). David Wilkerson, trabalhando com jovens drogados na cidade de Nova Iorque, fala de jovens que, sob o efeito avassalador das drogas, arrancavam as unhas e os próprios olhos, mutilando-se.

Em quinto lugar, **a lepra contamina**. A lepra é contagiosa, ela se espalha. O leproso precisava ser isolado, do contrário ele transmitiria a doença para outras pessoas.

O pecado também é contagioso. Um pouco de fermento leveda toda a massa (1Co 5.6). Uma maçã podre num cesto apodrece as outras. Davi nos ensina a não andarmos no conselho dos ímpios, a não nos determos no caminho dos pecadores nem nos assentarmos na roda dos escarnecedores (Sl 1.1). O pecado é como o rio Amazonas; até uma criança pode brincar na cabeceira desse rio. Contudo, na medida em que avança para

---

[10] BARCLAY, William. *Marcos*, 1974, p. 54,55.

o mar, novos afluentes vão se juntando a ele e então, transforma-se no maior rio do mundo em volume de água. Nenhum nadador, por mais audacioso, se aventuraria a enfrentá-lo. O pecado é como uma jiboia que o domador domesticou. Um dia essa serpente venenosa vai esmagar os seus ossos. A Bíblia diz que quem zomba do pecado é louco. O pecador será um dia apanhado pelas próprias cordas do seu pecado.

Em sexto lugar, *a lepra deixa a pessoa impura*. A lepra era uma doença física e social. Ela deixava o doente impuro. O leproso era banido do lar, da cidade, do templo, da sinagoga, do culto. Ele deveria carregar um sino no pescoço e gritar sempre que alguém se aproximasse: Imundo! Imundo![11] Os dez leprosos curados por Jesus gritaram de longe, pedindo ajuda (Lc 17.13). Eles não ousaram se aproximar dEle.

O pecado também deixa o homem impuro. A nossa justiça aos olhos de Deus não passa de trapos de imundícia (Is 64.6). Nós somos como o imundo.

Em sétimo lugar, *a lepra mata*. A lepra era uma doença que ia deformando e destruindo as pessoas aos poucos. Elas iam perdendo os membros do corpo, ficando chagadas, malcheirosas e acabavam morrendo na total solidão. Um leproso era como um morto-vivo.

O pecado mata. O salário do pecado é a morte (Rm 6.23). O pecado é o pior de todos os males. Ele é pior que a lepra. A lepra só atinge alguns, o pecado atingiu a todos; a lepra só destrói o corpo, o pecado destrói o corpo e a alma; a lepra não pode separar o homem de Deus, mas o pecado o separa de Deus no tempo e na eternidade.

Um grande **desejo**

O leproso demonstra quatro atitudes:

Em primeiro lugar, *o leproso demonstrou grande determinação* (1.40). Ele venceu o medo, o autodesprezo, os complexos e o repúdio das pessoas. Ele venceu os embargos da lei e saiu do leprosário, da caverna da morte. Ele venceu a revolta, a dor, a mágoa, a solidão, a frustração e a desesperança. Adolf Pohl faz o seguinte comentário:

---
[11]BARCLAY, William. *Marcos*, 1974, p. 56.

Do versículo 45 entende-se que o miserável leproso forçou a passagem até Jesus no meio de um povoado. Ele simplesmente rompeu a zona de proteção que os sadios se cercaram. Quando ele surgiu, para horror dos circundantes, num piscar de olhos os lugares ficaram vazios. Só Jesus não fugiu. Jesus o deixou aproximar-se. Até aqui se falou que Jesus "veio" (v. 7,9,14,21,24,29,35,38); agora alguém vem a Ele (v. 10,45), demonstrando que entendeu a vinda dEle.[12]

O leproso aproximou-se de Jesus e levou sua causa perdida a Ele. Ele se aproximou tanto de Jesus a ponto de o Senhor poder tocá-lo. Isso é digno de nota porque a lei ordenava: [...] *habitará só; a sua habitação será fora do arraial* (Lv 13.46). Esse leproso não se escondeu, mas correu na direção de Jesus. Não corra de Deus, corra para Ele. Não fuja de Jesus, prostre-se aos Seus pés. Ele convida: *Vinde a mim, todos os que estais cansados e oprimidos, e eu vos aliviarei* (Mt 11.28).

Ele furou o bloqueio, transcendeu, fez o que não era comum fazer. Ele contrariou os clichês sociais e quebrou paradigmas. Dispôs-se a enfrentar o desprezo, a gritaria ou mesmo as pedradas da multidão.

Ele rompeu com a decretação do fracasso imposto à sua vida. Ele estava fadado à morte, ao abandono, ao opróbrio, à caverna, ao leprosário. Contudo, ele se levantou e foi ao Salvador. Ele esperou contra a esperança e não desanimou.

Em segundo lugar, *o leproso demonstrou profunda humildade* (1.40). Ele se ajoelhou (1.40), prostrou-se com o rosto em terra (Lc 5.12) e adorou o Senhor (Mt 8.2). Ele reconheceu a majestade e o poder de Jesus e o chamou de Senhor. Ele demonstrou que tinha necessidade não apenas de cura, mas do próprio Senhor. Adorar ao Senhor é maravilhar-se com quem Ele é mais do que com o que Ele faz. Adoramos a Deus pelas Suas virtudes e damos graças pelos Seus feitos.

Em terceiro lugar, *o leproso demonstrou genuína fé* (1.40). Ele se aproximou de Jesus não com dúvidas, mas cheio de convicção. Ele sabia que Jesus podia todas as coisas. Ele sabia que para Jesus não havia impossíveis. Ele creu e confessou: *Se quiseres, podes purificar-me* (1.40).

---

[12] Pohl, Adolf. *Evangelho de Marcos*, 1998, p. 92.

A fé vê o invisível, toca o intangível e torna possível o impossível. Pela fé, pisamos o terreno dos milagres. Pela fé vivemos sobrenaturalmente. Pela fé, podemos ver a glória, de Deus.

Corrie Ten Boon, passando pelas agruras indescritíveis de um campo de concentração nazista, dizia: "Não há abismo tão profundo que a graça de Deus não seja mais profunda". O limite do homem não esgota as possibilidades de Deus.

O deserto, onde Ismael desfalecia na antessala da morte, tornou-se a porta da sua oportunidade. Deus transforma o vale da ameaça em porta da esperança.

Em quarto lugar, *o leproso demonstrou plena submissão* (1.40). O leproso não exige nada, mas suplica com fervor. Ele não decreta, roga. Ele não reivindica direitos, mas clama por misericórdia. Ele não impõe o seu querer, mas demonstra plena submissão à vontade soberana de Jesus.

O próprio Jesus praticou esse princípio no Getsêmani. A vontade de Deus é sempre boa, perfeita e agradável. É a vontade dEle que deve ser feita na terra e não a nossa no céu.

Um grande **milagre**

Quatro atitudes de Jesus são aqui destacadas nesse milagre:

Em primeiro lugar, *uma compaixão profunda* (1.41). Marcos nos leva até o coração de Jesus e revela o que o levou a agir. *Jesus, profundamente compadecido, estendeu a mão, tocou-o, e disse-lhe: Quero, fica limpo!* (1.41). Literalmente, a tradução seria: "tocado em suas entranhas ou em seu íntimo" diz William Hendriksen.[13]

Jesus é a disposição poderosa de Deus para ajudar. Em Jesus, Deus fez uma ponte entre Ele e os excluídos.[14] Jesus sentiu compaixão pelo leproso em vez de pegar em pedras para o expulsar da sua presença. Jesus sentiu profundo amor por esse pária da sociedade em vez de sentir náuseas dele. Todos tinham medo dele e fugiam dele com náuseas, mas Jesus compadeceu-Se dele e o tocou.

---

[13]HENDRIKSEN, William. *Marcos*, 2003, p. 105.
[14]POHL, Adolf. *Evangelho de Marcos*, 1998, p. 93.

O real valor de uma pessoa está em seu interior e não em sua aparência. Embora o corpo de uma pessoa possa estar deformado pela enfermidade, o seu valor é o mesmo diante de Deus. William Hendriksen diz que Jesus não considerava ninguém indigno, quer leproso, ou cego, surdo ou paralítico. Ele veio ao mundo para ajudar, curar e salvar.[15] John Charles Ryle diz que as pessoas não estão perdidas porque elas são muito más para serem salvas, mas estão perdidas porque não querem vir a Cristo para serem salvas.[16]

Mesmo que todos o rejeitem, Jesus se compadece. Ele sabe o seu nome, seu problema, sua dor, suas angústias, seus medos. Ele não o escorraça.

Em segundo lugar, *um toque generoso* (1.41). O toque de Jesus quebrou o sistema judaico em um lugar decisivo, porque o puro não ficou impuro; entretanto, o puro purificou o impuro.[17] Segundo a lei, quem tocasse em um leproso ficava impuro, mas em vez de Jesus ficar impuro ao tocar o leproso, foi o leproso quem ficou limpo. A imundícia do leproso não pôde contaminar a Jesus, mas a virtude curadora de Jesus removeu todo o mal do leproso.[18]

J. Vernon McGee diz que há um lado psicológico tremendo nesse milagre, pois ninguém toca um leproso.[19] Fazia muitos anos que ninguém tocava naquele leproso. Quando dava um passo para a frente, os outros davam um passo para trás. Aquele homem não sabia mais o que era um abraço, um toque no ombro, um aperto de mão.

Jesus poderia curá-lo sem o tocar. Mas Jesus viu que aquele homem tinha não apenas uma enfermidade física, mas também uma profunda carência emocional. Jesus tocou a lepra. Mostrou sua autoridade sobre a lei e sobre a enfermidade. Jesus curou as suas emoções, antes de curar a sua enfermidade. O toque de Jesus curou a sua alma, a Sua psiquê, a sua autoestima, a sua imagem destruída.

Os Evangelhos falam do toque curador das mãos de Cristo. Algumas vezes era o doente quem tocava em Jesus. Isso não era nenhuma mágica.

---

[15] HENDRISEKN, William. *Marcos*, 2003, p. 104.
[16] Ryle, John Charles. *Mark*, 1993, p. 16.
[17] Pohl, Adolf. *Evangelho de Marcos*, 1998, p. 93.
[18] Trenchard, Ernesto. *Una Exposición del evangelio según Marcos*, 1971, p. 32.
[19] McGee, J. Vernon. *Mark*, 1991, p. 29.

O poder de curar não se originava em Seus dedos ou vestimentas. Ele vinha direto da Sua poderosa vontade e do Seu coração compassivo.[20]

Jesus pode tocar você também. Basta um toque de Jesus e você ficará curado, libertado, purificado. Ele não se afasta de nós por causa das nossas mazelas.

Em terceiro lugar, *uma palavra extraordinária* (1.41,42). Jesus atendeu prontamente ao clamor do leproso: *Se quiseres, podes purificar-me*. Ele respondeu: *Quero, fica limpo! No mesmo instante, desapareceu a lepra, e ficou limpo* (1.41,42). O toque e a palavra trouxeram cura. William Hendriksen diz que a introdução condicional do leproso: "Se quiseres", é suplantada pela esplêndida prontidão do Mestre: "Eu quero". Aqui a vontade junta-se ao poder, e a subtração do "se", com a adição do "fica limpo" transformam uma condição horrível de doença numa situação de saúde estável.[21]

A cura foi completa e instantânea. O milagre de Jesus foi público, imediato e completo. O sacerdote poderia declará-lo limpo (1.44), mas só Jesus poderia torná-lo limpo.

Hoje, há muitos milagres sendo divulgados que não resistem a uma meticulosa investigação. Mas quando Jesus cura, a restauração plena é imediata e pública. Não há embuste nem propaganda enganosa.

Em quarto lugar, *um testemunho necessário* (1.44). Jesus disse ao homem: [...] *vai, mostra-te ao sacerdote e oferece pela tua purificação o que Moisés determinou, para servir de testemunho ao povo* (1.44). O sacerdote era a autoridade religiosa e sanitária que fornecia o atestado de saúde e pronunciava a purificação (Lv 14.1-32). Ele deveria dar o atestado de reintegração daquele homem na sociedade. O sacerdote deveria atestar a legitimidade do milagre. O verdadeiro milagre é verificável. Como já foi dito, o sacerdote poderia declará-lo limpo, mas só Jesus poderia torná-lo limpo.[22]

Ele deveria ir ao sacerdote para dar testemunho ao povo. Precisamos anunciar o que Deus fez por nós. O testemunho desse milagre poderia

---

[20]Hendriksen, William. *Marcos*, 2003, p. 106.
[21]HENDRIKSEN, William. *Marcos*, 2003, p. 107.
[22]BARTON, Bruce B. et al. *Life Application Bible Commentary. Mark*, 1994, p. 41.

gerar fé no coração dos líderes religiosos de Israel. Isso era um testemunho para eles. Contudo, no caso de persistente incredulidade, esse milagre seria um testemunho contra eles.

Uma grande **advertência** (Mc 1.44,45)

O propósito de Jesus ao percorrer as cidades da Galileia era pregar o evangelho (1.38,39). Jesus estava fugindo da busca infrene da multidão de Cafarnaum por milagres (1.35-37). No entanto, agora, por compaixão, cura um homem coberto de lepra, mas faz uma advertência. Vejamos três fatos dignos de observação:

Em primeiro lugar, *uma ordem expressa*. Jesus lhe disse: *Olha, não digas nada a ninguém...* (1.44). Por que Jesus deu essa ordem? Por duas razões:

Primeiro, porque Sua campanha na Galileia era evangelística e não uma cruzada de milagres. Jesus estava percorrendo as cidades da Galileia com o propósito de pregar o evangelho. Ele acabara de fugir da multidão de Cafarnaum que O buscava para receber milagres. Jesus não quer ser conhecido apenas como um operador de milagres. Ele veio para buscar o perdido, para remir os homens de seus pecados e não apenas para curar suas enfermidades. Jesus, doutra feita, denunciou esse interesse apenas temporal e terreno das pessoas que O buscavam: *Em verdade, em verdade vos digo que me buscais, não porque vistes sinais, mas porque comestes do pão e vos saciastes* (Jo 6.26). Jesus queria ser conhecido como um portador de boas-novas e não como um realizador de milagres.[23] O diabo sempre quis distrair Jesus da Sua missão, fazendo-O escolher o caminho da fama em vez do caminho da cruz. Muitas vezes, o diabo escondeu-se atrás da multidão ávida por milagres.[24]

Segundo, porque não queria despertar precocemente a oposição dos líderes judeus. Os líderes judeus tinham inveja de Jesus. O Senhor sabia que eles estavam se levantando contra Ele e não queria apressar essa oposição. Jesus não queria provocar uma crise prematura, diz William Hendriksen.[25]

---

[23]HENDRIKSEN, William. *Marcos*, 2003, p. 108.
[24]POHL, Adolf. *Evangelho de Marcos*, 1998, p. 94.
[25]HENDRIKSEN, William. *Marcos*, 2003, p. 108.

Em segundo lugar, *uma desobediência flagrante*. O homem curado não conteve sua alegria e entusiasmo. Diz o texto: *Mas, tendo ele saído, entrou a propalar muitas cousas e a divulgar a notícia...* (1.45). O verbo grego está no tempo presente, evidenciando que o homem estava propalando e divulgando continuamente acerca da sua cura.[26] Certamente ele tinha motivos para abrir a sua boca e falar das maravilhas que Jesus havia feito nele e por ele. Contudo, isso não lhe dava o direito de desobedecer a uma ordem expressa do Senhor que o libertara do cativeiro da morte.

Jesus mandou aquele homem ficar calado e ele falou. Hoje, Jesus nos manda falar e nós rebeldemente nos calamos.[27] A desobediência desse leproso purificado não é tão condenável quanto a nossa desobediência atualmente. Somos ordenados a falar as boas-novas do evangelho a todos e não falamos a ninguém.[28]

Em terceiro lugar, *uma consequência desastrosa*. A desobediência sempre produz resultados negativos. Diz o evangelista Marcos: *Mas, tendo ele saído, entrou a propalar muitas coisas e a divulgar a notícia, a ponto de não mais poder Jesus entrar publicamente em qualquer cidade, mas permanecia fora, em lugares ermos; e de toda parte vinham ter com Ele* (1.45).

O entusiasmo daquele homem foi um estorvo na campanha evangelística de Jesus. Era uma espécie de zelo sem entendimento. A apresentação de Jesus nas sinagogas da província foi interrompida. O Senhor não alimentou a curiosidade da multidão que o buscava apenas para ver ou receber os seus milagres, por isso permaneceu fora das cidades em lugares afastados.

Concluindo, podemos afirmar que Jesus curou o leproso física, emocional, social e espiritualmente. Aquele homem recobrou sua saúde e sua dignidade. Ele foi reintegrado à sua família, à sinagoga e ao convívio social. Ele deixou de ser impuro e tornou-se aceito.

Jesus ainda hoje continua curando os enfermos, limpando os impuros, restaurando a dignidade daqueles que estão com a esperança morta.

---

[26]Barton, Bruce B. et al. *Life Application Bible Commentary. Mark*, 1994, p. 44.
[27]Wiersbe, Warren W. *Be Diligent*, 1987, p. 20.
[28]McGee, J. Vernon. *Mark*, 1991, p. 31.

Venha hoje mesmo a Jesus. Coloque a sua causa aos Seus pés. Ela pode estar perdida para os homens, mas Jesus é o Senhor das causas perdidas. Ele pode restaurar, sua vida, seu casamento, sua família e fazer de você uma bênção.

9

A história de um milagre

Marcos 2.1-12

WILLIAM HENDRIKSEN DIZ QUE HÁ UM GRANDE CONTRASTE entre o capítulo 1 de Marcos e o capítulo 2. O primeiro é o capítulo da glória e o segundo da oposição.[1] Essa oposição que começou com satanás e seus demônios veste-se agora de pele humana. Os escribas, fariseus, doutores da lei e herodianos vão se mancomunar para perseguir e matar Jesus (2.6,7,16,24; 3.6,22).

Jesus poderia ter concentrado o Seu ministério em curar os enfermos e alimentar os famintos, pois havia uma multidão carente ao seu redor, mas os milagres eram apenas meios e não o fim último do seu ministério. Os milagres de Jesus tinham o propósito de provar Sua identidade e missão e abrir portas para a mensagem da salvação. Essa multidão reunida é diferente daquela que Jesus deixara para trás (1.37,38). Aquela buscava Seus milagres, esta vem para ouvir a Sua mensagem.[2]

Jesus acabara de chegar a Cafarnaum, vindo de Sua cruzada evangelística, onde pregara a Palavra pelas cidades e vilas da Galileia (1.38,39). Ele está de volta à sua própria cidade (Mt 9.1). Jesus nasceu em Belém, foi educado em Nazaré, mas escolheu Cafarnaum para habitar desde

---

[1] HENDRIKSEN, William. *Marcos*, 2003, p. 114.
[2] BARTON, Bruce B. et al. *Life Application Bible Commentary. Mark*. 1994, p. 46.

que foi expulso pelos nazarenos (Mt 4.13). Essa cidade tornou-se o quartel-general de Jesus durante os seus três anos de ministério terreno.

Jesus é como um ímã irresistível.[3] Onde Ele chegava, a multidão logo o procurava pelo deslumbramento causado por suas palavras e obras. A casa onde estava encheu-se de gente: uns para ouvir Seus ensinos, outros movidos por curiosidade; alguns ainda motivados pela inveja e certamente outros desejosos de serem por Ele curados.

Jesus está em Cafarnaum para pregar a Palavra. Para isso Ele veio (1.38) e foi isso o que Ele fez pelas cidades da Galileia (1.39) e é isso que está fazendo novamente em Cafarnaum (2.1). Aqui o povo se reúne para ouvir a sua pregação.

Dentro dessa casa apinhada de gente, um glorioso milagre acontece. Warren Wiersbe analisa esse texto sob a perspectiva do olhar de Jesus:[4]

Primeiro, Jesus olha para cima e vê quatro homens que se esforçam para trazer um paralítico aos Seus pés. Ele vê que esses homens têm iniciativa, união, perseverança e fé.

Segundo, Jesus olha para baixo e vê um homem doente do corpo e da alma, aleijado, desanimado e esmagado pela dor e pela culpa. Antes de curar seu corpo, Jesus pronuncia palavras de paz para a sua alma. O perdão é o maior milagre de Jesus, porque atende à maior necessidade, custa o maior preço, traz a maior bênção e o mais duradouro resultado.

Terceiro, Jesus olha ao redor e vê os críticos que tinham vindo para vigiá-Lo e contradizê-Lo.

Quarto, Jesus olha para dentro e vê o coração dos críticos arrazoando pensamentos hostis a Seu respeito, acusando-O de blasfêmia.

Vejamos a história desse milagre e seus personagens circunstantes.

Aqueles que **levam alguém a Jesus**

Marcos nos informa que quatro homens levaram um paralítico a Jesus. Esse homem não poderia, por si mesmo, chegar onde Jesus estava. Ele estava impedido de se mover, pois era coxo e entrevado. Suas pernas

---

[3] POHL, Adolf. *Evangelho de Marcos*, 1998, p. 100.
[4] WIERSBE, Warren W. *Be Diligent*, 1987, p. 22-24.

não se moviam, seus músculos estavam atrofiados e sua coluna vertebral estava paralisada. A doença havia atingido as áreas motoras do seu cérebro. Ele jazia como um morto. Aquele homem tinha de ser carregado; então, os seus amigos o ajudaram a ir a Jesus. Ainda hoje há muitas pessoas que não irão à casa de Deus a não ser que sejam levadas e colocadas aos pés de Jesus. Vejamos quatro atitudes desses amigos, dignas de serem imitadas:

Em primeiro lugar, *eles tiveram visão* (2.3). Lucas nos informa que esses quatro homens queriam introduzir o paralítico dentro da casa e pô-lo diante de Jesus (Lc 5.18). Aquele coxo precisava de ajuda. Ele não poderia ir por si mesmo a Jesus. Ou era levado ou, então, estaria fadado ao desespero. Entretanto, esses quatro amigos tiveram a visão de levá-lo e pô-lo diante dEle. Eles compreenderam que se aquele paralítico fosse colocado diante de Jesus seria curado e libertado do seu mal.

A visão determina a maneira de viver. A visão nasce da pesquisa e da informação. Eles sabiam que Jesus era poderoso. Eles estavam informados das notícias que corriam em Cafarnaum a respeito de Jesus. Então, pensaram: nosso amigo ficará livre se ele estiver aos pés de Jesus.

A visão determina a ação. O homem sem Jesus está só, doente, perdido. Não há esperança para os aflitos a menos que os levemos a Jesus. Nós não podemos converter as pessoas, mas podemos levá-las a Jesus. Não podemos realizar milagres, mas podemos deixar as pessoas aos pés daquele que realiza milagres.

Em 1958, Paul Yong Cho teve a visão de plantar uma igreja num bairro pobre de Seul. Essa igreja alargou suas fronteiras e, hoje, é a maior igreja local do mundo com mais de setecentos mil membros.

William Wilberforce teve a visão de libertar os escravos da Inglaterra em 1789. Dedicou a sua vida a essa causa. Em 1833, quatro dias antes da sua morte, a escravidão foi abolida na Inglaterra.

Martin Luther King, em 1963, em pé nos degraus do memorial de Lincoln, em Washington, levantou sua voz diante de uma grande multidão e disse: "Eu tenho um sonho, em que um dia os meus filhos sejam julgados pela dignidade do seu caráter e não pela cor da sua pele". Esse pastor batista morreu como mártir dessa causa, mas sua visão libertou milhões de negros da segregação racial nos Estados Unidos.

Billy Graham teve a visão de evangelizar o mundo e viu estádios lotados de pessoas sedentas do evangelho. Sua visão transformou-o no maior evangelista do século e possivelmente nenhum homem da história falou a tantas pessoas do evangelho de Cristo.

Bob Pierson viu crianças famintas pelas ruas da cidade e esse quadro triste deu-lhe a visão de fundar a *Visão Mundial*, que cuida hoje de milhares de crianças carentes ao redor do mundo.

Meu amigo Wildo dos Anjos, quando era adolescente, viu os mendigos da sua cidade, deitados ao relento, sem pão, sem teto e sem dignidade. Essa visão mudou sua vida e ele investiu seu dinheiro, seu futuro e sua alma num dos mais extraordinários projetos sociais e missionários do Brasil, criando a *Missão Vida*, que tem resgatado centenas de mendigos, devolvendo-os às suas famílias como pessoas completamente restauradas. Muitos desses mendigos tornaram-se pastores e missionários e hoje são obreiros da própria Missão Vida.

Precisamos pedir visão ao Senhor. Visão de ver os perdidos salvos, de ver os famintos sendo alimentados, de ver os presos sendo resgatados e devolvidos à família e à sociedade com dignidade, de ver a igreja crescer.

Em segundo lugar, ***eles agiram com determinação*** (2.4). Aqueles quatro homens tiveram várias dificuldades para levar o paralítico a Jesus. Mas eles não desistiram. Vejamos quais obstáculos enfrentaram:

Primeiro, o peso do paralítico. Se quisermos ajudar as pessoas a irem a Jesus, precisaremos carregá-las na mente, no coração, na alma, nos braços.

Segundo, a multidão não abriu espaço para eles (2.4). Eles poderiam se justificar dizendo ao amigo: "Olha, nós chegamos até aqui, mas agora não dá mais. A multidão nos impede de prosseguir. Já fizemos tudo que poderíamos fazer".

Terceiro, eles não acharam lugar nem mesmo junto à porta (2.2). A multidão tornou-se uma muralha intransponível de impedimento ao projeto. Eles queriam deixar o paralítico diante de Jesus, mas agora, nem perto da porta conseguem deixá-lo.

Quarto, eles subiram com o paralítico para o telhado da casa (2.4). Eles foram ousados na determinação de levar aquele homem a Jesus. Eles fizeram algo inédito e inesperado. O projeto deles era arriscado, difícil e engenhoso, mas não lhes faltou disposição.

Quinto, eles destelharam a casa (2.4). Isso revela a coragem, o esforço e os riscos do empreendimento. Estavam dispostos a tudo, menos a abandonar aquele homem ao seu desalento.

Sexto, eles desceram o paralítico onde Jesus estava (2.4). Se carregar uma geladeira escada acima já é algo complicado, quanto mais subir com um homem aleijado num telhado e descê-lo com cordas. O homem deve ter alertado aos amigos: "Cuidado, gente, eu não quero ressuscitar!"

A persistência engenhosa daqueles homens nos ensina que quando um caminho está bloqueado, devemos buscar outro.[5] Eles não desistiram por nada. Eles nos ensinam que devemos ter perseverança na oração e na evangelização. Não podemos desistir nem afrouxar nossas mãos quando se trata de levar uma vida a Cristo. Nada deve nos deter de levar as pessoas aos pés de Jesus.

Em terceiro lugar, *eles tiveram criatividade* (2.4). No manual de como levar um paralítico a Jesus não dizia assim: "Quando não tiver jeito, faça isto ou aquilo". Eles estão enfrentando um problema novo e precisam achar uma solução. Então, pensaram: "Vamos subir, abrir o teto e descê-lo aos pés de Jesus". O telhado provavelmente era formado por vigas e pranchas por cima das quais esteiras, ramos, e galhos, cobertos por terra batida, eram colocados.[6] Eles destelharam o telhado e desceram o homem no seu leito onde Jesus estava. Cada geração precisa encontrar respostas para o seu tempo.

Eles mudaram de método, inovaram e foram ousados. Tem gente que diz: "Nós sempre fizemos assim. Não pode mudar". E aí, perdemos a geração. Temos de ter coragem de quebrar paradigmas. Deus é criativo. Precisamos ter criatividade na abordagem, na comunicação, nos métodos. A mensagem é sempre a mesma, mas os métodos podem e devem ser adaptados de acordo com as circunstâncias.

Em quarto lugar, *eles exercitaram uma fé verdadeira* (2.5). Esse texto diz que Jesus é poderoso para fazer algo extraordinário. Eles creram que

---

[5]CHAMPLIN, Russell Norman. *O Novo Testamento Interpretado Versículo por Versículo*. Vol. 1, p. 672.
[6]RIENECKER, Fritz e ROGERS, Cleon. *Chave Linguística do Novo Testamento Grego*. São Paulo, SP: Edições Vida Nova, 1985, p. 69.

Jesus ia fazer o milagre e isso os motivou. Apesar de nenhum desses homens ter falado coisa alguma, todos confiaram. E foi isso que realmente importou.[7] A fé dos homens tocou o coração do Senhor, levando o evangelista a registrar: *Vendo-lhes a fé, Jesus disse ao paralítico: Filho, os teus pecados estão perdoados* (2.5). Adolf Pohl, citando Calvino e Bengel, diz que a fé do paralítico está aqui incluída.[8] Eles não poderiam fazer o milagre nem salvar o homem, mas eles poderiam levá-lo a Jesus. Levar o paralítico a Jesus era tarefa deles, perdoar e curar o coxo era obra exclusiva de Jesus.

A fé não é complacente nem inativa. Essa fé não é um salto no escuro, como pensava o filósofo existencialista Kirkegaard, mas uma fé operosa, que atua pelo amor. O milagre é Jesus quem faz, mas nós somos cooperadores de Deus. Levar as pessoas aos pés de Jesus é nossa missão. Precisamos ter fé que Jesus vai salvá-las, curá-las, libertá-las. Precisamos evangelizar e ter fé que a igreja vai crescer.

Aqueles que **bloqueiam o caminho para Jesus**

Esse texto nos apresenta dois obstáculos que o paralítico enfrentou para chegar aos pés de Jesus:

Em primeiro lugar, ***a multidão*** (2.2,4). A multidão sempre se acotovelou disputando um lugar perto de Jesus. Sua motivação nem sempre era clara. Na maioria das vezes, a multidão foi um empecilho para as pessoas irem a Jesus. Em Jericó, a mesma multidão que impedia Zaqueu de ver a Jesus, tentou calar a voz súplice de Bartimeu. Aqui em Cafarnaum, a multidão encheu a casa e postou-se junto à porta, formando uma espécie de cordão de isolamento, impedindo que as pessoas fossem levadas a Jesus.

A multidão fechava a porta, bloqueava o caminho e impedia a entrada. Nessa multidão uns foram para ouvir, outros para serem curados, outros ainda por curiosidade e os demais para criticar.

Em segundo lugar, ***os escribas, fariseus e doutores da lei*** (2.6). Três verdades são destacadas pelo evangelista Marcos:

---
[7]HENDRIKSEN, William. *Marcos*, 2003, p. 118.
[8]POHL, Adolf. *Evangelho de Marcos*, 1998, p. 100.

Primeira, os escribas não eram ouvintes sinceros (2.6). Uma delegação de fariseus, escribas e mestres da lei, constituída de rabinos da Galileia, Judeia e Jerusalém foi a Cafarnaum investigar os ensinos de Jesus.[9] Eles eram uma comissão de inquérito enviada pelo sinédrio, portanto estavam ali em caráter oficial.[10] William Barclay diz que o sinédrio era a Corte Suprema dos judeus e uma de suas funções era ser guardião da ortodoxia.[11] É estranho que os mais informados eram os mais céticos, mais duros e mais hostis a Cristo. Ernesto Trenchard diz que as multidões ignorantes tinham mais discernimento espiritual que eles.[12] Aqueles que mais conheciam teologia tornaram-se os maiores inimigos de Cristo. Lucas nos informa que além dos escribas estavam também em Cafarnaum participando dessa comitiva os fariseus e doutores da lei (Lc 5.17,21).

Eles eram os fiscais da religião, os farejadores de heresias. Estavam ouvindo Jesus não de coração aberto, mas para o criticar. A motivação deles não era aprender, mas apanhar Jesus em alguma contradição. Não obstante terem o melhor cabedal teológico, foram os inimigos mais hostis de Cristo. Ainda hoje, há pessoas que vêm a igreja e saem piores, pois vêm como juízes do mensageiro e não como servos da mensagem.

Segunda, os escribas estavam certos e errados ao mesmo tempo (2.6,7). A teologia que eles subscreviam estava certa, pois dizia que só Deus tem autoridade para perdoar pecados (Êx 34.6,7; Sl 103.12; Is 1.18; 43.25; 44.22; 55.6,7; Jr 31.34; Mq 7.19); porém, a compreensão deles acerca da Pessoa e Obra de Jesus estava errada. Deixaram de ver a Jesus como o Messias prometido, o Filho de Deus, e passaram a julgá-lo como um blasfemo (2.7). Jesus, então, fez uma pergunta àqueles que o julgavam: *Qual é mais fácil? Dizer ao paralítico: Estão perdoados os teus pecados, ou dizer: Levanta-te, toma o teu leito e anda?* (2.9). J. Vernon McGee diz que embora eles não tenham respondido, certamente devem ter pensado que ambas as coisas eram impossíveis, pois só Deus poderia

---

[9]RICHARDS, Larry. *Todos os Milagres da Bíblia*, 2003, p. 213.
[10]POHL, Adolf. *Evangelho de Marcos*, 1998, p. 102, 103.
[11]BARCLAY, William. *Marcos*, 1974, p. 60.
[12]TRENCHARD, Ernesto. *Una Exposición del evangelio según Marcos*. 1971, p. 37.

perdoar e curar.¹³ O raciocínio cético dos escribas os torna inimigos não só de Jesus mas também do paralítico. Esse é um raciocínio, além de anticristão, também profundamente anti-humano.¹⁴

Terceira, os escribas tropeçaram na sua própria teologia (2.6-10). Os judeus faziam uma relação entre pecado e sofrimento. Os rabinos entendiam que nenhum enfermo poderia ser curado de sua enfermidade até que Deus perdoasse a todos os seus pecados. Eles estabeleciam uma relação causal entre o pecado e a enfermidade.¹⁵ Eles acreditavam que ninguém poderia ser curado sem ser antes perdoado. Acreditavam que a cura espiritual precisava preceder à cura física. Jesus, contudo, rejeitou expressamente essa dedução automática da doença a partir do pecado (Jo 9.3).

Os escribas foram apanhados pela sua própria teologia, porque ao mesmo tempo em que rejeitavam a divindade de Cristo, acreditavam piamente que só Deus poderia perdoar pecados. Jesus, então se dirige ao paralítico, dizendo: *Filho, os teus pecados estão perdoados* (2.5) e logo, curou o homem da sua paralisia (2.10-12). Dentro da teologia dos escribas, a cura era a prova insofismável do perdão. Assim, Jesus provou que não era um charlatão, mas o próprio Filho de Deus, pois fez as duas coisas que só Deus poderia fazer: perdoar e curar. Os professores da lei estavam presos na armadilha, pois quando Jesus deu movimento àquele corpo paralisado, ficou evidente que Ele antes movera o coração de Deus e colocara a graça em movimento. De acordo com Isaías 35.6, o fato de os paralíticos andarem significava mais que a restauração da capacidade de movimento do corpo; era a chegada dos dias messiânicos.¹⁶

William Barclay comenta esse fato assim:

> Os doutores da lei foram bombardeados com seus próprios petardos. Segundo suas próprias crenças aquele homem não poderia ser curado a menos que lhe fossem perdoados seus pecados. Jesus, então, o curou e, portanto, ele foi perdoado. Isso queria dizer que a reivindicação de

---

¹³McGee, J. Vernon. *Mark*, 1991, p. 37.
¹⁴Pohl, Adolf. *Evangelho de Marcos*, 1998, p. 104.
¹⁵Barclay, William. *Marcos*, 1974, p. 59.
¹⁶Pohl, Adolf. *Evangelho de Marcos*, 1998, p. 105.

Jesus de ser capaz de perdoar pecados deveria ser autêntica. O grupo de doutores da lei deve ter ficado completamente confundido e, o que era pior, enfurecido.[17]

A divindade de Jesus é provada por quatro evidências claras: Primeiro, Ele demonstrou o poder de ler os pensamentos (2.8; Mt 17.25; Jo 1.47,48; 2.25; 21.17); segundo, Ele demonstrou autoridade para perdoar pecados (2.5); terceiro, Ele demonstrou poder para curar (2.10-12); quarto, Ele se autointitulou *o Filho do Homem* (2.10). Esse é um termo messiânico usado quatorze vezes em Marcos e oitenta vezes nos evangelhos, corroborando com a verdade incontroversa de que Jesus é verdadeiramente o Filho de Deus.

Aqueles que são levados a Jesus

Sempre que levamos alguém a Jesus, algo extraordinário acontece. Não foi diferente com esse paralítico. Marcos destaca três preciosas verdades:

Em primeiro lugar, *o paralítico foi cativo e voltou livre* (2.3,12). Aquele paralítico era doente, pobre, desamparado e oprimido. Ele vivia num completo ostracismo social, abandonado à sua triste sorte. O seu corpo estava surrado pela doença e sua alma assolada pela culpa. A debilidade e a imobilidade eram as marcas da sua vida. Era um homem cativo da doença, prisioneiro de esperança. Vivia na prisão do seu leito, vítima de sua triste enfermidade física, emocional, existencial e espiritual. Mas ao ser levado a Jesus, ficou livre, perdoado e curado.

Em segundo lugar, *o paralítico foi carregado e voltou carregando* (2.3,12). O paralítico precisou ser carregado, pois não tinha saúde, nem força nem ânimo. Contudo, agora, recebe ânimo, perdão, cura, força e dignidade. Jesus o restaura publicamente, libertando-o física, emocional e espiritualmente. Jesus devolve-o à sua família, à vida, à sociedade. Agora deixou de ser um peso para as pessoas e poderia carregar seu próprio leito.

Em terceiro lugar, *o paralítico foi buscar uma bênção e recebeu duas* (2.5,10-12). Aquele homem foi buscar cura e encontrou também

---

[17] BARCLAY, William. *Marcos*, 1974, p. 61.

salvação. Ele foi a Jesus, para resolver um problema imediato e achou a solução para a eternidade. Ao ser colocado aos pés de Jesus, estava doente e perdido. Ao sair, estava curado e salvo.

Muitos são levados a Jesus por causa da enfermidade, depressão, desemprego, conflito conjugal e problema com os filhos. Mas quando chegam buscando uma bênção temporal, recebem de Jesus também o perdão, a libertação e a salvação eterna.

A intervenção de Jesus na vida daqueles que vão a Ele

A obra de Jesus é completa: Ele perdoou e curou; cuidou da alma e do corpo; resolveu as questões do tempo e da eternidade. Vejamos o que Jesus fez pelo paralítico:

Em primeiro lugar, *Jesus curou o paralítico emocionalmente*. A primeira palavra que Jesus disse ao paralítico foi:

Tem bom ânimo (Mt 9.2). Escondidos atrás da paralisia estavam a depressão, o desespero, a autoimagem destruída, as emoções amassadas, os sonhos quebrados. Jesus diagnosticou que as emoções estavam mais enfermas que o corpo. Antes de aprumar o seu corpo, Jesus restaurou as suas emoções. Jesus sempre nos dá o que precisamos!

Em segundo lugar, *Jesus curou o paralítico psicologicamente*. Jesus disse para o paralítico: *Filho, os teus pecados estão perdoados* (2.5). Jesus levantou sua autoimagem. Aquele pobre paralítico era como uma cana quebrada, que vivia no desalento, dependendo de esmolas para sobreviver. Ele se julgava sem valor e sem prestígio. Não se sentia amado. Mas seus amigos investiram nele e Jesus, o Senhor do universo, o chamou de "filho". Não é pouca coisa ser amado por Deus!

Em terceiro lugar, *Jesus curou o paralítico espiritualmente*. Jesus lhe disse: *Filho, os teus pecados estão perdoados* (2.5). O pecado é a pior tragédia. Ele é a causa primária de todas as nossas mazelas. O pecado não perdoado é o maior amigo de satanás e o pior inimigo do homem. O pecado é a pior doença. É o veneno doce que mata o corpo e a alma. O pecado é pior do que a solidão, que a pobreza, que a doença, que a própria morte. Todos esses males não podem nos separar de Deus, mas o pecado nos separa de Deus agora e também na eternidade.

Jesus nunca tratou a questão do pecado com leviandade, diz William Hendriksen.[18] Ele não lidou com o pecado apenas como um tênue sentimento de culpa ou traumas psicológicos. Para Jesus, o pecado, é um desvio indesculpável da santa Lei de Deus (12.29,30), que tem um efeito drástico sobre a alma (4.19) e que está entranhado no coração e não apenas nas obras exteriores (7.6,7,15-23). Jesus ofereceu o único remédio eficaz para essa questão do pecado: seu perdão completo e restaurador. O perdão é a maior força curadora do mundo, ele cura as feridas do corpo e lanceta os abcessos da alma. Enquanto o pecado adoece e a culpa esmaga, o perdão cura e restaura.

Só Jesus tem poder para perdoar pecados. Só Jesus, mediante o Seu sacrifício, pode tornar você libertado. John Charles Ryle diz que o perdão é algo que só Deus pode dar. Nenhum anjo no céu, nenhuma pessoa na terra, nenhuma igreja ou concílio, nenhum ministro ou denominação, podem apagar da consciência do pecador o peso da culpa e dar a ele paz com Deus.[19] Hoje, você pode ficar libertado, perdoado, salvo e experimentar a alegria da salvação por meio de Jesus.

Em quarto lugar, *Jesus curou o paralítico fisicamente* (2.10-12). Jesus curou o homem fisicamente. Seus pés se firmaram, seus artelhos ganharam força, seus nervos atrofiados voltaram a funcionar, seus músculos explodiram com nova vitalidade e o homem entrevado saltou da sua cama cheio de vigor. A cura do paralítico foi imediata, completa, perfeita e gratuita. Jesus tem autoridade para perdoar e para curar ainda hoje. Ele é o mesmo ontem, hoje e o será para sempre. Ele é o Jeová-Rafá, aquele que sara todas as nossas enfermidades. Ele foi quem levou sobre si as nossas dores e as nossas enfermidades. Pelas suas pisaduras nós somos sarados.

Quando Jesus operou esse milagre, três coisas aconteceram:

Primeiro, houve grande admiração entre as pessoas (2.12). Marcos registra a admiração do povo. Mateus diz que as multidões ficaram "possuídas de temor" e Lucas diz que todos "ficaram atônitos e possuídos de temor". A multidão, na verdade, ficou atônita, assombrada, fora

---

[18]HENDRIKSEN, William. *Marcos*, 2003, p. 119.
[19]RYLE, John Charles. *Mark*, 1993, p. 21.

de si.[20] Cafarnaum, como nenhuma outra cidade, presenciou as maravilhas realizadas por Jesus. Ele pregou-lhes aos ouvidos e aos olhos. Eles ouviram e viram coisas gloriosas. Contudo, embora ficassem extasiados, não foram transformados. Nada endurece mais o coração do que ouvir a Palavra e não a colocar em prática, diz John Charles Ryle.[21] Eles ouviram uma das mais pesadas sentenças de Jesus mais tarde:

> Tu, Cafarnaum, elevar-te-ás, porventura, até ao céu? Descerás até ao inferno; porque, se em Sodoma se tivessem operado os milagres que em ti se fizeram, teria ela permanecido até ao dia de hoje. Digo-vos, porém, que menor rigor haverá, no dia do juízo, para com a terra de Sodoma do que para contigo.[22]

Segundo, houve exaltação ao nome de Deus (2.12). Todos exaltaram a Deus exceto os escribas. Estes continuaram hostis e endureceram ainda mais os seus corações (2.16,24; 3.2,6,22). Quando a mão onipotente de Jesus age com poder, o nome de Deus é glorificado.

Terceiro, houve reintegração na família (2.11). Jesus curou o paralítico e lhe ordenou a voltar para casa. Um novo tempo haveria de acontecer agora naquele lar. Você hoje, agora mesmo, pode também voltar para sua casa perdoado, curado e libertado!

---

[20]RIENECKER, Fritz e ROGERS, Clen. *Chave Linguística do Novo Testamento Grego*, 1985, p. 69.
[21]RYLE, John Charles. *Mark*, 1993, p. 20.
[22]Mateus 11.23,24.

10

As **bênçãos** singulares do evangelho de Jesus

Marcos 2.13-28

JESUS ATRAÍA AS MULTIDÕES (2.13). Ele foi o homem mais amável que já pisou no mundo. Sua personalidade, ensino e obras sempre atraíram as pessoas. Onde Ele estava, sempre havia a esperança de um novo começo. Em Jesus as pessoas encontravam alívio para seus fardos, cura para suas enfermidades e perdão para seus pecados.

Contudo, também, Jesus atraía a oposição (2.6,16,18,24; 3.6). A verdade sempre incomoda a mentira e a luz sempre denuncia as trevas. Na mesma proporção que Jesus atraía a multidão, despertava a inveja dos escribas e fariseus. A oposição a Jesus tornou-se progressiva. Marcos destaca os cinco estágios dessa oposição:

Primeiro, os escribas arrazoavam em seu coração (2.6). Eles demonstraram uma oposição velada, silenciosa e íntima.

Segundo, os escribas perguntavam aos discípulos de Jesus (2.16). Agora, eles falavam, mas não com Jesus. Eles destilavam suas críticas de forma indireta.

Terceiro, os fariseus perguntavam diretamente a Jesus (2.18). A pergunta deles era uma censura e uma denúncia enrustida. A intenção deles não era aprender, mas acusar. Eles sempre vinham com perguntas de algibeira para apanhar Jesus no contrapé.

Quarto, os fariseus advertiram a Jesus (2.24). A oposição tornou-se explícita, ganhando um contorno denso de uma crítica aberta. Agora o inimigo colocava as unhas de fora e destilava todo o seu veneno contra Jesus.

Quinto, os fariseus se unem aos herodianos para tramarem a morte de Jesus (3.6). Veja a progressão dessa oposição: de um pensamento íntimo de censura, eles caminharam para uma pergunta indireta. Desta a uma pergunta pessoal e daí a uma censura verbal. Agora, se mancomunam com os herodianos, a quem consideravam indignos, para tramarem a morte de Cristo.

Nesse contexto de ensino à multidão e pressão da oposição dos escribas e fariseus, Jesus nos fala sobre as bênçãos singulares do evangelho.

O evangelho abre as portas do reino para **os rejeitados** (2.14)

Jesus chamou a Levi, filho de Alfeu, para ser seu discípulo (2.14). Esse Levi trabalhava em uma coletoria e era um publicano (Lc 5.27). Também era chamado de Mateus (Mt 9.9).

William Hendriksen diz que certos romanos, membros da cavalaria, pagavam uma grande soma de dinheiro ao tesouro romano para coletar os impostos públicos sobre os produtos exportados e importados da província. Esses "generais da fazenda" sublocavam esse privilégio para "chefes de publicanos" do distrito como Zaqueu (Lc 19.2), que por seu turno, distribuíam a tarefa da coleta para outros publicanos menos graduados. O termo publicano tornou-se, assim, um sinônimo de coletor de impostos.[1]

Esses coletores de impostos ganharam fama de inimigos e traidores do povo, pois além de estarem a serviço de Roma, também extorquiam o povo, cobrando mais que o estipulado, enriquecendo-se, assim, de forma desonesta. Dessa forma passaram a ser odiados pelo povo[2]. Um judeu que aceitasse tal ofício era expulso da sinagoga e envergonhava a família e amigos. Um fariseu que se tornasse coletor era execrado e sua esposa poderia divorciar-se dele. Um coletor de impostos era visto

---

[1] HENDRIKSEN, William. *Marcos*, 2003, p. 125.
[2] Marcos 2.15,16; Mt 11.19; 21.31,32; Lc 7.34; 15.1; 19.7.

como alguém que amava mais o dinheiro que a reputação. Certamente Mateus era um homem odiado por seus contemporâneos.

Cafarnaum, onde Mateus morava, era uma cidade aduaneira, uma ponte entre a Europa e a África.[3] Cafarnaum era a sede da secretaria da fazenda na rota entre Damasco ao nordeste e o mar Mediterrâneo no oeste.[4] Esses postos de alfândega cobravam impostos não apenas nas fronteiras, mas também na entrada e saída de povoados, nas encruzilhadas e nas pontes. Produtos não declarados poderiam ser confiscados pelos publicanos. Esses cobradores eram tidos como ladrões e assaltantes por definição, diz Adolf Pohl.[5] Diante desses fatos, o chamado de Jesus a Levi nos ensina algumas verdades:

Em primeiro lugar, *Jesus chama soberanamente* (2.14a). Jesus chamou um homem execrado publicamente e não deu nenhuma explicação a ele nem ao povo. Jesus tem autoridade para chamar quem Ele quer para a salvação e para o serviço. Sem o divino chamado, ninguém pode ser salvo, pois jamais nos tornaremos para Deus a menos que Ele nos chame por Sua graça, diz John Charles Ryle.[6] Na verdade, Jesus não fez um convite, Ele deu uma ordem.[7] Ele chama a quem quer e isso, soberanamente (3.13). Não somos nós quem escolhemos a Cristo, foi Ele quem nos escolheu (Jo 15.16). Não fomos nós quem o achamos, mas foi Ele quem nos buscou (Lc 19.10). Nós O amamos, porque Ele nos amou primeiro.

Embora não possamos afirmar com segurança que Mateus tenha sido um homem desonesto,[8] há fortes indícios de que tenha sido escravo da avareza, pois havia vendido o seu patriotismo com o propósito de ganhar dinheiro.[9] Jesus chama a quem quer e isso, soberanamente (3.13).

Em segundo lugar, *Jesus chama eficazmente* (2.14b).

---

[3]BARCLAY, William. *Marcos*, 1974, p. 64.
[4]BARTON, Bruce B. et al. *Life Application Bible Commentary, Mark*, 199, p. 55.
[5]POHL, Adolf. *Evangelho de Marcos*, 1998, p. 109.
[6]RYLE, John Charles. *Mark*, 1993, p. 22.
[7]BARTON, Bruce B. et al. *Life Application Bible Commentary. Mark*, 1994, p. 56.
[8]WIERSBE, Warren W. *Be Diligent*, 1987, p. 25.
[9]TRENCHARD, Ernesto. *Una exposición del evangelio según Marcos*, 1971, p. 38.

Quando Cristo chama, Ele chama eficazmente (Rm 8.30). Jesus disse que as suas ovelhas ouvem a Sua voz e O seguem (Jo 10.27). Levi atendeu pronta e imediatamente ao chamado de Jesus. Ele não argumentou nem adiou sua decisão. Sua obediência decisiva e imediata é solenemente registrada. Lucas 5.28 diz que ele deixou tudo.

O chamado de Cristo foi irresistível, pois o mesmo que chama é Aquele que muda as disposições íntimas da alma.

Ele não apenas chama, mas atrai com cordas de amor.

Mateus deixou a coletoria imediatamente e seguiu a Jesus. Essa resposta pronta ao chamamento do Senhor foi um grande milagre e poderosa libertação. Mateus deixou sua profissão e o lucro e queimou todas as pontes do seu passado. Ele trocou o lucro fácil pela consciência limpa, as glórias do mundo pelas riquezas do Reino de Deus.

O chamado de Mateus deve nos encorajar a esperar a salvação daqueles que julgamos mais difíceis. O mesmo Jesus que chama quebra as cadeias e abre os corações. O vento do Espírito sopra onde quer. O tempo dos milagres ainda não passou. Ele continua chamando pecadores a si!

Em terceiro lugar, *Jesus chama graciosamente* (2.15,16). Os chamados devem chamar outros. Levi deu um grande banquete a Jesus e convidou numerosos publicanos e pecadores para estarem com ele em sua casa (Lc 5.29,30). Ele abriu não só o coração para Jesus, mas também sua casa. Levi, ao mesmo tempo em que celebra a festa da sua salvação, abre sua casa para que seus pares conheçam também a Jesus e sejam salvos. Ele transformou seu lar num grande instrumento de evangelização. Ele queria que os seus colegas de profissão e os pecadores também se tornassem seguidores do Senhor Jesus.

Os escribas e fariseus, verdadeiros espiões de plantão, consideravam pecadores aqueles que quebravam tanto a lei moral de Deus quanto aqueles que infrigiam as inumeráveis regras e preceitos por eles criados.[10] Assim eram considerados pecadores tanto os que cometiam adultério quanto aqueles que comiam sem lavar as mãos.[11] Aos olhos

---

[10]HENDRIKSEN, William. *Marcos*, 2003, p. 127.
[11]BARCLAY, William. *Marcos*, 1974, p. 69.

dos fariseus, todos os que não eram fariseus eram "pecadores". Eles disseram aos guardas que foram prender a Jesus: *Quanto a esta plebe que nada sabe da lei, é maldita* (Jo 7.49).

Os escribas, mediante uma pergunta aos discípulos de Jesus, censuram-no por comer com os publicanos e pecadores (2.16). A religião deles era a religião do *apartheid*. Eles se consideravam justos e os demais como pecadores, indignos do amor de Deus.

O evangelho abre as portas da salvação para os que se consideram **pecadores** (2.17)

O evangelista Marcos diz: *Tendo Jesus ouvido isto, respondeu-lhes: Os sãos não precisam de médico, e sim os doentes; não vim chamar justos, e sim pecadores* (2.17).

Consideremos primeiro o que Jesus não quis dizer. Essa figura usada por Jesus tem sido interpretada de forma equivocada por alguns. Vejamos, então, o que Jesus não quis dizer:

Em primeiro lugar, ***Jesus não quis dizer que há alguns que são sãos e justos aos olhos de Deus***. A Bíblia é clara em afirmar que todos pecaram e destituídos estão da glória de Deus (Rm 3.23). Aqueles que se consideram sãos e justos estão em um estado mais avançado da sua doença e iniquidade. O pior enfermo é aquele que não reconhece sua doença e o maior pecador é aquele que não se vê como tal.

Em segundo lugar, ***Jesus não quis dizer que estes não necessitam do Salvador***. Os escribas e fariseus se consideravam sãos e bons aos olhos de Deus, mas na verdade, eles estavam tão necessitados de salvação quanto os publicanos. Não importa quão alta é a avaliação que temos de nós mesmos, somos totalmente carentes da graça de Deus.

Em terceiro lugar, ***Jesus não quis dizer que seu amor pelos pecadores implica falta de amor com os justos***. A lógica de Jesus é: se Ele encarna a vontade divina de ajudar até as pessoas totalmente condenáveis, então há esperança e ajuda para todos.[12]

Consideremos, agora, o que Jesus quis dizer. A figura usada por Jesus tem uma mensagem clara:

---

[12]POHL, Adolf. *Evangelho de Marcos*, 1998, p. 113.

Em primeiro lugar, *só os que se reconhecem doentes e pecadores têm consciência da necessidade da salvação.* Só uma pessoa doente procura o médico. Só uma pessoa consciente do seu pecado busca a salvação. Não há fé sem arrependimento nem salvação sem conversão. Ninguém busca água sem sentir sede nem anseia pelo pão da vida sem fome. Uma pessoa, antes de vir a Cristo, precisa primeiro sentir-se carente da graça de Deus. A salvação não é para aqueles que se consideram dignos, mas para os indignos que estão em situação desesperadora. Jesus veio para salvar os pecadores, perdidos, pobres, sofredores, famintos e sedentos (Mt 5.6; 11.28-30; 22.9,10; Lc 14.21-23; 19.10; Jo 7.37,38). Jesus não veio ao mundo apenas para ser um legislador, um mestre ou rei. Ele veio como o médico da nossa alma e como nosso redentor. Ele nos conhece, ama, cura, perdoa e salva.

Em segundo lugar, *só os que se humilham podem ser salvos.* A atitude dos escribas e fariseus era de soberba e altivez. Eles se consideravam bons e justos. Eles olhavam com desdém os publicanos e pecadores e se vangloriavam diante de Deus por suas virtudes (Lc 18.11). Contudo, a única pessoa pela qual Jesus nada faz é aquela que se julga tão boa que não necessita de que ninguém a ajude.[13] Essa pessoa levanta uma barreira entre ela e Jesus e assim fecha a porta do céu com suas próprias mãos.

Warren Wiersbe diz que há três tipos de pacientes que Jesus não pode curar: 1) aqueles que não O conhecem; 2) aqueles que O conhecem, mas se recusam a confiar nEle e 3) aqueles que não admitem que necessitam dEle.[14]

O evangelho abre as portas para uma vida de **jubilosa celebração** (2.18-20)

A religião judaica havia transformado a vida num fardo pesado e os ritos sagrados em instrumentos de tristeza e opressão. Os discípulos de João e os fariseus ficaram escandalizados com o estilo de vida dos discípulos

---

[13] BARCLAY, William. *Marcos*, 1974, p. 69.
[14] WIERSBE, Warren W. *Be Diligent*, 1987, p. 25.

de Jesus. Os fariseus jejuavam para mostrar sua piedade, os discípulos de João para mostrar sua tristeza pelo pecado. A palavra aramaica para "jejuar" tem o sentido de "estar de luto".[15] Os judeus, quando jejuavam e ficavam tristes, tinham a intenção de conseguir algo de Deus: *Por que jejuamos nós, e tu não atentas para isso?* (Is 58.3).

Os fariseus e discípulos de João perguntaram a Jesus num tom de provocação e censura:

> *Por que motivo jejuam os discípulos de João e os dos fariseus, mas os teus discípulos não jejuam? Respondeu-lhes Jesus: Podem, porventura, jejuar os convidados para o casamento, enquanto o noivo está com eles? Durante o tempo em que estiver presente o noivo, não podem jejuar. Dias virão, contudo, em que lhes será tirado o noivo; e, nesse tempo, jejuarão* (2.18-20).

Esse episódio nos enseja duas lições importantes:

Em primeiro lugar, **a religião pode se transformar num fardo pesado em vez de ser um instrumento libertador** (2.18,19). O jejum é uma prática bíblica legítima. Havia um único jejum anual exigido na lei, o dia da expiação (Lv 16.29-34; Jr 36.6). Nesse dia o povo afligia a sua alma e sentia profunda tristeza. Os escribas e fariseus, entretanto, acrescentaram à Lei de Deus a tradição dos homens e impuseram outras práticas de jejum. Um fariseu jejuava duas vezes por semana (Lc 18.12). Eles jejuavam para serem vistos pelos homens e para atraírem a atenção de Deus. Eles faziam do jejum o palco de um teatro onde apresentavam o *show* de uma piedade que deveria encantar a Deus e impressionar os homens.

É bom destacar que Jesus não estava contra o jejum. Ele mesmo jejuou quarenta dias e ratificou o jejum voluntário (Mt 9.15). Moisés jejuou quarenta dias no Horebe. Patriarcas, profetas, reis e sacerdotes jejuaram. Deus ordenou o jejum como um importante exercício devocional. Jesus e os apóstolos jejuaram. A igreja de Deus ao longo dos séculos tem jejuado. Mas Jesus denunciou o jejum dos hipócritas que desfiguravam o rosto com o fim de parecer aos homens que jejuavam

---

[15] POHL, Adolf. *Evangelho de Marcos*, 1998, p. 115.

(Mt 6.16). O jejum dos escribas e fariseus era um ritual para a sua própria exibição e não a expressão de um coração quebrantado.[16]

Em segundo lugar, *a vida que Jesus oferece é como uma festa de efusiva alegria* (2.19). A vida cristã é como uma festa de casamento e não como um enterro. A festa de casamento era uma celebração de alegria e não de tristeza. A piedade farisaica era medida pela tristeza do jejum; a piedade cristã manifesta-se na alegria da presença do noivo com a igreja. As bodas de casamento era a semana mais feliz da vida de um homem. Para essa semana de felicidade, os convidados especiais eram os amigos do noivo e da noiva, chamados de os filhos da câmara nupcial.[17]

Adolf Pohl diz que ser convidado para uma festa de casamento era motivo de uma alegria desmedida, que ofuscava tudo o mais. Professores da lei interrompiam seu estudo da Torá, inimigos se reconciliavam, mendigos e quem mais aparecesse poderiam comer de graça. Rufavam tambores, nozes eram jogadas aos convivas, a procissão dançava diante da noiva e louvava a sua beleza.[18]

Os convidados às festas de bodas estavam dispensados da obrigação de jejuar. Jesus compara os seus discípulos com os convidados para essa festa das bodas.[19] Jesus veio para nos trazer vida abundante (Jo 10.10). A vida cristã deve ser a fruição de uma alegria inexplicável e cheia de glória. A vida cristã é como um casamento com Cristo. Estamos comprometidos com ele. O casamento judeu tinha quatro estágios: 1) o noivado; 2) a preparação; 3) a chegada do noivo; 4) as bodas.

A igreja não é apenas o grupo dos amigos do noivo, a igreja é a própria noiva (Is 54.5; Jr 31.32; Ap 19.7,8). Hoje, celebramos a alegria da salvação, mas um dia entraremos na casa do Pai, na glória celeste, e então, essa festa nunca vai acabar. Estaremos para sempre com Ele.

Essa nova ordem trazida por Jesus deixa para trás o legalismo farisaico e inaugura um novo tempo de liberdade e vida plena. A vida que Jesus oferece está trazendo alegria para o triste, cura para o enfermo,

---

[16] BARCLAY, William. *Marcos*, 1974, p. 71.
[17] RIENECKER, Fritz e ROGERS, Cleon. *Chave Linguística do Novo Testamento Grego*, 1985, p. 70.
[18] POHL, Adolf. *Evangelho de Marcos*, 1998, p. 116.
[19] BARCLAY, William. *Marcos*, 1974, p. 72.

libertação para o endemoninhado, purificação para o leproso, pão para o faminto e salvação para o perdido.

O evangelho abre as portas para uma **vida radicalmente nova** (2.21,22)

Jesus usou três figuras em Sua conversa com os fariseus. A primeira figura já tratamos: a figura do doente e do médico.

Agora, vamos examinar as outras duas: a figura do remendo novo em tecido velho e do vinho novo em odres velhos. Quais são as lições que essas figuras nos ensinam?

Em primeiro lugar, *a vida cristã não é um remendo ou reforma do que está velho, mas algo totalmente novo* (2.21). Um remendo novo num pano velho abre uma fissura ainda maior. O cristianismo não é uma reforma do judaísmo nem um remendo das práticas judaicas. A vida cristã não é apenas um verniz, uma caiação de uma estrutura rota, mas uma nova vida, algo radicalmente novo. Na época de Lutero, não era possível remendar os abusos doutrinários da igreja romana. Era necessário iniciar uma volta ao cristianismo primitivo. Na época de João Wesley o tempo de pôr remendo à Igreja Anglicana havia passado.[20]

O vestido velho era o antigo sistema da lei e os velhos costumes do povo judeu.[21] A salvação que Cristo oferece são as vestes alvas e a justiça de Cristo, o linho finíssimo. Em Cristo todas as coisas são feitas novas (2Co 5.17). A vida cristã não é uma mistura do velho com o novo. É algo completamente novo. O evangelho transforma e liberta. O evangelho é a palavra de vida; o judaísmo com seus preceitos legalistas era letra morta. O evangelho liberta, o legalismo mata; o evangelho salva, o legalismo faz perecer.

Em segundo lugar, *a vida cristã não pode ser acondicionada numa estrutura velha e arcaica* (2.22). Na Palestina, o vinho era guardado em odres de couro. Quando esses odres eram novos possuíam certa elasticidade, mas à medida que iam envelhecendo, ficavam endurecidos e

---

[20]BARCLAY, William. *Marcos*, 1974, p. 74.
[21]GIÓIA, Egidio. *Notas e Comentários à Harmonia dos Evangelhos*, 1969, p. 101.

perdiam a elasticidade. O vinho novo ainda está em processo de fermentação. Isso significa que os gases liberados aumentam a pressão. Se o couro é novo, cederá à pressão, mas se é velho e sem elasticidade, é possível que se rompa e se perca tanto o vinho quanto o odre.[22] O vinho do cristianismo não pode ser acondicionado nos odres velhos do judaísmo.

O cristianismo requer novos métodos e novas estruturas. Não podemos ter o coração duro como os odres ressecados pelo tempo. Precisamos manter nosso coração aberto à mensagem transformadora do evangelho.

O evangelho abre as portas da liberdade para os **prisioneiros do legalismo** (2.23-28)

O sábado judaico tinha se transformado num carrasco do homem. Ele era um fardo insuportável em vez de um elemento terapêutico. Ele era um fim em si mesmo, em vez de ser um instrumento de bênção para o homem. Por essa causa, os fariseus ao verem os discípulos de Jesus colhendo e comendo espigas nas searas em dia de sábado, debulhando-as com as mãos (2.24; Lc 6.2), advertiram a Jesus nesses termos: *Vê! Por que fazem o que não é lícito aos sábados?*

Esse incidente foi uma oportunidade para Jesus ensinar várias lições importantes:

Em primeiro lugar, *os discípulos não estavam fazendo algo proibido* (2.23,24). A prática de colher espigas nas searas para comer estava rigorosamente de conformidade com a lei de Moisés (Dt 23.24, 25). Mas os escribas e fariseus estavam escondendo a verdadeira Lei de Deus debaixo da montanha de tradições tolas que eles tinham fabricado.[23] Eles tinham acrescentado à lei 39 regras sobre a maneira de guardar o sábado, tornando a sua observância um fator escravizante e opressor. Segundo as estritas normas dos fariseus, os discípulos haviam quebrado a lei do sábado e isso era um pecado mortal.[24]

---

[22]BARCLAY, William. *Marcos*, 1974, p. 74.
[23]HENDRIKSEN, William. *Marcos*, 2003, p. 140.
[24]BARCLAY, William. *Marcos*, 1974, p. 76.

Em segundo lugar, *o conhecimento da Palavra é o meio de nos livrarmos do legalismo* (2.25,26). Jesus cita a Escritura para os fariseus e mostra como Davi quebrou a lei cerimonial comendo com seus homens os pães da proposição só permitidos aos sacerdotes (1Sm 21.1-6). Só os sacerdotes podiam comer esse pão da proposição (Lv 24.9), mas a necessidade humana prevaleceu sobre a lei cerimonial. Warren Wiersbe, analisando esse episódio na perspectiva de Mateus, afirma que Jesus usou três argumentos para defender os seus discípulos: o que Davi fez (Mt 12.3,4), o que os sacerdotes fizeram (Mt 12.5,6) e o que o profeta Oseias diz (Mt 12.7-9).[25]

William Hendriksen diz que se Davi tinha o direito de ignorar as provisões cerimoniais, divinamente ordenadas, quando a necessidade exigia, não teria Jesus, o Filho de Deus, num sentido muito mais evidente, o direito, sob as mesmas condições de necessidade, de deixar de lado os regulamentos sabáticos não autorizados, feitos pelo homem?[26]

O pão da proposição nunca foi tão sagrado quanto quando foi utilizado para alimentar um grupo de homens famintos. O sacerdote entendeu que a necessidade dos homens é mais importante do que os regulamentos cerimoniais.[27] O dia do descanso nunca é tão sagrado como quando é usado para prestar ajuda aos necessitados. O árbitro final com respeito ao ritos sagrados não é o legalismo, mas o amor.[28]

Em terceiro lugar, *o homem vale mais do que os ritos sagrados* (2.27). John Charles Ryle diz que Deus fez o sábado para Adão no paraíso e o renovou para Israel no monte Sinai. Ele foi feito para toda a humanidade e não apenas para o povo judeu. Ele foi feito para o benefício e felicidade do homem. O sábado foi feito para o bem físico, mental e espiritual do homem. Ele foi dado como uma bênção e não como um fardo. Esse foi o propósito que o sábado foi criado por Deus.[29]

Deus não criou o homem por causa do sábado, mas o sábado por causa do homem. O homem não foi criado por Deus para ser vítima e

---

[25] WIERSBE, Warren W. *Be Diligent*, 1987, p. 30.
[26] HENDRIKSEN, William. *Marcos*, 2003, p. 141.
[27] BARTON, Bruce B. et al. *Life Application Bible Commentary. Mark*, 1994, p. 65.
[28] BARCLAY, William. *Marcos*, 1974, p. 79.
[29] RYLE, John Charles. *Mark*, 1993, p. 29.

escravo do sábado, mas o sábado foi criado para que a vida do homem fosse mais plena e feliz. Na verdade, o sábado foi instituído para ser uma bênção para o homem: para mantê-lo saudável, útil, alegre e santo, dando-lhe condições de meditar calmamente nas obras do seu Criador, podendo deleitar-se em Deus (Is 58.13,14) e olhar adiante, com grande expectativa, para o repouso que resta para o povo de Deus (Hb 4.9).[30]

Jesus está dizendo com isso que a religião cristã não consiste de regras. As pessoas são mais importantes que o sistema. A melhor maneira de adorar a Deus é ajudando as pessoas. A melhor maneira de fazer uso das coisas sagradas é pondo-as a serviço dos que padecem necessidade. Esse é o único modo autêntico de dá-las a Deus, diz William Barclay.[31]

Em quarto lugar, *o senhorio de Cristo traz liberdade e não escravidão* (2.28). Jesus é o Senhor do sábado. Seu senhorio não é escravizante nem opressor. O legalismo é um caldo mortífero que envenena, asfixia e mata as pessoas. Ele é vexatório e massacrante. Chegou a ponto de transformar o que Deus criou para aliviar o homem, o sábado, num tirano cruel. Jesus veio para estabelecer sobre nós seu senhorio de amor. Agostinho disse que quanto mais servos de Cristo somos, mais livres nos sentimos. Jesus é maior do que o templo (Mt 12.6), maior que Jonas (Mt 12.41), maior que Salomão (Mt 12.42) e maior que o sábado (2.28).

---

[30] HENDRIKSEN, William. *Marcos*, 2003, p. 144.
[31] BARCLAY, William. *Marcos*, 1974, p. 77.

11

O **valor** de uma vida

Marcos 3.1-6

HÁ DOIS TIPOS DE RELIGIÃO NO MUNDO: a religião da vida e a religião da morte. A primeira tem como finalidade adorar a Deus e salvar o homem; a segunda, é prisioneira de ritos e escraviza as pessoas. A primeira adora a Deus e serve aos homens; a segunda, centraliza-se em regras humanas e oprime os aflitos. William Barclay diz que para o fariseu a religião era um ritual que consistia em obedecer a certas leis e normas; para Jesus, era servir a Deus e ao próximo.[1]

Jesus nos ensina sobre a verdadeira religião, a religião da vida. Ele tinha três compromissos fundamentais em seu ministério:

Em primeiro lugar, *ir à casa de Deus* (3.1). Jesus tinha o costume de ir à sinagoga (Lc 4.16). Era assíduo à casa de Deus. Hoje Ele está no meio da Sua igreja (Ap 1.16; 2.1). Ele prometeu estar presente no meio do seu povo (Mt 28.20).

Quando Jesus entrou naquela sinagoga, ele viu duas classes de pessoas:

Primeiro, Ele viu gente mirrada. Havia um homem doente, encolhido, machucado pela vida, com a mão direita seca naquela sinagoga. Possivelmente aquele homem foi trazido pelos próprios fariseus, com o

---

[1] BARCLAY, William. *Marcos*, 1974, p. 82,83.

objetivo de o acusarem.² O melhor que ele tinha estava seco e mirrado. Há pessoas mirradas ainda hoje no meio da congregação, gente com deformidades físicas, emocionais e morais. Gente que carrega o peso dos traumas e das avassaladoras deficiências.

Segundo, Ele viu gente cética. Ali estavam os escribas e fariseus observando Jesus (Lc 6.7). Esses fiscais da vida alheia o seguiam por onde quer que Ele fosse a fim de encontrar um motivo para acusá-Lo (2.6,7,16,24; 3.2). Eles eram detetives e não seguidores de Jesus. Eram acusadores e não adoradores. Eles não estavam na sinagoga para adorar a Deus nem para aprender a Sua Palavra. Eles não estavam na sinagoga para buscar a Deus nem para ajudar o próximo. Eles foram à casa de Deus para criticar e acusar em vez de alegrar-se com a libertação dos cativos. Há muitas pessoas que ainda hoje lotam as igrejas não para adorar a Deus, mas para observar a vida alheia.

Muitos vão à igreja e saem libertados, salvos e perdoados; outros vão e saem piores, mais duros e mais culpados.

Em segundo lugar, **ensinar a Palavra de Deus** (Lc 6.6). Jesus veio ao mundo para pregar o evangelho (1.38). Ele chama a si mesmo de o Mestre (Jo 13.13). Ele tinha um alto conceito da Escritura: ela é a verdade (Jo 17.17). Ela é espírito e vida (Jo 6.63). Ela testifica sobre Jesus (Jo 5.39). Ela liberta (Jo 8.32). Mais uma vez, Jesus entra na sinagoga em Cafarnaum com o propósito de ensinar (Lc 6.6).

Em terceiro lugar, **socorrer os necessitados** (3.1-3). O ministério de ensino não pode ser separado do ministério de socorro. Precisamos falar e fazer, ensinar e agir. Jesus não apenas ensinava a Palavra, ele também socorria os aflitos. Ele não via as pessoas apenas como um auditório, mas como pessoas que precisavam ser socorridas em suas aflições. Jesus curou o homem da mão ressequida, ainda que isso tenha despertado a fúria dos fariseus contra ele.

Quanto vale uma vida **para os fariseus** (Mc 3.2)

O texto nos mostra que os fariseus não valorizavam a vida humana. Destacamos três fatos:

---

²McGee, J. Vernon. *Mark*, 1991, p. 44.

Em primeiro lugar, *eles dão mais valor aos rituais que à vida humana* (3.2). Jesus já havia ensinado que o sábado fora criado por causa do homem (2.27) e que Ele era o Senhor do sábado (2.28), mas os fariseus se importavam mais com suas tradições que com a vida humana. Os fariseus não viram um homem necessitado, mas apenas uma oportunidade para acusarem a Jesus como violador do sábado. Era mais importante para eles proteger as suas leis do que libertar um homem do sofrimento.[3]

É importante enfatizar que o zelo deles não era pela Palavra de Deus, mas pela tradição dos homens. Eles haviam acrescentado 39 regras do que não se podia fazer no sábado e entre elas estava curar um enfermo. Só o perigo de vida teria servido como exceção.[4] William Hendriksen diz que os fariseus estavam valorizando muito mais os rituais criados pelos rabinos do que a ordem divina de amar e zelar pelo bem-estar do próximo.[5]

John Charles Ryle pontua a maldade do coração humano: era um dia de sábado, dentro de uma sinagoga e mesmo sendo no dia de Deus, na hora da adoração a Deus, os fariseus estavam tramando todo o mal contra Jesus (Pv 5.14).[6]

O entendimento embotado dos fariseus, ao verem Jesus curando um homem no sábado, levou-os à conclusão de que a sua autoridade não procedia de Deus. Mas Jesus revelou que suas tradições eram ridículas. Deus é Deus de pessoas e não de tradições engenhosamente fabricadas pelos homens. O melhor tempo para socorrer alguém é quando ele está passando por uma necessidade.[7]

Antes de defendermos nossas tradições, precisamos perguntar: elas servem aos propósitos de Deus? Revelam o caráter de Deus? Ajudam as pessoas a entrar na família de Deus ou as mantêm fora dessa relação? Têm fortes raízes bíblicas? Tradições saudáveis precisam passar por esses testes.[8]

---

[3]Barton, Bruce B. et al. *Life Application Bible Commentary. Mark*, 1994, p. 70.
[4]Pohl, Adolf. *Evangelho de Marcos*, 1998, p. 126.
[5]Hendriksen, William. *Marcos*, 2003, p. 154.
[6]Ryle, John Charles. *Mark*, 1993, p. 32.
[7]Barton, Bruce B. et al. *Life Application Bible Commentary. Mark*, 1994, p. 72.
[8]Barton, Bruce B. et al. *Life Application Bible Commentary. Mark*, 1994, p. 73.

Em segundo lugar, *eles dão mais valor à aparência do que à verdade* (3.2,6). Eles estavam de espreita para acusar Jesus caso Ele curasse o enfermo. Consideraram isso um pecado mortal. Eles atacaram Jesus por fazer o bem, mas saíram da sinagoga para tramarem a sua morte. Eles achavam que Jesus estava quebrando o sábado ao fazer o bem, mas não se viam transgressores do sábado ao praticarem o mal.

Eles coavam um mosquito e engoliam um camelo. Eles eram mais leais ao seu sistema religioso do que a Deus.[9] O que era pior: restaurar a saúde de uma pessoa enferma no dia do sábado como, Jesus fez, ou tramar a morte e alimentar ódio por uma pessoa inocente como os fariseus? Deveria Jesus estar envergonhado por fazer o bem? E eles, não estavam envergonhados de fazer o mal? Diante dessa situação, eles nada responderam, mas saíram para agir com maquinação diabólica contra Jesus.

Jesus apanhou os fariseus com uma pergunta perturbadora: *É lícito nos sábados fazer o bem ou fazer o mal? Salvar a vida ou tirá-la?* Adolf Pohl diz que eles não conseguem abrir a boca, depois não querem e, por fim, eles a mantêm fechada com raiva. Trata-se de um processo de endurecimento.[10]

Nenhum cristão deve hesitar em fazer o bem no dia do Senhor. O exercício da misericórdia, a cura do enfermo, o alívio da dor do aflito deve ser sempre praticado sem receio. Fazer o bem no dia do Senhor não é certamente buscar o nosso próprio prazer ou o nosso próprio lucro, alerta John Charles Ryle.[11]

Em terceiro lugar, *eles dão mais valor a um animal do que ao ser humano* (Mt 12.11,12). Os fariseus haviam perguntado a Jesus se era lícito curar no sábado (Mt 12.10), ao que Jesus respondeu: *Qual dentre vós será o homem que, tendo uma ovelha, e, num sábado esta cair numa cova, não fará todo o esforço, tirando-a dali? Ora, quanto mais vale um homem que uma ovelha? Logo, é lícito, nos sábados, fazer o bem* (Mt 12.11,12).

Os fariseus socorriam uma ovelha, mas não um homem. Eles davam mais valor a um animal que a um homem doente. Eles tinham mais

---

[9] BARTON, Bruce B. et al. *Life Application Bible Commentary. Mark*, 1994, p. 74.
[10] POHL, Adolf. *Evangelho de Marcos*. 1998, p. 127.
[11] RYLE, John Charles. *Mark*, 1993, p. 33.

compaixão de uma ovelha do que de um homem. Valorizavam mais os ritos, os animais e o dinheiro do que o ser humano.

Quanto vale uma vida **para Jesus** (Mc 3.3-5)

Destacamos três aspectos da valorização de Jesus à vida humana:

Em primeiro lugar, *uma vida vale mais do que o legalismo religioso* (3.2). Nos quatro evangelhos nos são relatados sete casos de curas milagrosas de Jesus em dia de sábado.[12] Os escribas e fariseus estavam preocupados com leis e ritos sagrados engendrados por eles mesmos e não com a salvação dos perdidos. A religião deles oprimia em vez de libertar. Quanto mais zelosos da religião, mais longe de Deus e dos homens. Eles se julgavam melhores do que os outros mortais (Lc 18.11). Eles tinham medo de se envolver com as pessoas necessitadas (Lc 10.31-33).

Jesus tocou no âmago da questão quando perguntou aos fariseus: *É lícito nos sábados fazer o bem ou fazer o mal? Salvar a vida ou tirá-la? Mas eles ficaram em silêncio* (3.4). Jesus não revogou a lei, mas a interpretou com autoridade (Mt 5.17-20; Rm 3.31). Jesus traz o sábado para a Sua luz, enfatizando que o bem sempre deve ser feito no sábado e o mal proibido. Adolf Pohl comenta:

> Para Jesus o sábado é para fazer o bem. O sábado pretende ser uma festa de amor a Deus e aos outros [...]. O essencial do descanso objetivado por Deus não consiste em estar livre do fazer, mas em estar livre do fazer sob a pressão da produtividade [...]. Quem está preocupado só em não fazer nada no dia de descanso, é culpado de parar de fazer o bem. Contudo, onde se para de fazer o bem não surge um espaço sem ação, mas o mal entra desfilando (Tg 4.17).[13]

Os fariseus transformaram o lícito em transgressão e o ilícito em liturgia. A intenção de Jesus de curar confronta a intenção dos fariseus de matar. O sábado deles não tem mais poder para curar, só para matar. Na defesa do sábado, eles o estavam transgredindo da forma mais gritante.

---

[12]Marcos 1.21; 1.29; 3.1-6; João 5.9; 9.14; Lc 13.14; 14.1.
[13]POHL, Adolf. *Evangelho de Marcos*, 1998, p. 126,127.

Em segundo lugar, *uma vida vale mais do que os bens materiais* (Mt 12.11,12). Os escribas e fariseus estavam prontos a tirar uma ovelha de um buraco, no sábado, mas não aceitavam que aquele homem fosse curado no sábado. Para eles, uma ovelha valia mais que um homem. Hoje, muitos valorizam mais as coisas que as pessoas. Usam as pessoas e amam as coisas. Hoje, a sociedade valoriza mais o ter do que o ser. Temos mais pressa em cuidar dos animais do que das almas que perecem. Tem gente que ama mais um cachorrinho de estimação do que as pessoas doentes, necessitadas e aflitas. Temos mais pressa em ganhar dinheiro do que ver os perdidos alcançados.

Em terceiro lugar, *uma vida vale a sua própria vida* (3.16). Jesus sabia que a cura daquele homem da mão mirrada desencadearia uma perseguição a Ele, que culminaria em Sua morte na cruz. A partir dali, os fariseus começaram a perseguir a Jesus e a orquestrar com os herodianos a Sua morte.

Marcos é o único evangelista que fala dessa coligação espúria entre escribas e fariseus com os herodianos para tramarem a morte de Jesus. Os herodianos eram um partido político judeu radical que esperava restaurar ao trono a linha de Herodes, o grande. Eles apoiavam o domínio de Roma sobre a Palestina e assim estavam em direto conflito com os líderes judeus. Os fariseus e herodianos não tinham nada em comum até Jesus ameaçá-los. Jesus ameaçou a autoridade dos fariseus sobre o povo e ameaçou os herodianos ao falar do Seu reino eterno. Assim os fariseus e herodianos, inimigos históricos, se uniram para tramarem a morte de Jesus.[14] As facções inimigas entre os judeus foram esquecidas momentaneamente de suas rivalidades, unidas por seu ódio ao Senhor.[15] Foi o inimigo comum, Jesus, quem uniu esses dois grupos rivais.[16] William Hendriksen diz que aquela foi uma estranha coalizão entre os falsos santos e os sacrílegos.[17]

---

[14] BARTON, Bruce B. et al. *Life Application Bible Commentary. Mark*, 1994, p. 74.
[15] TRENCHARD, Ernesto. *Una Exposición del Evangelio según Marcos*, 1971, p. 42.
[16] WIERSBE, Warren W. *Be Diligent*, 1987, p. 32.
[17] HENDRIKSEN, William. *Marcos*, 2003, p. 156.

Adolf Pohl diz que o amor de Jesus pelo ser humano deformado é maior que a preocupação com sua própria segurança.[18] Jesus se dispôs a morrer para salvar aquele homem. Jesus está dizendo que valeu a pena dar a sua vida para que aquele homem fosse libertado. Jesus deu a sua vida por você. Ele se entregou por você. Por trazer liberdade e vida, Ele tinha de morrer. Morrendo, ele realizou Sua missão.[19]

Sua morte nos trouxe vida. Ele não poupou a Sua própria vida. Ele foi perseguido, preso, açoitado, cuspido, surrado, humilhado, crucificado por amor a você. Ele suportou a cruz com alegria não levando em conta Sua ignomínia para salvar você.

O método usado por Jesus para curar o homem

Destacamos cinco aspectos do método usado por Jesus:

Em primeiro lugar, *relevou os motivos secretos do coração dos críticos* (Lc 6.8). Jesus não apenas está presente na sinagoga, ele também está examinando os corações. Seus olhos são como chama de fogo (Ap 1.14; 2.18).

Jesus está aqui vendo não apenas nossa presença, mas investigando nossas motivações. Ele sonda nosso coração, perscruta nossa consciência. Ele discerne no meio da assembleia o crítico e o atrofiado.

O conhecimento de Jesus O levou a ter dois sentimentos:

Primeiro, indignação. Jesus sentiu-se indignado com aqueles que não valorizavam a vida nem a salvação dos perdidos. Ele sentiu indignação com a dureza do coração dos fariseus. A ira de Jesus sempre indica a presença do satânico (1.43; 3.5; 8.33). Jesus usou Sua ira para encontrar soluções construtivas e corrigir o problema, curando o enfermo,[20] em vez de usá-la para destruir as pessoas.

Segundo, compaixão. Jesus sentiu compaixão daquele homem que tinha a mão direita mirrada e também se condoeu da dureza do coração dos seus críticos pelo seu estado de endurecimento, cegueira e morte.[21] De acordo com

---

[18]POHL, Adolf. *Evangelho de Marcos*, 1998, p. 126.
[19]POHL, Adolf. *Evangelho de Marcos*, 1998, p. 128.
[20]BARTON, Bruce B. et al. *Life Application Bible Commentary. Mark*, 1994, p. 74.
[21]POHL, Adolf. *Evangelho de Marcos*, 1998, p. 127.

os tempos verbais usados no original, o olhar irado ou indignado foi momentâneo, enquanto a profunda tristeza foi contínua.[22]

Em segundo lugar, **encorajou o homem da mão atrofiada a assumir publicamente sua condição** (Lc 6.8). Jesus disse para o homem da mão mirrada: *Levanta-te.* Aquele homem estava prostrado, caído, cabisbaixo, derrotado, vencido sem se expor no meio da sinagoga.

Antes da cura, é preciso assumir a sua condição de doente. Não se esconda, rompa com os embaraços, saia da caverna, do anonimato. Reconheça suas necessidades e declare-as publicamente. Diz Lucas: *Ele se levantou e permaneceu em pé* (Lc 6.8).

Em terceiro lugar, **encorajou o homem da mão atrofiada a vencer os seus complexos** (3.3). Jesus disse para o homem da mão atrofiada: *Vem para o meio.* Aquele homem vivia se escondendo. Tinha vergonha da sua mão seca. Tinha complexos de inferioridade. Tinha vergonha do seu corpo. Tinha traumas não curados. Ele vivia na periferia, escanteado, se escondendo por causa de suas emoções amassadas e de uma autoestima achatada.

Antes de curar-nos, Jesus quer que nos despojemos de toda máscara. Antes de Eliseu curar Naamã, ele mandou-o mergulhar no rio Jordão sete vezes. Por quê? Para que ele se despojasse de sua armadura, e assumisse publicamente que era leproso.

Em quarto lugar, **encorajou o homem da mão atrofiada a exercitar sua fé** (3.5). Jesus lhe disse: *Estende a mão.* O médico Lucas nos informa que era a sua mão direita e ela estava ressequida (Lc 6.6). A palavra grega traz a ideia de secar, ficar seco, murchar, ficar murcho. O imperfeito indica um estado ressequido e talvez demonstre que não era de nascimento, mas que era o resultado de lesões causadas por acidente ou por enfermidade.[23] Aquela era uma causa perdida, mas Jesus lhe dá uma ordem. Aquele homem deveria exercitar sua fé e fazer o impossível mediante a Palavra de Jesus. À ordem de Jesus, o membro crispado relaxou-se, o que estava imóvel se moveu.

---

[22]HENDRIKSEN, William. *Marcos*, 2003, p. 155.
[23]RIENECKER, Fritz e ROGERS, Cleon. *Chave Linguística do Novo Testamento Grego*, 1985, p. 70.

Depois de uma pescaria fracassada, Jesus disse a Pedro: *Faze-te ao largo, e lançai as vossas redes para pescar* (Lc 5.4). Pedro atendeu à ordem de Jesus e apanhou grande quantidade de peixes (Lc 5.5,6).

No tanque de Betesda, Jesus disse para um homem que estava preso à sua cama como paralítico havia 38 anos: *Levanta-te, toma o teu leito e anda* (Jo 5.8). Diz o evangelista João: *Imediatamente, o homem se viu curado e, tomando o leito, pôs-se a andar* (Jo 5.9).

Lázaro estava morto havia quatro dias, mas Jesus dirige-se ao morto e clama em alta voz: *Lázaro, vem para fora!* (Jo 11.43). O morto ouviu a voz de Jesus e voltou à vida.

Em quinto lugar, **realizou na vida do homem da mão atrofiada um grande milagre** (3.5). À semelhança do que aconteceu com o leproso (1.42) e com o paralítico (2.11,12), Jesus deu a esse homem sua vida de volta (3.6). Jesus curou sua autoestima e seu corpo. A cura foi instantânea e completa. Tratamentos subsequentes e outros exames não se fizeram mais necessários.[24]

O evangelista Marcos nos informa que no mesmo momento que o homem atendeu à ordem de Jesus, a sua mão foi restaurada: *Estende a mão. Estendeu-a e a mão lhe foi restaurada* (3.5). Jesus tem todo poder e autoridade para sondar os corações (Lc 6.8) e para curar o enfermo (3.5).

Jesus não mudou. A Sua palavra tem a mesma autoridade hoje. Se você crer, algo extraordinário pode acontecer com você. Talvez seu caráter esteja mirrado. Talvez sua vida emocional esteja amassada e atrofiada. Talvez seus relacionamentos estejam ressecados e sem vida. Talvez seu casamento já perdeu a alegria e o entusiasmo. Talvez sua vida financeira esteja mirrada e seca. Jesus pode dar vida nova ao que está morto e vitalidade ao que está ressecado.

A obediência a uma ordem de Jesus ainda produz milagres.

Esse episódio na sinagoga de Cafarnaum revela duas reações, dois auditórios, duas atitudes de Jesus e dois resultados: daquela sinagoga, naquele culto, onde Jesus ensinou, um homem saiu curado e os escribas e fariseus saíram cheios de inveja e ódio. O mesmo sol que amolece a cera, endurece o barro.

---

[24]HENDRIKSEN, William. *Marcos*, 2003, p. 155.

Aquele que reconheceu sua necessidade saiu salvo, aqueles que estavam cheios de prejulgamento saíram mais endurecidos e mais perdidos.

Quem é você: mirrado ou crítico? Necessitado ou julgador? Como você vai sair deste episódio: curado, perdoado, salvo ou mais endurecido?

12

Motivos decisivos para você vir a Jesus

Marcos 3.7-12

DESTACAMOS, À GUISA DE INTRODUÇÃO, cinco pontos importantes:

Em primeiro lugar, ***uma conspiração odiosa*** (3.6). Jesus está no auge da sua popularidade. Ele está andando por toda parte, fazendo o bem e curando todos os oprimidos do diabo (At 10.38). Contudo, ao mesmo tempo, as forças hostis se mancomunam contra Ele para matá-Lo. Fariseus e herodianos eram inimigos, mas se unem para persegui-Lo (3.6). Houve um concubinato espúrio da religião com a política para matar Jesus.

Jesus, então, se retira porque ainda tinha muitas lições a ensinar aos discípulos e ao povo. E também, porque ainda não era o seu tempo de morrer.[1]

Em segundo lugar, ***uma fuga estratégica*** (3.7). Jesus não se retirou das multidões necessitadas que o seguiam por toda parte, mas dos inimigos.[2] Esse episódio da perseguição leva Jesus a romper completamente com a sinagoga judaica.[3] Dewey Mulholland diz que, após o confronto em Marcos 3.1-6, Jesus retira-se do judaísmo oficial, simbolizado pela

---

[1] BARTON, Bruce B. et al. *Life Application Bible Commentary. Mark*, 1994, p. 75.
[2] TRENCHARD, Ernesto. *Una Exposición del Evangelio según Marcos*, 1971, p. 44.
[3] POHL, Adolf. *Evangelho de Marcos*, 1998, p. 130.

sinagoga (com exceção de 6.16) e volta-se para as pessoas; até chegar ao templo em Jerusalém (11.11), conduzindo o seu ministério em lares e ao ar livre.[4]

Em Marcos, vemos quatro tipos de retiro de Jesus: 1) Para escapar da perseguição dos seus inimigos (3.7); 2) Para descansar (6.31); 3) Para orar (6.46); 4) Para ensinar aos seus discípulos (7.24). Há momentos que o confronto não é o melhor caminho. No tempo certo, Jesus enfrentou esses inimigos e marchou para Jerusalém resolutamente. Precisamos ter discernimento para saber a hora de retirar e a hora de enfrentar os inimigos.

Em terceiro lugar, *uma procura geral*. Ao mesmo tempo em que os poderosos rejeitam a Cristo, Ele alcança grande popularidade entre o povo e este O busca por todos os lados. Até mesmo os gentios da Fenícia o buscavam: 1) Do Norte — Tiro e Sidom (gentios); 2) Do Sul — Judeia, Jerusalém e Idumeia (descendentes de Esaú, os edomitas); 3) Do Leste — Além do Jordão e 4) Do Oeste — Galileia. Enquanto alguns homens se tornam endurecidos, até mesmo os demônios se prostram e confessam que Jesus é o Filho de Deus.

Em quarto lugar, *uma motivação variada*. As motivações da multidão eram variadas: 1) Alguns foram a Cristo por curiosidade, para ver os Seus milagres; 2) Outros foram atraídos por interesses imediatos (pão ou cura); 3) Outros ainda foram atraídos para ouvir os Seus ensinos, mas não estavam dispostos a crer nEle; 4) Outros, contudo, foram a Cristo para ouvir os Seus ensinos, serem curados e crerem nEle.

É verdade incontroversa que nem todos os que vêm para ouvir o evangelho o receberão. Assim como Jesus subiu imediatamente ao monte e chamou os Seus discípulos para segui-Lo, hoje, também, da imensa assembleia dos que ouvem a Palavra Jesus chamará aqueles que nEle hão de crer para serem seus discípulos.

Em quinto lugar, *um testemunho rejeitado* (3.11,12). Os demônios demonstraram mais discernimento que os fariseus e herodianos. Aqueles negavam a divindade de Cristo, enquanto os demônios a proclamavam.

---

[4]MULHOLLAND, Dewey M. *Marcos: Introdução e Comentário*. São Paulo, SP: Edições Vida Nova, 2005, p. 68.

Os demônios reconheceram Jesus e o temeram (Tg 2.19). Eles conheciam Seu poder e sabiam que Jesus tinha autoridade para expulsá-los (5.8-10). Ironicamente, os demônios compreenderam quem era Jesus, enquanto o povo não compreendeu. A natureza espiritual dos demônios é mais perspicaz que a razão humana.[5]

Jesus proíbe os demônios de darem testemunho a seu respeito. Ele força o silêncio dos demônios para garantir a revelação completa e pura.[6] Jesus deseja que os homens O conheçam pelo testemunho das Escrituras e pelo testemunho das Suas palavras e obras.[7]

Jesus rejeitou o testemunho dos demônios por duas razões: Primeiro, porque não deseja nem necessita que os demônios O credenciem.[8] Segundo, porque não aceita ser desviado do foco de Sua missão. Ao proclamarem sua verdadeira identidade, os demônios procuram fomentar a multidão para que Jesus seja tentado a deixar de cumprir o propósito de Deus.[9] Jesus veio não para ser um líder político ou milagreiro, mas o redentor da humanidade. A multidão oprimida por Roma esperava um Messias político que viesse quebrar o jugo da escravidão e colocar a nação judaica no topo do governo mundial. Bruce Barton diz que o reino de Cristo é espiritual. Ele começa não com o destronamento dos governos humanos, mas com o destronamento do pecado no coração dos homens.[10]

Charles Haddon Spurgeon auxilia-nos a entender esse texto, em sua exposição de Marcos 3.7-12. Vejamos, então, as principais lições do texto:

O eco das ações de Jesus atrai os pecadores em grande número (Mc 3.8-10)

Aquela multidão que veio a Jesus é um espelho das multidões que se reúnem hoje nos templos. As pessoas vêm porque já ouviram quantas coisas Jesus já fez, está fazendo e fará.

---

[5]POHL, Adolf. *Evangelho de Marcos*, 1998, p. 132.
[6]POHL, Adolf. *Evangelho de Marcos*, 1998, p. 132.
[7]BURN, John Henry. *The Preacher's Complete Homiletic Commentary on the Gospel according to Mark*, 1996, p. 98.
[8]BARTON, Bruce B. et al. *Life Application Bible Commentary. Mark*, 1994, p. 78.
[9]MULHOLLAND, Dewey M. *Marcos: Introdução e Comentário*, 2005, p. 69.
[10]BARTON, Bruce B. et al. *Life Application Bible Commentary. Mark*, 1994, p. 78.

Chamamos a atenção para quatro fatos:

Em primeiro lugar, *essas pessoas tinham ouvido testemunhos de alguns que haviam sido curados*. Histórias se multiplicavam daqueles que eram cegos e agora viam; daqueles que eram surdos e agora ouviam; daqueles que eram leprosos e agora estavam limpos; daqueles que eram paralíticos e agora andavam. Essas pessoas ouviram esses poderosos testemunhos e aceitaram-nos como verdadeiros. Um homem paralítico contou como fora curado. Um cego contou como Jesus tocou em seus olhos.

E assim, essas maravilhas foram passando de pessoa para pessoa.

Você tem ouvido também muitos testemunhos de pessoas que foram libertadas, de pessoas que foram salvas e transformadas pelo evangelho. Talvez você tenha exemplos na sua própria família: bêbados que se tornaram sóbrios; viciados que foram libertados; pessoas que viviam uma vida desregrada e que agora vivem uma vida de testemunho irrepreensível.

Oh! que Deus desperte você hoje, para que não apenas conheça esses testemunhos, mas também se arroje aos pés do Senhor e toque-O pela fé (3.10).

Em segundo lugar, *essas pessoas tiraram do que tinham ouvido um argumento de esperança*. Elas pensaram: Se Cristo fez grandes coisas por aquelas pessoas, ele pode fazer em nossa vida também. Vamos até Ele. Se Ele fez os paralíticos andarem, fez os cegos verem, purificou os leprosos, então, Ele pode nos curar, libertar e salvar também.

Esse foi o raciocínio de Bartimeu em Jericó. Ele ouviu falar de quantas coisas Jesus fazia. Ele aguardou o dia do seu encontro com Cristo. Ele gritou, insistiu e foi chamado, curado e salvo por Cristo.

Aquelas pessoas foram informadas não apenas dos grandes milagres de Cristo, mas de que Ele também se alegrava em ser misericordioso. Que Ele se deleitava em socorrer, curar, perdoar e salvar as pessoas. Assim, elas vieram a Cristo por causa da sua fama. Elas ouviram que Ele não esmaga a cana quebrada nem apaga a torcida que fumega. Ele não condena aquele que já está quebrantado.

Em terceiro lugar, *essas pessoas vieram a Cristo com urgência por causa de seus próprios sofrimentos*. Algumas delas estavam cheias de dor e sofrimento: havia cegos, paralíticos, surdos: gente ferida, sem esperança, sem recurso, sem socorro humano. Eram pessoas aflitas e ansiosas para serem curadas e libertadas. Sendo convencidas de que seus casos eram semelhantes àqueles que Jesus já havia atendido, elas vieram a Cristo para também serem curadas.

Eu posso clamar a vocês para virem a Cristo até exaurir as minhas forças, contudo, ninguém virá senão aqueles que sentirem a necessidade de Jesus. Mas você precisa dEle tendo consciência disso ou não. Você tem uma doença mortal e crônica que nenhum médico da terra pode curar. Essa doença é o pecado. Por mais religioso e moralista que você seja, está contaminado por essa doença mortal. A menos que Jesus o perdoe, o liberte e o salve, você está condenado. Não há nenhuma esperança para você a não ser que venha a Cristo.

Em quarto lugar, *essas pessoas vieram a Cristo não apenas por causa de seus sofrimentos, mas porque sabiam que Jesus podia curá-las e salvá-las*. Meu caro leitor, venha a Cristo sem demora. Somente Ele pode perdoar aos seus pecados, preencher o vazio da sua alma e satisfazer os anseios do seu coração. Ele pode tirar o seu coração endurecido e dar-lhe um coração sensível. Ele pode abrir os seus olhos para que você veja a glória de Deus. Ele pode tirar você do poço profundo em que se encontra. Ele pode dar a você um novo nome, um novo coração, uma nova mente, uma nova esperança, uma nova vida.

Jesus já tem transformado vidas que estavam na sua mesma condição. Ele é o mesmo sempre. Seus braços não estão encolhidos para que não possam salvar nem seus ouvidos surdos que não possam ouvir o seu clamor. Portanto, venha a Jesus. Toque-O pela fé.

As necessidades humanas **levam as multidões a Jesus** (Mc 3.8,10)

Destacamos seis verdades fundamentais quanto a essa questão:

Em primeiro lugar, *aquelas pessoas não se contentaram apenas em ouvir testemunhos de outros, elas mesmas foram a Jesus*. Eu gostaria que essa fosse a realidade de todos os nossos leitores. Essas pessoas ouviram as histórias do que Cristo tinha feito. Elas certamente disseram: Essas são as grandes notícias, fala-nos de novo sobre esses milagres. Mas elas não se contentaram apenas em ficar ouvindo o que Cristo havia feito na vida dos outros. Elas mesmas quiseram ter um encontro com Cristo.

Elas seriam tolas se apenas se contentassem em ouvir os grandes feitos de Cristo. Os cegos que ouviram que Jesus abrira os olhos daqueles que estavam nas trevas desejaram ir a Jesus. Os paralíticos desejaram ser lançados aos pés de Jesus. Os leprosos desejaram ser tocados por Jesus.

Preocupo-me pensando que alguns de vocês se contentem em apenas ouvir as boas-novas. Alguns de vocês se contentam em apenas vir à igreja, pensando que isso é o bastante. Não basta você ser um ouvinte regular da Palavra de Deus. Não basta você estar todos os domingos na casa de Deus. Você precisa pessoalmente ter um encontro com Cristo.

Uma pessoa faminta se contentaria em apenas ouvir falar sobre o lugar que tem pão com fartura? Uma pessoa doente se contentaria apenas em ouvir testemunhos de cura enquanto ela perece? Não seja descuidado com a sua própria alma. Não seja apenas um ouvinte. Venha a Jesus. O tempo urge, hoje é o dia oportuno. Agora é o tempo da salvação.

Em segundo lugar, *aquelas pessoas não esperaram Cristo vir até elas, elas foram a Jesus*. Muitas pessoas usam a ortodoxia reformada de forma equivocada. A visão hipercalvinista matou o ardor evangelístico da igreja. As pessoas pensam: Deus já tem os Seus escolhidos. Eu não preciso evangelizar. Os eleitos virão. Eu não preciso pregar, os eleitos crerão. Eu não preciso me preocupar em salvar minha alma, se eu for um eleito, jamais vou me perder. A soberania de Deus não anula a responsabilidade humana. A Bíblia diz que você deve ter pressa. Há um abismo. Há um perigo. Há um tempo oportuno.

O evangelho é uma mensagem urgente: amanhã pode ser tarde. Hoje é o tempo de Deus. O evangelho que você está ouvindo é a voz de Jesus. Venha a Jesus. Aquelas pessoas não ficaram esperando até Jesus ir às suas cidades. Elas vieram a Jesus. Elas tinham pressa. Elas se arrojavam aos Seus pés para O tocar.

Em terceiro lugar, *aquelas pessoas não pararam nos discípulos de Jesus*. Satanás tenta manter os homens longe de Cristo, fazendo-os parar nos ministros, evangelistas e outros crentes eminentes. Nenhum homem, nenhuma igreja, nenhuma denominação, nenhum concílio, nenhuma doutrina pode salvar você. Só Jesus! Não há salvação em nenhum outro nome dado entre os homens pelo qual importa que sejamos salvos. O ministério dos pregadores não é exaltar a si mesmos, mas gritar: Eis o Cordeiro de Deus que tira o pecado do mundo!

Em quarto lugar, *aquelas pessoas para virem a Cristo tiveram de deixar seus negócios*. Muitas daquelas pessoas tiveram de deixar suas propriedades, suas lavouras, seu gado, seus olivais, suas lojas para ir a Jesus. Muitas pessoas deixam de vir a Cristo por causa do trabalho, do sucesso, do dinheiro, dos negócios. Mas o que adianta você ganhar o mundo inteiro e perder a sua alma? O jovem rico perdeu a oferta da salvação pelo seu amor ao dinheiro. Outros deixam o banquete da salvação por causa dos bens, do trabalho, do lucro, do sucesso, do casamento, dos amigos, dos prazeres. Que a sua primeira preocupação seja com a salvação da sua alma e não com as coisas que perecem.

Em quinto lugar, *muitas daquelas pessoas vieram de grandes distâncias*. Embora rejeitado pelos líderes religiosos e políticos, as multidões vinham de toda a Palestina e também da Fenícia para serem curadas por Jesus. Algumas pessoas vieram do Sul: Judeia e Jerusalém. Outras vieram do Norte: Tiro e Sidom. Outras vieram do Leste: Dalém do Jordão e outras vieram do Oeste: Galileia[11] Estradas empoeiradas, desertos e rios profundos não mantiveram aquelas pessoas longe de Cristo. Nenhuma dificuldade manteve aquelas pessoas longe de Cristo. Nenhum obstáculo impediu aquelas multidões de virem a Cristo. Não deixe que nenhuma dificuldade impeça você de vir a Cristo: família, amigos, prazeres, dinheiro, preconceito.

Em sexto lugar, *aquelas pessoas vieram a Cristo com todas as suas carências e necessidades*. J. Vernon McGee diz que a família humana é uma família carente e necessitada e nós pertencemos a essa família.[12] Elas se lançavam aos pés de Cristo para tocá-lo. Elas queriam ser curadas e salvas.

Imagine se elas pensassem: "Não, nós só iremos a Cristo quando nossa vida estiver certa. Vamos dar mais um tempo". Se assim fosse, elas não precisariam de Cristo e Cristo não seria necessário a elas.

---

[11]BURN, John Henry. *The Preacher's Complete Homiletic Commentary on the Gospel according to Mark*, 1996, p. 98.
[12]McGEE, J. Vernon. *Mark*, 1991, p. 46.

Não, mas deixe o cego vir enquanto é cego. Deixe o paralítico vir mesmo se arrastando. Deixe o leproso vir coberto de sua lepra. As pessoas devem vir como estão. Cristo veio chamar pecadores. O médico veio para os doentes. Venha como você está: endividado, desonesto, bêbado, drogado, impuro. É Jesus quem vai curá-lo, perdoá-lo e salvá-lo. Você não pode fazer nada para a sua salvação. Jesus o recebe como você está. *Conhecereis a verdade e a verdade vos libertará*. Erga a sua voz e cante:

> *Eu venho como estou*
> *Eu venho como estou*
> *Porque Jesus por mim morreu*
> *Eu venho como estou.*

Como as multidões necessitadas foram **tratadas por Jesus?** (Mc 3.10-12)

Ressaltamos cinco atitudes de Jesus em relação àquelas multidões:

Em primeiro lugar, *de todos os que vieram a Cristo nenhum foi mandado embora*. Desde que o mundo começou, nenhum pecador se chegou a Deus, nenhuma alma foi a Cristo sem ser recebida. Jesus disse: *O que vem a mim, jamais lançarei fora* (Jo 6.37). Jesus Cristo jamais quebrou sua promessa. Desafiamos o céu, a terra e o inferno para levantar uma prova sequer de uma pessoa que tenha vindo a Cristo com seu coração quebrantado que tenha sido rejeitada por Ele. É Ele mesmo quem convida: *Vinde a mim, todos vós que estais cansados e sobrecarregados... Se alguém tem sede venha a mim e beba.*

Em segundo lugar, *todas as pessoas que vieram a Cristo foram atendidas por Ele*. Os enfermos foram curados, os possessos foram libertos, os perdidos foram encontrados, os que estavam em trevas viram a luz, os que estavam aflitos foram consolados e os que estavam sem esperança receberam uma nova razão para viver.

As pessoas vieram a Cristo não apenas para ouvir os seus ensinos, serem curadas e libertas. Elas se lançaram aos pés de Jesus, tocaram nEle e se derramaram diante dEle. Hoje, eu convido você a vir a Jesus. Só Ele pode curar, libertar, perdoar e salvar você.

Mateus 12.15-21, o texto paralelo, afirma que Jesus não esmaga a cana quebrada nem apaga a torcida que fumega. Jesus alivia as pessoas do fardo que as oprime. Ele não esmaga aquele que já está caído. Foi assim que Jesus fez com a mulher apanhada em flagrante adultério. Ele não a apedrejou, antes, perdoou-a, restaurando-lhe a dignidade da vida.

Em terceiro lugar, **cada pessoa tocada, curada e salva por Jesus era mais uma testemunha de Jesus**. Imagine que estavam no meio daquela multidão duzentas pessoas que foram curadas. Eram mais duzentas testemunhas de Jesus a testemunhar o Seu poder. O círculo daqueles que eram salvos aumentava. O número daqueles que testemunhavam crescia. Cada nova pessoa curada e salva era uma voz a mais a chamar as outras pessoas a virem a Jesus.

Hoje, depois de dois mil anos, milhões e milhões de vidas já foram tocadas, curadas e transformadas por Jesus. Você não pode desculpar-se. Cada nova vida salva por Jesus é um forte argumento para você de que Ele é suficiente para ser o Seu salvador. Oh! amigo, há uma nuvem de testemunhas ao seu redor proclamando para você que Jesus é o único salvador, a única esperança para a sua alma. Venha a ele agora mesmo.

Em quarto lugar, **Jesus não apenas cura os enfermos, mas prioriza o ensino** (3.9). Esse anseio descontrolado por cura (3.8,10), principal ou exclusivamente por cura, Jesus corrige com Sua atitude (1.37s., Jo 6.26). Ele não quer ser apenas um curandeiro, por isso cria espaço para o ensino da verdade (4.1)[13] Esse barco usado por Jesus tinha duas finalidades: proteção e maior alcance.[14] Jesus tem para você palavras de vida eterna que satisfazem a sua mente, aquietam o seu coração e lhe darão segurança eterna.

Em quinto lugar, **por que você deve vir a Cristo agora mesmo?**

Primeiro, porque o próprio nome de Jesus convida você. Seu nome é Jesus, que significa Salvador. Você é pecador, mas Ele é o Salvador. Você tem sede, mas Ele é a água da vida. Você tem fome, mas Ele é o pão da vida. Você está perdido, mas Ele é o caminho. Você está morto, mas Ele é a ressurreição e a vida.

Segundo, porque o poder de Jesus encoraja você a vir a Ele. Jesus tem todo o poder no céu e na terra. Os astros Lhe obedecem. O vento escuta a Sua

---

[13]POHL, Adolf. *Evangelho de Marcos*, 1998, p. 131.
[14]HENDRIKSEN, William. *Marcos*, 2003, p. 159.

voz. As ondas do mar se acalmam diante da Sua palavra. A doença atende a Sua ordem. Os demônios se rendem à sua autoridade. Os inimigos se prostram diante dos Seus pés. Ele tem poder para libertar e salvar você. Portanto, venha a ele agora mesmo.

Terceiro, porque o amor de Jesus encoraja você a vir a Ele. Ele ama você e importa-se com você. Ele foi à cruz por você. Suas mãos foram rasgadas, Seus pés foram pregados na cruz e Ele foi transpassado no madeiro por amor a você. Ele ama você com amor eterno. Por isso, venha a Ele.

Quarto, porque o banquete da salvação já está preparado para receber você. Deus já fez tudo. A mesa já está preparada. Os céus estão prontos para festejar a sua volta para Deus. Os anjos se alegram com a sua salvação. A noiva de Cristo, a igreja, convida você: Vem. O Espírito do Deus eterno, diz a você: Vem! Se você tem sede, venha e beba de graça da água da vida.

Nada neste mundo pode impactar e transformar tanto a sua vida quanto o evangelho. Você não pode ficar indiferente ao evangelho. Os fariseus e os herodianos se posicionaram contra Jesus para matá-Lo. Contudo, ao mesmo tempo multidões de todos os lados vieram a Jesus e Ele as recebeu, curou os enfermos e libertou os endemoninhados[15]

De que lado você está? Do lado daqueles que rejeitam a Cristo ou do lado daqueles que vêm a Cristo para serem curados, libertados e salvos?

---
[15]WIERSBE, Warren W. *Be Diligent*, 1987, p. 32.

13

A escolha da liderança espiritual da igreja

Marcos 3.13-19

JESUS TINHA MUITOS DISCÍPULOS, mas ele separou doze para serem apóstolos. Discípulo é um aprendiz, apóstolo é um enviado com uma comissão, um embaixador em nome do Rei.[1] Os apóstolos foram chamados dentre os discípulos, isto porque a conversão precede o ministério. A ordem é: primeiro converter, depois ordenar.[2]

Jesus só teve doze apóstolos. Os apóstolos foram os instrumentos para receberem a revelação de Deus e foram inspirados por Deus para o registro das Escrituras. Não há sucessão apostólica. Os apóstolos não tiveram sucessores depois que morreram.[3] Um apóstolo precisava ter visto a Cristo ressurreto (1Co 9.1), ter tido comunhão com Cristo (At 1.21,22) e ter sido chamado pelo próprio Cristo (Ef 4.11). Os apóstolos receberam poder especial para realizar milagres como prova de sua credencial (At 2.43; 5.12; 2Co 12.12; Hb 2.1-4).

Dewey Mulholland diz que a decisão de Jesus de escolher os doze apóstolos foi uma das decisões mais cruciais da história. Ele não escreveu livros, não ergueu monumentos nem construiu instituições.

---

[1] WIERSBE, Warren W. *Be Diligent*, 1987, p. 34.
[2] RYLE, John Charles. *Mark*, 1993, p. 36.
[3] RYLE, John Charles. *Mark*, 1993, p. 37.

Ele discipulou pessoas do modo mais eficaz para perpetuar o seu ministério. A existência da igreja prova a correção de sua decisão.[4]

Jesus escolhe **soberanamente** (Mc 3.13)

Três verdades são dignas de observação nesse aspecto da soberania de Jesus na escolha dos líderes da igreja:

Em primeiro lugar, *Jesus escolheu a liderança da igreja segundo a expressa vontade do Pai*. Lucas informa-nos que antes de Jesus chamar os apóstolos, dedicou-se à oração: *Naqueles dias, retirou-se para o monte, a fim de orar, e passou a noite orando a Deus. E, quando amanheceu, chamou a Si os seus discípulos e escolheu doze dentre eles, aos quais deu também o nome de apóstolos* (Lc 6.12,13).

A oração de Jesus tem quatro marcas distintas: Primeiro, Ele orou secretamente: "retirou-se para o monte, a fim de orar". Segundo, Ele orou insistentemente: "e passou a noite orando". Terceiro, Ele orou submissamente: "orando a Deus". Quarto: Ele orou objetivamente: "e quando amanheceu, chamou a Si os seus discípulos e escolheu doze dentre eles, aos quais deu também o nome de apóstolos".[5]

Em segundo lugar, *Jesus escolheu a liderança da igreja soberana e eficazmente*. O chamado de Cristo é soberano e eficaz. Jesus chama e chama irresistivelmente. Jesus não apenas chamou soberanamente, mas também eficazmente, pois chamou os que Ele mesmo quis e eles vieram para junto dEle. O evangelista Marcos registra: *Depois, subiu ao monte e chamou os que Ele mesmo quis, e vieram para junto dEle* (Mc 3.13). Jesus não fez uma pesquisa de opinião entre a multidão para escolher os doze. Ele não escolheu a liderança da igreja por critérios humanistas.

Jesus chama a quem quer. Ele é soberano. Ninguém pode frustrar os Seus desígnios. Sua vontade e não a nossa deve prevalecer. Ele chamou 12 e não 60. Por quê?

Primeiro, porque Ele chamou os que Ele mesmo quis! Na noite que Jesus foi traído, Ele disse aos seus discípulos: *Não fostes vós que Me escolhestes a Mim; pelo contrário, Eu vos escolhi a vós outros e vos designei para que vades e deis frutos...* (Jo 15.16).

---

[4]MULHOLLAND, Dewey M. *Marcos: Introdução e Comentário*, 2005, p. 70.
[5]GIÓIA, Egidio. *Notas e Comentários à Harmonia dos Evangelhos*, 1969, p. 109.

Segundo, porque Ele tinha em mente o novo Israel, pois o antigo Israel tinha doze patriarcas e doze tribos. Agora, o novo Israel, representado pelos doze apóstolos, seria formado por pessoas de todas as nações, tanto judeus quanto gentios[6].

Em terceiro lugar, *Jesus escolheu a liderança da igreja incondicionalmente*. O chamado de Cristo é também incondicional. Os homens que Jesus escolheu não possuíam qualidades especiais. Não eram endinheirados, não desfrutavam uma posição social influente nem tinham recebido educação especializada. Também não eram líderes eclesiásticos de alto nível. Eram doze homens comuns.[7] Na verdade, Jesus escolheu homens limitados, pobres, iletrados, de temperamentos explosivos. Nós jamais escolheríamos esses homens. Contudo, Jesus os escolhe, os ensina, os equipa e os reveste de poder. Com esses homens, Ele transforma o mundo. Famosos reis tiveram seus nomes apagados da história, mas esses iletrados homens têm seus nomes relembrados todos os dias por milhões e milhões de cristãos ao redor do mundo.

O líder espiritual é alguém vocacionado. Vocação, segundo John Jowett, é como ter algemas invisíveis; o vocacionado não pode retroceder. O profeta Jeremias quis deixar o ministério, mas isso foi como fogo em seus ossos.

Jesus escolheu **propositalmente** (Mc 3.14,15)

William Hendriksen diz que a tarefa para a qual Jesus os indicou era tríplice: associação, educação e missões e expulsão de demônios.[8]

Em primeiro lugar, *chamou-os e designou-os para estarem com Ele*. Marcos registra: *Então, designou doze para estarem com Ele* (Mc 3.14). O Senhor da obra é mais importante do que a obra do Senhor. Ter comunhão com Jesus é mais importante do que ativismo religioso. Antes de proclamarmos o evangelho ao mundo, precisamos como Maria, assentar-nos aos pés do Senhor para ouvir a Sua Palavra. Nós precisamos aprender dEle, imitá-Lo, beber do Seu Espírito e andar em

---

[6]Mt 8.10-12; 16.18; 28.19; Mc 12.9; 16.15,16; Lc 4.25-27; Jo 3.16; 10.16; Ap 21.12,14).
[7]BARCLAY, William. *Marcos*, 1974, p. 87.
[8]HENDRIKSEN, William. *Marcos*, 2003, p. 163.

Seus passos.⁹ Como João, precisamos dizer: nós proclamamos o que temos visto e ouvido (1Jo 1.3).

Jesus não chama os apóstolos para ocuparem um cargo ou tomarem parte em uma instituição: Ele os chama para si mesmo. Eles têm muito a aprender sobre Ele e sobre si mesmos. Jesus é o modelo de caráter. Porque o caráter determina a qualidade do serviço prestado, a formação do caráter precede o serviço.¹⁰

Deus está mais interessado em quem somos do que no que fazemos. Quando o apóstolo Paulo descreve as características do presbítero, ele faz quatorze referências à vida do presbítero e apenas uma referência à sua capacidade de ensinar. A vida precede o ministério. A vida é o próprio ministério.

A vida do líder é a vida da sua liderança, enquanto os pecados do líder são os mestres do pecado.

A maior necessidade do líder é ter intimidade com Jesus. Quem não anda na presença de Jesus não tem credencial para ser líder na igreja de Jesus.

Em segundo lugar, *chamou-os e designou-os para os enviar a pregar*. Marcos escreve: *Então, designou doze [...] para os enviar a pregar* (Mc 3.14). O ministério dos apóstolos derivou sua origem não da igreja ou do povo, mas de Cristo¹¹ Os apóstolos deveriam ser mensageiros de Deus. Eles eram embaixadores e arautos com uma mensagem do Rei. Eles foram chamados do mundo para serem enviados de volta ao mundo como ministros da reconciliação. A comissão dos apóstolos está em contraste com a comunidade de Qumran, isolada no deserto, e os fariseus separados das impurezas das pessoas comuns.¹² William Barclay diz que a ênfase de Jesus era oposta à ênfase dos fariseus, pois enquanto estes pregavam a separação das pessoas comuns, Jesus enviava Seus apóstolos ao mundo, de onde foram chamados.¹³

---

⁹RYLE, John Charles. *Mark*, 1993, p. 37.
¹⁰MULHOLLAND, Dewey M. *Marcos: Introdução e Comentário*. 2005, p. 70.
¹¹BURN, John Henry. *The Preacher's Complete Homiletic Commentary on the Gospel according to Mark*, 1996, p. 100.
¹²MULHOLLAND, Dewey M. *Marcos: Introdução e Comentário*, 2005, p. 70.
¹³BARCLAY, William. *Marcos*, 1974, p. 87.

A autoridade dos apóstolos era tão real que Jesus diria: *Quem vos recebe a Mim Me recebe; e quem Me recebe, recebe Aquele que Me enviou* (Mt 10.40).

O ministério dos apóstolos deveria ser exercido no mundo inteiro. Eles foram inicialmente enviados para as ovelhas perdidas da casa de Israel (Mt 10.5,6); mais tarde, para todas as nações (Mt 28.19) e por todo o mundo (Mc 16.15).[14]

A pregação da Palavra é a espinha dorsal do ministério. É mais importante do que a própria administração dos sacramentos (1Co 1.17). Os apóstolos deixaram de servir às mesas para se consagrarem exclusivamente à oração e ao ministério da Palavra (At 6.4). Um ministro que não prega a Palavra é como uma lamparina sem luz, uma trombeta silenciosa, um vigia adormecido, um fogo apenas pintado na parede.[15]

Em terceiro lugar, **chamou-os e designou-os a exercer autoridade de expelir demônios** (3.15). O líder espiritual é alguém que tem intimidade com Cristo, proclama a Palavra de Cristo e tem autoridade espiritual para resistir às forças do mal que oprimem as pessoas.

O líder da igreja precisa conhecer a autoridade que tem o nome de Jesus. Diante desse nome, todo joelho se dobra no céu, na terra e debaixo da terra. O líder precisa ser uma pessoa de discernimento espiritual para distinguir aquilo que oprime as pessoas.

A autoridade não é do líder, ela é uma autoridade delegada. Ele apenas a exerce em nome de Cristo. Essa autoridade vem do alto. Ela está no poderoso nome de Jesus!

Jesus escolheu **surpreendentemente** (Mc 3.16-19)

Dois fatos marcantes nos chamam a atenção:

Em primeiro lugar, *Jesus escolheu pessoas heterogêneas*. Os doze apóstolos são um espelho da nova família de Deus.

Ela é composta de pessoas diferentes, de lugares diferentes, profissões diferentes, ideologias diferentes. São pessoas limitadas, complicadas

---

[14] HENDRIKSEN, William. *Marcos*, 2003, p. 163.
[15] RYLE, John Charles. *Mark*, 1993, p. 37.

e imperfeitas, que frequentemente discordam sobre muitos assuntos. Havia no grupo de Jesus desde um empregado de Roma até um nacionalista que defendia a guerrilha contra Roma. Esse grupo tão heterogêneo aprendeu a viver sob o senhorio de Cristo e tornou-se uma bênção para o mundo.

Quanto mais estudamos essa lista dos apóstolos, mais seguros ficamos de que sua escolha foi soberana, baseada na graça e não nos méritos. Jesus não escolheu os doze por causa da sua fé, pois ela geralmente falhou. Ele não os escolheu por causa da sua habilidade, eles eram muito limitados. A única coisa que destacamos deles é a prontidão para seguir a Jesus.[16]

Adolf Pohl diz que por trás dos doze estão os 120 de Atos 1.15, os 3.000 de Atos 2.41 e os 5.000 de Atos 4.4, a multidão, para nós incontável de Apocalipse 7.4,9 e, por fim, os povos abençoados na nova terra de Apocalipse 21.3,26. Os doze, portanto, são o cerne de um Israel restaurado e de uma raça humana renovada.[17]

A história desses doze apóstolos tem muitas lições preciosas. Vejamos quem eram esses homens:

Pedro. Chamado Simão, era um pescador por profissão. Era de Betsaida (Jo 1.44), mas morava em Cafarnaum (1.21,29). Era um homem que falava sem pensar. Era inconstante, contraditório e temperamental. No início, não era um bom modelo de firmeza e equilíbrio. Ao contrário, ele estava constantemente mudando de um extremo para outro.

William Hendriksen diz que ele mudou da confiança para a dúvida (Mt 14.28,30); de uma profissão de fé clara em Jesus Cristo para a negação desse mesmo Cristo (Mt 16.16,22); de uma declaração veemente de lealdade para uma negação vexatória (Mt 26.33-35,69-75; Mc 14.2931,66-72; Lc 22.33,54-62); de "nunca me lavarás os pés" para *não somente os pés, mas também as mãos e a cabeça* (Jo 13.8,9).[18] Vivia sempre nos limites extremos, ora fazendo grandes declarações:

---

[16]BARTON, Bruce B. et al. *Life Application Bible Commentary. Mark,* 1994, p. 80.
[17]POHL, Adolf. *Evangelho de Marcos,* 1998, p. 134.
[18]HENDRIKSEN, William. *Marcos,* 2003, p. 165.

Tu és o Cristo, o Filho do Deus vivo; ora repreendendo a Cristo. Pedro fazia promessas ousadas sem poder cumpri-las: *Por ti darei minha vida,* logo depois negou a Cristo. Pedro, o homem que fala sem pensar, que repreende a Cristo, que dorme na batalha, que foge e segue a Cristo de longe, que nega a Cristo. Mas Jesus chama pessoas não por aquilo que elas são, mas por aquilo que elas virão a ser em suas mãos.

Tiago e João. Eles eram explosivos, temperamentais, filhos do trovão. Um dia pediram a Jesus para mandar fogo do céu sobre os samaritanos. Eles eram também gananciosos e amantes do poder. A mãe deles pediu a Jesus um lugar especial para eles no reino. Tiago foi o primeiro a receber a coroa do martírio (At 12.2). Enquanto ele foi o primeiro a chegar ao céu, o seu irmão, João, foi o último a permanecer na terra.[19] Enquanto Tiago não escreveu nenhum livro da Bíblia, João escreveu cinco livros: o evangelho, três epístolas e o Apocalipse.

André. Era um homem que sempre trabalhava nos bastidores. Foi ele quem levou seu irmão Pedro a Cristo. Foi ele quem disse para Natanael sobre Jesus. Foi ele quem levou o garoto com um lanche a Jesus.

Filipe. Era um homem cético, racional. Quando Jesus perguntou: *Onde compraremos pães para lhes dar a comer?* (Jo 6.5). Ele respondeu: *Não lhes bastariam duzentos denários de pão, para receber cada um o seu pedaço* (Jo 6.7).

Ele disse: o problema não é ONDE? Mas QUANTO?

Quando Jesus estava ministrando a aula da saudade, no Cenáculo, no último dia, Filipe levanta a mão no fundo da classe e pergunta: *Senhor, mostra-nos o Pai, e isso nos basta* (Jo 14.8).

Bartolomeu. Era um homem preconceituoso. Foi ele quem perguntou: *De Nazaré pode sair alguma coisa boa?* (Jo 1.46).

Mateus. Era empregado do Império Romano, um coletor de impostos. Era publicano, uma classe repudiada pelos judeus. Tornou-se o escritor do evangelho mais conhecido no mundo.

Tomé. Era um homem de coração fechado para crer. Quando Jesus disse: *E vós sabeis o caminho para onde eu vou* (Jo 14.4), Tomé respondeu:

---

[19]HENDRIKSEN, William. *Marcos,* 2003, p. 166.

Senhor, não sabemos para onde vais; como saber o caminho? (Jo 14.5). Tomé não creu na ressurreição de Cristo e disse, [...] *se eu não vir nas suas mãos o sinal dos cravos, e ali não puser o meu dedo, e não puser minha mão no seu lado, de modo algum acreditarei* (Jo 20.25). Contudo, quando o Senhor ressurreto apareceu a ele, Tomé prostrou-se em profunda devoção e disse: *Senhor meu e Deus meu!* (Jo 20.28).

Tiago filho de Alfeu e Tadeu. Nada sabemos desses dois apóstolos. Eles faziam parte do grupo. Eles pregaram, expulsaram demônios, mas nada sabemos mais sobre eles. Eles não se destacaram.

Simão, o zelote. Ele era membro de uma seita do judaísmo extremamente nacionalista.[20] Os zelotes eram aqueles que defendiam a luta armada contra Roma. Eles eram do partido de esquerda radical. Ele estava no lado oposto de Mateus. Estavam em lados radicalmente opostos. Os zelotes opunham-se ao pagamento de tributos a Roma e promoviam rebeliões contra o governo romano.[21]

Judas Iscariotes. Era natural da vila de Queriot, localizada no sul da Judeia.[22] Era o único apóstolo não galileu. Ocupou um lugar de confiança dentro do grupo. Era o tesoureiro do grupo e administrador do patrimônio do "colégio apostólico", mas ele não era convertido. Ele era ladrão e roubava da bolsa (Jo 12.6).

Ele vendeu o seu Senhor por trinta moedas de prata. Judas era mesquinho, infiel, avarento, traidor e diabólico. Judas foi um instrumento do diabo (Jo 6.70,71). Depois de ter recebido as trinta moedas de prata como uma recompensa para entregar a Jesus (14.10,11), Judas ainda teve chance de arrepender-se, pois Jesus disse ao grupo apostólico: *Um dentre vós me trairá* (Mt 26.21). Mas ele ainda teve a audácia de perguntar a Jesus: *Porventura, sou eu?* (14.19). Judas serviu de guia para a soldadesca armada até os dentes que foi prender a Jesus no Getsêmani (14.43-45), traindo o Filho de Deus com um beijo. Judas traiu a Jesus e não se arrependeu. Preferiu o suicídio ao arrependimento (Mt 27.3-5; At 1.18). William Hendriksen diz que a tragédia

---

[20]UNGER, Merrill F. *The New Unger's Bible Handbook*, 1984, p. 387.
[21]HENDRIKSEN, William. *Marcos*, 2003, p. 168.
[22]HENDRIKSEN, William. *Marcos*, 2003, p. 168.

chocante da vida de Judas é prova, não da fraqueza de Cristo, mas da impenitência do traidor.[23]

Em segundo lugar, *Jesus transformou homens limitados e fez deles grandes instrumentos para transformar o mundo*. John Henry Burn diz que muitos dos apóstolos não tiveram seus nomes destacados nem é registrada qualquer obra que tenha sido realizada por Cristo.[24] Isso enfatiza algumas lições:

Primeira, o verdadeiro trabalhador na edificação da igreja não é o homem, mas o próprio Cristo. Os homens são apenas instrumentos, mas Cristo é tudo em todos. Não podemos superestimar os homens.

Segunda, nem sempre um trabalho fiel e abnegado é contabilizado na terra. Não servimos para agradar a homens nem buscamos glória humana. Devemos servir com fidelidade a Deus, sabendo que dEle vem a recompensa.

Terceira, mesmo que os homens esqueçam o nosso trabalho, Jesus jamais o fará. Até um copo de água fria que dermos a alguém em nome de Cristo não ficará sem recompensa.

William Hendriksen diz que o que realça a grandeza de Jesus é que Ele escolheu homens como esses, e os uniu numa comunidade muito influente, que provaria ser não somente um elo digno com o passado de Israel, mas também um fundamento sólido para a igreja do futuro. Jesus foi capaz de juntar ao redor de si, e unir em uma família, homens de criação e temperamento diferentes, às vezes, completamente opostos. Incluídos nesse pequeno bando estava Pedro, o otimista (Mt 14.28; 26.33,35), mas também estava Tomé, o pessimista (Jo 11.16; 20.24,25); Simão, o zelote, inflamado com o alvo de derrubar o poderio romano; mas também Mateus, que era um funcionário do governo, um coletor de impostos. Pedro, João e Mateus que estavam destinados a se tornarem famosos pelos seus escritos, mas também Tiago, o menor, que permanece obscuro e deve ter cumprido a sua missão.[25]

---

[23]HENDRIKSEN, William. *Marcos*, 2003, p. 169.
[24]BURN, John Henry. *The Preacher's Complete Homiletic Commentary on the Gospel according to Mark*, 1996, p. 101.
[25]HENDRIKSEN. William. *Marcos*, 2003, p, 169,170.

Adolf Pohl disse que criar um grupo como esse era um risco incrível. Mas em Cristo, não há galileu nem judeu, nem conservador nem progressista, nem pescador nem cobrador nem zelote. Foi feito algo novo![26]

Todos nós temos limitações. Jesus pode transformar um Pedro medroso num ousado pregador. Ele pode transformar um João explosivo no discípulo do amor. Ele pode transformar um Tomé cético e incrédulo, num homem crente. Ele pode usar gente como você e eu na Sua obra.

---

[26]Pohl, Adolf. *Evangelho de Marcos*, 1998, p. 137.

14

A blasfêmia contra o Espírito Santo

Marcos 3.20-35

HÁ TRÊS POSIÇÕES DISTINTAS sobre a pessoa de Jesus que introduzem esse solene assunto da blasfêmia contra o Espírito Santo:

Em primeiro lugar, *a posição da multidão* (Mt 12.22,23). Jesus acabara de curar um endemoninhado cego e mudo. Diante desse sinal evidente do poder de Jesus, a multidão ficou admirada e começou a ponderar sobre o fato de que Jesus era o Messias. A admiração da multidão desencadeou a hostilidade dos escribas.

Em segundo lugar, *a oposição da família* (3.21). A família de Jesus vem para prendê-Lo, por julgar que estava fora de Si. Eles querem colocar Jesus debaixo de uma custódia protetora.[1] Jesus estava tão atarefado que não tinha tempo nem para comer (3.20). Por essa razão, sua família chegou a duvidar da Sua sanidade mental. Para eles, quem serve aos outros sem ter tempo para si mesmo é incompetente para cuidar da própria vida.[2]

Em terceiro lugar, *a posição dos inimigos* (3.22). Os escribas, tomados de inveja, diante da crescente popularidade de Jesus, resolvem dar mais um passo na direção de impedir que o povo O seguisse. Eles já haviam censurado Jesus de ser blasfemo pelo fato de Ele ter perdoado

---

[1] HENDRIKSEN, William. *Marcos*, 2003, p. 172.
[2] MULHOLLAND, Dewey M. *Marcos: Introdução e Comentário*, 2005, p. 72.

pecados. Consideraram-No um transgressor do sábado. Eles aliaram-se aos herodianos para matá-Lo. Agora, dizem que Jesus está endemoninhado e possesso do maioral dos demônios. Os escribas acusam Jesus não apenas de estar possesso de um espírito imundo (3.30), mas de estar dominado por Belzebu, o maioral dos demônios (3.22). Belzebu é a contração de dois nomes: *Baal*, que significa senhor; e *zebu* que significa mosca: o senhor das moscas. Dizer que Jesus expulsava demônios em nome desse monstro horrível era de fato um pecado imperdoável contra o Espírito Santo.[3] Os escribas estavam transformando a encarnação do Deus misericordioso que visa redimir Seu povo, em encarnação do maligno. Transformam Jesus num diabo que faz o bem, num diabo ainda mais ardiloso.[4]

O que **não é blasfêmia** contra o Espírito Santo

Alistamos seis fatos que não podem ser confundidos com a blasfêmia contra o Espírito Santo:

Em primeiro lugar, ***não é incredulidade final***. Billy Graham em seu livro, *O Espírito Santo*, diz que a blasfêmia contra o Espírito Santo é a rejeição total e irrevogável de Jesus Cristo.[5] Não obstante o fato de que a incredulidade até a hora da morte seja um pecado imperdoável, visto que não há oportunidade de salvação depois da morte, o contexto prova que Jesus está falando que o pecado imperdoável é um pecado que se comete não no leito da enfermidade, mas antes da morte.[6]

Em segundo lugar, ***não é rechaçar por um tempo a graça de Deus***. Muitas pessoas vivem na ignorância, na desobediência por longos anos e depois são convertidas ao Senhor. Por um tempo Paulo rejeitou a graça de Deus (At 26.9; 1Tm 1.13). Os próprios irmãos de Jesus não criam nEle (3.21; Jo 7.5).

Em terceiro lugar, ***não é negação de Cristo***. Paulo perseguiu a Cristo (At 9.4). Pedro negou a Cristo (Mt 26.69-75). Os irmãos de Cristo no

---

[3]Gióia, Egidio. *Notas e Comentários à Harmonia dos Evangelhos*, 1969, p. 145.
[4]Pohl, Adolf. *Evangelho de Marcos*, 1998, p. 142.
[5]Graham, Billy. *O Espírito Santo*. São Paulo, SP: Edições Vida Nova, p. 121.
[6]Palmer, Edwin H. *El Espiritu Santo*. Edinburgh: El Estandarte de la verdad, n.d, p. 227.

início não criam nEle (Jo 7.5). Cristo disse que quem blasfemasse contra o Filho seria perdoado (Lc 12.10). Um ateu não necessariamente cometeu o pecado imperdoável.[7]

Em quarto lugar, **não é negação da divindade do Espírito Santo**. Se assim fosse, nenhum ateu poderia ser convertido. Se fosse essa a interpretação, nenhum membro da seita *Testemunha de Jeová* poderia ser salvo.

Em quinto lugar, **não é a mesma coisa que os pecados contra o Espírito Santo**. A Palavra de Deus menciona alguns pecados contra o Espírito Santo que não são blasfêmia contra Ele:

Primeiro, não é entristecer o Espírito Santo (Ef 4.30). Um crente pode entristecer o Espírito Santo, mas jamais pode cometer o pecado imperdoável. Davi entristeceu o Espírito Santo, mas arrependeu-se.

Segundo, não é apagar o Espírito Santo (1Ts 5.19). Um crente pode apagar o Espírito Santo, deixando de obedecê-Lo, deixando de honrá-Lo, mas jamais pode blasfemar contra o Espírito Santo.

Terceiro, não é resistir ao Espírito Santo (At 7.51). Muitas pessoas que durante um tempo resistem ao Espírito Santo, depois se humilham diante dEle, como alguns dos sacerdotes que rejeitaram a mensagem de Estêvão, mas posteriormente foram convertidos a Cristo.

Quarto, não é mentir ao Espírito Santo (At 5.3). Ananias mentiu ao Espírito Santo por intermédio da dissimulação. Muitas pessoas ainda hoje tentam impressionar as pessoas para ganhar o aplauso delas e mentem ao Espírito Santo, aparentando ser quem não são.

Em sexto lugar, **não é a queda dos salvos**. Os salvos não podem blasfemar contra o Espírito Santo, pois quem o pratica é réu de pecado eterno (Mc 3.29), enquanto o ensino claro das Escrituras é que uma vez salvo, salvo para sempre (Jo 10.28). É impossível uma pessoa salva cair permanentemente e perecer (Fp 1.6). O texto de Hebreus 6.4-6 não se refere às pessoas salvas, mas aos réprobos, aqueles que deliberadamente rejeitam a graça e por isso, estão incluídos no pecado da blasfêmia contra o Espírito Santo.[8]

---

[7]PALMER, Edwin H. *El Espiritu Santo*, n.d., p. 228.
[8]PALMER, Edwin H. *El Espiritu Santo*, n.d., p. 231-233.

O que é a blasfêmia contra o Espírito Santo

A palavra blasfêmia significa injuriar, caluniar, vituperar, difamar, falar mal. A blasfêmia contra o nome de Deus era um pecado imperdoável no Antigo Testamento (Lv 24.10-16). Por isso, os fariseus e escribas julgaram Jesus passível de morte porque dizia ser Deus e isto para eles era blasfêmia (2.7; 14.64; Jo 10.33). A alma que pecava por ignorância trazia oferenda pelo pecado, mas a pessoa que pecava deliberadamente era eliminada, cometia um pecado imperdoável (Nm 15.30).

Pecar consciente e deliberadamente contra um conhecimento claro da verdade é evidência da blasfêmia contra o Espírito Santo, e por natureza, esse pecado faz o perdão ser impossível, porque a única luz possível é deliberadamente apagada.

A blasfêmia contra o Espírito é a atitude consciente e deliberada de negar a obra de Deus em Cristo pelo poder do Espírito e atribuir o que Cristo faz ao poder de satanás. A blasfêmia constitui no fato de afirmar que o poder que age em Cristo não é o Espírito Santo, mas satanás. É afirmar que Cristo está não apenas possesso, mas possesso do maioral dos demônios. É dizer que Cristo é aliado de satanás, em vez de estar engajado contra ele. João Calvino entendia que o pecado imperdoável é uma espécie de apostasia total.

Aquele que cometeu esse pecado nunca terá perdão. Toda a igreja pode orar por ele, mas ele nunca será salvo. De fato, a igreja nem deveria orar por ele, pois cometeu pecado para a morte (1Jo 5.16), é réu de pecado eterno (Mc 3.29) e não terá perdão nem neste mundo nem no vindouro (Mt 12.32).

Vamos examinar o texto e observar quatro fatos marcantes:

Em primeiro lugar, observemos *a acusação* (3.22). "Os escribas, que haviam descido de Jerusalém, diziam: ele está possesso de Belzebu. E: É pelo maioral dos demônios que expele os demônios". Eles, por inveja, deliberada e conscientemente estão acusando Jesus de ser aliado e agente de satanás. Acusam Jesus de estar possesso do maioral dos demônios. Estão atribuindo as obras de Cristo não ao poder do Espírito Santo, mas à influência de satanás. A acusação contra Cristo foi a seguinte:

Jesus, habitado e em parceria com satanás, estava expulsando demônios, pelo poder derivado desse espírito mau.[9]

Em segundo lugar, observemos *a refutação* (3.23-26). Jesus refutou o argumento dos escribas contando-lhes duas parábolas com o mesmo significado: o reino dividido e a casa dividida. Com essas duas parábolas, Jesus mostra quanto o argumento dos escribas era ridículo e absurdo. Satanás estaria destruindo a sua própria obra e derrubando o seu próprio império. Estaria havendo uma guerra civil no reino do maligno. John Charles Ryle diz que não há poder onde há divisão.[10] Tratando desse assunto, William Hendriksen argumenta:

> Se o que os escribas diziam era verdade, o dominador estaria destruindo o seu próprio domínio; o príncipe, o seu próprio principado. Primeiro, ele estaria enviando os seus emissários, os demônios, para criar confusão e desordem no coração e na vida dos seres humanos, destruindo-os, muitas vezes pouco a pouco. Depois, como se existisse uma base de ingratidão e loucura suicida, ele estaria suprindo o poder necessário para a derrota vergonhosa e expulsão dos seus próprios servos obedientes. Nenhum reino assim dividido contra si mesmo consegue sobreviver por muito tempo.[11]

O reino de satanás é um sistema fechado. A aparência pluralista é ilusória.[12] Contra Jesus, Pilatos e Herodes se uniram e se tornaram amigos (Lc 23.12). Herodes e Pilatos com gentios e gente de Israel se uniram contra o servo santo de Deus (At 4.27). Isso faz sentido: satanás junta suas forças e não trabalha contra si mesmo.

Em terceiro lugar, observemos *a explicação* (3.27). Jesus explica sobre sua vitória sobre os demônios e satanás: *Ninguém pode entrar na casa do valente para roubar-lhe os bens, sem primeiro amarrá-lo; e só, então, lhe saqueará a casa* (3.27).

---

[9]HENDRIKSEN, William. *Marcos*, 2003, p. 178.
[10]RYLE, John Charles. *Mark*, 1993, p. 39.
[11]HENDRIKSEN, William. *Marcos*, 2003, p. 179.
[12]POHL, Adolf. *Evangelho de Marcos*, 1998, p. 142.

Jesus explica que em vez de ser aliado de satanás e estar agindo na força dele, está saqueando sua casa e arrancando dela e de seu reino aqueles que estavam cativos (At 26.18; Cl 1.13). Jesus está ensinando algumas preciosas lições:

Primeiro, satanás é o valente. Jesus não nega o poder de satanás nem subestima a sua ação maligna, antes afirma que ele é um valente.

Segundo, satanás tem uma casa. Satanás tem uma organização e seus súditos estão presos e seguros nessa casa e nesse reino.

Terceiro, Jesus tem autoridade sobre satanás. Jesus é o mais valente. Ele tem poder para amarrar a satanás. Jesus venceu a satanás e rompeu o seu poder. Isso não significa que satanás está inativo, mas sob autoridade. Por mais ativo e forte que seja Belzebu, ele não tem poder para impedir os acontecimentos, pois está amarrado. O seu poder está sendo seriamente diminuído pela vinda e obra de Cristo.[13] Jesus venceu satanás no deserto, triunfou sobre todas as suas investidas. Esmagou sua cabeça na cruz, triunfando sobre as suas hostes (Cl 2.15). Satanás é um inimigo limitado e está debaixo da autoridade absoluta de Jesus.

Quarto, Jesus tem poder para libertar os cativos das mãos de satanás. Jesus não apenas amarra satanás, mas, também, arranca de suas mãos os cativos. O poder que está em Jesus não é o poder de Belzebu, mas o poder do Espírito Santo. Satanás está sendo e progressivamente continuará a ser destituído dos seus "bens", ou seja, a alma e o corpo dos seres humanos, e isso não somente por meio de curas e expulsões demoníacas, mas principalmente por meio de um majestoso programa missionário (Jo 12.31,32; Rm 1.16).[14] William Hendriksen diz que os milagres de Cristo, longe de serem provas do domínio de Belzebu, como se o maligno fosse o grande capacitador, são profecias de seu julgamento.[15]

Em quarto lugar, observemos *a exortação* (3.28-30). Jesus introduz essa solene exortação com um alerta profundo: *Em verdade vos digo que tudo será perdoado aos filhos dos homens: os pecados e as blasfêmias que proferirem. Mas aquele que blasfemar contra o Espírito Santo não tem*

---

[13]HENDRIKSEN, William. *Marcos*, 2003, p. 180.
[14]HENDRIKSEN, William. *Marcos*, 2003, p. 180.
[15]HENDRIKSEN, William. *Marcos*, 2003, p. 180.

perdão para sempre, visto que é réu de pecado eterno. Isto, porque diziam: Está possesso de um espírito imundo. A referência é, naturalmente, a todos os pecados dos quais os seres humanos sinceramente se arrependem.[16] Esse versículo ressalta duas solenes verdades:

Primeira, a imensa misericórdia de Deus. Ele perdoa a todos os pecados. O sangue de Cristo nos purifica de todo pecado. Se confessarmos nossos pecados, ele é fiel e justo para nos perdoar os pecados. Deus perdoa os pecados que cometemos contra Ele e contra o próximo. Adolf Pohl diz que o monte mais alto da maldade é sobrepujado pelo cume da graça de Deus.[17] Geralmente as pessoas perdem essa promessa e preocupam-se apenas com a advertência que se segue. Mas precisamos estar convencidos de que, quando há confissão e arrependimento, nenhum pecado está além da possibilidade do perdão de Deus.[18] John Charles Ryle diz que essa doutrina do livre e completo perdão é a coroa e a glória do evangelho.[19]

Segunda, o imenso perigo de se cruzar a linha divisória da paciência de Deus. Há um pecado que não tem perdão nem neste mundo nem no vindouro, é a blasfêmia contra o Espírito Santo. Por esse pecado, uma alma pode perecer eternamente no inferno. Esse pecado não é simplesmente uma palavra ou ação, mas uma atitude. Não é apenas rejeitar a Jesus, mas rejeitar o poder que está atrás dEle.[20]

O que constitui o pecado imperdoável? Dewey Mulholland diz que Jesus encarna o perdão de Deus. Logo, quem persiste em resistir e desprezar a oferta do perdão de Deus em Jesus é excluído do perdão. Essa rejeição deliberada de Jesus é a única limitação ao ilimitado perdão de Deus.[21]

Os pecados mais horrendos podem ser perdoados. Manassés era feiticeiro e assassino e arrependeu-se. Nabucodonosor era um déspota sanguinário e arrependeu-se. Davi adulterou e matou, mas foi perdoado.

---

[16]HENDRIKSEN, William. *Marcos*, 2003, p. 181.
[17]POHL, Adolf. *Evangelho de Marcos*, 1998, p. 144.
[18]BARTON, Bruce B. et al. *Life Application Bible Commentary. Mark*, 1994, p. 90.
[19]RYLE, John Charles. *Mark*, 1993, p. 40.
[20]BARTON. Bruce B. et al. *Life Application Bible Commentary. Mark*, 1994, p. 91,92.
[21]MULHOLLAND, Dewey M. *Marcos: Introdução e Comentário*, 2005, p. 75.

Saulo perseguiu a igreja de Deus e foi convertido. Maria Madalena era prostituta e possessa, mas Jesus a transformou. Mas a blasfêmia contra o Espírito Santo não tem perdão. Quem pratica esse pecado atravessa a linha divisória da oportunidade e torna-se réu de pecado eterno.

O processo de endurecimento chega a um ponto em que é impossível que essa pessoa seja renovada para o arrependimento (Hb 6.4-6). Deus a entrega a si mesma e a uma disposição mental reprovável (Rm 1.24-28). Ela comete o pecado para a morte (1Jo 5.16). Não tem perdão para sempre, visto que é réu de pecado eterno (Mc 3.29). Só lhe resta uma expectativa horrível de juízo (Hb 10.26-31).

Por que a blasfêmia contra o Espírito Santo não pode ser perdoada? Porque aqueles que a cometem dizem que Jesus é ministro de satanás, que a fonte de seu poder não é o Espírito Santo, mas Belzebu. É imperdoável porque rejeitam o Espírito Santo e a Cristo, dizendo que o Salvador é ministro de satanás. É imperdoável porque é um pecado consciente, intencional e deliberado de atribuir a obra de Cristo pelo poder do Espírito Santo a satanás. Esse pecado constitui uma irreversível dureza de coração.

A blasfêmia contra o Espírito Santo não é um pecado de ignorância. Não é por falta de luz. Para que uma pessoa seja perdoada, precisa estar arrependida. O perdão precisa ser desejado. Adolf Pohl diz que graça que fosse lançada sobre nós como o reboco na parede não seria graça.[22] Os escribas, entretanto, mesmo sob a evidência incontroversa das obras de Cristo, negam e invertem essa obra. Eles não sentiam nenhuma tristeza pelo seu pecado. William Hendriksen diz que eles substituíram a penitência pela insensibilidade, e a confissão pela intriga. Portanto, devido à sua insensibilidade criminosa e completamente indesculpável, eles estavam condenando a si mesmos.[23] Eles fecharam a porta da graça com as próprias mãos.

Concluindo, destaco três implicações:

Primeira, evitar o julgamento. Billy Graham diz que devemos tocar neste assunto com muito cuidado. Devemos hesitar em sermos

---

[22] POHL, Adolf. *Evangelho de Marcos*, 1998, p. 145.
[23] HENDRIKSEN, William. *Marcos*, 2003, p. 183.

dogmáticos em nossas afirmações sobre aqueles que cruzaram essa linha divisória da paciência de Deus. Devemos deixar essa decisão com Deus.[24] Somente Deus sabe se e quando alguém ultrapassa essa linha do pecado para a morte.[25]

Segunda, evitar o desespero. Muitos crentes ficam angustiados e preocupados de terem cometido esse pecado imperdoável. Ninguém pode sentir tristeza pelo pecado sem a obra do Espírito Santo. Quem comete esse pecado, jamais sente tristeza por ele. O medo excruciante de pensar ter cometido o pecado imperdoável é por si só, evidência de que tal pessoa não o cometeu.[26]

Terceira, evitar a leviandade. Aqueles que zombam de Deus e da sua graça podem cruzar essa linha invisível e perecerem para sempre.

---

[24]GRAHAM, Billy. *O Espírito Santo*, 1978, p. 122.
[25]WIERSBE, Warren W. *Be Diligent*, 1987, p. 41.
[26]MULHOLLAND, Dewey M. *Marcos: Introdução e Comentário*, 2005, p. 75.

15

Diferentes respostas à Palavra de Deus

Marcos 4.1-20

JESUS FOI O MESTRE POR EXCELÊNCIA, o maior contador de histórias do mundo. Usava as imagens com perícia e lançava mão de coisas simples para ensinar lições profundas.

À guisa de introdução, vejamos cinco fatos dignos de destaque:

Em primeiro lugar, *os inimigos fecham a porta da sinagoga para Jesus, mas Ele faz da praia um cenário para acolher as multidões*. A sinagoga tornou-se um lugar perigoso para Jesus ensinar, pois os líderes religiosos querem matá-lo. Então, ele vai para o lugar mais espaçoso da região, a praia, onde pode fazer de um barco o seu púlpito, enquanto grande multidão se ajunta para ouvi-lo. Jesus mostra flexibilidade em seus métodos. Não havia dias especiais nem lugares sagrados. A praia era o templo, o barco o púlpito.

Em segundo lugar, *o método de Jesus é uma janela aberta para uns e uma porta fechada para outros*. Por meio de parábolas, Jesus revelou o mistério do Reino de Deus. O mistério é aquilo que o homem não pode conhecer à parte da revelação divina.[1]

---

[1] RIENECKER, Fritz e ROGERS, Cleon. *Chave Linguística do Novo Testamento Grego*, 1985, p. 72.

Esse mistério é revelado a uns e encoberto a outros. As parábolas eram janelas abertas para a compreensão de uns e portas fechadas para o entendimento de outros. William Hendriksen diz que Jesus está se referindo aos fariseus endurecidos e seus seguidores, que eram pessoas de coração impenitente (Mt 13.13,15).[2] Esses ouvintes devem ser confrontados com a responsabilidade de sua própria cegueira e impenitência, diz Calvino. Hendriksen diz que o Senhor endurece aqueles que endureceram a si mesmos. Quando as pessoas, por sua própria vontade, rejeitam o Senhor e tratam sua mensagem com desdém, mesmo sendo avisadas dos perigos e das promessas, ele, então, as endurece, para que, aquelas que não quiserem se arrepender, não sejam mais capazes de fazê-lo e de serem, então, perdoadas.[3] O maior juízo de Deus é entregar o homem ao seu próprio desejo (Rm 1.24,26,28).

Deus ofereceu a faraó muitas oportunidades para submeter-se às advertências de Moisés. Diante da sua resistência, Deus disse: Muito bem, faraó, faça-se a sua vontade. O Senhor então endureceu o coração de faraó (Êx 9.12). Deus não endureceu o coração de faraó contra sua vontade. Ele simplesmente confirmou o que faraó livremente escolheu, resistir a Deus (Rm 9.14-18).[4] Nessa parábola, Jesus falou sobre seis verdades fundamentais: o semeador, a semente, o solo, a semeadura, o crescimento e a colheita.[5]

Em terceiro lugar, *a parábola do semeador é a porta de entrada para o entendimento das outras parábolas*. Essa parábola é uma espécie de chave hermenêutica para o entendimento das outras parábolas. Quem não compreender sua mensagem não poderá alcançar o significado espiritual das demais. John Charles Ryle enfatiza que provavelmente nenhuma parábola de Jesus é tão bem conhecida quanto essa, pois ela precisa de aplicação e não de explicação.[6] Jesus começa com *ouvi* e termina com *quem tem ouvidos para ouvir, ouça*.

---

[2]Hendriksen, William. *Marcos*, 2003, p. 199.
[3]Hendriksen, William. *Marcos*, 2003, p. 201.
[4]Barton, Bruce B. et al. *Life Application Bible Commentary. Mark*, 1994, p. 105.
[5]Thomson, J. R. *The Pulpit Commentary – Mark & Luke*. Vol. 16, 1980, p. 161,162.
[6]Ryle, John Charles. *Mark*, 1993, p. 46,47.

Em quarto lugar, *a parábola do semeador revela por que Jesus não se impressionava com as multidões que O seguiam.* A maioria daquelas pessoas que seguia a Cristo não produziria frutos dignos de arrependimento. Seus corações eram uma espécie de solo pobre.[7] De acordo com essa parábola, apenas 25% dos meus leitores vão ler atentamente esta mensagem e frutificar. Os outros vão se dividir entre aqueles que leem, mas não entendem e entre aqueles que recebem com alegria, mas não têm raízes ou recebem com alegria, mas serão sufocados por outros interesses.

Em quinto lugar, **as parábolas mencionadas em Marcos retratam a dinâmica da ação de Jesus.** O evangelho de Marcos é conhecido como um evangelho de ação.[8] A ênfase do evangelho de Marcos é revelar a ação dinâmica de Jesus. Ele está mais interessado nas obras de Cristo do que nos seus ensinos. Por isso, todas as parábolas que ele registra têm a ver com ação. Mesmo quando Jesus está contando parábolas, a ênfase continua sendo ação.[9]

Vejamos quais são as diferentes atitudes em relação à Palavra de Deus:

Corações **endurecidos** (Mc 4.4,15)

Jesus destaca três coisas acerca de um coração endurecido:

Em primeiro lugar, *um coração duro ouve a Palavra, mas não a compreende* (Mt 13.19). Um coração duro é como um solo batido pelo tropel daqueles que vão e vêm. São os corações inquietos e perturbados com a passagem e tropel das coisas do mundo, umas que vão, outras que vêm, outras que atravessam e todas que passam, e nesses corações é pisada a Palavra de Deus.

Esse ouvinte é o homem indiferente que a rotina da vida insensibilizou. Essa pessoa conforma-se com o rodar dos carros e a passagem dos homens, e vai vivendo a vida sem abrir sulcos na alma para a bendita semente da verdade. John Mackay diz que para muitos homens, o mais sério de todos os problemas é não perceber nenhum. Estão satisfeitos

---

[7] WIERSBE, Warren W. *Be Diligent,* 1987, p. 41.
[8] MULHOLLAND, Dewey M. *Marcos: Introdução e Comentário,* 2005, p. 77.
[9] MCGEE, J. Vernon. *Mark,* 1991, p. 52.

consigo mesmos. Agarrados ao hábito, escravos da rotina, orgulhosos de suas crenças ou da ausência delas, consumidos no prazer e nada levam a sério. O mais leve pretexto é bastante para que não assistam a uma conferência, ou não leiam um livro, ou não façam nem recebam uma visita que possa prejudicar, de algum modo, o seu prestígio ou conturbar o seu sossego monótono e artificial.[10]

Um coração duro ouve, mas falta-lhe compreensão e entendimento espiritual. Ele escuta o sermão, mas não presta atenção. A Palavra não produz nenhum efeito nele mais do que a chuva na pedra.[11] Esses ouvintes são semelhantes àqueles denunciados pelo profeta Ezequiel: *Eis que tu és para eles como quem canta canções de amor, que tem voz suave e tange bem; porque ouvem as tuas palavras, mas não as põem por obra* (Ez 33.32). Há uma multidão de ouvintes que, domingo após domingo vão à igreja, mas satanás rouba a semente de seus corações. Semana após semana, eles vivem sem fé, sem temor, sem rendição ao Senhor Jesus. Nesse mesmo estado geralmente eles morrem e são enterrados e se perdem eternamente no inferno. Esse é um triste quadro, mas também verdadeiro.[12]

Em segundo lugar, *um coração duro é onde a semente é pisada* (Lc 8.5). A semente que é pisada pelos homens nem chega a brotar. A semente que o diabo teme é aquela que os homens pisam.[13] O solo se torna duro quando muitos pés transitam por ele. Aqueles que abrem os seus corações para todo tipo de pessoas e influências estão em perigo de desenvolver corações insensíveis.[14] Esses corações são como campos não cultivados que precisam ser arados antes de receber a semeadura da Palavra (Jr 4.3; Os 10.12).

Em terceiro lugar, *um coração duro é onde a semente é roubada pelo diabo para que o ouvinte não creia e seja salvo* (Lc 8.12). Antonio Vieira diz que todas as criaturas do mundo se armaram contra essa sementeira.

---

[10] MACKAY, John.... *Eu vos digo*, 1962, p. 262,263.
[11] RYLE, John Charles. *Mark*, 1993, p. 47.
[12] RYLE, John Charles. *Mark*, 1993, p. 47.
[13] VIEIRA, Antonio. *Sermões*. Lisboa: Lello & Irmãos Editores, 1951, p. 33.
[14] WIERSBE, Warren W. *Be Diligent*, 1987, p. 41.

Todas as criaturas que existem no mundo se reduzem a quatro gêneros: criaturas racionais, como os homens; criaturas sensitivas como os animais; criaturas vegetativas como os espinhos e criaturas insensíveis como as pedras. E não há mais. Faltou alguma dessas que não se armassem contra a semeadura? Nenhuma! A natureza insensível a perseguiu nas pedras; a vegetativa nos espinhos; a sensitiva nas aves; a racional nos homens. As pedras secaram-na; os espinhos afogaram-na; as aves comeram-na e os homens pisaram-na.[15]

A semeadura atrai imediatamente a satanás. O ouvinte tipo à beira do caminho ouve, mas satanás arrebata a semente do seu coração. Satanás é um opositor da evangelização. Onde o semeador sai a semear, satanás sai para roubar a semente. A evangelização é não apenas um campo de semeadura, mas também um campo de batalha espiritual. O diabo cega o entendimento dos incrédulos (2Co 4.4).

Como parte do seu ataque cósmico contra Deus, satanás e seus agentes buscam ativamente destruir a palavra nos corações daqueles que a ouvem, antes mesmo que ela comece a crescer. Sem dúvida, ele também está ativo nos lugares pedregosos e nos espinheiros, combatendo a frutificação da palavra.

Corações **superficiais**

Três marcas definem um coração superficial:

Em primeiro lugar, *um coração superficial tem uma resposta imediata à Palavra, mas irrefletida*. Tanto Marcos quanto Mateus usam, por duas vezes, a palavra "logo" com o sentido de "imediatamente". Essas pessoas agem "no calor do momento". Elas *imediatamente* aceitam a Palavra, e o fazem até mesmo com alegria. Então, *imediatamente* se escandalizam.[16] Sua decisão é baseada na emoção e não na reflexão. São os ouvintes emotivos, entusiastas "fogos de palha", sentem alegria, mas ela é passageira.[17] John Mackay chama esse ouvinte de homem leviano porque abraça com alegria o que não entende, apenas pela

---

[15]VIEIRA, Antonio. *Sermões*. Vol. 1, 1951, p. 3.
[16]HENDRIKSEN, William. *Marcos*, 2003, p. 2004.
[17]CAMARGO, Sátila do Amaral. *Ensinos de Jesus atrás de suas Parábolas*, 1970, p. 30.

novidade da ideia, ou para agradar ao que a anunciou.[18] Adolf Pohl, afirma que Lutero chama esse ouvinte de volúvel, que se vira conforme sopra o vento.[19]

O terreno pedroso representa as pessoas que vivem e reagem superficialmente. Elas mostram uma promessa inicial que não se confirma. Tanto sua resposta quanto seu abandono são rápidos, diz Dewey Mulholland.[20]

A emoção é um elemento importantíssimo na vida cristã, mas só ela não basta. Ela precisa proceder de um profundo entendimento da verdade e de uma sólida experiência cristã.

Em segundo lugar, *um coração superficial não tem profundidade nem perseverança*. Esse ouvinte não tem raiz em si mesmo. Sua fé é temporária. Na verdade, sua resposta ao evangelho foi apenas externa. Não houve novo nascimento nem transformação de vida. Houve adesão, mas não conversão; entusiasmo, mas não convicção.

Esse ouvinte parece que está em vantagem em relação às demais pessoas. Sua resposta é imediata e seu crescimento inicial é algo espantoso. Contudo, não tem profundidade, nem umidade, nem resistência ao calor do sol. A vida que o sol traz gera nele morte.

Esse ouvinte construiu sua vida cristã numa base falsa. Ele não construiu sua fé em Cristo, mas nas vantagens imediatas que lhe foram oferecidas. Não havia umidade, raiz nem suporte para crescimento e frutificação.

Hoje, vemos muitas pessoas pregando saúde, prosperidade e sucesso. As pessoas abraçam imediatamente esse evangelho do lucro, das vantagens imediatas, mas elas não perseverarão, porque não têm raiz, não têm umidade, não suportam o sol, não permanecerão na congregação dos justos. Elas se escandalizarão e se desviarão. Muitas das pessoas que gritaram "Hosanas" quando Jesus entrou em Jerusalém, alguns dias depois gritaram "crucifiquem-No". O apóstolo João diz que esses que se desviam não são dos nossos (1Jo 2.19) ; porém, os salvos perseverarão (Jo 10.27,28).

---

[18]MACKAY, John. ... *Eu porém vos digo*, 1962, p. 264.
[19]POHL, Adolf. *Evangelho de Marcos*, 1998, p. 162.
[20]MULHOLLAND, Dewey M. *Marcos: Introdução e Comentário*, 2005, p. 83.

Em terceiro lugar, ***um coração superficial não avalia os custos do discipulado***. Esse ouvinte abraça não o evangelho, mas outro evangelho, o evangelho da conveniência. Ele crê não em Cristo, mas em outro Cristo. Quando, porém, chegam as lutas, as provas, ele se desvia escandalizado porque não havia calculado o custo de seguir a Cristo.

Esses ouvintes se desviaram porque não entenderam que o verdadeiro discipulado implica autonegação, sacrifício, serviço e sofrimento. Eles ignoraram o fato de que o caminho da cruz é o que nos leva para "casa".[21]

John Charles Ryle diz que esse ouvinte tem prazer em ouvir sermões em que a verdade é exposta. Ele fala com alegria e entusiasmo acerca da doçura do evangelho e da felicidade de ouvi-lo. Ele pode chorar em resposta ao apelo da pregação e falar com intensidade acerca de seus sentimentos. Mas infelizmente não há estabilidade em sua religião. Não há uma obra real do Espírito Santo em seu coração. Seu amor por Deus é como a névoa que cedo passa (Os 6.4). Na verdade, esse ouvinte ainda está totalmente enganado. Não há real obra de conversão. Mesmo com todos seus sentimentos, alegrias, esperanças e desejos, eles estão realmente no caminho da destruição.[22]

As angústias ou perseguições resultam da natureza do evangelho bem como da natureza do mundo (8.35; 10.29; 13.9).

Corações **ocupados** (Mc 4.7,18,19)

Destacamos cinco características de um coração ocupado:

Em primeiro lugar, ***um coração ocupado ouve a Palavra, mas dá atenção a outras coisas*** (4.7). Marcos diz que a semente caiu entre os espinhos (4.7) e Lucas diz que os espinhos cresceram com a semente (Lc 8.7). Esses espinhos representam ervas daninhas espinhosas. Não havia arado que conseguisse arrancar as suas raízes de até trinta centímetros de profundidade. Em alguns lugares, esses espinheiros formavam uma cerca viva fechada, no meio da qual alguns pés de cereal até conseguiam crescer, mas ficavam medíocres e não carregavam a espiga.[23]

---

[21] Hendriksen, William. *Marcos*, 2003, p. 205,206.
[22] Ryle, John Charles. *Mark*, 1993, p. 47,48.
[23] Pohl, Adolf. *Evangelho de Marcos*, 1998, p. 152.

Essa semente disputou espaço com outras plantas. Ela não recebeu primazia, ao contrário, os espinhos concorreram com ela e a sufocaram (4.18,19). Os espinhos cresceram, mas a Palavra foi sufocada. Marcos retrata esse coração como um campo de batalha disputado. O espírito do mundo o inunda como uma enxurrada e sufoca a semente da Palavra. Uma multiplicidade de interesses toma o lugar de Deus. É a pessoa que não tem tempo para Deus. Há outras coisas mais urgentes que fascinam sua alma. Diz William Barclay que esse ouvinte não tem uma ordem de prioridade correta, pois são muitas as coisas que tratam de tirar a Cristo do lugar principal.[24]

Em segundo lugar, *um coração ocupado é sufocado pela concorrência dos cuidados do mundo* (4.18,19). Esse ouvinte chegou a ouvir a Palavra, mas os cuidados do mundo prevaleceram. O mundo falou mais alto que o evangelho. As glórias do mundo tornaram-se mais fascinantes que as promessas da graça. A concupiscência dos olhos, a concupiscência da carne e a soberba da vida tomaram o lugar de Deus na vida desse ouvinte. Ele pode ser chamado de um crente mundano. Ele quer servir a dois senhores.

Ele quer agradar a Deus e ser amigo do mundo. Ele quer atravessar o oceano da vida com um pé na canoa do mundo e outro dentro da igreja.

Em terceiro lugar, *um coração ocupado é sufocado pela concorrência da fascinação da riqueza* (4.18,19). Esse ouvinte dá mais valor à terra que ao céu; mais importância aos bens materiais do que à graça de Deus. O dinheiro é o seu deus. A fascinação da riqueza fala mais alto que a voz de Deus. O esforço para conseguir posição social, por meio de posses, segurança material, traz ansiedade tal que sufoca as aspirações por Deus.[25]

Em quarto lugar, *um coração ocupado é sufocado pela concorrência de muitas ambições* (4.18,19). Marcos fala de *demais ambições* e Lucas fala dos *deleites da vida*. Esse ouvinte é obcecado pelos prazeres da vida. Ele é um hedonista e não um cristão.

Em quinto lugar, *um coração ocupado é infrutífero* (4.7,19). A semente fica mirrada. Ela nasce, mas não encontra espaço para

---

[24] BARCLAY, William. *Marcos*, 1974, p. 108.
[25] MULHOLLAND, Dewey M. *Marcos: Introdução e Comentário*, 2005, p. 83.

crescer. Ela chega até a crescer mais não produz fruto. Adolf Pohl diz que esse ouvinte desvirtua-se numa coisa aparente, numa casca vazia, numa sombra pálida.[26] É como a igreja de Sardes, tem nome de que vive, mas está morto (Ap 3.1).

Corações frutíferos (4.8,9,20)

Há três fatos que destacamos:

Em primeiro lugar, **um coração frutífero ouve e recebe a Palavra** (4.20). Marcos diz que essa pessoa ouve e recebe a Palavra. Lucas diz que ela ouve com bom e reto coração e também retém a Palavra (Lc 8.15). Essas pessoas não apenas ouvem, mas ouvem com o coração aberto, disposto, com o firme propósito de obedecer. Elas colocam em prática a mensagem e por isso frutificam. Não diz que acolhe com alegria, mas acolhe e frutifica.

William Barclay enfatiza que essa parábola nos ensina a fazer três coisas: ouvir, receber e praticar.[27] Nesses dias tão agitados, poucos são os que param para ouvir a Palavra. Mais escasso são aqueles que meditam no que ouvem. Só os que ouvem e meditam podem colocar em prática a Palavra e frutificar.

Essas pessoas são aquelas que verdadeiramente se arrependem do pecado, depositam sua confiança em Cristo, nascem de novo e vivem em santificação e honra. Elas aborrecem e renunciam ao pecado. Amam a Cristo e servem-No com fidelidade.

Warren Wiersbe diz que cada um dos três corações infrutíferos é influenciado por um diferente inimigo: no coração endurecido, satanás mesmo rouba a semente; no coração superficial, os enganos da carne por meio do falso sentimento religioso impedem a semente de crescer; no coração ocupado, as coisas do mundo impedem a semente de frutificar. Esses são os três grandes inimigos do cristão: o diabo, a carne e o mundo (Ef 2.1-3).[28]

---

[26]POHL, Adolf. *Evangelho de Marcos*, 1998, p. 162.
[27]BARCLAY, William. *Marcos*, 1974, p. 110.
[28]WIERSBE, Warren W. *Be Diligent*, 1987, p. 42.

Em segundo lugar, *um coração frutífero produz fruto que vinga e cresce* (4.8,9). O que distingue esse campo dos demais é que nele a semente não apenas nasce e cresce, mas o fruto vinga e cresce. Lucas diz que ele frutifica com perseverança (Lc 8.15). Jesus está descrevendo aqui o verdadeiro crente, porque produz fruto, uma vida transformada é a evidência da salvação (2Co 5.17; Gl 5.19-23). Os outros três tipos de corações não produziram fruto, ou seja, eles não nasceram de novo. A marca do verdadeiro crente é que ele produz fruto. A árvore é conhecida pelo seu fruto. Uma árvore boa produz fruto bom. Estar sem fruto é estar no caminho que leva ao inferno, diz John Charles Ryle.[29]

A marca dessa pessoa não é apenas fruto por algum tempo, mas perseverança na frutificação. Há uma constância na sua vida cristã. Ela não se desvia por causa das perseguições do mundo nem fica fascinada pelos prazeres do mundo e deleites da vida. Sua riqueza está no céu e não na terra, seu prazer está em Deus e não nos deleites da vida.

É importante frisar que o semeador semeia a Palavra. Há muitos semeadores que semeiam doutrinas de homens e não a Palavra. Semeiam o que os homens querem ouvir e não o que precisam ouvir. Semeiam o que agrada aos ouvidos e não o que salva a alma. Essa semente pode parecer muito fértil, mas não produz fruto que permanece para a vida eterna.

Outros pregadores pregam palavras de Deus e não a Palavra de Deus. O diabo também pregou palavras de Deus, mas ele usou a Bíblia para tentar. Palavras de Deus na boca do diabo não é a Palavra de Deus, mas palavra do diabo. E elas, não podem produzir frutos dignos de Deus.

Em terceiro lugar, *um coração frutífero produz frutos em diferentes proporções* (4.9,20). Embora todas as sementes sejam frutíferas, nem todas produzem na mesma proporção. Marcos descreve essa produção em ordem ascendente: trinta, sessenta e cem por um; enquanto Mateus a descreve em ordem descendente (Mt 13.8). Embora todos sejam frutíferos, nem todos são frutíferos na mesma proporção. Nem todos são igualmente consagrados e cheios do Espírito Santo. Nem todos são igualmente comprometidos em produzir frutos para Deus (Jo 15.5).

---

[29] RYLE, John Charles. *Mark*, 1993, p. 49.

Essa parábola deve nos levar a três solenes reflexões:

Primeiro, não devemos subestimar as forças opositoras à semeadura. Jesus começou dizendo que precisamos ouvir e terminou dizendo que quem tem ouvidos, ouça. O diabo, o mundo e a carne se armam para impedir a conversão dos pecadores.

Segundo, não devemos superestimar as respostas imediatas. As aparências enganam. Nem toda pessoa que diz Senhor, Senhor entrará no reino dos céus. Muitas pessoas vão aderir à fé cristã, mas sem conversão.

Terceiro, não devemos subestimar o poder da Palavra. A verdade é tão poderosa que até nos terrenos pedregosos e espinhentos ela nasce e no bom solo produz a trinta, a sessenta e a cem por um. A Palavra não volta vazia. Quem sai andando e chorando enquanto semeia, voltará com júbilo trazendo os seus feixes.

16

O poder da Palavra na **implantação** do reino

Marcos 4.21-33

JESUS FOI O MAIOR DE TODOS OS MESTRES, pela natureza do seu ensino, pela excelência de seus métodos e pela grandeza do seu exemplo. As parábolas eram janelas abertas para uns e portas fechadas para outros. Eram avenidas de compreensão das verdades do reino para os discípulos e portas cerradas para aqueles que o perseguiam e zombavam. O termo parábola é de origem grega. Etimologicamente significa "a colocação de uma coisa ao lado da outra para fins de comparação".[1] Jesus ensina sobre o poder da Palavra no estabelecimento do reino. As parábolas usadas por Marcos estão ligadas ao poder da Palavra no estabelecimento do Reino de Deus. Jesus contou três parábolas sobre o reino: semeador, semente e grão de mostarda. A primeira fala da resposta do homem à Palavra; a segunda trata do poder intrínseco da Palavra; a terceira fala da capacidade extraordinária de crescimento dessa Palavra no estabelecimento do reino.

Vamos examinar essas três parábolas e extrair suas principais lições:

---
[1] MACKAY, John. ... *Eu porém vos digo*, 1962, p. 47,48.

O poder da Palavra para **iluminar** a todos (Mc 4.21-25)

Jesus usa figuras diferentes para ensinar a mesma lição: os corações férteis assemelham-se a lâmpadas luminosas. É a Palavra de Deus que produz brilho nas vidas ao estabelecer sua influência nelas.² A Palavra é simbolizada pela semente e também pela lâmpada. Os rabinos estavam escondendo aquela Palavra debaixo de um sistema elaborado de tradições humanas e ações hipócritas.³ Hoje, muitas pessoas ainda escondem a Palavra debaixo do alqueire e da cama, símbolos do lucro e do prazer.

Jesus fala sobre essa parábola para esclarecer o que havia dito nos versículos 11 e 12, ou seja, a verdade não é para ser escondida. A lâmpada deve voltar a brilhar com todo o seu esplendor. Ela não pode ser colocada debaixo do alqueire nem debaixo da cama, mas no velador. O mistério do reino deve ser revelado e não escondido.

Que implicações essa parábola de Jesus tem para a igreja hoje:

Em primeiro lugar, *nós devemos proclamar a verdade do reino para os outros* (4.21,22). Não podemos receber conhecimento da Palavra e guardá-lo apenas para nós mesmos, escondendo essa luz debaixo do alqueire ou da cama. Não faz sentido ter uma lâmpada escondida numa casa. A luz da verdade não nos é dada para ser retida, mas para ser proclamada. Precisamos repartir com outros essa luz. Precisamos compartilhar com os outros os tesouros da graça de Deus. Não podemos enterrar nossos talentos nem esconder a nossa luz. Não podemos nos calar nem nos omitir covardemente.

Com a figura da lâmpada, Jesus se distanciou de modo veemente do esoterismo. O Reino de Deus não é uma religião de mistério nem uma doutrina fechada, mas uma verdade para sair do esconderijo e alcançar os telhados do mundo.⁴

Um filho do reino precisa ser um embaixador do reino, um anunciador de boas-novas, um arauto da verdade, um facho de luz a brilhar diante do mundo. A igreja é o método de Deus para alcançar o mundo. A evangelização dos povos é uma tarefa imperativa, intransferível e

---

²Hendriksen, William. *Marcos*, 2003, p. 210.
³Hendriksen, William. *Marcos*, 2003, p. 210.
⁴Pohl, Adolf. *Evangelho de Marcos*, 1998, p. 165.

impostergável. Precisamos dizer aos famintos que encontramos pão e dizer aos perdidos que encontramos o Messias. Precisamos pregar a tempo e a fora de tempo e aproveitar as oportunidades.

William Barclay diz que o propósito da verdade é que ela seja vista. Quando Lutero decidiu enfrentar a igreja romana, se propôs a combater primeiro as indulgências. Em Wittemberg havia uma igreja chamada "a igreja de todos os santos", muito ligada à Universidade. Sobre a porta da igreja fixavam-se notícias da Universidade, assim como os temas das discussões acadêmicas. No dia 31 de outubro, Lutero fixou suas 95 teses sobre a porta da igreja, pois no dia seguinte, 1º de novembro, era o dia de Todos os Santos e coincidia com o aniversário da igreja. Lutero queria que o maior número de pessoas pudesse ler. Ele havia descoberto a verdade e não podia guardá-la apenas para si. Precisamos colocar a lâmpada da verdade no velador, para que todos possam vê-la.[5]

Em segundo lugar, **nós devemos entender que a verdade jamais pode ficar escondida** (4.22). Há algo indestrutível na verdade. Os homens podem resisti-la e negá-la, mas não destruí-la. No começo do século XVI, o astrônomo Nicolau Copérnico descobriu que a terra não era o centro do universo. Viu que na realidade ela gira em torno do sol. Por cautela, durante trinta anos, não difundiu o seu descobrimento. Por último, em 1543, quando estava à beira da morte, convenceu a um editor atemorizado a publicar sua obra *As revoluções dos corpos celestes*. Copérnico morreu em seguida, mas outros herdaram a tormenta. Galileu Galilei, no começo do século XVII, aderiu à teoria de Copérnico e firmou a sua adesão publicamente. Em 1616, a Inquisição o convocou a Roma e condenou suas crenças. Para não morrer, ele retratou-se. Mais tarde, com a ascensão de um novo papa, voltou a reafirmar a sua crença, mas Urbano VIII o forçou a retratar-se sob pena de tortura e morte. A retratação o livrou da morte, mas não da prisão. Mas a verdade não pode ser exilada. Pode-se atacar, torcer e reprimir, mas jamais prevalecer sobre a verdade.[6]

---

[5]BARCLAY, William. *Marcos*, 1974, p. 112,113.
[6]BARCLAY, William. *Marcos*, 1974, p. 115,116.

A verdade vai prevalecer sempre. No dia do juízo, aqueles que escaparam da lei, que saíram ilesos dos tribunais ou aqueles que praticaram os seus pecados longe dos holofotes, terão seus pecados anunciados publicamente. A verdade pode demorar a revelar-se, mas ela jamais será sepultada no esquecimento.

Em terceiro lugar, *nós devemos refletir sobre o que nós ouvimos* (4.23). Jesus enfatizou várias vezes nesse capítulo a imperativa necessidade de prestar atenção ao que ouvimos (4.3,9,23,24). John Charles Ryle diz que ouvir é a principal avenida através da qual a graça é plantada na alma humana.[7] A fé vem pelo ouvir a Palavra de Cristo (Rm 10.17). Somos incluídos em Cristo quando ouvimos a Palavra da verdade (Ef 1.13). Pela pregação da Palavra, a glória de Deus é manifesta, a fé é alimentada e o amor praticado.[8] Muitos ouvem e desprezam. Outros ouvem e esquecem. Há aqueles que ouvem e deliberadamente deixam para depois. Devemos inclinar os nossos ouvidos para atender ao que ouvimos.

Em quarto lugar, *devemos ser cautelosos no julgamento alheio* (4.24). Uma pessoa bondosa tem prazer de dar crédito a quem merece crédito (Lc 6.38). De outro lado, se a disposição é maldosa, ela desenvolverá o hábito de julgar com severidade (Mt 7.1-5). Na verdade, nós vemos nos outros o reflexo do nosso próprio rosto. Nós colhemos o que plantamos. Nós bebemos o refluxo do nosso próprio fluxo. A lenda dos mil espelhos retrata bem essa verdade. Um cãozinho faceiro saiu pela rua alegremente e foi atraído por uma casa diferente, a casa dos mil espelhos. Ao entrar na casa, viu mil carinhas alegres sorrindo para ele. Ficou encantado e disse: "Que lugar maravilhoso! Este é o melhor lugar do mundo, eu quero sempre voltar aqui". Pela mesma rua passava um cão rabugento, mal-humorado e também foi atraído pela mesma casa. Ao entrar, ficou espantado: viu mil caretas rosnando para ele. Logo, foi dizendo: "Que lugar horrível! Este é o pior lugar do mundo. Eu nunca mais quero voltar aqui". Nós vemos o reflexo do nosso próprio rosto. Nós colhemos o que nós mesmos semeamos.

---

[7] RYLE, John Charles. *Mark,* 1993, p. 50.
[8] RYLE, John Charles. *Mark,* 1993, p. 52.

Em quinto lugar, *devemos fazer uso diligente dos privilégios espirituais* (4.25). William Hendriksen diz que o imobilismo é impossível nas questões espirituais. Uma pessoa ganha ou perde; avança ou retrocede.[9] "Ao que tem, se lhe dará; e, ao que não tem, até o que tem lhe será tirado". A obediência implica bênção; mas a desobediência desemboca em prejuízo. Cada bênção é garantia de maiores bênçãos por vir (Jo 1.16). Aquele que é iluminado pela verdade e despreza esse privilégio está cometendo um grave pecado e perdendo uma grande oportunidade. A preguiça e a indolência são combatidas severamente nas Escrituras. A Bíblia diz: *O preguiçoso deseja, e nada tem, mas a alma dos diligentes se farta* (Pv 13.4). Adolf Pohl diz que se resistirmos ao amor de Deus, no dia em que à nossa volta as carroças da colheita seguirem carregadas para os depósitos, em nossa lavoura só haverá mata para queimar.[10]

Esse é um princípio para uma vida bem-sucedida. Assim como os músculos são fortalecidos pelo exercício, de igual forma, fortalecemo-nos espiritualmente pela prática da vida cristã. Conhecimento sem prática gera obesidade e flacidez espiritual. A maneira de termos uma vida cristã robusta é exercitarmos o que recebemos, aproveitando as oportunidades.

O poder intrínseco da Palavra para **frutificar** nos corações (Mc 4.26-29)

Certamente Jesus ensinou essa parábola para encorajar os Seus discípulos.[11] Eles possivelmente ficaram desencorajados sobre o significado da parábola do semeador em que três quartos da semente perderam-se. Poderíamos confiar apenas na resposta do coração humano para termos sucesso em nossa missão? Poderíamos nós depender apenas da resposta humana? Jesus, então, mostrou o outro lado da verdade. A semente é a Palavra de Deus. Embora o semeador não veja inicialmente nenhuma evidência e resultado do seu labor, a semente trabalha por si mesma

---

[9]HENDRIKSEN, William. *Marcos*, 2003, p. 214.
[10]POHL, Adolf. *Evangelho de Marcos*, 1998, p. 166.
[11]MACDONALD, William. *Believer's Bible Commentary*, 1995, p. 1331.

no ventre da terra. A semente tem vida em si mesma, porque ela é a Palavra do Deus vivo. O Espírito Santo trabalha eficazmente nela e através dela para a expansão do Reino de Deus.

Se na parábola do semeador Jesus enfatizou a responsabilidade humana, nessa parábola, Jesus enfatiza a soberania de Deus. Aqui vemos o intrínseco poder da semente. O ser humano de si mesmo não pode fazer nada. É somente pelo poder, dado por Deus, que ele pode se voltar para Deus e ter uma fé verdadeira.[12] A Palavra de Deus semeada no coração humano trabalha por si mesma. A semente tem vida em si mesma. Ela trabalha automaticamente, invisivelmente, poderosamente e triunfantemente. Deus é o autor do crescimento espiritual.

Vejamos as lições dessa parábola:

Em primeiro lugar, *o imperceptível começo do Reino de Deus* (4.26). Nessa parábola Jesus não está falando do reino escatológico, mas do reino presente (4.26). Como esse reino é estabelecido? Como ele cresce dentro de nós?

É necessário existir um semeador (4.26). A terra, como nós sabemos, jamais produz grãos por si mesma. Ela é a mãe das ervas daninhas, mas não do trigo. Sem semeadura não há colheita. Sem pregação não há conversão. Sem chamado não há resposta. Deus dá o crescimento à semente que semeamos. O coração humano, semelhantemente, jamais se tornará para Deus em arrependimento, fé e obediência. Ele é absolutamente estéril para a divina semente. O coração humano está totalmente morto para Deus e é incapaz de dar vida a si mesmo.

O semeador não pode fazer a semente crescer (4.27). A única coisa que o semeador pode fazer é confiar, dormir noite após noite e levantar, um dia após o outro. O semeador tem limitações. Ele pode semear a semente na terra, mas não pode fazê-la produzir. Só Deus pode produzir vida e dar o crescimento. Paulo diz: *Eu plantei, Apolo regou; mas o crescimento veio de Deus. De modo que nem o que planta é alguma coisa, nem o que rega, mas Deus, que dá o crescimento* (1Co 3.6,7). Somente Deus pode fazer Seu reino crescer. Somente Jesus pode edificar sua própria

---

[12] HENDRIKSEN, William. *Marcos*, 2003, p. 216.

igreja. Somente Deus pode acrescentar aqueles que dia a dia vão sendo salvos. Todo o esforço humano seria insuficiente para converter sequer uma vida. O Reino de Deus é vitorioso. Seu reino conquistará todos os reinos do mundo. Jesus colocará todos os seus inimigos debaixo dos seus pés. O próprio Deus conduzirá seu reino à consumação.

O semeador não pode entender o processo do crescimento da semente (4.27). O semeador não apenas não pode fazer a semente germinar, como também não sabe como ela germina. Deus age poderosa, misteriosa e inexplicavelmente na implantação do seu reino. Nós não podemos entender por que a semente produz resultados gloriosos numa vida e morre na outra. Não podemos especificar a hora nem o minuto em que a vida desabrocha a partir da Palavra no coração humano. Não podemos explicar todos os detalhes e segredos da intervenção milagrosa de Deus no coração humano que ouve a Palavra. O semeador semeia e dorme, mas não pode fazer a semente crescer nem entende como ela cresce.

Em segundo lugar, **o progressivo desenvolvimento do Reino de Deus** (4.28). Jesus ensinou ricas lições sobre esse precioso assunto:

A semente cresce imperceptivelmente (4.27). Quando o semeador lança a semente no coração humano, ela cresce secreta, silenciosa, misteriosa e imperceptivelmente. O semeador olha e não vê coisa alguma acontecendo; ele não pode ver o resultado do seu labor. Ele não pode ver nenhum sinal de vida e nenhuma transformação da pessoa, mas a Palavra de Deus, pela operação do Espírito Santo gera transformação e vida. A divina semente muda as disposições íntimas da alma. Ela regenera o pecador e produz nele uma nova vida. Então ele se torna uma nova criatura.

A semente cresce automaticamente (4.28). A semente revela seu poder. A terra produz por si mesma, automaticamente, sem causa visível e sem qualquer esforço humano.[13] A palavra grega é *automate*, que significa automaticamente. Esta "por si mesma", que exclui a responsabilidade humana, não é à parte da intervenção de Deus.[14] Essa palavra aparece

---

[13]HENDRIKSEN, William. *Marcos*, 2003, p. 218.
[14]POHL, Adolf. *Evangelho de Marcos*, 1998, p. 168.

também em Atos 12.10, quando diz que o portão de ferro da prisão de Pedro abriu-se automaticamente sem qualquer ajuda externa ou esforço humano. Jesus ensinou que o segredo do crescimento é confiado à terra. Contudo, a ênfase dessa parábola é o poder intrínseco da semente que é lançada à terra.

O semeador olha o campo e não vê evidência de crescimento. Entretanto, de repente, ele olha novamente e vê a semente crescendo para uma grande colheita. De igual modo, ocorre com o Reino de Deus. O Espírito de Deus está trabalhando poderosamente em conexão com a Palavra. Enquanto o semeador está dormindo, a Palavra de Deus está agindo secreta, poderosa, constante e eficazmente nos corações para uma grande colheita.

A semente cresce inevitavelmente (4.27,28). Ninguém pode neutralizar a semente destinada a crescer. Ela é vitoriosa. Uma árvore pode romper um pavimento de cimento armado com o poder de seu crescimento. Mesmo com a rebeldia humana e sua desobediência, a obra de Deus prossegue.[15] Da mesma forma, a obra do Espírito no coração do homem é uma obra eficaz. Paulo diz: *Aquele que começou boa obra em vós há de completá-la até ao Dia de Cristo Jesus* (Fp 1.6). O Reino de Deus não conhece derrotas. Ele jamais será derrotado. Haendel, em sua imortal música *Halleluiah,* expressa essa sublime verdade do glorioso triunfo do Reino de Deus. Esse reino começou imperceptível e secretamente no coração humano como uma pequena semente lançada sobre a terra, agora está crescendo gloriosa e invencivelmente. A obra de Deus é invencível. Nem o mundo nem mesmo as hostes do inferno poderão roubar a divina semente plantada em nós, destinada a produzir frutos para a glória de Deus.

A semente cresce gradualmente (4.28). Uma pequena semente tem dentro de si o potencial para ser uma grande árvore. Um grande carvalho foi inicialmente uma pequena semente. O crescimento da semente passa por vários estágios até chegar à maturidade. Semelhantemente, os filhos de Deus não nascem perfeitos em fé, esperança, conhecimento e experiência. Francis Schaeffer no seu livro, *A verdadeira espiritualidade*

---

[15] BARCLAY, William. *Marcos*, 1974, p. 122.

diz que as duas coisas mais importantes na vida são nascer e crescer. O projeto de Deus para nós é a perfeição ou maturidade até chegarmos à estatura de Cristo (Ef 4.12,13). O projeto de Deus não é apenas nos levar para a glória, mas transformar-nos à semelhança do Rei da glória.

Esse crescimento gradual passa por três estágios:

Primeiro, a erva. Quando a semente é semeada no coração, ela produz uma profunda inquietação interior. Então, a pessoa é confrontada pela Palavra de Deus e esta desintegra as velhas estruturas da vida para reconstruir novos valores.

Segundo, a espiga. Esta é a manifestação e a exteriorização daquela florescente inquietude. A espiga pode ser o abandono de toda prática do pecado e adoção de novos valores.

Terceiro, o grão cheio na espiga. Isso fala da vida de Jesus manifestando-se em nossa experiência. Deus trabalha gradualmente.

Em terceiro lugar, *a gloriosa consumação do Reino de Deus* (4.29). O reino está presente tanto na semente quanto na colheita. Ele é o reino que já veio e o reino que virá. No começo o reino é apenas um embrião, depois será espiga cheia; oculto agora, totalmente manifesto então.[16] Duas verdades são destacadas por Jesus:

Primeira, a maturidade do grão fala da perseverança da obra de Deus (4.29). Todo aquele que nasceu dessa divina semente receberá essa maturidade. Deus não desiste de nós. A perseverança dos santos é uma contínua e eficaz obra de Deus em todos aqueles que nasceram de novo através de divina semente. A maturidade não procede de idade cronológica nem de posições eclesiásticas. Uma criança pode ser um fruto maduro. Jesus usou uma criança como símbolo daqueles que estão aptos a entrar no reino (Mt 18.3). A morte de uma criança ou de uma pessoa jovem não deve ser vista como uma tragédia, mas como a entrada de um filho na glória. Isso não é o fim, mas o começo de uma vida eterna e gloriosa. Quando o fruto está maduro, ele é colhido pelo Senhor da seara.

Segunda, a colheita final revela a vitória do Reino de Deus (4.29). Como semeadores, devemos ter paciência até a colheita. Tiago diz: *Sede, pois,*

---

[16]MULHOLLAND, Dewey M. *Marcos: Introdução e Comentário*, 2005, p. 86.

irmãos, pacientes, até a vinda do Senhor. Eis que o lavrador aguarda com paciência o precioso fruto da terra, até receber as primeiras e últimas chuvas. Sede vós também pacientes, e fortalecei os vossos corações, pois a vinda do Senhor está próxima (Tg 5.7,8).

A segunda vinda do Senhor Jesus será o dia mais glorioso da história. Ele virá com grande poder e majestade. Todo olho o verá. Todo joelho se dobrará e toda língua confessará que Ele é o Senhor. Todos os remidos receberão um corpo glorioso e reinarão com Ele para sempre.

Somente Deus conhece o dia da colheita. Nós devemos semear até aquele dia glorioso. Nós temos a promessa de que o nosso trabalho no Senhor não é vão. A Palavra de Deus não volta para ele vazia. Devemos trabalhar e esperar a colheita final. Recebemos a ordem de semear, mas Deus detém o controle soberano sobre o crescimento. Quando o fruto estiver maduro, então, virá a gloriosa ceifa. Adolf Pohl diz que entre nossa semeadura e uma colheita transbordante estão os milagres de Deus. Assombrados, balbuciaremos naquele grande dia: *Grandes coisas o Senhor tem feito* (Sl 126.2).[17]

O poder da Palavra para **crescer** (Mc 4.30-32)

Se a parábola do semeador retrata a responsabilidade humana e a da semente a soberania de Deus, esta mostra o resultado, um crescimento abundante.[18] Adolf Pohl diz que essa parábola é um ápice, apesar de ser tão curta.[19] Essa parábola revela o poder de crescimento extraordinário da Palavra. Ela aponta para o progresso do Reino de Deus no mundo. Duas verdades nos chamam a atenção:

Em primeiro lugar, ***o Reino de Deus começa pequeno como uma semente de mostarda*** (4.31). A igreja, agente do reino, começou pequena e fraca em seu berço. A semente de mostarda é um símbolo proverbial daquilo que é pequeno e insignificante.[20] Era a menor semente das hortaliças (4.31). Foi usada para representar uma fé pequena e fraca (Mt 17.20; Lc 17.6).

---

[17] POHL, Adolf. *Evangelho de Marcos*, 1998, p. 169.
[18] HENDRIKSEN, William. *Marcos*, 2003, p. 223.
[19] POHL, Adolf. *Evangelho de Marcos*, 1998, p. 170.
[20] MULHOLLAND, Dewey M. *Marcos: Introdução e Comentário*, 2005, p. 87.

O reino chegou com um bebê deitado numa manjedoura. Jesus nasceu em uma família pobre, numa cidade pobre e cresceu como um carpinteiro pobre, que não tinha onde reclinar a cabeça. Os apóstolos eram homens iletrados. O Messias foi entregue nas mãos dos homens, preso, torturado e crucificado entre dois criminosos. Seus próprios discípulos O abandonaram. A mensagem da cruz foi escândalo para os judeus e loucura para os gentios. Em todas as coisas do reino o mundo vê fraqueza. Aos olhos do mundo, o começo da igreja reveste-se de consumada fraqueza.

Em segundo lugar, **grandes resultados desenvolvem-se a partir de pequenos começos** (4.32). *Grandes rios surgem em pequenas nascentes de água; o carvalho forte e alto cresce a partir de uma pequena noz.*[21] A Bíblia diz que não podemos desprezar o dia dos pequenos começos (Zc 4.10). A parábola do grão de mostarda é a história dos contrastes entre um começo insignificante e um desfecho surpreendente; entre o oculto hoje e o revelado no futuro. O Reino de Deus é como tal semente: seu tamanho atual e aparente insignificância não são de modo algum, indicadores de sua consumação, a qual abrangerá todo o universo, diz Dewey Mulholland.[22]

A igreja cresceu a partir do Pentecostes de forma colossal. Aos milhares, os corações iam se rendendo à mensagem do evangelho. Os corações duros eram quebrados. Doutores e analfabetos capitulavam diante do poder da Palavra. A igreja expandiu-se por toda a Ásia, África e Europa. O Império Romano com sua força não pôde deter o crescimento da igreja. As fogueiras não puderam destruir o entusiasmo dos cristãos. As prisões não intimidaram os discípulos de Cristo que por toda a parte preferiam morrer a blasfemar. Os cristãos preferiam o martírio à apostasia.

A igreja continua ainda crescendo em todo o mundo. De todos os continentes aqueles que confessam o Senhor Jesus vão se juntando a essa grande família, a esse imenso rebanho, a essa incontável hoste de santos. O Reino de Deus é como uma pedra que quebra todos os outros reinos e enche toda a terra como as águas cobrem o mar.

---

[21] HENDRIKSEN, William. *Marcos*, 2003, p. 226.
[22] MULHOLLAND, Dewey M. *Marcos: Introdução e Comentário*, 2005, p. 87.

17

Surpreendidos pelas tempestades da vida

Marcos 4.35-41

DEUS É BOM, SEMPRE BOM. Às vezes, porém, não conseguimos ver a bondade de Deus nas circunstâncias da vida, mas, mesmo assim, Deus continua sendo sempre bom. Havia um súdito que dizia sempre para o rei que Deus é bom. Um dia, saíram para caçar e um animal feroz atacou o rei e ele perdeu o dedo mínimo. O súdito ainda lhe disse: "Deus é bom". Furioso, o rei mandou prendê-lo. Noutra caçada, o rei foi capturado por índios antropófagos. Na hora do sacrifício, o cacique percebeu que ele era imperfeito, porque lhe faltava um dedo. O rei foi solto e imediatamente procurou o súdito na prisão e disse-lhe: "Verdadeiramente, Deus é bom! Contudo, por que eu o mandei para a prisão?" O súdito, respondeu: "Porque se eu estivesse contigo eu seria sacrificado."

As tempestades da vida não anulam a bondade de Deus. Não haveria o arco-íris sem a tempestade, nem o dom das lágrimas sem a dor. Só conseguimos enxergar a majestade dos montes quando estamos no vale. Só enxergamos o brilho das estrelas quando a noite está escura. É das profundezas da nossa angústia que nos erguemos para as maiores conquistas da vida.

Jesus passara todo o dia ensinando à beira-mar sobre o Reino de Deus. Ao final da tarde, Ele deu uma ordem para os discípulos entrarem no barco e passarem para a outra margem, para a região de Gadara, onde havia um homem possesso. Enquanto atravessavam o mar, Jesus cansado da faina, dormiu e uma tempestade terrível os surpreendeu, enchendo d'água o barco. Os discípulos apavorados clamaram a Jesus. Ele repreendeu o vento, o mar e os discípulos e aqueles homens apavorados com a fúria dos ventos ficaram maravilhados diante do seu milagre.

William Hendriksen, analisando esse texto, diz que podemos sintetizá-lo em seis pontos básicos: uma noite a bordo; uma tempestade furiosa; um clamor desesperado; um milagre impressionante; uma reprovação amorosa e um efeito profundo.[1]

Como são as tempestades da vida?

Aprendemos aqui algumas lições importantes:

Em primeiro lugar, *as tempestades da vida são inesperadas*.

William Barclay diz que o mar da Galileia era famoso por suas tempestades.[2] É um lago de águas doces, de 21 quilômetros de comprimento por quatorze de largura, a 220 metros abaixo do nível do mar Mediterrâneo e é cercado de montanhas por três lados, que têm até trezentos metros de altura.[3] Os ventos gelados do monte Hermon (2.790m), coberto de neve durante todo o ano, algumas vezes descem com fúria dessa região alcantilada e sopram com violência, encurralados pelos montes, caindo sobre o lago, encrespando as ondas e provocando terríveis tempestades. A palavra usada é *seismós*, terremoto (Mt 24.7). As tempestades da vida são também inesperadas: é um acidente, uma enfermidade, uma crise no casamento, um desemprego. As tempestades não mandam telegrama. Elas chegam a nossa vida sem mandar recado e sem pedir licença. As tempestades, algumas vezes, nos colhem de surpresa e nos deixam profundamente abalados. Como seguidores de Cristo, devemos estar preparados para as tempestades que certamente virão.[4] John Charles Ryle diz que os discípulos tinham passado o dia ouvindo o Mestre e fazendo Sua obra, mas isso não os isentou da

---
[1]HENDRIKSEN, William. *Marcos*, 2003, p. 228.
[2]BARCLAY, William. *Marcos*, 1974, p. 129.
[3]POHL, Adolf. *Evangelho de Marcos*, 1998, p. 173.
[4]BARTON, Bruce B. et al. *Life Application Bible Commentary. Mark*, 1994, p. 121.

tempestade. Eles amavam a Jesus e tinham deixado tudo para segui-Lo, mas isso não os poupou do mar revolto. As aflições e as tempestades da vida fazem parte da jornada de todo cristão.[5]

Em segundo lugar, *as tempestades da vida são perigosas*. Mateus diz que o barco era varrido pelas ondas (Mt 8.24). Marcos diz que se levantou grande temporal de vento, e as ondas se arremessavam contra o barco, de modo que o mesmo já estava a encher-se de água (Mc 4.37). Lucas diz que sobreveio uma tempestade de vento no lago, correndo eles o perigo de soçobrar (Lc 8.23). As tempestades da vida também são ameaçadoras. Elas são perigosas. São verdadeiros abalos sísmicos e terremotos na nossa vida.

Eu morei nos Estados Unidos com minha família nos anos 2000 e 2001. Estava no meu ano sabático, fazendo doutorado em ministério na área de pregação no Seminário Reformado de Jackson, Mississippi. Durante todo o tempo que lá vivemos, ficamos encantados com a pujança da nação e a segurança que seus cidadãos desfrutavam. Findo o nosso tempo na América, era hora de voltar ao Brasil. Nossas malas já estavam prontas. Nossas passagens já estavam marcadas para regressarmos ao Brasil no dia 12 de setembro de 2001. No dia 11 de setembro, fui ao seminário para entregar minha tese e concluir todos os meus compromissos acadêmicos. De repente, comecei a assistir pela televisão a uma cena alarmante. As torres gêmeas do *World Trade Center* estavam ardendo em chamas. Pensei que fosse um filme de ficção. Quando cheguei a casa, minha esposa estava alarmada. Não era um filme, mas uma cena real e dramática de um atentado terrorista. O símbolo maior da pujança econômica da nação tinha sido golpeado de morte e estava entrando em doloroso colapso. Jamais poderia imaginar que o país mais poderoso do mundo pudesse ser tão vulnerável. A tempestade havia chegado repentinamente e de forma avassaladora.

Muitas vezes, as tempestades chegam de forma tão intensa que deixam as estruturas da nossa vida abaladas, colocam no chão aquilo que levamos anos para construir. É um casamento edificado com abnegação e amor, que se desfaz pela tempestade da infidelidade conjugal. É um

---

[5] RYLE, John Charles. *Mark*, 1993, p. 61.

sonho nutrido na alma com tanto desvelo que se transforma num pesadelo. De repente, uma doença incurável abala a família, um acidente trágico ceifa uma vida cheia de vigor, um divórcio traumático deixa o cônjuge ferido e os filhos amargurados. Uma amizade construída pelo cimento dos anos naufraga pela tempestade da traição.

Em terceiro lugar, *as tempestades da vida não são administráveis*. Elas são maiores do que nossas forças. Os discípulos se esforçaram para contornar o problema, para saírem ilesos da tempestade. Mas eles não puderam enfrentar a fúria do vento. Seus esforços não puderam vencer o problema. Eles precisaram clamar a Jesus. O problema era maior do que a capacidade deles de resolver.

Em quarto lugar, *as tempestades da vida são surpreendentes*. Elas podem transformar cenários domésticos em lugares ameaçadores. O mar da Galileia era um lugar muito conhecido daqueles discípulos. Alguns deles eram pescadores profissionais e conheciam cada palmo daquele lago. Muitas vezes eles cruzaram aquele mar lançando as suas redes. Ali era o lugar do seu ganha-pão. Mas agora eles estavam em apuros. O comum tornou-se um monstro indomável. Aquilo que parecia administrável tornou-se uma força incontrolável. Muitas vezes, as tempestades mais borrascosas que enfrentamos na vida não vêm de horizontes distantes nem trazem coisas novas, mas apanham aquilo que era ordinário e comum em nossa vida e colocam tudo de cabeça para baixo. Outras vezes, é o cônjuge que foi fiel tantos anos que dá uma guinada e se transforma numa pessoa amarga, agressiva e abandona o casamento para viver uma aventura com outra pessoa. Outras vezes ainda, é o filho obediente que resvala os pés e transforma-se numa pessoa agressiva, irreverente, dissimulada e insolente com os pais. Ainda hoje, há momentos em que as crises maiores que enfrentamos nos vêm daqueles lugares onde sentíamo-nos mais seguros.

Os conflitos que enfrentamos nas tempestades da vida

Esse texto nos apresenta algumas tensões que enfrentamos nas tempestades da vida:

Em primeiro lugar, *como conciliar a obediência a Cristo com a tempestade* (4.35). Os discípulos entraram no barco por ordem expressa de Jesus e, mesmo assim, enfrentaram a tempestade. Eles estavam no centro da vontade de Deus e ainda enfrentaram ventos contrários. Eles estavam onde Jesus os mandou estar, fazendo o que Jesus os mandou fazer, indo para onde Jesus os mandou ir e, mesmo assim, enfrentaram uma terrível borrasca.

Jonas enfrentou uma tempestade porque desobedecia a Deus; os discípulos porque obedeciam. Você tem enfrentado tempestade pelo fato de andar com Deus, de obedecer aos mandamentos de Jesus? Você tem sofrido oposição e perseguição por ser fiel a Deus? Tem perdido oportunidade de negócios por não transigir? Tem perdido concorrências em seus negócios por não dar propina? Tem sido considerado um estorvo no seu ambiente de trabalho por não se envolver no esquema de corrupção? Há momentos que sofremos, não por estarmos na contramão, mas por andarmos pelo caminho direito. O mundo odiou a Cristo e também vai nos odiar. Seremos perseguidos por vivermos na luz.

Em segundo lugar, *como conciliar a tempestade com a presença de Jesus* (4.35,36). O fato de Jesus estar conosco não nos poupa de certas tempestades. Ser cristão não é viver numa redoma de vidro, numa estufa espiritual. O céu não é aqui. Jesus foi a uma festa de casamento e mesmo Ele estando lá, faltou vinho. Um crente que anda com Jesus pode e, muitas vezes, enfrenta também terríveis tempestades. Jesus passara todo aquele dia ensinando aos discípulos as parábolas do reino. Mas agora viria uma lição prática: Jesus sabia da tempestade; ela estava no currículo de Jesus para aquele dia. A tempestade ajudou os discípulos a entenderem que podemos confiar em Jesus nas crises inesperadas da vida.

Em terceiro lugar, *como conciliar a tempestade com o sono de Jesus*. Talvez o maior drama dos discípulos não tenha sido a tempestade, mas o fato de Jesus estar dormindo durante a tempestade. Na hora do maior aperto dos discípulos, Jesus estava dormindo. Às vezes, temos a sensação de que Deus está dormindo. O Salmo 121 fala sobre o sono de Deus. Aquele que não dormita nem dorme, às vezes, parece não estar atento aos dramas da nossa vida e isso gera uma grande angústia em nossa alma.

As grandes perguntas feitas nas tempestades da vida

Esse texto apresenta-nos três perguntas. Todas elas são instrutivas. Elas nos apresentam a estrutura do texto. As lições emanam dessas perguntas. Aqui temos a pedagogia da tempestade:

A primeira pergunta foi feita pelos discípulos: *Mestre, não te importas que pereçamos?* (4.38). Essa pergunta nasceu do ventre de uma grande crise. Seu parto se deu num berço de muito sofrimento. Os discípulos estavam vendo a carranca da morte. O mar embravecido parecia sepultar suas últimas esperanças. Depois de esgotados todos os esforços e baldados todos os expedientes humanos, eles clamaram a Jesus: *Mestre, não te importas que pereçamos?* O que esse grito dos discípulos sinaliza?

Primeiro, esse grito evidencia o medo gerado pela tempestade. A tempestade provoca medo em nós, porque ela é maior que nós. Em tempos de doença, perigo de morte, desastres naturais, catástrofes, terremotos, guerras, comoção social, tragédias humanas, explode do nosso peito este mesmo grito de medo e dor: Mestre, não te importas que pereçamos? Mateus registra: *Senhor, salva-nos! Perecemos!* (Mt 8.25). Lucas diz: *Mestre, Mestre estamos perecendo!* (Lc 8.24). Essas palavras expressaram mais uma crítica que um pedido de ajuda. Às vezes, é mais fácil reclamar de Deus do que depositar nossa ansiedade aos Seus pés e descansar na Sua providência.[6]

Um dos momentos mais comoventes que experimentei na vida foi a visita que fiz ao museu Yad Vasheim, na cidade de Jerusalém. Esse museu é um memorial das vítimas do holocausto. Seis milhões de judeus pereceram nos campos de concentração nazista, nos paredões de fuzilamento e nas câmaras de gás. Um milhão e meio de crianças foram mortas sem qualquer piedade. No jardim de entrada do museu há um monumento de uma mulher cuja cabeça é uma boca aberta com dois filhos mortos no colo. Essa mulher retrata o desespero de milhares de mães que ergueram seu grito de dor, sem que o mundo as ouvisse. Representa o sofrimento indescritível daquelas mães que marchavam para a morte e viam os seus filhos tenros e indefesos serem vítimas

---

[6]BARTON, Bruce B. et al. *Life Application Bible Commentary. Mark*, 1994, p. 122.

da mais brutal e perversa perseguição de todos os tempos. Ao entrar no museu, enquanto caminhava por uma passarela escura, sob o som perturbador do choro e gemido de crianças, vi um milhão e meio de velas acesas, refletidas nos espelhos. Enquanto cruzava aquele corredor de lembranças tão amargas não pude conter as lágrimas. Lembrei-me do medo, pavor e desespero que tomaram conta dos pais naqueles seis anos de barbárie e cruel perseguição. Quantas vezes, nas tempestades avassaladoras da vida, também encharcamos a nossa alma de medo. Os problemas se agigantam, o mar se revolta, as ondas se encapelam e o vento nos açoita com desmesurado rigor.

Segundo, esse grito evidencia alguma fé. Se os discípulos estivessem completamente sem fé, eles não teriam apelado a Jesus. Eles não o teriam chamado de Mestre. Eles não teriam pedido a Ele para salvá--los. Naquela noite trevosa, de mar revolto, de ondas assombrosas que chicoteavam o barco e ameaçava engoli-los, reluz um lampejo de fé. Quantas vezes, nessas horas, também nos voltamos para Deus em forte clamor. Quantas vezes há urgência na nossa voz. Na hora da tempestade, quando os nossos recursos se esgotam e a nossa força se esvai, precisamos clamar ao Senhor. Quando as coisas fogem ao nosso controle, continuam ainda sob o total controle de Jesus. Para Ele, não há causa perdida. Ele é o Deus dos impossíveis.

Terceiro, esse grito evidencia uma fé deficiente. Se os discípulos tivessem uma fé madura, eles não se entregariam ao pânico e ao desespero. A causa do desespero não era a tempestade, mas a falta de fé. O perigo maior que enfrentavam não era a fúria do vento ao redor deles, mas a incredulidade dentro deles. Havia deficiência de fé no conhecimento deles. Mesmo dormindo, Jesus sabia da tempestade e das necessidades deles. Havia deficiência de fé na convicção do cuidado de Cristo. Jesus já havia provado para eles que se importava com eles.

A segunda pergunta foi feita por Jesus: *Por que sois assim tímidos? Como é que não tendes fé?* (4.40). Os discípulos falharam no teste prático e revelaram medo e não fé. Onde o medo prevalece, a fé desaparece. Ficamos com medo porque duvidamos que Deus esteja no controle. Enchemos nossa alma de pavor porque pensamos que as coisas estão fora de controle. Desesperamo-nos porque julgamos que estamos abandonados à nossa própria sorte. A palavra grega *deiloi* usada por Jesus significa "medo covarde". Os discípulos estavam agindo covardemente, quando poderiam ter agido com plena confiança em Jesus.[7] Aqueles discípulos deveriam ter fé e não medo, e isso por quatro razões:

Primeira, *a promessa de Jesus* (4.35). Jesus havia empenhado Sua palavra a eles: "passemos para a outra margem". O destino deles não era o naufrágio, mas a outra margem. Para Jesus promessa e realidade são a mesma coisa. O que Ele fala, Ele cumpre. Jesus não promete viagem calma e fácil, mas garante chegada certa e segura. Jesus não nos promete ausência de luta, mas vitória garantida. Essa promessa deveria ter encorajado e fortalecido os discípulos (Sl 89.9). Quando o medo assaltar a sua fé, agarre-se nas palavras e nas promessas de Jesus.

Segunda, *a presença de Jesus* (4.36). É a presença de Jesus que nos livra do temor. Davi diz que ainda que andasse pelo vale da sombra da morte não temeria mal algum (Sl 23.4). Não porque o vale seria um caminho seguro; não porque a circunstância era fácil de enfrentar, mas porque a presença de Deus era o seu amparo. A presença de Deus nas tempestades é nossa âncora e nosso porto seguro. O profeta Isaías ergue a sua voz em nome de Deus e diz que quando tivermos de passar pelas águas revoltas do mar da vida, Deus estará conosco. Quando precisarmos cruzar os rios caudalosos, eles não nos submergirão. Quando tivermos de entrar nas fornalhas acesas da perseguição e do sofrimento, a chama não arderá em nós, porque Deus estará conosco (Is 43.1-3). Jesus disse aos seus discípulos: *Eis que estou convosco todos os dias até a consumação do século* (Mt 28.20). Os discípulos se entregaram ao medo porque se esqueceram que Jesus estava com eles. O Rei do céu e da terra estava no mesmo barco e por isso o barco não poderia afundar. O criador do vento e do mar está conosco, não precisamos ter medo das tempestades.

Terceira, a *paz de Jesus* (4.38). Enquanto a tempestade rugia com toda fúria, Jesus estava dormindo. Dewey Mulholland diz que assim como o homem que jogou a semente no solo e depois adormeceu tranquilamente (4.26), Jesus descansa certo de que o Pai cuidará dEle e da

---

[7]BARTON, Bruce B. et al. *Life Application Bible Commentary. Mark*, 1994, p. 123.

semente que plantara.⁸ Será que Jesus sabia que a tempestade viria? É óbvio que sim. Ele sabe todas as coisas, nada O apanha de surpresa. Aquela tempestade estava na agenda de Jesus; ela fazia parte do currículo de treinamento dos discípulos.⁹ Contudo, se Jesus sabia da tempestade, por que dormiu? Ele dormiu por duas razões: dormiu porque descansava totalmente na providência do Pai; dormiu porque sabia que a tempestade seria pedagógica na vida dos Seus discípulos. O fato de Jesus estar descansando na tempestade já deveria ter acalmado e encorajado os discípulos. Jesus estava descansando na vontade do Pai e sabia que o Pai cuidaria dEle enquanto dormia. Isso é paz no vale. Jonas dormiu na tempestade com uma falsa segurança, visto que estava fugindo de Deus. Jesus dormiu na tempestade porque estava verdadeiramente seguro na vontade do Pai.

Quarta, o *poder de Jesus* (4.39). Aquele que estava no barco com os discípulos é o criador da natureza. As leis da natureza estão nas suas mãos. Ele controla o universo. A natureza ouve a Sua voz e Lhe obedece. Marcos insere esse registro da tempestade num contexto que enaltece e destaca o poder de Jesus. Ele está revelando o Seu poder sobre as leis da natureza, acalmando o mar. Ele revela a Sua autoridade sobre os demônios, libertando o gadareno de uma legião, ou seja, seis mil demônios. Ele acentua a sua autoridade sobre a enfermidade, curando uma mulher hemorrágica, que vivia doze anos prisioneira de sua enfermidade. Ele ressuscita a filha de Jairo, para provar que até a morte está debaixo da Sua absoluta autoridade e poder.

Jesus repreendeu o vento e o mar e eles se aquietaram e se emudeceram. Adolf Pohl diz: "Não temos mais Jesus adormecido no rugido da tempestade, mas a tempestade adormecida aos pés do Senhor que dera a ordem".¹⁰ Ele tem poder para repreender também os problemas que nos atacam, a enfermidade que nos assola, a crise que nos cerca, as aflições que nos oprimem. Jesus repreendeu o mar pela sua fúria e depois repreendeu os discípulos pela sua falta de fé. Muitas vezes, a

---
⁸MULHOLLAND, Dewey M. *Marcos: Introdução e Comentário*, 2005, p. 89.
⁹WIERSBE, Warren W. *Be Diligent*, 1987, p. 45.
¹⁰POHL, Adolf. *Evangelho de Marcos*, 1998, p. 176.

tempestade mais perigosa não é aquela que levanta os ventos e agita o mar, mas a tempestade do medo e da incredulidade. O nosso maior problema não está ao nosso redor, mas dentro de nós.[11] O Senhor é a nossa bandeira. É o nosso defensor. Ele é o nosso escudo. Não precisamos temer.

A terceira pergunta foi feita novamente pelos discípulos:

Quem é este que até o vento e o mar Lhe obedecem? (4.41). As tempestades são pedagógicas. Elas são a escola de Deus para nos ensinar as maiores lições da vida. Aprendemos mais na tempestade do que nos tempos de bonança. Foi através do livramento da tempestade que eles tiveram uma visão mais clara da grandeza singular de Jesus. Os discípulos, que estavam com medo da tempestade, estão agora cheios de temor diante da majestade de Jesus. A palavra grega para medo aqui, *phobeô*, é outra e não significa medo covarde, mas temor reverente.[12] Seu medo e a falta de fé vêm à tona por um único motivo: eles não sabem quem é Jesus. Quando passa o medo da tempestade e da morte, eles são acometidos por outro tipo de temor; uma sensação de assombro, porque Deus estava bem ali.[13] Eles passaram a ter uma fé real e experimental e não uma fé de segunda mão. A pergunta deles é respondida pelo próprio texto em apreço.

Primeiro, *Jesus é o mestre supremo que veio estabelecer o Reino de Deus* (4.34,38). Jesus ensinou por intermédio das parábolas do reino e também através da tempestade. Seus métodos são variados, Seu ensino eficaz. Ele é o grande Mestre que nos ensina pela Escritura e também pelas circunstâncias da vida. Devemos aprender com Ele e sobre ele. O reino chegou com o Rei. Ele é o Rei. O reino já foi inaugurado. O reino já está entre nós e dentro de nós.

Segundo, *Jesus é perfeitamente homem* (4.38). O sono de Jesus mostra-nos sua perfeita humanidade. O verbo se fez carne. Deus se fez homem. O infinito entrou no tempo. Aquele que nem o céu dos céus pode conter foi enfaixado em panos e deitado numa manjedoura.

---

[11] WIERSBE, Warren W. *Be Diligent*, 1987, p. 47.
[12] BARTON, Bruce B. et al. *Life Application Bible Commentary. Mark*, 1994, p. 123,124.
[13] MULHOLLAND, Dewey M. *Marcos: Introdução e Comentário*, 2005, p. 91.

Aquele que é o criador e o dono do universo se fez pobre e não tinha onde reclinar a cabeça. Esse é um grande mistério. Quem pode crer na encarnação de Jesus não deveria mais duvidar de nenhum de Seus gloriosos milagres.

Terceiro, Jesus é perfeitamente Deus (4.39). Ele é o criador, sustentador e o interventor na natureza. O vento ouve a Sua voz. O mar se acalma quando Ele fala. Todo o universo se curva diante da Sua autoridade. Ele é o verdadeiro Deus. É Ele quem livra o Seu povo e acalma as nossas tempestades. É Ele quem acalma os terremotos da nossa alma. Ernesto Trenchard diz que de todos os milagres, esse é onde vemos mais intimamente entrelaçadas a humanidade e a divindade do Senhor Jesus. O mesmo Jesus, que dormiu exausto depois de um dia de ensino, levanta-Se e repreende o vento e o mar.[14]

Quarto, Jesus é o benfeitor desconhecido (4.36). Algumas pessoas que enfrentavam a mesma tempestade naquele mar, seguindo a caravana em outros barcos, foram beneficiadas sem saber que a bonança fora intervenção de Jesus. Há muitas pessoas que recebem milagres e livramentos, mas não sabem que esses prodígios vieram das mãos de Jesus.

Quinto, Jesus é aquele que tem toda autoridade para libertar o aflito (4.39,41). A pergunta foi: "Quem é este que *até* o vento e o mar Lhe obedecem?"(grifo do autor). O contexto mostra que Jesus é o Senhor sobre cada circunstância e o vencedor dos inimigos que nos ameaçam: 1) Vitória sobre os perigos (Mc 4.35-41); 2) Vitória sobre os demônios (Mc 5.1-20; 3) Vitória sobre a enfermidade (Mc 5.21-34); 4) Vitória sobre a morte (Mc 5.35-43).

A intervenção soberana de Jesus, às vezes, acontece quando todos os recursos humanos acabam. Nossa extremidade é a oportunidade de Deus. As tempestades fazem parte do currículo de Jesus para nos fortalecer na fé. As provas não vêm para nos destruir, mas para nos fortalecer.

As grandes lições da vida nós as aprendemos nas tempestades. Na costa da Califórnia, há uma praia famosa que se chama *Pebble Beach*. Em uma reentrância cercada de muralhas, as pedras, impelidas pelas ondas, se atiram umas contras as outras e também nas saliências agudas

---

[14]TRENCHARD, Ernesto. *Una Exposición del Evangelio según Marcos*, 1971, p. 61.

dos penhascos. Turistas de todas as partes do mundo vão para a praia recolher aquelas pedras arredondadas e preciosas. Elas servem de ornamentos para escritórios e salas de visita. Ali bem perto há outra enseada em que não se verifica a mesma tormenta. Existem ali pedras em grande abundância, mas nunca são escolhidas pelos viajantes. Elas escaparam do alvoroço e da trituração das ondas. A quietude e a paz as deixam como as encontraram: toscas, angulosas e sem beleza. O polimento das outras, tão apreciadas, se verifica por meio do atrito constante. Comentando esse fato, um escritor registrou: "Quase todas as joias de Deus são lágrimas cristalizadas".

Quando Jesus fez cessar o vento e o mar, e eles se acalmaram como uma criança que se aquieta diante da ordem e autoridade do pai, Mateus diz que os discípulos se maravilharam. Marcos diz que eles temeram grandemente. Antes, eles tinham medo da natureza. Agora, eles temem o criador da natureza. Antes, eles estavam amedrontados pelo vento, agora, estão cheios de temor pelo Senhor do vento. Agora, eles estão cheios de temor e admiração diante do poder de Jesus.

A quem você teme: as circunstâncias ou o Senhor das circunstâncias?

18

Quanto **vale** uma vida

Marcos 5.1-20

DUAS PERGUNTAS SE TORNAM IMPERATIVAS: quanto vale uma vida para Jesus? Quanto vale uma vida para satanás? Consideremos essas duas perguntas:

Em primeiro lugar, ***quanto vale uma vida para Jesus?*** Jesus fez um alto investimento na vida desse homem gadareno. Ele enfrentou a fúria do mar e depois a fúria desse homem possesso. O escritor desse evangelho vai de um mar *agitado* para um homem *agitado*. Humanamente falando, ambos eram *indomáveis,* mas Jesus os subjugou.[1]

Era noite. Depois de uma assombrosa tempestade, Jesus chega a um lugar deserto, íngreme e cheio de cavernas. Ele desembarca num cemitério, onde havia corpos expostos, alguns deles já em decomposição. O lugar em si já colocava medo nos mais corajosos. Desse lugar sombrio, sai um homem louco, desvairado, possesso, nu, ferindo-se com pedras, um espectro humano, um aborto vivo, uma escória da sociedade.

Todos já haviam desistido dele, menos Jesus. Aquela viagem foi proposital. Jesus vai a uma terra gentílica, depois de um dia exaustivo de trabalho, depois de uma terrível tempestade, para salvar um homem possesso.

---

[1] HENDRIKSEN, William. *Marcos*, 2003, p. 241.

Em segundo lugar, *quanto vale uma vida para satanás?* Satanás roubou tudo de precioso que aquele homem possuíra: família, liberdade, saúde física e mental, dignidade, paz e decência.

Havia dentro dele uma legião de demônios (5.9). Legião era uma corporação de seis mil soldados romanos.[2] Nada infundia tanto medo e terror quanto uma legião romana. Era um exército de invasão, crueldade e destruição.[3] A legião romana era composta de infantaria e cavalaria. Numa legião havia flecheiros, estrategistas, combatentes, incendiários, e aqueles que lutavam com espadas. Por onde uma legião passava, deixava um rastro de destruição e morte. Uma legião romana era irresistível. Aonde ela chegava, as cidades eram assaltadas, dominadas e seus habitantes arrastados como súditos e escravos. Uma legião era a mais poderosa máquina de guerra conhecida nos tempos antigos.[4] As legiões romanas formavam o braço forte com o qual Roma havia subjugado o mundo. Assim era o poder diabólico que dominava esse pobre ser humano.[5] Havia um poder de destruição descomunal dentro daquele homem, transformando sua vida num verdadeiro inferno.

Warren Wiersbe diz que nós podemos ver nesse texto três forças trabalhando: satanás, a sociedade e Jesus.[6]

O que satanás faz pelas pessoas?

Na verdade, satanás não faz nada pelas pessoas, mas contra elas. Vejamos alguns exemplos:

Em primeiro lugar, *ele domina as pessoas através da possessão* (5.2,9). O gadareno estava possuído por espíritos imundos. Havia uma legião de demônios dentro dele. A possessão demoníaca não é um mito, mas uma triste realidade. A possessão não é apenas uma doença mental ou epilepsia.[7] Ainda hoje, milhares de pessoas vivem no cabresto de satanás. Quais são as características de uma pessoa endemoninhada?

---

[2]Trenchard, Ernesto. *Una Exposición del Evangelio según Marcos*, 1971, p. 62.
[3]Hendriksen, William. *Marcos*, 2003, p. 249.
[4]Mulholland, Dewey M. *Marcos: Introdução e Comentário*, 2005, p. 92.
[5]Trenchard, Ernesto. *Una Exposición del Evangelio según Marcos*, 1971, p. 63.
[6]Wiersbe, Warren W. *Be Diligent*, 1987, p. 48.
[7]Ryle, John Charles. *Mark*, 1993, p. 65.

Uma pessoa possessa tem dentro de si uma entidade maligna (5.2,9). Esse homem não estava no controle de si mesmo. Suas palavras e suas atitudes eram determinadas pelos espíritos imundos que estavam dentro dele. Ele era um capacho de satanás, um cavalo dos demônios, um joguete nas mãos de espíritos assassinos.

Uma pessoa possessa manifesta uma força sobre-humana (5.3,4). As pessoas não podiam detê-lo nem as cadeias subjugá-lo. A força destruidora que despedaçava as correntes não procedia dele, mas dos espíritos malignos que nele moravam. Conheci o caso de uma moça possessa por espíritos malignos na cidade de Tanabi, interior de São Paulo, que levantava a carroceria de um caminhão, revelando, assim, uma força descomunal.

Uma pessoa possessa tem frequentes acessos de raiva. O evangelista Mateus, narrando esse episódio, diz que os endemoninhados estavam a tal ponto furiosos, que ninguém podia passar por aquele caminho (Mt 8.28). Normalmente uma pessoa possessa revela uma fisionomia carregada de ódio e olhos fuzilantes. Tenho lidado com pessoas endemoninhadas e em todos os casos esse fato é notório. Há uma expressão de ira, de transtorno emocional e de ódio que explode de dentro delas.

Uma pessoa possessa perde o amor-próprio (5.3,5). Esse homem andava nu e feria-se com pedras. Em vez de proteger-se, feria a si mesmo. Ele era o seu próprio inimigo.[8] O ser maligno que estava dentro dele empurrou-o para as cavernas da morte. A legião de demônios que estava nele tirou dele o pudor e queria destruí-lo e matá-lo. O diabo veio para roubar, matar e destruir. Ele é ladrão e assassino. Há muitas pessoas que hoje ceifam a própria vida, quando esses espíritos imundos entram nelas. Foi assim com Judas. Satanás entrou nele e o levou ao suicídio.

Uma pessoa possessa pode revelar conhecimento sobrenatural por clarividência e adivinhação (5.6,7). Logo que Jesus desembarcou em Gadara, esse homem possesso correu cheio de medo, e prostrou-se aos Seus pés para adorá-lo. Ele sabia quem era Jesus. Sabia que Jesus é o Filho do Deus Altíssimo, que tem todo poder para atormentar os demônios e mandá-los para o abismo. Os demônios creem na divindade de Cristo,

---

[8]MULHOLLAND, Dewey M. *Marcos: Introdução e Comentário*, 2005, p. 92.

na Sua total autoridade. Eles oram e creem nas penalidades eternas. A fé dos demônios é mais ortodoxa do que a fé dos teólogos liberais.

Em segundo lugar, *ele arrasta as pessoas para a impureza* (5.2,3a). Gadara era uma terra gentílica, onde as pessoas lidavam com animais imundos. O espírito que estava naquele homem era um espírito imundo. Por isso, levou-o para um lugar impuro, o cemitério, para viver no meio dos sepulcros. A impureza desse homem era tríplice: os judeus consideravam a terra dos pagãos impura, em seguida o lugar dos túmulos e, por fim, a possessão. O efeito era uma separação de Deus sem esperança.[9]

Os espíritos malignos levam as pessoas a se envolverem com tudo o que é imundo. Há pessoas chafurdando-se na lama hoje. Quem pratica o pecado é escravo do pecado. Quem vive na prática do pecado é filho do diabo. Há pessoas que entram em cemitérios e desenterram defuntos para fazerem despacho aos demônios.

A promiscuidade está atingindo patamares insuportáveis. A TV Globo encerrou a sua decantada novela *América* com dois homens se beijando na boca. A Inglaterra legitima o casamento de homossexuais. A pornografia tornou-se uma indústria poderosa. A promiscuidade presente na geração contemporânea faz de Sodoma e Gomorra cidades muito puritanas.

Em terceiro lugar, *ele torna as pessoas violentas* (5.3,4). O endemoninhado constituiu-se num problema para a família e para a sociedade. O amor familiar e a repressão da lei não puderam domesticar aquela fera indomável. Ele era como um animal selvagem. Resistia a qualquer tentativa de controle externo. Os vivos não o suportaram mais e o expulsaram. Ele foi morar com os mortos. Estes não lhe faziam nenhum mal, mas também não o protegiam de si mesmo. Ele agora estava nu entre os demônios.

Há um espírito que atua nos filhos da desobediência e torna as pessoas furiosas, violentas e indomáveis nesses dias. Há seres humanos que se transformam em monstros celerados, em feras indomáveis. Nem o amor da família nem o rigor da lei têm abrandado a avalanche de crimes violentos em nossos dias. São terroristas que enchem o corpo de

---

[9]POHL, Adolf. *Evangelho de Marcos*, 1998, p. 181.

bomba e explodem-se, espalhando morte. São os vândalos que incendeiam ônibus nas ruas. São pistoleiros de aluguel que derramam sangue por dinheiro. São traficantes que matam e morrem para alimentar o seu vício execrado.

Em quarto lugar, *ele atormenta as pessoas* (5.5). O gadareno estava perturbado mentalmente. Ele andava sempre, de noite e de dia gritando por entre os sepulcros. Não havia descanso para a sua mente nem para o seu corpo.

Além da perturbação mental, ele golpeava-se com pedras. Vivia nu e ensanguentado, correndo pelos montes escarpados, esgueirando-se como um espectro de horror, no meio de cavernas e sepulcros. Seu corpo emaciado refletia o estado deprimente a que um ser humano pode chegar quando está sob o domínio de satanás.

Há muitas pessoas hoje atormentadas, inquietas e desassossegadas, vivendo nas regiões sombrias da morte, sem família, sem liberdade, sem dignidade, sem amor-próprio, ferindo-se a si mesmas e espalhando terror aos outros.

O que a sociedade pode fazer pelas pessoas?

Consideremos três coisas:

Em primeiro lugar, *a sociedade afastou esse homem do convívio social* (5.3,4). O máximo que a sociedade pôde fazer por esse homem foi tirá-lo de circulação. Arrancaram-no da família e da cidade. Desistiram do seu caso e consideraram-no uma causa perdida. Consideraram-no um caso irrecuperável e descartaram-no como um aborto asqueroso. O máximo que a sociedade pode fazer por pessoas problemáticas é isolá-las, colocá-las sob custódia ou jogá-las numa prisão (Lc 8.29). As prisões não libertam as pessoas por dentro nem as transformam; ao contrário, tornam-nas ainda mais violentas.

Ainda hoje, é mais fácil e mais cômodo lançar na caverna da morte, no presídio e no desprezo, aqueles que caem nas garras do pecado e do diabo.

Em segundo lugar, *a sociedade acorrentou esse homem* (5.3,4). A prisão foi o melhor remédio que encontraram para deter esse homem. Colocaram cadeias em suas mãos e em seus pés. Mas a prisão não pôde detê-lo. Ele arrebentou as cadeias e continuou espalhando terror por onde andava. Embora o sistema carcerário seja um fato necessário, não é a solução do problema. O índice de reincidência no crime daqueles que são apanhados pela lei e lançados num cárcere é de mais de 70%.

A sociedade não tem poder para resolver o problema do pecado nem libertar as pessoas das garras de satanás. Somente o evangelho transforma. Somente Jesus liberta. Não há esperança para o homem nem para a sociedade à parte de Jesus.

Em terceiro lugar, *a sociedade deu mais valor aos porcos do que a esse homem*. A sociedade de Gadara não apenas rejeitou esse homem na sua desventura, mas, também, não valorizou a sua cura nem a sua salvação. Eles expulsaram Jesus da sua terra e amaram mais os porcos que a Deus e a esse homem. Os porcos valiam mais que uma vida.

O que Jesus faz pelas pessoas?

Observemos três coisas fundamentais que Cristo faz:

Em primeiro lugar, *Jesus libertou esse homem da escravidão dos demônios* (5.6-15). Jesus se manifestou para destruir as obras do diabo (1Jo 3.8). Até os demônios estão debaixo da Sua autoridade. Mediante a autoridade da Palavra de Jesus, a legião de demônios bateu em retirada e o homem escravizado ficou livre.

Cristo é o atormentador dos demônios e o libertador dos homens. Aonde ele chega, os demônios tremem e os cativos são libertados. Satanás tentou matar Jesus na tempestade e agora tenta impedi-Lo de entrar na região de Gadara. Mas em vez de intimidar-se com a legião de demônios, Jesus é quem espalha terror no exército demoníaco.[10]

Em segundo lugar, *Jesus devolveu a esse homem a dignidade da vida* (5.15). Três coisas nos chamam a atenção nessa libertação:

O homem estava assentado aos pés de Jesus (5.15; Lc 8.35). Aquele que vivia perturbado, correndo de dia e de noite, sem descanso para a mente e para o corpo, agora está quieto, sereno, assentado aos pés do Salvador. Jesus acalmou o vendaval do mar, e também o homem atormentado.

---

[10]POHL, Adolf. *Evangelho de Marcos*, 1998, p. 181.

Alguns estudiosos entendem que a tempestade que Jesus enfrentara para chegar a Gadara fora provocada por satanás, visto que a mesma palavra que Jesus empregou para repreender o vento e o mar, empregou-a para repreender os espíritos imundos. Seria uma tentativa desesperada de satanás de impedir Jesus de chegar a esse território pagão, onde ele mantinha tantas pessoas sob suas garras assassinas.[11]

O homem estava vestido (5.15). Esse homem havia perdido o pudor e a dignidade. Ele andava nu. Havia muito que não se vestia (Lc 8.27). Tinha perdido o respeito próprio e o respeito pelos outros. Estava à margem não só da lei, mas também da decência. Agora, que Jesus o transformou, o primeiro expediente é vestir-se, é cuidar do corpo, é apresentar-se com dignidade. A prova da conversão é a mudança. A conversão sempre toca nos pontos nevrálgicos. Zaqueu, o homem amante do dinheiro, ao ser convertido, resolveu dar metade dos bens aos pobres.

O homem estava em perfeito juízo (5.15). Jesus restituiu a esse homem sua sanidade mental. A diferença entre sanidade e santidade é apenas uma letra, a letra *T*, um símbolo da cruz de Cristo. Aonde Jesus chega, ele restaura a mente, o corpo e a alma. Esse homem não é mais violento. Ele não oferece mais nenhum perigo à família nem à sociedade. Jesus continua transformando monstros em homens santos; escravos de satanás em homens livres, abortos vivos da sociedade em vasos de honra.

Em terceiro lugar, **Jesus dá a esse homem uma gloriosa missão** (5.18-20). Jesus o envia como missionário para a sua casa, para ser uma testemunha na sua terra. Ele espalhava medo e pavor, agora, anuncia as boas-novas de salvação. Antes, era um problema para a família, agora, é uma bênção. Antes, era um mensageiro de morte, agora, um embaixador da vida.

Jesus revela a ele que o testemunho precisa começar em sua própria casa. O nosso primeiro campo missionário precisa ser o nosso lar. Sua família precisa ver a transformação que Deus operou na sua vida. O que Deus fez por nós precisa ser contado aos outros.

---

[11] MULHOLLAND, Dewey M. M*arcos: Introdução e Comentário*, 2005, p. 93.

Marcos 5.1-20 registra três pedidos, três orações. As duas primeiras foram prontamente atendidas por Jesus, mas a última foi indeferida.[12]

Em primeiro lugar, *Jesus atendeu ao pedido dos demônios* (5.10,12). Os demônios pediram e pediram encarecidamente. Havia intensidade e urgência no pedido deles. Eles não queriam ser atormentados (5.7) nem enviados para o abismo (Lc 8.31) nem para fora do país (5.10), mas para a manada de porcos que pastavam pelos montes (5.11,12). É intrigante que Jesus tenha atendido prontamente ao pedido dos demônios e a manada de dois mil porcos precipitou-se despenhadeiro abaixo, para dentro do mar, onde eles se afogaram (5.13). Por que Jesus atendeu aos demônios? Por cinco razões, pelo menos:

Para mostrar o potencial destruidor que agia naquele homem. O gadareno não estava fingindo nem encenando. Seu problema não era apenas uma doença mental. Não se transfere esquizofrenia para uma manada de porcos. Os demônios não são seres mitológicos nem a possessão demoníaca uma fantasia. O poder que estava agindo dentro daquele homem foi capaz de matar dois mil porcos.

Para revelar àquele homem que o poder que o oprimia tinha sido vencido. Assim como a ação do mal não é uma simulação, a libertação também não é apenas um efeito psicológico, mas, um fato real, concreto e perceptível. A Bíblia diz: *Se o Filho vos libertar, verdadeiramente sereis livres* (Jo 8.36).

Para mostrar à população de Gadara que para satanás um porco tem o mesmo valor que um homem. De fato, satanás tem transformado muitos homens em porcos. Jesus está alertando aquele povo sobre o perigo de ser um escravo do pecado e do diabo.

Para revelar a escala de valores dos gadarenos. Eles expulsaram Jesus, por causa dos porcos. Eles amavam mais aos porcos que a Deus e ao próximo. O dinheiro era o deus deles. William Barclay diz que os gadarenos ao expulsarem Jesus estavam dizendo: não perturbem nossa comodidade, preferimos que deixe as coisas como estão; não perturbem nossos bens; não perturbem nossa religião.[13]

---

[12] WIERSBE, Warren. *Be Diligent*, 1987, p. 49.
[13] WIERSBE, Warren. *Be Diligent*, 1987, p. 50.

Para mostrar que os demônios estão debaixo da Sua autoridade. Os demônios sabem que Jesus tem poder para expulsá-los e também para mandá-los para o abismo. Alguém mais poderoso que satanás havia chegado e os mesmos demônios que atormentavam o homem agora estão atormentados na presença de Jesus. Os demônios só podem ir para os porcos se Jesus o permitir. Eles estão debaixo do comando e autoridade de Jesus. Eles não são livres para agir, fora da autoridade suprema de Jesus.

Em segundo lugar, **Jesus atendeu ao pedido dos gadarenos** (5.17). Os gadarenos expulsaram Jesus da sua terra. Eles amavam mais aos porcos e o dinheiro que a Jesus. Essa é a terrível cegueira materialista, diz Ernesto Trenchard.[14] Lucas registra: *Todo o povo da circunvizinhança dos gerasenos rogou-lhe que se retirasse deles, pois estavam possuídos de grande medo. E Jesus, tomando de novo o barco, voltou* (Lc 8.37). Jesus não os constrangeu nem forçou sua permanência na terra deles. Sem qualquer questionamento ou palavra, entrou no barco e deixou a terra de Gadara.

Os gadarenos rejeitaram a Jesus, mas Jesus não desistiu deles. Eles expulsaram a Jesus, mas Jesus enviou para o meio deles um missionário. O Senhor não nos trata de conformidade com os nossos pecados.

Em terceiro lugar, **Jesus indeferiu o pedido do gadareno salvo** (5.18-20). O gadareno, agora, libertado, curado e salvo quer, por gratidão, seguir a Jesus, mas o Senhor não o permite. O mesmo Jesus que atendera à petição dos demônios e dos incrédulos, agora rejeita a petição do salvo. E por quê?

A família precisa ser o nosso primeiro campo missionário. A família dele sabia como ninguém o que havia acontecido, e agora, poderia testificar sua profunda mudança. Não estaremos credenciados a pregar para os de fora, se ainda não testemunhamos para os da nossa própria família. Esse homem torna-se uma luz no meio da escuridão. Ele prega não só para a sua família, mas também para toda a região de Decápolis.

William Hendriksen diz que essa "Decápolis" era uma liga de dez cidades helênicas: Citópolis, Filadélfia, Gerasa, Pela, Damasco, Kanata,

---

[14]BARCLAY, William. *Marcos*, 1974, p. 136,137.

Dion, Abila, Gadara e Hippo.[15] Ele não apenas anuncia uma mensagem teórica, mas o que Jesus lhe fizera, a sua própria experiência. Ele era um retrato vivo do poder do evangelho, um verdadeiro monumento da graça.

Porque Jesus sabe o melhor lugar onde devemos estar. Devemos submeter nossas escolhas ao Senhor. Ele sabe o que é melhor para nós. O importante é estar no centro da Sua vontade. Esse homem tornou-se um dos primeiros missionários entre os gentios. Jesus saiu de Gadara, mas ele permaneceu dando um vivo e poderoso testemunho da graça e do poder de Jesus.[16]

---

[15]Trenchard, Ernesto. *Una Exposición del Evangelio según Marcos*, 1971, p. 64.
[16]Hendriksen, William. *Marcos*, 2003, p. 256. Wiersbe, Warren. *Be Diligent*, 1987, p. 51.

19

O toque da fé

Marcos 5.24-34

AO SER EXPULSO DE GADARA, Jesus foi calorosamente recebido por uma multidão em Cafarnaum, do outro lado do mar. A multidão o comprimia, mas apenas duas pessoas se destacam nesse relato entrelaçado: Jairo e a mulher hemorrágica. Warren Wiersbe diz que esses dois personagens ensinam-nos alguns contrastes:[1] Jairo era um líder da sinagoga; ela, uma mulher anônima; Jairo era um líder religioso; ela era excluída da comunidade religiosa; Jairo era rico; ela perdera todos os seus bens em vão buscando saúde; Jairo tivera a alegria de conviver doze anos com sua filhinha que agora estava à morte; ela sofria havia doze anos uma doença que a impedia de ser mãe; Jairo fez um pedido público a Jesus; ela aproximou-se de Jesus com um toque silencioso e anônimo. Jesus atende a ambos, mas a atende primeiro.

A mulher hemorrágica ensina-nos sobre as marcas de uma fé salvadora: 1) Uma fé nascida do desengano (5.26); 2) uma fé reflexiva (5.28); 3) uma fé resoluta (5.27); 4) uma fé que estabelece contato com Cristo (5.27); 5) uma fé sincera (5.33); 6) uma fé confessada em público (5.33) e 7) uma fé recompensada (5.34).

---

[1] WIERSBE, Warren. *Be Diligent*, 1987, p. 52.

William Hendriksen, comentando esse episódio, fala sobre três características da fé dessa mulher: fé escondida, fé recompensada e fé revelada.[2]

O toque da fé começa com a consciência de uma **grande necessidade** (Mc 5.25)

Destacamos quatro fatos sobre o sofrimento dessa mulher enferma:

Em primeiro lugar, *um sofrimento prolongado* (5.25). Aquela mulher hemorrágica buscou a cura durante doze anos. Foi um tempo de busca e de esperança frustrada. Foram doze anos de enfraquecimento constante; anos de sombras espessas da alma, de lágrimas copiosas, de noites maldormidas, de madrugadas insones, de sofrimento sem trégua. Talvez você também esteja sofrendo há muito tempo apesar de ter buscado solução em todos os caminhos. A Bíblia diz que *a esperança que se adia faz adoecer o coração* (Pv 13.12).

Em segundo lugar, *um sofrimento que gera desesperança* (5.26). O Talmud dava onze formas de cura para a hemorragia.[3] Ela buscou todas. Ela procurou todos os médicos. Aquela mulher gastou tudo que tinha com vários médicos. Era uma mulher batalhadora e incansável na busca da solução para a sua vida. Ela não era passiva nem omissa. Ela não ficou amuada num canto reclamando da vida, antes correu atrás da solução. Ela bateu em várias portas, buscando uma saída para o seu problema. Contudo, apesar de todos os seus esforços, perdeu não só o seu dinheiro, mas também progressivamente a sua saúde. Ela ficava cada vez pior. A sua doença era crônica e grave. A medicina não tinha resposta para o seu caso. Os médicos não puderam ajudá-la.

Em terceiro lugar, *um sofrimento que destruía os seus sonhos* (5.25). Aquela mulher perdia sangue diariamente. Tinha uma anemia profunda e uma fraqueza constante. O sangue é símbolo da vida. Seu diagnóstico era sombrio; ela parecia morrer pouco a pouco; a vida parecia esvair-se aos borbotões do seu corpo. Ela não apenas estava perdendo a vida,

---

[2]HENDRIKSEN, William. *Marcos*, 2005, p. 263-272.
[3]BARCLAY, William. *Marcos*, 1974, p. 144.

como não podia gerar vida. Seu ventre, em vez de ser um canteiro de vida, tinha se tornado o deserto da morte. Essa mulher havia chegado à "estação desesperança". Foi então que ouviu falar de Jesus.[4]

Em quarto lugar, **um sofrimento que produzia terríveis segregações** (5.25). A mulher hemorrágica enfrentou pelo menos três tipos de segregação, por causa da sua enfermidade.

A segregação conjugal. Segundo a lei judaica, uma mulher com fluxo de sangue não podia relacionar-se com o marido e possivelmente seu casamento já estava abalado. Se ela era solteira, não podia casar-se. A mulher menstruada era *niddah* (impura) e proibida de ter relações sexuais.

Os rabinos ensinavam que se os maridos teimassem em relacionar-se com elas nesse período, a maldição viria sobre os filhos. O rabino Yoshaayah ensinou que um homem deveria se afastar de sua mulher já quando ela estivesse próxima da menstruação. O rabino Shimeon bar Yohai, ao comentar Levítico 15.31, afirmou que *ao homem que não se separa da sua mulher perto da sua menstruação, mesmo que tenha filhos como os filhos de Arão, estes morrerão*. Mulheres menstruadas transferiam sua impureza a tudo que tocavam inclusive utensílios domésticos e seus conteúdos. Toda cama em que se deitasse durante os dias do seu fluxo e toda coisa sobre que se assentasse seria imunda. Os rabinos decretavam que até o cadáver de uma mulher que morreu durante sua menstruação deveria passar por uma purificação especial com água.[5]

A segregação social. Uma mulher com hemorragia não poderia relacionar-se com as pessoas; antes, deveria viver confinada, na caverna da solidão, no isolamento, sob a triste realidade do ostracismo social. Essa mulher era tratada quase como se estivesse com lepra.[6] Por doze anos ela não pudera abraçar nenhum familiar sem causar-lhe dano. Doze anos sem ir ao culto.[7] Ela vivia possuída de vergonha, com a autoestima amassada. Por isso, chegou anonimamente para tocar em Jesus, com medo de ser rejeitada, pois quem a tocasse ficaria cerimonialmente impuro.

---

[4]POHL, Adolf. *Evangelho de Marcos*, 1998, p. 188.
[5]RICHARDS, Larry. *Todos os milagres da Bíblia*, 2003, p. 233, 234.
[6]BARTON, Bruce B. et al. *Life Application Bible Commentary. Mark*, 1994, p. 142.
[7]POHL, Adolf. *Evangelho de Marcos*, 1998, p. 188.

A segregação religiosa. Uma mulher com fluxo de sangue não poderia entrar no templo nem na sinagoga para adorar. Ela estava proibida de participar do culto público, visto que estava em constante condição de impureza ritual (Lv 15.25-33). Era considerada impura, portanto, impedida de participar das festas e dos cultos.

O toque da fé acontece quando voltamo-nos da nossa **desilusão** e buscamos a Jesus (Mc 5.27)

Destacamos três coisas importantes aqui:

Em primeiro lugar, *os nossos problemas não apenas nos afligem, eles também nos arrastam aos pés de Jesus* (5.27). A mulher hemorrágica, depois de procurar vários médicos, sem encontrar solução para o seu problema, buscou a Jesus. Ela ouvira falar de Jesus e das maravilhas que Ele fazia (5.27). A fé vem pelo ouvir (Rm 10.17). O que ela ouviu produziu tal espírito de fé que dizia para si: *Se tão somente tocar-Lhe as vestes, ficarei curada* (5.28; melhores textos). Ela não somente disse que seria curada se tocasse nas vestes de Jesus, mas de fato ela tocou e foi curada. Por providência divina, às vezes, somos levados a Cristo por causa de um sofrimento, de uma enfermidade, de um casamento rompido, de uma dor que nos aflige. Essa mulher rompeu todas as barreiras e foi tocar nas vestes de Jesus.

Em segundo lugar, *quando os nossos problemas parecem insolúveis, ainda podemos ter esperança* (5.27,28). A mulher ouviu sobre a fama de Jesus (5.27). Quando tudo parece estar perdido, ainda há uma saída, com Cristo. Ela ouviu sobre a fama de Jesus: que Ele dava vista aos cegos e purificava os leprosos; que libertava os cativos e levantava os coxos; que ressuscitava os mortos e devolvia o sentido da vida aos pecadores que se arrependiam. Então, ela foi a Jesus e foi curada.

Jesus estava atendendo a uma urgente necessidade: indo à casa de Jairo, um homem importante, para curar a sua filha que estava à morte; mas Jesus para cuidar dessa mulher. Ela pode não ter valor nem prioridade para a multidão, mas para Jesus ela tem todo o valor do mundo.

O jornal *The American*, em abril de 1912, comentou o naufrágio do Titanic e noticiou em uma página a morte de John Jacob Astor e mais de 1.800 pessoas. Só esse homem tinha valor para o articulista do jornal. Para Jesus, não é assim.

Em terceiro lugar, **quando nós tocamos as vestes de Jesus com fé, podemos ter a certeza da cura** (5.28,29). No meio da multidão, que comprimia a Jesus, a mulher tocou em Suas vestes e Ele perguntou: *Quem me tocou nas vestes?* (5.30). O que houve de tão especial no toque dessa mulher? Larry Richards destaca quatro características do toque dessa mulher nas vestes de Jesus:[8]

Foi um toque intencional. Ela não tocou em Jesus acidentalmente; ela pretendia tocá-Lo. Segundo, foi um toque proposital. Ela desejava ser curada do seu mal que a atormentava havia doze anos. Terceiro, foi um toque confiante. Ela foi movida pela fé, pois acreditava que Jesus tinha poder para restaurar a sua saúde. Quarto, foi um toque eficaz. Quando ela tocou em Jesus, ficou imediatamente livre do seu mal. Sua cura foi completa e cabal. Ela recebeu três curas distintas: A cura física. O fluxo de sangue foi estancado. A cura emocional. Jesus não a desprezou, mas a chamou de filha (5.34) e lhe disse: *Tem bom ânimo* (Mt 9.22). A cura espiritual. Jesus lhe disse: *A tua fé te salvou* (5.34).

O toque da fé acontece quando o **contato pessoal** com Jesus é o nosso maior objetivo de vida (Mc 5.27-34)

Quatro fatos merecem destaque aqui:

Em primeiro lugar, **muitos comprimem a Cristo, mas poucos O tocam pela fé** (5.27,34). Jesus frequentemente estava no meio da multidão. Ele sempre a atraiu, não obstante a maioria das pessoas que O buscavam não tivessem um contato pessoal com Ele. Muitos seguem a Jesus por curiosidade, mas não auferem nenhum benefício dEle. Jesus conhece aqueles que O tocam com fé no meio da multidão.

Agostinho, comentando essa passagem, disse que uma multidão O aperta, mas só essa mulher O toca.[9] Williams Lane disse corretamente:

---

[8]RICHARDS, Larry. *Todos os milagres da Bíblia*, 2003, p. 235.
[9]TRENCHARD, Ernesto. *Una exposición del evangelio según Marcos*, 1971, p. 67.

"[...] foi o alcance de sua fé, e não o toque de sua mão, que lhe assegurou a cura que buscava".[10] Não foi o toque da superstição, mas da fé. Pela fé nós cremos, vivemos, permanecemos firmes, andamos e vencemos. Pela fé nós temos paz e entramos no descanso de Deus.[11] A multidão vem e a multidão vai, mas só essa mulher o toca e só ela recebe a cura. Aos domingos, a multidão vem à igreja. Aqui e ali alguém é encontrado chorando por seus pecados, regozijando-se em Cristo pela salvação e então Jesus pergunta: Quem Me tocou?

Muitas pessoas vêm à igreja porque estão acostumadas a vir. Acham errado deixar de vir. Mas estar em contato real com Jesus não é o que esperam acontecer no culto. Elas continuam vindo e vindo até Jesus voltar, mas só despertarão tarde demais, quando já estiverem diante do tribunal de Deus para darem contas da sua vida.

Alguns vêm para orar, mas não tocam em Jesus pela fé. Outros se assentam ao redor da mesa do Senhor, mas não têm comunhão com Cristo. São batizados, mas não com o batismo do Espírito Santo. Comem o pão e bebem o vinho, mas não se alimentam de Cristo. Cantam, oram, ajoelham, ouvem, mas isso é tudo; eles não tocam o Senhor nem vão para casa em paz.

Oh!, possivelmente esse seja o maior número na igreja: é como a multidão que comprime Jesus, mas não O toca pela fé. Vêm à igreja, mas não se encontram com Jesus. Não abra mão de tocar hoje nas vestes de Jesus. Não se contente apenas em orar mecanicamente, toque em Jesus pela fé. Não se contente em apenas ouvir um sermão, toque hoje nas vestes de Jesus. A mulher hemorrágica não estava apenas no meio da multidão que apertava Jesus, ela tocou em Jesus pela fé e foi curada! Seu toque pode ser descrito de quatro formas:

Ela tocou em Jesus sob grandes dificuldades. Havia uma grande multidão embaraçando seu caminho. Ela estava no meio da multidão apesar de estar enferma, fraca, impura e rejeitada.

---

[10]LANE, Williams. *Gospel according Mark*. Grand Rapids: Eerdmans, 1974, p. 193.
[11]RYLE, John Charles. *Mark*, 1993: 75.

Ela tocou em Jesus secretamente. Vá a Jesus, mesmo que a multidão não o perceba ou que sua família não saiba, pois Ele pode libertar você do seu mal.

Ela tocou em Jesus sob um senso de indignidade. Por ser cerimonialmente impura, estava coberta de vergonha e medo. Conforme o ensinamento judaico, o toque dessa mulher deveria ter tornado Jesus impuro, mas foi Jesus quem a purificou.[12]

Ela tocou em Jesus humildemente. Ela O tocou por trás, silenciosamente. Ela prostrou-se trêmula aos seus pés. Quando nos humilhamos, Deus nos exalta. Ela não tocou em Pedro, João ou Tiago, mas em Jesus e foi libertada do seu mal.

Em segundo lugar, **aqueles que tocam em Jesus pela fé são totalmente curados** (5.34). Dois fatos podem ser destacados sobre a cura dessa mulher:

Sua cura foi imediata. A cura que ela procurou em vão durante doze anos foi realizada num momento. A cura que os médicos não puderam dar-lhe foi concedida instantaneamente.[13] Muitas pessoas por vários anos correm de lugar em lugar, andam de igreja em igreja, buscando paz com Deus, mas ficam ainda mais desesperadas. Porém, em Cristo há cura imediata para todas as nossas enfermidades físicas, emocionais e espirituais. Foi assim que Jesus curou aquela mulher.

Sua cura foi completa. Embora o seu caso fosse crônico, ela foi completamente curada. Há cura completa para o maior pecador. Ainda que uma pessoa seja rejeitada ou esteja afundada no pântano do pecado, há perdão e cura para ela. Ainda que uma pessoa esteja possessa de demônios, há cura para ela. Ainda que uma pessoa esteja com a mente cheia de dúvidas, elas poderão ser dissipadas quando Jesus for tocado pela fé. Ainda que você tenha caído depois da cura, há restauração para você se tocar na pessoa bendita de Jesus. A fonte ainda está aberta.

Larry Richards diz que o toque de Jesus salvou essa mulher fisicamente ao restaurar sua saúde; salvou-a socialmente ao restaurar sua

---

[12] RIENECKER, Fritz e ROGERS, Cleon. *Chave Linguística do Novo Testamento*, 1985, p. 76.
[13] RYLE, John Charles. *Mark*, 1993, p. 74.

convivência com outras pessoas na comunidade; e salvou-a espiritualmente, capacitando-a a participar novamente da adoração a Deus no templo e das festas religiosas de Israel.[14]

Hoje, você pode tocar nas vestes de Jesus e ver estancada sua hemorragia existencial. Toque nas vestes de Jesus, pois Ele pode pôr um fim na sua angústia. Você pode cantar:

> Hoje eu vou tocar nas vestes de Jesus,
> Hoje eu vou tocar nas vestes de Jesus,
> Eu sei que Ele vai me curar,
> Eu sei que Ele vai me libertar,
> Eu sei, eu sei que Ele pode me curar.

Em terceiro lugar, *aqueles que tocam em Jesus são conhecidos por Ele* (5.32,33). Jesus perguntou: *Quem me tocou nas vestes?* (5.30). Você pode ser uma pessoa estranha para a multidão, mas não para Jesus. Seu nome pode ser apenas "alguém" e Jesus saberá quem é você. Se você O tocar haverá duas pessoas que saberão: você e Jesus. Se você tocar, em Jesus agora, talvez seus vizinhos possam não ouvir isso, mas isso será registrado nas coortes do céu. Todos os sinos da Nova Jerusalém irão tocar e todos os anjos irão se regozijar (Lc 15.10) tão logo eles souberem que você nasceu de novo.

O evangelista Lucas registra: *Alguém me tocou, porque senti que de mim saiu poder* (Lc 8.46). Talvez muitos não saberão o seu nome, mas ele estará registrado no Livro da Vida. O sangue de Cristo estará sobre você. O Espírito de Deus estará em você. A Bíblia diz que Deus conhece os que são Seus (2Tm 2.19). Se você tocar em Jesus, o poder da cura tocará em você e você será conhecido no céu.

Em quarto lugar, *aqueles que tocam em Jesus devem fazer isso conhecido aos outros* (5.33). Você precisa contar aos outros tudo o que Cristo fez por você. Jesus quer que você torne conhecido aos outros tudo o que Ele fez em você e por você. Não se esgueire no meio da multidão secretamente. Não cale a sua voz. Não se acovarde depois de ter sido curado.

---

[14] RICHARDS, Larry. *Todos os milagres da Bíblia*, 2003, p. 235.

aos outros. Rompa o silêncio e testemunhe! Vá e conte ao mundo o que Jesus fez por você. Saia do anonimato! William Hendriksen diz que quando as bênçãos descem dos céus, elas devem retornar em forma de ações de graça por parte dos que foram abençoados.[15]

Jesus disse à mulher: *Vai-te em paz e fica livre do teu mal* (5.34). A bênção que Jesus despediu a mulher é uma promessa para você agora. Talvez, você iniciou essa leitura com medo, angústia e uma hemorragia existencial. Contudo, agora, você pode voltar para casa livre, curado, perdoado, salvo. Vai em paz e fica livre do seu mal!

---
[15] HENDRIKSEN, William. *Marcos*, 2005, p. 268.

20

Jesus, a esperança dos desesperançados

Marcos 5.21-24,35-43

TODO O CONTEXTO DESSE TEXTO MOSTRA QUE JESUS é a esperança dos desesperançados. O impossível pode acontecer quando Jesus intervém. Ele acalmou o mar e fez cessar o vento quando os discípulos estavam quase a perecer (4.35-41). Ele libertou um homem enjeitado pela família e pela sociedade de uma legião de demônios e fez dele um missionário (5.1-20). Ele curou uma mulher hemorrágica, depois que todos os recursos humanos haviam se esgotado (5.25-34). Agora, Jesus ressuscita a filha única de um líder religioso, mostrando que ele também tem poder sobre a morte (5.35-43).

Jairo vai a Jesus levando sua **causa desesperadora**

Destacamos três fatos dignos de observação:

Em primeiro lugar, *o desespero de Jairo levou-o a Jesus com um senso de urgência* (5.35). Jairo tinha uma causa urgente para levar a Jesus. Sua filhinha estava à morte. Lucas nos informa que ela era filha única e tinha uns doze anos (Lc 8.42). Dessa maneira, a linhagem de Jairo estava se extinguindo.[1]

---
[1] POHL, Adolf. *Evangelho de Marcos*, 1998, p. 186.

Segundo o costume da época, uma menina judia se convertia em mulher aos doze anos. Essa menina estava precisamente no umbral dessa experiência.[2] Era como uma flor que estava secando antes mesmo de desabrochar plenamente.

Todos os outros recursos para salvar sua filha haviam chegado ao fim. Jairo, então, busca a Jesus com um profundo senso de urgência. O sofrimento muitas vezes pavimenta o nosso caminho a Deus. Ernesto Trenchard diz que a aflição é frequentemente a voz de Deus.[3] As aflições tornam-se fontes de bênçãos quando elas nos trazem a Jesus.

Jairo crê que se Jesus for com ele e impuser as mãos sobre sua filhinha ela será salva e viverá. Jairo crê na eficácia do toque das mãos de Jesus.[4] Ele confia que Jesus é a esperança para a sua urgente necessidade.

Em segundo lugar, *o desespero de Jairo levou-o a transpor barreiras para ir a Jesus*. Jairo precisou vencer duas barreiras antes de ir a Jesus:

A barreira da sua posição. Jairo era chefe da sinagoga, um líder na comunidade. A sinagoga era o lugar onde os judeus se reuniam para ler o livro da lei, os Salmos e os Profetas, aprendendo e ensinando a seus filhos o caminho do Senhor.[5] Jairo era o responsável pelos serviços religiosos no centro da cidade no sábado e pela escola e tribunal de justiça durante o restante da semana.[6] Ele supervisionava o culto, cuidava dos rolos da Escritura, distribuía as ofertas, e administrava e cuidava do edifício onde funcionava a sinagoga.[7] O líder da sinagoga era um dos homens mais importantes e respeitados da comunidade.[8]

A posição religiosa, social e econômica de um homem, entretanto, não o livra do sofrimento. Jairo era líder, rico, influente, mas a enfermidade chegou à sua casa. Seu dinheiro e sua influência não puderam manter a morte do lado de fora da sua casa. Os filhos dos ricos ficam doentes e morrem também. John Charles Ryle diz que a morte vem aos

---

[2] BARCLAY, William. *Marcos*, 1974, p. 141.
[3] TRENCHARD, Ernesto. *Una Exposición del Evangelio Según Marcos*, 1971, p. 68.
[4] HENDRIKSEN, William. *Marcos*, 2003, p. 262.
[5] GIOIA, Egidio. *Notas e Comentários à Harmonia dos Evangelhos*, 1969, p. 161.
[6] MULHOLLAND, Dewey M. *Marcos: Introdução e Comentário*, 2005, p. 96.
[7] BARTON, Bruce B. et al. *Life Application Bible Commentary. Mark*, 1994, p. 160.
[8] BARCLAY, William. *Marcos*, 1974, p. 142.

casebres e aos palácios, aos chefes e aos servos, aos ricos e aos pobres. Somente no céu a doença e a morte não podem entrar.[9]

Cônscio da dramática realidade que estava vivendo, Jairo despojou-se de seu *status*, e prostrou-se aos pés de Jesus, pois ele era suficientemente grande para vencer todas as barreiras na hora da necessidade. Muitas vezes, o orgulho pode levar um homem a perder as maiores bênçãos. Naamã se recusou a obedecer à ordem do profeta Eliseu para mergulhar no rio Jordão. Não fora a intervenção de seus servos, teria voltado para a Síria ainda leproso.

A barreira da oposição dos líderes religiosos. A essas alturas, os escribas e fariseus já se mancomunavam com os herodianos para matarem a Jesus (3.6). As sinagogas estavam fechando as portas para o rabi da Galileia. Os líderes religiosos viam-No como uma ameaça à religião judaica. Jairo precisou romper com o medo da crítica ou mesmo da retaliação dos maiores líderes religiosos da nação.

Em terceiro lugar, *o desespero de Jairo levou-o a prostrar-se aos pés de Jesus*. Há três fatos marcantes sobre Jairo:

Jairo humilhou-se diante de Jesus. Ele se prostrou e reconheceu que estava diante de alguém maior do que ele, do que os líderes judaicos, do que a própria sinagoga. Reconheceu o poder de Jesus, se prostrou e nada exigiu, mas pediu com humildade. Ele se curvou e não expôs seus predicados nem tentou tirar proveito da sua condição social ou posição religiosa. John Henry Burn diz que não há lugar na terra mais alto do que aos pés de Jesus. Cair aos pés de Jesus é estar em pé. Aqueles que caem aos seus pés, um dia estarão à sua destra.[10]

Jairo clamou com perseverança. Jairo não apenas suplica a Jesus, mas o faz com insistência. Ele persevera na oração. Ele tem uma causa e não está disposto a desistir dela. Não reivindica seus direitos, mas clama por misericórdia. Não estadeia seus méritos, mas se prostra aos pés do Senhor.

Jairo clamou com fé. Não há nenhuma dúvida no pedido de Jairo. Ele crê que Jesus tem poder para levantar a sua filha do leito da morte.

---

[9]RYLE, John Charles. *Mark*, 1993, p. 77.
[10]BURN, John Henry. *The Preacher's Homiletic Commentary. Mark,* 1996, p. 190.

Ele crê firmemente que Jesus tem a solução para a sua urgente necessidade. A fé que Jairo possuía germinou no solo do sofrimento, foi severamente testada, mas também amavelmente encorajada.[11]

Jesus vai com Jairo levando **esperança** para o seu desespero

Destacamos seis consoladoras verdades nessa passagem:

Em primeiro lugar, *quando Jesus vai conosco, podemos ter a certeza de que Ele se importa com a nossa dor*. Jesus sempre se importa com as pessoas: Ele fez uma viagem pelo mar revolto à região de Gadara para libertar um homem louco e possesso. Agora, Ele caminha espremido pela multidão para ir à casa do líder da sinagoga. Contudo, no meio do caminho para conversar com uma mulher anônima e libertá-la do seu mal.

Jesus se importa com você. Sua causa toca-Lhe o coração. Warren Wiersbe diz que as três palavras de Jesus nesse episódio é que fazem toda a diferença.[12]

A palavra da fé. Não temas, crê somente (5.36). Era fácil para Jairo crer em Jesus enquanto sua filha estava viva, mas agora a desesperança bateu à porta do seu coração. Quando as circunstâncias fogem do nosso controle, também somos levados a desistir de crer.

A palavra da esperança. A criança não está morta, mas dorme (5.39). Para o cristão, a morte é um sono passageiro, quando o corpo descansa e o espírito sai do corpo (Tg 2.26), para habitar com o Senhor (2Co 5.8) e estar com Cristo (Fp 1.20-23). Não é a alma que dorme, mas o corpo que aguarda a ressurreição na segunda vinda de Cristo (1Co 15.51-58).

A palavra de poder. Menina, eu te mando, levanta-te (5.41). Toda descrença e dúvida foram vencidas pela palavra de poder de Jesus. A menina levantou-se não apenas da morte, mas também da enfermidade.

Em segundo lugar, *quando Jesus vai conosco, os imprevistos humanos não podem frustrar os propósitos divinos*. Enquanto a mulher hemorrágica recebia graça, o pai da menina moribunda vivia o inferno, diz

---

[11]THOMPSON, J. R. *The Pulpit Commentary. Mark & Luke*, 1980, p. 226.
[12]WIERSBE, Warren W. Be *Diligent*, 1987, p. 54,55.

Adolf Pohl.[13] Jairo deve ter ficado aflito quando Jesus interrompeu a caminhada à sua casa para atender a uma mulher anônima no meio da multidão. Seu caso requeria urgência. Ele não podia esperar.

Jesus não estava tratando apenas da mulher enferma, mas também de Jairo. A demora de Jesus é pedagógica.

Algumas vezes, parece que Jesus está atrasado. Os discípulos já tinham esgotado todos os seus recursos, jogados de um lado para o outro por uma terrível tempestade no mar da Galileia. Era a quarta vigília da noite e o naufrágio parecia inevitável. Mas quando a desesperança parecia vencer, Jesus apareceu andando sobre as águas, trazendo vitória para Seus discípulos. Quando Jesus chegou à aldeia de Betânia, Lázaro já estava sepultado havia quatro dias. Marta pensou que Jesus estava atrasado, mas Jesus levantou Lázaro da sepultura. Nada apanha Jesus de surpresa. Os imprevistos dos homens não frustram os propósitos divinos. Os impossíveis dos homens são possíveis para Ele. Quando Ele parece atrasado, é porque está fazendo algo melhor e maior para nós.

Em terceiro lugar, *quando Jesus vai conosco, não precisamos temer más notícias* (5.36). Jairo recebe um recado de sua casa: sua filha já morreu. Agora é tarde, não adianta mais incomodar o Mestre. Na visão daqueles amigos, as esperanças haviam se esgotado. Eles pensaram: "Há esperança para os vivos; nenhuma para os mortos".

A causa parecia perdida. Jairo está atordoado e abatido. A última faísca de esperança é arrancada do coração de Jairo. O mundo desabou sobre a sua cabeça. Uma solidão incomensurável abraçou a sua alma. Mas Jesus, sem acudir às palavras dos mensageiros que vinham da casa de Jairo, não reconhece a palavra da morte como palavra final, contrapõe-lhe a palavra da fé e diz-lhe: *Não temas, crê somente*. Adolf Pohl diz que no evangelho de Marcos a fé não resulta dos milagres, mas os milagres vêm da fé, sim, do milagre da fé. Exatamente quando a fé se torna ridícula é que se torna séria.[14]

Na hora que os nossos recursos acabam, Jesus nos encoraja a crer somente. As más notícias podem nos abalar, mas não abalam o nosso

---

[13]POHL, Adolf. *Evangelho de Marcos*, 1998, p. 191.
[14]POHL, Adolf. *Evangelho de Marcos*, 1998, p. 192.

Senhor. Elas podem pôr um fim aos nossos recursos, mas não nos recursos de Jesus. Jesus disse para Marta: *Se creres verás a glória de Deus* (Jo 11.40). As nossas causas irremediáveis e perdidas têm solução nas mãos de Jesus.

A morte é o rei dos terrores, mas Jesus é mais poderoso do que a morte. As chaves da morte estão na Sua mão. Um dia Ele tragará a morte para sempre (Is 25.8). A confiança na presença, na promessa e no poder de Jesus é a única resposta plausível para a nossa desesperança. Quando as coisas parecem totalmente perdidas, com Jesus elas ainda não estão perdidas. Deus providenciou um cordeiro para Abraão no monte Moriá, abriu o mar Vermelho para o povo de Israel passar quando este estava encurralado pelos egípcios. A palavra de Jesus ainda deve ecoar em nossos ouvidos: *Não temas, crê somente!* (Mc 5.36).

No meio da crise, a fé tem de sobrepor às emoções. C. S. Lewis diz que "o grande inimigo da fé não é a razão, mas as nossas emoções". Tanto Marcos quanto Lucas falam do temor sentido por Jairo. Há algo temível na morte. Ela nos infunde pavor (Hb 2.15). Quando Jairo recebeu o recado da morte da sua filha, seu coração quase parou, seu rosto empalideceu e Jesus viu a desesperança tomando conta do seu coração. Jesus, então, o encoraja a crer, pois a fé ignora os rumores de que a esperança morreu.[15]

Em quarto lugar, **quando Jesus vai conosco, não precisamos nos impressionar com os sinais da morte** (5.39). Dewey Mulholland diz que os que estão ali lamentando, aqueles que informaram Jairo, e os próprios pais, sabem que a criança está morta. Jesus diz que ela está apenas dormindo, pois ele faz um prognóstico teológico e não um diagnóstico físico. Muitos dizem que a morte é o fim. Mas a morte não é permanente. Do ponto de vista de Deus, é um sono para o qual há um despertar. Mas Jesus promete mais do que isso. Embora esteja morta, sua condição não é mais permanente do que o sono; Ele vai trazê-la de volta à vida.[16] O culto à morte é declarado sem sentido e a morte

---

[15]CHAMPLIN, Russell Norman. *O Novo Testamento Interpretado*, n.d., p. 701.
[16]MULHOLLAND, Dewey M. *Marcos: Introdução e Comentário*, 2005, p. 98.

denunciada. "Ela morreu" é uma palavra à qual Deus não se curva. *Deus não é Deus de mortos, e sim de vivos; porque para Ele todos vivem* (Lc 20.38; Mc 12.27).[17]

Os homens continuam divertindo-se, referindo-se à fé religiosa como se fosse uma superstição ou um mito. Mas esse abuso não fez Jesus parar. Ao longo dos séculos, os incrédulos riram e escarneceram, mas Jesus continua operando milagres extraordinários, trazendo esperança para aqueles que já tinham capitulado à voz estridente da desesperança.

Nós olhamos para uma situação e dizemos: Não tem jeito! Colocamos o selo da desesperança e dizemos: Impossível! Então, somos tomados pelo desespero e a nossa alternativa é lamentar e chorar. Mas Jesus olha para o mesmo quadro e diz: é só mais um instante, isso é apenas passageiro, ainda não é o fim, eu vou estancar suas lágrimas, vou aliviar sua dor, vou trazer vida nesse cenário de morte!

Em quinto lugar, ***quando Jesus vai conosco, a morte não tem a última palavra*** (5.40-42). Os mensageiros que foram a Jairo e a multidão que estava em sua casa pensaram que a morte era o fim da linha, uma causa perdida, uma situação irremediável, mas a morte também precisa bater em retirada diante da autoridade de Jesus.

Os que estavam na casa riram de Jesus. Nada sabiam do Deus vivo, por isso, riram o riso da descrença. Mas Jesus entra na risada e a expulsa (5.40).[18] Diante do coral da morte, ergue-se o solo da ressurreição: *Tomando-a pela mão, disse: Talita cumi, que quer dizer: Menina, eu te mando, levanta-te! Imediatamente, a menina se levantou e pôs-se a andar...* (5.41,42). *Talita cumi* era uma expressão em aramaico, que a pequena menina podia entender, pois o aramaico era a sua língua nativa.[19] Assim, Jesus estava demonstrando a ela não apenas Seu poder, mas também, Sua simpatia e Seu amor. Jesus não usou nenhum encantamento nem palavra mágica.[20] Somente com Sua palavra de autoridade,

---

[17]POHL, Adolf. *Evangelho de Marcos,* 1998, p. 192,193.
[18]POHL, Adolf. *Evangelho de Marcos,* 1998, p. 193.
[19]MCGEE, J. Vernon. *Mark,* 1991, p. 70.
[20]BARTON, Bruce B. et al. *Life Application Bible Commentary. Mark,* 1994, p. 150.

sem uma luta ofegante, sem meios nem métodos, se impõe à morte.[21] Diante da voz do onipotente Filho de Deus, a morte curva sua fronte altiva, dobra seus joelhos e prostra-se, vencida, perante o Criador![22]

Para Jesus não tem causa perdida. Ele dá vista aos cegos, levanta os paralíticos, purifica os leprosos, liberta os possessos, ressuscita os mortos, quebra as cadeias dos cativos e levanta os que estão caídos. Hoje, Ele dá vida aos que estão mortos em seus delitos e pecados. Ele arranca os escravos do diabo do império das trevas e faz deles embaixadores da vida. Ele arranca um ébrio, um drogado, um criminoso do porão de uma cadeia e faz dele um arauto do céu. Ele apanha uma vida na lama da imoralidade e faz dela um facho de luz. Ele apanha uma família quebrada e faz dela um jardim engrinaldado de harmonia, paz e felicidade.

Em sexto lugar, **quando Jesus vai conosco, o choro da morte é transformado na alegria da vida** (5.42). Aonde Jesus chega, entram a cura, a libertação e a vida. Onde Jesus intervém, o lamento e o desespero são estancados. Diante dEle, tudo aquilo que nos assusta é vencido. A morte, com seus horrores não pode mais ter a palavra final. A morte foi tragada pela vitória. Na presença de Jesus há plenitude de alegria. Só Ele pode acalmar os vendavais da nossa alma, aquietar nosso coração e trazer-nos esperança no meio do desespero.

Marcos registra que imediatamente a menina se levantou e pôs-se a andar. A ressurreição restaurou tanto a vida quanto a saúde. Nenhum resquício de mal, nenhum vestígio de preocupação. O milagre foi completo, a vitória retumbante, a alegria indizível.

Jesus é a esperança dos desesperançados. Ele mostrou isso para o homem que não podia ser subjugado (5.1-20); para a mulher que não podia ser curada (5.25-34); e para o pai que recebeu a informação de que não poderia mais ser ajudado (5.21-24,35-43).[23]

Coloque a sua causa também aos pés de Jesus, pois Ele caminha conosco e tem todo o poder para transformar o cenário de desesperança em celebração de grande alegria.

---

[21]POHL, Adolf. *Evangelho de Marcos*, 1998, p. 193.
[22]GIOIA, Egidio. *Notas e Comentários à Harmonia dos Evangelhos*, 1969, p. 162.
[23]HENDRIKSEN, William. *Marcos*, 2003, p. 279.

21

Portas abertas e fechadas

Marcos 6.1-29

O CAPÍTULO 5 DE MARCOS APRESENTA O TRIUNFO DA FÉ, enquanto o capítulo 6 registra a tragédia da incredulidade. O capítulo 5 de Marcos é um sinal luminoso do poder de Jesus no meio da escuridão da miséria humana. Vemos nele o triunfo de Cristo sobre o diabo, a doença e a morte. Agora, no capítulo 6, vemos a incredulidade dos nazarenos, de Herodes e dos próprios discípulos.

Vamos considerar três situações: portas fechadas pela incredulidade, portas abertas pela proclamação do evangelho e portas fechadas pelo drama de uma consciência culpada.

Portas fechadas pela **incredulidade** (Mc 6.1-6)

J. R. Thompson fala sobre quatro fatos dignos de observação com respeito à incredulidade do povo de Nazaré:[1]

A inescusabilidade da incredulidade. Nesse tempo, Jesus já havia se manifestado plenamente ao mundo e havia operado muitos milagres em Cafarnaum, a trinta quilômetros de Nazaré.

---

[1]THOMPSON, J. R. *The Pulpit Commentary. Mark & Luke.* Vol. 16, 1980, p. 250,251.

A causa da incredulidade. O povo tornou-se incrédulo por causa da origem de Jesus. Viam-No apenas como o carpinteiro, filho de Maria, cujos irmãos e irmãs eles conheciam. Além do mais, Jesus não tinha estudado nas escolas rabínicas e eles não podiam explicar Seu conhecimento nem Seu poder.

A reprovação da incredulidade. Jesus disse que um profeta não tem honra em sua própria terra. Seus irmãos não creram nEle. Sua cidade não creu nEle. Os líderes religiosos não creram nEle. A familiaridade, em vez de gerar fé, produziu preconceito e incredulidade.

A consequência da incredulidade. Jesus ficou admirado da incredulidade deles e ali não realizou nenhum milagre, em vez disso, deixou a cidade por causa da incredulidade. Enfermos deixaram de ser curados e pecadores deixaram de ser perdoados.

Vejamos alguns pontos de destaque nesse texto:

Em primeiro lugar, **Jesus oferece uma segunda chance à cidade de Nazaré**. Jesus já havia sido expulso da sinagoga de Nazaré no começo do seu ministério (Lc 4.16-30). Naquela ocasião, quiseram matá-Lo, então, Jesus mudou-se para Cafarnaum. Agora, Jesus vai outra vez a Nazaré, dando ao povo uma nova oportunidade.

Ernesto Trenchard diz que Nazaré era o povo mais privilegiado do mundo, pois ali o Filho de Deus havia passado sua infância e juventude, vendo os nazarenos muito de perto a [...] *glória de Deus, na face de Cristo* (2Co 4.6).[2] Por trinta anos, Jesus andou pelas ruas de Nazaré e o povo contemplou sua vida irrepreensível, mas quando lhes anunciou o evangelho, eles rejeitaram tanto a mensagem quanto o mensageiro.

Em segundo lugar, *o perigo da familiaridade com o sagrado*. A familiaridade com Jesus produziu preconceito e não fé. Nada é mais perigoso para a alma do que se acostumar com o sagrado. A origem e a profissão de Jesus foram obstáculos para os Seus compatrícios. William Barclay diz que, às vezes, estamos demasiadamente próximos das pessoas para ver a sua grandeza.[3] Eles pensaram

---

[2] TRENCHARD, Ernesto. *Una Exposición del Evangelio según Marcos*, 1971, p. 72.
[3] BARCLAY, William. *Marcos*, 1974, p. 154.

que O conheciam, mas seus olhos estavam cegos pela incredulidade. Egidio Gioia diz que na religião a familiaridade gera o desprezo por causa da inveja.[4]

Em terceiro lugar, *o perigo do conhecimento separado da fé*. O povo de Nazaré reconhecia que Jesus fazia coisas extraordinárias e tinha uma sabedoria sobre-humana. Eles fizeram três perguntas: donde vêm a ele estas coisas? Que sabedoria é esta que lhe é dada? E como se fazem tais maravilhas por suas mãos? Eles tinham a cabeça cheia de perguntas e o coração vazio de fé. Porque eles não puderam explicá-Lo, eles O rejeitaram.[5] Eles levantaram muros para se defenderem do Espírito Santo.[6] O contraste entre o humilde carpinteiro e o profeta sobrenatural foi muito grande para eles compreenderem. Então eles escolheram a descrença, uma escolha que deixou Jesus admirado (6.6).[7]

Em quarto lugar, *a incredulidade fecha as portas da oportunidade para Nazaré*. Jesus não permaneceu na cidade de Nazaré. Ele foi adiante. Ele não insistiu em arrombar a porta. Nazaré perdeu o tempo da sua oportunidade. Realizar milagres em Nazaré poderia não ter nenhum valor porque o povo não aceitou a sua mensagem nem creu que Ele vinha de Deus. Portanto, Jesus seguiu adiante, procurando aqueles que pudessem responder aos Seus milagres e à Sua mensagem.[8] Jesus deixou Nazaré pela segunda vez, e não há menção de que tenha voltado lá. A maioria das pessoas pensa que tem ilimitadas oportunidades para crer, mas isso é ledo engano.[9]

Em quinto lugar, *a incredulidade de Nazaré fecha as portas para os milagres de Jesus*. Quão terrivelmente desastroso é o pecado da incredulidade. A incredulidade rouba do povo as maiores bênçãos. Jesus não pôde fazer em Nazaré nenhum milagre. O que significa este "Jesus não pôde?" Ele não podia *querer*, nessas circunstâncias. Ele também não *deveria*. Pois onde se rejeita o doador, a dádiva é sem sentido,

---

[4]GIOIA, Egidio. *Notas e Comentários à Harmonia dos Evangelhos*, 1969, p. 164.
[5]WIERSBE, Warren W. *Be Diligent*, 1987, p. 59.
[6]POHL, Adolf. *Evangelho de Marcos*, 1998, p. 196.
[7]BARTON, Bruce B. et al. *Life Application Bible Commentary. Mark*, 1998, p. 158.
[8]BARTON, Bruce B. et al. *Life Application Bible Commentary. Mark*, 1994, p. 157.
[9]BARTON, Bruce B. et al. *Life Application Bible Commentary. Mark*, 1994, p. 158.

talvez até prejudicial. Jesus não *deveria*, e por isso também não *queria*. Neste sentido não *poderia*.[10] Como um princípio geral, o poder segue a fé. Na maioria das vezes, Jesus operou maravilhas em resposta e em cooperação com a fé.[11]

Certamente, isso não significa limitação do poder de Jesus, pois ninguém pode limitá-Lo. Jesus não estava disposto a fazer milagres onde as pessoas O rejeitavam por preconceito e incredulidade. Cranfield diz que na ausência da fé Jesus não poderia fazer obras poderosas, segundo o propósito de Seu ministério, pois operar milagres onde a fé está ausente, na maioria dos casos, seria meramente agravar a culpa dos homens e endurecer seus corações contra Deus.[12]

A incredulidade foi o mais velho pecado no mundo. Ela começou no Jardim do Éden, onde Eva creu nas promessas do diabo, em vez de crer na Palavra de Deus. A incredulidade traz morte ao mundo. A incredulidade manteve Israel afastado da terra prometida por quarenta anos. A incredulidade é o pecado que especialmente enche o inferno. *Quem, porém, não crer será condenado* (16.16). A incredulidade é o mais tolo e inconsequente dos pecados, pois leva as pessoas a recusarem a mais clara evidência, a fechar os olhos ao mais límpido testemunho, e ainda crer em enganadoras mentiras. Pior de tudo, a incredulidade é o pecado mais comum no mundo. Milhões são culpados desse pecado por todos os lados.[13]

Portas abertas para a salvação

Quando uma porta se fecha, Deus abre outras. Cinco fatos são dignos de destaque:

Em primeiro lugar, ***Jesus amplia Seu ministério comissionando os apóstolos***. Jesus não chamou os apóstolos apenas para estarem com Ele, mas também para enviá-los a pregar e a expelir demônios (3.14-21).

---

[10]POHL, Adolf. *Evangelho de Marcos*, 1998, p. 197.
[11]BARTON, Bruce B. et al. *Life Application Bible Commentary. Mark*, 1994, p. 157.
[12]CRANFIELD, C.E.B. *Gospel according to St. Mark*. Cambridge: Cambridge University Press, 1977, p. 197.
[13]RYLE, John Charles. *Mark*, 1993, p. 81.

Agora que já estão treinados, eles são enviados. Eles vão realizar seu trabalho em nome de Jesus, com a autoridade de Jesus, levando a mensagem de Jesus, como uma extensão da sua própria missão. Quem receber um desses mensageiros recebe o próprio Jesus (Mt 10.40).

Em segundo lugar, *Jesus deu aos apóstolos a mensagem*. Quando os apóstolos saíram a pregar aos homens, não criaram a mensagem; levaram a mensagem. Não levaram aos homens as suas opiniões, mas a verdade de Deus.[14] O conteúdo da mensagem focava em três áreas distintas:

Eles pregaram arrependimento. A mensagem do evangelho começa com o arrependimento. Arrepender-se significa mudar de mente e logo adaptar a ação a essa mudança. O arrependimento não é lamentar-se sentimentalmente; é algo revolucionário; por isso são poucos os que se arrependem.[15] Devemos chamar as pessoas ao arrependimento se quisermos seguir as pegadas dos apóstolos. Nada menos do que isso deve ser exigido. É impossível alguém entrar no reino dos Céus sem passar pela porta do arrependimento. John Charles Ryle diz que não há pessoas impenitentes no reino dos Céus. Todos os que entram lá sentem, choram e lamentam a sua triste condição espiritual.

Eles curaram os enfermos ungindo-os com óleo. Os apóstolos pregaram aos ouvidos e aos olhos. Falaram e fizeram. Proclamaram e demonstraram. Eles tinham palavra e poder. A salvação é uma bênção que se estende ao homem integral, ao corpo e à alma. Os apóstolos ungiam os enfermos com óleo. O óleo era usado como um cosmético, remédio e símbolo espiritual. William Hendriksen entende que os discípulos usaram o óleo aqui não como remédio ou cosmético, mas como símbolo da presença, da graça e do poder do Espírito Santo.[16] Nessa mesma linha de pensamento, R. A. Cole diz que o óleo é um símbolo bíblico da presença do Espírito Santo, e, assim, a própria unção é uma "parábola encenada" da cura divina.[17] Lenski é da mesma opinião e diz: "As curas

---

[14] BARCLAY, William. *Marcos*, 1974, p. 158.
[15] BARCLAY, William. *Marcos*, 1974, p. 159.
[16] HENDRIKSEN, William. *Marcos*, 2003, p. 298.
[17] COLE, R. A. T*he Gospel According to St. Mark*. Grand Rapids, Michigan, 1961, p. 109.

sempre foram milagrosas e instantâneas — o óleo de oliva nunca opera dessa maneira".[18]

Eles expulsaram demônios. A libertação faz parte do evangelho. O Messias veio para libertar os cativos. Ele Se manifestou para libertar os oprimidos do diabo e desfazer suas obras. O reinado de Deus não estava penetrando num vácuo de poder. Adolf Pohl diz que todo missionário que quer "conquistar" pessoas para Deus precisa dominar o "espaço aéreo" sobre a fortaleza (Ef 6.12; Rm 15.19; 2Co 10.4-6).[19]

Em terceiro lugar, *Jesus deu aos apóstolos a metodologia.* As atitudes e ações dos apóstolos deveriam reforçar a mensagem que eles iriam proclamar.[20] Jesus ensinou alguns aspectos metodológicos importantes:

Os apóstolos foram enviados de dois a dois. Isso fala de mútua cooperação, mútuo encorajamento, mútuo ensino e também de credibilidade do testemunho. A Bíblia ensina que é melhor serem dois do que um (Ec 4.9) e é pelo testemunho de duas pessoas que toda causa se resolve (Dt 17.6 ; 19.15; 2Co 13.1).

Os apóstolos deveriam confiar no provedor e não na provisão. Eles não deveriam levar túnica extra, alforje nem dinheiro. Deveriam confiar na provisão divina enquanto faziam a obra. Jesus estava lhes mostrando que o trabalhador é digno do seu salário. Jesus queria que eles fossem adequadamente supridos, mas não a ponto de cessarem de viver pela fé.[21] Jesus alerta sobre o perigo da ostentação. Os mensageiros não deveriam ser temidos nem invejados. Eles não deveriam fazer da obra de Deus uma fonte de lucro.

Os apóstolos deveriam ser sensíveis à cultura do povo. Deveriam comer o que se colocava na mesa e não deveriam ficar mudando de casa, enquanto permaneciam numa cidade. A hospitalidade era um dever sagrado no Oriente.[22] Da hospitalidade faziam parte saudação, lavar os pés, oferecer comida, proteger e acompanhar na despedida.[23]

---

[18] LENSKI, R.C.H. *Interpretation of St. Mark's Gospel.* Columbus, 1934, p. 155.
[19] POHL, Adolf. *Evangelho de Marcos,* 1998, p. 200.
[20] MULHOLLAND, Dewey M. *Marcos: Introdução e Comentário,* 2005, p. 103.
[21] WIERSBE, Warren W. *Be Diligent,* 1987, p. 60.
[22] BARCLAY, William. *Marcos,* 1974, p. 157.
[23] POHL, Adolf. *Evangelho de Marcos,* 1998, p. 201.

Os pregadores não podem violentar a cultura do povo ao pregar a eles a Palavra de Deus. O evangelho deve ser anunciado dentro do contexto cultural de cada povo.

Em quarto lugar, *Jesus ensinou que se deve aproveitar as portas abertas e não forçar as portas fechadas*. Onde houvesse rejeição, os apóstolos não deveriam permanecer, ao contrário, deveriam seguir adiante. Era preciso buscar portas abertas. Paulo orou por portas abertas e onde elas se abriam permanecia pregando, mas onde elas se fechavam, ele ia adiante. O critério do investimento era o vislumbre de portas abertas.

Em quinto lugar, *Jesus alertou sobre o perigo de rejeitar o evangelho*. Os apóstolos deveriam sacudir o pó de suas sandálias e considerar aquele território pagão. William Hendriksen diz que o que Jesus está dizendo, nesse texto, é que qualquer lugar, quer seja uma casa, vila ou cidade, que recuse aceitar o evangelho, deve ser considerado impuro, como se fosse um solo pagão.[24] Não há salvação fora do evangelho. Não há salvação, onde a Palavra de Deus é rejeitada.

Portas fechadas com as **próprias mãos**

A família herodiana tem uma passagem sombria pela história. Era uma família cheia de mentiras, assassinatos, traições e adultério.[25] Herodes, o grande, foi um rei insano, desconfiado e inseguro. Ele casou-se dez vezes,[26] matou esposas e filhos. Mandou matar as crianças de Belém, pensando com isso, eliminar o infante Jesus, Rei dos judeus.

Herodes Antipas era o filho mais novo de Herodes, o grande (Mt 2.1). Ele era chamado de rei, mesmo que o seu título oficial fosse *tetrarca* (Lc 3.19), o governador de uma quarta parte da nação. Quando Herodes, o grande, morreu, os romanos dividiram seu território entre seus três filhos; e Antipas foi feito tetrarca da Pereia e Galileia, aos 16 anos, de 4.a.C. até 39 d.C.[27] Vejamos algumas características desse

---

[24]HENDRIKSEN, William. *Marcos*, 2003, p. 296.
[25]BARTON, Bruce B. et al. *Life Application Bible Commentary. Mark*, 1998, p. 165.
[26]POHL, Adolf. *Evangelho de Marcos*, 1998, p. 205.
[27]MULHOLLAND, Dewey M. *Marcos: Introdução e Comentário*, 2005, p. 106 e Warren W. Wiersbe. *Be Diligent*, 1987, p. 61.

homem que fechou a porta da graça com as suas próprias mãos:

Em primeiro lugar, **Herodes, um homem perturbado**. Herodes temia João Batista vivo, mas agora, o teme ainda mais morto. Sua consciência está atormentada e ele não sabe como se livrar dela. Ele divorciou-se da sua mulher para casar-se com Herodias, mas não consegue divorciar-se de si mesmo, da sua consciência. Ninguém pode evitar viver consigo mesmo; e quando o ser interior torna-se o acusador, a vida torna-se insuportável.[28] Herodes, em vez de arrepender-se, endurece ainda mais seu coração. Adolf Pohl diz que nada é mais perigoso que uma consciência pesada sem arrependimento.[29] Herodes está vivendo o conflito entre a consciência e a paixão.

Dois aguilhões feriam a consciência de Herodes, o assassinato de João Batista e o medo de haver ele ressuscitado. João Batista havia se interposto no caminho do pecado de Herodes. Este, para agradar sua mulher e acalmar sua consciência, colocou João na prisão e depois mandou decapitá-lo. Herodias temia o povo, Herodes temia a João, mas este não temia nem a um nem a outro.[30] João Batista morreu em paz, mas aqueles viveram em tormento.

Em segundo lugar, **Herodes, um homem supersticioso**. Herodes pensa que Jesus é João Batista que ressuscitou para perturbá-lo. Ele está tão confuso acerca de Jesus quanto a multidão da Galileia. Sua crença está desfocada. Sua teologia é mística e supersticiosa. E uma teologia cheia de superstição traz tormento e não libertação. A superstição é uma fé baseada em sentimentos e opiniões. Não emana da Escritura, mas varia de acordo com o momento. Por isso, não oferece segurança nem paz.

Em terceiro lugar, **Herodes, um homem adúltero**. Herodes Antipas era casado com uma filha do rei Aretas, rei de Damasco. Divorciou-se dela para casar-se com Herodias, mulher de seu irmão Filipe. Herodias era cunhada e sobrinha de Herodes. Era filha de Aristóbulo, seu meio-irmão. Ao casar-se com Herodias, Herodes cometeu pecado de adultério

---

[28] BARCLAY, William. *Marcos*, 1974, p. 161.
[29] POHL, Adolf. *Evangelho de Marcos*, 1998, p. 2004.
[30] GIOIA, Egidio. *Notas e Comentários à Harmonia dos Evangelhos*, 1969, p. 169.

e incesto, violando assim a moral e a decência (Lv 18.16,20,21).[31] O casamento do rei foi duramente condenado por João Batista. Ele não era um profeta de conveniência, mas voz de Deus quer no deserto quer no palácio. Estava pronto a ser preso e a morrer, não a calar sua voz.

Em quarto lugar, **Herodes, um homem conflituoso** (6.20). Herodes teme João, gosta de ouvi-lo, respeita-o, mas prende-o. A voz de Herodias falava mais alto que a voz da sua consciência. Ele não foi corajoso o suficiente para obedecer à palavra de João, mas agora se sente escravo da sua própria palavra e manda matar um homem inocente.[32] Não basta admirar e gostar de ouvir grandes pregadores. Herodes fez isso, mas pereceu. Herodes e Herodias estavam tão determinados a continuar na prática do pecado que taparam os ouvidos à voz da consciência e mais tarde silenciaram o profeta, mandando degolá-lo. Herodes silenciou João, mas não conseguiu silenciar a sua própria consciência culpada.

Em quinto lugar, **Herodes, um homem fanfarrão**. Herodes festeja com seus convivas e se embebeda. Warren Wiersbe diz que as festas reais eram extravagantes tanto na demonstração de riqueza quanto na provisão de prazeres.[33] Homens, mulheres, luxo, mundanismo, bebidas, músicas profanas e danças, pecados e satanás com seus emissários... Tudo estava presente, menos o temor de Deus. E é o que ainda hoje tristemente contemplamos na sociedade mundana, sem Deus, transviada e perdida.[34]

Herodes fez promessas irrefletidas à filha de Herodias, a quem Josefo chama de Salomé[35] e para manter sua palavra manda decapitar o homem a quem respeitava e temia. Herodes era um homem que agia por impulsos e falava antes de pensar. Ele está no trono, mas quem comanda é Herodias. Ele fala muito e pensa pouco. Quando age, o faz de forma insensata.

---

[31] BARTON, Bruce B. et al. *Life Application Bible Commentary. Mark,* 1998, p. 168.
[32] WIERSBE, Warren W. *Be Diligent,* 1987, p. 63.
[33] WIERSBE, Warren W. *Be Diligent,* 1987, p. 62.
[34] GIOIA, Egidio. *Notas e Comentários à Harmonia dos Evangelhos,* 1969, p. 169.
[35] HENDRIKSEN, William. *Marcos,* 2003, p. 304.

Sua festa de aniversário tornou-se uma festa macabra. O bolo de aniversário não veio coberto de velas, mas coberto de sangue, com a cabeça do maior homem dentre os nascidos de mulher, o precursor do Messias. Faltou-lhe coragem moral para temer a Deus em vez de temer quebrar os seus votos insensatos, a pedido de uma mulher vingativa e de convivas coniventes.

Em sexto lugar, **Herodes, um homem que fechou a porta da graça com suas próprias mãos.** Herodes viveu no pecado. Não ouviu o profeta, prendeu, e matou o profeta e endureceu ainda mais o coração. Mais tarde, Jesus o chamou de raposa. Quando estava sendo julgado, Jesus esteve com ele face a face, mas Herodes zombou de Jesus. Foi exilado e morreu na escuridão em que sempre viveu. No ano 39 d.C., Herodes Agripa, seu sobrinho, o denunciou ao imperador romano Calígula, e ele foi deposto e banido para um exílio perpétuo em Lyon, na Gália, onde morreu.

22

Um majestoso milagre

Marcos 6.30-44

ESSE É UM DOS MILAGRES MAIS BEM DOCUMENTADOS de toda a Bíblia. Todos os quatro evangelistas o destacam. Suas lições são oportunas e estudá-las, ainda hoje, revigora-nos a alma.

O contexto

Duas coisas nos chamam a atenção no contexto desse majestoso milagre:

Em primeiro lugar, *a importância de se prestar relatórios* (6.30). Jesus os havia enviado, agora, retornam e relatam tudo o que haviam feito e ensinado. Precisamos não apenas trabalhar, mas também contar as bênçãos, tornar conhecido o que Deus está fazendo por nosso intermédio.

Em segundo lugar, *a importância de se tirar férias* (6.31). Jesus ensina que nós temos necessidades físico-emocionais que precisam ser supridas e que precisamos reabastecer nossas forças para continuar fazendo a obra. Dewey Mulholland diz que o convite de Jesus ao descanso é expressão de Seu cuidado pastoral pelos discípulos. Enquanto curam os outros, os discípulos não estão isentos da estafa provocada pelo trabalhar com pessoas.[1] Jesus enfatiza também que precisamos cuidar de nós mesmos antes de cuidarmos dos outros.

---

[1]MULHOLLAND, Dewey M. *Marcos: Introdução e Comentário*, 2005, p. 108.

Em terceiro lugar, *a importância de reagir positivamente diante do inesperado* (6.32,33). As férias foram frustradas. Agora não são os apóstolos que são enviados à multidão, mas esta a eles.

A necessidade da multidão

Duas verdades são destacadas aqui:

Em primeiro lugar, ***Jesus se compadece da multidão em vez de vê-la como um estorvo*** (6.34). O verbo "compadecer-se" expressa, no Novo Testamento, o grau mais elevado de simpatia pelo que sofre. Ele é usado apenas por Jesus (8.2; Mt 9.36; 14.14; 15.32), e denota uma preocupação profunda que se expressa em auxílio ativo.[2] Jesus não despede a multidão porque está de férias, antes ele vai ao encontro dela para socorrê-la. Jesus não veio para despedir as multidões, mas para salvá-las. Jesus viu aquela multidão como ovelhas sem pastor. Os líderes religiosos de Israel não estavam cuidando espiritualmente do povo. Uma ovelha é um animal frágil e dependente que precisa de sustento, direção e proteção.

Em segundo lugar, ***Jesus supre as necessidades da multidão em vez de pensar apenas no seu bem-estar***. Jesus faz três coisas para suprir a necessidade dessa multidão:

Ele ensinou a multidão acerca do Reino de Deus. Não ensinou banalidades, mas acerca do reino. Supriu a necessidade da mente.

Ele curou os enfermos. Jesus atendeu às necessidades físicas.

Ele alimentou a multidão. Aquele pão era um símbolo do pão do céu. Assim, Jesus atende não apenas às suas necessidades físicas, mas também espirituais.

A incapacidade dos discípulos

Depois de um dia intenso de atividade com a multidão carente, onde Jesus ensinou e curou os enfermos, os discípulos resolvem agir. Eles se sentem incapazes diante da situação, mas fazem suas sugestões:

---

[2] MULHOLLAND, Dewey M. *Marcos: Introdução e Comentário*, 2005, p. 109.

Os apóstolos querem despedir a multidão (6.35,36). O argumento dos apóstolos estava repleto de prudência. Eles viam três dificuldades intransponíveis:

Em primeiro lugar, *o lugar era deserto*. Um lugar ermo não era um ambiente favorável para uma multidão com mulheres e crianças. O deserto era tanto um lugar de descanso quanto de prova. Jesus não estava apenas cuidando da multidão, mas também provando seus discípulos.

Em segundo lugar, *a hora já estava avançada*. A noite em breve cairia com suas sombras espessas e aquela multidão estaria exposta a toda sorte de perigos.

Em terceiro lugar, *eles não tinham recursos para suprir a necessidade da multidão*. Para os apóstolos, tudo era desfavorável: o lugar era deserto, a hora estava avançada e eles não tinham dinheiro suficiente. Os discípulos enfatizam o que eles não têm.

Jesus quer que os apóstolos alimentem a multidão (6.37). A ordem de Jesus é perturbadora: *Dai-lhes vós mesmos de comer*. Os apóstolos foram confrontados com três problemas humanamente insolúveis:

Em primeiro lugar, *era uma multidão*. Havia cinco mil homens além de mulheres e crianças. Era uma grande demanda e uma urgente necessidade para ser atendida por eles.

Em segundo lugar, *os apóstolos não tinham onde comprar pão*. O problema é que estavam num deserto e não na cidade.

Em terceiro lugar, *os apóstolos não tinham dinheiro suficiente*. Não apenas estavam no lugar errado, na hora errada, mas também lhes faltava o recurso financeiro suficiente. Era um beco sem saída.

A multiplicação dos pães e peixes

Jesus, antes de operar o milagre da multiplicação dos pães e dos peixes, toma algumas medidas pedagógicas:

Em primeiro lugar, *é preciso saber quais são os seus recursos disponíveis* (6.38). O milagre de Deus dá-se quando o homem decreta a sua falência. Eles tinham um déficit imenso. Era um orçamento desfavorável: cinco pães e dois peixes para alimentar uma multidão.

Em segundo lugar, *coloque o pouco que você tem nas mãos de Jesus*. O garoto entregou o seu lanche a André, este o levou a Jesus e Jesus o multiplicou. Não podemos fazer o milagre, mas podemos trazer o que temos e colocá-lo nas mãos de Jesus.

Em terceiro lugar, *organize-se para que todos sejam atendidos*. Nosso Deus é Deus de ordem. Ele criou o universo com ordem. Ele não é Deus de confusão. Não deveria haver tumulto. Todos deveriam ser igualmente atendidos.

Em quarto lugar, *o milagre acontece nas mãos de Jesus, mas as mãos dos discípulos devem repartir o pão* (6.41). Somos cooperadores de Deus. O milagre vem de Jesus, mas nós o repartimos com a multidão. Não temos o pão, mas o distribuímos a partir das mãos de Jesus.

Em quinto lugar, *o alimento que Jesus oferece satisfaz plenamente* (6.42,44). Jesus tem pão com fartura. Aquele que se alimenta dele não tem mais fome. Ele satisfaz plenamente. Assim como Deus alimentou o povo com maná no deserto, agora Jesus está alimentando a multidão. O mesmo Deus que multiplicou o azeite da viúva está agora multiplicando pães e peixes. O mesmo Jesus que transformou a água em vinho está agora exercendo o seu poder criador para multiplicar os pães e os peixes.

Em sexto lugar, *não desperdice a provisão divina* (6.43). O dom de Deus não deve ser desperdiçado. O pão é fruto da graça de Deus e não podemos jogar fora a graça de Deus. O que sobeja precisa ser aproveitado.

O evangelista João coloca esse texto no contexto da proximidade da Páscoa e do célebre sermão de Jesus sobre o pão da vida. Os milagres de Jesus eram pedagógicos. Ele estava multiplicando os pães para ilustrar a gloriosa verdade de que Ele é o Pão da Vida.

23

Quando Jesus vem ao nosso encontro nas tempestades

Marcos 6.45-56

TRÊS FATOS PRECISAM SER DESTACADOS à guisa de introdução:

Em primeiro lugar, *as férias frustradas*. Você já teve o dissabor de ter algum período de férias frustrado? Já arrumou as malas, fez planos, reserva de hotel e na hora de fazer a viagem dos sonhos surgiu um fato novo, um imprevisto que botou a sua agenda de cabeça para baixo e frustrou todas as suas expectativas?

Jesus estava saindo de férias com seus discípulos. Eles estavam tão cansados que não tinham tempo nem para comer (6.31). Além da agenda congestionada, tinham acabado de receber a dolorosa notícia que João Batista fora degolado na prisão de Maquerós, por ordem de um rei bêbado, a pedido de uma mulher adúltera.

Jesus, então, proporciona aos discípulos um justo e merecido descanso (6.31). Eles saem para um lugar solitário. Contudo, ao chegarem ao destino, uma multidão de gente carente, doente e faminta já havia descoberto o plano e antecipado a caravana dos discípulos, (6.33). Para espanto e surpresa dos discípulos, Jesus não despede a multidão, antes cancela as férias e passa o dia ensinando e alimentando aquele povo aflito como ovelhas sem pastor. Pior, ao fim do dia, em vez de Jesus continuar o programa das férias, compele os seus discípulos a entrar no barco e voltar para casa (6.45).

Em segundo lugar, ***uma volta para casa antecipada***. Por que Jesus despediu os discípulos antes de despedir a multidão (6.45)? Por duas razões, pelo menos:

Para livrá-los de uma tentação. O evangelista João nos informa que a intenção da multidão era fazê-lo rei (Jo 6.14,15). Jesus estava poupando os seus discípulos dessa tentação, ou seja, de uma visão distorcida da sua missão. Os doze não estavam prontos para enfrentar esse tipo de teste, visto que sua visão do reino era ainda muito nacional e política.[1] Jesus não se curvou à tentação da popularidade, antes manteve-se em seu propósito e resistiu à tentação por meio da oração.

Para interceder por eles na hora da prova. Jesus não tinha tempo para comer (3.20), mas tinha tempo para orar. A oração era a própria respiração de Cristo.[2] Jesus estava no monte orando, quando os viu em dificuldade (6.48). O Senhor nos vê quando a tempestade nos atinge. Não há circunstância que esteja fora do alcance de sua intervenção.

Os nossos caminhos jamais estão escondidos aos Seus olhos. Ele está junto ao trono do Pai, intercedendo por nós. Segundo Dewey Mulholland, Jesus orou por duas razões fundamentais: Ele estava preocupado com a falta de entendimento dos discípulos sobre a sua identidade, e a falta de compaixão deles para com as muitas ovelhas sem pastor.[3]

Em terceiro lugar, ***uma volta turbulenta para casa***. O mínimo que esses discípulos poderiam esperar era que pelo menos a viagem de regresso pudesse ser tranquila, uma vez que tudo o que haviam planejado dera errado. Mas ao voltarem, eles são colhidos por uma terrível tempestade. Esse episódio encerra grandes lições e traz à baila as grandes tensões da alma humana.

As grandes **tempestades da alma**

Muitas vezes, as maiores tempestades que enfrentamos não são aquelas que acontecem fora de nós, mas aquelas que agitam a nossa alma e

---

[1]WIERSBE, Warren W. *Be Diligent*, 1987, p. 66.
[2]HENDRIKSEN, William. *Marcos*, 2003, p. 331.
[3]MULHOLLAND, Dewey M. *Marcos: Introdução e Comentário*, 2005, p. 111.

levantam vendavais furiosos em nosso coração. Os tufões mais violentos não são aqueles que agitam as circunstâncias, mas aqueles que deixam turbulentos os nossos sentimentos. Não são aqueles que ameaçam nos levar ao fundo do mar, mas aqueles que se derretem dentro de nós como avalanches que rolam impetuosamente das geleiras alcantiladas da nossa alma.

Na jornada da vida, surgem perguntas difíceis de serem respondidas e tensões que abafam a nossa voz. Muitas vezes, parece que a fé está contra a fé, e a Palavra de Deus contra as próprias promessas do Altíssimo.

Quando a **obediência** nos empurra para o olho da tempestade

Jesus não pediu, não sugeriu nem aconselhou os discípulos a passar para o outro lado do mar. Ele os compeliu (6.45). Os discípulos não tinham opção, deveriam obedecer. E ao obedecerem, são empurrados para o olho de uma avassaladora tempestade. Como entender isso? Por que Deus permite que sejamos apanhados de surpresa por situações adversas? Por que Deus nos empurra para o epicentro da crise? Por que somos sacudidos por vendavais maiores que nossas forças? Por que acidentes trágicos, perdas dolorosas e doenças graves assolam aqueles que estão fazendo a vontade de Deus?

É mais fácil entender que a obediência sempre nos leva para os jardins engrinaldados de flores e não para a fornalha da aflição. É mais fácil aceitar que a obediência nos livra da tempestade e não que ela nos arrasta para as torrentes mais caudalosas. A presença de problemas não significa que estamos fora do propósito de Deus nem que Deus esteja indiferente à nossa dor.[4] Na verdade, a vida cristã não é uma sala *vip* nem uma estufa espiritual. A vida cristã não é um paraíso na terra, mas um campo de lutas renhidas. A diferença entre um salvo e um ímpio não é o que acontece a ambos, mas sim o fundamento sobre o qual cada qual constrói a sua vida. Jesus disse que o insensato constrói a sua casa na areia, mas o sábio a edifica sobre a rocha. Sobre as duas casas cai a mesma chuva no telhado, sopra o mesmo vento na

---

[4]BARTON, Bruce B. et al. *Life Application Bible Commentary on Mark*, 1994, p. 184.

parede e bate o mesmo rio no alicerce. Uma casa cai, a outra permanece em pé. O que diferencia uma casa da outra não são as circunstâncias, mas o fundamento.

Um cristão enfrenta as mesmas intempéries que as demais pessoas, mas a tempestade não o destrói, antes, revela a solidez da sua confiança no Deus eterno.

Davi foi ungido rei sobre Israel em lugar de Saul. Mas a unção, longe de o levar ao palácio, levou-o às cavernas úmidas e escuras. A insanidade e loucura de Saul levaram-no a perseguir Davi por todos os cantos de Israel. As perseguições de Saul eram apenas ferramentas pedagógicas de Deus para preparar Davi para o trono. Na verdade, Deus estava tirando Saul do coração de Davi antes de colocar Davi no trono de Saul. O sofrimento é a escola superior do Espírito Santo que nos ensina as maiores lições da vida. As tempestades não vêm para nos destruir, mas para nos fortalecer. As tempestades não são uma negação do amor divino, mas uma oportunidade para experimentarmos o livramento amoroso de Deus.

Paulo e Barnabé foram escolhidos pelo Espírito Santo para realizarem a primeira viagem missionária. Contudo, em Listra, Paulo foi apedrejado. Na segunda viagem, ele queria ir para a Ásia e recebeu ordem expressa para ir para a Europa. Em Filipos foi preso, açoitado e jogado no interior de uma insalubre prisão romana. Após a terceira viagem missionária, ao levar ofertas aos pobres da cidade de Jerusalém, Paulo foi preso e Deus lhe disse para ter coragem porque deveria dar testemunho também na cidade de Roma. Porém, ao tomar um navio para Roma, enfrentou um terrível naufrágio. Paulo poderia questionar por que tanto sofrimento, se estava fazendo a vontade Deus. Mas ao chegar em Roma, disse que essas coisas tinham antes contribuído para o progresso do evangelho (Fp 1.12). Os crentes foram mais desafiados a pregar ao verem as suas algemas. Os soldados de escol do palácio de Nero, a guarda pretoriana, foram pessoalmente por ele evangelizados, uma vez que era prisioneiro de Cristo sob custódia de César. Porque estava preso, começou a escrever cartas às igrejas e por isso temos Efésios, Filipenses, Colossenses, Filemom e a Segunda Carta a Timóteo. Essas cartas são verdadeiros luzeiros no mundo. A tempestade não havia sido acidental, mas um verdadeiro apontamento de Deus na vida de Paulo. Ela estava na agenda de Deus.

Não fique desanimado por causa das tempestades da sua vida. Elas podem ser inesperadas para você, mas não para Deus. Elas podem estar fora do seu controle, mas não do controle do Altíssimo. Você pode não entender a razão delas, mas elas são instrumentos pedagógicos de Deus na sua vida.

Quando Deus parece **demorar**

Os discípulos de Jesus passaram por horas amargas e de grande desespero, procurando remar contra a maré (6.48). O mesmo mar, tão conhecido deles, está agora irreconhecível. O inesperado mostra a sua carranca. O trivial transforma-se num monstro assustador. O barco é levantado por vagalhões em fúria e o vento encurralado pelas montanhas de Golã encrespam as ondas e sovam o Betel com desmesurado rigor. Todo o esforço de controlar a nau esvai-se no coração daqueles bravos combatentes. Nesse momento de pavor, os discípulos esperam pela presença de Jesus, mas Ele não chega, antes a tempestade se agrava. Essa é uma das maiores tensões da vida: a demora de Deus!

Como reconhecer o amor de Deus se na hora da nossa maior angústia, Ele não chega para nos socorrer? Como entender o poder de Deus com a perpetuação da crise que nos asfixia? Como conciliar a fé no Deus que intervém quando o mar da nossa vida fica cada vez mais agitado, a despeito de todos os nossos esforços? Como conciliar o amor de Deus com o nosso sofrimento? Como aliançar a providência divina com sua demora em atender ao nosso clamor? Essa certamente foi a maior tempestade que aqueles aflitos discípulos enfrentaram no fragor daquele mar revolto.

Esse foi o drama vivido pela família de Betânia. Quando Lázaro ficou enfermo, Marta e Maria mandaram um recado a Jesus: *Está enfermo aquele a quem amas* (Jo 11.3). Quem ama tem pressa em socorrer a pessoa amada. Quem ama se importa com o objeto do seu amor. As irmãs de Lázaro tinham certeza de que Jesus viria socorrê-las. Certamente as pessoas perguntavam a elas: "Será que Jesus ama mesmo vocês? Será que Ele virá curar a Lázaro? Será que vai chegar a tempo?" A todas essas perguntas perturbadoras, Marta deve ter respondido com segurança: "Certamente Ele virá. Ele nunca nos abandonou. Ele nunca nos decepcionou". A certeza foi substituída pela ansiedade, esta pelo medo e o medo pela decepção. Lázaro morreu e Jesus não chegou. Marta ficou engasgada com essa dolorosa e constrangedora situação. Quatro dias se passaram depois do sepultamento de Lázaro. Só então Jesus chegou. Marta correu ao seu encontro e logo despejou sua dor: *Senhor, se estiveras aqui, não teria morrido meu irmão* (Jo 11.21). A demora de Jesus havia aberto uma ferida na sua alma. Sua expectativa de livramento foi frustrada. Sua dor não foi terapeutizada.

Suas lágrimas não foram enxugadas. A vida do seu irmão não foi poupada. Marta está tão machucada que não pode mais crer na intervenção sobrenatural de Jesus (Jo 11.39,40). Antes de censurar Marta, deveríamos sondar o nosso próprio coração. Quantas vezes, as pessoas nos ferem com perguntas venenosas: "O teu Deus, onde está?" Se Deus se importa com você, por que você está passando por problemas? Se Deus ama você por que você está doente? Se Deus satisfaz a todas as suas necessidades, por que você está sozinho, nos braços da solidão? Se Deus é bom, por que Ele não poupou você ou a pessoa que você ama daquele trágico acidente? Se Deus é o Pai de amor, por que a pessoa que você ama foi arrancada dos seus braços pelo divórcio ou pela morte? Quantas vezes, o maior drama que enfrentamos não é a tempestade, mas a demora de Deus em vir nos socorrer? Além da tempestade, curtimos a solidão e o sentimento do total abandono.

Talvez, enquanto lê essas páginas, você está cruzando o mar encapelado da vida e as ondas estão passando por cima da sua cabeça. Talvez você esteja orando por um assunto há muitos anos e quanto mais você ora, mais a situação se agrava. Talvez o seu sonho mais bonito está sendo adiado há anos e você ainda não ouviu nenhuma resposta ou explicação de Deus.

Jesus, na verdade, não estava longe nem indiferente ao drama dos seus discípulos; Ele estava no monte orando por eles (6.46-48). Quando você pensa que o Senhor está longe, na verdade Ele está trabalhando a seu favor, preparando algo maior e melhor para você. Ele não dorme nem cochila, mas trabalha para aqueles que nEle esperam. Ele não chega atrasado nem a tempestade está fora do Seu controle. Jesus não chegou atrasado em Betânia. A ressurreição de Lázaro foi um milagre mais notório que a cura de um enfermo. Sossega o seu coração, Jesus sabe onde você está, como você está e para onde Ele o levará.

Quando Deus parece **silencioso**

Os discípulos já haviam enfrentado outra tempestade naquele mesmo mar (4.35-41), mas Jesus estava com eles. Eles clamaram ao Mestre, que prontamente os socorreu. Mas agora eles estão sozinhos. Quando a crise chegou e a noite abriu suas densas asas sobre eles, foram apanhados repentinamente por uma tempestade que os arrastou de um lado para o outro sem que eles nada pudessem fazer. O barco rodopiava no meio do mar, no epicentro do perigo enquanto eles viam a esperança naufragar à medida que horas intermináveis de luta não lhes acenavam nenhum vestígio de socorro. Certamente, eles gritaram por socorro, mas a única voz que ouviam era o barulho das ondas a chicotear o barco. Eles gritam por socorro, mas só escutam o zumbido do vento e o silêncio do céu.

O silêncio de Deus faz mais barulho em nossa alma do que a própria tempestade. Quando Deus fica em silêncio, as vozes da dúvida gritam dentro de nós. Talvez você tem orado durante anos por uma causa e até agora o céu parece fechado e Deus silencioso ao seu clamor. Talvez você esteja sofrendo opressão como os israelitas escravos no Egito, que eram castigados com açoites e trabalhos forçados. Talvez você, como Jó, tem perdido seus bens, seus filhos, sua saúde, seu casamento e seus amigos. Como esse patriarca, também você tem erguido aos céus seu clamor, perguntando para Deus: Por que eu estou sofrendo? Por que a minha dor não cessa? Por que eu não morri ao nascer? Por que o Senhor não me mata? Talvez como Jó, a única resposta que você tem ouvido é o total silêncio de Deus. Ah! O silêncio de Deus nos perturba. Ele agrava a tempestade. Ele inunda a nossa alma de temor e ameaça nos arrastar para as profundezas do desânimo. Talvez sua maior angústia não sejam os problemas que você está enfrentando, mas o silêncio de

Deus. O silêncio de Deus dói mais que as feridas; ele é mais forte que os gritos de nossa alma. O silêncio de Deus é mais eloquente do que as vozes da tempestade.

Na verdade, o silêncio de Deus é pedagógico. Jesus veio socorrer os discípulos. Deus falou com Jó na hora certa. Sempre que Deus fica em silêncio é porque Ele quer nos ensinar verdades sublimes. O silêncio de Deus não significa distância nem indiferença. Ele não deixa de velar por nós e de nos cercar com o seu cuidado mesmo quando não ouvimos Sua voz. Jesus não estava indiferente ao clamor dos discípulos, mas estava orando por eles. Hoje, Jesus está à destra do Pai intercedendo por nós. Mesmo quando não ouvimos sua voz, ele está intercedendo a nosso favor junto ao trono da graça. Isso nos basta!

Quando **Jesus chega** às tempestades da nossa vida

Os problemas são como as ondas do mar, quando uma onda se quebra na praia, a outra já está se formando. Muitas vezes, quando você tenta se recuperar de um solavanco, outra onda chega, açoita você de novo e o joga ao chão. Contudo, quando você pensa que a causa está perdida, que a esperança já se dissipou, então, Jesus surge no horizonte da sua história. Quando você decreta a falência dos seus recursos, Jesus chega e coloca um ponto final na crise.

O texto de Marcos 6.45-52 ensina-nos três preciosas lições:

Em primeiro lugar, *Jesus sempre vem ao nosso encontro na hora da tempestade*. Jesus não chegou atrasado ao mar da Galileia. O seu socorro veio na hora oportuna. Aquela tempestade só tinha uma finalidade: levar os discípulos a uma experiência mais profunda com Jesus. As tempestades não são autônomas nem chegam por acaso. Elas estão na agenda de Deus. Elas fazem parte do currículo de Deus em nossa vida. Elas não aparecem simplesmente, elas são enviadas pela mão da Providência. William Cowper, poeta inglês, diz que por trás de toda providência carrancuda, esconde-se uma face sorridente.

As tempestades não vêm para nos destruir, mas para nos fortalecer. As tribulações são os recursos pedagógicos de Deus para nos levar à maturidade. Os discípulos conheceram a Jesus de forma mais profunda depois daquele livramento. Deus não quer que você tenha uma experiência de segunda mão.

Jesus não chegou atrasado à aldeia de Betânia. Ele sabia o que estava para fazer. A ressurreição de Lázaro já estava em sua agenda. Ele sabe também a crise que chegou em sua vida. Ele sabe a dor que assalta o seu peito. Ele vê as suas lágrimas. Ele está perto de você naquelas madrugadas insones e nas longas noites maldormidas. Ele sonda o latejar da sua alma agonizante. E Ele vem ao seu encontro para socorrê-lo, para lhe estender a mão, para acalmar os torvelinhos da sua alma e as tempestades da sua vida.

Em segundo lugar, *Jesus vem ao nosso encontro ainda que na quarta vigília da noite*. A noite era dividida pelos judeus em quatro vigílias: a primeira, das 6h da tarde às 9h da noite; a segunda, das 9h à meia-noite; a terceira, da meia-noite às 3h da madrugada; e a quarta, das 3h da madrugada às 6h da manhã. Aqueles discípulos entraram no mar ao cair da tarde. Ainda era dia quando chegaram ao meio do mar (6.47). De repente, o mar começou a agitar-se, varrido pelo vento forte que soprava (Jo 6.18) e o barco foi açoitado pelas ondas (Mt 14.24). Eles remaram com todo empenho do cair da tarde até às 3h da madrugada, e ainda estavam no meio do mar, no centro dos problemas, no lugar mais fundo, mais perigoso, sem sair do lugar.

Às vezes, temos a sensação de que os nossos esforços são inúteis. Remamos contra a maré. Esforçamo-nos, choramos, clamamos, jejuamos, mas o perigo não se afasta. Nessas horas, os problemas tornam-se maiores que as nossas forças. Sentimo-nos esmagados debaixo dos vagalhões. Perdemos até mesmo a esperança do salvamento (At 27.20). No entanto, quando tudo parece perdido, quando chega a hora mais sombria, a madrugada da nossa história, Jesus aparece para pôr fim à nossa crise.

Jesus sempre vem ao nosso encontro, ainda que na quarta vigília da noite. O Senhor não vem quando desejamos, Ele vem quando necessitamos. O tempo de Deus não é o nosso. Deus não livrou os amigos de Daniel da fornalha, livrou-os na fornalha. Deus não livrou Daniel da cova dos leões, livrou-o na cova. Deus não livrou Pedro da prisão, mas na prisão.

Há momentos, entretanto, quando Deus não nos livra da morte, mas na morte. Nem sempre Deus nos poupa do sofrimento, mas nos livra e nos leva para a casa do Pai através dEle. Deus não livrou Paulo da condenação de Roma, mas conduziu-o à glória por meio do martírio.

Em terceiro lugar, *Jesus vem ao nosso encontro caminhando sobre as ondas.* Os discípulos esperavam com ansiedade o socorro de Jesus, mas quando Ele veio, eles não o discerniram. Aquela era uma noite trevosa. O mar estava coberto por um manto de total escuridão. Ocasionalmente, os relâmpagos luzidios riscavam os céus e despejavam um faixo de luz sobre as ondas gigantes que faziam o barco rodopiar. Exaustos, desesperançados e cheios de pavor, num desses lampejos enxergam uma silhueta caminhando resolutamente sobre as ondas. Assustados e tomados de medo, gritaram: é um fantasma!

Eles esperavam por Jesus, mas não de maneira tão estranha. O Senhor vem a eles de forma inusitada, andando sobre as ondas. Não apenas a tempestade era pedagógica, mas também a maneira como Jesus chega aos discípulos. Esse episódio nos ensina duas grandes lições:

A primeira lição é que as ondas que nos ameaçam estão literalmente debaixo dos pés de Jesus. O mar era um gigante imbatível e as ondas suplantavam toda a capacidade de resistência dos discípulos. Eles estavam incapacitados diante daquela tempestade. Somos absolutamente frágeis para lidar com as forças da natureza. As ondas gigantes do *tsunami* desafiaram as fortalezas humanas e levaram mais de duzentas mil pessoas à morte na Ásia, no dia 26 de dezembro de 2004. O furacão Katrina, vindo do golfo do México, assolou a costa norte-americana e inundou a rica cidade de New Orleans, em 2005. Tempestades, terremotos, tufões e furacões deixam as grandes e poderosas nações absolutamente debilitadas. Assim são os problemas que nos assaltam. Eles são maiores que as nossas forças.

Contudo, aquilo que era maior do que os discípulos e conspirava contra eles, estava literalmente debaixo dos pés do Senhor Jesus. Ele é maior que os nossos problemas. As tempestades da nossa vida podem estar fora do nosso controle, mas não fora do controle de Jesus. Ele calca sob seus pés aquilo que se levanta contra nós. Talvez você esteja lidando com um problema que o tem desafiado há anos. Suas forças já se esgotaram. Quem sabe já se dissipou no seu coração toda esperança de salvação: seu casamento está afundando, sua empresa está falindo, sua saúde está abalada. Você fez tudo o que podia fazer, mas ainda seu barco está rodopiando no meio do mar, no lugar mais fundo e mais perigoso. Nessas horas, é preciso saber que Jesus vem ao seu encontro pisando sobre essas ondas. O perigo que ameaça você está debaixo dos pés do Senhor. Ele é maior do que todas as crises que conspiram contra você. Diante dEle todo joelho se dobra. Diante dEle até as forças da natureza se rendem. Ele tem todo poder e toda autoridade no céu e na terra.

A segunda lição é que Jesus faz da própria tempestade o Seu caminho para chegar à sua vida. Ele não apenas anda sobre a tempestade, mas faz dela a estrada para ter acesso à nossa vida. Muitas vezes, o sofrimento é a porta de entrada de Jesus no nosso coração. Ele usa até os nossos problemas para aproximar-Se de nós. O profeta Naum diz que o Senhor tem o seu caminho na tormenta e na tempestade (Na 1.3). Mais pessoas encontram-se com o Senhor nas noites escuras da alma do que nas manhãs radiosas de folguedo. As mais ricas experiências da vida são vivenciadas no vale da dor. Com certeza, os caminhos de Deus não são os nossos. Eles são mais altos e mais excelentes!

A intervenção de Jesus nas tempestades da vida

Jesus não apenas vem ao nosso encontro na hora da nossa aflição, mas vem para nos socorrer. Ele tem amor e poder. Muitas vezes, sentimos compaixão das pessoas aflitas, mas não temos poder para socorrê-las. O texto em apreço nos ensina algumas preciosas lições:

Em primeiro lugar, *Jesus vem para acalmar as tempestades da nossa alma*. A primeira palavra de Jesus não foi ao vento nem ao mar, mas aos discípulos. Antes de acalmar a tempestade, Ele acalmou os discípulos. Antes de aquietar o vento, Ele fez serenar a alma dos discípulos. Jesus distinguiu que a tempestade que estava dentro deles era maior do que a tempestade que estava fora deles. A tempestade da alma era mais avassaladora que a tempestade das circunstâncias. O problema interno era maior que o externo. Jesus compreendeu que o maior problema deles não era circunstancial, mas existencial; não eram os fatos, mas os sentimentos.

Jesus disse aos assustados discípulos: *Tende bom ânimo! Sou eu. Não temais!* (Mt 14.27). Antes de mudar o cenário que rodeava os discípulos, Jesus acalmou o coração deles, usando dois argumentos:

Jesus levanta o ânimo deles. É natural perdemos o ânimo depois de uma longa tempestade. Havia se dissipado toda esperança de livramento no coração daquele grupo. Então, a primeira palavra não é de censura, mas de ânimo. Jesus se importa com os nossos sentimentos. Ele é o supremo psicólogo. Ele nos dá um banho de consolação e encorajamento antes de começar a transformar a nossa situação. Jesus não esmaga a cana quebrada nem apaga a torcida que fumega. Ele não vem ao nosso encontro para acusar nem para nos esmagar, mas para nos sarar, nos encorajar e nos colocar em pé. Talvez o luto tenha chegado à sua casa, o seu casamento esteja morrendo, a doença tenha batido à sua porta, ou os seus filhos tenham sido dominados por vícios degradantes. Talvez você esteja vivendo a dura realidade de uma depressão que não vai embora, de um abandono que amassou as suas emoções, de uma solidão que oprime seu peito. Tenha bom ânimo. Jesus está com você. Aprume-se. Jesus está vindo ao seu encontro!

Jesus diz que sua presença é o antídoto para o nosso medo. Jesus usa um só argumento para banir o medo dos discípulos: sua presença com eles. Ele disse aos discípulos: *Sou eu. Não temais* (Mc 6.50). Entre o medo e o ânimo está Jesus. Onde Cristo está, a tempestade se aquieta, o tumulto se converte em paz, o impossível se torna possível, o insuportável se torna suportável, e os homens passam o vale do desespero sem desesperar-se. A presença de Cristo conosco é a nossa conquista da tempestade.[5] O Criador do céu e da terra está conosco. Aquele que sustenta o universo é quem nos socorre. Jesus prometeu estar conosco todos os dias. Mesmo quando não o vemos, Ele está presente. Mesmo quando a tempestade vem, Ele está no controle.

Em segundo lugar, **Jesus vem para acalmar as tempestades das circunstâncias.** A tempestade não dura a vida inteira. Ninguém suportaria uma vida toda carimbada pela turbulência. Há intervalos de bonança.

---

[5] BARCLAY, William. *Marcos,* 1974, p. 175.

Há tempos de refrigério. O choro pode durar uma noite inteira, mas a alegria vem pela manhã.

Jesus, depois que acalmou os discípulos, também pôs fim à tempestade. Jesus ainda hoje continua acalmando as tempestades da nossa vida. Ele faz o nosso barco parar de balançar. Ele estanca o fluxo da nossa angústia e amordaça a boca da crise que berra aos nossos ouvidos. Quando Jesus chega, a tempestade precisa se encolher. Sua voz é mais poderosa que a voz do vento. Ele é o Senhor da natureza. Tudo que existe está sob sua autoridade. O vento ouve sua voz e o mar Lhe obedece. As ondas se aquietam diante da Sua palavra.

Jesus é poderoso para acalmar as nossas tempestades existenciais. A tempestade conjugal que assola a sua vida pode ser solucionada por Ele. O divórcio doloroso do cônjuge e dos filhos, que está sangrando seu peito, pode ser estacando por Ele. A crise financeira que jogou você ao chão e o deixou falido, desempregado e endividado pode ser resolvida por Ele. A enfermidade que rouba os seus sonhos, drena suas forças e estiola o seu vigor pode ser curada. A depressão que aperta o seu peito, tira o seu oxigênio e afunda você num pântano de angústia, embaçando seus olhos pode ser vencida. O medo que suga as suas energias pode acabar.

A sua tempestade pode ser maior do que você, mas ela está debaixo dos pés de Jesus. As coisas podem ter saído do seu controle, mas estão rigorosamente debaixo do controle de Jesus. Ele é maior que a sua crise. Ele se importa com você, pois você é especial para ele. Você é a herança de Deus, a morada de Deus, a delícia de Deus, a menina dos olhos de Deus.

Em terceiro lugar, *Jesus vem para corrigir nossas ideias distorcidas*. Quando os discípulos viram Jesus andando sobre as águas registraram erradamente os sinais da sua presença divina. Pensaram que Ele era um fantasma. Em vez de gritar para Ele, eles gritaram o seu medo um na cara do outro.[6] Aquele era um brado de terror, porque supersticiosamente eles pensavam que os espíritos da noite traziam desgraças.[7] A supersti-

---

[6]POHL, Adolf. *Evangelho de Marcos*, 1998, p. 219.
[7]RIENECKER, Frietz e Rogers, Cleon. *Chave Linguística do Novo Testamento Grego*, 1985, p. 79.

ção é uma crendice forte ainda hoje. William Hendriksen comenta que, mesmo nos dias de hoje, existem pessoas, incluindo membros de igreja, que consultam adivinhadores; e que na sexta-feira 13, quando um gato preto cruza o seu caminho, entendem tal coincidência como indicando mau agouro; ou recuam, horrorizadas, para não passar por baixo de uma escada, quando dirigem-se a um quarto de número 13 — assumindo que há tal quarto — lá derramam uma quantidade razoável de sal! Além disso, essas pessoas recusam-se, enfaticamente, a fazer essas coisas se o horóscopo indica o dia como sendo "azarado" para elas.[8]

Jesus se revela aos seus discípulos com a grande expressão: "Eu sou". Adolf Pohl diz: "Jesus é um ser pleno do que Ele fala. Não diz somente que é Ele mesmo, mas também como Ele é mesmo: tudo o que Ele tem, dá, pode, quer, promete e faz".[9]

Em quarto lugar, *Jesus vem para levar-nos em segurança ao nosso destino*. O destino daqueles discípulos não era o fundo do mar, mas Cafarnaum (Jo 6.17). Aqui cruzamos vales, atravessamos desertos, pisamos espinheiros, mas temos a garantia de que ainda que enfrentemos os rios caudalosos, as águas revoltas e as fornalhas ardentes, o Senhor está conosco para nos dar livramento e nos conduzir em triunfo ao nosso destino final.

Quando Jesus subiu ao barco dos discípulos, o vento cessou (6.51). Quando os discípulos receberam Jesus no barco, [...] *logo o barco chegou ao seu destino* (Jo 6.21). Você também chegará salvo e seguro ao seu destino. A tempestade pode ser terrível e longa. Pode até retardar a sua chegada. Mas nunca impedirá que você chegue salvo e seguro no porto celestial. Mesmo que a morte chegue, ela não pode afastar você do seu lar eterno. A morte para você que crê no Senhor Jesus não é derrota, mas vitória; não é fracasso, mas promoção; não é o fim, mas o começo de uma eternidade gloriosa.

Em quinto lugar, *Jesus vem para curar os enfermos* (6.5356). Quando Jesus chegou a Genesaré, outra multidão O reconheceu. Seus

---
[8] HENDRIKSEN, William. *Marcos*, 2003, p. 355.
[9] POHL, Adolf. *Evangelho de Marcos*, 1998, p. 219.

discípulos estavam com o coração endurecido, mas o povo o buscava ansiosamente. Do meio da dor brotava um clamor, um rogo para que os enfermos tocassem em Jesus e todos quantos tocavam saíram curados. Devemos nos esforçar de igual modo para trazer todos aqueles que estão necessitados do remédio espiritual ao Médico dos médicos para serem curados. Nele há uma fonte inesgotável de vida, perdão, cura e salvação.

As curas de Jesus não podem ser estereotipadas. Algumas vezes Jesus tocava as pessoas para as curar (1.41); outras vezes, eram as pessoas que tocavam em Jesus para serem libertadas do seu mal (3.10; 5.28; 6.56). Noutras ocasiões, não havia toque algum envolvido (3.5; 7.29).[10] Por onde quer que Jesus passava, a virtude fluía dEle para aliviar as pessoas de seus fardos.

---
[10] MULHOLLAND, Dewey M. *Marcos: Introdução e Comentário*, 2005, p. 114.

24

A **verdadeira** espiritualidade

Marcos 7.1-23

ATÉ AQUI, MARCOS DESCREVEU cinco confrontações entre Jesus e os líderes. Eles o acusaram de assumir prerrogativas divinas (2.7), relacionar-Se com pessoas "ruins" (2.16), permitir que os Seus discípulos "não guardassem" o sábado (2.24), de Ele mesmo não guardar o sábado (3.2,6) e expulsar demônios por Belzebu (3.22). Essa confrontação, agora, centra-se ao redor de uma questão básica (7.5): *O que deve regular a vida: a tradição humana ou a Palavra de Deus?* A resposta de Jesus deu ensejo a que Ele ensinasse acerca da verdadeira espiritualidade.

A acusação (7.1-5)

Destacamos alguns pontos para o entendimento do texto:

Em primeiro lugar, *a identidade dos acusadores* (7.1). Os escribas e fariseus eram os guardiões da tradição judaica. Eles eram farejadores de heresias. Eles eram detetives da vida alheia. Por onde quer que Jesus andava, eles estavam espreitando-O para encontrar alguma heresia para o acusar.

William Hendriksen diz que os escribas eram os especialistas da lei. Eles a estudavam, interpretavam e a ensinavam ao povo. Mais exatamente, eles transmitiam para sua própria geração as tradições, que de geração em geração, tinham sido passadas com respeito à interpretação e aplicação da lei. Essas tradições tiveram a sua origem no ensino de rabinos veneráveis do passado. Os fariseus, por sua vez, eram aqueles que tentavam fazer todos crerem que eles, os separatistas, estavam vivendo de acordo com o ensino dos escribas.[1]

Em segundo lugar, *a prática dos acusadores* (7.3,4). A tradição dos anciãos correspondia a uma coleção de preceitos, adicionais à lei de Moisés, que pretendia guiar o israelita na aplicação dos mandamentos por meio das variadas circunstâncias da vida. Segundo os rabinos, Moisés dera esses preceitos oralmente aos anciãos de Israel, os quais haviam transmitido do mesmo modo às gerações sucessivas.[2]

Os escribas e fariseus transformaram a vida espiritual num fardo pesado, com muitas regras e normas. Eles pensavam que da observância dessas muitas e detalhadas regras e cerimônias de purificação dependia a própria salvação deles.

Eles chegavam ao extremo de toda vez que iam à praça ou ao mercado, ao voltarem para casa, purificarem o vasilhame e até as camas. Por ser a praça um centro de reunião de muitas pessoas, julgavam-na impura; além do mais, podiam esbarrar num gentio impuro. Assim, os judeus precisavam se purificar toda vez que chegavam em casa.

Em terceiro lugar, *a pergunta dos acusadores* (7.5). Os fariseus e escribas estão escandalizados porque os discípulos de Cristo não purificavam as mãos para comer, nem mesmo prestavam obediência à tradição dos anciãos. Essa acusação tinha o propósito de atingir a Cristo. Eles seguiam rituais vazios e queriam que os outros fizessem o mesmo. Eles estavam cegos e queriam conduzir os outros cegos para o abismo.

Essa lavagem de mãos nada tinha a ver com higiene pessoal ou a ordenança da lei, mas apenas com a tradição dos escribas e fariseus. Isso era mais um fardo que eles inventaram para o povo carregar (Mt 23.4).[3]

Esses líderes religiosos cometeram dois grandes equívocos:

Primeiro, e*les pensavam que por observar esses ritos eram melhores que os outros*. Eles tinham um alto conceito de si mesmos. Eles eram

---

[1]HENDRIKSEN, William. *Marcos*, 2003, p. 347.
[2]TRENCHARD, Ernesto. *Una Exposición del Evangelio según Marcos*, 1971, p. 84.
[3]WIERSBE, Warren W. *Be Diligent*, 1987, p. 69.

jactanciosos e se julgavam mais santos, mais puros, mais dignos que as demais pessoas.

Segundo, e*les estavam enganados quanto à natureza do pecado*. A santidade é uma questão de afeição interna e não de ações externas. Eles pensavam que eram santos por praticarem ritos externos de purificação. O contraste entre os fariseus e escribas e os discípulos de Cristo não era apenas entre a lei e os ritos, entre a verdade de Deus e a tradição dos homens, mas uma divergência profunda sobre a doutrina do pecado e da santidade.[4] Esse conflito não é periférico, mas toca o âmago da verdadeira espiritualidade. Ainda hoje, muitos segmentos evangélicos coam mosquito e engolem camelo. Os escribas e fariseus, em nome de uma espiritualidade sadia, negligenciaram o mandamento de Deus (7.8), jeitosamente rejeitaram o preceito de Deus (7.9) e invalidaram a Palavra de Deus (7.13).

A refutação (7.6-13)

Três fatos são dignos de observação:

Em primeiro lugar, **Jesus descreve o caráter dos acusadores** (7.6). Jesus chama os seus contendores de hipócritas. O hipócrita é um ator, ele desempenha o papel de outra pessoa. Ele não é quem aparenta. Os lábios são de uma pessoa, mas o coração é de outra.[5] John Charles Ryle alerta para o perigo de estarmos fisicamente na igreja e deixarmos nosso coração em casa, de sermos uma pessoa aqui e outra acolá.[6]

William Barclay diz que a palavra *hypokrites* tem uma história interessante e reveladora. Começa significando simplesmente uma contestação; para significar logo aquele que contesta num diálogo ou um ator teatral, e finalmente significa alguém cuja vida é uma atuação sem nenhuma sinceridade.[7] O hipócrita é o homem que esconde, ou tenta esconder, suas intenções reais por trás de uma máscara de virtude simulada.[8]

---

[4]WIERSBE, Warren W. *Be Diligent*, 1987, p. 70.
[5]MCGEE, J. Vernon. *Mark*, 1991, p. 88.
[6]RYLE, John Charles. *Mark*, 1993, p. 100.
[7]BARCLAY, William. *Marcos*, 1974, p. 181,182.
[8]HENDRIKSEN, William. *Marcos*, 2003, p. 352.

O hipócrita é aquele que fala uma coisa e sente outra. Há um abismo entre as suas palavras e seus sentimentos, um hiato entre suas ações e seu coração, uma esquizofrenia entre seu mundo interior e o exterior.

William Hendriksen diz que um hipócrita é um enganador, fraudulento, impostor, uma serpente sobre a relva, e um lobo em pele de cordeiro. Ele finge ser o que, na verdade, não é.[9]

Em segundo lugar, *Jesus revela a inversão de valores dos acusadores* (7.8). Os escribas e fariseus proclamavam ser defensores da ortodoxia. Mas o zelo deles não era em preservar e proclamar a Palavra de Deus, mas em manter a tradição dos anciãos. Eles haviam trocado a verdade pela mentira. William Hendriksen diz que eles eram culpados de colocar a mera tradição humana acima do mandamento divino, uma regra feita pelo homem acima de um mandamento dado por Deus. Os rabinos haviam dividido a lei mosaica, ou Torá, em 613 decretos distintos, com 365 deles contendo proibições, enquanto 248 eram orientações positivas. Além disso, em conexão com cada decreto, haviam desenvolvido distinções arbitrárias entre o que consideravam "permitido", e o que "não era permitido". Por meio dessas distinções, eles tentavam regular cada detalhe da conduta dos judeus: seus sábados, viagens, comida, jejuns, abluções, comércio, relações interpessoais etc.[10]

Em terceiro lugar, *Jesus aponta os desvios dos acusadores* (7.7-13). Os escribas e fariseus tentaram reprovar os discípulos de Cristo para destruí-Lo. Eles foram denunciados de cometer vários desvios na prática da verdadeira espiritualidade:

O culto deles era em vão (7.7). Jesus responde aos escribas e fariseus citando para eles a lei e os profetas, ou seja, Êxodo 20.12 e Isaías 29.13. A autoridade não está nos escritos dos rabinos, mas na Palavra de Deus. O culto só é verdadeiro quando é regido pela verdade de Deus e pela sinceridade de coração. Palavras bonitas sem verdade no íntimo desagradam a Deus. É uma grande tragédia que pessoas religiosas praticam a sua religião e se tornam ainda piores.[11]

---

[9] HENDRIKSEN, William. *Marcos,* 2003, p. 353.
[10] HENDRIKSEN, William. *Marcos,* 2003, p. 353.
[11] WIERSBE, Warren W. B*e Diligent,* 1987, p. 71.

Eles negligenciam o mandamento de Deus (7.8). Como vimos, os escribas e fariseus eram culpados de colocar a mera tradição humana acima do mandamento divino, uma regra feita pelo homem acima de um mandamento dado por Deus.[12] Eles deturparam o mandamento de Deus para manter a tradição dos homens. Eles deram mais valor à sua tradição oral do que à Palavra escrita de Deus.

Eles rejeitaram jeitosamente o preceito de Deus (7.912). Os escribas e fariseus chegaram ao ponto de anular e invalidar um preceito infalível de Deus para confirmar sua tradição fraca e miserável.[13] Jesus fala sobre o arranjo jeitoso que os rabinos fizeram para deturpar o quinto mandamento e liberar os filhos avarentos da responsabilidade de cuidarem de seus pais na velhice. Esses líderes proclamavam amar a Deus, mas não tinham amor pelos pais. O mandamento para honrar pai e mãe está fartamente documentado nas Escrituras.[14] Honrar pai e mãe é mais do que simplesmente obedecer-lhes. O que realmente importa é a atitude interior do filho em relação aos seus pais. Essa atitude é o que, na verdade, produz honra. Toda obediência interesseira e relutante, ou produzida pelo terror é descartada. Honra implica amor e alta consideração.

Como os escribas e fariseus anularam esse preceito bíblico? Pela errada aplicação da lei de Corbã. Quando um filho mau tinha a intenção de desamparar pai e mãe, sonegando a eles a assistência devida, dizia a eles que não poderia ajudá-los, porque havia dedicado esses recursos financeiros como oferta ao Senhor. Dessa maneira, ficavam "legalmente" isentos de socorrer os pais e não necessariamente, dedicavam essas ofertas a Deus. O filho que declarava: É Corbã, poderia, simplesmente, conservar o dom para seu próprio uso.[15] Ernesto Trenchard coloca essa questão como segue:

> A palavra Corbã quer dizer "dedicado a Deus", e se empregava quando um homem queria dedicar seus bens à tesouraria do Templo. Contudo,

---

[12] HENDRIKSEN, William. *Marcos*, 2003, p. 353.
[13] HENDRIKSEN, William. *Marcos*, 2003, p. 355.
[14] Êxodo 20.12; Deuteronômio 5.16; Provérbios 1.8; 6.20-22; Malaquias 1.6; Mateus 19.19; Marcos 7.10-13; Efésios 6.1; Colossenses 3.20.
[15] HENDRIKSEN, William. *Marcos*, 2003, p. 357.

por um acordo com os sacerdotes israelitas, podia "dedicar" seu dinheiro ou sua propriedade ao Templo, ao mesmo tempo, em que os desfrutava durante a sua vida, deixando-os como um legado a serviço do Templo. Caso esse homem, segundo a santa obrigação natural e legal, tivesse o dever de manter os pais idosos ou enfermos, os mesmos sacerdotes lhe impediam de ajudá-los com esses fundos que eram "Corbã", para não subtrair o legado do Templo. Esse caso suscitou a justa indignação do Senhor, pois por um ímpio subterfúgio, e sob uma aparência de piedade, se violava um dos principais mandamentos de Deus.[16]

Eles invalidaram a Palavra de Deus (7.13). Os escribas e fariseus estavam não apenas ignorando, mas também invalidando a Palavra de Deus. Eles estavam retirando a autoridade divina do quinto mandamento. De outro lado, estavam colocando em seu lugar uma tradição injusta e iníqua. Jesus deixa claro que a oferta de Corbã era apenas um exemplo dos muitos desvios desses falsos mestres.

O grande pilar da ortodoxia evangélica é a verdade de que a Palavra de Deus é nossa única regra de fé e prática. Esse marco tem sido removido ainda hoje. Preceitos de homens têm sido colocados no lugar da bendita Palavra de Deus.

O preceito (7.14-16)

Duas verdades são aqui destacadas:

Em primeiro lugar, *a contaminação vem de dentro e não de fora* (7.15). A verdadeira espiritualidade não é ritual nem cerimonial, mas procede da sinceridade do coração. Não é o que o homem coloca para dentro, mas o que sai do seu coração. Esse preceito de Jesus tem duas implicações:

A primeira implicação é que Jesus refuta a ideia de que o homem é produto do meio. O mal não vem de fora, mas de dentro. O mal não está no ambiente, mas no coração. Jean Jacques Rousseau estava equivocado ao ensinar que o homem é bom por natureza. Jesus de Nazaré, o maior de todos os mestres, revela a maldade inerente do ser humano.

---

[16]TRENCHARD, Ernesto. *Una Exposición del Evangelio según Marcos*. 1971, p. 85,86.

A segunda implicação é que Jesus refuta a ideia de que o ritualismo externo pode nos tornar agradáveis aos olhos de Deus. Lavar as mãos ou purificar utensílios não nos tornam limpos aos olhos de Deus. Ele não atenta para a aparência, mas vê o coração. Ele busca verdade no íntimo.

Em segundo lugar, *em vez de purificações cerimoniais devemos afiar nosso entendimento e nossos ouvidos* (7.14,16). Em vez de ser um prisioneiro do legalismo farisaico, Jesus exorta a multidão a ter uma espiritualidade governada pelo entendimento da verdade de Deus. Jesus dá uma grande ênfase à necessidade de ouvir e compreender. Não podemos seguir interpretações enganosas, antes devemos inclinar nossos ouvidos à Palavra de Deus.

A explicação (7.17-23)

Jesus ensina duas verdades axiais:

Em primeiro lugar, *a verdadeira pureza tem a ver com o coração e não com o estômago* (7.18-20). Jesus está acabando com a paranoia da religião legalista das listas intermináveis do pode e não pode. Jesus está declarando puros todos os alimentos. Não podemos considerar impuro o que Deus tornou puro (At 10.15). O alimento desce ao estômago, mas o pecado sobe ao coração. O alimento que comemos é digerido e evacuado, mas o pecado permanece no coração, produzindo contaminação e morte.[17]

Em segundo lugar, *os grandes males procedem do coração e não do ambiente externo* (7.21-23). Jesus aponta o coração como a fonte dos sentimentos, aspirações, pensamentos e ações dos homens. Essa fonte é, também, a fonte de toda contaminação moral e espiritual.[18] Jesus não tinha ilusões sobre a natureza humana como alguns teólogos liberais e mestres humanistas da atualidade.[19]

Marcos cita doze pecados que brotam do coração. Os seis primeiros estão no plural e os outros no singular. Os primeiros seis indicam más

---

[17] WIERSBE, Warren W. *Be Diligent*, 1987, p. 73.
[18] HENDRIKSEN, William. *Marcos*, 2003, p. 362.
[19] WIERSBE, Warren W. *Be Diligent*, 1987, p. 73.

ações, enquanto os últimos seis falam do estado do coração, do direcionamento maligno, bem como das palavras que são relacionadas a essas ações.[20] Há outras listas de pecados registradas no Novo Testamento.[21]

O termo introdutório "os maus desígnios", *dialogismoi*, literalmente significa "os maus diálogos". Uma pessoa está quase sempre dialogando em sua própria mente, arrazoando, cogitando, deliberando. Esses diálogos provocam ações e estimulam o estado interior.

Vejamos primeiro as seis ações pecaminosas.

Prostituição — O termo *porneia* indica o pecado sexual em geral, todo comportamento sexual ilícito, seja dentro ou fora do casamento. A prostituição inclui a pornografia, a fornicação, o adultério, o homossexualismo, bem como toda impureza moral.

Furtos. Na língua grega há duas palavras para furto: *kleptes* e *lestes*. *Lestes* é o bandoleiro, assaltante. Barrabás era um *lestes* (Jo 18.40). *Kleptes* é um ladrão. Judas era um ladrão quando subtraía da bolsa (Jo 12.6). A palavra usada aqui é *klopai*.[22] O furto é a apropriação daquilo que não nos pertence. É a posse intencional daquilo que pertence a outro: seja o governo civil, o próximo, ou mesmo Deus.

Homicídios. Inclui tanto o ato quanto o desejo de tirar a vida do próximo. Esse pecado inclui tanto o ódio, quanto o assassinato.

Adultérios. Essa é a violação dos laços do matrimônio, envolvendo um ato sexual voluntário entre um homem e uma mulher que não seja o seu cônjuge.[23] Jesus ampliou a transgressão desse pecado para o olhar cobiçoso (Mt 5.28).

A avareza. Avareza é um apego idolátrico às coisas materiais, sonegando toda sorte de ajuda ao próximo nas suas necessidades. O termo usado é *pleonexiai*, o desejo ardente de ter o que pertence a outros. A ganância é como uma peneira que nunca fica cheia.[24]

---

[20]HENDRIKSEN, William. *Marcos*, 2003, p. 363.
[21]Romanos 1.18-32; 13.13; 1Coríntios 5.9-11; 6.9,10; 2Coríntios 12.20; Gálatas 5.19-21; Efésios 4.19-; 5.3-5; Colossenses 3.5-9; 1Tessalonicenses 2.3; 4.3-7; 1Timóteo 1.9,10 ; 6.4,5; 2Timóteo 3.3,9.10; 1Pedro 4.3; Apocalipse 21.8; 22.15.
[22]BARCLAY, William. *Marcos*, 1974, p. 186.
[23]HENDRIKSEN, William. *Marcos*, 2003, p. 367.
[24]MULHOLLAND, Dewey M. *Marcos: Introdução e Comentário*, 2005, p. 120.

As malícias. Isso poderia muito bem ser um somatório de todas as manifestações iníquas, tanto as já mencionadas quanto as outras.[25]

Veja em seguida os pecados que retratam o estado do coração:

Dolo. O dolo pode ser definido como artimanhas do engano.

Lascívia. Impulso pecaminoso como luxúria e licenciosidade.

Inveja. É o desprazer de ver uma pessoa possuir algo. William Hendriksen diz que esse é um dos pecados mais destrutivos da alma. Ela é como podridão nos ossos (Pv 14.30). Nossa palavra inveja vem do latim *invidia*, que significa "olhar contra", ou seja, olhar com má vontade para outra pessoa por causa do que ela tem ou é. Foi a inveja que provou a morte de Abel, jogou José no poço, provocou a revolta de Core, Datã e Abirão, levou Saul a perseguir Davi, gerou as palavras rancorosas do "irmão mais velho" do pródigo e crucificou Jesus.[26]

Blasfêmia. Palavras abusivas e difamações. Refere-se à difamação do caráter, ao xingamento, à calúnia, linguagem desdenhosa ou insolente dirigida contra outra pessoa, seja diretamente para ela, ou pelas suas costas.[27]

Soberba. A tendência maligna de imaginar-se melhor, mais hábil ou maior do que os outros.

Loucura. William Hendriksen diz que esse termo resume as cinco propensões e palavras anteriores.[28]

O remédio é um novo coração. É mais difícil ter um coração limpo do que mãos limpas. De fato, é impossível ter uma vida aceitável a Deus, com nossos corações contaminados longe de sua graça purificadora. O evangelho trabalha de dentro para fora, provendo a motivação interna necessária para adquirir caráter justo e para livrar-se *de toda impureza e acúmulo de maldade* (Tg 1.21).[29]

---

[25]HENDRIKSEN, William. *Marcos*, 2003, p. 368.
[26]HENDRIKSEN, William. *Marcos*, 2003, p. 369.
[27]HENDRIKSEN, William. *Marcos*, 2003, p. 370.
[28]HENDRIKSEN, William. *Marcos*, 2003, p. 370.
[29]MULHOLLAND, Dewey M. *Marcos: Introdução e Comentário*, 2005, p. 122.

25

A vitória de uma mãe intercessora

Marcos 7.24-30

À GUISA DE INTRODUÇÃO, chamo atenção para três fatos importantes:

Em primeiro lugar, ***Jesus está em território gentio***. Essa nova seção constitui uma quebra geográfica definida na narrativa, pois o ministério de Jesus na Galileia termina em 7.23.[1] A segunda divisão, os ministérios do retiro e da Pereia, começam nesse ponto (7.24) e vai até 10.52.[2] Tiro e Sidom eram cidades da Fenícia, e ela fazia parte da Síria. Tiro ficava a uns sessenta quilômetros ao noroeste de Cafarnaum. Seu nome significa rocha. Tiro era um dos grandes portos naturais do mundo nos tempos antigos. Tiro era não só um porto famoso, mas também, uma fortaleza famosa. Alexandre, o Grande, a tomou, tendo construído uma fortaleza nessa cidade. Sidom situava-se a uns 42 quilômetros ao nordeste de Tiro e uns cem quilômetros de Cafarnaum.[3]

A cidade de Tiro era um sinônimo de paganismo; era uma cidade mal-afamada desde os tempos do Antigo Testamento, já que dessa região

---
[1]MULHOLLAND, Dewey M. *Marcos: Introdução e Comentário*, 2005, p. 122.
[2]HENDRIKSEN, William. *Marcos*, 2003, p. 373.
[3]BARCLAY, William. *Marcos*, 1974, p. 190, 191.

vinha a rainha Jezabel, que seduziu Israel para a idolatria.[4] Os judeus consideravam os habitantes de Tiro como cães impuros.[5]

Havia uma profecia de que chegaria um dia no qual o povo de Tiro e a circunvizinhança também compartilhariam as bênçãos da era messiânica (Sl 87.4). Essa profecia começou a se cumprir quando pessoas dessa região viajaram para a Galileia para ouvirem o ensino de Jesus e serem curadas das suas enfermidades (Mt 4.24,25; Lc 6.18). Agora, é o próprio Jesus quem vai até elas.[6]

Em segundo lugar, *Jesus está quebrando o conceito judaico da impureza*. Jesus, no texto anterior, provou para os judeus que não existem alimentos impuros (7.1-23). Agora, revela que não há pessoas impuras. Jesus entra na terra dos gentios sem ser contaminado. Jesus rejeita essa distinção e torna claro que o evangelho é para todos. A base para ser aceito por Deus não é uma questão de antecedentes étnicos, mas o relacionamento com Jesus.[7] Aquelas cidades fenícias eram parte do reino de Israel (Js 19.28,29), mas o que as armas não conquistaram, Jesus conquistou com o amor.[8] Simbolicamente, a mãe intercessora de Marcos (7.24-30) representa o mundo gentio que tão ansiosamente recebeu o pão do céu que os judeus haviam rejeitado.

Em terceiro lugar, *Jesus está lidando com uma mãe aflita*. Esse texto nos mostra uma mãe aflita aos pés do Salvador.

Elas estão por todos os lados, elas estão aqui. Por que as mães sofrem pelos seus filhos? Essa mãe, embora gentia, tinha uma grande fé. Embora chegasse abatida, saiu vitoriosa.

Isso, porque a fé vem da graça divina e não da família que se tem ou da igreja que se frequenta. Spurgeon dizia que uma pequena fé levará a sua alma ao céu, mas uma grande fé trará o céu à sua alma.

---

[4]POHL, Adolf. *Evangelho de Marcos*, 1998, p. 234.
[5]BURN, John Henry. *The Preacher's Complete Homiletic Commentary on the Gospel according to Mark*, 1996, p. 266.
[6]HENDRIKSEN, William. *Marcos*, 2003, p. 378.
[7]MULHOLLAND, Dewey M. *Marcos: Introdução e Comentário*, 2005, p. 122.
[8]BARCLAY, William. *Marcos*,1974, p. 192.

Uma mãe intercessora tem **discernimento** sobre o que está acontecendo com os seus filhos (7.25,26)

Três coisas nos chamam a atenção acerca dessa mãe:

Em primeiro lugar, *ela discerne o problema que atinge sua filha* (7.25). Essa mãe sabia quem era o inimigo da sua filha. Ela sabia que o problema de sua filha era espiritual. Ela tem consciência que existe um inimigo real que estava conspirando contra a sua família para destruí-la.

Peter Marshal pregou um célebre sermão no dia das mães e afirmou que elas são guardas das fontes. As mães são os instrumentos que Deus usa para purificar as fontes que contaminam os filhos.

Em segundo lugar, *ela discerne a solução do problema que atinge sua filha* (7.26). Essa mãe percebeu que o problema da sua filha não era apenas uma questão conjuntural. Não era simplesmente a questão de estudar numa escola melhor, morar num bairro mais seguro e ter mais conforto. Ela já tinha buscado ajuda em todas as outras fontes e sabia que só Jesus poderia libertar a sua filha.

Ela vai a Jesus. Ela O busca e O chama de Filho de Davi, Seu título popular, aquele que fazia milagres. Depois O chama de Senhor. Finalmente, se ajoelha (7.23). Ela começa clamando e termina adorando. Ela começa atrás de Jesus e termina aos Seus pés.

Em terceiro lugar, *ela discerne que pode clamar a favor da sua filha* (7.26). A necessidade nos faz orar por nós mesmos, mas o amor nos faz orar pelos outros.[9] Essa mãe viu a terrível condição da sua filha, viu o poder de Jesus para libertá-la e clamou com intensidade e perseverança. Ela percebeu que nenhum ensino alcançaria a sua mente e nenhuma medicina poderia sarar o seu corpo. Ela orou por uma pessoa que não tinha condições de orar por si mesma e não descansou até ter sua oração respondida. Pela oração ela obteve a cura que nenhum recurso humano poderia dar. Pela oração da mãe a filha foi curada. Aquela menina não falou uma palavra sequer para o Senhor, mas sua mãe falou por ela e ela foi libertada. Onde há uma mãe em oração, sempre há esperança.[10]

---

[9] Burn, John Henry. *The Preacher's Complete Homiletic Commentary on the Gospel according to Mark*, 1996, p. 267.
[10] Ryle, John Charles. *Mark*, 1993, p. 106.

Aquela mãe não poderia dar à sua filha um novo coração, mas poderia pedir a quem podia fazer esse milagre. Não podemos dar aos nossos filhos a vida eterna, mas podemos orar por eles para que se convertam. Ambrósio disse acerca de Agostinho, por quem sua mãe orou trinta anos: "Um filho de tantas lágrimas, jamais poderia perecer". Mesmo quando não pudermos mais falar de Deus para nossos filhos, podemos falar dos nossos filhos para Deus!

Uma mãe intercessora transforma a necessidade em **adoração** (7.25)

Destacamos três lições:

Em primeiro lugar, *seu clamor foi por misericórdia* (7.26).

Ela está aflita e precisa de ajuda. Ela pede ajuda a quem pode ajudar. Ela não se conforma de ver sua filha sendo destruída.

A sua dor a levou a Jesus. Ela viu os problemas como oportunidades de se derramar aos pés do Salvador. O sofrimento pavimentou o caminho do seu encontro com Deus. Aquela mãe transformou sua necessidade em estrada para encontrar-se com Cristo. Transformou a necessidade em oportunidade de prostrar-se aos pés do Senhor. Transformou o problema no altar da adoração.

Em segundo lugar, *seu clamor foi com senso de urgência* (7.25). Aquela mãe não perdeu a oportunidade. Aquela foi a única vez durante o seu ministério que Jesus saiu dos limites da Palestina e foi às terras de Tiro e Sidom.[11] Ela não perdeu a oportunidade. As oportunidades passam. É tempo de as mães clamarem a Deus pelos filhos. É tempo de as mães se unirem em oração pelos filhos. Precisamos ter um senso de urgência no nosso clamor.

Como você se comportaria se visse seu filho numa casa em chamas? Certamente teria urgência em intervir para a sua salvação. Tem você a mesma urgência para ver seus filhos salvos?

Em terceiro lugar, *seu clamor é cheio de empatia* (Mt 15.22). O problema da filha é o seu problema. Seu clamor era: *Tem compaixão de mim. Senhor,*

---

[11]TRENCHARD, Ernesto. *Una Exposición del Evangelio según Marcos*, 1971, p. 90.

socorre-me. Era sua filha quem estava possessa. Ela sofria como se fosse a própria filha. A dor da sua filha era a sua dor. Na verdade, ela sentia o sofrimento mais do que a própria filha.[12] O sofrimento da filha era o seu sofrimento. A libertação da filha era a sua causa mais urgente.

Uma mãe intercessora está disposta a enfrentar qualquer **obstáculo** para ver a filha libertada (7.27,28)

Essa mãe é determinada. Como Jacó, ela agarra-se ao Senhor sem abrir mão da bênção. Ela não descansa nem dá descanso a Jesus. Warren Wiersbe diz que essa mulher encontrou vários obstáculos em seu caminho: sua nacionalidade era contra ela: era gentia e Jesus era judeu. Além do mais, ela era uma mulher, e a sociedade daquela época era dominada pelos homens. Satanás estava contra ela, porque um espírito imundo havia dominado a sua filha. Os discípulos estavam contra ela, eles queriam que Jesus a despedisse. O próprio Jesus aparentemente estava contra ela. Essa não era uma situação fácil.[13] Contudo, essa mãe não desanimou. Destacamos três obstáculos que ela enfrentou antes de ver o milagre de Jesus acontecendo na vida da sua filha.

Em primeiro lugar, *o obstáculo do desprezo dos discípulos de Jesus* (Mt 15.23). Os discípulos não pedem a Jesus para atender essa mãe, mas para despedi-la. Não se importaram com a sua dor, mas quiseram se ver livre dela. Eles não intercedem a favor dela, mas contra ela. Eles a desprezaram em vez de ajudá-la. Eles tentaram afastá-la de Jesus em vez de ajudá-la a se lançar aos pés do Salvador. Os discípulos foram movidos por irritação, e não por compaixão.[14]

Em segundo lugar, *a barreira do silêncio de Jesus* (Mt 15.23). O silêncio de Jesus é pedagógico. Há momentos que os céus ficam em total silêncio diante do nosso clamor. Foi assim com Jó. Ele ergueu aos céus dezesseis vezes a pergunta: Por que, Senhor? Por que estou sofrendo? Por que a minha dor não cessa? Por que os meus filhos morreram?

---

[12]Gioia, Egidio. *Notas e Comentários à Harmonia dos Evangelhos*, 1969, p. 185.
[13]Wiersbe, Warren W. *Be Diligent*, 1987, p. 75.
[14]Richards, Larry. *Todos os milagres da Bíblia*, 2003, p. 249.

Por que eu não morri ao nascer? Por que o Senhor não me mata de uma vez? A única resposta que ele ouviu foi o total silêncio de Deus. É mais fácil crer quando estamos cercados de milagres. O difícil é continuar crendo e orando pelos filhos quando os céus estão em silêncio, quando as coisas parecem estar indo mal.

Em terceiro lugar, *a barreira da resposta de Jesus* (7.27, 28). A metodologia de Jesus para despertar no coração dessa mulher uma fé robusta foi variada:

Não fui enviado senão à casa de Israel (Mt 15.24). Foram palavras desanimadoras. Ela, porém, em vez de sair desiludida e revoltada, por causa da sua nacionalidade e educação pagã, veio e o adorou, dizendo: "Senhor, socorre-me!" Em vez de desistir de sua causa, adora e ora! Esse ato revelou sua humildade, reverência, submissão e ansiedade.[15] Jesus com essas palavras estava dizendo à mulher que os judeus eram os primeiros a terem a oportunidade de aceitá-Lo como Messias. Assim Jesus não estava rejeitando essa mulher, mas testando sua fé e revelando que a fé está disponível para todas as raças e nacionalidades.[16]

Não é bom tomar o pão dos filhos e lançá-los aos cachorrinhos (7.27). O diminutivo sugere que a referência é aos cachorrinhos que eram guardados como animais de estimação.[17] William Hendriksen diz que Jesus está abrindo lentamente a porta. Ao dizer: Deixa "primeiro" que se fartem os filhos", ele está, pelo menos, dizendo para essa mulher sofrida que Deus não deixou de olhar para os gentios. Ela poderá muito bem pensar: "Se existem bênçãos aguardando os gentios no futuro, porque não receber algumas delas hoje... mesmo que isso represente uma exceção"?[18]

O que Calvino disse é verdade: "Certamente que, em nenhuma ocasião, o Senhor concedeu sua graça para os judeus de maneira que não sobrasse uma prova dela para os gentios".[19] Nem mesmo durante

---

[15]HENDRIKSEN, William. *Marcos*, 2003, p. 380.
[16]BARTON, Bruce B. et al. *Life Application Bible Commentary – Mark*, 1994, p. 209.
[17]RIENECKER, Fritz e Rogers, Cleon. *Chave linguística do Novo Testamento Grego*, 1985, p. 81.
[18]HENDRIKSEN, William. *Marcos*, 2003, p. 381.
[19]CALVIN, John. *Commentary on a Harmony of the Evangelists Matthew, Mark and Luke*. Vol. II. Grand Rapids: editora 1949, p. 268.

a antiga dispensação, as bênçãos de Deus foram limitadas exclusivamente aos judeus. Com a vinda de Cristo, numa escala crescente, as bênçãos especiais de Deus para Israel estavam destinadas a alcançar os gentios. Depois do Pentecostes, a igreja tornou-se internacional.[20]

Essa mãe longe de ficar magoada com a comparação, converte a palavra desalentadora em otimismo e transforma a derrota em consagradora vitória. Essa gentia transformou a palavra de aparente reprovação — cachorrinhos — numa razão para otimismo, e por meio disso uma grande derrota tornou-se uma vitória brilhante.[21] Busca o milagre da libertação da filha, ainda que isso represente apenas migalhas da graça.

Uma mãe intercessora **triunfa pela fé** e toma posse da vitória dos filhos (7.29)

Duas coisas merecem destaque:

Em primeiro lugar, *Jesus elogia a fé daquela mãe* (Mt 15.28). A mulher siro-fenícia não apenas teve seu pedido atendido, mas teve, também, sua fé enaltecida. Não apenas a filha foi libertada, mas a mãe também foi elogiada.

Mãe, não desista de seus filhos. Eles são filhos da promessa. Eles não foram criados para o cativeiro.

A fé é morta para a dúvida, surda para o desencorajamento, cega para as impossibilidades e não vê nada, a não ser o seu sucesso em Deus.

A fé honra a Deus e Deus honra a fé. "Ó mulher, grande é a tua fé!" É significante que as duas vezes que os evangelhos destacam o elogio de Jesus a alguém por sua grande fé, foi em resposta à fé das pessoas gentias. É o caso dessa mulher siro-fenícia e do centurião romano (Mt 8.5-13). É também digno observar que, em ambos os casos, Jesus curou a distância.[22]

George Muller disse que a fé não é saber que Deus pode; é saber que Deus quer. A fé é o elo da nossa insignificância à onipotência divina.

---

[20] HENDRIKSEN, William. *Marcos*, 2003, p. 382.
[21] HENDRIKSEN, William. *Marcos*, 2003, p. 381.
[22] WIERSBE, Warren W. *Be Diligent*, 1987, p. 76.

Em segundo lugar, ***aquela mãe recebeu pela vitória de sua fé a libertação da sua filha*** (7.29,30). Jesus disse: *Faça-se contigo como queres. E desde aquele momento, sua filha ficou sã.* A fé reverteu a situação. O pedido foi atendido. A bênção chegou. A fé venceu.

Carlos Studd disse que a fé em Jesus ri das impossibilidades. Agostinho disse que fé é crer no que não vemos e a recompensa dessa fé é ver o que cremos.

Aquela mãe voltou para a sua casa aliviada e encontrou a sua filha libertada. Ela perseverou. Ela se humilhou. Ela adorou. Ela orou. Ela prevaleceu pela fé. A jovem aflita não orou por si mesma, mas sua mãe orou por ela. A fé da filha não foi medida, mas a de sua mãe o foi. E, no entanto, a cura foi para a filha. A mãe reconheceu o senhorio de Cristo e clamou: *Ajuda-me, Senhor!* Ela confessou sua necessidade e confiou em Jesus para atendê-la. Os pais, que oram pelos filhos, podem esperar a intervenção de Deus.[23]

Lute pelos seus filhos, ore por eles. Resista a qualquer obra do inimigo na vida dos seus filhos. Não descanse até ver os seus filhos salvos. Talvez alguns ainda estejam perdidos fora ou dentro da igreja. Derrame-se aos pés do Senhor. E não saia até que você triunfe pela fé.

---

[23]BARTON, Bruce B. et al. *Life Application Bible Commentary – Mark*, 1994, p. 208.

26

Um esplêndido milagre

Marcos 7.31-37

JESUS UTILIZOU MUITOS RECURSOS E PROCESSOS DIDÁTICOS para transmitir aos homens a mensagem evangélica. Seus métodos pedagógicos são os mais variados e os mais próprios às circunstâncias históricas, sociais e humanas do seu tempo.

Podemos catalogar em cinco os processos didáticos apresentados nos evangelhos:

1. Sermões
2. Parábolas
3. Respostas aos inquisidores
4. Atitudes e comportamentos
5. Milagres

Os milagres de Cristo eram pedagógicos. Quase toda cura física que Jesus realizava significava uma cura espiritual que planejava. A doença do corpo era uma imagem da doença da alma. Esse milagre é narrado somente pelo evangelista Marcos. Ele encerra algumas lições importantes:

A compaixão de Jesus (7.31)

Destacamos dois fatos sobre a compaixão de Jesus:

Em primeiro lugar, **Jesus revela sua benevolência** (7.31). Jesus havia sido expulso da região de Decápolis, depois que libertou um homem possesso de uma legião de demônios. O povo daquela região amava mais os porcos que a Deus e dava mais importância ao dinheiro que à salvação.

Jesus foi expulso de Gadara, mas enviou um missionário para o meio deles antes de deixá-los. Agora, o próprio Jesus está de volta a essa terra. Isso é a graça de Deus oferecida àqueles que um dia o rejeitaram. Esse gesto de Jesus revela sua grande benevolência.

Em segundo lugar, **Jesus oferece uma segunda oportunidade**. A presença de Jesus em Decápolis é evidência de que Deus insiste com o homem, oferecendo a ele mais uma oportunidade de salvação. Deus chama com amor. Ele enviou um missionário para a região de Decápolis e agora Ele mesmo está entre esse povo para abrir-lhe a porta da graça.

A súplica dos necessitados (7.32)

Três verdades são aqui enfatizadas:

Em primeiro lugar, **eles creem que Jesus tem poder para curar esse enfermo** (7.32). Os moradores de Decápolis creem que Jesus pode curar esse enfermo. A recuperação da audição dos surdos era um sinal da era messiânica. Quando o Messias vier, abrirá os ouvidos dos surdos. Isaías assim registra: *Então, se abrirão os olhos dos cegos, e se desimpedirão os ouvidos dos surdos* (Is 35.5).

Por isso rogaram a Jesus para impor as mãos sobre o enfermo para que ele fosse curado. Não há oração eficaz sem confiança no poder de Jesus para operar maravilhas. Quando oramos, estamos falando com Aquele que tem todo poder e toda autoridade no céu e na terra.

Outra palavra-chave nesse texto é *mogilalon*, a palavra usada pelo Senhor para descrever a dificuldade de falar. Essa palavra só é encontrada aqui e na versão grega do Antigo Testamento, a Septuaginta, em Isaías 35.6: [...] *e a língua dos mudos cantará* (Is 35.6). Isaías diz que na era messiânica os mudos gritariam de alegria. Marcos viu o cumprimento das palavras de Isaías no ministério de cura do Senhor Jesus.[1]

Os amigos do surdo-mudo queriam ditar ao Senhor o método que ele empregaria para curar o enfermo (7.32).[2] Jesus, porém, não segue a metodologia dos homens. Essas pessoas descobriram que Jesus tinha uma maneira própria de fazer as coisas. Ele é soberano em suas obras e em seus métodos.

Não podemos determinar para Deus o que fazer nem como fazer. Jesus aborda cada pessoa de forma diferente. A uns Ele chama pela mensagem, a outros Ele chama pela música, a outros ainda por meio de um testemunho ou diversas outras providências. William Hendriksen diz que ao tratar com as pessoas, o Senhor escolhia os Seus próprios métodos. Naamã precisou aprender essa lição (2Rs 5.10-14), como também Jacó muito antes dele (Gn 42.36; 45.2528). Assim também aprenderam José e os seus irmãos (Gn 50.15-21). Nós nunca deveríamos tentar ensinar a Deus os métodos que Ele deveria usar para responder às nossas orações, o lugar exato onde Ele deveria colocar suas mãos. O seu modo é sempre o melhor.[3]

Em segundo lugar, *eles revelam profunda compaixão por esse enfermo* (7.32). Nós não podemos ajudar as pessoas se não sentirmos compaixão por elas. O amor é a mola que nos move a socorrer os aflitos. O amor nos impulsiona a fazer o bem. Nós precisamos trazer os necessitados a Jesus. Nós não podemos curá-los, mas nosso Senhor é poderoso para abrir-lhes os ouvidos e desimpedir-lhes a língua.

William Barclay diz que todo o relato mostra que Jesus não considerou o homem meramente como um caso; o considerou como um indivíduo. O homem tinha uma necessidade especial e um problema especial, e com a mais terna consideração Jesus o tratou de uma forma que respeitava seus sentimentos, e de uma maneira que ele poderia entender.[4]

Em terceiro lugar, *eles trazem o enfermo a Jesus e intercedem por ele* (7.32). Precisamos trazer os aflitos, os enfermos, os pecadores aos

---

[1]BARTON, Bruce B. et al. *Life Application Bible Commentary on Mark,* 1994, p. 212.
[2]TRENCHARD, Ernesto. *Una Exposición del Evangelio según Marcos,* 1971, p. 92.
[3]HENDRIKSEN, William. *Marcos,* 2003, p. 385.
[4]BARCLAY, William. *Marcos,* 1974, p. 195.

pés de Jesus e orar por eles para que sejam curados, salvos, libertos e transformados.

Aquele homem era surdo e mudo. Seus ouvidos e boca haviam sido bloqueados. Adolf Pohl diz que as portas para o próximo e para Deus estavam trancadas. Esse homem, além de ter muros de som que não lhe permitiam ouvir as pessoas, não conseguia também ser ouvido por elas. É essa dramática realidade que foi trazida para Jesus.[5]

O método de Jesus (7.33-35)

Seis são as circunstâncias que aconteceram nesse milagre: 1) Jesus chamou o surdo-mudo à parte — possivelmente para que o doente ficasse mais à vontade; 2) Colocou os dedos nos seus ouvidos — Jesus cria pontes de contato com os seus sentidos para despertar-lhe a fé; 3) Pôs saliva em sua língua — para indicar-lhe que algo deveria ser feito pela sua língua; 4) Levantou os olhos para o céu — revelando que pela oração estava buscando a própria vontade do Pai para realizar esse milagre; 5) Deu um grande suspiro — demonstrando que a condição desse homem estava tocando o seu coração. As dores desse homem eram sentidas também por Jesus. Adolf Pohl diz que o suspiro é evidência de alguém que sofre;[6] 6) Pronunciou uma palavra de virtude: *efatá*. Tanto os ouvidos quanto a língua ficaram desembaraçados.

Podemos sintetizar o método de Jesus empregado nesse milagre em alguns pontos:

Em primeiro lugar, **Jesus realiza esse milagre longe dos holofotes** (7.33). Jesus tira esse homem energicamente do "palco", ao contrário de curandeiros modernos que puxam os doentes para o palco para exibirem-se com supostos milagres.[7] Muitos hoje colocam faixas, *outdoors* e anunciam com grande veemência os pretensos milagres que realizam. Jesus, muitas vezes, não apenas fez milagres longe das luzes da ribalta, mas pedia que esses milagres não fossem divulgados.

---

[5]Pohl, Adolf. *Evangelho de Marcos*, 1998, p. 238.
[6]Pohl, Adolf. *Evangelho de Marcos*, 1998, p. 239.
[7]Pohl, Adolf. *Evangelho de Marcos*, 1998, p. 238.

Quando Jesus tirou esse homem do meio da multidão, estava revelando por ele profunda consideração. Estava dizendo-lhe que não lidava com a massa, mas com o indivíduo.

Em segundo lugar, *Jesus cria uma ponte de contato com esse homem para despertar-lhe a fé* (7.33). Jesus podia apenas dar uma ordem e aquele homem ficaria curado. Ele poderia também ter feito esse sinal no meio da multidão. Mas Jesus o chama à parte e toca-lhe com as mãos e com saliva. Esses gestos eram pontes de contato. Muitas vezes Jesus usou símbolos para ajudar as pessoas na sua compreensão. Ele ordenou aos Seus discípulos imporem as mãos sobre os enfermos e ungi-los com óleo. Ele pôs lodo no olho do cego de nascença e agora toca os ouvidos e coloca saliva na língua desse homem.

Jesus toca esse homem para despertar-lhe a fé. O toque de Jesus é transformador. Ele tocou o leproso e ele foi curado. Ele tocou o cego de nascença e ele recebeu visão. Ele tocou esse homem surdo-mudo e ele passou a falar e a ouvir perfeitamente. Hoje, precisamos de um toque de Jesus!

Em terceiro lugar, *Jesus pronuncia uma palavra de poder* (7.34). Antes de pronunciar uma palavra de cura, Jesus dá um profundo suspiro. Esse é o sentimento de compaixão. Ele se importa com o homem. Nossa dor é a Sua dor. Ele chorou no túmulo de Lázaro. Ele se compadeceu do leproso. Ele é movido de terna compaixão por aqueles que sofrem.

Mas Jesus não tem apenas compaixão, Ele tem poder. Ao proferir a palavra *efatá*, os ouvidos abriram e a língua desembaraçou e o homem passou a ouvir e a falar fluentemente. Warren Wiersbe diz que o homem não podia ouvir Jesus falar, mas a criação ouviu o Criador, e o homem foi curado.[8] Jesus tem poder para abrir. Ele abre a boca do ser humano, os olhos, os ouvidos, o ventre, a prisão, o coração, a fé, as Escrituras são a porta missionária, ele abre o céu e os sepulcros.[9] A palavra *efatá* traz a ideia de ser aberto e ser libertado. A ideia não é da parte específica da pessoa sendo aberta, mas da pessoa inteira ser

---

[8]WIERSBE, Warren W. *Be Diligent*, 1987, p. 77.
[9]POHL, Adolf. *Evangelho de Marcos*, 1998, p. 239.

aberta ou libertada. É a ordem que despedaçou os grilhões que satanás mantinha presa a sua vítima.[10]

Dewey Mulholland diz que *efatá* não é nenhum encantamento mágico. É apenas uma palavra na língua aramaica, a linguagem normal para Jesus. Marcos traduziu a palavra, mostrando que Jesus usou uma simples ordenança e não uma fórmula mágica para realizar a cura.[11]

Jesus é o mesmo. Ele ainda abre os ouvidos e desimpede a língua dos mudos.

Em quarto lugar, **Jesus cura o enfermo imediata e completamente** (7.35). As curas operadas por Jesus não foram propaganda enganosa. As pessoas não continuavam a ter os sintomas da doença depois de pronunciada a cura. O texto diz que *logo* o homem passou a ouvir e a falar *desembaraçadamente*. A cura de Cristo é imediata e completa.

Hoje, muitos líderes religiosos sem escrúpulos e sem temor a Deus fazem propagandas de milagres que jamais existiram e garantem às pessoas que elas estão curadas, quando não há nenhuma prova de que o milagre ocorreu. Diferentes de Jesus, buscam publicidade e gostam dos holofotes, pois estão mais interessados na exaltação de seus próprios nomes do que na glória de Deus.

Em quinto lugar, **Jesus proíbe a publicidade do milagre** (7.36). Parece paradoxal que nessa mesma região Jesus disse para o gadareno ir para os seus contar tudo quanto o Senhor lhe havia feito (5.18-20) e agora ordena a esse homem para não falar nada a ninguém. A razão para esse fato se dá porque Jesus está terminando o seu ministério terreno e embocando a sua caminhada para Jerusalém, onde morrerá na cruz. Jesus não queria que o dia da Sua crucificação fosse antecipado nem que as pessoas focassem sua atenção nos Seus milagres em vez de na Sua morte expiatória.[12] Jesus não veio ao mundo para ser um milagreiro, mas sim, o Salvador. E isso precisa ser enfatizado agora, mais do que nunca.[13]

---

[10]RIENECKER, Fritz e ROGERS, Cleon. *Chave Linguística do Novo Testamento Grego*, 1985, p. 81.
[11]MULHOLLAND, Dewey M. *Marcos: Introdução e Comentário*, 2005, p. 125.
[12]HENDRIKSEN, William. *Marcos*, 2003, p. 388.
[13]HENDRIKSEN, William. *Marcos*, 2003, p. 388.

Jesus proíbe a multidão de propalar o milagre porque a ideia deles do Messias estava ligada à cura. Eles estavam mais interessados nos milagres de Jesus do que na pessoa dEle; enquanto Jesus queria que eles tivessem uma compreensão mais profunda da Sua vida e obra.[14]

As implicações e as aplicações do **milagre**

Antonio Vieira, comentando essa passagem bíblica, diz que esse milagre lança luz sobre alguns aspectos importantes da vida cristã:

Em primeiro lugar, *os tipos de surdez*. O surdo é uma pessoa que não ouve. Pessoa desligada da comunidade em que vive, que não participa das conversas e não dialoga.

A surdez pode ser congênita, temporária, artificial e moral.

A surdez congênita — É congênita quando a pessoa nasce com a deficiência física.

A surdez temporária — É temporária como a das crianças que ainda não entendem os sons e a linguagem, mas logo mais estarão entrosadas com a comunidade.

A surdez artificial — Essa é a surdez dos estrangeiros que não entendem a língua do país onde se encontram.

A surdez moral — Essa é a surdez daqueles que não querem ouvir. De acordo com Jesus, essa é a pior espécie de surdez. A pessoa propositadamente resiste ouvir. Seus ouvidos estão fechados ao que Deus diz e ao que o semelhante fala.

Em segundo lugar, *os significados da surdez*. John Charles Ryle diz que esse texto nos fala do poder do Senhor para curar aqueles que são espiritualmente surdos.[15] Destacamos alguns aspectos dessa surdez:

Surdo é o homem indiferente aos lamentos e sofrimentos dos pobres e doentes, dos necessitados e aflitos. O apóstolo João afirma: *O que vir a seu irmão padecer necessidades e fechar-lhe o coração, como pode permanecer nele o amor de Deus?* (1Jo 3.17). No dia do juízo, Jesus sentenciará alguns à condenação eterna, dizendo-lhes: *Apartai-vos de mim, malditos, para o*

---

[14]MULHOLLAND, Dewey M. *Marcos: Introdução e Comentário*, 2005, p. 125.
[15]RYLE, John Charles. *Mark*, 1993, p. 109.

fogo eterno [...] *Porque tive fome, e não me destes de comer...* (Mt 25.41). Surdo é aquele que tem os ouvidos fechados e o coração fechado aos que lhe pedem ajuda. Esses são semelhantes àquela multidão que tentou abafar o grito do cego Bartimeu, que clamava pelo nome de Jesus (10.46-48).

Surdo é o homem abastado que se isola nos seus palacetes, cercado de altas muralhas, de cães adestrados, de guardas armados para que até lá não chegue a voz do pobre e necessitado. Jesus contou a parábola do rico e do Lázaro. Aquele vivia nababescamente, enquanto Lázaro jazia à sua porta, mendigando (Lc 16.19-31). O rico estava preocupado apenas com suas vestes, seus banquetes e seus convivas, mas não abriu os ouvidos nem o coração para socorrer o necessitado à sua porta.

Surdo é aquele que tem os ouvidos fechados aos conselhos e admoestações para o bem. São jovens que não escutam a orientação dos pais, e por isso, tomam decisões precipitadas; cometem erros irreparáveis e entram em problemas insanáveis. Quantos casamentos turbulentos e desastrados jamais teriam acontecido se os filhos ouvissem o conselho dos pais. Quantos acordos e alianças jamais teriam sido firmados se os conselhos fossem ouvidos.

Surdos são os homens que não conversam com os filhos, não dialogam com a esposa, que não ouvem as reclamações e as necessidades da família e que apenas sabem dar ordens, fazer reclamações e impor obrigações. O divórcio tem sido definido como a morte do diálogo. Há pais que se divorciam dos filhos, fechando-lhes o canal de comunicação.

Surdos são os magistrados, os homens da lei que se deixam subornar, que pervertem a justiça, que corrompem o direito, que inocentam o culpado e condenam o inocente. Esses são insensíveis aos gritos de dor dos injustiçados, dos espoliados, dos marginalizados, dos escorraçados, dos famintos, dos sem-teto, sem vez, sem voz e sem nenhuma esperança.

Surdos são todos aqueles que têm os ouvidos fechados à Palavra de Deus. São aqueles que dizem não ao convite da salvação, que dizem não à vida abundante que Jesus oferece. Surdos são os que ao ouvirem a voz de Deus fogem dele como Jonas e não dizem como Samuel: *Fala, Senhor porque o teu servo ouve*. Surdos são aqueles que ao serem exortados por Deus para abandonarem o pecado, ficam ainda mais agarrados à iniquidade. Surdos são aqueles que convidados a chegar e a beber dos rios de água viva cavam cisternas rotas que não retêm as águas. Surdos são aqueles que desafiados a buscarem uma vida cheia do Espírito e se consagrarem a Deus, ausentam-se da igreja, enterram o seu talento e acovardam-se na luta.

Em terceiro lugar, *os tipos de mudez*. Mudo é o homem que não fala e não diz com palavras o que pensa e o que sente. Mudo é aquele que tem os lábios cerrados por doença, por medo, conveniência ou conivência.

Em quarto lugar, *o significado da mudez*. John Charles Ryle diz que esse texto enfatiza que Jesus tem poder para curar aqueles que são espiritualmente mudos.[16] Podemos ver vários aspectos dessa mudez:

Mudos são os tipos amorfos, abúlicos que não se decidem e não se firmam; que fazem do silêncio a estratégia da omissão, para viver no comodismo da sua inércia e da sua indefinição.

Mudos são aqueles que se omitem. A omissão da verdade, o disfarce da verdade é tão reprovável quanto a mentira. Jesus acolheu os publicanos e pecadores; a Ee vieram os párias, os adúlteros, a escória da sociedade e foram transformados, mas os medíocres e omissos fariseus foram anatematizados como hipócritas. De Saulo, perseguidor, o Senhor fez o grande apóstolo dos gentios. Da samaritana, pecadora pública, fez uma extraordinária missionária. Mas o jovem rico cauteloso não foi transformado em seguidor de Jesus. Constantino, fazendo concessões à igreja, concedendo-lhe privilégios políticos e grandes patrimônios em terra e dinheiro, fez mais mal ao cristianismo do que Nero matando os cristãos nos anfiteatros romanos. Na perseguição, a igreja consolidou-se e santificou-se.

Mudos são os lábios que não oram e não se derramam perante a face do Altíssimo.

Mudos são os mestres que não ensinam sabedoria, antes estadeiam e ostentam sua autossuficiência. Mudo é o pai que não fala aos filhos. Mudo é o homem que se conforma com os valores relativos. Mudo é aquele que não ergue sua voz de protesto contra as injustiças que barbarizam

---

[16] RYLE, John Charles. *Mark,* 1993, p. 109.

tantas vidas. Mudo é aquele que se cala para não se comprometer e covardemente sacrifica a verdade em conivência com o erro.

Mudos são aqueles que deixam de levar boas-novas de salvação. Mudos são todos aqueles que se calam na pregação das boas-novas. São todos aqueles que escondem a mensagem da salvação apenas para si mesmos. Mudos somos todos nós quando não levamos uma palavra de conforto e esperança aos enfermos nos hospitais, aos prisioneiros nos presídios, aos pobres e aflitos nas choupanas, aos ricos e abastados em suas mansões. Mudo é aquele que deixa de apontar o caminho ao errante, deixa de apontar a porta da salvação ao perplexo e confuso pelas seitas. Mudo é aquele que não usa sua língua para glorificar a Deus, para louvar o seu nome, para exaltar os seus feitos. Mudo é aquele que não balsamiza com sua língua os feridos, os quebrados e aflitos.

O mundo é mais infeliz pela ausência de amor do que pela presença do ódio. O mundo é mais infeliz pela omissão dos retos do que pela malícia dos maus. O mundo é mais infeliz pela mudez dos cristãos do que pela loquacidade dos incrédulos.

Concluindo, destacamos que os milagres de Cristo produzem profunda admiração nas pessoas (7.37). Onde o poder de Cristo se manifesta os corações sensíveis se desabotoam em regozijo e admiração. As pessoas estavam maravilhadas e não puderam esconder esse glorioso espanto diante da magnificência do poder de Cristo. James Hastings diz que precisamos considerar quatro classes de pessoas:[17]

Alguns homens não veem nada em Cristo para admirar. Os fariseus e escribas diziam que Ele expulsava demônios pelo poder de Belzebu. Eles diziam que Ele era possesso, beberrão e blasfemo.

Outros homens admiram as coisas que Cristo faz, mas não admiram quem Cristo é. Os conterrâneos de Jesus, o povo de Nazaré, ficavam extasiados com Suas palavras e obras, mas rejeitaram a pessoa de Cristo.

Outros ainda admiram a Cristo, mas não O adoram. Possivelmente seja esse o caso do povo de Decápolis. Muitos corriam atrás de Cristo apenas por causa de seus milagres, buscavam apenas o pão que perece.

---

[17] HASTINGS, James. *The Great Texts of the Bible.* St. Mark, n.d, p. 189-192.

Finalmente, alguns homens não apenas O admiram, mas também O adoram. Não basta apenas saber que Jesus é um grande Mestre e um operador de sinais e maravilhas. É preciso prostrar-se aos Seus pés como o Senhor dos senhores. Os magos O adoraram. Os salvos O adoram. Os anjos o adoram.

Os milagres de Cristo revelam as obras de Deus (7.37). Quando Deus criou o universo, Ele mesmo deu sua nota positiva de avaliação. Agora, os próprios homens estão cônscios de que as obras de Cristo são perfeitas. O mesmo que criou todas as coisas visíveis e invisíveis continua fazendo todas as coisas esplendidamente bem: abrindo os ouvidos dos surdos e desimpedindo a língua dos mudos.

27

Atitudes de Jesus diante de circunstâncias desfavoráveis

Marcos 8.1-21

INTRODUZIMOS ESTE TEXTO DESTACANDO DUAS COISAS:

Em primeiro lugar, ***enquanto Jesus é rejeitado pelos Seus, é procurado pelos gentios***. Jesus ainda está em território estrangeiro. Ao mesmo tempo em que Ele está sendo rejeitado pelos líderes religiosos, os gentios O buscam ansiosamente. Marcos colocou esse relato intencionalmente no fim de uma viagem por terras pagãs para enfatizar Seu trabalho missionário entre os gentios.

Em segundo lugar, ***Jesus demonstra compaixão pelos gentios***. William Hendriksen diz que Jesus é capaz de não somente operar maravilhas, mas também de repetir suas obras maravilhosas; sua compaixão é mostrada não somente em relação ao povo da aliança, mas também em relação àqueles de fora.[1]

Larry Hurtado diz que o fato de Marcos dedicar espaço a duas narrativas do mesmo tipo de milagre sugere que cada uma delas tem algo de especial para comunicar, e que nenhuma poderia ser omitida sem perder-se algo importante.[2] Jesus empregou a repetição como parte de

---

[1] HENDRIKSEN, William. *Marcos*, 2003, p. 399.
[2] HURTADO, Larry W. *Mark*. Harper & Row, 1983, p. 109.

Seu método de fixar as verdades ensinadas, dando aos Seus discípulos e à multidão uma segunda chance.[3]

Esse texto nos fala de quatro atitudes de Jesus:

A compaixão de Jesus (8.1-4)

Destacamos três aspectos da compaixão de Jesus:

Em primeiro lugar, *ela é manifestada aos gentios* (8.1,2). Jesus já alimentara uma multidão às margens do mar da Galileia, agora alimenta outra multidão em território gentio. Dewey Mulholland diz que esse segundo milagre aponta para o Reino de Deus, o qual inclui homens, mulheres e crianças de todas as línguas e nações. Os privilégios exclusivos dos judeus têm um fim. Deus mostra seu interesse por todas as pessoas, abrindo o seu reino tanto para gentios quanto para judeus.[4]

John Charles Ryle diz que Jesus demonstrou compaixão por aqueles que não eram seu povo, aqueles que não tinham fé nem graça, antes estavam sem Deus no mundo, sem esperança, vivendo separados da comunidade de Israel. Jesus sentiu compaixão deles, embora não O conhecessem. Ele morreu por eles, embora eles não entendessem Seu sacrifício.[5] Verdadeiramente o amor de Cristo ultrapassa todo o entendimento (Ef 3.19).

Adolf Pohl diz que a palavra "permanecer" (8.2) tem um tom religioso, como a palavra "esperar" (esperar em Deus com fé, apesar de provações e sofrimentos).[6] Havia avidez naquela multidão que ouvia os ensinos de Cristo. Enquanto os fariseus eram os críticos de Jesus, os gentios se deleitavam em Seu ensino.

Em segundo lugar, *ela atrai os gentios* (8.3). Essa grande multidão estava num lugar deserto havia três dias; muitos deles vindo de lugares distantes. A pessoa, o ensino e as obras de Jesus atraíam de forma irresistível essas pessoas. William Hendriksen diz que a presença de Jesus era tão magnética, as Suas palavras e ações tão maravilhosas, que os que

---

[3]MULHOLLAND, Dewey M. *Marcos: Introdução e Comentário*, 2005, p. 126.
[4]MULHOLLAND, Dewey M. *Marcos: Introdução e Comentário*, 2005, p. 127.
[5]RYLE, John Charles. *Mark*, 1993, p. 112.
[6]POHL, Adolf. *Evangelho de Marcos*, 1998, p. 242.

O circundavam julgavam que era impossível deixá-Lo.[7] O tempo, o cansaço, a fome ou mesmo seus afazeres não lhes impediam de permanecer três dias num lugar deserto ouvindo atentamente as palavras de Jesus.

Em terceiro lugar, *ela é contraposta à insensibilidade dos discípulos* (8.4). Na primeira multiplicação dos pães, os discípulos tomaram a iniciativa de pedir a Jesus para despedir a multidão (6.35,36). A questão enfrentada nessa circunstância, porém, era mais grave do que na primeira multiplicação dos pães. Lá o problema básico era arranjar dinheiro para comprar pão (Jo 6.7). Naquele caso, a comida poderia ser comprada nas cidades e vilas da vizinhança (6.36). Aqui, porém, nem lugar tem para comprar pão. O lugar era deserto, era uma multidão e o tempo já assinalava sinais de perigo para essa gente. Os discípulos, com os corações endurecidos, não veem saída para o problema. Eles nem sequer se lembraram do primeiro milagre. Eles têm uma memória curta e um coração endurecido. Eles destacam as dificuldades das circunstâncias e não o poder de Jesus para realizar o milagre. Eles veem o problema e não a solução.

O poder de Jesus (8.5-10)

Três verdades merecem destaque:

Em primeiro lugar, *o pouco nas mãos de Jesus é muito* (8.5). Apenas sete pães podem transformar-se no começo de um grande milagre. Quando colocamos o pouco nas mãos de Jesus, Ele pode realizar grandes milagres. Com Cristo tudo é possível. O conhecimento exato do suprimento completamente inadequado (humanamente falando) fará que reconheçam a grandiosidade do milagre.[8]

O pão é a vida. A palavra hebraica para "deserto", porém, significa "separado da vida". Assim, "pão no deserto" é uma contradição de termos, uma impossibilidade ou — uma possibilidade só para Deus.[9] Quando os nossos recursos acabam ou são insuficientes, Jesus pode ainda fazer o milagre da multiplicação. Precisamos aprender a depender

---

[7] HENDRIKSEN, William. *Marcos*, 2003, p. 395.
[8] HENDRIKSEN, William. *Marcos*, 2003, p. 396.
[9] POHL, Adolf. *Evangelho de Marcos*, 1998, p. 242.

mais do Provedor do que da provisão. Ele ainda continua multiplicando os nossos pequenos recursos para alimentarmos as multidões famintas.

John Charles Ryle diz que nós jamais deveremos duvidar do poder de Cristo para suprir a necessidade espiritual de todas as pessoas. Ele tem pão com fartura para toda alma faminta. Os celeiros do céu estão sempre cheios. Devemos estar seguros de que Cristo tem suprimento suficiente para todas as necessidades temporais e eternas do seu povo. Ele conhece as suas necessidades e as suas circunstâncias. Ele é poderoso para suprir cada uma das nossas necessidades.

Aquele que alimentou a multidão jamais mudou. Ele é o mesmo e tem o mesmo poder e compaixão.[10]

Em segundo lugar, *a ação divina não exclui a cooperação humana* (8.6,7). A soberania de Deus não anula a responsabilidade humana. Cristo realizou o milagre, mas contou com a participação daquelas pessoas.

Ele fez o milagre a partir dos sete pães e alguns peixinhos (8.5,7). Ele poderia ter criado do nada aqueles pães e peixes como fez na criação, mas resolveu começar a partir do que eles já possuíam. Adolf Pohl diz que a ajuda passa pela cessão obediente dos meios próprios (6.38). Até os doentes se tornam cooperadores de Deus quando da sua cura. Tenha o desejo de ser curado, venha até aqui, levante-se, estenda a mão! Aqui a pequena provisão própria é considerada. As atividades de Deus não tornam o homem passivo.[11] Quando Jesus perguntou aos discípulos: *Quantos pães tendes?*, estava mostrando-lhes que eles não tinham o suficiente. Isso os ajudou a analisar a situação; abriu-lhes os olhos para a inadequação de seus recursos; relembrou-os do milagre anterior e encorajou-os a descansarem em Deus.[12]

Ele requer ordem. Pediu à multidão que se assentasse no chão. Aqui não tem relva, pois é uma região deserta.

Ele deu graças. Precisamos agradecer o que temos antes de vermos o milagre acontecendo. O milagre é precedido por gratidão e nunca por murmuração.

---

[10] RYLE, John Charles. *Mark*, 1993, p. 113.
[11] POHL, Adolf. *Evangelho de Marcos*, 1998, p. 243.
[12] BARTON, Bruce B. et al. *Life Application Bible Commentary on Mark*, 1994, p. 219.

Ele partiu o pão. O milagre aconteceu quando o pão foi partido. O milagre da vida deu-se quando Jesus também Se entregou e Seu corpo foi partido.

Ele usou os discípulos para alimentarem a multidão. Jesus fez o milagre da multiplicação, mas coube aos discípulos o trabalho da distribuição.

Em terceiro lugar, **a provisão divina é sempre maior do que a necessidade humana** (8.8.9). Não há escassez na mesa de Deus. Ele coloca diante do Seu povo uma mesa no deserto. Na mesa do Pai há pão com fartura. Todos comeram e se fartaram e ainda sobejou. Eram quatro mil homens e eles ainda recolheram sete cestos. Esses cestos são maiores do que os cestos da primeira multiplicação. Esses são grandes balaios, a mesma palavra usada para o cesto que Paulo desceu pela muralha de Damasco para salvar sua vida (At 9.25). As duas palavras gregas são bem distintas: *kophinos*, usada em Marcos 6.43 era um cesto de vime; e *spuris*, usada aqui em Marcos 8.8 era uma cesta maior de vime, ou um grande balaio.[13]

O sofrimento de Jesus (8.10-13)

Desta feita, Jesus não despede os discípulos sozinhos. Ele vai com eles e retorna ao território judeu. Ao chegarem, os espiões da vida alheia, os detetives religiosos, os opositores contumazes estão de bote armado contra Jesus.

A transgressão e a incredulidade dos fariseus trouxeram sofrimento a Jesus. Os piedosos sofrem com o pecado daqueles que estão ao seu redor. O rei Davi disse: *Vi os infiéis e senti desgosto, porque não guardam a Tua palavra* (Sl 119.158). Assim agiram os piedosos no tempo do profeta Ezequiel: *Passa pelo meio da cidade, pelo meio de Jerusalém, e marca com um sinal a testa dos homens que suspiram e gemem por causa de todas as abominações que se cometem no meio dela* (Ez 9.4). Esse foi o sentimento de Ló: *Porque este justo, pelo que via e ouvia quando habitava entre eles, atormentava a sua alma justa, cada dia, por causa das obras iníquas daqueles* (2Pe 2.8). Assim também era a mente de Paulo: *Tenho grande tristeza e incessante dor no coração; porque eu mesmo desejaria ser anátema,*

---

[13]HENDRIKSEN, William. *Marcos*, 2003, p. 398.

separado de Cristo, por amor de meus irmãos, meus compatriotas, segundo a carne (Rm 9.2,3). John Charles Ryle diz que não devemos esquecer que a incredulidade e o pecado são a causa da tristeza de Jesus agora como o foi naquele tempo. Os pecados que ainda ferem Jesus são os mesmos que são cometidos todos os dias sem nenhuma reflexão.[14]

Os fariseus usaram três expedientes para atacar Jesus:

Em primeiro lugar, **eles discutem com Jesus** (8.11). Eles não têm interesse na verdade. Eles são apenas especuladores. Querem apenas criar embaraços para Jesus. Querem desacreditar Jesus publicamente. A palavra discutir (*syzetein*) usada por Marcos tem sempre a ideia de discussão hostil, desqualificada e inútil (1.27; 8.11; 9.10,14,16; 12.28).[15] Mateus nos informa que os fariseus estão mancomunados com os saduceus nessa investida contra Jesus. Eles estão tomados de inveja e ciúmes. Não devemos perder tempo com discussões frívolas.

Em segundo lugar, **eles tentam a Jesus** (8.11). A aproximação deles de Jesus não é para aprender ou para receber qualquer ajuda, mas para colocarem armadilhas no seu caminho. Eles são peçonhentos em suas motivações. Eles tinham em mente os grandes milagres realizados por Moisés, Josué e Elias e pensavam que Jesus era um impostor. Mas Jesus já tinha dado provas insofismáveis: os cegos haviam recobrado a visão, os surdos voltaram a ouvir, os paralíticos saltavam nas praças, os leprosos eram devolvidos às suas famílias e até os mortos restituídos aos seus entes queridos. Pedir mais um sinal era na verdade um insulto.[16] Mas os fariseus estão tentando Jesus, querendo um sinal do céu. Eles não queriam um milagre terreno como a cura de um enfermo. Eles queriam que Ele provasse sua autoridade trazendo fogo ou pão do céu (Jo 6.30,31). Aqueles líderes na verdade estavam endurecidos e espiritualmente cegos. O desejo deles por um sinal do céu apenas evidenciava a incredulidade deles, pois a fé não pede sinais. A verdadeira fé deleita-se em Deus e na Sua Palavra e satisfaz-se com o testemunho interno do Espírito Santo.[17]

---

[14]RYLE, John Charles. *Mark*, 1993, p. 114.
[15]POHL, Adolf. *Evangelho de Marcos*, 1998, p. 244.
[16]HENDRIKSEN, William. *Marcos*, 2003, p. 400.
[17]WIERSBE, Warren W. *Be Diligent*, 1987, p. 78.

Em terceiro lugar, *eles são movidos por uma curiosidade frívola* (8.11). Eles querem um sinal do céu. Eles querem ver milagres e coisas espetaculares, mas não têm nenhum interesse nas coisas do Reino de Deus. Herodes também pediu a Jesus um sinal para sua diversão particular (Lc 23.8). O que Jesus já havia realizado oferecia evidência suficiente para todos aqueles que tinham olhos para ver e ouvidos para perceber. Os fariseus, porém, eram cegos. Isso arrancou um profundo gemido de Jesus. Isso provocou dor no coração de Jesus. Ele recusou-Se terminantemente fazer milagres apenas para atender ao capricho dos fariseus. A recusa de Jesus não significa que Ele não poderia. Porém, Ele recusou colocar-Se debaixo de controle externo.[18] Sempre que nos aproximamos de Jesus, vendo-O apenas como um milagreiro e não como Salvador que veio buscar o perdido, isso Lhe provoca dor.

Porque Marcos foi escrito primariamente aos gentios, ele não incluiu a resposta de Jesus sobre o sinal de Jonas (Mt 12.38-41). Qual era o sinal de Jonas? Morte, sepultamento e ressurreição. A prova de que Jesus era quem afirmava ser é o fato de Sua própria morte, sepultamento e ressurreição (At 2.22-36; 3.12-26).[19] O sacrifício vicário de Cristo é o maior de todos os milagres!

A advertência de Jesus (8.14-21)

Destacamos dois fatos:

Em primeiro lugar, *a necessidade de guardar-se das más influências* (8.14,15). Jesus alerta os Seus discípulos para se acautelarem sobre o fermento dos fariseus e do fermento de Herodes. Jesus não está falando do fermento do pão, mas do fermento da doutrina. A justiça própria, o formalismo e a religião vazia dos fariseus, bem como o ceticismo de Herodes eram o cerne da advertência de Jesus. Contra essas duas heresias é que Jesus alerta os seus discípulos.[20] Os falsos profetas e os falsos ensinos têm prejudicado mais os cristãos ao longo da história do que as próprias perseguições sangrentas.

---

[18] WIERSBE, Warren W. *Be Diligent*, 1987, p. 78.
[19] RYLE, John Charles. *Mark*, 1993, p. 115.
[20] WIERSBE, Warren W. *Be Diligent*, 1987, p. 79.

Na Bíblia, fermento é um símbolo do mal. Cada Páscoa celebrada, os judeus tinham de tirar todo o fermento de casa (Êx 12.18-20). O fermento não era permitido nas ofertas (Êx 23.18; 34.25; Lv 2.11; 6.17). O mal, como o fermento, também fica escondido, mas espalha-se e contamina o todo (Gl 5.9). A Bíblia usa o fermento como figura de falsa doutrina (Gl 5.1-9), a infiltração do pecado na igreja (1Co 5.7) e hipocrisia (Lc 12.1). Nesse contexto é que Jesus exorta os discípulos sobre a hipocrisia dos fariseus e o mundanismo de Herodes.[21]

Mateus nos informa que os saduceus também faziam parte dessa comitiva inquisitória. Eles faziam parte do partido sacerdotal, ao qual os sumos sacerdotes geralmente pertenciam. A oligarquia sacerdotal, por sua própria natureza e a necessidade de sobrevivência, era dependente dos favores de Herodes. Os saduceus eram meio helenistas. Eles se opunham à doutrina da ressurreição do corpo e da imortalidade da alma. Eles eram mundanos. William Hendriksen diz que o fermento dos fariseus era o tradicionalismo (7.4,8); o fermento de Herodes e seus seguidores, os herodianos, era o secularismo (6.17s.) e o fermento dos saduceus era o ceticismo (12.18; At 23.8).[22] Dewey Mulholland diz que o legalismo dos fariseus os separava de Deus da mesma forma que Herodes, sem lei e sem Deus, recusava a verdade proclamada por João (6.18,19). Apesar de suas aparentes diferenças, os fariseus e Herodes demonstravam a mesma dureza de coração.[23]

O fermento tem a capacidade de penetrar em toda a massa. William Hendriksen diz que o fermento e o ensino se assemelham em vários aspectos: ambos operam de modo invisível; são muito poderosos; têm uma tendência natural de aumentar sua esfera de influência (1Co 5.16; Gl 5.9).[24] Tanto no Antigo quanto no Novo Testamento, "fermento" frequentemente simboliza o mal. Assim, o ministério de Jesus é caracterizado pelo "conceder o pão", enquanto que os fariseus e Herodes disseminam "fermento".[25]

---

[21]
[22]HENDRIKSEN, William. *Marcos*, 2003, p. 404.
[23]MULHOLLAND, Dewey M. *Marcos: Introdução e Comentário*, 2005, p. 129.
[24]HENDRIKSEN, William. *Marcos*, 2003, p. 405.
[25]MULHOLLAND, Dewey M. *Marcos: Introdução e Comentário*, 2005, p. 130.

Em segundo lugar, *a necessidade de se ter discernimento espiritual* (8.16-21). Os discípulos tinham uma boa memória para guardar os fatos, mas um pobre entendimento para discerni-los.[26] Os discípulos pareciam obtusos, lerdos para crer e cegos para ver. Eles foram lentos para discernir o milagre dos pães e a lição principal que o milagre encerrava, ou seja, revelar Jesus, aquele por meio de quem o Reino de Deus chegou para judeus e gentios.

Os discípulos, por essa razão, não conseguiram alcançar o teor da advertência de Cristo. Eles estavam pensando em provisão alimentar e Jesus os estava alertando sobre o fermento das falsas doutrinas.

William Hendriksen diz que Marcos 8.14-21, em combinação com Mateus 16.5-12, nos alerta contra quatro erros: o tradicionalismo dos fariseus, o secularismo dos herodianos, a incredulidade dos saduceus e o pessimismo dos discípulos.[27]

Dois mil anos se passaram, mas o coração do homem é o mesmo. As multidões ainda continuam famintas e os nossos recursos insuficientes para suprir a todos. Mas quando colocamos o que temos nas mãos de Jesus, o milagre da multiplicação acontece. Devemos sentir pelos homens a mesma compaixão que Jesus demonstrou.

---

[26] MULHOLLAND, Dewey M. *Marcos: Introdução e Comentário*, 2005, p. 129.
[27] HENDRIKSEN, William. *Marcos*, 2003, p. 405.

28

Discernimento espiritual, uma questão vital

Marcos 8.22-33

ESSE TEXTO NOS MOSTRA TRÊS QUADROS DIFERENTES abordando a questão do discernimento espiritual. Primeiro, Marcos fala da falta de discernimento do cego acerca das pessoas. Ele via homens como árvores. Ele passou de um estado de cegueira total para uma visão parcial. Só, então, sua visão foi plenamente restabelecida. Segundo, Marcos fala sobre a falta de discernimento do povo acerca da Pessoa de Cristo. Eles tinham diversas opiniões, mas não a verdade sobre Jesus. Terceiro, Marcos fala da falta de discernimento de Pedro sobre a verdadeira missão do Messias.

A falta de discernimento do cego (8.22-26)

Há três verdades que destacamos sobre esse cego:

Em primeiro lugar, *o cego é trazido a Jesus* (8.22). William Barclay diz que a cegueira era uma das grandes maldições do Oriente. Eram provocadas por forte resplendor do sol e também por falta de higiene.[1] O cego foi trazido a Cristo, visto que ele não podia vir por si mesmo. Eles não só o trazem, mas rogam por ele. A cegueira espiritual não é menos real nem

---

[1] BARCLAY, William. *Marcos*, 1974, p. 202.

menos trágica que a cegueira física. O diabo cegou o entendimento dos incrédulos (2Co 4.4). Precisamos levá-los a Jesus e rogar por eles.

Em segundo lugar, *Jesus realiza um milagre singular* (8.23). A singularidade desse milagre pode ser observada por algumas razões:

Jesus leva o cego para fora da aldeia. Betsaida era apenas uma vila. Então, Filipe, o tetrarca, a aumentou e embelezou. Ela, agora, se tornara uma cidade, tendo recebido o nome de Betsaida Júlia, filha do imperador Augustus.[2] Jesus levou o cego para fora da aldeia porque não queria que a multidão O visse apenas como um operador de milagres ou ainda para valorizar esse homem e revelar a ele o seu amor. Williams Lane diz que Jesus tomou esse homem pela mão para estabelecer comunicação com um indivíduo que tinha aprendido a ser passivo na sociedade.[3]

Jesus usa um ritual inusitado. Ele aplica saliva em seus olhos e lhe impõe as mãos. A saliva era considerada na época um remédio para os olhos. O mundo antigo tinha uma curiosa crença no poder curativo da saliva.[4] Jesus usa algo tangível para despertar nesse homem a fé. Para cada um dos sete milagres de cura aos cegos no Novo Testamento, Jesus usou um método diferente. Isso mostra que, em Seu amor e sabedoria, o Mestre tratou cada pessoa de forma individual e singular. O tratamento que Ele dava a cada caso nunca era uma mera duplicação do que já havia feito anteriormente.[5]

A cura foi progressiva. Todas as demais curas de Jesus foram completas, imediatas e perfeitas. Por que essa foi progressiva? Certamente Jesus usa esse método como fator pedagógico. J. Vernon McGee diz que há três estágios na vida desse homem: Primeiro, a cegueira. Todos nós estávamos cegos. Cristo é a luz que veio para nos iluminar. Segundo, a visão parcial. Essa é a condição do homem antes da glorificação. Agora vemos parcialmente (1Co 13.12). Terceiro, a perfeita visão. Essa será a condição dos remidos na glorificação.[6] William Hendriksen alerta para

---

[2]HENDRIKSEN, William. *Marcos,* 2003, p. 408.
[3]LANE, Williams. *Gospel according to Mark,* 1974, p. 285.
[4]BARCLAY, William. *Marcos,* 1974, p. 203.
[5]Mateus 9.27-31; Marcos 8.22-26; 10.46-52; João 9.1-12.
[6]McGEE, J. Vernon. *Mark,* 1991: 101,102.

o fato de que essa cura não está, de maneira alguma, de acordo com as curas lentas dos nossos dias, que requerem várias visitas ao "curador". No caso aqui registrado, o processo completo de cura aconteceu em alguns momentos, alcançando um resultado pleno: a mudança de uma cegueira total para uma visão perfeita.[7] Jesus queria transmitir algumas lições com esse milagre progressivo:

Mostrar que alguns têm uma visão distorcida. Embora tocado por Jesus, esse homem vê os homens andando como árvores, pois seu discernimento ainda era vago e incerto. Ou seja, ele vê os homens como árvores. Ele não tinha pleno discernimento e por isso fazia uma confusão fundamental: olhava as pessoas como coisas. Hoje, falta discernimento para muitas pessoas que coisificam as pessoas.

Mostrar que precisamos de um segundo toque de Jesus. Quando nossa visão está confusa, precisamos de um segundo toque, uma segunda unção.

Mostrar a necessidade de termos pleno discernimento. A obra de Deus em nossa vida é progressiva. A vida do justo é como a luz da aurora que vai brilhando mais e mais até ser dia perfeito. Depois do segundo toque de Jesus, o homem passa a ver tudo perfeitamente. Agora ele tem pleno discernimento.

John Charles Ryle vê nessa cura progressiva uma ilustração da maneira como frequentemente o Espírito Santo trabalha na conversão de nossas almas. Segundo ele, a conversão é uma iluminação, uma mudança das trevas para a luz, da cegueira para a visão do Reino de Deus. Só quando o Espírito de Deus age profundamente em nossa vida podemos ver as coisas com pleno discernimento. Agora, vemos as coisas de forma nublada, mas breve vem o tempo que veremos claramente. Então, conheceremos como também somos conhecidos.[8]

Em terceiro lugar, *Jesus faz uma clara recomendação* (8.26). Jesus não queria que aquele homem fosse objeto de especulação e curiosidade, mas fosse alegrar-se com sua família. Nesse tempo, Jesus já estava encerrando seu ministério na Galileia e Pereia e estava prestes a ir para

---

[7]HENDRIKSEN, William. *Marcos*, 2003, p. 411.
[8]RYLE, John Charles. *Mark*, 1993, p. 118.

Jerusalém, onde daria sua vida em nosso resgate. Por essa causa, o foco não deveria ser o milagre, mas a redenção.

A falta de discernimento do **povo** (8.27,28)

Dewey Mulholland diz que o diálogo de abertura (8.27-30) leva ao clímax da primeira metade de Marcos. Simultaneamente, serve como transição e introdução ao ensino sobre as exigências da messianidade e do discipulado (8.31—9.1).[9] Esse texto é uma espécie de dobradiça que divide o livro. Até aqui Jesus provou ser o Messias. Agora, que Seus discípulos têm convicção de quem Ele é, caminhará resolutamente para Jerusalém para dar Sua vida em resgate do Seu povo. Destacamos aqui duas coisas importantes:

Em primeiro lugar, *Jesus fez a mais importante pergunta* (8.27). Quem é Jesus? Qual é a sua identidade? Quais são seus atributos e suas obras? A vida depende dessa resposta. O povo estava confuso acerca da pessoa mais importante do mundo. Eles pensavam que Jesus era João Batista ou Elias que havia ressuscitado. Eles compararam Jesus apenas como um grande homem ou um grande profeta. Eles não discerniram que Ele era o próprio Filho de Deus.

Ao longo da história, houve vários debates acerca de quem é Jesus. Os ebionistas acreditavam que Jesus era apenas uma emanação de Deus. Os gnósticos não acreditavam na sua divindade. Os arianos não acreditavam na sua eternidade. Hoje, há aqueles que creem que Jesus é um Mediador, mas não o mediador entre Deus e os homens. Há aqueles que dizem que Jesus é apenas um espírito iluminado, um mestre, mas não o Senhor e Mestre. Há aqueles que ainda escarnecem de Jesus e colocam-No apenas como um homem mortal que se casou com Maria Madalena e teve filhos, como ensina o livro *Código da Vinci*.

Em segundo lugar, *o povo está perdido na questão crucial da vida* (8.28). A multidão tinha opiniões acerca de Jesus e não convicções.[10] Para a multidão, Jesus era João Batista, Elias ou algum dos profetas.

---

[9] MULHOLLAND, Dewey M. *Marcos: Introdução e Comentário*, 2005, p. 132.
[10] WIERSBE, Warren W. *Be Diligent*, 1987, p. 84.

Eles criam que Jesus era um grande mensageiro de Deus que havia ressuscitado dentre os mortos (Lc 9.19). O povo tinha uma visão distorcida de Jesus, pois O via apenas como um grande mensageiro de Deus e não como o próprio Deus encarnado. Havia muitas opiniões entre o povo sobre Jesus, exceto a verdadeira. Essa realidade perdura ainda hoje. Muitas pessoas ouvem falar, até mesmo O confessam, mas não O conhecem como o verdadeiro Deus.[11]

Se você não souber com clareza quem é Jesus, você estará perdido na questão mais importante da vida. A vida, a morte, a ressurreição de Cristo bem como Sua obra expiatória não são assuntos laterais, mas a própria essência do cristianismo. Se você não discerne claramente quem é Jesus, não pode ser considerado um cristão. O cristianismo é muito mais do que um conjunto de doutrinas, ele é uma Pessoa. O cristianismo tem a ver com a Pessoa de Cristo. Ele é o centro, o eixo, a base, o alvo e a fonte de toda a vida cristã. Fora dEle não há redenção nem esperança. Ele é a fonte de onde procedem todas as bênçãos.

O discernimento e o deslize de **Pedro** (8.29-33)

Quatro fatos nos chamam a atenção nesse texto:

Em primeiro lugar, ***Pedro faz uma declaração inspirada por Deus Pai*** (8.29). Diante da pergunta de Jesus: *Mas vós, quem dizeis que eu sou?* Pedro respondeu: *Tu és o Cristo* (8.29). William Hendriksen diz que o crente é aquele que está desejoso, de opor-se à opinião popular, e expressar de forma clara, uma posição que é contrária a das massas.[12] John Charles Ryle diz que essa declaração ousada de Pedro foi feita quando Jesus era visto como um judeu comum, sem majestade, riqueza ou poder. Ela foi feita quando os líderes religiosos e políticos de Israel recusaram-se a receber Jesus como Messias. Ainda assim Pedro disse: *Tu és o Cristo*. Sua fé não foi abalada pela pobreza de Jesus nem sua confiança foi atingida pela oposição dos mestres da lei e dos fariseus. Ele firmemente confessou que o homem a quem seguia era de fato o Messias prometido, o Filho de

---

[11]RYLE, John Charles. *Mark*, 1993, p. 119.
[12]HENDRIKSEN, William. *Marcos*, 2003, p. 413.

Deus.¹³ Na verdade, o cristianismo não é popular. Teremos de confessar a Cristo, mesmo tendo a opinião da maioria contra nós.

O evangelista Mateus nos informa que a resposta de Pedro, afirmando que Jesus era o Cristo, foi uma revelação especial de Deus Pai a ele (Mt 16.17). A declaração de messianidade de Cristo não foi fruto do desleixo ou mesmo da experiência de Pedro, mas da explícita revelação do Pai. Só compreendemos quem é Jesus quando os olhos da nossa alma são abertos por Deus. Sem a obra de Deus em nós, não podemos compreender nem confessar a Jesus como o Messias.

Em segundo lugar, **Jesus faz uma declaração acerca do propósito de Sua vinda ao mundo** (8.31,32). Depois que os discípulos tiveram os olhos da alma abertos e receberam pleno discernimento acerca da messianidade de Jesus, por revelação de Deus Pai, Jesus abriu um novo capítulo no seu discipulado e começou a falar-lhes claramente acerca do Seu padecimento, prisão, morte e ressurreição. Jesus revela que o seu propósito ao vir ao mundo era dar Sua vida em resgate do Seu povo. Dewey Mulholland corretamente afirma:

> Jesus não morre como um mártir que recusa renunciar suas convicções. Ele morre como parte do plano redentivo de Deus (10.45; Rm 3.21-26). Isso é indicado pelo "deve", uma necessidade baseada na vontade soberana de Deus (8.31; 9.11; 13.7,10,14; 14.31) em sua oferta de redenção.¹⁴

Por que era necessário Jesus sofrer, morrer e ressuscitar? Será por que havia poderes superiores que O subjugariam?

Impossível. Será por que queria dar um exemplo de abnegação e autossacrifício? Impossível. Então, por que era necessário Jesus morrer? Sua morte foi necessária para que fosse feita expiação pelo pecado humano. Sem o derramamento do Seu sangue, não haveria redenção para o homem. Sem o seu sacrifício vicário, não poderíamos ser reconciliados com Deus. Sua morte nos trouxe vida.¹⁵ A morte de Cristo é a

---

¹³Ryle, John Charles. *Mark*, 1993, p. 119,120.
¹⁴Mulholland, Dewey M. *Marcos: Introdução e Comentário*, 2005, p. 136.
¹⁵Ryle, John Charles. *Mark*, 1993, p. 120,121.

mensagem central da Bíblia. Sem a cruz de Cristo, o cristianismo não passa de uma mera religião.

Enquanto Jesus proibia a divulgação de alguns milagres, agora Ele expõe claramente sobre a Sua morte expiatória.

William Hendriksen diz que as predições dadas aqui têm as seguintes características[16]:

Elas foram necessárias. Para confirmar a veracidade e a natureza da sua messianidade para os discípulos.

Elas foram assustadoras. O próprio Messias está prestes a sofrer e morrer! Porém, Ele vencerá a morte, ressuscitando dentre os mortos.

Elas foram reveladoras. Os líderes religiosos da nação, os anciãos, principais sacerdotes e escribas que deveriam zelar pelo povo, iriam matar o próprio Messias.

Elas foram bondosas e sábias. Jesus não lhes contou nesse momento todos os detalhes do Seu padecimento.

Elas foram claras. Até então Jesus só tinha falado de forma velada acerca do Seu sofrimento (2.20), mas agora, fala abertamente.

Em terceiro lugar, **Pedro, sem discernimento, se deixa usar por satanás** (8.32,33). Pedro era um homem de fortes contrastes, de altos e baixos, de avanços ousados e recuos covardes. O mesmo Pedro que acabara de confessar que Jesus é o Cristo por revelação do Pai, agora, abre a boca por indução de satanás. Pedro tornou-se uma pedra de tropeço para Jesus (Mt 16.23), tentando afastá-Lo da cruz. Pedro não deseja seguir uma pessoa marcada para o fracasso.

Para Pedro, o Messias estava ligado à ideia de glória. Na verdade, ele tropeçou em Isaías 53.[17] Depois de lutar tanto para saber quem Jesus realmente é, Pedro rejeita os novos ensinamentos de Jesus, que dizem claramente quem Ele é e para onde vai.[18] John Charles Ryle diz que graça e fraqueza misturaram-se na vida de Pedro, mostrando-nos que o melhor dos santos ainda é uma criatura sujeita a falhas.[19]

---

[16] HENDRIKSEN, William. *Marcos*, 2003, p. 416,417.
[17] POHL, Adolf. *Evangelho de Marcos*, 1998, p. 262.
[18] MULHOLLAND, Dewey M. *Marcos: Introdução e Comentário*, 2005, p. 136.
[19] RYLE, John Charles. *Mark*, 1993, p. 121.

Jesus disse que Pedro foi tomado por uma cosmovisão puramente humanista: *Porque não cogitas das coisas de Deus, e sim das dos homens* (8.33). Pedro tornara-se um humanista e por isso, sentiu-se no direito de reprovar a Jesus (8.32). Pedro não estava compreendendo que se Jesus salvasse a Si mesmo, não salvaria a nós. Sem cruz não há coroa. Sem Calvário não há céu. Sem o sacrifício substitutivo de Cristo não há salvação para o homem. Ernesto Trenchard diz que Pedro não podia entender como Jesus fez a opção pela morte em vez de optar pelo trono. Na visão humana o trono manifesta-se com poder e força, mas na perspectiva divina o reino veio através da morte expiatória do seu Filho.[20]

Por isso, o humanismo sem cruz e a teologia liberal são coisas tão perniciosas. A morte de Cristo é loucura para o mundo, mas é a mensagem central do cristianismo. Jesus chega a ponto de chamar o humanismo de Pedro de satanismo. Satanás está ali, no conselho de Pedro como teólogo.[21]

William Hendriksen diz que a reação de Jesus foi imediata, decisiva e forte. Ele entendeu plenamente, que, por trás de Pedro, encontrava-se satanás, que estava tentando, mais uma vez, como já havia feito (Mt 4.8,9), desviar a atenção do Senhor de sua cruz.[22] Cranfield diz que mesmo quando os discípulos crescem em entendimento, satanás está trabalhando. Ele induz Pedro a pensar do seu modo e procura usá-lo tentando tirar Jesus do caminho da obediência à vontade de Seu Pai.[23] Sem entender o que está dizendo, Pedro se torna um "advogado do diabo" ao colocar dúvidas sobre o plano de Deus.[24]

Em quarto lugar, *Jesus repreende Pedro e manda embora satanás* (8.33). Jesus repreende Pedro e manda embora satanás. Pedro por um momento perdeu a lucidez teológica, mas era um discípulo e nele Jesus continuaria investindo. Jesus discerniu quem estava por trás de Pedro, tentando desviá-lo da cruz. Jesus expulsou a satanás, mas Pedro ficou.

---

[20]TRENCHARD, Ernesto. *Una exposición del Evangelio según Marcos*, 1971, p. 100.
[21]POHL, Adolf. *Evangelho de Marcos*, 1998, p. 262.
[22]HENDRIKSEN, William. *Marcos*, 2003, p. 417.
[23]CRANFIELD, C. E. B. *Gospel according to St. Mark*, 1977, p. 280.
[24]MULHOLLAND, Dewey M. *Marcos: Introdução e Comentário*, 2005, p. 137.

Ele era um apóstolo e Jesus jamais abriu mão dele. Hoje, infelizmente, muitos expulsam Pedro e satanás fica.

Jesus falou nesse texto sobre três tipos de cegueira:

A cegueira física. Essa foi curada pelo toque de Jesus.

A cegueira espiritual. O povo tinha olhos, mas não discernimento. Eles viam as obras de Jesus e ouviam seus ensinos, mas não discerniam a natureza da Sua Pessoa nem da Sua obra redentora. Essa cegueira só pode ser curada pela proclamação da Palavra e a ação eficaz do Espírito Santo. Em Atenas, a capital mundial da intelectualidade, reinava a falta de discernimento espiritual, mas ali Paulo pregou sobre o Deus desconhecido e alguns foram salvos.

A cegueira sugestionada. Pedro, que já era um discípulo e que já tivera sua mente iluminada pela verdade, por um momento se deixou seduzir por satanás e perdeu o discernimento da essência do cristianismo, a salvação por meio da morte e ressurreição de Cristo.

Acautelemo-nos acerca da falta de discernimento espiritual!

29

Discipulado, o mais fascinante **projeto de vida**

Marcos 8.34–9.1

ESSA PASSAGEM É PARTICULARMENTE PESADA E SOLENE. Aquele que não se dispõe a carregar a cruz, não usará a coroa. A religião que não nos custa nada, não tem nenhum valor.[1]

A grande tensão desse texto é entre encontrar prazer neste mundo à parte de Deus ou encontrar Deus neste mundo e todo o nosso prazer nEle.[2]

Jesus sabia que as multidões que O seguiam estavam apenas atrás de milagres e prazeres terrenos e não estavam dispostas a trilhar o caminho da renúncia nem pagar o preço do discipulado.[3]

Jesus não somente abraça o caminho da cruz, mas exige o mesmo de Seus seguidores (8.34). Foram várias as tentativas para afastar Jesus da cruz: satanás o tentou no deserto. A multidão quis fazê-lo rei e Pedro tentou reprová-lo, mas Jesus rechaçou todas essas propostas com veemência.

Tendo afirmado os requisitos de Deus para o Messias (8.31), Jesus declara, agora, as exigências de Deus para o discípulo. A natureza e o

---

[1] RYLE, John Charles. *Mark*, 1993, p. 122,123.
[2] HASTINGS, James. *The Great Texts of the Bible. S. Mark*, p. 199.
[3] WIERSBE, Warren. *Be Diligent*, 1987, p. 86.

caminho do discípulo são padronizados de acordo com quem Jesus é e para onde Ele está indo.[4]

Jesus exige dos Seus seguidores espírito de renúncia e sacrifício. Jesus nunca tratou de subornar os homens oferecendo-lhes um caminho fácil. Não lhes ofereceu amenidades, ofereceu-lhes glória. Nos dias da Segunda Guerra Mundial, quando Sir Winston Churchill liderou a Inglaterra, tudo o que ele ofereceu aos ingleses foi sangue, suor e lágrimas.[5]

O discipulado é uma proposta oferecida a todos indistintamente (8.34). Jesus dirige-Se não apenas aos discípulos, mas também à multidão. O discipulado não é apenas para uma elite espiritual, mas para todos quantos quiserem seguir a Cristo.

William Hendriksen diz que Jesus chama para si a multidão porque a fervorosa exortação que se segue é importante a todos; aliás, é uma questão de vida ou morte, de vida eterna em oposição à morte eterna para todas as pessoas.[6]

O discípulo conhece o desafio do **discipulado** (8.34)

Jesus só tem uma espécie de seguidor: discípulos. Ele ordenou à Sua igreja fazer discípulos e não admiradores.

O discipulado é o mais fascinante projeto de vida. Há alguns aspectos importantes a serem destacados:

Em primeiro lugar, *o discipulado é um convite pessoal* (8.34). Jesus começa com uma chamada condicional: *Se alguém quer*. A soberania de Deus não violenta a vontade humana. É preciso existir uma predisposição para seguir a Cristo. Jesus falou de quatro tipos de ouvintes: os endurecidos, os superficiais, os ocupados e os receptivos. Muitos querem apenas o glamour do evangelho, mas não a cruz. Querem os milagres, mas não a renúncia. Querem prosperidade e saúde, mas não arrependimento. Querem o paraíso na terra e não a bem-aventurança

---

[4]MULHOLLAND, Dewey M. *Marcos: Introdução e Comentário*, 2005, p. 137.
[5]BARCLAY, William. *Marcos*, 1974, p. 213.
[6]HENDRIKSEN, William. *Lucas*, Vol. 1. São Paulo, SP: Editora Cultura Cristã, 2003, p. 661.

no céu. Jesus falou que o homem que vai construir uma torre sem calcular o custo ou o general que vai a uma guerra sem avaliar com quantos soldados deve contar é uma pessoa tola. Precisamos calcular o preço do discipulado. Ele não é barato.

Em segundo lugar, *o discipulado é um convite para uma relação pessoal com Jesus* (8.34). Ser discípulo não é ser um admirador de Cristo, mas um seguidor. Um discípulo segue as pegadas de Cristo. Assim como Cristo escolheu o caminho da cruz, o discípulo precisa seguir a Cristo não para o sucesso, mas para o calvário. Não há coroa sem cruz, nem céu sem renúncia.

Ser discípulo não é abraçar simplesmente uma doutrina, é seguir uma pessoa. É seguir a Cristo para o caminho da morte. "Vir após mim" é o ligar-se a Cristo, como Seu discípulo.[7]

Em terceiro lugar, *o discipulado é um convite para uma renúncia radical* (8.34). Cristo nos chama não para a afirmação do eu, mas para sua renúncia. Precisamos depor as armas antes de seguir a Cristo. Precisamos abdicar do nosso orgulho, soberba, presunção e autoconfiança antes de seguirmos as pegadas de Jesus. Entrementes, negar-se a si mesmo não equivale à aniquilação pessoal. Não se trata de anular-se, mas de servir.[8]

Negar-se a si mesmo é permitir que Jesus reine supremo onde o ego tinha previamente exercido controle total. Em 1956, pouco antes de ser morto num esforço de evangelizar os índios aucas do Equador, o missionário Jim Elliot disse o seguinte: "Não é tolo aquele que dá o que não pode manter para ganhar aquilo que não pode perder".[9]

Dewey Mulholland expressa essa verdade assim:

> Seguir a Jesus requer "autonegação". Isso envolve: primeiro, mudar o centro de gravidade da visão concentrada no "eu" para a completa adesão à vontade de Deus; segundo, uma vontade contínua de dizer "não" a si mesmo a fim de dizer "sim" para Deus; e em terceiro lugar, uma denúncia radical a toda autoidolatria. Em oposição à autoafirmação, a

---

[7] HENDRIKSEN, William. *Marcos*, 2003, p. 419.
[8] POHL, Adolf. *Evangelho de Marcos*, 1998, p. 265.
[9] MULHOLLAND, Dewey M. *Marcos: Introdução e Comentário*, 2005, p. 138.

autonegação inclui também o abrir mão das prerrogativas de "direitos humanos" (cf. 1Co 9.12,15).[10]

Em quarto lugar, *o discipulado é um convite para morrer* (8.34). Tomar a cruz é abraçar a morte, é seguir para o cadafalso, é escolher a vereda do sacrifício. A cruz era um instrumento de morte vergonhoso. *Era necessário que [...] sofresse muitas coisas, fosse rejeitado* (8.31). A carta aos Hebreus fala da crucificação de Jesus com termos fortes: *Expondo-o à ignomínia* (Hb 6.6), *o opróbrio de Cristo* (11.26), *não fazendo caso da ignomínia* (12.2), *sofreu fora da porta* (13.12) e *levando o seu vitupério* (13.13). O que o condenado faz sob coação, o discípulo de Cristo faz de boa vontade.[11] A cruz não é apenas um emblema ou um símbolo cristão, mas um instrumento de morte. Lucas fala de tomar a cruz dia a dia. Somos entregues à morte diariamente. Somos levados como ovelhas para o matadouro. Estamos carimbados para morrer.

Essa cruz não é uma doença, um inimigo, uma fraqueza, uma dor, um filho rebelde, um casamento infeliz. Os monges viram nessa cruz a exigência da flagelação e da renúncia ao casamento.[12] Essa cruz fala da nossa disposição de morrer para nós mesmos, para os prazeres e deleites. É considerar-se morto para o pecado e andar com um atestado de óbito no bolso.

Em quinto lugar, *o discipulado é um convite para uma caminhada dinâmica com Cristo* (8.34). Seguir a Cristo é algo sublime e dinâmico. Esse desafio nos é exigido todos os dias, em nossas escolhas, decisões, propósitos, sonhos e realizações. Seguir a Cristo é imitá-Lo. É fazer o que Ele faria em nosso lugar. É amar o que Ele ama e aborrecer o que Ele aborrece. É viver a vida na Sua perspectiva. William Hendriksen corrobora dizendo: Aqui, o sentido de seguir a Cristo é o de confiar nEle (Jo 3.16), caminhar em Seus passos (1Pe 2.21) e obedecer ao Seu comando (Jo 15.14), por gratidão pela salvação nEle (Ef 4.32–5.1).[13]

---

[10]MULHOLLAND, Dewey M. *Marcos: Introdução e Comentário*, 2005, p. 136.
[11]HENDRIKSEN, William. *Marcos*, 2003, p. 419.
[12]POHL, Adolf. *Evangelho de Marcos*, 1998, p. 263.
[13]HENDRIKSEN, William. *Marcos*, 2003, p. 419.

Paulo reafirmou esse processo de conformar-se com Cristo na sua morte (Fp 3.10). Ele sabia que não se pode ter Jesus no coração sem carregar uma cruz nas costas.[14]

O discípulo conhece a necessidade da **renúncia** (8.35)

O discipulado implica o maior paradoxo da existência humana (8.35). Os valores de um discípulo estão invertidos: ganhar é perder e perder é ganhar. O discípulo vive num mundo de ponta-cabeça. Para ele, ser grande é ser servo de todos. Ser rico é ter a mão aberta para dar. Ser feliz é renunciar aos prazeres do mundo. Satanás promete a você glória, mas no fim lhe dá sofrimento. Cristo oferece a você uma cruz, mas no fim lhe oferece uma coroa e o conduz à glória.

Como uma pessoa pode ganhar a vida e ao mesmo tempo perdê-la?

Em primeiro lugar, ***quando busca a felicidade sem Deus***. Vivemos numa sociedade embriagada pelo hedonismo. As pessoas estão ávidas pelo prazer. Elas fumam, bebem, dançam, compram, vendem, viajam, experimentam drogas e fazem sexo na ânsia de encontrar felicidade. Contudo, depois que experimentam todas as taças dos prazeres, percebem que não havia aí o ingrediente da felicidade. Salomão buscou a felicidade no vinho, nas riquezas, nos prazeres e na fama e viu que tudo era vaidade (Ec 2.1-11). John Mackay fala sobre o personagem Peer Gee, de Ibsen, que depois de percorrer o mundo em busca de felicidade e ter sorvido todas as taças das delícias que o mundo lhe deu, chegou a casa e pegou uma cebola e começou a descascá-la. Ao final disse: "minha vida foi como uma cebola, só casca".

Em segundo lugar, ***quando busca salvação fora de Cristo***. Há muitos caminhos que conduzem os homens para a religião, mas um só caminho que conduz o homem a Deus. O homem pode ter fortes experiências e arrebatadoras emoções na busca do sagrado, no afã de encontrar-se com o Eterno, mas quanto mais mergulha nas águas profundas das filosofias e religiões, mais distante fica de Deus e mais perdida fica sua vida. John Charles Ryle diz que uma pessoa pode perder sua vida quando ama o

---

[14] POHL, Adolf. *Evangelho de Marcos*, 1998, p. 265.

pecado, crê em superstições humanas, negligencia os meios de graça e recusa-se a receber o evangelho em seu coração.[15]

Em terceiro lugar, *quando busca realização em coisas materiais*. O mundo gira em torno do dinheiro. Ele é a mola que move o mundo. É o maior senhor de escravos da atualidade. O dinheiro é mais do que uma moeda; é um ídolo, um espírito, um deus. O dinheiro é Mamom. Muitos se esquecem de Deus na busca do dinheiro e perdem a vida nessa corrida desenfreada. A possessão de todos os tesouros que o mundo contém não compensa a ruína eterna. Esses tesouros sequer podem nos fazer feliz enquanto os temos.[16] Fernão Dias Paes Leme, o bandeirante das esmeraldas, empreendeu sua vida e gastou sua saúde em busca de pedras preciosas. Contudo, quando estava com a sacola cheia de pedras verdes, uma febre mortal atacou seu corpo e ele, delirando, tentava empurrar as pedras para dentro do seu coração. Morreu só, sem alcançar a pretensa felicidade que buscava na riqueza.

O que Jesus quis dizer por perder a vida para, então, ganhá-la?

Em primeiro lugar, *para o homem natural seguir a Cristo é perder a vida*. O homem natural não entende as coisas de Deus e as vê como loucura. Ele considera tolo aquilo que renuncia às riquezas e prazeres desta vida para buscar uma herança eterna através da renúncia.

Em segundo lugar, *para o homem natural renunciar às coisas do agora em troca da bem-aventurança porvir é perder a vida*. O homem sem Deus vive sem esperança. Seus olhos estão embaçados para enxergar o futuro. Seus tesouros e seu coração estão aqui. Mas o cristão aspira a uma Pátria superior. Ele aguarda uma herança incorruptível, ele busca uma recompensa eterna.

Quais são as razões que levam um discípulo a viver esse paradoxo?

Em primeiro lugar, *o amor a Cristo*. Fazer qualquer renúncia por qualquer outra motivação é tolice. De nada adianta jejuns, penitências, sacrifícios se isso não for por amor a Cristo. Perder a vida por amor a Cristo não é um ato de desperdício, mas de devoção.[17]

---

[15] RYLE, John Charles. *Mark*, 1993, p. 124.
[16] RYLE, John Charles. *Mark*, 1993, p. 124.
[17] WIERSBE, Warren W. *Be Diligent*, 1987, p. 86.

Em segundo lugar, *o amor ao evangelho*. A segunda motivação além de Cristo são as pessoas. A devoção pessoal a Cristo conduz-nos ao dever de repartir o evangelho com os outros.[18] Devemos ser discípulos por causa de Cristo e por causa do evangelho.

O discípulo sabe o **valor** inestimável da **vida** (8.36,37)

Três fatos devem ser aqui destacados:

Em primeiro lugar, *o dinheiro não pode comprar a bem-aventurança eterna* (8.36). Transigir com os absolutos de Deus, vender a consciência e a própria alma para amealhar riquezas é uma grande tolice. A vida é curta e o dinheiro perde o seu valor para quem vai para o túmulo. A morte nivela os ricos e os pobres. Nada trouxemos e nada levaremos do mundo. Passar a vida correndo atrás de um tesouro falaz é loucura. Pôr sua confiança na instabilidade e efemeridade da riqueza é estultícia.

Adolf Pohl diz que a apostasia de Jesus em nenhum lugar é recompensada com a posse do mundo inteiro. O salário muitas vezes será bem mirrado: talvez trinta moedas de prata e uma corda (Mt 26.15; 27.5). Mas mesmo que o desertor ganhasse o mundo inteiro, o prejuízo não valeria a pena.[19]

William Barclay diz que o que importa é como aparecerá aos olhos de Deus o balanço da nossa vida. Até porque, depois de tudo, Deus é o auditor que, ao final, devemos enfrentar.[20]

Em segundo lugar, *a salvação da alma vale mais que riquezas* (8.36). É melhor ser salvo do que ser rico. A riqueza só pode nos acompanhar até o túmulo, mas a salvação será desfrutada por toda a eternidade. Jesus chamou de louco o homem que negligenciou a salvação da sua alma e pôs sua confiança nos bens materiais. A morte chegou e com ela o juízo.

William Hendriksen aborda essa questão crucial, assim:

> Imagine, por um momento, que uma pessoa ganhasse o mundo inteiro – todas as suas gemas preciosas e os seus recursos, qualquer coisa que

---

[18] WIERSBE, Warren W. *Be Diligent*, 1987. p. 86.
[19] POHL, Adolf. *Evangelho de Marcos*, 1998, p. 266.
[20] BARCLAY, William. *Marcos*, 1974, p. 217.

crescesse nele os rebanhos espalhados por milhares de colinas, todo o esplendor do mundo, prestígio, prazeres e tesouros – mas, no processo de ter tudo isso, abrisse mão do direito de possuir sua própria vida ou ser, que bem essas coisas fariam para ela? A resposta implícita é: Não fariam nenhum bem, somente mal. Isso se torna até mesmo mais claro quando a atenção é colocada no fato de que, aos bens meramente terrenos, falta permanência. Quando uma pessoa morre, ela não pode levar nenhum deles consigo. Mas a sua alma, o seu ser, existe para sempre [...] em toda a sua corrupção e horror.[21]

Em terceiro lugar, *a perda da alma é uma perda irreparável* (8.37). O dinheiro se ganha e se perde. Mesmo depois de perdê-lo, é possível readquiri-lo. Contudo, quando se perde a alma, não tem como reavê-la. É impossível mudar o destino eterno de uma pessoa. O rico que estava no inferno não teve suas orações ouvidas, nem seu tormento aliviado.

William Barclay diz que algumas pessoas vendem a honra, os princípios, a consciência e até mesmo sua alma eterna para alcançar bens, popularidade e prazeres terrenos.[22] Porém, nenhuma quantidade de dinheiro, poder, ou *status* podem comprar de volta uma alma perdida.

O mundo de prazeres centrado em possessões materiais ou poder no fim não tem nenhum valor.[23] Vender a alma por dinheiro é um péssimo negócio. Essa troca é um engodo. A um morto não pertence mais nada, ele é que pertence à morte. No julgamento final essa conta não fechará.[24]

O discípulo é alguém que não se envergonha de Cristo (8.38)

Destacamos dois pontos:

Em primeiro lugar, *o que significa envergonhar-se de Cristo* (8.38). Envergonhar-se de Cristo significa ser tão orgulhoso a ponto de não desejar ter nada com ele.[25] Nós somos culpados de envergonhar-nos de Cristo quando temos medo que as pessoas saibam que O amamos bem

---

[21]HENDRIKSEN, William. *Marcos*, 2003, p. 422.
[22]BARCLAY, William. *Marcos*, 1974, p. 217-218.
[23]BARTON, Bruce B. et al. *Life Application Bible Commentary on Mark*, 1994, p. 241.
[24]POHL, Adolf. *Evangelho de Marcos*, 1998, p. 266.
[25]HENDRIKSEN, William. *Marcos*, 2003, p. 423.

como a Sua doutrina, que desejamos viver de acordo com os Seus mandamentos e que nos sentimos constrangidos quando nos identificam como membros do Seu povo.

Ser cristão nunca foi e jamais será uma posição de popularidade. Todos aqueles que querem viver piedosamente em Cristo serão perseguidos. Contudo, é mil vezes melhor confessar a Cristo agora e ser desprezado pelo povo, do que ser popular agora e desonrado por Cristo diante do Pai no dia do julgamento.[26]

Em segundo lugar, *a perda irreparável que sofrerão os que se envergonham de Cristo* (8.38). Aqueles que se envergonham de Cristo agora, Cristo se envergonhará deles na Sua segunda vinda. O julgamento mais pesado que os homens receberão no dia do juízo é que eles vão receber exatamente aquilo que sempre desejaram. O injusto continuará sendo injusto. Quem se envergonhou de Cristo durante esta vida, vai apartar-se dEle eternamente.

Jesus conclui dizendo que alguns daqueles circunstantes não morreriam antes de verem a chegada poderosa do Reino de Deus. O verdadeiro sentido dessas palavras tem pelo menos três significados básicos:

Há aqueles que pensam que Jesus está falando da transfiguração que se seguiria imediatamente. Na verdade, Pedro, Tiago e João viram Jesus sendo transfigurado e experimentaram momentaneamente o sabor da glória.

Há aqueles que pensam que Jesus está tratando da sua ressurreição e ascensão.[27] Ernest Trenchard diz que o reino não podia vir mediante o poder político, mas por meio da cruz e da ressurreição.[28] A verdadeira prova do poder de Deus evidenciou-se na Páscoa.[29] Jesus foi ressuscitado pelo poder de Deus (2Co 13.4), é agora Filho de Deus em poder (Rm 1.4) e é, Ele mesmo, o poder de Deus (1Co 1.24).

Há ainda aqueles que pensam que Jesus está falando da descida do Espírito Santo e da expansão da igreja depois do Pentecostes. Os discípulos haviam de ser testemunhas oculares da descida do Espírito e o crescimento espantoso da igreja.

---

[26] RYLE, John Charles. *Mark*, 1993, p. 125.
[27] HENDRIKSEN, William. *Marcos*, 2003, p. 424.
[28] TRENCHARD, Ernesto. *Una Exposición del Evangelio según Marcos*, 1971, p. 104.
[29] POHL, Adolf. *Evangelho de Marcos*, 1998, p. 268.

30

Três tipos de espiritualidade

Marcos 9.2-32

À GUISA DE INTRODUÇÃO, consideremos três verdades importantes:

Em primeiro lugar, *o homem é um ser religioso*. Desde os tempos mais remotos, o homem tem levantado altares. Há povos sem leis, sem governos, sem economia, sem escolas, mas jamais sem religião. O homem tem sede do Eterno. Deus mesmo colocou a eternidade no coração do homem.

Cada religião busca oferecer ao homem o caminho de volta para Deus. As religiões são repetições do malogrado projeto da Torre de Babel.

Em segundo lugar, *o homem é um ser confuso espiritualmente*. Só há duas religiões no mundo: a revelada e aquela criada pelo próprio homem. Uma tenta abrir caminhos da terra ao céu; a outra abre o caminho a partir do céu. Uma é humanista, a outra é teocêntrica. Uma prega a salvação pelas obras; a outra, pela graça.

O cristianismo é a revelação que o próprio Deus faz de Si mesmo e do Seu plano redentor. As demais religiões representam um esforço inútil de o homem chegar até Deus por intermédio dos seus méritos.

Em terceiro lugar, *o homem é um ser que idolatra a si mesmo*. A religião que prevalece hoje é a antropolatria. O homem tornou-se o centro de todas as coisas. Na pregação contemporânea, Deus é quem está a serviço do homem e não o homem a serviço de Deus. A vontade do homem é que deve ser feita no céu e não a vontade de Deus na terra. O homem contemporâneo não busca conhecer a Deus, mas sentir-se bem.

A luz interior tornou-se mais importante do que a revelação escrita. O culto não é racional, mas sensorial. O homem não quer conhecer, quer sentir. O sentimento prevaleceu sobre a razão. As emoções assentaram-se no trono e a religião está se transformando num ópio, um narcótico que anestesia a alma e coloca em sono profundo as grandes inquietações da alma.

Marcos, capítulo 9, oferece-nos uma resposta sobre os modelos de espiritualidade:

A espiritualidade do monte – êxtase sem entendimento (9.2-8)

Pedro, Tiago e João sobem ao monte da Transfiguração com Jesus, mas não alcançam as alturas espirituais da intimidade com Deus. Há uma transição bela entre o capítulo 8 de Marcos e o capítulo 9; no anterior, Cristo falou da cruz, agora, Ele revela a glória. O caminho da glória passa pela cruz.

Que monte era esse? A tradição diz que é o monte Tabor;[1] outros pensam que se trata do monte Hermom. Contudo, a geografia não interessa, diz Adolf Pohl, já que não se pensa em peregrinações. A fé no Senhor vivo que está presente em todos os lugares faz que montes sagrados entrem em esquecimento.[2]

A mente dos discípulos estava confusa e o coração fechado. Eles estavam cercados por uma aura de glória e luz, mas um véu lhes embaçava os olhos e tirava-lhes o entendimento. Vejamos alguns pontos importantes:

Em primeiro lugar, *os discípulos andam com Jesus, mas não conhecem a intimidade do Pai* (Lc 9.28,29). Jesus subiu ao monte da Transfiguração para orar. A motivação de Jesus era estar com o Pai. A oração era o oxigênio da sua alma. Todo o Seu ministério foi regado de intensa e

---

[1] BARCLAY, William. *Marcos*, 1973, p. 221.
[2] POHL, Adolf. *Evangelho de Marcos*, 1998, p. 270.

perseverante oração.[3] Jesus está orando, mas em momento nenhum os discípulos estão orando com Ele. Eles não sentem necessidade nem prazer na oração. Eles não têm sede de Deus. Eles estão no monte a reboque, por isso, não estão alimentados pela mesma motivação de Jesus.

Em segundo lugar, *os discípulos estão diante da manifestação da glória de Deus, mas em vez de orar, eles dormem* (Lc 9.28,29). Jesus foi transfigurado porque orou. Os discípulos não oraram e por isso foram apenas espectadores. Porque não oraram, ficaram agarrados ao sono. A falta de oração pesou-lhes as pálpebras e cerrou-lhes o entendimento. Um santo de joelhos enxerga mais longe do que um filósofo na ponta dos pés. As coisas mais santas, as visões mais gloriosas e as palavras mais sublimes não encontraram guarida no coração dos discípulos. As coisas de Deus não lhes davam entusiasmo; elas cansavam seus olhos, entediavam seus ouvidos e causavam-lhes sono.

Em terceiro lugar, *os discípulos experimentam um êxtase, mas não têm discernimento espiritual* (9.7,8). Os discípulos contemplaram quatro fatos milagrosos: a transfiguração do rosto de Jesus, a aparição em glória de Moisés e Elias, a nuvem luminosa que os envolveu e a voz do céu que trovejava em seus ouvidos. Nenhuma assembleia na terra jamais foi tão esplendidamente representada: lá estava o Deus trino, Moisés e Elias, o maior legislador e o maior profeta. Lá estavam Pedro, Tiago e João, os apóstolos mais íntimos de Jesus.[4] Apesar de estarem envoltos num ambiente de milagres, faltou-lhes discernimento em quatro questões básicas: *Eles não discerniram a centralidade da Pessoa de Cristo* (9.7,8). Os discípulos estão cheios de emoção, mas vazios de entendimento. Querem construir três tendas, dando a Moisés e a Elias a mesma importância de Jesus. Querem igualar Jesus aos representantes da lei e dos profetas. Como o restante do povo, eles também estão confusos quanto à verdadeira identidade de Jesus (Lc 9.18,19). Não discerniram a divindade de Cristo. Andam com Cristo, mas não Lhe dão a glória devida ao Seu nome (Lc 9.33). Onde Cristo não recebe a preeminência,

---

[3]Lucas 3.21,22; 4.1-13; 5.15-17; 6.12-16; 9.18-22; 9.28-31; 22.39-46; 23.34-43).
[4]Ryle, John Charles. *Mark*, 1993, p. 128.

a espiritualidade está fora de foco. Jesus é maior que Moisés e Elias. A lei e os profetas apontaram para Ele.

Warren Wiersbe diz que tanto Moisés quanto Elias, tanto a lei quanto os profetas tiveram o seu cumprimento em Cristo (Hb 1.1,2; Lc 24.25-27). Moisés morreu e seu corpo foi sepultado, mas Elias foi arrebatado aos céus. Quando Jesus retornar, Ele ressuscitará os corpos dos santos que morreram e arrebatará os santos que estiverem vivos (1Ts 4.13-18).[5]

O Pai corrigiu a teologia dos discípulos, dizendo-lhes: *Este é o Meu Filho, o Meu eleito; a Ele ouvi* (Lc 9.34,35). Jesus não pode ser confundido com os homens, ainda que com os mais ilustres. Ele é Deus. A Ele deve ser toda devoção. Nossa espiritualidade deve ser cristocêntrica. A presença de Moisés e Elias naquele monte longe de empalidecer a divindade de Cristo, confirmava que de fato Ele era o Messias apontado pela lei e pelos profetas.[6]

Eles não discerniram a centralidade da missão de Cristo. Moisés e Elias apareceram para falar da iminente partida de Jesus para Jerusalém (Lc 9.30,31). A agenda daquela conversa era a cruz. A cruz é o centro do ministério de Cristo. Ele veio para morrer. Sua morte não foi um acidente, mas um decreto do Pai desde a eternidade. Cristo não morreu porque Judas O traiu por dinheiro, porque os sacerdotes O entregaram por inveja nem porque Pilatos O condenou por covardia. Ele voluntariamente Se entregou por Suas ovelhas (Jo 10.11), pela Sua igreja (Ef 5.25).

Toda espiritualidade que desvia o foco da cruz é cega de discernimento espiritual. Satanás tentou desviar Jesus da cruz, suscitando Herodes para matá-Lo. Depois, ofereceu-Lhe um reino. Mais tarde, levantou uma multidão para fazê-Lo rei. Em seguida, suscitou a Pedro para reprová-Lo. Ainda quando estava suspenso na cruz, a voz do inferno vociferou na boca dos insolentes judeus: *Desça da cruz, e creremos nEle* (Mt 27.42). Se Cristo descesse da cruz, nós desceríamos ao inferno. A morte de Cristo nos trouxe vida e libertação.

---

[5] WIERSBE, Warren. *Be Diligent*, 1987, p. 88.
[6] BARCLAY, William. *Marcos*, 1973, p. 222.

A palavra usada para "partida" é a palavra êxodo. A morte de Cristo abriu as portas da nossa prisão e nos deu liberdade. Moisés e Elias entendiam isso, mas os discípulos estavam sem discernimento dessa questão central do cristianismo (Lc 9.44,45). Hoje, há igrejas que aboliram dos púlpitos a mensagem da cruz. Pregam sobre prosperidade, curas e milagres. Contudo, esse não é o evangelho da cruz, é outro evangelho e deve ser anátema!

Eles não discerniram a centralidade de seus próprios ministérios (9.5). Eles disseram: *Bom é estarmos aqui*. Eles queriam a espiritualidade da fuga, do êxtase e não do enfrentamento. Queriam as visões arrebatadoras do monte, não os gemidos pungentes do vale. Mas é no vale que o ministério se desenvolve.

É mais cômodo cultivar a espiritualidade do êxtase, do conforto. É mais fácil estar no templo, perto de pessoas coiguais do que descer ao vale cheio de dor e opressão. Não queremos sair pelas ruas e becos. Não queremos entrar nos hospitais e cruzar os corredores entupidos de gente com a esperança morta. Não queremos ver as pessoas encarquilhadas nas salas de quimioterapia. Evitamos olhar para as pessoas marcadas pelo câncer nas antecâmaras da radioterapia. Desviamos das pessoas caídas na sarjeta. Não queremos subir aos morros semeados de barracos, onde a pobreza extrema fere a nossa sensibilidade. Não queremos visitar as prisões insalubres nem pôr os pés nos guetos encharcados de violência. Não queremos nos envolver com aqueles que vivem oprimidos pelo diabo nos bolsões da miséria ou encastelados nos luxuosos condomínios fechados. É fácil e cômodo fazer uma tenda no monte e viver uma espiritualidade escapista, fechada entre quatro paredes. Permanecer no monte é fuga, é omissão, é irresponsabilidade. A multidão aflita nos espera no vale!

Eles estão envolvidos por uma nuvem celestial, mas têm medo de Deus (Lc 9.34). Eles se encheram de medo (Lc 9.34) a ponto de caírem de bruços (Mt 17.5,6). A espiritualidade deles é marcada pela fobia do sagrado. Eles não encontram prazer na comunhão com Deus através da oração, por isso, revelam medo de Deus. Veem Deus como uma ameaça. Eles se prostram não para adorar, mas por temer. Eles estavam aterrados (9.6). Pedro, o representante do grupo, não sabia o que dizia

(Lc 9.33). Deus não é um fantasma cósmico. Ele é o Pai de amor. Jesus não alimentou a patologia espiritual dos discípulos; ao contrário, mostrou sua improcedência: *Aproximando-se deles, tocou-lhes Jesus, dizendo: Erguei-vos, e não temais!* (Mt 17.7). O temor de Deus revela espiritualidade rasa e sem discernimento.

A espiritualidade do vale – **discussão sem poder** (9.9-29)

Os nove discípulos de Jesus estavam no vale cara a cara com o diabo, sem poder espiritual, colhendo um grande fracasso. A razão era a mesma dos três que estavam no monte: em vez de orar, estavam discutindo. Aqui aprendemos várias lições:

Em primeiro lugar, *no vale há gente sofrendo o cativeiro do diabo sem encontrar na igreja solução para o seu problema* (9.18). Aqui está um pai desesperado (Mt 17.15,16). O diabo invadiu a sua casa e está arrebentando com a sua família. Está destruindo seu único filho.

Aquele jovem estava possuído por uma casta de demônios, que tornavam a sua vida um verdadeiro inferno.

No auge do seu desespero o pai do jovem correu para os discípulos de Jesus em busca de ajuda, mas eles estavam sem poder.

A igreja tem oferecido resposta para uma sociedade desesperançada e aflita? Temos confrontado o poder do mal? Conhecimento apenas não basta, é preciso revestimento de poder. O Reino de Deus não consiste de palavras, mas de poder.

Em segundo lugar, *no vale há gente desesperada precisando de ajuda, mas os discípulos estão perdendo tempo, envolvidos numa discussão infrutífera* (9.14-18). Os discípulos estavam envolvidos numa interminável discussão com os escribas, enquanto o diabo estava agindo livremente sem ser confrontado. Eles estavam perdendo tempo com os inimigos da obra em vez de fazer a obra (9.16).

A discussão, muitas vezes é saudável e necessária. Contudo, passar o tempo todo discutindo é uma estratégia do diabo para nos manter fora da linha de combate. Há crentes que passam a vida inteira discutindo empolgantes temas na Escola Dominical, participando de retiros e congressos, mas nunca entram em campo para agir. Sabem muito e fazem pouco. Discutem muito e trabalham pouco.

Os discípulos estavam discutindo com os opositores da obra (9.14). Discussão sem ação é paralisia espiritual. O inferno vibra quando a igreja se fecha dentro de quatro paredes, em torno dos seus empolgantes assuntos. O mundo perece enquanto a igreja está discutindo. Há muita discussão, mas pouco poder. Muita verborragia, mas pouca unção. Há multidões sedentas, mas pouca ação da igreja.

Em terceiro lugar, *no vale, enquanto os discípulos discutem, há um poder demoníaco sem ser confrontado* (9.17,18). Há dois extremos perigosos que precisamos evitar no trato dessa matéria:

Subestimar o inimigo. Os liberais, os céticos e incrédulos negam a existência e a ação dos demônios. Para eles, o diabo é uma figura lendária e mitológica. Negar a existência e a ação do diabo é cair nas malhas do mais ardiloso satanismo.

Superestimar o inimigo. Há segmentos chamados evangélicos que falam mais no diabo do que anunciam Jesus. Pregam mais sobre exorcismo do que arrependimento. Vivem caçando demônios, neurotizados pelo chamado movimento de batalha espiritual.

Como era esse poder maligno que estava agindo no vale?

O poder maligno que estava em ação na vida daquele menino era assombrosamente destruidor (9.18,22; Lc 9.39). A casta de demônios fazia esse jovem rilhar os dentes, convulsionava-o e lançava-o no fogo e na água, para matá-lo. Os sintomas desse jovem apontam para uma epilepsia. Mas não era um caso comum de epilepsia, pois além de estar sofrendo dessa desordem convulsiva, era também um surdo-mudo. O espírito imundo que estava nele o havia privado de falar e ouvir.[7] A possessão demoníaca é uma realidade dramática que tem afligido muitas pessoas ainda hoje. Os ataques àquele jovem eram tão frequentes e fortes que o menino não crescia, mas ia definhando.

O poder maligno em ação no vale atingia as crianças (9.21,22). A palavra usada para meninice é *bréfos*, palavra que descreve a infância desde o período intrauterino. O diabo não poupa nem mesmo as crianças. Aquele jovem vivia dominado por uma casta de demônios desde a

---
[7]HENDRIKSEN, William. *Marcos*, 2003, p. 440.

sua infância. Há uma orquestração do inferno para atingir as crianças (Êx 10.10,11). Se satanás investe desde cedo na vida das crianças, não deveríamos nós, com muito mais fervor, investir na salvação delas? Se as crianças podem ser cheias de demônios, não poderiam ser também cheias do Espírito de Deus?[8]

O poder maligno em curso age com requinte de crueldade (Lc 9.38). Esse jovem era filho único. O coração do Filho único de Deus enchia-se de compaixão por esses filhos únicos, por seus pais, e por muitos, muitos outros![9] Ao atacar esse rapaz, o diabo estava destruindo os sonhos de uma família. Onde os demônios agem, há sinais de desespero. Onde eles atacam, a morte mostra sua carranca. Onde eles não são confrontados, a invasão do mal desconhece limites.

Em quarto lugar, **no vale os discípulos estão sem poder para confrontar os poderes das trevas** (9.18; Lc 9.40; Mt 17.16). Por que os discípulos estão sem poder?

Existem demônios e demônios (9.29). Há demônios mais resistentes que outros (Mt 17.19,21). Há hierarquia no reino das trevas (Ef 6.12).

Os discípulos não oraram (9.28,29). Não há poder espiritual sem oração. O poder não vem de dentro, mas do alto.

Os discípulos não jejuaram (9.28,29). O jejum nos esvazia de nós mesmos e nos reveste com o poder do alto. Quando jejuamos, estamos dizendo que dependemos totalmente dos recursos de Deus.

Os discípulos tinham uma fé tímida (Mt 17.19,20). A fé não olha para a adversidade, mas para as infinitas possibilidades de Deus. Jesus disse para o pai do jovem: *Se podes? Tudo é possível ao que crê* (9.23). O poder de Jesus opera, muitas vezes, mediante a nossa fé.

A espiritualidade de Jesus (9.30,31; Lc 9.29,31,44,51,53)

A transfiguração foi uma antecipação da glória, um vislumbre e um ensaio de como será o céu (Mt 16.18). A palavra "transfigurar" é *metamorphothe*, de onde vem a palavra metamorfose. O verbo refere-se a

---
[8] RYLE, John Charles. *Mark*, 1993, p. 132.
[9] HENDRIKSEN, William. *Marcos*, 2003, p. 439.

uma mudança externa que procede de dentro. Essa não é uma mudança meramente de aparência, mas uma mudança completa para outra forma.[10] Sua ideia básica é: mudar de figura.[11] Muitas vezes, os discípulos viram Jesus empoeirado, faminto e exausto, além de perseguido, sem pátria e sem proteção. De repente, passa uma labareda por essa casca de humilhação, indubitável, inesquecível (2Pe 1.16-18). Por alguns momentos, ele estava permeado de luz.[12] Aprendemos aqui algumas verdades fundamentais sobre a espiritualidade de Jesus:

Em primeiro lugar, *a espiritualidade de Jesus é fortemente marcada pela oração* (Lc 9.28). Jesus subiu ao monte da Transfiguração com o propósito de orar e porque orou seu rosto transfigurou e suas vestes resplandeceram de brancura (Lc 9.29). A oração é uma via de mão dupla, onde nos deleitamos em Deus e Ele tem prazer em nós (Mt 17.5). Deus tem prazer em ter comunhão com Seu povo (Is 62.4,5; Sf 3.17). A essência da oração é comunhão com Deus. O maior anseio de quem ora não são as bênçãos de Deus, mas o Deus das bênçãos. Jesus muitas vezes saía para os lugares solitários para buscar a face do Pai.

Dois fatos são dignos de destaque na transfiguração de Jesus:

O Seu rosto transfigurou (Lc 9.29). Mateus diz que o Seu rosto resplandecia como o sol (Mt 17.2). O nosso corpo precisa ser vazado pela luz do céu. Devemos glorificar a Deus no nosso corpo. A glória de Deus precisa brilhar em nós e resplandecer por intermédio de nós.

Suas vestes também resplandeceram de brancura (Lc 9.29). Mateus diz que Suas vestes resplandeceram como a luz (Mt 17.2). Marcos nos informa que as Suas vestes tornaram-se resplandecentes e sobremodo brancas, como nenhum lavandeiro na terra as poderia alvejar (9.3). Adolf Pohl diz que para o oriental, roupa e pessoa são uma coisa só. Assim, ele pode descrever vestimentas para caracterizar quem as usa (Ap 1.13; 4.4; 7.9; 10.1; 12.1; 17.4; 19.13).[13] As nossas vestes revelam o nosso íntimo mais do que cobrem o nosso corpo. Elas retratam nosso

---

[10]BARTON, Bruce B. et al. *Life Application Bible Commentary on Mark*, 1994, p. 247.
[11]POHL, Adolf. *Evangelho de Marcos*, 1998, p. 269.
[12]POHL, Adolf. *Evangelho de Marcos*, 1998, p. 270.
[13]POHL, Adolf. *Evangelho de Marcos*, 1998, p. 271.

estado interior e demonstram o nosso senso de valores. As nossas roupas precisam ser também santificadas para não defraudarmos os nossos irmãos. Devemos nos vestir com modéstia e bom senso. Devemos nos vestir para a glória de Deus.

A oração de Jesus no monte ainda nos evidencia outras duas verdades: *Na transfiguração, Jesus foi consolado antecipadamente para enfrentar a cruz* (Lc 9.30,31). Quando oramos, Deus nos consola antecipadamente para enfrentarmos as situações difíceis. Jesus passaria por momentos amargos: seria preso, açoitado, cuspido, ultrajado, condenado e pregado numa cruz. Contudo, pela oração o Pai o capacitou a beber aquele cálice amargo sem retroceder. Quem não ora desespera-se na hora da aflição. É pela oração que triunfamos.

Em resposta à oração de Jesus, o Pai confirmou o Seu ministério (Mt 17.4,5). Os discípulos sem discernimento igualaram Jesus a Moisés e Elias, mas o Pai defendeu a Jesus, dizendo-lhes: *Este é o Meu Filho amado, em quem Me comprazo; a Ele ouvi*. Marcos registra: *E, de relance, olhando ao redor, a ninguém mais viram com eles, senão Jesus* (9.8). O Pai reafirma Seu amor ao Filho e autentica Sua autoridade, falando de dentro da nuvem luminosa aos discípulos. Aquela era a mesma nuvem que havia guiado Israel quando saía do Egito (Êx 13.21), que apareceu ao povo no deserto (Êx 16.10; 24.15-18), que apareceu a Moisés (Êx 19.9) e que encheu o templo com a glória do Senhor (1Rs 8.10).[14] Vincent Taylor afirma que no Antigo Testamento a nuvem "é o veículo da presença de Deus, a habitação de sua glória, da qual Ele fala".[15]

Você não precisa se defender, você precisa orar. Quando você ora, Deus sai em sua defesa. Quando você cuida da sua piedade, Deus cuida da sua reputação. Além de não defender o seu ministério, Jesus não tocou trombetas para propagar suas gloriosas experiências. Sua espiritualidade não era autoglorificante (Mt 17.9). Quem elogia a si mesmo demonstra uma espiritualidade trôpega.

Em segundo lugar, *a espiritualidade de Jesus é marcada pela obediência ao Pai* (9.30,31; Lc 9.44,51,53). A obediência absoluta e espontânea

---

[14]BARTON, Bruce B. et al. *Life Application Bible Commentary on Mark*, 1994, p. 249.
[15]TAYLOR, Vincent. *The Gospel according to St. Mark*. Baker, 1966, p. 391.

à vontade do Pai foi a marca distintiva da vida de Jesus. A cruz não era uma surpresa, mas uma agenda. Ele não morreu como mártir, Ele se entregou. Ele foi para a cruz porque o Pai o entregou por amor (Jo 3.16; Rm 5.8; 8.32). A conversa de Moisés e Elias com Jesus foi sobre sua partida para Jerusalém. A expressão usada foi êxodos. O êxodo foi a libertação do povo de Israel do cativeiro egípcio. Com o seu êxodo, Jesus nos libertou do cativeiro do pecado. Sua morte nos trouxe libertação e vida. Logo que desceu do monte, Jesus demonstrou com resoluta firmeza que estava indo para a cruz (9.31; Lc 9.53). Ele chorou (Lc 19.41) e suou sangue (Lc 22.39-46) para fazer a vontade do Pai. Ele veio para isso (Jo 17.4) e ao morrer na cruz, declarou isso triunfantemente (Jo 19.30). A verdadeira espiritualidade implica obediência (Mt 7.22,23).

Em terceiro lugar, *a espiritualidade de Jesus é marcada por poder para desbaratar as obras do diabo* (9.25-27). O ministério de Jesus foi comprometido com a libertação dos cativos (Lc 4.18; At 10.38). Ao mesmo tempo em que Ele é o libertador dos homens, é o flagelador dos demônios. Jesus expulsou a casta de demônios do menino endemoninhado e disse: *Sai [...] e nunca mais tornes a ele* (9.25-27). O poder de Jesus é absoluto e irresistível. Os demônios bateram em retirada, o menino foi libertado, devolvido ao seu pai e todos ficaram maravilhados ante a majestade de Deus (Lc 9.43).

Para Jesus, não há causa perdida nem vida irrecuperável.

Ele veio libertar os cativos!

31

Os valores absolutos do Reino de Deus

Marcos 9.33-50

JESUS ACABARA DE FALAR SOBRE AUTOSSACRIFÍCIO e os discípulos discutem sobre autopromoção. Enquanto Jesus fala que está pronto a dar Sua vida, os discípulos discutem quem entre eles é o maior. Eles estão na contramão do ensino e do espírito de Jesus.

Mais uma vez, os discípulos reagem com incompreensão a um ensino sobre o sofrimento. O evangelho de Marcos contém quatorze perguntas de Jesus aos discípulos. Com exceção de 8.27,29, todas têm um tom de censura, apontando para a dolorosa falta de entendimento deles.[1]

Jesus aproveita o momento para lançar alguns pilares da ética do Reino de Deus. Dewey Mulholland diz que a importância dessas instruções é destacada de várias maneiras: elas são dadas a portas fechadas (9.28,33), longe da multidão (9.30), por Jesus, o Mestre (9.38), que se assenta e chama os doze discípulos (9.35), mas usa o inclusivo *aquele que* (9.41,49).[2]

Vejamos quais são esses princípios absolutos do Reino de Deus ensinados por Jesus:

---

[1] POHL, Adolf. *Evangelho de Marcos*, 1998, p. 282.
[2] MULHOLLAND, Dewey M. *Marcos: Introdução e Comentário*, 2005, p. 149.

No Reino de Deus não há espaço para o **amor à preeminência** (9.33,34)

Os discípulos discutem entre si quem é o maior dentre eles. Eles estão querendo a preeminência. Eles pensam em projeção, grandeza e especial distinção. A ambição deles é a projeção do eu e não do outro.

A ambição e o desejo de preeminência dos discípulos soavam mal, sobretudo diante do que Jesus acabara de falar a eles, a respeito de Seu sofrimento e morte. O Rei da glória, o Senhor dos senhores, criador do universo dava claro sinal de seu esvaziamento e humilhação, a ponto de entregar voluntariamente sua vida a favor dos pecadores, enquanto os discípulos cheios de vaidade e soberba discutem sobre qual deles era o maior.

Os discípulos estavam pensando acerca do reino de Jesus em termos de um reino terreno e em si mesmos como os principais ministros de Estado.[3] Essa distorção teológica dos discípulos perdurou até mesmo depois da ressurreição de Jesus (At 1.6).

O orgulho ainda é um dos pecados mais comuns incrustrados na natureza humana. Esse pecado é tão antigo quanto a queda de lúcifer. Esse pecado foi a causa da queda dos nossos pais no Jardim do Éden. John Charles Ryle diz que todos nós nascemos fariseus. Todos nós julgamos-nos melhores e mais merecedores de melhores coisas do que temos recebido. Essa altivez constitui-se numa barreira que nos mantém distantes do arrependimento diante de Deus e do amor ao próximo.[4]

Em relação à ambição, a Escritura adverte: *A soberba precede a ruína, e a altivez do espírito, a queda* (Pv 16.18). Não foi essa a experiência de Senaqueribe (2Cr 32.14,21), Nabucodonosor (Dn 4.30-33) e de Herodes Agripa (At 12.21-23)? A Bíblia diz que aquele que se exalta será humilhado, mas o que se humilha será exaltado.

No Reino de Deus ser grande é ser servo (9.35)

Os valores do Reino de Deus estão em flagrante oposição aos valores do mundo. No Reino de Deus, a pirâmide social está invertida, está de

---

[3]BARCLAY, William. *Marcos*, 1974, p. 233.
[4]RYLE, John Charles. *Mark*, 1993, p. 135.

ponta-cabeça. O maior é o menor, o que tem mais preeminência é o servo de todos. William Hendriksen, comentando nessa mesma linha de pensamento, escreve:

> A ideia dos discípulos sobre o que significa ser "grande ou maior" deve ser alterada; na verdade, radicalmente alterada. A verdadeira grandeza não consiste em que, do topo de uma torre, uma pessoa, de uma maneira autocongratulatória, tenha o direito de olhar para os outros com arrogância (Lc 18.9-12); mas em que mergulhe a si mesma nas necessidades dos outros, simpatize com eles e ajude-os de todas as maneiras que estejam ao seu alcance. Assim, se uma pessoa – seja ela um dos Doze ou outra qualquer – quer ser a primeira, deve ser a última, ou seja, a que serve.[5]

O único estandarte de grandeza erguido por Cristo é a bandeira da humildade. Jesus é categórico: *Se alguém quer ser o primeiro, será o último e servo de todos* (9.35). A ideia de grandeza para o mundo é exercer poder sobre os outros; a ideia de grandeza no Reino de Deus é servir aos outros. A ambição do mundo é receber honra e atenção, mas o desejo do cristão deve ser dar em vez de receber, servir aos outros em vez de ser servido. Em outras palavras, a pessoa que se esforça em servir aos outros é aquela que é a maior aos olhos de Cristo.[6]

Ser servo não significa uma posição servil, mas ter uma atitude que livremente atende às necessidades dos outros sem esperar recompensa. Servir aos outros é a real liderança. Em vez de usar as pessoas, o líder as serve. O verdadeiro líder tem um coração de servo.[7]

O que importa não é ser aplaudido pelo mundo, mas ser aprovado pelo céu. O que interessa não é ser grande aos olhos dos homens, mas ser grande aos olhos de Deus. Warren Wiersbe diz que a filosofia do mundo é que você é grande se os outros estão servindo a você, mas a mensagem de Cristo é que a grandeza vem de você servir aos outros.[8]

---

[5]HENDRIKSEN, William. *Marcos*, 2003, p. 454,455.
[6]RYLE, John Charles. *Mark*, 1993, p. 136.
[7]BARTON, Bruce B. et al. *Life Application Bible Commentary on Mark*, 1994, p. 265.
[8]WIERSBE, Warren W. B*e Diligent*, 1987, p. 91.

A intolerância e o exclusivismo estreito são o que Jesus está corrigindo aqui. Josué pediu a Moisés para proibir Eldade e Medade que estavam profetizando no campo. Ele exclama: *Moisés, meu senhor, proíbe-lhos.* Mas Moisés lhe responde: *Tens tu ciúmes por mim? Tomara todo o povo do Senhor fosse profeta, que o Senhor lhes desse o Seu Espírito!* (Nm 11.2629). Não sejamos mais restritivos do que foi Josué. Não tenhamos uma mente menos aberta que a de Paulo (Fp 1.14-18).

Obviamente, Jesus não está dizendo que os hereges, os heterodoxos e aqueles que acrescentam ou retiram parte das Escrituras devam ser considerados os Seus legítimos seguidores. Jesus não está ensinando aqui o inclusivismo religioso nem dando um voto de aprovação a todas as religiões. Jesus não comunga com o erro doutrinário; antes, o reprovou severamente. Jesus não aprova o universalismo nem o ecumenismo. Não há unidade espiritual fora da verdade. Contudo, Jesus não aceita a intolerância religiosa. Não podemos proibir nem rejeitar os outros pelo simples fato de eles não pertencerem ao nosso grupo. Corretamente Adolf Pohl diz que de forma alguma Jesus está alargando a porta estreita do discipulado. Afinal de contas, essa passagem tem um contrapeso em Mateus 12.30: *Quem não é por Mim é contra Mim; e quem comigo não ajunta espalha.*[13]

Há muitas pessoas que idolatram a sua denominação e sua estrutura eclesiástica a ponto de não verem nenhum mérito nos outros segmentos que servem a Deus. Esses são aqueles que proíbem os outros por estarem fazendo a obra de Deus (Nm 11.28). Essa intolerância tem sido uma das páginas mais escuras da história humana. Muitos cristãos chegam até mesmo a perseguir uns aos outros, e se engalfinham em vergonhosas brigas e contendas (1Co 6.7).

Jesus conclui esse assunto mostrando um exemplo de como outros seguidores podem ser úteis em situações de necessidade dos discípulos (9.41). O copo de água era considerado o sinal mínimo de hospitalidade, que podia ser dado até mesmo a um inimigo (Pv 25.21). Mesmo esse pequeno gesto é recompensado regiamente pelo Senhor.

---

[13]POHL, Adolf. *Evangelho de Marcos*, 1998, p. 286.

A recompensa de Jesus jamais é um acerto de contas mesquinho, mas algo transbordante.[14]

O Reino de Deus exige **renúncia** de tudo aquilo que nos afasta da santidade (9.42-48)

É uma possibilidade monstruosa servir, em vez de à fé, ao abandono da fé, e privar irmãos da salvação eterna. Assim como Deus responde ao menor gesto de amor pelo irmão (9.41), Ele também reage a tal injustiça (9.42).[15]

O Reino de Deus é o reino da santidade. Aqueles que vivem na prática do pecado jamais entrarão nele. Por isso, tudo o que se constitui tropeço no caminho da santidade deve ser radicalmente removido. Qualquer sacrifício é insignificante em comparação com o supremo valor de pertencer a Cristo.

Jesus usa três figuras: olhos, mãos e pés. O que vemos, o que fazemos e aonde vamos pode constituir-se em tropeço para a nossa alma. Ernesto Trenchard diz que a mão simboliza nossa maneira de fazer as coisas; o pé representa nosso caminhar pelo mundo; e o olho é a figura de todos os desejos que surgem do coração.[16]

Jesus não está recomendando aqui a mutilação ou uma cirurgia física literal, visto que já havia ensinado que o mal procede não dos membros do corpo, mas do coração (7.21). Ele está ensinando que devemos ser radicais na remoção de qualquer obstáculo que se interpõe em nosso caminho de entrada no reino. Essa erradicação pode ser uma intervenção cirúrgica dolorosa como se fosse a amputação de um membro do corpo.

William Barclay diz que precisamos extirpar algum hábito, abandonar algum prazer, renunciar a alguma amizade e separar-nos de algo que havia se tornado uma parte da nossa própria vida.[17] Nessa mesma linha de pensamento, o apóstolo Paulo ordena: *Fazei, pois, morrer a*

---

[14]POHL, Adolf. *Evangelho de Marcos*, 1998, p. 286.
[15]POHL, Adolf. *Evangelho de Marcos*, 1998, p. 288.
[16]TRENCHARD, Ernesto. *Una Exposición del Evangelio según Marcos*, 1971, p. 116.
[17]BARCLAY, William. *Marcos*, 1974, p. 243,244.

vossa natureza terrena (Cl 3.5). Está incluído nisso a separação determinada do pecado.

William Hendriksen diz que a tentação deve ser abrupta e decisivamente cortada. Brincar com ela é mortal. Meias medidas são destrutivas. A cirurgia precisa ser radical. Neste exato momento, e sem nenhuma vacilação, o livro obsceno deveria ser queimado; a foto escandalosa, destruída; o filme destruidor da alma, condenado; os laços sociais sinistros, mesmo que íntimos, quebrados; e o hábito venenoso, descartado. Na luta contra o pecado, o crente tem de lutar duramente. Acobertar o erro nunca leva alguém à vitória (1Co 9.27).[18]

O Reino de Deus revela que existe uma **condenação eterna** para aqueles que rejeitam o caminho da santidade (9.42-48)

O inferno não é uma figura mitológica, mas uma realidade solene. Há céu e inferno; há luz e trevas; há salvação e perdição; há bem-aventurança eterna e condenação eterna.

Jesus foi quem mais falou sobre o inferno. Ele o descreveu como um lugar de tormento eterno, onde o fogo jamais se apaga e o bicho jamais deixa de roer.

A palavra usada para descrever o inferno é *geena*. Essa palavra vem do Vale dos filhos de Hinom, na cidade de Jerusalém, local onde o ímpio rei Acaz levantou a imagem do deus Moloque, um ídolo de bronze, oco por dentro, de braços estendidos, que ao ficar em chamas, os pais colocavam ali seus filhos, oferecendo-os em sacrifício a esse abominável ídolo. O próprio rei Acaz queimou ali seus filhos (2Cr 28.3). Esse terrível culto pagão foi seguido também pelo rei Manassés (2Cr 33.6). O piedoso rei Josias, mais tarde, em sua reforma religiosa declarou aquele lugar imundo (2Rs 23.10). William Barclay diz que quando aquele local foi declarado imundo e profanado, tornou-se o depósito de lixo da cidade de Jerusalém, que queimava continuamente. Em consequência, era um lugar sujo e fétido, onde os vermes jamais

---

[18] HENDRIKSEN, William. *Marcos*, 2003, p. 464,465.

deixavam de roer e onde havia sempre fogo e fumaça subindo como um enorme incinerador.[19]

Dessa forma, o inferno é descrito claramente o lugar onde o fogo jamais se apagará (Mt 5.22; 10.28; Lc 12.5; Tg 3.6; Ap 19.20) preparado para o diabo e seus anjos, e todos aqueles que não conheceram a Cristo (Mt 25.46; Ap 20.9,10). É o estado final e eterno do ímpio depois da ressurreição e último julgamento.[20]

Marcos 9.49,50 é considerado por alguns estudiosos como os versículos mais difíceis de serem interpretados do Novo Testamento.[21] Jesus usou três expressões fortes:

Em primeiro lugar, *cada um será salgado com fogo* (9.49). Todo sacrifício judaico deveria ser salgado antes de ser oferecido a Deus no altar (Lv 2.13). Esse sal sacrifical era chamado o sal do pacto (Nm 18.19; 2Cr 13.5). A adição desse sal é que tornava o sacrifício agradável a Deus. Antes da vida do discípulo ser agradável a Deus, deve ser tratada com fogo assim como todo sacrifício é tratado com sal. O fogo é o sal que faz a vida aceitável a Deus. Que fogo é esse? Esse fogo fala de purificação e perseguição (1Pe 1.7; 4.12; Is 48.10). O discípulo é aquele que é purificado do mal e suporta o fogo da perseguição por amor a Jesus.[22]

Em segundo lugar, *bom é o sal; mas, se o sal vier a tornar-se insípido, como lhe restaurar o sabor?* (9.50). O sal é bom. A vida seria insuportável sem ele. O sal tem duas características básicas: preservar e dar sabor, porém o sal pode perder o seu sabor e tornar-se insípido. O mundo está em estado de decomposição. Sem a presença da igreja, a sociedade entraria em estado de putrefação moral. Juvenal, descrevendo a Roma do século I, diz que ela era uma cloaca imunda. A pureza havia desaparecido e a castidade era desconhecida. O cristão é o antisséptico do mundo. Assim como o sal derrota a corrupção que inevitavelmente ataca a carne morta, o cristão deve coibir a corrupção do mundo, como sal da terra (Mt 5.13).[23]

---

[19]BARCLAY, William. *Marcos*, 1974, p. 242.
[20]BARTON, Bruce B. et al. *Life Application Bible Commentary on Mark*, 1994, p. 272.
[21]BARCLAY, William. *Marcos*, 1974, p. 244.
[22]BARCLAY, William. *Marcos*, 1974, p. 245.
[23]BARCLAY, William. *Marcos*, 1974, p. 246.

Em terceiro lugar, ***Tende sal em vós mesmos e paz uns com os outros*** (9.50). Os antigos diziam que não havia nada no mundo mais puro do que o sal, porque procedia das duas coisas mais puras: o sol e o mar.[24] Aqui devemos tomar o sal não no sentido sacrifical, mas no sentido doméstico. Jesus está dizendo que devemos buscar a santidade e o amor. Devemos ter uma relação certa com Deus e com os homens. Adolf Pohl conclui: "Discípulos que têm sal em si mesmos e se deixam salgar por Deus e para Deus, também vivem em paz entre si (Rm 12.18; 1Ts 5.13). Entretanto, quem foge da luta consigo mesmo está sempre brigando com os outros".[25]

---

[24]BARCLAY, William. *Marcos*, 1974, p. 247.
[25]POHL, Adolf. *Evangelho de Marcos*, 1998, p. 290.

32

O ensino de Jesus sobre
casamento e divórcio

Marcos 10.1-12

AQUI, EM MARCOS 10.1, o que é enfatizado não são as curas, mas o ensino de Jesus. A cura e o ensino caminham juntos em sua atividade.[1] Os fariseus, como inimigos de plantão, mais uma vez, estão maquinando contra Jesus, para apanhá-Lo em alguma falha. Desta feita, eles trazem uma questão sobre o divórcio. Em vez de cair na armadilha deles, Jesus aproveita o ensejo para ensinar sobre o casamento e o divórcio.

Uma **pergunta** desonesta (10.2)

Os fariseus já tinham uma opinião formada sobre a questão do divórcio.[2] Eles não buscavam uma resposta, mas armavam uma cilada para Jesus. Diz Marcos: *E, aproximando-se alguns fariseus, O experimentaram, perguntando-Lhe: É lícito ao marido repudiar sua mulher?* (10.2). Os fariseus não estavam focados nos princípios de Deus sobre o casamento, mas nas filigranas da concessão mosaica para o divórcio. O que os fariseus intentavam com essa pergunta?

Em primeiro lugar, ***colocar Jesus contra Herodes***. Foi nessa mesma região que João Batista foi preso e degolado por denunciar o divórcio

---

[1] HENDRIKSEN, William. *Marcos*, 2003, p. 476.
[2] MCGEE, J. Vernon. *Mark*, 1991, p. 118.

ilegal e o casamento ilícito de Herodes com sua cunhada Herodias. Os fariseus instigavam Jesus a ter a mesma atitude de João, pensando que com isso teria o mesmo destino. O lugar do interrogatório era a Pereia, que, como a Galileia, pertencia aos domínios de Herodes Antipas. O que os fariseus queriam era que Jesus se tornasse intolerável em termos políticos e religiosos.[3]

Em segundo lugar, *colocar Jesus contra Moisés*. Os fariseus queriam colocar à prova a ortodoxia de Jesus, para poderem acusá-lo de heresia.[4] Se Jesus dissesse que era lícito, Ele afrouxaria o ensino de Moisés sobre o divórcio. Mateus registra essa mesma pergunta acrescentando um dado importante: *É lícito ao marido repudiar a sua mulher por qualquer motivo?* (Mt 19.3). Moisés havia ensinado que se o homem encontrasse alguma coisa indecente na mulher, lavraria carta de divórcio e a despediria (Dt 24.1). A grande questão é entender o que significa essa "coisa indecente". No ano 20 d.C., dois rabinos famosos, Hillel e Shammai, tornaram-se famosos na interpretação desse texto mosaico.[5] Hillel liderava uma escola liberal que entendia que o marido poderia despedir sua mulher por qualquer motivo, como queimar o jantar, falar alto ou mesmo se esse marido encontrasse uma mulher mais interessante. Shammai, por sua vez, liderava uma escola conservadora e acreditava que o divórcio só poderia ser dado no caso de o marido encontrar na mulher alguma coisa indecente. Esse termo hebraico para descrever "coisa indecente", *erwath dabar,* era entendido por Shammai como falta de castidade ou adultério.

Em terceiro lugar, *colocar Jesus contra o povo*. Se a resposta de Jesus fosse sim, eles acusariam Jesus de estar promovendo a desintegração da família e atentando contra os direitos da mulher. Se Jesus respondesse não, eles acusariam Jesus de contrariar a concessão dada por Moisés e ainda O colocariam numa situação de extremo perigo em relação ao inconsequente rei Herodes.

---

[3]POHL, Adolf. *Evangelho de Marcos,* 1998, p. 294.
[4]BARCLAY, William. *Marcos,* 1974, p. 248.
[5]MULHOLLAND, Dewey M. *Marcos: Introdução e Comentário,* 2005, p. 154.

Uma **resposta** esclarecedora (10.3-5)

Jesus não caiu na armadilha dos fariseus. Ele respondeu à pergunta deles com outra pergunta, abrindo a porta para a verdadeira interpretação sobre a concessão de Moisés acerca do divórcio.

Três verdades são destacadas aqui:

Em primeiro lugar, *o divórcio não é uma instituição divina* (10.4). Deus instituiu o casamento, não o divórcio. O casamento é a expressa vontade de Deus, não o divórcio. No princípio, quando Deus instituiu o casamento (Gn 1.27; 2.24), antes da queda humana, não havia nenhuma palavra sobre divórcio. Ele é fruto do pecado. Ele é resultado da dureza do coração (10.5). Enquanto o casamento é digno de honra entre todos (Hb 13.4), Deus odeia o divórcio (Ml 2.16).

Pela resposta dos fariseus (10.4), eles pensaram que Jesus estivesse se referindo à orientação de Moisés sobre o divórcio em Deuteronômio 24.1-4; mas a resposta de Jesus revela que Ele se referia às palavras de Moisés em Gênesis sobre o estado ideal da criação e particularmente do casamento. Esse argumento pode ser fortalecido pela abordagem de Jesus. Observe que Jesus perguntou o que Moisés "mandou" e os fariseus responderam com o que Moisés "permitiu". Moisés não ordenou o divórcio; ao contrário, ele reconheceu a sua presença, o permitiu e deu instruções como ele deveria ser praticado. O que Moisés "mandou" foi o que Deus ordenou sobre o casamento em Gênesis 1.27,28; 2.24.[6]

Em segundo lugar, *o divórcio não é um mandamento divino* (10.4,5). Jesus como supremo intérprete da Escritura diz que Moisés não mandou divorciar por qualquer motivo, ele permitiu por um único motivo, a dureza de coração (10.4,5; Mt 19.8). Mateus registra a pergunta dos fariseus assim: *Por que mandou, então, Moisés dar carta de divórcio e repudiar?* (Mt 19.7). Na verdade, Moisés nunca mandou. O divórcio nunca é um mandamento ou ordenança, mas uma permissão e uma permissão regida por balizas bem estreitas, ou seja, a dureza do coração.

A concessão para o divórcio estabelecida na lei de Moisés tinha como propósito proteger suas vítimas. Segundo a lei judaica, somente

---

[6] BARTON, Bruce B. et al. *Life Application Bible Commentary on Mark*, 1994, p. 280.

o marido poderia iniciar o processo do divórcio. A lei civil, porém, protegeu as mulheres, que naquela cultura, estavam completamente vulneráveis e eram condenadas a viver sozinhas e desamparadas. Por causa dessa concessão de Moisés, um marido não poderia despedir a mulher sem lavrar-lhe carta de divórcio e depois de despedi-la não poderia tê-la de volta, caso essa mulher viesse a casar-se novamente ou mesmo no caso de ela ficar viúva. Assim, o marido precisava pensar duas vezes antes de despedir a sua mulher.[7] Edward Dobson afirma que a permissão para o divórcio presente na lei mosaica era para proteger a esposa de um marido mau e não uma autorização para ele se divorciar dela por qualquer motivo.[8] O conceituado intérprete das Escrituras, Adam Clarke, entende que Moisés percebeu que se o divórcio não fosse permitido em alguns casos, as mulheres poderiam ser expostas a grandes dificuldades e sofrimentos pela crueldade de seus maridos.[9]

Em terceiro lugar, *o divórcio não é compulsório* (10.5). O casamento foi instituído por Deus, o divórcio não. O casamento é ordenado por Deus, o divórcio não. O casamento agrada a Deus, o divórcio não. Deus ama o casamento, mas odeia o divórcio. Deus permite o divórcio, mas jamais o ordena. Ele jamais foi o ideal de Deus para a família.

Os fariseus interpretavam equivocadamente a lei de Moisés sobre o divórcio; eles a entendiam como um mandamento, enquanto Jesus considerou-a uma permissão, uma tolerância. Moisés não ordenou o divórcio, ele permitiu. Há uma absoluta diferença entre ordenança (*eneteilato*) e permissão (*epetrepsen*). Deus não é o autor do divórcio, o homem é responsável por ele. Walter Kaiser diz que diferentemente do casamento, o divórcio é uma instituição humana.[10] Jay Adams diz que o divórcio é uma inovação humana.[11]

---

[7]BARTON, Bruce B. et al. *Life Application Bible Commentary on Mark*, 1994, p. 280.
[8]DOBSON, Edward G. *The Complete Bible Commentary.* Nashville, Tennessee: Thomas Nelson Publishers, 1999, p. 1212.
[9]CLARKE, Adam, *Clarke's Commentary – Matthew-Revelation.* Vol. V. Nashville, Tennessee. Abingdon, n.d., p. 190.
[10]KAISER Jr, Walter. *Toward Old Testament Ethics.* Grand Rapids, Michigan: Zondervan Publishing House, 1983, p. 200,201.
[11]ADAMS, Jay. *Marriage, Divorce, and Remarriage in the Bible.* Grand Rapids, Michigan: Zondervan Publishing House, 1980, p. 27.

O divórcio embora legítimo, no caso de infidelidade conjugal (Mt 19.9) ou abandono irremediável (1Co 7.15), não é compulsório nem obrigatório. O divórcio só floresce no deserto árido da insensibilidade e da falta de perdão.

Ele é uma conspiração contra os princípios de Deus. O divórcio é consequência do pecado e não expressão da vontade de Deus. Deus odeia o divórcio (Ml 2.16). Ele é uma profanação da aliança feita entre o homem e a mulher da sua mocidade, uma deslealdade, uma falta de bom senso, um ato de infidelidade (Ml 2.10-16). O divórcio é a apostasia do amor.[12] O exercício do perdão é melhor do que o divórcio. O perdão traz cura e a restauração do casamento é um caminho preferível ao divórcio.

Uma **explicação** necessária (10.6-9)

Enquanto os fariseus estavam inclinados a mergulhar no tema divórcio, Jesus estava focado no tema casamento. Se nós entendêssemos mais as bases bíblicas do casamento, teríamos menos divórcios. Nesse texto Jesus lança os quatro grandes pilares do casamento como instituição divina:

Em primeiro lugar, *o casamento é heterossexual* (10.6). Deus criou o homem e a mulher, o macho e a fêmea (Gn 1.27). O relacionamento conjugal só é possível entre um homem e uma mulher, entre um macho e uma fêmea biológicos. O casamento é entre um homem e uma mulher. Um foi feito para o outro e é adequado ao outro física, emocional, psicológica e espiritualmente. Somente a relação heterossexual pode cumprir os propósitos de Deus para a família.

A relação homossexual não é uma união de amor, mas uma paixão infame, um erro, uma abominação para Deus. Essa união degrada a família, destrói a sociedade e atrai a ira de Deus. Norman Geisler afirma que essa união esdrúxula é uma relação sexual ilícita.[13]

---

[12]LOPES, Hernandes Dias. *Casamento, Divórcio e Novo Casamento*. São Paulo, SP: Editora Hagnos, 2005, p. 107.
[13]GEISLER, Norman L. *Christian Ethics: Options and Issues*. Grand Rapids, Michigan: Baker Book House, 2000, p. 278.

O homossexualismo é uma prática condenada por Deus nas Sagradas Escrituras. Os cananitas foram eliminados da terra pela prática abominável do homossexualismo (Lv 18.22-29). Da mesma forma, a cidade de Sodoma foi destruída por Deus por causa da prática vil da homossexualidade (Gn 18.16-21; Jd 7). O ensino bíblico é claro: *Com homem não te deitarás, como se fosse mulher, é abominação* (Lv 18.22). O apóstolo Paulo afirma que o homossexualismo é uma imundícia e uma desonra (Rm 1.24); é uma paixão infame e uma relação contrária à natureza (Rm 1.26); é uma torpeza e um erro (Rm 1.27). Paulo ainda afirma que o homossexualismo é uma disposição mental reprovável e uma coisa inconveniente (Rm 1.28). Quem o pratica recebe em si mesmo a merecida punição do seu erro (Rm 1.27) e não pode entrar no Reino de Deus (1Co 6.9,10).

Em segundo lugar, *o casamento é monogâmico* (10.7). Diz o texto bíblico: *Por isso, deixará o homem a seu pai e mãe* [e unir-se-á a sua mulher] (10.7). Não diz o texto que o homem deve unir-se às suas mulheres. Deus não criou mais de uma mulher para Adão nem mais de um homem para Eva. Tanto a poligenia quanto a poliandria estão em desacordo com os princípios de Deus para o casamento (Dt 28.54,56; Sl 128.3; Pv 5.15-21; Ml 2.14).

Essa norma não foi apenas estabelecida na criação, mas também foi reafirmada na entrega da lei moral. A Lei de Deus ordena: *Não cobiçarás a mulher do teu próximo...* (Êx 20.17). O uso do singular é enfático. Moisés não deu provisão à questão da poligamia. Os casamentos poligâmicos sempre foram marcados por muitos prejuízos e grandes desastres. O apóstolo Paulo afirma: *Cada um* [singular] *tenha a sua própria esposa, e cada uma* [singular], *o seu próprio marido* (1Co 7.2). Ao mencionar as qualificações do presbítero, Paulo adverte: É necessário, portanto, que o bispo seja [...] *esposo de uma só mulher...* (1Tm 3.2).

Norman Geisler enumera alguns argumentos que reforçam o ensino da monogamia:

1. A monogamia foi ensinada por precedência (Gn 2.24);
2. A monogamia foi ensinada por preceito (Êx 20.17);

3. A monogamia foi ensinada por intermédio das severas consequências decorrentes da poligamia (1Rs 11.4).[14]

Em terceiro lugar, *o casamento é monossomático* (10.8). Jesus prossegue, e diz: *e, com sua mulher, serão os dois uma só carne* (10.8). As palavras hebraicas *homem* e *mulher* (*ish* e *ishá*) revelam que os dois foram feitos complementarmente um para o outro. O propósito de Deus é que no casamento o homem e a mulher se tornem uma só carne, numa intimidade tal que não pode ser separada.[15] A união entre marido e mulher não é apenas emocional e espiritual, mas também e, sobretudo, física. O sexo que antes e fora do casamento é uma proibição divina (1Ts 4.3-8), no casamento é uma ordenança (1Co 7.5). O que é uma proibição para os solteiros, é um mandamento para os casados. O sexo é bom, santo e puro (Hb 13.4). Deus nos criou sexuados. O sexo nos foi dado como uma grande fonte de prazer (Pv 5.15-19) e não apenas para a procriação (Gn 1.28).

A união conjugal é a mais próxima e íntima relação de todo relacionamento humano. A união entre marido e mulher é mais estreita do que a relação entre pais e filhos. Os filhos de um homem são parte dele mesmo, mas sua esposa é ele mesmo. O apóstolo Paulo diz:

> *Assim também os maridos devem amar a sua mulher como ao próprio corpo. Quem ama a esposa a si mesmo se ama. Porque ninguém jamais odiou a própria carne; antes, a alimenta e dela cuida, como também Cristo o faz com a igreja* (Ef 5.28,29).

João Calvino afirma que o vínculo do casamento é mais sagrado que o vínculo que prende os filhos aos seus pais. Nada, a não ser a morte, deve separá-los.[16]

Muito embora a expressão "uma só carne" signifique mais do que união física, a união básica do casamento é a união física. Se um homem e uma mulher pudessem se tornar um só espírito por meio

---

[14]GEISLER, Norman. *Christian Ethics: Options and Issues*, 2000, p. 281.
[15]BARTON, Bruce B. et al. *Life Application Bible Commentary on Mark*, 1994, p. 281.
[16]CALVIN, John. *Harmony of Matthew, Mark, and Luke – Calvin's Commentaries*. Vol. XVI. Grand Rapids, Michigan. Baker Book House, 1979, p. 379.

do casamento, então a morte não poderia dissolver esse laço, pois o espírito nunca morre. O conceito de casamento eterno é uma heresia (Mt 22.30; 1Co 7.8,9).[17] O apóstolo Paulo diz que a união do casamento termina com a morte: *Ora, a mulher casada está ligada ao marido, enquanto ele vive; mas, se o mesmo morrer, desobrigada ficará da lei conjugal [...] se morrer o marido, estará livre da lei e não será adúltera se contrair novas núpcias* (Rm 7.2,3).

Em quarto lugar, *o casamento é indissolúvel* (10.9). Jesus concluiu o assunto com os fariseus, afirmando que o casamento não é apenas heterossexual, monogâmico e monossomático, mas também indissolúvel. O evangelista Marcos registra: *Portanto, o que Deus ajuntou não o separe o homem* (10.9). O casamento deve ser para toda a vida. É uma união permanente. No projeto de Deus, o casamento é indissolúvel. O divórcio é uma conspiração contra Deus e contra o cônjuge. O divórcio é um atentado contra a família. Quem mais sofre com ele são os filhos. As consequências amargas do divórcio atravessam gerações. A psicóloga Diane Medved afirma que alguns casais chegaram à conclusão de que o divórcio é mais perigoso e destrutivo do que tentar permanecer junto.[18]

O casamento é indissolúvel porque foi Deus quem o instituiu e o ordenou. Porém, o casamento tem sido cada vez mais ultrajado em nossos dias. Comentaristas sociais declaram que 50% dos casamentos realizados nos Estados Unidos terminam pelo divórcio.[19] A Revista *Veja* de 27/11/2003 publicou um artigo revelando que nos últimos cinco anos o índice de divórcio entre pessoas da terceira idade no Brasil teve um aumento de 56%. Tragicamente, 70% dos novos casamentos surgidos entre os divorciados acabam num período de dez anos.[20]

---

[17]WIERSBE, Warren W. *The Bible Exposition Commentary*. Vol. 1. Colorado Springs, Colorado. Chariot Victor Publishing, 1989, p. 69.
[18]MEDVED, Diane. *The Case Against Divorce*. Nova York, NY: Donald L. Fine, 1989, p. 1,2.
[19]ANDERSON, J. Kerby. *Signs of Warning, Signs of Hope: Seven Coming Crises that will change your life*. Chicago, Illinois: Moody Press, 1994, p. 67.
[20]MALLORY, James D. *O Fim da Guerra dos Sexos*. São Paulo, SP: Exodus Editora, 1997, p. 16.

Nenhum ser humano tem competência nem autoridade para desfazer o que Deus faz. Mesmo que um juiz lavre uma certidão de divórcio e declare uma pessoa livre dos vínculos do casamento, aos olhos de Deus, essa relação não é desfeita.

O casamento é uma aliança entre um homem e uma mulher e Deus é a testemunha dessa aliança (Ml 2.14). O adultério é a quebra da aliança conjugal (Pv 2.16,17). O divórcio é a quebra do nono mandamento da Lei de Deus, ou seja, um falso testemunho, a quebra de um juramento feito na presença de Deus.

Algumas pessoas tentam justificar o divórcio, afirmando que não foi Deus quem os uniu em casamento. É importante enfatizar que mesmo que um casal não tenha buscado a orientação de Deus para o casamento, uma vez firmada a aliança, Deus a ratifica (Js 9.1,27).

Um alerta solene (10.10-12)

A conversa que se desenrola agora não é mais com os fariseus, mas com os discípulos; não mais em um lugar aberto, mas dentro de casa. O contexto nos indica que os discípulos tinham uma visão bastante liberal sobre a questão do divórcio, pois quando Jesus falou sobre a infidelidade conjugal como a única cláusula de exceção para o divórcio, os discípulos reagiram com uma profunda negatividade em relação ao casamento: *Disseram-lhe os discípulos: Se essa é a condição do homem relativamente à sua mulher, não convém casar* (Mt 19.10).

O evangelista Marcos omite a cláusula de exceção que legitima o divórcio, registrada em Mateus 5.32 e 19.9. Contudo, certamente, essa omissão não muda o conteúdo do ensino de Jesus sobre o assunto. A grande ênfase de Jesus é que o divórcio e o novo casamento, sem base bíblica, constituem-se adultério. J. Vernon McGee entende que essa omissão de Marcos é pelo fato de ele estar escrevendo aos romanos, que não conheciam a lei de Moisés sobre o divórcio.[21] William Hendriksen, escrevendo nessa mesma trilha de pensamento, diz:

---

[21]McGee, J. Vernon. *Mark*, 1991, p. 121.

Por que essa diferença entre Mateus e Marcos? Resposta: Mateus estava primariamente escrevendo para os judeus, entre os quais a rejeição de um marido pela sua esposa era tão rara que a lei não provia qualquer orientação para essa possibilidade. No entanto, mesmo entre os judeus, ou entre aqueles que tinham relações próximas com eles, essas rejeições do marido por parte da esposa não eram inteiramente desconhecidas.[22]

Somente Marcos entre os evangelistas fala da mulher também tomando iniciativa do divórcio. Possivelmente, porque Marcos está escrevendo para os romanos e na sociedade romana uma mulher poderia iniciar o divórcio.[23]

Não existem famílias fortes sem casamentos bem estruturados. Não existem igrejas saudáveis sem famílias fortes. Não existe sociedade bem estruturada onde as famílias que a compõem estejam se desintegrando.

Nenhum sucesso compensa o fracasso do casamento e da família. Não fomos chamados para imitar o mundo, mas para ser um referencial de Deus no mundo. O povo de Deus precisa mostrar ao mundo casamentos sólidos, famílias unidas e regadas pelo amor.

---

[22]HENDRIKSEN, William. *Marcos*, 2003, p. 483.
[23]BARTON, Bruce B. et al. *Life Application Bible Commentary on Mark*, 1994, p. 284.

33

O lugar das crianças no Reino de Deus

Marcos 10.13-16

WILLIAM BARCLAY DIZ que só compreenderemos a beleza dessa passagem quando observarmos o tempo em que esse fato aconteceu.[1] Jesus estava indo para Jerusalém. Ele marchava para a cruz. Foi nessa caminhada dramática, dolorosa, que Ele encontrou tempo em Sua agenda e espaço em Seu coração para acolher as crianças, orar por elas e abençoá-las.

Marcos 10.1-31 apresenta uma sequência lógica: casamento (10.1-12), crianças (10.13-16) e propriedades (10.17-31).[2] Jesus, apesar de caluniado e perseguido pelos escribas e fariseus, era considerado pelo povo como profeta (Lc 24.19). Daí a confiança do povo em trazer-Lhe as suas crianças para que por elas orasse e as abençoasse.[3] O simples fato de Jesus tomar as crianças em seus braços revela a personalidade doce do Senhor Jesus.

Há três grupos que merecem destaque aqui:

Em primeiro lugar, **os que trazem as crianças a Jesus** (10.13). As crianças não vieram; elas foram trazidas. Algumas delas eram crianças de colo, outras vieram andando, mas todas foram trazidas. Devemos ser facilitadores e não obstáculo para as crianças virem a Cristo.

---

[1] BARCLAY, William. *Marcos*, 1974, p. 252.
[2] HENDRIKSEN, William. *Marcos*, 2003, p. 485.
[3] GIOIA, Egidio. *Notas e Comentários à Harmonia dos Evangelhos*, 1969, p. 269.

Os pais ou mesmo parentes reconheceram a necessidade de trazer as crianças a Cristo. Eles não as consideraram insignificantes nem acharam que elas pudessem ficar longe de Cristo. Esses pais olharam para seus filhos como bênção e não como fardo, como herança de Deus e não como um problema (Sl 127.3). Aqueles que trazem as crianças a Cristo reconhecem que elas precisam de Jesus. Era costume naquela época os pais trazerem seus filhos aos rabinos para que orassem por eles. A palavra grega *paideia* referia-se à fase da primeira infância até o período da pré-adolescência.[4] Lucas usa *brephos* (Lc 18.15), que a princípio significa bebê, depois também criança pequena, mas nos versículos 16 e 17 também tem duas vezes *paideion*.[5]

As crianças podem e devem ser trazidas a Cristo. Na cultura grega e judaica, as crianças não recebiam o valor devido, mas no Reino de Deus elas não apenas são acolhidas, mas também são tratadas como modelo para os demais que querem entrar.

Adolf Pohl corretamente interpreta o ensino de Jesus, quando afirma:

> Não deixe as crianças esperar; não hesite em trazê-las para as mãos de Jesus; não conte com "mais tarde": mais tarde, quando você for maior, quando entender mais a Bíblia, quando for batizado etc. As crianças podem ser trazidas com muita confiança no poder salvador de Jesus. O reinado de Deus rompe a barreira da idade assim como a barreira sexual (o evangelho para mulheres), da profissão (para cobradores de impostos), do corpo (para doentes), da vontade pessoal (para endemoninhados) e da nacionalidade (para gentios). Portanto, também as crianças podem ser trazidas dos seus cantos para que Jesus as abençoe.[6]

Em segundo lugar, *os que impedem as crianças de virem a Cristo* (10.13). Os discípulos de Cristo mais uma vez demonstram dureza de coração e falta de visão. Em vez de serem facilitadores, se tornaram obstáculos para as crianças virem a Cristo. Eles não achavam que as

---

[4]BARTON, Bruce B. et al. *Life Application Bible Commentary on Mark*, 1994, p. 285.
[5]POHL, Adolf. *Evangelho de Marcos*, 1998, p. 296.
[6]POHL, Adolf. *Evangelho de Marcos*, 1998, p. 297.

crianças fossem importantes, mesmo depois de Jesus ter ensinado claramente sobre isso (9.36,37).[7]

Os discípulos não compreenderam a missão de Jesus, a missão deles nem a natureza do Reino de Deus.

Os discípulos repreendiam aqueles que traziam as crianças por acharem que Jesus não deveria ser incomodado por questões irrelevantes. O verbo grego usado pelos discípulos indica que eles continuaram repreendendo enquanto as pessoas traziam os seus filhos.[8] Eles agiam com preconceito. Podemos impedir as pessoas de trazerem as crianças a Cristo por comodismo, negligência, ou por falsa compreensão espiritual.

Em terceiro lugar, *os que abençoam as crianças* (10.16). Jesus demonstra amor, cuidado e atenção especial com todos aqueles que eram marginalizados na sociedade. Ele dava valor aos leprosos, aos enfermos, aos publicanos, às prostitutas, aos gentios e agora, às crianças.

Esse texto tem três grandes lições, segundo James Hastings: um encorajamento, uma reprovação e uma revelação.[9]

Um encorajamento (10.14)

O encorajamento era para os pais das crianças e para as próprias crianças, embora a palavra tenha sido dirigida aos discípulos: *Deixai vir a mim os pequeninos, não os embaraceis, porque dos tais é o Reino de Deus* (10.14). Jesus manda abrir o caminho de acesso a Ele para que as crianças possam vir. Algumas verdades são enfatizadas aqui:

Em primeiro lugar, *a afeição de Jesus às crianças* (10.14). Não é a primeira vez que Jesus demonstra amor às crianças. Ele diz que quem recebe uma criança em Seu nome é o mesmo que receber a Ele próprio (9.36,37). Jesus afirma, de outro lado, que fazer uma criança tropeçar é uma atitude gravíssima (9.42). Agora, Jesus acolhe as crianças, toma-as em seus braços, ora por elas, impõe as mãos sobre elas e as abençoa (10.16).

Em segundo lugar, *o convite de Jesus para os pais trazerem os filhos* (10.14). Jesus encoraja os pais ou qualquer outra pessoa a trazer as

---

[7] WIERSBE, Warren W. *Be Diligent*, 1987, p. 99.
[8] BARTON, Bruce B. et al. *Life Application Bible Commentary on Mark*, 1994, p. 285.
[9] HASTINGS, James. *The Great Texts of the Bible. Mark.* Vol. 9, n.d., p. 231.

crianças a Ele. As crianças podem crer em Cristo e são exemplo para aqueles que creem. Levar as crianças a Cristo é a coisa mais importante que podemos fazer por elas.

John Charles Ryle diz que devemos aprender com essa passagem a grande atenção que as crianças devem receber da igreja de Cristo. Nenhuma igreja pode ser considerada saudável se não acolhe bem as crianças. Jesus, o Senhor da igreja, encontrou tempo para dedicar-Se às crianças. Ele demonstrou que o cuidado com as crianças é um ministério de grande valor.[10]

Em terceiro lugar, *o convite de Jesus para as crianças virem a Ele* (10.14). As crianças de colo precisam ser trazidas a Cristo, mas outras poderiam ir por si mesmas. Elas não deveriam ser vistas como impossibilitadas nem impedidas de virem a Cristo. Na religião judaica, somente depois dos 13 anos uma criança poderia iniciar-se no estudo da lei. Contudo, Jesus revela que as crianças devem vir a Ele para receberem o Seu amor e a Sua graça.

Uma **reprovação** (10.14)

Há quatro fatos que merecem destaque nesse texto:

Em primeiro lugar, **a indignação de Jesus** (10.14). Jesus se indignou quando viu que os discípulos afastaram as pessoas em vez de introduzi-las a Ele. A palavra grega *aganakteo* sugere uma forte emoção. Esse é o único lugar nos evangelhos onde Jesus dirige sua indignação aos discípulos, exatamente quando eles demonstram preconceito com as crianças.[11] Jesus fica indignado quando a igreja fecha a porta em vez de abri-la. Jesus fica indignado quando identifica o pecado do preconceito na igreja.

Jesus já ficara indignado com seus inimigos, mas agora fica indignado com os discípulos. É a única vez que o desgosto de Jesus se direcionou aos próprios discípulos, quando eles se tornaram estorvo em vez de bênção, quando eles levantaram muros em vez de construir pontes.

A indignação de Jesus aconteceu concomitantemente com o Seu amor. A razão pela qual Ele Se indignou com os Seus discípulos foi o Seu amor profundo e compassivo para com os pequeninos, e todos

---

[10]RYLE, John Charles. *Mark*, 1993, p. 147,148.
[11]BARTON, Bruce B. et al. *Life Application Bible Commentary on Mark*, 1994, p. 286.

os que os trouxeram.¹² Ao choque para os pais, no entanto, segue um choque para os discípulos.¹³ Uma ordem dupla reverte as medidas deles:

Deixai vir a mim os pequeninos, não os embaraceis.

Em segundo lugar, *por que Jesus reprovou os discípulos tão severamente?* Encontramos várias respostas:

A conduta deles foi errada com aqueles que traziam as crianças. Os pais daquelas crianças as trouxeram a Jesus porque criam que Ele era profeta, que poderia orar por elas e abençoá-las. Elas estavam vindo à pessoa certa com a motivação certa e mesmo assim foram barradas pelos discípulos.

A conduta deles foi errada com as próprias crianças. Jesus já havia falado que as crianças tinham a capacidade de crer nEle e que é um grave pecado servir de tropeço às crianças (9.42). Os discípulos estavam imitando os fariseus que se colocavam no meio do caminho impedindo as pessoas de entrarem no reino.

A conduta deles foi errada com o próprio Jesus. A atitude deles fazia as pessoas concluírem que Jesus era uma pessoa preconceituosa e sofisticada como as autoridades religiosas de Israel. Jesus, entretanto, já dera fartas provas de Sua compaixão com os necessitados e excluídos.

A conduta deles foi contrária ao ensino de Cristo. O ensino de Jesus é claro: *Em verdade vos digo: Quem não receber o Reino de Deus como uma criança de maneira nenhuma entrará nele* (10.15). Jesus está demonstrando que não há nenhuma virtude em nós que nos recomende ao reino. Se quisermos entrar no reino, precisamos despojar-nos de toda pretensão como uma criança. Obviamente, Jesus não está dizendo que seus discípulos devem imitar "qualidades infantis", mas devem receber o Reino de Deus do mesmo modo como uma criança recebe alguma coisa. Naquela cultura, as crianças eram consideradas insignificantes e indignas de atenção; não podiam reivindicar coisa alguma.

Podiam somente receber o que lhes era oferecido pelos adultos responsáveis. Da mesma maneira, uma pessoa deve confiar em Deus e receber dEle o reino como um dom de Sua graça.¹⁴

---

¹²HENDRIKSEN, William. *Marcos*, 2003, p. 487.
¹³POHL, Adolf. *Evangelho de Marcos*, 1998, p. 297.
¹⁴MULHOLLAND, Dewey M. *Marcos: Introdução e Comentário*, 2005, p. 158,159.

A conduta deles foi contrária à prática de Cristo. Jesus nunca escorraçou as pessoas. Ele jamais mandou embora aquele que vem a Ele (Jo 6.37). Ele convida a todos (Mt 11.28). Jesus tomou as crianças em Seus braços, impôs sobre elas as mãos, as abençoou (10.16) e orou por elas (Mt 19.13). Jesus recebia pecadores e comia com eles.

Em terceiro lugar, *por que os discípulos impediram as pessoas de trazerem as crianças a Jesus?* Três foram as razões dos discípulos:

Por causa da preocupação deles com o próprio Jesus. Os discípulos demonstraram zelo sem entendimento. Eles queriam blindar Jesus, protegendo-O de desgastes desnecessários, especialmente naquela hora de grande tensão, quando Jesus estava indo para Jerusalém para ser preso. Porém, Jesus revela seu grande apreço às crianças e para sua jornada para abençoar as crianças e repreender os discípulos.

Por causa da dúvida deles acerca da capacidade das crianças de entenderem a Jesus. Os discípulos devem ter julgado as crianças incapazes de discernir as coisas espirituais e assim procuraram mantê-las longe de Jesus. Nem os filósofos gregos nem os rabinos concediam grande importância às crianças.[15] Na época de Jesus, dar atenção a uma criança "era uma perniciosa perda de tempo, como beber muito vinho ou associar-se com os ignorantes".[16] Somente com 13 anos um menino poderia tomar sobre si a responsabilidade de cumprir a lei.[17] Falamos para as crianças comportarem-se como os adultos, mas Jesus ensinou que os adultos devem imitar as crianças.[18]

Por causa do esquecimento deles com respeito ao valor das crianças. Os discípulos devem ter pensado que as crianças estavam aquém da possibilidade de serem salvas. Mas as crianças fazem parte da família de Deus. Elas estão incluídas no pacto que Deus fez conosco. Os nossos filhos são santos (1Co 7.14). Eles não devem ser impedidos de vir a Cristo. Receber uma criança em nome de Jesus é receber a Jesus. A criança não apenas deve vir a Cristo, mas constitui-se em modelo

---

[15]TRENCHARD, Ernesto. *Una Exposición del Evangelio según Marcos*, 1971, p. 121.
[16]ACHTEMEIER, Paul J. *Invitation to Mark*. Dougleday & Co, 1978, p. 146.
[17]MULHOLLAND, Dewey M. *Marcos: Introdução e Comentário*, 2005, p. 158.
[18]WIERSBE, Warren W. *Be Diligent*, 1987, p. 99.

para os que creem. Quando uma criança é salva, ela pode dedicar toda sua vida a Cristo.

Em quarto lugar, *como as crianças podem ser impedidas de virem a Jesus?* Podemos listar algumas formas:

Quando deixamos de ensiná-las a Palavra de Deus. Timóteo aprendeu as sagradas letras que o tornaram sábio para a salvação desde sua infância (2Tm 3.15). A Bíblia diz: *Ensina a criança no caminho em que deve andar, e, ainda quando for velho, não se desviará dele* (Pv 22.6). Os pais devem ensinar os filhos de forma dinâmica e variada (Dt 6.1-9).

Quando deixamos de dar exemplo a elas. Escandalizar uma criança e servir de tropeço para ela são um pecado de consequências graves (9.42). Ensinamos as crianças não só com palavras, mas, sobretudo, com exemplo. Influenciamos as crianças sempre, seja para o bem ou para o mal.

Quando julgamos que as crianças não merecem a nossa maior atenção. Os discípulos julgaram que aquela não era causa tão importante a ponto de ocupar um lugar na agenda de Jesus. Eles, na intenção de poupar Jesus e administrar sua agenda, revelaram seu preconceito contra as crianças e sua escala de valores desprovida de discernimento espiritual.

Uma **revelação** (10.14)

Jesus é enfático, quando afirma: [...] *porque dos tais é o Reino de Deus* (10.14). Isso tem a ver com a natureza do Reino de Deus. O que Jesus não quis dizer com essa expressão?

Em primeiro lugar, *que as crianças são criaturas inocentes*. O pecado original atingiu toda a raça. Somos concebidos em pecado e nos desviamos desde a concepção. A inclinação do nosso coração é para o mal e as crianças não são salvas por serem crianças inocentes. Elas, também, precisam nascer de novo e crer no Senhor Jesus. Adolf Pohl diz que no Novo Testamento as crianças não são anjinhos. Elas são briguentas (1Co 3.1-3), imaturas (1Co 3.11; Hb 5.13), fáceis de seduzir (6.4), imprudentes (1Co 14.20), volúveis (Ef 4.14) e dependentes (Gl 4.1,2).[19]

Em segundo lugar, *as crianças estão salvas pelo simples fato de serem crianças*. A salvação não tem a ver com faixa etária. Nenhuma pessoa é salva

---
[19] POHL, Adolf. *Evangelho de Marcos*, 1998, p. 298.

por ser criança ou velha, mas por crer no Senhor Jesus. Quando uma criança morre antes da idade da razão, ela vai para o céu não por ser criança, mas porque o Espírito Santo aplica nela a obra da redenção. Nenhuma criança entra no céu pelos seus próprios méritos, mas pelos méritos de Cristo.

Vejamos agora o que Jesus quis dizer, quando disse que às crianças pertence o Reino de Deus:

Em primeiro lugar, *as crianças vêm a Cristo com total confiança*. Elas creem e confiam. Elas se entregam e descansam. Devemos despojar-nos da nossa pretensa capacidade e sofisticação e retornarmo-nos para a simplicidade dos infantes, confiando em Jesus com uma fé simples e sincera.[20] Jesus está dizendo que o Reino de Deus não pertence aos que dEle se acham "dignos", ao contrário, é um presente aos que são "tais" como crianças, isto é, insignificantes e dependentes. Não porque merecem recebê-Lo, mas porque Deus deseja conceder-lhes (Lc 12.32). Os que reivindicam seus méritos não entrarão nele, pois Deus dá o Seu reino àqueles que dele nada podem reivindicar.[21]

Em segundo lugar, *as crianças vivem na total dependência*. Assim como as crianças descansam na provisão que os pais lhes oferecem, devemos também descansar na obra de Cristo, na providência do Pai e no poder do Espírito.

Uma **atitude** (10.16)

Jesus não apenas acolhe as crianças e repreende os discípulos, mas faz três coisas importantes:

Em primeiro lugar, *Ele toma as crianças em seus braços*. Com isso Jesus revela seu carinho, aceitação, valorização, proteção e cuidado com as crianças.

Em segundo lugar, *Ele impõe as mãos sobre as crianças*. Os pais trouxeram as crianças para que Jesus as tocasse (Lc 18.15) e orasse por elas (Mt 19.13). Jesus em vez de concordar com os discípulos, mandando-as embora, chamou-as para junto de Si (Lc 18.16) e impôs sobre elas as mãos. Jesus invocou as bênçãos espirituais sobre aquelas crianças. Jesus

---

[20]McGee, J. Vernon. *Mark*, 1991, p. 123.
[21]Mulholland, Dewey M. *Marcos: Introdução e Comentário*, 2005, p. 159.

toma a primeira criança em Seus braços e coloca a Sua mão na cabeça do infante. Então, com ternura Ele a abençoa por meio de uma oração valiosa ao Pai, para que Seu favor seja derramado sobre ela. Ao terminar sua oração, Ele devolve a criança para a pessoa que a havia trazido, pega a criança seguinte, e assim sucessivamente, até ter abençoado todas elas.[22]

Em terceiro lugar, **Ele as abençoou**. O verbo grego *kateuloei* revela uma grande força de intensidade, evidenciando que Sua bênção foi fervente. O verbo também está no tempo imperfeito, demonstrando que Jesus continuou abençoando as crianças.[23] Jesus via as crianças como filhos da promessa, como herança de Deus, como alvos do Seu amor e como exemplo para todos os que desejam entrar no Seu reino.

Jesus indignou-Se com a atitude preconceituosa dos discípulos, acolheu as crianças e disse que elas são modelos para os adultos (10.15). A receptividade das crianças está em contraste com a dureza dos líderes religiosos, que tinham conhecimento, mas não fé genuína. Sobre as nove declarações com "amém" (em verdade vos digo) em Marcos, esta aqui está em tom de ameaça. Só entra no reino quem se fizer como uma criança.[24]

As crianças são modelos em sua humilde dependência de outros, receptividade e aceitação de sua condição. Nós entramos no Reino de Deus pela fé, como crianças: inaptos para salvar-nos, totalmente dependentes da graça de Deus. Nós desfrutamos o Reino de Deus pela fé, crendo que o Pai nos ama e irá atender às nossas necessidades diárias. Quando uma criança é ferida, o que ela faz? Corre para os braços do pai ou da mãe. Esse é um exemplo para o nosso relacionamento com o Pai celestial. Sim, Deus espera que sejamos como crianças e não infantis.[25]

Receber o Reino de Deus como uma pequena criança significa aceitá-lo com simplicidade e confiança genuína, bem como humildade despretensiosa.[26] O Reino de Deus é o domínio de Deus no coração e na vida do ser humano com todas as bênçãos que resultam desse domínio. Entrar no reino é ser salvo, é ter a vida eterna.

---

[22]HENDRIKSEN, William. *Marcos*, 2003, p. 489.
[23]BARTON, Bruce B. et al. *Life Application Bible Commentary on Mark*, 1994, p. 287.
[24]POHL, Adolf. *Evangelho de Marcos*, 1998, p. 298.
[25]WIERSBE, Warren W. *Be Diligent*, 1987, p. 99.
[26]HENDRIKSEN, William. *Marcos*, 2003, p. 487.

34

Que lugar o dinheiro ocupa na sua vida?

Marcos 10.17-31

DUAS PERGUNTAS SÃO FEITAS antes de se fechar um negócio: quanto ganharei se fechar este negócio? Quanto perderei se deixar de fechá-lo?

O dinheiro é o ídolo que tem o maior número de adoradores neste mundo. Pessoas se casam, divorciam, matam e morrem pelo dinheiro. No sermão do monte, Jesus disse que não podemos servir a Deus e às riquezas ao mesmo tempo.

De todas as pessoas que vieram a Cristo, esse homem é o único que saiu pior do que chegou. Ele foi amado por Jesus, mas, mesmo assim, desperdiçou a maior oportunidade da sua vida. A despeito do fato de ter vindo à pessoa certa, de ter abordado o tema certo, de ter recebido a resposta certa, ele tomou a decisão errada. Ele amou mais o dinheiro que a Deus, mais a terra que o céu, mais os prazeres transitórios desta vida do que a salvação da sua alma.

Rico, porém **insatisfeito** (10.17-22)

Destacamos vários predicados excelentes desse jovem. Entretanto, todos os atributos que alistamos não puderam preencher o vazio da sua alma.

Em primeiro lugar, ***ele era jovem*** (Mt 19.20). Esse jovem estava no alvorecer da vida. Tinha toda a sua vida pela frente e toda a oportunidade de investir o seu futuro no Reino de Deus. Ele tinha saúde, vigor, força, sonhos.

Em segundo lugar, *ele era riquíssimo* (Lc 18.23). Esse jovem possuía tudo que este mundo podia lhe oferecer: casa, bens, conforto, luxo, banquetes, festas, joias, propriedades, dinheiro. Ele era dono de muitas propriedades. Embora jovem, já era muito rico. Certamente, ele era um jovem brilhante, inteligente e capaz.

Em terceiro lugar, *ele era proeminente* (Lc 18.18). Lucas diz que ele era um homem de posição (Lc 18.18). Ele possuía um elevado *status* na sociedade. Ele tinha fama e glória. Apesar de ser jovem, já era rico; apesar de ser rico, era também líder famoso e influente na sociedade. Talvez ele fosse um oficial na sinagoga. Tinha reputação e grande prestígio.

Em quarto lugar, *ele era virtuoso* (10.20; Mt 19.20). *Tudo isso tenho observado, que me falta ainda?* Aquele jovem julgava ser portador de excelentes predicados morais. Ele se olhava no espelho da lei e dava nota máxima para si mesmo. Considerava-se um jovem íntegro. Não vivia em orgias nem saqueava os bens alheios. Vivia de forma honrada dentro dos mais rígidos padrões morais. Possuía uma excelente conduta exterior. Era um modelo para o seu tempo. Um jovem que a maioria das mães gostaria de ter como genro. Era um jovem que emoldurava o sonho da maioria dos pais contemporâneos.

Em quinto lugar, *ele era insatisfeito com sua vida espiritual* (Mt 19.20). *Que me falta ainda?* Ele tinha tudo para ser feliz, mas seu coração ainda estava vazio. Na verdade, Deus pôs a eternidade no coração do homem e nada deste mundo pode preencher esse vazio. Seu dinheiro, reputação e liderança não preencheram o vazio da sua alma. Estava cansado da vida que levava. Nada satisfazia aos seus anseios. Ser rico não basta; ser honesto não basta; ser religioso não basta. Nossa alma tem sede de Deus.

Em sexto lugar, *ele era uma pessoa sedenta de salvação* (10.17). Sua pergunta foi enfática: *Bom Mestre, que farei para herdar a vida eterna?* Ele estava ansioso por algo mais que não havia encontrado no dinheiro. Ele sabia que não possuía a vida eterna, a despeito de viver uma vida correta aos olhos dos homens. Ele não queria enganar a si mesmo. Ele queria ser salvo.

Em sétimo lugar, *ele foi a Jesus, a pessoa certa* (10.17). Ele foi a Jesus; buscou o único que pode salvar. Ele já tinha ouvido falar de Jesus. Sabia que Ele já salvara muitas pessoas. Sabia que Jesus era a solução para a sua vida, a resposta para o seu vazio. Ele não buscou atalhos, mas entrou pelo único caminho que leva ao céu.

Em oitavo lugar, *ele foi a Jesus com pressa* (10.17). *E, pondo-se Jesus a caminho, correu um homem ao seu encontro* (10.17). Naquela época, pessoas tidas como importantes não corriam em lugares públicos, mas esse jovem correu. Ele tinha pressa. Muitos querem ser salvos, mas deixam para amanhã e perecem eternamente. Esse jovem não pode mais esperar, ele não pode mais protelar. Ele não aguenta mais. Ele não se importa com a opinião das pessoas. Ele tem urgência para salvar a sua alma.

Em nono lugar, *ele foi a Jesus de forma reverente* (10.17). [...] *e ajoelhando-se, perguntou-lhe: 'Bom Mestre, que farei para herdar a vida eterna?'* (10.17). Esse jovem se humilhou caindo de joelhos aos pés de Jesus. Ele demonstrou ter um coração quebrantado e uma alma sedenta. Não havia dureza de coração nem qualquer resistência. Ele se rende aos pés do Senhor.

Em décimo lugar, *ele foi amado por Jesus* (10.21). *E Jesus, fitando-o, o amou* (10.21). Jesus viu o seu conflito, o seu vazio, a sua necessidade; viu o seu desespero existencial e se importou com ele e o amou.

Rico, porém **enganado** (10.17-22)

As virtudes do jovem rico eram apenas aparentes. Ele superestimava suas qualidades. Ele deu a si mesmo nota máxima, mas Jesus tirou sua máscara e revelou-lhe que a avaliação que fazia de si, da salvação, do pecado, da lei e do próprio Jesus eram muito superficiais.

Em primeiro lugar, *ele estava enganado a respeito da salvação* (10.17). Ele viu a salvação como uma questão de mérito e não como um presente da graça de Deus. Ele perguntou: *Bom Mestre, que farei para herdar a vida eterna?* (10.17). Seu desejo de ter a vida eterna era sincero, mas estava enganado quanto à maneira de alcançá-la. Ele queria obter a salvação por obras e não pela graça.

Todas as religiões do mundo ensinam que o homem é salvo pelas suas obras. Na Índia, multidões que desejam a salvação deitam sobre camas de prego ao sol escaldante; balançam-se sobre um fogo baixo; sustentam uma das mãos erguida até se tornar imóvel; fazem longas caminhadas de joelhos. No Brasil, vemos as romarias, onde pessoas sobem conventos de joelhos e fazem penitência pensando alcançar com isso o favor de Deus.

Muitas pessoas pensam que no dia do juízo Deus vai colocar na balança as obras más e as boas obras e a salvação será o resultado da prevalência das boas obras sobre as obras más. Mas a salvação não consiste daquilo que fazemos para Deus, mas do que Deus fez por nós em Cristo Jesus.

Em segundo lugar, *ele estava enganado a respeito de si mesmo* (10.19-21). O jovem rico não tinha consciência de quão pecador ele era. O pecado é uma rebelião contra o Deus santo. Ele não é simplesmente uma ação, mas uma atitude interior que exalta o homem e desonra a Deus.[1] O jovem rico pensou que suas virtudes externas poderiam agradar a Deus. Porém, a Escritura diz que todos somos como o imundo, e todas as nossas justiças, como trapo da imundícia aos olhos do Deus santo (Is 64.6).

O jovem rico pensou que guardava a lei, mas havia quebrado os dois principais mandamentos da Lei de Deus: amar a Deus e ao próximo. Ele era idólatra. Seu deus era o dinheiro. Seu dinheiro era apenas para o seu deleite. Sua teologia era baseada em não fazer coisas erradas, em vez de fazer coisas certas.

Jesus disse para o jovem rico: *Só uma coisa te falta: Vai, vende tudo o que tens, dá-o aos pobres e terás um tesouro no céu; então, vem e segue-me* (10.21). O que faltava a ele? O novo nascimento, a conversão, o buscar a Deus em primeiro lugar. Ele queria a vida eterna, mas não renunciou aos seus ídolos. Hurtado diz que: "o jovem rico não foi chamado à pobreza como um fim, mas ao discipulado de Jesus".[2]

Em terceiro lugar, *ele estava enganado a respeito da Lei de Deus* (10.19,20). Ele mediu sua obediência apenas por ações externas e

---

[1] WIERSBE, Warren W. *Be Diligent*, 1987, p. 100.
[2] HURTADO, Larry W. *Mark*. Harper & Row, 1983, p. 152.

não por atitudes internas. Aos olhos de um observador desatento ele passaria no teste, mas Jesus identificou a cobiça em seu coração. Esse é o mandamento subjetivo da lei. Ele não pode ser apanhado por nenhum tribunal humano. Só Deus consegue diagnosticá-lo. Jesus viu no coração desse homem o amor ao dinheiro como a raiz de todos os seus males (1Tm 6.10). O dinheiro era o seu deus; ele confiava nele e o adorava.

Em quarto lugar, *ele estava enganado a respeito de Jesus* (10.17). Ele chama Jesus de Bom Mestre, mas não está pronto a Lhe obedecer. Ele pensa que Jesus é apenas um rabi e não o Deus verdadeiro, feito carne. Jesus queria que o jovem se visse a si mesmo como um pecador antes de ajoelhar-se diante do Deus santo. Não podemos ser salvos pela observância da lei, pois somos rendidos ao pecado. A lei é como um espelho; ela mostra a nossa sujeira, mas não remove as manchas. O propósito da lei é trazer o pecador a Cristo (Gl 3.24). A lei pode trazer o pecador a Cristo, mas não pode fazer o pecador semelhante a Cristo. Somente a graça pode fazer isso.[3]

Em quinto lugar, *ele estava enganado acerca da verdadeira riqueza* (10.22). Depois de perturbar a complacência do homem com a constatação de que uma coisa lhe faltava, Jesus o desafia com uma série de cinco imperativos: *Vai, vende* tudo o que tens, *dá-o* aos pobres e *vem*, e *segue-me* (10.21; grifos do autor). Esses cinco imperativos são apenas uma ordem que exige uma só reação. Ele deve renunciar àquilo que se constitui no objeto de sua afeição antes de poder viver debaixo do senhorio de Deus.[4]

O jovem rico perdeu a riqueza eterna, por causa da riqueza temporal. Ele preferiu ir para o inferno a abrir mão do seu dinheiro. Mas que insensatez, ele não pode levar um centavo para o inferno. Ele rejeita a Cristo e a vida eterna. Agarrou-se ao seu dinheiro e com ele pereceu. Saiu triste e pior, por ter rejeitado a verdadeira riqueza, aquela que não perece. O homem rico se torna o mais pobre entre os pobres.

---

[3]WIERSBE, Warren W. *Be Diligent*, 1987, p. 101.
[4]MULHOLLAND, Dewey M. *Marcos: Introdução e Comentário*, 2005, p. 160.

Rico, porém **perdido** (10.23-27)

Há duas verdades que enfatizamos:

Em primeiro lugar, *os que confiam na riqueza não podem confiar em Deus* (10.23-25). O dinheiro é mais do que uma moeda; é um deus. O dinheiro é o maior dono de escravos do mundo. Ele é um espírito, ele é Mamom. Ninguém pode servir a dois senhores ao mesmo tempo. Ninguém pode servir a Deus e às riquezas. A confiança em Deus implica o abandono de todos os ídolos. Quem coloca a sua confiança no dinheiro, não pode confiar em Deus para a sua própria salvação. Nossos corações somente têm espaço para uma única devoção e nós só podemos nos entregar para o único Senhor.[5]

Jesus não está condenando a riqueza, mas a confiança nela. A raiz de todos os males não é o dinheiro, mas o amor a ele (1Tm 6.10). Há pessoas ricas e piedosas. O dinheiro é um bom servo, mas um péssimo patrão. A questão não é possuir dinheiro, mas ser possuído por ele.

Jesus ilustrou a impossibilidade da salvação daquele que confia no dinheiro: *É mais fácil passar um camelo pelo fundo de uma agulha do que entrar um rico no Reino de Deus* (10.25). O camelo era o maior animal da Palestina e o fundo de uma agulha o menor orifício conhecido na época. Alguns intérpretes tentam explicar que esse fundo da agulha era uma porta da muralha de Jerusalém onde um camelo só podia passar ajoelhado e sem carga. Contudo, isso altera o centro do ensino de Jesus: a impossibilidade definitiva de salvação para aquele que confia no dinheiro.[6]

Em segundo lugar, *a salvação é uma obra milagrosa de Deus* (10.26,27). Os discípulos ficaram aturdidos com a posição radical de Jesus e perguntaram: *Então, quem pode ser salvo?* (10.26). Jesus, porém, fitando neles o olhar, disse: *Para os homens é impossível; contudo, não para Deus, porque para Deus tudo é possível* (10.27). A conversão de um pecador é uma obra sobrenatural do Espírito Santo. Ninguém pode salvar-se a si mesmo. Ninguém pode regenerar-se a si mesmo. Somente Deus pode fazer de um amante do dinheiro, um adorador do Deus vivo.

---

[5]MULHOLLAND, Dewey M. *Marcos: Introdução e Comentário*, 2005, p. 161.
[6]HENDRIKSEN, William. *Marcos*, 2003, p. 508.

Pobre, porém **possuindo tudo** (10.28-31)

Três fatos nos chamam a atenção acerca dos discípulos:

Em primeiro lugar, *a abnegação* (10.28). *Então, Pedro começou a dizer--Lhe: Eis que nós tudo deixamos e Te seguimos* (10.28). Seguir a Cristo é o maior projeto da vida. Vale a pena abrir mão de tudo para ganhar a Cristo. Ele é a pérola de grande valor.

Alguns intérpretes acusam Pedro de demonstrar aqui um espírito mercantilista (Mt 19.27). A afirmação de Pedro revela uma visão comercial da vida cristã.[7] A teologia da prosperidade está ensinando que ser cristão é uma fonte de lucro. A igreja está se transformando numa empresa, o evangelho num produto, o púlpito num balcão, o templo numa praça de barganha e os crentes em consumidores.

Em segundo lugar, *a motivação* (10.29). Não basta deixar tudo por amor a Cristo, é preciso fazê-lo pela motivação certa. Jesus é claro em sua exigência: [...] *por amor de mim e por amor do evangelho* (10.29). Precisamos fazer a coisa certa com a motivação certa. O objetivo da abnegação não é receber recompensa. Não servimos a Deus por aquilo que Ele dá, mas por quem Ele é (Dn 3.16-18).

Muitos hoje pregam um evangelho de barganha com Deus. Você dá, para receber de volta. Você oferece algo para Deus para receber uma recompensa maior. O homem continua sendo o centro de todas as coisas. Mas Jesus fala que precisamos deixar tudo por amor a Ele e por causa do evangelho (At 20.24).

Em terceiro lugar, *a recompensa* (10.30). Jesus garante aos Seus discípulos que todo aquele que O segue não perderá o que realmente é importante, quer nesta vida quer na vida por vir. Jesus fala de duas recompensas e duas realidades.

Há uma recompensa imediata. Seguir a Cristo é um caminho venturoso. Deus não tira, Ele dá. Ele dá generosamente. Quem abre mão de alguma coisa ou de alguém por amor de Cristo e pelo evangelho recebe já no presente cem vezes mais.

---

[7]WIERSBE, Warren W. *Be Diligent*, 1987, p. 102.

Há uma recompensa futura. No mundo por vir, receberemos a vida eterna. Essa vida é superlativa, gloriosa e feliz. Então, receberemos um novo corpo, semelhante ao corpo da glória de Cristo. Reinaremos com Ele para sempre.

Há uma realidade insofismável. Jesus acrescenta que a recompensa imediata vem acompanhada [...] *com perseguições* (10.30). A vida cristã não é uma sala *vip* nem uma colônia de férias. Fomos chamados não para fugir da realidade, mas para enfrentá-la. O sofrimento é o cálice que o povo de Deus precisa beber, enquanto caminha rumo à glória. A cruz vem antes da coroa, o sofrimento antes da recompensa final. Nós entramos no Reino de Deus por meio de muitas tribulações (At 14.22). Há um equilíbrio entre bênçãos e batalhas na vida cristã.

Há uma realidade surpreendente. Jesus foi categórico: *Porém muitos primeiros serão últimos; e os últimos primeiros* (10.31). Para o público, em geral, o rico ocupa um lugar de proeminência e os pobres discípulos, o último lugar. Mas Deus vê as coisas na perspectiva da eternidade – e o primeiro se torna o último enquanto o último se torna o primeiro.[8]

Quanto você ganhará se fechar esse negócio? A vida eterna! Quanto perderá se deixar de fechar esse negócio?

Perderá a vida, o céu!

---

[8] WIERSBE, Warren W. B*e Diligent*, 1987, p. 103.

35

A maior marcha da história

Marcos 10.32-45

HOUVE MUITAS MARCHAS IMPORTANTES NA HISTÓRIA: de exércitos, estudantes e trabalhadores. Esta, porém, ocorrida no caminho para Jerusalém, via Jericó, foi a maior e mais importante marcha da história. Ela foi uma marcha de consequências eternas.

Essa é a marcha dos contrastes. Jesus sobe a Jerusalém corajosamente, enquanto Seus discípulos estão cheios de temor. Ele sobe para dar sua vida, eles sobem com intenções egoístas. Jesus sobe para servir, eles para aspirarem à grandeza. Jesus humilha-Se, os discípulos exaltam-se.

Quanto mais perto da cruz Jesus chega, mais o coração dos discípulos está endurecido e mais seus olhos estão turvos. Quanto mais Jesus se esvazia, mais eles se enchem de si mesmos; quanto mais Ele desce, mais eles querem subir.

Essa é a terceira vez que Jesus fala de Sua morte e à medida que torna o assunto mais claro, vê os discípulos mais confusos. Quando Jesus pela primeira vez falou de sua morte, Pedro O reprovou. Quando Jesus novamente fala sobre o Seu sofrimento e morte, os discípulos discutem entre si quem era o maior entre eles. Agora, quando Jesus fala pela terceira vez e com mais detalhes, Tiago e João buscam glórias pessoais e os outros dez irritam-se com eles, porque se sentem traídos. Nas duas primeiras predições, Jesus havia falado sobre o que haveria de Lhe acontecer, agora,

Ele fala onde as coisas vão acontecer, na santa cidade de Jerusalém.[1] Esses homens pareciam cegos para o significado da cruz.

Esse incidente lança luz sobre a Pessoa de Cristo e a identidade dos discípulos. Jesus é amoroso, paciente e perseverante em Seu amor (Jo 13.1), enquanto os discípulos demonstram serem lerdos para compreender as coisas de Deus.

Olhemos para esse texto sob três perspectivas:

A marcha da **salvação** (10.32-34,45)

Destacamos cinco verdades sobre a marcha da salvação:

Em primeiro lugar, *a determinação de Jesus* (10.32). A cruz não foi um acidente na vida de Jesus, mas um apontamento. Ele veio ao mundo para morrer. Não há nada de involuntário e desconhecido na morte de Cristo, diz John Charles Ryle[2]. Ele jamais foi demovido desse plano quer pela tentação de satanás, quer pelo apelo das multidões, quer pela agrura desse caminho. Resolutamente, Ele marchou para Jerusalém e para a cruz como um rei caminha para a sua coroação. A cruz foi o trono de onde Ele despojou os principados e potestades e glorificou o Pai, dando sua vida em resgate de muitos.

O sofrimento de Cristo foi amplamente preanunciado pelos profetas (Lc 18.31). Jesus por três vezes, alertou seus discípulos acerca dessa hora, mas os discípulos nada compreendiam acerca dessas coisas (Lc 18.34). Para eles a ideia de um Messias morto não fazia sentido mesmo com a predição adicional: "Mas ao terceiro dia ressuscitará".[3]

Em segundo lugar, *a liderança de Jesus* (10.32). Jesus ia adiante dos Seus discípulos nessa marcha para Jerusalém. Não havia nEle nenhum sinal de dúvida ou temor. Quando subimos a estrada da perseguição, do sofrimento e da morte, temos a convicção de que Jesus vai à nossa frente. Ele nos lidera nessa jornada. Não precisamos temer os perigos nem mesmo o pavor da morte, pois Jesus foi e vai à nossa frente abrindo o caminho e tirando o aguilhão da morte.

---

[1]WIERSBE, Warren W. *Be Diligent*, 1987, p. 103.
[2]RYLE, John Charles. *Mark*, 1993, p. 156.
[3]HENDRIKSEN, William. *Marcos*, 2003, p. 520.

Em terceiro lugar, *o sofrimento de Jesus* (10.33,34). O evangelista Marcos enumera sete degraus do sofrimento de Jesus nessa marcha para Jerusalém.

Jesus foi entregue aos líderes religiosos. Jesus foi entregue aos principais sacerdotes e aos escribas. Eles tramaram contra Jesus ao longo do Seu ministério. Subornaram testemunhas e insuflaram o povo contra Ele. Mancomunaram-se com os romanos para prendê-Lo. Compraram Judas para entregá-Lo em suas mãos.

Jesus foi condenado à morte pelo Sinédrio. O Sinédrio era o supremo tribunal dos judeus. Eles tinham autoridade de condenar uma pessoa à morte, porém, não o poder de executar o sentenciado.

Jesus foi entregue aos gentios. O Sinédrio entregou Jesus a Pilatos, o governador romano. Este, depois de tentar esquivar-se da decisão, pressionado pela multidão, acovardou-se e mesmo agindo contra sua consciência, condenou Jesus à morte de cruz.

Jesus foi escarnecido. Tiraram sua túnica e despojaram-No de Suas roupas. Zombaram dEle, colocando uma coroa de espinhos em Sua cabeça. Blasfemavam contra Ele, pedindo que profetizasse enquanto cobriam o Seu corpo de bofetadas.

Jesus foi cuspido. Essa era a forma mais humilhante de desprezar uma pessoa. Jesus, o eterno Filho de Deus, o criador do universo, sendo servido e adorado pelos anjos, esvaziou-Se de Sua glória, humilhou-Se a ponto de ser cuspido pelos homens.

Jesus foi açoitado. Ele foi surrado, espancado, ferido e traspassado. Esbordoaram Sua cabeça. Arrancaram a Sua carne e esborrifaram Seu sangue com açoites crudelíssimos. Ele foi ferido e moído.

Jesus foi morto. Judeus e romanos se uniram para matarem a Jesus, condenando-O à morte de cruz. Suas mãos foram rasgadas, Seus pés foram feridos, Seu lado traspassado com uma lança.

Em quarto lugar, *a morte expiatória de Jesus* (10.45). Jesus deixa claro não apenas o fato da Sua morte, mas também o Seu propósito. Jesus não morreu como um mártir, mas como redentor. Sua vida não Lhe foi tirada, Ele voluntariamente a deu.

Jesus deu a Sua vida em resgate de muitos. A palavra grega para "resgatar" traz a ideia de "libertar a um escravo ou a um cativo mediante o pagamento de um resgate".[4] Com a Sua morte Ele nos comprou para Deus, pela Sua morte fomos libertados do cativeiro do pecado e recebemos vida. Ele morreu não apenas para possibilitar a nossa redenção, mas para nos salvar. Sua morte é expiatória. Ele levou sobre Si o castigo que nos traz a paz. Ele levou sobre o Seu corpo, no madeiro, os nossos pecados. Ele foi ferido pelas nossas transgressões e moído pelas nossas iniquidades.

Jesus deu a Sua vida não para resgatar a todos, mas muitos. Ele deu Sua vida pelas Suas ovelhas, pela Sua igreja. Passagens como Isaías 53.8; Mateus 1.21; João 10.11,15; 17.9; Efésios 5.25; Atos 20.28; Romanos 8.32-35 claramente mostram quem são esses "muitos". Sua morte não apenas possibilitou a nossa salvação, mas efetivamente no-la adquiriu.

William Hendriksen corretamente afirma que o preço do resgate foi pago não a satanás (como Orígenes sustentava), mas ao Pai (Rm 3.23-25), que, com o Filho e o Espírito Santo, tomou as providências para a salvação do Seu povo (Jo 3.16; 2Co 5.20,21).[5]

Em quinto lugar, *a vitória de Jesus sobre a morte* (10.34). Jesus preanunciou não apenas a Sua morte, mas também a Sua ressurreição. Seu plano eterno passava pelo vale da morte, mas a morte não o poderia reter. Ele quebrou o poder da morte. Ele abriu o sepulcro de dentro para fora. Ele venceu a morte e conquistou para nós imortalidade. Agora, a morte não tem mais a última palavra. A morte foi vencida.

A marcha da **ambição**

Esse episódio nos alerta sobre alguns perigos:

Em primeiro lugar, *um pedido egoísta* (10.35-38). Tiago e João, aliados com Salomé, sua mãe, chegam diante de Jesus com um pedido egoísta: querem preeminência na glória. Buscam tronos, holofotes, as luzes da ribalta. Enquanto Jesus percorre o caminho da renúncia, eles seguem pela estrada da ambição.

Eles pedem sem discernimento e pelo motivo errado. A oração não é um cheque em branco para pedirmos o que quisermos. A Palavra de Deus diz que muitos pedem e não recebem, porque pedem mal (Tg 4.3).

---

[4]TRENCHARD, Ernesto. *Una Exposición del Evangelio según Marcos*, 1971, p. 134.
[5]HENDRIKSEN, William. *Marcos*, 2003, p. 529.

Vários são os motivos que devem ter estimulado Tiago e João buscarem uma glória pessoal:[6]

Um desejo da mãe deles. Ela estava por detrás de tudo, como Mateus 20.20,21 mostra claramente.

Um entendimento errado acerca do Reino de Deus. Eles nutriam pensamentos triunfalistas acerca do reino. Pensavam em Cristo como um rei terreno e neles como os seus ministros de Estado. Tiago e João não queriam apenas tronos, mas os lugares de primazia no trono. Jesus corrige a noção errada deles, ensinando que o Reino de Deus não era de caráter político, mas espiritual.[7] Eles nem imaginavam que dentro em breve dois bandidos iriam ocupar uma cruz à direita e outra à esquerda do Messias (15.27).[8] Adolf Pohl entende de forma diferente. Ele pensa que o desejo dos discípulos era por lugares auxiliares no tribunal do juízo final (Mt 19.28; 25.31).[9]

Um uso errado da intimidade com Cristo. Eles faziam parte daquele grupo mais íntimo de Jesus, que fora com Ele à casa de Jairo, subira com Ele ao monte da Transfiguração e estivera com Ele mais de perto no Jardim de Getsêmani. Agora querem privilégios especiais.

Um nepotismo acentuado. A mãe de Tiago e João, Salomé, era irmã de Maria (Mt 27.56; Mc 15.40; Jo 19.25). Sendo assim, esses dois discípulos eram primos de Jesus. Eles aproveitaram desse estreito laço familiar para buscarem vantagens pessoais.

Em segundo lugar, **uma resposta sem entendimento** (10.38-40). Tanto o pedido quanto a justificativa dos discípulos foram desprovidos de discernimento espiritual. Jesus perguntou-lhes: *Podeis vós beber o cálice que eu bebo ou receber o batismo com que eu sou batizado? Disseram-Lhe: Podemos...* Jesus estava indo para a cruz e não para um trono. Jesus cruzaria o caminho do sofrimento e não dos aplausos humanos. A cruz precede a coroa como a morte precede a ressurreição. O caminho da glória não é revestido de tapetes vermelhos, mas é tingido do sangue dos mártires.

---

[6]HENDRIKSEN, William. *Marcos*, 2003, p. 522,523.
[7]GIOIA, Egidio. *Notas e Comentários à Harmonia dos Evangelhos*, 1969, p. 273.
[8]MULHOLLAND, Dewey M. *Marcos: Introdução e Comentário*, 2005, p. 165.
[9]POHL, Adolf. *Evangelho de Marcos*, 1998.

Beber o cálice significa experimentar, em profundidade, o sofrimento (14.36; Mt 26.39; Lc 22.42). Eles estão pedindo uma coisa e pensando receber outra. Eles querem a glória enquanto pedem sofrimento. Receber o batismo é uma expressão sinônima de sofrimento, diz William Hendriksen.[10] O cálice aponta preferencialmente para a ação de Cristo, enquanto receber o batismo indica a Sua obediência passiva. Jesus experimentou ambos como duas experiências inseparáveis. Jesus foi esmagado pela agonia e mergulhado num fluxo de tremendo sofrimento.[11]

Pelo emprego dessas duas figuras (cálice e batismo), Jesus esclarece que Ele vai receber sobre Si, voluntariamente, o juízo de Deus no lugar dos culpados (Is 53.5). A glória não é, ainda, o próximo passo no plano de Deus, como Tiago e João sugerem em seu pedido. Ao contrário, Jesus morrerá uma morte humilhante como o substituto dos pecadores. Essa é a Sua vocação messiânica; esse será o Seu cálice e o Seu batismo, dos quais ninguém mais pode compartilhar.[12] Noutro sentido, no entanto, o cálice de Jesus e o Seu batismo devem ser partilhados (10.39; 1Pe 4.13).

Quando Tiago e João disseram que podiam beber o cálice de Cristo, eles não discerniram o que falavam, pois o sofrimento de Cristo é único e exclusivo. O de Cristo é vicário (10.45); o de Seus seguidores nunca poderá sê-lo (Sl 49.7). Em certa medida, eles beberam do Seu cálice, pois Tiago foi o primeiro apóstolo a ser martirizado (At 12.2) e João o último a morrer, depois de ser deportado para a Ilha de Patmos pelo imperador Domiciano (Ap 1.9).

Em terceiro lugar, *uma consequência inevitável* (10.41). O egoísmo de Tiago e João gera indignação nos outros dez discípulos. Eles se indignaram não pelo pecado dos dois, mas por acharem que eles haviam tramado contra eles.[13] Eles aspiravam às mesmas coisas que os dois buscavam. Eles eram do mesmo estofo e tinham os mesmos desejos de ambição. A atitude espiritual dos dez não era melhor que a

---

[10]HENDRIKSEN, William. *Marcos*, 2003, p. 523.
[11]HENDRIKSEN, William. *Marcos*, 2003, p. 524.
[12]MULHOLLAND, Dewey M. *Marcos: Introdução e Comentário*, 2005, p. 166.
[13]HENDRIKSEN, William. *Marcos*, 2003, p. 525.

dos outros dois. Como é fácil condenar nos outros o que desculpamos em nós mesmos![14]

A marcha da **grandeza** (10.42-45)

A grandeza pode ser avaliada de diferentes modos:

Em primeiro lugar, *a grandeza segundo o mundo* (10.42). Semelhante a muitas pessoas hoje, os discípulos estavam cometendo o equívoco de seguir os exemplos errados. Em vez de imitarem a Jesus, eles estavam admirando a glória e a autoridade dos governadores romanos, homens que amam posições e autoridade.[15]

Jesus, percebendo a ambição no coração dos Seus discípulos, chama-os à parte e ministra-lhes mais uma lição sobre o espírito de grandeza que predomina no mundo. Ser grande no conceito do mundo é ser servido e ter poder sobre os outros. Ser grande no conceito do mundo é usar o domínio sobre as pessoas para a desvantagem destas e para a vantagem de quem assim domina.[16] Nessa mesma linha de pensamento, Dewey Mulholland diz que dominar sobre as pessoas é o fundamento sobre o qual a estrutura de dominação está alicerçada. Comumente, o domínio é exercido no interesse daqueles que dominam.[17]

Em segundo lugar, *a grandeza segundo Jesus* (10.43,44). No Reino de Deus, a pirâmide está invertida. A grandeza é medida pelo serviço e não pela dominação. Ser grande é ser servo. Ser grande é estar a serviço dos outros em vez de ser servido pelos outros. Entre os discípulos um novo tipo de relacionamento deve prevalecer, ou seja, Seus discípulos devem ser servos (*diakonos*) uns dos outros e escravos (*doulos*) de todos.

O padrão de Deus é que uma pessoa deve ser um servo antes de Deus promovê-la a uma posição de liderança. Foi dessa maneira que Deus trabalhou com José, Moisés, Josué, Davi e mesmo com Jesus (Fp 2.5-11). A não ser que saibamos o que seja obedecer a ordens, não

---

[14]HENDRIKSEN, William. *Marcos*, 2003, p. 525.
[15]Wiersbe, Warren W. *Be Diligent*, 1987, p. 105.
[16]RIENECKER, Fritz e ROGERS, Cleon. *Chave Linguística do Novo Testamento Grego*, 1985, p. 88.
[17]Mulholland, Dewey M. M*arcos: Introdução e Comentário*, 2005, p. 167.

saberemos dar ordens. Antes de uma pessoa exercer autoridade, deve saber o que é estar debaixo de autoridade.[18]

Em terceiro lugar, *a grandeza exemplificada por Jesus* (10.45). Jesus é o Criador, Dono e Senhor do universo.

Contudo, sendo Senhor, cingiu-se com a toalha e lavou os pés dos discípulos. Sendo Senhor, andou por toda parte fazendo o bem e libertando os oprimidos do diabo. Sendo Senhor, usou seu poder não em benefício próprio, mas para socorrer os aflitos. Ele veio para servir e não para ser servido.

O apóstolo Paulo fala sobre a necessidade de buscarmos o interesse uns dos outros e servimos uns aos outros, e para sustentar seu argumento, ele ordena: *Tende em vós o mesmo sentimento que houve também em Cristo Jesus* (Fp 2.5). Em seguida, relata o exemplo de Jesus, que sendo Deus, esvaziou-se e tornou-se servo, humilhando-se até a morte e morte de cruz (Fp 2.6-8). A exaltação daquele que se humilha é uma coroação feita pelo próprio Pai (Fp 2.9-11).

No Reino de Deus, ser grande é ser servo e ser poderoso não é ter autoridade sobre muitos, mas servir a muitos.

---

[18]WIERSBE, Warren W. *Be Diligent*, 1987, p. 105.

36

Uma trajetória das trevas para a luz

Marcos 10.46-52

À GUISA DE INTRODUÇÃO, vamos ver três aspectos preliminares antes de considerarmos o texto:

Em primeiro lugar, ***as aparentes contradições do texto***. A cura do cego Bartimeu está registrada nos três evangelhos sinóticos. Porém, existem nuanças diferentes nos registros. Mateus fala de dois cegos e não apenas de um (Mt 20.30) e Lucas fala que Jesus estava entrando em Jericó (Lc 18.35-43) e não saindo de Jericó, como nos informa Marcos (10.46). Como entender essas aparentes contradições?

Primeiro, nem Marcos nem Lucas afirmam que havia apenas um cego.

Eles destacam Bartimeu, talvez, por ser o mais conhecido e aquele que se destacava em seu clamor. William Hendriksen diz que não há nenhuma contradição nos relatos, porque nem Marcos nem Lucas nos contam que Jesus restaurou a visão de somente um cego. Entretanto, não sabemos por que Marcos escreveu a respeito de Bartimeu e não disse nada em relação ao outro cego.[1]

Segundo, havia duas cidades de Jericó. No século I havia duas Jericós: a velha Jericó, quase toda em ruínas, e a nova Jericó, cidade

---

[1] HENDRIKSEN, William. *Marcos*, 2003, p. 531.

bonita, construída por Herodes, logo ao sul da cidade velha. A cidade antiga estava em ruínas, mas Herodes, o grande, havia levantado essa nova Jericó, onde ficava seu palácio de inverno, uma bela cidade ornada de palmeiras, jardins floridos, teatro, anfiteatro, residências e piscinas para banhos.[2] Aparentemente, o milagre aconteceu na divisa entre a cidade nova e a velha, enquanto Jesus saía de uma e entrava na outra.[3]

Em segundo lugar, ***a última oportunidade***. A cidade de Jericó além de ser um posto de fronteira e alfândega (Lc 19.1,2), também era a última oportunidade de abastecimento de provisões e local de reuniões, em que grupos pequenos se organizavam para a viagem em conjunto à cidade de Jerusalém. Dessa forma, protegidos contra os salteadores de estrada (Lc 10.30), os peregrinos partiam desse último oásis no vale do Jordão para o último trecho de uns 25 quilômetros, uma subida íngreme de perto de mil metros, através do deserto acidentado da Judeia até a cidade do templo.[4]

Jesus estava indo para Jerusalém. Ele marchava resolutamente para o calvário. Era a festa da Páscoa. Naquela mesma semana Jesus seria preso, julgado, condenado e pregado na cruz. Era a última vez que Jesus passaria por Jericó. Aquela era a última oportunidade de Bartimeu. Se ele não buscasse a Jesus, ficaria para sempre cativo de sua cegueira.

A oportunidade tem asas, se não a agarrarmos quando ela passa por nós, podemos perdê-la para sempre. Nunca saberemos se a oportunidade que estamos tendo agora será a última da nossa vida.

Em terceiro lugar, ***a grande multidão***. Por que a numerosa multidão está seguindo Jesus de Jericó rumo a Jerusalém? Aquele era o tempo da festa da Páscoa, a mais importante festa judaica. A lei estabelecia que todo varão, maior de 12 anos, que vivesse dentro de um raio de 25 quilômetros, estava obrigado a assistir à festa da Páscoa. Obviamente nem todos podiam fazer essa viagem. Esses, então, ficavam à beira do caminho desejando boa viagem aos peregrinos. Por essa razão, Jericó que, ficava a 25 quilômetros de Jerusalém tinha suas ruas apinhadas

---

[2] HENDRIKSEN, William. *Marcos*, 2003, p. 530.
[3] RICHARDS, Larry. *Todos os Milagres da Bíblia*, 2003, p. 270.
[4] POHL, Adolf. *Evangelho de Marcos*, 1998, p. 316.

de gente. Além do mais, o templo tinha cerca de vinte mil sacerdotes e levitas distribuídos em 26 turnos. Muitos deles moravam em Jericó, mas na festa da Páscoa todos deveriam ir a Jerusalém. Certamente muitas pessoas deveriam estar acompanhando atentamente a Jesus, impressionadas pelos seus ensinos; outras, curiosas acerca desse rabino que desafiava os grandes líderes religiosos da nação. Era no meio dessa multidão mista que Bartimeu se encontrava.[5]

Sua **condição** antes de Cristo

Há vários aspectos dramáticos na vida de Bartimeu antes do seu encontro com Cristo:

Em primeiro lugar, *ele vivia numa cidade condenada* (10.46). Jericó foi a maior fortaleza derrubada por Josué e seu exército na conquista da terra prometida (Js 6.20,21). Josué fez o povo jurar e dizer: *Maldito diante do Senhor seja o homem que se levantar e reedificar esta cidade de Jericó; com a perda do seu primogênito lhe porá os fundamentos e, à custa do mais novo, as portas* (Js 6.26). Jericó tinha cinco características que faziam dela uma cidade peculiar:

Jericó era uma cidade sob maldição. Herodes, o grande, reconstruiu a cidade e a adornou, mas isso não fez dela uma bem-aventurada.

Jericó era uma cidade encantadora. Era chamada a cidade das palmeiras e dos sicômoros. Quando o vento batia na copa das árvores, as palmeiras esvoaçavam suas cabeleiras, espalhando sua fragrância e encanto.

Jericó era uma cidade dos prazeres. Ali estava o palácio de inverno do rei Herodes. Ali ficavam as fontes termais. Ali milhares de sacerdotes que trabalhavam no templo de Jerusalém moravam. Jericó era a cidade da diversão.

Jericó era uma cidade que ficava no lugar mais baixo do planeta. A região onde está situada a cidade de Jericó é o lugar mais baixo do planeta, a quatrocentos metros abaixo do nível do mar. É a maior depressão da terra.

---

[5] BARCLAY, William. *Marcos*, 1974, p. 271.

Jericó era uma cidade às margens do mar Morto. O mar Morto é um lago de sal. Nele não existe vida. Trinta e três por cento da água desse mar são sal. Nada floresce às margens desse grande lago de sal.

Em segundo lugar, *ele era cego e mendigo* (10.46). Faltava-lhe luz nos olhos e dinheiro no bolso. Estava entregue às trevas e à miséria. Vivia a esmolar à beira da estrada, dependendo totalmente da benevolência dos outros. Um cego não sabe para onde vai, um mendigo não tem aonde ir.

Não há nenhuma cura de cego no Antigo Testamento; os judeus acreditavam que tal milagre era um sinal de que a era messiânica havia chegado (Is 29.18; 35.5).[6]

Em terceiro lugar, *ele não tinha nome* (10.46). Bartimeu em aramaico significa filho de Timeu.[7] Bartimeu não é nome próprio, significa apenas filho de Timeu. Adolf Pohl diz que desse cego conhecia-se somente o nome do pai, que foi explicado para os desinformados.[8] Esse homem não era apenas cego e mendigo, mas estava também com sua autoestima achatada. Não tinha saúde, nem dinheiro, nem valor próprio. Certamente carregava não apenas sua capa, mas também seus complexos, seus traumas, suas feridas abertas.

Em quarto lugar, *ele estava à margem do caminho* (10.46). A multidão ia para a festa da Páscoa, mas ele não poderia ir. A multidão celebrava e cantava, ele só poderia clamar por misericórdia. Ele vivia à margem da vida, da paz, da felicidade.

Sua **decisão** por Cristo

Consideremos alguns aspectos da decisão de Bartimeu:

Em primeiro lugar, **Bartimeu buscou a Jesus na hora certa** (10.47). Aquela era a última vez que Jesus passaria por Jericó. Era a última vez que Jesus subiria a Jerusalém. Aquela era a última oportunidade daquele homem. Não há nada mais perigoso do que desperdiçar uma oportunidade. As oportunidades vêm e vão. Se não as agarrarmos, elas se perderão para sempre.

---

[6]BARTON, Bruce B. et al. *Life Application Bible Commentary on Mark*, 1994, p. 308.
[7]BARTON, Bruce B. et al. *Life Application Bible Commentary on Mark*, 1994, p. 308.
[8]POHL, Adolf. *Evangelho de Marcos*, 1998, p. 316.

Em segundo lugar, **Bartimeu buscou a pessoa certa** (10.47). Com sua cegueira, Bartimeu enxergou mais do que os sacerdotes, escribas e fariseus. Estes tinham olhos, mas não discernimento. Bartimeu era cego, mas enxergava com os olhos da alma.

Bartimeu chamou Jesus de "Filho de Davi", seu título messiânico. Jesus é chamado "Filho de Davi" somente aqui em Marcos.[9] O fato de esse cego mendigo chamar Jesus de "Filho de Davi" revela que ele reconhecia Jesus como o Messias, enquanto muitos que haviam testemunhado os milagres de Jesus estavam cegos a respeito da sua identidade, recusando-se a abrir seus olhos para a verdade.[10]

Bartimeu chamou Jesus de Mestre. A palavra *rabboni* também é traduzida por Senhor. A única pessoa nos evangelhos que usou essa palavra foi Maria (Jo 20.16). Bartimeu tinha usado duas vezes o título messiânico de Jesus, mas *rabboni* era uma expressão de fé pessoal.[11]

Ele compreendia que Jesus tinha poder e autoridade para dar-lhe visão. Esse foi o último milagre de cura registrado pelo evangelista Marcos. Nele Jesus demonstra seu amor, misericórdia e graça.

Em terceiro lugar, **Bartimeu buscou a Jesus com perseverança** (10.48). Bartimeu revelou uma insubornável persistência. Ninguém pôde deter o seu clamor, sua exigência de ser levado frente a Jesus. Estava determinado a dialogar com a única pessoa que poderia ajudá-lo. Seu desejo de estar com Cristo não era vago, geral nem nebuloso. Era uma vontade determinada e desesperada.[12]

A multidão tentou abafar sua voz, mas ele clamava ainda mais alto: "Filho de Davi, tem compaixão de mim". A multidão foi obstáculo para Zaqueu ver a Jesus e estava sendo obstáculo para Bartimeu falar a Jesus. Nem sempre a voz do povo é a voz de Deus, e, geralmente, não é. Aqueles que tentavam silenciar a voz do mendigo faziam-no pensando que Jesus estava ocupado demais para preocupar-Se em dar atenção a

---

[9] MULHOLLAND, Dewey M. *Marcos: Introdução e Comentário*, 2005, p. 170.
[10] BARTON, Bruce B. et al. *Life Application Bible Commentary on Mark*, 1994, p. 308.
[11] WIERSBE, Warren W. *Be Diligent*, 1987, p. 106.
[12] BARCLAY, William. *Marcos*, 1974, p. 272.

um indigente.[13] William Hendriksen sugere algumas razões que levaram as pessoas a tentar calar a voz de Bartimeu: Primeira, as pessoas estavam com pressa de chegar a Jerusalém; segunda, elas concluíram que aqueles gritos não condiziam com a dignidade de Cristo; terceira, elas não estavam prontas ainda para ouvirem uma proclamação pública de Cristo como sendo "Filho de Davi"; quarta, elas sabiam que os seus líderes religiosos não gostariam nem um pouco disso.[14]

Bartimeu não se intimidou nem desistiu de clamar pelo nome de Jesus diante da repreensão da multidão. Ele tinha pressa e tinha determinação. Ele sabia da sua necessidade e sabia que Jesus era o único que poderia libertá-lo de sua cegueira e dos seus pecados.

Em quarto lugar, **Bartimeu buscou a Jesus com humildade** (10.47,48). Bartimeu sabe que não merece favor algum, e apela apenas para a misericórdia de Deus. Ele não pede justiça, mas misericórdia. Ele não reivindica direitos, mas pede compaixão.

Em quinto lugar, **Bartimeu buscou a Jesus com desprendimento** (10.50). Logo que Jesus mandou chamá-lo, ele lançou de si a capa e num salto foi ter com Jesus. Há muitos que escutam o chamado de Jesus, mas dizem: "Espera até que eu termine o que estou fazendo", ou "Já vou, depois que terminar isso ou aquilo". Bartimeu demonstrou pressa. Há duas coisas dignas de destaque aqui:

Bartimeu desfez-se da única coisa preciosa que possuía. Sua capa era sua roupa, sua proteção, sua cama. Era tudo o que ele possuía para protegê-lo da poeira do deserto durante o dia e do frio gélido à noite. Contudo, ele desfez-se de imediato de tudo o que poderia se constituir obstáculo. Para Bartimeu o encontro com Cristo era a coisa mais importante da sua vida. Estava pronto a abrir mão de tudo para encontrar-se com o Messias.

Bartimeu transcendeu a psicologia dos cegos. Ele levantou-se de um salto para ir a Jesus. Os cegos não pulam, eles apalpam. Kierkegaard, o pai do existencialismo moderno, disse que fé é um salto no escuro, mas para Bartimeu, fé é um salto nos braços de Jesus. Champlin diz que

---

[13]MULHOLLAND, Dewey M. *Marcos: Introdução e Comentário*, 2005, p. 169.
[14]HENDRIKSEN, William. *Marcos*, 2003, p. 534.

Bartimeu deu um salto com a alma, e não apenas com as pernas. Esse salto fala da prontidão com que devemos correr para Jesus.[15] Em sexto lugar, *Bartimeu buscou a Jesus com objetividade* (10.51). Bartimeu sabia exatamente do que necessitava. Jesus perguntou para Tiago e João, "O que quereis que vos faça?" E perguntou para o paralítico: "Queres ser curado?". Quando Bartimeu chegou à presença de Jesus, Ele lhe fez uma pergunta pessoal: "Que queres que eu te faça?". Ele podia pedir uma esmola, uma ajuda, mas ele foi direto ao ponto principal: "Mestre, que eu torne a ver". Antonio Vieira diz que há cegos piores do que Bartimeu. São aqueles que não querem ver. Ao cego de Jericó que não tinha olhos, Cristo fez que ele visse. Mas os cegos que têm olhos e não querem ver, permanecem em sua cegueira espiritual. Uma coisa é ver com os olhos, e outra muito diferente é ver com o coração. Ludwig van Beethoven, depois de surdo, compôs várias sinfonias. Fanny Crosby, completamente cega desde os quarenta dias de vida, escreveu mais de quatro mil hinos que trazem consolo ainda hoje para milhões de pessoas ao redor do mundo. A segunda cegueira pior do que a de Bartimeu é ver uma coisa e enxergar outra bem diferente. Eva viu exatamente o que não deveria ver e como deveria ver. Viu o que não deveria ver, porque o fruto era venenoso. Viu como não deveria ver, porque viu apenas aquilo que lhe agradava à vista e ao paladar. O terceiro tipo de cegueira pior que a cegueira de Bartimeu é a daqueles que enxergam a cegueira dos outros e não a própria. Os cegos desse tipo são capazes de descobrir um pequeno argueiro no olho do vizinho e não se aperceberem de uma trave atravessada nos próprios olhos. São aqueles que investigam pequeninas falhas nos outros para alardeá-las como grandes crimes e pecados, esquecidos dos seus grandes e perniciosos defeitos. Finalmente, existe ainda outro tipo de cegueira pior que a do pobre mendigo de Jericó. É a daqueles que não permitem que os outros vejam. Os acompanhantes de Cristo naquela caminhada eram mais cegos do que aquele cego porque impediam que chegassem até Jesus o clamor e os gritos de angústia daquele infeliz, burocratizando a misericórdia

---

[15]CHAMPLIN, Russell Norman. *O Novo Testamento Interpretado Versículo por Versículo*, n.d., p. 754.

divina. É a cegueira daqueles que por serem felizes não permitem a felicidade dos outros.[16]

Sua **nova vida** em Cristo

Três fatos merecem destaque:

Em primeiro lugar, **Bartimeu foi salvo por Cristo** (10.52). Aquela era uma caminhada decisiva para Jesus. Ele tinha pressa e determinação. A cidade de Samaria não conseguiu detê-Lo. Contudo, o clamor de um mendigo o fez parar. Nesse mundo onde tudo se move, o Filho de Davi para, para ouvir o seu clamor. Ele para, para atender-lhe a voz.

Jesus disse para Bartimeu: *Vai, a tua fé te salvou.* Bartimeu creu não por causa da clareza da sua visão, mas como uma resposta ao que ele ouviu.[17] Jesus diagnosticou uma doença mais grave e mais urgente do que a cegueira. Não apenas seus olhos estavam em trevas, mas também a sua alma. Ele foi buscar a cura para seus olhos, e encontrou a salvação da sua alma. William Hendriksen diz que pelo fato de a fé ser, em si mesma, um dom de Deus, é surpreendente que Jesus, em várias ocasiões, louve o recipiente do dom por exercitá-la.[18]

John Charles Ryle diz que Bartimeu era cego no corpo, mas não em sua alma. Os olhos do seu entendimento estavam abertos. Ele viu coisas que Anás, Caifás e as hostes de mestres em Israel não viram. Ele viu que Jesus era o Messias esperado, o Todo-poderoso Deus.[19] Você tem os olhos da sua alma abertos (1Pe 1.8)?

Em segundo lugar, **Bartimeu foi curado por Cristo** (10.52). Jesus não apenas perdoa pecados e salva a alma, mas também cura e redime o corpo. Bartimeu teve seus olhos abertos. Ele saiu de uma cegueira completa para uma visão completa. Num momento, cegueira total. No seguinte, visão intacta.[20] A cura foi total, imediata e definitiva.

---

[16]VIEIRA, Antonio, *Mensagem de Fé para quem não tem Fé*, 1981, p. 74-77.
[17]BARTON, Bruce B. et al. *Life Application Bible Commentary on Mark*, 1994, p. 306.
[18]HENDRIKSEN, William. *Marcos*, 2003, p. 536.
[19]RYLE, John Charles. *Mark*, 1993, p. 161.
[20]HENDRIKSEN, William. *Marcos*, 2003, p. 537.

Em terceiro lugar, ***Bartimeu foi guiado por Cristo*** (10.52). Bartimeu "seguia a Jesus estrada afora". Bartimeu demonstra gratidão e provas de conversão. Ele não queria apenas a bênção, mas, sobretudo, o abençoador. Ele seguiu a Jesus para onde? Para Atenas, a capital da filosofia? Para Roma, a capital do poder político? Não, ele seguiu a Jesus para Jerusalém, a cidade onde Jesus chorou, onde Jesus suou sangue, onde Jesus foi preso, sentenciado, condenado e pregado na cruz. Ele seguiu não uma estrada atapetada, mas um caminho juncado de espinhos. Não o caminho da glória, mas o caminho da cruz. Bartimeu trilhou o caminho do discipulado.

Jesus passou por Jericó. Ele está passando hoje também pela nossa vida, cruzando as avenidas da nossa existência. Temos duas opções: clamar pelo Seu nome ou perder a oportunidade.

Em agosto de 1989, estava pregando numa cruzada evangelística na cidade de Barra de São Francisco. Hospedei-me na casa do presbítero Samuel Cardoso. Ele convidou seus parentes, amigos e empregados para participarem da cruzada na sexta, sábado e domingo. Um sobrinho, em vez de atender a esse convite foi para um baile, onde passou a noite bebendo e dançando. Pela manhã, bêbado, retornou à sua casa e brigou com a mulher, dando-lhe um tiro no coração. Foi uma cena dolorosa, ver aquela jovem mulher num caixão debaixo do olhar sofrido de uma filha pequena. A mãe chorava inconsolavelmente num dos quartos da casa, enquanto a sogra, mãe do assassino, chorava perturbada noutro quarto. Naquela cruzada, dezenas de pessoas foram salvas por Jesus. Pastor Romildo foi convertido naquela cruzada, mas o sobrinho do Samuel perdeu aquela oportunidade e transtornou a sua própria vida.

Jesus vai hoje passar. Qual vai ser a decisão? Segui-Lo ou deixá-Lo passar?

37

A manifestação pública do Messias

Marcos 11.1-33

ESSA ERA A HORA MAIS ESPERADA DO MINISTÉRIO DE JESUS. Estava se cumprindo o seu desejo e propósito eterno. Ele veio para morrer e agora estava entrando triunfalmente em Jerusalém para cumprir esse plano eterno do Pai. Warren Wiersbe diz que a festa da Páscoa era o prazer dos judeus e o desespero dos romanos.[1] Era festa para aqueles e o medo de uma insurreição para estes. John Charles Ryle diz que foi nessa maior festa pública dos judeus que Jesus veio a Jerusalém para morrer, e Ele desejou que toda a cidade pudesse saber isso. Algumas coisas Jesus fez e falou fora dos olhares expectantes da multidão, mas quando o tempo chegou para Ele morrer, Ele fez sua entrada pública em Jerusalém. Ele chamou a atenção das autoridades, dos sacerdotes, dos anciãos, dos mestres da lei, dos gregos e romanos para Si. Na festa da Páscoa, o grande cordeiro da Páscoa estava para ser sacrificado.[2] Este texto tem várias lições importantes:

---

[1] WIERSBE, Warren W. *Be Diligent*, 1987, p. 107.
[2] RYLE, John Charles. *Mark*, 1993, p. 165,166.

A **entrada triunfal** do Messias em Jerusalém (11.1-11)

A entrada de Jesus em Jerusalém enseja-nos três verdades importantes:

Em primeiro lugar, *a consumação de um propósito eterno*. A vinda de Jesus ao mundo foi um plano traçado na eternidade. Deus Pai o enviou e Ele voluntariamente Se entregou. Ele veio para dar a Sua vida. Ele preanunciou Sua entrada em Jerusalém três vezes. Agora havia chegado o grande momento. Não tem nada de improvisação. Nada de surpresa. Ele veio para essa hora.

Em segundo lugar, *a entrada triunfal do Rei na cidade de Davi*. A entrada de Jesus em Jerusalém foi externamente despretensiosa. Não entrou cavalgando um cavalo fogoso, ou brandindo uma espada nem acompanhado de um exército. Não veio como um conquistador político, mas como o redentor da humanidade.

A entrada triunfal de Jesus em Jerusalém foi totalmente diferente daquelas celebradas pelos conquistadores romanos. Quando um general romano retornava para Roma, depois de sua vitória sobre os inimigos, era recebido por grande multidão. O general vitorioso desfilava em carruagem de ouro. Os sacerdotes queimavam incenso em sua honra e o povo gritava o seu nome, enquanto seus cativos eram levados às arenas para lutarem com animais selvagens.

Essa era a entrada triunfal de um romano.[3]

Ao montar um jumentinho, porém, Jesus estava dizendo que Sua missão era de paz e que seu reino era espiritual.[4] Estava cumprindo a profecia de Zacarias: *Alegra-te muito, ó filha de Sião; exulta, ó filha de Jerusalém: eis aí te vem o teu Rei, justo e salvador, humilde, montado em jumento, num jumentinho, cria de jumenta* (Zc 9.9). Ernesto Trenchard diz que o fato de Jesus montar um jumentinho definia a natureza do seu reino, que não havia de vir com força militar nem com ostentação carnal, senão por meios espirituais que o homem era incapaz de compreender à parte da iluminação do Espírito Santo.[5]

---

[3]Wiersbe, Warren W. *Be Diligent*, 1987, p. 109.
[4]Mulholland, Dewey M. *Marcos: Introdução e Comentário*, 2005, p. 171.
[5]Trenchard, Ernesto. *Una Exposición del Evangelio según Marcos*, 1971, p. 140.

Jesus demonstrou onisciência, sabendo onde estava o jumentinho. Demonstrou autoridade, dando ordens para trazer o jumentinho. Demonstrou domínio sobre o reino animal, pois montou um jumentinho que ainda não havia sido amansado.

Em terceiro lugar, *a proclamação pública do Messias*. Tanto a multidão que estava em Jerusalém, quanto aquela que O acompanhava à cidade santa, proclamava o Messias com vozes de júbilo. Essa proclamação focou duas verdades importantes:

Em primeiro lugar, *apontou Jesus como o Salvador*. A multidão gritou: *Hosana! Bendito o que vem em nome do Senhor* (Mc11.19). A palavra *Hosana* é um clamor pelo Salvador. Significa "salvar agora", ou "salve, nós suplicamos".[6]

Em segundo lugar, *apontou Jesus como o Rei*. Jesus é o Rei e com Ele chegou o Seu reino. Os reinos do mundo levantam-se e caem, mas o reino de Cristo jamais passará. Jesus é maior do que Davi. Davi inaugurou um reino terreno e temporal, mas o reino de Cristo é celestial e eterno. Com essa saudação a multidão estava reconhecendo, em Jesus, o Messias que salva o seu povo dos seus pecados (Mt 1.21).[7]

O juízo do Messias (11.12-14,20-26)

Tanto a condenação da figueira sem frutos quanto a purificação do templo foram atos simbólicos que ilustraram a triste condição espiritual da nação de Israel. A despeito de seus muitos privilégios e oportunidades, Israel estava externamente sem frutos (a árvore) e internamente corrupto (o templo).[8] O evangelho de Marcos registra dezoito milagres. Destes, a maldição da figueira é o último. Alguns pontos devem ser destacados:

Em primeiro lugar, *uma propaganda enganosa*. A figueira sem frutos é um símbolo da nação de Israel e do culto judaico. Tinham pompa, mas não vida; tinham rituais, mas não comunhão com Deus; tinham inúmeros sacerdotes, mas não homens de Deus. William Barclay diz que

---

[6]HENDRIKSEN, William. *Marcos*, 2003, p. 554.
[7]HENDRIKSEN, William. *Marcos*, 2003, p. 554.
[8]WIERSBE, Warren W. *Be Diligent*, 1987, p. 109,110.

o eixo central dessa passagem é a condenação da promessa sem cumprimento e a condenação da profissão de fé sem prática.[9] Adolf Pohl compreendeu claramente o sentido do texto, quando afirmou:

> Em toda a divisão principal que começa em 11.1 e, especialmente aqui, a partir do versículo 11, o movimento do templo com seus responsáveis está no centro das atenções. Havia por um lado a "folhagem", ou seja, sua grandiosidade arquitetônica (13.1,2) e por outro lado sua organização econômica (11.15,16). Infelizmente, porém, quem olhava de perto não encontrava "frutos", antes endurecimento (11.33), planos secretos de assassinato (12.12), fingimento e falsidade (12.13,15), cegueira instruída (12.24,27) e infâmia sob o manto da dignidade (12.38-40). O versículo 15 é ainda mais concreto.[810]

Essa passagem enseja-nos algumas lições solenes. Charles Spurgeon, em seu célebre sermão sobre a figueira murcha, lança luz sobre esse assunto:

A figueira sem frutos aparenta superar as demais figueiras. A figueira sem frutos destacava-se dentre as demais. Assim são aqueles que parecem verdadeiros cristãos, mas só têm aparência. São loquazes na conversa, profundos na especulação teológica, mas são também estéreis.

A figueira sem frutos parecia desafiar as estações do ano. A figueira produz folhas em março ou abril e, então, começa a produzir frutos em junho, com outra safra em agosto e, possivelmente, a terceira colheita no mês de dezembro. A presença de folhas implicava a presença de frutos.[11] A figueira produz os frutos antes das folhas. Folhas pressupõem frutos. Ela fazia propaganda do que não tinha. Assim também algumas pessoas parecem muito adiantadas em comparação com as pessoas ao seu redor, mas é só fachada, só aparência.

A figueira sem frutos atraiu a atenção de Jesus. Ele viu de longe essa árvore. As demais ainda não tinham folhas. Essa árvore era a única que estava em posição de destaque. Essa figueira representa aqueles que sem nenhuma modéstia tocam trombetas e anunciam frutos que não possuem.

---

[9]BARCLAY, William. *Marcos*, 1974, p. 281,282.
[10]POHL, Adolf. *Evangelho de Marcos*, 1998, p. 327.
[11]WIERSBE, Warren W. *Be Diligent*, 1987, p. 110.

Em segundo lugar, *uma investigação meticulosa*. O Rei Jesus vai investigar a figueira, assim como investigou a nação de Israel, o templo, os rituais, os corações. Ele ainda sonda os corações. Algumas lições devem ser destacadas:

Jesus tem o direito de procurar frutos em nossa vida. Ele perscruta profundamente a nossa vida para ver se tem fruto, alguma fé genuína, algum amor verdadeiro, algum fervor na oração. Se Ele não encontrar frutos não ficará satisfeito. Ele tinha o direito de encontrar fruto porque o fruto aparece primeiro, depois as folhas. Aquela árvore estava fazendo propaganda de algo que não possuía. Jesus tem encontrado fruto na sua vida? O Pai é glorificado quando produzimos muito fruto (Jo 15.8).

Jesus não se contenta com folhas, ele quer frutos. Jesus teve fome. Ele procurava frutos e não folhas. Ele não Se satisfaz com folhas. Ele não se satisfaz com aparência. Ele quer vida.

Jesus não se deixa enganar. Quando Ele se aproxima de uma alma, Ele o faz com discernimento profundo. Dele não se zomba. A Ele não podemos enganar. Já pensei ser figo aquilo que não passava de folha. Mas Jesus não comete esse engano. Ele não julga segundo a aparência. Se eu professo a fé sem a possuir não é isso uma mentira? Se eu professo arrependimento sem tê-lo não é isso uma mentira? Se eu participo da Ceia, mas estou em pecado e não amo aos meus irmãos, não é isso uma mentira? Charles Spurgeon diz que a profissão de fé sem a graça divina é a pompa funerária de uma alma morta.

Em terceiro lugar, *uma condenação dolorosa*. Se Jesus tinha poder para matar a árvore, por que não usou Seu poder para restaurar a árvore? Porque tinha lições importantes a transmitir. Jesus usou esse fato para ensinar sobre o fracasso da nação de Israel. A nação de Israel poderia ter muitas folhas que o povo admirava, mas nenhum fruto que o povo pudesse comer.

Jesus decretou uma dupla condenação à figueira sem fruto.

Ela secou desde a raiz. João Batista já havia alertado para o machado que estava posto na raiz das árvores (Mt 3.10). A falência dessa árvore foi total, completa e irremediável.

Ela nunca mais produziu fruto. Jesus sentenciou a figueira a ficar como estava. Esse é o maior juízo de Deus ao homem, ficar como está. Jesus condenou a árvore infrutífera. Spurgeon diz que Jesus não apenas a amaldiçoou, ela já era uma maldição. Ela não servia para o revigoramento de ninguém. A sentença foi: fica como está; estéril, sem fruto. Continue sem graça. Jesus dirá no dia final: "Apartai-vos" para aqueles que viveram a vida toda apartados. A Escritura diz: "Continue o imundo sendo imundo".

Em quarto lugar, *uma lição primorosa*. Depois de condenar a religião formal, mas sem vida, Jesus mostra aos Seus discípulos como ter um relacionamento certo com Deus. Ele fala sobre duas condições fundamentais para termos comunhão e vitória com Deus por meio da oração.

A fé em Deus. Ninguém pode aproximar-se de Deus sem crer que Ele existe. Na imaginação de um judeu, uma montanha significa alguma coisa forte e inamovível, um problema que se colocará em nosso caminho (Zc 4.7). Nós podemos mover essa montanha apenas pela nossa fé em Deus. A fé, contudo, não deve ser entendida à parte de outras verdades. Muitas pessoas apanham os versículos 23 e 24 para defenderem que não devemos orar segundo a vontade de Deus; antes, se temos fé, Deus é obrigado a atender a nossos pedidos. Essa visão está em desacordo com o ensino geral das Escrituras. Isso não é fé em Deus, mas fé na fé ou fé nos sentimentos. Fé não é presunção. Não podemos confundir fé com tentar a Deus. O diabo queria que Jesus se jogasse do pináculo do templo, para que o Pai o segurasse no ar. Mas isso é tentar a Deus e não exercer fé.

O perdão aos irmãos. A verdadeira oração envolve perdão tanto quanto a fé. Eu preciso estar em comunhão tanto com Deus no céu quanto com meu irmão na terra se quiser prevalecer na oração.[12] Onde não tem relacionamento horizontal, não existe relação vertical. Não podemos ser reconciliados com Deus e viver em guerra com os irmãos. Não podemos amar a Deus e odiar os irmãos. Não há vitória na oração, sem o exercício do perdão.

O zelo do Messias (11.15-19)

William Barclay, comentando essa passagem, diz que no Novo Testamento há duas palavras estreitamente relacionadas acerca do Templo.

---

[12] WIERSBE, Warren W. *Be Diligent*, 1987, p. 111.

A primeira é *hieron*, que significa *o lugar sagrado*. Isso incluía toda a área do templo, que cobria o cume do monte Sião e tinha uns quinze hectares de extensão. Estava rodeado por grandes muralhas. Havia um amplo espaço exterior chamado *Pátio dos Gentios*. Nele podia entrar qualquer judeu ou gentio. O pátio seguinte era *o Pátio das Mulheres*. As mulheres não podiam ir além desse pátio. Logo vinha o pátio chamado *o Pátio dos Israelitas*. Aqui era onde se reunia a congregação nas grandes ocasiões e dali entregavam as oferendas aos sacerdotes. A outra palavra importante é *naos*, que significa *o templo propriamente dito*, que se levantava no pátio dos sacerdotes. Toda a área, incluindo os diferentes pátios, era recinto sagrado (*hieron*). O edifício especial levantado no pátio dos sacerdotes era o templo (*naos*).[13] Três verdades são aqui destacadas:

Em primeiro lugar, *o propósito da casa de Deus*. Jesus vai ao templo e observa tudo (11.11). William Hendriksen diz que nada escapou à Sua checagem. Ele captou as impressões que conduziriam às ações do dia seguinte.[14] No outro dia, ele volta e faz uma faxina na casa de Deus. A casa de Deus tinha perdido a razão de ser. Os sacerdotes tinham transformado a casa de Deus num mercado. O lucro tinha substituído o relacionamento com Deus.

Jesus, então, declara que a Sua casa não deveria ser um lugar para excluir as pessoas pela barreira do comércio, mas um lugar de oração para todos os povos. Jesus chama a casa de Deus de Sua casa. Ele é o próprio Deus. E Ele tem zelo pela Sua casa. No começo do Seu ministério, Ele pegou o chicote e expulsou os vendilhões do templo. Agora, no final do Seu ministério, Ele vira as mesas e declara que a Sua casa precisa cumprir o propósito de aproximar as pessoas de Deus em vez de afastá-las.

A casa de Oração tinha sido transformada em covil de salteadores. Warren Wiersbe, citando Campbell Morgan, diz que "o covil dos salteadores" é o lugar para onde os ladrões correm quando desejam se esconder".[15] Em vez de as pessoas buscarem o templo para romperem com o pecado, elas estavam tentando se esconder da consequência do

---

[13]BARCLAY, William. *Marcos*, 1974, p. 283,284.
[14]HENDRIKSEN, William. *Marcos*, 2003, p. 557.
[15]WIERSBE, Warren W. *Be Diligent*, 1987, p. 113.

pecado no templo. O templo estava se transformando num esconderijo de ladrões.

Em segundo lugar, *a secularização da casa de Deus*. O templo estava se transformando num mercado, numa praça de comércio. Os negociantes se instalaram dentro da casa de Deus para vender os seus produtos para os rituais do culto. Os sacerdotes mancomunados com eles rejeitavam os sacrifícios que as pessoas traziam, forçando os adoradores a comprarem os animais para o sacrifício dos feiristas do templo.

Moedas estrangeiras não eram aceitas para pagar o tributo do templo nem para fazer outras transações no templo. Consequentemente, aqueles que vinham a Jerusalém adorar, precisavam trocar o seu dinheiro e ali estavam os cambistas instalados, sempre cobrando uma taxa exorbitante; repassando parte desse lucro aos sacerdotes, ministros do templo.[16]

O templo havia perdido o seu propósito. Em vez de ser lugar de oração, era lugar da busca desenfreada do lucro. Mamom tinha tomado o lugar de Deus. Eles mudaram o chamado de Deus para celebrar sua glória em rentável comércio. E, assim fazendo: colocam Deus a serviço do pecado.[17] Jesus, então, faz uma faxina no templo. Três erros foram corrigidos:

Jesus acaba com o comércio no templo. Ele expulsou os que ali vendiam e compravam. O culto havia se desviado do seu propósito. A religião havia se corrompido. A fé estava mercantilizada. Deus havia sido substituído pelo dinheiro. A oração tinha sido substituída pelo lucro. Hoje, vemos ainda igrejas se transformando em empresas particulares, o púlpito num balcão, o templo numa praça de barganha, o evangelho num produto e os crentes em consumidores.

Jesus acaba com a exploração no templo. Ele vira a mesa dos cambistas. Esses mercenários, conluiados com os sacerdotes, cobravam altas taxas dos estrangeiros que vinham adorar, na hora de trocar a moeda. Outros vendiam animais para o sacrifício com valores exorbitantes. Os sacerdotes tinham participação nesses lucros.

Jesus acaba com a passarela no templo. Algumas pessoas estavam usando o lugar do templo para transportar os seus produtos. A casa de Deus

---

[16] HENDRIKSEN, William. *Marcos*, 2003, p. 572,573.
[17] JEREMIAS, Joaquim. *New Testament Theology*, 1971, p. 145.

estava se transformando numa feira livre, num corredor de comércio, numa via pública para transportar mercadorias. Jesus acaba com essa prática vil.

Em terceiro lugar, *a purificação da casa de Deus*. Marcos usa três verbos fortes para descrever a ação de Jesus na limpeza do templo: ele expulsou, derribou e não permitiu. O rei Josias purificou o templo. Neemias jogou os móveis de Tobias na rua. Jesus usou o chicote para expulsar os vendilhões no templo (Jo 2.13-17). Agora, vira as mesas e expulsa novamente os vendilhões e cambistas. Contrário às expectativas de muitos de que o Messias purificaria Jerusalém dos gentios, Jesus queria purificá-la para os gentios, diz Dewey Mulholland.[18] Hoje, precisamos também fazer uma limpeza na casa de Deus de tudo aquilo que não faz parte do culto ao Senhor. Ao amaldiçoar a figueira e purificar o templo, Jesus realizou dois atos simbólicos e proféticos, com um sentido. Ele estava predizendo a destruição do infrutífero Israel. Não que estivesse "desistindo dos judeus", mas que, no lugar desse povo, um reino internacional e eterno seria estabelecido. Esse reino produziria não somente folhas, mas também frutos, recolhidos entre os judeus e os gentios.[19]

A autoridade do Messias (11.18,19,27-33)

Destacamos cinco pontos nesse texto:

Em primeiro lugar, *um plano maligno* (11.18). Os principais sacerdotes e escribas, em vez de se arrependerem, endureceram ainda mais o coração. Em vez de obedecerem ao Messias, tramaram sua morte.

Em segundo lugar, *uma pergunta maliciosa* (11.27,28). Os líderes do templo e do culto buscam um meio para acusarem o Messias. Querem encontrar uma causa legítima para O condenarem à morte.

Em terceiro lugar, *uma contra pergunta corajosa* (11.29,30). A pergunta de Jesus não foge do foco. O batismo de João tinha tudo a ver com sua autoridade. João era um profeta de Deus, reconhecido pelo povo, e eles rejeitaram a mensagem de João. Se eles respondessem não,

---

[18] MULHOLLAND, Dewey M. *Marcos: Introdução e Comentário*, 2005, p. 175.
[19] HENDRIKSEN, William. *Marcos*, 2003, p. 561.

o povo os condenaria. Se eles respondessem sim, estariam reafirmando a autoridade divina de Jesus.

Em quarto lugar, *uma farsa dolorosa* (11.31-33). Os principais sacerdotes, escribas e anciãos, encurralados pela pergunta de Jesus, preferiram mentir para não enfrentar a verdade. Abafaram a voz da consciência, taparam os ouvidos à verdade e mergulharam nas sombras espessas da hipocrisia.

Em quinto lugar, *uma firmeza gloriosa*. Jesus não entrou numa discussão infrutífera com os inimigos nem perdeu tempo com suas perguntas de algibeira.

38

O drama de Jesus em Jerusalém

Marcos 12.1-44

TRÊS VERDADES podem ser apresentadas na introdução desse assunto:

Em primeiro lugar, *as oportunidades podem ser perdidas para sempre*. Israel foi escolhido por Deus para desempenhar um papel importante na história: ser luz para as nações. Contudo, esse povo desobedeceu a Deus, perseguiu os seus profetas, rejeitou a mensagem e perdeu sua oportunidade. Jesus conta essa parábola para revelar aos líderes aonde seus pecados iriam conduzi-los. Eles já tinham permitido que João Batista fosse morto, mas em breve, eles mesmos iriam clamar pela morte do Filho de Deus.[1]

Em segundo lugar, *a religião pode transformar-se num sistema corrompido*. Os líderes religiosos, em vez de promoverem a verdadeira adoração a Deus, transformaram a estrutura religiosa num esquema para buscarem o lucro. O templo perdeu seu sentido. O culto foi secularizado. Os rituais sagrados foram esvaziados e o povo afastado de Deus.

Em terceiro lugar, *os homens jamais podem frustrar os planos de Deus*. Israel fracassou no seu propósito, mas Deus não. Ele escolheu para si um povo, procedente de todas as nações para adorar o Seu nome e proclamar Sua Palavra até os confins da terra.

---
[1] WIERSBE, Warren W. *Be Diligent*, 1987, p. 115.

Uma parábola de Jesus sobre o **amor rejeitado** (12.1-12)

Essa parábola, contada por Jesus, tem algumas lições solenes:

Em primeiro lugar, *o privilégio de Israel, o povo amado de Deus* (12.1). Depois de entrar no templo (11.11), purificá-lo (11.15) e discutir a questão da autoridade no templo (11.27), a parábola da vinha também gira em torno dEle, pois, de acordo com os escritores antigos, como Josefo e Tácito, havia por sobre o pórtico do santuário herodiano uma grande videira dourada. O Talmude também aplicava o ramo da videira ao templo de Jerusalém. Portanto, os endereçados são os representantes do templo.[2]

Israel é a vinha de Deus. Ele chamou esse povo não porque era o mais numeroso, mas por causa do seu amor incondicional. Deus cercou Israel com seu cuidado: libertou, sustentou, guiou e o abençoou. Deus plantou essa vinha. Cercou-a com uma sebe. Construiu nela um lagar. Colocou uma torre. Toda a estrutura estava pronta. Nada ficou por fazer. Tudo Deus fez pelo Seu povo.

John Charles Ryle diz que Deus deu a Israel suas boas leis e ordenanças. Enviou-o a uma boa terra. Expulsou dela as sete nações. Deus passou por alto os grandes impérios e demonstrou seu profundo amor a esse pequeno povo. Nenhuma família debaixo do céu recebeu tantos privilégios quanto a família de Abraão (Am 3.2). De igual forma, Deus tem revelado a nós também o Seu amor sendo nós pecadores. Nada merecemos de Deus e ainda assim, Ele demonstra a nós Sua imensa bondade e misericórdia.[3]

Em segundo lugar, **Deus tem direito de buscar frutos na vida do Seu povo** (12.2). A graça nos responsabiliza. Deus esperava frutos de Israel. Mas Israel tornou-se uma videira brava (Is 5.1-7). Servo após servo veio a Israel procurando frutos e foi despedido vazio. Profeta após profeta foi enviado a eles, mas em vão. Milagre após milagre foi operado entre eles sem nenhum resultado. Israel só tinha folhas e não frutos (11.12-14). Deus nos escolheu em Cristo para darmos frutos (Jo 15.8).

---
[2] POHL, Adolf. *Evangelho de Marcos*, 1998, p. 336.
[3] RYLE, John Charles. *Mark*, 1993, p. 181.

Em terceiro lugar, *a rejeição contínua e deliberada do amor de Deus* (12.3-8). Ao longo dos séculos, Deus mandou Seus profetas para falar à nação de Israel, mas eles rejeitaram a mensagem, perseguiram e mataram os mensageiros (2Cr 36.16). Quanto mais Deus demonstrava a eles Seu amor, mais o povo se afastava de Deus e endurecia a sua cerviz. Finalmente, Deus enviou o Seu Filho, mas eles não O receberam (Jo 1.12). Estavam prestes a matar o Filho enviado pelo Pai. Os ouvintes de Jesus, ao mesmo tempo em que ouviam essa parábola, estavam urdindo um plano para matarem o Filho de Deus.

Em quarto lugar, *o juízo de Deus aos que rejeitam seu amor* (12.9-11). Deus pune os rebeldes e passa a vinha a outros. A oportunidade de Israel cessa e aos gentios é aberta a porta da graça. Israel rejeitou o tempo da sua visitação. Rejeitou aquele que poderia resgatá-Lo. A Pedra era um conhecido símbolo do Messias (Êx 17.6; Dn 2.34; Zc 4.7; Rm 9.32,33; 1Co 10.4; 1Pe 2.6-8). Jesus anunciou um duplo veredicto: eles não apenas tinham rejeitado o Filho, mas também tinham rejeitado a Pedra. Só lhes restava então o julgamento.[4] Dewey Mulholland afirma que se corretamente entendida, essa passagem os ajudaria a reconhecer que o Filho, rejeitado pelas autoridades do Templo, virá a ser a "pedra angular" do novo Templo de Deus. Com essa guinada de ênfase na metáfora, Jesus olha para além de Sua morte, para a Sua vindicação na ressurreição, e a edificação de uma nova "casa para todas as nações".[5]

Em quinto lugar, *o endurecimento em vez de quebrantamento* (12.12). Os líderes religiosos interpretaram corretamente a parábola de Jesus, mas não se dispuseram a obedecer a Jesus. Ao contrário, endureceram ainda mais o coração e buscaram uma forma de eliminar Jesus. A retirada deles é apenas para buscar novas estratégias para matarem o Messias. John Charles Ryle alerta para o fato de que esse episódio nos ensina que conhecimento e convicção somente não podem nos salvar. É perfeitamente possível saber que estamos errados e ainda assim

---

[4]WIERSBE, Warren W. *Be Diligent*, 1987, p. 115,116.
[5]MULHOLLAND, Dewey M. *Marcos: Introdução e Comentário*, 2005, p. 181.

estarmos obstinadamente agarrados ao nosso pecado e perecer miseravelmente no inferno.[6]

William Hendriksen sintetiza essa parábola, falando sobre três coisas: os preceitos, a paciência e a punição de Deus. Deus nos plantou para darmos fruto. Ele tem sido paciente na busca desses frutos em nossa vida. Se rejeitarmos a Sua Palavra e seus mensageiros, seremos, então, julgados inexoravelmente.[7]

Um **plano malfadado** para apanhar Jesus em contradição (12.13-34)

Os líderes têm um propósito – matar a Jesus. Precisam encontrar o modo certo de fazê-lo. Decidem, então, fazer-Lhe perguntas embaraçosas, com o fim de colhê-Lo em alguma contradição. Dessa maneira, poderiam acusá-Lo e levá-Lo à morte. Os líderes fizeram três tentativas malfadadas:

Em primeiro lugar, *a questão do tributo*. Essa abordagem propicia-nos algumas lições importantes:

As forças opostas se unem para atacarem Jesus (12.13). Os fariseus e os herodianos eram inimigos irreconciliáveis. Estavam em lados opostos, mas quando se tratou de condenar Jesus, eles se uniram. Forças opostas se unem contra a verdade. Uma ameaça em comum, diz Warren Wiersbe, forçou dois inimigos a se unirem. Os herodianos apoiavam a família de Herodes que recebera poder de Roma para governar e cobrar impostos. Os fariseus, contudo, consideravam Herodes um usurpador do trono de Davi. Eles se opunham à taxa de impostos que os romanos tinham colocado sobre a Judeia e assim se ressentiam da presença de Roma em sua terra.[8] John Charles Ryle diz que as pessoas do mundo e aquelas que professam uma religião vazia e formal não têm nenhuma simpatia um pelo outro. Eles não gostam dos princípios uns dos outros e desprezam o caminho uns dos outros. Contudo, há uma coisa que ambos desgostam mais, que é o puro evangelho de Jesus

---

[6]RYLE, John Charles. *Mark*, 1993, p. 184.
[7]HENDRIKSEN, William. *Marcos*, 2003, p. 601-603.
[8]WIERSBE, Warren W. *Be Diligent*, 1987, p. 116.

Cristo. E, então, onde quer que haja uma chance de se opor ao evangelho, veremos esses dois grupos antagônicos agindo juntos em aliança para resistirem a Cristo.[9]

A bajulação é uma arma do inimigo (12.14,15). A armadilha é camuflada com lisonja.[10] Os inimigos de Jesus rasgam-Lhe desabridos elogios, numa linguagem insincera e hipócrita. Jesus, porém, tira a máscara de Seus inquiridores e expõe sua hipocrisia.

Uma pergunta maliciosa (12.12-14). Eles estavam seguros de que qual fosse a resposta de Jesus, Ele estaria em situação embaraçosa. Se Jesus respondesse sim, o povo estaria contra Ele, pois seria visto como alguém que apoia o sistema romano idólatra. Se respondesse não, Roma estaria contra Ele e os herodianos se apressariam em denunciá-Lo às autoridades romanas, acusando-O de rebelião (Lc 23.2).[11] Se sua resposta fosse sim, perderia Sua credibilidade junto ao povo. Se sua resposta fosse não, seria acusado de insubordinado e rebelde contra Roma.

Uma resposta desconcertante (12.16,17). Jesus não absolutiza o poder de Roma nem isenta de responsabilidade o povo do seu compromisso com Deus. Somos cidadãos de dois reinos. Devemos lealdade tanto a um quanto ao outro. Devemos pagar nossos tributos, bem como devolver o que é de Deus. O governo humano é estabelecido por Deus para o nosso bem (Rm 13.1; 1Tm 2.1-6; 1Pe 2.13-17). Mesmo que a pessoa que ocupa o ofício não seja digna de respeito, o ofício que ela ocupa deve ser respeitado.[12] Adolf Pohl diz que Jesus rejeitou a tendência de ver o diabo no Estado tanto quanto a de divinizá-lo. Demonizar pessoas ou instituições humanas são atitudes injustas.[13]

Dewey Mulholland corretamente comenta que Jesus não responde à pergunta deles: "Devemos pagar *didomi*? Antes, Ele ordena: "Dai (*apodidomi, devolvei*)"; a implicação é de que o tributo é uma dívida (Rm 13.7). Jesus reconhece que o imperador tem direitos e que o cidadão tem deveres para com o governo em troca dos benefícios recebidos.

---

[9]Ryle, John Charles. *Mark*, 1993, p. 184.
[10]Mulholland, Dewey M. *Marcos: Introdução e Comentário*, 2005, p. 182.
[11]Mulholland, Dewey M. *Marcos: Introdução e Comentário*, 2005, p. 182
[12]Wiersbe, Warren W. *Be Diligent*, 1987, p. 117.
[13]Pohl, Adolf. *Evangelho de Marcos*, 1998, p. 346.

Isso significa que os cidadãos devem lealdade e apoio ao Estado em troca de seu serviço para o bem comum. "E a Deus o que é de Deus", diz Jesus, completando sua resposta. Não há dúvida de que Ele pretende recordar aos fariseus que Deus criou o homem à sua imagem (Gn 1.27). Tudo que tem a imagem de Deus pertence a Ele, o Sustentador da vida e a fonte de toda boa dádiva (Rm 14.7-12; Tg 1.17).[14] William Barclay nessa mesma linha de pensamento diz:

> A moeda tinha gravada a imagem de César, consequentemente pertencia a César. O homem leva sobre si a imagem de Deus – Deus o criou à sua imagem (Gn 1.26,27) – portanto, ele pertence a Deus. A conclusão inevitável é que, se o Estado permanece dentro de seus próprios limites e faz as demandas que lhe são próprias, o indivíduo deve dar-lhe lealdade e seu serviço, mas em última análise, tanto o Estado quanto o homem pertencem a Deus.[15]

Assim, a armadilha deles falhou e eles não podem acusar Jesus nem de sedição nem de se curvar a Roma. Jesus rejeitou todas as tentativas de divinizar o Estado ou atribuir divindade a uma pessoa. Jesus reconhece a legitimidade do poder político constituído sem absolutizá-lo. Nessa mesma trilha de pensamento, Lane afirma que os deveres em relação a Deus e a César, mesmo que distintos, não estão completamente separados, mas unidos e governados pelo princípio superior de se fazer a vontade de Deus em todas as coisas.[16] Em síntese, Jesus diz para os orgulhosos fariseus não se omitirem em seu dever com César e aos mundanos herodianos a não se omitirem em seu dever com Deus.[17]

Em segundo lugar, ***a questão da ressurreição*** (12.18-27). Dewey Mulholland diz que uma delegação de saduceus espera que uma pergunta teológica possa ter sucesso onde uma armadilha política falhou.[18] Essa passagem ensina-nos várias lições solenes:

---

[14]MULHOLLAND, Dewey M. *Marcos: Introdução e Comentário*, 2005, p. 183.
[15]BARCLAY, William. *Marcos*, 1974, p. 298.
[16]LANE, Williams. *Gospel according to Mark*, 1974, p. 425.
[17]RYLE, John Charles. *Mark*, 1993, p. 186.
[18]MULHOLLAND, Dewey M. *Marcos: Introdução e Comentário*, 2005, p. 184.

O perigo de os hereges assumirem a liderança religiosa da nação (12.8). Esse é o único lugar no evangelho de Marcos em que os saduceus são mencionados. Os saduceus formavam a classe aristocrática da religião judaica. Muitos deles eram sacerdotes e ricos. Essa aristocracia sacerdotal colaborou com as autoridades romanas e, no processo, ficou rica e orgulhosa da posição secular que conquistou. Contrariamente aos fariseus, que aceitavam tanto a lei escrita quanto a lei oral, eles só aceitavam o Pentateuco e negavam as tradições orais. Eles sentiam-se ameaçados pelas ações de Jesus no Templo, pois o poder deles e a manutenção de sua riqueza dependiam do Templo.[19] Aqueles que ocupavam as funções mais importantes da religião judaica eram hereges doutrinariamente: negavam a vida depois da morte, a doutrina da ressurreição, a existência da alma, a existência dos anjos e demônios, e o julgamento final (At 23.8). Os saduceus eram os liberais de hoje. Eles eram tidos como os intelectuais da época, mas negavam os fundamentos essenciais da fé.

Uma pergunta maliciosa (12.19-23). Eles fazem uma pergunta, usando um caso hipotético e absolutamente improvável, referindo-se à prática do levirato. Sete irmãos casaram-se com a mesma mulher. Na ressurreição, perguntam, quem vai ser o marido dessa mulher, visto que os sete a desposaram? A pergunta hipotética deles não era sincera. Eles nem acreditavam na doutrina da ressurreição. Eles estavam propondo um enigma para Jesus para colocá-Lo num beco sem saída. John Charles Ryle diz que nós devemos estar apercebidos acerca de três coisas em relação aos incrédulos: Primeiro, eles sempre vão procurar nos pressionar com dificuldades e coisas espirituais difíceis de explicar; segundo, eles vão lançar mão de argumentos desonestos. Esses contendores negam a Bíblia sem conhecê-la. Terceiro, eles têm uma consciência e muitas vezes enquanto falam sabem que estão errados.[20]

Uma resposta esclarecedora (12.24-27). A resposta de Jesus sinaliza vários fatos importantes:

A primeira coisa é que a heresia é consequência do desconhecimento das Escrituras, bem como do poder de Deus. Os saduceus pensaram

---

[19] MULHOLLAND, Dewey M. *Marcos. Introdução e Comentário*, 2005, p. 185.
[20] RYLE, John Charles. *Mark*, 1993, p. 188.

que eram espertos, mas Jesus revelou a ignorância deles em duas coisas: o poder de Deus e a verdade da Escritura. William Hendriksen diz que se eles conhecessem as Escrituras, saberiam que não existe nada em Deuteronômio 25.5,6 que se aplique à vida futura, e também saberiam que o Antigo Testamento, em várias passagens, ensina a ressurreição do corpo. E, se conhecessem o poder de Deus (Rm 4.17; Hb 11.19), teriam entendido que Deus é capaz de ressuscitar os mortos de tal modo que o casamento não seja mais necessário.[21] Eles laboravam em erro porque não conheciam as Escrituras nem o poder de Deus. A verdade desse princípio pode ser constatada ao longo da hgistória. A reforma nos dias do rei Josias foi intimamente relacionada com o livro da lei. As falsas doutrinas dos judeus nos dias de Jesus foram resultado da negligência da Escritura. A idade das trevas na história da igreja aconteceu quando a Palavra de Deus foi retirada das mãos do povo. A reforma protestante vingou quando a Palavra de Deus foi traduzida e colocada nas mãos do povo. As igrejas mais consistentes na vida e no testemunho são aquelas que estão comprometidas com a Palavra de Deus. As pessoas mais piedosas são aquelas que mais se dedicam ao estudo e observância da Palavra de Deus.[22]

Os saduceus professavam crer na lei de Moisés, mas desconheciam seu ensino sobre a doutrina da ressurreição. A ressurreição não é a restauração da vida como nós a conhecemos, mas a entrada em uma nova vida que é diferente.[23] Na ressurreição há uma continuidade e uma descontinuidade. É a mesma pessoa quem ressuscita, mas com um novo corpo, glorioso, poderoso e celestial. Os saduceus, porém, estavam apegados às tradições humanas e não à Palavra de Deus. Eles desconheciam o ensino bíblico sobre ressurreição, vida futura e também sobre o casamento. Eles eram analfabetos da Bíblia e queriam embaraçar o Mestre dos mestres com perguntas capciosas.

A segunda coisa é que a morte coloca um fim no relacionamento conjugal. O casamento é uma relação apenas para esta vida. Não existe

---

[21]HENDRIKSEN, William. *Marcos*, 2003, p. 616.
[22]RYLE, John Charles. *Mark*, 1993, p. 189.
[23]WIERSBE, Warren W. *Be Diligent*, 1987, p. 117.

casamento eterno. A morte é o fim do relacionamento conjugal. Marido e mulher são uma só carne, mas não são um só espírito. Se fossem, a morte não poderia dissolver a relação conjugal. O ensino mórmon sobre casamento eterno, portanto, é uma heresia. Na vida futura não haverá relacionamento conjugal, nem necessidade de procriação para a preservação da raça.

A terceira coisa é que a morte, porém, não coloca um fim ao nosso relacionamento com Deus. Jesus corrige a teologia distorcida dos saduceus que entendiam ser a morte um sinônimo de extinção. Abraão, Isaque e Jacó já estavam mortos, quando Deus se revelou a Moisés na sarça ardente, dizendo: *Eu sou o Deus de Abraão, Isaque e Jacó* (Mt 22.32). Para Deus, eles estão vivos. A morte não interrompeu a relação de Deus com eles, como interrompeu o relacionamento deles com seus respectivos cônjuges. Esse registro de Moisés revela que Moisés acreditava piamente na vida depois da morte. Os mesmos saduceus que professavam crer em Moisés erravam por não conhecer o ensino de Moisés.

Em terceiro lugar, *a questão do maior mandamento da Lei* (12.28-34). Veremos alguns pontos de destaque :

Uma pergunta nevrálgica. Tendo silenciado os saduceus e fariseus, quem se aproxima agora para interrogar Jesus é um escriba. Os escribas tinham determinado que os judeus eram obrigados a obedecer a 613 preceitos da lei; 365 preceitos negativos e 248 positivos. Um de seus exercícios favoritos era discutir qual desses mandamentos era o mais importante.[24] Esse doutor da lei quer saber qual é o principal mandamento da Lei de Deus.

Uma resposta magnífica. A resposta de Jesus não consiste em um pensamento novo, mas na recordação daquilo que todo homem judeu pronunciava a cada manhã e a cada noite, *o shema* (Dt 6.4-6). Ao dizer o *shema* para esse homem, Jesus o remete de volta à sua existência como Israel. Você continua sendo Israel, simplesmente por parar para ouvir: *Ouve, ó Israel!* A partir disso, você vive em uma relação especial com Deus: *o Senhor, nosso Deus*. A partir dele, você recebe a instrução sobre

---

[24] WIERSBE, Warren W. *Be Diligent*, 1987, p. 118.

o que fazer. Depois que você é o Israel amado, você amará.²⁵ Jesus sintetizou a lei no amor e não em preceitos e rituais. Amor a Deus e ao próximo é o fim último da lei. Quem ama cumpre a lei. Jesus foge do legalismo dos fariseus que impunha fardos pesados sobre os homens e os atormentava com uma infinidade de regras e preceitos. O fato novo abordado por Jesus foi unir esses dois mandamentos. Isso nenhum rabino havia feito até então, diz William Barclay.²⁶

Uma constatação iluminadora. Mediante a resposta de Jesus, o escriba compreendeu que o amor é mais importante que todos os holocaustos e sacrifícios. O véu estava sendo removido da face desse doutor da lei. Ele estava enxergando com os olhos da fé a verdade divina. Deus está mais interessado em pessoas do que em rituais.

Uma afirmação surpreendente. Jesus disse que aquele escriba não estava longe do Reino de Deus. A compreensão exata das coisas de Deus aproxima as pessoas do reino, mas não é suficiente para introduzi-las nele. Nicodemos era mestre em Israel, mas não tinha nascido de novo e por isso ainda estava fora do Reino de Deus (Jo 3.3,5).

A pergunta de Jesus (12.35-37)

Jesus, de inquirido, passa a inquiridor (12.35). Ele, agora, parte para o contra-ataque. Ele começa a interrogar os escribas. E nesse ponto Ele chegou ao apogeu da discussão. As perguntas versaram sobre tributo, ressurreição e amor. Contudo, agora toca na Pessoa de Cristo. Essa é a maior questão: quem é Jesus? Warren Wiersbe diz que essa é a maior questão porque se nós estivermos errados sobre Jesus, estaremos errados sobre a salvação, perdendo, assim, nossa própria alma.²⁷

Jesus é ao mesmo tempo filho de Davi e Senhor de Davi. Ele veio da descendência de Davi segundo a carne, mas Ele precede a Davi, é o Senhor de Davi e Seu reino jamais terá fim.

O mesmo Jesus que ocultou durante o Seu ministério a Sua verdadeira identidade, rogando às pessoas para não dizerem ao povo quem

---

[25] POHL, Adolf. *Evangelho de Marcos*, 1998, p. 351,352.
[26] BARCLAY, William. *Marcos*, 1974, p. 306.
[27] WIERSBE, Warren W. *Be Diligent*, 1987, p. 119.

ele era, agora, revela-a com diáfana clareza. Chegara o tempo de cumprir cabalmente a Sua missão. Ele está indo para a cruz, mas sabe que é o Filho de Davi, o Messias prometido, cujo reinado não tem fim.

A advertência de Jesus (12.38-40)

Jesus alerta para três fatos:

Em primeiro lugar, *o exibicionismo religioso condenado por Jesus* (12.38-40). Os escribas tentavam demonstrar sua espiritualidade no vestuário e nas palavras. Vestiam-se impecavelmente e falavam de forma muito piedosa. Eles gostavam de aparecer, por isso tomavam as primeiras cadeiras nas sinagogas e os primeiros lugares nos banquetes. Jesus, porém, adverte: *Guardai-vos dos escribas.*

Em segundo lugar, *a hipocrisia religiosa desmascarada por Jesus* (12.40). Depois de mostrar os enganos teológicos e os erros dos vários grupos de líderes religiosos, Jesus adverte sobre a hipocrisia.[28] Os escribas com todo esse aparato de piedade externa devoravam as casas das viúvas. Adolf Pohl diz que como as viúvas, por serem mulheres, não eram emancipadas perante a lei, precisavam do auxílio de um homem para administrar legalmente o inventário do marido morto. Nessas circunstâncias, os professores da Lei, versados no direito, em vez de defender a causa das viúvas, roubavam os seus bens.[29] Eles quebravam o mandamento mais importante da lei que é o amor. Eles eram gananciosos.

Eles viviam para explorar os fracos em vez de ensiná-los. Os escribas tentavam acobertar os seus pecados de avareza e exploração, fazendo longas orações. Eles estavam no lado oposto daquele escriba que chegara à conclusão que o amor é melhor do que todos os holocaustos e sacrifícios (12.33).

Em terceiro lugar, *o juízo inevitável proclamado por Jesus* (12.40). Os escribas sofrerão maior juízo, porque eles eram os doutores da lei. Eles tinham um profundo conhecimento da verdade. Eles eram mestres. Eles tinham a cabeça cheia de luz, mas o coração vazio de amor.

---

[28]MULHOLLAND, Dewey M. *Marcos: Introdução e Comentário*, 2005, p. 191.
[29]POHL, Adolf. *Evangelho de Marcos*, 1998, p. 358.

A observância de Jesus (12.41-44)

Esse texto destaca três lições importantes:

Em primeiro lugar, ***Jesus observa aqueles que vão ao gazofilácio*** (12.41). Jesus não apenas está presente no templo, mas Ele observa os adoradores. E Ele observa atentamente como o povo traz suas ofertas. Ele vê o coração e o bolso. Ele vê quanto cada um entrega e também a motivação com que cada um oferta.

Em segundo lugar, ***Jesus não Se impressiona com quantidade, Ele espera proporcionalidade*** (12.41-44). Jesus não Se impressionou com as grandes quantias depositadas pelos ricos no gazofilácio, mas destacou as duas moedas da viúva. A questão não é o quanto damos, mas quanto retemos. A questão não é a porção que damos, mas a proporção. Cole diz que Jesus qualifica o sacrifício como grande ou pequeno não pela quantia dada, mas pela quantia retida para nós mesmos.[30] O sistema de valores de Jesus inverte completamente conceitos como "maior é melhor" e "dar com vistas a receber".[31] Os ricos deram a sobra, mas a viúva deu uma oferta sacrifical. A Bíblia nos ensina a trazer a Deus as primícias. Devemos honrá-Lo com as primícias de toda a nossa renda (Pv 3.9). O dízimo não é sobra, é primícia. O dízimo não é oferta, é dívida. Não damos dízimo, pagamo-lo. Retê-lo é roubo (Ml 3.9). O dízimo não é o máximo, é o mínimo. Não fazemos nenhum favor para Deus entregando o que é dEle. Não temos o direito de reter o dízimo nem de subtraí-lo. Não temos o direito de administrar o dízimo nem de subestimá-lo.

Jesus continua observando aqueles que trazem suas ofertas ao gazofilácio. Ele conhece nossa renda. Ele conhece o nosso salário. Ele sabe se estamos trazendo o dízimo e se estamos sendo generosos nas ofertas.

Em terceiro lugar, ***o que é desprezível aos olhos humanos, é grandioso aos olhos de Deus*** (12.44). Jesus disse que aquela viúva deu mais que os ricos, porque ela deu tudo. Sua confiança estava no provedor e não na provisão. Não devemos comparecer diante de Deus de mãos vazias.

---

[30] COLE, R. A. *Gospel according to Mark*. Tyndale Press, 1961, p. 166.
[31] MULHOLLAND, Dewey M. *Marcos: Introdução e Comentário*, 2005, p. 193.

Ele não vê apenas o que temos em nossas mãos, mas o que trazemos em nosso coração. Na matemática de Deus o pouco pode ser muito e o muito pouco. Na matemática de Deus o que conta não é a quantidade, mas a fidelidade, a prodigalidade do amor.

39

A segunda vinda de Cristo

Marcos 13.1-37

A SEGUNDA VINDA DE CRISTO É O ASSUNTO MAIS ENFATIZADO em toda a Bíblia. Há cerca de trezentas referências sobre a primeira vinda de Cristo na Escritura e oito vezes mais sobre a segunda vinda, ou seja, há mais de 2.400 referências sobre a segunda vinda em toda a Bíblia.

A segunda vinda de Cristo é o assunto mais distorcido e o mais desacreditado. Muitos falsos mestres negam que Jesus voltará. Outros tentam enganar as pessoas marcando datas. Contudo, outros dizem crer na segunda vinda de Cristo, mas vivem como se Ele jamais fosse voltar.

O **deslumbramento** dos discípulos e a declaração de Jesus (13.1,2)

Os discípulos ficaram admirados com a magnificência do templo. Ele não tinha paralelos em seu tempo quanto à arquitetura e magnificência. Aquele majestoso templo de mármore branco, bordejado de ouro, o terceiro templo de Jerusalém era um dos mais belos monumentos arquitetônicos do mundo. O grande e belo templo era o centro da vida nacional de Israel, o símbolo da relação da nação com Deus.

Adolf Pohl diz que o discípulo anônimo revela mais do que admiração arquitetônica, mas expressa seu assombro religioso, sua fé na indestrutibilidade desse templo.[1]

Dewey Mulholland diz que, na sua primeira visita, Jesus dá uma olhada e logo se retira do templo (11.11). Nas visitas subsequentes, Ele interrompe as atividades (11.1225), define e defende sua autoridade acima e contra àquela do templo (11.17–12.44). Agora, ao deixar o templo pela última vez (13.1), Jesus prepara os Seus seguidores para a destruição do mesmo.[2] O mesmo escritor esclarece: A liderança do templo em Jerusalém era irreverente nos rituais (11.15s.), confusa na teologia (11.27–12.37) e corrompida na ética (12.38-40).[3]

A predição de Jesus de que não ficaria pedra sobre pedra cumpriu-se no ano 70 d.C., literalmente. O templo foi arrasado pelos romanos quarenta anos depois no terrível cerco de Jerusalém.

John Charles Ryle diz que nós devemos aprender dessa solene profecia de Jesus que a verdadeira glória da igreja não consiste em seus prédios de adoração pública, mas na fé e piedade de seus membros.[4]

A profecia acerca da **destruição de Jerusalém** e da **segunda vinda** (13.3,4)

Os discípulos perguntam quando e que sinal haveria quando todas essas coisas estivessem para acontecer. A resposta de Jesus tem a ver com a destruição de Jerusalém e também com a segunda vinda, a consumação dos séculos. William Hendriksen diz que Jesus fez uma conexão entre o julgamento sobre a nação judaica e o julgamento final. O primeiro era um tipo, uma sombra do segundo.[5] A destruição do templo é um símbolo do que vai acontecer na segunda vinda.

William Hendriksen diz que o cumprimento dessa profecia de Jesus da destruição do templo aconteceu quando os judeus se rebelaram

---

[1]POHL, Adolf. *Evangelho de Marcos*, 1998, p. 363.
[2]MULHOLLAND, Dewey M. *Marcos: Introdução e Comentário*, 2005, p. 193.
[3]MULHOLLAND, Dewey M. *Marcos: Introdução e Comentário*, 2005, p. 205.
[4]RYLE, John Charles. *Mark*, 1993, p. 201.
[5]HENDRIKSEN, William. *Marcos*, 2003, p. 651.

contra os romanos. Jerusalém foi invadida e dominada por Tito, filho do imperador Vespasiano (69-79 d.C.). O templo foi destruído. Alguns historiadores creem que mais de um milhão de judeus, que tinham ocupado a cidade como refugiados, pereceram. Ernesto Trenchard diz que essa invasão romana deu-se na época da Páscoa, quando a cidade estava abarrotada de gente.[6] Israel deixou de existir como unidade política. Como uma nação especialmente favorecida por Deus, ela havia chegado ao fim da estrada, mesmo antes do começo da Guerra Judaica.[7] Flavio Josefo, no seu livro *História da Guerra Judaica*, diz que enquanto o santuário ardia em chamas [...] não se demonstrava nenhuma piedade ou respeito para com a idade das pessoas. Muito ao contrário. Crianças e anciãos, leigos e sacerdotes, todos eram massacrados (VI. 271).

Os sinais da segunda vinda de Cristo

Os sinais da segunda vinda de Cristo podem ser classificados como segue:

Em primeiro lugar, ***o sinal que mostra a graça de Deus*** (13.10). Jesus disse: *Mas é necessário que primeiro o evangelho seja pregado a todas as nações*. Observe alguns pontos importantes aqui:

O que deve ser pregado é o evangelho. O evangelho é a mensagem de salvação divina, pela graça, por meio da fé em Cristo Jesus.

O evangelho deve ser pregado a todas as nações. Desde o início, os gentios foram incluídos no plano de Deus. Cristo morreu para salvar os que procedem de todas as nações. A igreja precisa fazer discípulos de todas as nações. O campo de ação da igreja é o mundo.

A pregação do evangelho é um mandamento claro de Jesus. Jesus diz que a pregação é necessária antes que venha a consumação de todas as coisas. A pregação é o instrumento estabelecido por Deus para chamar os eleitos.

Jesus morreu para comprar aqueles que procedem de toda tribo, raça, povo, língua e nação (Ap 5.9). A evangelização das nações é um sinal que deve preceder a segunda vinda de Cristo. A igreja deve aguardar e apressar o dia da vinda de Cristo (2Pe 3.12). Não há uma promessa

---

[6]TRENCHARD, Ernesto. *Una Exposición del Evangelio según Marcos*, 1971, p. 167.
[7]HENDRIKSEN, William. *Marcos*, 2003, p. 648.

de que toda pessoa receberá uma oportunidade de ser salva. Jesus está falando das nações do mundo. Está falando que cada uma dessas nações em uma ou outra ocasião durante o curso da história ouvirá o evangelho. Esse evangelho será um testemunho. Aqui não há promessa de segunda oportunidade.

A história das missões mostra que o evangelho tem se estendido do Oriente até o Ocidente. Vejamos:

De Constantino até Carlos Magno (313-800) – as boas-novas da salvação são levadas aos países da Europa ocidental. Nesse tempo os maometanos apagam a luz do evangelho em muitos países da Ásia e África.

De Carlos Magno até Lutero (800-1517) – Noruega, Islândia e Groenlândia são evangelizados e os escravos da Europa oriental se convertem como um só corpo ao cristianismo.

De 1517 até 1792 – Originaram-se muitas sociedades missionárias e o evangelho é levado até o Ocidente.

De 1792 até o presente – É no ano de 1792 que William Carey começa as missões modernas. A evangelização dos povos é ainda uma tarefa inacabada.

Hoje, os meios de comunicação de massa têm acelerado o cumprimento dessa profecia. Bíblias têm sido traduzidas. Missionários têm se levantado. Podemos apressar o dia da vinda de Cristo.

Em segundo lugar, **sinais que indicam oposição a Deus**. Destacamos dois sinais que indicam oposição a Deus:

A perseguição religiosa (13.9,11,12,13,19,20). A vinda de Cristo será precedida de um tempo de profunda angústia e dor. Esse tempo é ilustrado com o tempo do cerco de Jerusalém, onde o povo foi encurralado pelos exércitos romanos e muitos foram mortos à espada. Esse tempo será abreviado por amor aos eleitos. A igreja passará pela grande tribulação. Será o tempo da angústia de Jacó.

A perseguição religiosa (13.9) tem estado presente em toda a história: os judaizantes, os romanos, a intolerância romana, os governos totalitários, o nazismo, o comunismo, o islamismo, as religiões extremistas. No século XX, tivemos o maior número de mártires da história.

A igreja, porém, não precisa temer a perseguição, seja oficial (13.9-11), seja pessoal (13.12,13), pois mesmo que Deus não nos livre da perseguição, Ele nos livrará na perseguição e através dela testemunhamos o evangelho, cumprindo a missão. A pregação e o testemunho desenrolam-se num ambiente hostil. Warren Wiersbe diz que embora não seja fácil para essas pessoas comuns enfrentarem coortes, governadores e reis, elas não precisam temer, porque o Espírito Santo há de ministrar por intermédio delas, onde quer que elas tenham a oportunidade de testemunhar.[8]

A real causa da perseguição é afirmada em Marcos 13.13: *Sereis odiados de todos por causa do meu nome*. Quando nos identificarmos com Jesus Cristo, o mundo passará a nos odiar como odiou a Cristo (Jo 15.20). Dewey Mulholland diz que ódio, conflito e guerra continuarão caracterizando esta era até a vinda do Filho do homem. O período inteiro da história que segue o julgamento do templo é caracterizado por aflição para a humanidade em geral (13.5-8), e por perseguição da igreja que cumpre sua missão entre todas as nações (13.9-13).[9]

O engano religioso (13.5,6,21-23). É significativo que o primeiro sinal que Cristo apontou para a Sua segunda vinda tenha sido o surgimento de falsos messias, falsos profetas, falsos cristãos, falsos ministros, falsos irmãos, pregando e promovendo um falso evangelho nos últimos dias. Cristo declarou que um falso cristianismo vai marcar os últimos dias. Estamos vendo o ressurgimento do antigo gnosticismo, de um novo evangelho, de outro evangelho, de um falso evangelho nestes dias.

A segunda vinda será precedida por um abandono da fé verdadeira. O engano religioso vai estar em alta. Novas seitas, novas igrejas, novas doutrinas se multiplicarão. Haverá falsos profetas, falsos cristos, falsas doutrinas e falsos milagres.

Vivemos hoje a explosão da falsa religião. O islamismo domina mais de um bilhão de pessoas. O catolicismo romano também tem um bilhão de seguidores. O espiritismo kardecista e os cultos afro-brasileiros proliferam. As grandes religiões orientais: budismo, hinduísmo e xintoísmo mantêm milhões de pessoas num berço de cegueira espiritual.

---

[8]WIERSBE, Warren W. *Be Diligent*, 1987, p. 125.
[9]MULHOLLAND, Dewey M. *Marcos: Introdução e Comentário*, 2005, p. 197,200.

As seitas orientais e ocidentais têm florescido com grande força. Os desvios teológicos são graves: liberalismo, misticismo, sincretismo. Muitos dos grandes seminários ortodoxos que formaram teólogos e missionários que influenciaram o mundo hoje estão vendidos aos liberais. Muitas igrejas históricas já se renderam ao liberalismo. Há igrejas mortas na Europa, na América e no Brasil, vitimadas pelo liberalismo.

O misticismo está tomando conta das igrejas hoje. A verdade é torcida. A igreja está se transformando numa empresa, o púlpito num balcão, o templo numa praça de barganha, o evangelho num produto de consumo, e os crentes em consumidores.

Em terceiro lugar, **sinais que indicam o juízo divino**. Três são os sinais que indicam o juízo de Deus:

As guerras (13.7,8). Ao longo da história tem havido treze anos de guerra para cada ano de paz. Desde 1945, após a Segunda Guerra Mundial, o número de guerras tem aumentado vertiginosamente. Registram-se mais de trezentas guerras desde então, na formação de nações emergentes e na queda de antigos impérios. A despeito dos milhares de tratados de paz, os últimos cem anos foram denominados o século da guerra. Nos últimos cem anos já morreram mais de 200 milhões de pessoas nas guerras.

Segundo pesquisa do *Reshaping International Order Report,* quase 50% de todos os cientistas do mundo (500.000) estão trabalhando em pesquisas de armas de destruição. Quase 40% dos recursos das nações são colocados na pesquisa e fabricação de armas. Falamos de paz, mas gastamos com a guerra. Gastamos mais de um trilhão de dólares por ano em armas e guerras. Poderíamos resolver o problema da fome, do saneamento básico, da saúde pública e da moradia do terceiro mundo com esse dinheiro.

O mundo está encharcado de sangue. Houve mais tempo de guerra do que de paz. A aparente paz do Império Romano foi subjugada por séculos de conflitos, tensões, e guerras sangrentas. A Europa foi um palco tingido de sangue das guerras encarniçadas. O século XX foi batizado como o século da guerra.

Na Primeira Guerra Mundial (1914-1918), 30 milhões de pessoas foram trucidadas. Ninguém poderia imaginar que no mesmo palco dessa barbárie, vinte anos depois, explodisse outra guerra mundial. A Segunda Guerra Mundial (1939-1945) ceifou 60 milhões de pessoas. Foram gastos mais de um trilhão de dólares.

Hoje, falamos em armas atômicas, nucleares, químicas e biológicas. O mundo está em pé de guerra. Temos visto irmãos lutando contra irmãos e tribo contra tribo na Albânia, Ruanda, Bósnia, Kosovo, Chechênia, Sudão e Oriente Médio. São guerras tribais na África. Guerras étnicas na Europa e Ásia. Guerras religiosas na Europa. A cada guerra, erguemos um monumento de paz para começar outra encarniçada batalha.

Os terremotos (13.8,24,25). Os terremotos sempre existiram, mas alguns deles devem ser vistos como evidência da ira de Deus (Ap 6.12; 8.5; 11.13; 16.18). De acordo com a pesquisa geológica dos Estados Unidos:

- De 1890 a 1930 – houve apenas oito terremotos medindo 6.0 na escala Rischter.
- De 1930 a 1960 – Houve dezoito.
- De 1960 a 1979 – Houve 64 terremotos catastróficos.
- De 1980 a 1996 – Houve mais de duzentos terremotos dramáticos.

O mundo está sendo sacudido por terremotos em vários lugares. Os tufões e maremotos têm sepultado cidades inteiras: Desde o ano 79 d.C., no século I, quando a cidade de Pompeia, na Itália, foi sepultada pelas cinzas do Vesúvio, o mundo está sendo sacudido por terremotos, maremotos, tufões, furacões e tempestades. Em 1755, 60 mil pessoas morreram por um terrível terremoto em Lisboa. Em 1906, um terremoto avassalador destruiu a cidade de São Francisco, na Califórnia. Em 1920, a província de Kansu, na China, foi arrasada por um terremoto. Em 1923, Tóquio foi devastada por um terremoto. Em 1960, o Chile foi abalado por um terremoto que deixou milhares de vítimas. Em 1970, o Peru foi arrasado por um imenso terremoto.

Nos últimos anos, vimos o tsunami na Ásia, invadindo com ondas gigantes cidades inteiras. O furacão Katrina deixou a cidade de *New Orleans* debaixo de água. Dezenas de outros tufões, furacões, maremotos e terremotos têm sacudido os alicerces do planeta Terra, destruído cidades e levando milhares de pessoas à morte.

Só no século XX, houve mais terremotos do que em todo o restante da História. A natureza está gemendo e entrando em convulsão. O aquecimento do planeta está levando os polos a um derretimento que pode provocar grandes inundações, conforme matéria da Revista *Veja* de junho de 2006.

Apocalipse 6.12-17 fala que as colunas do universo são todas abaladas. O universo entra em colapso. Tudo o que é sólido é balançado. Não há refúgio nem esconderijo para o homem em nenhum lugar do universo. O homem desesperado busca fugir de Deus, esconder-se em cavernas e procurar a própria morte, mas nada nem ninguém podem oferecer refúgio para o homem. Ele terá de enfrentar a ira de Deus.

Quando Cristo vier, os céus se desfarão em estrepitoso estrondo. Deus vai redimir a própria natureza do seu cativeiro. Nesse tempo a natureza vai estar harmonizada. Então as tensões vão acabar. A natureza será totalmente transformada.

As fomes (13.8). A fome é um subproduto das guerras (2Rs 25.1-3; Ez 6.11). A fome é causada também por abusos à natureza ou enviada como um juízo de Deus (1Rs 17.1). Gastamos hoje mais de um trilhão de dólares com armas de destruição. Esse dinheiro daria para resolver o problema da miséria no mundo. A fome hoje mata mais do que a guerra. O presidente norte-americano Eisenhower, em 1953, disse: "O mundo não está gastando apenas o dinheiro nas armas. Ele está despendendo o suor de seus trabalhadores, a inteligência dos seus cientistas e a esperança das suas crianças. Nós gastamos num único avião de guerra 500 mil sacos de trigo e num único míssil o equivalente a casas novas para 800 pessoas".

A fome é um retrato vergonhoso da perversa distribuição de renda. Enquanto uns acumulam muito, outros passam fome. A fome alcança quase 50% da população do mundo. Crianças e velhos, com o rosto cabisbaixo de vergonha, com o ventre fuzilado pela dor da fome estonteante, disputam com os cães leprosos os restos apodrecidos das feiras.

Os sinais do aparecimento do **anticristo** (13.14-23)

Destacamos cinco fatos ligados ao aparecimento do anticristo:

Em primeiro lugar, *o anticristo é prefigurado e descrito* (13.14). O sacrílego desolador de que fala Daniel (Dn 9.27; 11.31; 12.11) aplicou-se primeiro a Antíoco Epifânio no século II a.C., precisamente no ano 168 a.C. Ele sacrificou um porco a Zeus no altar do templo de Jerusalém. Esse fato provocou a guerra dos Macabeus. O segundo cumprimento ocorreu quando as legiões romanas invadiram Jerusalém em 70 d.C. e atearam fogo e destruíram o templo. O terceiro cumprimento ainda está por vir. Ele se dará quando o anticristo cometerá o último sacrilégio, exigindo adoração de si mesmo como se fosse Deus (2Ts 2.4; Ap 13.14,15).[10] Os dois primeiros são um símbolo e um tipo do anticristo que virá no tempo do fim. Um oráculo divino pode aplicar-se a mais de uma situação histórica, diz William Hendriksen.[11]

O espírito do anticristo já está operando no mundo. Ele se opõe e se levanta contra tudo o que é Deus. Ele vai se levantar para perseguir a igreja. Ninguém vai resistir ao seu poder e autoridade. Ele vai perseguir, matar, controlar. Muitos crentes vão ser mortos e selar seu testemunho com a própria morte (Ap 13.7).

O anticristo não é um partido, não é uma instituição nem mesmo uma religião. É um homem sem lei, uma espécie de encarnação de satanás, que vai agir na força e no poder de satanás. Ele será levantado em tempo de apostasia. Vai governar com mão de ferro. Vai perseguir cruelmente a igreja. Vai blasfemar contra Deus. Contudo, no auge do seu poder, Cristo virá em glória e o matará com o sopro da sua boca. Ele será quebrado sem esforço humano. Nessa batalha final, o Armagedom, a única arma usada, será a espada afiada que sairá da boca do Senhor Jesus.

Em segundo lugar, *os cuidados preventivos contra a perseguição* (13.15-18). Quando os romanos invadiram Jerusalém, no ano 70 d.C., todos os que estavam dentro da cidade pereceram. A única maneira de pouparem a vida era fugir ou não entrar na cidade (13.14-16). Com isso, Jesus nos ensina que a prudência para poupar nossa vida é uma atitude recomendável. Vemos essa atitude na vida de Jacó (Gn 32.9-15), do rei Ezequias (2Cr 32.8) e do apóstolo Paulo (At 9.25; 27.31).

O coração compassivo de Jesus revela um cuidado especial com as mulheres (13.17). As grávidas e as mães com bebês em fase de

---

[10]BARTON, Bruce B. at al. *Life Application Bible Commentary on Mark*, 1994, p. 381.
[11]HENDRIKSEN, William. *Marcos*, 2003, p. 666.

aleitamento estarão em situação mais adversa para fugir do cerco romano. De igual forma, Jesus alerta para o perigo desse ataque se dar num período de inverno, quando a fuga seria quase impossível (13.18).

Em terceiro lugar, *a grande tribulação* (13.19). Os filhos de Deus experimentam tribulações durante a sua vida na Terra (Jo 16.33; Rm 8.18; 2Co 4.17; 2Tm 3.12), mas em Marcos 13.19,20, Jesus está falando acerca de uma tribulação que caracteriza "aqueles dias", ou seja, um período definido de profunda angústia, de curta duração, que ocorrerá imediatamente antes do retorno do Senhor.[12] Essa grande tribulação acontece no mesmo período do aparecimento do homem da iniquidade (2Ts 2.3), no período descrito como *a apostasia* (2Ts 2.3) e o *pouco tempo de satanás* (Ap 20.3).

Em quarto lugar, *o cuidado de Deus com seus eleitos* (13.20). Essa tribulação será grande em intensidade e curta em duração. Esse será o tempo mais sombrio e dramático da história da humanidade. Satanás estará solto, o anticristo estará em ação e a apostasia campeará fortemente. Nesse tempo, muitos filhos de Deus selarão seu testemunho com a morte. O próprio Deus fez uma intervenção abreviando esse tempo por amor dos eleitos. Adolf Pohl diz que com o Pai do nosso Senhor Jesus Cristo há adiamentos com misericórdia (Lc 13.6-9) assim como abreviações misericordiosas (13.20).[13]

Esse fato enseja-nos algumas lições importantes:

Deus tem os seus eleitos. A igreja de Deus é o povo escolhido antes dos tempos eternos (2Tm 1.9), eleito em Cristo antes da fundação do mundo (Ef 1.4), escolhido em Cristo para a salvação desde o princípio pela santificação do Espírito e fé na verdade (2Ts 2.13).

Deus poupa seus eleitos. Deus abreviou essa grande tribulação por amor aos seus eleitos. Ele os trata com especial amor. Quem toca nos filhos de Deus, toca na menina dos seus olhos.

Os eleitos de Deus não podem perecer (13.22). O anticristo pode até matá-los, mas mesmo que eles morram, os eleitos vencerão (Ap 12.11).

---

[12] HENDRIKSEN, William. *Marcos*, 2003, p. 671.
[13] POHL, Adolf. *Evangelho de Marcos*, 1998, p. 374.

Nada pode separar o eleito de Deus (Rm 8.31-39). Ele está seguro e salvo eternamente.

Em quinto lugar, *o perigo da sedução* (13.21-23). O tempo da grande tribulação será também um tempo de grande sedução religiosa. O diabo enviará os seus agentes: falsos profetas e falsos cristos, com vestes sagradas, operando sinais e prodígios para enganar se possível os eleitos. Tanto Jesus quanto os apóstolos Paulo e João advertiram sobre os falsos profetas (Mt 7.15-20; At 20.28-31; 1Jo 4.1-6). Warren Wiersbe diz que há alguma coisa na natureza humana que ama a mentira e se recusa a crer nas lições do passado.[14] A busca ensandecida dos milagres na atualidade pavimenta o caminho desses falsos profetas e falsos cristos.

A **descrição** da segunda vinda de Cristo

Destacamos alguns pontos importantes sobre a segunda vinda de Cristo:

Em primeiro lugar, **será precedida por grandes convulsões cósmicas** (13.24,25). A segunda vinda de Cristo será precedida por grandes convulsões naturais. Tudo aquilo que é firme e sólido no universo estará abalado. As colunas do universo estarão bambas e o universo inteiro estará cambaleando. O apóstolo Pedro descreve essa cena assim: *Virá, entretanto, como ladrão, o Dia do Senhor, no qual os céus passarão com estrepitoso estrondo, e os elementos se desfarão abrasados; também a terra e as obras que nela existem serão atingidas* (2Pe 3.10).

Adolf Pohl diz que Deus encerra as funções dos astros e dá início ao julgamento do mundo. O tempo da ação humana na História passou. É hora do balanço. O firmamento do céu, com os astros fixos nele, que parecia eternamente confiável, natural e protetor, estremece, balança, perde a segurança e não funciona mais. Isso atinge e causa pânico em pessoas que tinham nos elementos da criação o seu deus (Lc 21.25s.; Ap 6.12-17). Deus vem julgar. O abalo do mundo traz o juiz.[15]

Em segundo lugar, **será visível** (13.26). A segunda vinda de Jesus será pessoal, visível e pública. Todo o olho O verá (Ap 1.7). Adolf Pohl

---

[14]WIERSBE, Warren W. *Be Diligent*, 1987, p. 123.
[15]POHL, Adolf. *Evangelho de Marcos*, 1998, p. 377.

diz que depois que o telhado do mundo tiver sido abalado e retirado, as pessoas olharão fixamente como que para um buraco negro. *Então, verão o Filho do Homem vir nas nuvens* (13.26). Aqui as nuvens não ocultam como a nuvem de Marcos 9.7; antes revelam *grande poder e glória* (13.26). Na sua primeira vinda, muitas pessoas não O reconheceram. Mas na Sua segunda vinda, todos O verão. Ninguém precisa primeiro apresentá-Lo, falar ou fazê-Lo conhecido. Isso será uma forma de juízo para um mundo que não quis ouvi-Lo (13.10).[16]

Em terceiro lugar, **será gloriosa** (13.26). Não haverá um arrebatamento secreto e só depois uma vinda visível. Sua vinda é única, poderosa e gloriosa. Jesus aparecerá no céu. Ele estará montado em um cavalo branco. Ele virá acompanhado de um séquito celestial. Virá do céu ao soar da trombeta de Deus. Ele descerá nas nuvens, acompanhado de seus santos anjos e dos remidos. Ele virá com grande esplendor. Todos os povos que o rejeitaram vão se lamentar. Aquele será um dia de trevas e não de luz para eles. Será o dia do juízo, onde sofrerão penalidade de eterna destruição. As tribos da terra, conscientes de sua condição de perdidas, se golpearão nos peitos atemorizadas pela exibição da majestade de Cristo em toda a sua glória. O terror dos iníquos descreve-se graficamente em Apocalipse 6.15-17.

Em quarto lugar, **será vitoriosa** (13.27). Adolf Pohl diz que a manifestação do Filho do homem não traz só condenação, mas também recompensa. *Ele enviará os anjos e reunirá os seus escolhidos dos quatro ventos, da extremidade da terra até à extremidade do céu* (13.27). Os anjos são como trabalhadores na colheita, que vasculham a terra por bons frutos. Agora os eleitos finalmente saboreiam a sua eleição. Com a manifestação do Seu Senhor, eles também se tornam manifestos como amados por Ele e reunidos para um novo templo (Ap 3.9).[17]

Jesus virá para arrebatar a igreja. Os anjos recolherão os escolhidos dos quatro ventos, de uma a outra extremidade dos céus. Os eleitos de Deus serão chamados. A Bíblia diz que quando Cristo vier, os mortos em Cristo ressuscitarão primeiro, com corpos incorruptíveis, poderosos,

---

[16] POHL, Adolf. *Evangelho de Marcos*, 1998, p. 377.
[17] POHL, Adolf. *Evangelho de Marcos*, 1998, p. 377.

gloriosos, semelhantes ao corpo da glória de Cristo. Então, os que estiverem vivos serão transformados e arrebatados para encontrar o Senhor nos ares e assim estaremos para sempre com o Senhor.

A **preparação** para a segunda vinda de Cristo

Destacamos quatro pontos para análise:

Em primeiro lugar, *será precedida por avisos claros* (13.28-31). Quando essas coisas começarem a acontecer devemos saber que está próxima a nossa redenção. A figueira já começou a brotar, os sinais já estão gritando aos nossos ouvidos. O livro de Apocalipse nos mostra que Deus não derrama as taças do seu juízo sem antes tocar a trombeta. Os sinais da segunda vinda são trombetas de Deus embocadas para a História. Ele está avisando que vem. Ele prometeu que vem. *Eis que venho sem demora* (Ap 22.12). Os seus anjos disseram que assim como Ele foi para o céu, voltará (At 1.11).

A Bíblia diz que Jesus virá em breve. Os sinais da Sua vinda apontam que Sua vinda está próxima. A Palavra de Deus não pode falhar. Passa o céu e a terra, mas a Sua Palavra não passará. Essa Palavra é verdadeira. Prepare-se para encontrar-se com o Senhor seu Deus!

Em segundo lugar, *será imprevisível* (13.32). Ninguém pode decifrar esse dia. Ele pertence exclusivamente à soberania de Deus. Quando os discípulos perguntaram a Jesus sobre esse assunto, ele respondeu: *A vós não vos compete saber os tempos ou as épocas, que o Pai reservou à sua própria autoridade* (At 1.6,7). Daquele dia nem os anjos nem o Filho sabem. Aqueles que marcaram datas fracassaram. Aqueles que se aproximam das profecias com curiosidade frívola e com o mapa escatológico nas mãos são apanhados laborando em grave erro. Se nós não sabemos o dia nem a hora, seremos tidos por loucos se vivermos despercebidamente.

Em terceiro lugar, *será inesperada* (13.33-36). Jesus contou a parábola do homem que saiu de casa e deu ordens e obrigações aos seus servos e ordem ao porteiro para vigiar. Ele diz que o porteiro deve vigiar porque não sabe se seu senhor vem na primeira, segunda, terceira ou quarta vigília da noite. Achar o porteiro dormindo na volta seria um sinal de negligência e despreparo do porteiro.

Quando Jesus voltar, os homens vão estar desatentos como a geração diluviana (Mt 24.38,39). Vão estar entregues aos seus próprios interesses sem se aperceberem da hora. Comer, beber, casar e dar-se em casamento não são coisas más. Fazem parte da rotina da vida. Contudo, viver a vida sem se aperceber que Jesus está prestes a voltar é viver como a geração diluviana. Quando o dilúvio chegou, pegou a todos de surpresa.

Muitos hoje estão comprando, vendendo, casando, viajando, descansando, jogando, brincando, pecando; esses vão continuar vivendo despercebidamente até o dia que Jesus virá. Então, será tarde demais. Não há nada de errado no que estão fazendo. Mas quando os homens estiverem tão envolvidos em coisas boas em si, a ponto de esquecerem de Deus, estarão então maduros para o juízo.

Adolf Pohl diz que por não saberem qual é o dia, em consequência, eles precisam estar alerta todos os dias. Senão seria só colocar o despertador e ir dormir.[18]

Em quarto lugar, *será necessária vigilância* (13.37). A palavra de ordem de Jesus é: Vigiai! A vigília aqui não tem o sentido de ficar esperando meio adormecido na sala de espera, pois no versículo 34 Jesus a deixou como "obrigação", "trabalho", caracterizando-a como função muito ativa e cheia de responsabilidade.[19] Esse dia será como a chegada de um ladrão: Jesus vem de surpresa, sem aviso prévio, sem telegrama. É preciso vigiar. É preciso estar preparado. Não sabemos nem o dia nem a hora. Precisamos viver apercebidos. Aqueles que andam em trevas serão apanhados de surpresa. Nós, porém, somos filhos da luz. Devemos viver em santa expectativa da segunda vinda de Cristo, orando sempre, "Maranata, ora vem, Senhor Jesus".

---

[18]POHL, Adolf. *Evangelho de Marcos*, 1998, p. 381.
[19]POHL, Adolf. *Evangelho de Marcos*, 1998, p. 382.

40

Diferentes reações a Jesus

Marcos 14.1-31

JESUS ESTÁ VIVENDO SUA ÚLTIMA SEMANA EM JERUSALÉM. Essa semana é a culminação de todo o Seu ministério e a concretização do projeto eterno de Deus. Ele veio para esse fim.

Diferentes reações a Jesus são vistas nessa semana: as autoridades religiosas querem matá-Lo, enquanto o povo simpatiza-se com ele; uma mulher anônima demonstra seu amor a Ele, enquanto Judas O trai e Pedro é advertido sobre sua arrogante autoconfiança. Dessa maneira, Marcos confronta o leitor com a necessidade de tomar uma posição; ninguém pode ficar neutro diante de Jesus.[1]

O texto aborda vários aspectos apontando para o fato de que Jesus já está vivendo à sombra da cruz.

Um **plano frustrado** (14.1,2)

Três coisas nos chamam a atenção:

Em primeiro lugar, *o cenário já estava pronto* (14.1). A entrada triunfal de Jesus a Jerusalém deu-se no período de maior fluxo de gente na cidade santa, a festa da Páscoa. A população da cidade multiplicava-se

---

[1] MULHOLLAND, Dewey M. *Marcos: Introdução e Comentário*, 2005, p. 206.

cinco vezes. Judeus de todos os recantos do Império Romano subiam a Jerusalém para uma semana inteira de festejos. Nesse tempo, o povo judeu celebrava a sua libertação do Egito. A festa girava em torno do cordeiro que deveria ser morto bem como dos Pães Asmos que relembravam os sofrimentos do êxodo.

Jesus escolheu essa festa para morrer, pois Ele é o Cordeiro de Deus que tira o pecado do mundo (Jo 1.29), o nosso cordeiro pascal que foi imolado (1Co 5.7). William Hendriksen diz que o dia em que acontecia o sacrifício do cordeiro era seguido pela Festa dos Pães Asmos, que se prolongava por sete dias de celebração. A ligação entre a ceia da Páscoa e a Festa dos Pães Asmos é tão grande que o termo "páscoa", algumas vezes, cobre ambas (Lc 22.1).[2] Dewey Mulholland diz que no tempo de Jesus, a Páscoa e a Festa dos Pães Asmos tinham sido reunidas numa única "Festa da Páscoa" com a duração de sete dias.[3]

Jesus queria morrer no dia da Páscoa. Adolf Pohl diz que a relação da morte de Jesus com a Páscoa faz parte evidente dos pensamentos de Deus, e assim, das Suas disposições. Por isso Paulo pôde escrever mais tarde: *Pois também Cristo, nosso Cordeiro pascal, foi imolado* (1Co 5.7).[4]

Em segundo lugar, **a conspiração já estava armada** (14.1). Os principais sacerdotes e os escribas estavam mancomunados para prenderem e matarem a Jesus. Esse plano não era novo. Ele já vinha de certo tempo (3.6; 12.7; Jo 5.18; 7.1,19,25; 8.37,40; 11.53). Eles já tinham escolhido a forma de fazê-lo, à traição. Mas eles aguardavam uma ocasião oportuna para O matarem e decidiram que deveria ser depois da festa. Isto não porque tivessem escrúpulos, mas porque temiam o povo.

William Hendriksen diz que quando a corrupção invade a igreja, o processo, normalmente, começa no topo. Nenhuma política é tão suja quanto a eclesiástica.[5]

Em terceiro lugar, **o plano de Deus já estava determinado** (14.2). Os líderes religiosos de Israel decidiram que Jesus seria morto depois

---
[2]HENDRIKSEN, William. *Marcos*, 2003, p. 698,699.
[3]MULHOLLAND, Dewey M. *Marcos: Introdução e Comentário*, 2005, p. 207.
[4]POHL, Adolf. *Evangelho de Marcos*, 1998, p. 387.
[5]HENDRIKSEN, William. *Marcos*, 2003, p. 699.

da Páscoa, mas Deus já havia determinado que seria durante a Páscoa, na época em que a cidade estava mais apinhada de gente. As coisas não aconteceram como haviam planejado. "Não durante a festa", diziam os conspiradores. "Na festa", disse o Todo-poderoso. Esse era o decreto divino, afirma William Hendriksen.[6]

Um amor demonstrado (14.3-9)

Cinco fatos nos chamam a atenção acerca de Maria:

Em primeiro lugar, *Maria deu o seu melhor para Jesus* (14.3). Nem Marcos nem Mateus nos informam o nome da mulher que ungiu Jesus, mas João nos conta que ela era Maria de Betânia, a irmã de Marta e Lázaro (Jo 12.13). Jesus estava em casa de Simão, o leproso, na cidade de Betânia, participando de um jantar. Simão, certamente, não era mais leproso. Se o fosse, não poderia estar servindo um jantar em sua casa. Se ele ainda fosse leproso, deveria estar isolado numa aldeia, longe da família e da sociedade. Possivelmente o próprio Jesus o tenha curado de sua lepra. Esse jantar, portanto, deve ter sido motivado pela gratidão de Simão e Maria. Esta, num gesto pródigo de gratidão, e amor quebrou um vaso de alabastro e derramou o preciosíssimo perfume de nardo puro sobre a cabeça de Jesus. O perfume havia sido extraído do puro nardo, isto é, das folhas secas de uma planta natural do Himalaia.[7]

Maria aparece apenas três vezes nos evangelhos e em todas as ocasiões estava aos pés de Jesus para aprender (Lc 10.39), para chorar (Jo 11.32,33) e para agradecer (Jo 12.1-3).

Em segundo lugar, *Maria deu sacrificalmente* (14.4,5). Aquele perfume foi avaliado por Judas em trezentos denários (Jo 12.5). Representava o salário de um ano de trabalho. Judas e os demais discípulos ficaram indignados com Maria, considerando o seu gesto de amor a Jesus um desperdício. Eles culparam Maria de ser perdulária e de administrar mal os recursos. Eles murmuraram contra ela, dizendo que aquele alto valor deveria ser dado aos pobres. Warren Wiersbe diz

---

[6] HENDRIKSEN, William. *Marcos*, 2003, p. 700.
[7] HENDRIKSEN, William. *Marcos*, 2003, p. 704.

que Judas criticou Maria por desperdiçar dinheiro, mas ele desperdiçou sua própria vida.[8] O que Maria fez foi único em criatividade, régio em sua generosidade e maravilhoso em sua atemporalidade, diz William Hendriksen.[9]

Em terceiro lugar, **Maria buscou agradar só ao Senhor** (14.3-7). Maria demonstrou seu amor a Jesus de forma sincera e não ficou preocupada com a opinião das pessoas à sua volta. Ela não buscou aprovação ou aplauso das pessoas nem recuou diante das suas críticas. O amor é extravagante, ele sempre excede! A devoção de Maria se destaca em vivo contraste com a malignidade dos principais sacerdotes e a vil traição de Judas.[10]

Em quarto lugar, **Maria demonstrou amor em tempo oportuno** (14.7,8). Maria demonstrou seu amor generoso a Jesus antes da Sua morte e antecipou-se a ungi-Lo para a sepultura (14.8). As outras mulheres também foram ungir o corpo de Jesus, mas quando elas chegaram lá, Ele já não estava mais lá, pois havia ressuscitado (16.1-6). Muitas vezes, demonstramos o nosso amor como Davi a Absalão, tarde demais. Muitas vezes enviamos flores depois que a pessoa morre, quando já não pode mais sentir o seu aroma.

Em quinto lugar, **Maria foi elogiada pelo Senhor** (14.6,9). Jesus chamou o ato de Maria de boa ação (14.6) e disse que seu gesto deveria ser contado no mundo inteiro para que sua memória não fosse apagada (14.9). William Barclay comenta esse episódio assim,

> Jesus disse que o que a mulher havia feito era bom, *kalos*. No grego, há duas palavras diferentes para definir *bom*. A primeira é *agathos* que descreve uma coisa moralmente boa. A segunda é *kalos* que descreve algo que não só é bom, mas também formoso. Uma coisa pode ser *agathos* e ainda ser dura, austera e sem atrativo. Mas uma coisa que é *kalos* é atrativa e bela, com certo aspecto de encanto.[11]

---

[8] WIERSBE, Warren W. *Be Diligent*, 1987, p. 133.
[9] HENDRIKSEN, William. *Marcos*, 2003, p. 705.
[10] TRENCHARD, Ernesto. *Una Exposición del Evangelio según Marcos*, 1971, p. 176.
[11] BARCLAY, William. *Marcos*, 1974, p. 336.

Um **traidor apontado** – (14.10,11,17-21)

Destacamos quatro atitudes de Judas, o traidor:

Em primeiro lugar, *Judas, o entreguista* (14.10). Judas Iscariotes era um dos doze. Foi amado por Jesus, andou com Ele, ouviu-O, viu os milagres de Jesus, mas perdeu a maior oportunidade da Sua vida. Sabendo da trama dos principais sacerdotes em prender e matar Jesus, o entregou.

Em segundo lugar, *Judas, o avarento* (14.11). O evangelista Mateus aponta a motivação de Judas em procurar os principais sacerdotes: *Que me quereis dar, e eu vo-lo entregarei? E pagaram-lhe trinta moedas de prata* (Mt 26.15). A motivação de Judas em entregar Jesus era o amor ao dinheiro. Ele era ladrão (Jo 12.6). Seu deus era o dinheiro. Ele vendeu sua alma, seu ministério, suas convicções, sua lealdade. Tornou-se um traidor. Adolf Pohl diz que a recompensa pela traição representou somente um décimo do valor do óleo da unção usado por Maria para ungir Jesus.[12] O dinheiro recebido por Judas era o preço de um escravo ferido por um boi (Êx 21.32). Por essa insignificante soma de dinheiro, Judas traiu o seu Mestre!

Em terceiro lugar, *Judas, o dissimulado* (14.17,18). Jesus vai com Seus discípulos ao Cenáculo, para comer a Páscoa. E Judas está entre eles. No Cenáculo, Jesus demonstrou Seu amor por Judas, lavando-lhe os pés (Jo 13.5), mesmo sabendo que o diabo já tinha posto no coração de Judas o propósito de traí-Lo (Jo 13.2). Judas não se quebranta nem se arrepende, ao contrário, finge ter plena comunhão com Cristo, ao comer com Ele (14.18). Nesse momento, o próprio satanás entra em Judas (Jo 13.27) e ele sai da mesa para unir-se aos inimigos de Cristo e entregá-Lo a eles. William Hendriksen diz que o que causou a ruína de Judas foi sua indisposição de orar pela renovação da sua vida. A sua destruição deveu-se à sua impenitência.[13]

Jesus já havia dito que seria traído (9.31; 10.33), mas agora declara especificamente que será traído por um amigo. O traidor não é nomeado; ao contrário, a ênfase está na participação dele na comunhão

---

[12] POHL, Adolf. *Evangelho de Marcos*, 1998, p. 393.
[13] HENDRIKSEN, William. *Marcos*, 2003, p. 710.

como um dos doze. Toda comunhão à mesa é, para o oriental, concessão de paz, fraternidade e confiança. Comunhão à mesa é comunhão de vida. A comunhão à mesa com Jesus tinha o significado de salvação e comunhão com o próprio Deus.[14] Abalados e entristecidos com isso, os discípulos estão confusos. Cada um preocupa-se com a acusação como se fosse contra si. Um a um perguntam: *Porventura sou eu?* (14.19). Sua autoconfiança fora abalada.[15]

Em quarto lugar, **Judas, o advertido** (14.20,21). Judas trai a Jesus na surdina, na calada da noite, mas Jesus o desmascara na mesa da comunhão. Jesus acentua sua ingratidão, de estar traindo a seu Mestre. Jesus declara que ele sofrerá severa penalidade por atitude tão hostil ao seu amor: [...] *ai daquele por intermédio de quem o Filho do homem está sendo traído! Melhor lhe fora não haver nascido!* (14.20,21).

Mulholland diz que o traidor participa cumprindo o plano de Deus. Ele o faz por livre vontade, não como um robô. A soberania divina não diminui a responsabilidade humana.[16] Somos responsáveis pelos nossos próprios pecados. Judas foi seduzido pelo amor ao dinheiro; Pedro pela autoconfiança. Uma lenda grega nos ajuda a entender a necessidade de nos acautelarmos contra a sedução do pecado:

> A lenda grega conta a história de dois famosos viajantes que passaram pelas rochas onde cantavam as sereias. Essas se sentavam nas rochas e cantavam com tal doçura que atraíam irresistivelmente os marinheiros para sua ruína. Ulisses navegou a salvo frente a essas rochas. Seu método foi tapar os ouvidos dos marinheiros para que não pudessem ouvir, e ordenou que o atassem firmemente com cordas no mastro do navio a fim de que em hipótese alguma pudesse desvencilhar-se. O outro viajante foi Orfeu, o mais encantador dos músicos. Seu método foi tocar e cantar com tal doçura que mesmo o barco passando em frente às rochas das sereias, o canto dessas não era ouvido diante da música excelente que ele entoava. Seu método foi responder ao atrativo da sedução com um atrativo maior ainda. Esse método é o método divino. Deus não nos

---
[14] POHL, Adolf. *Evangelho de Marcos*, 1998, p. 397.
[15] MULHOLLAND, Dewey M. *Marcos: Introdução e Comentário*, 2005, p. 210.
[16] MULHOLLAND, Dewey M. *Marcos: Introdução e Comentário*, 2005, p. 210.

impede forçosamente de pecar, mas nos insta a amá-Lo de tal forma que Sua voz seja mais doce aos nossos ouvidos que a voz de sedução.[17]

Um **pacto selado** (14.22-26)

Destacamos três pontos importantes sobre a Ceia do Senhor.

Em primeiro lugar, *o símbolo do pacto* (14.22,23). Esta cena é um dos pontos teológicos mais vibrantes no evangelho de Marcos. Aqui Jesus interpreta o significado último da sua morte, diz Donald Senior.[18]

Jesus abençoa e parte o pão; toma o cálice e dá graças.

Pão e vinho são os símbolos do Seu corpo e de Seu sangue.

Com esses elementos Jesus instituiu a Ceia do Senhor.

A questão da Ceia tem sido motivo de acirrados debates na história da igreja. Não é unânime o entendimento desses símbolos. Há quatro linhas de interpretação:

A transubstanciação. A igreja romana crê que o pão e o vinho transubstanciam-se na hora da consagração dos elementos e se transformam em corpo, sangue, nervos, ossos e divindade de Cristo.

A consubstanciação. O luteranismo crê que os elementos não mudam de substância, mas Cristo está presente fisicamente nos elementos e sob os elementos.

O memorial. O reformador Zwinglio entendia que os elementos da Ceia são apenas símbolos e que ela é apenas um memorial para trazer-nos à lembrança o sacrifício de Cristo.

O meio de graça. O calvinismo entende que a Ceia é mais do que um memorial, mas também, um meio de graça, de tal forma que somos edificados pela participação da Ceia.

Em segundo lugar, *o significado do pacto* (14.24). O que Jesus quis dizer quando afirmou que o cálice representava um novo pacto? A palavra *pacto* é comum na religião judaica. A base da religião judaica consistia no fato de Deus ter entrado num pacto com Israel. A aceitação do antigo pacto está registrada em Êxodo 24.3-8. O pacto dependia

---

[17] BARCLAY, William. *Marcos*, 1974, p. 345,346.
[18] SENIOR, Donald. *The Passion of Jesus in the Gospel of Mark*. Liturgical Press, 1991, p. 53.

inteiramente de Israel guardar a Lei. A quebra da Lei implicava a quebra do pacto entre Deus e Israel. Era uma relação totalmente dependente da Lei e da obediência à mesma. Deus era o juiz. E visto que ninguém podia guardar a Lei, o povo sempre estava em débito. Mas Jesus introduz e ratifica um novo pacto, uma nova classe de relacionamento entre Deus e o homem. E não depende da Lei, depende do sangue que Jesus derramou.[19] O antigo pacto era ratificado com o sangue dos animais, mas o novo pacto é ratificado no sangue de Cristo.

A nova aliança está firmada no sangue de Jesus, derramado a favor de muitos. Na velha aliança, o homem buscava fazer o melhor para Deus e fracassava. Na nova aliança, Deus fez tudo pelo homem. Jesus Se fez pecado e maldição por nós. Seu corpo foi partido, seu sangue vertido. Ele levou sobre o Seu corpo, no madeiro, nossos pecados.

A redenção não é universal. Ele derramou seu sangue para remir a muitos e não para remir a todos (Is 53.12; Mt 1.21; 20.28; Mc 10.45; Jo 10.11,14,15,27,28; 17.9; At 20.28; Rm 8.32-35; Ef 5.25-27). Se fosse para remir a todos, ninguém poderia se perder.

Em terceiro lugar, *a consumação do pacto* (14.25). A Ceia do Senhor aponta para o passado e ali vemos a cruz de Cristo e Seu sacrifício vicário a nosso favor. Mas ela também aponta para o futuro e ali vemos o céu, a festa das bodas do Cordeiro, quando Ele vai nos receber como Anfitrião para o grande banquete celestial. Adolf Pohl diz que a ênfase está na reunião festiva com Ele, não na duração ou dificuldade do tempo de espera. O crucificado, agora ressurreto, glorificado e entronizado será o centro do banquete que Deus vai oferecer (Is 25.6; 65.13; Ap 2.7), e o sem-número de Ceias desembocará na *ceia das bodas do Cordeiro* (Ap 19.9).[20]

Um fracasso destacado (14.27-31)

Três fatos nos chamam a atenção nessa passagem:

Em primeiro lugar, **um alerta solene** (14.27). Jesus, citando o profeta Zacarias, fala que todos os apóstolos, sem exceção, vão se escandalizar

---

[19] BARCLAY, William. *Marcos*, 1974, p. 349.
[20] POHL, Adolf. *Evangelho de Marcos*, 1998, p. 404.

com Ele, quando Ele for ferido. A atitude covarde dos discípulos fugindo no Getsêmani, depois da Sua prisão, não apanhou Jesus de surpresa.

Jesus predisse que todos se escandalizariam dEle (14.27). Todos disseram que isso nunca aconteceria (14.31). Um pouco mais tarde, todos O abandonaram e fugiram (14.50).

Em segundo lugar, **uma promessa consoladora** (14.28). Jesus destaca aqui três verdades importantes:

A Sua morte. Jesus veio para morrer e Ele caminha para a cruz como um rei caminha para a coroação.

A Sua ressurreição. A morte não teria o poder de retê-Lo na sepultura. Ele triunfaria sobre a morte.

O Seu plano na vida dos apóstolos. Jesus se apressa em acrescentar que nem Sua morte nem a fuga dos discípulos serão definitivas. Ele ressuscitará e irá antes deles para a Galileia. "O lugar do começo deles (3.14) haveria de ser também o lugar do novo começo deles (16.7)".[21] O cristianismo não é um corolário de crenças e dogmas, mas uma Pessoa. Ser cristão é seguir a Cristo. Ele vai adiante de nós. Ele nos encontra e nos restaura nos lugares comuns da nossa vida.

Em terceiro lugar, **uma pretensão vaidosa** (14.29-31). Pedro considerou-se uma exceção. Ele julgou-se melhor que os seus condiscípulos. Ele pensou ser mais crente, mais forte, mais confiável que seus pares. Ele queria ser uma exceção na totalidade apontada por Jesus. Pensou jamais se escandalizar com Cristo. Achou que estava pronto para ir para a prisão e até para a morte. Jesus, entretanto, revela a Pedro que naquela mesma noite, sua fraqueza seria demonstrada e suas promessas seriam quebradas. Os outros falharam, mas a falta de Pedro foi maior. Nas palavras de Schweizer: "Aquele que se sente seguro e se considera diferente de todos os demais cairá ainda mais profundamente".[22] O apóstolo Paulo exorta: *Aquele, pois, que pensa estar em pé, veja que não caia* (1Co 10.12). A Palavra de Deus alerta: *O que confia no seu próprio coração é insensato* (Pv 28.26).

---

[21] POHL, Adolf. *Evangelho de Marcos*, 1998, p. 406.
[22] SCHWEIZER, Eduard. *The Good News according to Mark*. John Know Press, 1970, p. 308.

41

Getsêmani, a hora **decisiva**

Marcos 14.32-42

JOHN CHARLES RYLE AFIRMA QUE O RELATO DA AGONIA do Senhor Jesus no Jardim do Getsêmani é uma profunda e misteriosa passagem da Escritura. Ela contém coisas que os mais sábios expositores não puderam expor plenamente.[1] William Hendriksen diz que ninguém jamais passou pelo que Jesus experimentou no Getsêmani. Seu sacrifício total, em completa obediência à vontade do Pai, era o único tipo de morte que poderia salvar os pecadores.[2] Falando ainda da singularidade desse sofrimento de Jesus, Hendriksen acrescenta que o inferno, como ele é, veio até Jesus no Getsêmani e no Gólgota, e o Senhor desceu até ele, experimentando todos os seus terrores.[3]

O **local** onde Jesus agonizou é indicado

O Jardim do Getsêmani fica nas fraldas do monte das Oliveiras, do outro lado do ribeiro Cedrom, defronte ao monte Sião, onde estava o glorioso templo. Getsêmani significa "prensa de azeite, lagar de azeite".[4]

---

[1] RYLE, John Charles. *Mark*. 1993, p. 232.
[2] HENDRIKSEN, William. *Marcos*. 2003, p. 736.
[3] HENDRIKSEN, William. *Marcos*. 2003, p. 536.
[4] TRENCHARD, Ernesto. *Una Exposición del Evangelio según Marcos*. 1971, p. 184.

Foi nesse lagar de azeite, onde as azeitonas eram esmagadas, que Jesus experimentou a mais intensa agonia. Ali, Ele travou uma luta de sangrento suor. Ali, o eterno Deus feito carne, dobrou Sua fronte e com o rosto em terra, orou com forte clamor e lágrimas. Ali, o bendito Filho de Deus rendeu-Se incondicionalmente à vontade do Pai para remir um povo por meio do Seu sangue. Ali, Ele foi traspassado, esmagado e moído pelos nossos pecados. Seu corpo foi golpeado. Seu suor transformou-se em sangue. Ali, Ele desceu ao inferno. Enquanto o primeiro Adão perdeu o paraíso num jardim, o segundo Adão o reconquista noutro.

O contexto da agonia é descrito

O evangelista João nos informa que Jesus saiu do Cenáculo para o jardim (Jo 18.1). Não foi uma saída de fuga, mas de enfrentamento. Ele não saiu para esconder-Se, mas para preparar-Se. Ele não saiu para distanciar-Se da cruz, mas para caminhar em sua direção.

No Cenáculo, Jesus ensinou Seus discípulos sobre a humildade, lavando-lhes os pés. No Cenáculo, Jesus lhes deu um novo mandamento. No Cenáculo, Jesus desmascarou o traidor e alertou a Pedro acerca de sua negação. No Cenáculo, Jesus consola seus discípulos, falando-lhes acerca do envio do Espírito Santo e de sua gloriosa segunda vinda. No Cenáculo, Jesus orou por eles. Só depois desse cuidado pastoral de Jesus é que Ele travou a Sua mais renhida luta no Jardim do Getsêmani.

O propósito da agonia é evidenciado

Jesus sabia que a hora agendada na eternidade havia chegado (14.35). Não havia improvisação nem surpresa. Dewey Mulholland ensina que a "hora" refere-se ao sofrimento de Jesus nas mãos dos pecadores (14.41), com ênfase na Sua agonia final na cruz.[5] Para esse fim Ele havia vindo ao mundo. Sua morte já estava selada desde a fundação do mundo (Ap 13.8). No decreto eterno, no conselho da redenção, o Pai O entregara para morrer no lugar dos pecadores (Jo 3.16; Rm 5.8; 8.32) e Ele mesmo, voluntariamente, havia Se disposto a morrer.

---

[5]MULHOLLAND, Dewey M. *Marcos: Introdução e Comentário*, 2005, p. 216.

Vamos destacar as mensagens centrais desse drama doloroso de Jesus no Getsêmani.

A tristeza assoladora – (14.33,34)

O profeta Isaías descreveu Jesus como homem de dores e que sabe o que é padecer. Jesus teve tristeza e não foi só no Getsêmani. Ele ficou triste com a morte de Lázaro e essa tristeza O levou a chorar. Quantas vezes você já ficou triste e chorou pela morte de um parente, de um amigo?

Contemplando a impenitente cidade de Jerusalém, assassina de profetas, rebelde e impenitente, Jesus chorou com profundos soluços sobre ela. Quantas vezes você também já chorou por um parente ou amigo recusar o Senhor Jesus até a morte?

Agora, entre a ramagem soturna das oliveiras, sob o manto da noite trevosa, Jesus começou a sentir-Se tomado de pavor e de angústia (14.33) e declara: *A minha alma está profundamente triste até à morte* (14.34). Fritz Rienecker, citando Cranfield, afirma que essa expressão de Jesus denota que Ele estava dominado por um horror que O fazia tremer diante da terrível perspectiva à Sua frente.[6] Egidio Gioia diz que no Getsêmani Jesus viu a escura nuvem da tormenta que se aproximava, célere, ao seu encontro, e, tão aterrorizantes eram os seus prenúncios, que o Senhor, na sua natureza humana, sentiu profunda necessidade até da companhia e simpatia de seus queridos discípulos, a quem disse: *ficai aqui e vigiai comigo* (Mt 26.38).[7] Destacamos dois pontos aqui:

O que não consistia a essência da tristeza de Jesus. Havia toda uma orquestração das forças das trevas contra Jesus. Isso não era surpresa para o nosso Senhor. Ele estava plenamente consciente das implicações daquela noite fatídica. Mas Sua tristeza e pavor não foram do medo do sofrimento, tortura e morte.

Por que Jesus estava triste? Era porque sabia que Judas estava se aproximando com a turba assassina? Era porque estava dolorosamente

---

[6]RIENECKER, Fritz e ROGERS, Cleon. *Chave Linguística do Novo Testamento Grego*, 1985, p. 96.

[7]GIOIA, Egidio. *Notas e Comentários à Harmonia dos Evangelhos*, 1969. 344.

consciente de que Pedro O negaria? Era porque sabia que o Sinédrio O condenaria? Era porque sabia que Pilatos O sentenciaria? Era porque sabia que o povo gritaria diante do pretório romano: *Crucifica-O, crucifica-O?* Era porque sabia que seus inimigos cuspiriam em seu rosto e lhe dariam bofetadas? Era porque sabia que o Seu povo preferiria Barrabás a Ele? Era porque sabia que os soldados romanos rasgariam Sua carne com açoites, feririam Sua fronte com uma zombeteira coroa de espinhos e O encravariam na cruz no topo do Gólgota? Era porque sabia que Seus discípulos o abandonariam na hora da Sua agonia e morte? Certamente essas coisas estavam incluídas na Sua tristeza, mas não era por essa razão que Jesus estava triste até a morte.

Warren Wiersbe delineia claramente que não foi por causa do sofrimento físico que Jesus estava tomado de pavor e angústia, mas pela antevisão de que seria desamparado pelo Pai (15.34). Esse era o cálice amargo que estava para beber (Jo 18.11) e que O levou ao forte clamor e lágrimas (Hb 5.7).[8]

O que consistia a profunda tristeza de Jesus. Egidio Gioia disse que a essência da profundíssima tristeza de Jesus estava no Seu extremo horror ao pecado. Sentia que a pureza imaculada de Sua alma ia ser manchada e completamente escurecida pelo pecado, não dEle, mas do mundo. Sentia a realidade da maldição da cruz. Sentia que ia ser maldito pela justíssima Lei de Deus. Sentia que a espada da justiça divina ia cair, inexorável, sobre Ele, trespassando-lhe o coração.[9] William Hendriksen afirma que muitas pessoas já o haviam deixado (Jo 6.66), e os Seus discípulos O abandonariam (14.50). Pior de tudo era que, na cruz, Ele estaria clamando: *Deus meu, Deus meu, por que me desamparaste?* (15.34).[10]

A tristeza de Jesus era porque Sua alma pura estava recebendo toda a carga do nosso pecado. O Getsêmani foi o prelúdio do Calvário. Ele foi a porta de entrada para a cruz. Foi no Getsêmani que Jesus travou a maior de todas as guerras. Ali o destino da humanidade foi selado, e

---

[8] WIERSBE, Warren W. *Be Diligent.* 1987, p. 139.
[9] GIOIA, Egidio. *Notas e Comentários à Harmonia dos Evangelhos.* 1969, p. 344.
[10] HENDRIKSEN, William. *Marcos.* 2003, p. 740.

Ele Se dispôs a cumprir plenamente o plano do Pai e humilhar-Se até a morte e morte de cruz.

Jesus ficou triste porque Deus escondeu o Seu rosto do seu Filho, e Ele foi feito pecado e maldição por nós. Naquele lugar, Deus Se afastou dEle e o desamparou para nos amparar. Nosso pecado foi lançado sobre Ele. Ele foi ferido, traspassado e moído pelas nossas iniquidades, e Ele desceu ao inferno. Ele entristeceu-se porque sorveu o cálice da ira de Deus e sofreu a condenação que deveríamos sofrer. Entristeceu-Se porque expiou nossa culpa e sozinho sofreu, sangrou e morreu.

A solidão perturbadora

No Getsêmani, Jesus sofreu sozinho. Muitas coisas Ele disse às multidões. Quando, porém, falou de um traidor, já foi apenas para os doze. E unicamente para três desses doze é que Ele disse: *A minha alma está profundamente triste até à morte* (Mc 14.34). E por fim, quando começou a suar sangue, já estava completamente sozinho. Os discípulos estavam dormindo. Mas ali Ele ganhou a batalha.

Muitas coisas você poderá dizer a muitos. Outras há que só poderá dizer a poucos. Algumas, porém, existem que você não vai dizer a ninguém. Então, você estará mesmo sozinho: sem um amigo que o acompanhe, ninguém que o compreenda. E o cálice de fel e amargura será todo seu.

Quando o apóstolo Paulo estava na prisão romana, na antessala do seu martírio, disse: *Na minha primeira defesa, ninguém foi a meu favor; antes, todos me abandonaram* (2Tm 4.16). Porém, foi nessa arena da solidão que contemplou a coroa e ganhou a sua mais esplêndida vitória.

Quando o apóstolo João foi exilado na Ilha de Patmos, o imperador Domiciano o jogou no ostracismo da solidão, mas Deus lhe abriu o céu. No vale escuro da sua solidão, ele contemplou as glórias do céu.

A oração triunfadora

Esta é a terceira ocasião em que Jesus orou sozinho, à noite, em momentos críticos no Seu ministério (1.35; 6.46 e 14.35). No Getsêmani, Jesus orou humildemente, agonicamente, perseverantemente, triunfantemente. Ele foi um homem de oração. Adolf Pohl enfatiza que a cada versículo é Jesus quem vigia, quem ora e, também por isso, quem é preservado. Por causa da sua condição de testemunhas é que eles deveriam ficar com Ele; de acordo com o versículo 38, no máximo orar por si mesmos.[11]

Jesus é o nosso maior exemplo de oração em tempos de angústia. Duas vezes somos informados que quando Sua alma estava angustiada, Ele orou (14.35,39). A primeira pessoa para quem devemos nos tornar na hora da aflição é Deus. Nosso primeiro grito na hora da dor deveria sair em forma de oração. O conselho de Tiago, irmão de Jesus é: *Está alguém entre vós sofrendo? Faça oração* (Tg 5.13).[12]

Jesus não apenas orou no Getsêmani, Ele também ordenou aos discípulos a orarem e apontou a vigilância e a oração como um modo de escapar da tentação (14.38). Consideremos alguns aspectos especiais desta oração de Jesus:

A posição em que Jesus orou. O Deus eterno, Criador do universo, sustentador da vida, está de joelhos, com o rosto em terra, prostrado em humílima posição. Jesus esvaziou-Se descendo do céu à terra. Agora, Aquele que sempre esteve em glória com o Pai, está de joelhos, prostrado, angustiado, orando com forte clamor e lágrimas.

Muitos se desesperam quando chegam os dramas da vida, quando pisam o lagar da dor. Outros tentam fugir. Outros, amargurados, cerram os punhos em revolta contra Deus, como a mulher de Jó. Jesus caiu sobre Seus joelhos e orou, e na oração prevaleceu.

A atitude que Jesus orou. Três coisas nos chamam a atenção sobre a atitude de Jesus na oração:

Em primeiro lugar, **a submissão**. Jesus orou: *Pai, tudo Te é possível; passa de Mim este cálice; contudo, não seja o que Eu quero, e sim o que Tu queres* (14.36). Lucas registra assim: *Pai, se queres, passa de Mim este cálice; contudo, não se faça a Minha vontade, e sim a Tua* (Lc 22.42). Tanto a "hora" como o "cálice" referem-se à mesma coisa. O derramar-se da ira de Deus é descrito no Antigo Testamento como *cálice*

---
[11] POHL, Adolf. *Evangelho de Marcos*. 1998, p. 409.
[12] RYLE, John Charles. *Mark*. 1993, p. 233.

de atordoamento (Is 51.17,22).¹³ Na mesma trilha, Adolf Pohl informa que do versículo 35 sabemos em que cálice Jesus está pensando. É "esta hora", que no versículo 41 "chegou", isto é, a entrega do Filho do homem nas mãos dos pecadores, à mercê da ação deles (9.31). Aquele que estava ligado a Deus como nenhum outro, haveria de tornar-se alguém abandonado por Deus como nenhum outro.¹⁴

Seja feita a minha vontade e não a Tua levou o primeiro Adão a cair. Porém, seja feita a Tua vontade e não a Minha abriu a porta de salvação para os pecadores. Oração não é a tentativa de fazer Deus mudar Sua vontade a fim de atender aos planos do homem. É, ao contrário, a sujeição dos planos humanos à vontade soberana de Deus. Adolf Pohl diz que Jesus não simplesmente teve de sofrer, mas no fim também quis sofrer. Sua cruz foi a cada momento, apesar das lutas imensas, Sua própria ação e Seu caminho trilhado conscientemente (Jo 10.18; 17.19). Ele foi entregue, mas também entregou a Si mesmo (Gl 1.4; 2.20).¹⁵

Em segundo lugar, *a persistência*. Jesus orou três vezes, sempre focando o mesmo aspecto. Ele suou sangue não para fugir da vontade de Deus, mas para fazer a vontade de Deus. Oração é buscar que a vontade do homem seja feita no céu, mas desejar que a vontade de Deus seja feita na terra. O evangelista Lucas esclarece que a persistência de Jesus era dupla: Ele orou não apenas três vezes (14.39), mas mais intensamente (Lc 22.44).

Em terceiro lugar, *a agonia*. Jesus não apenas foi tomado de pavor e angústia (14.33); não apenas disse que sua alma estava profundamente triste até a morte (14.34), mas o evangelista Lucas registra: *E, estando em agonia, orava mais intensamente. E aconteceu que o Seu suor se tornou como gotas de sangue caindo sobre a terra* (Lc 22.44). A ciência médica denomina esse fenômeno de *diapédesi*, dando como causa uma violenta comoção mental. E foi esse, realmente, o ponto culminante do sofrimento de Jesus, à sombra da cruz.¹⁶

---

¹³MULHOLLAND, Dewey M. . *Marcos: Introdução e Comentário*, 2005, p. 216.
¹⁴POHL, Adolf. *Evangelho de Marcos*, 1998, p. 409.
¹⁵POHL, Adolf. *Evangelho de Marcos*, 1998, p. 410.
¹⁶GIOIA, Egidio. *Notas e Comentários à Harmonia dos Evangelhos*, 1969, p. 345.

A intimidade na oração. Jesus orou e dizia: *Aba, Pai* (14.36). Esse termo aramaico significa, "meu Pai" ou "Papai". Ele denota intimidade, confiança. Bruce Barton diz que o termo aramaico *Abba* implica familiaridade e proximidade.[17] Jesus não está orando a uma divindade distante, indiferente, mas ao seu Pai. Ele é onipotente e também amoroso. O mesmo que pode fazer todas as coisas também tem um relacionamento íntimo e estreito conosco. William Barclay afirma que se podemos chamar a Deus de Pai, então, tudo se torna suportável, pois a mão do Pai nunca ocasionará a seu filho uma lágrima desnecessária.[18] Joaquim Jeremias acrescenta que Jesus fala a Deus "como uma criança com seu pai: confiantemente e com firmeza, e ainda, ao mesmo tempo, reverente e obedientemente".[19] O mesmo escritor ainda esclarece que não possuímos um único exemplo do uso de *Abba* em relação a Deus no judaísmo, mas Jesus sempre falou com Deus desse modo em suas orações.[20]

O triunfo da oração. Depois de orar três vezes e mais intensamente pelo mesmo assunto, Jesus apropriou-Se da vitória. Ele encontra paz para o Seu coração e está pronto a enfrentar a prisão, os açoites, o escárnio, a morte. Ele disse para os seus discípulos: *Basta! Chegou a hora* (14.41). Jesus levantou-Se não para fugir, mas para ir ao encontro da turba (Jo 18.4-8). Ele estava preparado para o confronto. Quando oramos, Deus nos prepara! Jesus sem hesitar vai adiante em direção à cruz. Com firme resolução, Ele beberá o cálice e sofrerá o horror que temeu no Getsêmani. Esta é a vontade do Pai, e fazer a vontade de Deus é um compromisso inegociável (14.36). Jesus não mais falará de Seu sofrimento. A preparação para o sofrimento e morte de Jesus está concluída; a paixão começa.[21] Adolf Pohl narra que as mãos de Deus se retiram, os pecadores põem as mãos nEle (14.46). Como único que nesta noite não foi vencido pela escuridão, Ele é entregue à escuridão.[22]

---

[17]BARTON, Bruce B. et al. *Life Application Bible Commentary on Mark*, 1994, p. 425.
[18]BARCLAY, William. *Marcos*, 1974, p. 353,354.
[19]JEREMIAS, Joaquim. *New Testament Theology*. Charles Scribner Sons, 1971, p. 67.
[20]JEREMIAS, Joaquim. *New Testament Theology*, 1971, p. 66.
[21]MULHOLLAND, Dewey M. *Marcos: Introdução e Comentário*, 2005, p. 217.
[22]POHL, Adolf. *Evangelho de Marcos*, 1998, p. 411.

Os discípulos de Jesus não oraram nem vigiaram (14.38), por isso, dormiram. Os seus olhos estavam pesados de sono, porque o coração estava vazio de oração. Porque não oraram, caíram em tentação e fugiram (14.50). Sem oração, a tristeza nos domina (Lc 22.45). Sem oração, agiremos na força da carne (Jo 18.10). Pedro, aquele que acabara de se apresentar para o martírio, não possui nem mesmo a força de manter os olhos abertos. Ele começou a sua queda no versículo 27. Ela teve vários degraus: a justiça própria (14.30), o sono (14.37), a fuga (14.50) e a negação (14.71).[23]

Nós devemos orar e vigiar; vigiar e orar. John Charles Ryle diz que vigilância sem oração é autoconfiança e autoengano. Oração sem vigilância é apenas entusiasmo e fanatismo. Aqueles que conhecem suas próprias fraquezas, e conhecem a necessidade de orar e vigiar, são aqueles que são fortalecidos para não cair em tentação.[24]

A **consolação** restauradora

Jesus entrou cheio de pavor e angustiado no Jardim do Getsêmani e saiu consolado. Sua oração tríplice e insistente trouxe-Lhe paz depois da grande tempestade. Quais foram as fontes de consolação que Ele encontrou nessa hora de maior drama da sua vida?

A consolação da comunhão com o Pai. A oração é uma fonte de consolação. Através dela, derramamos nossa alma diante de Deus. Por intermédio dela, temos intimidade com Deus. Jesus se dirigiu a Deus, chamando-O de Aba, Pai. Quando estamos na presença dAquele que governa os céus e a terra, e temos a consciência que Ele é o nosso Pai, nossos temores se vão e paz enche a nossa alma.

A consolação do anjo de Deus. O evangelista Lucas é o único que nos fala do suor de sangue e também da consolação angelical. No instante em que Jesus orava, buscando a vontade do Pai para beber o cálice, símbolo do seu sofrimento e morte vicária, *apareceu-Lhe um anjo do céu que o confortava* (Lc 22.43). William Hendriksen enfatiza que a angústia

---
[23] POHL, Adolf. *Evangelho de Marcos*, 1998, p. 410.
[24] RYLE, John Charles. *Mark*, 1993, p. 236.

que levou Jesus a suar sangue foi "por nós". Era uma indicação do eterno amor do Salvador pelos pobres pecadores perdidos que viera salvar.[25]

A consolação da firmeza de propósito. Jesus levanta-se da oração sem pavor, sem tristeza, sem angústia. Ele, a partir de agora, caminha para a cruz como um rei caminha para a coroação. Ele triunfou de joelhos no Getsêmani e está pronto a enfrentar os inimigos e a morrer vicariamente na cruz.

---

[25]HENDRIKSEN, William. *Lucas.* Vol. 2. São Paulo, SP: Editora Cultura Cristã, 2003, p. 592.

42
A prisão, o processo e a negação

Marcos 14.43-72

À GUISA DE INTRODUÇÃO, destacamos dois fatos importantes:

Em primeiro lugar, *depois da tristeza vem a firmeza de propósito*. Jesus entrou no Jardim do Getsêmani angustiado e saiu dele firmemente decidido a enfrentar Seus inimigos e entregar Sua vida nas mãos dos pecadores. O Deus-Homem há de ser o Cordeiro imolado, mas o magno sacrifício se realizará segundo o plano determinado desde a eternidade (At 2.23; 1Pe 1.19,20; Ap 13.8).

Em segundo lugar, *a maldade humana jamais pode frustrar os planos de Deus*. Os homens maus estavam com tochas, lanternas, espadas e porretes para prenderem a Jesus como se Ele fosse um bandido ou um revolucionário. Mas agindo assim, estavam cumprindo rigorosamente a Escritura (14.49).

A **prisão** de Jesus no **Getsêmani** (14.43-52)

Várias pessoas fizeram parte da trágica cena da prisão de Jesus no Getsêmani. Vamos analisar a participação de cada uma delas para o nosso ensino.

Em primeiro lugar, *o próprio Jesus* (14.48,49). Tanto os inimigos quanto os discípulos de Jesus tinham ideias distorcidas a seu respeito. Seus inimigos pensavam que Ele fosse um impostor, um blasfemo, que arrogava para si o título de Messias. Seus discípulos, por sua vez, pensavam que Ele era um Messias político que restauraria a nação de Israel e os colocaria numa posição de privilégios. Jesus, por sua vez, mostrou à turba bem como aos Seus discípulos que nada estava acontecendo de improviso nem de forma acidental, mas essas coisas estavam acontecendo para que se cumprissem as Escrituras (14.49).

John Charles Ryle diz que todas as etapas da caminhada de Jesus do Getsêmani ao Calvário foram preanunciadas séculos antes de Jesus vir ao mundo (Sl 22 e Is 53). A ira de Seus inimigos, a rejeição pelo Seu próprio povo, o tratamento que recebeu como um criminoso, tudo foi conhecido e profetizado antes.[1]

Jesus revela que o Seu reino é espiritual e Suas armas não são carnais. A hora da Sua paixão havia chegado, por isso, Ele não foi preso, mas entregou-Se (Jo 18.4-6). William Barclay diz que em toda essa desordenada cena Jesus é o único oásis de serenidade. Ao lermos o relato, temos a impressão de que fora Ele, e não a polícia do Sinédrio, quem dirigia as coisas. Para Ele havia terminado a luta no Jardim do Getsêmani, e agora experimentava a paz de quem tinha a convicção que estava fazendo a vontade de Deus.[2]

Em segundo lugar, *Judas* (14.43-45). Destacamos quatro fatos acerca de Judas:

Judas, o ingrato (14.43). Marcos diz que Judas era um dos doze. Ele foi chamado por Cristo. Recebeu deferência especial entre os doze a ponto de cuidar da bolsa como tesoureiro do grupo. Ele ouviu os ensinos de Jesus e viu os Seus milagres. Ele foi amado por Cristo e desfrutou o súbito privilégio de ter comunhão com Ele. Jesus lavou-lhe os pés e advertiu-o na mesa da comunhão. Contudo, Judas dominado pelo pecado da avareza, abriu brecha para o diabo entrar na sua vida e ele agora, associa-se aos inimigos de Cristo para prendê-Lo.

Judas, o traidor (14.44). A traição é uma das atitudes mais abomináveis e repugnantes. O traidor é alguém que aparenta ser inofensivo. Ele é um lobo em pele de ovelha. Ele traz nos lábios palavras aveludadas, mas

---

[1] RYLE, John Charles. *Mark*, 1993, p. 237.
[2] BARCLAY, William. *Marcos*, 1974, p. 355.

no coração carrega setas venenosas. Adolf Pohl diz que já na primeira menção de sua pessoa, em 3.19, ele foi marcado como aquele que entregaria a Jesus. Na segunda referência a ele, o encontramos de tocaia, aguardando sua oportunidade (14.10,11). Nessa terceira e última vez, ele tem a sua chance. O momento da sua vida! Fica evidente o que havia dentro dele. Depois, ele sai de cena, pois nos interrogatórios já não precisam mais dele. Assim, ele é totalmente "aquele que entregou".[3]

Judas, o enganado (14.44b). Judas disse aos líderes religiosos e à turba que os acompanhava: *Aquele a quem eu beijar, é esse; prendei-o, levai-o com segurança*. Judas sabia que todas as tentativas utilizadas até então para prender Jesus em palavras ou mesmo matá-Lo tinham fracassado. Ele pensou que Jesus reagiria à prisão ou Seus discípulos lutariam por Ele. Ele não havia compreendido ainda que Jesus havia vindo ao mundo para essa hora. Ele nada compreendia do plano eterno de Jesus de dar Sua vida para a salvação dos pecadores.

Judas, o dissimulado (14.45). A senha de Judas para entregar Jesus era um beijo (14.44). William Barclay diz que era costume saudar a um rabi com um beijo. Era um sinal de afeto e respeito para um superior amado.[4] Quando Judas disse: *Aquele a quem eu beijar, é esse; prendei-o, e levai-o com segurança* (14.44), usa a palavra *filein* que é o termo comum. Mas quando diz que Judas se aproximando O beijou (14.45), a palavra é *katafilein*. O sufixo *kata* é uma forma intensiva e *katafilein* é a palavra para beijar como um amante beija a sua amada.[5] Assim, Judas não apenas beija Jesus, mas beija-O efusiva e demoradamente.[6] A palavra *katafilein* significa não apenas beijar fervorosamente, mas, também, prolongadamente. O beijo prolongado de Judas tinha a intenção de dar à multidão uma oportunidade de ver a pessoa que deveria ser presa.[7] Judas usa o símbolo da amizade e do amor para trair o Filho de Deus e Jesus, mais uma vez, tirou sua máscara, dizendo-lhe: *Judas, com um beijo*

---

[3] POHL, Adolf. *Evangelho de Marcos*, 1998, p. 413.
[4] BARCLAY, William. *Marcos*, 1974, p. 354,355.
[5] BARCLAY, William. *Marcos*, 1974, p. 355.
[6] TRENCHARD, Ernesto. *Una Exposición del Evangelio según Marcos*, 1971, p. 190.
[7] RIENECKER, Fritz e ROGER, Cleon. *Chave Linguística do Novo Testamento Grego*, 1985, p. 96.

Aqueles que se cobrem com um lençol são um símbolo dos seguidores de Jesus, mas sem compromisso. Ele se tornou um discípulo casual, mas não era um verdadeiro discípulo. Faltava-lhe o compromisso com Jesus. Ele era um discípulo de improviso. Seguia a Jesus movido pela curiosidade, mas não tinha aliança com Ele.

Aqueles que se cobrem com um lençol são um símbolo daqueles que vivem a superficialidade da vida cristã. O lençol era a única cobertura que aquele jovem possuía. Era, portanto, um arranjo, uma proteção superficial. Não havia mais nada além daquilo que era aparente. Quando arrancaram-lhe o lençol, não havia mais nada para lhe proteger a vergonha.

Aqueles que se cobrem com um lençol são um símbolo daqueles que preferem o que dá certo em lugar do que é certo. O moço do lençol fez exatamente isso. Não era certo sair de lençol, mas naquele momento deu certo. Era noite, e como diz o ditado: "à noite, todos os gatos são pardos". Naquela época, os homens usavam roupas compridas. O lençol enrolado no corpo, à noite, parecia-se com a vestimenta de qualquer homem naquele momento. A escuridão favorecia esse tipo de arranjo e jeitinho. O moço raciocinou: "Como ninguém sabe, nem está vendo, então eu vou fazer". Nem sempre o que dá certo é certo. Sua ética era a ética do momento, da conveniência.

Aqueles que se cobrem com um lençol são um símbolo daqueles que querem ser diferentes, mas não fazem diferença. Aquele jovem foi identificado como um seguidor de Jesus. Ele não estava no grupo que prendia a Jesus. Então, pensaram: ele é seguidor de Jesus. Mas quando lançaram mão dele, ele estava se cobrindo com um lençol e saiu correndo nu. Na verdade, ele não era um discípulo, era um carona da fé.

Aqueles que se cobrem com um lençol são um símbolo daqueles que estão desprovidos de poder quando precisam se defender. O jovem precisou se defender quando foi atacado. Precisou usar as mãos. Mas eram suas mãos que faziam o lençol aderir ao seu corpo. Ao liberar as mãos, o lençol caiu. Ficou vulnerável, exposto, desprotegido, nu. O inimigo agarrou o lençol, a única coisa que o cobria. Ficou nu. Fugiu nu. Que vergonha! Ninguém pode vestir-se com um lençol sem ser exposto à vergonha na hora da batalha.

O **processo** contra Jesus no **Sinédrio** (14.53-65)

O processo que culminou na sentença da morte de Jesus estava eivado de muitos e gritantes erros. As autoridades judaicas tropeçaram nas suas próprias leis e atropelaram todas as normas no julgamento de Jesus. Tanto a sua prisão no Getsêmani, quanto seu interrogatório diante de Anás e diante do Sinédrio pleno revelaram grandes deficiências na condução do processo.

Na verdade, as autoridades já haviam decidido matar Jesus antes mesmo de interrogá-Lo (14.1; Jo 11.47-53). Eles haviam planejado fazer isso depois da festa, para evitarem uma revolta popular (14.2), mas a atitude de Judas de entregá-Lo adiantou o intento deles (14.10,11). Ernesto Trenchard disse que o processo não era senão um simulacro de justiça desde o princípio até o fim, pois não tinha outra finalidade que a de dar uma aparência de legalidade ao crime já predeterminado.[12]

Suas leis não permitiam um prisioneiro ser interrogado pelo Sinédrio à noite. No dia antes de um sábado ou de uma festa todas as sessões estavam proibidas.[13] Nenhuma pessoa podia ser condenada senão por meio do testemunho de duas testemunhas, mas eles contrataram testemunhas falsas. O anúncio de uma pena de morte só poderia ser feito um dia depois do processo. Nenhuma condenação poderia ser executada no mesmo dia, mas eles sentenciaram Jesus à morte durante a noite e logo cedo levaram-No a Pilatos para que este lavrasse sua pena de morte. Corroborando com essa mesma linha de pensamento, J. Vernon McGee diz que a reunião do Sinédrio foi ilegal, uma vez que foi à noite e o método usado também foi ilegal, visto que eles ouviram apenas testemunhas contra Jesus.[14]

William Hendriksen diz que Jesus passou por dois julgamentos: um eclesiástico e outro civil; o primeiro aconteceu nas mãos dos judeus, o segundo, nas mãos dos romanos.[15] Warren Wiersbe diz que tanto o julgamento judaico quanto o romano tiveram três estágios. O julgamento

---

[12] TRENCHARD, Ernesto. *Una Exposición del Evangelio según Marcos*, 1971, p. 192,193.
[13] POHL, Adolf. *Evangelho de Marcos*, 1998, p. 417.
[14] MCGEE, J. Vernon. *Mark*, 1991, p. 179.
[15] HENDRIKSEN, William. *Marcos*, 2003, p. 762.

judaico foi aberto por Anás, o antigo sumo sacerdote (Jo 18.13-24). Em seguida, Jesus foi levado ao tribunal pleno para ouvir as testemunhas (14.53-65), e então na sessão matutina do dia seguinte para o voto final de condenação (15.1). Jesus foi então enviado a Pilatos (15.1-5; Jo 18.28-38), que o enviou a Herodes (Lc 23.6-12), que o mandou de volta a Pilatos (15.6-15; Jo 18.39-19.6). Pilatos atendeu ao clamor da multidão e entregou Jesus para ser crucificado.[16]

Os juízes de Jesus foram: Anás, o ganancioso, venenoso como uma serpente e vingativo (Jo 18.13); Caifás, rude, hipócrita e dissimulado (Jo 11.49,50); Pilatos, supersticioso e egoísta (Jo 18.29); e Herodes Antipas, imoral, ambicioso e superficial. Esses foram Seus juízes, diz William Hendriksen.[17] Vejamos quais foram os passos nesse processo:

Em primeiro lugar, *Jesus diante de Anás* (Jo 18.13). Antes de Jesus ser levado ao Sinédrio, foi conduzido manietado pela escolta, o comandante e os guardas dos judeus até Anás. Este era sogro de Caifás, o sumo sacerdote. Apesar de haver sido destituído pelos romanos, muitos judeus consideravam a Anás como o verdadeiro sumo sacerdote, pois esse cargo era vitalício e sumamente honroso e como cabeça de toda a família, exercia enorme influência na direção da política da nação por meio do seu genro Caifás. O interrogatório de Jesus por esse potentado tinha por objeto orientar o sumo sacerdote, ao mesmo tempo em que oferecia tempo suficiente para a convocação de um quórum do sinédrio durante as altas horas da noite.[18]

Em segundo lugar, *Jesus diante do Sinédrio* (14.53-65). O Sinédrio era a suprema corte dos judeus, composta de 71 membros. Entre eles havia saduceus, fariseus, escribas e os homens respeitáveis, que eram os anciãos. O sumo sacerdote presidia o tribunal. Nessa época, os poderes do Sinédrio eram limitados porque os romanos governavam o país. O Sinédrio tinha plenos poderes nas questões religiosas. Parece que tinha também certo poder de polícia, embora, não tivesse poder para

---

[16]WIERSBE, Warren W. *Be Diligent*, 1987, p. 140,141.
[17]HENDRIKSEN, William. *Marcos*, 2003, p. 766.
[18]TRENCHARD, Ernesto. *Una Exposición del Evangelio según Marcos*, 1971, p. 193,194.

infligir a pena de morte. Sua função não era condenar, mas preparar uma acusação pela qual o réu pudesse ser julgado pelo governador romano.[19]

Embora ilegalmente, o Sinédrio reuniu-se naquela noite da prisão de Jesus para o interrogatório. Eles já tinham a sentença, mas precisavam de uma forma para efetivá-la. Os membros do Sinédrio estavam movidos pela inveja (15.10), pela mentira (14.55,56), pelo engano (14.61) e pela violência (14.65). Os que interrogaram Jesus não buscavam a verdade, e sim evidência contra Ele, diz Dewey Mulholland.[20]

Vamos destacar alguns pontos importantes:

As testemunhas (14.56-59). Segundo a lei, não era lícito condenar a ninguém à morte senão pelo testemunho concordante de duas testemunhas (Nm 35.30), de modo que não havia "causa legal" contra ninguém até que se houvesse cumprido esse requisito. As primeiras testemunhas desqualificam-se, pois suas histórias não concordam entre si (Dt 17.6). Quão trágico é que um grupo de líderes religiosos estivessem encorajando o povo a mentir, e isso durante uma sessão muito especial.

O testemunho (14.56-59). O Sinédrio procurou testemunho contra Jesus, mas não achou (14.55). Muitos testemunharam contra Jesus, mas os testemunhos não eram coerentes (14.56). Outros testemunharam falsamente, baseando-se nas palavras do Senhor em João 2.19: *Jesus lhes respondeu: Destruí este santuário, e em três dias o reconstruirei*. O próprio evangelista João interpreta as palavras de Jesus: *Ele, porém, se referia ao santuário do seu corpo* (Jo 2.21).

Contudo, os acusadores torceram as palavras de Jesus, acrescentando palavras que Jesus não havia dito: "Nós o ouvimos declarar: Eu destruirei este santuário *edificado por mãos humanas* e, em três dias, construirei *outro, não por mãos humanas*" (14.58; grifos do autor).

Essas falsas testemunhas mantiveram a velha e falsa versão dos judeus (Jo 2.20), dando a ideia que Jesus havia planejado uma conspiração, um atentado militar contra o santuário de Jerusalém, destruindo, assim, o centro religioso da nação. Adolf Pohl diz que essa acusação foi explosiva porque naquele tempo, a profanação de templos era um

---

[19] BARCLAY, William. *Marcos*, 1974, p. 358.
[20] MULHOLLAND, Dewey M. *Marcos: Introdução e Comentário*, 2005, p. 220.

dos delitos mais monstruosos.[21] Marcos nos informa que nem assim o testemunho deles era coerente (14.59). Aliás, Marcos classifica essas acusações de "falso testemunho" (14.57-59), porque Jesus nunca dissera que Ele destruiria o Templo em Jerusalém. Não havendo testemunho contra Jesus, Ele deveria ser solto.

O juramento solene (14.60-62). Diante das falsas acusações, Jesus guardou silêncio e não Se defendeu, cumprindo, assim, a profecia: [...] *como ovelha muda perante os seus tosquiadores, ele não abriu a boca* (Is 53.7; 1Pe 2.23). O complô estava em perigo de fracassar, mas Caifás estava determinado a condenar Jesus. Então, deixa de lado toda diplomacia e sob juramento faz a pergunta decisiva a Jesus: *És tu o Cristo, o Filho do Deus Bendito? Jesus respondeu: Eu sou, e vereis o Filho do homem assentado à direita do Todo-poderoso e vindo com as nuvens do céu* (14.61,62). O evangelista Mateus registra esta pergunta sob juramento: *Eu te conjuro pelo Deus vivo que nos digas se tu és o Cristo, o Filho de Deus* (Mt 26.63). Ernesto Trenchard diz que a resposta tão elevada e digna do Senhor a Caifás foi a primeira declaração pública na qualidade de Messias que o Senhor dera ao povo, e, isso no momento em que, humanamente falando, a afirmação significava a morte.[22] À declaração acrescentou o Senhor a profecia da Sua segunda vinda em glória. Com essa resposta, Jesus demonstra seu valor e sua confiança, pois sabia que sua resposta significava sua morte, mas não titubeou em dá-la com clareza, pois tinha a total confiança do Seu triunfo final. Nessa mesma trilha de pensamento, Dewey Mulholland afirma que pela primeira e única vez no evangelho de Marcos, Jesus proclama abertamente ser o Messias de Deus, cujo destino é poder e glória. Assim, Jesus proporciona ao Sinédrio todas as evidências que buscavam para O condenarem à morte.[23]

A condenação (14.63,64). A condenação de Jesus por blasfêmia da parte do Sinédrio foi tão ilegal quanto a pergunta sob juramento feita por Caifás, pois a Lei exigia larga meditação antes de promulgar-se uma sentença condenatória. Não deram a Jesus nenhum direito de

---

[21]Pohl, Adolf. *Evangelho de Marcos*, 1998, p. 419.
[22]Trenchard, Ernesto. *Una Exposición del Evangelio según Marcos*, 1971, p. 195.
[23]Mulholland, Dewey M. *Marcos: Introdução e Comentário*, 2005, p. 220.

defesa, pois já haviam fechado seus olhos contra a luz que resplandecia da vida do Senhor como também seus ouvidos contra a palavra divina que saía da Sua boca (At 13.27), diz Ernesto Trenchard.[24]

Os insultos (14.65). Havia pouca consideração para um réu condenado, e imediatamente depois da sentença condenatória os servidores dos sacerdotes começaram a esbofetear o Senhor, cuspindo-Lhe, escarnecendo dEle, iniciando, assim, o cumprimento dos desprezos e dos sofrimentos físicos que Ele haveria de sofrer (Is 50.6; 52.14 –53.10). Dewey Mulholland diz que embora Roma proibisse o Sinédrio de exercitar a penalidade de morte, seus membros manifestam sua ira contra Jesus. Alguns cospem nEle; outros batem nEle.

Alguns zombam dEle e exigem que profetize. Os guardas O espancam. Ironicamente, as ações deles só confirmam o papel profético e messiânico de Jesus, cumprindo as predições que Ele fizera (8.31; 10.33,34).[25]

A **negação de Pedro** no pátio da casa do sumo sacerdote – (14.54,66-72)

Pedro foi um homem de fortes contrastes. Ele tinha arroubos de intensa ousadia e atitudes de extrema covardia. Era um homem de altos e baixos, de escaladas e quedas, de bravura e fraqueza. Esse texto nos fala sobre alguns aspectos da vida de Pedro:

Em primeiro lugar, **Pedro, *o fugitivo*** (14.50). O mesmo Pedro que prometera fidelidade irrestrita, num grau maior do que seus condiscípulos (14.29,31), agora, abandona a Jesus e foge com eles na noite fatídica da prisão de Cristo. Ele abandonou ao seu Senhor, quebrou seus votos e tornou-se fraco.

Em segundo lugar, **Pedro, *o que segue a Jesus de longe*** (14.54). A queda de Pedro foi progressiva. Ele desceu o primeiro degrau nessa queda quando, fundamentado na autoconfiança, quis ser mais espiritual que os outros. Agora, ele desce mais um degrau quando depois da fuga covarde, tenta remediar a situação, seguindo a Jesus de longe.

---

[24]TRENCHARD, Ernesto. *Una Exposición del Evangelio según Marcos*, 1971, p. 195,196.
[25]MULHOLLAND, Dewey M. *Marcos: Introdução e Comentário*, 2005, p. 222.

43

A humilhação do Filho de Deus

Marcos 15.1-47

J. VERNON MCGEE DIZ QUE A CRUZ é um dos maiores paradoxos da fé cristã. Ao mesmo tempo em que ela é a maior tragédia de todos os tempos, é também, a mais gloriosa vitória.[1] Marcos é o evangelho da ação, e esse capítulo 15 nos conduz à suprema ação de Cristo. Para essa suprema ação, todos os propósitos de Deus apontavam desde a eternidade, pois Ele é o Cordeiro que foi morto desde a fundação do mundo (Ap 13.8).

A humilhação de Cristo passou por vários degraus. Ele desceu do céu a terra; sendo Deus, se fez homem; sendo rei se fez servo; sendo juiz, se fez vítima indefesa; sendo santo se fez pecado; sendo bendito, se fez maldição; sendo glorificado pelos anjos, foi cuspido pelos homens. No Getsêmani, suou sangue; no Sinédrio foi cuspido, acusado falsamente e espancado; no pretório foi condenado à morte e açoitado; no calvário foi pregado na cruz. O apóstolo Paulo diz que Ele Se humilhou até a morte e morte de cruz (Fp 2.8).

Jesus foi para a cruz não apenas porque os judeus O entregaram por inveja; ou porque Judas o traiu por dinheiro nem mesmo porque

---

[1]McGee, J. Vernon. *Mark*, 1991, p. 183.

Pilatos O condenou por covardia. Cristo foi para a cruz porque o Pai O entregou por amor. Cristo foi para a cruz porque Ele Se entregou a Si mesmo por nós.

Vejamos alguns pontos sobre a humilhação de Cristo:

Jesus no **Sinédrio** (15.1)

Haim Cohn, em seu livro, *O julgamento de Jesus, o nazareno*, afirma que no século XX cerca de sessenta mil livros foram escritos sobre a vida de Jesus, porém, poucos dedicaram atenção especial ao seu julgamento e pouquíssimos foram escritos por juristas e de um ponto de vista jurídico. Isso é intrigante porque não existe nenhum outro julgamento que tenha tido consequências tão profundas, concretas e reais quanto esse.[2] Dois fatos nos chamam a atenção:

Em primeiro lugar, *a ilegalidade da reunião anterior do Sinédrio* (14.54-65). Pelas leis dos judeus, o Sinédrio não poderia reunir-se à noite para interrogar uma pessoa nem mesmo para ouvir testemunhas contra ela. Mas Jesus foi preso, interrogado e sentenciado à morte numa reunião feita às pressas na calada da noite. Por ganância, Judas O entregou. Por inveja, os sacerdotes O prenderam e O condenaram à morte por blasfêmia (14.63,64).

Em segundo lugar, *a formalização de uma nova acusação* (15.1). O Sinédrio voltou a reunir-se na manhã de sexta-feira para planejar sua estratégia. Precisavam dar validade à reunião ilegal da noite anterior e também formalizar uma nova acusação contra Jesus que pudesse encontrar guarida diante da corte romana.[3] As autoridades religiosas julgaram Jesus digno de morte por causa de blasfêmia, mas essa era uma questão teológica que não tinha importância para os romanos. Então, os principais sacerdotes com os anciãos, os escribas e todo o Sinédrio formalizaram uma acusação política contra Jesus. Eles tomaram a decisão de acusar Jesus de conduzir uma rebelião civil contra

---

[2]COHN, Haim. *O Julgamento de Jesus, o Nazareno*, Rio de Janeiro, RJ: Imago Editora, 1990, p. 9.
[3]MCGEE, J. Vernon. *Mark*, 1991, p. 184.

Roma.⁴ Acusaram Jesus diante de Pilatos de promover sedição e de querer ser rei.

Adolf Pohl disse que Caifás considerava Jesus culpado de antemão e somente buscou um pretexto; Pilatos considerou Jesus inocente e buscou uma saída. Nos dois casos, Jesus foi "entregue", ficou em silêncio diante das acusações, recebeu a sentença de morte e foi cuspido e escarnecido.⁵

No tribunal judaico, apresentou-se uma acusação teológica contra Jesus: blasfêmia. No tribunal romano, a acusação era política: sedição. Assim, acusaram Jesus de delito contra Deus e contra César. John Stott diz que tanto no tribunal judaico, quanto no romano, seguiu-se certo procedimento legal: 1) A vítima foi presa; 2) A vítima foi acusada e examinada; 3) Chamaram-se testemunhas; 4) Então, o juiz deu o seu veredicto e pronunciou a sentença.

Mas Marcos esclarece que: 1) Jesus não era culpado das acusações; 2) as testemunhas eram falsas; 3) a sentença de morte foi um horrendo erro judicial.⁶

Jesus no **pretório** (15.2-20)

Destacamos alguns pontos importantes sobre o julgamento de Jesus no palácio de Herodes:

Em primeiro lugar, *os judeus acusam Jesus diante de Pilatos* (15.3,4). Os homens da religião e da Lei, por ciúmes e inveja, acusaram Jesus porque não queriam perder a popularidade nem queriam abrir mão do poder. Jeitosamente haviam criado mecanismos para se enriquecerem por meio da religião e estavam mais interessados na glória pessoal do que na salvação. Como eles não tinham poder para matar ninguém (Jo 18.31), levaram Jesus ao governador Pilatos.

Logo que levaram Jesus ao pretório, Pilatos saiu para falar e disse: *Que acusação trazeis contra este homem?* (Jo 18.29). Os principais

---

⁴MULHOLLAND, Dewey M. *Marcos: Introdução e Comentário*, 2005, p. 224.
⁵POHL, Adolf. *Evangelho de Marcos*, 1998, p. 426.
⁶STOTT, John. *A Cruz de Cristo*. Miami, FL: Editora Vida, 1991, p. 40,41.

sacerdotes acusaram Jesus de muitas coisas (15.3) e com grande veemência (Lc 23.10). Porém, Jesus ficou em silêncio e não abriu Sua boca. William Barclay diz que há momentos que o silêncio é mais eloquente que as palavras, porque o silêncio pode dizer coisas que as palavras não podem.[7] William Hendriksen diz que durante as últimas horas de sua vida, em quatro ocasiões diferentes, Jesus "não abriu a sua boca": Na presença de Caifás (14.60,61), de Pilatos (15.4,5), de Herodes (Lc 23.9) e, novamente, de Pilatos (Jo 19.9). Isso falou mais alto do que qualquer palavra que pudesse ter dito. Esse silêncio se transformou em condenação dos seus atormentadores, e era prova de sua identidade como o Messias.[8]

O evangelista Marcos não nos informa sobre o conteúdo dessas acusações, mas podemos buscá-las nos outros evangelistas.

Acusaram Jesus de ser um malfeitor (Jo 18.30). Os acusadores inverteram a situação. Eles eram malfeitores, mas Jesus havia andado por toda parte fazendo o bem (At 10.38).

Acusaram Jesus de insubordinação (Lc 23.2). Eles disseram para Pilatos que encontraram Jesus pervertendo a nação, vedando pagar tributo a César e afirmando ser Ele o Cristo, o Rei.

Acusaram Jesus de agitador do povo (Lc 23.5,14). Eles afirmaram: "Ele alvoroça o povo, ensinando por toda a Judeia, desde a Galileia, onde começou, até aqui".

Acusaram Jesus de blasfêmia (Jo 19.7). Eles disseram a Pilatos que Jesus Se fazia a Si mesmo Filho de Deus e, segundo a lei judaica isso era blasfêmia, um crime capital para os judeus.

Acusaram Jesus de sedição (Jo 19.12). Os judeus clamavam a Pilatos: *Se soltas a este, não és amigo de César; todo aquele que se faz rei é contra César.* Os judeus por inveja acusaram Jesus de sedição política. Colocaram-No contra o Estado, contra Roma, contra César. Questionaram as Suas motivações e a Sua missão. Acusaram-No de querer um trono, em lugar de abraçar uma cruz. A acusação contra Cristo é que Ele era o "Rei dos judeus". Embora Jesus tenha admitido que era Rei, explicou que o

---

[7] BARCLAY, William. *Marcos*, 1974, p. 363.
[8] HENDRIKSEN, William. *Marcos*, 2003, p. 796.

Seu reino não era deste mundo, de forma que não constituía nenhum perigo para César em Roma.[9] Adolf Pohl diz que seja o que for que "rei dos judeus" tenha significado para Jesus, pelo menos não era derramar o sangue de outros, mas o Seu próprio pelos outros (10.45; 14.24).[10] Essa acusação foi pregada em sua cruz em três idiomas: hebraico, grego e latim (Jo 19.19,20). O hebraico é a língua da religião. O grego é a língua da filosofia e o latim é a língua da lei romana. Tanto a religião, quanto a filosofia e a lei se uniram para condenar a Jesus.

Antônio Vieira, comentando sobre esse episódio, afirma que Jesus é acusado de que queria ser rei dos judeus, mas foi precisamente condenado porque não quis ser rei dos judeus. No pretório, Pilatos pergunta a Jesus se Ele era rei. Qual o conceito de rei para Pilatos, para os acusadores, para o povo e para o próprio Jesus? Se o conceito de realeza era o entendido pelos acusadores, o crime era religioso. Se o conceito de realeza era o entendido por Pilatos, caracterizava-se o crime político. Havia, pois, o conceito de realeza do próprio Jesus, quando diz solenemente que o seu reino não é deste mundo. Ali, não era uma escola filosófica ou academia jurídica para discutir os conceitos doutrinários sobre realeza. Jesus estava ali para construir com o seu próprio sangue este reinado de amor e justiça. O primeiro governo e autoridade existente no mundo foi instalado por Deus, ainda no Paraíso, quando criou o homem à sua imagem e semelhança, mandou que dominasse os peixes do mar, as aves do céu, os animais da selva. Para governar animais irracionais quis Deus que o homem tivesse entranhas divinas, fosse feito à Sua imagem e semelhança. Tão sublime e tão grande era aos olhos de Deus a missão de governar. Mas Adão foi contaminado pelo orgulho e autossuficiência e quis ser igual a Deus. Esse é o grande pecado dos que governam: tornarem-se grandes como deuses para governarem os homens como demônios. Historicamente, todos aqueles que se atribuíram poderes divinos e se tornaram absolutos governaram como se Deus não existisse. Quando Jesus disse diante de Pilatos que seu reino não era deste mundo, traçava as coordenadas que o distinguiam de todos

---

[9] TRENCHARD, Ernesto. *Una Exposición del Evangelio según Marcos*, 1971, p. 202.
[10] POHL, Adolf. *Evangelho de Marcos*, 1998, p. 428.

os poderes terrenos, ou seja, o Seu reino não teria as características dos impérios humanos.[11]

Em segundo lugar, **Pilatos estava convencido da inocência de Jesus** (15.10,14). Pilatos estava convencido da inocência de Jesus e ele demonstrou isso três vezes. Pilatos percebeu a intenção maldosa dos sacerdotes. Ele sabia que as acusações contra Jesus eram meramente para proteger a instituição religiosa, não o trono de César.[12] Warren Wiersbe diz que o que faltou em Pilatos foi coragem para sustentar o que ele acreditava.[13] Mais uma vez, Marcos não nos dá os detalhes, mas os outros evangelistas elucidam essa questão da inocência de Jesus.

No início do julgamento (Lc 23.4). Quando o Sinédrio lhe levou o caso, Pilatos disse: *Não vejo neste homem crime algum.*

No meio do julgamento (Lc 23.13-15). Quando Jesus voltou, depois de ter sido examinado por Herodes, Pilatos disse aos sacerdotes e ao povo: *Apresentastes-me este homem como agitador do povo; mas, tendo-O interrogado na vossa presença, nada verifiquei contra Ele dos crimes de que O acusais. Nem tampouco Herodes, pois no-Lo tornou a enviar. É, pois, claro que nada contra Ele se verificou digno de morte.*

No final do julgamento (Lc 23.22). O evangelista Lucas nos informa que pela terceira vez Pilatos perguntou ao povo: *Que mal fez este? De fato, nada achei contra Ele para condená-Lo à morte.* O evangelista João registra com grande ênfase o drama vivenciado por Herodes nesse julgamento. Chegou um momento em que ele temeu (Jo 19.8) e procurou soltar Jesus (Jo 19.12).

Em terceiro lugar, **Pilatos tentou soltar Jesus e pacificar os judeus** (15.6-15). Pilatos estava plenamente convencido de duas coisas: a inocência de Jesus e a inveja dos judeus (15.10). Mas por covardia e conveniência política abafou a voz da consciência e condenou a Jesus, antes, porém, fez quatro tentativas evasivas, segundo John Stott.[14]

---

[11]Vieira, Antônio. *Mensagem de Fé para quem não tem Fé*, 1981, p. 144-147.
[12]Mulholland, Dewey M. *Marcos: Introdução e Comentário*, 2005, p. 225.
[13]Wiersbe, Warren W. *Be Content*, 1987, p. 143.
[14]Stott, John. *A Cruz de Cristo*, 1991, p. 43,44.

Ele transferiu a responsabilidade da decisão (Lc 23.5-12). Ao ouvir que Jesus era da Galileia, enviou-O para Herodes. Este, porém, devolveu Jesus sem sentença.

Ele tentou meias-medidas (Lc 23.16,22). Pilatos disse aos judeus: *Portanto, depois de castigá-Lo, soltá-Lo-ei*. Essa foi uma ação covarde, pois se Jesus era inocente, tinha de ser imediatamente solto e não primeiramente açoitado. O açoite romano era algo terrível. O réu era atado e dobrado, de tal maneira que suas costas ficavam expostas. O chicote era uma larga tira de couro, com pedaços de chumbo, bronze e ossos nas pontas. Por meio desses açoites as vítimas tinham seus corpos rasgados; às vezes, um olho chegava a ser arrancado. Alguns morriam durante os próprios açoites e outros ficavam loucos. Poucos eram os que suportavam esses açoites sem desmaiar. Isso foi o que fizeram com Jesus, diz William Barclay.[15] Nesta mesma trilha, Adolf Pohl diz que a flagelação romana era executada de maneira bárbara. O delinquente era desnudado e amarrado a uma estaca ou coluna, às vezes também, simplesmente jogado no chão e chicoteado por vários carrascos até estarem cansados e pedaços de carne ensanguentada ficavam pendurados.[16]

Ele tentou a coisa certa pela forma errada (15.6-11). Pilatos tentou fazer a coisa certa (soltar Jesus), pela forma errada (pela escolha da multidão). Propôs anistiar um prisioneiro criminoso esperando, que a multidão escolhesse Jesus, mas o povo preferiu Barrabás. Marcos descreve Barrabás como um homicida e tumultuador (15.7), enquanto Mateus o chama de "um preso muito conhecido" (Mt 27.16) e João o descreve como um salteador (Jo 18.40). William Barclay diz que a escolha da multidão por Barrabás revela as escolhas do homem sem Deus: Ilegalidade em lugar da lei; a guerra em lugar da paz; o ódio e a violência em lugar do amor.[17]

Ele tentou protestar sua inocência (Mt 27.24). Pilatos lavou as mãos, dizendo: *Estou inocente do sangue deste justo*.

---

[15] BARCLAY, William. *Marcos*, 1987, p. 367.
[16] POHL, Adolf. *Evangelho de Marcos*, 1998, p. 430.
[17] BARCLAY, William. *Marcos*, 1987, p. 366.

Em quarto lugar, ***Pilatos cedeu, entregando Jesus para ser crucificado*** (15.15-20). Dewey Mulholland diz que embora Pilatos considere Jesus inocente de qualquer crime, sucumbe à pressão e entrega Jesus para ser crucificado (Lc 23.23-25).[18]

John Stott diz que foram quatro as razões que levaram Pilatos a entregar Jesus para ser crucificado: Primeira, o clamor da multidão (Lc 23.23). O clamor da multidão prevaleceu. Segunda, o pedido da multidão (Lc 23.24). Pilatos decidiu atender-lhes o pedido. Terceira, a vontade da multidão (Lc 23.25). Quanto a Jesus, entregou-O à vontade deles. Quarta, a pressão da multidão (Jo 19.12). Os judeus disseram para Pilatos: *Se soltas a este, não és amigo de César*. A escolha é entre a verdade e a ambição, entre a consciência e a conveniência.[19]

Em quinto lugar, ***os soldados escarnecem de Jesus*** (15.1620). Os soldados escarneceram de Jesus principalmente em relação às duas principais acusações apresentadas contra Ele: a acusação política de que Ele se fazia rei e a acusação religiosa de que Ele se fazia Filho de Deus. Jesus foi escarnecido pelas acusações de blasfêmia e sedição.

Primeiro, zombaram dEle como rei (15.17,18). A vestimenta púrpura e a coroa de espinhos eram uma maneira de ridicularizar a Jesus como rei.

Segundo, zombaram dEle como Filho de Deus (15.19,20). Esbordoaram-Lhe a cabeça e cuspiram nEle e, pondo-se de joelhos, O adoravam. Depois de O terem escarnecido, conduziram Jesus para fora, com o fim de crucificá-Lo.

Jesus no **Calvário** (15.21-41)

Há vários pontos dignos de destaque aqui:

Em primeiro lugar, ***a caminhada para a cruz*** (15.21-23). Jesus já estava com suas forças esgotadas. Desde a noite anterior Ele estivera preso, sendo castigado. No pretório de Pilatos acabara de ser açoitado e escarnecido. Seu corpo estava sangrando. Sob o peso da cruz, Jesus

---
[18] MULHOLLAND, Dewey M. *Marcos: Introdução e Comentário*, 2005, p. 224.
[19] STOTT, John. *A Cruz de Cristo*, 1991, p. 44.

marcha do pretório para o Gólgota sob os apupos da multidão tresloucada e sedenta de sangue e os açoites crudelíssimos dos soldados (Jo 19.16,17). Não aguentando mais o desmesurado castigo, Jesus cai exangue sob o lenho maldito.

Nesse ínterim, os soldados obrigaram Simão Cireneu a carregar a cruz. Simão Pedro orgulhosamente disse que iria com Jesus até a prisão e até a morte (Lc 22.33), mas foi Simão Cireneu, e não Simão Pedro, quem veio ajudar o Mestre.[20] Esse homem vai a Jerusalém para participar da Festa da Páscoa e encontra-se com o Cordeiro de Deus. Sua vida é transformada e seus filhos Alexandre e Rufo são convertidos ao evangelho e sua esposa torna-se como mãe do apóstolo Paulo (Rm 16.13).

Em segundo lugar, *a crucificação* (15.22-32). A morte de Cristo foi o mais horrendo crime. Judeus e gentios, religiosos e políticos se uniram para condenarem a Jesus. Pedro denunciou as autoridades judaicas por matarem o Autor da vida (At 3.15) e O crucificarem por mãos de iníquos (At 2.23). Destacamos alguns pontos importantes aqui:

O local da crucificação (15.22). Gólgota, o local onde Jesus foi crucificado era também conhecido como Lugar da Caveira. Naquele tempo, os criminosos condenados à morte de cruz não tinham o direito de um sepultamento digno. Muitos deles eram deixados apodrecendo na cruz. Talvez esse monte tenha recebido esse nome não apenas por causa da sua aparência de caveira, mas também, por causa do horror de ter sempre ali, corpos putrefatos.

A dor física da crucificação. A morte de cruz era a forma de os romanos aplicarem a pena de morte. Os judeus consideravam maldito aquele que era dependurado na cruz (Gl 3.13). A pessoa morria de cãibras, asfixiado e com dores crudelíssimas. Dewey Mulholland diz que a morte vinha por sufocação, esgotamento ou hemorragia.[21]

A dor moral e espiritual da crucificação. Jesus foi escarnecido como profeta (15.29), como salvador (15.31) e como rei (15.32). Ele foi crucificado entre dois ladrões como um criminoso. Jesus foi despido de suas vestes e elas foram repartidas pelos soldados. Ele foi zombado

---

[20] WIERSBE, Warren W. *Be Diligent*, 1987, p. 146.
[21] MULHOLLAND, Dewey M. *Marcos: Introdução e Comentário*, 2005, p. 228.

quando pregaram em Sua cruz a acusação que O levou à morte (15.26). Ele foi escarnecido pelos transeuntes que ainda alimentavam as mentiras espalhadas pelas falsas testemunhas (15.29). Ele foi vilipendiado pelos principais sacerdotes e escribas que O acusaram de incapaz de ajudar a Si mesmo (15.31). Ele foi insultado até mesmo por aqueles que com Ele foram crucificados (15.32).

A última cartada de satanás (15.30,32). Satanás sempre tentou desviar Jesus da cruz. Agora, dá sua última cartada. O povo gritou para Jesus salvar-Se a Si mesmo (15.30) e os principais sacerdotes e escribas disseram-Lhe: *Desça agora da cruz o Cristo, o rei de Israel, para que vejamos e creiamos* (15.32). Se Jesus salvasse a Si mesmo não poderia salvar a nós. Se ele descesse da cruz, nós desceríamos ao inferno. Porque Ele não desceu da cruz, nós podemos subir ao céu.

As trevas sobre a terra (15.33). A penúltima praga que assolou o Egito antes da morte do cordeiro pascal foram três dias de trevas. Agora, antes de Jesus, o nosso Cordeiro Pascal ser imolado na cruz, também houve três horas de trevas sobre a terra. É conhecida a expressão de Douglas Webster que disse: "No nascimento do Filho de Deus, houve luz à meia-noite; na morte do Filho de Deus, houve trevas ao meio-dia".[22] William Hendriksen diz que a escuridão simbolizou julgamento: o julgamento de Deus sobre o nosso pecado; Sua ira consumindo-se no coração de Jesus, para que Ele, como nosso substituto, pudesse sofrer a agonia mais intensa, a aflição mais indescritível e o desamparo e isolamento mais terrível. O inferno veio até o Calvário nesse dia, e o Salvador desceu a ele, experimentando os seus horrores em nosso lugar.[23]

O grito de desamparo (34-36). Jesus já havia sido desamparado pelo povo, pelos líderes, pelos ladrões e agora estava sendo também desamparado pelo próprio Pai. Diz o evangelista Marcos: À hora nona, clamou Jesus em alta voz:

Eloí, Eloí, lamá sabactâni? Que quer dizer: Deus meu, Deus meu, por que Me desamparaste? (15.34). Nesse momento, o universo inteiro se

---
[22]WEBSTER, Douglas. *In the Debt of Christ*. Highway Press, 1957, p. 46.
[23]HENDRIKSEN, William. *Marcos*, 2003, p. 832.

contorce de dores. O sol escondeu o seu rosto e houve trevas sobre a terra ao meio-dia. Sede, desamparo e agonia são símbolos do próprio inferno. Foi na cruz que Cristo desceu ao inferno. Foi na cruz que se fez pecado e maldição por nós. Foi na cruz que sorveu o cálice da ira de Deus contra o pecado. O que Ele temeu no Getsêmani, agora experimenta na cruz. Deus fez cair sobre Ele a iniquidade de todos nós. Ele foi ferido e traspassado. Terra e céu desamparam Jesus.

Em terceiro lugar, **a morte** (15.37-41). Jesus foi crucificado na terceira hora do dia, ou seja, às nove horas da manhã (15.25). Da hora sexta à hora nona, ou seja, do meio-dia às três horas da tarde houve trevas sobre a terra (15.33). Nessas seis horas que Jesus ficou na cruz, ele proferiu sete palavras: três delas em relação às pessoas: 1) Palavra de perdão – *Pai, perdoa-lhes, porque não sabem o que fazem* (Lc 23.34); 2) Palavra de salvação – *Hoje estarás comigo no paraíso* (Lc 23.43); 3) Palavra de afeição – *Mulher, eis aí teu filho* [...] *eis aí tua mãe*. Uma palavra em relação a Deus: *Deus Meu, Deus Meu, por que Me desamparaste?* (15.34) e três palavras em relação a si mesmo: 1) Palavra de agonia: *Tenho sede* (Jo 19.28); 2) Palavra de vitória: *Está consumado* (Jo 19.30) e 3) Palavra de rendição: *Pai, nas tuas mãos entrego o meu espírito* (Lc 23.46).

A morte de Cristo é o fato mais importante no cristianismo, diz John Charles Ryle.[24] Dela depende a esperança de todos os pecadores salvos.

Em quarto lugar, **o brado de triunfo** (15.37). O evangelista Marcos não nos informa sobre qualquer palavra proferida por Jesus na cruz senão a palavra do desamparo (15.34), porém estão implícitas nesse brado, a palavra de vitória e a palavra de rendição. Ernesto Trenchard afirma que esse grande brado inclui o *está consumado* (Jo 19.30) e o *Pai, nas Tuas mãos entrego o Meu espírito* (Lc 23.46), de modo que não devemos entender esse brado como um grito de desespero, mas de uma voz de triunfo de quem estava consumando a obra da redenção ao custo infinito de sua agonia.[25] Jesus estava consumando sua obra, esmagando a cabeça da serpente, triunfando sobre o diabo e suas hostes, e

---

[24] RYLE, John Charles. *Mark*, 1993, p. 256.
[25] TRENCHARD, Ernesto. *Una Exposición del Evangelio según Marcos*, 1971, p. 209.

comprando-nos para Deus. Ele morre como um vencedor. Jesus não foi morto, Ele voluntariamente deu sua vida (Jo 10.11,15,17,18). Ele não morreu como um mártir; Ele se entregou como sacrifício pelos pecados do Seu povo, diz Warren Wiersbe.[26] Dewey Mulholland diz que qualquer pensamento de derrota é abafado pela força surpreendente do grito de Jesus. As trevas acabam no momento em que Jesus morre. Com a sua morte, Ele quebrou o poder das trevas (15.33).[27]

Em quinto lugar, *o véu do santuário rasgado* (15.38). O véu rasgado significa a abolição e o término de toda a lei cerimonial judaica. Significa que o santo dos santos está aberto para toda a humanidade por meio da morte de Cristo (Hb 9.8).[28] O caminho para Deus foi aberto. Jesus abriu um novo e vivo caminho para Deus (Hb 10.12,22). Ele mesmo é o caminho (Jo 14.6). Estava abolido o antigo sistema de ritos e sacrifícios. As restrições étnicas do Templo em Jerusalém não mais vigoram.[29] O resgate pago por Jesus (10.45) é válido tanto para gentios quanto para judeus. Seu sacrifício foi perfeito, cabal e irrepetível. A porta do céu está aberta a todos em Cristo. Judeus e gentios têm livre acesso a Deus por meio de Cristo.

Em sexto lugar, *o reconhecimento do centurião romano* (15.39). O homem encarregado da centúria, a corporação de cem soldados romanos que acompanharam o séquito até o Calvário, ao ouvir as palavras de Jesus teve seu coração tocado e reconheceu que verdadeiramente Jesus, é o Filho de Deus.

Em sétimo lugar, *o testemunho das mulheres* (15.40,41). Enquanto os discípulos de Jesus fugiram, com exceção de João, as mulheres estavam observando o drama do Calvário. Elas demonstraram mais coragem e mais compromisso que aqueles que prometeram ir com Jesus para a prisão e para a morte. Elas assistiram Jesus em Seu ministério e O acompanharam até a cruz. Elas observaram onde o corpo de Jesus foi sepultado e compraram aromas para embalsamar o Seu corpo. Elas

---

[26]WIERSBE, Warren. *Be Diligent*, 1987, p. 149.
[27]MULHOLLAND, Dewey M. *Marcos: Introdução e Comentário*, 2005, p. 231.
[28]RYLE, John Charles. *Mark*, 1993, p. 254.
[29]MULHOLLAND, Dewey M. *Marcos: Introdução e Comentário*, 2005, p. 232.

foram as primeiras a ver o Cristo ressuscitado e as primeiras a anunciar Sua ressurreição.

Jesus na **sepultura** (15.42-47)

Destacamos três verdades importantes aqui:

Em primeiro lugar, *a coragem de José de Arimateia* (15.42,43). Pela lei romana, os condenados à morte perdiam o direito à propriedade e até mesmo o direito de serem enterrados. Frequentemente, os corpos dos acusados de traição permaneciam apodrecendo na cruz.[30] É digno observar que nenhum parente ou discípulo veio reivindicar o corpo de Jesus.

José de Arimateia era um ilustre membro do Sinédrio, o tribunal que havia condenado Jesus à morte. Ele certamente não fez parte daquela decisão ensandecida. Ele era um homem rico, mas esperava o Reino de Deus.

Ele sabia quem era Jesus. Por isso, dirigiu-se resolutamente a Pilatos e pediu o seu corpo para ser sepultado. Quando José de Arimateia pediu o corpo de Jesus, usou a palavra grega *soma*; porém, quando Pilatos cedeu o corpo, usou a palavra grega *ptoma*. A primeira palavra fala acerca da personalidade total, fato que implica no cuidado e amor de José de Arimateia. A palavra usada por Pilatos dá ao corpo apenas o significado de cadáver ou carcaça. Essas diferentes palavras representam diferentes atitudes dos homens acerca da vida e da morte.[31]

Depois de baixar o corpo da cruz, envolveu-o em um lençol e o depositou em um túmulo que tinha sido aberto numa rocha; e rolou uma pedra para a entrada do túmulo. Ele não se intimidou de ser vinculado a Jesus, um homem sentenciado à morte. Ele teve coragem para se posicionar.

John Charles Ryle diz que outros tinham honrado e confessado nosso Senhor quando eles o viram fazendo milagres, mas José o honrou e confessou ser Seu discípulo, quando Ele o viu frio, ensanguentado e

---

[30] MULHOLLAND, Dewey M. *Marcos: Introdução e Comentário*, 2005, p. 234.
[31] McGEE, J. Vernon. *Mark*, 1991, p. 196.

morto. Outros tinham demonstrado amor a Jesus enquanto Ele estava falando e vivendo, mas José de Arimateia mostrou amor quando Ele estava silencioso e morto. Há verdadeiros cristãos sobre a terra de quem nós nada conhecemos, e em lugares que nós jamais esperávamos encontrá-los.[32]

Em segundo lugar, *a admiração de Pilatos* (15.44,45). A morte de cruz era crudelíssima e também lenta. Muitos criminosos ficavam vários dias suspensos no madeiro. Pilatos admirou-se de que Jesus em apenas seis horas já estivesse morto.

Em terceiro lugar, *a presença das mulheres* (15.47). Algumas mulheres não apenas subiram ao Gólgota, mas desceram ao lugar da tumba. Elas tudo viram, tudo testemunharam.

Podemos afirmar com segurança que a morte de Cristo reforça-nos duas verdades com implicações profundas, diz John Stott:

O nosso pecado é extremamente horrível. Nada revela tanto a gravidade do pecado quanto a cruz. Cristo morreu não porque Judas o traiu por dinheiro, ou porque os sacerdotes o entregaram por inveja ou mesmo porque Pilatos o condenou por covardia. Ele morreu pelos nossos pecados, segundo as Escrituras (1Co 15.3).

O amor de Deus é incompreensível. Deus poderia nos abandonar à nossa própria sorte, visto que o salário do pecado é a morte, mas Ele não poupou ao seu próprio Filho, antes por todos nós O entregou (Rm 8.32).[33]

---

[32]RYLE, John Charles. *Mark*, 1993, p. 258.
[33]STOTT, John. *A Cruz de Cristo*, 1991, p. 72,73.

44

A ressurreição do Filho de Deus

Marcos 16.1-20

AS MELHORES NOTÍCIAS QUE O MUNDO já ouviu vieram do túmulo vazio de Jesus. Dewey Mulholland diz que sem a ressurreição, o evangelho teria terminado como "más notícias".[1] A história da Páscoa não termina com um funeral, mas, sim, com uma festa. O túmulo vazio de Cristo foi o berço da igreja. William Barclay diz que a melhor prova da ressurreição é a existência da igreja. Nenhuma outra coisa poderia ter transformado homens e mulheres tristes e desesperados em pessoas radiantes de alegria e inflamadas de um novo valor.[2]

Nós pregamos o Cristo que esteve morto e está vivo e não o Cristo que esteve vivo e está morto. Paul Beasley-Murray diz que sem a ressurreição de Jesus não haveria nem cristianismo nem igreja, pois ela é o coração da nossa fé. O cristianismo é acima de tudo a religião da ressurreição. A igreja é primariamente chamada a comunidade da ressurreição.[3]

A conclusão do evangelho de Marcos é um dos textos mais controvertidos do Novo Testamento. É quase universalmente aceito entre

---

[1] MULHOLLAND, Dewey M. *Marcos: Introdução e Comentário*, 2005, p. 235.
[2] BARCLAY, William. *Marcos*, 1974, p. 376,377.
[3] BEASLEY-MURRAY, Paul. *The Message of the Resurrection*. IDowners Grove, Ilinois: Inter-Varsity Press, 2000, p. 17,21.

os estudiosos do Novo Testamento que os versículos 9 a 20, desse capítulo 16, não foram escritos por Marcos. Tanto o estilo quanto o vocabulário desses versículos são bem diferentes do restante do livro, diz Paul Beasley-Murray.[4] Dewey Mulholland e Hooker, por defenderem essa versão, nem chegam a comentar os versículos 9 a 20.[5] Nessa mesma linha de pensamento, Cole diz que "não seria sábio construir qualquer posição teológica com base somente nesses versículos; e isso nenhum grupo cristão responsável fez".[6] O comentarista reformado William Hendriksen também não crê que Marcos tenha escrito os versículos 9 a 20; por isso, não aceita que a discussão, em torno da conclusão do evangelho de Marcos possa ser encarada como um conflito entre "ortodoxia" e "liberalismo".[7] Osmundo Afonso Miranda afirma que os dois melhores e mais antigos manuscritos que conhecemos, o *Vaticano* e o *Sinaítico*, omitem os versículos 9 a 20, embora defenda firmemente que esses versículos não são apócrifos; antes são testemunhos da igreja primitiva.[8] Há aqueles que defendem uma conclusão abrupta do evangelho de Marcos no versículo 8, e outros que até mesmo postulam que a conclusão desse livro foi perdida.[9] Já John Burgon defende a integridade e autenticidade do *Textus Receptus*, de todo o capítulo 16 de Marcos, apoiando sua autoria.[10] O que importa para nós é que os versículos 9 a 20 fazem parte do cânon sagrado e é Palavra de Deus inspirada, inerrante e infalível. Fato semelhante acontece com o livro de Deuteronômio. A maioria dos estudiosos crê, de igual forma, que a conclusão do livro de Deuteronômio, onde se descreve a morte de Moisés, também foi escrita por outro escritor

---

[4]BEASLEY-MURRAY, Paul. *The Message of the Resurrection*, 2000, p. 22.
[5]MULHOLLAND, Dewey M. *Marcos: Introdução e Comentário*, 2005, p. 237-240; D. Morna Hooker. *The Message of Mark*. Epworth Press, 1983, p. 118.
[6]COLE, R. A., *Gospel according to Mark*, 1961, p. 259.
[7]HENDRIKSEN, William. *Marcos*, 2003, p. 859, 860.
[8]MIRANDA, Osmundo Afonso, *Estudos Introdutórios nos Evangelhos Sinóticos*. São Paulo, SP: Editora Cultura Cristã, 1989, p. 214-219.
[9]BEASLEY-MURRAY, Paul. *The Message of the Resurrection*, 2000, p. 22.
[10]BURGON, John W. *The Last Twelve Verses of the Gospel According to St. Mark*. The Sovereign Grace Book Club, 1959.

que não Moisés; nem por isso a credibilidade de Deuteronômio ficou comprometida.

O texto em apreço tem várias lições importantes que vamos considerar.

Um **profundo amor** manifestado (16.1,2)

As mesmas mulheres que assistiram Jesus durante o Seu ministério, que estiveram com Ele no Calvário e, que acompanharam o Seu sepultamento, agora, nas primeiras horas do domingo vão ao Seu túmulo para embalsamar o Seu corpo. J. Vernon McGee diz que as mulheres foram as últimas a saírem do Calvário e as primeiras a chegarem no sepulcro.[11] Mesmo sabendo que José de Arimateia e Nicodemos já haviam usado cerca de cem libras, ou seja, 45 quilos de unguentos, composto de mirra e aloés para ungir o corpo de Cristo (Jo 19.38-40), elas ainda querem manifestar a Jesus o seu pródigo amor. O gesto dessas mulheres pode ser comparado a alguém que hoje leve flores ao túmulo de uma pessoa querida.

Ernesto Trenchard menciona quatro experiências vividas pelas mulheres naquela manhã de Páscoa: um desejo (16.6), uma dificuldade (16.3), uma consolação (16.6) e uma comissão (16.7,8).[12]

É digno observar que as mulheres vão ao sepulcro no primeiro dia da semana (16.2). Jesus levantou-Se da morte no primeiro dia da semana (16.6). Ele derramou o Seu Espírito no Pentecostes no primeiro dia da semana (At 2.14). No primeiro dia da semana a igreja passou a reunir-se para a comunhão (At 20.7) e para fazer suas ofertas (1Co 16.2). João viu o Cristo glorificado na Ilha de Patmos no primeiro dia da semana (Ap 1.10). O primeiro dia da semana tornou-se o dia da celebração do povo de Deus, a celebração da vitória sobre a morte.[13]

Uma **preocupação** desnecessária (16.3,4)

As mulheres, enquanto caminham para o túmulo de Jesus, se desgastam com uma preocupação desnecessária: "Quem nos removerá a

---

[11]McGee, J. Vernon. *Mark*, 1991, p. 198.
[12]Trenchard, Ernesto. *Una Exposición del Evangelio según Marcos*, 1971, p. 214-216.
[13]Beasley-Murray, Paul. *The Message of the Resurrection*, 2000, p. 30.

pedra da entrada do túmulo?" De acordo com o manuscrito do Novo Testamento (*Codex Bezae*), era preciso a força de vinte homens para remover aquela pedra.[14] Ernesto Trenchard afirma corretamente que o anjo não removeu a pedra para deixar o Senhor sair, mas para demonstrar que Ele já não estava mais no sepulcro.[15] A porta foi removida não de fora para dentro, mas de dentro para fora.

A preocupação tem a capacidade de roubar nossas energias e tirar os nossos olhos do foco. As mulheres bem como os discípulos não discerniram as palavras de Jesus, quando este, várias vezes, falou sobre Sua ressurreição. A falta de compreensão da Palavra de Deus gera em nós preocupação. Gastamos nossas forças pensando em problemas hipotéticos. Gememos sob os nossos minúsculos problemas quando, na verdade, tudo já está solucionado pelo Deus "que ressuscita os mortos". John Charles Ryle diz que uma grande parte da ansiedade que esmaga os cristãos procede de coisas que jamais acontecerão.[16]

Um fato incontroverso (16.5-7)

Destacamos três pontos importantes:

Em primeiro lugar, *a pedra removida* (16.4). A pedra removida deve ser considerada a porta do sepulcro removida. A casa da morte estava fortemente guardada por uma grande pedra e pelo sinete de Pilatos. A pedra foi removida e Cristo saiu vivo, vitorioso e triunfante. A pedra do túmulo foi removida e não meramente aberta. Não há mais porta para abrir. A morte foi vencida.

A pedra removida é um memorial da vitória de Cristo sobre a morte. Jesus arrancou o aguilhão da morte e triunfou sobre ela. O túmulo não é o fim da nossa existência. A morte não tem mais a última palavra. A cruz não é o fim da História. A sexta-feira da paixão não é o fim do drama. Cristo ressuscitou!

A pedra removida é o fundamento lançado sobre o qual erigimos a nossa vida. A ressurreição de Cristo é a pedra de esquina da fé cristã,

---

[14] BEASLEY-MURRAY, Paul. *The Message of the Resurrection*, 2000, p. 28.
[15] TRENCHARD, Ernesto. *Una Exposición del Evangelio según Marcos*, 1971, p. 215.
[16] RYLE, John Charles. *Mark*, 1993, p. 261.

a coluna mestra do cristianismo. Nosso redentor não está no túmulo. Você pode visitar o túmulo de Buda, Confúcio, Maomé e Alan Kardec, mas o túmulo de Jesus está vazio. O apóstolo Paulo diz que se Cristo não ressuscitou, é vã a nossa pregação; é vã a nossa fé. Então, somos tidos por falsas testemunhas de Deus e ainda permanecemos em nossos pecados; os que dormiram em Cristo pereceram e somos os mais infelizes de todos os homens (1Co 15.14-19).

Em segundo lugar, *o testemunho angelical* (16.5,6). O anjo vestido de branco está assentado ao lado direito do túmulo. Mateus nos informa que está assentado na própria pedra removida do túmulo. Enquanto os guardas estão desmaiados, o anjo está sobranceiro proclamando que Jesus não está mais no túmulo. O túmulo foi aberto de dentro para fora. Nenhum poder pôde deter o Filho de Deus (Sl 16.10). A ressurreição de Jesus é uma obra do próprio Deus Pai (At 3.15; 4.10; Rm 4.24; 8.11; 10.9; 1Co 6.14; 15.15; 2Co 4.14; 1Pe 1.21).

Em terceiro lugar, *o túmulo vazio* (16.6). Todos os quatro evangelistas concordam que as mulheres foram as primeiras a descobrirem o túmulo vazio e a receberem as boas-novas da ressurreição. A única mulher, entretanto que é comum nos quatro relatos é Maria Madalena. É importante frisar que não é nome que conta, mas o sexo, visto que naquele tempo o testemunho das mulheres não era aceito.[17]

O anjo disse às mulheres: *Vede o lugar onde O tinham posto*. As mulheres entraram no túmulo e viram o lugar vazio (16.6). Mateus diz que Pedro ao ser informado sobre a ressurreição de Cristo correu ao sepulcro. E, abaixando-se, nada mais viu, senão os lençóis de linho; e retirou-se para casa, maravilhado do que havia acontecido (Lc 24.12). Os líderes judeus subornaram os soldados, dando-lhes altas somas de dinheiro para espalhar uma mentira, afirmando que os discípulos haviam roubado o corpo de Cristo (Mt 28.11-15). Ao mesmo tempo em que Jesus dá aos Seus discípulos a grande comissão, satanás, também, envia seus emissários para anunciar uma mentira. Onde um templo da verdade é levantado, satanás constrói também uma sinagoga da mentira.

---

[17] BEASLEY-MURRAY, Paul. *The Message of the Resurrection*, 2000, p. 24.

Uma mensagem consoladora (16.7)

Três fatos merecem destaque aqui:

Em primeiro lugar, *o Cristo ressurreto é o Deus da restauração* (16.7). Os mesmos discípulos que prometeram fidelidade até a morte (14.31) e fugiram (14.50), são alvos do cuidado restaurador de Jesus (16.7). Ele como o bom, o grande e o supremo pastor busca as ovelhas desviadas para restaurá-las.

Mas há uma menção especial a Pedro. Isso, não porque Pedro fosse um discípulo mais importante do que os outros, mas porque Pedro deveria estar se sentindo excluído, por ter tido a queda mais vexatória. Nessa mesma linha de pensamento, Dewey Mulholland diz que Pedro é mencionado por nome, não como um ataque à sua pessoa ou indicando uma posição superior entre os apóstolos. Ele é mencionado para assegurar que ele não sofrerá discriminação alguma pela sua negação de Jesus.[18]

A boa-nova do túmulo vazio fala sobre um novo começo. Fala de perdão, esperança e restauração. Àqueles homens covardes e medrosos, Jesus chama de irmãos (Jo 20.17). Àqueles que fugiram vergonhosamente, e possivelmente não se sentiam mais discípulos, o anjo reafirma que Jesus os considera como discípulos (16.7). Pedro, que havia negado a Jesus com juramento e praguejamentos, agora, recebe uma menção especial (16.7). William Barclay chega a dizer que Jesus estava mais ansioso para consolar o pecador penitente do que castigar o pecado.[19]

Em segundo lugar, *o Cristo ressurreto é o Deus que vai à nossa frente* (16.7). Não precisamos temer o futuro, porque Aquele que morreu e venceu a morte por nós vai à nossa frente. O cristianismo não é apenas um corolário de doutrinas e dogmas, mas a pessoa bendita do Cristo ressurreto. O cristão não é aquele que apenas recita um credo, mas é aquele que segue uma pessoa. Como cristãos, pertencemos a um movimento e não apenas a uma instituição. Ser cristão é seguir as pegadas do Cristo ressurreto que vai à nossa frente. Ser cristão é estar a caminho. O cristianismo é a religião do Caminho e Cristo é esse caminho.

---

[18] MULHOLLAND, Dewey M. *Marcos: Introdução e Comentário*, 2005, p. 237.
[19] BARCLAY, William. *Marcos*, 1974, p. 377.

Jesus já havia dito aos Seus discípulos que depois da Sua ressurreição encontraria com eles na Galileia (14.28). Agora, confirma Seu encontro na Galileia, onde eles viviam. Jesus Se encontra conosco dentro da nossa rotina diária. Ele está presente com Seu povo não apenas quando eles estão juntos em adoração, mas também quando estão dispersos na jornada da vida.[20]

Em terceiro lugar, *o Cristo ressurreto é aquele que nos enche de espanto e santo temor* (16.8). Marcos apresenta a complexidade de emoções manifestadas pelas mulheres com: *tromos* (tremendo); *ekstasis* (atônitas); *phobeo* (temer) e *exethambethesan* (alarmadas).[21] Temor e assombro tomaram conta das mulheres após receberem a mensagem angelical. Aquelas que amavam a Jesus e que estavam preparadas para dar o seu melhor para Ele, não esperavam o milagre da ressurreição naquela manhã da Páscoa. Por isso, como os discípulos no Jardim do Getsêmani, elas fugiram do sepulcro. Inicialmente, elas nada disseram a ninguém por causa do medo que as dominou. Porém, o silêncio delas não foi permanente. Imediatamente, após o espanto, elas com grande alegria correram para comunicar a mensagem da ressurreição aos discípulos (Mt 28.8). Lucas registra: *E, voltando do túmulo, anunciaram todas estas cousas aos onze e a todos os mais que com eles estavam* (Lc 24.9).

Essas mulheres foram as grandes heroínas no relato dos quatro evangelistas. Enquanto os discípulos de Cristo se escondem, elas se manifestam. Enquanto eles fogem, elas aparecem. Enquanto eles estão trancados entre quatro paredes, elas estão subindo o Gólgota, descendo à tumba, vendo anjos, contemplando o Cristo ressurreto e correndo para anunciá-Lo. O amor e a devoção dessas mulheres devem nos estimular, diz Paul Beasley-Murray.[22]

Um **aparecimento** surpreendente (16.9-14)

Destacamos três pontos importantes:

Em primeiro lugar, *o milagre da transformação* (16.9). A primeira testemunha da ressurreição de Jesus, não foi Maria ou Pedro, ou João

---

[20]BEASLEY-MURRAY, Paul. *The Message of the Resurrection*, 2000, p. 32.
[21]MULHOLLAND, Dewey M. *Marcos: Introdução e Comentário*, 2005, p. 237.
[22]BEASLEY-MURRAY, Paul. *The Message of the Resurrection*, 2000, p. 28.

nem mesmo os onze discípulos, mas Maria Madalena, aquela de quem Jesus expulsara sete demônios. Naquele tempo, o testemunho das mulheres não era aceito pelos judeus, mas Jesus quebra esse paradigma e manifesta-Se a essa mulher, evidenciando o milagre da transformação operada em sua vida. Aquele a quem muito é perdoado, muito ama. Jesus restaurou essa mulher do submundo demoníaco para a visão beatífica da sua gloriosa ressurreição.

Em segundo lugar, *a prodigalidade da graça* (16.10). Maria Madalena não foi apenas a primeira pessoa a ver o Cristo ressurreto, mas foi a primeira a anunciar a Sua ressurreição. Aquela que estava possuída de demônios, agora se transforma em embaixadora das boas-novas do evangelho. Warren Wiersbe diz que quando você se encontra com Cristo, você tem alguma coisa a compartilhar com os outros.[23]

Em terceiro lugar, *a resistência da incredulidade* (16.1114). Os discípulos de Jesus fugiram quando Jesus foi preso no Getsêmani (14.50); estiveram ausentes no Calvário (exceto João); não compareceram diante de Pilatos para reivindicar o Seu corpo para o sepultamento; estiveram ausentes no Seu sepultamento; mas, agora, não acreditam na mensagem da Sua ressurreição.

Marcos nos informa que eles não deram crédito ao testemunho de Maria Madalena (16.9-11) e não creram no testemunho dos dois discípulos que estavam de caminho para o campo (16.12,13). Jesus, então, aparece a eles quando estavam à mesa e censura-lhes a incredulidade e dureza de coração (16.14).

Uma comissão universal (16.15-20)

Paul Beasley-Murray comentando esse passo bíblico faz algumas considerações oportunas que vamos considerar.[24]

Em primeiro lugar, *a boa-nova é o próprio Jesus* (16.15). As boas-novas (*euangelion*) é uma das palavras favoritas de Marcos. Ele a usa sete vezes (1.1,14,15; 8.35; 10.29; 13.10; 14.9). Para Marcos, a

---

[23]WIERSBE, Warren W. *Be Diligent*, 1987, p. 153.
[24]BEASLEY-MURRAY, Paul. *The Message of the Resurrection*, 2000, p. 36-42.

história de Jesus é a boa-nova a ser proclamada. O evangelho é a mensagem de que Deus está agindo por meio de Jesus, Seu Filho, trazendo libertação ao cativo, quebrando o poder do diabo, do pecado e da morte. Pelo evangelho proclamamos que em Jesus o curso da História tem sido mudado. Jesus pela Sua morte e ressurreição estabeleceu o Seu reino. Isso é a grande boa-nova do evangelho, diz Paul Beasley-Murray.[25]

Em segundo lugar, *a boa-nova de Jesus precisa ser pregada* (16.15). O verbo *pregar* é outra palavra favorita de Marcos. Ela é encontrada quatorze vezes nesse evangelho, enquanto só aparece nove vezes em Mateus e Lucas. Marcos enfatiza que Cristo veio pregando (1.14). Marcos sabe que Jesus é mais do que um pregador, por isso, relata vários dos Seus milagres, porém destaca a primazia do ministério de pregação de Jesus (1.38). Embora Jesus tenha Se ocupado em atender às necessidades físicas das pessoas, Ele focou primordialmente as necessidades espirituais. Jesus chamou Seus discípulos para pregar (3.14) e os enviou a pregar (6.12). Agora, Jesus ordena a Seus discípulos pregar em todo o mundo. Dewey Mulholland diz que estar calado é um perigo maior que perseguição e morte. O evangelho só é boas-novas se for compartilhado.[26]

O propósito de Deus é o evangelho todo, por toda a igreja, em todo o mundo, a todas as criaturas. O evangelho deve ser pregado a todas as nações (13.10), em todo o mundo, a toda criatura (16.15). A igreja precisa ser uma agência missionária. Ela precisa ser luz para as nações. Uma igreja que não evangeliza precisa ser evangelizada. A igreja é um corpo missionário ou um campo missionário.

A evangelização é uma tarefa imperativa, intransferível e impostergável. O mundo precisa do evangelho e a salvação do evangelho precisa ser oferecida livremente a toda a humanidade, diz John Charles Ryle.[27]

Em terceiro lugar, *a boa-nova de Jesus precisa ser recebida* (16.16). O evangelho somente é experimentado como boas-novas quando é recebido e crido. A Palavra de Deus é como espada de dois gumes, ao mesmo tempo em que traz vida, também sentencia com a morte.

---

[25] BEASLEY-MURRAY, Paul. *The Message of the Resurrection*, 2000, p. 38.
[26] BEASLEY-MURRAY, Dewey M. *Marcos: Introdução e Comentário*, 2005, p. 240.
[27] RYLE, John Charles. *Mark*, 1993, p. 266.

A igreja é perfume de vida e também de morte, pois ninguém pode ficar neutro diante da mensagem do evangelho que ela proclama. Aos que recebem a mensagem, a igreja é cheiro de vida para a vida, porém, àqueles que rejeitam as boas-novas, ela é cheiro de morte para a morte.

Aquele que crê deve ser batizado e introduzido na comunhão da igreja. A fé, porém, precede ao batismo. O batismo não faz o cristão, mas demonstra-o. Uma pessoa pode ser salva sem o batismo, como o foi o ladrão que se arrependeu na cruz, mas jamais alguém pode ser salvo sem crer em Jesus. É a descrença e não a ausência do batismo a razão da condenação (16.16).[28] John Charles Ryle corretamente afirma que milhares de pessoas são lavadas em águas sacramentais, mas jamais foram lavadas no sangue de Cristo. Isso, contudo, não significa que o batismo deve ser desprezado ou negligenciado.[29]

Certamente, Jesus não está dizendo que o batismo é necessário para a salvação, mas a pessoa que é salva deve ser batizada. É a rejeição de Cristo que traz a condenação eterna. Jesus foi claro, quando disse: *Por isso, quem crê no Filho tem a vida eterna; o que, todavia, se mantém rebelde contra o Filho não verá a vida, mas sobre ele permanece a ira de Deus* (Jo 3.36). Adolf Pohl diz que o vínculo direto entre os termos não é "batismo e salvação", mas "fé e salvação", ou "incredulidade e condenação".[30]

Em quarto lugar, ***a boa-nova de Jesus precisa ser confirmada*** (16.17,18). Adolf Pohl corretamente afirma que os sinais não estão vinculados a cargos, mas em primeiro lugar à fé que deixa Deus ser Deus (5.36; 9.23; 11.22). Em segundo lugar, eles fazem parte do contexto missionário, pois o fato de eles "acompanharem" pressupõe que os discípulos estão a caminho para difundir o evangelho.[31]

Paul Beasley-Murray diz que o que temos aqui é descritivo e não prescritivo. O que temos aqui é um sumário da vida da igreja primitiva. Os cristãos primitivos expulsaram demônios em nome de Jesus (3.15; 6.7,13; At 8.7,16,18; 19.12). Eles falaram em línguas (At 2.4; 10.46;

---

[28] BEASLEY-MURRAY, Paul. *The Message of the Resurrection*, 2000, p. 41.
[29] RYLE, John Charles. *Mark*, 1993, p. 267.
[30] POHL, Adolf. *Evangelho de Marcos*, 1998, p. 464.
[31] POHL, Adolf. *Evangelho de Marcos*, 1998, p. 464.

19.6; 1Co 12.10,28; 14.2-40). Paulo foi picado por uma víbora sem sofrer o dano de seu veneno letal (At 28.36). Eles impuseram as mãos sobre os enfermos para curá-los (At 28.8). Não há, porém, nenhuma alusão no Novo Testamento sobre a ingestão de veneno. O único registro que temos na história é de Eusébio, historiador da igreja, que fala sobre Justus Barsabas, um cristão que, forçado a beber veneno, pela graça de Deus não morreu.[32]

Warren Wiersbe diz que alguns sinais descritos em Marcos 16.17,18 ocorreram durante o período apostólico descrito no livro de Atos. Eles foram as credenciais dos apóstolos (Hb 2.1-4; Rm 15.19; 2Co 12.12), mas não devemos presumir que eles pertencem a todos os crentes hoje. É insensatez tentar a Deus bebendo veneno, mas não é tolice confiar em Deus quando a obediência à Sua vontade nos levar a situações perigosas. A presunção nos mata, mas a fé nos liberta.[33]

B. B. Warfield, em conexão com esses dons especiais diz: "Esses dons eram parte das credenciais dos apóstolos, como os agentes autoritativos de Deus, na fundação da igreja... tais dons necessariamente desapareceram, com os apóstolos". Crisóstomo e Agostinho também eram da opinião que esses dons, com a morte dos apóstolos, cessaram. Essa também era a opinião de Jonathan Edwards: "Esses dons extras foram dados para a fundação e estabelecimento da igreja no mundo. Contudo, desde que o cânon das Escrituras se completou e a igreja foi plenamente fundada e estabelecida, esses dons extraordinários cessaram. Entre outros que expressaram um entendimento semelhante, estão Matthew Henry, George Whitefield, Charles H. Spurgeon, Robert L. Dabney, Abraham Kuiper, e G. T. Shedd.[34]

Não é esse, porém, o nosso entendimento. Cremos que Deus pode e tem dado seus dons de sinais onde e quando quer, a quem quer, livre e soberanamente, segundo o seu beneplácito, para o louvor da Sua própria

---

[32]BEASLEY-MURRAY, Paul. *The Message of the Resurrection*, 2000, p. 42.
[33]WIERSBE, Warren W. *With the Word*. Nashville, TN: Thomas Nelson Publishers, 1991, p. 666.
[34]HENDRIKSEN, William. *Marcos*. 2003, p. 868; *The Outlook, a Journal of the Reformed Fellowship*. Grand Rapids, Michigan. October, 1973 (Vol. XXIII, Number 10), p. 2224.

glória, para a salvação dos eleitos e a edificação dos santos. A grande ênfase de Marcos é que quando a igreja proclama a mensagem de Deus, o próprio Deus confirma essa mensagem com a manifestação do Seu poder (1Co 2.4; 1Ts 1.5), transformando vidas, atraindo as pessoas irresistivelmente pelo Seu poder sobrenatural. A igreja é chamada para ser um sinal do Cristo vivo e ressurreto no mundo. William Barclay conclui o seu comentário de Marcos afirmando que a vida cristã é a vida vivida na presença e no poder dAquele que foi crucificado e ressuscitou.[35]

O evangelista Marcos fecha as cortinas do seu livro enfatizando duas gloriosas verdades:

Em primeiro lugar, **Cristo é coroado à destra de Deus Pai** (16.19). Sua obra foi consumada. Seu sacrifício foi aceito. Ele que Se humilhou foi exaltado sobremaneira (Fp 2.811). Agora, Ele está entronizado à destra do Pai, de onde intercede pela igreja, de onde governa o universo e de onde vai voltar para buscar a Sua noiva.

Em segundo lugar, *a igreja em parceria com o Senhor realiza Sua obra* (16.20). Os discípulos partiram e pregaram por toda parte. O Senhor cooperou com eles confirmando a palavra por meio de sinais. A pregação do evangelho foi realizada com palavra e poder. A mensagem foi pregada aos ouvidos e também aos olhos. Esses cristãos, revestidos com o poder do Espírito Santo, mesmo perseguidos, empobrecidos e despojados de poder militar e influência política, empunharam a bandeira do evangelho, proclamaram com desassombro a mensagem da ressurreição e conquistaram o mundo com o poder do evangelho.

---

[35] BARCLAY, William. *Marcos*, 1974, p. 379.

Lucas

Jesus, o homem perfeito

Introdução

ROBERT GUNDRY DIZ QUE O EVANGELHO DE LUCAS não é apenas o mais volumoso dos evangelhos sinóticos, mas também o livro mais volumoso de todo o Novo Testamento.[1] Anthony Lee Ash tem razão ao dizer que Lucas é geralmente encarado como uma obra-prima literária entre os livros do Novo Testamento. Aqui encontramos a língua grega mais refinada do Novo Testamento.[2] Lucas é o melhor relato que temos sobre a vida de Jesus registrado nas Escrituras. Charles Childers acrescenta que o evangelho de Lucas tem sido chamado de "o mais belo livro do mundo" e, juntamente com Atos dos Apóstolos, é considerado "o mais ambicioso empreendimento literário da igreja na antiguidade".[3] Van Oosterzee chega a dizer que Lucas, o terceiro evangelho, é a coroa dos evangelhos sinóticos.[4]

Lucas é singular quanto ao seu conteúdo e estilo. Mateus apresenta Jesus como Rei; Marcos apresenta-O como Servo; Lucas apresenta Jesus como Homem perfeito; e João apresenta-O como Filho de Deus.

O autor

Há robustas evidências internas e externas da autoria lucana deste evangelho. Os pais da igreja aceitaram-no como tendo sido escrito por Lucas. Lucas era o único gentio escritor do Novo Testamento, aliás o único autor gentio da Bíblia. Merrill Tenney, citando Plummer, diz que Lucas é o mais versátil de todos os escritores do Novo Testamento.[5]

---

[1] GUNDRY, Robert H. *Panorama do Novo Testamento*. São Paulo: Vida Nova, 1978, p. 106.
[2] ASH, Anthony Lee. *O Evangelho segundo Lucas*. São Paulo: Vida Cristã, 1980, p. 7.
[3] CHILDERS, Charles L. "O Evangelho segundo Lucas." In: *Comentário bíblico Beacon*. Vol. 6. Rio de Janeiro: CPAD, 2015, p. 349.
[4] OOSTERZEE, J. J. Van. "The Gospel According Luke." In: *Lange's commentary on the holy scripture*. Vol. 8. Grand Rapids, MI: Zondervan Publishing House, 1980, p. 4.
[5] TENNEY, Merrill C. *Enciclopédia da Bíblia*. Vol. 3. São Paulo: Cultura Cristã, 2008, p. 1015.

Seu nome é citado diretamente apenas três vezes no Novo Testamento. É apresentado como médico, cooperador e companheiro: 1) *Saúda-vos Lucas, o médico amado...* (Cl 4.14); 2) *Marcos, Aristarco, Demas e Lucas, meus cooperadores* (Fm 24); 3) *Somente Lucas está comigo...* (2Tm 4.11).

Lucas era historiador, médico e cooperador de Paulo na obra missionária. Uniu-se a ele em Trôade (At 16.10; 20.5). Estava com Paulo quando este foi preso em Jerusalém (At 21.17). Acompanhou Paulo na prisão em Cesareia e em Roma (At 28.16; Cl 4.14; Fm 24). Estava com Paulo na segunda viagem missionária (2Tm 4.11).

Warren Wiersbe afirma que Lucas escreveu com a mentalidade de um historiador meticuloso e com o coração de um médico amoroso.[6] Robertson comenta que Lucas escreveu os seus livros com uma mente aberta, e não como um entusiasta crédulo.[7]

O evangelho de Lucas e o Livro de Atos forçosamente saíram da pena de um mesmo autor, porquanto começam ambos com uma dedicatória a Teófilo.[8] É evidente que Lucas escreveu Atos como uma sequência lógica deste evangelho (At 1.1-3). E, embora não mencione seu próprio nome nessas duas obras, em quatro passagens de Atos, Lucas emprega o pronome "nós", evidenciando que ele estava presente com Paulo (At 16.10-17; 20.5-16; 21.1-18; 27-1-28.16). Foi durante esse tempo que Lucas permaneceu com Paulo, como seu médico pessoal (Cl 4.14), é que ele, certamente, encontrou tempo para pesquisar detalhadamente acerca dos assuntos registrados neste evangelho.

A referência mais antiga à autoria de Lucas encontra-se no Cânone Muratoriano (170-180 d.C.). Em uma passagem datada no final do segundo século, Irineu refere-se à autoria desse evangelho nos seguintes termos: "Lucas, também companheiro de Paulo, escreveu em um livro o evangelho assim como lhe fora pregado". Um documento do final do segundo século, conhecido como Prólogo do evangelho, registra:

---

[6]WIERSBE, Warren W. *Comentário bíblico expositivo.* Vol. 5. Santo André: Geográfica, 2006, p. 219.
[7]ROBERTSON, A. T. *Comentário de Lucas à luz do Novo Testamento Grego.* Rio de Janeiro: CPAD, 2013, p. 17.
[8]GUNDRY, Robert H. *Panorama do Novo Testamento*, p. 101.

"Lucas era um sírio, natural de Antioquia, médico de profissão, discípulo dos apóstolos e seguidor de Paulo até o seu martírio. Ele serviu ao Senhor sem distração, sem esposa e sem filhos. E morreu com a idade de 84 anos, em Tebas, capital da Beócia, cheio do Espírito Santo".[9] Outras referências primárias sobre Lucas como o autor do evangelho foram feitas por Tertuliano (207 d.C.), Orígenes (254 d.C.), Eusébio (303 d.C.) e Jerônimo (398 d.C.).[10]

O destinatário

Lucas remete tanto o evangelho que leva seu nome como o livro de Atos à mesma pessoa, um homem chamado Teófilo. Muito provavelmente, Teófilo, cujo nome significa "amigo de Deus", era um grego de alta posição social, ou mesmo um romano, convertido a Cristo, que estava sendo instruído na verdade, uma vez que o termo traduzido por "instruído", em Lucas 1.4, vem do mesmo termo grego "catecúmeno" (Gl 6.6).[11]

As "*recognitiones* clementinas", de meados do século segundo, relatam que, após a pregação de Pedro, Teófilo, detentor da posição máxima entre todos os cidadãos proeminentes de Antioquia, teria cedido o grande pórtico de sua casa para as reuniões de culto a Deus.[12]

Fritz Rienecker é de opinião que a dedicatória feita por Lucas a Teófilo não significava mera questão de honra. Até o surgimento da imprensa, a edição de um livro era algo muito dispendioso. Por essa razão, os autores costumavam dedicar suas obras a uma personalidade abastada que, caso aceitasse a dedicatória, era considerada, por assim dizer, o padrinho do livro.[13] Concordo, entretanto, com Anthony Lee Ash quando ele diz que o fato de ter sido dedicado a uma só pessoa não impedia que o trabalho pudesse ser aplicado a uma audiência mais

---

[9]RIENECKER, Fritz. *Evangelho de Lucas*. Curitiba: Esperança, 2005, p. 11.
[10]NEALE, David A. *Novo comentário bíblico Beacon Lucas 1-9*. Rio de Janeiro: Central Gospel, 2015, p. 33,34.
[11]WIERSBE, Warren W. *Comentário bíblico expositivo*. Vol. 5, p. 219.
[12]RIENECKER, Fritz. *Evangelho de Lucas*, p. 12.
[13]RIENECKER, Fritz. *Evangelho de Lucas*, p. 12,13.

ampla.¹⁴ Carlos Osvaldo Pinto é categórico: "O público-alvo de Lucas era predominantemente gentio".¹⁵

A data e o local

Não podemos ser dogmáticos quanto à data em que os livros Lucas e Atos foram escritos. Anthony Ash chega a dizer que é impossível determinar, com certeza, quando Lucas os escreveu.¹⁶ H. H. Halley acredita que Lucas escreveu seu evangelho por volta do ano 60 d.C., quando Paulo estava preso em Cesareia.¹⁷ Carlos Osvaldo Pinto é da mesma opinião. Escreve ele: "A data mais provável para o evangelho é por volta de 58-59 d.C., antes que Paulo e Lucas partissem para Roma".¹⁸ Outros pensam que a data mais provável é cerca de 63 d.C. Em defesa dessa data está o fato de que Atos termina com a primeira prisão de Paulo em Roma, portanto antes de seu martírio. Se Lucas soubesse da soltura de Paulo ou de seu martírio, provavelmente o teria mencionado. Também não há nenhuma menção em Atos das viagens de Paulo depois de sua soltura da primeira prisão, nem mesmo dos fatos registrados nas epístolas pastorais (Timóteo e Tito). Ainda Lucas não faz nenhuma referência à destruição de Roma, fato que ocorreu em julho do ano 64 d.C. Se Lucas tivesse escrito depois desse período, muito provavelmente teria mencionado essa tragédia. Por conseguinte, a conclusão é que o livro Lucas-Atos foi escrito antes desses acontecimentos retromencionados.

Como companheiro de Paulo, Lucas provavelmente aproveitou os dois anos em que este ficou preso em Cesareia, sob a égide dos governadores romanos Félix e Festo (At 23-26), para viajar pela Palestina e entrevistar muitos informantes que foram testemunhas oculares.¹⁹

---

¹⁴Ash, Anthony Lee. *O Evangelho segundo Lucas*, p. 24.
¹⁵Pinto, Carlos Osvaldo Cardoso. *Foco e desenvolvimento no Novo Testamento*. Vol. 2. São Paulo: Hagnos, 2014, p. 122.
¹⁶Ash, Anthony Lee. *O Evangelho segundo Lucas*, p. 9.
¹⁷Halley, H. H. *Manual bíblico*. Vol. 2. São Paulo: Vida Nova, 1978, p. 427.
¹⁸Pinto, Carlos Osvaldo Cardoso. *Foco e desenvolvimento no Novo Testamento*, p. 121.
¹⁹Richards, Lawrence O. *Comentário histórico-cultural do Novo Testamento*. Rio de Janeiro, RJ: CPAD, 2012, p. 133.

F. F. Bruce é da opinião que a data exata de Lucas-Atos deve permanecer indefinida e que é uma questão sem importância em comparação com a autoria e o caráter histórico da obra.[20]

Embora alguns estudiosos tenham apontado Antioquia da Síria, Roma, Éfeso ou Corinto como os lugares prováveis de onde Lucas escreveu, prefiro ficar com a opinião de Champlin, que diz: "O lugar de sua composição tem de ser deixado na área das conjecturas, porquanto não temos nenhuma evidência positiva a esse respeito".[21]

A linguagem

Leon Morris diz que, linguisticamente, o evangelho de Lucas se divide em três seções. O Prefácio (1.1-4) é escrito num bom estilo clássico. No restante do capítulo 1 e no capítulo 2, Lucas abandona completamente esse estilo e escreve com um sabor nitidamente hebraico. A partir do capítulo 3, o evangelho está escrito num tipo de grego helenístico que relembra fortemente a Septuaginta, versão grega do Antigo Testamento hebraico. Lucas usa 266 palavras, além dos nomes próprios, que não são achados em outras partes do Novo Testamento.[22]

A estrutura

O evangelho de Lucas e os Atos dos Apóstolos formam uma unidade integrada, razão pela qual o andamento de ambos os escritos exibe marcante semelhança. Fritz Rienecker diz que o conteúdo do evangelho pode ser sintetizado em três nomes: Nazaré, Cafarnaum e Jerusalém. Do mesmo modo, o conteúdo de Atos dos Apóstolos pode ser resumido em três nomes: Jerusalém, Antioquia e Roma. Em Cafarnaum, manifesta-se o que foi gerado no silêncio de Nazaré. Em Jerusalém, completa-se o que foi preparado em Cafarnaum. O mesmo ocorre em

---

[20]BRUCE, F. F. *Commentary on the book of Acts*. Grand Rapids, MI.: Eerdmans 1964, p. 23.
[21]CHAMPLIN, Russell Norman. *O Novo Testamento interpretado versículo por versículo*. São Paulo: Hagnos, 2014, p. 3.
[22]MORRIS, Leon. *Lucas: introdução e comentário*. São Paulo, SP: Vida Nova, 2011, p. 25.

Atos dos Apóstolos. Em Antioquia, vemos em flor a semeadura que germinou no Pentecoste em Jerusalém. Em Roma, constatamos que a nova aliança se desprendeu cabalmente do velho solo e foi transplantada para o novo solo, sob o qual desde então produz seus frutos.[23]

Spence diz que há dois registros de Lucas que lhe são peculiares: os capítulos 1 e 2, tratando do nascimento e infância de Jesus, e os capítulos 9.51 a 19.27, tratando da jornada de Jesus para Jerusalém. O conteúdo dessas passagens é tratado quase exclusivamente por Lucas.[24]

As características especiais

A ênfase de Lucas é apresentar Jesus como homem perfeito. Por isso, ele recua sua genealogia a Adão. Também é o único evangelista que descreve os detalhes da concepção miraculosa de João Batista e Jesus. Depois de acurada investigação, Lucas detalha a infância de Jesus e seu crescimento em sabedoria, estatura e graça diante de Deus e dos homens.

Lucas também deixa claro o universalismo do ministério de Jesus, ênfase quase ausente nos demais evangelhos. O universalismo de Lucas inclui os gentios, os párias da sociedade, as mulheres, os samaritanos, os publicanos, os enfermos e os rejeitados da sociedade.

Destacamos aqui algumas particularidades de Lucas.

Em primeiro lugar, é o *evangelho da universalidade da salvação*. Lucas situa o mundo secular (3.1,2) e faz a genealogia de Jesus remontar a Adão (3.38), o progenitor da raça humana, não parando em Abraão, o pai da nação judaica. A característica mais proeminente de Lucas é que o seu evangelho é universal (2.32; 4.25-27; 24.46,47). Caem todas as barreiras: o reino dos céus está aberto aos samaritanos (9.51-56; 10.30-37; 17.11-19). Lucas refere-se aos gentios no cântico de Simeão (2.32) e menciona que Jesus falou com aprovação acerca dos não israelitas, como a viúva de Sarepta e Naamã (4.25-27). Conta acerca da cura do escravo de um centurião (7.2-10) e menciona as pessoas que vinham de todas as direções da bússola para assentar-se

---

[23]RIENECKER, Fritz. *Evangelho de Lucas*, p. 15.
[24]SPENCE, H. D. M. "*St. Luke.*" *In the pulpit commentary*. Vol. 16. Grand Rapids, MI: Eerdmans, 1980, p. 13.

no reino de Deus (13.39), bem como da grande comissão para pregar o evangelho em todas as nações (24.47)[25] Lucas está interessado nos pobres (2.24; 7.22; 16.19-31). Jesus é o amigo dos pecadores (7.36-50): o filho pródigo (15.11-32), Zaqueu (19.1-10), o ladrão arrependido (23.43). Robertson está correto em dizer que, se Marcos é o evangelho para os romanos e Mateus para os judeus, o evangelho de Lucas é para o mundo gentílico.[26]

Em segundo lugar, é o *evangelho da atenção especial às pessoas marginalizadas*. Gordon Fee diz que Lucas mostra de forma enfática que o Messias de Deus veio até Seu povo, Israel, com a prometida inclusão dos gentios; Jesus veio para salvar os perdidos, incluindo todos os tipos de pessoas marginalizadas que para a religião tradicional estariam fora dos limites.[27] As mulheres, os doentes, os impuros, os pobres, os publicanos ricos e os gentios merecem especial atenção neste evangelho. Aproximavam-se de Jesus os publicanos e pecadores para ouvi-Lo (15.1). Jesus foi hospedar-Se na casa de Zaqueu, considerado pelos circunstantes como um pecador (19.7). Levi fez uma festa para recepcionar aqueles que eram considerados pelos fariseus *publicanos e pecadores* (5.30). Uma mulher pecadora ungiu os pés de Jesus (7.37-50). As viúvas receberam especial atenção de Lucas. Das doze viúvas mencionadas na Bíblia, Lucas cita três (2.36-40; 7.11-15; 21.1-4).

Em terceiro lugar, é o *evangelho das crianças*. O exemplo mais óbvio de solicitude de Lucas para com as crianças é o das narrativas da infância de João Batista e Jesus. Lucas é quem nos dá a maior parte das nossas informações acerca daqueles dias iniciais. Dá-nos, ainda, a descrição acerca do "filho único" ou da "filha única" das pessoas sobre as quais escreve (7.12; 8.42; 9.38).[28]

Em quarto lugar, é o *evangelho das mulheres*. No primeiro século, as mulheres eram marginalizadas, mas Lucas as vê como objeto do amor de Deus e escreve acerca de muitas delas, como Isabel, Maria, a

---

[25]Morris, Leon L. *Lucas: introdução e comentário*, p. 34,35.
[26]Robertson, A. T. *Comentário de Lucas à luz do Novo Testamento Grego*, p. 20.
[27]Fee, Gordon; Stuart, Douglas. *Como ler a Bíblia livro por livro*. São Paulo: Vida Nova, 2013, p. 338,339.
[28]Morris, Leon L. *Lucas: introdução e comentário*, p. 40.

profetisa Ana, a viúva de Naim, a pecadora que ungiu os pés de Jesus na casa do fariseu, Marta e Maria e as mulheres que sustentaram o Seu ministério. Lucas faz 43 referências a mulheres neste evangelho.

Em quinto lugar, é o *evangelho dos pobres*. Jesus veio pregar o evangelho aos pobres (4.18). Profere uma bem-aventurança aos pobres (6.20) e por contraste um ai aos ricos (6.24), ao passo que Mateus fala sobre os *pobres de espírito* (Mt 5.3). Pregar as boas-novas aos pobres é característica do ministério de Jesus (7.22). Os pastores aos quais o anjo anunciou o nascimento de Jesus pertenciam a uma classe pobre. A própria família de Jesus era pobre (2.24 cf. Lv 12.8). Lucas preocupa-se com os interesses dos pobres (1.53; 6.30; 14.11-13; 16.19-31). Por outro lado, Lucas menciona um *ai* endereçado aos ricos (6.24) e conta que Deus manda os ricos embora, vazios (1.53). Há parábolas que advertem os ricos, tais como a do rico tolo (12.16), do administrador infiel (16.1) e do rico e Lázaro (16.19-31). Há advertências para os ricos nas histórias do jovem rico (18.18-27), de Zaqueu (19.1-10) e da oferta da viúva pobre (21.1-4).[29]

Em sexto lugar, é o *evangelho da oração*. Lucas falou mais sobre oração do que qualquer outro evangelista. Por descrever Jesus como o Homem perfeito, é o evangelho que enfatiza a vida de oração de Jesus (3.21; 5.15-17; 6.12,13; 9.18,28; 11.1; 22.31,32; 22.39,40; 23.34). Sete destas orações de Jesus constam somente em Lucas e mostram Jesus orando antes de cada grande crise de Sua vida. Somente este evangelho registra que Jesus orou por Pedro (22.31,32). Jesus orou por Seus inimigos (23.34) e por Si mesmo (22.41,42). Os discípulos aprenderam a orar com Jesus, e a igreja primitiva aprendeu a orar com os discípulos.

Em sétimo lugar, é o *evangelho do louvor*. Lucas é um evangelho cantante. Registra alguns dos grandes hinos da fé cristã: o *Magnificat* (1.46-55), o *Benedictus* (1.68-79), o *Gloria in excelsis* (2.14) e o *Nunc Dimittis* (2.29-32). O verbo "regozijar-se" e o substantivo "alegria" acham-se frequentemente neste evangelho (1.14,44,47; 10.21), bem como risos (6.21) e festejos (15.23,32). Há alegria quando o perdido

---

[29] MORRIS, Leon L. *Lucas: introdução e comentário*, p. 40,41.

é encontrado (15.6,7,9-10). Há alegria na recepção que Zaqueu fez para Jesus (19.6). Este evangelho termina como começou, com regozijo (24.52).[30]

Em oitavo lugar, é o *evangelho do Espírito Santo*. O propósito de Deus não se encerra na cruz, mas continua na obra do Espírito Santo. O Espírito Santo é destacado neste evangelho desde o princípio. João é cheio do Espírito desde o ventre (1.15). O Espírito Santo cobre Maria com Sua sombra (1.35). Quando Jesus foi batizado, o Espírito Santo veio sobre Ele (3.22). O mesmo Espírito O conduziu ao deserto por ocasião da tentação (4.1). Jesus regressou à Galileia no poder do Espírito Santo (4.14). Quando pregou na sinagoga de Nazaré, afirmou que o Espírito Santo estava sobre Ele (4.18). Jesus exultou no Espírito (10.21), e os discípulos seriam ensinados pelo Espírito em sua jornada missionária (12.12). A blasfêmia contra o Espírito é o mais grave pecado (12.10). O Pai dá o Espírito àqueles que O pedem (11.13). Jesus envia a promessa do Pai e reveste seus discípulos com o poder do Espírito (24.49). O Espírito Santo vem sobre Isabel, sobre Maria, sobre Jesus e sobre os discípulos (1.15,35; 2.25-27; 3.22; 4.14,18; 11.13; 12.10,12; 24.49). Lucas fala mais sobre o Espírito Santo do que qualquer outro evangelista, formando um vínculo de continuidade tanto no ministério de Jesus quanto na vida da igreja primitiva.[31]

Em nono lugar, é o *evangelho das parábolas*. Lucas contém muitas parábolas exclusivas. Das 37 parábolas sinóticas, quatorze aparecem somente em Lucas: os dois devedores (7.41-43); o bom samaritano (10.25-37); o amigo importuno (11.5-8); o rico insensato (12.16-21); a figueira infrutífera (13.6-9); os lugares no banquete (14.7-11); o construtor de torre e o rei indo para a guerra (14.28-32); a dracma perdida (15.8-10); o filho pródigo (15.11-32); o administrador injusto (16.1-8); o rico e Lázaro (16.19-31); a recompensa do servo (17.7-10); o juiz injusto (18.1-8); e o fariseu e o publicano (18.9-14).[32]

---

[30] MORRIS, Leon L. *Lucas: introdução e comentário*, p. 45.
[31] MORRIS, Leon L. *Lucas: introdução e comentário*, p. 44,45.
[32] WILLCOCK, J. *The Preacher's Complete Homiletic Commentary on the Gospel According St Luke*. Grand Rapids, MI: Baker Books, 1996, p. 4.

A relevância para os nossos dias

Que luz este evangelho lança sobre os problemas atuais? Hendriksen oferece-nos quatro respostas.[33]

Em primeiro lugar, *este evangelho é um livro de doutrina que nos mostra em quem devemos crer*. Lucas foi escrito para direcionar nossa confiança exclusivamente a Jesus Cristo, o Filho de Deus. Lucas fala sobre Seu nascimento, Sua vida, Seus ensinos, Seus milagres, Sua morte, Sua ressurreição e Sua ascensão. Mostra ainda que todos aqueles que reconhecem seus pecados e põem sua fé em Jesus encontram nEle perdão dos pecados e vida eterna (8.12,50; 18.13).

Em segundo lugar, *este evangelho é um livro de ética que nos diz como viver*. Lucas realça o tríplice dever: da humildade (9.46-48; 22.24-30), da honra (10.38-11.3) e do serviço (10.25-37). Num mundo marcado por distinções de classes e barreiras raciais, nacionais, sociais e sexuais, Jesus insistiu em que, por meio da aplicação de um amor abnegado e sacrificial para com todos, essas barreiras fossem derrubadas (4.25-27; 7.9,36-50; 8.3).

Em terceiro lugar, *este evangelho é um livro de conforto que nos ensina por que devemos regozijar-nos*. A alegria canta através de toda a senda deste livro. O livro começa com cinco cânticos e termina com "grande alegria" e louvores contínuos a Deus (24.52,53). No coração e centro do livro (10.20,21; 15.7,10), o próprio Deus Se regozija.

Em quarto lugar, *este evangelho é um livro de profecia que nos informa o que devemos esperar*. A profecia de Isaías 53 cumpriu-se em Cristo, o Redentor prometido (22.37; 23.34,50-53). Proclama as glórias da vida porvir (12.43,44) e as honras que receberão aqueles que herdam a vida eterna (12.37).

---

[33] HENDRIKSEN, William. *Lucas*. Vol. 1. São Paulo, SP: Cultura Cristã, 2003, p. 74-76.

1

O prefácio de Lucas

Lucas 1.1-4

LUCAS É O ÚNICO ESCRITOR GENTIO DO NOVO TESTAMENTO. Provavelmente, natural de Antioquia da Síria, converteu-se a Cristo por intermédio do ministério de Paulo. Não foi testemunha ocular dos acontecimentos registrados no evangelho que leva seu nome. Não presenciou o nascimento, a vida, a morte e a ressurreição de Cristo. Mas foi um pesquisador zeloso, um entrevistador perspicaz e um cooperador daqueles que presenciaram os fatos auspiciosos do ministério de Cristo.

A evidência insofismável do evangelho escrito por Lucas é que o Cristo da profecia não é outro senão o Jesus histórico. Não há nenhuma distância entre o Cristo da profecia e o Jesus que nasceu em Belém, viveu em Nazaré e morreu em Jerusalém.

O prefácio de Lucas é um dos mais requintados textos da literatura bíblica. William Barclay diz que este prefácio é o melhor que se tem escrito em grego em todo o Novo Testamento.[1] As primeiras palavras de um livro são importantes; e Lucas escolheu-as cuidadosamente.[2] Lucas se apresenta como historiador[3] e fala sobre sua motivação em

---

[1] BARCLAY, William. *Lucas*. Buenos Aires: La Aurora, 1973, p. 13.
[2] NEALE, David A. *Novo comentário bíblico Beacon Lucas 1-9*, p. 62.
[3] MACDONALD, William. *Believer's Bible commentary*. Nashville, TN: Thomas Nelson Publishers, 1989, p. 1368.

escrever este evangelho, quais recursos usou para escrevê-lo e qual foi seu propósito ao enviar essa obra a Teófilo. A introdução de Lucas convida os leitores a considerarem a história de sua narrativa, a autenticidade de suas fontes e o propósito de sua escrita.[4]

Quem é o destinatário do evangelho de Lucas? Há aqueles que defendem a tese de que Teófilo, a quem Lucas endereça tanto o evangelho como Atos, era um símbolo, e não uma pessoa real. Outros pensam que ele foi um rico proprietário de escravos e que o próprio Lucas tenha sido seu escravo alforriado. Alguns acreditam que ele foi o patrocinador literário de Lucas. O que sabemos, entretanto, é que Teófilo que era um homem temente a Deus, um catecúmeno que estava sendo instruído na palavra.

David Stern diz que o uso do termo "excelentíssimo" para Teófilo mostra, provavelmente, que ele era uma pessoa pertencente à classe alta grega.[5] Rienecker observa que essa forma honorífica de trato era usada para dirigir-se a pessoas com uma posição oficial ou social mais alta de quem fala.[6] William Hendriksen sugere que ele poderia ter ocupado um elevado cargo no governo romano, uma vez que o epíteto "excelentíssimo" tem o mesmo significado de Atos 23.26, 24.3 e 26.25, usado para os procuradores romanos Félix e Festo.[7] Aprendemos com esse tratamento que Lucas deu a Teófilo que "a religião cristã não destrói a cortesia nem justifica a rudeza".[8]

Ao examinarmos a passagem em apreço, destacamos alguns pontos.

Em primeiro lugar, *a fé cristã é universal em seu escopo e verificável em seus efeitos* (1.1). Lucas admite que não está escrevendo algo inédito. Também mostra que a fé cristã não é um mito, mas uma realidade factual. Deixa claro que outros escritores já se lançaram nesse trabalho, que outros obreiros já lavraram nesse campo. A vida, o ministério, a

---

[4]NEALE, David A. *Novo comentário bíblico Beacon Lucas 1-9*, p. 61.
[5]STERN, David H. *Comentário judaico do Novo Testamento*. São Paulo, SP: Atos, 2008, p. 129.
[6]RIENECKER, Fritz; ROGERS, Cleon. *Chave linguística do Novo Testamento Grego*. São Paulo, SP: Vida Nova, 1985, p. 102.
[7]HENDRIKSEN, William. *Lucas*. Vol. 1, p. 89.
[8]HENDRIKSEN, William. *Lucas*. Vol. 1, p. 91.

morte e a ressurreição de Jesus foram matérias consideradas por outros escritores. Lucas está aqui subindo nos ombros de gigantes, para enxergar mais longe e ter um discernimento mais apurado dos fatos.

Em segundo lugar, *a fé cristã não é um conjunto de fábulas inventadas pelos homens, mas fatos testemunhados pelos servos da palavra* (1.2). Houve escritores que precederam Lucas no registro dos fatos relacionados à pessoa e à obra de Cristo. Muito provavelmente os evangelhos de Marcos e Mateus estejam entre eles. Esses escritores não eram místicos comentando fábulas, mas testemunhas oculares, ministros da palavra, que relataram coordenadamente os fatos ocorridos entre eles.

Em terceiro lugar, *a fé cristã foi revelada por Deus e registrada por homens santos de Deus* (1.3). Lucas, mesmo sabendo que aqueles que escreveram antes dele tiveram fontes testemunhais confiáveis, porque registraram aquilo que ouviram de testemunhas oculares e de ministros da palavra, resolve, pessoalmente, lançar-se numa nova empreitada, ou seja, fazer uma meticulosa pesquisa desses fatos auspiciosos, desde sua origem. Assim, Lucas torna-se um historiógrafo da história de Jesus. Na expressão "desde sua origem" (*anothen* = de cima para baixo), Lucas parece comparar-se com um peregrino que tenta avançar até a nascente do rio para depois percorrer todo o curso posterior.[9]

As fontes que Lucas usa para escrever seu evangelho são tanto testemunhais como documentais.[10] Lucas é o único evangelista que registra os primeiros anos da vida de Jesus, como a concepção, o nascimento e a infância. É o único evangelista que narra o episódio da visitação do anjo Gabriel a Zacarias em Jerusalém e a Maria em Nazaré.

Lucas escreve sobre a salvação preparada e realizada por Deus não apenas para Israel, mas também para todos os povos, desde os tempos mais remotos. Nas palavras de David Neale, o Antigo Testamento é o fundamento da teologia de Lucas; e o Deus que age na história é o centro dessa teologia.[11] Fritz Rienecker tem razão ao dizer que "Lucas deseja dar notícia do maior acontecimento da história mundial, do

---

[9]RIENECKER, Fritz. *Evangelho de Lucas*, p. 17.
[10]ASH, Anthony Lee. *O Evangelho segundo Lucas*, p. 23.
[11]NEALE, David A. *Novo comentário bíblico Beacon Lucas 1-9*, p. 63.

tema que abarca céu e terra, tempo e eternidade, passado e futuro, o Deus eterno e seu Filho eterno".[12]

Lucas 1.3 lança luz sobre a inspiração das Escrituras como nenhuma outra passagem consegue fazê-lo, destaca William Barclay.[13] Lucas mostra algumas verdades sublimes aqui.

A inspiração divina não anula a ação humana. Lucas lançou-se numa pesquisa meticulosa, na qual examinou registros escritos, entrevistou testemunhas oculares, ouviu ministros da palavra, comparou fatos e tirou conclusões claras. No entanto, o mais importante é que todo esse processo foi assistido pelo Espírito Santo. Nas palavras de William Hendriksen, a inspiração, ainda que certamente plenária, é orgânica. O Espírito Santo usa evangelistas de diferentes formações e habilidades e equipa cada um para sua tarefa específica.[14]

A inspiração divina não anula a investigação humana. Deus não ditou palavra por palavra a Lucas, anulando sua personalidade. Ao contrário, usou seu conhecimento, sua técnica de pesquisa, apoiando todos os passos da investigação com a inspiração divina, a fim de que o registro fosse infalível e inerrante.

A inspiração divina não anula a meticulosidade humana. Lucas investigou tudo e desde a sua origem. Usou uma metodologia rigorosa, recorrendo a técnicas precisas, para trazer à luz a plena verdade sobre Jesus. Lucas escreveu este evangelho depois de acurada investigação de todos os pontos. Não deixou nada de fora. Não passou por alto de nada daquilo que era relevante para compor essa obra colossal. É bem verdade que a expressão "tudo" não quer dizer tudo o que Jesus fez e ensinou, pois se tudo tivesse sido registrado nem em todo o mundo caberiam os livros que seriam escritos (Jo 21.25).

A inspiração divina não anula o registro escrito. Lucas foi assistido pelo Espírito Santo para escrever um evangelho canônico, o terceiro evangelho sinótico, que trata da perfeita humanidade de Cristo. É uma investigação em ordem. Lucas não apenas escreve o que pesquisa, mas

---

[12] RIENECKER, Fritz. *Evangelho de Lucas*, p. 16.
[13] BARCLAY, William. *Lucas*, p. 14.
[14] HENDRIKSEN, William. *Lucas*. Vol. 1, p. 58.

escreve tudo desde o começo, fazendo uma abordagem cronológica dos fatos. Seu evangelho é o mais abrangente sobre a vida e o ministério de Jesus. Concordo com Hendriksen quando ele diz: "A religião cristã não é uma questão de mitos astuciosamente engendrados (2Pe 1.16), mas fundamenta-se sobre fatos históricos concretos".[15]

Em quarto lugar, *a fé cristã precisa ser abraçada com plena certeza* (1.4). Teófilo já estava sendo instruído na verdade. O propósito de Lucas em enviar este livro era proporcionar-lhe plena certeza nas verdades que ele já havia abraçado e nas quais estava sendo instruído.

Concluo com as palavras de Leon Morris quando diz que "o impacto principal do prólogo de Lucas é que o cristianismo é verdadeiro; e é capaz de ser confirmado mediante a investigação daquilo que aconteceu".[16]

---

[15]HENDRIKSEN, William. *Lucas*. Vol. 1, p. 91.
[16]MORRIS, Leon L. *Lucas: introdução e comentário*, p. 65.

2
O nascimento do precursor de Jesus

Lucas 1.5-25

A PROFECIA HAVIA CESSADO HÁ MAIS DE QUATROCENTOS ANOS. O povo não recebia nenhuma palavra profética de Deus desde que o profeta Malaquias prometera a vinda do precursor do Messias, na força e no poder de Elias (Ml 4.5,6). Nesse tempo, alguns líderes religiosos estavam rendidos a uma tradição morta, e outros haviam se capitulado à sedução do lucro e transformado a casa de Deus num covil de salteadores. Herodes, o Grande, era um rei tirano, amante do poder, que não hesitava em matar qualquer concorrente do trono. É nesse tempo de obscurantismo espiritual que Deus invade a história com sua intervenção soberana e traz à lume a esperança para o seu povo.

Antes de avançarmos no assunto, vale a pena fazer uma retrospectiva. Todo descendente direto de Arão era automaticamente sacerdote. Durante o reinado de Davi, os sacerdotes foram organizados e divididos em 24 grupos (1Cr 24.1-6). Essas divisões foram reafirmadas por Salomão, filho de Davi (2Cr 8.14). A oitava divisão, a de Zacarias, era a divisão de Abias (1Cr 24.10).

Somente quatro divisões regressaram de Babilônia (Ed 2.36-39). Essas quatro, porém, foram redivididas em 24 e lhes foram dados nomes antigos. Cada divisão cumpria deveres no templo duas vezes ao ano, e a cada vez o período de serviço era de uma semana.[1] Como destaca Leon Morris, havia muitos sacerdotes, mas um só templo, por isso esses turnos de trabalho eram necessários para que todos os sacerdotes pudessem ter o privilégio de queimar incenso no templo.[2] Somente nas festas da Páscoa, Pentecoste e Tabernáculos é que todos os sacerdotes serviam juntos. Os sacerdotes que amavam seu trabalho aguardavam ansiosamente seu turno, que acontecia duas vezes por ano.

Era um grande privilégio um sacerdote casar-se com uma mulher de linhagem sacerdotal. Zacarias teve o privilégio de casar-se com Isabel, uma descendente da família de Arão. Foi no exercício do seu turno de trabalho que o anjo Gabriel falou com Zacarias.

À guisa de introdução, destacamos aqui três fatos.

O anjo visita Zacarias e Maria. O anjo Gabriel vai a Judeia e a Galileia, levando uma mensagem do céu a um velho sacerdote e a uma jovem virgem.

O anjo parece chegar atrasado num caso e adiantado no outro. Na perspectiva humana, Gabriel chegou atrasado à vida de Zacarias e sua mulher, pois eles já eram avançados em idade e Isabel ainda era estéril. De igual modo, parece que o anjo chegou adiantado à vida de Maria, pois ela era ainda jovem, virgem e noiva de um carpinteiro. Na perspectiva divina, entretanto, o anjo chegou na plenitude dos tempos, quando todo o cenário estava pronto e quando todas as profecias estavam cumpridas (Gl 4.4).

O anjo fala sobre dois nascimentos: do precursor e do Messias. O anjo Gabriel menciona dois nascimentos: o nascimento do arauto precursor e o nascimento do Messias prometido. Ambos são fruto de um milagre. João Batista nasce de uma mãe estéril. Jesus nasce de uma jovem virgem. João Batista nasce de pais já amortecidos. Jesus nasce pela operação sobrenatural do Espírito Santo.

Seus **pais** eram extraordinariamente **piedosos** (1.5-7)

Em primeiro lugar, *quando viveram* (1.5). Lucas define a época em que o sacerdote Zacarias viveu, ou seja, nos dias de Herodes. Esse é

---

[1] HENDRIKSEN, William. *Lucas.* Vol. 1, p. 98.
[2] MORRIS, Leon L. *Lucas, introdução e comentário,* p. 66.

o Herodes, o Grande, idumeu que governou a Judeia de 37 a 4 a.C. Ele adotou a religião judaica e dependia de Roma para governar. Foi notório por suas grandes obras, como o porto de Cesareia, a fortaleza de Massada e a ampliação do templo de Jerusalém. Também foi um governante astuto, cruel e perverso. Matou vários membros da própria família, como sua mulher Mariana, sua sogra Alexandra e seus três filhos Alexandre, Aristóbulo e Antípatro, e mandou matar as crianças de Belém de 2 anos para baixo, intentando com isso eliminar o menino Jesus, que tinha nascido para ser rei dos judeus. O próprio imperador César Augusto disse acerca dele: "Eu preferiria ser um porco a ser um filho de Herodes".[3] Hendriksen diz que Lucas contrasta um monstro diabólico, um tirano terrível com um sacerdote piedoso.[4]

Lawrence Richards é oportuno quando mostra a necessidade de fazermos uma distinção entre a aristocracia sacerdotal e os sacerdotes da ordem. A aristocracia era limitada a várias famílias sacerdotais, que dominavam os ofícios na hierarquia e controlavam as finanças e rituais do templo. Já os sacerdotes da ordem moravam fora de Jerusalém, e a tarefa deles era oficiar nos sacrifícios e nas cerimônias que ocorriam diariamente no templo.[5]

Em segundo lugar, *como viveram* (1.6). No verso anterior, Lucas dá a linhagem do casal Zacarias e Isabel e, agora, mostra como eles viveram. Ambos eram justos diante de Deus, vivendo irrepreensivelmente em todos os preceitos e mandamentos do Senhor. John Charles Ryle diz que não importa se o anjo está tratando aqui da justiça imputada (justificação) ou da justiça realizada no íntimo dos crentes pela operação do Espírito Santo (santificação), pois não existe nenhum "justo" que não seja santificado e nenhum "santo" que não seja justificado.[6] O ministério deles era de uma linhagem legítima, e a vida deles era um exemplo no meio de uma geração corrompida. Eles viviam o que pregavam. Pregavam aos ouvidos e também aos olhos.

---

[3]CHAMPLIN, Russell Norman. *O Novo Testamento interpretado versículo por versículo*, p. 12.
[4]HENDRIKSEN, William. *Lucas*. Vol. 1, p. 97.
[5]RICHARDS, Lawrence O. *Comentário histórico-cultural do Novo Testamento*, p. 134.
[6]RYLE, John Charles. *Meditações no Evangelho de Lucas*. São José dos Campos: Fiel, 2013, p. 8.

Em terceiro lugar, *como sofreram* (1.7). A vida com Deus não é uma estufa espiritual nem nos blinda das aflições. Fritz Rienecker diz, com razão, que não ter filhos naquela época era um grande infortúnio para um casal em idade avançada, e até mesmo era percebido como extremo sofrimento, um sinal do desfavor divino e uma vergonha perante as pessoas.[7] A esterilidade era normalmente considerada sinal de reprovação e juízo de Deus[8] e motivo legítimo para reivindicar o divórcio.[9] O pesadelo da esterilidade era tão grande que Raquel disse a Jacó, seu marido: *Dá-me filhos, senão morrerei* (Gn 30.1). Isabel, ao ficar grávida, disse: *Assim me fez o Senhor, contemplando-me, para anular o meu opróbrio perante os homens* (1.25). Outros nascimentos milagrosos semelhantes são encontrados nas Escrituras, como o nascimento de Isaque (Gn 18.1-5; 21.1-7), Sansão (Jz 13.1-25) e Samuel (1Sm 1.1-2.10). O impossível acontece mais uma vez, trazendo à lume um grande milagre. Estou de pleno acordo com o que escreveu Hendriksen: "A extrema incapacidade do homem é a oportunidade de Deus".[10]

Seu **nascimento** é extraordinariamente **anunciado** (1.8-14)

Em primeiro lugar, *um exercício espiritual* (1.8-10). Em virtude de não haver deveres sagrados em número suficiente para todos os sacerdotes, lançavam-se sortes para ver quem cumpriria cada função. Oferecer o incenso era considerado um grande privilégio. Um sacerdote não podia oferecer o incenso mais de uma vez na sua vida inteira, e alguns sacerdotes nunca receberam o privilégio.[11] O dia de o sacerdote Zacarias entrar no lugar santo para queimar incenso chegou, e chegou por sorteio. Portanto, esse era o momento mais importante da sua vida inteira. A parte mais solene de toda a liturgia era o ato da queima de incenso, que era oferecido duas vezes ao dia: de manhã e à tarde. É nesse cenário que sua vida é radicalmente mudada. É nessa geografia sagrada que os

---

[7]RIENECKER, Fritz. *Evangelho de Lucas*, p. 20.
[8]STERN, David H. *Comentário judaico do Novo Testamento*, p. 130.
[9]BARCLAY, William. *Lucas*, p. 16.
[10]HENDRIKSEN, William. *Lucas*. Vol. 1, p. 114.
[11]MORRIS, Leon. *Lucas: introdução e comentário*, p. 66.

céus visitam a terra. É nesse ambiente de culto, regado de oração, que Deus envia Seu mensageiro para falar com Zacarias. Rienecker diz que "a hora da oração é a hora da revelação de Deus".[12]

Em segundo lugar, *uma visita angelical* (1.11,12). Hendriksen tem razão ao dizer que a aparição repentina de um anjo santo, com um resplendor deslumbrante, faz tremer alguém que é débil e pecador.[13] O medo caiu sobre Zacarias. A mensagem da vinda do Messias trouxe temor às pessoas que receberam a visitação angelical: Zacarias temeu (1.12), Maria temeu (1.29,30), José temeu (Mt 1.20), os pastores temeram (2.10). Harold Willmington sintetiza a relação dos anjos com Jesus no Novo Testamento: 1) foram criados por Ele e para Ee (Cl 1.16); 2) adoraram-No (Hb 1.6); 3) predisseram Seu nascimento (1.31); 4) anunciaram Seu nascimento (2.9-13); 5) protegeram-No de Herodes (Mt 2.13); 6) ministraram para Ele no deserto (Mt 4.11); 7) ministraram para Ele no jardim do Getsêmani (22.43); 8) tiraram a pedra da entrada do Seu túmulo (Mt 28.2); 9) anunciaram Sua ressurreição (Mt 28.6); 10) estiveram presentes em Sua ascensão e predisseram Sua segunda vinda (At 1.10,11); 11) acompanharão Sua segunda vinda (2Ts 1.7,8).[14]

A ordem mais repetida em toda a Bíblia é: "Não temas". Deus está nos dizendo: "Pare de sentir-se amedrontado; anime-se".[15] Zacarias orou por longos anos para ter um filho, bem como pela redenção de Israel. Agora, julgava que essa era uma causa perdida. Todos os recursos humanos já haviam se esgotado. Quando tudo parecia impossível, porém, Deus reverteu a situação, e Zacarias não apenas teve um filho, mas o maior entre os nascidos de mulher, aquele que apresentou pessoalmente o Redentor de Israel (Mt 11.11).

Em terceiro lugar, *um filho excepcional* (1.13,14). O nascimento de João Batista está envolvido no sobrenatural. Seu nascimento é anunciado por um anjo. Três coisas acerca de João Batista são dignas de destaque.

---

[12] RIENECKER, Fritz. *Evangelho de Lucas*, p. 21.
[13] HENDRIKSEN, William. *Lucas*. Vol. 1, p. 102,103.
[14] WILLMINGTON, Harold L. *Guia Willmington para a Bíblia*. Rio de Janeiro, RJ: Central Gospel, p. 352.
[15] HENDRIKSEN, William. *Lucas*. Vol. 1, p. 103.

Ele é fruto de um milagre (1.7). Isabel, sua mãe, era estéril. Seu ventre era um deserto. Ela não podia conceber. Além disso, ela e seu marido já eram avançados em idade.

Ele é fruto de oração (1.13). As orações antigas ainda encontram eco nos ouvidos de Deus, pois a Sua demora em responder às nossas orações não é uma negação. O nascimento do precursor do Messias acontece em resposta às antigas orações de Zacarias. Concordo com John Charles Ryle quando ele diz: "Não nos cumpre determinar a época ou a maneira como nossos pedidos devem ser respondidos".[16] Vale destacar que ao lhes dar um filho, Deus não lhes deu um sacerdote, mas um profeta, o profeta que preparou o caminho do Senhor.

Ele será motivo de alegria (1.14). João Batista será motivo de alegria, pois ele veio para preparar o caminho do Filho de Deus, o Salvador do mundo.

Sua **missão** é divinamente **especificada** (1.15-17)

Destacamos cinco verdades aqui.

Em primeiro lugar, *um homem grande aos olhos de Deus* (1.15). O padrão de grandeza do mundo, entre os homens, não corresponde ao padrão de grandeza do céu, entre os anjos. João Batista foi grande aos olhos do Senhor ao revelar sua profunda humildade. A insígnia da verdadeira grandeza é a humildade.[17] João não era o noivo, mas o amigo do noivo. Ele não era o Messias, mas preparou o caminho para o Messias. Ele não era a luz, mas testificou acerca da verdadeira luz. Ele não era o Cordeiro, mas apontou para Jesus e disse: *Eis o cordeiro de Deus que tira o pecado do mundo* (Jo 1.29). O próprio Jesus deixou claro que ninguém, entre os nascidos de mulher, foi maior do que ele (Mt 11.11).

Em segundo lugar, *um homem consagrado a Deus* (1.15). João Batista foi um nazireu, consagrado a Deus desde o ventre materno (Nm 6.1-12). A única outra pessoa descrita dessa forma na Bíblia é Sansão (Jz 13-16). O contraste entre os dois homens, um fisicamente

---

[16] RYLE, John Charles. *Meditações no Evangelho de Lucas*, p. 11.
[17] HENDRIKSEN, William. *Lucas*. Vol. 1, p. 115.

forte e o outro um gigante espiritual, nos lembra que o que faz a diferença não são os símbolos exteriores da religião, mas nosso compromisso pessoal e interior com Deus. Sansão viveu com os símbolos de compromisso; João viveu a realidade que os símbolos deveriam representar.[18] João se alegrou em Jesus antes mesmo de nascer. Seu lema de vida era exaltar a Jesus. Ele disse: *Convém que Ele cresça e que eu diminua* (Jo 3.30).

Em terceiro lugar, **um homem cheio do Espírito Santo** (1.15). João Batista não foi um homem cheio de vinho, mas cheio do Espírito Santo desde o ventre materno. Não derivou sua força de uma formação moral robusta nem de uma personalidade forte, mas do Espírito Santo. Sua vida foi um exemplo, e seu ministério produziu profundo impacto nos corações. Estou de pleno acordo com o que escreveu John Charles Ryle: "Não há maior erro do que supor que as crianças, por sua tenra idade, não podem estar sujeitas à operação do Espírito Santo. O modo pelo qual Ele opera no coração de uma criança é misterioso e incompreensível; assim também é toda a sua obra nos filhos dos homens".[19]

Em quarto lugar, **um homem usado por Deus** (1.16). O ministério de João Batista provocou uma verdadeira revolução espiritual. Ele conclamou o povo, os líderes religiosos e os políticos ao arrependimento. Ele colocou o machado na raiz das árvores. Aterrou os vales, nivelou os montes, endireitou os caminhos tortos e aplainou as veredas fora do lugar.

Em quinto lugar, **um homem ousado em Deus** (1.17). João Batista veio no poder de Elias (Ml 4.5,6), o profeta que confrontou, em nome de Deus, a nação de Israel, o rei Acabe e os profetas de Baal. Ele não era Elias literalmente (Jo 1.21), mas era Elias figuradamente (Mt 11.13,14; 17.12; Mc 9.12,13). A mesma ousadia de Elias João demonstrou ao confrontar os líderes e o povo, chamando-os ao arrependimento. O ministério de João produziu um avivamento nas relações harmoniosas dentro do lar. Malaquias, na antiga dispensação, denunciou os casamentos mistos (2.11) e o divórcio (2.14) como fatores desagregadores da família. João, no começo da nova dispensação, concentra seu

---

[18] RICHARDS, Lawrence O. *Comentário histórico-cultural do Novo Testamento*, p. 135.
[19] RYLE, John Charles. *Meditações no Evangelho de Lucas*, p. 12.

trabalho na conversão dos pais aos filhos e dos filhos aos pais (1.17; Ml 4.6), preparando, assim, um povo para o Senhor. Concordo com Hendriksen quando ele diz: "Entra o amor de Deus. Desaparece o abismo entre as gerações".[20]

A **incredulidade** de seu **pai** é denunciada (1.18-23)

Dois fatos são aqui destacados.

Em primeiro lugar, *Zacarias, em vez de crer na Palavra de Deus, acentua as impossibilidades humanas* (1.18,19). Diante da majestosa aparição de Gabriel, o anjo que assiste diante de Deus, Zacarias acentua as impossibilidades humanas, em vez de crer na mensagem enviada da parte de Deus. Ele se recusou, sem rodeios, a crer no anjo. É como se Zacarias dissesse ao anjo: "Não creio em ti, porque pessoas de minha idade não podem ter filhos". Ele já havia esquecido de suas orações, embora essas orações não estivessem esquecidas aos olhos de Deus. Será que Zacarias já havia se esquecido do que Deus fizera por Abraão e Sara (Gn 18.9-15; Rm 4.18-25)? As palavras de Zacarias *Eu sou velho* contrastam com as palavras do anjo: *Eu sou Gabriel, que assisto diante de Deus*. Fica aqui o alerta: Que jamais coloquemos em dúvida o fato de que, quando Deus diz uma coisa, irá cumpri-la fielmente!

Em segundo lugar, *o juízo divino vem misturado com sua misericórdia* (1.20-23). Porque não creu, Zacarias não pôde falar. Porque fez um mau uso da língua, essa língua teve de ficar silenciosa. Zacarias foi condenado ao silêncio. John Charles Ryle alerta: "Duvidar que Deus pode fazer alguma coisa que Ele diz que fará é negar de forma prática sua onipotência. Duvidar que Deus não cumprirá completamente alguma de Suas promessas é fazê-Lo mentiroso".[21]

Zacarias fica mudo, mas não mudo para sempre. O juízo veio temperado com a misericórdia. Quando o menino, fruto do milagre, nasceu, a língua de Zacarias ficou desimpedida e ele voltou a falar, para dar glória ao nome de Deus (1.64). Rienecker é oportuno quando escreve:

---
[20]HENDRIKSEN, William. *Lucas*. Vol. 1, p. 115.
[21]RYLE, John Charles. *Meditações no Evangelho de Lucas*, p. 14.

"A mudez de Zacarias explicita igualmente o aspecto salvífico, pois, quando a voz do que clama no deserto é anunciada, o sacerdócio do Antigo Testamento emudece. Cala-se a bênção levita quando vem a descendência em que serão benditas todas as nações da terra".[22]

O **opróbrio** de sua **mãe** é removido (1.24,25)

A palavra profética se cumpriu. Isabel ficou grávida e ocultou sua gravidez por cinco meses. Os motivos não são mencionados nem devemos especular a respeito, pois onde a Palavra de Deus não tem voz, nós não devemos ter ouvidos.

Isabel, porém, reconhece que sua gravidez é um milagre de Deus para anular sua vergonha diante dos homens. Naquele tempo, a esterilidade era um vexame e um sinal do juízo divino. Certamente, sendo ela e seu marido pessoas piedosas, muitos questionamentos eram feitos, muitas suspeitas eram levantadas e muitos juízos velados eram lançados sobre o casal.

---

[22]RIENECKER, Fritz. *Evangelho de Lucas*, p. 24.

3

O nascimento
do Filho de Deus

Lucas 1.26-45

O NASCIMENTO DE JESUS FOI PROFETIZADO desde o jardim do Éden (Gn 3.15). Os patriarcas apontaram para esse dia. Os profetas descreveram esse momento. Todo o Antigo Testamento foi uma preparação para esse glorioso acontecimento. Através dos gregos, Deus deu ao mundo uma língua universal. Através dos romanos, Deus deu ao mundo uma lei universal. Através dos judeus, Deus deu ao mundo uma revelação sobrenatural. Agora, na plenitude dos tempos, Deus enviou o anjo Gabriel para comunicar o raiar desse glorioso dia.

John Charles Ryle diz que temos nestes versículos o anúncio do acontecimento mais maravilhoso que já ocorreu neste mundo: a encarnação e o nascimento de nosso Senhor Jesus Cristo.[1]

O anjo Gabriel já anunciara o filho tardio do idoso casal de sacerdotes; agora anuncia o filho primogênito de uma virgem. O nascido tardio é cheio do Espírito Santo no ventre materno; o segundo é gerado e nascido pela sobrepujante atuação de Deus na virgem pelo poder do Espírito Santo.[2]

---

[1] RYLE, John Charles. *Meditações no Evangelho de Lucas*, p. 15.
[2] RIENECKER, Fritz. *Evangelho de Lucas*, p. 25.

O mensageiro (1.26)

O mesmo anjo Gabriel que há seis meses visitara Zacarias na Judeia agora é enviado por Deus a Maria, em Nazaré, na Galileia. Esse anjo que assiste diante de Deus é mensageiro de Deus para comunicar o evento mais auspicioso e esperado da história, o nascimento do Messias, o Salvador do mundo. Gabriel só aparece na Bíblia aqui e em Daniel 8.16 e 9.21.

A virgem (1.27)

O anjo não é enviado a Roma, a sede do poder político. Não é enviado a Jerusalém, a sede do poder religioso. Não é enviado ao palácio, para falar aos poderosos ou aos ricos daquela época. Mas é enviado a uma jovem pobre, noiva de um homem pobre, numa cidade pobre, marcada pelo desprezo. A cidade natal de Maria é Nazaré, com uma população de apenas algumas centenas de pessoas. Nazaré era tão obscura que nunca é mencionada no Antigo Testamento nem na lista de Josefo das 56 cidades da Galileia. Nazaré tampouco é mencionada no Talmude, que lista 63 cidades.[3]

Hendriksen diz, com razão, que o ventre que guardará o maior de todos os tesouros não é o de uma princesa, mas de uma virgem comprometida a casar-se com o carpinteiro da aldeia de Nazaré, um pequeno vilarejo da Galileia, considerado por alguns com desdém (Jo 1.46).[4]

O noivado naquela época era a promessa solene de casamento, um compromisso que durava um ano, durante o qual a jovem desposada continuava a viver na casa de seu pai, e era tão sério como o matrimônio. Só podia ser dissolvido pelo divórcio. Se um homem morresse no interregno desse compromisso, a jovem era considerada uma virgem viúva. Estamos entrando aqui numa das doutrinas mais sublimes e misteriosas do cristianismo, o nascimento virginal.[5]

Larry Richards diz que a palavra hebraica *almah*, encontrada em Isaías 7.14, pode ser traduzida "jovem não casada", mas essa palavra

---

[3]NEALE, David A. *Novo comentário bíblico Beacon Lucas 1-9*, p. 75.
[4]HENDRIKSEN, William. *Lucas*. Vol. 1, p. 122.
[5]BARCLAY, William. *Lucas*, p. 17.

foi traduzida para o grego como *parthenos*, que só pode significar virgem (Mt 1.20). A "jovem não casada" da profecia devia ser interpretada como uma mulher não casada e virgem. Portanto, a concepção virginal é um dos maiores milagres das Escrituras, pois, se fosse possível criar um feto usando apenas o óvulo de uma mulher, essa criança seria uma filha, e não um filho. Apenas um homem pode dar o cromossomo que, junto com o da mulher, torna possível o nascimento de um filho. Este cromossomo, com os outros que formaram a pessoa teantrópica de Jesus (totalmente Deus e totalmente homem), foi dado pelo Espírito Santo.[6]

A mensagem (1.28-35)

Maria é uma das personagens mais emblemáticas da Bíblia. Ao longo da história, dois extremos podem ser vistos a seu respeito: aqueles que a colocam numa posição acima do que as Escrituras revelam, chamando-a de mãe de Deus, imaculada, intercessora, corredentora e rainha do céu; e aqueles que não dão a ela o reconhecimento necessário que a Palavra de Deus menciona. Não podemos ir além nem ficar aquém das Escrituras. Devemos cingir-nos ao que a Palavra de Deus diz a seu respeito. Destacamos aqui alguns pontos nesse sentido.

Em primeiro lugar, *a saudação do anjo* (1.28). Ao saudar Maria, Gabriel faz três afirmações: Ela deve se alegrar. Ela é muito favorecida. Ela tem o Senhor a seu favor. Deus olhou do céu e encontrou nessa jovem a pessoa certa para ser a mãe do Salvador: sua piedade, sua humildade e sua coragem. Embora jovem, Maria conhecia a Deus. Embora humilde, Maria é escolhida para carregar em seu ventre o Filho do Altíssimo, o Messias, o Rei dos reis, o Criador do universo, o Salvador do mundo.

Em segundo lugar, *o temor de Maria* (1.29). O temor de Maria não é de incredulidade como Zacarias, mas de êxtase diante da grandeza da revelação. Ela não duvida; quer apenas compreender o propósito divino.

Em terceiro lugar, *a explicação do anjo* (1.30,31). Gabriel explica para Maria que ela não precisa ter medo, porque achou graça diante de

---

[6]RICHARDS, Larry. *Todos os milagres da Bíblia*. São Paulo: Hagnos, 2011, p. 179.

Deus. Diz que ela vai conceber, mesmo virgem; que ela vai dar à luz um filho, mesmo apenas noiva; que ela vai dar o nome de Jesus a seu filho, pois Ele será o Salvador do seu povo.

Concordo com Leon Morris quando ele diz que é um total mal-entendido traduzir as palavras "Achaste graça diante de Deus" por "Ave Maria, cheia de graça" e passar a entendê-las no sentido de que Maria haveria de ser uma fonte de graça para outras pessoas. Gabriel está simplesmente dizendo que o favor de Deus repousa sobre ela.[7] Lucas deixa claro, também, neste evangelho que fazer parte de Sua família espiritual é uma honra ainda maior do que fazer parte de Sua família terrena (11.28; Mc 3.35).

Em quarto lugar, *a pessoa divino-humana de Jesus* (1.31-38). O anjo Gabriel passa a detalhar para Maria as características singulares de seu filho.

Ele é o Salvador do seu povo (1.31). Seu nome será Jesus, pois Ele será o Salvador do seu povo (Mt 1.21). Esse é o mesmo nome "Josué", aquele que introduziu o povo de Israel na terra prometida. Aqui em Lucas é Maria quem vai dar o nome ao filho. Em Mateus 2.21, é José. Isso expressa uma harmonia perfeita, como também ocorre no caso de Zacarias e Isabel (1.60,63).[8]

Ele é incomparavelmente grande (1.32). João Batista seria grande diante do Senhor (1.15), mas Jesus é grande de forma incomparável (1.32), pois Ele é o próprio Deus feito carne (Jo 1.14). Deus de Deus, Luz de luz, coigual, coeterno e consubstancial com Deus Pai. Ele é a exata expressão do ser de Deus e o resplendor da glória. Nele habitou toda a plenitude da divindade.

Rienecker diz que é uma estranha magnitude essa que começa em um estábulo, acaba em uma cruz e no meio-tempo é carregada de sofrimento, opróbrio e tristeza.[9] Hendriksen, na mesma linha de pensamento, ressalta que a grandeza do Filho do Altíssimo é ainda mais notável porque está para ser combinada com a humildade e disposição

---

[7] MORRIS, Leon L. *Lucas: introdução e comentário*, p. 70.
[8] HENDRIKSEN, William. *Lucas*. Vol. 1, p. 126.
[9] RIENECKER, Fritz. *Evangelho de Lucas*, p. 28.

do Excelso em sacrificar-Se pela salvação dos pecadores.[10] O apóstolo Paulo declara que Jesus, sendo Deus, não julgou como usurpação o ser igual a Deus, antes Se esvaziou, assumindo a forma de servo, e Se humilhou até a morte, e morte de cruz, pelo que Deus Pai O exaltou sobremaneira e Lhe deu o nome que está acima de todo nome (Fp 2.6-11).

Ele é o Filho do Altíssimo (1.32). Ele é igual ao Pai em todas as coisas. Como Deus, Jesus não teve mãe; como homem, ele não teve pai. Ele é eterno e preexiste ao universo. Ele é o Criador de todas as coisas, visíveis e invisíveis. Antes de Maria, sua mãe, existir, Ele já existia eternamente com Deus (Jo 1.1) e tinha glória excelsa junto com o Pai (Jo 17.5). Ele foi gerado no ventre de Maria não por concepção humana, mas por obra sobrenatural do Espírito Santo.

Ele é o Rei eterno (1.32,33). O filho de Maria não é apenas o Filho do Altíssimo, mas é também o Rei cujo reinado é eterno e não tem fim. Seu reino não é terreno ou político, mas espiritual, um reinado da graça e da verdade estabelecida no coração de todos aqueles que têm o Deus de Jacó como refúgio. Esse reino é de *justiça e paz e alegria no Espírito Santo* (Rm 14.17). A manifestação externa final desse reino será "o novo céu e a nova terra" e todas as bênçãos que acompanham este universo gloriosamente renovado.[11] Todos os reinos do mundo cairão, mas o Seu reino jamais findará.

Ele é Santo em Seu ser (1.35). Ele é o único ser humano que entrou no mundo sem herdar o pecado original. Ele é semente da mulher, e não semente do homem (Gn 3.15). É essencialmente santo, pois não herdou o pecado da raça nem cometeu pecado algum. Jesus não compartilhou da natureza humana pecaminosa. Não conheceu pecado (2Co 5.21), não cometeu pecado (1Pe 2.22), e nEle não existe pecado (1Jo 3.5).

Ele é gerado pelo Espírito Santo (1.35). A concepção de Jesus foi obra sobrenatural do Espírito Santo, e não resultado de uma relação entre José e Maria. O Espírito Santo desceu sobre Maria. O poder do Altíssimo a envolveu com Sua sombra. Por isso, Jesus foi chamado Filho de Deus. Seu corpo foi preparado para Ele pelo Espírito Santo (Hb 10.5).

---

[10] HENDRIKSEN, William. *Lucas*. Vol. 1, p. 127.
[11] HENDRIKSEN, William. *Lucas*. Vol. 1, p. 127.

A confirmação (1.36-38)

Vejamos aqui três verdades.

Em primeiro lugar, **um milagre já está a caminho** (1.36). O anjo encoraja Maria, dando-lhe um exemplo da maneira milagrosa como Deus opera seus propósitos. Outra criança nasceria de forma milagrosa, e sua mãe, Isabel, mesmo idosa e estéril, já estava grávida de seis meses.

Em segundo lugar, **uma promessa confiável** (1.37). O que é impossível para o homem é possível para Deus. As impossibilidades humanas não colocam em risco as infinitas possibilidades de Deus. As promessas de Deus são fiéis e verdadeiras. Ele pode fazer tudo quanto quer fazer (Gn 18.14; Sl 115.3; Jr 32.17; Dn 4.35; Mt 19.26; Mc 10.27; Lc 18.27; Ef 3.20). Portanto, ele podia dar um filho a Zacarias e Isabel, ainda quando ambos já houvessem perdido a esperança de ter um. E, consequentemente, também podia cumprir a promessa feita a Maria sem nenhuma participação de José.[12] Isabel é idosa e estéril, e Maria é jovem e virgem. Dois problemas completamente diferentes, que, ainda assim, não seriam impedimentos para o cumprimento da história da salvação.[13] A promessa de que a virgem conceberia e daria à luz um filho (Is 7.14) estava se cumprindo, e cumprindo-se em Maria. No nascimento do filho de Maria, a promessa de uma nação a Abraão cumprir-se-ia plenamente.

Em terceiro lugar, **uma submissão imediata** (1.38). Maria não discute com o anjo nem duvida da mensagem. Coloca-se completa e imediatamente à disposição de Deus, como serva de Deus, para fazer tudo quanto a Palavra de Deus havia determinado. Leon Morris destaca que a submissão de Maria trazia em seu bojo a disposição de enfrentar todos os riscos dessa obediência. Maria ainda não estava casada com José. Como ele reagiria? O que sua família iria dizer? O que as pessoas comentariam? A pena para infidelidade nesse período de noivado era o apedrejamento (Dt 22.22,23). A Bíblia diz que José pensou em divorciar-se dela (Mt 1.19).[14] John Charles Ryle tem razão ao dizer

---

[12]HENDRIKSEN, William. *Lucas*. Vol. 1, p. 131.
[13]NEALE, David A. *Novo comentário bíblico Beacon Lucas 1-9*, p. 77.
[14]MORRIS, Leon L. *Lucas: introdução e comentário*, p. 71.

que, a longo prazo, a obediência de Maria traria consigo grande honra; todavia, no presente, representava um risco enorme para sua reputação e grande prova para a sua fé.[15]

A visita (1.39-45)

Rienecker, citando Lutero, diz que teria sido justo que se encomendasse para Maria uma carruagem dourada, acompanhando-a 4 mil cavalos e alardeando diante da carruagem: "Aqui viaja a mulher de todas as mulheres!" No entanto, houve somente silêncio acerca de tudo isso. A pobre mocinha vai a pé por um caminho acidentado e longo, de mais de 130 quilômetros, e não obstante é a mãe do Filho de Deus. Não seria de admirar se todas as montanhas tivessem saltado e dançado de alegria.[16] O tema principal desta seção é alegria, e há três pessoas alegrando-se no Senhor: Isabel, João e Maria.

Em primeiro lugar, **Maria saúda Isabel** (1.39,40). Maria deixa sua aldeia e vai às montanhas da Judeia, na cidade de Ain Karem, há mais de 100 quilômetros de Nazaré, para visitar Isabel, sua parenta, que está grávida de seis meses. Para chegar lá, era necessária uma árdua e perigosa viagem, pois bandidos e salteadores eram uma ameaça constante aos viajantes que passavam por ali. Maria, desconsiderando todos os riscos, vai ao encontro de Isabel. Essas duas mulheres estão ligadas intimamente à história do Messias. Maria saúda a Isabel. A mãe do Salvador cumprimenta a mãe do precursor. A narrativa destaca a primazia de Cristo no encontro dessas duas parentas. Ele foi a causa do regozijo no útero de Isabel!

Em segundo lugar, **João Batista saúda Jesus** (1.41,44). João conheceu Jesus ainda no ventre de sua mãe. Maria mesmo, nos primeiros dias de gravidez, já tem em seu ventre Jesus, aquele que é conhecido como o Senhor de Isabel (1.43) e a alegria de João Batista (1.44). Mesmo antes de Seu nascimento, João alegrou-se em Jesus Cristo e fez o mesmo durante Seu ministério aqui na terra (Jo 3.29,30).[17]

---

[15] RYLE, John Charles. *Meditações no Evangelho de Lucas*, p. 19.
[16] RIENECKER, Fritz. *Evangelho de Lucas*, p. 32.
[17] WIERSBE, Warren W. *Comentário bíblico expositivo*. Vol. 5, p. 222.

Em terceiro lugar, **Isabel saúda Maria** (1.42-45). Isabel bendiz Maria entre as mulheres e bendiz o fruto do seu ventre. Isabel não exalta Maria acima das mulheres, mas a chama de bendita entre as mulheres. Maria não é exaltada além do que ela é, nem é tratada aquém do que ela representa. Isabel destaca três verdades sobre Maria: Ela é bendita entre as mulheres (1.42). Ela é a mãe do Salvador (1.43). Ela é bem-aventurada pela sua confiança na Palavra de Deus (1.45). A saudação de Isabel, entretanto, enfatiza mais o fruto do ventre de Maria do que Maria em si. Ele é o Salvador. Nele há grande alegria! Isabel, João Batista e Maria estão exultando de alegria e o motivo dessa alegria é Jesus. John Charles Ryle registra: "A alegria compartilhada se multiplica. A tristeza se expande ao ser ocultada; a alegria, ao ser repartida".[18]

Rienecker destaca o fato de Isabel saudar Maria com total ausência de inveja. Afinal, ela que também é abençoada consegue alegrar-se com aquela que foi abençoada com graça maior! Cheia de bendita submissão, concede honra a Maria, como se a mãe de um rei tivesse chegado a um de seus mais ínfimos súditos. No reino de Deus, é regra que sempre o maior vai ao menor. O Senhor do céu vem ao grão de pó e habita com ele.[19]

---

[18] RYLE. John Charles. *Meditações no Evangelho de Lucas*, p. 20.
[19] RIENECKER, Fritz. *Evangelho de Lucas*, p. 33.

4

O tempo de celebrar chegou

Lucas 1.46-80

O LOUVOR DE MARIA dá início aos cânticos de exaltação do Novo Testamento. Em Lucas 1 e 2, há quatro deles: *Magnificat*, o cântico de Maria (1.46-55); *Benedictus*, o cântico de Zacarias (1.68-79); *Gloria in excelsis*, o cântico dos anjos (2.14); e *Nunc domittis*, o cântico de Simeão (2.29-32).

O *Magnificat* (1.46-56)

O cântico de Maria é um material especial de Lucas e o primeiro de quatro cânticos no evangelho. Está estruturado como os hinos de louvor do saltério, com uma introdução (1.46,47), uma estrutura (1.48-53) e uma conclusão (1.54-56).[1]

O cântico de Maria está saturado das Escrituras. O coração da jovem virgem está transbordando da Palavra de Deus. Warren Wiersbe diz que ela guardou a Palavra de Deus no seu coração e a transformou em cântico.[2] Rienecker afirma corretamente que o cântico de Maria está dividido em três estrofes: 1) Maria exalta a misericórdia de Deus

---

[1] NEALE, David A. *Novo comentário bíblico Beacon Lucas 1-9*, p. 85.
[2] WIERSBE, Warren W. *Comentário bíblico expositivo*. Vol. 5, p. 223.

(1.46-50); 2) Maria exalta a onipotência de Deus (1.51-53); 3) Maria exalta a fidelidade de Deus para com Israel (1.54,55).[3]

Maria reconhece que Deus está no controle da história e engrandece-O por Seus atributos e Suas obras. William Barclay, citando Stanley Jones, diz que o *Magnificat* é o documento mais revolucionário do mundo, pois nos fala de três revoluções de Deus: 1) a revolução moral – Ele dispersou os que no coração alimentam pensamentos soberbos (1.51); 2) a revolução social e política – Ele derrubou do seu trono os poderosos e exaltou os humildes (1.52); 3) a revolução econômica – Ele encheu de bens os famintos e despediu vazios os ricos (1.53).[4] Leon Morris diz que, nessa revolução, a última palavra não está com os soberbos, nem com os poderosos, nem com os ricos. Na verdade, mediante o Seu Messias, Deus está prestes a derrubar todos eles.[5]

Destacamos aqui quatro pontos.

Em primeiro lugar, **Maria destaca a soberana intervenção de Deus na história** (1.46-49). Para Maria, Deus é poderoso e santo (1.49), misericordioso (1.50), justo e fiel (1.51-55). O fato de este Deus poderoso escolher uma pobre jovem, desposada com um carpinteiro desconhecido da pequena e mal falada Nazaré, é uma prova de que Deus é livre e soberano para agir, e Ele age por meios estranhos e não convencionais. Ele não vem num palácio. Não envia Seu anjo aos nobres de Jerusalém nem à classe sacerdotal, mas a uma jovem em Nazaré. A palavra que Maria usa para "poderoso" é *déspota*, aquele que não se relaciona de forma dependente com nada e com ninguém. Deus não precisa fazer acordo com ninguém. Ele é livre e soberano para agir como quer, onde quer, com quem quer.

Em segundo lugar, **Maria destaca o poder de Deus para invadir a história e virar a mesa, invertendo os valores do mundo** (1.51-53). Deus entra na história não pelos palácios dos governantes. Ele não pede que o poder judiciário Lhe dê cobertura. Simplesmente entra na história e faz as mais profundas inversões que se pode imaginar, deixando todo

---

[3] RIENECKER, Fritz. *Evangelho de Lucas*, p. 35.
[4] BARCLAY, William. *Lucas*, p. 20,21.
[5] MORRIS, Leon L. *Lucas: introdução e comentário*, p. 74.

mundo com gosto de surpresa e espanto na boca. Ele traz uma verdadeira revolução política, econômica, social, moral e espiritual. Nas palavras de John Charles Ryle, Maria lembrou-se de como Deus derrubou a Faraó, aos cananeus, aos filisteus, a Senaqueribe, a Hamã e a Belsazar. Lembrou-se de como Ele exaltou José, Moisés, Davi, Ester e Daniel e como nunca permitiu que o Seu povo escolhido fosse totalmente destruído.[6]

Em terceiro lugar, *Maria destaca sua profunda necessidade de Deus* (1.46-49). Ela reconhece sua necessidade de salvação e chama Deus de *meu Salvador* (1.46,47). Reconhece que o sentido da vida é exaltar e glorificar a Deus e alegrar-se nEle (1.46). Reconhece que *agora* todas as gerações a considerarão bem-aventurada porque o Poderoso fez grandes coisas em sua vida (1.48,49). Antes, ela era apenas uma jovem desconhecida; agora, seu nome seria uma referência para o mundo inteiro, e não por seus méritos, mas por causa dos grandes feitos de Deus.

Em quarto lugar, *Maria destaca o que Deus fez por ela e por nós*. Deus a salvou (1.47). Deus a escolheu para ser mãe do Messias (1.48). Deus usou Seu poder em favor dela (1.49). Depois de mencionar o que Deus fez por ela, Maria mostra o que Deus fez pelo seu povo. Todos nós recebemos sua misericórdia e seu socorro. Ela cita dois grupos que receberam a misericórdia de Deus: os humildes (1.52) e os famintos (1.53).[7]

O regozijo pelo **nascimento do precursor** (1.57-66)

Em primeiro lugar, *uma alegria compartilhada* (1.57,58). A idade avançada de Zacarias e a esterilidade de Isabel não impediram que João nascesse. Seu nascimento trouxe alegria àquela família, alegria que foi compartilhada por vizinhos e parentes.

Em segundo lugar, *uma mudez curada* (1.59-64). No oitavo dia, quando a criança foi levada para o rito da circuncisão, queriam dar-lhe o nome de Zacarias. Sua mãe protestou e disse que o menino deveria se chamar João. Redarguiram dizendo que ninguém na família tinha esse

---

[6] RYLE, John Charles. *Meditações no Evangelho de Lucas*, p. 23.
[7] WIERSBE, Warren W. *Comentário bíblico expositivo*. Vol. 5, p. 223.

nome. Então, perguntaram por acenos a Zacarias, que estava mudo, que nome o menino deveria receber. Este escreveu numa tabuinha: João deve ser o nome. À medida que todos se maravilhavam, a língua de Zacarias foi desimpedida e ele voltou a falar, louvando a Deus. Sua mudez foi curada.

A circuncisão de João no oitavo dia é digna de nota, pois o ato marcava a iniciação oficial do menino na aliança que Deus fez com Abraão e marcava João para sempre como membro do povo escolhido.[8]

Em terceiro lugar, **uma reverência percebida** (1.65,66). O nascimento milagroso de João e a cura milagrosa de seu pai trouxeram temor a toda a região montanhosa da Judeia. Todos perguntavam, maravilhados: "Que virá a ser, pois, este menino?" Eles sabiam que João havia vindo ao mundo num tempo especial, para um propósito especial. João não apenas foi cheio do Espírito Santo desde o ventre materno (1.15) e alegrou-se em Jesus antes de nascer (1.44), mas também sentiu a mão do Senhor com ele desde sua mais tenra infância (1.66). John Charles Ryle diz corretamente que a mão do Senhor estava com João para santificar e renovar o seu coração, para ensiná-lo e prepará-lo para o seu ministério, para fortalecê-lo em toda a sua obra como precursor do Cordeiro de Deus.[9] João jamais realizou um milagre pessoalmente, mas foi introduzido no mundo por meio de um milagre e andou diante dos olhos do povo como um milagre.[10]

O *Benedictus* (1.67-79)

David Neale diz que, assim como o cântico de Maria, o cântico de Zacarias tem uma introdução (1.68), uma estrutura (1.69-79) e uma conclusão (1.80).[11] Zacarias é qualificado pela plenitude do Espírito Santo a cantar, e seu cântico é uma profecia acerca da salvação providenciada por Deus (1.67). Este cântico é mais religioso do que político. São palavras de profecia, palavras que expressam a revelação de Deus.[12]

---

[8] RICHARDS, Lawrence O. *Comentário histórico-cultural do Novo Testamento*, p. 135.
[9] RYLE, John Charles. *Meditações no Evangelho de Lucas*, p. 26.
[10] RIENECKER, Fritz. *Evangelho de Lucas*, p. 41.
[11] NEALE, David A. *Novo comentário bíblico Beacon Lucas 1-9*, p. 90.
[12] MORRIS, Leon L. *Lucas: introdução e comentário*, p. 77.

Este cântico está dividido em quatro estrofes: 1) ações de graças pelo Messias (1.68-70); 2) a grande libertação (1.71-75); 3) a posição de João (1.76,77); 4) a salvação messiânica (1.78,79).[13] Este cântico é a última profecia da antiga dispensação e a primeira da nova. Warren Wiersbe diz, corretamente, que o cântico de Zacarias apresenta quatro belos retratos do significado da vinda de Jesus Cristo ao mundo, como vemos a seguir.[14]

A porta da prisão é aberta (1.68). O termo "redimir" significa "libertar mediante o pagamento de um resgate". Pode significar ainda a soltura de um prisioneiro ou a libertação de um escravo. Jesus veio ao mundo para trazer libertação aos cativos (4.18) e salvação àqueles que eram prisioneiros do pecado, do diabo e da morte. Não podemos libertar-nos a nós mesmos. O preço da nossa redenção só poderia ser pago por Cristo (Ef 1.7; 1Pe 1.18-21).

A batalha é vencida (1.69-75). Aqui temos a descrição de um exército prestes a ser levado cativo, mas chegam reforços e o inimigo é derrotado. Na imagem anterior, os cativos são libertos, porém, aqui o inimigo é derrotado, para que não faça mais prisioneiros. É a vitória retumbante e total para o povo de Deus (Cl 1.12-14).

O cancelamento de uma dívida (1.76,77). O termo "redimir" significa "cancelar, desconsiderar uma dívida". Todos estamos em dívida com Deus, pois transgredimos Sua lei e violamos Sua justiça. Além disso, todos estamos espiritualmente falidos e não temos condições de pagar nossa dívida. Mas Jesus veio para pagar essa dívida por nós (Jo 1.29; Cl 2.14).

O raiar de um novo dia (1.78,79). Quando Jesus chegou, o povo se encontrava em densas trevas, em meio à escuridão, à aflição e à morte, mas Ele trouxe luz, vida e paz.

Zacarias bendiz a Deus por duas razões eloquentes.

Em primeiro lugar, **pela obra da salvação que Ele trouxe através do Messias** (1.68-75). O cântico de Zacarias não está focado em privilégios pessoais, mas no plano glorioso de Deus em salvar o Seu povo. Destacamos aqui alguns pontos nesse sentido.

---
[13] MORRIS, Leon L. *Lucas: introdução e comentário*, p. 76.
[14] WIERSBE, Warren W. *Comentário bíblico expositivo*. Vol. 5, p. 224.

Deus visitou e redimiu o Seu povo (1.68). Ao enviar o Seu Filho unigênito, Deus desceu até nós. Desceu não para condenar, mas para salvar. Desceu não para julgar, mas para redimir.

Deus trouxe plena e poderosa salvação ao Seu povo (1.69). Salvação perfeita, completa e eterna. Salvação do pecado, do diabo e da morte.

Deus cumpriu Sua aliança e Suas promessas ao Seu povo (1.70-75). A salvação não foi uma obra realizada de última hora. Havia uma promessa anterior e uma aliança firmada com nossos pais. Tudo foi planejado. Tudo foi feito dentro da agenda do céu. Tudo foi preparado para que, na plenitude dos tempos, Jesus descesse até nós, cheio de graça e de verdade.

Em segundo lugar, *pela obra preparatória da salvação feita por João Batista* (1.76-79). Zacarias entende que o plano eterno de Deus, ratificado ao longo da história da redenção, agora está prestes a vir à plena luz, por meio da obra preparatória de João, o precursor do Messias. Sobre o ministério de João, destacamos alguns pontos.

O ministério de João era preparar o caminho do Senhor (1.76). João veio para aterrar os vales, nivelar os montes, endireitar os caminhos tortos e aplainar os caminhos escabrosos. Veio para chamar o povo ao arrependimento e conduzi-lo ao Salvador.

O ministério de João era instruir o povo sobre a salvação (1.77). O povo precisa conhecer a salvação de Deus e o que Deus fez para redimi-lo de seus pecados. A salvação não é uma conquista do homem nem o perdão dos pecados é um mérito das obras.

O ministério de João era apontar para o sol nascente das alturas (1.78,79). A vinda de Jesus ao mundo é a manifestação mais eloquente da entranhável misericórdia de Deus pelo Seu povo. Ele enviou Seu Filho, o Sol nascente das alturas, para dissipar nossas trevas, tirar-nos da sombra da morte e dirigir os nossos pés pelo caminho da paz. Na noite em que Jesus nasceu, nascia o Sol da justiça!

A vida de João, o precursor do Salvador (1.80)

A vida de João é resumida num único versículo. Ele era cheio do Espírito desde o ventre (1.15) e crescia e se fortalecia em espírito (1.80). Mesmo tendo honra tão excelsa, viveu no deserto, longe dos holofotes.

Não percorreu os corredores do palácio de Herodes nem se assentou nas cadeiras do Sinédrio. Não vestiu roupas caras nem se alimentou de finas iguarias. No deserto da Judeia, entre vales e montes, suportou o calor escaldante do dia e os ventos gelados da noite. Assim viveu o maior homem entre os nascidos de mulher, até se manifestar a Israel e dar início ao seu ministério.

Concordo com William Hendriksen quando disse: "Os que planejam exercer influência sobre as multidões primeiro devem preparar-se ficando sozinhos com Deus".[15] O deserto tem sido ao longo dos séculos a escola superior do Espírito Santo, na qual treina os Seus líderes mais importantes. Abraão, Moisés e Elias foram treinados na escola do deserto. João Batista é matriculado na escola do deserto. Porque Deus estava com ele, as multidões se desabalaram das cidades ao seu encontro no deserto e a partir do deserto um grande despertamento espiritual foi iniciado em Israel.

---

[15]HENDRIKSEN, William. *Lucas*. Vol. 1, p. 185.

5

Deus desceu até nós

Lucas 2.1-52

QUANDO JESUS, O REI DOS REIS, NASCEU, César Augusto era o imperador de Roma. Quem era esse homem? Seu nome original era Caio Otávio. Ele foi imperador no período de 27 a.C. a 14 d.C. Era sobrinho neto do grande imperador Júlio César. Seu tio-avô tinha grande estima por ele e concedeu-lhe muitas honras. Quando Júlio César foi assassinado em 44 a.C., Otávio descobriu que, no testamento deixado pelo imperador, ele havia sido constituído como seu filho e herdeiro. Então, imediatamente mudou seu nome para Caio Júlio César.

Uma irmã de Otávio casou-se com Antonio, herdeiro do trono, mas este abandonou a esposa por causa de sua paixão por Cleópatra, rainha do Egito. A paixão de Antônio por Cleópatra o fez descuidar-se dos interesses de Roma. Por essa causa, Otávio e os romanos se voltaram contra ele. Na batalha naval de *Actium*, em 31 a.C., Antonio foi derrotado e ambos, ele e Cleópatra, pouco depois cometeram suicídio.

No ano 27 a.C., o senado romano conferiu a Otávio, agora Caio Júlio César, o título de Augusto. Dali para frente, ele passou a ser conhecido como César Augusto ou Augusto César. Embora tenha sido implacável na sua ascensão ao poder, teve um governo moderado, demonstrando grande habilidade administrativa, promovendo as artes, fomentando a literatura e propiciando ao império um longo período de prosperidade e paz.

O nascimento (2.1-7)

O nascimento de Jesus, segundo Warren Wiersbe, levou José e Maria de Nazaré a Belém (2.1-7), trouxe os anjos do céu à terra (2.8-14) e levou os pastores dos campos a Belém (12.15-20).[1] Destacamos aqui alguns pontos.

Em primeiro lugar, *um decreto publicado* (2.1-3). O que havia sido planejado na eternidade chegara a hora de acontecer. A plenitude dos tempos havia chegado. O eterno entraria no tempo e Deus desceria até nós. Lucas identifica o tempo do nascimento de Jesus. Isso aconteceu quando o imperador César Augusto convocou a população do império para um recenseamento. Josefo fala sobre esse tempo, quando "o povo judaico inteiro" fez um juramento de lealdade a César.[2] William Barclay diz que no Império Romano se realizavam recenseamentos periódicos com dupla finalidade: impor as contribuições e descobrir aqueles que podiam cumprir o serviço militar obrigatório.[3] O termo grego *apographesthai*, traduzido por "alistar-se", significa o registro do nome de cada cidadão, de sua idade e posição social, do nome da esposa e dos filhos, do patrimônio e da renda no cadastro oficial, com o objetivo de calcular os impostos.[4]

Esse recenseamento se deu quando Quirino era governador da Síria. Por ser José da família de Davi, ele precisou ir a Belém para se alistar. Deus moveu todo o império para que a profecia se cumprisse, pois, morando José e Maria em Nazaré da Galileia, eles precisariam viajar para Belém, na Judeia, onde Jesus haveria de nascer. César Augusto era o imperador, mas Deus é quem estava no comando da história. O Messias deveria ser a semente da mulher (Gn 3.15), da tribo de Judá (Gn 49.10), da família de Davi (2Sm 7.1-17), nascido de uma virgem (Is 7.14), e teria de nascer em Belém (Mq 5.2). Isso prova que a nossa história é a história de Deus, o rolo aberto da profecia.[5]

---
[1] WIERSBE, Warren W. *Comentário bíblico expositivo*. Vol. 5, p. 226,227.
[2] *Antiguidades* xvii.42.
[3] BARCLAY, William. *Lucas*, p. 25.
[4] RIENECKER, Fritz. *Evangelho de Lucas*, p. 49.
[5] WIERSBE, Warren W. *Comentário bíblico expositivo*. Vol. 5, p. 225.

Em segundo lugar, *uma viagem necessária* (2.4,5). José saiu de Nazaré para as montanhas de Judeia, e Maria foi com ele, numa jornada de mais de 120 quilômetros. A viagem deve ter sido muito difícil para Maria, que estava no nono mês de gravidez. Ela precisou enfrentar o calor do dia, a poeira da estrada, a carência de água, a irregularidade da alimentação e a precariedade dos abrigos noturnos.[6] Por que José a levou também? Numa perspectiva humana, para poupá-la das calúnias e das más línguas de Nazaré e, na perspectiva divina, para cumprir a profecia. O Messias teria de nascer em Belém (Mq 5.2), a cidade de Davi, a casa do pão (Jo 6.35). Halley situa bem Belém quando escreve:

> O lugar onde Jesus nasceu era um centro de evocações históricas. Era a cidade de Davi. Ali estava sepultada Raquel, mulher de Jacó. Fora o domicílio de Rute. Vinte e quatro quilômetros ao sul estava Hebrom, lugar da residência de Abraão, Isaque e Jacó. Dezesseis ao noroeste estava Gibeão, onde Josué fizera o sol deter-se. Nove quilômetros ao oeste ficava Socó, onde Davi matara Golias. Dez quilômetros ao norte ficava Jerusalém, onde Abraão pagara o dízimo a Melquizedeque, capital de Davi e Salomão, sede do trono de Davi durante quatrocentos anos, cenário do ministério de Isaías e Jeremias, centro de onde por longas eras se desenvolveu o esforço de Deus de se revelar à humanidade.[7]

Em terceiro lugar, *uma manjedoura disponível* (2.6,7). A cidade de Belém estava abarrotada de peregrinos. Não havia sequer uma pensão ou abrigo para acolher o casal nazareno. Os apelos e as preces diante da condição de Maria não foram atendidos. A cidade estava indisponível para Jesus nascer. Não havia para eles lugar na hospedaria. Hendriksen, comentando o fato de não haver lugar para eles na estalagem, escreve:

> Não foi porque o hospedeiro fosse cruel ou não hospitaleiro, mas porque a estalagem já estava cheia. Assim também há corações que nunca recebem a Cristo, e isso não porque o odeiam definitivamente, mas simplesmente porque esses corações já estão ocupados por pensamentos de

---
[6]RIENECKER, Fritz. *Evangelho de Lucas*, 2005, p. 50.
[7]HALLEY, H. H. *Manual bíblico*, p. 427.

riquezas, honras, prestígio, prazeres, negócios etc., que não têm lugar para Jesus, nem tempo para refletir sobre sua vontade, nem desejos de deixar seu caminho para fazer o que lhe agrada.[8]

Kenneth Bailey diz que há duas possibilidades para definir o lugar onde Jesus nasceu: a casa de um camponês ou uma manjedoura.[9] No Oriente Médio, a casa do camponês é composta por um cômodo que tem um nível mais baixo em uma extremidade, onde são recolhidos de noite o jumento e a vaca da família. A outra possibilidade seria uma manjedoura. Sou inclinado a pensar que essa é a possibilidade mais plausível. José e Maria encontraram uma gruta onde os pastores guardavam os seus rebanhos. Ali, numa manjedoura, um lugar onde os animais comiam, Jesus nasceu e foi enfaixado em panos. Essas circunstâncias, segundo Leon Morris, significam: solidão, obscuridade, pobreza e rejeição.[10] Rienecker é contundente quando escreve: "Com a manjedoura, Israel, o povo eleito de Deus, deu as boas-vindas ao Messias. E com a cruz despediu-se dEle da forma mais infame".[11] Jesus nasceu não num palácio, mas numa estrebaria. Porque era o Cordeiro de Deus, a manjedoura era um lugar apropriado. Porque Jesus se fez pobre e nasceu numa manjedoura, o Natal é um golpe no orgulho dos poderosos.

Leon Morris está certo ao dizer que foi a combinação de um decreto do imperador em Roma e das línguas mexeriqueiras de Nazaré que levou Maria a Belém, exatamente no tempo certo para cumprir a profecia (Mq 5.2). Deus opera através de todos os tipos de pessoas para levar a efeito Seus propósitos.[12]

Rienecker diz que a Igreja Católica Romana crê que a expressão *primogênito* (2.7) significa o mesmo que "filho único", isto é, que Maria não teve outros filhos. Porém, a expressão "primogênito" (*prototókos*) deve ser usada de forma conscientemente contrária a "filho único" (*monogenés*).[13]

---

[8]HENDRIKSEN, William. *Lucas*. Vol. 1, p. 205.
[9]BAILEY, Kenneth. *A poesia e o camponês*. São Paulo, SP: Vida Nova, 1985, p. 19.
[10]MORRIS, Leon L. *Lucas: introdução e comentário*, p. 81.
[11]RIENECKER, Fritz. *Evangelho de Lucas*, p. 51.
[12]MORRIS, Leon L. *Lucas: introdução e comentário*, p. 81.
[13]RIENECKER, Fritz. *Evangelho de Lucas*, p. 50.

Hendriksen esclarece que a explicação natural é certamente esta: depois que Maria deu à luz Jesus, ela continuou a gerar filhos. Os próprios nomes dos irmãos de Jesus são mencionados (Mt 13.55). O fato de que Ele tinha irmãos é também claro (Mt 12.46,47; 13.56; Mc 3.31,32; Lc 8.19,20; Jo 2.12; 7.3,5,10; At 1.14).[14] É claro que o fato de Maria ter tido um relacionamento conjugal normal com José depois do nascimento de Jesus e ter tido outros filhos não é uma desonra para ela (Gn 2.24; 1Co 7.5), pois o casamento é digno de honra, o relacionamento sexual no casamento é legítimo e ter filhos é uma bênção!

A **proclamação** (2.8-20)

Destacamos aqui alguns pontos.

Em primeiro lugar, *a quem é dada a mensagem* (2.8,9). Os pastores são os primeiros a serem informados da grande efeméride. Pastores não desfrutavam de boa reputação naqueles dias. Não eram considerados fidedignos e não lhes era permitido dar testemunho nos tribunais. Pertenciam a uma classe desprezada.[15] Os fariseus os caracterizavam como ladrões e enganadores, igualados aos publicanos e pecadores. Os pastores eram considerados plebe que desconhece a lei. Eram privados da honra dos direitos civis.[16] Mas Deus vira a mesa e fere a soberba dos grandes da terra, enviando o anjo para dar a melhor e maior notícia do mundo, de primeira mão, não aos reis, nem mesmo aos escribas e sacerdotes, mas aos pastores.

William Barclay diz que, para assegurar a provisão de cordeiros perfeitos para os sacrifícios do templo, as autoridades do templo tinham seus próprios rebanhos, que pastavam próximos a Belém. É muito provável que esses pastores estivessem a cargo desses rebanhos. É espantoso pensar que os pastores que cuidavam dos cordeiros do templo fossem os primeiros a ver o Cordeiro de Deus que tira o pecado do mundo.[17]

---

[14] HENDRIKSEN, William. *Lucas*. Vol. 1, p. 201.
[15] MORRIS, Leon L. *Lucas: introdução e comentário*, p. 81.
[16] RIENECKER, Fritz. *Evangelho de Lucas*, p. 52.
[17] BARCLAY, William. *Lucas*, p. 27.

Em segundo lugar, *o conteúdo da mensagem* (2.10-12). O anjo desceu e a glória de Deus brilhou ao redor dos pastores. Eles ficaram envoltos por um mar de luminosidade, diante do qual as estrelas empalideceram e a noite se transformou em dia. Sempre que a glória do céu irrompe no meio da escuridão da terra, temor e pavor são a primeira reação do ser humano mortal e pecador.[18]

A mensagem do anjo era uma boa-nova de grande alegria para eles e para todo o povo. O conteúdo da mensagem é o nascimento de uma criança que está envolta em faixas, deitada numa manjedoura. Naquela época, esse herdeiro do trono de Davi possuía uma estrebaria como salão real, uma manjedoura como trono, feno e palha como lugar de repouso e duas pessoas desabrigadas como séquito.[19]

Essa criança, entretanto, é o Salvador, o Cristo, o Senhor. Ele veio para salvar o Seu povo. É o Messias prometido, o Senhor dos senhores e o Rei dos reis. Warren Wiersbe diz que Deus não enviou um soldado, um juiz ou um reformador, mas o Salvador.[20] Rienecker, citando Lutero, diz que a boa-nova não era para os anjos, mas para os homens. Os anjos não precisam do Redentor e os demônios não O querem. Ele veio por nossa causa; nós, pecadores, é que precisamos dEle.[21]

Em terceiro lugar, *a celebração angelical* (2.13,14). Os céus cobriram-se de anjos, as nuvens transformaram-se em partituras musicais e uma música excelsa ecoou das alturas, o *Gloria in Excelsis*. O nascimento do Salvador trouxe glória a Deus no céu e paz na terra entre os homens. De acordo com Leon Morris, os anjos estão dizendo que Deus trará paz para os homens sobre os quais repousa Seu favor. A ênfase é dada a Deus, não aos homens. São aqueles que Deus escolhe, e não aqueles que escolhem a Deus, sobre os quais os anjos falam. Essa paz, é lógico, significa a paz entre Deus e os homens, a cura da alienação causada pela maldade humana.[22] Neste hino angelical, a

---

[18]RIENECKER, Fritz. *Evangelho de Lucas*, p. 53,54.
[19]RIENECKER, Fritz. *Evangelho de Lucas*, p. 58.
[20]WIERSBE, Warren W. *Comentário bíblico expositivo*. Vol. 5, p. 226.
[21]RIENECKER, Fritz. *Evangelho de Lucas*, p. 55.
[22]MORRIS, Leon L. *Lucas: introdução e comentário*, p. 82.

glória e paz correspondem, nas alturas e na terra, a Deus e aos homens a quem Ele quer bem.[23]

Em quarto lugar, *a visita dos pastores* (2.15-18). Quando os anjos se ausentaram, os pastores foram imediata e apressadamente a Belém ver os acontecimentos. Ao chegarem, encontraram Maria e José e a criança deitada na manjedoura. Eles viram e divulgaram o que lhes havia sido dito acerca do menino. Aqueles que ouviram o testemunho dos pastores se admiraram. É impossível ouvir falar sobre Jesus sem verificar quem Ele é. É impossível ter um encontro com Jesus sem divulgar essa boa-nova a outras pessoas.

Em quinto lugar, *a ponderação de Maria* (2.19). Maria, ainda extasiada, sem alcançar todas as implicações daquele nascimento milagroso, guardava todas essas palavras, meditando-as no coração. Maria não se exalta, mas se curva maravilhada com o glorioso propósito de Deus.

Em sexto lugar, *a exultação dos pastores* (2.20). Os pastores que viram a glória do Senhor brilhando ao redor deles (2.9), que escutaram a mensagem do anjo (2.11), que ouviram o coro da milícia celestial (2.14), que viram Jesus (2.16,17) e que divulgaram o nascimento de Jesus (2.17), voltam glorificando e louvando a Deus (2.20).

A circuncisão (2.21)

Para cumprir plenamente a lei, Jesus foi circuncidado ao oitavo dia. Esse era o selo da aliança (Gn 17.9-12). Ele nasceu sob a lei para resgatar os que estavam sob a lei (Gl 4.4,5). Cumpriu a lei (Mt 5.17) para nos resgatar da maldição da lei (Gl 3.13).

A apresentação (2.22-24)

Mais um passo é dado no cumprimento da lei. Jesus é levado para ser apresentado ao Senhor, como prescrevia a lei (Lv 12.6-8). Eles também tiveram de "consagrar" o menino, uma vez que Ele era o primogênito de Maria (Êx 13.1-12). O sacrifício humilde oferecido por José e Maria indica que eles eram pobres demais para oferecerem um cordeiro (2Co 8.9).

---

[23] ROBERTSON, A. T. *Comentário Lucas à luz do Novo Testamento Grego*, p. 51.

Leon Morris enfatiza que duas cerimônias bem separadas estão envolvidas aqui: a apresentação do menino e a purificação da mãe. A lei levítica estipulava que, depois do nascimento de um filho, uma mulher ficaria impura durante os sete dias até a circuncisão do menino, e que, por mais 33 dias, devia manter-se afastada de todas as coisas sagradas. Na ocasião, devia sacrificar um cordeiro e uma pomba, ou um pombo (Lv 12.6-13). A oferta de Maria, portanto, foi a dos pobres.[24]

O *Nunc Dimittis* – o cântico de Simeão (2.25-35)

O cântico de Simeão é o cumprimento da salvação preparada por Deus desde a eternidade. Aquilo que foi proclamado aos ouvidos agora pode ser visto pelos olhos. Rienecker diz que aquilo que Maria indicara no *Magnificat*, que Zacarias deixara transparecer no *Benedictus*, que o *Gloria in excelsis*, o louvor dos anjos, já proclamara – isso agora é expresso de modo completamente nítido e irrestrito no *Nunc Dimittis* de Simeão, isto é, "Agora, despede a teu servo... porque os meus olhos já viram a tua salvação, a qual preparaste diante de todos os povos, gentios e judeus".[25] Vejamos alguns pontos aqui.

Em primeiro lugar, ***Simeão esperava Jesus*** (2.25-27). Simeão era homem justo e piedoso. Ele esperava a consolação de Israel. O Espírito Santo estava sobre ele e lhe revelara que ele não morreria sem antes ver o Cristo do Senhor. Movido pelo Espírito, Simeão foi ao templo no exato momento em que Jesus foi apresentado por seus pais.

Em segundo lugar, ***Simeão vê a Jesus*** (2.28-32). Simeão toma Jesus em seus braços. Ele louva a Deus e diz que estava pronto, agora, para morrer em paz, pois vira o cumprimento da Palavra de Deus. Reconheceu que o menino que tinha nos braços era o Salvador que veio trazer a salvação de Deus a todos os povos, para ser luz para revelação aos gentios e glória para o povo de Israel.

Em terceiro lugar, ***Simeão abençoa os pais de Jesus*** (2.33-35). Simeão abençoa Maria e José e diz a Maria que seu filho será o motivo pelo qual muitos cairão, muitos serão levantados e ainda será alvo de contradição,

---

[24] MORRIS, Leon L. *Lucas: introdução e comentário*, p. 83.
[25] RIENECKER, Fritz. *Evangelho de Lucas*, p. 69.

pois ao mesmo tempo está destinado tanto para ruína como para levantamento de muitos em Israel (1.34). Concordo com Rienecker quando ele diz que até o dia de hoje a humanidade se divide e continuará a dividir-se diante de Jesus. Enquanto alguns enaltecem o evangelho, o poder de Deus para a salvação de todos os que nele creem, para outros o Cristo crucificado é estorvo, escândalo, tolice e absurdo.[26]

Simeão também diz a Maria que a alma de seu filho será traspassada por uma espada, para que se manifestem os pensamentos de muitos corações, como a traição de Judas, a autoconfiança de Pedro, a hipocrisia dos fariseus, a covardia de Pilatos e a volubilidade do povo de Israel que oscilou entre o "hosana" e o "crucifica-o". Essa espada, *rhomphaia*, era a espada longa, semelhante a uma lança. A palavra aparece na Septuaginta em referência à espada de Golias (1Sm 17.51).[27] O privilégio de Maria de ser mãe de Jesus é marcado, assim, por uma dor indizível, a dor de contemplar seu filho pregado na cruz. Assim, Simeão passa a tratar do custo que Maria pagará. A espada que traspassará a alma de Maria é a morte de Jesus. O sofrimento dEle não a deixará incólume. As palavras finais de Simeão apontam, outrossim, para a função revelatória da obra de Jesus.[28]

A profetisa Ana dá testemunho de Jesus (2.36-38)

Lucas registra a breve história da profetisa Ana, filha de Fanuel, da tribo de Aser, viúva já avançada em idade, que não deixava o templo, orando a Deus, noite e dia, em jejuns e orações. Ela também contemplou o Salvador e deu graças a Deus, falando a respeito de Jesus a todos os que esperavam a redenção de Jerusalém.

O crescimento de Jesus (2.39,40)

Cumpridas todas as ordenanças exigidas pela lei, José e Maria voltaram com o menino Jesus para a Galileia, à sua cidade de Nazaré. Lucas não

---

[26]RIENECKER, Fritz. *Evangelho de Lucas*, p. 70.
[27]ROBERTSON, A. T. *Comentário Lucas à luz do Novo Testamento Grego*, p. 56.
[28]MORRIS, Leon L. *Lucas: introdução e comentário*, p. 85,86.

registra o tempo que Jesus passou com Seus pais no Egito, em virtude da perseguição de Herodes, o Grande.

Jesus nasceu de maneira sobrenatural, mas cresceu e se formou de maneira natural. Lucas diz que Jesus crescia e se fortalecia, enchendo-se de sabedoria; e a graça do Senhor estava sobre Ele (1.40). Jesus passou a ser conhecido como *Jesus, o nazareno* (At 2.22). Seus seguidores também passaram a ser chamados de *nazarenos* (At 24.5). Seus inimigos usaram esse nome com desprezo, e Pilatos incluiu essa denominação na placa colocada no topo da cruz (Jo 19.19). Jesus não se envergonhou de usar esse nome, mesmo depois de exaltado à destra de Deus Pai (At 22.8).

A **sabedoria** de Jesus (2.41-52)

Entre os versículos 40 e 41, o narrador nota uma lacuna de um período de 12 anos. A vida de Jesus desde a infância até a adolescência é um mistério. Entre os evangelhos canônicos, somente Lucas reserva essa breve história da pré-adolescência de Jesus. Além dos "evangelhos tardios e apócrifos" de uma infância fantasiosa, os leitores são privados de informações sobre os trinta anos da vida de Jesus.[29] Vejamos alguns pontos a seguir.

Em primeiro lugar, *Jesus vai a Jerusalém* (2.41,42). Os pais de Jesus iam a Jerusalém anualmente para a Festa da Páscoa. Quando Jesus completou 12 anos, subiu com eles para Jerusalém, segundo o costume das festas. Era nessa idade que um menino judeu podia tornar-se um "filho da lei". Todos os judeus tinham a obrigação de frequentar o templo três vezes ao ano: na Páscoa, no Pentecoste e nos Tabernáculos (Êx 23.14-17). As mulheres não tinham essa obrigação, embora algumas fizessem anualmente a peregrinação. Era o costume de José e Maria subirem a Jerusalém na festa que comemorava a libertação de Israel.[30]

Em segundo lugar, *Jesus fica em Jerusalém* (2.43-45). Quando a festa terminou, José e Maria voltaram com as caravanas para Nazaré, mas Jesus permaneceu em Jerusalém. Depois de um dia de caminhada,

---

[29] NEALE, David A. *Novo comentário bíblico Beacon Lucas 1-9*, p. 110.
[30] MORRIS, Leon L. *Lucas: introdução e comentário*, p. 87.

eles perceberam que Jesus não estava entre os parentes e conhecidos. Então, voltaram, aflitos, a Jerusalém à sua procura.

Em terceiro lugar, ***Jesus entre os doutores em Jerusalém*** (2.46-48). Três dias depois, José e Maria o acharam no templo, assentado entre os doutores, ouvindo-os e interrogando-os. Sua inteligência e Suas respostas eram motivo de admiração de todos os que O ouviam. Ao encontrá-Lo, Maria sente-se aliviada, mas pergunta a Jesus por que o filho tinha feito isso com eles, uma vez que ela e José estavam aflitos à sua procura. Warren Wiersbe diz que, no texto original, esse mesmo termo é usado para descrever a preocupação de Paulo com os perdidos de Israel, *dor no coração* (Rm 9.2).[31]

Em quarto lugar, ***Jesus fala a seus pais em Jerusalém*** (2.49,50). Jesus, pela primeira vez, esclarece para Seus pais a Sua origem e a Sua missão. Eles deveriam saber que Ele cumpria uma agenda na casa do Pai. Eles, porém, não entenderam nem alcançaram Suas palavras. Jesus não usa a expressão "nosso pai", mas "Meu Pai". Nenhum dos homens da velha aliança, por mais forte que fosse sua fé, por mais fervorosa que fosse sua devoção a Deus, ousou chamar Deus de seu Pai pessoal (2.49; 4.34).[32]

Em quinto lugar, ***Jesus se submete a Seus pais*** (2.51). Jesus desce então para Nazaré com Seus pais, sendo-lhes submisso. Maria, porém, mais uma vez pondera essas coisas e as guarda no coração. Ela sai do templo não apenas alegre por ter reencontrado seu filho, mas "meditando". A palavra "meu Pai" tornou a tirar-lhe o filho, que julgava recém-encontrado. Ainda que seus pés agora deixem para trás o templo e caminhem para Nazaré, ela sente que o coração de seu filho continua no alto junto do Pai, em quem sua mente está inabalavelmente concentrada.[33]

Em sexto lugar, ***Jesus revela sua perfeita humanidade*** (2.52). Jesus cresceu como um menino comum. Seu crescimento físico, intelectual, moral e espiritual era perfeito.[34] Seu desenvolvimento foi horizontal e vertical, tanto diante dos homens como diante de Deus.

---

[31] WIERSBE, Warren W. *Comentário bíblico expositivo.* Vol. 5, p. 230.
[32] RIENECKER, Fritz. *Evangelho de Lucas*, p. 74.
[33] RIENECKER, Fritz. *Evangelho de Lucas*, p. 76.
[34] ROBERTSON, A. T. *Comentário Lucas à luz do Novo Testamento Grego*, p. 62.

6

o pregador
e a pregação

Lucas 3.1-20

LUCAS FAZ UM RECOMEÇO EM SEU EVANGELHO. Os eventos narrados em Lucas 1 e 2 trataram da infância de João e de Jesus. Doravante, Lucas vai tratar do ministério de João e de Jesus. Não se tem informação sobre o nosso Senhor Jesus, desde os Seus 12 anos de vida até a Sua entrada no 30º ano. Há muitas especulações sobre onde Jesus esteve e o que Ele fez nesse tempo. Porém, onde as Escrituras não têm voz, não devemos ter ouvidos.

João Batista é a dobradiça entre o Antigo e o Novo Testamento. Ele fecha as cortinas da antiga aliança e abre os portais da nova. Ele é o precursor do Messias. No texto em apreço, Lucas faz um registro detalhado de sua vida e de sua lida. Fala sobre o pregador e a pregação. Alguns pontos merecem destaque.

O tempo em que **Deus levanta o pregador** (3.1,2)

Antes de entrar na exposição do texto em apreço, é mister fazer uma retrospectiva. O Antigo Testamento encerra com a mensagem de Malaquias, por volta do quarto século antes de Cristo. Nesse tempo, Israel era governado pelos persas. O Império Medo-Persa foi dominado pelo Império Grego-Macedônio.

Felipe da Macedônia tinha o sonho de helenizar o mundo, mas morreu sem cumprir seu desejo. Seu filho, Alexandre Magno, conhecido como Alexandre, o Grande, começa a reinar com 20 anos de idade. Reinou por treze anos e fez o mundo curvar-se diante de sua bravura. Espalhou a cultura grega pelo seu vasto império. Morreu precocemente aos 33 anos de idade. Seu reino foi dividido entre quatro grandes generais.

Israel ficou sob o domínio dos ptolomeus e selêucidas, respectivamente. O templo de Jerusalém foi profanado no governo seleucense, quando Antíoco Epifânio sacrificou uma porca no altar do templo. Isso provocou uma revolta dos judeus, que se tornou conhecida como a Guerra dos Macabeus. Matatias e seus filhos se rebelaram contra essa profanação do templo, e Judas, filho de Matatias, tornou-se o grande herói dessa peleja. Israel ficou livre nesse tempo sob o governo dessa família dos hasmoneus.

Mais tarde, no ano 63 a.C., Pompeu conquistou Jerusalém e os romanos passaram a dominar Israel. Antípater, da família edomita, foi nomeado rei em Israel. Depois de sua morte, seu filho Herodes, o Grande, reinou em seu lugar. Quando João Batista e Jesus nasceram, Herodes, o Grande, governava em Israel.

Lucas, comprometido em oferecer uma exposição detalhada acerca da vida e do ministério de Jesus, e por ser um exímio historiador, cita sete personagens para descrever o tempo de maldade e corrupção moral em que João começou a pregar. Cinco deles eram autoridades políticas e dois eram autoridades religiosas. A aparição de João Batista é o momento em que a história muda, e muda profundamente. David Neale diz que os líderes políticos citados por Lucas fornecem um sólido contexto histórico para o início do ministério de João. Ao ensaiar o contexto político global e regional (1.5; 2.1,2), Lucas mostra que as mensagens de João e as de Jesus transcendem a esfera da religião e da política locais de Jerusalém.[1]

Ao citar esses sete nomes, ele revela a iniquidade em que o mundo estava mergulhado quando o evangelho foi pregado. John Charles Ryle

---

[1]NEALE, David A. *Novo comentário bíblico Beacon Lucas 1-9*, p. 118.

diz que essa triste lista está cheia de instruções. Parece que a terra estava entregue nas mãos dos perversos (Jó 9.24). Se assim eram os dirigentes, como deveria ser o povo? Tal era o estado das coisas quando o precursor de Jesus recebeu a ordem de iniciar sua pregação. Jamais devemos nos desesperar acerca das circunstâncias, pois, mesmo quando tudo parece perdido, Deus prepara um poderoso livramento. No exato momento em que o reino de satanás parece estar triunfando, a "pedra cortada sem auxílio de mãos" poderá estar no ponto de esmagá-lo completamente. Geralmente, o momento mais escuro da noite é aquele que precede o raiar do dia.[2]

Concordo com David Neale quando ele diz que Lucas parece mostrar que os poderes políticos do momento não são um palco central na história da salvação. Eles estão presentes, têm influência óbvia, mas estão subordinados ao poder e ao plano de Deus.[3] Vamos destacar alguns pontos nesse sentido.

Em primeiro lugar, *o cenário do império é descrito* (3.1). Lucas começa colocando a aparição de João Batista no cenário mundial, o cenário do Império Romano. Tibério César (14 a 37 d.C.) era filho adotivo e o sucessor de César Augusto (31 a.C. a 14 d.C.). Assumiu o governo por volta do ano 14 d.C. Consequentemente, o ano 15º do seu reinado é 29 d.C.[4] A expressão César Tibério aqui em Lucas 3 e o nome César Augusto em Lucas 2 lembram que naquele tempo a Palestina não era um Estado soberano, mas pertencia ao Império Romano. Tibério César é aquele de quem o Salvador afirmou: *Dai a César o que é de César*. Era sua efígie que Jesus constatou na moeda que Lhe fora mostrada (20.24).[5]

Em segundo lugar, *o cenário da província é descrito* (3.1). Os dados seguintes se relacionam com a organização política da Palestina. Herodes, o Grande, foi um grande administrador. Ele ampliou e embelezou o templo de Jerusalém. Construiu o porto de Cesareia,

---

[2]RYLE, John Charles. *Meditações no Evangelho de Lucas*, p. 45.
[3]NEALE, David A. *Novo comentário bíblico Beacon Lucas 1-9*, p. 119.
[4]BARCLAY, William. *Lucas*, p. 35.
[5]RIENECKER, Fritz. *Evangelho de Lucas*, p. 79.

abrindo o caminho para o comércio internacional e facilitando as viagens dos missionários para o mundo. Construiu a fortaleza de Massada e muitos palácios e fortalezas. Porém, Herodes era um homem inseguro e violento. O medo de perder o trono o atormentou durante toda a vida. Ele se casou dez vezes. Teve muitos filhos. Quando se casou com Mariana, mulher da nobreza, mandou matar todos os nobres de sua família, com medo de perder o trono. A pedido da sogra, nomeou Aristóbulo, seu sobrinho, com apenas 17 anos de idade, como sumo sacerdote de Jerusalém. Mais tarde, ao ver que este conquistava a simpatia do povo, mandou matá-lo. Sua sogra, com medo, fugiu para o Egito. Mas Herodes enviou seus emissários atrás dela para matá-la. César Augusto o chamou a Roma por causa de suas atrocidades. Antes de ir, porém, Herodes mandou matar sua mulher Mariana, com medo de que ela conspirasse contra ele em sua ausência. Mais tarde, enviou dois de seus filhos a Roma para estudarem. Sua irmã Salomé insinuou que eles voltariam mais preparados para assumir o trono. Herodes não hesitou. Mandou estrangular seus dois filhos. Antes de morrer, fez sua irmã Salomé jurar que mataria pelo menos um nobre de cada família de Jerusalém, porque queria choro em seu funeral. Esse foi o homem que ficou alarmado quando soube, pelos magos, que um menino havia nascido em Belém da Judeia para ser rei de Israel.

Depois que Herodes, o Grande, morreu por volta do ano 4 a.C., seu reino foi dividido entre quatro de seus filhos. O título tetrarca significa literalmente governador de uma quarta parte. Assim, ele: 1) deu a Galileia e a Pereia a Herodes Antipas, que reinou do ano 4 a.C. a 39 a.C. Jesus viveu seus dias na Galileia sob o governo desse Herodes; 2) deu a Itureia e Traconites a Herodes Filipe; 3) deu Abilene, que fica ao norte das demais regiões mencionadas, a Lisânias; 4) deu a Judeia, a Samaria e Edom a Arquelau. Este foi um péssimo rei. Os judeus ao final pediram aos romanos que o tirassem do cargo. Roma, preocupada com os constantes problemas na Judeia, instalou ali um procurador ou governador romano. Assim foi que os romanos começaram a governar diretamente sobre a Judeia. Nesse momento, era governador Pilatos, que esteve no poder desde 25 d.C. até 37 d.C.

Anthony Ash diz que Pilatos foi o quinto na série de oficiais romanos a administrarem o território.[6]

Fritz Rienecker observa que essa catastrófica situação estatal e política em que o povo eleito de Deus se encontrava sob o poderio odioso dos herodianos e à mercê da escravidão do domínio dos romanos, fez que se manifestasse, como nunca antes, uma esperança política pelo Messias, um grito de libertação e redenção da ímpia servidão.[7]

Em terceiro lugar, *o cenário religioso é descrito* (3.2). Depois de aclarar a situação mundial e política da Palestina, Lucas relata a situação religiosa e coloca a aparição de João no momento em que Anás e Caifás eram sumos sacerdotes. Por que Lucas menciona dois sumos sacerdotes, se a lei só permitia um? O sumo sacerdote era ao mesmo tempo o cabeça civil e religioso da comunidade. Era um cargo hereditário.

Barclay diz que, com a chegada dos romanos, esse posto era objeto de todo tipo de intrigas. O resultado foi que, entre os anos 37 a.C. a 26 d.C., houve mais de 28 sumos sacerdotes em Jerusalém. Anás foi sumo sacerdote entre os anos 7 a 14 d.C. e acabou deposto pelo governador romano Grato. Foi sucedido por nada menos que quatro de seus filhos. Caifás, o sumo sacerdote reinante, era seu genro. Apesar de deposto, Anás era considerado autoridade pelo povo e ainda detinha o poder.[8] Corroborando esse pensamento, vale a pena destacar que, quando Jesus foi preso, foi trazido primeiramente a Anás (Jo 18.13).

Rienecker tem razão ao dizer que essa coexistência de dois sumos sacerdotes foi o começo da dissolução deste cargo tão importante no Antigo Testamento. A decadência de Israel havia, pois, avançado da realidade política até o coração do povo eleito de Israel.[9]

A palavra que Deus dá ao pregador (3.2)

Após a descrição dos poderes da presente época (1.5; 2.1-7; 3.1,2), João aparece na narrativa, toma a iniciativa e revela o plano de Deus.

---

[6] ASH, Anthony Lee. *O Evangelho segundo Lucas*, p. 70.
[7] RIENECKER, Fritz. *Evangelho de Lucas*, p. 81.
[8] BARCLAY, William. *Lucas*, p. 36.
[9] RIENECKER, Fritz. *Evangelho de Lucas*, p. 81.

Embora César ainda reine no mundo histórico de Lucas, Deus permanece definitiva e plenamente no controle do drama mundial.[10]

Israel já estava amargando quatrocentos anos de silêncio profético. O templo estava erigido e ampliado. Os sacerdotes realizavam os sacrifícios. Multidões vinham para as festas. Os escribas e fariseus eram zelosos das tradições, mas a Palavra de Deus estava ausente. Não havia mais profeta entre eles. A política estava vivendo o máximo da degradação. A religião estava rendida à apostasia por um lado e à hipocrisia pelo outro. Os liberais saduceus dominavam o templo, e os hipócritas fariseus colocavam fardos e mais fardos sobre os ombros esfolados das pessoas. A economia estava combalida. A cobrança abusiva de impostos e a extorsão predominavam nas mãos dos publicanos. É nesse deserto espiritual que Deus levantou João, o último profeta da antiga aliança. Rienecker escreve: "Nas trevas do afastamento de Deus e da decadência moral, do desconsolo e da desesperança, precisamente nos aspectos políticos e religiosos, aparece João Batista".[11] Matthew Henry diz que a expressão "veio a Palavra de Deus a João" é a mesma que foi usada em relação aos profetas do Antigo Testamento, ou melhor, mais do que um profeta, e nele reviveu a profecia que há muito tinha sido interrompida.[12]

Dois fatos nos chamam a atenção.

Em primeiro lugar, *a maneira incomum*. A Palavra de Deus não veio a Tibério em Roma nem a Herodes em Israel. A palavra não veio ao templo sobre os sumos sacerdotes. A Palavra de Deus veio a João, um homem estranho, com roupas estranhas e um cardápio estranho. A Palavra de Deus que veio a João trazia em seu bojo tanto o juízo como a graça; tanto feria o pecador com a espada da lei como o sarava com o bálsamo do evangelho; tanto humilhava o pecador por causa de sua ruína como o restaurava para uma nova vida. Não podemos falar aos homens, se primeiro não ouvirmos a voz de Deus. Se Deus não falar

---

[10] NEALE, David A. *Novo comentário bíblico Beacon Lucas 1-9*, p. 119.
[11] RIENECKER, Fritz. *Evangelho de Lucas*, p. 81.
[12] HENRY, Matthew. *Comentário bíblico Novo Testamento Mateus a João*. Rio de Janeiro, RJ: CPAD, 2010, p. 539.

a nós, não devemos falar aos homens. O pregador é aquele que recebe a palavra e a transmite com integridade e poder.

Em segundo lugar, *o local incomum*. A Palavra de Deus não veio no palácio nem no templo, mas no deserto, e para o deserto as multidões se desabalaram. Onde a Palavra de Deus é proclamada, no poder do Espírito Santo, as pessoas fluirão para ouvir. Não é o lugar que faz o homem, mas o homem que faz o lugar. Nem sempre Deus trabalha pelas vias oficiais. Deus vira a mesa. Deus não se ajusta aos esquemas humanos. Fritz Rienecker diz que João chama as multidões para fora do templo e para fora de Jerusalém, rumo ao deserto. É preciso que se comece algo radicalmente novo.[13]

O ministério dinâmico do pregador (3.3)

João não ficou preso entre quatro paredes. Ele percorreu toda a região da Judeia. Ele andou. Ele saiu. Ele foi para fora dos portões. Jesus, igualmente, não ficou limitado a um templo. Ele percorreu cidades e povoados. Os apóstolos andaram pelo mundo e plantaram igrejas nos mais longínquos rincões do mundo. Hoje, nós nos ajuntamos confortavelmente dentro dos nossos templos e não cruzamos nem sequer a rua para falar de Jesus.

Leon Morris destaca o fato de que, diferentemente de Mateus e Marcos, Lucas nada diz acerca da aparência e dos hábitos dietéticos de João. Vai diretamente à mensagem do profeta.[14]

A eficácia da pregação (3.3-14)

Depois de quatrocentos anos de silêncio profético, a voz de João Batista ecoou como uma trombeta. Sua pregação foi poderosa e eficaz. Vários pontos devem ser aqui destacados.

Em primeiro lugar, *o conteúdo da pregação* (3.3). Leon Morris diz que todos os evangelhos deixam claro que o ministério de João Batista preparava o caminho para o de Jesus e que era caracterizado por um

---

[13]RIENECKER, Fritz. *Evangelho de Lucas*, p. 85.
[14]MORRIS, Leon L. *Lucas: introdução e comentário*, p. 91.

chamado ao arrependimento. Só Lucas, no entanto, nos conta como João respondeu às perguntas das pessoas quanto à maneira de o arrependimento afetar suas vocações específicas.[15]

Vemos neste texto a íntima relação que há entre o arrependimento verdadeiro e o perdão. Sem arrependimento, jamais uma única alma foi salva. É preciso que reconheçamos os nossos pecados, choremos por causa deles, os abandonemos e deles nos enojemos.[16] João pregou não para agradar as pessoas, mas para as levar ao arrependimento. O batismo é a evidência do arrependimento. Àqueles que se arrependem é prometido o perdão, a remissão de pecados. Não há perdão sem arrependimento. Não há salvação sem arrependimento. Ninguém pode esperar em Cristo, se primeiro não se desesperar de si mesmo. Ninguém pode confiar em Cristo sem primeiro descrer de seus próprios méritos. O arrependimento é a manchete do reino de Deus. Itamir Neves diz que, infelizmente, hoje é anunciado mais o evangelho de adesão (aquele em que se vai a Cristo e se permanece como está, esperando as bênçãos de Deus) do que o evangelho da conversão (aquele em que se é chamado por Cristo e uma verdadeira transformação é experimentada).[17]

Em segundo lugar, *o fundamento da pregação* (3.4). João não pregou o que ele quis, o que ele inventou, o que os escribas e fariseus disseram. Ele não pregou uma corrente de pensamento positivo e nem mesmo uma linha doutrinária formulada pelos doutores da época. Ele pregou a palavra. Ele voltou a atenção do povo para as Escrituras. Ele recorre ao profeta Isaías e aí fundamenta sua mensagem. Nós não criamos a mensagem; nós a transmitimos. Não somos a fonte da mensagem; apenas seus instrumentos. Rienecker tem razão ao destacar que os evangelistas Mateus, Marcos, Lucas e João constatam que no surgimento de João Batista se cumpriram as palavras dos profetas Isaías e Malaquias. Ele precede o Senhor, para lhe preparar o caminho.[18]

---

[15] MORRIS, Leon L. *Lucas: introdução e comentário*, p. 89.
[16] RYLE, John Charles. *Meditações no Evangelho de Lucas*, p. 46,47.
[17] SOUZA, Itamir Neves; MCGEE, John Vernon. *Através da Bíblia*. São Paulo, SP: Rádio Transmundial, 2008, p. 78.
[18] RIENECKER, Fritz. *Evangelho de Lucas*, p. 86.

Em terceiro lugar, ***a transformação operada pela pregação*** (3.4-6).

Em todos os quatro evangelhos, Isaías 40.3 é aplicado a João Batista, mas somente Lucas acrescenta os versículos 4 e 5. Todos os quatro entendem que João se considerava apenas uma voz, como se o homem inteiro fosse um sermão. Lucas, porém, acrescenta a parte do aterro dos vales.[19] A pregação de João produziu profundas mudanças. Os montes foram nivelados, os vales aterrados, os caminhos tortos endireitados e as veredas escabrosas aplainadas. João era o engenheiro de trânsito do reino. Ele veio para preparar o caminho do Senhor. Antes de os reis chegarem às províncias distantes do império, enviavam seus engenheiros para preparar o caminho. Montes e vales precisam virar planície. Caminhos tortos e fora do lugar precisam ser endireitados e aplanados. O verdadeiro arrependimento remove os montes da soberba, aterra os vales do desespero, endireita os caminhos tortos do pecado e da hipocrisia e coloca no lugar todas as áreas da vida que estão fora do propósito de Deus.

Em quarto lugar, ***a abrangência da pregação*** (3.7,12,14). Mateus menciona os fariseus e os saduceus como os ouvintes de João, mas Lucas menciona as multidões. João pregou para as multidões. Pregou para os escribas e fariseus. Pregou para Herodes. Pregou para os publicanos. Pregou para os soldados. Pregou para todas as classes sociais. Não importa o *status*, não importa a profissão, todos precisam igualmente do evangelho. O evangelho não é seletivo. A igreja não é seletiva. Pobres e ricos, militares e civis, religiosos e funcionários públicos, patrões e empregados – todos são pecadores. Todos precisam se arrepender. Todos carecem da graça.

Quem eram os publicanos? Morris diz que os romanos coletavam os impostos por meio de aluguel dos direitos da taxação a quem pagava mais. O vencedor da concorrência pública pagaria a Roma o montante que oferecera, mas coletaria mais do que isso para pagar suas despesas e lhe obter seu lucro legítimo. Era, porém, uma forte tentação cobrar mais imposto do que era rigorosamente necessário e embolsar

---

[19] MORRIS, Leon L. *Lucas: introdução e comentário*, p. 91.

a diferença. João convence, pela pregação, esses publicanos de que essa prática era errada.[20]

Em quinto lugar, *o alerta da pregação* (3.7-9). John Charles Ryle diz que o alerta da pregação de João é notado em alguns aspectos de sua mensagem.[21] Primeiro, João viu a podridão e a hipocrisia da profissão de fé que as multidões que o cercavam estavam fazendo e usou a linguagem adequada para descrever o caso: *Raça de víboras...* Havia uma disparidade brutal entre a palavra de arrependimento que eles traziam nos lábios e as atitudes perversas que carregavam no coração.

Segundo, João Batista fala sobre o perigo do inferno para os seus ouvintes. Mostra que existe uma ira vindoura. Anuncia que o machado já está posto na raiz das árvores. A mensagem de João era: arrepender-se e viver, ou não se arrepender e morrer.

Terceiro, João Batista demonstra a inutilidade de um arrependimento sem demonstração de frutos. Ele diz: *Produzi frutos dignos de arrependimento*. Não é arrependimento e novamente arrependimento, mas arrependimento e frutos dignos de arrependimento. Ele mostra que a árvore sem frutos vai ser lançada no fogo. Dizer que nos entristecemos pelo nosso pecado não passa de hipocrisia, a não ser que demonstremos essa tristeza de forma prática.

Quarto, João Batista rejeitou a ideia de que, se você está ligado a uma pessoa santa, isso o salvará: *... e não comeceis a dizer entre vós mesmos: temos por pai Abraão...* Milhares de pessoas viveram e morreram na cega ilusão de que, por terem sido unidas a pessoas piedosas por meio de laços de sangue ou por estarem incluídas no rol de membros de uma igreja, poderiam ter esperança de que seriam salvas. Nada nos adiantará no último dia o fato de havermos sido membros desta ou daquela igreja. Rienecker corrobora esse pensamento quando diz: "Da mesma forma como João Batista, Jesus também disse aos judeus que insistiam em sua origem genealógica de Abraão, que seu pai não era Abraão, mas o diabo (Jo 8.44). Também aquilo que Paulo escreveu em Romanos 9-11 é igualmente uma nítida refutação desta alegação: Temos por pai

---

[20] Morris, Leon L. *Lucas: introdução e comentário*, p. 92.
[21] Ryle, John Charles. *Meditações no Evangelho de Lucas*, p. 48,49.

Abraão".²² Matthew Henry acrescenta: "De que nos adianta sermos filhos de pais tementes a Deus, se não lhe formos tementes? De que nos serve estar no seio da igreja, se não tivermos o vínculo do concerto?"²³

A mensagem de João Batista é grave e urgente. A pregação do evangelho não é uma panaceia para acalmar os corações sobre os sentimentos e circunstâncias. O evangelho fala sobre uma ira vindoura, um fogo eterno, uma condenação inexorável para aqueles que se tornam rebeldes.

Em sexto lugar, *a resposta à pregação* (3.10-14). O apelo não partiu do pregador para os ouvintes, mas dos ouvintes para o pregador. As multidões, os publicanos e os soldados perguntaram a João o que deviam fazer, como deveriam agir. João, de modo claro e prático, indicou a cada grupo quais ações demonstrariam o fruto de seu arrependimento.²⁴ A solidariedade, a honestidade e a urbanidade não são o arrependimento em si, mas evidência dele. Não salvam, mas testemunham da salvação. A conversão demonstra-se com evidências práticas. Cada um precisa demonstrar a mudança do coração, da mente, das ações, das reações, dos sentimentos. Onde não há mudança, não há arrependimento; e onde não há arrependimento, não há salvação. Concordo com John Charles Ryle quando ele declara que João Batista não quis dizer que, ao agir assim, as pessoas expiariam os seus pecados e teriam paz com Deus. Ele quis mostrar que, agindo dessa forma, as pessoas provariam estar sinceramente arrependidas.

Vale destacar que João não proibiu os publicanos de exercerem seu trabalho, apenas os orientou a serem íntegros na cobrança dos impostos e tributos. Não aconselhou os soldados a deixarem seu posto, apenas os exortou a renunciarem aos pecados de sua profissão. Rienecker coloca esse pensamento nas seguintes palavras: "O povo não deve estar envolvido com a usura, mas com a doação. Não é o negócio financeiro que torna o publicano culpado, mas a ladroagem. Aos que se encontram no serviço militar, não lhe são tiradas as armas, mas são

---

²²RIENECKER, Fritz. *Evangelho de Lucas*, p. 87.
²³HENRY, Matthew. *Comentário bíblico Novo Testamento Mateus a João*, p. 541.
²⁴SOUZA, Itamir Neves; McGEE, John Vernon. *Através da Bíblia*, p. 78.

impedidos da gananciosa extorsão e de atos de cruel violência".[25] Os soldados eram tentados a obter dinheiro por meio de chantagem. Eram pagos para não delatar os ricos. Demóstenes retrata um bajulador ou chantagista como alguém que desliza pelo mercado como um escorpião, com seu ferrão venenoso já preparado, espreitando quem poderá surpreender com desgraça e ruína, e de quem poderá extorquir dinheiro com mais facilidade, ameaçando-o com um ato perigoso nas suas consequências.[26]

Nessa mesma trilha de pensamento, Leon Morris escreve: "João não conclama qualquer destes grupos a deixar seu emprego. Pelo contrário, quer que ajam com retidão no serviço".[27]

A postura do pregador (3.15-20)

João Batista não era um eco, mas uma voz; não era um caniço agitado pelo vento, mas um mensageiro fiel. Cinco fatos merecem aqui destaque.

Em primeiro lugar, *a identidade do pregador* (3.15,16). João Batista sabe que não é o Messias. Ele não quer ocupar o lugar do noivo. Não se sente mais importante do que é. Seu princípio é: "Convém que Ele cresça e que eu diminua". Sua postura é: "Eu não sou digno de desatar as correias de suas sandálias". Seu papel é apresentar Jesus e sair de cena. Ele é a voz, e não a mensagem. Ele testifica da luz, mas não é a luz. Ele aponta para o Cordeiro, mas é não o Cordeiro. Ele testemunha da vida, mas não é a vida. Hoje muitos pregadores arrastam a glória para si mesmos. Querem os holofotes. Buscam reconhecimento. Querem prestígio. Colocam-se no pedestal. Ryle diz que um pregador fiel sempre exaltará a Jesus e jamais permitirá que atribuam a si ou ao seu ofício qualquer honra que pertence a seu divino mestre. Esse afirmará como Paulo: *Porque não pregamos a nós mesmos, mas a Cristo Jesus como Senhor e a nós mesmos como vossos servos, por amor de Jesus* (2Co 4.5).[28]

---

[25]RIENECKER, Fritz. *Evangelho de Lucas*, p. 89.
[26]VINCENT, Marvin R. *Words studies in the New Testament*. Grand Rapids, MI: Eerdmans, 1946, p. 1285.
[27]MORRIS, Leon. *Lucas: introdução e comentário*, p. 93.
[28]RYLE, John Charles. *Meditações no Evangelho de Lucas*, p. 51.

Em segundo lugar, *a limitação do pregador* (3.16). João Batista confessa a limitação do seu ministério. Ele pode batizar com água, mas só Jesus batiza com o Espírito Santo e com fogo. Ele pode administrar os sacramentos, mas só Jesus pode conferir as bênçãos do sacramento. Ele pode usar o símbolo, mas só Jesus pode conceder o simbolizado. Ele pode apontar para o Salvador, mas só o Salvador pode dar salvação. Ele pode pregar sobre remissão de pecados, mas só Jesus pode perdoar pecados. Ele pode ser amigo do noivo, mas só Jesus, o noivo, pode nos tornar noiva. John Charles Ryle é oportuno quando escreve:

> Os homens, ao serem ordenados ao ministério, podem ministrar as ordenanças externas do Cristianismo em oração esperançosa de que Deus abençoará esses meios que Ele mesmo determinou. Porém, os ministros não podem saber o que realmente está no coração das pessoas a quem ministram. Podem pregar-lhes fielmente o evangelho, mas não podem fazer com que o recebam. Podem aplicar-lhes a água do batismo, mas não podem lavar-lhes a natureza pecaminosa. Podem entregar-lhes o pão e o vinho da Ceia do Senhor; todavia, não podem capacitá-los a apropriar-se do corpo e do sangue de Jesus pela fé. Podem ir até certo ponto, mas não além disso.[29]

João Batista fala sobre o batismo com o Espírito e com fogo. Muitos estudiosos pensam que João está se referindo a dois batismos opostos, um de graça e outro de juízo. Entendo, porém, que o batismo com o Espírito e o batismo com fogo são análogos e complementares. A mesma pessoa é batizada com ambos. João não fala: "Ele vos batizará com Espírito ou com fogo, mas com Espírito e com fogo". A água toca a superfície, mas o fogo penetra na substância das coisas.[30] O fogo ilumina, aquece, purifica e alastra. Nas palavras de Rienecker, o fogo é uma imagem do juízo, mas do juízo misericordioso que purifica e limpa, como o fogo do ourives.[31]

---

[29] RYLE, John Charles. *Meditações no Evangelho de Lucas*, p. 52.
[30] RIENECKER, Fritz. *Evangelho de Lucas*, p. 91.
[31] RIENECKER, Fritz. *Evangelho de Lucas*, p. 91.

Em terceiro lugar, *o confronto do pregador* (3.17,18). João Batista olha para o futuro e vê a mudança profunda que Jesus fará em Sua igreja na consumação dos séculos. Ryle diz que a igreja visível é hoje um corpo misto. Crentes e incrédulos, santos e ímpios, convertidos e descrentes acham-se misturados em cada assembleia, sentando-se geralmente lado a lado. Ao homem não é possível separá-los. A falsa profissão de fé geralmente assemelha-lhe muito à verdadeira. O trigo e o joio permanecerão juntos até que o Senhor volte. Porém, haverá uma separação no último dia. Os justos serão levados para a bem-aventurança, e os ímpios serão lançados no fogo eterno.[32]

João Batista não buscou agradar seu auditório com palavras de bajulação. Feriu-os com a espada da verdade. Mostrou a urgência de voltar para Deus em arrependimento. Mostrou a tragédia da impenitência. O evangelho que ele pregou não era uma coletânea de promessas de sucesso no mundo, mas uma mensagem clara de exortação que exige renúncias claras para escapar do fogo inextinguível.

Em quarto lugar, *a coragem do pregador* (3.19,20). João Batista, à semelhança de Elias, confronta o rei e denuncia seu pecado de adultério e incesto, bem como suas muitas maldades. Fritz Rienecker diz, acertadamente, que, entre todos os filhos dos dez matrimônios que Herodes, o Grande, contraiu, Herodes Antipas era o que mais se assemelhava ao pai no que diz respeito à ganância de poder, luxúria e imoralidade.[33] Herodes Antipas sentiu-se ameaçado politicamente pela popularidade de João a ponto de prendê-lo e executá-lo. Flávio Josefo fala sobre a preocupação de Herodes com o fato de João ser capaz de incitar uma "agitação cívica", como uma razão suficiente para eliminá-lo. Nos anos iniciais do primeiro século, os pregadores populares que reuniam multidões representavam para as autoridades reinantes problemas políticos e desafios à frágil paz romana.[34]

João Batista não faz da pregação uma plataforma de boas relações com os grandes deste mundo para lhes buscar o favor. Ele é firme e

---

[32]RYLE, John Charles. *Meditações no Evangelho de Lucas*, p. 52.
[33]RIENECKER, Fritz. *Evangelho de Lucas*, p. 81.
[34]NEALE, David A. *Novo comentário bíblico Beacon Lucas 1-9*, p. 118.

contundente. Não prega para agradar o pecador, mas para confrontar o pecado. O rei Herodes Antipas estava vivendo uma relação de adultério, pois, apesar de ser casado com a filha de Aretas IV, rei de Nabateia, envolveu-se com Herodias, mulher de seu meio-irmão Filipe. Herodias exigiu que Herodes se divorciasse de sua esposa nebateia e se casasse com ela, o que ele fez. João Batista não o poupa. Denuncia seu pecado. Destampa a caixa de horror de suas maldades e fala ao rei sobre o juízo vindouro. William Barclay descreve esse imbróglio familiar nos seguintes termos:

> Herodes Antipas era filho de Herodes, o Grande, e de uma mulher chamada Maltake. Herodias era filha de Aristóbulo, que também era filho de Herodes, o Grande, e de Mariana. Como já foi demonstrado, Herodes, o Grande, havia dividido seu reino entre Arquelau, Herodes Antipas e Herodes Filipe. Tinha outro filho, também chamado de Herodes, que era filho de Mariana, filha do sumo sacerdote. Este Herodes não teve parte do reino de seu pai e vivia em Roma. Casou-se com Herodias. Este Herodes era meio-tio de sua mulher Herodias, porque ela era filha de Aristóbulo, que também era filho de Herodes, o Grande, com outra mulher. Herodes Antipas, em uma de suas visitas a Roma, a seduziu e se casou com ela, mesmo ela sendo sua cunhada, por estar casada com seu irmão e também sobrinha, por ser filha de seu outro meio-irmão. Todo esse procedimento causou comoção na opinião pública, já que era contrário à lei e inapropriado sob qualquer ponto de vista.[35]

Em quinto lugar, *o sofrimento do pregador* (3.20). O galardão dos servos de Deus geralmente não é recebido neste mundo. O mundo que perseguiu a Cristo não hesitará em perseguir aos servos de Cristo. O resultado do confronto de João Batista a Herodes é que ele foi preso na masmorra da fortaleza de Maquerós, às margens do mar Morto, e finalmente decapitado para gratificar o ressentimento de Herodias (Mt 14.5-12; Mc 6.17-29).

---
[35] BARCLAY, William. *Lucas*, p. 39.

João Batista prefere viver preso, mas com a consciência livre, a viver em liberdade, mas prisioneiro da covardia. Ele sofre por ser fiel. É preso por não negociar princípios. Sofre o martírio por não fazer concessão ao pecado. João Batista viveu no deserto. Vestiu pele de camelo. Alimentou-se de mel e gafanhoto silvestre. Não frequentou palácios nem assentou ao redor de mesas nobres. Seu ministério foi curto, mas sua influência foi permanente. Mesmo sofrendo morte tão desumana, injusta e violenta, Jesus diz que, entre os nascidos de mulher, ninguém foi maior do que ele. Mesmo sendo executado pelos homens, foi enaltecido por Deus. Precisamos ter plena consciência de que, sofrendo as maiores agruras aqui, Deus enxugará dos nossos olhos toda a lágrima. Nas palavras de John Charles Ryle: "O céu indeniza a todos!"[36]

---

[36] RYLE, John Charles. *Meditações no Evangelho de Lucas*, p. 53.

7

O batismo e a genealogia de Jesus

Lucas 3.21-38

ANJOS E PROFETAS ANUNCIARAM O NASCIMENTO DE JOÃO E DE JESUS nos primeiros dois capítulos de Lucas. Porém, a posição de Jesus como o Filho de Deus é anunciada por uma voz do céu em Seu batismo. Os anúncios do nascimento são proféticos, mas a voz do céu é supraprofética – é a voz do próprio Deus.[1] O batismo de Jesus encerra importantes verdades que vamos destacar aqui.

O batismo de Jesus revela como ele honrou o batismo

O batismo não pode ser algo de pouca importância, pois Jesus mesmo foi batizado e mais tarde, depois de sua ressurreição, o estabeleceu como ordenança na igreja. John Charles Ryle diz que, lamentavelmente, alguns o idolatram, outros o subestimam e outros ainda o desonram. Alguns o limitam e há aqueles que conferem às águas batismais um poder mágico. O batismo é um sacramento, um meio de graça, um símbolo visível de uma graça invisível.

---

[1]NEALE, David A. *Novo comentário bíblico Beacon Lucas 1-9*, p. 132.

O batismo de Jesus revela sua dentificação com os pecadores

Jesus veio de Nazaré da Galileia, cidade rejeitada pelos judeus. Sua origem é o primeiro choque. Ele não vem da Judeia nem da aristocracia religiosa de Jerusalém.

Lucas 3.21,22, diferentemente de Mateus 3.13 e Marcos 1.9, não afirma explicitamente que João batizou Jesus. Apenas diz que Ele foi batizado depois que os demais da multidão o foram. Mattew Henry observa: "Cristo deseja ser batizado por último, entre as pessoas comuns, depois deles; assim Ele se humilhou e se aniquilou, como um dos últimos, ou melhor, menor que os últimos".[2] Fritz Rienecker destaca, entretanto, que a auto-humilhação de Jesus é imediatamente recompensada pela glorificação divina: "Tu és o meu Filho amado, em ti me comprazo".[3]

O batismo de João era batismo de arrependimento para remissão de pecados (3.3). Por que Jesus foi batizado se Ele não tinha pecado pessoal?[4] Ele foi batizado por causa da natureza do Seu ministério. Ele se identificou com os pecadores que viera salvar.[5] Jesus esclarece esse ponto em Mateus 3.15. Ele foi batizado para cumprir toda a justiça. Ele se fez pecado por nós para que nós fôssemos feitos justiça de Deus (2Co 5.21). O Senhor fez cair sobre Ele a iniquidade de todos nós (Is 53.6). Jesus veio ao mundo como nosso representante e fiador. Ele se fez carne e habitou entre nós. Ele se fez pecado por nós, maldição por nós. Ele tomou sobre Si as nossas enfermidades e carregou sobre o Seu corpo, no madeiro, os nossos pecados (1Pe 2.24). Ele não foi batizado por pecados pessoais, pois não os tinha, mas pelos nossos pecados imputados a Ele. Jesus foi batizado a fim de expressar Sua identificação com o povo.

Matthew Henry diz corretamente que Jesus não confessou Seus pecados, como os outros, porque Ele não tinha nenhum pecado para

---

[2] Henry, Matthew. *Comentário bíblico Novo Testamento Mateus a João*, p. 544.
[3] Rienecker, Fritz. *Evangelho de Lucas*, p. 94.
[4] João 4.46; 2Coríntios 5.21; Hebreus 4.15; 1João 3.5.
[5] Morris, Leon L. *Lucas: introdução e comentário*, p. 95.

confessar; mas Ele orou, como os outros, para que pudesse, assim, conservar a comunhão com o seu Pai.[6]

O batismo de Jesus revela o **momento da sua decisão**

Devemos a Lucas a informação de que Jesus tinha 30 anos quando iniciou o seu ministério. Era com esta idade que os levitas começavam seu serviço (Nm 4.47), e esta era evidentemente considerada a idade em que um homem era plenamente maduro.[7] Durante trinta anos, Jesus provavelmente viveu como carpinteiro na cidade de Nazaré. Desde a infância, entretanto, tinha consciência da Sua missão. Aos 12 anos, já alertara José e Maria acerca da sua missão. Mas agora era tempo de agir, era tempo de iniciar o Seu ministério. Seu batismo foi o selo dessa decisão.

A epifania pessoal: "Tu és o meu Filho amado, em ti me comprazo" introduz uma nova informação na narrativa de Lucas. David Neale diz que os leitores de Lucas já sabem da identidade de Jesus como o Filho do Altíssimo (1.32,76), o Filho de Deus (1.35) e o Salvador da casa de Davi (1.69; 2.11). Nós já sabemos sobre o batismo (3.3,7). E o Espírito Santo tem sido uma força ativa no decorrer da narrativa (1.15,35,41,67; 2.25,26; 3.16). Todas essas características já estão presentes na narrativa antes que Lucas narre o batismo de Jesus.[8]

O batismo de Jesus revela a estreita **conexão entre batismo e oração**

Embora todos os evangelistas tenham registrado o batismo de Jesus, somente Lucas nos informa que, ao ser batizado, Jesus estava orando (3.21). Lucas destaca como nenhum outro evangelista a vida intensa de oração de Jesus (3.21; 5.16; 6.12; 9.18,28,29; 10.21,22; 11.1; 22.31,32,41,44,45; 23.34,46). Sete dessas ocasiões são registradas apenas por Lucas e mostram Jesus orando antes de cada momento

---

[6]HENRY, Matthew. *Comentário bíblico Novo Testamento Mateus a João*, p. 544.
[7]MORRIS, Leon L. *Lucas: introdução e comentário*, p. 97.
[8]NEALE, David A. *Novo comentário bíblico Beacon Lucas 1-9*, p. 133.

decisivo do Seu ministério. Esse destaque à oração faz que Lucas seja chamado por alguns comentaristas de "o evangelho da oração".[9] No caso de Jesus, Ele orou para ter comunhão com Seu Pai e para receber a revelação de Seu amor e a confirmação de Seu ministério. Nós, porém, devemos nos aproximar para receber o batismo, não apenas demonstrando arrependimento de nossos pecados, mas também demonstrando desejo de ter comunhão com Deus. O batismo marca não apenas a entrada do batizando na igreja visível, mas também o começo de um novo relacionamento com Deus.

A oração é a vida da igreja, porque era a vida de Jesus. As pessoas que oram como Jesus são aquelas que levam a igreja ao crescimento. Quando Jesus orou, os céus se abriram, o Espírito Santo desceu e o Pai falou. A coisa mais importante na oração é a comunicação entre o Pai e o filho. Quando o filho não tem prazer em conversar com o Pai, isso fere o coração do Pai. Quando oramos, o Espírito nos dá confirmação de que somos filhos de Deus.

Por que o céu se abriu? É porque Jesus estava orando! Quando Jesus orou, o Espírito desceu. Quando Deus deu o Espírito Santo à igreja? Quando a igreja estava orando! Onde há oração, há demonstração do Espírito Santo. A água vem sobre o sedento. O Espírito é derramado sobre uma igreja que ora. Não há avivamento sem oração. É a oração que abre o céu. É a oração que promove o derramamento do Espírito Santo.

O batismo de Jesus revela o momento de sua **aprovação**

Quando Jesus saiu da água, o céu se abriu, o Pai falou, e o Espírito Santo desceu. Ali estava a Trindade aprovando o seu ministério. O Pai afirma sua filiação e declara que em Jesus e na Sua obra Ele tem todo o Seu prazer. A pomba deu o sinal do término do julgamento após o dilúvio na época de Noé. A pomba agora dá o sinal da vinda do Espírito Santo sobre Jesus, abrindo-nos o portal da graça. Somente Lucas diz que o Espírito Santo desceu sobre Jesus em forma corpórea

---

[9]NEVES, Itamir. *Comentário bíblico de Lucas*. São Paulo, SP: Rádio Transmundial, 2013, p. 55.

como pomba (3.22), dando mais substância à experiência da presença do Espírito Santo.[10]

A Trindade é gloriosamente revelada neste texto. Quando o Filho se identifica com o seu povo no batismo, o céu se abre, o Espírito Santo desce e o Pai fala. O Pai fala do céu; Jesus, o Filho, é batizado na terra; e o Espírito Santo media a presença de Deus. John Charles Ryle diz que as três pessoas da Divindade estão igualmente envolvidas na obra de resgatar nossa alma do inferno. Os inimigos da nossa alma são poderosos, mas os amigos da nossa alma são mais poderosos ainda.[11]

O Concílio de Niceia em 325 d.C. declarou que o Pai e o Filho são coiguais, coeternos e consubstanciais. Eles sempre tiveram plena comunhão na eternidade (Jo 17.5). Agora, no conselho da redenção, na eternidade, no pacto da redenção, o Pai envia o Filho. O Filho se dispõe a fazer-se carne, a se despojar da sua glória, a assumir um corpo humano. Jesus nasce pobre, num lar pobre, de uma mãe pobre, numa cidade pobre, para identificar-se com homens pobres.

O Pai declara o seu amor pelo Filho, autentificando o seu ministério. A palavra "amado" não somente indica afeição, mas também traz a ideia de singularidade. *O Pai ama o Filho e todas as coisas tem confiado em suas mãos* (Jo 3.35). Nem todo filho amado é o deleite do pai. Davi amava Absalão e foi capaz de chorar na sua morte amargamente, mas Absalão não era o deleite do Pai. Jesus era o deleite do Pai, não apenas o Amado do Pai. De acordo com o adjetivo verbal *agapetós* usado aqui, esse amor é profundamente estabelecido, bem como continuamente ativo.

Em Lucas e no evangelho de Marcos, as palavras foram ditas a Cristo; no texto de Mateus, as palavras falavam sobre Ele: *Este é o Meu Filho amado*. Em Mateus, é um acontecimento público. Em Marcos e Lucas, parece ser uma epifania pessoal. O significado, porém, é o mesmo. A voz do céu aponta a completa aprovação do Pai à missão de Cristo como mediador e substituto: *Tu és o meu Filho amado, em Ti me comprazo* (3.22). Jesus é Filho amado do Pai (Sl 2) e o prazer do Pai

---

[10]Liefeld, Walter L. "Luke." In: *The Expositor's Bible Commentary*. Vol. 8. Grand Rapids, MI: Zondervan, 1984, p. 859.
[11]Ryle, John Charles. *Meditações no Evangelho de Lucas*, p. 55.

(Is 40). Com sua encarnação, seu sacrifício e sua substituição, o Pai ficou plenamente satisfeito. Nele, o Pai considera as exigências da Sua santa lei completamente satisfeitas. Por meio dEle, o Pai está pronto a receber misericordiosamente pobres pecadores para nunca mais lembrar-Se dos pecados deles.[12]

O batismo de Jesus revela o momento de sua **capacitação**

Enquanto Jesus orava, o céu se abriu e o Espírito Santo desceu sobre Ele. Ele foi cheio do Espírito Santo. Quando oramos, Deus nos dá poder para cumprir nossa missão. Deus colocou sobre Jesus o Espírito Santo. Ali Jesus foi capacitado a enfrentar o diabo e vencê-lo. Ali Jesus foi cheio do Espírito Santo e passou quarenta dias orando e jejuando. Jesus enfrentou o diabo no deserto. Jesus luta contra satanás na casa de satanás, mas o Espírito Santo está sobre Ele, e Ele triunfa.

Como homem, Jesus precisou ser revestido com o poder do Espírito Santo. Ele foi batizado com esse poder no Jordão. Foi guiado pelo Espírito Santo ao deserto. Retornou à Galileia no poder do Espírito Santo. Agiu no poder do Espírito na sinagoga. E foi *ungido pelo Espírito para fazer o bem e curar todos os oprimidos do diabo* (At 10.38).

A genealogia de Jesus revela quão **frágil** e **passageira** é a vida humana

A genealogia apresentada por Lucas é diferente daquela apresentada por Mateus. A genealogia de Mateus começa com Abraão e vai até Jesus. O propósito de Mateus é estabelecer uma imediata conexão de Jesus com o Antigo Testamento e Israel. Mateus começa com Abraão para enfatizar que Jesus é judeu. Lucas, de forma reversa, volta a Adão, com a intenção de enfatizar a identificação de Jesus com toda a raça humana.[13]

No evangelho de Mateus, encontramos a genealogia de José, legalmente o pai de Jesus; em Lucas, a genealogia de Maria, a linhagem real

---

[12]RYLE, John Charles. *Meditações no Evangelho de Lucas*, p. 55.
[13]LIEFELD, Walter L. "Luke." In: *The expositor's Bible commentary*. Vol. 8, p. 861.

de Jesus.¹⁴ Maria veio da descendência de Davi. Era de descendência real. Por isso, Jesus herda o trono de Davi e é chamado filho de Davi. A genealogia em Lucas vai até Adão para mostrar que Jesus é Filho do homem. Itamir Neves diz que Jesus é Filho do homem e Salvador do mundo. A sua descendência não para em Abraão, mas segue até Adão, o primeiro homem, para evidenciar que a salvação é universal, e não apenas para os judeus. Adão foi criado filho de Deus, porém caiu dessa posição quando pecou. No entanto, quando o filho do homem veio ao mundo, veio para levar o ser humano de volta à comunhão com Deus.¹⁵

Fritz Rienecker diz que a natureza humana de Jesus é evidenciada por essa genealogia. Ele tinha de ser necessariamente tão Filho do homem quanto verdadeiro Filho de Deus. Nele era preciso que se manifestasse a união da Divindade com a natureza humana em forma pessoal.¹⁶

A respeito da genealogia de Jesus, Leon Morris escreve:

> Que a genealogia registrada demonstra ser Jesus um homem verdadeiro, não um semi-deus como aqueles na mitologia grega e romana. Que remonta até Davi indica um elemento essencial nas suas qualificações messiânicas. Que remonta até Adão ressalta seu parentesco não somente com Israel, mas também com o Criador de tudo. Era o Filho de Deus.¹⁷

Em termos gerais, a lista de Lucas tem 76 nomes; a de Mateus, 42. Os nomes em Lucas estão listados em ordem crescente; em Mateus, em ordem decrescente. O propósito da genealogia de Lucas é conectar o ministério de Jesus às gerações mais amplas de Adão, o pai de toda a humanidade, em vez de apenas aos filhos de Abraão.¹⁸ Ryle diz que todas as pessoas listadas tiveram alegrias e tristezas, esperanças e temores, preocupações e problemas, planos e sistemas, como qualquer

---

¹⁴Morris, Leon L. *Lucas: introdução e comentário*, p. 96.
¹⁵Neves, Itamir. *Comentário bíblico de Lucas*, p. 56.
¹⁶Rienecker, Fritz. *Evangelho de Lucas*, p. 96.
¹⁷Morris, Leon L. *Lucas: introdução e comentário*, p. 97.
¹⁸Neale, David A. *Novo comentário bíblico Beacon Lucas 1-9*, p. 137.

um de nós. Mas todos passaram e se foram deste mundo para o lugar que lhes coube. E assim será conosco. Também estamos passando e logo teremos ido embora. Que bendigamos eternamente a Deus, porque, num mundo de morte, temos a bênção de nos voltarmos para o Salvador vivo.[19]

---

[19]RYLE, John Charles. *Meditações no Evangelho de Lucas*, p. 56.

8

A tentação de Jesus

Lucas 4.1-11

DEPOIS DE FALAR SOBRE O BATISMO E A GENEALOGIA DE JESUS, Lucas registra a sua tentação no deserto. Não há nenhum intervalo entre a voz do céu e o rugido do leão, entre a glória do batismo e a dureza da tentação, entre o amor do Pai e a investida do diabo. Jesus acabou de sair do Jordão, cheio do Espírito, e foi conduzido pelo Espírito ao deserto. Jesus seguiu repentinamente do sorriso aprovador do Pai para a carranca do maligno. Saiu da água do batismo para o fogo da tentação. A tentação não foi um acidente, mas uma agenda. Não houve nenhuma transição entre o céu aberto do Jordão e a escuridão medonha do deserto. A vida cristã não é uma apólice de seguro contra os perigos. Concordo com John Charles Ryle quando ele diz: "Entre um grande privilégio e uma intensa provação, existe apenas um passo".[1]

A tentação de Jesus estava no plano eterno de Deus. No Jordão, o Pai testificou a seu respeito e ficou provado que Ele era o Filho de Deus, mas, no deserto, Ele foi tentado para provar que era o homem perfeito. No Jordão, Ele se identificou com a humanidade a quem veio

---
[1] RYLE, John Charles. *Meditações no Evangelho de Lucas*, p. 56.

salvar. Mas, no deserto, ele provou que podia salvar a humanidade, porque ali triunfou sobre o diabo.

Destacamos, aqui, algumas verdades importantes.

O Espírito Santo guia Jesus ao deserto (4.1)

Jesus foi concebido pelo Espírito Santo (1.35), recebeu o Espírito Santo no rio Jordão por ocasião de Seu batismo (3.22) e, agora, cheio do Espírito Santo, é conduzido pelo mesmo Espírito ao deserto (4.1). Não foi o diabo quem arrastou Jesus para o deserto; foi o Espírito Santo quem levou (Mt 4.1) e impeliu (Mc 1.12) Jesus para o deserto.

O mesmo Espírito que desceu sobre Jesus como uma pomba agora o impele para o deserto, com o impulso de um leão, na força das asas de uma águia, para ser tentado. O propósito dessa batalha espiritual era para que Jesus não apenas tivesse a natureza humana, mas também a experiência humana.[2] O propósito era que Ele fosse não apenas o nosso modelo, mas o nosso refúgio e consolador. O autor aos Hebreus esclarece:

> Por isso mesmo, convinha que, em todas as coisas, se tornasse semelhante aos irmãos, para ser misericordioso e fiel sumo sacerdote nas coisas referentes a Deus e para fazer propiciação pelos pecados do povo. Pois, naquilo que Ele mesmo sofreu, tendo sido tentado, é poderoso para socorrer os que são tentados [...] foi Ele tentado em todas as coisas, à nossa semelhança, mas sem pecado. Acheguemo-nos, portanto, confiadamente, junto ao trono da graça, a fim de recebermos misericórdia e acharmos graça para socorro em ocasião oportuna (Hb 2.17,18; 4.15,16).

É importante observar que a iniciativa da tentação foi do próprio Deus. Não é propriamente satanás quem está atacando Jesus; é Jesus quem está invadindo o seu território. Jesus é quem está empurrando as portas do inferno. Jesus está atacando o dono da casa (Mc 3.27).

---

[2] SIMPSON, J. R. *The pulpit commentary Mark and Luke*. Vol. 16. Grand Rapids, MI: Eedrmans, 1980, p. 12.

Satanás é perturbado em seu covil e não fica sem reagir. Mas, nessa reação, ele é fragorosamente derrotado.

Essa tentação não foi arranjada por satanás, mas apontada pelo próprio Espírito de Deus. Jesus não foi guiado ao deserto por uma força maligna; Ele foi conduzido pelo Espírito Santo. Se o diabo pudesse ter escapado daquele combate, certamente o faria. Ali no deserto foi lavrada sua derrota. A iniciativa dessa tentação, portanto, não foi de satanás, mas do Espírito Santo. A tentação de Jesus fazia parte do plano e propósito de Deus, visto que antes de iniciar seu ministério Jesus precisava apresentar as credenciais de um vencedor.

A tentação de Jesus não procedia de dentro dEle, da sua mente, mas totalmente de fora, da insuflação de satanás. Jesus em tudo foi semelhante a nós, exceto no pecado. Nós somos tentados por nossa cobiça (Tg 1.14). Quando satanás sussurra em nossos ouvidos uma tentação, um desejo interior nos aguça a dar ouvidos a essa tentação. A cobiça, dessa forma, nos seduz e nos leva a cair na tentação. Com Cristo não aconteceu assim, pois o incentivo interior ao mal, ou o desejo de cooperar com a voz tentadora, não existia. A tentação de Jesus não procedia de Deus, porque Ele a ninguém tenta, nem procedia de dentro dEle, porque Jesus não tinha pecado. O Espírito Santo conduziu Jesus ao deserto para ser tentado porque o deserto da prova seria transformado no campo da vitória.

Nós não devemos procurar a tentação, pensando que ela é o propósito de Deus para nós; antes, devemos orar: *Não nos deixes cair em tentação* (Mt 6.13). Todos os evangelhos mostram que Jesus não procurou a tentação, mas foi conduzido a ela pelo Espírito. Jesus não foi compelido contra sua vontade; Ele foi conduzido pelo Espírito porque esta era a vontade do Pai. Deus tem um único Filho sem pecado, mas nenhum filho sem tentação.

O primeiro Adão, sem a direção do Espírito, foi derrotado pelo diabo num jardim; o segundo Adão, guiado pelo Espírito, venceu o diabo num deserto. O deserto é um lugar hostil. Ali Jesus orou e jejuou quarenta dias. Ali Jesus teve fome. Ali Jesus estava cercado pelas feras. Ali a doce voz do Pai vinda do céu foi substituída pelo bafo do inimigo, pondo em dúvida sua filiação. Rienecker diz com razão: "Se o último Adão tivesse sucumbido ao teste como o primeiro, não haveria Getsêmani, nem Calvário, nem Páscoa, nem Pentecostes. Nosso destino seria o inferno eterno".[3]

O diabo tenta Jesus no deserto (4.2-12)

O diabo não é uma ideia subjetiva nem uma energia negativa. É um anjo caído, um ser perverso, maligno, assassino, ladrão e mentiroso. É a antiga serpente, o dragão vermelho, o leão que ruge, o deus deste século, o príncipe da potestade do ar, o espírito que atua nos filhos da desobediência. Ele age sem trégua. Não descansa nem tira férias. O diabo é tentador. Investiu com todas as suas armas contra o Filho de Deus para derrotá-Lo. Destacamos aqui alguns pontos nesse sentido.

Em primeiro lugar, *a ocasião da tentação*. Jesus saiu do Jordão para o deserto, da água do batismo para a tentação, do deleite do Pai para a fúria do inimigo, da plenitude do Espírito para o fogo da prova. Não houve nenhum intervalo entre a voz do Pai vinda do céu e a voz do diabo vinda do deserto.

Em segundo lugar, *o lugar da tentação*. Jesus foi tentado no deserto, lugar de solidão e prova. O deserto é extremamente quente durante o dia e extremamente frio durante a noite. Mesmo cercado por feras e num lugar tão hostil e desfavorável, Jesus triunfou sobre o diabo. Mateus descreve os ataques do diabo em ordem cronológica; Lucas observa uma sequência gradativa dos locais: o deserto, a montanha, a cidade santa.[4]

Em terceiro lugar, *a circunstância da tentação*. Jesus passou quarenta dias no deserto jejuando. Mesmo estando cheio do Espírito e sendo guiado pelo Espírito, ele foi tentado. Mesmo jejuando, o diabo não se afastou dEle. Mesmo ouvindo a voz do Pai dizendo que Ele era Seu Filho e Seu deleite, o diabo o tentou. O fato de sermos filhos de Deus cheios do Espírito Santo e de estarmos na prática da oração e do jejum não nos isenta da tentação.

---

[3] RIENECKER, Fritz. *Evangelho de Lucas*, p. 97.
[4] RIENECKER, Fritz. *Evangelho de Lucas*, p. 102.

Em quarto lugar, *as sutilezas da tentação*. O diabo tentou Jesus não depois dos quarenta dias de jejum, mas durante os quarenta dias de jejum. Mesmo quando estamos envolvidos nas práticas devocionais mais piedosas, o diabo tenta nos distrair e nos desviar. O diabo tentou Jesus quando ele estava numa imensa batalha de oração e jejum para dar início ao Seu ministério. Seu corpo estava extenuado pela fome. A solidão era ruidosa. As feras o cercavam. O ambiente era absolutamente desfavorável.

O diabo é persistente (4.13). Ele tentou Jesus de diversas formas. Ele muda de tática, pois tem muitos estratagemas. Ele o deixou até tempo oportuno. Ele voltou, tentando-O através da multidão e até dos discípulos. Não ensarilhe as armas. Não há momento mais perigoso do que depois de uma grande vitória. Aquele que pensa estar em pé, veja que não caia. O diabo tentou Jesus de várias formas, mas perdeu em todas as suas investidas. Mesmo sendo derrotado no deserto, não desistiu. Mudou de tática, mas não recolheu suas armas.

Em quinto lugar, *as áreas da tentação*. A ordem de Lucas é geográfica (deserto, monte, Jerusalém), enquanto a de Mateus é de situações críticas (fome, temor nervoso e ambição).[5] O diabo tentou Jesus em diferentes áreas. Seu arsenal é variado. Destacamos, aqui, as três áreas em que o diabo tentou Jesus.

Tentação física, a necessidade (4.2-4). A fome é uma realidade dolorosa depois de um longo período de jejum. Jesus estava no deserto havia quarenta dias sem nada comer. Seu corpo latejava de fraqueza e clamava por pão após quarenta dias de jejum. Foi nessa hora que o diabo se aproximou, colocando em xeque sua filiação. Foi nesse momento que o diabo sugeriu que Jesus abandonasse a dependência do Pai e tomasse o destino de sua vida nas próprias mãos. Foi nesse momento que o diabo sugeriu a Jesus fazer um milagre de transformação para proveito próprio. Foi nessa hora que o diabo propôs a Jesus resolver o problema social dos pobres fora do projeto de Deus. Porém, Jesus enfrentou todos esses ataques do diabo brandindo a espada do Espírito, a Palavra de Deus: "Está escrito: Não só de pão viverá o homem".

---

[5]ROBERTSON, A. T. *Comentário Lucas à luz do Novo Testamento Grego*, p. 82.

Tentação política, a ambição (4.5-8). O diabo percebe que Jesus está preocupado é com o reino de Deus, por isso o levou a um monte muito alto (Mt 4.8) e lhe mostrou todos os reinos do mundo, prometendo dar-lhe toda a autoridade e glória desses reinos. O diabo queria fazer de Jesus um novo César. O poder de Roma estaria em suas mãos. Seu povo oprimido quebraria o jugo da escravidão e reinaria com Ele. Jerusalém, e não Roma, seria a sede do seu governo. O diabo diz para Jesus: "Há um suspiro lá no vale por libertação política. Atenda o povo". O diabo oferece a Jesus um reino de glória sem cruz.

O diabo, na verdade, é um estelionatário. Usando a arma da mentira, diz para Jesus que essa autoridade havia sido entregue a ele e que ele poderia dá-la a quem quisesse. O diabo oferece o que não tem, promete o que não pode cumprir.

O diabo reinvindica adoração aberta, pois sem rodeios exige que Jesus se prostre e o adore. Aqui, o diabo propõe a Jesus a glória sem a cruz, a exaltação sem a renúncia, o sucesso sem a obediência a Deus. O diabo quer que o Criador se dobre diante da criatura. Não sugere a Jesus apenas desconfiar de Deus, mas apostatar de Deus. Jesus, mais uma vez, cita as Escrituras para desbancar a arrogante exigência do diabo: ... *ao Senhor, teu Deus, adorarás e só a Ele darás culto.*

Tentação religiosa, a presunção (4.9-12). Percebendo o diabo que Jesus estava citando as Escrituras e manejando a espada do Espírito contra ele, levou-o a Jerusalém e colocou-o sobre o pináculo do templo, sugestionando-o a saltar. O diabo traveste-se de religioso e cita o Salmo 91 para Jesus. Cita-o, porém, omitindo parte do texto e torcendo a sua correta interpretação. O diabo usa a Bíblia para tentar, e não para edificar. Cita-a para produzir nos corações presunção arrogante, e não fé. A Palavra de Deus na boca do diabo não é Palavra de Deus, é palavra do diabo. O diabo é um péssimo exegeta e um falso intérprete das Escrituras. O diabo omitiu a parte do texto que diz "em todos os Teus caminhos". Deus não promete guardar-nos em todos os caminhos, mas em todos "os Seus caminhos". Deus não é parceiro da nossa loucura. Deus não premia a desobediência.

Na primeira tentação, o diabo queria levar Jesus a desconfiar de Deus. Agora, quer levar Jesus a uma confiança falsa na proteção de Deus. O diabo sempre torce a Palavra de Deus. É assim que surgem tantas seitas e heresias com gente de Bíblia na mão, mas guiada pelo diabo. O diabo queria que Jesus realizasse um milagre para se exibir. Isso não é fé; é presunção. As pessoas gostam de coisas sensacionais. Estão ávidas pelo sobrenatural. O diabo quer nos levar a pecar confiados na graça de Deus. Jesus, porém, triunfa sobre ele, voltando-se mais uma vez para a Palavra e dizendo: *Dito está: Não tentarás o Senhor, teu Deus*. O diabo foi vencido, e Aquele que venceu é poderoso para socorrer os que são tentados (Hb 2.18). Rienecker tem razão ao dizer: "Nós podemos confiar que Deus socorre em qualquer situação, mas jamais podemos prescrever-Lhe a intervenção".[6]

Na obra *Os irmãos Karamazov*, de Dostoievski, o inquisidor geral argumenta que Cristo poderia ter resolvido todos os problemas da humanidade se Ele simplesmente tivesse cedido aos testes do diabo. Milagres, mistério e autoridade – é isso que as pessoas vis e ignorantes exigem, argumenta o diabo. Dê-lhes um pão miraculoso para acalmar o estômago, um mistério para acalmar a mente confusa e um pouco de autoridade para aliviar as dolorosas responsabilidades da liberdade. Preencha essas necessidades, ele argumenta, e os homens irão alegremente trocar a liberdade pela tirania.[7] Cristo resistiu aos argumentos do inquisidor, triunfou sobre o diabo e nos ensinou o caminho da vitória.

Jesus vence o diabo no deserto (4.1-4,8,9,12)

O primeiro Adão caiu nas malhas da tentação do diabo no jardim do Éden e precipitou toda a raça humana num estado de pecado e miséria; o segundo Adão venceu o diabo no deserto e abriu para nós um caminho de vitória. Que armas Jesus usou para vencer o diabo no deserto?

Em primeiro lugar, *a plenitude do Espírito Santo* (4.1). Ninguém pode vencer o diabo em seus ardis e tentações fiado no braço da carne. Para triunfar nessa batalha, precisamos de armas espirituais. Jesus,

---

[6]RIENECKER, Fritz. *Evangelho de Lucas*, p. 105.
[7]NEALE, David A. *Novo comentário bíblico Beacon Lucas 1-9*, p. 150,151.

mesmo sendo o Filho de Deus, não abdicou do poder do Espírito Santo. Ele estava cheio do Espírito e foi guiado pelo Espírito.

Em segundo lugar, *a consciência de sua identidade* (4.3,9). Na primeira tentação, o diabo quis que Jesus abandonasse Sua dependência de Deus e, na terceira tentação, sugeriu que Jesus demonstrasse uma confiança arrogante em Deus. Em ambas as tentações, o diabo pôs em dúvida a filiação de Jesus. Mas Jesus, que já havia escutado a voz do Pai no Jordão: *Tu és o meu Filho amado, em Ti me comprazo,* não deu guarida à insinuação do diabo.

Em terceiro lugar, *o jejum* (4.2). Mateus, Marcos e Lucas mencionam a tentação de Jesus no deserto. Mateus fala que Ele estava jejuando e Lucas diz que Ele nada comeu nesses dias. Nenhum dos evangelistas, porém, se refere à oração. Pressupomos, entretanto, que, se Jesus estava jejuando, esse jejum deve ter sido acompanhado de oração. A oração e o jejum são armas espirituais poderosas em Deus para desfazer fortalezas espirituais e anular sofismas.

Em quarto lugar, *a Palavra de Deus* (4.4,8,12). A Palavra de Deus foi a arma usada por Jesus para rebater as três tentações do diabo. Ela é a espada do Espírito, uma arma não apenas de defesa, mas também de ataque.

Jesus vence o diabo, apesar das circunstâncias adversas

Destacamos cinco fatores hostis que Jesus enfrentou nessa tentação.

Em primeiro lugar, *o deserto*. O deserto para onde Jesus foi enviado era desconfortável, severo e hostil. Era o deserto de Jericó, um lugar ermo, cheio de montanhas e cavernas, de areias e cascalhos escaldantes ao dia e frio gélido à noite. O deserto era um lugar de desolação e solidão. Os grandes homens caíram não em lugares ou momentos públicos, mas na arena da solidão e nos bastidores dos lugares secretos. O deserto é o lugar das maiores provas e também das maiores vitórias. O deserto é o campo de treinamento de Deus.

Em segundo lugar, *a permanência no deserto durante quarenta dias*. Quarenta é o número da provação. Quarenta dias durou o dilúvio (Gn 7.12), o jejum de Moisés no Sinai (Êx 34.28) e a caminhada de Elias até o Horebe (1Rs 19.8). Quarenta anos Israel permaneceu no deserto (Sl 95.10). Quarenta dias Jesus foi tentado pelo diabo no deserto (4.2). O texto de Lucas evidencia que Jesus foi tentado durante os quarenta dias, o tempo todo. Foi uma tentação sem pausa, sem trégua. O adversário usou todo o seu arsenal, todas as suas armas, todos os seus estratagemas, para afastar Jesus da sua missão. Jesus não foi tentado dentro do templo nem em Seu batismo, mas no deserto, onde estava cansado, sozinho, com fome e esgotado fisicamente. O diabo sempre procura nos atacar quando estamos vulneráveis, quando estamos passando por estresse físico ou emocional.

Em terceiro lugar, *a solidão*. Jesus saiu de um lugar público, cercado por uma multidão, onde viu o céu aberto, experimentou o revestimento do Espírito Santo e ouviu a doce voz do Pai confirmando Sua filiação e afeição, e foi compelido a ir para um lugar solitário, onde lhe faltaram a doce companhia de um amigo, a palavra encorajadora de alguém na hora da tentação. Jesus sempre teve fome de comunhão com Seus discípulos. Ele os designou para estarem com Ele (Mc 3.14). Jesus sempre viveu no meio da multidão. Ele tinha cheiro de gente. Mas, agora, está sozinho, mergulhado na mais profunda solidão.

Em quarto lugar, *a fome*. Jesus jejuou durante quarenta dias (4.2; Mt 4.2). Suas forças físicas estavam esgotadas. Seu corpo estava debilitado. Seu estômago estava vazio. A fome fazia latejar todo o Seu corpo. Os efeitos físicos provocados por um jejum prolongado de quarenta dias são indescritíveis. O corpo inteiro entra em profunda agonia.

Em quinto lugar, *as feras*. O evangelista Marcos informa que Jesus estava com as feras (Mc 1.13). Aquele deserto era um lugar onde viviam hienas, lobos, serpentes, chacais, panteras e leões. A região onde Jesus jejuou e foi tentado era um lugar perigoso, um ambiente completamente oposto ao paraíso, onde o primeiro Adão foi tentado. Feras perigosas agravavam ainda mais aquele tempo de prova. O reino animal conspirava contra Ele. Adão e Eva caíram num jardim, onde todas as suas necessidades eram supridas e todos os animais eram dóceis. Jesus triunfou sobre o diabo num deserto, onde todas as suas necessidades não eram supridas e todos os animais eram feras.

Jesus torna-se **exemplo** para nós ao **vencer a tentação** no deserto

Por que o Espírito Santo impeliu Jesus ao deserto para ser tentado? Qual era o propósito? O Espírito impeliu Jesus ao deserto, onde Deus o colocou à prova, não para ver se Ele estava pronto, mas para mostrar que Ele estava pronto para realizar Sua missão. O propósito da tentação, vista pelo ângulo de Deus, não é nos fazer cair, mas nos fortalecer; não visa nossa ruína, mas nosso bem. Quais são os propósitos da tentação de Jesus?

Em primeiro lugar, *Jesus foi tentado para provar sua perfeita humanidade*. Porque Jesus era perfeitamente homem, Ele foi realmente tentado. Suas tentações foram reais. Ele Se tornou semelhante a nós em todas as coisas, exceto no pecado (Hb 2.17). Ele foi tentado em todas as coisas, à nossa semelhança, mas sem pecado (Hb 4.15). Jesus não foi tentado para nos revelar a possibilidade de pecar, mas para nos provar sua vitória sobre o diabo e o pecado.

Em segundo lugar, *Jesus foi tentado para ser o nosso exemplo*. Jesus nos socorre em nossas fraquezas porque sabe o que passamos e também porque triunfou sobre as mesmas tentações que nos assediam. Assim, ele pode compadecer-se de nós.

Em terceiro lugar, *Jesus foi tentado para derrotar o diabo*. Lutamos contra um inimigo derrotado. Jesus já triunfou sobre ele. A. T. Robertson diz que "o inimigo usou todas as suas armas, e em tudo foi derrotado".[8] Jesus é o Rei vitorioso sobre a natureza, o diabo, as enfermidades e a morte. Porque Jesus venceu o diabo, podemos cantar enquanto lutamos.

Lições práticas sobre a tentação de Jesus no deserto

Podemos tirar algumas lições práticas, a partir do estudo desta passagem.

Todo cristão deve esperar tempos de prova. Deus nos prova, satanás nos tenta. Satanás busca nos destruir, Deus busca nos edificar. Concordo com Leon Morris quando ele diz: "Nesta vida, não há isenção de tentação. Não havia para Jesus, e não há para nós".[9]

---
[8] ROBERTSON, A. T. *Comentário Lucas à luz do Novo Testamento Grego*, p. 84.
[9] MORRIS, Leon L. *Lucas: introdução e comentário*, p. 100.

Todo cristão deve estar atento aos diversos métodos do diabo. Satanás usou diversos estratagemas para tentar Jesus. Devemos ficar atentos às ciladas do diabo. Ele conhece os nossos pontos vulneráveis e também os nossos pontos fortes. E explora ambos.

Todo cristão deve acautelar acerca da perseverança do diabo. Ele tentou Jesus durante quarenta dias. Mesmo depois de derrotado em todas as investidas, voltou com outras armas em outras ocasiões.

Todo cristão precisa estar preparado para os dias de provas. Jesus estava cheio do Espírito e foi guiado pelo Espírito. Ele se deleitava no amor do Pai. Ele tinha comunhão com o Pai pela oração e jejum, mas tudo isso não o isentou da tentação.

Todo cristão deve buscar em Jesus exemplo e socorro na hora das tentações. Jesus foi tentado em todas as coisas, à nossa semelhança, por isso Ele pode nos entender e nos socorrer.

Todo cristão precisa compreender que Deus não nos permite ser provados além das nossas forças. Temos uma gloriosa promessa em relação às tentações de toda sorte: *Não vos sobreveio tentação que não fosse humana; mas Deus é fiel e não permitirá que sejais tentados além das vossas forças; pelo contrário, juntamente com a tentação, vos proverá livramento, de sorte que a possais suportar* (1Co 10.13).

Todo cristão precisa resistir ao diabo. Devemos também seguir a orientação de Jesus: *Vigiai e orai para que não entreis em tentação* (Mt 26.41). De semelhante modo, Tiago nos exorta: *Resisti ao diabo, e ele fugirá de vós* (Tg 4.7). Vale aqui o alerta de Andrew Bonar, citado por Warren Wiersbe: "Permaneçamos tão alertas depois da vitória quanto antes da batalha".[10]

---

[10] WIERSBE, Warren W. *Comentário bíblico expositivo*. Vol. 5, p. 236.

9
A autorrevelação de Jesus

Lucas 4.14-30

O MESMO ESPÍRITO QUE GEROU JESUS no ventre de Maria (1.35), desceu sobre Ele no rio Jordão por ocasião de seu batismo (3.22), guiou-O ao deserto para ser tentado pelo diabo e triunfar sobre ele (4.1), agora, reveste-O de poder para dar início ao seu ministério na Galileia (4.14). Ou seja, o mesmo Espírito que havia conduzido o Senhor ao isolamento, para longe das pessoas (4.1), leva-O agora à cena pública, às pessoas (4.14,15).[1]

A Galileia era uma região densamente povoada, composta por 204 vilas e povoados, ao norte da Palestina, de 75 quilômetros de comprimento por 40 quilômetros de largura. O nome significa "círculo" e provém do hebraico *Galil*. Chamava-se assim, porque estava rodeada por nações que não eram judias. Precisamente por isso era chamada "Galileia dos gentios", exposta a novas influências.[2]

Cinco verdades são destacadas no texto em apreço.

A **exaltação popular** a Jesus (4.14,15)

A volta de Jesus do deserto para Nazaré tem tríplice aspecto: um aspecto geográfico (ele voltou para a Galileia), um aspecto sobrenatural

---

[1] RIENECKER, Fritz. *Evangelho de Lucas*, p. 110.
[2] BARCLAY, William. *Lucas*, p. 48.

(no poder do Espírito) e um aspecto público (e a sua fama correu por toda a circunvizinhança).³

Jesus não inicia Seu ministério na Judeia, centro nevrálgico da religião de Israel. Não dá o pontapé inicial em seu ministério de ensino, cura e libertação na geografia sagrada da Judeia, onde estavam o templo, os escribas e os sacerdotes. Mas volta sua atenção para a desprezada Galileia, região mais estigmatizada da Palestina, pela forte influência gentílica que recebia.

Jesus ensinava nas sinagogas da Galileia (4.15). As sinagogas eram o verdadeiro centro da vida religiosa da Palestina. Havia só um templo, mas a lei dizia que, onde houvesse dez famílias judias, aí devia existir uma sinagoga. Na sinagoga, não havia sacrifícios como no templo. Era um lugar de instrução e adoração.⁴ A aceitação de Jesus foi entusiasmada: *Sua fama correu por toda a circunvizinhança* (4.14), *sendo glorificado por todos* (4.15).

A tradição familiar de Jesus (4.16)

Agora Jesus chega a Nazaré, a cidade na qual fora criado e onde, provavelmente, trabalhou como carpinteiro. Num sábado, Ele foi à sinagoga, segundo o Seu costume, e levantou-Se para ler. Há muitas referências à presença de Jesus nos cultos, mas somente esta (4.16) nos conta que se tratava de um hábito Seu.⁵

A sinagoga surgiu no cativeiro babilônico e consolidou-se depois dele. O povo de Israel estava privado do templo, de suas festas e de seus sacrifícios. Então, eles passaram a reunir-se nas sinagogas, com o propósito de adorar a Deus e estudar sua Palavra. Jesus tinha o costume de ir à sinagoga regularmente. Congregar com o povo de Deus, adorar a Deus e estudar a Palavra de Deus eram seu deleite.

A missão singular de Jesus (4.17-21)

Jesus recebe o livro do profeta Isaías e Ele mesmo abre o livro no exato lugar onde estava definida a sua missão. Mais uma vez, é ressaltado

---

³NEALE, David A. *Novo comentário bíblico Beacon Lucas 1-9*, p. 154.
⁴BARCLAY, William. *Lucas*, p. 48.
⁵MORRIS, Leon L. *Lucas: introdução e comentário*, p. 100.

que o Espírito Santo está sobre Ele e O ungiu para cumprir essa sublime missão. Ao terminar a leitura, Jesus afirmou categoricamente que essa profecia de Isaías estava se cumprindo nEle (4.21). Aqui Ele Se autoproclama o Messias de Deus. A missão de Jesus abrange cinco áreas.

Em primeiro lugar, *evangelizar os pobres* (4.18). A evangelização é a proclamação das boas-novas de salvação, e os pobres não são apenas os desprovidos de bens materiais, mas os pobres que, não importando sua condição social, reconhecem sua total falência espiritual e desesperadamente se apegam à rica graça de Deus, a fim de serem salvos.

Em segundo lugar, *proclamar libertação aos cativos* (4.18). O ser humano, não importa sua condição política, econômica e social, é prisioneiro da carne, do mundo e do diabo. Ele não pode libertar a si mesmo; precisa ser liberto. Não pode desvencilhar-se de suas próprias amarras; precisa ser colocado em liberdade. Jesus é o libertador. Aqueles que O conhecem verdadeiramente são livres.

Em terceiro lugar, *restaurar a vista aos cegos* (4.18). Jesus não apenas curou cegos, dando-lhes visão para verem as maravilhas da criação, mas também abriu os olhos dos cegos espirituais, para verem as maravilhas da graça de Deus. Ele é a luz do mundo (Jo 8.12). O diabo cegou o entendimento dos incrédulos (2Co 4.4), mas Jesus é a luz que ilumina a todo o homem (Jo 1.9). O homem natural não consegue ver as maravilhas da lei de Deus nem se deleitar em Seus preceitos. Só Jesus pode tirar as vendas dos olhos e arrancar o homem do império das trevas.

Em quarto lugar, *libertar os oprimidos* (4.18). Os judeus eram súditos de Roma. Estavam oprimidos política e economicamente. Mas Jesus veio para libertar os oprimidos do diabo. Nenhuma religião pode arrancar do coração humano essa opressão. Nenhum rito sagrado pode aliviar o homem desse peso esmagador. Nenhum esforço humano pode atenuar essa situação.

Em quinto lugar, *apregoar o ano aceitável do Senhor* (4.19). O ano do jubileu era o tempo oportuno, quando as dívidas eram canceladas e as terras eram devolvidas aos donos originais. Esse ano do jubileu era uma demonstração da graça de Deus que, por meio de Cristo, trouxe aos pecadores o perdão de seus pecados e a vida eterna.

A **interpretação chocante** de Jesus (4.22-27)

A exposição feita por Jesus causou grande admiração em Seus ouvintes: *Todos lhe davam testemunho, e se maravilhavam das palavras de graça que Lhe saíam dos lábios* (4.22). A perplexidade deles estava no fato de Jesus ser um indivíduo conhecido da cidade de Nazaré, filho de José e, ainda assim, estar revestido com tanto poder e graça.

Se a exposição de Jesus lhes causou grande admiração, a aplicação feita por Ele provocou-lhes ódio consumado. Jesus cita dois provérbios: "Médico, cura-te a ti mesmo" e "Nenhum profeta é bem recebido na sua própria terra". Depois de citar os provérbios, Jesus volta-se para as Escrituras e cita o ministério de Elias e Eliseu, evidenciando que Elias foi enviado para socorrer uma pobre viúva gentílica, enquanto havia viúvas necessitadas em Israel, e Eliseu curou da lepra um general gentio, enquanto havia outros leprosos em Israel. Jesus deixa claro que o propósito soberano de Deus na aplicação da salvação transcendia o povo de Israel. O evangelho estava destinado também aos gentios. O pensamento arraigado dos judeus de que o evangelho era apenas para eles e de que os gentios tinham sido criados para serem o combustível do fogo do inferno foi confrontado firmemente por Jesus no início do seu ministério. Concordo com John Charles Ryle quando ele diz: "De todas as doutrinas da Bíblia, nenhuma é tão ofensiva ao homem quanto a da soberania de Deus na aplicação da salvação".[6]

A **rejeição veemente** a Jesus (4.28-30)

Lucas 4.22 diz que *todos lhe davam bom testemunho* na sinagoga de Nazaré, mas a aplicação feita por Jesus mudou-se radicalmente. Agora, *todos na sinagoga, ouvindo estas coisas, se encheram de ira* (4.28). A hostilidade deles não ficou apenas no campo do sentimento. Eles expulsaram Jesus de Nazaré e O levaram até ao cume do monte para O precipitarem de lá para baixo (4.29). Jesus, porém, retirou-se e foi morar em Cafarnaum. William Hendriksen registra esses fatos com as seguintes palavras:

---

[6] RYLE, John Charles. *Meditações no Evangelho de Lucas*, p. 62.

O povo de Nazaré está furioso. Imaginar que fossem piores que as viúvas fenícias e leprosos sírios! Sua ira não conhecia limites. A casa de oração e adoração se transformou numa casa de loucos. Precipitaram-se sobre o orador. Levam-No para fora da cidade. Arrastam-No até à colina sobre a qual a cidade estava construída, para precipitá-lo de ponta-cabeça nas rochas abaixo.[7]

Ainda hoje, muitos ouvintes rejeitam veementemente a Palavra de Deus. A verdade de Deus não amacia o ego humano; golpeia-o. A Palavra de Deus não reforça suas crendices; reprova-as. A Palavra de Deus não limita o amor de Deus a um povo exclusivo; proclama-o a todos os povos.

---

[7]HENDRIKSEN, William. *Lucas*. Vol. 1, p. 350.

10

Um poderoso ministério de libertação, cura e pregação

Lucas 4.31-44

EXPULSO DE NAZARÉ, Jesus desce para Cafarnaum e ali fixa sua residência (Mt 4.13). Em Cafarnaum, Jesus montou sua "base de operações".[1] O nome Cafarnaum significa "aldeia de Naum". A cidade estava localizada no litoral oeste do mar da Galileia. Era uma aldeia pesqueira, palco dos grandes ensinamentos de Jesus e de Seus portentosos milagres.

Em harmonia com seu costume, Jesus vai à sinagoga e ensina no sábado (4.31). Liberta um endemoninhado (4.35), cura a sogra de Pedro (4.39), cura outros enfermos e liberta outros cativos (4.40,41), depois busca um lugar solitário para estar com o Pai (4.42) e deixa claro que anunciar o evangelho do reino era a razão precípua de Sua vinda ao mundo (4.43). Sete verdades devem ser destacadas no texto em tela.

Uma **recepção** calorosa (4.31,32)

Em contraste com Nazaré, que rejeitou maciçamente a mensagem de Jesus (4.28), em Cafarnaum muitos se maravilhavam de Sua doutrina, porque a Sua palavra era com autoridade (4.32). A mesma mensagem que enternece uns endurece outros. A mesma palavra que é acolhida

---
[1] WIERSBE, Warren W. *Comentário bíblico expositivo.* Vol. 5, p. 237.

com avidez por uns é rejeitada com veemência por outros. A Palavra de Deus nunca é neutra. Sempre exige uma resposta e sempre provoca uma reação, às vezes diametralmente oposta.

Um **confronto** vitorioso (4.33-35)

William Barclay diz que, no mundo antigo, acreditava-se que o ar estava densamente povoado por espíritos malignos, os quais aguardavam ocasião oportuna para entrar nas pessoas. A crença comum da época é que as próprias enfermidades eram causadas por esses demônios, e que havia demônios de mudez, surdez, loucura, mentira e prostituição.[2] Essa crença é ainda defendida hoje por alguns, porém não tem amparo nas Escrituras. Não concordamos, também, com aqueles que veem a possessão demoníaca como uma farsa ou a restringem apenas à demência ou à loucura. Na possessão, uma entidade espiritual maligna assume o controle do indivíduo possesso e fala e age por meio dele.

David Neale diz que ser testado pelo diabo na primeira parte do capítulo 4 prepara o pano de fundo para a luta de Jesus contra as forças demoníacas nos vilarejos da Galileia.[3] Anthony Ash explica que os demônios são seres espirituais malignos que podem habitar corpos físicos com diversos resultados catastróficos.[4] Nos capítulos vindouros, Lucas registra quatro histórias de indivíduos possuídos por demônios (4.33-37; 8.26-39; 9.37-43; 11.14-23).

A Bíblia diz pouca coisa acerca da possessão demoníaca antes ou depois da encarnação, mas relata muitas coisas que aconteceram durante o ministério de Jesus. Nas Escrituras, portanto, este fenômeno faz parte do conflito entre Jesus e o maligno.[5]

Os demônios não respeitam lugares sagrados. Mesmo tendo Jesus como o expositor da Palavra, ali na sinagoga de Cafarnaum, havia um homem possesso de um espírito imundo. Esse demônio não ficou camuflado, escondido pelo anonimato, mas bradou em alta voz: *Ah! Que temos*

---
[2] BARCLAY, William. *Lucas*, p. 52.
[3] NEALE, David A. *Novo comentário bíblico Beacon Lucas 1-9*, p. 158.
[4] ASH, Anthony Lee. *O Evangelho segundo Lucas*, p. 95.
[5] MORRIS, Leon L. *Lucas: introdução e comentário*, p. 104.

nós contigo, Jesus Nazareno? Vieste para perder-nos? Bem sei quem és: o Santo de Deus! (4.34). Os demônios sabem quem é Jesus. São mais ortodoxos do que os teólogos liberais que negam sua divindade. Hendriksen tem razão ao dizer que, quando os radicais negam a divindade de Cristo, mostram menos discernimento que os demônios.[6] Mas é preciso deixar claro, como disse John Charles Ryle, que o conhecimento dos demônios é destituído de fé, esperança e amor. Aqueles que o possuíam eram miseráveis criaturas pecaminosas, cheias de intenso ódio contra Deus e o homem.[7] John Charles Ryle ainda faz um alerta: "O conhecimento que temos sobre o pecado nos faz odiá-lo? Nosso conhecimento a respeito de Cristo nos leva a amá-Lo e a confiar nEle? Nosso conhecimento da vontade de Deus nos motiva a esforçar-nos para obedecê-la?"[8]

As declarações dos espíritos malignos na sinagoga de Cafarnaum eram mais um desafio do reino das trevas contra Aquele que é a luz do mundo (4.34). Jesus, porém, longe de intimidar-Se com essa investida do demônio imundo, repreendeu-o, e o homem possesso fica livre. Jesus comprova que tem todo poder e toda autoridade sobre os demônios.

David Neale destaca o fato de que a ausência de procedimentos mágicos no método de Jesus para a libertação do homem possesso é um afastamento dos relatos de exorcismos praticados na época. A eficácia de Sua autoridade como libertador depende de Sua identidade como Filho de Deus, e não de métodos populares.[9]

Barclay diz, nessa mesma linha de pensamento, que a autoridade de Jesus não era uma autoridade delegada, mas encarnada.[10] Diante dEle se dobra todo joelho no céu, na terra e debaixo da terra. Anjos, homens e demônios precisam se curvar diante de Jesus, o Filho de Deus.

Uma **autoridade** reconhecida (4.36,37)

A libertação de um homem possesso dentro da sinagoga de Cafarnaum provocou grande admiração dos presentes, que reconheceram

---

[6] HENDRIKSEN, William. *Lucas*. Vol. 1, p. 359.
[7] RYLE, John Charles. *Meditações no Evangelho de Lucas*, p. 64.
[8] RYLE, John Charles. *Meditações no Evangelho de Lucas*, p. 64.
[9] NEALE, David A. *Novo comentário bíblico Beacon Lucas 1-9*, p. 159.
[10] BARCLAY, William. *Lucas*, p. 54.

publicamente a autoridade de Jesus sobre as forças do mal. O resultado é que a fama de Jesus correu por todos os lugares da circunvizinhança. Ninguém pode resistir ao Todo-poderoso Deus que Se fez carne. Ninguém pode desafiar a Jesus e prevalecer. Seu poder é infinito. Sua autoridade é absoluta. Sua fama é colossal.

Uma cura notória (4.38,39)

Jesus deixa a sinagoga, um ambiente de culto, e vai para uma casa, um ambiente familiar. Se na sinagoga Ele demonstrou autoridade sobre os demônios; na casa de Simão, demonstra autoridade sobre a enfermidade.

Pedro era um homem casado, e sua sogra morava com ele e sua esposa. A sogra de Pedro estava prostrada com uma febre muito alta. Mateus e Marcos também registram esse episódio, mas somente Lucas, que era médico, diz que a febre era muito alta. Em favor dela, as pessoas rogaram a Jesus. O Mestre, inclinando-Se para ela, repreendeu a febre, que cedeu imediatamente.

O fato de Jesus ter repreendido a febre leva alguns estudiosos a pensarem que a causa da febre tenha sido um espírito maligno, ou que a doença seja uma entidade. Concordo, entretanto, com William Hendriksen quando ele diz que a sugestão de que a palavra "repreendeu" implica um objeto "pessoal", isto é, que foi satanás ou um de seus servos quem causou a febre, é sem fundamento. Concordo com Robertson quando ele diz que não devemos julgar que Lucas quis dizer que Jesus tivesse tomado aqui a posição de um exorcista e estivesse repreendendo uma personalidade maligna. Jesus mandou que a febre deixasse a sogra de Pedro, da mesma maneira que falou ao vento e às ondas (8.24).[11] Portanto, tudo o que podemos inferir com segurança é que o poder de Cristo sobre a doença é tão grande que basta uma palavra Sua, para que esta cesse imediatamente.[12] A cura foi imediata, pois logo ela se levantou e passou a servi-los.

John Charles Ryle tem razão quando diz: "Jesus é o verdadeiro antídoto e remédio para todos os enganos de satanás que arruínam a alma do

---

[11]ROBERTSON, A. T. *Comentário Lucas à luz do Novo Testamento Grego*, p. 96.
[12]HENDRIKSEN, William. *Lucas*. Vol. 1, p. 363.

homem. Cristo é o Médico ao qual todos os filhos de Adão devem recorrer se desejam ficar curados. Em Cristo há vida, saúde e libertação".[13]

Uma **ação** misericordiosa (4.40,41)

Esse foi um dia intenso na agenda de Jesus. A noite já estava chegando. Era o pôr do sol, com o encerramento de todas as restrições do sábado, quando enfermos de diferentes moléstias foram levados a Jesus. Impondo as mãos sobre cada enfermo, Jesus curou a todos.

Rienecker destaca o fato de Jesus impor as mãos sobre cada doente, curando-o. Ele se dedicou de forma especial a cada um. Não realizava curas em massa. Jesus falou diante de milhares, mas Seu alvo era a salvação da alma pessoal. Ainda hoje Jesus é assim. Seu olhar vê o todo e pousa sobre cada um dos Seus. Ele se dedica a cada alma individualmente como se estivesse exclusivamente à disposição dela. Ele está disponível para cada um e também para todos. Ao impor as mãos, Jesus visa estabelecer um laço pessoal com o enfermo, pois não quer meramente curá-lo, mas o conduzir de volta para Deus.[14]

Além de curar os enfermos, Jesus também libertou muitos endemoniados (4.41). Embora os demônios confessassem Jesus como o Filho de Deus, este não aceitava o testemunho deles.

Um **retiro** estratégico (4.42)

Diante do assédio das multidões para receber curas e milagres, Jesus Se retirou para um lugar solitário. Ele precisava estar a sós com o Pai. Sua intimidade com o Pai, por intermédio da oração, era Seu maior deleite e Sua fonte de poder (5.16,17). Jesus mantinha em perfeito equilíbrio o dar e o receber, pois Ele vivia por intermédio do Pai (Jo 6.57).

Concordo com John Charles Ryle quando ele diz que vivemos em uma época caracterizada por urgência e pressa. Negligenciar, portanto, o hábito de retirar-nos ocasionalmente dos afazeres cotidianos

---

[13]RYLE, John Charles. *Meditações no Evangelho de Lucas*, p. 65.
[14]RIENECKER, Fritz. *Evangelho de Lucas*, p. 125.

é a provável causa de muita inconsistência e afastamento que trazem escândalo à causa de Cristo. Quanto mais trabalho tivermos para realizar, tanto mais devemos imitar nosso Senhor.[15] O sucesso do ministério público é alimentado no lugar secreto da oração. Só podemos nos levantar diante das pessoas em público, se primeiro nos prostrarmos diante de Deus em secreto.

Uma **proclamação** prioritária (4.43,44)

As multidões procuraram a Jesus e rogaram que Ele não as deixasse. Ele, porém, esclareceu que precisava ir a outras cidades para anunciar o evangelho do reino, uma vez que para isso é que havia sido enviado. Deixando, assim, a Galileia, Jesus foi pregar nas sinagogas da Judeia (4.44).

Durante toda a história da igreja, a pregação tem sido o principal instrumento de Deus para vivificar os pecadores e edificar os santos. John Charles Ryle tem razão ao dizer: "A situação das igrejas sempre corresponderá à do púlpito".[16] Rienecker afirma que, na agenda de Jesus, a proclamação sempre estava em primeiro plano. Os milagres e sinais são subordinados à proclamação.[17]

O reino de Deus era a essência da mensagem de Jesus. O reino de Deus é uma sociedade sobre a terra na qual a vontade de Deus se cumpre perfeitamente como no céu. Corroborando essa ideia, Hendriksen diz que o reino de Deus denota o reinado, o governo ou a soberania de Deus, reconhecida no coração e ativa na vida de Seu povo, efetuando sua completa salvação, sua constituição como igreja e, finalmente, um universo redimido.[18] Para Jesus, o reino de Deus tinha um tríplice aspecto: 1) o reino passado, pois Abraão, Isaque e Jacó estavam no reino e haviam vivido séculos atrás (13.28); 2) o reino presente – o próprio Jesus disse: *O reino de Deus está dentro de vós* (17.21); 3) o reino futuro – cuja consumação ainda está por vir (13.29; 21.31).[19]

---

[15]RYLE, John Charles. *Meditações no Evangelho de Lucas*, p. 66.
[16]RYLE, John Charles. *Meditações no Evangelho de Lucas*, p. 66.
[17]RIENECKER, Fritz. *Evangelho de Lucas*, p. 128.
[18]HENDRIKSEN, William. *Lucas*. Vol. 1, p. 369.
[19]BARCLAY, William. *Lucas*, p. 57.

11

Pescadores
de homens

Lucas 5.1-11

PEDRO FOI UM RUDE PESCADOR, transformado por Jesus no grande líder dos discípulos tanto antes de sua queda como depois de sua restauração. Ele foi o grande instrumento de Deus para abrir a porta do evangelho tanto para judeus como para gentios. Jesus o tirou de trás das redes e fez dele um pescador de homens e um pastor de ovelhas.

O texto destaca o ensino de Jesus, a pesca maravilhosa e o chamado de Pedro para ser pescador de homens. William Hendriksen diz que, neste episódio, podemos contemplar cinco aspectos da grandeza de Jesus: 1) sua sabedoria prática (5.1-3); 2) seu penetrante conhecimento (5.4,5); 3) sua profunda generosidade (5.6,7); 4) sua inefável majestade (5.8-10a); 5) seu profundo senso missionário (5.10b,11).[1] Destacamos alguns pontos importantes a seguir.

Uma **multidão** ávida (5.1-3)

Um dos episódios mais marcantes no chamado de Pedro deu-se às margens do mar da Galileia, cerca de 220 metros abaixo do nível do mar Mediterrâneo. William Barclay diz que, na época de Jesus, havia

---

[1] HENDRIKSEN, William. *Lucas*. Vol. 1, p. 378-384.

nove cidades ao redor de suas margens, nenhuma delas com menos de quinze mil habitantes.[2]

Pedro, André, Tiago e João, como sócios e empresários da pesca, haviam trabalhado a noite toda sem nenhum sucesso (Lc 5.1,2). Voltavam do labor noturno exaustos e de redes vazias. Não tinham nada para oferecer aos seus clientes. O saldo era negativo. O déficit no orçamento era certo. Ao mesmo tempo que eles lavam as redes, a multidão aperta Jesus, ávida de ouvir seus ensinos. Às margens desse lago de águas doces, também chamado de lago de Genesaré ou mar da Galileia, de 23 quilômetros de comprimento por 14 quilômetros de largura, encurralado do lado ocidental pelas montanhas da Galileia e do lado oriental pelas montanhas de Golan, Jesus entra no barco de Pedro ancorado na praia e ordena a afastá-lo um pouco da praia. Jesus fez do barco um púlpito, da praia um templo, e da água espelhada um amplificador de som. Dali Ele ensina a grande multidão, que bebia a largos sorvos seus benditos ensinamentos. Jesus fez do barco de Pedro o seu púlpito para lançar a rede do evangelho. Warren Wiersbe, citando J. Vernon McGee, diz que "todo púlpito é um barco de pesca".[3]

A pergunta que se deve fazer é por que Jesus entrou no barco de Pedro, e não em outro barco? Por que Jesus se dirige a Pedro e não a outro companheiro de pescaria para afastar o barco? Por que Jesus concentra sua atenção nesse rude pescador?

Uma **ordem** expressa (5.4,5)

Depois de Jesus despedir a multidão, Ele se dirige a Pedro, e não aos seus companheiros, dando-lhe uma ordem expressa: *Faze-te ao largo e lançai as vossas redes para pescar* (Lc 5.4). A ordem é a Pedro, mas as redes são de todos. A ordem é a Pedro, mas a parceria da pescaria era de todos. Havia naquele episódio um propósito específico de trabalhar na vida de Pedro. O experiente e perito pescador responde a Jesus, dizendo que pescar era sua especialidade. Ele conhecia tudo acerca daquele mar.

---

[2] BARCLAY, William. *Lucas*, p. 58.
[3] WIERSBE, Warren W. *Comentário bíblico expositivo*. Vol. 5, p. 239.

Conhecia cada metro quadrado daquele lago. Ali era seu território mais conhecido e mais explorado. Era o campo de onde tirava o seu sustento. Pedro garante a Jesus que o mar não estava para peixe, que todo o esforço havia sido em vão. Dominado por um realismo profundo, manifesta sua opinião de que qualquer outro esforço seria inútil. Pedro apresenta diante de Jesus sua lógica fria, sua experiência madura, sua certeza experimental.

Ao mesmo tempo, porém, que expressa sua convicção de total impossibilidade de êxito, movido por uma fé robusta, diz: ... *Mestre, mas sob a tua palavra eu lançarei as redes* (Lc 5.5). Pedro oscila entre a realidade desanimadora da experiência frustrante e a fé vitoriosa; entre a improbabilidade do esforço humano e a manifestação do poder de Jesus. Ao mesmo tempo que diz que a pescaria já havia sido feita sem nenhum resultado, dispõe-se a agir novamente sob a ordem de Jesus. O mesmo Pedro que já estava lavando as redes para guardá-las até o dia seguinte, toma-as de novo e volta para o mar, debaixo da ordem expressa de Jesus. Pedro é esse homem que, como um pêndulo, vai de um extremo ao outro.

A palavra que Pedro usa para "Mestre", e que só aparece aqui em Lucas, é *epistátes*, que significa "chefe, superior". A autoridade superior dá uma ordem ao subordinado. Aqui Jesus não "pede", como aconteceu no versículo 3b, mas ordena. A resposta de Pedro é a obediência, pois o Mestre tem debaixo de seu controle até os peixes do mar.[4]

Um **milagre** notório (5.6,7)

Os evangelhos descrevem em detalhes apenas 35 dos muitos milagres de Jesus.[5] Este é um deles. Quando as redes foram lançadas no nome de Jesus, um milagre aconteceu. Um cardume de peixes começou a pular dentro das redes. Eles nunca tinham visto isso antes. Era algo extraordinário. O barco em que estavam não conseguiu comportar a quantidade de peixes. As redes se romperam pejadas de peixes. Eles fizeram sinal

---

[4]RIENECKER, Fritz. *Evangelho de Lucas*, p. 131.
[5]RICHARDS, Larry. *Todos os milagres da Bíblia*, p. 190.

para que o outro barco viesse a seu encontro para salvar o resultado da pescaria milagrosa. Para quem não tinha conseguido nada na última empreitada, eles agora alcançavam um resultado dantes nunca visto.

Uma convicção tomou conta da alma de Pedro. Aquele resultado extraordinário não era um incidente qualquer. Ele não estava apenas vivendo um dia de sorte em seu empreendimento. Algo milagroso estava acontecendo. Um poder sobrenatural estava em ação. Ele não estava diante de um homem comum. Certamente o Jesus que acabara de ensinar à multidão agora era avalizado por sua ação miraculosa. Pedro estava diante do próprio Deus feito carne. Mais do que impactado com o milagre, Pedro estava agora impactado com o milagroso. Ao reconhecer a majestade de Jesus, ele olhava para si mesmo não como um perito pescador, mas como um grande pecador.[6] Essa convicção esmagou seu coração. Aprecio as palavras de Fritz Rienecker a respeito: "Enquanto Simão arrasta os peixes em suas redes, ele próprio cai na rede do Redentor! Simão foi pessoalmente capturado pelo Redentor".[7]

Um **impacto** poderoso (5.8,9)

Pedro, então, deixa o mar, o barco, as redes, os peixes, os sócios e corre ao encontro de Jesus, prostrando-se aos seus pés e clamando: *Senhor, retira-Te de mim, porque sou pecador* (Lc 5.8). Pedro é o primeiro dos penitentes em Lucas. Ele reconhece que Jesus é Deus e que ele próprio não passa de um mísero pecador, que não tem direito de estar ao lado de Jesus. Pedro sabe que Jesus é mais do que um rabi, é mais do que um grande homem, é mais do que alguém que tem poder para fazer milagres. Pedro sabe que Jesus é santo, mas ele mesmo é indigno. Sabe que Jesus é exaltado, mas ele mesmo é vil. Sabe que com seus pecados não pode estar face a face com Aquele que é santo e sublime.

Jesus não Se afasta de Pedro, porém o atrai ainda mais para Si. Diz para ele não temer. O mesmo Jesus que ordenara a Pedro lançar as redes ao mar, agora, pesca Pedro com a rede de Sua graça. O mesmo Jesus

---

[6]RICHARDS, Larry. *Todos os milagres da Bíblia*, p. 209.
[7]RIENECKER, Fritz. *Evangelho de Lucas*, p. 131,132.

que manifestara Seu poder na pesca maravilhosa, agora, vai, através de Pedro, fazer a mais gloriosa das pescarias, a pescaria de homens.

Rienecker está correto ao dizer que Jesus não sentencia nem condena o pecador que reconhece seu pecado e sua culpa, mas o agracia e o atrai para seu coração de Redentor. Como o coração de Pedro deve ter ficado feliz quando foi alçado das profundezas da consciência de pecado para as alturas do perdão de pecados.[8]

Uma **comissão** gloriosa (5.10,11)

Jesus, em vez de ir embora, convoca Pedro para um novo desafio, uma nova empreitada, dizendo: *Não temas; doravante serás pescador de homens* (Lc 5.10). Pedro não era um pescador de homens nem se tornou um deles por si mesmo. Foi Jesus quem fez de Pedro um pescador de homens. Leon Morris diz que o tempo é contínuo, pois está em mira uma prática habitual. E Pedro já não se ocupará com peixes, mas, sim, com homens.[9]

É Jesus quem capacita o homem a ser um instrumento eficaz para levar outros homens aos Seus pés. Pedro deveria usar toda a sua experiência de pescador para outro "negócio". Pescar homens é o mais importante, o mais urgente, o mais sublime trabalho que se pode fazer na terra. Esse trabalho tem consequências eternas. Nem todo o ouro do mundo poderia comprar a salvação de um homem. A partir desse momento, o dinheiro não deveria ser mais o vetor a governar as motivações de Pedro, mas a salvação de homens. Pedro deveria investir seu tempo, sua inteligência e seu esforço na salvação de pessoas.

Pedro foi transformado em pescador de homens. Sua empresa pesqueira fechou. Seus barcos foram arrastados para a praia, e suas redes foram aposentadas. Um novo empreendimento foi iniciado. Uma nova frente de trabalho foi aberta. Um novo negócio foi inaugurado. Embora os outros sócios também tenham abandonado seus barcos e suas redes para seguirem a Jesus, a palavra é endereçada a Pedro: Eu

---

[8]RIENECKER, Fritz. *Evangelho de Lucas*, p. 133.
[9]MORRIS, Leon L. *Lucas: introdução e comentário*, p. 108.

farei de você um pescador de homens! E de fato, Pedro será preparado para ser um pescador de homens, a lançar a rede do evangelho e levar multidões a Cristo.

Pedro se tornará um grande pregador, um grande líder que, cheio do Espírito Santo, será poderosamente usado para abalar as estruturas do inferno e arrancar da potestade de satanás milhares de vidas e transportá-las para o reino da luz. Pedro é o homem usado por Deus para abrir a porta do evangelho tanto para os judeus como para os gentios. Mais tarde, Jesus coloca, também, nas mãos de Pedro o cajado de um pastor para apascentar os cordeiros e pastorear suas ovelhas (Jo 21.15-17).

Pedro não apenas é salvo por Jesus, mas também transformado em discípulo e apóstolo de Jesus. Ele não foi apenas escolhido apóstolo, mas também o líder de seus pares. Pedro tornou-se um dos apóstolos mais próximos de Jesus. Juntamente com Tiago e João, formou o grupo dos discípulos que desfrutou de maior intimidade com Jesus. Somente os três entraram na casa de Jairo quando Jesus ressuscitou sua filha. Somente os três subiram o monte da Transfiguração e viram Jesus sendo transfigurado conversando com Moisés e Elias acerca de sua partida para Jerusalém. Somente os três desfrutaram do momento mais crucial da vida de Jesus, no Jardim do Getsêmani, quando este confessou que Sua alma estava profundamente triste até a morte. Pedro, Tiago e João viram como ninguém o poder de Jesus sobre a morte na casa de Jairo, a glória antecipada de Jesus no monte e sua agonia indizível no Getsêmani.

É bem verdade que, dessas três ocasiões, Pedro teve uma postura repreensível em duas delas. No monte da Transfiguração, sem saber o que falava, Pedro equiparou Jesus a Moisés e Elias, representantes da lei e dos profetas respectivamente. Ali no topo daquela montanha banhada de luz aurifulgente, Pedro não discerniu a centralidade da pessoa de Jesus nem a centralidade de Sua obra. No Getsêmani, mesmo depois de prometer a Jesus fidelidade irrestrita, Pedro dorme na hora da batalha mais renhida da humanidade, quando Jesus orou, chorou e suou sangue.

Jesus ainda hoje nos convoca e nos capacita a sermos pescadores de homens.

12

Nunca perca a esperança

Lucas 5.12-16

O TEXTO EM APREÇO É REGISTRADO PELOS TRÊS EVANGELHOS SINÓTICOS. Trata-se de uma das curas mais esplêndidas de Jesus. O tempo e o lugar são indefinidos. Aqui encontramos um problema humanamente insolúvel, uma causa perdida. Um homem tomado de lepra é curado. Esse milagre nos ensina que jamais devemos perder a esperança. Por maior que seja nosso problema, por mais grave que seja a circunstância, por mais tenebrosos que sejam nossos sentimentos, Jesus pode reverter a situação. Esta passagem encerra várias lições importantes, que ora vamos destacar.

O doente (5.12)

A lepra era a doença mais temida daquele tempo. Em Israel, várias doenças de pele eram classificadas como lepra, inclusive aquilo que chamamos hoje de hanseníase.[1] Os infectados pela lepra eram isolados e ficavam de quarentena (Lv 13-14). As pessoas com lepra eram consideradas mortas (Nm 12.12). A lepra tinha implicações sociais e religiosas. O leproso devia usar roupas esfarrapadas e viver fora do acampamento

---

[1] WIERSBE, Warren W. *Comentário bíblico expositivo*. Vol. 5, p. 240.

e, quando chegasse perto dos outros, deveria gritar: "Imundo, imundo". Esse isolamento rebaixava o infeliz sofredor à desclassificação social: *Viverá separado, fora do acampamento* (Lv 13.46).[2]

Jesus estava numa das cidades da Galileia quando um homem coberto de lepra, no estágio mais avançado de sua doença, sai do leprosário, rompe o isolamento e se aproxima de Jesus. Seu caso era perdido. Sua doença já havia tomado todo o seu corpo. Só Lucas, que era médico, traz a informação do estado adiantado de sua doença. O homem estava chagado, com a pele necrosada, cheirando mal. Era uma carcaça humana, uma ferida aberta e malcheirosa. A expressão grega *pleres lepras*, "cheio de lepra", que pode ser traduzida por "coberto de lepra de alto a baixo", é um termo técnico da medicina. A lepra havia atingido o último estágio. Completamente sem esperança, o infeliz estava entregue à morte.[3]

A lepra era uma doença temida e horrível. Desfigurava e era fatal. A lepra é um símbolo do pecado: insensibiliza e deixa marcas; é contagiosa, devastadora, malcheirosa e letal. Leon Morris diz que os efeitos psicológicos da lepra eram tão sérios quanto a devastação física.[4]

Esse homem não vem motivado pela soberba ou altivez; ele se prostra com o rosto em terra. Sabe que nada merece e, portanto, carece de misericórdia. Não faz exigências; antes, suplica com humildade. Sabe que não está diante de um homem comum, mas reconhece que Jesus é o Senhor. Mesmo se sujeitando à Sua soberana vontade, confessa sua plena confiança no poder de Jesus para curá-lo de sua enfermidade. Leon Morris destaca o fato de que o homem não pede cura, mas purificação. A lepra era uma enfermidade imunda. Contaminava. Ser curado significava ser purificado.[5]

O médico (5.13)

Jesus não expulsa aquele homem por ser impuro. Não pega em pedras para enxotá-lo por causa de sua doença contagiosa. Jesus não apenas Se

---
[2] NEALE, David A. *Novo comentário bíblico Beacon Lucas 1-9*, p. 168.
[3] RIENECKER, Fritz. *Evangelho de Lucas*, p. 136.
[4] MORRIS, Leon L. *Lucas: introdução e comentário*, p. 109.
[5] MORRIS, Leon L. *Lucas: introdução e comentário*, p. 109.

dispõe a curá-lo, não apenas ordena sua cura, mas também estende a mão para tocá-lo. Barclay diz que as mãos de Jesus se abriram para o homem de quem todos fugiam horrorizados.[6] Jesus não apenas tocou no leproso, mas o abraçou firmemente com as mãos, pois a palavra traduzida por "tocar", aqui, significa *cingir, envolver e abraçar* (Mc 10.13,16).[7] O puro toca o impuro sem ficar contaminado pela impureza. O puro torna o impuro puro e reverte uma situação humanamente irremediável. A cura não foi a crediário, em doses homeopáticas, mas instantânea, imediata e eficaz. A pele do homem foi completamente regenerada. Sua carne ficou sã. Suas cartilagens carcomidas pela doença retornaram ao estado original. Tudo se fez novo no corpo daquele homem já sentenciado à morte.

Interpretando esta passagem, Rienecker diz que o Redentor abraçou a humanidade impura ao inserir-se completamente nela. É o que também faz agora com cada indivíduo. Ele não somente toca nossa impureza pecaminosa com a ponta dos dedos, mas envolve os impuros com o braço de sua compaixão.[8]

A cura (5.13)

Jesus operou nesse homem duas curas distintas. A primeira foi a cura emocional. Quando Jesus o tocou, estava mostrando àquele homem malcheiroso que ele tinha valor e dignidade. Já havia tempo que aquele homem não sabia o que era um toque, um aperto de mão, um abraço. Todos fugiam dele horrorizados. Se ele ousasse sair do isolamento, as pessoas pegavam em pedras para apedrejá-lo. Se teimasse em sair do leprosário, era chamado de maldito. Mas, embora seu corpo fosse um espetáculo horrendo, uma chaga aberta, uma carcaça malcheirosa, Jesus o tocou para curar suas emoções, para sarar sua alma, para restaurar sua dignidade e seu valor. O evangelista Marcos nos informa que Jesus teve compaixão dele (Mc 1.41). Jesus tem poder e compaixão. Poder sem compaixão é tirania; compaixão sem poder é fraqueza. Mas Jesus tem compaixão e poder.

---

[6]BARCLAY, William. *Lucas*, p. 61.
[7]RIENECKER, Fritz. *Evangelho de Lucas*, p. 136.
[8]RIENECKER, Fritz. *Evangelho de Lucas*, p. 137.

A segunda cura foi física. A lepra era uma doença incurável e com forte componente de segregação. Um leproso não podia viver com a família nem no meio da sociedade. Estava sentenciado à morte. Seu corpo ia apodrecendo lentamente. Aquele homem era um aborto vivo. A despeito de seu estado trágico, Jesus o curou imediatamente, totalmente, definitivamente.

William Hendriksen corrobora essa verdade, nos seguintes termos:

> As curas produzidas por Jesus eram completas e instantâneas. A sogra de Pedro não teve de esperar até o dia seguinte para ser curada de sua febre (4.38,39). O paralítico começa a caminhar imediatamente, carregando seu leito (5.17-26). A mão mirrada é restaurada de uma vez (6.6-11). O endemoninhado, selvagem um momento antes, de uma vez fica completamente são (8.26-39). O mesmo vale para a mulher que tocou a roupa de Jesus (8.43-48). Até mesmo a filha falecida de Jairo é restaurada à vida num instante, a tal ponto que se levanta e lhe dão de comer (8.40-42,49-56).[9]

O testemunho (5.14)

A cura operada por Jesus foi plenamente eficaz, mas o homem curado precisava ir ao sacerdote, a autoridade sanitária, que dava o diagnóstico da doença e também autorizava o indivíduo curado a retornar ao convívio social. A obra de Jesus em nós não é apenas uma experiência subjetiva; pode ser verificada e atestada objetivamente.

O homem curado devia, também, oferecer o sacrifício determinado por Moisés, para servir de testemunho ao povo. Esse homem não precisaria mais esgueirar-se nas sombras, com medo de ser apedrejado. Jesus o devolveu não apenas à sanidade física, mas também ao convívio de sua família, de sua sinagoga e da sociedade.

O impacto (5.15)

O homem curado não apenas foi ao sacerdote, mas também proclamou a todos sobre esse grande prodígio, inobstante ter sido advertido por

---

[9]HENDRIKSEN, William. *Lucas*. Vol. 1, p. 392.

Jesus a não contar nada a ninguém (Mc 1.44,45). O resultado foi que a fama de Jesus se tornou ainda mais notória. Como consequência, grandes multidões fluíam aos borbotões para O ouvirem e serem curadas de suas enfermidades. É curioso que Jesus tenha ordenado ao homem calar-se e ele proclamou, enquanto Jesus nos manda falar e nós calamos nossa voz.

O **retiro** (5.16)

Diante da grande mobilização das multidões para receberem cura das mãos de Jesus, Ele deixou os lugares públicos e retirou-Se para lugares solitários, a fim de orar. Jesus dava mais importância à oração do que ao sucesso no ministério. Preferia a intimidade com o Pai aos holofotes da fama. Tinha mais deleite na presença do Pai do que no frenesi das multidões. Fritz Rienecker soa o alarme quando escreve: "Tornamo-nos escravos do trabalho e, por consequência, escravos deste mundo quando não oramos, quando não temos horas de solidão com Deus, quando não levamos uma vida de oração como Jesus. Unicamente na oração nós nos destacamos acima deste mundo, elevando-nos acima de nosso miserável eu, unicamente na oração temos Deus".[10]

---

[10] RIENECKER, Fritz. *Evangelho de Lucas*, p. 138.

13

Um poderoso
milagre de Jesus

Lucas 5.17-26

A CURA DO PARALÍTICO FOI REGISTRADA PELOS TRÊS EVANGELHOS SINÓTICOS. Jesus já havia operado o milagre da pesca maravilhosa (5.1-11) e purificado um homem coberto de lepra (5.12-16). Agora, Jesus levanta um paralítico (5.17-26). Tanto a lepra como a paralisia são um retrato horrendo do que representa o pecado. A lepra cauteriza, deforma e contamina; a paralisia aprisiona e imobiliza. Assim é o pecado. Warren Wiersbe diz que, se a lepra ilustra a corrupção e a contaminação do pecado, a paralisia é um retrato da estagnação produzida pelo pecado.[1]

Agora, Jesus está dentro de uma casa, na cidade de Cafarnaum (Mc 2.1), rodeado por uma multidão, que avidamente escuta seus ensinos, e cercado por uma plêiade de autoridades religiosas, que fiscalizam seus passos e medem suas palavras. É nesse contexto que uns homens trazem a Jesus um paralítico para ser curado. Lucas diz que o poder do Senhor estava com Jesus para curar (5.17). A fé desses homens é honrada, os críticos são confrontados, e o paralítico é perdoado e curado.

William Hendriksen, analisando o texto em tela, diz que vemos aqui cinco realidades: 1) prepara-se uma batalha (5.17); 2) lança-se um

---
[1] WIERSBE, Warren W. *Comentário bíblico expositivo*. Vol. 5, p. 241.

desafio (5.18-20); 3) faz-se um ataque (5.21); 4) ganha-se uma vitória (5.22-25); 5) celebra-se o triunfo (5.26).²

Na análise do texto, destacamos alguns pontos.

Os que levam as pessoas a Jesus (5.18-20)

A fama de Jesus já percorria toda a Galileia. As multidões afluíam sedentas para ouvir Sua voz e ver Seus prodígios. Assim alguns homens levaram um paralítico até Jesus. Eles sabiam que, se aquele paralítico fosse deixado aos pés de Jesus, seria curado. Então, envidaram todos os esforços para isso. Eles tiveram visão, perseverança, criatividade e fé. Aquele homem não poderia ir a Jesus a não ser que alguém o levasse. Era impotente e ainda estava desanimado.

Hoje também precisamos levar as pessoas a Jesus. Elas não irão por si mesmas. Elas estão presas aos seus pecados, acomodadas em sua letargia.

Os que impedem as pessoas de irem a Jesus (5.17,19,21-24)

Há aqui dois grupos que se interpõem no caminho daqueles que são levados a Jesus.

Em primeiro lugar, *a multidão* (5.19). A multidão fez um cordão de isolamento na porta da casa onde Jesus estava e não arredou o pé. Mesmo sabendo da urgência do paralítico, a multidão não se comoveu. Não abriu portas; fechou-as. Não facilitou o acesso; dificultou-o. Não ajudou os homens a introduzirem o paralítico à presença de Jesus, mas lhe barrou o acesso.

Em segundo lugar, *os críticos de plantão* (5.17,21-24). Fariseus e mestres da lei brotaram de todas as aldeias da Galileia, da Judeia e de Jerusalém. Esta é a primeira vez que os fariseus aparecem no registro de Lucas e daqui para frente eles farão uma implacável oposição a Jesus. Estavam assentados ouvindo Jesus, e não para aprender com Ele, mas para censurá-lo. Vieram não com a mente aberta e com o coração

---

²HENDRIKSEN, William. *Lucas*. Vol. 1, p. 396-404.

sedento, mas com o intuito de assacar contra Jesus a pesada acusação de blasfêmia. Alguns aspectos merecem destaque nesse episódio.

Uma teologia deficiente (5.21,22). Eles estavam certos em afirmar que só Deus perdoa pecados, mas estavam errados em não reconhecer Jesus como Deus. A cegueira deles impediu-os de ver Deus na face de Cristo. Em vez de se renderem aos pés do Filho de Deus e nEle se deleitarem, preferiam atacá-Lo e acusá-Lo de blasfêmia. Lawrence Richards, citando Cunningham Geikie, assim descreve a reação dos escribas e fariseus:

> Os escribas e fariseus ficaram grandemente alvoroçados; cochichos, ameaçadores meneios de cabeça, olhares tenebrosos, e piedosos gestos de alarme mostravam que todos estavam sentindo-se incomodados, pois, ao declarar o paralítico perdoado, Jesus estava intrometendo-Se nas prerrogativas exclusivas de Deus. Aquele que blasfemasse deveria ser condenado à morte por apedrejamento, seu corpo pendurado em uma árvore e depois queimado de forma vergonhosa. "Quem pode perdoar pecados senão um só, ou seja, Deus?"[3]

Uma lógica irresistível (4.23,24). Havia entre os rabinos uma crença de que um homem só poderia ser curado depois de ser perdoado, pois eles pensavam que toda doença fosse devida ao pecado (Jo 9.2). Primeiro vem o perdão, depois a cura. O perdão é subjetivo, mas a cura é objetiva. O perdão só é visto por Deus, mas é impossível que a cura não seja vista pelos homens. Jesus então curou o paralítico como demonstração de Seu poder para perdoar, e assim, Seus críticos foram apanhados pelas cordas de sua própria crença. Rienecker assim explica essa situação: "A opinião judaica a respeito do pecado e do sofrimento é esta: onde há sofrimento, o pecado é premissa, e onde ainda persiste o sofrimento, o perdão ainda não chegou plenamente".[4] Se Jesus curou o homem da paralisia, logo, o homem está perdoado e, se ele está perdoado, então Jesus acabou de exercer uma obra que é prerrogativa exclusiva de Deus. Logo, Ele é Deus!

---

[3]RICHARDS, Lawrence O. *Comentário histórico-cultural do Novo Testamento*, p. 150.
[4]RIENECKER, Fritz. *Evangelho de Lucas*, p. 141.

Aqueles que vão a Jesus (5.18-20)

O homem paralítico foi alvo do amor de seus amigos e da graça de Jesus. Os amigos o levaram e o deixaram aos pés de Jesus, e Jesus o perdoou e o curou. O que os homens podem fazer é levar as pessoas e deixá-las aos pés de Jesus. O que Jesus faz – e só Ele pode fazer – é perdoar seus pecados e curá-las. Esse homem estava desanimado e com as emoções amassadas. Jesus o chama de filho e ordena que ele tenha bom ânimo (Mt 9.2).

O milagre na vida daqueles que vão a Jesus (5.24-26)

O milagre operado por Jesus foi público, notório, irrefutável. O homem foi perdoado e curado. O homem atrofiado levantou, andou e voltou para sua casa. Teve cura física. Teve cura emocional. Teve cura espiritual. Teve restauração familiar. Teve testemunho retumbante. Leon Morris diz que o leito carregara o homem; agora, o homem é quem estava carregando o leito.[5]

---

[5]MORRIS, Leon L. *Lucas: introdução e comentário*, p. 113.

14

A **mensagem** libertadora do evangelho

Lucas 5.27–6.1-5

A RELIGIÃO JUDAICA ESTAVA FERMENTADA PELO LEGALISMO. Os líderes colocavam fardos pesados sobre os ombros do povo. Nesse cenário cinzento, Jesus chega com a mensagem libertadora do evangelho. Destacamos aqui cinco pontos importantes.

O evangelho abre as portas da graça para os **rejeitados** (5.27-30)

Jesus chamou Levi, um publicano, para segui-Lo. Este trabalhava na coletoria, arrecadando impostos, cobrando direitos de pedágio e alfândega das mercadorias transportadas pelos viajantes. Neste momento, a Palestina era um país sob a soberania dos romanos.

Os cobradores de impostos estavam a serviço do governo romano, por isso eram vistos pelos judeus como traidores.[1] Sua profissão era odiada pelos judeus, pois os publicanos, além de serem colaboracionistas de Roma, ainda cobravam mais do que o estipulado. Eles ganharam a fama de traidores e inimigos do povo, pois, além de estarem a serviço de Roma, também extorquiam o povo para se enriquecerem.

---

[1] BARCLAY, William. *Lucas*, p. 66.

O Talmude considerava os publicanos salteadores.[2] Pelos critérios da religião judaica, Levi jamais seria chamado para ser um discípulo. Jesus, porém, não apenas o chama, mas também faz dele um apóstolo, dando-lhe o nome de Mateus (Mt 9.9). Este foi o homem que escreveu o evangelho endereçado aos judeus.

O chamado de Levi nos enseja três lições.

Em primeiro lugar, *Jesus chama soberanamente* (5.27). Jesus não dá a Levi nem ao povo explicação alguma. Apenas chama. Sua escolha é soberana, e seu chamado é irresistível (Rm 8.30).

Em segundo lugar, *Jesus chama eficazmente* (5.28). Levi não resiste nem adia a sua decisão. Diante do chamado soberano, ele atende com obediência imediata. Levi deixou tudo para trás: seu trabalho, seu lucro, suas vantagens imediatas. Abraçou um novo projeto de vida, para seguir um novo caminho, tendo um novo Senhor.

Em terceiro lugar, *Jesus chama graciosamente* (5.29-32). Aqueles que são chamados pelo evangelho devem chamar outros para a salvação. Foi o que Levi fez! Ele deu um banquete para convidar seus amigos para a festa da salvação. Nessa festa, havia numerosos publicanos e outros que estavam com eles à mesa.

Aqui dois pontos merecem destaque.

O evangelho é para ser compartilhado, e não retido (5.29). Levi não reteve a bênção do evangelho para si. Ele repartiu a mensagem com seus pares, coletores de impostos, dando-lhes a oportunidade de estarem com Jesus. Fica claro que Levi achava uma alegria emocionante deixar as riquezas por Cristo.[3] John Charles Ryle tem razão ao dizer: "O homem convertido não desejará ir para o céu sozinho".[4]

O evangelho é resistido por aqueles que deveriam proclamá-lo (5.30). Os fariseus e escribas estão murmurando em vez de estarem cooperando com o esforço de Levi. A religião deles era a religião do *apartheid*. Só eles se consideravam dignos do amor de Deus. Quanto aos demais, julgavam malditos (Jo 7.49). Concordo com Warren Wiersbe

---

[2]Morris, Leon L. *Lucas: introdução e comentário*, p. 113.
[3]Morris, Leon L. *Lucas: introdução e comentário*, p. 114.
[4]Ryle, John Charles. *Meditações no Evangelho de Lucas*, p. 77.

quando ele escreve: "Os escribas e fariseus não hesitavam em diagnosticar as necessidades dos outros, mas não eram capazes de enxergar suas próprias necessidades".[5]

O evangelho abre as portas da graça para os que se consideram **pecadores** (5.31,32)

O evangelho não tem boas-novas para aqueles que, altivos e soberbos, se consideram sãos e justos aos olhos de Deus. Quem não se vê como pecador jamais sente necessidade do Salvador. Quem não se considera doente jamais busca o socorro do médico. Só aqueles que reconhecem seu estado de carência e miséria podem ser salvos. Quem proclama suas próprias virtudes e confia em seus próprios méritos fecha com as próprias mãos a porta da graça. Leon Morris está certo ao dizer que "o arrependimento não é fácil para os respeitáveis e os justos aos seus próprios olhos".[6]

O evangelho abre as portas da graça para uma **vida de jubilosa celebração** (5.33-35)

A religião judaica havia transformado a vida num fardo pesado e os ritos sagrados em instrumentos de tristeza e opressão. A palavra aramaica para "jejuar" tem o sentido de "estar de luto".[7] Quando jejuavam, os judeus ficavam tristes e tinham a intenção de conseguir algo de Deus: *Por que jejuamos nós, e tu não atentas para isso?* (Is 58.3).

O texto em tela mostra o perigo de a religião se transformar num fardo pesado em vez de ser um instrumento libertador. O jejum é um exercício espiritual legítimo. Deve ser praticado por todos os seguidores daquele que jejuou quarenta dias antes de iniciar seu ministério público. Porém, o jejum dos escribas e fariseus era um ritual para a sua própria exibição, e não uma expressão do sentimento do coração.

---

[5]WIERSBE, Warren W. *Comentário bíblico expositivo*. Vol. 5, p. 242.
[6]MORRIS, Leon L. *Lucas: introdução e comentário*, p. 114.
[7]RIENECKER, Fritz. *Evangelho de Lucas*, p. 144.

A vida cristã é como uma festa de efusiva alegria (5.34). Portanto, a nova ordem trazida por Jesus deixa para trás o legalismo fariseu e inaugura um novo tempo de liberdade e vida plena. A vida que Jesus oferece traz alegria para o triste, cura para o enfermo, libertação para o endemoniado, purificação para o leproso, pão para o faminto e salvação para o perdido. Ao usar essa linguagem, diz Warren Wiersbe, Jesus está dizendo a seus críticos: "Eu vim para fazer da vida uma festa de casamento, e não um funeral".[8]

O evangelho abre as portas da graça para uma **vida radicalmente nova** (5.36-39)

Depois de usar a figura do doente e do médico, Jesus emprega outras duas figuras: a do remendo novo em tecido velho e a do vinho novo em odres velhos. Que lições o texto ensina?

Em primeiro lugar, *a vida cristã não é um remendo ou uma reforma do que está velho, mas algo totalmente novo* (5.36). Um remendo novo num tecido velho deixa uma fissura ainda maior. O cristianismo não é uma reforma do judaísmo nem um remendo das práticas judaicas. A vida cristã não é um verniz, uma caiação de uma estrutura rota, mas algo radicalmente novo. O vestido velho era o velho sistema do legalismo farisaico. A salvação pela graça corresponde a vestes alvas, a justiça de Cristo imputada a nós. Estou de pleno acordo com o que diz Morris: "Jesus não está simplesmente remendando o judaísmo. Está ensinando alguma coisa radicalmente nova".[9]

Em segundo lugar, *a vida cristã não pode ser acondicionada numa estrutura velha e arcaica* (5.37-39). Na Palestina, o vinho era guardado em odres de couro. Quando esses odres eram novos, possuíam certa elasticidade, mas à medida que iam envelhecendo ficavam endurecidos e perdiam a elasticidade. O vinho novo ainda está em processo de fermentação. Isso significa que os gases liberados aumentam a pressão. Se o couro for novo, cederá à pressão, mas, se for velho e sem

---

[8] WIERSBE, Warren W. *Comentário bíblico expositivo*. Vol. 5, p. 243.
[9] MORRIS, Leon L. *Lucas: Introdução e comentário*, p. 115.

elasticidade, é possível que se rompa e se perca tanto o vinho como o odre. Anthony Ash esclarece esse fato ao dizer que os odres de vinho eram feitos de uma única pele de cabra, da qual se tiravam a carne e o osso sem rasgar a pele. O pescoço da cabra se tornava o pescoço da "garrafa". A pele era macia e flexível e podia expandir-se com a fermentação do vinho novo. Mas uma pele velha se tornava seca e não expandia. Arrebentaria se fosse submetida à pressão do processo de fermentação.[10] O vinho novo do cristianismo não pode ser acondicionado nos odres velhos do judaísmo. O cristianismo requer novos métodos e nova estrutura.

Rienecker está certo ao dizer que as parábolas da *veste* e do *vinho* se completam e contêm dois aspectos: 1) o novo não deve ser misturado ao velho com o fim de melhorar o velho; 2) a libertação e a novidade total somente valem para pessoas novas, verdadeiramente convertidas. Aquelas que estão enleadas e esclerosadas pelo velho e não o soltam não conseguem, assim como os odres velhos, conter nem segurar o novo vinho ou o novo Espírito.[11]

O evangelho abre as portas da **liberdade** para os prisioneiros do **legalismo** (6.1-5)

Deus deu a lei do sábado a Israel no Sinai (Ne 9.13,14) e fez desse dia um sinal entre Ele e a nação (Êx 20.8-11; 31.12-17). O sábado é uma lembrança da conclusão da "antiga criação", enquanto o Dia do Senhor lembra a obra consumada do Senhor em sua "nova criação". O sábado refere-se ao descanso depois do trabalho e é relacionado à lei, enquanto o Dia do Senhor se refere ao descanso antes do trabalho e é relacionado à Graça.[12] O sábado era sombra (Os 2.11), e a realidade é Cristo (Cl 2.16,17).

O sábado foi criado para o homem, e não o homem para o sábado. O sábado, que deveria ser deleitoso para o homem, transformou-se

---

[10] ASH, Anthony Lee. *O Evangelho segundo Lucas*, p. 113.
[11] RIENECKER, Fritz. *Evangelho de Lucas*, p. 146.
[12] WIERSBE, Warren W. *Comentário bíblico expositivo*. Vol. 5, p. 245.

num carrasco do homem. Tornou-se um fardo insuportável, em vez de ser um elemento terapêutico. Fizeram do sábado um fim em si mesmo, e não um instrumento de bênção para o homem.

Nessa mesma linha de pensamento, Rienecker escreve:

> No propósito de Deus, o sábado é uma instituição da misericórdia, que deve servir ao ser humano para o bem, para repouso e restauração (Dt 5.14; Êx 23.12), para bênção e santificação [...]. Deus deseja abençoar, presentear e alegrar por intermédio do sábado. O sábado deve servir para o ser humano como repouso e equilíbrio da alma. Os fariseus, porém, distorciam o benefício de Deus, transformando-o em flagelo.[13]

O sábado deixou de ser um deleite para ser um fardo pesado e uma carga insuportável. Os escribas criaram regras e mais regras, preceitos e mais preceitos, para oprimir o povo em nome de Deus. Quebrar esses preceitos, que eles mesmos criaram, era para eles um pecado mortal. Por isso, os fariseus censuravam Jesus e Seus discípulos.

Esse incidente oportunizou Jesus ensinar quatro lições.

Em primeiro lugar, *os discípulos não estavam fazendo algo ilícito* (6.1,2). A prática de colher espigas nas searas para comer estava rigorosamente em conformidade com a lei de Moisés (Dt 23.24,25). Mas os escribas e fariseus estavam escondendo a verdadeira lei de Deus debaixo da montanha de tradições tolas que eles mesmos tinham fabricado. Os fariseus e escribas haviam acrescentado à lei 39 regras sobre a maneira de guardar o sábado, tornando essa observância um fardo. Warren Wiersbe diz que a observância servil a regras religiosas impedia que os escribas e fariseus percebessem o verdadeiro ministério da lei bem como a presença do próprio Senhor que lhes dera a lei.[14]

Em segundo lugar, *o conhecimento da Palavra de Deus nos livra do legalismo* (6.3,4). Jesus combate o legalismo com as Escrituras. Cita para os fariseus a experiência de Davi, que comeu com seus homens os pães da proposição, só permitido aos sacerdotes (1Sm 21.1-6). Só

---

[13]RIENECKER, Fritz. *Evangelho de Lucas*, p. 148.
[14]WIERSBE, Warren W. *Comentário bíblico expositivo*. Vol. 5, p. 246.

os sacerdotes podiam comer esse pão da proposição (Lv 24.9), mas a necessidade humana prevaleceu sobre a lei cerimonial. A necessidade humana é mais importante do que os regulamentos cerimoniais. Warren Wiersbe diz que Deus se preocupa mais em suprir as necessidades humanas do que em resguardar regulamentos religiosos.[15]

Em terceiro lugar, *o homem vale mais do que ritos sagrados* (6.3,4). O sábado foi feito para o bem físico, emocional, mental e espiritual do homem. Foi dado como uma bênção, e não como um peso. Deus não criou o homem por causa do sábado, mas o sábado por causa do homem. Para Jesus, pessoas são mais importantes do que o sistema. A melhor maneira de adorar a Deus é ajudando as pessoas. A melhor maneira de fazer uso das coisas sagradas é colocando-as a serviço dos que padecem necessidade.

Em quarto lugar, *o senhorio de Cristo traz liberdade e não escravidão* (6.5). Jesus é o Senhor do sábado. O legalismo é um caldo mortífero que envenena, asfixia e mata as pessoas, mas o governo de Cristo traz liberdade e alegria.

---

[15]WIERSBE, Warren W. *Comentário bíblico expositivo*. Vol. 5, p. 246.

15

Um grande milagre diante de uma grande oposição

Lucas 6.6-11

A POLÊMICA ACERCA DO SÁBADO ESTAVA POSTA. Jesus não se submetia à tradição criada pelos homens para desfigurar o sábado e torná-lo uma ferramenta de opressão. O texto em tela apresenta mais uma cena de cura no sábado. A oposição, que era velada e indireta, agora ganha contornos de uma conspiração para matar Jesus (Mc 3.6).

À medida que Lucas relata a história, o conflito entre Jesus e Seus adversários começa a intensificar-se. Nos versículos 1-5, os fariseus lançaram seu ataque contra os discípulos, mas, nos versículos 6-11, a oposição deles é endereçada diretamente a Jesus. A essa altura, esses inimigos de plantão já viam Jesus como inimigo. Ele havia arrogado para Si o poder de perdoar pecados (5.20,21), comia com publicanos e pecadores (5.30-32) e transgredia as regras sabáticas (6.1-5). Agora, Jesus cura o homem que não estava correndo perigo.[1] Hendriksen vê no texto uma situação tensa (6.6-8), um milagre espantoso (6.9,10) e uma reação furiosa (6.11).[2]

Destacamos três pontos nesse sentido.

---
[1] HENDRIKSEN, William. *Lucas*. Vol. 1, p. 434.
[2] HENDRIKSEN, William. *Lucas*. Vol. 1, p. 433-437.

Jesus na sinagoga

Jesus não veio quebrar a lei, mas a cumprir (Mt 5.17). Por isso, frequentava as sinagogas aos sábados. Ali as pessoas se reuniam para orar e estudar a lei. Quatro fatos merecem destaque acerca da presença de Jesus nessa sinagoga.

Em primeiro lugar, *Jesus vai à sinagoga para ensinar* (6.6). Jesus é o Mestre dos mestres. Não é um alfaiate do efêmero, mas o escultor do eterno. Ele ensina a Palavra de Deus, e não a tradição dos homens. Ele ensina a verdade, e não arranjos jeitosamente preparados para manter as pessoas numa prisão legalista.

Em segundo lugar, *Jesus vai à sinagoga para sondar os pensamentos* (6.8). Os escribas e fariseus, como fiscais da vida alheia, foram à sinagoga não para orar a Deus e nem mesmo para ouvir a Palavra de Deus. Foram para observar se Jesus faria uma cura no sábado. Esses espiões da fé só conseguem olhar para os outros, e não para si mesmos. Transformam a verdade em mentira e atacam aqueles que não se enquadram dentro de sua míope cosmovisão. Seus pensamentos foram devassados por Jesus. Aquele que tudo vê, tudo conhece e a todos sonda tirou-lhes a máscara e expôs sua intenção maligna.

Rienecker diz que o Senhor não teme a luta contra Seus adversários. Pelo contrário, antecipa-se às acusações deles. O necessitado de cura é convidado a levantar-se e ir para o centro da sala. Aos inimigos na espreita, Jesus propõe uma pergunta: "É lícito, no sábado, fazer o bem ou o mal? Salvar a vida ou deixá-la perecer?" Deixar de fazer o bem sempre é praticar o mal.[3]

Em terceiro lugar, *Jesus vai à sinagoga para confrontar os críticos* (6.9). Os escribas e fariseus haviam, com seu legalismo, transformado o sábado num fardo, e não num deleite. Jesus, então, confronta-os, perguntando-lhes se era lícito no sábado fazer o bem ou o mal, salvar a vida ou deixá-la perecer. Jesus estava na sinagoga no sábado para fazer o bem e salvar a vida, mas os escribas e fariseus estavam na sinagoga no sábado para fazer o mal e fazer perecer a vida.

---

[3] RIENECKER, Fritz. *Evangelho de Lucas*, p. 150.

Em quarto lugar, *Jesus vai à sinagoga para curar o enfermo* (6.8,10). Os escribas e fariseus estavam preocupados com rituais; Jesus, com a vida de um homem. Eles se importavam com o dia. Jesus, com a prática do bem nesse dia. Na sinagoga havia um homem cuja mão direita estava ressequida, rendido ao complexo de inferioridade e incapacitado de trabalhar. Jesus alivia seu sofrimento, restaura sua autoestima e devolve sua saúde. Warren Wiersbe diz que, no campo, Jesus baseou sua defesa nas Escrituras do Antigo Testamento, mas, na sinagoga, tomou como base a natureza da lei divina do sábado. Deus deu a lei para ajudar as pessoas, não para prejudicá-las. *O sábado foi estabelecido por causa do homem e não o homem por causa do sábado* (Mc 2.27). Qualquer homem ali presente salvaria uma ovelha no sábado, então por que não salvar um homem criado à imagem de Deus? (Mt 12.11,12).[4]

Os **escribas** e **fariseus** na sinagoga

Três fatos podem ser destacados sobre os escribas e os fariseus neste texto.

Em primeiro lugar, *eles fiscalizam Jesus* (6.7). Os escribas e fariseus não são adoradores, mas detetives. Não querem ouvir a Palavra de Deus, mas impor suas ideias aos outros. Não ouvem os ensinos de Jesus, mas o censuram. Não entram na sinagoga para socorrer os aflitos, mas olham para eles apenas como objetos descartáveis. Os escribas e fariseus estavam na sinagoga para observar Jesus e ajuntar mais provas contra Ele.[5] Leon Morris diz que "eles estavam interessados na acusação, e não na cura".[6]

Em segundo lugar, *eles são confrontados por Jesus* (6.9). Jesus desmascara a falsa teologia dos escribas e fariseus. Mostra-lhes que o sábado não foi dado por Deus para encolher a mão de fazer o bem. O sábado é tempo oportuno para a prática do bem e a defesa da vida. Os escribas e fariseus estavam preocupados com o dia; Jesus estava interessado em salvar vidas nesse dia.

---

[4]WIERSBE, Warren W. *Comentário bíblico expositivo*. Vol. 5, p. 246.
[5]WIERSBE, Warren W. *Comentário bíblico expositivo*. Vol. 5, p. 246.
[6]MORRIS, Leon L. *Lucas: introdução e comentário*, p. 117.

Em terceiro lugar, *eles se endurecem contra Jesus* (6.11). O mesmo sol que amolece a cera endurece o barro. Ao serem confrontados por Jesus, em vez de se arrependerem, os escribas e fariseus se encheram de furor. A partir desse milagre, já entraram em contato com os herodianos para tramarem a morte de Jesus (Mc 3.6).

O **homem da mão ressequida** na sinagoga

A cura desse homem está registrada em Mateus e Marcos, mas somente Lucas, que era médico, informa que a mão ressequida era a direita. Esse homem não podia trabalhar. Destacamos aqui dois fatos.

Em primeiro lugar, *uma deficiência severa* (6.6). Esse homem tinha um defeito físico notório. Sua mão destra estava não apenas inativa, mas também ressequida. Esse homem sofria não apenas fisicamente, mas, também, emocionalmente. Seu problema era uma causa perdida para a medicina, um problema insolúvel para os homens.

Em segundo lugar, *uma cura extraordinária* (6.8,10). Jesus dá a esse homem três ordens para sarar seus traumas emocionais e curar sua enfermidade.

Levanta-te (6.8). Antes de ser curado, o homem precisava admitir publicamente sua deficiência. Talvez ele vivesse se escondendo, cheio de complexos. Mas Jesus quer que ele assuma quem é para depois receber a cura.

Vem para o meio (6.8). Mais um passo deve ser dado em direção à cura. O homem deve mostrar a todos a sua real situação antes de ser curado por Jesus.

Estende a mão (6.10). Agora a fé precisa ser exercida. Aquilo que ele nunca conseguiu fazer, agora fará em obediência à ordem expressa de Jesus. A fé crê no impossível, toca o intangível e toma posse do impossível! O resultado? ... *e a mão lhe foi restaurada* (6.10). Quando se obedece à ordem de Jesus, a fé toma posse do milagre, pois aquele que ordena é o mesmo que dá poder para que a ordem se cumpra. Warren Wiersbe diz corretamente que, quando Deus ordena, Ele também capacita.[7]

---

[7] WIERSBE, Warren W. *Comentário bíblico expositivo*. Vol. 5, p. 246.

16

A escolha dos apóstolos

Lucas 6.12-16

A ESCOLHA DOS APÓSTOLOS está registrada nos três evangelhos sinóticos. Mateus destaca a autoridade que Jesus conferiu a eles para expelir os espíritos imundos e curar toda sorte de doenças e enfermidades (Mt 10.1). Marcos, por sua vez, enfatiza a soberania (Mc 3.13) e o propósito de Jesus na escolha: *Designou doze para estarem com Ele e para os enviar a pregar e a exercer a autoridade de expelir demônios* (Mc 3.14). A ênfase de Lucas está no fato de Jesus ter se retirado para o monte e ter passado uma noite inteira orando antes de tomar a decisão de escolher os doze apóstolos (6.12).

Jesus tinha muitos discípulos, mas separou doze para serem apóstolos. Discípulo é um aprendiz; apóstolo é um enviado com uma comissão, um embaixador em nome do Rei.[1] Os apóstolos foram chamados entre os discípulos, porque a conversão precede ao ministério. A ordem é: primeiro convertido, depois ordenado.

Jesus só teve doze apóstolos. Os apóstolos foram os instrumentos para receberem a revelação de Deus, inspirados por Deus para o registro das Escrituras. Não há sucessão apostólica. Os apóstolos não tiveram

---
[1] WIERSBE, Warren W. *Be Diligent*, 1987, p. 34.

sucessores quando morreram. Um apóstolo precisava ter visto a Cristo ressurreto (1Co 9.1), ter tido comunhão com Cristo (At 1.21-22) e ter sido chamado pelo próprio Cristo (Ef 4.11). Os apóstolos receberam poder especial para realizar milagres como prova de sua credencial (At 2.43; 5.12; 2Co 12.12; Hb 2.1-4).

O apostolado foi restrito aos doze e depois a Paulo, e não foi estendido a mais ninguém. Não há mais apóstolos hoje. A nomeação indiscriminada de apóstolos na igreja contemporânea está em desacordo com o ensino das Escrituras, pois nenhum deles possui as credenciais exigidas para o apostolado.

A decisão de Jesus de escolher os doze apóstolos é uma das decisões mais cruciais da história. Ele não escreveu livros, não ergueu monumentos nem fundou instituições. Ele discipulou pessoas do modo mais eficaz para perpetuar Seu ministério. A existência da igreja prova a correção de Sua decisão.

Destacamos, aqui, alguns pontos importantes.

A importância da **oração na escolha** da liderança da igreja (6.12)

Os doze apóstolos ocupam uma posição de suprema importância na história da redenção e na vida da igreja cristã. A igreja seria edificada sobre o fundamento dos apóstolos (Ef 2.20). Eles seriam os responsáveis imediatos pela expansão do evangelho no mundo inteiro, dando ao mesmo tempo os fundamentos doutrinários da igreja.

Jesus não prescindiu da oração antes de tomar essa magna decisão. Passou uma noite inteira orando, submetendo-Se à vontade do Pai, antes de escolher aqueles que deveriam ocupar a posição de liderança da igreja. A atitude de Jesus deve constituir-se em exemplo e inspiração para a igreja na escolha de seus líderes.

A importância da **comunhão com Jesus** para o desempenho da liderança (6.13)

Lucas diz que, depois de orar, Jesus chamou a Si os discípulos e escolheu entre eles doze, aos quais deu o nome de apóstolos. Marcos vai além e diz que Jesus os designou para estarem com Ele (Mc 3.14). A principal função da liderança da igreja não é fazer a obra de Deus, mas estar com o Deus da obra. O Senhor da obra é mais importante do que a obra do Senhor. A comunhão com Jesus é mais importante do que fazer a obra de Jesus. A comunhão é a base da missão.

Vida com Deus precede trabalho para Deus. Primeiro temos comunhão com Cristo, depois fazemos a obra de Cristo. Ter comunhão com Jesus é mais importante do que ativismo religioso. Como João, precisamos dizer: *Nós proclamamos o que temos visto e ouvido* (1Jo 1.3). Jesus chama os apóstolos não para ocuparem um cargo ou tomarem parte em uma instituição; Ele os chama para Si mesmo. A vida precede o ministério. A vida é o próprio ministério. A vida do líder é a vida da sua liderança, enquanto os pecados do líder são os mestres do pecado. A maior necessidade do líder cristão é ter intimidade com Jesus. Quem não anda na presença de Jesus não tem credencial para ser líder na igreja de Jesus.

A importância da **unidade na diversidade** na liderança da igreja (6.14-16)

Jesus não chamou a Si um grupo homogêneo, de pessoas iguais com características idênticas. Chamou, ao contrário, pessoas diferentes, de personalidades diferentes, com temperamentos e habilidades diferentes, para compor o colegiado apostólico.

Jesus escolheu pessoas heterogêneas. Os doze apóstolos são um espelho da nova família de Deus. Ela é composta por pessoas diferentes, de lugares diferentes, de profissões diferentes, de ideologias diferentes. São pessoas limitadas, complicadas e imperfeitas que frequentemente discordam sobre muitos assuntos. Havia no grupo de Jesus desde um empregado de Roma (Levi ou Mateus) até um nacionalista que defendia a guerrilha contra Roma (Simão, o zelote). Esse grupo tão heterogêneo aprendeu a viver sob o senhorio de Cristo e tornou-se uma bênção para o mundo.

Quanto mais estudamos a lista dos apóstolos, mais seguros ficamos de que a escolha foi soberana, baseada na graça e não nos méritos. Jesus não escolheu os doze por causa da sua fé, que geralmente falhou. Ele não os escolheu por causa da sua habilidade, pois eles eram muito limitados.

Por trás dos doze, estão os 120 de Atos 1.15, os 3 mil de Atos 2.41 e os 5 mil de Atos 4.4, a multidão para nós incontável de Apocalipse 7.4,9 e, por fim, os povos abençoados na nova terra de Apocalipse 21.3,26. Os doze, portanto, são o cerne de um Israel restaurado e de uma raça humana renovada.[2]

A história desses doze apóstolos apresenta muitas lições preciosas.

Olhemos para Pedro. Pedro, chamado Simão, era um pescador por profissão. Provinha de Betsaida (Jo 1.44), mas morava em Cafarnaum. Era um homem que falava sem pensar. Era inconstante, contraditório e temperamental. No início, não era um bom modelo de firmeza e equilíbrio. Ao contrário, mudava constantemente de um extremo para outro. Ele mudou da confiança para a dúvida (Mt 14.28,30); de uma profissão de fé clara em Jesus Cristo para a negação desse mesmo Cristo (Mt 16.16,22); de uma declaração veemente de lealdade para uma negação vexatória (Mt 26.33-35,69-75; Mc 14.29-31,66-72; Lc 22.33,54-62); de "nunca me lavarás os pés" para *não somente os pés, mas também as mãos e a cabeça* (Jo 13.8,9).[3] Vivia sempre nos limites extremos, ora fazendo grandes declarações: *Tu és o Cristo, o Filho do Deus vivo*; ora repreendendo a Cristo. Pedro fazia promessas ousadas sem poder cumpri-las: *Por ti darei minha vida* e logo depois negou a Cristo. Pedro, o homem que fala sem pensar, que repreende a Cristo, que dorme na batalha, que foge e segue a Cristo de longe, que nega a Cristo. Mas Jesus chama pessoas não por aquilo que elas são, mas por aquilo que elas virão a ser em suas mãos.

Olhemos para Tiago e João. Eles eram explosivos, temperamentais, filhos do trovão. Um dia, pediram para Jesus mandar fogo do céu sobre os samaritanos. Eram também gananciosos e amantes do poder. A mãe deles pediu a Jesus um lugar especial para eles no reino. Tiago foi o primeiro a receber a coroa do martírio (At 12.2). Foi o primeiro a chegar ao céu, enquanto seu irmão, João, foi o último a permanecer na terra.

---

[2] POHL, Adolf. *Evangelho de Marcos*, 1998, p. 134.
[3] HENDRIKSEN, William. *Marcos*, 2003, p. 165.

Tiago não escreveu nenhum livro da Bíblia; João escreveu cinco livros: o evangelho, três epístolas e o Apocalipse.

Olhemos para André. Era irmão de Pedro. Foi ele quem levou Pedro a Cristo. Foi ele quem falou para Natanael sobre Jesus. Foi ele quem levou o garoto com cinco pães e dois peixinhos a Jesus. Ele sempre trabalhou nos bastidores.

Olhemos para Filipe. Era um homem cético e racional. Quando Jesus perguntou: *Onde compraremos pães para lhes dar a comer?* (Jo 6.5). Ele respondeu: *Não lhes bastariam duzentos denários de pão, para receber cada um o seu pedaço* (Jo 6.7). Ele disse para Jesus: o problema não é ONDE, mas QUANTO. Quando Jesus estava ministrando a aula da saudade, no Cenáculo, no último dia, Filipe levanta a mão no fundo da classe e pergunta: *Senhor, mostra-nos o Pai, e isso nos basta* (Jo 14.8).

Olhemos para Bartolomeu. Era um homem preconceituoso. Foi ele quem perguntou: *De Nazaré pode sair alguma coisa boa?* (Jo 1.46).

Olhemos para Mateus. Era empregado do Império Romano, um coletor de impostos. Era publicano, uma classe repudiada pelos judeus. Tornou-se o escritor do evangelho mais conhecido no mundo.

Olhemos para Tomé. Era um homem de coração fechado para crer. Quando Jesus disse: *... e vós sabeis o caminho para onde eu vou* (Jo 14.4), Tomé respondeu: *Eu não sei para onde vais, como saber o caminho?* (Jo 14.5). Tomé não creu na ressurreição de Cristo e disse, *se eu não vir nas Suas mãos o sinal dos cravos, e ali não puser o meu dedo, e não puser minha mão no Seu lado, de modo algum acreditarei* (Jo 20.25). Contudo, quando o Senhor ressurreto apareceu para ele, prostrou-se-Lhe aos pés em profunda devoção e disse: *Senhor meu e Deus meu!* (Jo 20.28).

Olhemos para Tiago, filho de Alfeu, e Tadeu. Nada sabemos desses dois apóstolos. Eles faziam parte do grupo. Pregaram, expulsaram demônios, mas nada sabemos mais sobre eles. Permaneceram nas sombras do anonimato.

Olhemos para Simão, o zelote. Era membro de uma seita do judaísmo extremamente nacionalista.[4] Os zelotes eram aqueles que defendiam a luta armada contra Roma. Eram do partido de esquerda radical. Simão

---

[4] UNGER, Merrill F. *The new unger's Bible hand book*, 1984, p. 387.

estava no lado oposto de Mateus. Os zelotes opunham-se ao pagamento de tributos a Roma e promoviam rebeliões contra o governo romano.

Olhemos para Judas Iscariotes. Era natural da vila de Queriot, localizada no sul da Judeia. Judas Iscariotes era o único apóstolo não galileu. Ocupou um cargo de confiança dentro do grupo. Era o tesoureiro e o administrador dos recursos financeiros. Judas, porém, não era convertido. Era ladrão e roubava da bolsa (Jo 12.6). Vendeu Jesus por ganância. Depois de ter recebido as 30 moedas de prata como uma recompensa para entregar a Jesus (Mc 14.10,11), ainda teve chance de arrepender-se, pois Jesus disse aos apóstolos: *Um dentre vós me trairá* (Mt 26.21). Mas ele ainda teve a audácia de perguntar a Jesus: *Porventura, sou eu?* (Mc 14.19). Judas serviu de guia à soldadesca armada que prendeu Jesus no Getsêmani (Mc 14.43-45), traindo o Filho de Deus com um beijo. Judas traiu Jesus e não se arrependeu. Preferiu o suicídio ao arrependimento (Mt 27.3-5; At 1.18).

Todos nós temos limitações, mas Jesus pode transformar um Pedro medroso num ousado pregador, um João explosivo no discípulo do amor, um Tomé cético e incrédulo num homem crente. Ele pode usar gente como você e eu na sua obra.

17

Jesus prega aos ouvidos e aos olhos

Lucas 6.17-49

O TEXTO EM TELA MOSTRA O MINISTÉRIO DE CURA e ensino de Jesus, que prega aos ouvidos ao ensinar e prega aos olhos ao curar. Jesus fala e faz. Ele tem conhecimento e poder.

Jesus prega aos **olhos** (6.17-19)

Jesus desce do monte com os apóstolos recém-investidos e encontra numa planície muitos discípulos e grande multidão do povo, procedentes de toda a Judeia, Jerusalém e do litoral de Tiro e Sidom. Essas pessoas estavam ávidas para ouvir Jesus e necessitadas de serem curadas por Ele. Todos procuravam tocá-Lo, porque dEle saía poder. Jesus curou a todos, inclusive aos atormentados por espíritos imundos. Lucas faz uma importante conexão entre a oração e o poder para curar. Porque Jesus passou a noite toda orando, ao descer do monte, dEle saía poder.

Jesus prega aos **ouvidos** (6.20-49)

Enquanto Mateus, mais detalhadamente, fala sobre o *sermão do monte* (Mt 5-7), Lucas trata resumidamente do *sermão da planície* (6.20-49). Esses dois sermões estão estreitamente conectados. Nas palavras de

Rienecker, "os dois sermões são o mesmíssimo sermão".[1] Ambos começam com as bem-aventuranças. O mesmo Jesus que pregara aos olhos, curando os enfermos da grande multidão, agora, ensina a seus discípulos o estilo de vida dos súditos do reino. Notem que esse ensino, à semelhança do que registra Mateus (Mt 5.1,2), não é endereçado à grande multidão, mas aos discípulos (6.20). Seis verdades magnas são destacadas aqui.

As bem-aventuranças, a felicidade dos súditos do reino (6.20-23)

As bem-aventuranças revelam o vazio dos valores do mundo, pois exaltam aquilo que o mundo despreza e rejeitam aquilo que o mundo admira.[2] Jesus chama de felizes aqueles que o mundo considera desgraçados e de desgraçados aqueles que o mundo considera felizes. Falar assim é colocar um ponto final em todos os valores do mundo.[3] Robertson, ao comparar as bem-aventuranças relatadas por Lucas e Mateus, diz que é inútil especular por que Lucas fala apenas sobre quatro das oito bem-aventuranças de Mateus, ou por que Mateus não fala dos quatro *ais* de Lucas.[4]

Jesus trata no sermão sobre uma grande felicidade. A palavra grega *macários*, traduzida por "bem-aventurado", significa "feliz, muito feliz". Quem são essas pessoas felizes? Os pobres, os famintos, os que choram e os perseguidos. Esses possuirão o reino de Deus, serão fartos, haverão de rir e receberão grande galardão.

John Charles Ryle tem razão ao dizer que a pobreza aqui mencionada é aquela que vem acompanhada da graça divina. A fome é aquela que resulta de uma fiel aproximação ao Senhor Jesus. As aflições são por causa do evangelho. A perseguição surge por causa do nosso amor ao Filho de Deus. A pobreza, a fome, as aflições e as perseguições aqui

---

[1] RIENECKER, Fritz. *Evangelho de Lucas*, p. 156.
[2] MORRIS, Leon L. *Lucas: introdução e comentário*, p. 120.
[3] BARCLAY, William. *Lucas*, p. 77,78.
[4] ROBERTSON, A. T. *Comentário Lucas à luz do Novo Testamento Grego*, p. 126.

mencionadas são as consequências inevitáveis da fé em Cristo.[5] Vamos olhar com mais detalhe essas quatro bem-aventuranças.

Bem-aventurados os pobres (6.20). Estas bem-aventuranças estão em contraposição à justiça farisaica. Os pobres aqui são aqueles que nada apresentam perante Deus, que se consideram miseráveis e carentes de auxílio perante Deus, que não esperam outra ajuda senão unicamente a que vem de Deus. Tornar-se pobre significa experimentar o desmanche do eu orgulhoso e inflado, ser conduzido das alturas das mentiras de nossa própria condição de ricos, saciados e grandes, para baixo, para o vale de nossa verdadeira pobreza e indigência. E mais: significa desmontar todos os falsos fundamentos e escoras aos quais nos apegamos e por meio dos quais tentamos ser algo por nossa própria conta. E fazer até o ponto em que toda a nossa pobreza se torna explícita.[6]

Aqueles que buscam a riqueza e os prazeres do mundo terão nessas coisas toda a sua recompensa. Porém, aqueles que buscam as coisas lá do alto, mesmo privados das riquezas deste mundo, receberão uma recompensa eterna. Nas palavras de William Barclay, "o gozo do céu compensará amplamente as dificuldades da terra".[7] O apóstolo Paulo esclarece este ponto: *Porque a nossa leve e momentânea tribulação produz para nós eterno peso de glória, acima de toda comparação* (2Co 4.17).

Bem-aventurados os famintos (6.21). Esta bem-aventurança, igualmente, expressa o contraste entre os escribas e fariseus. Aqueles que se consideram justos não precisam ter fome de justiça. Assim, o fariseu da parábola se portou diante do publicano, exaltando suas próprias virtudes (18.9-14).

Bem-aventurados os que choram (6.21). Hendriksen diz que o choro a que se faz referência aqui tem como fonte a tragédia do pecado.[8] O evangelho de Lucas destaca com vívida eloquência exatamente aqueles que desconhecem a dor e as lágrimas do arrependimento (15.2,7). A fome e o choro do "agora" serão revertidos na bem-aventurança eterna.

---

[5] RYLE, John Charles. *Meditações no Evangelho de Lucas*, p. 90.
[6] RIENECKER, Fritz. *Evangelho de Lucas*, p. 156,157.
[7] BARCLAY, William. *Lucas*, p. 78,79.
[8] HENDRIKSEN, William. *Lucas*. Vol. 1, p. 460.

Bem-aventurados os perseguidos (6.22,23). Aqueles que são perseguidos e hostilizados por causa de Jesus receberão glorioso galardão no céu. Rienecker, citando Tertuliano, diz: "Não é o sofrimento, mas a causa do sofrimento, que faz o mártir".[9]

Os ais aos que ficarão fora do reino (6.24-26)

Os quatro *ais* proferidos por Jesus são endereçados aos ricos, aos fartos, aos que agora riem e aos que são louvados por todos. Os *ais* tratam do reverso das bem-aventuranças.

É claro que Jesus não está condenando aqui a riqueza e a fartura em si. A riqueza não é pecado nem a pobreza é virtude. Há ricos piedosos e pobres ímpios. Há ricos generosos e pobres avarentos. O que Jesus condena são os ricos que só têm dinheiro, que fazem dele o seu deus, a razão de sua segurança e de sua alegria e que não sentem necessidade de Deus.

Jesus não está condenando o contentamento, pois esta é uma virtude espiritual, mas está trazendo um *ai* sobre aqueles que estão cheios de justiça própria e não se sentem carentes da graça de Deus.

Jesus também não está condenando a santa alegria, pois esta é uma ordenança divina, mas sim aquela risada maldosa, que odeia a justiça e escarnece da virtude. Morris diz que há um tipo de risada que é a expressão da superficialidade, e é esta folia sem conteúdo que terá de ceder lugar à lamentação e ao choro.[10]

É óbvio que Jesus não está trazendo um *ai* sobre aqueles que têm um bom testemunho, mas, sim, àqueles que são enaltecidos pelos porta-vozes desta geração decaída.[11] Os falsos profetas recebiam aclamação de todos (Jr 5.31), mas um profeta verdadeiro é por demais incômodo para ser popular.

John Charles Ryle interpreta o texto corretamente quando diz que aqueles sobre os quais Jesus diz *ai de vós* são aqueles que se recusam a acumular tesouros nos céus, porque amam as coisas deste mundo e não

---

[9]RIENECKER, Fritz. *Evangelho de Lucas*, p. 159.
[10]MORRIS, Leon L. *Lucas: introdução e comentário*, p. 122.
[11]RIENECKER, Fritz. *Evangelho de Lucas*, p. 160.

desistirão de seus bens, se necessário for, por amor a Cristo. São pessoas que preferem as alegrias e a suposta felicidade deste mundo, em vez de escolherem a paz e a alegria resultantes do crer em Cristo, e não se arriscarão em perder aquelas para ganhar estas. São pessoas que amam o louvor que procede dos homens, mais do que o louvor proveniente de Deus, pessoas que desprezarão a Cristo, em vez de desprezar o mundo.[12]

Fica claro que os valores do reino de Deus estão em total oposição aos pensamentos do mundo. Pobreza, fome, tristeza e perseguição são coisas que os homens se esforçam para evitar. Riqueza, abundância, alegria, divertimento e popularidade são exatamente as coisas que os homens estão sempre lutando para conseguir. Logo, o tipo de vida que o Senhor abençoa é aquele que o mundo detesta. As pessoas sobre as quais nosso Senhor disse *Ai de vós*, são estas que o mundo admira, elogia e segue. Este é um fato terrível que deve nos levar a examinar nosso próprio coração.[13] Na mesma linha de pensamento, Richards escreve: "Se alguém desejar seguir Jesus, os valores da sociedade humana deverão ser rejeitados e substituídos por aqueles que são apropriados aos cidadãos do reino que é governado por Deus".[14]

Warren Wiersbe é oportuno quando diz que os quatro *ais* apresentam uma verdade em comum: quem tira o que deseja da vida paga por isso. Se deseja riqueza imediata, saciedade e popularidade, pode conseguir essas coisas, mas há um preço: isso é tudo o que você vai receber. Jesus não disse que essas coisas são erradas. Disse que encontrar nelas toda a satisfação já é seu próprio julgamento.[15]

O amor transcendental, o padrão exigido aos súditos do reino (6.27-36)

As beatitudes e os ais chegaram ao fim. Os ouvintes têm agora diante de si qual tipo de vida devem viver a fim de provar que levaram a sério

---

[12]RYLE, John Charles. *Meditações no Evangelho de Lucas*, p. 90,91.
[13]RYLE, John Charles. *Meditações no Evangelho de Lucas*, p. 91.
[14]RICHARDS, Lawrence O. *Comentário histórico-cultural do Novo Testamento*, p. 151.
[15]WIERSBE, Warren W. *Comentário bíblico expositivo*. Vol. 5, p. 249.

as advertências implícitas nos ais e que têm o direito, pela graça, de reivindicar para si as bênçãos.[16]

Jesus passa a falar sobre o amor incondicional e transcendental. O amor é a marca distintiva dos discípulos de Cristo (Jo 13.35). É o maior mandamento e o cumprimento da lei. O amor é o vínculo da perfeição, superior aos mais excelentes dons. O apóstolo Paulo deu essa mesma ênfase em suas epístolas (Rm 12.19-21; 1Ts 5.15; 1Co 6.7). O apóstolo Pedro de igual forma tratou do assunto (1Pe 3.9). O apóstolo João chegou a ser enfático na questão (1Jo 3.16).

O texto em tela não fala primariamente sobre ação, mas sobre reação. É amar o inimigo, fazer o bem a quem nos odeia, bendizer quem nos maldiz, orar por quem nos calunia, oferecer a outra face a quem já nos feriu o rosto, dar generosamente a quem nos pede e permitir pacificamente que se levem até os bens inalienáveis. Isso não é apenas reação, mas reação transcendental. Fritz Rienecker lança luz sobre a correta compreensão desse assunto quando diz que o mandamento de amar os inimigos não significa que devemos amar a maldade, ou a impiedade, ou o adultério, ou o roubo, mas sim amar, apesar de tudo, o ladrão, o ímpio e o adúltero em si, não porque são pecadores e denigrem o nome do ser humano por meio de suas atitudes, mas porque são seres humanos e criaturas de Deus.[17]

Jesus fecha a questão, trazendo à lume o que Jerônimo chamou de *breviário da justiça*[18], a regra de ouro: devemos fazer aos outros o que gostaríamos que eles fizessem a nós (6.31). Pagar o bem com o mal é crueldade; pagar o mal com o mal é vingança; pagar o mal com o bem é amor transcendental. Pagar o mal com o mal é o padrão de conduta dos incrédulos, mas pagar o mal com o bem é tornar-se semelhante ao nosso Senhor, que não revidou ultraje com ultraje; antes, intercedeu por Seus algozes.

Morris diz corretamente que o coração desse sermão é a necessidade do amor. Jesus aqui não está pedindo o amor *storge*, "afeição natural";

---

[16]HENDRIKSEN, William. *Lucas*. Vol. 1, p. 468.
[17]RIENECKER, Fritz. *Evangelho de Lucas*, p. 161.
[18]RIENECKER, Fritz. *Evangelho de Lucas*. 2011, p. 163.

nem o amor éros, "amor romântico"; nem o amor *philia*, "amor amizade"; mas o amor ágape, "amor sacrificial".[19] É uma atitude de benevolência com outra pessoa, não importa o que ela nos faça.[20] A quem devemos amar? Àqueles que nos insultam e nos ferem! Warren Wiersbe diz que neste mundo os pecadores mostram seu ódio nos evitando ou nos rejeitando (6.22), nos insultando (6.28), abusando fisicamente de nós (6.29) e contendendo conosco (6.30). Como devemos tratar essas pessoas? Devemos amá-las, fazer o bem a elas e orar por elas.[21]

Esse amor transcendental nos leva a considerar três aspectos da ética cristã.

Em primeiro lugar, *a ética cristã é positiva em sua ação* (6.31). O cristianismo não é apenas uma coletânea de proibições negativas, mas, sobretudo, um reservatório de princípios positivos a serem seguidos. Não basta aos filhos do reino não fazerem o mal a seu próximo; eles são instados a fazer o bem. Não é suficiente deixarem de odiar seus inimigos; eles precisam amá-los, servi-los e orar por eles. O ensino de Jesus é claro: *Assim como quereis que os homens vos façam, assim fazei-o vós também a eles* (6.31). Esse princípio abrange a totalidade da vida. Não é suficiente para Cristo que Seus seguidores se refreiem de atos que não gostariam que fossem praticados contra eles. Eles devem também ser ativos na prática do bem.[22] Esse princípio é expresso de forma negativa no livro apócrifo de Tobias 4.15: "O que você mesmo detesta, não o faça a ninguém". O grande rabino Hillel declarou, de forma semelhante: "O que lhe é detestável, não faça a seu próximo". A norma aparece também nos escritores gregos e romanos como Platão, Aristóteles e Sêneca. Essas regras todas eram negativas, mas a norma de Cristo é positiva.[23]

Em segundo lugar, *a ética cristã é medida por um padrão superior* (6.32-34). Jesus ressaltou aos Seus discípulos a necessidade de possuírem um padrão de conduta para com seu próximo mais elevado do

---

[19] Morris, Leon L. *Lucas: introdução e comentário*, p. 122.
[20] Barclay, William. *Lucas*, p. 80.
[21] Wiersbe, Warren W. *Comentário bíblico expositivo*. Vol. 5, p. 249.
[22] Morris, Leon L. *Lucas: introdução e comentário*, p. 124.
[23] Hendriksen, William. *Lucas*. Vol. 1, p. 473.

que o dos filhos do mundo.²⁴ Se amarmos apenas a quem nos ama, se fizermos o bem apenas a quem nos faz o bem, se emprestamos apenas a quem esperamos receber, não teremos recompensa, porque também os pecadores fazem o mesmo. Usar a régua do próximo para medir nossa ética é insuficiente para os filhos do reino. Precisamos nos comparar não com nossos vizinhos, mas com o Pai celestial, que é benigno até para com os ingratos e maus.

Em terceiro lugar, *a ética cristã possui uma motivação santa* (6.35,36). Amando os inimigos, fazendo o bem a eles e orando por eles, receberemos grande galardão e seremos filhos do Altíssimo. Então, seremos semelhantes ao nosso Pai e a nossa vida será um espelho a refletir o seu caráter: *Sede misericordiosos, como também é misericordioso vosso Pai* (6.36).

O julgamento temerário, uma proibição aos súditos do reino (6.37-42)

Quatro pontos devem ser destacados no texto em tela.

Em primeiro lugar, **uma ordem negativa** (6.37). O que Jesus está proibindo aqui não é o exercício do discernimento para distinguir entre luz e trevas, verdade e mentira, certo e errado. O que Jesus proíbe aqui é condenar alguém por violar a nossa sensibilidade moral.²⁵

Leon Morris diz corretamente que Jesus não está rejeitando os processos legais. Não está pensando em tribunais e, sim, na prática por demais comum de as pessoas tomarem sobre si o direito de criticar e condenar o próximo. Se somos severos em nossos julgamentos das outras pessoas, geralmente descobrimos que elas nos pagam na mesma moeda. O homem que julga aos outros convida o julgamento de Deus contra si mesmo.²⁶ Rienecker corrobora essa ideia ao dizer que a proibição de julgar os outros não se refere a todos os tipos de julgamento. Há uma diferença essencial entre um juízo ofensivo e pessoal, e uma avaliação objetiva. Quando os pais avaliam seus filhos, os educadores

---

[24] RYLE, John Charles. *Meditações no Evangelho de Lucas*, p. 93.
[25] RICHARDS, Lawrence O. *Comentário histórico-cultural do Novo Testamento*, p. 152.
[26] MORRIS, Leon L. *Lucas: introdução e comentário*, p. 125.

avaliam os jovens que lhes são confiados, os superiores analisam seus subordinados e vice-versa, os alunos avaliam seus professores, os juízes julgam os réus, isso é algo necessário.[27] Jesus está condenando o espírito de crítica condenatória, o juízo precipitado, aparentando justiça própria, sem misericórdia e sem amor. Em outras palavras, Jesus condena essa inclinação para descobrir e condenar severamente as faltas reais ou imaginárias de outros, enquanto passa por alto as faltas pessoais.[28]

Jesus está mais interessado aqui nos motivos que nos levam a julgar o próximo. Qual é o propósito de nosso julgamento? Ajudar o próximo ou prejudicá-lo? Acalmar os ânimos ou jogar mais lenha na fogueira? Restaurar o caído ou apresentar a nós mesmos como melhores em comparação a ele?

Em segundo lugar, *uma ordem positiva* (6.38). O simbolismo presente aqui é o de um mercado de cereais do Oriente Médio, onde a medida é recalcada, sacudida, transbordante e generosa. Anthony Ash diz que a medida era feita com um pedaço de tecido formando uma espécie de saco.[29] Rienecker complementa: "O quadro diz respeito aos grãos derramados num vasilhame, comprimidos para baixo e depois sacudidos de modo que cada parte fique cheia sendo os grãos derramados até transbordarem".[30] O princípio é o da semeadura e da colheita. Colhemos o que semeamos, na proporção que semeamos (Ef 6.8). Se julgarmos os outros, seremos julgados; se perdoarmos, seremos perdoados; mas, se condenarmos, seremos condenados (Mt 18.21-35). Deus dará sem medidas quando amarmos sem medida. E Deus tem uma medida maior do que o homem. Se dedicarmos a vida a dar, Deus providenciará para que recebamos; mas, se dedicarmos a vida apenas a receber, Deus providenciará para que percamos. Esse princípio não se aplica apenas à contribuição, mas também às outras áreas da vida.[31]

---

[27]RIENECKER, Fritz. *Evangelho de Lucas*, p. 165.
[28]HENDRIKSEN, William. *Lucas*. Vol. 1, p. 479,480.
[29]ASH, Anthony Lee. *O Evangelho segundo Lucas*, p. 128.
[30]RIENECKER, Fritz; ROGERS, Cleon. *Chave linguística do Novo Testamento Grego*, p. 115,116.
[31]WIERSBE, Warren W. *Comentário bíblico expositivo*. Vol. 5, p. 250.

Em terceiro lugar, **uma cegueira perigosa** (6.39,40). No evangelho de Mateus, a parábola dos cegos condutores volta-se diversas vezes contra os fariseus ou os líderes do povo (Mt 15.14; 23.16,24). O apóstolo Paulo faz o mesmo alerta (Rm 2.19). Cegas são as pessoas conduzidas, e cegos são também os condutores. Líderes e liderados inevitavelmente cairão no barranco.[32]

Em quarto lugar, ***uma visão distorcida*** (6.41,42). A trave é uma pesada peça de madeira usada para sustentar os caibros e as vigas do edifício, enquanto o argueiro é um cisco, algo insignificante diante do tamanho da trave. Jesus chama esse pretenso oftalmologista de hipócrita, a mesma palavra que usou reiteradas vezes para os escribas e fariseus, meticulosos em apontar os erros dos outros e complacentes com seus próprios pecados.

A parábola do cisco esclarece como é tolo e impossível alguém, que pessoalmente ostenta muitas deficiências de fé e caráter, tentar corrigir outro que sofre de um mal menor.[33] O que Jesus nos ensina é que devemos ser juízes severos com nós mesmos, mas moderados para com o próximo. Em outras palavras, o empenho de criticar e corrigir outros irmãos sem amor, por causa de pequenos erros, é completamente equivocado quando ignoramos os nossos próprios erros e as nossas piores falhas.

Concordo com Hendriksen quando ele escreve:

> A conclusão a que se chega é que essa passagem se aplica a todos, no sentido em que todos necessitam fazer um autoexame (1Co11.28) para que, sem autoexame e autodisciplina, não procurem descobrir falta nos demais e queiram corrigi-los. Uma pessoa pode ser muito boa a seus próprios olhos (18.11,12); não obstante, se não for humilde, então, segundo Deus a vê, ela tem uma trave em seu olho, a trave da autojustificação. Isso o transforma num oftalmologista cego que tenta fazer uma cirurgia no olho de outra pessoa [...] Quando, pela graça soberana de Deus, a trave for removida, o ex-descobridor de faltas estará em condições de ver com suficiente clareza para tirar o cisco do olho de

---

[32] RIENECKER, Fritz. *Evangelho de Lucas*, p. 166.
[33] RIENECKER, Fritz. *Evangelho de Lucas*, p. 167.

seu irmão, ou seja, poderá restaurar tal pessoa com *espírito de mansidão*, cuidando para *não ser também tentado* (Gl 6.1).[34]

A árvore e seus **frutos**, a boca e o **coração** (6.43-45)

Jesus usa duas figuras para ilustrar a verdade de que a nossa natureza revela nossas ações e de que as nossas palavras são a radiografia do nosso coração. Vejamos essas duas figuras.

Em primeiro lugar, *os frutos revelam a natura da árvore* (6.43,44). Uma árvore é boa ou má. Se é boa, produz bons frutos; se é má, produz frutos maus. Não se colhem figos de espinheiros nem se vindimam uvas de abrolhos. Uma árvore sempre produzirá frutos segundo a sua natureza. Uma laranjeira produzirá laranjas, uma mangueira produzirá mangas e uma macieira produzirá maçãs. Uma laranjeira não é laranjeira porque produz laranjas; ela produz laranjas porque é laranjeira. É de sua natureza produzir laranjas, e não mangas. Assim também são a conduta, as palavras e ações de um homem. Elas refletem a sua natureza. A conduta é o grande teste do caráter. Nossa conduta é o que os homens falarão a nosso respeito em nosso funeral, mas o nosso caráter é aquilo que os anjos testemunharão a nosso respeito na presença de Deus.

Em segundo lugar, *as palavras revelam o que está no coração*. O coração é como um tesouro bom ou mau. O homem bom tira do bom tesouro o bem; o homem mau tira do mau tesouro o mal. Da mesma forma, o homem tira do coração suas palavras, pois a boca fala do que está cheio o coração. Tentar encobrir a sujeira do coração com palavras bonitas é consumada hipocrisia. É o mesmo que tentar encontrar as virtudes mais nobres nos abismos mais profundos da iniquidade. John Charles Ryle diz corretamente que a conversa de um homem revela o estado de seu coração.[35] Nossas palavras desvendam as profundezas da nossa alma. Nossas palavras trazem à luz as camadas abissais do nosso interior. Hendriksen diz: "Se o que está no coração é bom, o excedente

---

[34] HENDRIKSEN, William. *Lucas*. Vol. 1, p. 488,489.
[35] RYLE, John Charles. *Meditações no Evangelho de Lucas*, p. 96.

que vaza será bom; se o conteúdo do ser interior é ruim, o que vaza pela boca será também ruim".[36]

Os **dois fundamentos** (6.46-49)

Jesus destaca aqui duas verdades importantes na conclusão do seu sermão.

Em primeiro lugar, *o conflito entre a profissão de fé e a obediência* (6.46). A profissão de fé é ortodoxa e fervorosa. O indivíduo não apenas diz "Senhor!", mas "Senhor, Senhor!" Não obstante, aquele que tem uma confissão tão certa e tão eloquente, não obedece ao Senhor. Há um descompasso entre sua língua e seu coração, entre suas palavras e sua vida, entre sua teologia e sua ética.

Em segundo lugar, *o conflito entre o ouvir e o praticar* (6.47-49). Jesus conclui seu sermão usando a figura do construtor sábio que investiu na fundação de sua casa, cavando, abrindo profunda vala e lançando o alicerce sobre a rocha, e a figura do construtor insensato que construiu sua casa sobre a terra sem alicerces. As duas casas, aos olhos desatentos, eram iguais. A diferença não estava naquilo que era visto pelos homens, mas naquilo que só podia ser visto por Deus. Sobre ambas as casas aconteceu a mesma coisa: a enchente chegou e arrojou o rio contra elas. A casa construída sobre a rocha não se abalou, por ter sido bem construída; porém, a outra casa logo desabou e foi grande a sua ruína. Ouvir sem obedecer é insensatez. Falar sem praticar é tolice. Não é suficiente conhecer a verdade; é preciso praticar a verdade. Não é suficiente ter boa teologia; é preciso ter uma ética consistente. Não é suficiente ter uma fé ortodoxa; é preciso ter piedade. Não podemos separar o que Deus uniu: teologia e ética, doutrina e vida, ortodoxia e piedade!

Concluo com as palavras de Hendriksen:

> O construtor sábio ou insensato edifica a sua casa – isto é, sua vida – sobre Cristo, a Rocha sólida. Séria e sinceramente empenha-se, em oração, para regular sua vida em harmonia com as palavras de Jesus,

---

[36] HENDRIKSEN, William. *Lucas*. Vol. 1, p. 490.

reveladas nas Escrituras. O construtor insensato segue seu próprio caminho. A hora da crise, porém, é inevitável. Ninguém pode escapar dela. O resultado é irrevogável. O construtor sábio verá que sua casa sequer se moveu ao ser açoitada pela torrente impetuosa. A casa do construtor insensato imediatamente vem ao chão.[37]

---

[37]HENDRIKSEN, William. *Lucas*. Vol. 1, p. 496.

18

Uma **grande** fé e um **grande** milagre

Lucas 7.1-10

O SERMÃO DA PLANÍCIE ESTÁ CONCLUÍDO. O que se segue tem estreita conexão com o que aconteceu: uma conexão geográfica, cronológica e temática.[1] À guisa de introdução, três fatos devem ser destacados.

Jesus está terminando o sermão do monte (7.1). Depois de apresentar a plataforma do reino, com o sermão da planície, Jesus opera grandes obras de forma poderosa, pois pregava tanto aos olhos como aos ouvidos.

Jesus está voltando para Cafarnaum (7.1). Depois que Ele foi expulso de Nazaré, fixou residência em Cafarnaum (Mt 9.1). Ali ficava um posto de fiscalização romana, pois essa cidade, situada na parte noroeste do mar da Galileia, estava na rota Damasco-Jerusalém.

Jesus está abrindo a porta do reino para os gentios (7.9). O centurião romano era gentio. Estava destacado em Cafarnaum como um líder da ocupação romana. Mesmo assim, amava o povo judeu, financiou a construção de sua sinagoga e era respeitado pelos líderes religiosos. Lucas, mais do que qualquer outro evangelista, destaca o aspecto universal da salvação e deixa claro que Jesus veio não apenas para trazer salvação aos judeus, mas, de igual modo, aos gentios.

---

[1] HENDRIKSEN, William. *Lucas*. Vol. 1, p. 501.

Seguindo esse mesmo raciocínio, David Neale diz que a cura do centurião aprofunda ainda mais o tema da salvação dos gentios na narrativa lucana. Previamente, na canção de Simeão, o ancião descreveu o menino Jesus como *luz para revelação aos gentios* (2.32). João Batista disse que *toda a humanidade verá a salvação de Deus* (3.6). A rejeição de Jesus na sinagoga de Nazaré foi causada por sua referência aos gentios – a viúva de Sarepta em Sidom e Naamã, o sírio (4.25-27). A inclusão dos gentios na salvação de Deus se tornará crescentemente explícita neste evangelho (8.26-39; 10.13-15,29-37; 13.22-30; 17.11-19). Todas essas histórias são sobre os gentios que responderam positivamente a Jesus.[2]

A passagem em apreço ensina-nos sete lições, que passaremos a destacar.

Um homem com uma **grande necessidade** (7.2)

O centurião era o capitão de uma corporação de cem soldados romanos. William Barclay diz que a centúria era a espinha dorsal do exército romano.[3] Esse centurião não permitiu que as demandas de seu trabalho endurecessem seu coração. Ele era amigo do povo a quem dominava, e amava o servo que estava a seu serviço. Esse servo caiu gravemente enfermo. Estava à morte. Segundo Mateus 8.6, ele estava prostrado de cama com paralisia, sofrendo de modo terrível, gravemente atormentado. A enfermidade levara o servo aos próprios umbrais da morte.[4] Nenhum recurso da medicina da época pôde debelar sua doença. A morte o espreitava. Seu senhor, aflito, tem um problema urgente e sem solução.

O amor desse centurião pelo seu escravo é digno de nota, pois na lei romana um escravo era apenas uma ferramenta viva, sem nenhum direito. Seu dono podia maltratá-lo e matá-lo.[5]

---

[2]NEALE, David A. *Novo comentário bíblico Beacon Lucas 1-9*, p. 206.
[3]BARCLAY, William. *Lucas*, p. 85.
[4]HENDRIKSEN, William. *Lucas*. Vol. 1, p. 502.
[5]BARCLAY, William. *Lucas*, p. 86.

Um homem com uma **grande iniciativa** (7.3)

O centurião, reconhecendo sua impotência para socorrer o servo à beira da morte, ouve falar de Jesus. Escuta como Ele curava os enfermos, purificava os leprosos, dava vista aos cegos, audição aos surdos e voz aos mudos. Uma lâmpada de esperança acendeu em sua alma e ele toma uma iniciativa imediata e urgente. Envia alguns anciãos judeus para pedir que Jesus vá à sua casa curar o servo. Ele não dá uma ordem, pede. Ele não exige, suplica. Reconhece que a única solução para o seu problema é Jesus e, por isso, recorre a Ele.

Um homem com uma **grande reputação** (7.4,5)

Charles Spurgeon diz que há quem se tenha em baixa conta com razão, já que todo mundo concordaria com essa avaliação. Outros há que se acham grande coisa, porém, quanto mais são conhecidos, menos são louvados; quanto mais inclinam a cabeça para o alto, mais o mundo se ri deles com desprezo. São bem poucos, porém, os que apresentam a feliz combinação da personagem do texto em foco. Os anciãos dizem ser o centurião um homem digno. Ele, porém, afirma de si mesmo: *Senhor, eu não sou digno* (7.6).[6]

Os anciãos, pensando que Jesus era governado pelos mesmos preconceitos que os dominavam, suplica a Jesus com insistência para ir à casa do centurião. Argumentam com Jesus acerca da dignidade desse romano. Expõem diante de Jesus dois argumentos eloquentes: ele é amigo do povo judeu e defende a religião judaica. Isso está em contraste com o sentimento comum daquela época, pois os romanos consideravam os judeus uma raça imunda.

Esse centurião, embora fosse um pagão de nascimento e exercesse uma profissão militar odiada pelos judeus, era um homem piedoso, temente a Deus, que desfrutava de boa reputação entre o povo. Morris corrobora dizendo que esse centurião romano era humanitário, rico e

---

[6]SPURGEON, Charles H. *Milagres e parábolas do nosso Senhor*. São Paulo, SP: Hagnos, 2016, p. 437.

piedoso.⁷ O império naquela época ainda não hostilizava as religiões dos povos subjugados. William Barclay cita a famosa sentença do historiador Gibbon: "Todas as formas religiosas que existiam no mundo romano eram consideradas igualmente verdadeiras pelas pessoas, falsas pelos filósofos, e muito úteis para os magistrados". Mas este centurião não era um cínico; era um homem sinceramente religioso.⁸

Um homem com uma **grande humildade** (7.6,7a)

Jesus atende ao pedido do centurião e vai com seus emissários. Porém, ao aproximar-Se de sua casa, o centurião envia amigos para dizer a Jesus que ele não era digno que entrasse em sua casa. Os anciãos disseram a Jesus que ele era digno, mas ele mesmo não se sentia digno nem para ir a Jesus nem mesmo para que Jesus entrasse em sua casa. Um homem humilde não promove sua própria dignidade nem ostenta o *bottom* de suas virtudes. A grandeza da humildade não está em sua ostentação, mas no reconhecimento de sua insignificância. O autoelogio é uma negação da verdadeira humildade. A soberba cobre a cara de vergonha ao ser execrada pela humilhação, mas a humildade é elogiada e enaltecida pelo próprio Filho de Deus. O mesmo Deus que despreza os soberbos dá graça aos humildes, pois aquele que se exaltar será humilhado, mas o que se humilhar será exaltado.

Um homem com uma **grande fé** (7.7b,8)

O centurião era uma autoridade sobre os soldados de sua centúria e sobre os servos de sua casa. Ele dava ordens, e suas ordens precisavam ser cumpridas. Mas, agora reconhece que Jesus tem uma autoridade maior que a sua. Sabe que Jesus tem toda autoridade sobre a enfermidade que aflige o seu servo. Por isso, ele demonstra uma fé simples, mas vigorosa, uma fé que não exige sinal, que não precisa de provas. O centurião não precisa ver para crer como Tomé. Ele crê para ver. Ele sabe

---
⁷Morris, Leon L. *Lucas: introdução e comentário*, p. 129.
⁸Barclay, William. *Lucas*, p. 86.

que Jesus pode curar à distância e que uma ordem de Jesus e a realidade são a mesma coisa.

Um homem com um **grande elogio** (7.9)

A humildade singela e a fé robusta do centurião produziram dois efeitos em Jesus. O primeiro foi surpresa e admiração; o segundo foi um elogio singular. Mesmo entre o povo de Israel, Jesus não identificou fé tão grande. Rienecker destaca: "Ainda que diversos outros aspectos no oficial gentio fossem dignos de elogio, como, por exemplo, o amável cuidado com seu servo, o seu amor por Israel, a modéstia incomum para um romano e a comedida reserva, Jesus elogia, antes de tudo, única e exclusivamente sua grande fé.[9]

As únicas duas vezes que Jesus destacou a grandeza da fé de alguém foi no caso desse centurião e da mulher síro-fenícia. Ambos eram gentios. Os evangelhos informam somente duas ocasiões em que o Senhor se admirou: com a grande fé deste gentio em Cafarnaum e com a grande incredulidade dos judeus em Nazaré (Mc 6.6). Leon Morris diz que não se trata aqui de uma crítica a Israel, pois a implicação é que Jesus tinha achado fé ali, mas não uma fé tão grande como aquela do centurião. O que era surpreendente é que este gentio tivesse fé tão grande, fé maior do que aquela que se achava entre os israelitas, o povo de Deus.[10]

Um homem com um **grande milagre** (7.10)

Os emissários enviados pelo centurião, ao chegarem em sua casa, constataram o milagre da cura do servo. A cura foi imediata e completa. A cura foi em resposta à fé daquele gentio que, mesmo não se sentindo digno de receber Jesus em sua casa, foi achado digno de recebê-lo em seu coração.[11]

---

[9]RIENECKER, Fritz. *Evangelho de Lucas*, p. 173.
[10]MORRIS, Leon L. *Lucas: introdução e comentário*, p. 131.
[11]RIENECKER, Fritz. *Evangelho de Lucas*, p. 172.

19

A caravana da vida e a caravana da morte

Lucas 7.11-17

JESUS SOCORRE NÃO APENAS O CENTURIÃO ROMANO, que demonstra uma grande fé, mas também se compadece da viúva de Naim, que no amargo lamento de sua miséria fez desaparecer qualquer vestígio de fé.[1] Naim era uma pequena cidade a aproximadamente 10 quilômetros ao sul de Nazaré ou 34 quilômetros de Cafarnaum, nas proximidades do monte Tabor ao norte e do monte Gilboa a sudeste.[2]

Warren Wiersbe diz que vemos nesse episódio o encontro de dois grupos, a caravana da vida e a caravana da morte; de dois filhos únicos, Jesus, o Unigênito do Pai, vivo, destinado a morrer, e o filho único da viúva, morto, destinado a viver; de dois sofredores, a viúva enlutada e Jesus, o homem de dores; e de dois inimigos, a morte o último inimigo a ser vencido e Jesus Aquele que matou a morte e arrancou seu aguilhão.[3]

O texto em tela fala sobre a caravana que saía de Naim, liderada pela morte, o rei dos terrores (7.11), e sobre a caravana que entrava em Naim, liderada por Jesus, o Autor da vida (7.12). Aqui a caravana da morte e a caravana da vida se encontram. Diante do coral da morte,

---

[1] RIENECKER, Fritz. *Evangelho de Lucas*, p. 173.
[2] NEALE, David A. *Novo comentário bíblico Beacon Lucas 1-9*, p. 214.
[3] WIERSBE, Warren W. *Comentário bíblico expositivo*. Vol. 5, p. 253.

o solo da ressurreição prevalece. A esperança brota do desespero, e o cenário mais doloroso converte-se em cenário de exultante alegria. John Charles Ryle diz que o Príncipe da paz é maior do que o Rei dos terrores e, embora a morte, o último inimigo a ser vencido, seja poderosa, não é tão poderosa quanto o Amigo dos pecadores.[4]

Lawrence Richards diz que este acontecimento tem sido chamado de "milagre supremo".[5] David Neale diz que esse não era o primeiro milagre público de Jesus (5.25; 6.10,18), porém é o mais marcante do ministério de Jesus até esse ponto. É o primeiro milagre de ressurreição operado por Jesus (7.11,12).[6]

Algumas verdades devem ser destacadas no texto em apreço.

Jesus **enxerga** a nossa **dor** (7.13)

Este episódio registra três tragédias: 1) A morte de um jovem. Morrer na juventude era considerado uma grande tragédia. 2) A morte de um filho único. Esta tragédia é ainda maior. 3) A morte do filho único de uma viúva. Este é o ponto culminante da tragédia.

A mulher viúva sai para enterrar seu filho único. Deixa para trás sua esperança e tem pela frente apenas a solidão. Aquele esquife carrega não apenas o corpo de seu filho, mas também o seu futuro. O mundo dessa mulher desaba. É nesse momento que Jesus a distingue das demais pessoas que choram. Jesus sabe que a dor que ela está sentindo é diferente e avassaladoramente maior do que a dor de todas as demais pessoas. Jesus ainda hoje vê a nossa dor.

Jesus se **compadece** de nós em nossa **aflição** (7.13)

Essa mulher viúva, enlutada, não pede nada, não espera nada. Está apenas mergulhada em sua dor, naufragando nas ondas revoltas de suas lágrimas. Mas Jesus a enxerga na sua dor e Se compadece dela. As entranhas de Jesus se movem, e Ele inclina Seu coração cheio de ternura para ela.

---

[4] RYLE, John Charles. *Meditações no Evangelho de Lucas*, p. 103.
[5] RICHARDS, Lawrence O. *Comentário histórico-cultural do Novo Testamento*, p. 155.
[6] NEALE, David A. *Novo comentário bíblico Beacon Lucas 1-9*, p. 215.

Ainda hoje, Jesus nos vê em nossa aflição e nos consola em nossa dor. Ele sabe o que estamos passando. Conhece nossa realidade e se identifica conosco em nosso sofrimento.

Jesus **estanca** as nossas **lágrimas** (7.13)

Não há uma palavra mais insensata num funeral do que esta: "Não chores". Funeral é lugar de choro. A morte traz sofrimento e dor. As lágrimas são esperadas numa hora do luto. Mas o Jesus que ordena, "Não chores", é o mesmo que tem poder para estancar as lágrimas. Seu poder não é apenas para consolar nossa dor, mas também para colocar um ponto final na causa do nosso choro.

Jesus **triunfa** sobre a **morte** que nos espreita (7.14)

O solo da ressurreição triunfa sobre o coral da morte. Jesus não se afasta; Ele chega mais perto. Jesus toca o esquife. Ele para os que conduziam o enterro e carregavam o morto. Jesus chama o morto e dá uma ordem a ele: "Levanta-te". Aquele que é a ressurreição e a vida tem poder sobre a morte. A morte escuta a sua voz. Quando Jesus chega, a morte precisa bater em retirada. A morte não tem a última palavra quando Jesus ergue Sua voz! O mesmo Jesus que ressuscitou esse jovem trará à vida todos os mortos no último dia (Jo 5.28,29).

Jesus nos **devolve** a **esperança** (7.15)

A vida entrou no jovem e ele se assentou. O silêncio da morte foi vencido, e o jovem que estivera morto passou a falar. Então, Jesus o restituiu à sua mãe. A esperança voltou a brilhar no coração daquela mãe. O irremediável aconteceu. O impossível tornou-se realidade. A vida desfraldou suas bandeiras. O choro doído foi trocado pela alegria indizível. As vestes mortuárias foram deixadas para trás.

William Hendriksen destaca o maravilhoso poder de Jesus, nestes termos: "Profunda compaixão, infinita sabedoria, ilimitada autoridade, maravilhoso poder! Aleluia! Que grande Salvador!"[7]

---

[7] HENDRIKSEN, William. *Lucas*. Vol. 1, p. 521.

Jesus é proclamado publicamente como o **Profeta de Deus** (7.16,17)

Diante desse milagre extraordinário, o povo relembrou a profecia de Moisés. Deus enviaria um profeta semelhante a Moisés. Este seria o Messias de Deus. As obras de Jesus testificam quem Ele é. O poder de Jesus sobre a morte trouxe temor ao povo na terra e promoveu a glória de Deus no céu. Essa notícia gloriosa percorreu não apenas a Galileia, onde a cidade de Naim estava situada, mas chegou também às distantes regiões da Judeia.

20

Os **conflitos** de um homem de Deus

Lucas 7.18-35

O FILHO DO DESERTO ESTÁ PRESO. O ministério de Jesus cresce, enquanto João Batista é esquecido na prisão. Os milagres de Jesus são notórios, enquanto o seu precursor vive na escuridão lôbrega do cárcere. As multidões fluem a Jesus e recebem seus milagres, enquanto João amarga o ostracismo de uma prisão imunda.

João está preso, mas seus discípulos o fazem saber dos milagres operados por Jesus. É nesse contexto que quatro verdades saltam aos nossos olhos, no texto em tela.

A **dúvida** que atormenta o coração (7.18-20)

Os milagres de Cristo eram públicos e chegavam ao conhecimento de João na prisão. João, homem do deserto, estava encerrado na prisão, na masmorra de Maquerós, nas proximidades do mar Morto. Diante de tantos sinais extraordinários operados por Jesus, talvez João tivesse a expectativa de ser libertado dessa masmorra por uma intervenção sobrenatural. Porém, em virtude de as circunstâncias não mudarem, ele envia dois de seus discípulos a Jesus, para saber se Ele era mesmo o Messias, ou se haveria de esperar outro. Quais seriam as possíveis dúvidas de João?

Em primeiro lugar, *como conciliar as maravilhas que Jesus opera com a dolorosa situação que o atinge?* Jesus cura enfermos e ressuscita mortos, mas onde está Jesus que não vem ao encontro do Seu profeta para libertá-lo? Esse é, também, o nosso drama. Como conciliar o poder de Jesus com as angústias que sofremos? Como conciliar o poder de Jesus com a inversão de valores da sociedade: Herodes no trono e João Batista na cadeia? Como conciliar o poder de Jesus numa época em que uma jovem fútil, uma mulher adúltera e um rei bêbado podem atentar contra a vida do maior homem, do maior profeta, sem nenhuma intervenção do céu?

Em segundo lugar, *como conciliar o silêncio de Jesus com a urgente necessidade de seu precursor?* Por que Jesus não se pronunciou em defesa de João? Por que não fez um discurso desbancando a prepotência de Herodes? Por que Jesus não se apresentou como advogado de João Batista? Não é fácil conviver com o silêncio de Jesus na hora da aflição. João esperou libertação, mas sua cabeça foi cortada pela lâmina afiada de um soldado romano.

Em terceiro lugar, *como conciliar a não intervenção de Jesus com a mensagem de juízo que ele anunciara sobre o Messias?* João falou sobre um Messias que traria o juízo de Deus. Um Messias que colocaria o machado na raiz da árvore. Um Messias que recolheria a palha e a jogaria na fornalha acesa. João esperou que Jesus viesse exercer Seu juízo, sua vingança, brandindo a espada com uma corte celestial para libertá-lo. Mas o que João escuta é sobre os atos de misericórdia de Jesus. O Messias não se move para libertá-lo. Enquanto Jesus está cuidando dos enfermos, João está mais próximo do martírio.

Em quarto lugar, *a dúvida de João é alimentada não pelo calabouço, mas por expectativas não correspondidas*. João está enfrentando problemas e Jesus continua suas atividades normalmente. O que vale a pena destacar é que João não engoliu suas dúvidas. Ele as expôs. Ele fez perguntas. Ele buscou a Jesus para resolver seus conflitos. Os homens de Deus, às vezes, são assaltados pela dúvida. As pessoas mais santas são susceptíveis às dúvidas mais profundas. Isso aconteceu com outros servos de Deus no passado. Moisés quase desistiu certa ocasião (Nm 11.10-15). Elias pediu para morrer (1Rs 19). Jeremias também teve seu momento de angústia (Jr 20.7-9,14-18). Até o apóstolo Paulo chegou a ponto de desesperar-se da própria vida (2Co 1.8,9).

A **confirmação** que pacifica a alma (7.21-23)

Duas coisas merecem destaque aqui.

Em primeiro lugar, *o que Jesus não disse*. Jesus não fica zangado diante das nossas dúvidas sinceras. Deus não rejeitou as perguntas de Abraão, Jó e Moisés nem Jesus rejeitou as perguntas de João Batista. Por outro lado, Jesus não livrou João da prisão. Aquele que andou sobre o mar poderia mudar o pensamento de Herodes e ferir de cegueira os soldados. Aquele que expulsou demônios poderia abrir as portas da prisão de Maquerós. Mas Jesus não fez isso. Nenhum plano de batalha. Nenhum grupo de salvamento. Nenhuma espada flamejante. Apenas uma mensagem do reino.

Em segundo lugar, *o que Jesus fez*. Em vez de Jesus responder aos discípulos de João com palavras, responde-lhes com obras e ações poderosas, curando muitos de moléstias, flagelos e espíritos malignos, e dando vista a muitos cegos (7.21). As obras evidenciadas por Jesus não são de juízo, mas de misericórdia. Jesus então diz aos mensageiros para anunciarem a João Batista o que eles estavam vendo e ouvindo: os cegos veem, os coxos andam, os leprosos são purificados, os surdos ouvem, os mortos ressuscitam, e aos pobres é anunciado o evangelho (7.22). Talvez João quisesse ouvir: "Meus exércitos já estão reunidos. Cesareia, a sede do governo romano, está por cair. O juízo já começou". Mas Jesus manda dizer: *A misericórdia de Deus está aqui*.

Três verdades devem ser aqui destacadas.

Jesus dá provas de que Ele é o Messias (7.21). Esses sinais seriam operados pelo Messias que haveria de vir (Is 29.18,19; 35.4-6; 42.1-7). Não era, portanto, necessário esperar outro Messias, pois o Jesus histórico é o Messias de Deus!

Jesus prega aos ouvidos e aos olhos (7.22). Jesus fala e faz, prega e demonstra, revela conhecimento e também poder. Jesus prega aos ouvidos e aos olhos. A mensagem de Jesus a João tem três ênfases, como vemos a seguir.

Primeiro, a mensagem de Jesus mostra que o reino de Deus abre as portas para que os rejeitados sejam aceitos. Ninguém era mais discriminado na sociedade do que os cegos, os coxos, os leprosos e os surdos. Eles não tinham valor. Eram feridas cancerosas da sociedade. Eram excesso de bagagem à beira da estrada. Mas a estes que a sociedade chamava de escória, Jesus valorizou, restaurou, reciclou, curou, levantou e devolveu a dignidade da vida. Jesus manda dizer a João que o reino que ele está implantando não tem os mesmos valores dos reinos deste mundo.

Segundo, a mensagem de Jesus mostra que no reino de Deus a sepultura não tem força e a morte não tem a última palavra. O problema do homem não é o tipo de morte que enfrenta agora, mas o tipo de ressurreição que terá no futuro. Se Jesus é o nosso Senhor, então a morte não tem mais poder sobre nós. Seu aguilhão foi arrancado. A morte foi vencida.

Terceiro, a mensagem de Jesus mostra que no reino de Deus há uma oferta gratuita de vida eterna. O reino de Deus é para o pobre, que se considera falido espiritualmente, não importa qual seja sua condição social. Enquanto João está pedindo a solução do temporário, Jesus está cuidando do eterno.

Jesus adverte sobre o perigo de não O reconhecer como Messias (7.23). Feliz é aquele que não encontra em Cristo motivo de tropeço. As vicissitudes da vida não podem abalar os fundamentos da nossa fé.

A **aprovação** que dignifica João Batista (7.24-30)

Jesus envia os mensageiros de volta a João Batista e, então, em vez de fazer uma censura ao Seu precursor, enaltece-o diante do povo. Cinco fatos sobre João Batista devem ser aqui destacados.

Em primeiro lugar, **um homem que não se dobra diante das circunstâncias adversas** (7.24). João Batista não era um caniço agitado pelo vento, que se curva diante das adversidades. Era um homem incomum e inabalável. Ele preferiu ir para a prisão com a consciência livre a ficar livre com a consciência prisioneira. Ele preferiu a morte à conivência com o pecado do rei Herodes. O martírio é preferível à apostasia!

21

A mulher pecadora diante do Salvador

Lucas 7.36-50

IMEDIATAMENTE APÓS A ACUSAÇÃO de que Jesus comia com pecadores (7.34), Lucas coloca Jesus à mesa com uma pecadora e um fariseu (7.36-50). A presente história, portanto, é uma espécie de temática "parábola da vida" na narrativa. Esse geralmente é o caso de Jesus nos evangelhos: Ele ensina fazendo.[1]

Jesus não apenas aceitava a hospitalidade de publicanos e pecadores, mas também aceitava convites de fariseus. Ele comia com pecadores e também com fariseus, pois todos igualmente precisavam da Palavra de Deus. David Neale diz que o ambiente da mesa aqui é crucial. Simão, o fariseu, encarna os intransigentes fariseus em Lucas (5.21,30; 6.2,7; 7.29). Ele falha em reconhecer a verdadeira piedade quando ela está assentada bem à sua frente. Da perspectiva histórica, o verdadeiro arrependimento (o da mulher pecadora) vem face a face com a falsa piedade (a de Simão); e o desprezo pelo pecador é revelado como o verdadeiro pecado. Lucas demonstra que Jesus encontra a maior impiedade não à mesa com os pecadores, como era acusado, mas à mesa com o fariseu.[2]

---
[1]NEALE, David A. *Novo comentário bíblico Beacon Lucas 1-9*, p. 225.
[2]NEALE, David A. *Novo comentário bíblico Beacon Lucas 1-9*, p. 225.

Somente em Lucas, Jesus entra na casa de um fariseu para comer. Ele faz isso três vezes (7.39; 11.37; 14.1). Nesse jantar na casa de Simão, acontece um fato que se torna o centro do registro bíblico.

A mulher pecadora **arrependida aos pés do Salvador** (7.36-38)

Imprevistos acontecem. Simão jamais poderia imaginar que uma mulher entraria em sua casa subitamente, sem ser convidada, para esparramar-se aos pés de Jesus. Isso era uma quebra completa de protocolo. Os rabinos judeus não conversavam nem comiam com mulheres em público. Essa mulher não tem nome, mas tem fama, fama de pecadora. Ela não foi convidada para o jantar na casa do fariseu; é uma penetra, uma intrusa. No conceito de Simão, essa mulher era um caso perdido, uma pessoa irrecuperável, indigna de receber atenção. Destacamos aqui alguns pontos a respeito.

Em primeiro lugar, *uma reputação reprovada* (7.37). Essa mulher não é conhecida pelo nome, apenas por seus feitos reprováveis. Sua fama na cidade é de pecadora. Possivelmente ela era uma prostituta. Sua vida era uma tragédia, sua conduta era uma vergonha, e seu desprezo era total.

Em segundo lugar, *uma postura humilde* (7.37,38). Essa mulher pega um vaso de alabastro com unguento, prostra-se aos pés de Jesus, chora, unge com unguento e beija seus pés num gesto de humildade e arrependimento.

Em terceiro lugar, *uma atitude extravagante* (7.38). Essa mulher rega os pés de Jesus com suas lágrimas e enxuga-os com os próprios cabelos. Isso é mais do que um gesto de humildade. Naquela cultura, uma mulher soltar os cabelos em público era uma atitude indecorosa. Era no mínimo uma quebra de protocolo, uma falta de etiqueta. Ela, porém, não se importa mais com a opinião das pessoas a seu respeito. Quer apenas demonstrar seu sincero arrependimento e seu profundo amor e gratidão a Jesus. É digno de nota que a mulher não profere sequer uma palavra em todo o episódio. David Neale diz que talvez um silêncio envergonhado entre os convidados servisse de recepção àquele ato, especialmente por causa de sua reputação como mulher de baixa moral. Ela entra em uma casa para a qual não é convidada, interrompe um banquete e, publicamente, comporta-se com intimidade imprópria.[3]

O fariseu ensimesmado **censurando o Salvador** (7.39-43)

O fariseu não tem coragem de criticar Jesus a viva voz, mas o censura nas recâmaras secretas do seu coração. Ele não apenas reprova Jesus, mas também despreza a mulher pecadora. Jesus mostra a frieza exterior do coração de Simão e sua vida julgadora interior. David Neale diz que Simão, o fariseu, parece ser exatamente como a criança que brinca na praça: egoísta e cega para com os outros.[4] Warren Wiersbe diz que o verdadeiro problema de Simão era a cegueira: ele não conseguia enxergar a si mesmo, nem à mulher, nem ao Senhor Jesus. Assim, era fácil para ele declarar: "Ela é pecadora", mas era impossível dizer: "Eu sou pecador". Jesus provou que, de fato, era um profeta ao ler os pensamentos de Simão e revelar suas necessidades.[5]

Para corrigir sua postura, Jesus conta-lhe uma parábola esclarecedora. Ele fala a respeito de um credor que tinha dois devedores, um dos quais lhe devia 500 denários e outro, 50. Os dois, porém, não puderam pagar o credor, e ele perdoou a ambos (7.41,42). Terminada a parábola, Jesus pergunta ao fariseu: *Qual dos devedores lhe amará mais?* (7.42). O fariseu responde: *Suponho que aquele a quem mais perdoou* (7.43). Jesus comenta: "Você julgou bem". Os pecados da mulher eram conhecidos, enquanto os de Simão estavam ocultos de todos, excetos de Deus. Os dois estavam falidos e não tinham condição de pagar sua dívida com Deus. Simão estava tão espiritualmente falido quanto aquela mulher, mas não tinha consciência disso.[6]

O fariseu não expressava amor por Jesus porque se sentia justo, mas a mulher derramada aos Seus pés Lhe demonstrava acendrado amor porque se sentia pecadora, carente da graça de Jesus. Jesus veio salvar os pecadores. O médico veio curar os enfermos. Só aqueles que

---

[3] NEALE, David A. *Novo comentário bíblico Beacon Lucas 1-9*, p. 227.
[4] NEALE, David A. *Novo comentário bíblico Beacon Lucas 1-9*, p. 228.
[5] WIERSBE, Warren W. *Comentário bíblico expositivo*. Vol. 5, p. 256.
[6] WIERSBE, Warren W. *Comentário bíblico expositivo*. Vol. 5, p. 256.

reconhecem seus pecados e sentem tristeza por suas mazelas são perdoados por Jesus!

O Salvador com autoridade perdoando o pecador (7.44-50)

Jesus deixa o fariseu com seus preconceitos e trata da mulher pecadora, abrindo-lhe a porta da graça. Kenneth Bailey diz que a crítica mais danosa de todas é o fato de que Simão presenciou a ação dramática daquela mulher e assim mesmo a chamou de *pecadora* (7.39).[7] Ele não se arrependeu nem aceitou o arrependimento da mulher. Aqui em Lucas, "o arrependimento, o perdão e o amor são, todos, linhas de uma mesma peça de tecido".[8] Cinco fatos devem ser aqui destacados.

Em primeiro lugar, *um grande arrependimento* (7.44-46). O fariseu convidou Jesus para jantar em sua casa, mas não O honrou como hóspede. O fariseu não Lhe deu água para lavar os pés, mas a mulher pecadora lavou Seus pés com lágrimas e enxugou-os com os próprios cabelos. O fariseu não Lhe saudou com ósculo, mas a mulher pecadora não cessava de beijar os Seus pés. O fariseu não ungiu Sua cabeça com óleo, mas a mulher pecadora, com bálsamo, ungiu os Seus pés. O fariseu, por se sentir justo, não demonstrou grande amor por Jesus, mas a mulher, por sentir-se grande pecadora, demonstrou profundo arrependimento e grande amor.

Em segundo lugar, *um grande perdão* (7.47). Jesus, que sonda os corações, por conhecer o arrependimento da mulher, perdoou-lhe os muitos pecados. O amor de Jesus é incondicional, mas o Seu perdão não. O perdão é fruto do arrependimento.

Em terceiro lugar, *um grande amor* (7.47). A quem muito se perdoa, muito se ama. O fariseu não era menos pecador do que a mulher, mas é a mulher quem reconhece seus muitos pecados e demonstra arrependimento; e, por isso, por ter sido muito perdoada, é eloquente a demonstração do seu amor.

---

[7]BAILEY, Kenneth. *A poesia e o camponês*, p. 57.
[8]NEALE, David A. *Novo comentário bíblico* Beacon Lucas 1-9, p. 230.

Em quarto lugar, *um grande Redentor* (7.48,49). Os convidados à mesa questionam a autoridade de Jesus para perdoar pecados, mas este, com a autoridade que Lhe é conferida, perdoa os pecados da mulher e a liberta do seu jugo.

Em quinto lugar, *uma grande salvação* (7.50). Jesus oferece à mulher a salvação mediante a fé e concede a ela a Sua paz. Ela entrou naquela casa prisioneira de seus pecados e saiu livre. Ela entrou condenada pelos homens e saiu perdoada por Jesus. Ela entrou cheia de culpa e saiu justificada pelo Filho de Deus. Ela é salva da prisão da culpa de seu passado pecaminoso. Seu passado foi apagado. Seu presente foi transformado. Seu futuro glorioso está garantido. Hendriksen diz que essa paz que Jesus dá à mulher é o sorriso de Deus refletido no coração do pecador redimido, um refúgio na tempestade, um esconderijo na Rocha eterna, um abrigo sob as asas do Onipotente.[9] Kenneth Bailey capta bem o centro nevrálgico da parábola quando diz que, em um mundo de homens e em um banquete de homens, uma mulher desprezada é colocada como exemplo de fé, arrependimento e devoção. Ela é, nesses assuntos, campeã, vencendo um homem fariseu.[10]

Concluo com as palavras de Warren Wiersbe: "Jesus realizou um grande milagre ao curar o servo do centurião. Realizou um milagre ainda maior ao ressuscitar o filho da viúva de Naim. Neste capítulo, porém, realizou o maior milagre de todos ao salvar essa mulher de seus pecados e ao transformá-la numa nova criatura".[11]

---

[9] HENDRIKSEN, William. *Lucas*. Vol. 1, p. 549.
[10] BAILEY, Kenneth. *A poesia e o camponês*, p. 60.
[11] WIERSBE, Warren W. *Comentário bíblico expositivo*. Vol. 5, p. 257.

22

A suprema importância da Palavra de Deus

Lucas 8.1-21

O TEXTO EM APREÇO REVELA-NOS A SUPREMA IMPORTÂNCIA da Palavra de Deus em diversos aspectos. Quatro verdades são destacadas.

A **pregação** da Palavra (8.1-3)

Em primeiro lugar, *a dinâmica do pregador* (8.1). Aquele que comissionou Seus discípulos a irem por todo o mundo para pregar o evangelho a toda criatura (Mc 16.15) andou com eles, de cidade em cidade e de aldeia em aldeia, pregando e anunciando o evangelho do reino. Ele esgotou sua geografia e praticou aquilo que ordenou à Sua igreja. A igreja deve caminhar na esteira do exemplo de Jesus.

Em segundo lugar, *o conteúdo da pregação* (8.1). Jesus não pregou uma mensagem de confrontação política ao poder dominante de Roma nem pregou uma mensagem social, denunciando as injustiças gritantes. Ele não pregou uma mensagem filosófica nem entrou pelo caminho do confronto com a religião do Estado. Ele focou sua atenção em pregar o evangelho do reino. De igual modo, não podemos nos distrair apenas identificando as mensagens falsas. Devemos gastar nosso tempo e nossa energia pregando a mensagem certa, a mensagem do reino, o evangelho da graça.

Em terceiro lugar, *as apoiadoras do pregador* (8.2,3). As mulheres que foram transformadas e libertadas pelo ministério de Jesus acompanham Jesus e Seus discípulos para oferecer-lhes suporte financeiro e prestar-lhes assistência com os seus bens. Apesar de possuir o poder, Jesus não operou milagres para prover o Seu sustento físico. Por isso, aceitou a ajuda das mulheres.[1] A Palavra de Deus ensina que aqueles que recebem bênçãos espirituais devem retribuir com bênçãos materiais (Rm 15.27). O grupo apostólico tinha uma bolsa comum da qual tirava seu sustento e as ofertas para os pobres (Jo 13.29).

William Barclay destaca a heterogeneidade desse grupo de mulheres. Entre elas estava Maria Madalena, da qual Jesus havia expulsado sete demônios, com um passado obscuro e terrível. Também compunha esse grupo Joana, mulher de Cuza, procurador de Herodes. O rei tinha muitos bens e propriedades. Ser procurador do rei era cuidar de seus interesses financeiros. Não havia funcionário mais importante nem cargo de tanta confiança. Uma mulher de passado sombrio e uma dama da corte engrossavam as fileiras dessas mulheres que apoiavam financeiramente o ministério de Jesus.[2]

John Charles Ryle enfatiza a dedicação das mulheres em seguirem a Jesus nestes termos:

> Gratas pelas misericórdias recebidas das mãos de nosso Senhor, estavam dispostas a suportar muitas coisas por amor a Ele. Fortalecidas em seu íntimo pelo restaurador poder do Espírito Santo, foram capazes de apegarem-se a Jesus e não desistiram. E com nobreza seguiram-No até ao fim. Não foi uma mulher quem vendeu o Senhor por trinta peças de prata. Não foram as mulheres que abandonaram o Senhor no jardim do Getsêmani e fugiram. Não foram as mulheres que três vezes negaram a Cristo, na casa do sumo sacerdote. Mas foram elas que lamentaram e choraram quando Ele estava sendo levado para a crucificação. Foram as mulheres que permaneceram junto à cruz e as primeiras a visitarem o sepulcro onde se encontrava o corpo do Senhor. Foram elas

---

[1] ASH, Anthony Lee. *O Evangelho segundo Lucas*, p. 144.
[2] BARCLAY, William. *Lucas*, p. 97.

que testemunharam de primeira mão o Cristo ressurreto. Realmente, grande é o poder da graça de Deus.³

Robertson destaca que, nos evangelhos, não há sequer um exemplo de uma mulher sendo hostil a Cristo. O evangelho de Lucas é, apropriadamente, chamado de evangelho do sexo feminino (1.39-56; 2.36-38; 7.11-15,37-50; 8.1-3; 10.38-42; 11.27; 13.11-16).⁴

A receptividade da Palavra (8.4-15)

Jesus foi o Mestre por excelência, o maior contador de histórias do mundo. Usava as imagens com perícia invulgar e lançava mão de coisas simples para ensinar lições profundas.

Dois fatos são dignos de destaque aqui:

O método de Jesus é uma janela aberta para uns e uma porta fechada para outros (8.9,10). Por meio de parábolas, Jesus revelou o mistério do reino de Deus. O mistério é aquilo que o homem não pode conhecer à parte da revelação divina.⁵ Este mistério é revelado a uns e encoberto a outros. Morris diz que as parábolas tanto revelam como ocultam a verdade. São uma mina de informações para os sinceros, mas um juízo sobre os descuidados.⁶ As parábolas eram janelas abertas para a compreensão de uns e portas fechadas para o entendimento de outros. Jesus está se referindo aos fariseus endurecidos e seus seguidores, que eram pessoas de coração impenitente (Mt 13.13,15). Esses ouvintes devem ser confrontados com a responsabilidade de sua própria cegueira e impenitência.

A parábola do semeador revela por que Jesus não se impressionava com as multidões que o seguiam. A maioria daquelas pessoas que seguiam a Cristo não produziria frutos dignos de arrependimento. O coração delas era uma espécie de solo pobre.

Vejamos os quatro tipos de solo ou quais são as diferentes atitudes em relação à Palavra de Deus.

---

³RYLE, John Charles. *Meditações no Evangelho de Lucas*, p. 118.
⁴ROBERTSON, A. T. *Comentário Lucas à luz do Novo Testamento Grego*, p. 377.
⁵RIENECKER, Fritz; ROGERS, Cleon. *Chave linguística do Novo Testamento Grego*, p. 72.
⁶MORRIS, Leon L. *Lucas: introdução e comentário*, p. 144.

Em primeiro lugar, *o coração endurecido* (8.4,5,12). Um coração duro é como um solo batido pelo tropel daqueles que vão e vêm. É o coração inquieto e perturbado com a passagem e tropel das coisas do mundo, umas que vão, outras que vêm, outras que atravessam e todas que passam e, neste coração, é pisada a Palavra de Deus.

Esse ouvinte é o homem indiferente que a rotina da vida insensibilizou. Essa pessoa conforma-se com o rodar dos carros e a passagem dos homens, e vai vivendo a vida sem abrir sulcos na alma para a bendita semente da verdade. John Mackay diz que, para muitas pessoas, o mais sério de todos os problemas é não perceber nenhum problema. Elas estão satisfeitas consigo mesmas. Agarradas ao hábito, escravas da rotina, orgulhosas de suas crenças ou da ausência delas, consumidas pelo prazer, elas nada levam a sério. O mais leve pretexto é bastante para que não assistam a uma conferência, ou não leiam um livro, ou não façam nem recebam uma visita que possa prejudicar, de algum modo, o seu prestígio ou conturbar o seu sossego monótono e artificial.[7]

Um coração duro ouve, mas lhe falta compreensão e entendimento espiritual. Ele escuta o sermão, mas não presta atenção. A Palavra de Deus não produz nenhum efeito nele maior do que a chuva na pedra. Esses ouvintes são semelhantes àqueles denunciados pelo profeta Ezequiel: *Eis que tu és para eles como quem canta canções de amor, que tem voz suave e tange bem; porque ouvem as tuas palavras, mas não as põem por obra* (Ez 33.32). Há uma multidão de ouvintes que domingo após domingo vai à igreja, mas satanás rouba a semente de seu coração. Semana após semana eles vivem sem fé, sem temor, sem rendição ao Senhor Jesus. Neste mesmo estado, geralmente eles morrem e são sepultados e se perdem eternamente no inferno. Este é um triste quadro, mas também verdadeiro. Destacamos dois fatos nessa linha.

Um coração duro é onde a semente é pisada (8.5). A semente que é pisada pelos homens nem chega a brotar. A semente que o diabo teme é aquela que os homens pisam.[8] O solo se torna duro quando muitos

---

[7] MacKay, John. ... *Eu vos digo*, 1962, p. 262,263.
[8] Vieira, Antonio. *Sermões*. Vol. 1, 1951, p. 33.

pés transitam por ele. Aqueles que abrem seu coração para todo tipo de pessoas e influências estão em perigo de desenvolver um coração insensível.[9] Esse coração é como um campo de pousio que precisa ser arado antes de receber a semeadura da Palavra (Jr 4.3; Os 10.12).

Um coração duro é onde a semente é roubada pelo diabo para que o ouvinte não creia nem seja salvo (Lc 8.12). Antonio Vieira diz que todas as criaturas do mundo se armaram contra esta sementeira. Todas as criaturas quantas há no mundo se reduzem a quatro gêneros: criaturas racionais como os homens; criaturas sensitivas como os animais; criaturas vegetativas como os espinhos; e criaturas insensíveis como as pedras. E não há mais. Faltou alguma dessas que se não armassem contra a semeadura? Nenhuma! A natureza insensível a perseguiu nas pedras; a vegetativa nos espinhos; a sensitiva nas aves; a racional nos homens. As pedras secaram-na; os espinhos afogaram-na; as aves comeram-na; os homens pisaram-na.[10] A semeadura atrai imediatamente satanás. O ouvinte tipo "à beira do caminho" ouve, mas satanás arrebata a semente do seu coração. Satanás é um opositor da evangelização. Onde o semeador sai a semear, ele sai a roubar a semente. A evangelização é não apenas um campo de semeadura, mas também um campo de batalha espiritual. O diabo cega o entendimento dos incrédulos (2Co 4.4). Como parte do seu ataque cósmico contra Deus, satanás e seus agentes buscam ativamente destruir a Palavra de Deus no coração daqueles que a ouvem, antes mesmo que ela comece a crescer. Sem dúvida, ele também está ativo nos lugares pedregosos e nos espinheiros, combatendo a frutificação da Palavra.

Em segundo lugar, *o coração superficial* (8.6,13). Este é o solo rochoso. Nele a semente cresce, mas, por falta de umidade, seca. Este solo retrata o coração superficial, que se define por três marcas.

Um coração superficial tem uma resposta imediata, mas irrefletida, à Palavra de Deus. Tanto Marcos como Mateus usam, por duas vezes, a palavra "logo" com o sentido de "imediatamente". Essas pessoas agem "no calor do momento". Elas *imediatamente* aceitam a Palavra, e o

---

[9]WIERSBE, Warren W. *Be Diligent*, p. 41.
[10]VIEIRA, Antonio. *Sermões*. Vol. 1, p. 3.

fazem até mesmo com alegria. Então, *imediatamente* se escandalizam. Sua decisão é baseada na emoção, e não na reflexão. São os ouvintes emotivos, entusiastas "fogos de palha"; sentem alegria, mas esta é passageira.[11] John Mackay chama esse ouvinte de homem leviano porque ele abraça com alegria o que não entende, apenas pela novidade da ideia, ou para agradar ao que a anunciou.[12]

O terreno pedroso representa as pessoas que vivem e reagem superficialmente. Elas mostram uma promessa inicial que não se confirma. Tanto sua resposta quanto seu abandono são rápidos.

A emoção é um elemento importantíssimo na vida cristã, mas só ela não basta. Ela precisa proceder de um profundo entendimento da verdade e de uma sólida experiência cristã.

Um coração superficial não tem profundidade nem perseverança. Esse ouvinte não tem raiz em si mesmo. Sua fé é temporária. Na verdade sua resposta ao evangelho foi apenas externa. Não houve novo nascimento nem transformação de vida. Houve adesão, mas não conversão; entusiasmo, mas não convicção.

Esse ouvinte parece estar em vantagem em relação às demais pessoas. Sua resposta é imediata, e seu crescimento inicial é algo espantoso. Mas ele não tem profundidade, nem umidade, nem resistência ao calor do sol. A vida que o sol traz gera nele morte.

Esse ouvinte construiu sua vida cristã numa base falsa. Ele não construiu sua fé em Cristo, mas nas vantagens imediatas que lhe foram oferecidas. Não havia umidade, raiz ou suporte para crescimento e frutificação.

Hoje vemos muitas pessoas pregando saúde, prosperidade e sucesso. As pessoas abraçam imediatamente esse evangelho do lucro, das vantagens imediatas, mas elas não perseverarão, porque não têm raiz, não têm umidade, não suportam o sol, não permanecerão na congregação dos justos. Elas se escandalizarão e se desviarão. Muitas das pessoas que gritaram Hosanas quando Jesus entrou em Jerusalém gritaram *crucifica-O* na mesma semana. O apóstolo João diz que esses que se

---

[11] CAMARGO, Sátila do Amaral. *Ensinos de Jesus atrás de suas parábolas*, 1970, p. 30.
[12] MACKAY, John. ... *Eu vos digo*, p. 264.

desviam não são dos nossos (1Jo 2.19); os salvos, porém, perseverarão (Jo 10.27,28).

Um coração superficial não avalia os custos do discipulado. Esse ouvinte abraça não o evangelho, mas outro evangelho, o evangelho da conveniência. Ele crê não em Cristo, mas num outro Cristo. Quando, porém, chegam as lutas e as provas, ele se desvia escandalizado porque não havia calculado o custo de seguir a Cristo.

Esses ouvintes se desviaram porque não entenderam que o verdadeiro discipulado implica autonegação, sacrifício, serviço e sofrimento. Eles ignoraram o fato de que o caminho da cruz é o que nos leva para "casa".

Esse ouvinte tem prazer em ouvir sermões nos quais a verdade é exposta. Ele fala com alegria e entusiasmo acerca da doçura do evangelho e da felicidade de ouvi-lo. Ele pode chorar em resposta ao apelo da pregação e falar com intensidade acerca de seus sentimentos. Mas infelizmente não há estabilidade em sua religião. Não há uma obra real do Espírito Santo em seu coração. Seu amor por Deus é como a névoa que cedo passa (Os 6.4). Na verdade, esse ouvinte ainda está totalmente enganado. Não há real obra de conversão. Mesmo com todos seus sentimentos, alegrias, esperanças e desejos, ele está realmente no caminho da destruição.[13]

Em terceiro lugar, *o coração ocupado* (8.7,14). Esta é a semente que caiu no espinheiro. Os espinhos cresceram junto com a semente, que acabou sufocada por eles. Este é um solo disputado e concorrido. Está ocupado com os espinheiros, por isso a semente não pode frutificar. Destacamos cinco características de um coração ocupado.

Um coração ocupado ouve a Palavra de Deus, mas dá atenção a outras coisas (8.7,14). Marcos diz que a semente caiu entre os espinhos (Mc 4.7), e Lucas diz que os espinhos cresceram com a semente (8.7). Esses espinhos representam ervas daninhas espinhosas. Não havia arado que conseguisse arrancar suas raízes de até 30 centímetros de profundidade. Em alguns lugares, esses espinheiros formavam uma cerca viva fechada, no meio da qual alguns pés de cereal até conseguiam crescer, mas ficavam medíocres e não carregavam a espiga.

---

[13] RYLE, John Charles. *Mark*, 1993, p. 47,48.

Essa semente disputou espaço com outras plantas. Ela não recebeu primazia; ao contrário, os espinhos concorreram com ela e a sufocaram (8.7,14). Os espinhos cresceram, mas a Palavra foi sufocada. Esse coração é um campo de batalha disputado. O espírito do mundo o inunda como uma enxurrada e sufoca a semente da Palavra. Uma multiplicidade de interesses toma o lugar de Deus. É a pessoa que não tem tempo para Deus. Há outras coisas mais urgentes que fascinam sua alma. Esse ouvinte não tem uma ordem de prioridade correta, pois são muitas as coisas que tratam de tirar Cristo do lugar principal.

Um coração ocupado é sufocado pela concorrência dos cuidados do mundo (8.14). Esse ouvinte chegou a ouvir a Palavra, mas os cuidados do mundo prevaleceram. O mundo falou mais alto que o evangelho. As glórias do mundo tornaram-se mais fascinantes que as promessas da graça. A concupiscência dos olhos, a concupiscência da carne e a soberba da vida tomaram o lugar de Deus na vida desse ouvinte. Ele pode ser chamado de um crente mundano. Ele quer servir a dois senhores. Ele quer agradar a Deus e ser amigo do mundo. Ele quer atravessar o oceano da vida com um pé na canoa do mundo e outro dentro da igreja.

Um coração ocupado é sufocado pela concorrência da fascinação da riqueza (8.14). Esse ouvinte dá mais valor à terra que ao céu, mais importância aos bens materiais do que à graça de Deus. O dinheiro é o seu deus. A fascinação da riqueza fala mais alto que a voz de Deus. O esforço para conseguir uma posição social, por meio de posses e segurança material traz ansiedade tal que sufoca as aspirações por Deus.

Um coração ocupado é sufocado pelos deleites da vida (8.14). Esse ouvinte é amante dos prazeres mais do que amigo de Deus. Ele é amigo do mundo, ama o mundo e conforma-se com o mundo. Os prazeres efêmeros do pecado toldam em seu coração as alegrias perenes da vida cristã.

Um coração ocupado não produz frutos maduros (8.14). Nesse coração, a semente nasce, mas não encontra espaço para crescer. Ela chega até a crescer, mas não produz frutos que chegam à maturidade. Esse coração assemelha-se à igreja de Sardes. Tem nome de que vive, mas está morto!

Em quarto lugar, *o coração frutífero* (8.8,15). Esta é a semente que caiu na boa terra e produziu a cento por um. Retrata aquele que, de bom e reto coração, retém a Palavra e frutifica com perseverança. Há dois fatos importantes que destacamos a seguir.

Um coração frutífero ouve e retém a Palavra (8.15). Lucas diz que essas pessoas ouvem com bom e reto coração e retêm a Palavra. Elas não apenas ouvem, mas ouvem com o coração aberto, disposto, com o firme propósito de obedecer. Colocam em prática a mensagem e por isso frutificam. Não diz que acolhem com alegria, mas acolhem e frutificam.

Essa parábola nos ensina a fazer três coisas: ouvir, receber e praticar. Nesses dias tão agitados, poucos são os que param a fim de ouvir a Palavra. Mais escasso são aqueles que meditam no que ouvem. Só os que ouvem e meditam podem colocar em prática a Palavra e dar frutos.

Essas pessoas são aquelas que verdadeiramente se arrependem do pecado, depositam sua confiança em Cristo, nascem de novo e vivem em santificação e honra. Elas aborrecem e renunciam o pecado. Amam a Cristo e servem-No com fidelidade.

Warren Wiersbe diz que cada um dos três corações infrutíferos é influenciado por um diferente inimigo: no coração endurecido, satanás mesmo rouba a semente; no coração superficial, os enganos da carne através do falso sentimento religioso impedem a semente de crescer; no coração ocupado, as coisas do mundo impedem a semente de frutificar. Esses são os três grandes inimigos do cristão: o diabo, a carne e o mundo (Ef 2.1-3).[14]

Um coração frutífero produz fruto com perseverança (8.15). O que distingue esse campo dos demais é que nele a semente não apenas nasce e cresce, mas o fruto vinga e cresce. Lucas diz que ele frutifica com perseverança. Jesus está descrevendo aqui o verdadeiro crente, porque fruto, ou seja, uma vida transformada, é a evidência da salvação (2Co 5.17; Gl 5.19-23). A marca do verdadeiro crente é que ele produz fruto. A árvore é conhecida pelo seu fruto. Uma árvore boa produz fruto bom. Estar sem fruto é estar no caminho que leva ao inferno.

A marca dessa pessoa não é apenas fruto por algum tempo, mas perseverança na frutificação. Há uma constância na sua vida cristã. Ela

---

[14] WIERSBE, Warren W. *Be Diligent*, p. 42.

não se desvia por causa das perseguições do mundo nem fica fascinada pelos prazeres do mundo e deleites da vida. Sua riqueza está no céu, e não na terra; seu prazer está em Deus, e não nos deleites da vida.

É importante frisar que o semeador semeia a Palavra. Há muitos semeadores que semeiam doutrinas de homens, e não a Palavra. Semeiam o que os homens querem ouvir, e não o que eles precisam ouvir. Semeiam o que agrada aos ouvidos, e não o que salva a alma. Essa semente pode parecer muito fértil, mas não produz fruto que permanece para a vida eterna.

Outros pregadores pregam palavras de Deus, e não a Palavra de Deus. O diabo também pregou palavras de Deus, mas ele usou a Bíblia para tentar. Palavras de Deus na boca do diabo não são a Palavra de Deus, mas palavra do diabo. E elas não podem produzir frutos dignos de Deus.

Concluindo, afirmamos que esta parábola deve nos levar a três solenes reflexões.

Primeiro, *não devemos subestimar as forças opositoras à semeadura.* Jesus começou dizendo que precisamos ouvir e terminou dizendo que quem tem ouvidos, ouça (8.8). O diabo, o mundo e a carne se armam para impedir a conversão dos pecadores.

Segundo, *não devemos superestimar as respostas imediatas.* As aparências enganam. Nem toda pessoa que diz "Senhor, Senhor" entrará no reino dos céus. Muitas pessoas vão aderir à fé cristã, mas sem conversão.

Terceiro, *não devemos subestimar o poder da Palavra de Deus.* A verdade é tão poderosa que até nos terrenos pedregosos e espinhentos ela nasce e no bom solo produz a cem por um (8.8).

O poder iluminador da Palavra (8.16-18)

Jesus foi o maior de todos os mestres, pela natureza de seu ensino, pela excelência de seus métodos e pela grandeza do seu exemplo. As parábolas eram avenidas de compreensão das verdades do reino para os discípulos e portas cerradas para aqueles que os perseguiam e zombavam. O termo "parábola" é de origem grega. Etimologicamente, significa "a colocação de uma coisa ao lado da outra para fins de comparação".[15]

---

[15] MACKAY, John. ... *Eu vos digo*, p. 47,48.

Vamos examinar a parábola da candeia e extrair suas principais lições. Jesus usa figuras diferentes para ensinar a mesma lição: o coração fértil assemelha-se a uma lâmpada luminosa. É a Palavra de Deus que produz brilho na vida das pessoas ao estabelecer sua influência nelas. A Palavra é simbolizada pela semente e também pela lâmpada. Os rabinos estavam escondendo aquela Palavra debaixo de um sistema elaborado de tradições humanas e ações hipócritas. Hoje, muitas pessoas ainda cobrem a Palavra com um vaso ou escondem-na debaixo da cama, símbolos do luxo e do prazer.

Jesus fala sobre essa parábola para esclarecer que a verdade não é para ser escondida. A lâmpada deve voltar a brilhar com todo o seu esplendor. Ela não pode ser colocada debaixo do alqueire, nem dentro de um vaso, nem debaixo da cama, mas no velador. O mistério do reino deve ser revelado e não escondido.

Que implicações esta parábola de Jesus tem para a igreja hoje?

Em primeiro lugar, *nós devemos proclamar a verdade do reino para os outros* (8.16). Não podemos receber o conhecimento da Palavra e guardá-lo apenas para nós mesmos, escondendo essa luz dentro do vaso ou debaixo da cama. Não faz sentido ter uma lâmpada escondida numa casa. A luz da verdade não nos é dada para ser retida, mas para ser proclamada. Precisamos repartir com os outros essa luz. Precisamos compartilhar com os outros os tesouros da graça de Deus. Não podemos enterrar nossos talentos nem esconder nossa luz. Não podemos nos calar nem nos omitir covardemente.

Com a figura da lâmpada, Jesus se distanciou de modo veemente do esoterismo. O reino de Deus não é uma religião de mistério nem uma doutrina fechada, mas uma verdade para sair do esconderijo e alcançar os telhados do mundo.

Um filho do reino precisa ser um embaixador do reino, um anunciador de boas-novas, um arauto da verdade, um facho de luz a brilhar diante do mundo. A igreja é o método de Deus para alcançar o mundo. A evangelização dos povos é uma tarefa imperativa, intransferível e impostergável. Precisamos dizer aos famintos que nós encontramos pão e dizer aos perdidos que nós encontramos o Messias. Precisamos pregar a tempo e a fora de tempo e aproveitar as oportunidades.

O propósito da verdade é que ela seja vista. Quando Lutero decidiu enfrentar a igreja romana, ele se propôs a combater primeiro as indulgências. Em Wittenberg, havia uma igreja chamada "a igreja de todos os santos", muito ligada à Universidade. Sobre a porta da igreja fixavam-se notícias da Universidade, assim como os temas das discussões acadêmicas. No dia de maior frequência à igreja, o dia de todos os santos, 1º de novembro, que coincidia com o aniversário da igreja, Lutero fixou suas 95 teses sobre a porta no dia anterior, 31 de outubro, a fim de que o maior número de pessoas as pudesse ler. Lutero havia descoberto a verdade e não podia guardá-la apenas para si. Precisamos colocar a lâmpada da verdade no velador, para que todos possam vê-la.

Em segundo lugar, **nós devemos entender que a verdade jamais pode ficar escondida** (8.17). Há algo indestrutível na verdade. Os homens podem resistir a ela e negá-la, mas não podem destruí-la. No começo do século XVI, o astrônomo Nicolau Copérnico descobriu que a terra não era o centro do universo. Viu que na realidade ela gira em torno do sol. Por cautela, durante trinta anos, não difundiu seu descobrimento. Por último, em 1543, quando estava à beira da morte, convenceu um editor atemorizado a publicar sua obra intitulada *As revoluções dos corpos celestes*. Copérnico morreu em seguida, mas outros herdaram a tormenta. Galileu Galilei, no começo do século XVII, aderiu à teoria de Copérnico e firmou sua adesão publicamente. Em 1616, a Inquisição o convocou a Roma e condenou suas crenças. Para não morrer, ele se retratou. Mais tarde, com a ascensão de um novo papa, voltou a reafirmar sua crença, mas Urbano VIII o forçou a retratar-se sob pena de tortura e morte. A retratação o livrou da morte, mas não da prisão. A verdade, contudo, não pode ser exilada. Pode-se atacá-la, torcê-la e reprimi-la, mas jamais se pode prevalecer sobre a verdade.[16]

A verdade vai prevalecer sempre. No dia do juízo, aqueles que escaparam da lei, que saíram ilesos dos tribunais ou que praticaram seus pecados longe dos holofotes terão seus pecados anunciados publicamente. A verdade pode demorar a revelar-se, mas ela jamais será sepultada no esquecimento.

---

[16]BARCLAY, William. *Marcos*, 1974, p. 115,116.

Em terceiro lugar, *nós devemos refletir sobre o que ouvimos* (8.18). Jesus enfatizou várias vezes neste capítulo a imperativa necessidade de prestar atenção no que ouvimos (8.8,12-15). Ouvir é a principal avenida através da qual a graça é plantada na alma humana. A fé vem pelo ouvir a Palavra de Cristo (Rm 10.17). Somos incluídos em Cristo quando ouvimos a palavra da verdade (Ef 1.13). Pela pregação da Palavra, a glória de Deus é manifestada, a fé é alimentada, e o amor é praticado.[17] Muitos ouvem e desprezam. Outros ouvem e esquecem. Há aqueles que ouvem e deliberadamente deixam para depois. Devemos inclinar os nossos ouvidos para atender ao que ouvimos.

Em quarto lugar, *nós devemos fazer uso diligente dos privilégios espirituais* (4.25). William Hendriksen diz que o imobilismo é impossível nas questões espirituais. Uma pessoa ganha ou perde; avança ou retrocede. *Ao que tiver, se lhe dará; e ao que não tiver, até aquilo que julga ter lhe será tirado* (8.18). Obediência implica bênção, mas desobediência desemboca em prejuízo. Cada bênção é garantia de maiores bênçãos por vir (Jo 1.16). Aquele que é iluminado pela verdade e despreza esse privilégio está cometendo um grave pecado e perdendo uma grande oportunidade.

O privilégio de ouvir e praticar a Palavra (8.19-21)

Lucas conclui sua temática sobre a suprema importância de praticar a Palavra trazendo à lume um episódio ocorrido com a família de sangue de Jesus. Warren Wiersbe é enfático quando escreve: "satanás não se importa muito com o fato de aprendermos verdades bíblicas, desde que não vivamos de acordo com elas. A verdade que permanece na mente é apenas acadêmica e não chegará ao coração se não for praticada pela vontade".[18]

A mãe de Jesus e seus irmãos, preocupados com o seu bem-estar, em virtude da esmagadora demanda de Seu ministério, foram ao seu encontro. Alguns de seus amigos já haviam dito que Ele estava fora de si (Mc 3.21). Como em tantas ocasiões, havia uma multidão à porta,

---

[17] RYLE, John Charles. *Mark*, p. 52.
[18] WIERSBE, Warren W. *Comentário bíblico expositivo.* Vol. 5, p. 260.

fazendo uma espécie de cordão de isolamento. Eles não puderam se aproximar. Então, mandaram um recado para Jesus, dizendo que Sua mãe e Seus irmãos estavam do lado de fora e queriam vê-lo.

Nesse momento, Jesus aproveita o ensejo para concluir seu ensino sobre a supremacia da Palavra, dizendo aos circunstantes: "Minha mãe e Meus irmãos são aqueles que ouvem a Palavra de Deus e a praticam". Com isso, Jesus não estava desmerecendo sua família de sangue, mas estava, sim, enaltecendo privilégio ainda maior, o privilégio de ouvir e praticar a Palavra de Deus. Mais importante que ter feito parte da família de sangue de Jesus é participar de sua família espiritual e ser membro da família de Deus. Na descrição de Rienecker, "os familiares espirituais lhe estão mais próximos que os parentes de sangue".[19]

Nessa mesma linha de pensamento, Leon Morris diz que Jesus não está repudiando Sua família. Ele pensou em Sua mãe até mesmo quando estava pendurado na cruz, na agonia de realizar a redenção do mundo (Jo 19.26,27). O que Ele quer dizer é que nosso dever diante de Deus precisa tomar a precedência sobre todas as demais coisas.[20]

É oportuno esclarecer que os irmãos de Jesus são mencionados repetidas vezes no Novo Testamento (Mt 12.46; Mc 3.21; Lc 8.10; Jo 2.12; 7.3,5; At 1.14; 1Co 9.5; Gl 1.19; Tg 1.1; Jd 1). Concordo com a afirmação de Rienecker de que usar esse contexto para falar de meios-irmãos ou de primos de Jesus a fim de defender a virgindade "perpétua" de Maria é uma arbitrariedade e um boato que surgiu somente no segundo século. O fato de Jesus ser chamado de primogênito (2.7; Mt 1.25) pressupõe outros filhos do casal nascidos posteriormente.[21]

---

[19] RIENECKER, Fritz. *Evangelho de Lucas*, p. 195.
[20] MORRIS, Leon L. *Lucas: introdução e comentário*, p. 146.
[21] RIENECKER, Fritz. *Evangelho de Lucas*, p. 195.

23

O **poder** de Jesus sobre a natureza

Lucas 8.22-25

AS TEMPESTADES DA VIDA NÃO ANULAM o cuidado amoroso de Jesus. Não haveria o arco-íris sem a tempestade, nem o dom das lágrimas sem a dor. Só conseguimos enxergar a majestade dos montes quando estamos no vale. Só enxergamos o brilho das estrelas quando a noite está trevosa É das profundezas da nossa angústia que nos erguemos para as maiores conquistas da vida.

Jesus deu uma ordem aos discípulos para entrarem no barco e passarem para a outra margem, para a região de Gadara, onde havia um homem possesso. Enquanto eles atravessavam o mar, Jesus, cansado da faina, dormiu, e uma tempestade terrível os surpreendeu, enchendo d'água o barco. Os discípulos, apavorados, clamaram a Jesus. Ele repreendeu o vento e o mar, e os discípulos ficaram maravilhados.

Aprendemos aqui algumas lições importantes.

Em primeiro lugar, *as tempestades da vida são inesperadas*. O mar da Galileia era famoso por suas tempestades. Os ventos gelados do monte Hermom (2.790 m), algumas vezes, descem com fúria dessas alturas alcantiladas e sopram com violência sobre o mar encurralado pelos montes, provocando terríveis tempestades. As tempestades da vida são também inesperadas; algumas vezes, colhem-nos de surpresa e nos deixam profundamente abalados.

Em segundo lugar, *as tempestades da vida são perigosas*. Mateus diz que o barco era varrido pelas ondas (Mt 8.24). Marcos diz que se levantou grande temporal de vento, e as ondas se arremessavam contra o barco, de modo que a embarcação já estava a encher-se de água (Mc 4.37). Lucas diz que sobreveio uma tempestade de vento no lago, correndo eles o perigo de soçobrar (8.23). As tempestades da vida também são ameaçadoras e perigosas. São verdadeiros abalos sísmicos e terremotos na nossa vida. Muitas vezes, as tempestades chegam de forma tão intensa que abalam as estruturas da nossa vida. Põem no chão aquilo que levamos anos para construir. É um casamento edificado com abnegação e amor que se desfaz pela tempestade da infidelidade conjugal. É um sonho nutrido na alma com tanto desvelo que se transforma num pesadelo. De repente, uma doença incurável abala a família, um acidente trágico ceifa uma vida cheia de vigor, um divórcio traumático deixa o cônjuge ferido e os filhos amargurados.

Em terceiro lugar, *as tempestades da vida são surpreendentes*. Elas podem transformar cenários domésticos em lugares ameaçadores. O mar da Galileia era um lugar muito conhecido daqueles discípulos. Alguns deles eram pescadores profissionais e conheciam cada palmo daquele lago. Muitas vezes eles cruzaram aquele mar lançando suas redes. Mas, agora, eles estavam em apuros. O comum tornou-se um monstro indomável. Aquilo que parecia ser administrável tornou-se uma força incontrolável. Muitas vezes, as tempestades mais borrascosas que enfrentamos na vida não vêm de horizontes distantes nem trazem coisas novas, mas apanham aquilo que era ordinário e comum em nossa vida e botam tudo de cabeça para baixo. Muitas vezes, é o cônjuge que foi fiel tantos anos que dá uma guinada e se transforma numa pessoa amarga e agressiva, abandonando o casamento para viver uma aventura com outra pessoa. Outras vezes é o filho obediente que resvala os pés e transforma-se numa pessoa irreverente, dissimulada e insolente com os pais. Ainda hoje, há momentos em que as maiores crises que enfrentamos nos vêm daqueles lugares onde nos sentíamos mais seguros.

As **tensões** que enfrentamos nas tempestades da vida (8.22,23)

Esse texto nos apresenta algumas tensões que enfrentamos nas tempestades da vida.

Em primeiro lugar, *como conciliar a obediência a Cristo com a tempestade* (8.22). Os discípulos entraram no barco por ordem expressa de Jesus e, mesmo assim, enfrentaram a tempestade. Eles estavam no centro da vontade de Deus e ainda encararam ventos contrários. Eles estavam onde Jesus os mandou estar, fazendo o que Jesus os mandou fazer, indo para onde Jesus os mandou ir e, mesmo assim, foram surpreendidos por uma terrível borrasca. Jonas enfrentou uma tempestade porque desobedecia a Deus; os discípulos porque obedeciam.

Em segundo lugar, *como conciliar a tempestade com a presença de Jesus* (8.22). O fato de Jesus estar conosco não nos poupa de certas tempestades. Ser cristão não é viver numa redoma de vidro, numa estufa espiritual. O céu não é aqui. Jesus foi a uma festa de casamento e, mesmo Ele estando lá, faltou vinho. Um crente que anda com Jesus pode enfrentar e, muitas vezes, realmente enfrenta terríveis tempestades. Jesus passara todo aquele dia ensinando os discípulos as parábolas do reino. Mas agora viria uma lição prática: Jesus sabia da tempestade; ela estava no currículo de Jesus para aquele dia. A tempestade ajudou os discípulos a entenderem que podemos confiar em Jesus nas crises inesperadas da vida.

Em terceiro lugar, *como conciliar a tempestade com o sono de Jesus* (8.23). Talvez o maior drama dos discípulos não tenha sido a tempestade, mas o fato de Jesus estar dormindo durante a tempestade. Na hora do maior aperto dos discípulos, Jesus estava dormindo. Às vezes, temos a sensação de que Deus está dormindo. O Salmo 73 fala sobre o sono de Deus. Aquele que não dormita nem dorme, às vezes, parece não estar atento aos dramas da nossa vida, e isso gera uma grande angústia em nossa alma.

As **grandes perguntas** feitas nas tempestades da vida (8.24,25).

O texto em tela apresenta-nos uma informação e duas perguntas. Todas elas são instrutivas. Elas nos mostram a estrutura do texto.

As lições emanam dessas perguntas. Aqui temos a pedagogia da tempestade. Vejamos:

Em primeiro lugar, *a informação dos discípulos a Jesus* (8.24). Os discípulos, apavorados, informam a Jesus: *Mestre, Mestre, estamos perecendo!* Marcos coloca a mesma situação numa pergunta, em tom de censura: *Mestre, não te importas que pereçamos?* (Mc 4.38). Essa pergunta nasceu do ventre de uma grande crise. Seu parto se deu num berço de muito sofrimento. Os discípulos estavam vendo a carranca da morte. O mar embravecido parecia sepultar suas últimas esperanças. Depois de esgotados todos os esforços e baldados todos os expedientes humanos, eles clamaram a Jesus. O que esse grito dos discípulos sinaliza?

Primeiro, esse grito evidencia o medo gerado pela tempestade. A tempestade provoca medo em nós, porque ela é maior do que nós. Em tempos de doença, perigo de morte, desastres naturais, catástrofes, terremotos, guerras, comoção social, tragédias humanas, explode do nosso peito este mesmo grito de medo e dor: *Mestre, não te importas que pereçamos?* Mateus registra: *Senhor, salva-nos! Perecemos!* (Mt 8.25). Lucas diz: *Mestre, Mestre estamos perecendo!* (8.24). Essas palavras expressam mais uma crítica do que um pedido de ajuda. Às vezes, é mais fácil reclamar de Deus do que depositar nossa ansiedade aos Seus pés e descansar na Sua providência.[1]

Um dos momentos mais comoventes que experimentei na vida foi a visita que fiz ao museu *Yad Vasheim*, na cidade de Jerusalém. Esse museu é um memorial das vítimas do Holocausto. Seis milhões de judeus pereceram nos campos de concentração nazista, nos paredões de fuzilamento e nas câmaras de gás. Um milhão e meio de crianças foram mortas sem nenhuma piedade. No jardim de entrada do museu, há o monumento de uma mulher cuja cabeça é uma boca aberta com dois filhos mortos no colo. Essa mulher retrata o desespero de milhares de mães que ergueram seu grito de dor, sem que o mundo as ouvisse. Representa o sofrimento indescritível daquelas mães que marcharam para a morte e viram seus filhos tenros e indefesos serem vítimas da

---

[1] BARTON, Bruce B. et al. *Life Application Bible commentary. Mark*, 1994, p. 122.

mais brutal e perversa perseguição de todos os tempos. Ao entrar no museu, enquanto caminhava por uma passarela escura, ouvi uma voz triste chamando as crianças mortas pelo nome. Vi um milhão e meio de velas acesas, refletidas nos espelhos. Enquanto cruzava aquele corredor de lembranças tão amargas, não pude conter as lágrimas. Lembrei-me do medo, pavor e desespero que tomou conta dos pais naqueles seis anos de barbárie e cruel perseguição. Quantas vezes, nas tempestades avassaladoras da vida, também encharcamos a nossa alma de medo! Os problemas se agigantam, o mar se revolta, as ondas se encapelam, e o vento nos açoita com desmesurado rigor.

Segundo, esse grito evidencia alguma fé. Se os discípulos estivessem completamente sem fé, não teriam apelado a Jesus. Eles não O teriam chamado de Mestre. Não teriam pedido a Ele para salvá-los. Naquela noite trevosa, de mar revolto, de ondas assombrosas que chicoteavam o barco e ameaçavam engoli-los, reluz um lampejo de fé. Quantas vezes, nessas horas, também nos voltamos para Deus em forte clamor. Quantas vezes há urgência na nossa voz. Na hora da tempestade, quando os nossos recursos se esgotam e a nossa força se esvai, precisamos clamar ao Senhor.

Terceiro, esse grito evidencia uma fé deficiente. Se os discípulos tivessem uma fé madura, não teriam capitulado ao pânico e ao desespero. A causa do desespero não era a tempestade, mas a falta de fé. O perigo maior que eles enfrentavam não era a fúria do vento ao redor, mas a incredulidade interior. Havia deficiência de fé no conhecimento deles. Mesmo dormindo, Jesus sabia da tempestade e das necessidades dos Seus discípulos.

Em segundo lugar, *a pergunta feita por Jesus aos discípulos* (8.25). Jesus perguntou aos discípulos: *Onde está a vossa fé?* Os discípulos falharam no teste prático e revelaram medo e não fé, ao dizerem: ... *estamos perecendo* (8.24). Onde o medo prevalece, a fé desaparece. Ficamos com medo porque duvidamos que Jesus esteja no controle. Enchemos nossa alma de pavor porque pensamos que as coisas estão fora de controle. Desesperamo-nos porque julgamos que estamos abandonados à nossa própria sorte. Aqueles discípulos deviam ter fé e não medo, e isso, por quatro razões.

A promessa de Jesus (8.22). Jesus havia empenhado Sua palavra a eles: *Passemos para a outra margem do lago*. O destino deles não era o naufrágio, mas a outra margem do lago. Para Jesus, promessa e realidade são a mesma coisa. O que Ele fala, Ele cumpre. Jesus não promete viagem calma e fácil, mas garante chegada certa e segura.

A presença de Jesus (8.22). É a presença de Jesus que nos livra do temor. Jesus estava dentro do barco com Seus discípulos. A presença de Deus nas tempestades é nossa âncora e nosso porto seguro. Os discípulos se entregaram ao medo porque se esqueceram de que Jesus estava com eles. O Rei do céu e da terra estava no mesmo barco e, por isso, o barco não podia afundar. O Criador do vento e do mar está conosco; não precisamos ter medo das tempestades.

A paz de Jesus (8.23). Enquanto a tempestade rugia com toda fúria, Jesus estava dormindo. Será que Jesus sabia que a tempestade viria? É óbvio que sim! Ele sabe todas as coisas, nada O apanha de surpresa. Aquela tempestade estava na agenda de Jesus; fazia parte do currículo de treinamento dos discípulos.[2] Mas, se Jesus sabia da tempestade, por que dormiu? Ele dormiu por duas razões: porque descansava totalmente na providência do Pai e porque sabia que a tempestade seria pedagógica na vida dos Seus discípulos.

O poder de Jesus (8.24). Aquele que estava no barco com os discípulos é o Criador do universo. As leis da natureza estão em Suas mãos. A natureza ouve a Sua voz e obedece. Lucas insere esse registro da tempestade num contexto que enaltece e destaca o poder de Jesus. Ele está revelando seu poder sobre as leis da natureza, acalmando o mar (8.22-25). Ele revela Sua autoridade sobre os demônios (8.26-39). Ele acentua sua autoridade sobre a enfermidade, curando uma mulher hemorrágica que vivia doze anos prisioneira de sua enfermidade (8.43-48). Ele ressuscita a filha de Jairo para provar que até a morte está debaixo da sua absoluta autoridade e poder (8.40-42,49-56).

Jesus repreendeu o vento e o mar, e estes se aquietaram. Agora não é mais Jesus quem está adormecido no rugido da tempestade, mas a tempestade que está adormecida aos pés do Senhor. Ele tem poder

---

[2] WIERSBE, Warren W. *Be Diligent*, p. 45.

para repreender também os problemas que nos atacam, a enfermidade que nos assola, a crise que nos cerca, as aflições que nos oprimem. Jesus repreendeu o mar pela Sua fúria e depois repreendeu os discípulos pela sua falta de fé. Muitas vezes, a tempestade mais perigosa não é aquela que levanta os ventos e agita o mar, mas a tempestade do medo e da incredulidade. O nosso maior problema não está ao nosso redor, mas dentro de nós.

Em terceiro lugar, *a pergunta foi feita entre os discípulos* (8.25). As tempestades são pedagógicas. Elas são a escola de Deus para nos ensinar as maiores lições da vida. Aprendemos mais na tempestade do que nos tempos de bonança. Foi através do livramento da tempestade que os discípulos tiveram uma visão mais clara da grandeza singular de Jesus. Eles, que estavam com medo da tempestade, estão agora cheios de temor diante da majestade de Jesus. Eles passaram a ter uma fé real e experimental e não uma fé de segunda-mão.

A intervenção soberana de Jesus, às vezes, acontece quando todos os recursos humanos acabam. O extremo é a oportunidade de Deus. As tempestades fazem parte do currículo de Jesus para nos fortalecer na fé. As provas não vêm para nos destruir, mas para tonificar as musculaturas da nossa alma.

24

o poder de Jesus sobre os demônios: o gadareno

Lucas 8.26-34

ESTE É O PRIMEIRO INCIDENTE TRANSGALILEU registrado por Lucas. Ele registra a jornada de Jesus de um *mar* agitado para um *homem* agitado. Humanamente falando, ambos eram *indomáveis*, mas Jesus subjugou a ambos.

Era noite. Depois de uma assombrosa tempestade, Jesus chega num lugar deserto, íngreme e cheio de cavernas. Ele desembarca num cemitério, onde havia corpos expostos, alguns deles já em decomposição. O lugar em si já metia medo nos mais corajosos. Desse lugar sombrio, sai um homem louco, possesso, nu, um espectro humano, um aborto vivo, uma escória da sociedade.

Todos já haviam desistido dele, menos Jesus. Aquela viagem foi proposital. Jesus vai a uma terra gentílica, depois de um dia exaustivo de trabalho, depois de uma terrível tempestade, para salvar um homem possesso.

Satanás roubou tudo de precioso que aquele homem possuíra: família, liberdade, saúde física e mental, dignidade, paz e decência.

Havia dentro dele uma legião de demônios (8.30). Legião era uma corporação de 6 mil soldados romanos. Nada infundia tanto medo e terror como uma legião romana. Era um exército de invasão, crueldade e destruição. A legião romana era composta por infantaria e cavalaria. Numa legião havia flecheiros, estrategistas, combatentes, incendiários e aqueles que lutavam com espadas. Por onde uma legião passava, deixava um rastro de destruição e morte. Uma legião romana era irresistível. Aonde ela chegava, cidades eram assaltadas, dominadas, e seus habitantes eram arrastados como súditos e escravos. Uma legião era a mais poderosa máquina de guerra conhecida nos tempos antigos. As legiões romanas formavam o braço forte com o qual Roma havia subjugado o mundo. Assim era o poder diabólico que dominava aquele pobre ser humano. Havia um poder de destruição descomunal dentro dele, transformando sua vida num verdadeiro inferno.

Warren Wiersbe diz que nós podemos ver neste texto três forças trabalhando: satanás, a sociedade e Jesus.[1]

O que **satanás** faz pelas pessoas?

Na verdade, satanás não faz nada pelas pessoas; faz contra elas. Vejamos alguns exemplos a seguir.

Em primeiro lugar, *ele domina as pessoas através da possessão* (8.27,29,30). O gadareno estava possesso de demônios. Havia uma legião de demônios dentro dele. A possessão demoníaca não é um mito, mas uma triste realidade. A possessão não é apenas uma doença mental ou epilepsia. Ainda hoje milhares de pessoas vivem no cabresto de satanás. Quais eram os sintomas de possessão desse homem?

Ele tinha dentro de si muitos demônios (8.27). Esse homem não estava no controle de si mesmo. Suas palavras e suas atitudes eram determinadas pelos espíritos imundos que estavam dentro dele (8.29). Ele era um capacho de satanás, um cavalo dos demônios, um joguete nas mãos de espíritos assassinos.

Ele manifestava uma força sobre-humana (8.29). As pessoas não podiam detê-lo nem as cadeias podiam subjugá-lo. A força destruidora com que despedaçava as correntes não procedia dele, mas dos espíritos malignos que nele moravam.

Ele revelou um conhecimento sobrenatural (8.28). Logo que Jesus desembarcou em Gadara, esse homem possesso correu, cheio de medo,

---

[1]WIERSBE, Warren W. *Be Diligent*, p. 48.

e prostrou-se aos pés de Jesus, dizendo: *Que tenho eu contigo, Jesus, Filho do Deus altíssimo? Rogo-Te que não me atormentes*. Ele sabia quem era Jesus. Sabia que Jesus é o Filho do Deus Altíssimo, que tem todo poder para atormentar os demônios e mandá-los para o abismo. Os demônios creem na divindade de Cristo e na Sua total autoridade. Eles oram e creem nas penalidades eternas. A fé dos demônios é mais ortodoxa do que a fé dos teólogos liberais.

Em segundo lugar, *ele arrasta as pessoas para a impureza* (8.27). Gadara era uma terra gentílica, onde as pessoas lidavam com animais imundos. O espírito que estava naquele homem era um espírito imundo (8.29). Por isso, levou-o para um lugar impuro, o cemitério, para viver no meio dos sepulcros (8.27). A impureza desse homem era tríplice: os judeus consideravam a terra dos pagãos impura, em seguida o lugar dos túmulos e, por fim, a possessão.

Em terceiro lugar, *ele empurra as pessoas para uma vida sem pudor* (8.27). Esse endemoniado havia muito não se vestia. Ele tinha perdido completamente o senso de dignidade própria. Não respeitava a si nem aos outros. A obcenidade era a marca de sua vida. Ainda hoje, vivemos numa cultura saturada pela influência dos demônios, uma cultura que se esforça para deixar as pessoas nuas.

O que a **sociedade** pode fazer pelas pessoas?

Consideremos três fatores.

Em primeiro lugar, *a sociedade afastou esse homem do convívio social* (8.27,29). O máximo que a sociedade pôde fazer por esse homem foi tirá-lo de circulação e enviá-lo para o deserto. Arrancaram-no da família e da cidade. Desistiram do seu caso e consideraram-no uma causa perdida. Trataram-no como um caso irrecuperável e descartaram-no como um ser asqueroso.

Em segundo lugar, *a sociedade acorrentou esse homem* (8.29). A prisão foi o melhor remédio que encontraram para deter o homem possesso. Colocaram cadeias em suas mãos. Mas a prisão não pôde detê-lo. Ele arrebentou as cadeias e continuou espalhando terror por onde andava. Embora o sistema carcerário seja um fato necessário, não é a solução do problema. O índice de reincidência no crime daqueles que são apanhados pela lei e lançados num cárcere é de mais de 70%. O máximo que a sociedade pode fazer por pessoas problemáticas é isolá-las, colocá-las sob custódia ou jogá-las numa prisão. As prisões não libertam as pessoas por dentro nem as transformam; ao contrário, tornam-nas ainda mais violentas. Ainda hoje, é mais fácil e mais cômodo lançar na caverna da morte, no presídio e no desprezo aqueles que caem nas garras do pecado e do diabo.

Em terceiro lugar, *a sociedade deu mais valor aos porcos do que a esse homem* (8.37). A sociedade de Gadara não apenas rejeitou aquele homem na sua desventura, mas, também, não o valorizou depois da sua cura e libertação. Eles expulsaram Jesus de sua terra e amaram mais os porcos do que a Deus. Os porcos valiam mais que uma vida.

O que **Jesus** faz pelas pessoas?

Observemos três coisas fundamentais que Cristo faz.

Em primeiro lugar, ***Jesus libertou esse homem da escravidão dos demônios*** (8.29-34). Jesus se manifestou para destruir as obras do diabo (1Jo 3.8). Até os demônios estão debaixo da sua autoridade. Mediante a autoridade da Palavra de Jesus, a legião de demônios bateu em retirada e o homem escravizado ficou livre. Jesus é o atormentador dos demônios e o libertador dos homens. Aonde ele chega, os demônios tremem e os cativos são libertos. Satanás tentou impedir Jesus de entrar na região de Gadara. Mas, em vez de intimidar-se com a legião de demônios, Jesus foi quem espalhou terror no exército adversário.

Em segundo lugar, ***Jesus devolveu a esse homem a dignidade da vida*** (8.35,36). Três fatos nos chamam a atenção nessa libertação.

O homem estava assentado aos pés de Jesus (8.35). Aquele que vivia perturbado, correndo de dia e de noite, sem descanso para a mente e sem repouso para o corpo, agora está quieto, sereno, assentado aos pés do Salvador. Jesus acalmou o vendaval do mar e também a tempesetade interior desse homem atormentado. Alguns estudiosos entendem que a tempestade que Jesus enfrentara para chegar a Gadara fora provocada por satanás, visto que a mesma palavra que Jesus empregou para repreender o vento e o mar, ele também empregou para repreender os espíritos imundos. Seria uma tentativa desesperada de satanás para impedir Jesus de chegar a esse território pagão, onde ele mantinha tantas pessoas sob suas garras assassinas.[2]

O homem estava vestido (8.35). Esse homem havia perdido o pudor e a dignidade. Ele andava nu. Havia muito que não se vestia (8.27). Tinha perdido o respeito próprio e o respeito pelos outros. Estava à margem não só da lei, mas também da decência. Agora que Jesus o transformara, o primeiro expediente foi vestir-se, cuidar do corpo e apresentar-se com dignidade. A prova da conversão é a mudança.

O homem estava em perfeito juízo (8.35). Jesus restituiu àquele homem sua sanidade mental. A diferença entre sanidade e santidade é apenas de uma letra, a letra *T,* um símbolo da cruz de Cristo. Aonde Jesus chega, ele restaura a mente, o corpo e a alma. Aquele homem não era mais violento. Não oferecia mais nenhum perigo à família ou à sociedade. Jesus continua transformando monstros em homens santos, escravos de satanás em homens livres, párias da sociedade em vasos de honra.

Em terceiro lugar, **Jesus dá a esse homem uma gloriosa missão** (8.38,39). Jesus envia esse homem como missionário para sua casa, para ser uma testemunha em sua terra. Ele espalhava medo e pavor; agora, anunciaria as boas-novas de salvação. Antes, era um problema para a família; agora, seria uma bênção. Antes, era um mensageiro de morte; agora, seria um embaixador da vida.

Jesus revela a ele que o testemunho precisa começar em sua própria casa. O nosso primeiro campo missionário deve ser o nosso lar. Sua família precisa ver a transformação que Deus operou em sua vida. O que Deus fez por nós tem de ser contado aos outros.

Lucas 8.26-39 registra três pedidos. Os dois primeiros foram prontamente atendidos por Jesus, mas o último foi indeferido.

Jesus atendeu ao pedido dos demônios (8.28,31,32). Os demônios pediram, e pediram encarecidamente. Havia intensidade e urgência no

---
[2]Wiersbe, Warren W. *Be Diligent,* p. 49.

pedido deles. Eles não queriam ser atormentados (8.28) nem enviados para o abismo (8.31) nem para fora do país (Mc 5.10), mas para a manada de porcos que pastava pelos montes (8.32). É intrigante que Jesus tenha atendido prontamente ao pedido dos demônios, e a manada de dois mil porcos tenha precipitado despenhadeiro abaixo, para dentro do mar, onde os animais se afogaram (8.33; Mc 5.13). Por que Jesus atendeu os demônios? Por cinco razões, pelo menos.

Primeiro, para mostrar o potencial destruidor que agia naquele homem. O gadareno não estava fingindo nem encenando. Seu problema não era apenas uma doença mental. Não se transfere esquizofrenia para uma manada de porcos. Os demônios não são seres mitológicos nem a possessão demoníaca é uma fantasia. O poder que estava agindo dentro daquele homem foi capaz de matar dois mil porcos.

Segundo, para revelar àquele homem que o poder que o oprimia tinha sido vencido. Assim como a ação do mal não é uma simulação, a libertação também não é apenas um efeito psicológico, mas, um fato real, concreto e perceptível. Jesus diz: *Se o Filho vos libertar, verdadeiramente sereis livres* (Jo 8.32).

Terceiro, para mostrar à população de Gadara que, para satanás, um porco tem o mesmo valor que um homem. De fato, satanás tem transformado muitos homens em porcos. Jesus está alertando aquele povo sobre o perigo de ser um escravo do pecado e do diabo.

Quarto, para revelar a escala de valores dos gadarenos. Eles expulsaram Jesus por causa dos porcos. Eles amavam mais os porcos do que a Deus e ao próximo. O dinheiro era o deus deles.

Quinto, para mostrar que os demônios estão debaixo da Sua autoridade. Os demônios sabem que Jesus tem poder para expulsá-los e também para mandá-los para o abismo. Alguém mais poderoso do que satanás havia chegado, e os mesmos demônios que atormentavam o homem agora estão atormentados na presença de Jesus. Os demônios só podem ir para os porcos se Jesus o permitir. Eles estão debaixo do comando e da autoridade de Jesus. Eles não são livres para agir fora da autoridade suprema de Jesus.

Jesus atendeu ao pedido dos gadarenos (8.37). Os gadarenos expulsaram Jesus de sua terra. Eles amavam mais os porcos e o dinheiro do que a Jesus. Essa é a terrível cegueira materialista. Jesus não os constrangeu nem forçou sua permanência na terra deles. Sem nenhum questionamento ou palavra, entrou no barco e deixou a terra de Gadara. Os gadarenos rejeitaram a Jesus, mas Jesus não desistiu deles. Eles expulsaram a Jesus, mas Jesus enviou para o meio deles um missionário (8.38,39).

Jesus indeferiu o pedido do gadareno salvo (8.38,39). O gadareno, agora liberto, curado e salvo, quer, por gratidão, seguir a Jesus, mas o Senhor não lhe permite. O mesmo Jesus que atendera à petição dos demônios e dos incrédulos agora rejeita a petição do salvo. E por quê?

Primeiro, a família precisa ser o nosso primeiro campo missionário. A família dele sabia como ninguém o que havia acontecido e, agora, poderia testificar sua profunda mudança. Não estaremos credenciados a pregar para os de fora se ainda não testemunhamos para os da nossa própria família. Esse homem torna-se uma luz no meio da escuridão. Ele prega não só para sua família, mas também para toda a região de Decápolis (Mc 5.20). Decápolis era uma liga de dez cidades helênicas: Citópolis, Filadélfia, Gerasa, Pela, Damasco, Kanata, Dion, Abila, Gadara e Hippo. Ele não anuncia apenas uma mensagem teórica, mas é um retrato vivo do poder do evangelho, um verdadeiro monumento da graça.

Segundo, porque Jesus sabe o melhor lugar onde devemos estar. Devemos submeter nossas escolhas ao Senhor. Ele sabe o que é melhor para nós. O importante é estar no centro da Sua vontade. Esse homem tornou-se um dos primeiros missionários entre os gentios. Jesus saiu de Gadara, mas o homem permaneceu dando um vivo e poderoso testemunho da graça e do poder de Jesus em Gadara.

25
o poder de Jesus
sobre a enfermidade

Lucas 8.43-48

AO SER EXPULSO DE GADARA, Jesus foi calorosamente recebido por uma multidão em Cafarnaum, do outro lado do mar. A multidão o comprimia, mas apenas duas pessoas se destacam nesse relato entrelaçado: Jairo e a mulher hemorrágica. Essas duas personagens nos ensinam alguns contrastes: Jairo era um líder da sinagoga; ela era uma mulher anônima; Jairo era um líder religioso; ela era excluída da comunidade religiosa; Jairo era rico; ela perdera todos os seus bens em vão buscando saúde; Jairo tivera a alegria de conviver doze anos com sua filhinha que agora estava à morte; ela sofria há doze anos de uma doença que a impedia de ser mãe; Jairo fez um pedido público a Jesus; ela se aproximou de Jesus com um toque silencioso e secreto. Jesus atende ambos, mas ela primeiro.

A mulher hemorrágica ensina-nos sobre as marcas de uma fé salvadora: 1) uma fé nascida do desengano (8.43); 2) uma fé resoluta (8.44); 3) uma fé que estabelece contato com Cristo (8.44); 4) uma fé sincera (8.47); 5) uma fé confessada em público (8.47); e 6) uma fé recompensada (8.48). Há três características da fé dessa mulher: fé escondida, fé recompensada e fé revelada.

O **toque da fé** começa com a consciência de uma **grande necessidade** (8.43)

Destacamos quatro fatos sobre o sofrimento dessa mulher enferma.

Em primeiro lugar, *um sofrimento prolongado* (8.43). Aquela mulher hemorrágica buscou a cura durante doze anos. Foi um tempo de busca e de esperança frustrada. Foram doze anos de enfraquecimento constante; anos de sombras espessas da alma, de lágrimas copiosas, de noites indormidas, de madrugadas insones, de sofrimento sem trégua. Talvez você também esteja sofrendo há muito tempo, apesar de ter buscado solução em todos os caminhos. A Bíblia diz que a esperança que se adia faz adoecer o coração (Pv 13.12).

Em segundo lugar, *um sofrimento que gera desesperança* (8.43). O Talmude indicava onze formas de cura para a hemorragia. Ela buscou todas. Ela procurou todos os médicos. Aquela mulher gastou tudo o que tinha com vários médicos. Era uma mulher batalhadora e incansável na busca da solução para sua vida. Ela não era passiva nem omissa. Ela não ficou amuada num canto reclamando da vida; antes, correu atrás da solução. Ela bateu em várias portas, buscando uma saída para o seu problema. Mas, apesar de todos os esforços, perdeu não só o seu dinheiro, mas também progressivamente a sua saúde. Ela ficava cada vez pior. A sua doença era crônica e grave. A medicina não tinha resposta para o seu caso. Os médicos não puderam ajudá-la.

Em terceiro lugar, *um sofrimento que destruía os seus sonhos* (8.43). Aquela mulher perdia sangue diariamente. Ela tinha uma anemia profunda e uma fraqueza constante. O sangue é símbolo da vida. Seu diagnóstico era sombrio; ela parecia morrer pouco a pouco; a vida parecia esvair-se aos borbotões do seu corpo. Ela não apenas estava perdendo a vida, como não podia gerar vida. Seu ventre, em vez de ser um canteiro de vida, tinha se tornado o deserto da morte. A mulher havia chegado à "estação desesperança". Foi então que ela ouviu falar de Jesus.

Em quarto lugar, *um sofrimento que produzia terríveis segregações* (8.43). O fluxo de sangue debilitou aquela mulher física, social e religiosamente.[1] A mulher hemorrágica enfrentou pelo menos três tipos de segregação por causa da sua enfermidade.

A segregação conjugal. Segundo a lei judaica, uma mulher com fluxo de sangue não podia relacionar-se com homem algum. Se ela

---

[1] RICHARDS, Larry. *Todos os milagres da Bíblia*, p. 235.

era solteira, não podia casar-se; se era casada, não podia relacionar-se com o marido. A mulher menstruada era *niddah* (impura) e proibida de ter relações sexuais. Os rabinos ensinavam que, se os maridos teimassem em relacionar-se com elas nesse período, a maldição viria sobre os filhos. O rabino Yoshaayah ensinou que um homem devia se afastar de sua mulher já quando ela estivesse perto de ficar menstruada. O rabino Shimeon bar Yohai, ao comentar Levítico 15.31, afirmou que *ao homem que não se separa da sua mulher perto da menstruação dela, mesmo que tenha filhos como os filhos de Arão, estes morrerão*. Mulheres menstruadas transferiam sua impureza a tudo o que tocavam, inclusive utensílios domésticos e seus conteúdos. Os rabinos decretavam que até o cadáver de uma mulher que morreu durante sua menstruação deveria passar por uma purificação especial com água.[2]

A segregação social. Uma mulher com hemorragia devia viver confinada, na caverna da solidão, no isolamento, sob a triste realidade do ostracismo social. Por doze anos, ela não pudera abraçar nenhum familiar sem lhe causar dano. Ela vivia possuída de vergonha, com a autoestima amassada. Por isso, chegou anonimamente para tocar em Jesus, com medo de ser rejeitada, pois quem a tocasse ficaria cerimonialmente impuro.

A segregação religiosa. Uma mulher com fluxo de sangue era considerada impura e não podia entrar no templo nem na sinagoga para adorar. Não podia participar do culto nem das festas. Estava proibida de participar do culto público, visto que estava em constante condição de impureza ritual (Lv 15.25-33).

O **toque da fé** acontece quando nos voltamos da nossa desilusão e **buscamos a Jesus** (8.44)

Destacamos três coisas importantes aqui.

Em primeiro lugar, *os nossos problemas não apenas nos afligem; eles também nos arrastam aos pés de Jesus* (8.44). A mulher hemorrágica, depois de procurar vários médicos, sem encontrar solução para o seu problema, buscou a Jesus. Ela ouvira falar de Jesus e das maravilhas que

---

[2] RICHARDS, Larry. *Todos os milagres da Bíblia*, p. 233, 234.

Ele fazia (Mc 5.27). A fé vem pelo ouvir (Rm 10.17). O que ela ouviu produziu tal espírito de fé que dizia para si: *Se tocar tão somente em Seu manto, ficarei curada* (Mc 5.28). Ela não somente disse que seria curada se tocasse nas vestes de Jesus, mas de fato ela tocou e foi curada. Por providência divina, às vezes, somos levados a Cristo por causa de um sofrimento, de uma enfermidade, de um casamento rompido, de uma dor que nos aflige. Essa mulher rompeu todas as barreiras e foi tocar nas vestes de Jesus.

Em segundo lugar, **quando os nossos problemas parecem insolúveis, ainda podemos ter esperança** (8.44). A mulher ouviu sobre a fama de Jesus (Mc 5.27). Quando tudo parece estar perdido, com Cristo ainda há uma saída. Ela ouviu sobre a fama de Jesus: que Ele dava vista aos cegos e purificava os leprosos; que libertava os cativos e levantava os coxos; que ressuscitava os mortos e devolvia o sentido da vida aos pecadores que se arrependiam. Então, ela buscou Jesus e foi curada. Jesus estava atendendo a uma urgente necessidade: indo à casa de Jairo, um homem importante, para curar sua filha que estava à morte; mas Jesus para a fim de cuidar dessa mulher. Ela pode não ter valor nem prioridade para a multidão, mas para Jesus ela tem todo o valor do mundo.

Em terceiro lugar, **quando nós tocamos as vestes de Jesus com fé, podemos ter a certeza da cura** (8.44). No meio da multidão que comprimia a Jesus, a mulher tocou em suas vestes, e Jesus perguntou: *Quem me tocou?* (8.45). O que houve de tão especial no toque dessa mulher? Larry Richards destaca quatro características do toque dessa mulher na orla da veste de Jesus.[3] Primeiro, foi um toque intencional. Ela não tocou em Jesus acidentalmente; ela pretendia tocá-Lo. Segundo, foi um toque proposital. Ela desejava ser curada do mal que a atormentava havia doze anos. Terceiro, foi um toque confiante. Ela foi movida pela fé, pois acreditava que Jesus tinha poder para restaurar sua saúde. Quarto, foi um toque eficaz. Quando ela tocou em Jesus, ficou imediatamente livre do seu mal. Sua cura foi completa e cabal. Ela recebeu três

---

[3] RICHARDS, Larry. *Todos os milagres da Bíblia*, p. 235.

curas distintas: a primeira foi física. O fluxo de sangue foi estancado. A segunda foi emocional. Jesus não a desprezou, mas a chamou de filha (8.48) e lhe disse: *Tem bom ânimo* (Mt 9.22). A terceira, cura espiritual. Jesus lhe assegurou: *A tua fé te salvou* (8.48).

O **toque da fé** acontece quando o contato pessoal com Jesus é o nosso maior **objetivo de vida** (8.43-48)

Quatro fatos merecem destaque aqui.

Em primeiro lugar, *muitos comprimem a Cristo, mas poucos O tocam pela fé* (8.45,46). Jesus frequentemente estava no meio da multidão. Ele sempre a atraiu, não obstante a maioria das pessoas que O buscavam não tivesse um contato pessoal com Ele. Muitos seguem a Jesus por curiosidade, mas não auferem nenhum benefício dEle. Jesus conhece aqueles que o tocam com fé no meio da multidão.

Agostinho, ao comentar essa passagem, disse que uma multidão o apertava, mas só essa mulher o tocou.[4] Williams Lane argumenta corretamente: "Foi o alcance de sua fé, e não o toque de sua mão, que lhe assegurou a cura que buscava". Não foi o toque da superstição, mas da fé. Pela fé, nós cremos, vivemos, permanecemos firmes, andamos e vencemos. Pela fé, nós temos paz e entramos no descanso de Deus. A multidão vem e a multidão vai, mas só essa mulher toca Jesus e só ela recebe a cura. Aos domingos, a multidão vai à igreja. Aqui e ali, alguém é encontrado chorando por seus pecados, regozijando-se em Cristo pela salvação, e então Jesus pergunta: Quem me tocou?

Muitas pessoas vão à igreja porque estão acostumadas a ir. Acham errado deixar de fazê-lo. Mas estar em contato real com Jesus não é o que esperam acontecer no culto. Elas continuam indo e indo até Jesus voltar, mas só despertarão tarde demais, quando já estiverem diante do tribunal de Deus para prestar contas da sua vida.

Alguns vão para orar, mas não tocam em Jesus pela fé. Outros se assentam ao redor da mesa do Senhor, mas não têm comunhão com Cristo. São batizados, mas não com o Espírito Santo. Comem o pão e

---

[4] TRENCHARD, Ernesto. *Una exposición del evangelio según Marcos*, 1971, p. 67.

bebem o vinho, mas não se alimentam de Cristo. Cantam, oram, ajoelham, ouvem, mas isso é tudo; eles não tocam o Senhor nem voltam para casa em paz.

A mulher hemorrágica não estava apenas no meio da multidão que apertava Jesus; ela tocou em Jesus pela fé e foi curada! Seu toque pode ser descrito de quatro formas, como vemos a seguir.

Ela tocou em Jesus sob grandes dificuldades. Havia uma grande multidão embaraçando seu caminho. Ela se pôs no meio da multidão, apesar de estar enferma, fraca, impura e rejeitada.

Ela tocou em Jesus secretamente. A mulher tocou as vestes de Jesus sem alarde. Vá a Jesus, mesmo que a multidão não o perceba ou que sua família não saiba, pois Ele pode libertar você do seu mal.

Ela tocou em Jesus sob um senso de indignidade. Por ser cerimonialmente impura, a mulher estava coberta de vergonha e medo. Conforme o ensinamento judaico, o toque dessa mulher deveria ter tornado Jesus impuro, mas foi Jesus quem a purificou.[5]

Ela tocou em Jesus humildemente. Ela O tocou por trás, silenciosamente. Prostrou-se trêmula aos seus pés. Quando nos humilhamos, Deus nos exalta. Ela não tocou Pedro, João ou Tiago, mas Jesus, e por isso foi liberta do seu mal.

Em segundo lugar, **aqueles que tocam em Jesus pela fé são totalmente curados** (8.47,48). Dois fatos podem ser destacados sobre a cura dessa mulher:

Sua cura foi imediata (8.47). A cura que ela procurou em vão durante doze anos foi realizada num momento. A cura que os médicos não puderam lhe dar foi lhe concedida instantaneamente. Muitas pessoas correm de lugar em lugar, andam de igreja em igreja, por vários anos, buscando paz com Deus, contudo ficam ainda mais desesperadas. Porém, em Cristo, há cura imediata para todas as nossas enfermidades físicas, emocionais e espirituais. Foi assim que Jesus curou aquela mulher.

Sua cura foi completa. Embora seu caso fosse crônico, ela foi completamente curada. Há cura completa para o maior pecador. Ainda que uma pessoa seja rejeitada ou esteja afundada no pântano do pecado, há

---

[5] RIENECKER, Fritz; ROGERS, Cleon. *Chave linguística do Novo Testamento Grego*, p. 76.

perdão e cura para ela. Ainda que uma pessoa esteja possessa de demônios, há libertação para ela.

Larry Richards diz que o toque de Jesus salvou essa mulher fisicamente ao restaurar sua saúde; salvou-a socialmente ao restaurar sua convivência com outras pessoas na comunidade; e salvou-a espiritualmente, capacitando-a a participar novamente da adoração a Deus no templo e das festas religiosas de Israel.[6] Hoje você pode tocar nas vestes de Jesus e ver estancada sua hemorragia existencial. Toque nas vestes de Jesus, pois Ele pode pôr um fim na sua angústia.

Em terceiro lugar, *aqueles que tocam em Jesus são conhecidos por Ele* (8.45-48). Jesus perguntou: *Quem me tocou?* (8.45). Você pode ser uma pessoa estranha para a multidão, mas não para Jesus. Seu nome pode ser apenas "alguém", e Jesus saberá quem é você. Se você O tocar, haverá duas pessoas que saberão: você e Jesus. Se você tocar em Jesus agora, talvez seus vizinhos possam não ouvir, mas isto será registrado nas cortes do céu. Todos os sinos da Nova Jerusalém irão tocar e todos os anjos irão se regozijar tão logo saibam que você nasceu de novo (15.10).

Lucas registra as palavras de Jesus de forma enfática: *Alguém me tocou, porque senti que de mim saiu poder* (8.46). Talvez muitos não saberão o seu nome, mas ele estará registrado no Livro da Vida. O sangue de Cristo estará sobre você. O Espírito de Deus estará em você. A Bíblia diz que Deus conhece os que são Seus (2Tm 2.19). Se você tocar em Jesus, o poder da cura tocará em você, e você será conhecido no céu.

Em quarto lugar, *aqueles que tocam em Jesus devem tornar isso conhecido aos outros* (8.47). Você precisa contar aos outros tudo o que Cristo fez por você. Jesus quer que você torne conhecido aos outros tudo o que Ele fez em você e por você. Não se esgueire no meio da multidão secretamente. Não cale a sua voz. Não se acovarde após ter sido curado. Talvez você já conheça o Senhor há anos e ainda não O tenha feito conhecido aos outros. Rompa o silêncio e testemunhe! Vá e conte ao mundo o que Jesus fez por você. Saia do anonimato! Quando as bênçãos descem dos céus, elas devem retornar em forma de ações de graça por parte dos que foram abençoados.

---

[6] RICHARDS, Larry. *Todos os milagres da Bíblia*, p. 235.

Jesus disse à mulher: *Filha, a tua fé te salvou; vai-te em paz* (8.48). Ela é a única mulher de quem há registro de que Jesus chamou de filha.[7] A bênção com que Jesus despediu a mulher é uma promessa para você agora. Talvez você tenha iniciado esta leitura com medo, angústia e uma "hemorragia existencial". Mas, agora, você pode voltar para casa livre, curado, perdoado, salvo. Vá em paz!

---

[7]Morris, Leon L. *Lucas: introdução e comentário*, p. 152.

26
o poder de Jesus
sobre a morte

Lucas 8.40-42,49-56

TODO O CONTEXTO DESTE TEXTO MOSTRA QUE JESUS é a esperança dos desesperançados. O impossível pode acontecer quando Jesus intervém. Ele acalmou o mar e fez cessar o vento quando os discípulos estavam quase a perecer (8.22-25). Ele libertou de uma legião de demônios um homem enjeitado pela família e pela sociedade e fez dele um missionário (8.26-39). Ele curou uma mulher hemorrágica, depois que todos os recursos da medicina haviam se esgotado (8.43-48). Agora, Jesus ressuscita a filha única de um líder religioso, mostrando que também tem poder sobre a morte (8.40-42,49-56). Vamos destacar algumas lições do texto.

Jairo vai a Jesus levando sua causa desesperadora (8.40-42)

Destacamos três fatos dignos de nota.

Em primeiro lugar, *o desespero de Jairo levou-o a Jesus com um senso de urgência* (8.41,42). Jairo tinha uma causa urgente para levar a Jesus. Sua filhinha estava à morte. Era filha única e tinha 12 anos (8.42). Desta maneira, a linhagem de Jairo estava se extinguindo. Segundo o costume da época, uma menina judia se convertia em mulher aos 12 anos. Essa menina estava precisamente no umbral dessa experiência. Era como uma flor que estava secando antes mesmo de desabrochar plenamente.

Todos os outros recursos para salvar a menina haviam chegado ao fim. Jairo, então, busca a Jesus com um profundo senso de urgência. O sofrimento muitas vezes pavimenta o nosso caminho para Deus. A aflição é frequentemente a voz de Deus. As aflições tornam-se fontes de bênçãos quando elas nos levam a Jesus.

Jairo crê que se Jesus for com ele e impuser as mãos sobre sua filhinha, ela será salva e viverá. Jairo crê na eficácia do toque das mãos de Jesus (Mc 5.23). Ele confia que Jesus é a esperança para a sua urgente necessidade.

Em segundo lugar, *o desespero de Jairo levou-o a transpor barreiras para ir a Jesus* (8.41). Jairo precisou vencer duas barreiras antes de ir a Jesus.

A barreira da sua posição. Jairo era chefe da sinagoga, um líder na comunidade. A sinagoga era o lugar onde os judeus se reuniam para ler o livro da lei, os salmos e os profetas, aprendendo e ensinando a seus filhos o caminho do Senhor. Jairo era o responsável pelos serviços religiosos no centro da cidade no sábado e pela escola e tribunal de justiça durante o restante da semana. Ele supervisionava o culto, cuidava dos rolos das Escrituras, distribuía as ofertas e administrava o edifício onde funcionava a sinagoga. O líder da sinagoga era um dos homens mais importantes e respeitados da comunidade.

A posição religiosa, social e econômica de um homem, entretanto, não o livra do sofrimento. Jairo era um líder rico e influente, mas a enfermidade chegou à sua casa. Seu dinheiro e sua influência não conseguiram manter a morte do lado de fora da sua casa. Os filhos dos ricos também ficam doentes e morrem. A morte vem aos casebres e aos palácios, aos chefes e aos servos, aos ricos e aos pobres. Somente no céu a doença e a morte não podem entrar.

Cônscio da dramática realidade que estava vivendo, Jairo despojou-se de seus predicados e prostrou-se aos pés de Jesus. Muitas vezes, o orgulho pode levar um homem a perder as maiores bênçãos.

A barreira da oposição dos líderes religiosos. A essas alturas, os escribas e fariseus já se mancomunavam com os herodianos para matarem

Jesus (Mc 3.6). As sinagogas estavam fechando as portas para o rabi da Galileia. Os líderes religiosos viam-No como uma ameaça à religião judaica. Jairo precisou romper com o medo da crítica ou mesmo da retaliação proveniente dos maiores líderes religiosos da nação.

Em terceiro lugar, *o desespero de Jairo levou-o a prostrar-se aos pés de Jesus* (8.41). Há três fatos marcantes sobre Jairo.

Jairo se humilhou diante de Jesus. Ele se prostrou e reconheceu que estava diante de alguém maior do que ele, do que os líderes judaicos, do que a própria sinagoga. Reconheceu o poder de Jesus, prostrou-se e nada exigiu, mas pediu com humildade. Ele se curvou e não expôs seus predicados nem tentou tirar proveito da sua condição social ou posição religiosa. Não há lugar na terra mais alto do que aos pés de Jesus. Cair aos pés de Jesus é estar de pé. Aqueles que caem aos Seus pés um dia estarão à Sua destra.

Jairo clamou com perseverança (Mc 5.23). Jairo não apenas suplica a Jesus, mas o faz com insistência. Ele persevera na oração. Ele tem uma causa e não está disposto a desistir dela. Não reivindica seus direitos, mas clama por misericórdia. Não estadeia seus méritos, mas se prostra aos pés do Senhor.

Jairo clamou com fé (Mc 5.23). Não há nenhuma dúvida no pedido de Jairo. Ele crê que Jesus tem poder para levantar a sua filha do leito da morte. Ele crê firmemente que Jesus tem a solução para a sua urgente necessidade. A fé de Jairo germinou no solo do sofrimento, foi severamente testada, mas também amavelmente encorajada.[1]

Jesus vai com Jairo, levando **esperança** para o seu desespero (8.49-56)

Destacamos seis consoladoras verdades nesta passagem.

Em primeiro lugar, *quando Jesus vai conosco podemos ter a certeza de que ele se importa com a nossa dor* (8.49,50). Jesus sempre se importa com as pessoas: Ele fez uma viagem pelo mar revolto à região de Gadara para libertar um homem louco e possesso. Agora, Ele caminha espremido

---

[1] THOMPSON, J. R. *The Pulpit commentary. Mark & Luke*, 1980, p. 226.

pela multidão para ir à casa do líder da sinagoga. Mas, no meio do caminho, Jesus para a fim de conversar com uma mulher anônima e libertá-la do seu mal.

As três palavras de Jesus neste episódio é que fazem toda a diferença.

A palavra da fé. Não temas, crê somente (8.50). Era fácil para Jairo crer em Jesus enquanto sua filha estava viva, mas agora a desesperança havia batido à porta do seu coração. Quando as circunstâncias fogem do nosso controle, também somos levados a desistir de crer.

A palavra da esperança. A criança não está morta, mas dorme (8.52). Para o cristão, a morte é um sono passageiro, quando o corpo descansa e o espírito sai do corpo (Tg 2.26), para habitar com o Senhor (2Co 5.8) e estar com Cristo (Fp 1.20-23). Não é a alma que dorme, mas o corpo que aguarda a ressurreição na segunda vinda de Cristo (1Co 15.51-58).

A palavra de poder. Menina, levanta-te (8.54). Toda descrença e dúvida foram vencidas pela palavra de poder de Jesus. A menina levantou-se não apenas da morte, mas também da enfermidade.

Em segundo lugar, **quando Jesus vai conosco, os imprevistos humanos não podem frustrar os propósitos divinos** (8.42,43). Enquanto a mulher hemorrágica recebia graça, o pai da menina moribunda vivia o inferno. Jairo deve ter ficado aflito quando Jesus interrompeu a caminhada à sua casa para atender uma mulher anônima no meio da multidão. Seu caso requeria urgência. Ele não podia esperar. Mas Jesus não estava tratando apenas da mulher enferma, mas também de Jairo. A demora de Jesus é pedagógica.

Em terceiro lugar, **quando Jesus vai conosco não precisamos temer más notícias** (8.49,50). Jairo recebe um recado de sua casa: sua filha já morreu. Agora é tarde, não adianta mais incomodar o Mestre. Na visão daqueles amigos, as esperanças haviam se esgotado. Eles pensaram: "Há esperança para os vivos; nenhuma para os mortos". Morris diz que havia aqui uma limitação da fé e do entendimento.[2]

A causa parecia perdida. Jairo estava atordoado e abatido. A última faísca de esperança foi arrancada do seu coração. O mundo desabou

---

[2] MORRIS, Leon L. *Lucas: introdução e comentário*, p. 152.

sobre a sua cabeça. Uma solidão incomensurável abraçou a sua alma. Mas Jesus, sem acudir às palavras dos mensageiros que vinham da casa de Jairo, não reconheceu a palavra da morte como palavra final, contrapôs-lhe a palavra da fé e disse-lhe: *Não temas, crê somente, e ela será salva* (8.50).

Na hora que os nossos recursos acabam, Jesus nos encoraja a crer somente. As más notícias podem nos abalar, mas não abalam o nosso Senhor. Elas podem pôr um fim aos nossos recursos, mas não aos recursos de Jesus. Jesus disse a Marta: *Se creres, verás a glória de Deus* (Jo 11.40). As nossas causas irremediáveis e perdidas têm solução nas mãos de Jesus. A morte é o rei dos terrores, mas Jesus é mais poderoso do que a morte. As chaves da morte estão em suas mãos (Ap 1.18). A Palavra de Jesus ainda deve ecoar em nossos ouvidos: *Não temas, crê somente!*

No meio da crise, a fé tem de se sobrepor às emoções. C. S. Lewis diz que "o grande inimigo da fé não é a razão, mas as nossas emoções". Tanto Marcos como Lucas mencionam o temor sentido por Jairo. Há algo temível na morte. Ela nos infunde pavor (Hb 2.15). Quando Jairo recebeu o recado da morte da sua filha, seu coração quase parou, seu rosto empalideceu, e Jesus viu a desesperança tomando conta do seu coração. Jesus, então, o encoraja a crer, pois a fé ignora os rumores de que a esperança morreu.[3]

Em quarto lugar, **quando Jesus vai conosco, não precisamos nos impressionar com os sinais da morte** (8.52,53). Os que estavam lamentando, aqueles que informaram Jairo, e os próprios pais, sabiam que a criança estava morta. Jesus disse que ela estava apenas dormindo, pois Ele fez um prognóstico teológico, e não um diagnóstico físico. Muitos dizem que a morte é o fim. Mas a morte não é permanente. Do ponto de vista de Deus, é um sono para o qual há um despertar. Mas Jesus promete mais do que isso. Embora a menina estivesse morta, sua condição não era mais permanente do que o sono; Ele iria trazê-la de volta

---

[3]CHAMPLIN, Russell Norman. *O Novo Testamento interpretado versículo por versículo*, p. 701.

à vida. Leon Morris diz que aquilo que é morte para os homens nada mais é do que sono para Jesus (Jo 11.11-14).[4] O culto à morte é declarado sem sentido, e a morte é denunciada. "Ela morreu" é uma palavra à qual Deus não se curva. *Deus não é Deus de mortos, e sim de vivos; porque para Ele todos vivem* (20.38).

Os homens continuam divertindo-se, referindo-se à fé religiosa como se fosse uma superstição ou um mito. Mas esse abuso não faz Jesus parar. Ao longo dos séculos, os incrédulos riram e escarneceram, mas Jesus continua operando milagres extraordinários, trazendo esperança àqueles que já capitularam ao vozerio estridente da desesperança.

Nós olhamos para uma situação e dizemos: Não tem jeito! Colocamos o selo da desesperança e dizemos: Impossível! Então, somos tomados pelo desespero, e a nossa única alternativa é lamentar e chorar. Mas Jesus olha para o mesmo quadro e diz: é só mais um instante, isso é apenas passageiro, ainda não é o fim, eu vou estancar suas lágrimas, vou aliviar sua dor, vou trazer vida nesse cenário de morte!

Em quinto lugar, *quando Jesus vai conosco, a morte não tem a última palavra* (8.54,55). Os mensageiros que foram a Jairo e a multidão que estava em sua casa pensaram que a morte era o fim da linha, uma causa perdida, uma situação irremediável, mas a morte também precisa bater em retirada diante da autoridade de Jesus. Os que estavam na casa riram de Jesus (8.53). Nada sabiam do Deus vivo, por isso, riram o riso da descrença. Mas Jesus entrou na risada e a expulsou (8.54). Diante do coral da morte, ergueu-se o solo da ressurreição: *Tomando-a pela mão, disse: "Menina, levanta-te!" Voltou-lhe o espírito, ela imediatamente se levantou, e Ele mandou que lhe dessem de comer* (8.54,55). Assim Jesus demonstrou a ela não apenas Seu poder, mas também sua simpatia e seu amor. Jesus não usou nenhum encantamento nem palavra mágica. Somente com Sua palavra de autoridade, sem uma luta ofegante, sem meios nem métodos, Ele se impôs à morte. Diante da voz do onipotente Filho de Deus, a morte curva sua fronte altiva, dobra seus joelhos e prostra-se, vencida, perante o Criador.

---

[4] MORRIS, Leon L. *Lucas: introdução e comentário*, p. 153.

Para Jesus, não há causa perdida. Ele dá vista aos cegos, levanta os paralíticos, purifica os leprosos, liberta os possessos, cura os enfermos e ressuscita os mortos. Hoje Ele dá vida aos que estão mortos em seus delitos e pecados. Ele arranca do império das trevas os escravos do diabo e faz deles embaixadores da vida. Ele arranca um ébrio, um drogado, um criminoso do porão de uma cadeia e faz dele um arauto do céu. Ele apanha uma vida na lama da imoralidade e faz dela um facho de luz. Ele apanha uma família quebrada e faz dela um jardim engrinaldado de harmonia, paz e felicidade.

Em sexto lugar, ***quando Jesus vai conosco, o choro da morte é transformado na alegria da vida*** (8.56). Aonde Jesus chega, entram a cura, a libertação e a vida. Onde Jesus intervém, o lamento e o desespero são estancados. Diante dEle, tudo aquilo que nos assusta é vencido. A morte, com seus horrores, não pode mais ter a palavra final. A morte foi tragada pela vitória. Na presença de Jesus, há plenitude de alegria. Só Ele pode acalmar os vendavais da nossa alma, aquietar nosso coração e trazer-nos esperança no meio do desespero.

Marcos registra que imediatamente a menina se levantou e pôs-se a andar (Mc 5.42). Lucas diz que Jesus ordenou que lhe dessem de comer (8.55). A ressurreição restaurou tanto a vida como a saúde. Nenhum resquício de mal, nenhum vestígio de preocupação. O milagre foi completo, a vitória foi retumbante, e a alegria foi indizível.

Jesus é a esperança dos desesperançados. Ele mostrou isso para o homem que não podia ser subjugado (8.26-39), para a mulher que não podia ser curada (8.43-48) e para o pai que recebeu a informação de que não poderia mais ser ajudado (8.49-56).

Coloque a sua causa também aos pés de Jesus, pois Ele ainda caminha conosco e tem todo o poder para transformar o cenário de desesperança em celebração de grande alegria.

27

Uma cruzada evangelística

Lucas 9.1-17

JESUS CHAMOU OS DOZE APÓSTOLOS primeiro para estarem com ele. Agora, envia-os para uma grande cruzada evangelística de casa em casa e de cidade em cidade. Naquela época, só existia uma forma de difundir uma mensagem, e era por meio da pregação. Não havia periódicos; os livros eram escritos à mão, e produzir um exemplar era um custo dispendioso.

Destacamos alguns pontos à luz do texto em tela.

A comissão dos apóstolos (9.1,2)

Na comissão aos doze apóstolos, Jesus concede a eles poder e autoridade. Poder é a capacidade de realizar uma tarefa, e autoridade é o direito de realizá-la; Jesus concedeu ambos aos apóstolos.[1]

A comissão dada aos doze contempla três áreas distintas: a libertação dos endemoniados, a cura dos enfermos e a pregação do evangelho do reino de Deus. John Charles Ryle diz que o púlpito é o lugar onde as maiores vitórias do evangelho têm sido conquistadas.[2]

---
[1] WIERSBE, William W. *Comentário bíblico Beacon*. Vol. 5, p. 265.
[2] RYLE, John Charles. *Meditações no Evangelho de Lucas*, p. 140.

Jesus demonstra o seu cuidado com o homem todo. Por isso, comissiona os apóstolos a exercerem o ministério de pregação, cura e libertação. Rienecker diz que a tarefa recebida pelos apóstolos não era ir "à frente" do Senhor, mas seguir os rastros dEle aqui e acolá. Jesus não os envia para semear, mas para colher, não para começar, mas para continuar o que Ele mesmo já começara.³

A provisão dos apóstolos (9.3-5)

A obra é urgente e o foco não está no conforto dos enviados, mas nas necessidades das pessoas que precisam ser alcançadas. Os obreiros devem concentrar suas atenções na tarefa em andamento, e não nos preparativos minuciosos.⁴ Deviam viajar sem carga, para poderem ir mais rápido e mais longe.⁵ Jesus não promete aos evangelistas luxo nem fausto, mas provisão adequada. Ryle diz que o pregador cujas afeições estão centradas no dinheiro, em vestes, diversões e busca de prazeres evidentemente está compreendendo mal a sua vocação.⁶

Os evangelistas são dignos de seu sustento (1Co 9.14,15; 2Co 11.8), mas devem ter sensibilidade cultural. Não devem buscar as casas mais ricas nem as famílias mais aquinhoadas. Devem entrar numa casa e ficar ali até o fim da jornada. A rejeição dos comissionados significa rejeição ao comissionador.

Rienecker sintetiza o texto em apreço, como segue:

> Aprendemos desse texto: 1) que o Senhor previu o serviço de proclamação da Palavra e do cuidado pastoral em tempo integral; 2) que aqueles que são enviados por Ele são equipados com força especial do alto; 3) que o ponto de partida de qualquer trabalho é a casa e a família; 4) que diante do mundo é preciso dar um testemunho decidido; 5) que devemos anunciar um evangelho claro, e não palestras científicas; 6) que se deve impor as mãos sobre os enfermos e orar por eles;

---

³RIENECKER, Fritz. *Evangelho de Lucas*, p. 204.
⁴MORRIS, Leon L. *Lucas: introdução e comentário*, p. 154.
⁵BARCLAY, William. *Lucas*, p. 114.
⁶RYLE, John Charles. *Meditações no Evangelho de Lucas*. 2011, p. 141.

7) que o alvo do anúncio do evangelho deve e precisa ser a conversão dos pecadores a Jesus, o Redentor.[7]

A pregação dos apóstolos (9.6)

Os apóstolos atenderam à comissão de Jesus sem tardança. Saíram e percorrem todas as aldeias. Saíram e pregaram aos ouvidos e aos olhos. Pregaram com palavras e com poder. Pregaram o evangelho e curaram os enfermos.

A confusão do povo (9.7-9)

Diante dessa cruzada evangelística por todas as aldeias, de cidade em cidade, Herodes toma conhecimento do que se passava e fica perplexo. A bandeja em que a cabeça ensanguentada de João Batista lhe fora trazida dava a Herodes uma sensação sinistra.[8] Sua consciência estava perturbada. Ryle diz que o pecado de Herodes o achara. A prisão e a espada silenciaram João Batista, mas não silenciaram a voz do homem interior de Herodes. A verdade divina jamais pode ser presa, silenciada ou aniquilada.[9]

O povo, escravo de um misticismo pagão, pensa confusamente que Jesus é o João Batista ressurreto. Outros acreditam que Jesus é o Elias que apareceu na terra depois de oitocentos anos que fora trasladado. Ainda outros creem que Jesus é um dos antigos profetas que ressuscitou. Herodes, por sua vez, tem certeza de que Jesus não poderia ser João Batista, porque ele mesmo mandou decapitá-lo. Sua perplexidade só aumentava. Doravante, ele demonstra grande desejo de vê-Lo pessoalmente. Rienecker tem razão ao dizer que "quem não teme a Deus, teme coisas supersticiosas".[10]

---

[7]RIENECKER, Fritz. *Evangelho de Lucas*, p. 206.
[8]RIENECKER, Fritz. *Evangelho de Lucas*, p. 207.
[9]RYLE, John Charles. *Meditações no Evangelho de Lucas*, p. 142.
[10]RIENECKER, Fritz. *Evangelho de Lucas*, p. 207.

O relatório dos apóstolos (9.10)

Depois dessa grande empreitada evangelística, os doze voltaram e relataram a Jesus tudo o que haviam feito. Certamente estavam entusiasmados ao verem os cativos sendo libertados, os enfermos sendo curados e o evangelho do reino alcançando multidões.

A compaixão de Jesus (9.11)

Jesus demonstra compaixão pelos doze, levando-os consigo a Betsaida para um tempo de descanso e refrigério (9.10b), mas demonstra também compaixão pelas multidões que, exaustas e aflitas, seguiram Jesus para essa região de Betsaida. Sua compaixão é demonstrada pelo fato de Jesus olhar para essa multidão e vê-la como ovelhas sem pastor. Diante desse fato, Jesus dedica-se a falar a elas acerca do reino de Deus e a socorrer aqueles que tinham necessidade de cura. Jesus dedica-se à grande multidão como mestre e médico, ensinando e curando.

A multiplicação (9.12-17)

Este é o único milagre, à parte a ressurreição, narrado em todos os quatro evangelhos. Coroa o auge da atuação de Jesus na Galileia. Morris diz que esse incidente ressaltou a verdade de que Deus em Cristo pode suprir qualquer necessidade.[11] Logo após esse insólito milagre, Jesus já abre a agenda para falar aos seus discípulos sobre sua iminente paixão (9.18-27). O texto em apreço enseja-nos algumas lições.

Em primeiro lugar, *a solução apresentada pelos doze* (9.12). Os discípulos, governados por uma lógica simples, não veem alternativa senão despedir as multidões, uma vez que o lugar era deserto e eles não tinham provisão nem recursos suficientes para atender à tamanha demanda.

Em segundo lugar, *a solução apresentada por Jesus* (9.13). Diante das impossibilidades apresentadas pelos discípulos, Jesus ordena que eles deem comida para a multidão. Eles retrucam dizendo que a provisão

---

[11] MORRIS, Leon L. *Lucas: introdução e comentário*, p. 157.

que têm é insuficiente e, se era mesmo para alimentar aquele povaréu todo, eles teriam de sair dali para comprar alimento. O que o homem não pode fazer, Jesus faz. Algumas atitudes foram adotadas por Jesus.

Organização é necessária (9.14,15). Uma multidão não pode ser atendida convenientemente sem ordem. A organização é fundamental. Por isso, Jesus ordena aos discípulos para dividir a multidão em grupos de 50, no que é prontamente atendido.

Dar graças pelo que se tem é o caminho para receber o que se não tem (9.16). Jesus não murmura ao saber que a receita é menor do que a despesa. Ele pega o que tem e dá graças. Ele pega o pouco que tem disponível e abençoa.

Os discípulos não podem multiplicar o pão, mas devem reparti-lo (9.16). Não somos provedores; somos mordomos. Aquele que tem pão com fartura e é o Pão da vida nos dá o privilégio e a responsabilidade de distribuir Sua provisão para as multidões.

Jesus tem pão com fartura para alimentar os famintos (9.17). A provisão de Jesus é suficiente. Todos comeram e se fartaram. Ele tem pão com fartura. Se as multidões ainda estão famintas, não é por falta de pão.

O desperdício não é aceitável no reino de Deus (9.17). Jesus tem não apenas provisão suficiente, mas com sobra. Os doze cestos que sobejaram não deveriam, entretanto, ser jogados no lixo, mas recolhidos e reaproveitados. Não há lata de lixo no reino de Deus!

28

A identidade de Jesus e o preço do discipulado

Lucas 9.18-45

ESTE TEXTO É UMA ESPÉCIE DE LINHA DIVISÓRIA no evangelho de Lucas. É uma dobradiça que divide o livro. Até aqui Jesus provou ser o Messias. A partir de agora, Ele mostra aos discípulos o propósito de Sua vida. Fala-lhes a respeito da cruz e ruma para Jerusalém, onde será crucificado, como um rei caminha para sua coroação.

Destacamos aqui alguns pontos importantes.

A **falta de discernimento** do povo sobre a pessoa de Jesus (9.18,19)

Jesus estava a caminho de Cesareia de Filipe, nas fraldas do monte Hermom, no extremo norte de Israel (Mt 16.13). Ele orava quando os Seus discípulos se aproximaram. Destacamos aqui alguns pontos.

Em primeiro lugar, *uma pergunta crucial sobre a identidade de Jesus* (9.18). Jesus faz uma enquete com Seus discípulos, perguntando-lhes: *Quem dizem as multidões que sou eu?* (9.18). Quem é Jesus? Qual é Sua identidade? Quais são Seus atributos e Suas obras? A vida depende dessa resposta! O povo estava confuso acerca da pessoa mais importante do mundo. Eles pensavam que Jesus era João Batista ou Elias ou um dos antigos profetas ressuscitado (9.19). Eles compararam Jesus apenas a um grande homem ou um grande profeta. Eles não discerniram que Ele era o próprio Filho de Deus entre os homens.

Ao longo da história, houve vários debates acerca de quem é Jesus. Os ebionistas acreditavam que Jesus era apenas uma emanação de Deus. Os gnósticos não acreditavam na Sua divindade. Os arianos não acreditavam na Sua eternidade. Hoje, há aqueles que creem que Jesus é um mediador, mas não o Mediador entre Deus e os homens. Há aqueles que dizem que Jesus é apenas um espírito iluminado, um mestre, mas não o Senhor e Mestre. Há aqueles que ainda escarnecem de Jesus e O colocam apenas como um homem mortal que se casou com Maria Madalena e teve filhos, como ensina o heterodoxo autor do livro *Código da Vinci* de Dan Brown (2003).

Em segundo lugar, ***uma confusão total sobre a pessoa de Jesus*** (9.19). A multidão tinha acerca de Jesus opiniões equivocadas, e não convicções seguras. Para a multidão, Jesus era João Batista, Elias ou algum dos profetas. Eles criam que Jesus era um grande mensageiro de Deus que havia ressuscitado dentre os mortos (9.19). O povo tinha uma visão distorcida de Jesus, pois O enxergava apenas como um grande mensageiro de Deus, e não como o próprio Deus encarnado. Havia muitas opiniões entre o povo sobre Jesus, exceto a verdadeira. Essa realidade perdura ainda hoje. Muitas pessoas ouvem falar de Jesus, até mesmo o confessam, mas não o conhecem como o verdadeiro Deus.

Se você não souber com clareza quem é Jesus, estará perdido na questão mais importante da vida. A vida, a morte e a ressurreição de Cristo, bem como Sua obra expiatória, não são assuntos laterais, mas a própria essência do cristianismo. Se você não discerne claramente quem é Jesus, não pode ser considerado um cristão. O cristianismo é muito mais do que um conjunto de doutrinas; é uma Pessoa. O cristianismo tem que ver com a pessoa de Cristo. Ele é o centro, o eixo, a base, o alvo e a fonte de toda a vida cristã. Fora dEle não há redenção nem esperança. Ele é a fonte da qual procedem todas as bênçãos.

O **discernimento de Pedro** sobre a pessoa de Jesus (9.20)

Dois fatos nos chamam a atenção neste texto.

Em primeiro lugar, ***Pedro faz uma declaração precisa sobre Jesus*** (9.20). Diante da pergunta: *Mas vós, quem dizeis que eu sou?*, Pedro, como porta-voz dos discípulos, respondeu a Jesus: *És o Cristo de Deus* (9.20). Pedro está dizendo que Jesus é o Messias, o Libertador por quem o povo de Deus aguardava havia tanto tempo. Porém, eles não conheciam o real significado do termo "Messias". Destarte, Jesus passou a explicar que envolvia o sofrimento e a morte. Foi uma lição que eles acharam difícil de aprender. Na realidade, ainda não a tinham aprendido, quando Jesus foi crucificado.[1]

O crente é aquele que está desejoso de opor-se à opinião popular e de expressar, de forma clara, uma posição que é contrária à das massas. Essa declaração precisa de Pedro foi feita quando Jesus era pobre e sem honra, majestade, riqueza ou poder. Ela foi feita quando os líderes religiosos e políticos de Israel recusaram-se receber Jesus como Messias. Ainda assim Pedro disse: *Tu és o Cristo de Deus*. Sua fé não foi abalada pela pobreza de Jesus nem sua confiança foi atingida pela oposição dos mestres da lei e dos fariseus. Pedro firmemente confessou que o homem a quem seguia era de fato o Messias prometido, o Filho de Deus. Na verdade, o cristianismo não é popular. Teremos de confessar Cristo, mesmo tendo a opinião da maioria contra nós.

O evangelista Mateus nos informa que a resposta de Pedro, afirmando que Jesus era o Cristo, foi uma revelação especial de Deus Pai a ele (Mt 16.17). A declaração de messianidade de Cristo não foi fruto da lucubração ou mesmo da experiência de Pedro, mas da explícita revelação do Pai. Só compreendemos quem é Jesus quando os olhos da nossa alma são abertos por Deus. Sem a obra de Deus em nós, não podemos compreender nem confessar Jesus como o Messias.

Em segundo lugar, ***Jesus faz uma declaração precisa sobre o propósito de sua vinda ao mundo*** (9.21,22). Depois que os discípulos tiveram os olhos da alma abertos e receberam pleno discernimento acerca da messianidade de Jesus, por revelação de Deus Pai, Jesus iniciou um novo capítulo no seu discipulado e começou a falar-lhes claramente acerca do Seu padecimento, prisão, morte e ressurreição. Jesus revela que o Seu propósito em vir ao mundo era dar Sua vida em resgate do Seu povo. Jesus não morre como um mártir que recusa renunciar

---

[1] MORRIS, Leon L. *Lucas: introdução e comentário*, p. 160.

Suas convicções. Ele morre como parte do plano redentivo de Deus (Mc 10.45; Rm 3.21-26). Isso é indicado pelo "é necessário", uma necessidade baseada na vontade soberana de Deus (9.22) em Sua oferta de redenção. Jesus deixa claro que o sofrimento para Ele não era nenhum acidente, mas, sim, uma necessidade imperativa. A cruz era a Sua vocação.[2] O evangelista Lucas usa a expressão "é necessário" em diferentes circunstâncias da vida de Jesus, especialmente acerca da necessidade de Sua morte (2.49; 4.43; 9.22; 13.33; 17.25; 24.7).

Rienecker diz que o Filho do homem precisa, pelo desígnio e pela vontade de Deus (At 4.28) prenunciados pelos profetas (24.27), sofrer e morrer para a reconciliação e salvação dos pecadores (Hb 9.22). O Senhor cita os anciãos, os sumos sacerdotes e os escribas, os três grupos do Sinédrio, como os executores involuntários e, não obstante, responsáveis, do plano divino.[3]

Por que era necessário Jesus sofrer, morrer e ressuscitar? Será por que havia poderes superiores que O subjugariam? Impossível! Será por que ele queria dar um exemplo de abnegação e autossacrifício? Impossível! Então, por que era necessário Jesus morrer? Sua morte foi necessária para que fosse feita expiação pelo pecado humano. Sem o derramamento do seu sangue, não haveria redenção para o homem. Sem o seu sacrifício vicário, não poderíamos ser reconciliados com Deus. Sua morte nos trouxe vida. A morte de Cristo é a mensagem central da Bíblia. Sem a cruz de Cristo, o cristianismo não passa de mera religião, desprovida de esperança.

O preço para ser um seguidor de Jesus (9.23-27)

Esta passagem é particularmente pesada e solene. Aquele que não se dispõe a carregar a cruz não usará a coroa. A religião que não nos custa nada não tem nenhum valor. A grande tensão deste texto está em encontrar prazer neste mundo à parte de Deus ou encontrar Deus neste mundo e todo o nosso prazer nEle.

---

[2]Morris, Leon. L. *Lucas: introdução e comentário*, p. 160.
[3]Rienecker, Fritz. *Evangelho de Lucas*, p. 213.

Jesus sabia que as multidões que O seguiam estavam apenas atrás de milagres e prazeres terrenos, sem disposição para trilhar o caminho da renúncia ou pagar o preço do discipulado.

Jesus não somente abraça o caminho da cruz, mas exige o mesmo de Seus seguidores (9.23). Foram várias as tentativas para afastar Jesus da cruz: satanás O tentou no deserto; a multidão quis fazê-lo rei; e Pedro tentou reprová-Lo. Mas Jesus rechaçou todas as propostas com veemência.

Tendo afirmado os requisitos necessários de Deus para o Messias (9.22), Jesus declara, agora, as exigências de Deus para o discípulo. A natureza e o caminho do discípulo são padronizados de acordo com quem Jesus é e para onde Ele está indo.

Jesus exige dos Seus seguidores espírito de renúncia e sacrifício. Jesus nunca tratou de subornar os homens oferecendo-lhes um caminho fácil. Não lhes ofereceu amenidades; ofereceu-lhes glória.

O discipulado é uma proposta oferecida a todos, indistintamente (9.23). Jesus dirige-Se não apenas aos discípulos, mas também à multidão. O discipulado não é apenas para uma elite espiritual, mas para todos quantos quiserem seguir a Cristo.

Jesus chama a Si a multidão porque a fervorosa exortação que se segue é de importância para todos; aliás, é para todos uma questão de vida ou morte, de vida eterna em oposição à morte eterna.

Destacamos aqui alguns pontos.

Em primeiro lugar, *o discípulo conhece o preço do discipulado* (9.23). Jesus só tem uma espécie de seguidor: discípulos. Ele ordenou que sua igreja fizesse discípulos, e não admiradores. O discipulado é o mais fascinante projeto de vida. Há alguns aspectos importantes a serem destacados.

O discipulado é um convite pessoal (9.23). Jesus começa com uma chamada condicional: "Se alguém quer". A soberania de Deus não violenta a vontade humana. É preciso existir uma predisposição para seguir a Cristo. Jesus citou quatro tipos de ouvintes: os endurecidos, os superficiais, os ocupados e os receptivos. Muitos querem apenas o *glamour* do evangelho, mas não a cruz. Querem os milagres, mas não a renúncia. Querem prosperidade e saúde, mas não arrependimento. Querem o paraíso na terra, mas não a bem-aventurança no céu.

O discipulado é um convite para uma relação pessoal com Jesus (9.23). Ser discípulo não é ser um admirador de Cristo, mas um seguidor. Um discípulo segue as pegadas de Cristo. Assim como Cristo escolheu o caminho da cruz, o discípulo precisa seguir a Cristo não rumo ao sucesso, mas rumo ao calvário. Não há coroa sem cruz nem céu sem renúncia. Ser discípulo não é abraçar simplesmente uma doutrina, é seguir uma pessoa.

O discipulado é um convite para uma renúncia radical (9.23). Cristo nos chama não para a afirmação do eu, mas para sua renúncia. Precisamos depor as armas, antes de seguir a Cristo. Precisamos abdicar do nosso orgulho, soberba, presunção e autoconfiança, antes de seguirmos as pegadas de Jesus. Entrementes, negar-se a si mesmo não equivale à aniquilação pessoal. Não se trata de anular-se, mas de servir. Envolve mudar o centro de gravidade da visão centrada no "eu" para a completa adesão à vontade de Deus. Trata-se de uma renúncia radical a toda autoidolatria.

O discipulado é um convite para morrer (9.23). Tomar a cruz é abraçar a morte e escolher a vereda do sacrifício. Rienecker diz que "Jesus caracteriza todos os que aderem a Ele com a ilustração de uma caravana de carregadores de cruzes".[4] O que significa tomar a cruz? Jesus sabia muito bem o que significava a crucificação. Barclay comenta que, quando Jesus tinha por volta de 11 anos, Judas, o galileu havia encabeçado uma rebelião contra Roma. Havia atacado o exército real em Séforis, cidade que estava a uns seis quilômetros de Nazaré. A vingança dos romanos foi rápida. Eles queimaram a cidade integralmente; seus habitantes foram vendidos como escravos; e dois mil rebeldes foram crucificados ao longo do caminho como uma terrível advertência para outros que quisessem fazer o mesmo.[5] Diferentemente de uma rebelião, tomar a cruz significa para nós enfrentar coisas semelhantes, por nossa fidelidade a Cristo.

A cruz era um instrumento de morte, e morte vergonhosa. *É necessário que o Filho do homem sofra muitas coisas, seja rejeitado...* (9.22). A carta aos Hebreus fala sobre a crucificação de Jesus com

---

[4]RIENECKER, Fritz. *Evangelho de Lucas*, p. 214.
[5]BARCLAY, William. *Lucas*, p. 120.

termos fortes: *Expondo-O à ignomínia* (Hb 6.6), *o opróbrio de Cristo* (Hb 11.26), *não fazendo caso da ignomínia* (Hb 12.2), *sofreu fora da porta* (Hb 13.12) e *levando o Seu vitupério* (Hb 13.13). O que o condenado faz sob coação, o discípulo de Cristo faz de boa vontade. A cruz não é apenas um emblema ou símbolo cristão, mas um instrumento de morte. Lucas fala sobre tomar a cruz dia a dia. Somos entregues à morte todo o dia. Somos levados como ovelhas para o matadouro. Estamos carimbados para morrer.

Essa cruz não é uma doença, um inimigo, uma fraqueza, uma dor, um filho rebelde, um casamento infeliz. Essa cruz se refere à nossa disposição de morrer para nós mesmos, para os prazeres e deleites. É considerar-se morto para o pecado e andar com um atestado de óbito no bolso.

O discipulado é um convite para uma caminhada dinâmica com Cristo (9.23). Seguir a Cristo é algo sublime e dinâmico. Esse desafio nos é exigido todos os dias, em nossas escolhas, decisões, propósitos, sonhos e realizações. Seguir a Cristo é imitá-Lo. É fazer o que Ele faria em nosso lugar. É amar o que Ele ama e aborrecer o que Ele aborrece. É viver a vida na sua perspectiva.

Em segundo lugar, **o discípulo conhece a necessidade de renúncia** (9.24). O discipulado implica o maior paradoxo da existência humana. Os valores de um discípulo estão invertidos: ganhar é perder, e perder é ganhar. O discípulo vive num mundo de ponta-cabeça. Para ele ser grande, é preciso ser servo de todos. Ser rico é ter a mão aberta para dar. Ser feliz é renunciar os prazeres do mundo. Satanás promete a você glória, mas no fim lhe dá sofrimento. Cristo oferece a você uma cruz, mas no fim lhe oferece uma coroa e o conduz à glória.

Como uma pessoa pode ganhar a vida e ao mesmo tempo perdê-la?

Quando busca a felicidade sem Deus. Vivemos numa sociedade embriagada pelo prazer. As pessoas estão ávidas pelo prazer. Elas fumam, bebem, dançam, compram, vendem, viajam, experimentam drogas e fazem sexo na ânsia de encontrar felicidade. Mas, depois que experimentam todas as taças dos prazeres, percebem que não havia aí o ingrediente da felicidade.

Quando busca a salvação fora de Cristo. Há muitos caminhos que conduzem as pessoas para a religião, mas um só caminho que conduz o homem a Deus. Uma pessoa pode ter fortes experiências e arrebatadoras emoções na busca do sagrado, no afã de encontrar-se com o Eterno, porém quanto mais mergulha nas águas profundas das filosofias e religiões, mais distante fica de Deus e mais perdida fica sua vida.

Quando busca realização em coisas materiais. O mundo gira em torno do dinheiro. Ele é a mola que move o mundo. É o maior senhor de escravos da atualidade. Muitos se esquecem de Deus na busca do dinheiro e perdem a vida nessa corrida desenfreada. A possessão de todos os tesouros que o mundo contém não compensa a ruína eterna.

O que Jesus quis dizer por perder a vida para, então, ganhá-la?

Para o homem natural, seguir a Cristo é perder a vida. O homem natural não entende as coisas de Deus e as vê como loucura. Ele considera tolo aquele que renuncia às riquezas e aos prazeres desta vida para buscar uma herança eterna.

Para o homem natural, renunciar às coisas do agora em troca da bem-aventurança porvir é perder a vida. A pessoa sem Deus vive sem esperança. Seus olhos estão embaçados para enxergar o futuro. Seus tesouros e seu coração estão aqui. Mas o cristão aspira a uma Pátria superior. Ele aguarda uma herança incorruptível, ele busca uma recompensa eterna.

O discípulo sabe o **valor inestimável** da vida com Jesus (9.25)

Três fatos devem ser aqui destacados.

Em primeiro lugar, *o dinheiro não pode comprar a bem-aventurança eterna* (9.25). Transigir com os absolutos de Deus, vender a consciência e a própria alma para amealhar riquezas, é uma grande tolice. A vida é curta e o dinheiro perde o seu valor para quem vai para o túmulo. A morte nivela ricos e pobres. Nada trouxemos e nada levaremos do mundo. Passar a vida correndo atrás de um tesouro falaz é loucura. Pôr sua confiança na instabilidade e efemeridade da riqueza é estultícia.

O apostatar-se de Jesus em nenhum lugar é recompensado com a posse do mundo inteiro. O salário muitas vezes será bem mirrado: talvez 30 moedas de prata e uma corda (Mt 26.15; 27.5). Mas, mesmo que o desertor ganhasse o mundo inteiro, o prejuízo não valeria a pena.

Em segundo lugar, *a salvação da alma vale mais do que as riquezas* (9.25). É melhor ser salvo do que ser rico. A riqueza só pode nos acompanhar até o túmulo, mas a salvação será desfrutada por toda a eternidade. Jesus chamou de louco o homem que negligenciou a salvação da sua alma e pôs sua confiança nos bens materiais. A morte chegou e, com ela, o juízo (12.20).

Em terceiro lugar, *a perda da alma é uma perda irreparável* (9.25). O dinheiro se ganha e se perde. Mesmo depois de perdê-lo, é possível readquiri-lo. Mas, quando se perde a alma, não há como reavê-la. É impossível mudar o destino eterno de uma pessoa. O rico que estava no inferno não teve suas orações ouvidas, nem seu tormento aliviado (16.23-31).

Algumas pessoas vendem a honra, os princípios, a consciência e a até mesmo a alma para alcançar bens, popularidade e prazeres terrenos. Porém, nenhuma quantidade de dinheiro, poder ou *status* pode comprar de volta uma alma perdida. Vender a alma por dinheiro, portanto, é um péssimo negócio. Essa troca é um engodo. A um morto não pertence mais nada; ele é que pertence à morte. No julgamento final, essa conta não fechará.

O discípulo é alguém que **não se envergonha** de sua relação com Jesus (9.26)

Destacamos dois pontos aqui.

Em primeiro lugar, *o que significa envergonhar-se de Cristo* (9.26). Envergonhar-se de Cristo significa ser tão orgulhoso a ponto de não desejar ter nada com Ele. Nós somos culpados de envergonhar-nos de Cristo quando temos medo que as pessoas saibam que O amamos, bem como a sua doutrina, que desejamos viver de acordo com os seus mandamentos e que nos sentimos constrangidos quando nos identificam como membros do Seu povo.

Ser cristão nunca foi e jamais será uma posição de popularidade. Todos aqueles que querem viver piedosamente em Cristo serão perseguidos (2Tm 3.12). Contudo, é mil vezes melhor confessar Cristo agora, e ser desprezado pelo povo, do que ser popular agora e ser desonrado por Cristo diante do Pai no dia do julgamento.

Em segundo lugar, *a perda irreparável que sofrerão os que se envergonham de Cristo* (9.26). Aqueles que se envergonham de Cristo agora, Cristo Se envergonhará deles na sua segunda vinda. O julgamento mais pesado que as pessoas receberão no dia do juízo é que elas vão receber exatamente aquilo que sempre desejaram. O injusto continuará sendo injusto. Quem se envergonhou de Cristo durante esta vida se apartará dEle eternamente.

Jesus conclui dizendo que alguns daqueles circunstantes não morreriam antes de verem a chegada poderosa do reino de Deus (9.27). O verdadeiro sentido dessas palavras tem pelo menos três significados básicos.

Primeiro, há aqueles que pensam que Jesus está se referindo à transfiguração que se seguiria imediatamente. Na verdade, Pedro, Tiago e João viram Jesus ser transfigurado e experimentaram momentaneamente o sabor da glória.

Segundo, há aqueles que pensam que Jesus está tratando da sua ressurreição e ascensão. O reino não podia vir mediante o poder político, mas por meio da cruz e da ressurreição. Jesus foi ressuscitado pelo poder de Deus (2Co 13.4); é agora Filho de Deus em poder (Rm 1.4) e é, Ele mesmo, o poder de Deus (1Co 1.24).

Terceiro, há aqueles que pensam que Jesus está falando sobre a descida do Espírito Santo e a expansão da igreja depois do Pentecoste. Os discípulos haviam de ser testemunhas oculares da descida do Espírito e do espantoso crescimento da igreja.

29

As faces da espiritualidade

Lucas 9.28-45

O EPISÓDIO DA TRANSFIGURAÇÃO está registrado nos três evangelhos sinóticos. Traz um tira-gosto do céu, levantando a ponta do véu e mostrando-nos a glória do nosso bendito Salvador. É um penhor de Seu retorno com glória celeste, mostrando que a cruz precede a coroa e que o sofrimento precede à glória. Com esse episódio, o Pai tem como propósito encorajar Seu Filho, que começava a se dirigir a Jerusalém rumo à cruz; e Jesus tem como propósito encorajar os discípulos, que haviam ficado abalados com a notícia de Sua morte.

Warren Wiersbe diz que este foi o maior "congresso bíblico" já realizado na terra! Mesmo se não considerarmos a grande glória envolvida, por certo vemos aqui os palestrantes mais eminentes: Moisés, a lei; Elias, os profetas; e Jesus, que veio para cumprir a lei e os profetas. O grande tema é a "partida" de Jesus (o termo grego *exodus*), que se daria em Jerusalém. Moisés havia conduzido Israel para fora da escravidão do Egito, e Elias os havia livrado da escravidão dos falsos deuses; Jesus, contudo, estava prestes a morrer para libertar o Seu povo da escravidão do pecado e da morte (G 1.4; Cl 1.13; Hb 2.14,15).[1]

---
[1] WIERSBE, Warren W. *Comentário bíblico expositivo*. Vol. 5, p. 269.

A narrativa da Transfiguração nos ensina que "agora é o tempo de tomar a cruz e compartilhar da humilhação de nosso Senhor. A coroa e o reino de glória ainda estão por vir.[2] O que sucede à Transfiguração revela-nos os dramas da terra, fortemente marcados pela fúria de satanás e a fraqueza dos discípulos.

O texto em tela nos fala sobre três tipos de espiritualidade. Vejamos essas três faces:

A espiritualidade do monte – êxtase sem entendimento (9.28-36)

Pedro, Tiago e João sobem o monte da Transfiguração com Jesus, mas não alcançam as alturas espirituais da intimidade com Deus. Jesus acabara de falar a respeito da cruz e agora revela a glória. O caminho da glória passa pela cruz.

Que monte era este? A tradição diz que é o monte Tabor, mas outros pensam que se trata do monte Hermom. A geografia não interessa, contudo, já que não se pensa em peregrinações. A fé no Senhor vivo que está presente em todos os lugares faz que os montes sagrados entrem em esquecimento.

A mente dos discípulos estava confusa e o coração deles se fechara. Eles estavam cercados por uma aura de glória e luz, mas um véu lhes embaçava os olhos, tirando-lhes o entendimento. Vejamos alguns pontos importantes.

Em primeiro lugar, *os discípulos andam com Jesus, mas não conhecem a intimidade do Pai* (9.28,29). Apenas Lucas diz que Jesus subiu o monte com o propósito de orar. A motivação de Jesus era estar com o Pai. A oração era o oxigênio da Sua alma. Todo o Seu ministério foi regado de intensa e perseverante oração.[3] Jesus está orando, mas em momento algum os discípulos estão orando com Ele. Eles não sentem necessidade nem prazer na oração. Não têm sede de Deus. Estão no monte a reboque, por isso não se alimentam da mesma motivação de Jesus.

---

[2]RYLE, John Charles. *Meditações no Evangelho de Lucas*, p. 151.
[3]Lucas 3.21,22; 4.1-13; 5.15-17; 6.12-16; 9.18-22,28-31; 22.39-46; 23.34-43.

Em segundo lugar, *os discípulos estão diante da manifestação da glória de Deus, mas, em de vez de orar, eles dormem* (9.28,29). Jesus foi transfigurado porque orou. Os discípulos não oraram e por isso se tornaram meros espectadores. Porque não oraram, ficaram agarrados ao sono. A falta de oração pesou-lhes as pálpebras e cerrou-lhes o entendimento. Um santo de joelhos enxerga mais longe do que um filósofo na ponta dos pés. As coisas mais santas, as visões mais gloriosas e as palavras mais sublimes não encontraram guarida no coração dos discípulos. As coisas de Deus não lhes davam entusiasmo; elas lhes cansavam os olhos, lhes entediavam os ouvidos e lhes causavam sono.

Em terceiro lugar, *os discípulos experimentam grande êxtase, mas não têm discernimento espiritual* (9.32-36). Os discípulos contemplaram quatro fatos milagrosos: a transfiguração do rosto de Jesus, a aparição em glória de Moisés e Elias, a nuvem luminosa que os envolveu, e a voz do céu que trovejava em seus ouvidos. Nenhuma assembleia na terra jamais foi tão esplendidamente representada: lá estava o Deus trino, além de Moisés e Elias, o maior legislador e o maior profeta. Lá estavam Pedro, Tiago e João, os apóstolos mais íntimos de Jesus; no entanto, embora envoltos num ambiente de milagres, faltou-lhes discernimento em quatro questões básicas.

Primeiro, eles não discerniram a centralidade da pessoa de Jesus (9.33). Os discípulos estão cheios de emoção, mas vazios de entendimento. Querem construir três tendas, dando a Moisés e a Elias a mesma importância de Jesus. Querem igualar Jesus aos representantes da lei e dos profetas. Como o restante do povo, eles também estão confusos quanto à verdadeira identidade de Jesus (9.18,19). Não discerniram a divindade de Cristo. Andam com Cristo, mas não dão a glória devida ao seu nome (9.33). Onde Cristo não recebe a preeminência, a espiritualidade está fora de foco. Jesus é maior do que Moisés e Elias. A lei e os profetas apontavam para Ele. Tanto Moisés como Elias, tanto a lei como os profetas, tiveram seu cumprimento em Cristo (Hb 1.1,2; 24.25-27).

O Pai corrigiu a teologia dos discípulos, dizendo-lhes: *Este é o Meu Filho, o Meu eleito; a Ele ouvi* (9.34,35). Jesus não pode ser confundido com os homens, ainda que com os mais ilustres. Ele é Deus. Para Ele, deve ser toda devoção. Nossa espiritualidade deve ser cristocêntrica. A presença de Moisés e Elias naquele monte, longe de empalidecer a divindade de Cristo, confirmava que de fato Ele era o Messias apontado pela lei e pelos profetas.

Segundo, eles não discerniram a centralidade da missão de Jesus. Moisés e Elias apareceram para falar da iminente partida de Jesus para Jerusalém (9.30,31). A pauta daquela conversa era a cruz. A cruz é o centro do ministério de Cristo. Ele veio para morrer. Sua morte não foi um acidente, mas um decreto do Pai desde a eternidade. Jesus não morreu porque Judas O traiu por dinheiro, porque os sacerdotes O entregaram por inveja, nem porque Pilatos O condenou por covardia. Ele voluntariamente Se entregou por Suas ovelhas (Jo 10.11), por Sua igreja (Ef 5.25).

Toda espiritualidade que desvia o foco da cruz é cega de discernimento espiritual. Satanás tentou desviar Jesus da cruz, suscitando Herodes para matá-Lo. Depois, ofereceu-Lhe um reino. Mais tarde, levantou uma multidão para fazê-Lo rei. Em seguida, provocou Pedro para reprová-Lo. Ainda quando estava suspenso na cruz, a voz do inferno vociferou na boca dos insolentes judeus: *Desça da cruz, e creremos nEle* (Mt 27.42). Se Jesus descesse da cruz, nós desceríamos ao inferno. A morte de Jesus nos trouxe vida e libertação.

A palavra grega usada para "partida" (9.31) é *exodus*. A morte de Jesus Cristo abriu as portas da nossa prisão e nos trouxe libertação. Moisés tinha liderado o êxodo no Egito. Jesus iria realizar o êxodo do povo de Deus para a terra prometida, nas alturas.[4] Moises e Elias entendiam isso, mas os discípulos estavam sem discernimento sobre essa questão central do cristianismo (9.44,45). Hoje, há igrejas que aboliram dos púlpitos a mensagem da cruz. Pregam sobre prosperidade, curas e milagres. Mas esse não é o evangelho da cruz; é outro evangelho e deve ser anátema!

Terceiro, eles não discerniram a centralidade de seus próprios ministérios (9.33). Eles disseram: "Bom é estarmos aqui". Eles queriam a espiritualidade da fuga, do êxtase, e não do enfrentamento. Queriam

---

[4]ROBERTSON, A. T. *Comentário Lucas à luz do Novo Testamento Grego*, p. 180.

as visões arrebatadoras do monte, não os gemidos pungentes do vale. Mas é no vale que o ministério se desenvolve.

É mais cômodo cultivar a espiritualidade do êxtase e do conforto. É mais fácil estar no templo, perto de pessoas coiguais, do que descer ao vale cheio de dor e opressão. Não queremos sair pelas ruas e becos. Não queremos entrar nos hospitais e cruzar os corredores entupidos de gente com esperança morta. Não queremos ver as pessoas encarquilhadas nas salas de quimioterapia. Evitamos olhar para as pessoas marcadas pelo câncer nas antecâmaras da radioterapia. Desviamos das pessoas caídas na sarjeta. Não queremos subir os morros semeados de barracos, onde a pobreza extrema fere a nossa sensibilidade. Não queremos visitar as prisões insalubres nem pôr os pés nos guetos encharcados de violência. Não queremos nos envolver com aqueles que vivem oprimidos pelo diabo nos bolsões da miséria ou encastelados nos luxuosos condomínios fechados. É fácil e cômodo fazer uma tenda no monte e viver uma espiritualidade escapista, fechada entre quatro paredes. Permanecer no monte é fuga, é omissão, é irresponsabilidade. A multidão aflita nos espera no vale!

Quarto, eles não discerniram a essência da adoração (9.34). Eles se encheram de medo, a ponto de caírem de bruços (Mt 17.5,6). A espiritualidade deles é marcada pela fobia do sagrado. Eles não encontram prazer na comunhão com Deus através da oração, por isso revelam medo de Deus. Veem Deus como uma ameaça. Eles se prostram não para adorar, mas para temer. Eles estavam aterrados (Mc 9.6). Pedro, o representante do grupo, não sabia o que dizia (9.33). Deus não é um fantasma cósmico. Ele é o Pai de amor. Jesus não alimentou a patologia espiritual dos discípulos; pelo contrário, mostrou sua improcedência: *Aproximando-se deles, tocou-lhes Jesus, dizendo: Erguei-vos, e não temais* (Mt 17.7). O medo de Deus revela uma espiritualidade rasa e sem discernimento.

A espiritualidade do vale –
discussão sem poder (9.37-45)

O monte da Transfiguração forma um vivo contraste com o mundo da miséria, com a geração incrédula no sopé do monte.[5] Não é possível

---

[5] RIENECKER, Fritz. *Evangelho de Lucas*, p. 221.

permanecer no alto da montanha quando há batalhas a combater no vale.⁶ Os nove discípulos de Jesus estavam no vale cara a cara com o diabo, sem poder espiritual, colhendo um grande fracasso. A razão era a mesma dos três que estavam no monte: em vez de orar, eles estavam discutindo com os escribas (Mc 9.14). Aqui aprendemos várias lições.

Em primeiro lugar, *no vale há gente sofrendo o cativeiro do diabo sem encontrar nos discípulos de Jesus solução para o seu problema* (9.38,39). Aqui está um pai desesperado (Mt 17.15,16). O diabo invadiu sua casa e está arrebentando com sua família. Está destruindo seu único filho (Mc 9.18). Aquele jovem estava possuído por uma casta de demônios, que tornavam sua vida um verdadeiro inferno. No auge do desespero, o pai do jovem correu para os discípulos de Jesus em busca de ajuda, mas eles estavam sem poder. A igreja tem oferecido resposta para uma sociedade desesperançada e aflita? Temos confrontado o poder do mal? Conhecimento apenas não basta; é preciso revestimento de poder. O reino de Deus não consiste em palavras, mas em poder.

Em segundo lugar, *no vale há gente desesperada precisando de ajuda, mas os discípulos estão perdendo tempo, envolvidos numa discussão infrutífera* (9.38-40). Os discípulos estavam envolvidos numa interminável discussão com os escribas, enquanto o diabo estava agindo livremente sem ser confrontado (Mc 9.14). Eles estavam perdendo tempo com os inimigos da obra em vez de fazer a obra (Mc 9.16). A discussão muitas vezes é saudável e necessária. Mas passar o tempo todo discutindo é uma estratégia do diabo para nos manter fora da linha de combate. Há crentes que passam a vida inteira discutindo empolgantes temas na Escola Bíblica Dominical, participando de retiros e congressos, mas nunca entram em campo para agir. Sabem muito e fazem pouco. Discutem muito e trabalham pouco. Os discípulos estavam discutindo com os opositores da obra (Mc 9.14). Discussão sem ação é paralisia espiritual. O inferno vibra quando a igreja se fecha dentro de quatro paredes, em torno dos seus empolgantes assuntos. O mundo perece enquanto a igreja está discutindo. Há muita discussão, mas pouco

---

⁶Wiersbe, Warren W. *Comentário bíblico expositivo.* Vol. 5, p. 270.

poder. Muita verborragia, mas pouca unção. Há multidões sedentas, mas pouca ação da igreja.

Em terceiro lugar, **no vale, enquanto os discípulos discutem, um poder demoníaco permanece sem ser confrontado** (9.38,39). Há dois extremos perigosos que precisamos evitar no trato dessa matéria. Primeiro, subestimar o inimigo. Os liberais, os céticos e incrédulos negam a existência e a ação dos demônios. Para eles, o diabo é uma figura lendária e mitológica. Negar a existência e a ação do diabo é cair nas malhas do mais ardiloso satanismo. Segundo, superestimar o inimigo. Há segmentos chamados evangélicos que falam mais no diabo do que em Jesus. Pregam mais sobre exorcismo do que sobre arrependimento. Vivem caçando demônios, neurotizados pelo chamado movimento de batalha espiritual.

Como era esse poder maligno que estava agindo no vale?

O poder maligno que estava em ação na vida daquele menino era assombrosamente destruidor (9.39; Mc 9.18,22). A casta de demônios fazia esse jovem rilhar os dentes, convulsionava-o e lançava-o no fogo e na água, para matá-lo. Os sintomas desse jovem apontam para uma epilepsia. Mas não era um caso comum de epilepsia, pois, além de provocar aquela desordem convulsiva, o espírito maligno que estava nele era um espírito surdo-mudo. O espírito imundo o privava de falar e ouvir. A possessão demoníaca é uma realidade dramática que tem afligido muitas pessoas ainda hoje. Os ataques àquele jovem eram tão frequentes e fortes que o menino não queria mais crescer, e seguia definhando.

O poder maligno em curso age com requintes de crueldade (9.38). Esse jovem era filho único. O coração do Filho único de Deus enchia-Se de compaixão por esses filhos únicos, por seus pais e por muitos outros! Ao atacar esse rapaz, o diabo estava destruindo os sonhos de uma família. Onde os demônios agem, há sinais de desespero. Onde eles atacam, a morte mostra sua carranca. Onde eles não são confrontados, a invasão do mal desconhece limites.

A **espiritualidade de Jesus** (9.29,31,44,51,53)

A transfiguração foi uma antecipação da glória, um vislumbre e um ensaio de como será o céu (Mt 16.18). A palavra "transfigurar" é *metamorphothe*, de onde vem o termo "metamorfose". O verbo refere-se a uma mudança externa que procede de dentro. Essa não é uma mudança meramente de aparência, mas uma modificação completa para outra forma. Muitas vezes, os discípulos viram Jesus empoeirado, faminto e exausto, além de perseguido, sem pátria e sem proteção. De repente, passa por essa casca de humilhação uma labareda indubitável e inesquecível (2Pe 1.16-18). Por alguns momentos, todo Ele estava permeado de luz. Aprendemos aqui algumas verdades fundamentais sobre a espiritualidade de Jesus.

Em primeiro lugar, *a espiritualidade de Jesus é fortemente marcada pela oração* (9.28). Jesus subiu o monte da Transfiguração com o propósito de orar e porque Ele orou Seu rosto transfigurou e Suas vestes resplandeceram de brancura (9.29). A oração é uma via de mão dupla na qual nos deleitamos em Deus e Ele tem prazer em nós (Mt 17.5). Deus tem prazer em manter comunhão com Seu povo (Is 62.4,5; Sf 3.17). A essência da oração é comunhão com Deus. O maior anseio de quem ora não são as bênçãos de Deus, mas o Deus das bênçãos. Jesus muitas vezes saía para os lugares solitários a fim de buscar a face do Pai.

Dois fatos são dignos de destaque na transfiguração de Jesus.

O Seu rosto transfigurou (9.29). Mateus diz que o Seu rosto resplandecia como o sol (Mt 17.2). O nosso corpo precisa ser vazado pela luz do céu. Devemos glorificar a Deus no nosso corpo. A glória de Deus precisa brilhar em nós e resplandecer através de nós.

Suas vestes também resplandeceram de brancura (9.29). Mateus diz que Suas vestes resplandeceram como a luz (Mt 17.2). Marcos nos informa que as Suas vestes se tornaram resplandecentes e sobremodo brancas, como nenhum lavandeiro na terra as poderia alvejar (Mc 9.3). Para um oriental, roupa e pessoa são uma coisa só. Assim, ele pode descrever vestimentas para caracterizar quem as usa (Ap 1.13; 4.4; 7.9; 10.1; 12.1; 17.4; 19.13). As nossas vestes revelam o nosso íntimo mais do que cobrem o nosso corpo. Elas retratam nosso estado interior e demonstram o nosso senso de valores. As nossas roupas precisam ser também santificadas.

A oração de Jesus no monte ainda nos evidencia outras duas verdades.

Primeiro, na transfiguração, Jesus foi consolado antecipadamente para enfrentar a cruz (9.30,31). Quando oramos, Deus nos consola antecipadamente para enfrentarmos as situações difíceis. Jesus passaria por momentos amargos: seria preso, açoitado, cuspido, ultrajado, condenado e pregado numa cruz. Mas, pela oração, o Pai o capacitou a beber aquele cálice amargo sem retroceder. Quem não ora desespera-se na hora da aflição. É pela oração que triunfamos.

Segundo, em resposta à oração de Jesus, o Pai confirmou o Seu ministério (Mt 17.4,5). Os discípulos, sem discernimento, igualaram Jesus a Moisés e Elias, mas o Pai defendeu Jesus, dizendo-lhes: *Este é o Meu Filho amado, o Meu eleito, a Ele ouvi*. Marcos registra: *E de relance, olhando ao redor, a ninguém mais viram com eles, senão Jesus* (Mc 9.8). O Pai reafirma Seu amor ao Filho e autentica sua autoridade, falando de dentro da nuvem luminosa aos discípulos. Aquela era a mesma nuvem que havia guiado Israel quando saía do Egito (Êx 13.21), que apareceu ao povo no deserto (Êx 16.10; 24.15-18), que surgiu a Moisés (Êx 19.9) e que encheu o templo com a glória do Senhor (1Rs 8.10). Vincent Taylor afirma que, no Antigo Testamento, a nuvem *é o veículo da presença de Deus, a habitação de Sua glória, da qual Ele fala*.

Você não precisa se defender; você precisa orar. Quando você ora, Deus sai em sua defesa. Quando você cuida da sua piedade, Deus cuida da sua reputação. Além de não defender o Seu ministério, Jesus não tocou trombetas para propagar suas gloriosas experiências. Sua espiritualidade não era autoglorificante (Mt 17.9). Quem elogia a si mesmo demonstra uma espiritualidade trôpega.

Em segundo lugar, **a espiritualidade de Jesus é marcada pela obediência ao Pai** (9.44,51,53). A obediência absoluta e espontânea à vontade do Pai foi a marca distintiva da vida de Jesus. A cruz não era uma surpresa, mas uma agenda. Ele não morreu como mártir; Ele se entregou. Ele foi para a cruz porque o Pai O entregou por amor (Jo 3.16; Rm 5.8; 8.32). A conversa de Moisés e Elias com Jesus foi sobre Sua partida para Jerusalém (9.31). Como já afirmamos, a palavra grega usada para "partida" é *exodus*. O êxodo foi a libertação do povo de Israel do cativeiro egípcio. Com o seu êxodo, Jesus nos libertou do cativeiro do pecado. Sua morte nos trouxe libertação e vida. Logo que desceu do monte, Jesus demonstrou com resoluta firmeza que estava indo para a cruz (9.44,51,53). Ele chorou (Hb 7.5) e suou sangue (Lc 22.39-46) para fazer a vontade do Pai. Ele veio para isso (Jo 17.4) e, ao morrer na cruz, declarou isso triunfantemente (Jo 19.30). A verdadeira espiritualidade implica obediência (Mt 7.22,23).

Em terceiro lugar, *a espiritualidade de Jesus é marcada por poder para desbaratar as obras do diabo* (9.41-43). O ministério de Jesus foi comprometido com a libertação dos cativos (4.18; At 10.38). Ao mesmo tempo que Ele é o libertador dos seres humanos, é o flagelador dos demônios. Jesus expulsou a casta de demônios do menino endemoniado dizendo: *Sai* [...] *e nunca mais tornes a ele* (Mc 9.25-27). O poder de Jesus é absoluto e irresistível. Os demônios bateram em retirada, o menino foi libertado, devolvido ao seu pai, e todos ficaram maravilhados diante da majestade de Deus (9.43). Para Jesus, não há causa perdida nem vida irrecuperável. Ele veio libertar os cativos!

30

Atitudes perigosas

Lucas 9.46-62

JESUS ACABARA DE FALAR SOBRE AUTOSSACRIFÍCIO, e os discípulos começam a discutir sobre autopromoção. Enquanto Jesus fala que está pronto a dar sua vida, os discípulos passam a debater quem entre eles é o maior. Eles estão na contramão do ensino e do espírito de Jesus. Mais uma vez, os discípulos reagem com incompreensão a um ensino sobre o sofrimento.

Jesus aproveita o momento para lançar alguns pilares da ética do reino de Deus, alertando para quatro atitudes perigosas.

A **falta de humildade** (9.46-48)

Os discípulos discutem entre si quem é o maior entre eles. Eles estão querendo preeminência. Pensam em projeção, grandeza e especial distinção. A ambição deles é a projeção do eu, e não do outro. Destacamos aqui dois pontos.

Em primeiro lugar, *no reino de Deus não há espaço para o amor à proeminência* (9.46). A ambição e o desejo de proeminência dos discípulos soavam mal, sobretudo diante do que Jesus acabara de declarar para eles a respeito de Seu sofrimento e morte. O Rei da glória, o Senhor dos senhores, o Criador do universo dava claro sinal de Seu esvaziamento e humilhação, a ponto de entregar voluntariamente Sua vida em favor dos pecadores, e os discípulos, cheios de vaidade e soberba, discutem sobre qual deles era o maior. Ryle diz que nenhum ídolo tem recebido tanta adoração quanto o "eu".[1]

Os discípulos estavam pensando acerca do reino de Jesus em termos de um reino terreno e em si mesmos como os principais ministros de Estado. Essa distorção teológica dos discípulos perdurou até mesmo depois da ressurreição de Jesus (At 1.6).

Em relação à ambição, as Escrituras advertem: *A soberba precede a ruína, e a altivez do espírito, a queda* (Pv 16.18). Não foi essa a experiência de Senaqueribe (2Cr 32.14,21), Nabucodonosor (Dn 4.30-33) e Herodes Agripa (At 12.21-23)? A Bíblia diz que aquele que se exalta será humilhado, mas o que se humilha será exaltado.

Em segundo lugar, *no reino de Deus ser o menor é ser grande* (9.47,48). Naquele tempo, as crianças não recebiam atenção dos adultos. Não havia o Estatuto da Criança, e elas eram despercebidas pelos adultos. Jesus, entretanto, valoriza os pequenos e diz que quem receber uma criança, a menor pessoa, a menos importante no conceito da sociedade, recebe a Ele, e quem O recebe, recebe o Pai que O enviou. A criança pequena representa os esquecidos, os não notados ou os excluídos que, por qualquer motivo, parecem não ser levados em consideração por nós. Quem, porém, vai ao encontro do seu menor irmão na comunidade, a partir de Jesus, misteriosamente é presenteado com o próprio Jesus.

Ser grande no reino de Deus é cuidar daqueles que são menos valorizados, daqueles que são mais carentes e mais necessitados. Jesus nos encoraja a demonstrar amor, atenção e cuidado aos mais fracos que nEle creem. Jesus ensina essa lição de forma comovente, pois toma uma criança, coloca-a junto de Si e diz aos Seus discípulos: *Quem receber esta criança em Meu nome, a Mim Me recebe; e quem receber a Mim recebe Aquele que Me enviou; porque aquele que entre vós for o menor de todos, esse é que é grande* (9.48).

A ambição humana não vê outro sinal de grandeza senão coroas, *status*, riquezas e elevada posição na sociedade. Porém, o Filho de Deus

---

[1] RYLE, John Charles. *Meditações no Evangelho de Lucas*, p. 157.

declara que o caminho para a grandeza e o reconhecimento divino é devotar-se ao cuidado dos mais tenros e fracos da família de Deus.

A **falta de tolerância** (9.49,50)

No reino de Deus, a intolerância exclusivista não encontra guarida. A linha de pensamento central ainda é a falta de entendimento dos discípulos. Eles sobem com Jesus para Jerusalém: Ele, pronto a sofrer; eles, cheios de ilusões. Seu Senhor e o caminho dEle não orientam a atitude deles. Desta vez, isto se mostra na estreiteza deles, na pretensão de serem os únicos representantes de Jesus.

João proíbe um homem que expulsava demônios em nome de Cristo, pelo simples fato de não fazer parte do grupo apostólico e de não estar lutando alinhado com eles. Na teologia de João, somente o grupo deles estava com a verdade; os outros eram excluídos e desprezados. João pensava que apenas os discípulos tinham o monopólio do poder de Jesus.

O homem estava fazendo uma coisa boa, expulsando demônios; da maneira certa, em nome de Jesus; com resultado positivo, socorrendo uma pessoa necessitada. Mas, mesmo assim, João o proíbe. De igual forma, muitos segmentos religiosos têm a pretensão de serem os únicos que servem a Deus. Pensam e chegam ao disparate de pregarem com altivez como se fossem os únicos seguidores fiéis de Jesus, e batem no peito com arrogância como se fossem os únicos salvos. Muitos, tolamente, creem que Deus é um patrimônio exclusivo da sua denominação. Agem com soberba e desprezam todos quantos não aderem à sua corrente sectária. Esse espírito intolerante e exclusivista está em desacordo com o ensino de Jesus, o Senhor da igreja.

Jesus repreende os discípulos e acentua que quem não é contra Ele, é por Ele (9.50). A lição que Jesus ensina é clara: não podemos ter a pretensão de julgar os outros nem de nos considerar os únicos seguidores de Cristo, pelo fato de essas pessoas não estarem em nossa companhia. A intolerância e o exclusivismo estreito são o que Jesus está corrigindo aqui. Josué pediu a Moisés para proibir Eldade e Medade, que estavam profetizando no campo. Ele exclama: *Moisés, meu senhor, proíbe-lhos*. Mas Moisés lhe responde: *Tens tu ciúmes por mim? Tomara todo o povo do Senhor fosse profeta, que o Senhor lhes desse o seu Espírito!*

(Nm 11.26-29). Não sejamos mais restritivos do que foi Moisés. Não tenhamos uma mente menos aberta do que a de Paulo (Fp 1.14-18).

Obviamente, Jesus não está dizendo que os hereges, os heterodoxos e aqueles que acrescentam ou retiram parte das Escrituras devam ser considerados Seus legítimos seguidores. Jesus não está ensinando aqui o inclusivismo religioso nem dando um voto de aprovação a todas as religiões. Jesus não comunga com o erro doutrinário; antes, o reprova severamente. Jesus não aprova o universalismo nem o ecumenismo. Não há unidade espiritual fora da verdade. Mas Jesus não aceita a intolerância religiosa. Não podemos proibir nem rejeitar os outros pelo simples fato de eles não pertencerem ao nosso grupo. De forma alguma, Jesus está alargando a porta estreita do discipulado. Afinal de contas, esta passagem tem um contrapeso em Mateus 12.30: *Quem não é por Mim é contra Mim; e quem Comigo não ajunta espalha*.

Muitas pessoas idolatram sua denominação e sua estrutura eclesiástica a ponto de não verem nenhum mérito nos outros segmentos que servem a Deus. São aqueles que proíbem os outros por estarem fazendo a obra de Deus (Nm 11.28). Essa intolerância tem sido umas das páginas mais escuras da história humana. Muitos cristãos chegam até mesmo a perseguir uns aos outros, engalfinhando-se em vergonhosas brigas e contendas (1Co 6.7). Concluo essas palavras com a advertência de John Charles Ryle ao alertar para a falta de união entre os crentes como uma das causas do lento progresso do verdadeiro cristianismo. Palavras severas jamais produziram unidade de pensamento. A união jamais foi alcançada por meio da força. Devemos ser gratos se o pecado está recebendo a devida oposição, o evangelho está sendo pregado e o reino de satanás está sendo derrubado, embora esta obra não esteja sendo realizada exatamente da maneira que gostaríamos (Fp 1.18).[2]

A **falta de amor** (9.51-56)

A agenda de Moisés e Elias com Jesus no monte da Transfiguração foi sua "partida" (*exodus*) para Jerusalém. A cruz estava no centro daquela

---

[2] RYLE, John Charles. *Meditações no Evangelho de Lucas*, p. 158.

conversa no monte tocado pela glória de Deus. Ao descer do monte, Jesus está absolutamente comprometido com a obediência a essa agenda estabelecida na eternidade. A prontidão para obedecer, mesmo que tal obediência passasse pela horrenda cruz, estava escrita em seu semblante (9.51,53). A traição, o julgamento injusto, as cusparadas no rosto, os açoites infames, o escárnio da multidão, os cravos que rasgaram Suas mãos e seus pés, tudo estava diante de seus olhos como uma fotografia. No entanto, em momento algum Jesus retrocedeu. Ele caminhou para a cruz como um rei caminha para sua coroação. Nessa caminhada rumo a Jerusalém, Jesus planeja passar por uma aldeia dos samaritanos, mas não é recebido por eles. Dois pontos aqui merecem destaque.

Em primeiro lugar, *a falta de hospitalidade dos samaritanos* (9.51-53). Cientes de que Jesus estava indo para Jerusalém, os samaritanos fecharam-Lhe a porta em sua aldeia. O preconceito antigo suplantou a oportunidade presente. O ódio racial impediu-lhes de receber o Salvador do mundo. Eles deixaram de acolher aquele que veio para dar sua vida por eles. Os samaritanos não acolheram Jesus, mas Jesus não desistiu dos samaritanos. Lucas registra a parábola do bom samaritano que resgata o homem ferido (10.33) e conta sobre o samaritano curado da lepra que voltou para agradecer (17.16). As implicações do propósito de Deus para os samaritanos são ampliadas no segundo livro escrito por Lucas (At 1.8; 8.5-8,14-17,25). David Neale diz que a ênfase do evangelho de Lucas é que a salvação se estende para os judeus marginalizados dentro de Israel e depois para os que estão além das fronteiras de Israel, tanto geográfica quanto étnica.[3]

Em segundo lugar, *a falta de amor dos discípulos* (9.54-56). Tiago e João, os filhos do trovão, pediram para Jesus pagar aos samaritanos com a mesma moeda. Eles pedem permissão a Jesus para mandar fogo do céu sobre aqueles que lhes negaram um gesto de cortesia. Diante dessa hostilidade dos discípulos, Jesus os repreende mais uma vez, mostrando o propósito de Sua vinda ao mundo: *Pois o Filho do homem não veio para destruir as almas dos homens, mas para salvá-las...* (9.56). Em vez

---

[3]NEALE, David A. *Novo comentário bíblico Beacon Lucas 9-24*, p. 64.

de forçar a barra para passarem por aquela aldeia, o texto nos informa: *... e seguiram para outra aldeia* (9.56). Concordo com Ryle quando ele diz que nada pode ser julgado mais contrário à vontade de Cristo do que as perseguições e guerras religiosas que macularam os anais da história da Igreja. Milhares e milhares de pessoas foram mortas por causa de perseguições religiosas em todo o mundo. Muitos foram queimados, enforcados, decapitados ou afogados em nome do evangelho; e aqueles que os assassinaram realmente acreditavam estar prestando um serviço a Deus. Infelizmente, apenas demonstraram sua própria ignorância quanto ao espírito do evangelho e à maneira de pensar de Cristo.[4]

A **falta de prioridade** (9.57-62)

Enquanto Jesus caminha rumo a Jerusalém, recebe três abordagens de voluntários que querem segui-Lo, mas que não haviam entendido bem o preço do discipulado. Kenneth Bailey explica este texto usando como tema a raposa, o funeral e o arado.[5] Vejamos esses casos.

Em primeiro lugar, *aqueles que têm uma motivação errada* (9.57,58). Este proponente anônimo se dispõe a seguir a Jesus para onde quer que Ele vá, mas está motivado pelas vantagens que vai receber. Jesus, porém, joga uma pá de cal em seu entusiasmo, mostrando que o Filho do homem não tem onde reclinar a cabeça. Aqueles que querem seguir a Jesus motivados por vantagens pessoais e terrenas recebem dEle uma imediata resistência. Morris diz corretamente que o seguidor de Jesus não deve contar com uma vida de luxo.[6] Bailey diz que os candidatos a discípulos precisam considerar o preço do discipulado e entender que não serão aceitos enquanto não decidirem conscientemente pagar o preço de seguir um líder rejeitado.[7]

Em segundo lugar, *aqueles que têm uma prioridade errada* (9.59,60). Outro, mediante a ordem de Jesus *Segue-me*, colocou à frente do discipulado uma causa mais urgente. Antes de seguir a Jesus, ele queria

---

[4]RYLE, John Charles. *Meditações no Evangelho de Lucas*, p. 161.
[5]BAILEY, Kenneth. *A poesia e o camponês*, p. 62.
[6]MORRIS, Leon L. *Lucas: introdução e comentário*, p. 170.
[7]BAILEY, Kenneth. *A poesia e o camponês*, p. 73.

cuidar de seu pai até sua morte. Isso seria uma espécie de atraso indefinido[8], diz Morris. Depois de sepultar o pai, então, estaria pronto a segui-Lo. Mas Jesus deixa claro que pregar o reino é a maior de todas as prioridades. Nenhuma outra agenda pode se interpor entre o discípulo e a pregação do evangelho do reino. Bailey mais uma vez é oportuno quando diz que a lealdade a Jesus e Seu reino é mais importante do que a lealdade às normas culturais da sociedade. Em outras palavras, as exigências culturais da comunidade não são desculpas aceitáveis para o fracasso no discipulado.[9]

Em terceiro lugar, **aquelas que têm uma noção de tempo errada** (9.61,62). Este voluntário dispôs-se a seguir a Jesus, mas queria antes despedir-se de sua família. Queria seguir, mas não agora. Mostrou relutância na sua decisão. Jesus, então, lhe respondeu: *Ninguém que, tendo posto a mão no arado, olha para trás é apto para o reino de Deus*. No reino de Deus, não há espaço para distração nem para saudosismo. Bailey diz que o chamado do reino de Deus precisa ter prioridade sobre todas as outras lealdades, pois o discipulado que tenha lealdade dividida é uma força desagregadora na obra do reino, e desta forma é inepto para participar dele.[10]

---

[8]Morris, Leon L. *Lucas: introdução e comentário*, p. 170.
[9]Bailey, Kenneth. *A poesia e o camponês*, p. 73.
[10]Bailey, Kenneth. *A poesia e o camponês*, p. 74.

31

Evangelização, uma obra de consequências eternas

Lucas 10.1-24

DEPOIS DE PÔR À PROVA AQUELES QUE QUERIAM SEGUI-LO por motivações erradas, Jesus comissiona setenta dos Seus seguidores para irem à Sua frente nas cidades por onde passaria, como Seus precursores. Essa era uma missão honrosa, difícil e perigosa. A passagem em apreço, encerra algumas lições importantes.

O importante **comissionamento** da obra (10.1,2)

Jesus comissiona setenta de seus seguidores para irem à sua frente, abrindo caminho para sua passagem. O número setenta era simbólico para os judeus: era o número de anciãos eleitos para ajudarem Moisés (Nm 11.16,17,24,25), o número de membros do Sinédrio e o número das nações do mundo (Gn 10). Essa é mais uma prova da perspectiva universal do evangelho de Lucas. Duas questões são aqui destacadas.

Em primeiro lugar, *a preparação para a obra* (10.1). Jesus envia os obreiros de dois em dois, pois é melhor serem dois do que um. Quando um cai, o outro o levanta. Envia-os como precursores a cada cidade, para prepararem o caminho por onde Jesus devia passar.

Em segundo lugar, *a oração intercessória pela obra* (10.2). Jesus deixa claro que a obra sempre é maior do que a capacidade dos obreiros. Devemos, portanto, clamar ao Senhor da seara, para mandar obreiros para a sua seara. Há uma colheita a ser feita. Os campos estão maduros, e precisamos de mais obreiros para fazer essa obra importante e urgente.

A **perigosa natureza** da obra (10.3)

Os obreiros são enviados como ovelhas, mas as cidades para onde eles se dirigem estão cheias de lobos. A seara é grande, os trabalhadores são poucos, e o ambiente é hostil. Os obreiros não devem esperar facilidades. A perseguição é inevitável (2Tm 3.12). Os lobos têm dentes afiados e garras mortais. Rienecker tem razão ao alertar para o fato de que os discípulos não são enviados "aos lobos", mas para "o meio dos lobos".[1]

O chamado de Jesus não é para os covardes. É impossível ser um seguidor dAquele que foi crucificado sem enfrentar a hostilidade do mundo e a fúria de satanás.

A **urgência absoluta** da obra (10.4)

Os obreiros não devem ocupar-se prioritariamente com a provisão nem se distraírem com agendas paralelas e secundárias. Devem ter censo de urgência. Isso não significa ser insensível ou antissocial; significa que a obra é urgente e não há tempo a perder. Barclay está correto ao dizer que esta não é uma ordem para ser descortês; significa que o homem de Deus não deve deter-se em coisas de pouca importância quando coisas maiores o chamam.[2] A. T. Robertson corrobora dizendo: "O perigo dessas saudações pelo caminho era o excesso de conversas e o atraso. Os assuntos do rei exigem pressa".[3]

A obra da **evangelização** nos **lares** (10.5-7)

Os obreiros são enviados numa missão de paz, com uma mensagem de paz, da parte do Príncipe da paz (10.5,6). O evangelho promove a glória de Deus no céu e produz paz na terra entre os homens. Os lares

---

[1] RIENECKER, Fritz. *Evangelho de Lucas*, p. 231.
[2] BARCLAY, William. *Lucas*, p. 132.
[3] ROBERTSON, A. T. *Comentário Lucas à luz do Novo Testamento Grego*, p. 198.

foram o lugar e a estratégia mais importante no crescimento das igrejas naquele tempo. Ainda hoje, as igrejas crescem quando os lares abrem as portas para os amigos e vizinhos, a fim de se transformarem em embaixadas do reino de Deus na terra. A obra missionária e a expansão da igreja passam por uma missão nas casas (10.5-7) e por uma missão urbana (10.8-11).

Os obreiros, no cumprimento dessa missão de paz, não devem buscar conforto nem demonstrar ostentação (10.7). Devem ser obreiros simples, modestos, a fim de não atraírem atenção para si mesmos. Longe de serem motivados pelo lucro, devem confiar plenamente no sustento de Deus, pois digno é o trabalhador do seu salário. Concordo, entretanto, com Rienecker quando ele escreve: "Assim como os verdadeiros discípulos de Cristo se abstêm de pregar o evangelho por causa de um lucro nefasto (1Pe 5.2; 1Tm 3.3), qual comerciantes (2Co 2.17; 1Tm 6.5), assim também não desprezam as dádivas do amor fraterno para seu necessário sustento".[4] A vida do pregador precisa ser consistente com sua mensagem. Ele não pode falar do céu se está apegado às coisas da terra. Ryle, nessa mesma linha de pensamento, diz que o sermão a respeito das "coisas invisíveis" produzirá pouco resultado quando a vida do pregador prega a importância das "coisas visíveis".[5]

A obra da **evangelização** nas **cidades** (10.8-16)

Três verdades merecem destaque aqui.

Em primeiro lugar, *a aceitação do evangelho* (10.8,9). A pregação aos ouvidos precisa ser precedida pela pregação aos olhos. As obras poderosas precedem as palavras de poder. Os milagres da graça abrem portas para a pregação do evangelho da graça. A pregação tem um senso de urgência. O reino de Deus chegou. Está próximo. E não há mais tempo a perder.

Em segundo lugar, *a rejeição do evangelho* (10.10-15). Jesus deixa claro que a rejeição da mensagem e dos mensageiros não significa

---

[4]RIENECKER, Fritz. *Lucas: introdução e comentário*, p. 233.
[5]RYLE, John Charles. *Meditações no Evangelho de Lucas*, p. 167.

derrota para os obreiros (10.10,11). Ao contrário, isso acarreta severo juízo àqueles que rejeitam a mensagem. Quanto maior a oportunidade, maior é a responsabilidade. Quem mais ouviu e viu as maravilhas do reino, e as rejeita, mais culpado será no dia do juízo (10.12-15). Ouvir os embaixadores de Cristo é o mesmo que ouvir o próprio Cristo, e desprezar seus representantes é o mesmo que desprezar Aquele que os enviou. Morris diz, com razão, que, ao rejeitarem os pregadores, as pessoas não estavam rejeitando um par de pobres itinerantes, mas, sim, o próprio reino de Deus, e isso tem sérias consequências.[6]

Em terceiro lugar, *a autoridade dos obreiros* (10.16). Jesus deixa claro que Seus precursores não fazem a obra em seu próprio nome. Eles são enviados por Aquele que tem todo poder e toda autoridade no céu e na terra. Eles vão sob o poder de Jesus e na autoridade de Jesus. Rejeitar o obreiro é rejeitar Aquele que o enviou, e rejeitar a Jesus é rejeitar ao próprio Pai, que, por amor, O enviou ao mundo. Por outro lado, receber o obreiro e sua mensagem é receber ao próprio Jesus, o comissionador, o dono e conteúdo da mensagem.

William Barclay assim sintetiza o texto: 1) o pregador não deve estar sobrecarregado com preocupações financeiras; 2) o pregador deve concentrar-se em sua tarefa; 3) o pregador não deve trabalhar por ganância; 4) escutar a Palavra é uma grande responsabilidade; 5) é algo terrível rechaçar o convite do evangelho.[7]

A alegria dos **obreiros enviados** (10.17-20)

Destacamos aqui três pontos importantes.

Em primeiro lugar, *uma experiência vitoriosa* (10.17). Os obreiros retornam com grande exultação. Além de levarem a paz e pregarem a chegada do reino, eles também viram os demônios batendo em retirada pela autoridade do nome de Jesus. Essa vitória do reino da luz sobre o reino das trevas e essa submissão dos demônios a eles, na autoridade do nome de Jesus, trouxeram grande alegria para os obreiros.

---

[6]MORRIS, Leon L. *Lucas: introdução e comentário*, p. 173.
[7]BARCLAY, William. *Lucas*, p. 132,133.

Em segundo lugar, *uma advertência oportuna* (10.18,19). Diante da alegria dos obreiros, Jesus fala que viu pessoalmente satanás caindo do céu como um relâmpago. E por que satanás caiu? Por causa da soberba! Nossas alegrias mais profundas podem abrir uma fenda para a entrada do orgulho. E não há orgulho mais sutil e perigoso do que o orgulho espiritual. Depois da advertência, Jesus afirma que, aos obreiros, no cumprimento da missão, é dada autoridade sobre as forças do mal.

Em terceiro lugar, *uma alegria maior* (10.20). A maior glória de uma pessoa não está naquilo que ela faz para Deus, mas naquilo que Deus fez por ela.[8] Nossa alegria é ter o nosso nome escrito no livro da vida. Nossa maior alegria não está no serviço, mas na graça salvadora. Maior alegria do que qualquer ventura ou aventura na terra deve ser o fato de nosso nome estar arrolado no céu. Certa feita perguntaram a Sir James Simpson, o inventor do clorofórmio: "Qual foi a sua maior descoberta?" Ele respondeu: "Minha descoberta mais grandiosa foi quando me dei conta de que Jesus Cristo era o meu Salvador".[9]

A alegria de Jesus, **o enviador** (10.21-24)

Destacamos aqui três verdades solenes.

Em primeiro lugar, *a soberania de Deus na salvação* (10.21). Esta é a primeira vez que lemos nos evangelhos que Jesus exulta de alegria. Sua alegria reside não em seus extraordinários milagres, mas na soberania de Deus na salvação. Exulta no fato de Deus ocultar as glórias do evangelho para os sábios e instruídos e revelá-las aos pequeninos. Deus vira a mesa e inverte a pirâmide. Os sábios e os instruídos não entendem; aos pequeninos é revelado. Deus faz isso por causa de Sua soberana vontade. Concordo com Rienecker, entretanto, "o evangelho não está abaixo, mas acima da compreensão dos que são sábios e inteligentes a seus próprios olhos".[10]

Em segundo lugar, *a dignidade de Jesus, o revelador do Pai* (10.22). O Pai tudo confiou a Jesus. Só o Pai conhece Jesus plenamente, e só

---
[8] BARCLAY, William. *Lucas*, p. 134.
[9] BARCLAY, William. *Lucas*, p. 134.
[10] RIENECKER, Fritz. *Evangelho de Lucas*, p. 238.

Jesus revela o Pai completamente. Jesus é a exata expressão do Pai. Ele é a exegese do Pai. Só Ele pode revelar o Pai.

Em terceiro lugar, *a felicidade dos obreiros* (10.23,24). Jesus felicita Seus obreiros porque eles viram o que os patriarcas, sacerdotes, profetas e reis não conseguiram ver. Aqueles viram o Jesus da profecia. Seus obreiros viram o Jesus da história. Aqueles creram no Messias prometido. Eles viram o Emanuel, o Messias entre os homens. O menor do reino de Deus é maior do que o maior santo da antiga aliança!

32

Amor ao próximo, evidência da vida eterna

Lucas 10.25-37

ESTA É UMA DAS PARÁBOLAS mais belas, mais profundas e mais instigantes contadas por Jesus. Só aparece no registro de Lucas. Muitos abordam essa parábola lançando mão do método alegórico. A vítima torna-se o pecador perdido. O sacerdote e o levita representam a lei e os sacrifícios, ambos incapazes de salvar o pecador. O samaritano é Jesus Cristo, que salva o homem, paga as suas contas e promete voltar. Os dois denários são as duas ordenanças: o batismo e Ceia do Senhor. Essa, entretanto, não é maneira correta de interpretar a passagem.[1]

Outros veem aqui uma recomendação formal do caminho das obras. Porém, essa parábola é um repúdio às obras como meio de salvação. Não é aquilo que fazemos, considerado uma obra meritória, que importa, mas, sim, a atitude de confiarmos em Deus e no que Ele fez por nós. Só amam a Deus e ao próximo aqueles que foram transformados pelo amor de Deus. Esse tipo de amor é nossa resposta ao amor que Deus tem por nós, e não a causa de sua aceitação de nós. Jesus não está recomendando um novo sistema de legalismo um pouco diferente do antigo, mas está apontando para o fim de todo o legalismo.[2]

---

[1] WIERSBE, Warren W. *Comentário bíblico expositivo*. Vol. 5, p. 274.
[2] MORRIS, Leon L. *Lucas: introdução e comentário*, p. 177,178.

O texto nos mostra, com cores vivas, um doutor da lei que quer apanhar Jesus no contrapé e se torna prisioneiro no cipoal de sua própria armadilha. Jesus virou a mesa, e o escriba que tentou pegar Jesus com as minúcias da lei é capturado pela responsabilidade da graça. O escriba queria manter a discussão em nível complexo e filosófico, mas Jesus o leva para o campo prático do amor e da ação.

Vejamos alguns pontos da passagem.

Uma **formação errada** (10.25a)

O texto começa dizendo *E eis que certo homem, intérprete da lei...* (10.25). Esse homem era um doutor da lei, um experimentado professor de teologia, um perito hermeneuta. Apesar de sua formação acadêmica, seu entendimento da lei era equivocado.

Uma **motivação errada** (10.25b)

O texto prossegue: *... se levantou com o intuito de pôr Jesus à prova...* (10.25). Sua pergunta não era honesta. O homem não queria aprender, mas embaraçar. Queria colocar Jesus numa enrascada para depois se sentir superior.

Uma **teologia errada** (10.25c)

O texto levanta a ponta do véu e mostra o equívoco teológico do intérprete da lei, na sua própria pergunta: *... e disse: Mestre, que farei para herdar a vida eterna?* (10.25). Na mente desse doutor, a vida eterna era uma conquista das obras, e não uma oferta da graça. Para ele, a salvação era uma questão de merecimento humano, e não uma dádiva divina. Kenneth Bailey diz que, olhando superficialmente, a pergunta é sem sentido. O que pode alguém fazer para herdar algo? Só os herdeiros legais herdam. Israel nada fez para merecer ou para adquirir a herança da terra. Israel não conquistou a terra devido às façanhas que realizou. Ao contrário, a disposição espontânea de Deus foi que deu a Israel a terra como sua herança.[3]

---

[3] BAILEY, Kenneth. *A poesia e o camponês*, p. 78.

Uma **pergunta perscrutadora** (10.26)

Jesus não caiu na armadilha do doutor da lei; antes, devolveu-lhe a pergunta. *Então, Jesus lhe perguntou: Que está escrito na lei? Como interpretas?* (10.26). Já que o homem era intérprete da lei e queria pôr Jesus à prova acerca da vida eterna, Jesus devolve-lhe a pergunta, remetendo-o à lei, para deixar claro que, pelo padrão da lei, é impossível ao homem ser salvo, uma vez que a lei exige uma perfeita relação do homem com Deus e com o próximo. A lei exige perfeição absoluta e nenhum homem é capaz de atender à demandas da lei.

Uma **resposta comprometedora** (10.27)

O doutor da lei conhecia a letra da lei, mas não sabia interpretá-la. Sua resposta revela que ele não conhecia o propósito da lei, não conhecia a si mesmo nem conhecia os fundamentos da salvação. Vejamos sua resposta: *A isto ele respondeu: Amarás o Senhor, teu Deus, de todo o teu coração, de toda a tua alma, de todas as tuas forças e de todo o teu entendimento; e: Amarás o teu próximo como a ti mesmo* (10.27). O doutor da lei conhecia as exigências da lei, mas não sabia interpretá-la. A lei não foi dada para nos dar a salvação, mas para revelar nossa condenação. A lei é como uma radiografia: mostra nosso pecado, mas não o remove. Seu papel é mostrar nosso pecado, tomar-nos pela mão e nos levar ao Salvador. Timothy Keller, nessa mesma linha de pensamento, diz: "Jesus mostra ao homem a justiça perfeita que a lei exige para que, assim, ele entendesse sua incapacidade de cumpri-la. Jesus queria convencê-lo do pecado".[4] O doutor da lei ainda não conhecia a si mesmo, pois, se o conhecesse, saberia que nenhum filho de Adão é capaz de guardar a lei, uma vez que a lei é perfeita e o homem é pecador. Mais, o doutor da lei não conhecia os fundamentos da salvação, pois se conhecesse saberia que a salvação não é uma conquista das obras, mas uma oferta da graça.

---

[4] KELLER, Timothy. *Ministérios de misericórdia*. São Paulo, SP: Vida Nova, 2016, p. 42.

O esclarecimento de Jesus (10.28)

Jesus vira o jogo. O homem que armou uma arapuca para Jesus está preso na sua própria armadilha. A resposta de Jesus é esclarecedora: *Então, Jesus lhe disse: Respondeste corretamente; faze isto e viverás* (10.28). Jesus agora pôs o doutor da lei à prova. Virou a mesa e reverteu a situação. Se o doutor queria saber o que deveria fazer para herdar a vida eterna, ou seja, fugindo da graça, para o caminho das obras, então deveria ser perfeito, ou seja, a obediência plena à lei seria o caminho. Mas quem pode guardar a lei? Quem é apto para cumpri-la? Quem pode alcançar esse padrão de perfeição absoluta?

O subterfúgio do doutor da lei (10.29)

Percebendo que tinha sido apanhado pelas cordas de sua própria astúcia, o doutor da lei tenta uma evasiva: *Ele, porém, querendo justificar-se, perguntou a Jesus: Quem é o meu próximo?* (10.29). Esse doutor da lei tentou Jesus primeiramente com uma pergunta capciosa e agora tenta se esquivar com uma pergunta evasiva.

A parábola de Jesus (10.30-35)

Jesus conta uma história para colocar os valores desse doutor da lei de cabeça para baixo. Ele reprova a atitude dos religiosos (sacerdote e levita) e exalta a atitude do rejeitado (samaritano), evidenciando que temos de considerar o mundo inteiro como nosso campo de trabalho e toda raça humana como nosso próximo.[5] Nessa parábola, Jesus destaca três filosofias.

Em primeiro lugar, *a exploração, a filosofia dos salteadores* (10.30). A estrada de 27 quilômetros que desce pelo deserto, de Jerusalém para Jericó, tem sido perigosa, durante toda a sua história. Pompeu teve de varrer "fortalezas de bandoleiros" próximas a Jericó. Os cruzados construíram um pequeno forte na metade do caminho, para inibir os ladrões e proteger os peregrinos.[6] Essa estrada era um despenhadeiro,

---

[5] RYLE, John Charles. *Meditações no Evangelho de Lucas*, p. 181.
[6] BAILEY, Kenneth. *A poesia e o camponês*, p. 85.

no perigoso deserto rochoso da Judeia, um lugar de montes, vales e cavernas. Era conhecida como "caminho sangrento".[7] Essa região era mal afamada por causa de sua insegurança.[8]

Jerusalém está situada 800 metros acima do nível do mar e Jericó, nas proximidades do mar Morto; é a cidade mais baixa do mundo, está 400 metros abaixo do nível do mar. Por ali, precisavam passar as caravanas que subiam e desciam de Jerusalém. Esse caminho passava pelos desfiladeiros do terrível deserto da Judeia. Viajar sozinho era um convite ao desastre. Foi o que aconteceu. Esse homem que desce de Jerusalém para Jericó caiu nas mãos dos salteadores, que roubaram tudo o que ele tinha, e ainda o machucaram e o deixaram semimorto à beira do caminho. A filosofia dos salteadores é esta: "O que é meu, é meu; mas o que é seu deve ser meu também".

Em segundo lugar, *a indiferença, a filosofia dos religiosos* (10.31,32). O sacerdote e o levita eram homens religiosos, que cuidavam das coisas do templo e do culto ao Senhor. Eram exemplos de piedade. Mas o medo de se tornarem cerimonialmente impuros ou o temor de serem atacados pelos mesmos salteadores levou-os a passarem de largo e a revelarem total indiferença para com o homem ferido. Morris diz que, neste conflito, a pureza cerimonial ganhou a batalha. Eles não somente deixaram de ajudar, mas foram para o outro lado da estrada, abandonando o homem no seu sofrimento e na sua necessidade.[9] A filosofia de vida deles é esta: "O que é meu, é meu; o que é seu, é seu. Cada um por si e Deus por todos".

Em terceiro lugar, *a misericórdia, a filosofia do samaritano* (10.33-35). Jesus mais uma vez combate a postura dos escribas e fariseus, mostrando que aqueles a quem consideravam justos (sacerdote e levita) são culpados e aqueles a quem consideravam indignos (samaritano) despontam como os heróis. Esse samaritano, mesmo sendo odiado pelos judeus, para, chega perto, aplica óleo e vinho nas feridas do semimorto, tira-o do lugar de perigo, leva-o a uma hospedaria segura e

---

[7]BARCLAY, William. *Lucas*, p. 136.
[8]RIENECKER, Fritz. *Evangelho de Lucas*, p. 242.
[9]MORRIS, Leon L. *Lucas: introdução e comentário*, p. 179.

ainda paga o seu tratamento. Sua filosofia de vida é esta: "O que é seu, é seu; mas o que é meu pode ser seu também".

Warren Wiersbe conclui dizendo que, para os ladrões, o viajante judeu era uma vítima a ser explorada, de modo que o atacaram. Para o sacerdote e o levita, era um incômodo a ser evitado, de modo que o ignoraram. Mas, para o samaritano, era alguém que necessitava de amor e de ajuda, de modo que ele lhe ofereceu cuidado.[10] Concordo com Kenneth Bailey quando escreve:

> Esta passagem faz uma afirmação a respeito da salvação. A salvação acontece para o homem ferido na forma de uma demonstração dispendiosa de amor inesperado. No processo, ela parece fazer uma declaração acerca do Salvador. Cuidadosamente sugerimos que Jesus, o estrangeiro rejeitado, colocou-se no papel do samaritano, que aparece dramaticamente em cena para atar as feridas do sofredor, como único agente da dispendiosa demonstração do amor inesperado de Deus.[11]

A **aplicação** de Jesus (10.36,37)

Jesus reverte a pergunta inicial do doutor da lei. Este havia perguntado: "Quem é o meu próximo?" Jesus então conta a parábola e pergunta: "Quem foi o próximo?" Assim, Jesus está instigando o doutor da lei a dar uma resposta bem diferente da que este gostaria, fazendo-o elogiar alguém de uma raça profundamente odiada.[12] A pergunta "Quem é o meu próximo?" é reformulada para "De quem preciso me tornar próximo?" E a resposta, então, é: qualquer pessoa que se encontre em necessidade, mesmo um inimigo![13] Kenneth Bailey tem razão ao dizer que dois tipos de pecado e dois tipos de pecadores aparecem na parábola. Os salteadores ferem o homem mediante a violência. O sacerdote e o levita o ferem por negligência. A parábola dá a entender a culpa de todos eles. A oportunidade não aproveitada para se fazer o bem torna-se um mal.[14]

---

[10] WIERSBE, Warren W. *Comentário bíblico expositivo.* Vol. 5, p. 276.
[11] BAILEY, Kenneth. *A poesia e o camponês*, p. 102.
[12] KELLER, Timothy. *Ministérios de misericórdia*, p. 123.
[13] BAILEY, Kenneth. *A poesia e o camponês*, p. 102.
[14] BAILEY, Kenneth. *A poesia e o camponês*, p. 102.

Jesus, agora, encurrala o intérprete da lei, levando-o forçosamente a admitir que o samaritano, aquele a quem ele considerava indigno, foi o próximo do homem semimorto. Por preconceito, o doutor não usa o nome samaritano, mas diz: "O que usou de misericórdia para com ele". Nas palavras de A. T. Robertson, "o doutor da lei compreendeu, e deu a resposta correta, mas se engasgou com a palavra *samaritano* e se recusou a pronunciá-la".[15]

Jesus, então, fecha a questão e diz a ele: *Vai e procede tu de igual modo* (10.37). William Barclay explica que a resposta de Jesus envolvia três coisas: 1) Devemos ajudar aos demais, ainda que eles tenham a culpa do que lhes sucedeu. 2) Qualquer pessoa, de qualquer nação, que está em necessidade é nosso próximo 3) A ajuda ao próximo deve ser prática. Portanto, o que Jesus disse ao escriba, ele diz também a nós: *Vai tu e faze o mesmo*.[16] Concluo com as palavras de A. T. Robertson: "Esta parábola do bom samaritano tem edificado os hospitais do mundo e, se compreendida e praticada, removerá o preconceito racial, o ódio nacional, o ódio e a inveja entre classes".[17]

---

[15]ROBERTSON, A. T. *Comentário Lucas à luz do Novo Testamento Grego*, p. 208,209.
[16]BARCLAY, William. *Lucas*, p. 138.
[17]ROBERTSON, A. T. *Comentário Lucas à luz do Novo Testamento Grego*, p. 209.

33

Uma coisa só é necessária

Lucas 10.38-42

JESUS ESTÁ A CAMINHO DE JERUSALÉM. Desde que desceu do monte da Transfiguração, estava estampada em Seu semblante Sua resoluta decisão de ir para a cruz. Ali Ele abriria as portas do nosso cativeiro e quebraria as grossas correntes da nossa escravidão. Pela cruz, Jesus promoveria nosso êxodo.

Aquela era uma jornada urgente e dolorosa. Crescia a oposição a Jesus. Ele seria entregue nas mãos dos pecadores. As autoridades judaicas já mancomunavam sua prisão à traição para levá-lo à morte. Entretanto, Jesus marchava para a cruz com resolução inabalável.

É nesse contexto que Jesus chega a Betânia. Ali está uma família a quem Jesus amava, formada por Marta, Maria e Lázaro (Jo 11.5). Ali estava uma família acolhedora (Jo 12.1-8).

Jesus não viaja só. Estava a caminho com seus discípulos. A recepção na casa de Marta deve ter sido não somente a Jesus, mas também aos discípulos. A demanda é grande. O trabalho de colocar a refeição sobre a mesa é enorme. Marta se desdobra no serviço a Jesus. Maria se concentra em ouvir Jesus. Isso provoca desconforto em Marta. Ela não esconde sua agitação e cobra de Jesus uma postura. Quer que Jesus reprove Maria por sua atitude contemplativa e tome partido a seu favor. Jesus, porém, elogia Maria e reprova Marta, deixando claro que uma só coisa é necessária; Maria escolheu a boa parte e esta não lhe será tirada.

A passagem só é encontrada em Lucas. Ela nos enseja algumas lições.

Maria **assenta-se aos pés** de Jesus para aprender (Lc 10.38,39)

Tanto Marta como Maria eram amadas por Jesus. Ambas procuravam servi-Lo e oferecer a Ele o seu melhor. Ambas acreditavam ser Jesus o Messias, o Filho de Deus. Ambas aproveitavam a oportunidade para agradar o Seu coração, mas Maria recebe um destaque especial. Maria só aparece três vezes nos evangelhos. A primeira vez é neste texto: ela está aos pés de Jesus para aprender. A segunda vez é em João 11.32: ela está aos pés de Jesus para chorar. A última vez é em João 12.3: ela está aos pés de Jesus para agradecer.

Duas atitudes de Maria nos chamam a atenção no texto em apreço.

Em primeiro lugar, *Maria está aos pés de Jesus* (10.39). Não há lugar mais seguro e mais apropriado do que aos pés de Jesus. Sempre que Jesus Se mostra pronto para falar-nos, devemos nos mostrar prontos para ouvi-Lo. Maria tem plena atenção voltada para Jesus. Está com a mente aberta e com o coração sedento. Concordo com Morris quando ele escreve: "Esperar quietamente no Senhor é mais importante do que as atividades demasiadamente alvoroçadas".[1]

Em segundo lugar, *Maria está aos pés de Jesus com profunda humildade* (10.39). Quem se assenta aos pés de Jesus demonstra humildade, prontidão, resignação e disposição para obedecer. Maria se deleita em Jesus mais do que no serviço a Ele. Ela buscava as primeiras coisas primeiro. Concordo com Warren Wiersbe quando ele escreve: "O que fazemos com Cristo é muito mais importante do que aquilo que fazemos para Cristo".[2]

---

[1] MORRIS, Leon L. *Lucas: introdução e comentário*, p. 181.
[2] WIERSBE, Warren W. *Comentário bíblico expositivo*. Vol. 5, p. 276.

Marta **agita-se de um lado para o outro** para servir (Lc 10.40)

Marta tem um temperamento irrequieto, uma personalidade agitada. Todas as vezes em que ela aparece na Bíblia, está fazendo alguma coisa, está servindo à mesa, está em ação, está discutindo.

Algumas coisas aqui nos chamam a atenção.

Em primeiro lugar, *Marta está agitada demais* (10.40). Seu espírito está irrequieto. Sua mente está aflita. Suas mãos estão rendidas ao trabalho apressado. Servir a Cristo tornou-se um substituto da intimidade com Cristo. Ela colocou o trabalho para Cristo no lugar da comunhão com Cristo. Ela substituiu Cristo pelo serviço a Cristo. Sempre que o trabalho para Cristo nos priva da intimidade com Cristo, estamos fora da prioridade de Cristo. Warren Wiersbe tem razão ao escrever: "A parte mais importante da vida cristã é a que só Deus vê".[3]

Em segundo lugar, *Marta está ocupada demais* (10.40). Marta está ocupada com muitos serviços. Queria oferecer o melhor a Jesus, mas acabou perdendo o foco da prioridade. Os muitos serviços privaram-na de um tempo precioso com Jesus. A agitação dos muitos serviços deixou-a irritada e desassossegada. Querendo dar o seu melhor, ela perdeu o principal: estar aos pés de Jesus para ouvir seus ensinamentos.

Em terceiro lugar, *Marta está equivocada demais* (10.40). Marta censura Jesus por não repreender Maria e censura Maria por não a ajudar. Ela pensa que Maria está errada e que Jesus está sendo complacente com o erro da irmã. Marta espera de Jesus uma atitude firme. Marta quer induzir Jesus a se colocar contra Maria e a seu favor. Porém, o que aconteceu foi exatamente o contrário: Marta esperava que Jesus culpasse Maria por não fazer o que ela fazia, mas o Senhor a culpou por não fazer o que Maria fazia. Rienecker tem razão ao dizer que a diferença entre Marta e Maria é que Marta desejava dar muito ao Senhor e Maria almejava obter muito dEle. Em Marta, destaca-se a produtividade; em Maria, a receptividade.[4]

---

[3] Wiersbe, Warren W. *Comentário bíblico expositivo*. Vol. 5, p. 277.
[4] Rienecker, Fritz. *Evangelho de Lucas*, p. 246.

Jesus censura Marta (10.41)

Longe de Jesus dar guarida às palavras de Marta e aprovar suas ações, Jesus a censura e a repreende. Marta sentia ansiedade interior e agitação exterior.[5] Três verdades nos chamam a atenção no texto em tela.

Em primeiro lugar, *ao censurar Marta, Jesus a chama pelo nome* (10.41). O confronto é pessoal, direto e intenso. Jesus chama Marta pelo nome duas vezes. Isso é enfático. Jesus confrontou Marta porque a amava. Ele também nos disciplina e nos corrige porque nos ama (Ap 3.19).

Em segundo lugar, *Jesus censura Marta pela intensidade e extensão de sua ansiedade* (10.41). Marta andava inquieta e se preocupava com muitas coisas. A mente dela era um campo disputado por muitos cuidados. Seu coração era um mar agitado, açoitado por muitos vendavais. Ela corria de um lado para o outro, e não havia sossego em seu coração nem alívio em suas obras.

Em terceiro lugar, *Jesus censura Marta por suas escolhas erradas* (10.41,42). A censura de Marta a Maria visava desencorajar a piedade e a devoção de sua irmã. Mas as muitas preocupações de Marta se mostravam tolas porque uma só coisa era necessária. Assentar-se aos pés de Jesus é o mais importante e a única coisa necessária. O que Marta negligenciou era o necessário. Jesus está aqui contrastando as preocupações e os estardalhaços de Marta sobre "tantas coisas" com "uma só coisa" que é realmente necessária. Morris diz que a vida tem poucas necessidades reais, e, quando necessário, podemos passar sem muitas daquelas às quais dedicamos nosso tempo.[6] James Hastings destaca que, enquanto Marta está preparando uma refeição para Jesus, Maria está se deleitando com outra refeição aos pés de Jesus.[7]

---

[5] ROBERTSON, A. T. *Comentário Lucas à luz do Novo Testamento Grego*, p. 210.
[6] MORRIS, Leon L. *Lucas: introdução e comentário*, p. 181.
[7] HASTINGS, James. *The great texts of the Bible – Luke*. Vol. 10. Grand Rapids, MI: Wm. B. Eerdmans, s/d, p. 230.

Jesus elogia Maria (10.39,42)

Destacamos aqui três verdades preciosas.

Em primeiro lugar, *Jesus elogia Maria pela sua postura* (10.39). Maria quedava-se assentada aos pés de Jesus para ouvir-lhe os ensinamentos. Ela bebia a largos sorvos da fonte. Ela nutria seu coração com o pão do céu. Ela valorizava mais a presença de Jesus do que o trabalho para Jesus.

Em segundo lugar, *Jesus elogia Maria pela sua sabedoria* (10.42). Jesus afirma para Marta que Maria escolheu a boa parte, a única coisa necessária, que é estar aos Seus pés para ouvir Seus ensinamentos e ter comunhão com Ele.

Em terceiro lugar, *Jesus elogia Maria pela sua escolha duradoura* (10.42). Por ter feito a melhor escolha, por ter optado por aquilo que é necessário, o que Maria escolheu jamais lhe será tirado. Há coisas que escolhemos fazer, mas essas coisas só duram enquanto dura a nossa vida aqui. Mas, quando escolhemos estar aos pés de Jesus para ouvir Seus ensinamentos, fazemos uma escolha que transcenderá ao tempo e terá reflexos na eternidade.

34

A suprema **importância** da oração

Lucas 11.1-13

O INÍCIO DO MINISTÉRIO GALILEU DE JESUS concentra-se em Sua identidade e em Seus feitos (4.1-10.42). Agora, de forma mais eloquente, a caracterização de Jesus como um mestre começa a emergir. Os ensinamentos dos capítulos 11 a 19 apresentam os ensinos de Jesus sobre oração, perseverança, demônios, lei, mordomia, a vinda do reino, relacionamentos familiares, fé e o destino futuro.[1]

O texto em tela traz-nos verdades importantes sobre oração. Warren Wiersbe diz que essas verdades podem ser sintetizadas em quatro temas: primazia, modelo, perseverança e promessas.[2]

A **primazia** da oração (11.1)

João Batista é mais conhecido nos evangelhos como um profeta e um pregador. Porém, os discípulos de Jesus fazem referência a ele como um homem de oração, que ensinava seus discípulos a orar. Aqui, os discípulos de Jesus não pedem a Ele que os ensine a pregar nem mesmo a realizar milagres, mas que os ensine a orar.

---

[1] NEALE, David A. *Novo comentário bíblico Beacon Lucas 9-24*, p. 92.
[2] WIERSBE, Warren W. *Comentário bíblico expositivo*. Vol. 5, p. 278.

Mas o que motiva os discípulos de Jesus a se matricularem na escola da oração? O exemplo de Jesus como homem de oração! Lucas é o evangelista que, descrevendo Jesus como o homem perfeito, ressalta sua intensa vida de oração (3.21; 5.15-17; 6.12,13; 9.18, 28; 11.1; 22.31,32,39,40; 23.34). Se Jesus Cristo, o homem perfeito e Filho do Altíssimo, não abriu mão de uma vida de oração nos dias de Sua carne (Hb 5.7), quanto mais nós, que somos fracos!

Um **modelo** de oração (11.2-4)

Lucas nos apresenta a oração ensinada por Jesus, de forma mais resumida. Jesus não disse: "Se orardes", mas *Quando orardes*. Ele pressupõe que seus discípulos vão orar. A oração é uma necessidade vital na vida espiritual.

Jesus ainda ensina que nosso relacionamento com Deus é o fundamento de nossa vida de oração, pois devemos nos aproximar de Deus como nosso Pai, para santificar o Seu nome e buscar o Seu reino. A oração não tem como propósito que a vontade humana prevaleça no céu, mas, sim, que a vontade de Deus seja feita na terra. A oração não é um instrumento para o ser humano, egoisticamente, buscar a realização de seus interesses neste mundo, mas um empenho para que o reino de Deus, ou seja, o Seu governo nos corações, seja concretizado através do evangelho na história. Warren Wiersbe tem razão ao dizer que orar é pedir que Deus nos use para realizar aquilo que Ele deseja, de modo que Seu nome seja glorificado, Seu reino seja expandido e fortalecido, e Sua vontade seja feita.[3]

Jesus também deixa claro que devemos buscar as coisas espirituais antes das coisas materiais. Deus deve vir antes de nós. Os interesses dos céus devem ter prioridade aos interesses da terra. Barclay diz que a oração cobre a vida toda: a necessidade presente, o pecado passado e as tentações futuras.[4]

Primeiro, *a necessidade presente*. Devemos pedir que Deus supra nossas necessidades diárias, e não nossa ganância insaciável.

---

[3]Wiersbe, Warren W. *Comentário bíblico expositivo*. Vol. 5, p. 279.
[4]Barclay, William. *Lucas*, p. 141.

Segundo, *o pecado passado*. Devemos pedir que Deus nos perdoe os pecados, como perdoamos a todos os que nos devem.

Terceiro, *as tentações futuras*. Devemos pedir proteção moral e espiritual, rogando ao Pai que nos livre das ciladas do diabo, do laço do passarinheiro e dos ardis da tentação do maligno. Concordo com Morris, quando ele diz que o cristão reconhece sua fraqueza, sabedor da facilidade com que cede diante das tentações do mundo, da carne e do diabo. O cristão ora, portanto, para ser liberto de todas elas.[5]

A **perseverança** na oração (11.5-8)

Jesus conta uma parábola para ensinar por contraste a necessidade de perseverar na oração. Deus não é como esse vizinho indisposto e rabugento que já está deitado com os filhos, com a porta fechada e sem disposição para levantar. Este, mesmo sem nenhuma disposição, em virtude da insistência do amigo, atende ao seu pedido. Deus, porém, não está deitado à meia-noite. Sua porta nunca está fechada para nós. Sua disposição de nos atender e suprir nossas necessidades é constante. Ora, se até um homem indisposto atende a um amigo importuno, quanto mais Deus atenderá e suprirá as necessidades de Seus filhos, que perseverantemente batem à porta da sua graça!

Por que Deus exige a perseverança na oração? Para nos ensinar a refletir sobre quais são nossos anseios e compromissos. Jesus reprovou aqueles que se dispuseram a segui-Lo sem reflexão. Morris diz que a oração que Deus atende não é uma oração tépida, morna, sem persistência.[6]

Promessas para a oração (11.9-13)

Os tempos verbais desta passagem são importantes. Todos estão no presente contínuo: Pedi [continuem pedindo]... buscai [continuem buscando]... batei [continuem batendo]. Em outras palavras, não procurem Deus apenas quando surgem emergências no meio da

---
[5]MORRIS, Leon L. *Lucas: introdução e comentário*, p. 184.
[6]MORRIS, Leon L. *Lucas: introdução e comentário*, p. 185.

noite; mantenham-se constantemente em comunhão com Ele.[7] William Hendriksen destaca que a essa tríplice exortação "pedi, buscai e batei" acompanha uma tríplice promessa "dar-se-vos-á, encontra e abrir-se-vos-á". Pedir subentende humildade e uma consciência da necessidade. Buscar é pedir mais agir. Bater é pedir mais agir mais perseverar.[8]

A lição sobre oração encerra com uma ênfase sobre Deus como Pai (11.11-13). Se aqui na terra o pedido dos filhos já exerce grande poder sobre os pais, a oração dos filhos de Deus move o coração do Pai no céu com muito mais intensidade.[9]

Mais uma vez Jesus constrói sua argumentação do menor para o maior: se um pai humano dá o que é melhor para seus filhos, certamente o Pai Celeste dará o Espírito Santo àqueles que Lho pedirem.[10] Morris destaca que o bem que Deus faz a Seus filhos não é deixado em termos gerais: Ele dará "o Espírito Santo". Lucas está interessado na obra do Espírito Santo, e aqui vê o dom do Espírito como o sumo bem para o ser humano.[11] John Charles Ryle, falando a respeito do dom do Espírito Santo, escreve:

> O Espírito Santo é inquestionavelmente o maior dom que Deus outorga aos homens. Se temos esse dom, possuímos tudo: vida, luz, esperança e o céu. Se temos esse dom, possuímos o ilimitado amor de Deus, o Pai, o sangue da expiação do Filho de Deus e plena comunhão com todas as pessoas da bendita trindade. Se temos esse dom, possuímos graça e paz no mundo presente e glória e honra, no porvir. Apesar disso, esse grandioso dom é apresentado por nosso Senhor Jesus Cristo como um dom a ser obtido através da oração.[12]

---

[7]WIERSBE, Warren W. *Comentário bíblico expositivo*. Vol. 5, p. 279,280.
[8]HENDRIKSEN, William. *Lucas*. Vol. 2. São Paulo: Cultura Cristã, 2003, p. 113,114.
[9]RIENECKER, Fritz. *Evangelho de Lucas*, p. 254.
[10]WIERSBE, Warren W. *Comentário bíblico expositivo*. Vol. 5, p. 280.
[11]MORRIS, Leon L. *Lucas: introdução e comentário*, p. 185.
[12]RYLE, John Charles. *Meditações no Evangelho de Lucas*, p. 191.

35

O poder de Jesus sobre os demônios: o demônio mudo

Lucas 11.14-28

ESTA PASSAGEM ESTÁ PRESENTE em todos os evangelhos sinóticos. Lucas é o mais sucinto dos evangelistas. Tanto Mateus como Marcos tratam da blasfêmia contra o Espírito Santo neste episódio em que Jesus confronta Seus acusadores. Destacamos alguns pontos para reflexão.

A **libertação** do endemoniado (11.14)

Jesus estava expelindo um demônio que era mudo. Ao sair o demônio, o homem passou a falar, e as multidões se admiravam. Jesus mais uma vez demonstra Seu poder sobre os poderes malignos. Os demônios estão debaixo de Sua autoridade. Não podem resistir ao Seu poder nem desobedecer às Suas ordens.

A **acusação** dos adversários (11.15,16)

Lucas diz que alguns dentre a multidão fizeram a acusação. Mateus informa que os acusadores foram os fariseus (Mt 12.24), e Marcos aponta que foram os escribas (Mc 3.22). Qual foi o teor da acusação? "Ele expele os demônios pelo poder de Belzebu, o maioral dos demônios" (11.15). Em vez de os líderes religiosos se alegrarem por ter Deus enviado o Redentor, rebelaram-se contra o Cristo de Deus e difamaram Sua obra, atribuindo-a a satanás.

Os escribas, por inveja deliberada e consciente, acusam Jesus de ser aliado e agente de satanás. Acusam Jesus de estar possesso de Belzebu, o maioral dos demônios. "Belzebu" era um dos nomes do deus filisteu Baal (2Rs 1.1-3) e significa "senhor das moscas".[1] Eles atribuíram as obras de Cristo não ao poder do Espírito Santo, mas à influência de satanás. A acusação contra Cristo foi a seguinte: Jesus, habitado por satanás e em parceria com o maligno, estava expulsando demônios, pelo poder derivado desse espírito mau.

A **refutação** de Jesus (11.17-22)

Jesus refutou o argumento dos escribas contando-lhes a parábola do reino dividido. Jesus mostra quanto o argumento dos escribas era ridículo e absurdo. Satanás estaria destruindo sua própria obra e derrubando seu próprio império. Estaria havendo uma guerra civil no reino do maligno. Nenhum demônio pode ser expulso por outro demônio. O reino satânico sucumbiria se satanás guerreasse contra si mesmo e lutasse contra seus próprios ajudantes.[2] Se o que os escribas diziam era verdade, o dominador estaria destruindo o próprio domínio; o príncipe, o próprio principado. Primeiro, ele estaria enviando os seus emissários, os demônios, para criar confusão e desordem no coração e na vida dos seres humanos, destruindo-os pouco a pouco. Depois, como se existisse uma base de ingratidão e loucura suicida, ele estaria suprindo o poder necessário para a derrota vergonhosa e expulsão dos seus próprios servos obedientes. Nenhum reino assim dividido contra si mesmo consegue sobreviver por muito tempo.

O reino de satanás é um sistema fechado. A aparência pluralista é ilusória. Contra Jesus, Pilatos e Herodes se uniram e se tornaram amigos (23.12). Herodes e Pilatos *com gentios e gente de Israel se uniram contra o servo santo de Deus* (At 4.27). Isso faz sentido: satanás junta suas forças e não trabalha contra si mesmo. Morris diz que as forças do mal destroem as do bem, e não umas às outras.[3]

---

[1] WIERSBE, Warren W. *Comentário bíblico expositivo*. Vol. 5, p. 280.
[2] RIENECKER, Fritz. *Evangelho de Lucas*, p. 256.
[3] MORRIS, Leon L. *Lucas: introdução e comentário*, p. 187.

A improcedência das acusações contra Jesus tornou-se uma armadilha contra os próprios acusadores, pois Jesus argumenta: *E se Eu expulso os demônios por Belzebu, por quem os expulsa vossos filhos? Por isso, eles mesmos serão os vossos juízes* (11.19). Os filhos dos acusadores faziam o que Jesus estava fazendo, expelindo demônios. Se Jesus estava fazendo no poder de Belzebu, eles também estavam. Assim, seus filhos seriam os próprios juízes para condenar sua acusação blasfema e leviana.

Longe de aceitar a perversa e blasfema acusação dos escribas, Jesus mostra a libertação dos cativos pelo dedo de Deus como uma prova irrefutável da triunfal chegada do reino de Deus sobre eles (11.20).

Rienecker diz que, ao expulsar demônios, Jesus não recorria aos meios e artifícios dos exorcistas judaicos, mas os expelia com o *dedo de Deus* (Êx 8.19), isto é, com o poder do Espírito Santo (Mt 12.28). Basta que Jesus levante o dedo, e satanás solta a sua presa. Esse modo de falar simboliza o reino e a supremacia incondicionais sobre satanás. Neste caso, porém, o reino de Deus chega já na pessoa de Jesus.[4]

Warren Wiersbe conclui dizendo que a acusação dos escribas e fariseus era ilógica, porque satanás não poderia lutar contra si mesmo. Era incriminativa, pois eles indiretamente acusavam seus próprios filhos, uma vez que eles também expeliam demônios. E também era um reconhecimento do próprio poder de Cristo, pois, ao expelir demônios, Jesus demonstra que é mais forte do que o valente. Jesus invadiu o território dele, destruiu sua armadura e suas armas e tomou os espólios. Cristo levou cativo o cativeiro (Ef 4.8) e libertou os prisioneiros 4.18).[5]

A **explicação** de Jesus (11.21,22)

Jesus explica sua vitória sobre satanás e seus demônios: *Quando o valente, bem armado, guarda a sua própria casa, ficam em segurança todos os seus bens. Sobrevindo, porém, um mais valente do que ele, vence-o, tira-lhe a armadura em que confiava e lhe divide os despojos* (11.21,22). Jesus explica que, em vez de ser aliado de satanás e agir na força do mal,

---

[4]RIENECKER, Fritz. *Evangelho de Lucas*, p. 257.
[5]WIERSBE, Warren W. *Comentário bíblico expositivo*. Vol. 5, p. 280.

ele está saqueando sua casa e arrancando dela e de seu reino aqueles que estavam cativos (At 26.18; Cl 1.13). Jesus ensina aqui algumas preciosas lições.

Primeiro, satanás é o valente. Jesus não nega o poder de satanás nem subestima a sua ação maligna; antes, afirma que ele é um valente.

Segundo, satanás tem uma casa. Satanás tem uma organização e seus súditos estão presos e seguros nessa casa e nesse reino.

Terceiro, Jesus tem autoridade sobre satanás. Jesus é o mais valente. Ele tem poder para amarrar satanás. Jesus venceu satanás e rompeu o seu poder. Isso não significa que satanás está inativo, mas sob autoridade. Por mais ativo e forte que seja Belzebu, ele não tem poder para impedir os acontecimentos, pois está amarrado. O seu poder está sendo seriamente diminuído pela vinda e obra de Cristo. Jesus venceu satanás no deserto, triunfou sobre todas as suas investidas. Esmagou sua cabeça na cruz, triunfando sobre suas hostes (Cl 2.15). Satanás é um inimigo limitado e está debaixo da autoridade absoluta de Jesus.

Quarto, Jesus tem poder para libertar os cativos das mãos de satanás. Jesus não apenas amarra satanás, mas também arranca de suas mãos os cativos. O poder que está em Jesus não é o poder de Belzebu, mas o poder do Espírito Santo. Satanás está sendo e continuará a ser progressivamente destituído dos seus "bens", ou seja, a alma e o corpo dos seres humanos, e isso não somente por meio de curas e expulsões demoníacas, mas principalmente por meio de um majestoso programa missionário (Jo 12.31,32; Rm 1.16). Os milagres de Cristo, longe de serem provas do domínio de Belzebu, como se o maligno fosse o grande capacitador, são profecias de seu julgamento.

O perigo da **neutralidade** (11.23)

É impossível ser neutro nessa guerra espiritual. Nessa tensão entre o reino de Deus e a casa de satanás, não há campo neutro. Rienecker diz que não há um reino intermediário entre o reino de satanás e o reino de Deus.[6] Ninguém pode ficar em cima do muro. A neutralidade

---

[6] RIENECKER, Fritz. *Evangelho de Lucas*, p. 257.

representa uma oposição a Cristo. Warren Wiersbe tem razão ao dizer que há duas forças espirituais agindo no mundo, e devemos escolher uma delas. Satanás espalha e destrói, mas Jesus Cristo ajunta e constrói. Devemos fazer uma escolha e, se optarmos por não escolher um lado, já teremos decidido ficar contra o Senhor.[7]

O homem está no reino de Deus ou na potestade de Deus (At 26.18). Está no reino da luz ou no império das trevas (Cl 1.13). É liberto por Cristo ou está na casa do valente (11.21,22). Com respeito às coisas espirituais, não há neutralidade nem indecisão. O ser humano é escravo de sua liberdade. Ele não pode deixar de decidir. Até a indecisão é uma decisão, a decisão de não decidir. Quem não se decide por Cristo decide-se contra Cristo. Quem com Ele não ajunta, espalha.

A grande **ameaça** (11.24-26)

Jesus trata aqui de um homem que foi libertado de um espírito imundo, mas deixou de comprometer-se com Deus. O demônio que saiu do homem ainda o chama de "minha casa". O demônio saiu, mas o Espírito Santo não entrou. A vida tornou-se melhor, mas a transformação não aconteceu. Então, o demônio que saiu, ao ver a casa vazia, varrida e ornamentada, voltou com outros sete demônios, piores do que ele; esses poderes malignos vêm e habitam naquele homem, e o seu último estado torna-se pior do que o primeiro. A palavra grega *katoichei*, traduzida aqui por "habitar", significa "estabelecer-se", "viver permanentemente".[8]

Hendriksen diz que muitas pessoas pensam que, pelo fato de não fumarem, não beberem, não adulterarem, não fazerem falso juramento, já são por isso cristãos. Mas uma série de zeros não fazem um cristão. Um milhão de negativas não produz sequer um positivo. Uma pessoa com a mente vazia é digna de lástima. Nas questões espirituais, não avançar equivale a retroceder.[9]

---

[7] WIERSBE, Warren W. *Comentário bíblico expositivo*. Vol. 5, p. 280.
[8] MORRIS, Leon L. *Lucas: introdução e comentário*, p. 188.
[9] HENDRIKSEN, William. *Lucas*. Vol. 2, p. 141.

A **bem-aventurança** (11.27,28)

Ficar do lado de Jesus significa muito mais do que dizer as coisas certas como essa mulher que exclamou sobre a bem-aventurança de Maria. O texto diz que, ao ouvir esses ensinamentos de Jesus, uma mulher dentre a multidão, exclama, extasiada: *Bem-aventurada aquela que Te concebeu, e os seios que Te amamentaram* (11.27). Jesus não a reprova. Ela estava certa. Também Isabel, cheia do Espírito Santo, chamou Maria de bem-aventurada entre as mulheres (1.42). Jesus, entretanto, aproveitou o momento para enfatizar que não basta conhecer a verdade. A verdadeira bem-aventurança é ouvir a verdade e praticá-la: *Antes, bem-aventurados são os que ouvem a Palavra de Deus e a guardam* (11.28).

Concordo com Ryle quando ele diz que é mais bem-aventurado ser um crente no Senhor Jesus do que ter sido um de Seus familiares nascido segundo a carne. Foi maior honra para Maria ter Jesus habitando em seu coração pela fé do que ter sido a mãe de Jesus e tê-Lo amamentado em seu seio.[10]

---

[10]RYLE, John Charles. *Meditações no Evangelho de Lucas*, p. 198,199.

36

Não desperdice as oportunidades

Lucas 11.29-36

AS MULTIDÕES AINDA FLUEM AOS BORBOTÕES para ouvir Jesus. Já tinham ouvido muitos ensinamentos e visto muitos milagres, mas a perversidade ainda persistia. Eles queriam sinais. Desejam provas. Buscam evidências. No entanto, eles não estavam vendo por falta de luz, mas por falta de olhos espirituais. Eram cegos.

As multidões estavam perdendo a grande oportunidade de ouvir com os ouvidos da alma e ver com os olhos da fé. O Filho de Deus estava entre eles, que ainda se agarravam à incredulidade. O Messias havia chegado e eles ainda queriam mais sinais. A lei e os profetas apontavam para Ele, e Ele estava entre o povo. João Batista preparou o caminho de sua chegada e apontou para Ele, dizendo: *Eis o Cordeiro de Deus que tira o pecado do mundo* (Jo 1.29), mas os Seus não O receberam (Jo 1.11,12).

A expulsão de demônios não era para eles uma legitimação divina suficiente de Sua condição de Messias. Eles queriam um sinal do céu. A exigência do sinal, porém, era tão somente um pretexto para justificar sua incredulidade.[1] Jesus já tinha curado enfermos, purificado leprosos

---

[1] RIENECKER, Fritz. *Evangelho de Lucas*, p. 260.

e ressuscitado mortos, e eles ainda se mantinham reféns de seu coração endurecido. Até mesmo quando Jesus estava dependurado no madeiro, disseram-lhe: *Desce da cruz e creremos em ti*. O problema deles, entretanto, não era evidência suficiente, mas cegueira incorrigível.

O Mestre usa três ilustrações para mostrar a seriedade das oportunidades espirituais: Jonas (11.29,30,32), Salomão (11.31) e a luz (11.33.36).[2]

Jonas – a morte, o sepultamento e a ressurreição de Jesus nos confrontam (11.29,30,32)

Os escribas e fariseus pediram um sinal para Jesus, para provar que Ele era o Messias, mesmo depois de tantas evidências. Eles queriam algo emocionante, excitante, sensacional, um sinal do céu. Jesus lhes deu o sinal de Jonas, que representa a morte, o sepultamento e a ressurreição de Jesus. É a morte e a ressurreição de Jesus que provam que Ele é o Messias, o Filho de Deus (Rm 1.4), e foi isso que Pedro pregou a Israel no dia de Pentecoste (At 2.22-36). O testemunho da igreja primitiva girava em torno da ressurreição de Jesus (At 1.22; 3.15; 5.30-32; 13.32,33). Jonas era um milagre vivo, como também o é o nosso Senhor.[3]

Jonas foi um sinal para os ninivitas, assim como o Filho do homem o será para esta geração (11.30). Da mesma forma que Jonas passou no ventre do grande peixe três dias e três noites (Jn 1.17), Jesus também passou três dias e três noites no ventre da terra. A evidência mais eloquente de que Jesus era o Messias não foram seus sinais espetaculares nem Seus milagres estupendos, mas Sua morte, Seu sepultamento e Sua ressurreição.

Jesus diz que, no dia do juízo, os ninivitas se levantarão para condenar essa geração, pois ouviram a pregação de Jonas e se arrependeram; no entanto, Jesus, sendo maior do que Jonas, não foi ouvido por sua geração, que permaneceu incrédula e perversa. Hendriksen diz que

---

[2] WIERSBE, Warren W. *Comentário bíblico expositivo*. Vol. 5, p. 281.
[3] WIERSBE, Warren W. *Comentário bíblico expositivo*. Vol. 5, p. 281.

pessoas menos iluminadas obedeceram a uma pregação menos iluminada; porém, pessoas muito mais iluminadas se negaram a obedecer à Luz do mundo.[4]

Salomão – a sabedoria de Jesus nos confronta (11.31)

A ênfase deste versículo não está nas obras de um profeta, mas na sabedoria de um rei. A rainha do sul, a rainha de Sabá, se levantará no juízo para condenar aquela geração, pois fez uma longa viagem desde os confins da terra para ouvir a sabedoria de Salomão (1Rs 10). Sendo Jesus maior do que Salomão, não creram em Suas palavras, mesmo estando o mestre entre eles.

Warren Wiersbe destaca que as duas figuras usadas por Jesus abrangiam os gentios. Os ninivitas gentios, ao ouvirem Jonas, se arrependeram e foram poupados. A rainha de Sabá, sendo gentia, ao ouvir as palavras do rei Salomão, maravilhou-se e creu. Se com todos os seus privilégios os judeus não se arrependerem, o povo de Nínive e a rainha de Sabá testemunharão contra eles no julgamento final. O Senhor deu a Israel inúmeras oportunidades, mas ainda assim eles se recusaram a crer (13.34,35; Jo 12.35-41).[5]

A luz – a Palavra de Jesus nos confronta (11.33-36)

A terceira ilustração de Jesus é tirada da vida comum. A Palavra de Deus é uma luz que brilha neste mundo (Sl 119.105). Jesus conta a parábola da candeia para mostrar que Sua Palavra é uma lâmpada acesa que não deve ser colocada em lugar escondido nem debaixo do alqueire, mas no lugar alto, no velador, para que todos vejam. Os líderes religiosos estavam escondendo a luz da verdade atrás do cerimonialismo legalista e colocando-o debaixo do alqueire, símbolo do comércio e do lucro.

Jesus alerta sobre dois perigos aqui.

Em primeiro lugar, *o perigo da luz escondida* (11.33). A Palavra de Deus é luz e ilumina. A luz prevalece sobre as trevas, alertando sobre

---

[4]HENDRIKSEN, William. *Lucas*. Vol. 2, p. 137.
[5]WIERSBE, Warren W. *Comentário bíblico expositivo*. Vol. 5, p. 281.

os perigos e apontando com segurança o caminho. A Palavra de Deus não pode ser escondida por uma religiosidade legalista, mas deve ser colocada no velador, para que todos sejam iluminados.

Hendriksen diz que o sentido básico do ensino de Jesus é: permita que a Luz ilumine seu próprio coração. A Luz está brilhando; eles, porém, a estão obstruindo. O Pai enviou ao mundo Seu Filho para ser Luz, mas essas pessoas estão voltando as costas a esse grande dom.[6] Assim como seria insensato acender uma luz para escondê-la, era mais grave ainda estarem diante de Jesus, a Luz do mundo, e não serem iluminados por Ele.

Em segundo lugar, *o perigo dos olhos maus* (11.34-36). Os olhos são a lâmpada do corpo. Portanto, se os nossos olhos forem bons, todo o nosso corpo será luminoso, mas, se forem maus, todo o nosso corpo ficará em trevas. Jesus alerta Seus ouvintes para que a luz que há neles não fosse trevas (11.35).[7]

Hendriksen diz que a figura é fácil de entender. Se todo o corpo estiver iluminado, o pé saberá onde pisar, e a mão discernirá o que deve pegar. O contrário é o que ocorre quando os olhos estão mergulhados nas trevas. Essa pessoa andará aos tropeços no escuro, sem saber o que fazer. Portanto, se a sua pessoa inteira está cheia de luz espiritual (santidade, sabedoria e alegria espiritual), você está realmente iluminado. Aliás, será tão brilhante como quando a lâmpada está brilhando sobre você com brilho mais forte.[8]

Há dois tipos de escuridão: a da ignorância e a da incredulidade obstinada. O segundo tipo, o que está em pauta aqui, é muitíssimo mais perigoso. Foi esse tipo de escuridão que reinou no coração dos que odiavam Jesus. Uma vez presente, é difícil ele desalojar-se.[9]

---

[6]HENDRIKSEN, William. *Lucas*. Vol. 2, p. 139.
[7]HENDRIKSEN, William. *Lucas*. Vol. 2, p. 139.
[8]HENDRIKSEN, William. *Lucas*. Vol. 2, p. 139.
[9]HENDRIKSEN, William. *Lucas*. Vol. 2, p. 142.

37

Arrancando a **máscara** da hipocrisia

Lucas 11.37-54

JESUS É CONVIDADO POR UM FARISEU para ir à sua casa fazer uma refeição. Entrando, Jesus tomou lugar junto à mesa. O fariseu, porém, ficou admirado de Jesus não ter antes lavado as mãos para comer (11.37-41). Jesus aproveita o momento para mostrar a insensatez desse fariseu e condenar os pecados do farisaísmo (11.42-52). A atitude de Jesus, longe de trazer quebrantamento aos ouvintes, endureceu-os ainda mais (11.53,54). Warren Wiersbe diz que Jesus revelou a insensatez dos fariseus (11.37-41), condenou seus pecados (11.42-52) e suscitou sua ira (11.53,54).[1] Rienecker diz que, com este discurso, temos diante de nós o auge da luta entre Jesus e o partido fariseu na Galileia.[2]

Jesus **revelou a insensatez** dos fariseus (11.37-41)

A insensatez do valorizar mais o exterior do que o interior (11.37-41). Jesus não contrapõe o exterior ao interior das vasilhas, mas mostra o contraste entre a pureza exterior dos utensílios da mesa e a impureza interior dos fariseus.[3] Jesus expõe a hipocrisia dos fariseus que

---

[1]Wiersbe, Warren W. *Comentário bíblico expositivo*. Vol. 5, p. 282,283.
[2]Rienecker, Fritz. *Evangelho de Lucas*, p. 262.
[3]Rienecker, Fritz. *Evangelho de Lucas*, p. 263.

são zelosos na purificação cerimonial e descuidados com a santificação do coração. Denuncia a espiritualidade das aparências farisaicas sem o concurso de uma vida piedosa. Do que vale seguir à risca os rituais cerimoniais sem observar a purificação do coração? Jesus declarou que lavar o corpo enquanto o coração permanece impuro é tão absurdo quanto lavar por fora um prato sujo por dentro.

Jesus **condenou os pecados** dos fariseus (11.42-52)

Lucas registra aqui vários *ais* contra os fariseus, desmascarando sua espiritualidade desprovida de piedade. Vejamos.

Em primeiro lugar, *o pecado de fazer dos dízimos um salvo-conduto espiritual* (11.42). A lei estabelecia a necessidade de entregar o dízimo da produção de vinho, azeite e cereais (Lv 27.30; Nm 18.21; Dt 14.22). No entanto, para ostentar a rigorosa pontualidade de seu cumprimento da lei, os fariseus haviam expandido esse mandamento também para outras áreas, como os insignificantes produtos da horta não mencionados pela lei. Ao mesmo tempo, deixaram completamente de lado o cerne da lei: julgar com justiça e com amor a Deus. Jesus ordena que a essência da lei seja cumprida e que as coisas secundárias, como o dízimo das ervas da horta, tampouco sejam deixadas de lado.[4]

Jesus não está aqui reprovando a entrega dos dízimos, mas a entrega com a motivação errada. Concordo com Morris quando ele escreve: "A condenação dos fariseus achava-se não no fato de entregarem o dízimo das ervas, mas sim no seu zelo por bagatelas e na sua negligência pelas coisas mais importantes como a justiça e o amor de Deus".[5] Os fariseus queriam fazer do dízimo uma apólice de seguro, um salvo-conduto para negligenciarem o principal da lei, que era a prática da justiça, da misericórdia e da fé (Mt 23.23). A ordem de Jesus é enfática: *Devíeis, porém, fazer estas coisas* [a justiça e o amor de Deus] *sem omitir aquelas* [dar o dízimo].

Em segundo lugar, *o pecado da autoprojeção* (11.43). Os fariseus gostavam dos primeiros lugares nas festas. Lutavam por primazia.

---

[4] RIENECKER, Fritz. *Evangelho de Lucas*, p. 264.
[5] MORRIS, Leon L. *Lucas: introdução e comentário*, p. 193.

Queriam os holofotes. Amavam a autoprojeção. Buscavam acender as luzes da ribalta sobre si mesmos.

Em terceiro lugar, *o pecado da falsa aparência* (11.44). Pouco antes de chegarem as grandes caravanas de pessoas que viajavam para Jerusalém com o fim de assistir às festas, os sepulcros eram caiados. Isso era feito para que ficassem bem visíveis, de modo que ninguém se contaminasse cerimonialmente ao andar inadvertidamente sobre um sepulcro.[6] É fato digno de destaque que a porta de entrada de Jerusalém, o monte das Oliveiras, era onde estava localizado o maior cemitério da cidade.

Os fariseus são denunciados aqui por serem pedra de tropeço, pois eram como sepulturas invisíveis, sobre as quais os homens passam sem saber. Qualquer contato com uma sepultura ou um cadáver deixava a pessoa impura por oito dias (Nm 19.16). Quando as pessoas entravam em contato com os fariseus, saíam piores. Eles não eram abençoadores, mas contaminadores. A aparência deles era falsa. A aparente espiritualidade deles era uma ameaça às pessoas. Rienecker diz que o convívio com esses hipócritas terá por consequência que, em breve, a pessoa será contaminada pelo espírito do orgulho e da hipocrisia deles.[7]

Em quarto lugar, *o pecado do legalismo pesado* (11.45,46). Aqueles que não querem se arrepender sentem-se ofendidos com a repreensão (11.45). Jesus, entretanto, não recua diante da queixa dos intérpretes da lei; ao contrário, traz sobre eles um *ai*. Esses intérpretes da lei sobrecarregavam as pessoas com suas normas e preceitos intérminos, verdadeiros fardos que nem os próprios mestres conseguiam suportar. Mas eles colocavam essa carga pesada sobre as pessoas e não as aliviavam de nada (11.46).

Em quinto lugar, *o pecado da perseguição* (11.47-51). Jesus denuncia os fariseus de seguir as mesmas pegadas de seus pais, que eram assassinos de profetas (11.47,48). Desde Abel até Zacarias, o sangue desses profetas e apóstolos seria cobrado de suas mãos. Warren Wiersbe diz que os escribas eram especialistas em "embalsamar" o passado e em honrar profetas martirizados pela instituição religiosa

---

[6]HENDRIKSEN, William. *Lucas*. Vol. 2, p. 150.
[7]RIENECKER, Fritz. *Evangelho de Lucas*, p. 265.

à qual pertenciam.⁸ Hendriksen, nessa mesma linha de pensamento, acrescenta que os pais tinham assassinado os profetas, e esses descendentes estavam reconstruindo ou remodelando seus túmulos. Provavelmente faziam isso para impressionar o povo. Quanta hipocrisia! Entretanto, nunca condenaram o pecado de seus pais de terem matado os profetas. Portanto, cada geração que não recebe de coração a lição da geração anterior aumenta a sua culpa e, portanto, a severidade de seu castigo.⁹

Em sexto lugar, *o pecado da obstrução do conhecimento* (11.52). Jesus diz que os intérpretes da lei tomam a chave do conhecimento e a escondem, não entrando no reino nem deixando que as pessoas entrem. Os escribas eram culpados de privar as pessoas comuns do conhecimento da Palavra de Deus. Em vez de abrir as Escrituras para o povo e explicá-las fielmente, eles impediam as pessoas de entenderem a Palavra. Julgavam-se os únicos conhecedores da verdade. Morris diz que eles transformaram a Bíblia num livro de obscuridade, num monte de enigmas.¹⁰ Assentavam sobre a cadeira de mestres e, do alto de sua falsa sabedoria, fechavam a porta do reino. Concordo com Warren Wiersbe quando ele diz que Jesus é a chave para o entendimento das Escrituras (24.44-48). Quando se remove a chave, não é possível entender o que Deus escreveu.¹¹

Jesus **suscitou a ira** dos fariseus (11.53,54)

Mesmo sendo Jesus o pregador, e mesmo pregando com tamanha contundência e poder, Seus ouvintes não se quebrantaram; antes, endureceram-se e se enfureceram. O mesmo sol que amolece a cera endurece o barro. Os escribas e fariseus saem dali não para mudar de vida, mas para tramar contra a vida de Jesus.

---

⁸Wiersbe, Warren W. *Comentário bíblico expositivo*. Vol. 5, p. 283.
⁹Hendriksen, William. *Lucas*. Vol. 2, p. 153,154.
¹⁰Morris, Leon L. *Lucas: introdução e comentário*, p. 195.
¹¹Wiersbe, Warren W. *Comentário bíblico expositivo*. Vol. 5, p. 283.

38

O **fermento** da hipocrisia

Lucas 12.1-12

JESUS DEIXA DE FALAR AOS FARISEUS e passa a falar dos fariseus para Seus discípulos, alertando-os acerca de sua perigosa influência. Aqueles que se tornaram incorrigíveis ainda poderiam influenciar perigosamente os discípulos, através de sua hipocrisia. Destacamos alguns pontos a seguir.

A **natureza** da hipocrisia (12.1)

Milhares se acotovelam aglomerados para ouvir Jesus. Nesse momento, ele passou a falar especialmente a Seus discípulos, alertando-os acerca do fermento dos fariseus, a hipocrisia. O fermento ou levedo é associado ao mal nas Escrituras (Êx 12.15-20; 1Co 5.6-8; Gl 5.9). Assim como o fermento, a hipocrisia começa pequena, mas, de forma rápida e silenciosa, cresce e contamina toda a pessoa, fazendo-a inchar de soberba e orgulho.

O hipócrita é um ator que desempenha um papel no palco. Ele encarna o papel de outra personagem e encena uma realidade diferente de sua vida. O ator imita o outro e faz de conta que é o outro. Warren Wiersbe diz que, na vida cristã, o hipócrita é alguém que tenta parecer mais espiritual do que é de fato.[1] O hipócrita é um fingido,

---

[1] WIERSBE, Warren W. *Comentário bíblico expositivo*. Vol. 5, p. 285.

um desonesto que esconde a sua verdadeira personalidade atrás de uma máscara.[2]

Jesus comparou a hipocrisia ao fermento que penetra na massa e a contamina por inteiro. Morris diz que essa penetração é lenta, insidiosa e constante.[3] Um pouco de levedo na massa do pão faz toda a massa inchar e crescer. Assim é a hipocrisia. Ela penetra, contamina e incha a pessoa de soberba.

Os fariseus faziam propaganda de uma espiritualidade que não tinham. A piedade que demonstravam era uma farsa. Havia um abismo entre suas palavras e sua vida, entre seu exterior e seu interior.

A **tolice** da hipocrisia (12.2,3)

Jesus fundamenta e explica a advertência contra o perigo da hipocrisia farisaica com uma ameaça. O encoberto será revelado; o escondido será exposto.[4] A hipocrisia é uma grande insensatez, pois aquilo que o homem esconde atrás das máscaras acaba por vir à tona. O que é feito atrás dos bastidores acaba por vir à plena luz. Aquilo que é dito às escondidas acaba por ser proclamado dos eirados. O oculto sempre será revelado, senão neste mundo, no porvir. A Bíblia diz: *Até as próprias trevas não te serão escuras: as trevas e a luz são a mesma coisa* (Sl 139.12).

A hipocrisia é uma estultícia, pois sua máscara cairá, e o que está escondido no tempo será revelado na eternidade (Ec 12.14; Mt 10.26; Rm 2.16; 1Co 3.13; 4.5; Ap 20.12).

É conhecida a expressão dita por Abraham Lincoln: "Você pode enganar algumas pessoas o tempo todo, e a todas as pessoas por algum tempo, mas não pode enganar todas as pessoas o tempo todo".[5]

A **causa** da hipocrisia (12.4-7)

Neste parágrafo, Jesus fala cinco vezes a respeito do "medo", deixando claro que uma das principais causas da hipocrisia é o medo dos outros.

---

[2]HENDRIKSEN, William. *Lucas*. Vol. 2, p. 164.
[3]MORRIS, Leon L. *Lucas: introdução e comentário*, p. 196.
[4]RIENECKER, Fritz. *Evangelho de Lucas*, p. 269.
[5]HENDRIKSEN, William. *Lucas*. Vol. 2, p. 173.

Quando temos medo do que os outros vão dizer de nós ou fazer contra nós, tentamos impressioná-los, a fim de obter sua aprovação.[6]

Esta é a única vez que Jesus chama Seus discípulos de "amigos" em Lucas. Faz isso para alertá-los sobre a causa da hipocrisia, que é o medo dos outros: o medo de não ser aceito, de ser criticado, de ser rejeitado, de ser perseguido. Em vez de temermos os outros que podem nos criticar, perseguir e até matar, devemos temer a Deus. Ele tem o poder de tirar a vida e até lançar a alma das pessoas no inferno. A autoridade de Deus se estende além da morte.

John Charles Ryle pergunta: Qual é o melhor remédio contra o temor dos outros? Como podemos vencer tão poderoso sentimento e destruir as correntes que ele lança ao nosso redor? Não existe outro remédio além daquele que nosso Senhor recomenda nesta passagem. Devemos suplantar o temor dos outros por um princípio mais elevado e poderoso – o temor a Deus.[7]

Inferno aqui é o lugar de tormento eterno. A palavra grega usada aqui é *Geena*. Deriva do hebraico *ge Hinnom,* o "vale do Hinom", um vale adjacente a Jerusalém onde, em dias passados, crianças foram oferecidas em sacrifício a Moloque (Lv 18.21; 1Rs 11.7). O rei Josias pôs fim a tudo isso (2Rs 23.10), mas o vale era considerado maldito (Jr 7.31). Nos tempos do Novo Testamento, o lugar era usado para depositar lixo, e, sem dúvida, um fogo sempre queimava ali. As associações do termo fizeram que ele fosse um símbolo apropriado do tormento perpétuo do inferno.[8] O máximo que as pessoas podem nos fazer é tirar nossa vida. Mas, Deus pode sentenciar as pessoas à perdição eterna.

Não devemos temer nosso futuro, pois, se Deus cuida até dos pássaros e nós valemos mais do que eles, podemos descansar no seu cuidado. Até os 140 mil fios de cabelos de nossa cabeça estão contados.[9]

---

[6]WIERSBE, Warren W. *Comentário bíblico expositivo.* Vol. 5, p. 285.
[7]RYLE, John Charles. *Meditações no Evangelho de Lucas,* p. 211.
[8]MORRIS, Leon L. *Lucas: introdução e comentário,* p. 197.
[9]RIENECKER, Fritz. *Evangelho de Lucas,* p. 271.

O **antídoto** contra a hipocrisia (12.8,9)

Em vez de negarmos nossa fé em Cristo, na terra, para ganharmos o aplauso dos outros, devemos confessar nossa fé em Cristo, diante dos outros, para recebermos aprovação nos céus. O que adianta sermos aprovados pelos outros e reprovados por Jesus? O que adianta ganharmos troféus na terra e sermos rejeitados no céu? O que adianta sermos confessados perante os outros por causa da hipocrisia e sermos desmascarados e reprovados por Jesus perante os santos anjos no céu?

Só aqueles que têm coragem de assumir seu compromisso com Cristo na terra, perante as outras pessoas, terão seus nomes aprovados no céu, perante Cristo. John Charles Ryle nos alerta para o fato de que confessar Cristo nos trará zombaria, desprezo, escárnio, ridículo, inimizade e perseguição. Os ímpios rejeitam a verdade. O mundo que odiou a Cristo odiará os verdadeiros cristãos. Mas negar a Cristo ou envergonhar-nos de Seu evangelho pode nos proporcionar uma pequena medida de boa opinião dos outros, por alguns anos, mas não nos proporcionará paz verdadeira. No entanto, se Ele nos negar no último dia, isto será nossa ruína no inferno durante toda a eternidade. Abandonemos nossos covardes temores. Confessemos a Cristo.[10]

O **perigo** da hipocrisia (12.10-12)

A hipocrisia pode começar pequena como um pouco de fermento, mas crescer a ponto de levar uma pessoa não apenas a negar sua verdadeira identidade, mas a negar também a identidade de Cristo, associando-o aos demônios (11.15).

A blasfêmia contra o Espírito Santo é a apostasia mais radical. É não apenas a negação de Cristo, mas a associação do Filho de Deus ao arqui-inimigo de Deus. É afirmar que Cristo faz Sua obra de libertação não pelo dedo de Deus, mas pelos chifres do diabo (11.20). Fritz Rienecker fala sobre pecados contra o Espírito Santo nos seguintes termos:

---

[10] RYLE, John Charles. *Meditações no Evangelho de Lucas*, p. 213.

A Sagrada Escritura fala de *resistir* (At 7.51), *ofender* (Is 63.10) e *entristecer* (Ef 4.30) o Espírito Santo. Isso é diferente de "blasfêmia contra o Espírito Santo". Qualquer pecado pode ser perdoado por contrição e arrependimento, mas a blasfêmia contra o Espírito não é perdoada. Quem consegue evitar a percepção de que o Espírito de Deus atua em Sua vida e em Sua pessoa, porém o rejeita conscientemente e O declara propositadamente como antidivino, não consegue encontrar o caminho do arrependimento. Quem chama de satânico o que é divino, o que é a revelação máxima por meio do Espírito Santo, comete esse pecado de blasfêmia que não será perdoado nem aqui nem no futuro.[11]

Hendriksen diz que os amargos inimigos de Jesus estiveram atribuindo a satanás o que o Espírito Santo fazia por meio de Jesus (Mc 3.22). Além do mais, eles faziam isso voluntariamente, deliberadamente. Assim, em lugar do arrependimento, puseram o endurecimento; em lugar da confissão, a conspiração. Isso é cometer o pecado para a morte (1Jo 5.16). Assim, a essência do pecado contra o Espírito Santo pode ser condensada em uma só palavra: impenitência.[12]

Leon Morris diz que este pecado sem perdão não diminui a capacidade divina de perdoar, mas este tipo de pecador já não tem a capacidade de arrepender-se e crer.[13]

Jesus conclui Sua palavra sobre a hipocrisia dizendo que os seus amigos não precisam temer a perseguição nem ficar perplexos sobre o que dizer nos interrogatórios aos quais serão submetidos, pois, se forem levados aos tribunais, o Espírito Santo lhes ensinará como devem responder (12.11,12). O livro de Atos dos Apóstolos demonstra de forma cabal como essa promessa de Jesus se confirmou. Os sacerdotes, os escribas e fariseus em Jerusalém foram obrigados a presenciar e maravilhar-se diante da alegria de Pedro e João (At 4.13). O discurso de defesa de Estêvão penetrou o coração dos ouvintes (At 7.54). Félix assustou-se diante do Paulo algemado (At 24.25).[14]

---

[11]RIENECKER, Fritz. *Evangelho de Lucas*, p. 272.
[12]HENDRIKSEN, William. *Lucas*. Vol. 2, p. 171,172,174.
[13]MORRIS, Leon L. *Lucas: introdução e comentário*, p. 199.
[14]RIENECKER, Fritz. *Evangelho de Lucas*, p. 273.

39

Cuidado com a avareza

Lucas 12.13-21

JESUS DEIXA O ASSUNTO DA HIPOCRISIA para tratar de outro grave perigo à vida cristã: o perigo da cobiça e da avareza. As aparências da hipocrisia são substituídas aqui pelo apego às coisas materiais. John Charles Ryle diz que não existe nenhum outro pecado ao qual o coração é mais propenso do que a cobiça. Foi o pecado que arruinou os anjos caídos. Estes não se contentaram com seu primeiro estado; cobiçaram algo melhor. Foi o pecado que contribuiu para que Adão e Eva fossem expulsos do paraíso e para que a morte entrasse no mundo. Este é um pecado que desde a queda tem sido a causa de miséria e infidelidade na terra. Guerras, conflitos, brigas, divisões, disputas, invejas, ódio de todos os tipos, manifestados tanto em público como em particular – todas essas coisas têm a mesma fonte: a cobiça.[1]

Jesus ensina-nos três grandes lições no texto em apreço, que vamos considerar doravante.

A **advertência** contra a avareza (12.13-15)

Do meio da multidão irrompeu uma voz, a voz de um homem rogando a Jesus para resolver um problema familiar, uma partilha de

---
[1] RYLE, John Charles. *Meditações no Evangelho de Lucas*, p. 216.

herança (12.13). Jesus recusa-Se a ser juiz das causas terrenas (12.14), mas põe o dedo na ferida e aponta a causa dos conflitos na vida financeira entre as pessoas, o problema da avareza. É como se Jesus estivesse dizendo àqueles dois irmãos em litígio: "Nenhum acordo entre vocês será satisfatório, enquanto vocês forem governados pela ganância". Leon Morris, comentando esta passagem, diz corretamente: "Jesus veio para trazer os homens a Deus, e não trazer bens materiais aos homens".[2] Nessa mesma linha de pensamento, Fritz Rienecker expõe: "Não era incumbência do Senhor nem finalidade de Sua vinda ajudar o pedinte a alcançar sua justa herança, mas curá-lo de sua mazela principal".[3]

No versículo 15, Jesus faz uma forte advertência: *Tende cuidado e guardai-vos de toda e qualquer avareza.* Avareza é a sede insaciável de uma quantidade cada vez maior de algo que acreditamos ser necessário para nos fazer sentir verdadeiramente satisfeitos.[4]

Depois da advertência, Jesus passa a uma aplicação de princípios: *... porque a vida de um homem não consiste na abundância de bens que ele possui.*

A **insensatez** da avareza (12.16-19)

Fritz Rienecker diz que essa parábola no material exclusivo de Lucas é tão simples que praticamente dispensa explicação.[5] Jesus levanta a ponta do véu e mostra a face enrugada da avareza, contando essa parábola para inculcar a lição sobre a insensatez de confiar nos bens materiais. Anthony Ash diz que o alvo do rico na vida era descanso e gozo, e seu método de alcançar isso, em lugar da fé em Deus, era a fé nos bens.[6]

A parábola retrata um fazendeiro rico com uma colheita excepcional. Essa parábola mostra como um homem que recebe uma bênção faz dela uma maldição. Seu campo produziu abundantemente. Sua colheita foi colossal. Seus armazéns foram construídos e ampliados para acomodar

---

[2] MORRIS, Leon L. *Lucas: introdução e comentário*, p. 200.
[3] RIENECKER, Fritz. *Evangelho de Lucas*, p. 274.
[4] WIERSBE, Warren W. *Comentário bíblico expositivo*. Vol. 5, p. 286.
[5] RIENECKER, Fritz. *Evangelho de Lucas*, p. 275.
[6] ASH, Anthony Lee. *O Evangelho segundo Lucas*, p. 212.

a safra generosa. Mas esse homem não agradeceu a Deus pela colheita nem demonstrou nenhuma generosidade com tanta fartura. Pensou em si, só em si. Seu mundo gira em torno dele mesmo. Seus bens eram apenas para ele. Tudo foi armazenado para seu próprio desfrute e deleite. Toda a trama está construída em torno do eu, meu, minha.

O problema é que esse homem não entendeu algumas coisas essenciais.

Em primeiro lugar, *ele não meditou sobre a brevidade da vida e a inevitabilidade da morte* (12.19,20). Pensou que seu futuro estava em suas mãos e que ele era o capitão de sua alma. Naquela mesma noite da inauguração de seus celeiros abarrotados de provisão para longos anos, sua alma lhe foi requerida, e a morte chegou sem pedir licença para levá-lo. Morris tem razão ao dizer que o homem, cuja vida fica pendurada por um fio, e que pode ser chamado a qualquer momento para prestar contas de si mesmo, é um tolo se depende de coisas materiais.[7]

Em segundo lugar, *ele só pensou na provisão do seu corpo, mas não fez nenhuma provisão para a sua alma* (12.16-19). Coisas materiais não atendem aos reclamos da nossa alma. O fazendeiro rico da parábola fez provisão apenas para esta vida e nenhuma para a vida porvir.

Em terceiro lugar, *ele não pensou na possibilidade de ser generoso, mas guardou tudo para si* (12.16-19). Rienecker diz que a princípio esse fazendeiro não fez nada de mau. Diante de todo o mundo, ele se apresenta como um cidadão sábio, laborioso, eficiente e bem-sucedido em sua administração, mas não deixa de ser um tolo para Deus. O fazendeiro diz a si mesmo: Meus produtos, meu armazém, meus bens, minha alma. Igualmente são bem característicos os seis "eu" do fazendeiro: que farei eu – não tenho – onde eu – hei de – eu quero – eu direi.[8]

Em quarto lugar, *ele não pensou na transitoriedade das posses terrenas*. Não trouxemos nada para este mundo nem nada dele levaremos. Viemos nus e voltaremos nus. Não tínhamos nada e nada teremos quando partirmos. Não somos donos de nada; somos apenas mordomos. Não há caminhão de mudança em enterro nem gaveta em caixão.

---

[7] Morris, Leon L. *Lucas: introdução e comentário*, p. 201.
[8] Rienecker, Fritz. *Evangelho de Lucas*, p. 275.

Em quinto lugar, *ele não pensou sobre a loucura que é viver apenas para esta vida e não se preparar para encontrar com Deus* (12.16-21). Esta vida é breve, os bens materiais não são permanentes, e a morte é certa. Viver aqui irrefletidamente é loucura. Colocar a confiança nas coisas materiais é consumada tolice. Não se preparar para a morte é insensatez. Não estar pronto para encontrar-se com Deus é a maior de todas as loucuras.

A **tragédia irremediável** da avareza (12.20,21)

O homem que se considerava tão prudente e protegido em armazenar toda a sua colheita para o seu desfrute por longos anos é confrontado com uma voz que ecoa desde o céu, a própria voz de Deus: *Louco, esta noite te pedirão a tua alma; e o que tens preparado, para quem será?* (12.20). Jesus mostra a tragédia irremediável da avareza, e isso por quatro razões.

Em primeiro lugar, *o homem que põe sua confiança nas coisas materiais pensando que nelas terá segurança é louco*. O dinheiro pode nos dar conforto por um tempo, mas não paz permanente. Pode nos dar alimento farto para o corpo, mas não descanso para a alma. Pode nos dar alguma proteção terrena, mas não escape da morte. Pode nos dar prazeres na terra, mas não a bem-aventurança eterna.

Em segundo lugar, *o homem que pensa que é o capitão da sua alma é louco*. O homem, por mais rico que seja, não determina os dias de sua vida nem tem controle sobre a hora de sua morte. O homem, por mais abastado que seja, não tem nas mãos o destino de sua alma. Na hora da morte, sua alma é requerida. O espírito volta para Deus e nesse momento o homem terá de prestar contas ao reto juiz.

Em terceiro lugar, *o homem que pensa que é o dono dos bens que acumula é louco*. O homem plantou, colheu, derrubou, construiu, armazenou e falou à sua alma para desfrutar de tudo por longos anos. Mas, de tudo o que ajuntou, não desfrutou nada e não levou nada. Tudo foi passado para outras mãos.

Em quarto lugar, *o homem que entesoura para si mesmo e não é rico para com Deus é louco* (12.21). O que significa ser rico para com Deus? Significa reconhecer com gratidão que tudo o que temos vem de

Deus e nos esforçar para usar o que Ele nos dá para o bem de outros e para a Sua glória.[9]

Ser rico para com Deus é deixar de confiar na provisão para confiar no provedor. É depositar sua fé em Deus, e não nas bênçãos de Deus. A prosperidade tem seus perigos (Pv 30.7-9). A riqueza é capaz de sufocar a Palavra de Deus (Mt 13.22), de criar armadilhas e tentações (1Tm 6.6-10) e de dar uma falsa sensação de segurança (1Tm 6.17). Portanto, os que se contentam com as coisas que o dinheiro pode comprar correm o risco de perder aquilo que o dinheiro não pode comprar.[10]

Concluo com as palavras de John Charles Ryle:

> Quando podemos afirmar que um homem é rico para com Deus? Nunca, até que ele seja rico em graça, fé e boas obras, até que se dirija ao Senhor Jesus suplicando que lhe dê o ouro refinado pelo fogo (Ap 3.18). Nunca, enquanto não tiver uma casa feita não por mãos humanas, eterna, nos céus. Nunca, até que seu nome esteja escrito no livro da vida e que ele seja herdeiro de Deus e coerdeiro juntamente com Cristo. Este é o homem verdadeiramente rico! Seu tesouro é incorruptível. Seu banco nunca há de falir. Sua herança não fenece. Os homens não podem impedir que ele a desfrute. A morte não pode arrebatá-la de suas mãos. Todas essas coisas já pertencem àquele que é rico para com Deus – as coisas do presente e as do porvir. E o melhor de tudo, o que ele possui agora não significa nada em comparação ao que possuirá no futuro.[11]

---

[9] WIERSBE, Warren W. *Comentário bíblico expositivo.* Vol. 5, p. 288.
[10] WIERSBE, Warren W. *Comentário bíblico expositivo.* Vol. 5, p. 287.
[11] RYLE, John Charles. *Meditações no Evangelho de Lucas,* p. 217,218.

40

Cuidado com a ansiedade

Lucas 12.22-34

JESUS FAZ UMA TRANSIÇÃO DA AVAREZA PARA A ANSIEDADE. Se a avareza é a ameaça do muito, a ansiedade é a ameaça do pouco. Se na avareza o rico se perdeu por se esquecer de Deus e do próximo ao acumular só para si, na ansiedade os discípulos corriam risco de duvidar do cuidado de Deus para suprir suas necessidades básicas. Warren Wiersbe diz que o fazendeiro se preocupou porque tinha coisas demais; porém, os discípulos se preocuparam por não terem o suficiente.[1] Morris diz que "a avareza não pode obter o suficiente, a preocupação tem medo de que não terá o suficiente".[2]

O texto em apreço ensina-nos algumas lições preciosas.

Uma **advertência** (12.22)

Jesus conecta a conclusão do tema "avareza", com o início da exortação sobre "ansiedade". Acabara de dizer que é loucura uma pessoa pensar só em si e confiar nos bens para sua segurança. Agora, adverte Seus discípulos a não ficarem ansiosos pela vida, quanto ao que haverão de comer

---
[1] WIERSBE, Warren W. *Comentário bíblico expositivo.* Vol. 5, p. 288.
[2] MORRIS, Leon L. *Lucas: introdução e comentário*, p. 201.

ou vestir. Em vez de colocarem seu coração e sua devoção na provisão, eles devem se voltar para o Deus provedor.

Uma **explanação** (12.23)

Preocupar-se com alimento e com vestes é dedicar atenção ao que é menor, uma vez que a vida e o corpo são mais do que alimento e vestes. Ora, se Deus cuida da vida e do corpo, por que deveríamos ficar ansiosos quanto ao que havemos de comer e vestir?

Uma **observação** (12.24-28)

A ansiedade é uma falta de observação. É andar pela vida sem reflexão. É fechar os olhos à natureza prenhe das eloquentes evidências do cuidado de Deus. Jesus ordena que Seus discípulos observem duas coisas.

Em primeiro lugar, *observar os corvos* (12.24-26). Os corvos, apesar de serem aves impuras, recebem o cuidado de Deus. Não semeiam, não ceifam, não têm dispensa nem celeiros; todavia, Deus os sustenta. No argumento do menor para o maior, Jesus pergunta: Vocês não valem mais do que as aves? Ora, se Deus cuida das aves, cuidará também de vocês!

Em segundo lugar, *observar os lírios* (12.27,28). Jesus deixa as aves impuras para falar sobre as flores mais limpas, os lírios. Eles não fiam nem tecem; contudo, nem Salomão, em toda a sua glória, se vestiu como qualquer deles. Ora se Deus veste assim a erva que está no campo, com duração tão curta, quanto mais Deus cuidará dos seus discípulos, homens de pequena fé.

Uma **inquietação** (12.29,30)

A indagação sobre o suprimento das necessidades básicas pode levar às inquietações. E uma alma inquieta, desassossegada, ansiosa quanto ao futuro e ao suprimento das necessidades, é uma evidência insofismável de incredulidade. Os gentios de todo o mundo, aqueles que não conhecem a Deus, é que se preocupam com essas coisas. Em vez de nos rendermos às inquietações da incredulidade, devemos nos fortalecer no entendimento do caráter bondoso de Deus, que conhece e supre as necessidades de seus filhos.

Uma **prioridade** (12.31)

O antídoto para as inquietações geradas no ventre da incredulidade é buscar antes de tudo e em primeiro lugar o reino de Deus. Mateus acrescenta ... *e a sua justiça* (Mt 6.33). Quando cuidamos das coisas de Deus, Ele cuida das nossas coisas. Quando nos voltamos para Deus em adoração e serviço, Ele se volta para nós, suprindo nossas necessidades.

Uma **herança** (12.32)

O medo é o sentimento mais democrático no coração humano. Em vez de nos rendermos ao temor, preocupados com as coisas materiais, Jesus nos relembra que, embora sejamos um pequenino rebanho, agradou ao Pai dar-nos Seu reino. Se já temos o maior e o melhor, por que ficarmos ansiosos quanto ao menor? Se já temos o celestial, por que ficarmos inquietos com o terreno? Se já temos o eterno, por que ficarmos temerosos com o que é temporal?

Um **investimento** (12.33,34)

Em vez de nos apegarmos aos bens materiais, devemos nos desapegar deles para investir em tesouros mais excelentes, permanentes e eternos. Os tesouros da terra podem ser saqueados pelos ladrões, corroídos pela traça, mas os tesouros do céu não podem ser roubados nem destruídos.

Jesus conclui com uma máxima assaz importante: *Porque onde está o vosso tesouro, aí estará também o vosso coração*. Há uma conexão entre os bens e o coração. Se o nosso tesouro mais precioso estiver aqui na terra, como Jesus demonstrou na parábola do rico insensato (12.16-21), então, ali estará o nosso coração. Mas, se o nosso tesouro estiver no céu, então, provaremos isso buscando em primeiro lugar o seu reino (12.31).

Vamos agora aprofundar um pouco mais a questão da ansiedade, à luz do texto em tela.

O que não é ansiedade

Antes de tratarmos da ansiedade, vamos ver o que ela não é.

Em primeiro lugar, *não é desprezar as necessidades do corpo*. Jesus nos ensinou a orar: *O pão nosso cotidiano dá-nos de dia em dia* (11.3). Mas o mundo adota um conceito reducionista, degradando o homem ao nível dos animais. Parece que o bem-estar físico é o único objetivo da vida.

Em segundo lugar, *não é proibir a previdência quanto ao futuro*. A Bíblia aprova o trabalho previdente da formiga. Também os passarinhos fazem provisão para o futuro, construindo ninhos e alimentando os filhotes. Muitos migram para climas mais quentes antes do inverno. O que Jesus proíbe não é a previdência, mas a preocupação ansiosa. O apóstolo Paulo aconselha: *Não andeis ansiosos de coisa alguma...* (Fp 4.6). O apóstolo Pedro exorta: *Lançai sobre Ele toda a vossa ansiedade, porque Ele tem cuidado de vós* (1Pe 5.7).

Em terceiro lugar, *não é estar isento de ganhar a própria vida*. Não podemos esperar o sustento de Deus assentados, de braços cruzados, dizendo preguiçosamente: "Meu Pai Celeste proverá". Deus não premia a preguiça. Temos de trabalhar. Cristo usou o exemplo das aves e das plantas: ambos trabalham. Os pássaros buscam o alimento que Deus proveu na natureza. As plantas extraem do solo e do sol o seu sustento.

Em quarto lugar, *não é estar isento de dificuldades*. Estar livre de ansiedade e estar livre de dificuldades não é a mesma coisa. Embora Deus vista a erva do campo, não impede que ela seja cortada e queimada. Embora Deus nos alimente, Ele não nos isenta de aflições e apertos, inclusive financeiros.

O que é ansiedade

Jesus, agora, passa a falar positivamente sobre o que é ansiedade. Vejamos.

Em primeiro lugar, *a ansiedade é destrutiva* (12.22,29). A palavra "ansiedade" (12.22) significa "rasgar". A palavra "inquietação" (12.29) significa "constante suspense".[3] Essas duas palavras eram usadas para

---

[3] WIERSBE, Warren W. *Comentário bíblico expositivo*. Vol. 5, p. 288.

descrever um navio surrado pelos ventos fortes e pelas ondas encapeladas de uma tempestade. A "palavra" ansiedade vem de um antigo termo anglo-saxônico que significa "estrangular".[4] Ela puxa em direção oposta. Gera uma esquizofrenia existencial. É conhecida a expressão usada por Corrie Ten Boom: "A ansiedade não esvazia o amanhã do seu sofrimento; ela esvazia o hoje do seu poder".

Ansiedade é ser crucificado entre dois ladrões: 1) o ladrão do remorso em relação ao passado; e 2) o ladrão da preocupação em relação ao futuro. O apóstolo Paulo venceu esses dois ladrões da alegria: *Esquecendo-me das coisas que para trás ficaram... Não andeis ansiosos de coisa alguma...*

Em segundo lugar, ***a ansiedade é enganadora*** (12.23). A ansiedade nos dá uma visão falsa da vida, de nós mesmos e de Deus. A ansiedade pode nos enganar em quatro áreas vitais da vida.

A ansiedade tem o poder de criar um problema que não existe. Muitas vezes sofremos não por um problema real, mas por um problema fictício, gerado pela nossa mente perturbada. Os discípulos olharam para Jesus andando sobre as águas, vindo para socorrê-los e, cheios de medo, pensaram que era um fantasma.

A ansiedade tem o poder de aumentar os problemas e diminuir nossa capacidade de resolvê-los. Uma pessoa ansiosa olha para uma casa de cupim e pensa que está diante de uma montanha intransponível. As pessoas ansiosas são como os espias de Israel, que só enxergam gigantes de dificuldades à sua frente e veem a si mesmos como gafanhotos. Os soldados de Saul olharam para o gigante Golias e tiveram medo; Davi olhou para o gigante e viu a vitória. Geazi olhou para os inimigos e ficou com medo; Eliseu olhou com outros olhos e viu os exércitos do céu acampados ao seu redor.

A ansiedade tem o poder de tirar os nossos olhos de Deus e colocá-los nas circunstâncias. A ansiedade é um ato de incredulidade, de falta de confiança em Deus. Onde começa a ansiedade termina a fé.

A ansiedade tem o poder de tirar os nossos olhos da eternidade e colocá-los apenas nas coisas temporais. Uma pessoa ansiosa restringe a vida

---

[4] WIERSBE, Warren W. *Comentário bíblico expositivo.* Vol. 5, p. 288.

apenas ao corpo e às necessidades físicas. Jesus disse que aqueles que fazem provisão apenas para o corpo, e não para a alma, são loucos. John Rockefeller afirmou que o homem mais pobre é aquele que só tem dinheiro.

Em terceiro lugar, *a ansiedade é inútil* (12.25). Côvado aqui não se refere a estatura (45 cm), mas ao ato de prolongar e dilatar a vida. A preocupação, segundo Jesus, ao invés de alongar a vida, pode muito bem encurtá-la. A ansiedade nos mata pouco a pouco. Ela rouba nossas forças, mata nossos sonhos, mina nossa saúde, enfraquece nossa fé, tira nossa confiança em Deus e nos empurra para uma vida menos do que cristã. Os hospitais e as sepulturas estão cheios de pessoas ansiosas. A ansiedade mata! O sentido da palavra ansiedade é estrangular, puxar em direção oposta. Quando estamos ansiosos, teimamos em tomar as rédeas da nossa vida e tirá-las das mãos de Deus. A ansiedade nos leva a perder a alegria do hoje por causa do medo do amanhã. As pessoas se preocupam com exames, emprego, casas, saúde, namoro, empreendimentos, dinheiro, casamento, investimentos, mas os temores jamais se concretizarão. Setenta por cento dos assuntos que nos deixam ansiosos jamais acontecerão. A ansiedade é incompatível, portanto, com o bom senso. É uma perda de tempo. Precisamos viver um dia de cada vez. Devemos planejar o futuro, mas não viver ansiosos por causa dele hoje. Se alguma coisa nos rouba as forças hoje, significa que vamos estar mais fracos amanhã. Significa que sofreremos desnecessariamente se o problema não chegar a acontecer e sofreremos duplamente se ele chegar.

Em quarto lugar, *a ansiedade é cega* (12.23). A ansiedade é uma falsa visão da vida, de si mesmo e de Deus. A ansiedade nos leva a crer que a vida é feita só daquilo que comemos e vestimos. Ficamos tão preocupados com os meios que nos esquecemos do fim da vida, que é glorificar a Deus. A ansiedade não nos deixa ver a obra da providência de Deus na criação. Deus alimenta as aves do céu. Os corvos não semeiam, não colhem, não têm despensa (provisão para uma semana) nem celeiro (provisão para um ano).

Vejamos alguns dos argumentos de Jesus contra a ansiedade.

Do maior para o menor. Se Deus nos deu um corpo com vida e se o nosso corpo é mais do que o alimento e as vestes, Ele nos dará alimentos e vestes (12.22,23). Deus é o responsável pela nossa vida e pelo nosso corpo. Se Deus cuida do maior (nosso corpo), não podemos confiar nEle para cuidar do menor (nosso alimento e nossas vestes?)

Do menor para o maior. Tomemos as aves e as flores como exemplo (12.24,27). Martinho Lutero disse que Jesus está fazendo das aves nossos professores e mestres. O mais frágil pardal se transforma em teólogo e pregador para o mais sábio dos homens, dizendo: Prefiro estar na cozinha do Senhor. Ele fez todas as coisas. Ele sabe das minhas necessidades e me sustenta. Os lírios se vestem com maior glória que Salomão. Valemos mais do que as aves e do que os lírios. Se Deus alimenta as aves e veste os lírios do campo, não cuidará de Seus filhos? O problema não é o pequeno poder de Deus; o problema é a nossa pequena fé (12.28).

Em quinto lugar, *a ansiedade é incrédula* (12.30). A ansiedade nos torna menos do que cristãos. Ela é incompatível com a fé cristã. Ela nos assemelha aos pagãos. A ansiedade não é cristã. Ela é gerada no ventre da incredulidade; é pecado. Quando ficamos ansiosos com respeito ao que comer, ao que vestir e a coisas semelhantes, estamos vivendo num nível inferior aos dos animais e das plantas. Toda a natureza depende de Deus, e Deus jamais falha. Somente as pessoas, quando julgam depender do dinheiro, se preocupam, e o dinheiro sempre falha.

Como podemos encorajar as pessoas a colocarem a sua confiança em Deus com respeito ao céu, se nós não confiamos em Deus nem em relação às coisas da terra? Um crente ansioso é uma contradição. A ansiedade é o oposto da fé. É uma incoerência pregar a fé e viver a ansiedade. Peter Marshall diz que as úlceras não deveriam se tornar o emblema da nossa fé. Mas geralmente se tornam. A ansiedade nos leva a perder o testemunho cristão. Jesus está dizendo que a ansiedade é característica dos gentios e dos pagãos, daqueles que não conhecem a Deus. Mas um filho de Deus tem convicção do amor e do cuidado de Deus (Rm 8.31,32).

Como **vencer** a ansiedade

Depois de ensinar sobre o que não é e o que é ansiedade, agora Jesus oferece a receita para a vitória sobre a ansiedade. Vejamos.

Em primeiro lugar, *saber que Deus é nosso Pai e conhece todas as nossas necessidades* (12.30). Vencemos a ansiedade quando confiamos em Deus (12.28). A fé é o antídoto para a ansiedade. Deus nos conhece e nos ama. Ele é o nosso Pai e sabe do que temos necessidade. Se pedirmos um pão, Ele não nos dará uma pedra; se pedirmos um peixe, Ele não nos dará uma cobra. Nele vivemos e nEle existimos. Ele é o Deus que nos criou e que nos mantém a vida. Ele nos protege, nos livra, nos guarda e nos sustenta.

O apóstolo Paulo nos ensinou a vencer a ansiedade orando a Deus (Fp 4.6,7). A ansiedade é um pensamento errado e um sentimento errado. Quando olhamos para a vida na perspectiva de Deus, a nossa mente é guardada pela paz de Deus. Quando alimentamos nossos sentimentos com a verdade de que Deus conhece nossas necessidades e as supre, então, a paz de Deus guarda nosso coração. A paz é uma sentinela que guarda a cidadela da nossa alma.

Em segundo lugar, *saber que Deus já Se agradou em nos dar o Seu reino* (12.32). Devemos saber que Deus já nos deu coisas mais importantes do que bens materiais. Deus já nos deu tudo. Ele nos deu o Seu Filho, a salvação e o seu reino. Nós somos ovelhas do Seu rebanho, filhos da Sua família, servos do Seu reino. Se Ele já nos deu o maior, não nos daria o menor? O apóstolo Paulo pergunta: *Aquele que não poupou ao Seu próprio Filho, porventura, não nos dará graciosamente com Ele todas as coisas?* (Rm 8.32).

Em terceiro lugar, *saber que quando cuidamos das coisas de Deus, Ele cuida das nossas necessidades* (12.31). Aqui temos uma ordem e uma promessa. A ordem é buscar o governo de Deus, a vontade de Deus, o reinado de Deus em nosso coração em primeiro lugar. Deus, e não nós mesmos, deve ocupar o topo da nossa agenda. Os interesses de Deus, e não os nossos interesses, devem ocupar nossa mente e nosso coração. John Charles Ryle pergunta: Quando podemos dizer que estamos buscando o reino de Deus? Nós o buscamos quando nosso principal objetivo é garantir um lugar entre o número dos salvos, tendo nossos pecados perdoados, nosso coração regenerado e nós mesmos preparados para receber uma parte da herança dos santos na luz. Buscamos o reino de Deus quando dedicamos o primeiro lugar de nossos pensamentos aos interesses desse reino, quando trabalhamos para aumentar o número dos súditos de Deus e quando nos esforçamos para manter a obra de Deus e prover a glória dEle no mundo.[5] A promessa é que, quando cuidamos das coisas de Deus, Ele cuida das nossas necessidades. *Todas essas coisas vos serão acrescentadas*. Ele faz hora extra em favor dos Seus filhos, pois trabalha em favor daqueles que nEle confiam.

Em quarto lugar, *saber que devemos mudar o rumo dos nossos investimentos* (12.33,34). O nosso problema não é a busca do prazer, mas o contentamento com um prazer muito pequeno. Deus deve ser o nosso maior prazer. Nada menos do que Deus e Seu reino devem ocupar a nossa mente e o nosso coração. O nosso problema não é fazer investimentos, mas fazer investimentos errados. Somos desafiados a buscar uma riqueza que não perece, a ajuntarmos tesouros no céu, a colocarmos nosso dinheiro, nossos bens e nossa vida a serviço de Deus e do Seu reino, em vez de vivermos ansiosos ajuntando tesouros para nós mesmos. No reino de Deus, você tem o que você dá e perde o que você retém. No reino de Deus, há ricos pobres e pobres ricos. A grande questão é onde está o nosso tesouro. Se ele estiver nas coisas, então faremos um investimento errado e viveremos ansiosos. Mas, se o nosso tesouro estiver no céu, no reino de Deus, então, buscaremos esse reino em primeiro lugar e viveremos livres de ansiedade para nos alegrarmos em Deus e nos deleitarmos nEle para sempre.

---

[5] RYLE, John Charles. *Meditações no Evangelho de Lucas*, p. 219.

41

Necessidades imperativas da vida cristã

Lucas 12.35-59

JESUS REFORÇA SEU ENSINO SOBRE O USO CORRETO DOS BENS com a lembrança de que as coisas terrenas são temporárias e de que a vinda do Filho do homem é certa.[1] Uma das maneiras mais importantes de uma pessoa se livrar do apego aos bens materiais e ao mesmo tempo da ansiedade é voltar sua atenção para a segunda vinda de Cristo. Jesus desloca a ênfase da preocupação com o presente para a atenção quanto ao futuro.

Warren Wiersbe diz que uma das melhores maneiras de vencer a hipocrisia, a avareza e a preocupação é pensar na volta de Jesus Cristo. Para quem vive voltado para o futuro, é mais difícil cair nas armadilhas deste mundo.[2] Vamos destacar algumas necessidades imperativas da vida cristã.

A necessidade de **vigilância** (12.35-40)

Três verdades são enfatizadas por Jesus.

Em primeiro lugar, ***esteja pronto para a vinda do Senhor*** (12.35,36). Jesus conta uma parábola sobre o casamento para ilustrar essa verdade

---

[1] Morris, Leon L. *Lucas: introdução e comentário*, p. 204.
[2] Wiersbe, Warren W. *Comentário bíblico expositivo*. Vol. 5, p. 289.

magna. Devemos estar preparados para a vinda do nosso Senhor, com nosso corpo cingido e com nossas lâmpadas acesas.

Em segundo lugar, *alegre ao Senhor na Sua vinda* (12.37). Quando Jesus voltar, ao encontrar seus servos fiéis, Ele os servirá. O Senhor fica tão contente que inverte os papéis normais e põe Seus fiéis sentados à mesa enquanto lhes serve uma refeição.[3] Que grande privilégio!

Em terceiro lugar, *esteja atento ao tempo da vinda do Senhor* (12.38-40). Jesus usa aqui as vigílias da noite na perspectiva judaica e diz que seus servos precisam estar prontos para sua vinda, seja qual for a vigília da noite em que Ele vier. A vinda do Senhor será inesperada, como a chegada de um ladrão (12.39). Por isso, os servos precisam estar alertas, pois, na hora em que eles não estiverem apercebidos, Jesus virá (12.40).

A necessidade de **fidelidade** (12.41-46)

Dois pontos são colocados aqui em relevo.

Em primeiro lugar, *o servo fiel será promovido na vinda do Senhor* (12.41-44). O mordomo que for encontrado fiel na vinda do Senhor será promovido e a ele o Senhor confiará todos os Seus bens. Quem for fiel no pouco, a ele será confiado o muito.

Em segundo lugar, *o servo infiel será castigado na vinda do Senhor* (12.45,46). O servo que, aproveitando a ausência do seu Senhor, cruelmente espancar os criados e se entregar à comilança e bebedeira, capitulando-se à embriaguez, será castigado e entregue à sorte dos infiéis na segunda vinda de Cristo.

A necessidade de **punição** (12.47,48)

Jesus enfatiza que privilégios maiores implicam responsabilidades maiores. A ignorância não será inocentada, mas o conhecimento será mais responsabilizado. Aqueles que mais conhecem serão mais responsabilizados. Quem peca contra um maior conhecimento torna seu delito mais grave. O pecado por desconhecimento, embora traga trágicas consequências, é um atenuante que implica uma pena mais branda.

---

[3]MORRIS, Leon L. *Lucas: introdução e comentário*, p. 204.

A necessidade de **divisão** (12.49-53)

Lucas começou seu livro anunciando *paz na terra* (2.14), mas agora Jesus fala que veio lançar fogo sobre a terra (12.49). Na verdade, Jesus concede paz aos que creem nEle, confessam o Seu nome e são justificados (Rm 5.1), mas essa confissão de fé se transforma numa declaração de guerra contra a família e os amigos.[4]

Jesus destaca aqui três verdades.

Em primeiro lugar, *o fogo do julgamento* (12.49). Jesus veio trazer fogo sobre a terra e estava desejoso de que ela já estivesse a arder. Esse é o fogo do julgamento contra o pecado. É o fogo da santidade de Deus que não suporta aquilo que é impuro.

Em segundo lugar, *o batismo do sacrifício* (12.50). O batismo a que Jesus se refere aqui é sua imersão num caudal de sofrimento vicário. Robertson diz que, enquanto o mundo se acende em chamas (12.49), Cristo é banhado em sangue (12.50).[5] Morris afirma que a sombra da cruz pairava sobre Jesus. Ele sabia que era algo inevitável. Era o propósito da Sua vinda.[6] Ele, sendo santo, foi feito pecado. Sendo bendito, fez-se maldição. Sendo imaculado, bebeu sozinho o cálice amargo da ira de Deus contra o nosso pecado. Ele foi traspassado pelas nossas transgressões e moído pelos nossos pecados. Levou sobre Si nossos pecados e morreu a nossa morte.

Em terceiro lugar, *a divisão na família* (12.51-53). Jesus veio trazer paz à nossa alma, mas divisão na família. Não que o evangelho seja desagregador; ao contrário. Aqueles que rejeitam o evangelho, porém, rejeitam também os membros da família que abraçam o evangelho. Morris diz que a cruz é um desafio a todos quantos O seguem (9.23; 14.27). Quando os homens não ficam à altura deste desafio, não incomumente se tornam críticos dos que o aceitam. As divisões que assim surgem podem percorrer famílias inteiras (Mq 7.6).[7] Nessa mesma linha de pensamento, Rienecker diz que a exigência de Jesus a

---

[4]RIENECKER, Fritz. *Evangelho de Lucas*, p. 290.
[5]ROBERTSON, A. T. *Comentário Lucas à luz do Novo Testamento Grego*, p. 244.
[6]MORRIS, Leon L. *Lucas: introdução e comentário*, p. 207.
[7]MORRIS, Leon L. *Lucas: introdução e comentário*, p. 207.

respeito da entrega total a Ele acenderá uma guerra interior até mesmo na comunhão humana mais íntima, a família, causando uma discórdia capaz de romper os mais estreitos laços quando houver impedimento no seguir a Jesus.[8]

A necessidade de **discernimento** (12.54-57)

Dois pontos devem ser aqui destacados.

Em primeiro lugar, *o discernimento das coisas secundárias* (12.54,55). Jesus elogia as multidões pela sua capacidade de discernir o tempo. Eles sabiam ler corretamente as nuvens, o vento e a chegada do calor. Eram peritos nas coisas da terra e entendidos nas coisas secundárias. Porém, eram ignorantes nas coisas mais importantes e essenciais, as realidades espirituais. Morris diz que os judeus entendiam os ventos da terra, mas não os ventos de Deus; podiam discernir o céu, mas não os lugares celestiais. Sua religiosidade voltada apenas para as coisas externas os impedia de ver o significado da vinda de Jesus.[9]

Em segundo lugar, *a falta de discernimento das coisas essenciais* (12.56,57). Jesus censura as multidões de hipócritas, que sabiam interpretar o aspecto da terra e do céu, mas não sabiam discernir a época em que estavam vivendo nem aquilo que era justo. Eles eram entendidos nas coisas da presente era, mas completamente ignorantes nas coisas do porvir. Sabiam interpretar as leis da meteorologia, mas não discerniam que o Messias de Deus, prometido desde a eternidade, apontado pela lei e pelos profetas, estava entre eles. Ryle diz que os judeus se recusaram a perceber que profecias estavam se cumprindo diante de seus olhos, profecias relacionadas à vinda do Messias, e que o próprio Messias estava entre eles. Os milagres de Cristo eram inumeráveis, inegáveis e notórios. No entanto, os olhos dos judeus continuaram cegos. Eles se recusaram obstinadamente a crer que Jesus era o Cristo. Por conseguinte, ouviram de Jesus a indagação: *Não sabeis discernir esta época...?* (12.56).[10]

---

[8] RIENECKER, Fritz. *Evangelho de Lucas*, p. 287.
[9] MORRIS, Leon L. *Lucas: introdução e comentário*, p. 208.
[10] RYLE, John Charles. *Meditações no Evangelho de Lucas*, p. 229.

A necessidade de **diligência** (12.58,59)

Jesus conclui Seu ensino contando uma parábola para mostrar a necessidade urgente e imperativa de se preparar para o encontro com o juiz de vivos e de mortos. Estamos a caminho da eternidade. Teremos de prestar contas da nossa vida. Nossas palavras, ações, omissões e pensamentos serão julgados naquele grande dia. Compareceremos perante o Tribunal de Deus. Somos devedores à lei de Deus. Pecamos contra a santidade de Deus. Não podemos comparecer a esse tribunal sem estarmos em paz com Deus. Precisamos ser reconciliados com Deus antes daquele grande dia. É consumada loucura deixar para a última hora esse ajuste de contas. Rienecker alerta: "A tempestade da ira de Deus está chegando, e o juiz está às portas".[11]

A única maneira de sermos reconciliados e termos paz com Deus é por meio de Cristo, o Messias de Deus. Ele tomou sobre Si o nosso pecado e imputou a nós Sua justiça. Ele é a nossa justiça e a nossa paz. Ele, e só Ele, pode nos tomar pela mão e nos levar a Deus. Por meio dEle, podemos chamar o juiz de Pai, nosso Pai.

Aqueles, porém, que não se prepararem enquanto estão a caminho serão entregues ao meirinho, ou seja, ao flagelador, e acabarão lançados na prisão, onde passarão a eternidade, sem jamais conseguir quitar sua dívida com o reto juiz.

---

[11] RIENECKER, Fritz. *Evangelho de Lucas*, p. 290.

42

Uma solene **convocação** ao arrependimento

Lucas 13.1-9

O CONTEXTO IMEDIATO MOSTRA QUE JESUS estava falando sobre o juízo vindouro a que todos serão submetidos (Lc 12.35-40) e sobre a necessidade imperativa de acertarmos nossa vida uns com os outros (Lc 12.57-59), quando algumas pessoas chegaram para Lhe informar de uma grande tragédia ocorrida em Jerusalém, quando Pilatos mandou matar galileus no pátio do templo, enquanto eles sacrificavam, e misturou o sangue desses galileus com o sangue de seus sacrifícios.

Essa chacina não é descrita na literatura secular, mas registrada aqui nas Escrituras. As motivações de Pilatos nos são desconhecidas. As motivações das pessoas que narraram esse fato a Jesus também nos são encobertas. Entretanto, podemos pressupor três motivações possíveis.

A primeira delas seria colocar Jesus contra Pilatos. Como Jesus era galileu, portanto, pertencente à jurisdição do tetrarca Herodes Antipas, o propósito desses informantes era que Jesus se posicionasse politicamente diante desse massacre. Assim, esses indivíduos pensavam que Jesus atrairia, de igual forma, a hostilidade de Pilatos. É até mesmo provável que esse triste incidente tenha provocado a ruptura do relacionamento de Herodes e Pilatos, fato que só foi revertido no julgamento de Jesus (Lc 23.12).

A segunda motivação seria alertar Jesus sobre as atrocidades cometidas por Pilatos contra os galileus. Assim, o objeto dessa informação seria proteger Jesus de Pilatos, em vez de empurrá-Lo para uma nova crise.

A terceira motivação seria especular sobre a morte dos galileus, como se mais pecadores eles fossem. Essa tendência era muito forte no imaginário do povo (Jo 9.1-12) e ainda hoje o é. Quando acontece uma tragédia e pessoas são esmagadas impiedosamente, não poucos se entregam à especulação, fazendo juízo temerário e julgando que essas pessoas que foram massacradas estariam pagando por seus terríveis pecados.

Diante dessas especulações, Jesus aproveita o ensejo não para se envolver com questões políticas, a fim de condenar Pilatos por sua crueldade, nem para defender os galileus brutalmente assassinados, mas para fazer um alerta aos Seus informantes, a fim de examinarem o seu próprio coração e pensarem a respeito de seu estado diante de Deus.[1] Fritz Rienecker diz que Jesus aproveita a notícia do vil assassinato para propor um ameaçador desafio aos impenitentes, que consideram tais episódios como sérias pregações de arrependimento.[2] Kenneth Bailey ressalta que a lição central aqui é arrepender-se ou perecer.[3]

Moisés Ribeiro diz, acertadamente, que os desastres alheios são avisos para nós. Lutero só decidiu tratar da vida espiritual quando viu um colega cair morto ao seu lado, fulminado por um raio. Pensou ele: "E se fosse eu, que conta iria dar a Deus de minha vida?" No versículo 23 deste mesmo capítulo de Lucas, temos alguém preocupado com os outros que pergunta a Jesus: *... são poucos os que se salvam?* Para melhor pensarmos nos outros, primeiro precisamos tratar da nossa própria garantia. Paulo diz a Timóteo: *Tem cuidado de ti mesmo.*[4]

Por isso, tiraremos do texto em análise, algumas lições.

---

[1] RYLE, John Charles. *Meditações no Evangelho de Lucas*, p. 231.
[2] RIENECKER, Fritz. *Evangelho de Lucas*, p. 289.
[3] BAILEY, Kenneth. *A poesia e o camponês*, p. 31.
[4] RIBEIRO, Moisés Pinto. *O que ensinei através dos Evangelhos*. São Paulo, SP: Cultura Cristã, 1988, p. 168.

Diante das tragédias da vida, tendemos a **falar mais da morte dos outros** do que da nossa própria condição diante de Deus (13.1,2,4)

É mais fácil especular sobre a vida dos outros do que enfrentar a nossa própria realidade. É mais cômodo pensar que a tragédia que desaba sobre a cabeça dos outros é um justo pagamento por seus erros do que enfrentar os nossos próprios pecados. É mais fácil julgar os outros do que julgar a nós mesmos. John Charles Ryle diz que fatos como um assassinato, uma morte repentina, um naufrágio ou um acidente de carro absorverão completamente os pensamentos de muitos e estarão nos lábios de todos com os quais nos encontramos. No entanto, essas mesmas pessoas detestam falar sobre a morte de si próprias e sobre suas esperanças referentes ao mundo do além-túmulo. Assim é a natureza humana em todas as épocas. No que se refere a assuntos espirituais, as pessoas estão mais dispostas a falar sobre a situação dos outros do que sobre a delas mesmas.[5]

Nessa mesma linha de pensamento, Fritz Rienecker registra:

> Jesus, que de forma alguma nega a correlação entre pecado e punição, contesta a ideia de que todo o sofrimento seja uma satisfação por delitos específicos. O Senhor recusa o absurdo de pensar que aqueles galileus, em virtude da desgraça que se abateu sobre eles, fossem pecadores maiores que outros galileus. Ao contrário da perspectiva da maioria, que volta o olhar para fora quando ouve notícias de tragédias públicas, Jesus estimula os ouvintes a voltar-se para dentro. Ele exorta com seriedade a considerar a desgraça de alguns como espelho para todos. Toda a Galileia, por ser impenitente, encontrava-se a caminho do juízo.[6]

Duas situações são aqui colocadas.

Em primeiro lugar, *as vítimas de um massacre* (Lc 13.1,2). Não sabemos se os galileus eram revoltosos e sediciosos, uma vez que os galileus eram conhecidos por seu patriotismo feroz e inclinações sediciosas

---

[5] RYLE, John Charles. *Meditações no Evangelho de Lucas*, p. 231.
[6] RIENECKER, Fritz. *Evangelho de Lucas*, p. 290.

(At 5.37) ou se eram adoradores que se tornaram mártires. O certo é que eles foram massacrados impiedosamente. Foram assassinados enquanto sacrificavam no templo de Jerusalém, e o sangue deles foi misturado com o sangue de seus sacrifícios. Pilatos matou-os, e matou-os com requinte de crueldade e sacrilégio. Não apenas eles foram mortos violentamente, mas sua religião foi profanada frontalmente. A grande pergunta é: essas pessoas assassinadas eram mais pecadoras do que os demais galileus ou habitantes de Jerusalém? O fato de serem vítimas de tamanha crueldade as colocava numa lista de pecadores mais culpados? Aqueles que morrem em massacres são mais pecadores do que aqueles que são poupados dos massacres? Anthony Lee Ash diz corretamente que, sabendo que algumas pessoas interpretavam tais tragédias como justiça retributiva, Jesus afirmou que não havia pecado maior por parte daqueles que tinham passado pelo sofrimento.[7]

Em segundo lugar, **as vítimas de catástrofes naturais** (Lc 13.4). À informação do massacre promovido por Pilatos, Jesus acrescenta o terrível acidente do desabamento da torre de Siloé, quando dezoito pessoas morreram sob os escombros e ruínas daquele desmoronamento. Seriam essas pessoas mais pecadoras aos olhos de Deus? Seriam mais culpadas do que aquelas que escaparam desse acidente?

A resposta que Jesus dá à informação recebida sugere que a motivação das pessoas era suscitar esse assunto. Ainda hoje, diante de guerras sangrentas, terremotos e maremotos que vitimam milhares, e de atos terroristas que ceifam tantas pessoas, o questionamento é ainda feito. Por que alguns morrem e outros escapam? Será que aqueles que perecem são mais pecadores e mais culpados? A resposta de Jesus é categórica: *Não eram, eu vo-lo afirmo; se, porém, não vos arrependerdes, todos igualmente perecereis* (Lc 13.3,5). Matthew Henry é enfático em dizer que o Senhor advertiu seus ouvintes a não fazerem um mau uso destes eventos e similares, e a não aproveitarem oportunidades como estas para censurarem grandes sofredores, como se eles fossem, portanto, considerados grandes pecadores.[8]

---

[7] Ash, Anthony Lee. *O Evangelho segundo Lucas*, p. 221.
[8] Henry, Matthew. *Comentário bíblico Novo Testamento Mateus a João*, p. 632.

Moisés Ribeiro alerta para essa tendência de pensar que a maneira como uma pessoa morre indica as suas boas ou más relações com Deus. Jesus deixa claro que esses galileus sacrificados e os que morreram na torre não sofreram morte trágica por serem maiores pecadores e mais culpados do que os outros. O próprio Jesus, que não cometeu pecado, suportou uma morte atroz.[9]

Concordo com John Charles Ryle quando ele diz que o cristianismo autêntico começa em nosso próprio coração. A pessoa convertida sempre pensará primeiramente a respeito de sua própria vida, coração, pecados e castigo. Ao ouvir acerca de uma morte súbita, dirá a si mesmo: "Eu estaria preparado, se tivesse acontecido a mim?" Diante de um crime terrível ou de um assassinato de um ímpio, perguntará a si mesmo: "Meus pecados estão perdoados? Arrependi-me de todas as minhas transgressões?" Ao ouvir falar de um homem mundano que vive em excesso de pecado, refletirá consigo mesmo: "Quem me tornou diferente? O que me impediu de estar naquela mesma situação, se não a livre graça de Deus?"[10]

Todos nós **somos pecadores culpados**, independentemente do que nos acontece na vida ou na morte (13.2,4)

O mundo não está dividido entre maiores pecadores e menores pecadores, entre mais culpados e menos culpados. O mundo está povoado por pecadores culpados. Não importa como se vive ou se morre, todos são pecadores e culpados aos olhos de Deus. Não existem uns melhores ou mais merecedores do que outros.

Não podemos julgar uma pessoa pela maneira como ela morre. Aqueles que vivem folgadamente e morrem de forma natural não são menos pecadores do que aqueles que vivem de forma atribulada e morrem de forma trágica.

Não podemos carimbar as pessoas com esses rótulos. Jesus aproveita o momento para tirar nossos olhos da especulação acerca da vida dos outros e concentrar nossa atenção em nós mesmos. Em vez de

---

[9] RIBEIRO, Moisés Pinto. *O que ensinei através dos Evangelhos*, p. 169.
[10] RYLE, John Charles. *Meditações no Evangelho de Lucas*, p. 231,232.

especular sobre a culpa dos outros, devemos olhar para dentro de nós mesmos e enfrentar os nossos próprios pecados. A Bíblia diz que todos pecaram e destituídos estão da glória de Deus (Rm 3.23). Não há justo nenhum sequer (Rm 3.10). Fomos concebidos em pecado (Sl 51.5). Pecamos por palavras, obras, omissão e pensamentos. Todos precisamos passar pelo arrependimento.

John Charles Ryle diz que a natureza do verdadeiro arrependimento está claramente delineada nas Escrituras. Começa com o reconhecimento do pecado; prossegue criando tristeza pelo pecado; leva-nos à confissão do pecado diante de Deus; manifesta-se diante dos homens através de um completo rompimento com o pecado. Resulta em produzir o hábito de profundo ódio ao pecado.[11]

O **arrependimento** é o único escape da maior tragédia da vida (13.3,5)

Em vez de Jesus fazer um discurso contra Pilatos ou uma defesa das vítimas do seu massacre, em vez de dar asas às especulações dos possíveis pecados horrendos das vítimas do massacre de Pilatos ou do desmoronamento da torre, Jesus voltou sua atenção para os pecados daqueles que lhe trouxeram as informações, mostrando que, se eles não se arrependessem, pereceriam igualmente.

O pecado é pior do que um massacre e pior do que um desabamento. O massacre ou o colapso de uma torre pode produzir morte física, mas o pecado causa a morte eterna. Sem arrependimento, mesmo vivendo, os homens estão mortos e, sem arrependimento, se morrerem na impiedade, perecerão eternamente. Oh, o pecado é a maior tragédia, e a falta de arrependimento, a causa da maior desventura!

Já nos arrependemos? Já viramos as costas para o pecado e voltamos o rosto para Deus? Já rompemos com a prática do pecado? Já sentimos tristeza por causa dele? Já paramos de julgar os outros, para julgar a nós mesmos? A Palavra de Jesus ecoa em nossos ouvidos? Enquanto vivermos nesse corpo, precisaremos nos arrepender e levar nosso arrependimento até à porta do céu!

---

[11] RYLE, John Charles. *Meditações no Evangelho de Lucas*, p. 232.

Aqueles a quem Deus outorga **privilégios espirituais**, deles Deus espera **frutos** (13.6,7)

O texto em apreço nos apresenta cinco verdades claras: as vantagens que a figueira possuía, a expectativa do dono em relação a ela, o desapontamento da sua expectativa, a sentença que lhe foi dada e a intercessão do viticultor.[12]

William Barclay diz que não era raro ver na Palestina figueiras e macieiras no meio das vinhas. A terra era tão pouca e pobre que se plantavam árvores em qualquer lugar que elas pudessem crescer.[13] A figueira aqui está em destaque, no meio da vinha, recebendo cuidados especiais.

Da mesma forma que Israel era a videira de Deus, plantada por Deus, cuidada por Deus, assim nós somos a figueira de Deus, plantada e cultivada por Ele. Ocupamos uma posição especialmente favorecida. Deus separou Israel dentre as nações. Protegeu, abençoou e deu Sua lei, Suas promessas, Seus milagres e Seus profetas. De igual modo, a nós, Ele nos deu Sua Palavra, o evangelho, o Seu Espírito, a Sua presença, o Seu poder. Ele espera de nós frutos espirituais. Ele não se contenta com folhas. Ele quer frutos.

William Barclay tem razão ao dizer: "A inutilidade é um convite ao desastre".[14] Por que eu vivo? Por que estou aqui? Qual é o propósito da minha vida? A figueira improdutiva por três anos consecutivos evidenciou sua esterilidade. Tornou-se inútil e ainda exauriu o solo nobre da vinha. Esse juízo foi sobre Israel e hoje é sobre as igrejas que, plantadas para frutificar, permanecem estéreis.

Barclay novamente é oportuno ao registrar: "Nada que só extrai pode sobreviver".[15] A figueira estava tirando força e substâncias do solo e em troca não estava produzindo nada. A ordem foi categórica: pode cortá-la! Há um juízo imposto sobre aqueles que são improdutivos. O machado do juízo já está ordenado àqueles que deveriam produzir frutos e não o fazem.

---

[12]HENRY, Matthew. *Comentário bíblico Novo Testamento Mateus a João*, p. 633,634.
[13]BARCLAY, William. *Lucas*, p. 170,171.
[14]BARCLAY, William. *Lucas*, p. 171.
[15]BARCLAY, William. *Lucas*, p. 171.

Oh, quão perigoso é o estado daqueles que estão na igreja, ouvem a Palavra, recebem os sacramentos, desfrutam da comunhão dos santos e mesmo assim não têm o fruto do Espírito! Muitos já foram cortados. Outros ainda o serão. A sentença ainda ecoará: "Podes cortá-la".

Nós só **não perecemos** ainda por causa da **misericórdia** de Deus e da **intercessão** de Cristo (13.8,9)

Vemos aqui o evangelho da segunda oportunidade. Uma figueira demora normalmente três anos para alcançar a maturidade. Se não dá fruto nesse período, é muito provável que nunca mais produza frutos. Mas a esta figueira se lhe dá uma segunda oportunidade.[16] Entram em cena a benignidade de Deus e a mediação de Cristo.[17] Por causa da intercessão de Cristo, Deus nos trata com misericórdia e não nos julga consoante os nossos pecados. Ele nos dá mais uma chance. Oferece-nos mais uma oportunidade. Pedro e João Marcos poderiam testemunhar como Deus lhes concedeu uma segunda chance!

O Senhor Jesus tem escavado ao nosso redor e colocado adubo. Ele morreu por nós. Ressuscitou para nossa justificação. Enviou Seu Espírito. Intercede por nós. Domingo após domingo Ele nos alerta pela Sua Palavra. Ele tem investido em nossa vida espiritual. É tempo de frutificarmos para Deus e demonstrarmos, pela nossa vida de santidade, o nosso sincero arrependimento.

Não temos o direito de **abusar da paciência de Deus** (13.9)

Vemos aqui que existe uma oportunidade final.[18] Onde falta arrependimento, o juízo é inevitável. Depois do investimento, se a figueira ainda não der frutos, o machado do juízo decepará seu tronco e arrancará suas raízes. Sua morte será inevitável; sua condenação, inexorável. Sua ruína será total. Qual é a nossa condição? Deus está vendo em nós frutos?

---

[16]BARCLAY, William. *Lucas*, p. 172.
[17]RYLE, John Charles. *Meditações no Evangelho de Lucas*, p. 235.
[18]BARCLAY, William. *Lucas*, p. 172.

43

A cura de uma mulher encurvada

Lucas 13.10-17

NÃO HÁ NENHUMA CONEXÃO GEOGRÁFICA ou cronológica deste episódio com o que aconteceu anteriormente. Esta é a última vez que Lucas registra Jesus numa sinagoga. E mais uma vez Jesus realiza uma cura no sábado. Novamente Ele trava um embate com o sistema farisaico hipócrita e denuncia a falsa interpretação que os fariseus faziam da observância do sábado.

Jesus está ensinando na sinagoga quando entra uma mulher gibosa, encurvada, com a coluna torta, a cabeça presa aos pés, que passara dezoito anos olhando para o chão, atormentada por um espírito de enfermidade. Charles H. Spurgeon diz: "Creio que a enfermidade dessa mulher não era apenas física, mas também espiritual".[1]

O texto mostra que essa mulher estava possessa de um espírito de enfermidade (13.11). Não há consenso se esse era um caso de possessão demoníaca ou se era uma doença colocada na mulher por satanás, ou mesmo se satanás estava atormentando essa mulher por causa de sua enfermidade. David Neale vê nessa enfermidade uma indicação de possessão demoníaca, e não de uma enfermidade crônica.[2] Hendriksen

---
[1] SPURGEON, Charles H. *Milagres e parábolas do nosso Senhor*, p. 59.
[2] NEALE, David A. *Novo comentário bíblico Beacon Lucas 9-24*, p. 140.

diz que, se ela não estava possessa, a expressão "tendo um espírito de enfermidade" parece favorecer a sugestão de que ela realmente estava pelo menos sob a influência demoníaca.[3] Já Rienecker é da opinião que a forma da enfermidade é descrita com tantos detalhes que a possessão deixa de ser provável. Ao chamá-la de *filha de Abraão* (13.16), Jesus descarta a possibilidade de possessão demoníaca.[4] Nessa mesma linha de pensamento, John Charles Ryle diz que isso deve nos levar à conclusão de que essa mulher era uma verdadeira crente.[5] Rienecker prossegue dizendo que a enfermidade é atribuída a um espírito de debilidade (*asthenaias*). Como todo o sofrimento e todas as doenças estão, em última instância, relacionadas com o pecado, com a queda no pecado (At 10.38; 2Co 12.7), Lucas também comunica aqui que satanás subjugou esta mulher por meio desse espírito causador de fraqueza. Esse fato é um estímulo ainda maior para que Jesus aja e cure. Afinal, Ele veio para destruir as obras do diabo (1Jo 3.8).[6]

O fato é que Jesus a chama, livra-a de sua enfermidade (13.12) e impõe as mãos sobre ela (13.13), prática que o Mestre jamais adotou com um endemoninhado. A mulher imediatamente se endireitou e passou a dar glória a Deus (13.13). Esse milagre estupendo, esse livramento misericordioso e esse visível sinal da chegada do reino, em vez de produzirem lágrimas de gratidão no dirigente da sinagoga, provocaram indignação (13.14). Jesus, então, confronta o líder e seus seguidores, ensinando mais uma vez o verdadeiro significado do sábado (13.15,16). O resultado final foi o vexame dos adversários de Jesus e a alegria do povo (13.17).

Vamos considerar quatro verdades presentes no texto.

Um **milagre** majestoso (13.10-13)

Jesus tinha o hábito de ir à sinagoga (4.16). Era seu deleite estar na casa de Deus. A mulher encurvada, a despeito de seu atroz sofrimento,

---

[3]HENDRIKSEN, William. *Lucas*. Vol. 2, p. 229.
[4]RIENECKER, Fritz. *Evangelho de Lucas*, p. 293.
[5]RYLE, John Charles. *Meditações no Evangelho de Lucas*, p. 236.
[6]RIENECKER, Fritz. *Evangelho de Lucas*, p. 293.

também não deixou de frequentar a sinagoga. A enfermidade não era desculpa para impedi-la de ir à casa de Deus. Apesar de seu sofrimento e enfermidade, ela se dirige onde o dia e a Palavra de Deus eram honrados e onde o povo de Deus se reunia.[7] Quantas pessoas, entrementes, se encontram em pleno gozo de saúde física e negligenciam esse privilégio bendito! John Charles Ryle é enfático quando escreve:

> Aquele que não encontra satisfação em conceder a Deus um dia na semana está despreparado para o céu. O próprio céu não é outra coisa senão um eterno dia do Senhor. Se não pudermos passar algumas horas na adoração a Deus, uma vez por semana, é evidente que não poderemos passar uma eternidade em sua adoração no mundo por vir.[8]

Ao entrar naquele lugar de oração e estudo da Palavra, Jesus viu a mulher enferma. Viu como satanás a manteve presa dezoito anos. Viu como ela andava cabisbaixa, com os olhos no chão, sem poder contemplar as estrelas. Viu como ela vivia sob o peso esmagador da enfermidade, sem perspectiva de alívio e cura. Morris diz que essa doença era conhecida como *Espondilite deformans*; os ossos de sua coluna foram fundidos numa massa rígida.[9] Sua enfermidade lhe trazia dor atroz e vexame público.

O próprio Jesus tomou a iniciativa. Jesus fala à enferma e impõe as mãos sobre ela. Usa a voz e o toque. Dirige-se a dois de seus sentidos: a audição e o tato. A cura é imediata e completa. A mulher imediatamente se endireitou. A prisão de satanás foi destruída. As algemas foram despedaçadas. Ela saiu da masmorra da doença torturante. A mulher ficou livre tanto de sua aflição física como também de satanás. Essa filha de Abraão voltou a viver.

Como gratidão pela sua cura, a mulher dava glória a Deus. "satanás que estava naquela sinagoga, disfarçado na doença dessa mulher, ou atormentando essa mulher, foi desmascarado e derrotado."[10] É

---

[7] RYLE, John Charles. *Meditações no Evangelho de Lucas*, p. 237.
[8] RYLE, John Charles. *Meditações no Evangelho de Lucas*, p. 237.
[9] MORRIS, Leon L. *Lucas: introdução e comentário*, p. 210.
[10] WIERSBE, Warren W. *Comentário bíblico expositivo*. Vol. 5, p. 292.

oportuno deixar claro, entretanto, que nem toda doença tem procedência maligna ou mesmo é resultado de um pecado específico.

Uma **crítica** impiedosa (13.14)

O chefe da sinagoga, longe de alegrar-se com a libertação e cura dessa filha de Abraão, encheu-se de ira. Estava mais interessado nos preceitos de sua religião legalista do que na libertação dos cativos e na cura dos enfermos. Amava mais o sistema religioso do que as pessoas que vinham para a adoração. Barclay diz que "o chefe da sinagoga estava mais interessado nos métodos de governo de sua sinagoga do que no culto a Deus e no serviço ao próximo".[11] Para esse chefe da sinagoga, as pessoas representavam apenas uma estatística. Outrossim, ele estava mais interessado em atacar Jesus do que em se alegrar com seus portentosos milagres.

O chefe da sinagoga, por medo, covardia e hipocrisia, não endereça sua indignação diretamente a Jesus, mas aos que estavam presentes na sinagoga, querendo, com isso, atingir Jesus: ... *disse à multidão: Seis dias há em que se deve trabalhar; vinde, pois, nesses dias para serdes curados e não no sábado* (13.14). Warren Wiersbe argumenta que o cativeiro no qual o chefe da sinagoga vivia era pior do que a escravidão da mulher. Sua servidão afetava não apenas o corpo, mas também a mente e o coração. Ele estava tão preso e cego pelas tradições que acabou opondo-se ao Filho de Deus.[12]

Uma **resposta** corajosa (13.15,16)

Jesus volta-se para o chefe da sinagoga, mas endereça sua fala aos demais presentes que mantinham a mesma visão legalista e farisaica quanto ao sábado, chamando-os de hipócritas. Depois disso, mostra a improcedência de seu argumento, pois os mesmos indivíduos que estavam indignados por Jesus ter curado essa mulher no sábado estavam

---

[11] BARCLAY, William. *Lucas*, p. 173.
[12] WIERSBE, Warren W. *Comentário bíblico expositivo*. Vol. 5, p. 293.

prontos a desprender da manjedoura o boi ou o jumento para dar-lhes de beber (13.15). Ora, essa filha de Abraão não valia mais do que bois e jumentos? Por que ela não deveria, então, ser imediatamente curada de seu mal? Warren Wiersbe está certo ao escrever: "satanás condena as pessoas à escravidão, mas a verdadeira liberdade vem somente por meio de Cristo".[13]

Um **resultado** glorioso (13.17)

O argumento de Jesus foi irresistível, e sua repreensão produziu dois efeitos eficazes. O primeiro deles foi na vida de seus adversários. Eles cobriram a fronte de vergonha e calaram a sua voz. O segundo efeito foi no povo presente na sinagoga. Eles continuavam regozijando-se, e isso não só por causa desse assombroso milagre, mas também por todas as obras gloriosas que o Salvador estava realizando.[14]

---

[13]WIERSBE, Warren W. *Comentário bíblico expositivo*. Vol. 5, p. 293.
[14]HENDRIKSEN, William. *Lucas*. Vol. 2, p. 232.

44

O avanço **vitorioso** do reino de Deus

Lucas 13.18-35

A CURA E A LIBERTAÇÃO DA MULHER ENCURVADA eram uma evidência da chegada do reino de Deus com grande demonstração de poder. Agora, Jesus passa a falar sobre o crescimento do reino, tanto no aspecto externo como no aspecto interno, tanto no seu avanço geográfico como na sua influência moral. Quatro verdades são aqui destacadas.

O **crescimento** externo e visível do **reino de Deus** (13.18,19)

Esta parábola aponta para o progresso do reino de Deus no mundo. Duas verdades nos chamam a atenção.

Em primeiro lugar, *o reino de Deus começou de forma humilde e despretensiosa* (13.18,19). A igreja, agente do reino, começou pequena e fraca em seu berço. A semente da mostarda é um símbolo proverbial daquilo que é pequeno e insignificante. Era a menor semente das hortaliças (Mc 4.31). Foi usada para representar uma fé pequena e fraca (17.6). O reino chegou com um bebê deitado numa manjedoura. Jesus nasceu em uma família pobre, numa cidade pobre, e cresceu como filho de um carpinteiro pobre. Ele não tinha onde reclinar a cabeça. Seus apóstolos eram homens iletrados. O Messias foi entregue nas mãos dos homens, preso, torturado e crucificado entre dois criminosos.

Seus próprios discípulos O abandonaram. A mensagem da cruz era escândalo para os judeus e loucura para os gentios. Em todas as coisas do reino, o mundo vê as marcas da fraqueza. Aos olhos do mundo, o começo da igreja reveste-se de consumada fraqueza.

Em segundo lugar, **grandes resultados desenvolvem-se a partir de pequenos começos** (13.19). Grandes rios surgem em pequenas nascentes de água; o carvalho forte e alto cresce a partir de uma pequena noz. A parábola do grão de mostarda é a história dos contrastes entre um começo insignificante e um desfecho surpreendente, entre o oculto hoje e o revelado amanhã. O reino de Deus é como tal semente: seu tamanho atual e sua aparente insignificância não são, de modo algum, indicadores de sua consumação, a qual abrangerá todo o universo.

A igreja cresceu a partir do Pentecoste de forma exponencial. Aos milhares os corações iam se rendendo à mensagem do evangelho. Os corações duros eram quebrados. Doutores e analfabetos capitulavam diante do poder da Palavra de Deus. A igreja expandiu-se por toda a Ásia, África e Europa. O Império Romano, com sua força, não pôde deter o crescimento da igreja. As fogueiras não puderam destruir o entusiasmo dos cristãos. As prisões não intimidaram os discípulos de Cristo que, por todas as partes, preferiam morrer a blasfemar. Os cristãos preferiam o martírio à apostasia.

A igreja continua ainda crescendo em todo o mundo. De todos os continentes, aqueles que confessam o Senhor Jesus vão se juntando a essa grande família, a esse imenso rebanho, a essa incontável hoste de santos. Nas palavras do profeta Daniel, o reino de Deus é como uma pedra que quebra todos os outros reinos e enche toda a terra como as águas cobrem o mar (Hc 2.14).

As aves que se aninham nos seus ramos frequentemente são um símbolo das nações da terra (Ez 17.23; 31.6; Dn 4.12).[1] E, de fato, quarenta anos depois da morte e ressurreição de Cristo, o evangelho tinha chegado a todos os grandes centros do mundo romano. Desde aquele tempo, ele continua se expandindo e ganhando pessoas de todas as raças e nações.[2]

---

[1] MORRIS, Leon L. *Lucas: introdução e comentário*, p. 213,214.
[2] HENDRIKSEN, William. *Lucas*. Vol. 2, p. 234.

A **influência** interior e invisível do **reino de Deus** (13.20,21)

Se a parábola da semente da mostarda fala sobre a expansão externa do reino, a parábola do fermento fala sobre sua influência invasiva, secreta e interna. O fermento aqui não é usado no sentido negativo como em outros textos (Êx 12.14-20; 1Co 5.7), mas é usado para referir-se à sua influência rápida, silenciosa e eficaz. Uma vez que a obra da graça se iniciou em um coração, ela jamais permanecerá quieta. Pouco a pouco, influenciará a consciência, as afeições, a mente e a vontade, até que todas as pessoas sejam afetadas pelo seu poder e ocorra uma completa transformação.[3]

Foi pela influência do evangelho que as grandes causas sociais foram promovidas: a libertação da escravidão, a valorização das crianças e das mulheres, o amparo aos idosos, o alívio à pobreza, a valorização do conhecimento, das ciências e das belas artes, a promoção do crescimento econômico e social da sociedade. O evangelho não aliena os seres humanos. Ao contrário, transforma-os e faz deles agentes de transformação.

William Barclay diz que essas duas parábolas encerram quatro lições: 1) o reino de Deus começa de forma pequena, como a menor das sementes; 2) o reino de Deus trabalha sem ser visto, de forma silenciosa, como o fermento age na massa; 3) o reino de Deus trabalha de dentro para fora, pois a massa não pode crescer a não ser que o fermento nela opere esse crescimento; 4) o reino de Deus provém de fora. A massa não tem poder de mudar a si mesma, tampouco o temos nós.[4]

A **porta estreita** do reino de Deus (13.22-30)

A caminho de Jerusalém, onde consumaria Sua obra, Jesus continuava Seu ministério de pregação itinerante, passando por cidades e aldeias (13.22). Alguns fatos nos chamam a atenção na passagem em apreço.

---

[3]RYLE, John Charles. *Meditações no Evangelho de Lucas*, p. 241.
[4]BARCLAY, William. *Lucas*, p. 175,176.

Em primeiro lugar, *uma especulação apresentada* (13.23). Enquanto Jesus percorria as cidades da Galileia e Pereia, um homem Lhe pergunta: "Senhor, são poucos os que são salvos?" Alguns estudiosos pensam que essa foi uma pergunta honesta. Outros acreditam que estava implícita na pergunta a ideia de que os judeus já estavam salvos e de que não havia esperança de salvação para os gentios.[5] Ainda outros pensam que o homem pressupõe na pergunta que todas as pessoas que não seguissem à risca os preceitos do legalismo judaico estavam excluídas automaticamente da salvação. A especulação ainda hoje ocupa grande interesse na agenda das pessoas.

Em segundo lugar, *um esforço a ser travado* (13.24). Em vez de Jesus tratar do assunto de forma teórica, dando guarida à especulação do homem e alimentando sua curiosidade, voltou as baterias para ele, dizendo que, em vez de ficar especulando sobre o número dos salvos, ele deveria se esforçar para ser salvo. A palavra grega para "esforçar" deu origem ao verbo "agonizar". É um esforço que demanda toda a nossa energia. Isso, porém, não significa que a salvação seja, afinal de contas, um produto do esforço humano, e não da graça. Ela é totalmente de graça, a graça que capacita.[6] A pergunta pertinente, portanto, não é "Quantos serão salvos?", mas "Eu já estou salvo?"[7]

Em terceiro lugar, *uma oportunidade a ser aproveitada* (13.25). A porta do reino é estreita, mas é bastante ampla para admitir o principal dos pecadores. A porta do reino é estreita, mas não estará aberta para sempre. O tempo de entrar no reino é agora. Postergar essa decisão é cometer a maior de todas as loucuras. Amanhã pode ser tarde demais.

Em quarto lugar, *uma justificativa infundada* (13.26). A proximidade geográfica e física com Jesus e Sua igreja no passado não é garantia de segurança no futuro. Aqueles que estiveram na igreja, ouviram o evangelho e tiveram comunhão com os salvos poderão se perder eternamente se não entrarem pela porta estreita enquanto é tempo.

---

[5] NEALE, David A. *Novo comentário bíblico Beacon Lucas 9-24*, p. 144.
[6] HENDRIKSEN, William. *Lucas*. Vol. 2, p. 238.
[7] WIERSBE, Warren W. *Comentário bíblico expositivo*. Vol. 5, p. 294.

Em quinto lugar, *uma rejeição proclamada* (13.27,28). Aqueles que, à semelhança das virgens imprudentes, não se prepararam, antes viveram na prática da iniquidade, não entrarão na casa do Senhor (13.25). Ficarão de fora das bodas (Mt 25.11,12), onde haverá choro e ranger de dentes. Ao mesmo tempo, essas pessoas que ficarão de fora do reino de glória, verão os salvos desfrutando da bem-aventurança eterna. Fica claro que, quando o dono da casa fechar a porta, acabará o prazo da graça para o indivíduo.[8] Então, o trono da graça será removido e, em seu lugar, será estabelecido o trono do juízo.[9]

Em sexto lugar, *uma ordem invertida* (13.29,30). Jesus fala sobre aqueles que virão do oriente e do ocidente, do norte e do sul e tomarão lugares à mesa no reino de Deus. Esses são os gentios que vêm de todas as raças, tribos, línguas e nações (Ap 5.9). Sendo eles os últimos, virão a ser primeiros, e os judeus com todos os privilégios que desfrutaram, por terem rejeitado o seu Messias, virão a ser os últimos. A pirâmide está de ponta-cabeça. A ordem está invertida. Jesus está golpeando de morte a presunção dos judeus, especialmente a presunção dos escribas e fariseus!

A **coragem** e a **compaixão** do profeta do reino (13.31-35)

O evangelista Lucas diz que naquela mesma hora, alguns fariseus vieram dizer a Jesus para sair da jurisdição do governo de Herodes, porque este queria matá-Lo. Esse episódio enseja-nos quatro lições.

Em primeiro lugar, *uma aliança espúria contra Jesus* (13.31,32). Herodes Antipas era um homem astuto, perverso e imoral (3.19). David Neale diz que Herodes era uma figura patética e sem poder, que pensava que podia subverter o propósito divino da marcha de Jesus para Jerusalém.[10]

Certamente, os fariseus não tinham nenhum apreço por Herodes. Entretanto, com o propósito de se oporem a Jesus, os fariseus se uniram a ele e seus seguidores (Mc 3.6). O desejo de Herodes de que Jesus saísse

---

[8] Rienecker, Fritz. *Evangelho de Lucas*, p. 298.
[9] Ryle, John Charles. *Meditações no Evangelho de Lucas*, p. 243.
[10] Neale, David A. *Novo comentário bíblico Beacon Lucas 9–24*, p. 147.

de seu território e acelerasse a viagem para Jerusalém também correspondia ao interesse dos fariseus. Eles pensavam que em Jerusalém, com a atuação do Sinédrio, seria mais fácil colocar um fim em sua atuação.[11] Por isso, Jesus os manda de volta a Herodes, com o seguinte recado: *Ide e dizei a essa raposa*. Jesus chama Herodes de "raposa", alguém ardiloso, mas sem dignidade. Chamar Herodes de "essa raposa" era a mesma coisa que dizer que ele não é um grande homem nem um homem direito, sem majestade e sem honra.[12] A expressão, portanto, é de completo desprezo.

Herodes é a única pessoa da qual há registro a quem Jesus tratou com desprezo. Mais tarde, quando Jesus enfrenta seu julgamento, é levado à presença de Herodes. Este queria ver Jesus operando algum milagre, mas Jesus fica em total silêncio e não lhe dirige sequer uma palavra (23.8,9). É desesperadora a situação do homem a quem Jesus não tem sequer uma palavra para dizer. Jesus deixa claro que nem Herodes nem os fariseus mudariam sua agenda. Ele não estava fazendo Sua obra na dependência dos poderosos deste mundo, mas cumprindo uma agenda eterna do Pai do céu.

Em segundo lugar, ***uma agenda imutável de Jesus*** (13.33). Jesus não arredou o pé de Sua jornada itinerante. Ao contrário, disse: *Importa caminhar hoje, amanhã e depois...* Nenhuma força na terra tem poder para deter ou frustrar os planos de Deus. Jesus deixa claro que sua morte não se daria na Galileia de Herodes, mas em Jerusalém. A capital era o coração da nação. Era ali que Seu destino seria decidido. Era ali que a atitude da nação para com Jesus tomaria seu formato final, e que Sua morte ocorreria, realizando o propósito de Deus.[13] Sua morte não seria o triunfo dos maus, mas Sua entrega voluntária para a redenção dos pecadores.

Em terceiro lugar, ***um lamento profundo de Jesus*** (13.34). David Neale diz que o lamento por Jerusalém é a coroação da narrativa sobre a grande exclusão.[14] Esse transbordamento de dor é endereçado a

---

[11] RIENECKER, Fritz. *Evangelho de Lucas*, p. 301.
[12] MORRIS, Leon L. *Lucas: introdução e comentário*, p. 214.
[13] MORRIS, Leon L. *Lucas: introdução e comentário*, p. 215.
[14] NEALE, David A. *Novo comentário bíblico Beacon Lucas 9-24*, p. 147.

Jerusalém, o símbolo do espírito da nação inteira. A Jerusalém que eles chamavam de santa, Jesus chama de assassina de profetas. A Jerusalém que eles exaltavam, Jesus diz que apedrejava os que a ela foram enviados. A Jerusalém que Jesus quis, tantas vezes, acolher sob Suas asas, como uma galinha ajunta os seus pintinhos, essa O expulsou para fora de seus muros e o crucificou no topo do Calvário.

Há ternura na linguagem figurada da galinha e seus pintinhos. Jesus suportaria o fragor da tempestade na cruz para lhes oferecer uma proteção eterna. Entretanto, eles não quiserem. A responsabilidade dos judeus pela sua sorte é atribuída diretamente a eles mesmos com a expressão final "mas vós não O quisestes".[15]

Em quarto lugar, *uma profecia dramática de Jesus* (13.35). A rejeição do reino da graça implica a exclusão do reino da glória. Os judeus, tão arrogantes e soberbos ao rejeitarem a Cristo, o Messias, veriam sua casa ficar deserta. Eles, que rejeitaram o convite da graça encarnado na pessoa de Jesus em Sua primeira vinda, só voltariam a vê-Lo no julgamento final, em Sua gloriosa vinda, quando então seria tarde demais!

Morris tem razão ao dizer que, quando uma nação ou uma pessoa persiste em rejeitar a Cristo, o fim é inevitável. Sua casa ficará deserta. Deus já não habita mais ali: esta é a desgraça final.[16]

---

[15]MORRIS, Leon L. *Lucas: introdução e comentário*, p. 215.
[16]MORRIS, Leon L. *Lucas: introdução e comentário*, p. 215.

45

Lições de Jesus na casa de um fariseu

Lucas 14.1-35

O CAPÍTULO 14 DE LUCAS REGISTRA JESUS NA CASA de um dos principais fariseus para comer pão. A casa desse líder tornou-se o palco de um grande milagre e de profundos ensinamentos sobre a salvação e o preço do discipulado.

A demonstração da **graça**, uma **cura no sábado** (14.1-6)

A cura do homem hidrópico deixa transparecer que o convite para esse jantar pode ter sido um cenário armado para acusar Jesus da quebra do dia do sábado.[1] Destacamos aqui seis fatos.

Em primeiro lugar, ***um convite*** (14.1a). Embora o texto não deixe claro o convite a Jesus para comer na casa de um dos principais fariseus, isso está implícito, pois Jesus jamais entrou numa casa sem ser convidado. Embora Jesus tenha ao longo deste evangelho confrontado a espiritualidade adoecida dos fariseus, amava-os e não perdia uma oportunidade para ministrar-lhes ao coração.

Em segundo lugar, ***uma observação*** (14.1b). Os demais convidados, à mesa, não estavam interessados na refeição, mas em observar Jesus

---

[1] WIERSBE, Warren W. *Comentário bíblico expositivo*. Vol. 5, p. 297.

com intenção maliciosa. Até parece que esse encontro fora planejado astuciosamente por esse fariseu e os intérpretes da lei, a fim de encontrar algum motivo nas palavras ou na conduta de Jesus para incriminá-lo.[2] O convite para a refeição no sábado era uma tentativa velada para apanhar Jesus em alguma transgressão.[3] É claro que os questionadores de Jesus aderem a uma estrita interpretação da observância do sábado. Nas outras quatro curas no sábado, bem como nesta, Jesus argumenta que a compaixão é maior do que outras questões de escrúpulo religioso. Aqueles que resistem à compaixão estão do lado errado do debate, e até do lado errado de Deus.[4]

Em terceiro lugar, *um enfermo* (14.2). Não sabemos se esse homem hidrópico, com barriga d'água, estava diante de Jesus fortuitamente ou se havia sido "plantado" ali pelos escribas e fariseus, como uma armadilha, para acusar Jesus. Ele já havia feito outras curas em dia de sábado e, sempre que isso ocorria, uma tempestade de discussões se formava no horizonte, agravando ainda mais a já conflituosa relação com o rabi da Galileia.

A palavra "hidropisia" só aparece aqui no Novo Testamento. É uma doença na qual alguém tem acúmulo de água internamente e as juntas incham-se devido aos fluídos.[5] Esse acúmulo anormal de líquido não é só por si mesmo algo grave, mas, além disso, é um sinal de uma enfermidade dos rins, do fígado, do sangue e/ou do coração.[6] Larry Richards complementa dizendo que era uma doença causada pelo acúmulo anormal de líquido seroso em tecidos ou em cavidades do corpo.[7]

Em quarto lugar, *uma pergunta* (14.3). Jesus, conhecendo as intenções maliciosas dos líderes religiosos postados à mesa, armados até os dentes para acusá-Lo no caso de alguma cura ao enfermo ali postado, antecipa o problema e sai da posição de acuado para o ataque, perguntando aos seus críticos: "É ou não é lícito curar no sábado?" Em outras

---

[2] Morris, Leon L. *Lucas: introdução e comentário*, p. 216.
[3] Neale, David A. *Novo comentário bíblico do Novo Testamento Lucas 9–24*, p. 151.
[4] Neale, David A. *Novo comentário bíblico do Novo Testamento Lucas 9–24*, p. 151.
[5] Neale, David A. *Novo comentário bíblico do Novo Testamento Lucas 9–24*, p. 151.
[6] Hendriksen, William. *Lucas*. Vol. 2, p. 254.
[7] Richards, Larry. *Todos os milagres da Bíblia*, p. 263.

palavras, é ou não é lícito fazer o bem no sábado? Esses críticos de plantão, muito provavelmente, usaram o homem doente como isca e nutriam os mais perversos sentimentos sobre Jesus, sem imaginar que essa sua atitude pudesse ser a quebra do sábado. O desamor deles ao doente e a fúria deles a Jesus não eram vistos por eles como uma transgressão da lei, mas curar no sábado, sim. Diante da pergunta contundente de Jesus, guardaram silêncio e nada disseram. Eles, que pensaram em pegar Jesus na rede de sua astúcia, foram apanhados pela armadilha de seu legalismo medonho.

Em quinto lugar, *uma cura* (14.4). Diante do silêncio de Seus críticos, sabendo que já estavam derrotados pelo seu silêncio covarde, Jesus cura o homem com barriga d'água e demonstra ao mesmo tempo Seu poder e Sua compaixão. O sábado foi criado por Deus para o bem do homem, para fazer o bem e não o mal, para trazer alívio e não fardo. Foi criado para que as obras de Deus sejam realizadas na terra, e não para que o legalismo mortífero seja colocado como jugo pesado sobre os homens.

Em sexto lugar, *um confronto* (14.5,6). Depois de curar o enfermo, Jesus ainda os confronta: *Qual de vós, se o filho ou o boi cair num poço, não o tirará logo, mesmo em dia de sábado?* (14.5). Ora, se a lei permitia socorrer um boi que caiu num buraco, por que a lei proibiria socorrer um homem, criado à imagem e semelhança de Deus, caído no fosso da enfermidade? Não valem os homens mais do que os animais? A isto nada puderam responder (14.6). Os acusadores estavam calados, o enfermo estava curado, e a causa de Jesus seguia adiante sobranceira e vitoriosa!

A demonstração da **humildade**, a plataforma do reino de Deus (14.7-14)

Enquanto Jesus era observado pelos convidados na casa desse fariseu, Jesus também os observava. Ao mesmo tempo que eles censuram Jesus por curar o hidrópico no sábado, estão nutrindo no coração, nesse próprio jantar, uma atitude de soberba. Então, Jesus conta uma parábola para ensinar duas lições centrais.

Em primeiro lugar, *a necessidade imperativa da humildade* (14.7-11). Jesus conta uma parábola para ensinar o princípio exarado no versículo 11: *Pois todo o que se exalta será humilhado; e o que se humilha será exaltado*. A parábola tem que ver com um convite para o casamento. Em vez de o convidado chegar à festa e imediatamente ocupar os primeiros lugares, deve procurar os últimos lugares. Pois é um grande constrangimento ser solicitado para sair de um lugar de honra a fim de dar a vez a outro convidado mais digno. Porém, é uma grande honra estar assentado nos últimos lugares e ser convidado pelo dono da festa a ocupar lugar de maior destaque. Essa parábola mostra que a humildade é a antessala da honra, mas a soberba é a plataforma da vergonha. Quem se humilha é exaltado; quem se exalta é humilhado.

Em segundo lugar, **a necessidade imperativa da motivação certa** (14.12-14). Jesus se dirige agora ao líder fariseu que O convidara para comer em sua casa, mostrando-lhe que a hospitalidade e a generosidade de um banquete oferecido aos convivas precisam ter a motivação certa. Há muitos que expressam a sua vaidade num banquete, em vez de demonstrar sua generosidade. Ressaltam sua grandeza, em vez de demonstrar sua compaixão. Fazem propaganda de sua riqueza, em vez de revelar sua bondade. Convidam pessoas ricas para receber em troca redobrada recompensa, em vez de expressarem amor aos que não têm com o que retribuir.

É claro que Jesus não está aqui proibindo ninguém de convidar seus pares, seus amigos e sua família para um banquete.[8] O que Jesus está proibindo é a motivação egoísta de só oferecer um banquete àqueles que podem devolver o favor ou só dar para receber em troca a benevolência. Jesus ensina que devemos honrar aqueles que nada podem retribuir-nos nesta vida, para que nossa recompensa seja recebida na ressurreição dos justos (14.14).

O **banquete da salvação**, a entrada no reino de Deus (14.15-24)

Quando um dos convivas ouviu sobre a bem-aventurança na ressurreição dos justos, expressou com vívido entusiasmo a bem-aventurança daqueles que se assentarão à mesa no banquete do reino (14.15).

---

[8]RIENECKER, Fritz. *Evangelho de Lucas*, p. 307.

Sua efusividade, entretanto, estava cheia de engano, pois quem proferiu essas palavras julgava que ele e seus pares, fiados em sua justiça própria, estariam nesse banquete. Jesus, então, corrige seu engano e conta mais uma parábola para falar da festa da salvação.

Em primeiro lugar, *o banquete da salvação é uma festa, e não um funeral* (14.16). Deus preparou um grande banquete no Seu reino e convida a todos para cear. A salvação é como um banquete, uma festa que Deus preparou para seus convidados. A vida que Deus oferece é de alegria e celebração. A vida cristã não é um funeral, mas um banquete.[9] O céu é comparado a uma festa das bodas do filho do rei, a qual nunca vai terminar. A vida que Cristo oferece é uma vida superlativa, maiúscula e abundante. Ser cristão não é ser privado das alegrias da vida, mas é usufruí-las na sua plenitude. Um crente triste é uma contradição de termos.

Em segundo lugar, *o banquete da salvação é preparado por Deus e oferecido a todos* (14.16,17). A salvação não é resultado do esforço humano nem da parceria entre Deus e o homem. Todo o banquete foi preparado por Deus. O homem é convidado para o banquete que Deus preparou. O homem não coopera com Deus na salvação. Toda a salvação é obra de Deus. É Deus quem escolhe na eternidade. É Deus quem abre o coração. É Deus quem dá o arrependimento para a vida. É Deus quem regenera. É Deus quem justifica. É Deus quem santifica. É Deus quem glorifica. Tudo provém de Deus. O homem é salvo não por seu próprio esforço, mas, sim, por aceitar o convite da graça.

Jesus elenca três razões eloquentes para os convidados virem ao banquete da salvação.

Porque tudo está preparado (14.17). O banquete da salvação já está pronto. O Pão da Vida já está na mesa. A água da vida já está disponível para todo o que tem sede. As vestes alvas do linho finíssimo da justificação já nos foram dadas para entrarmos no banquete. A salvação é uma obra completa de Deus. O Pai nos elegeu, o Filho nos remiu, e o Espírito nos regenerou. É Deus quem opera em nós o querer e o realizar. Ele nos escolhe, nos chama, nos justifica e nos glorifica.

---

[9] WIERSBE, Warren W. *Comentário bíblico expositivo*. Vol. 5, p. 301.

Porque todos são convidados (14.17,21,23). Não obstante o honroso convite, os primeiros convidados deram desculpas (14.17). Jesus veio para os seus, mas os seus não o receberam (Jo 1.11). A nação de Israel não reconheceu o tempo da sua oportunidade, por isso rejeitou o Messias. Então, os pobres, os aleijados, os cegos e os coxos foram trazidos (14.21). Havia pressa nesse chamamento feito pelas ruas e becos da cidade. Deus não discrimina nem faz acepção de pessoas (At 10.34; Tg 2.5). Os pobres que nada têm podem vir. Os aleijados com suas deformidades físicas e emocionais podem entrar. Os cegos que não sabem para onde ir são chamados a vir para o banquete, e os coxos que não podem andar são trazidos à sala do banquete. O evangelho é para as pessoas que reconhecem que nada têm. Cristo não veio chamar justos, mas pecadores. Os sãos não precisam de médico e sim os doentes. Somente aqueles que reconhecem sua carência e sua necessidade entram no banquete da salvação. Finalmente, todos os que andavam pelos caminhos e atalhos são constrangidos a vir para o banquete (14.23). Todos aqueles que andavam pelos caminhos e atalhos são obrigados a entrar no banquete, não pelo instrumento da força, mas pela persuasão irresistível da graça. Os que estão errantes e cansados das caminhadas da vida podem encontrar mesa farta no reino de Deus.

Porque ainda há lugar (14.22). Na mesa do Rei, ainda há lugar para os que têm fome do Pão da Vida e para os que têm sede da Água Viva. Enquanto não se completar o número dos convidados, dos eleitos, Jesus não virá. Por isso, o evangelho precisa ser pregado em todo o mundo, só então virá o fim (Mt 24.14). Cristo morreu para comprar com o Seu sangue os que procedem de toda tribo, raça, língua e nação (Ap 5.9). Devemos ir até os confins da terra fazendo esse convite. Ainda há lugar! A casa precisa ficar cheia!

Você, que já buscou saciar sua alma com tantas coisas e prazeres, venha a Jesus. Ainda há lugar no banquete! Você, que está com o caráter deformado, venha a Jesus. Ele pode restaurar sua vida. Você, que está cego e precisa ver, venha a Jesus. Ele é a luz do mundo e quem o segue jamais tropeça. Você, que está estagnado, parado, coxo, prisioneiro venha a Jesus, há lugar para você no banquete de Deus!

Jesus, agora, elenca três desculpas apresentadas pelos convidados para não irem ao banquete.

Eu não vou porque tenho coisa melhor para ver (14.18). Ninguém naquele tempo compraria uma terra antes de vê-la. Quando uma pessoa não quer fazer algo, qualquer desculpa serve. Esse convidado tinha tempo para ver sua propriedade, mas não tinha tempo para Deus. Hoje o dinheiro ocupa a maior parte do nosso tempo, do nosso coração, da nossa devoção. Gastamos tanto tempo vendo o que possuímos, o que compramos e o que queremos ter, que não damos prioridade ao convite da salvação. Não havia nenhum pecado em comprar um terreno e em vê-lo, mas quando coisas boas ocupam o lugar de Deus em nossa vida, essas coisas se tornam um ídolo, e os idólatras não poderão entrar no reino de Deus. Esse convidado colocou o amor pelas coisas materiais à frente do gracioso convite.

Eu não vou porque tenho coisa melhor para fazer (14.19). Esse convidado tinha de experimentar seus bois. Ele estava ocupado demais com seus afazeres, seus negócios, seus lucros. Por isso, deu-se por escusado. Esse convidado colocou o trabalho, o emprego, a ocupação e os negócios à frente do convite de Deus. Muitas pessoas preferem as riquezas que perecem ao banquete da salvação. Amam mais o dinheiro do que a Deus. São mais apegadas às coisas da terra do que as do céu.

Eu não vou porque tenho coisa melhor para desfrutar (14.20). O casamento é uma coisa boa. É uma experiência maravilhosa. Mas rejeitar o convite da salvação por causa do casamento é uma insensatez. Deixar de entrar no reino por causa de um casamento é uma loucura. Esse convidado perdeu as bodas do céu por causa de suas bodas na terra. Perdeu uma bênção eterna por causa de uma bênção temporal. Perdeu uma bênção celestial por causa de uma bênção terrena. Muitos, ainda hoje, trocam a salvação pelo casamento. Trocam o reino de Deus por prazeres. Trocam a vida eterna por compromissos sociais.

Em terceiro lugar, *o banquete da salvação é rejeitado pelos convidados* (14.18-20). O costume daquele tempo determinava que os convidados para um banquete fossem avisados previamente do dia, mas não da hora. Quando tudo estava pronto e colocado à mesa, então o anfitrião enviava seus mensageiros aos convidados chamando-os para a festa. Era um duplo convite. Essas pessoas já tinham prometido comparecer.

Isso mostra quanto Deus honra o pecador com esse importante convite. Somos os convidados de honra do Deus Todo-poderoso para o banquete da salvação. Esse é um convite de honra incomparável. *Ah, todos vós que tendes sede vinde às águas, e vós os que não tendes dinheiro, vinde e comprai sem dinheiro e sem preço, vinho e leite* (Is 55.1).

Os convidados, depois de darem um "sim" ao convite prévio, agora dizem "não" através de desculpas infundadas. Uma desculpa é um invólucro de motivos recheado de mentiras. Todas as desculpas eram infundadas. Ninguém compraria uma terra sem antes a ver. Ninguém compraria bois para o arado sem antes os experimentar. E o jovem casado poderia levar sua esposa ao banquete. O casamento certamente envolve algumas obrigações, mas não cancela outras, especialmente aquelas acerca das quais já recebera notificação. O que temos aqui é uma série de subterfúgios enganosos e pretextos fúteis. São muitíssimas as pessoas que ainda hoje têm apresentado pretextos para negar-se a receber o convite da salvação.

Em quarto lugar, **nem sempre o que afasta os convidados do banquete da salvação são coisas más** (14.18-20). Campo, bois e esposa eram coisas inocentes. Não há nada de errado em comprar um campo, em treinar juntas de bois e em casar-se. Todas essas coisas eram boas em si mesmas. Mas, quando coisas boas nos impedem de atender ao convite da salvação, elas se tornam estorvos para a nossa alma. Não são apenas os vícios degradantes e os pecados escandalosos que mantêm as pessoas longe do reino de Deus, mas também as coisas boas. Jesus disse que aquele que amar mais pais, filhos, bens do que a Ele não é digno de ser seu discípulo.

Quando Jesus voltar, as pessoas estarão vivendo como a geração de Noé: comiam, bebiam, casavam e davam-se em casamento (Mt 24.37-39). Que mal há nessas coisas? Nenhum! Mas, quando coisas boas tomam todo o nosso tempo a ponto de não darmos prioridade ao convite da graça, elas se tornam embaraços para a nossa alma. Essas pessoas transformaram uma bênção numa maldição. Fizeram da bênção um ídolo. Tanto o terreno, como as juntas de bois, quanto o casamento são bênçãos de Deus. Mas, quando as bênçãos de Deus tomam o lugar do Deus das bênçãos, aquilo que seria uma bênção se transforma numa maldição.

Em quinto lugar, **o banquete da salvação é oferecido aos que são considerados indignos** (14.21-23). Os convidados não quiseram ir, dando as mais diferentes desculpas. O anfitrião mandou ir à cidade convidar aqueles que não fariam resistência: os pobres, os aleijados, os cegos e coxos. Esses não seriam impedidos pelos bens materiais nem pelos prazeres e compromissos sociais.[10] Os pobres, aleijados, cegos e coxos eram um símbolo dos gentios que estavam vivendo sem esperança e sem Deus no mundo. A porta do evangelho abriu-se para todas as pessoas, para todos os povos. O evangelho é destinado a todas as raças, a todas as culturas, a todas as classes sociais. A igreja torna-se universal, internacional. Judeus e gentios entram juntos no banquete da salvação. Esses convidados precisam ser tomados pela mão e levados à sala do banquete. Eles não podem vir por si mesmos. Alguém os leva, ou eles perecem. Os primeiros convidados que rejeitaram a ir ao banquete jamais participarão das alegrias desta festa!

Em sexto lugar, *enquanto houver um lugar na mesa deste banquete, a ordem é forçar as pessoas a entrar* (14.22,23). O anfitrião manda agora seus mensageiros para os caminhos e as encruzilhadas, forçando as pessoas a entrarem na casa do banquete. Essas pessoas não seriam obrigadas a entrar pela força do braço, mas pela persuasão do amor. Temos a maior de todas as mensagens: ainda há lugar, e Deus convida a todos para entrar no banquete. Devemos argumentar com as pessoas sobre o que elas ganharão se atenderem ao convite e o que perderão se rejeitarem o convite. A palavra "obrigar" não se refere ao emprego da força. O sentido é que andarilhos em tais lugares exigiriam muita insistência para serem convencidos de que sua presença era realmente desejada num banquete. O servo não devia aceitar a resposta NÃO; a casa devia ficar cheia!

Em sétimo lugar, *há mais anseio em Deus em ver o pecador salvo do que o pecador em ser salvo* (14.23). Enquanto havia lugar na sala do banquete, a ordem era buscar mais alguém. Nenhuma cadeira poderia ficar vazia. Deus tem prazer e pressa em salvar. Ele é rico em misericórdia. Ele não tem prazer em que o ímpio pereça. Há festa no céu por um pecador que se arrepende.

Em oitavo lugar, *o banquete da salvação fechará suas portas aos que fecharam o coração ao convite da graça* (14.24). A rejeição da oferta da

---

[10] WIERSBE, Warren W. *Comentário bíblico expositivo*. Vol. 5, p. 300.

graça implica a execução inexorável do juízo. Os fariseus e escribas estavam rejeitando a oferta da salvação, bem na frente deles, encarnada na pessoa do Messias, enquanto os desprezados da sociedade bem como os gentios estavam entrando na sala do banquete. Oh, que terrível realidade é recusar a oferta da graça!

É preciso deixar aqui um alerta: aqueles que rejeitam o convite para o banquete da salvação podem perder para sempre a oportunidade (14.24). Os convidados que rejeitaram o convite generoso jamais entrariam no banquete. Há oportunidades que, uma vez perdidas, não podem ser mais recuperadas. O dia para entrar na sala do banquete é HOJE. A hora para entrar na sala do banquete é AGORA.

Deus é gracioso e receberá a todos aqueles que se achegam a Ele. Mas aqueles que adiam essa decisão podem perecer para sempre. O propósito de Deus pode ser resistido, mas não pode ser derrubado. É mais tarde do que você imagina! A porta ainda está aberta! Ainda há lugar no banquete da salvação. O que você está esperando?

O **discipulado**, a renúncia para tomar posse da vida no reino (14.25-33)

A salvação é de graça, mas a graça não é barata. Diz o texto que grandes multidões o acompanhavam, muitas pessoas certamente com motivações erradas e expectativas falsas. Mas Jesus nunca enganou as pessoas sobre o custo do discipulado. O texto em apreço destaca quatro verdades que mostram o preço do discipulado.

Em primeiro lugar, *renúncia aos laços familiares* (14.25,26). O compromisso com Cristo exige primazia absoluta. Nada nem ninguém pode se interpor entre o discípulo e seu Mestre. Quem segue a Cristo precisa, muitas vezes, aborrecer pai, mãe, mulher, filhos, irmãos, irmãs e a própria vida. Colocar os laços familiares à frente do compromisso com Cristo desqualifica o indivíduo a ser um discípulo de Cristo.

Em segundo lugar, *renúncia ao amor-próprio* (14.27). O discípulo de Cristo, na contramão dos ditames da psicologia moderna, não é aquele que busca a afirmação do "eu", mas aquele que, imperativamente, renuncia à própria vida e toma sobre si a cruz, o mais terrível método de execução. Sacrifício, e não autopromoção, é o preço do discipulado. Mas ser discípulo não significa apenas renúncia; é também, e sobretudo, uma atitude de seguir a Cristo. É colocar-se no caminho com Ele, ter intimidade com Ele, fazer a vontade dEle e viver para a glória dEle.

Em terceiro lugar, *a avaliação do custo* (14.28-32). Jesus conta duas parábolas para ilustrar o custo do discipulado. A primeira parábola vem da construção civil, e a segunda, da guerra. Nenhum homem deve começar a construir uma torre sem calcular precisamente os custos. Nada é mais humilhante do que deixar uma obra inconclusa por falta de planejamento. Também é um grande desastre um rei entrar numa guerra sem saber exatamente com quem está guerreando e qual é o tamanho do exército que precisa enfrentar. Entrar numa guerra às escuras é entrar numa missão arriscada ou mesmo numa missão suicida. Assim, também, antes de alguém ser um seguidor de Cristo, precisa saber qual é o preço do discipulado, pois certamente a cruz precede a coroa, e o sofrimento precede a glória.

Em quarto lugar, *a renúncia aos bens* (14.33). Depois de falar sobre a renúncia aos relacionamentos e também do cálculo dos custos do discipulado, Jesus conclui dizendo que a renúncia é radical, pois implica a desistência completa dos bens materiais. ... *todo aquele que dentre vós não renunciar a tudo quanto tem não pode ser meu discípulo*. O amor ao dinheiro pode fechar-nos a porta do reino e impedir-nos de seguir a Cristo.

O **testemunho** no reino de Deus, uma necessidade imperativa (14.34,35)

Ser um discípulo, um seguidor de Jesus, é ser um influenciador. É fazer diferença na família, na escola, no trabalho, na sociedade, no mundo. Duas verdades são aqui destacadas.

Em primeiro lugar, *o sal influencia o meio onde está* (14.34). O sal é bom, pois impede a decomposição e ainda dá sabor. A vida seria impossível sem o sal. Jesus compara a igreja com o sal da terra (Mt 5.13). A presença da igreja no mundo é abençoadora. Impede o avanço da corrupção e ainda aponta o caminho da verdadeira vida.

Em segundo lugar, *o sal que perde o sabor perde toda sua utilidade* (14.35). A única finalidade do sal é salgar. Se ele perder sua salinidade, não serve para mais nada. Não serve para alimento. Não serve para adubo. Não serve nem mesmo para o monturo. Precisa ser jogado fora para ser pisado pelos homens. Warren Wiersbe alerta: "Quando um discípulo perde seu caráter cristão, torna-se imprestável e envergonha o nome de Cristo".[11]

---
[11]WIERSBE, Warren W. *Comentário bíblico expositivo*. Vol. 5, p. 302.

46

O pródigo amor de
Deus que procura o perdido

Lucas 15.1-32

O CAPÍTULO 15 DE LUCAS é um dos textos mais conhecidos e amados da Bíblia.[1] David Neale diz que ele é o centro físico, emocional e teológico do evangelho de Lucas. Culmina e cristaliza o tema do arrependimento dos pecadores. No coração do capítulo, está o âmago do terceiro evangelho, a profunda e singularmente fecunda história dos dois filhos perdidos.[2] As três parábolas deste capítulo constituem uma obra-prima do evangelho de Lucas.[3]

Esta é a primeira vez que *todos* os publicanos e pecadores se aproximam para ouvir Jesus. Os escribas e fariseus murmuram contra Jesus, dizendo: *Este recebe pecadores e come com eles*. A reclamação se deve ao fato de que a mesa é o potente símbolo de inclusão para os marginalizados em Lucas.[4]

Enquanto Jesus atraía pecadores, os fariseus os repeliam.[5] Os fariseus consideravam ultrajante essa acolhida de Jesus aos pecadores.[6]

---

[1] MORRIS, Leon L. *Lucas: introdução e comentário*, p. 223.
[2] NEALE, David A. *Novo comentário bíblico Beacon Lucas 9-24*, p. 160,169.
[3] RIENECKER, Fritz. *Evangelho de Lucas*, p. 317.
[4] NEALE, David A. *Novo comentário bíblico Beacon Lucas 9-24*, p. 165.
[5] WIERSBE, Warren W. *Comentário bíblico expositivo*. Vol. 5, p. 303.
[6] HENDRIKSEN, William. *Lucas*. Vol. 2, p. 285.

Eles reputavam esse tipo de gente como pessoas indignas do amor de Deus. Os publicanos não eram tidos em alta estima porque não somente ajudavam os romanos odiados na sua administração do território conquistado, mas também enriqueciam às expensas dos seus patrícios. Já os pecadores eram os imorais ou aqueles que seguiam ocupações que os religiosos consideravam incompatíveis com a lei.[7]

Para corrigir mais uma vez a visão distorcida dos escribas e fariseus, Jesus conta três parábolas que expressam o amor de Deus pelos perdidos e indignos. Ele conclui citando o irmão mais velho que, simbolizando os escribas e fariseus presunçosos, ficou fora da festa, porque não aceitou a ideia de que o indigno pode ser amado e perdoado.

Essas três parábolas abordam um mesmo tema: o imenso amor de Deus que procura incansavelmente o perdido. Elas falam sobre a ovelha perdida, a moeda perdida e os filhos perdidos. Falam, também, sobre uma progressão: a primeira trata da proporção de cem para um; a segunda, de dez para um; e a terceira, de dois para um. A ovelha se perdeu por descuido, a moeda por acidente e os filhos por rebeldia. Nas três parábolas, há uma mesma ênfase: a alegria de Deus de ver os perdidos sendo encontrados (15.6,9,23,24). Warren Wiersbe destaca que a mensagem deste capítulo pode ser resumida em três palavras: perdido, encontrado e alegria.[8]

Vejamos essas três parábolas.

Em busca da **centésima ovelha** (15.1-6)

A ovelha não foi perdida; ela se desgarrou do rebanho. Ela foi atraída por novos horizontes, novas pastagens, novas aventuras, e afastou-se do convívio das outras ovelhas. Certamente não notara o risco de cair no abismo, nem de perder o rumo nos desertos, nem mesmo a possibilidade de ser apanhada por um animal predador. A ovelha é um animal frágil, teimoso, indefeso, míope, que não consegue defender-se. Rienecker diz, com razão, que uma ovelha extraviada é a mais indefesa

---
[7] Morris, Leon L. *Lucas: introdução e comentário*, p. 223.
[8] Wiersbe, Warren W. *Comentário bíblico expositivo*. Vol. 5, p. 303.

de todas as criaturas.[9] Para estar segura, precisa do cuidado do pastor e da companhia das outras ovelhas.

Jesus nos conta como a centésima ovelha se desgarrou e se perdeu. O pastor, entretanto, não desistiu dela nem a culpou por sua fuga inconsequente. Antes, deixou as demais em segurança, procurou-a pelas montanhas escarpadas e valados profundos, e encontrou-a em situação desesperadora. Não podendo ela andar, o pastor a tomou no colo. Em vez de sacrificá-la, o pastor alegrou-se em encontrá-la e festejou sua reintegração ao rebanho. É assim que Deus faz conosco. Ele não desiste de nos amar. Ele não abre mão da nossa vida. Ele não abdica do direito que tem de nos tomar para si e nos manter em sua presença.

O mesmo podemos dizer de Jesus que, diferentemente dos fariseus, não nos esmaga nem nos acusa, mas nos restaura. Ele não nos trata conforme nossos pecados, mas consoante suas muitas misericórdias. Vemos nesta parábola algumas atitudes de Jesus.

Em primeiro lugar, *Ele nos valoriza*. O pastor poderia ter se contentado com as 99 ovelhas que estavam seguras e desistido da ovelha peralta que rebeldemente se desgarrou. Mas o pastor não desistiu de buscar a ovelha, ainda que fosse uma ovelha rebelde.

Em segundo lugar, *Ele nos procura*. O pastor saiu em busca da ovelha perdida. Ele veio buscar e salvar o perdido. Ele veio para os doentes. Ele veio salvar pecadores. Ele move os céus e a terra para conquistar-nos e atrair-nos para Si. Seu amor é eterno, Sua compaixão é infinita, e Seu prazer é ter-nos na Sua presença.

Em terceiro lugar, *Ele desce aos mais profundos abismos para nos buscar*. O pastor correu riscos para encontrar a ovelha perdida. Jesus desceu da glória. Fez-se carne. Sofreu, foi perseguido, humilhado, cuspido, pregado na cruz. Ele desceu ao inferno e suportou na Sua carne o flagelo dos nossos pecados. Ele bebeu sozinho o cálice da ira de Deus contra o pecado e morreu por nós, para nos resgatar da morte. Ó bendito amor, sublime amor, incomensurável amor!

Em quarto lugar, *Ele nos toma nos braços e nos leva para o aprisco*. Jesus evidencia seu imenso amor a ponto de nos carregar no colo. Ele

---

[9] RIENECKER, Fritz. *Evangelho de Lucas*, p. 320.

nos toma em Seus braços eternos. Ele nos toma pela Sua mão direita e nos conduz à glória. Ele não sente nojo da ovelha que caiu no abismo, mas desce os despenhadeiros mais perigosos para arrancar das entranhas da morte a ovelha que se perdeu; ao encontrá-la, toma-a amorosamente nos braços e a leva para o aprisco.

Em quinto lugar, *Ele celebra com alegria o nosso resgate*. Com santa ironia, o Senhor confronta os fariseus de dois modos, para vergonha deles: 1) os habitantes do céu alegram-se com a conversão de um pecador, quando para os fariseus isto constitui motivo de reclamação; 2) os anjos de Deus sentem maior júbilo por um pecador que se arrepende do que por 99 justos da categoria dos fariseus.[10] Os 99 justos citados aqui são os fariseus e escribas murmuradores, aqueles que são justos a seus próprios olhos, que não entram no reino pela porta do arrependimento, nem se alegram com a entrada dos pecadores arrependidos.

Enquanto os fariseus murmuram, a Bíblia diz que há festa no céu por um pecador que se arrepende. Os anjos exultam de alegria ao verem uma ovelha ser resgatada das garras da morte. Deus tem prazer na misericórdia e festeja nossa volta para Ele. Que bendito evangelho, que graça maravilhosa, que Deus bendito que nos ama com amor eterno apesar de sermos pecadores!

Em busca da décima **dracma perdida** (15.7-10)

A mensagem central da parábola anterior é a mesma desta e será, também, da parábola seguinte: a restauração do que se perdeu. A ovelha perdeu-se por displicência; o filho perdeu-se por deliberação; e a dracma foi perdida por descuido. Jesus usou um ser racional, o filho pródigo; um ser irracional, a ovelha; e o um objeto inanimado, uma dracma. Que lições podemos aprender com a parábola da dracma?

Em primeiro lugar, *a dracma perdida tinha grande valor*. A mulher que perdeu a décima dracma não se conformou em desistir dela nem se contentou pelo fato de ter ainda em segurança as outras nove. Essa dracma ou moeda perdida era valorosa porque é um símbolo do ser

---

[10] RIENECKER, Fritz. *Evangelho de Lucas*, p. 321.

humano que se perdeu. A proprietária da dracma tomou todas as medidas para reavê-la. Você tem grande valor para Deus. Ele não desiste de amar você. Ele mesmo tomou todas as medidas para buscar você.

Em segundo lugar, **medidas práticas foram tomadas para encontrar a dracma perdida**. A mulher não ficou apenas lamentando a perda da dracma; ela tomou medidas práticas para encontrá-la. Primeiro, ela acendeu a candeia. As casas na Palestina não tinham tantas portas e janelas como as de hoje. Não se podia procurar algo perdido sem primeiro iluminar a casa, e foi isso o que a mulher fez. Se quisermos encontrar o que se perdeu, precisamos também de luz: a luz da Palavra. Segundo, ela varreu a casa. Ela tirou muita coisa do lugar e levantou muita poeira, fazendo uma verdadeira faxina em toda a casa. Para buscarmos o que se perdeu, precisamos ter coragem de mexer com muita coisa que está sedimentada em nossa vida; precisamos ainda ter coragem de levantar a poeira do tempo e remover os entulhos escondidos há muito tempo nos cantos escuros da nossa casa. Terceiro, ela procurou diligentemente a dracma até encontrá-la. Notemos duas coisas que essa mulher fez: primeiro, sua procura foi meticulosa; segundo, sua procura foi perseverante. Houve diligência e perseverança. É dessa maneira que devemos procurar aqueles que se perdem e se desviam. Um fato ainda digno de nota é que a dracma se perdeu dentro de casa. Muitos estão, também, perdidos dentro da igreja.

Em terceiro lugar, **houve alegria e celebração quando a dracma foi encontrada**. O Senhor novamente confronta os fariseus com o fato de que seu desejo por compartilhar a alegria pela conversão do pecador é consumado no júbilo dos anjos de Deus.[11] A mulher buscou e encontrou a dracma perdida, usando todo esforço e diligência, mas a celebração dessa descoberta foi coletiva. Ela reuniu suas amigas e vizinhas para comemorar o fruto do seu labor. Devemos, de igual modo, não apenas buscar aqueles que se perderam, mas celebrar com grande e intenso júbilo quando eles são encontrados. O Senhor Jesus conclui a parábola dizendo que a festa não é apenas na terra, mas também, e sobretudo, no

---

[11] RIENECKER, Fritz. *Evangelho de Lucas*, p. 322.

céu. Há júbilo diante dos anjos de Deus lá no céu quando um pecador se arrepende. O céu está conectado com a terra. As coisas que acontecem aqui refletem lá. Os anjos não evangelizam, pois essa gloriosa missão Deus deu a nós; porém, eles celebram com intenso júbilo os frutos da nossa evangelização. Os anjos não são ministros da reconciliação, mas eles festejam quando um desviado é encontrado e levado de volta à comunhão da igreja.

Em busca dos **filhos perdidos** (15.11-32)

A última parábola trata de três personagens: o filho mais novo, o filho mais velho e o Pai amoroso. Vamos destacar cada uma dessas personagens e ver as lições que podemos aprender.

O filho mais novo, perdido longe da casa do Pai, representa os publicanos e pecadores (15.11-24)

A parábola do filho pródigo constitui-se num dos mais belos quadros pintados na tela da nossa mente pelo maior de todos os mestres, Jesus de Nazaré. Essa parábola pode ser sintetizada em cinco estágios da vida do pródigo: a partida (15.11-13), a miséria (15.14-16), a contrição (15.17-19), o retorno (15.20,21) e a aceitação (15.22-24).[12] Essa parábola tem lições preciosas, e a jornada daquele jovem aventureiro pode ser resumida em quatro fases.

Em primeiro lugar, *ele era feliz inconscientemente na casa do Pai*. O filho vivia na casa do Pai, tinha comunhão e conforto. Nada lhe faltava: ele tinha abrigo, pão, roupa, calçado e anel no dedo. Tudo o que pai possuía também lhe pertencia. Ele vivia cercado de bênçãos. Porém, um dia aquele jovem cavou um poço de insatisfação dentro do seu próprio coração e começou a sentir-se infeliz dentro da casa do Pai. Esticou o pescoço, olhou pela janela da cobiça e viu, além do muro, um mundo colorido, atraente, cheio de emoções. Desejou ardentemente conhecer o outro lado. Então, pediu ao pai a sua herança e partiu para grandes e intensas aventuras.

---

[12] RIENECKER, Fritz. *Evangelho de Lucas*, p. 323.

Em segundo lugar, *ele era infeliz inconscientemente no país distante*. O país distante é um símbolo do mundo atraente. Seus prazeres parecem borbulhar por todos os lados. No começo, o jovem, fascinado com as festas, os amigos e os prazeres, mergulhou de cabeça em todas as aventuras. Bebeu todas as taças dos prazeres e sorveu cada gota das alegrias que o mundo podia lhe oferecer. Obcecadamente bateu em todas as portas e conheceu cada proposta sedutora daquele carrossel de aventuras. Enquanto tinha dinheiro, sua mesa estava rodeada de amigos. Enquanto estava sendo explorado, era o centro das atenções. Nessa corrida desenfreada, porém, dissipou todo o seu dinheiro. E logo percebeu que a amizade da taberna se desfaz com a mesma rapidez com que é formada. Sua mesa ficou vazia, seu bolso ficou vazio, seu estômago ficou vazio, e ele mesmo ficou cheio de medo e dor.

Em terceiro lugar, *ele era infelizmente conscientemente cuidando dos porcos*. A terceira fase desse jovem foi muito amarga. A crise chegou. Leon Morris diz que duas desgraças o feriram simultaneamente – esgotaram-se seus recursos e sobreveio àquele país uma grande fome.[13] A fome bateu à sua porta. Ele perdeu tudo. Os amigos fugiram. Os prazeres tornaram-se um dilúvio de sofrimento. O jovem começou a passar necessidades. Foi parar num chiqueiro lodacento, coberto de trapos, com o estômago fuzilado por uma fome estonteante. O diabo é um enganador, o pecado é uma fraude, e o mundo é ilusório. O colorido do mundo não passa de uma ilusão ótica. Ele é cinzento como um deserto sem vida. O pecado não compensa. O seu salário é a morte.

Em quarto lugar, *ele era feliz conscientemente de volta à casa do Pai*. A última fase do pródigo foi sua volta para a casa do Pai. Quando ele chegou ao fundo do poço, caiu em si, arrependeu-se e tomou a decisão de voltar para o Pai. Reconheceu que não tinha merecimento, mas dependia da misericórdia. Para sua surpresa, descobriu que seu Pai o esperava com mais intensidade do que ele desejava voltar. Seu pai correu, abraçou-o, beijou-o, celebrou sua volta e o restaurou. Hoje, Deus está dizendo a você: Volte, meu filho, volte! A casa já foi preparada. A mesa já está posta. E uma festa que nunca vai acabar marcará sua volta para os braços do Pai.

---

[13] MORRIS, Leon L. *Lucas: introdução e comentário*, p. 227.

O que levou o filho pródigo a sair da casa do Pai rumo ao país distante? O que aconteceu com ele para que reconhecesse sua necessidade? Que passos ele tomou para voltar à casa do Pai? O que aconteceu em sua volta? Vamos destacar alguns aspectos da vida do filho mais novo, conhecido como "o filho pródigo".

Insatisfação (15.12). Tudo começou na vida do filho mais novo quando ele se sentiu infeliz na casa do Pai. A companhia do pai e do irmão já não preenchia mais sua vida. Ele queria conhecer e experimentar algo mais. Foi a insatisfação que derrubou Eva no Éden. Foi a insatisfação que levou lúcifer a tornar-se demônio. A insatisfação é a tola ideia de que do lado de lá do muro existe a felicidade, de que Deus está nos privando de alguma coisa que nós merecemos.

Rebelião (15.13). O filho mais novo pediu sua herança antecipada. Ele tinha direito de um terço da herança, mas essa parte só seria tomada depois da morte do pai. O filho busca mais os seus prazeres do que o Pai. Está mais interessado em curtir a vida do que em agradar ao pai. Prefere o pai morto a adiar seu desejo de experimentar os prazeres do mundo. Ele mata seu pai no coração e sai de casa levando todos os seus haveres. Para onde esse filho vai? Para uma terra distante! Essa terra distante pode ser o seu coração, o seu computador, o seu bairro, a sua cidade, a sua televisão, o mundo onde você tenta se esconder de Deus para curtir os prazeres do pecado. A terra distante é todo lugar onde você pensa que a felicidade estará disponível para você à parte de Deus. A terra distante no início é cheia de encantos. Há amigos e festas. Há alegrias e celebrações. Há encontros e reencontros. Mas, no fim, sobra um gosto amargo na boca, um vazio na alma e uma terrível solidão assolando seu peito.

Dissolução (15.13,14). O filho mais novo deu a si mesmo tudo o que seus olhos desejaram. Ele não se privou de nenhum prazer. Ele bebeu todas as taças do prazer. Ele dissipou seu dinheiro, sua vida, sua saúde e sua honra com amigos e meretrizes. Ele foi fundo na busca do prazer. O mundo tem luzes muito atraentes e convidativas. Porém, o pecado é uma fraude: promete vida e paga com a morte; promete liberdade e escraviza; promete felicidade e deixa um imenso vazio na alma. O diabo é um estelionatário. Ele promete a você uma vida cheia de encantos e joga você no chiqueiro.

Degradação (15.15,16). O passo seguinte da dissolução é a degradação. O jovem ficou só, com fome, andrajoso, na lama, cuidando de porcos no chiqueiro e sendo tratado pior do que os animais, porque nem das alfarrobas podia comer. O mundo degrada. O pecado degrada. Hoje é apenas uma olhadela cheia de sensualidade. Amanhã é uma vida rendida à impureza. Hoje é apenas um cigarro, um trago, uma dose, uma cheirada. Amanhã é uma escravidão cruel. Hoje é apenas uma festa, um *show*, uma madrugada. Amanhã é uma alma vazia, um coração seco, uma vida totalmente longe de Deus.

Decisão (15.17-19). Quando esse jovem estava no fundo do poço. ele caiu em si. Isso significa que ele estava até então fora de si. O pecado embrutece. O pecado anestesia. O pecado tira o bom senso. Esse jovem se lembra da casa do pai e reconhece seu estado de degradação. Ele se arrepende e admite seu fracasso. Ele põe um ponto final na escalada da sua queda e toma a decisão de voltar para a casa do pai. Em seu arrependimento, não existe exigência, e sim penitência. Ele não se apresenta requerendo nada, mas suplicando misericórdia. Não pensa mais em direitos, mas apenas em servir.

Ação (15.20,21). Há muitas pessoas que apenas decidem, mas não agem. Desejam, mas não se levantam. Você não é o que você sente, mas o que você faz. Agora é tempo de se levantar. É tempo de sair da sua terra distante e correr para os braços do Pai. Muitas pessoas fracassam porque pensam: Um dia vou mudar minha vida. Um dia vou sair desse buraco. Um dia eu vou deixar o vício. Levante-se! Já!

Perdão (15.22-24). O filho mais novo é surpreendido ao retornar. Ele descobre que, antes de buscar o pai, o pai já o procurava. Antes de encontrar o pai, foi o pai quem o encontrou. Antes de confessar ao pai seu pecado, o pai já o havia abraçado e beijado. O texto grego traz a ideia de que o pai o beijou muito, repetidas vezes.[14] Antes de terminar sua confissão, o pai já havia ordenado que ele seria honrado com roupas novas, recebido com a autoridade de filho, presenteado com um anel no dedo e declarado um homem livre, com sandálias nos pés. O novilho cevado cuidadosamente tratado e preparado para uma ocasião especial

---

[14]ROBERTSON, A. T. *Comentário Lucas à luz do Novo Testamento Grego*, p. 280.

de celebração foi imolado. e eles começaram a festejar a volta do filho que estava perdido e morto. Morris diz, com razão, que "na festa em que começaram a regozijar-se o filho mais jovem achou algo do prazer sólido que procurara em vão no país distante".[15]

Deus tem pressa em nos perdoar. Ele se deleita na misericórdia. O filho encontrou os braços do pai abertos, a casa do pai preparada, e uma festa na terra e no céu começou a acontecer por causa da sua volta. Não importa quão longe você tenha ido. Haverá uma festa na sua volta. É tempo de voltar para a casa do pai!

O filho mais velho perdido dentro da casa do Pai representa os escribas e fariseus (15.25-32)

O filho mais velho não gastou sua herança dissolutamente. Não vivia em orgias e farras. Nunca havia envergonhado o pai. Sempre estivera na casa paterna, trabalhando para o pai, mas também estava perdido. Há pessoas perdidas dentro da igreja que nunca foram para uma boate, nunca se drogaram, nunca se prostituíram, mas estão perdidas na casa do Pai.

Vejamos um pouco sobre esse filho mais velho perdido dentro da casa do pai.

Em primeiro lugar, *ele vivia na casa do pai, mas desobedecia aos dois principais mandamentos da lei de Deus*. Jesus ensinou que os dois principais mandamentos da lei são amar a Deus sobre todas as coisas e amar o próximo como a si mesmo. Esse filho quebrou esses dois mandamentos: ele nem amou a Deus, representado pelo pai, nem amou ao seu irmão. Ele não perdoou o pai por ter recebido o filho pródigo, nem perdoou o irmão pelos seus erros. Há pessoas que estão na igreja, mas não têm amor por Deus nem pelos perdidos. Estão na igreja, mas não amam os irmãos.

Em segundo lugar, *ele vivia na casa do pai, mas confiava na sua própria justiça*. Ele era veloz para ver o pecado do irmão, mas não enxergava os próprios pecados. Era cáustico para condenar o irmão, enquanto via

---

[15]MORRIS, Leon L. *Lucas: introdução e comentário*, p. 229.

a si mesmo como o padrão da obediência. Os fariseus definiam pecado em termos de ações exteriores, e não de atitudes íntimas. Eles eram orgulhosos de si mesmos.

Em terceiro lugar, *ele vivia na casa do pai, mas não se sentia livre*. Ele não vivia como livre, mas como escravo. Sua religião era rígida. Ele obedecia por medo ou para receber elogios. Fazia as coisas certas com a motivação errada. Sua obediência não provinha do coração. Ele andava como um escravo (15.29). O verbo usado aqui é *douleo*, que significa "servir como escravo". Ele nunca entendeu o que é ser filho. Nunca usufruiu nem se deleitou no amor do Pai. Ser crente para ele é um peso, um fardo, uma obrigação pesada. Ele vive sufocado, gemendo como um escravo. Está na igreja, mas não tem prazer. Obedece, mas não com alegria. Está na casa do Pai, mas vive como escravo. Está na casa do Pai, mas não tem comunhão com o Pai.

Em quarto lugar, *ele vivia na casa do pai, mas não desfrutava dos bens do pai* (15.29-31). Ele viveu a vida toda com o pai sem festejar com seus amigos. Nunca comeu um cabrito, quando tudo era dele. Ele viveu a vida sem alegria, sem prazer, sem festa. Para muitas pessoas, a vida cristã significa uma tradição pesada, um legalismo enfadonho. Essa era a marca da religião dos fariseus.

Em quinto lugar, *ele vivia na casa do pai, mas estava com o coração cheio de amargura* (15.29,30). Sua amargura decorre de cinco coisas, comentadas a seguir.

Ele se sente melhor que seu irmão. Ele estava escorado orgulhosamente em sua religiosidade, arrotando uma santarronice discriminatória. Só ele presta; o pai e o irmão estão debaixo de suas acusações mais veementes. Sua mágoa começa a vazar. Para ele, quem erra não tem chance de se recuperar. No seu vocabulário, não existe a palavra perdão. Na sua religião, não existe a oportunidade de restauração.

Ele se sente injustiçado pelo pai. O filho acusa o pai de ser injusto com ele, só porque perdoou o irmão. Na religião dele, não havia espaço para a misericórdia, o perdão e a restauração. Ele se achava mais merecedor que o outro. Sua religião estava fundamentada no mérito pessoal, e não na graça. É a religião da lei, do legalismo, e não da graça e da fé que opera pelo amor.

Ele se sente indisposto a perdoar (15.30). Ele não se refere ao pródigo como irmão, mas diz ao pai: "Esse teu filho". Quem não ama a seu irmão está nas trevas. Ele vive mergulhado no ressentimento. Vê seu irmão como um rival.

Ele não vê seu próprio pecado. O ódio que ele sente pelo irmão não é menos grave que o pecado de dissolução que o pródigo cometeu fora da casa do pai. O apóstolo Paulo, quando trata das obras da carne, fala sobre três pecados na área da imoralidade e usa nove pecados na área de mágoa, ressentimentos e ira (Gl 5.19-21). A falta de amor é um pecado tão grave como o pecado da vida imoral e dissoluta.

Ele perdeu a comunhão com o irmão e com o pai. Quando uma pessoa guarda ressentimento no coração pelo irmão que falhou, perde também a comunhão com o pai. Ela se recusa a entrar, fica fora da celebração. Mergulha num caudal de amargura. E diz para o pai: *Esse teu filho*. Mas o pai o corrige e lhe diz: *Esse teu irmão* (15.30,31).

Em sexto lugar, **ele vivia na casa do pai, mas se recusou a fazer parte da festa do pai** (15.32). Esta parábola termina com o filho perdido no mundo voltando para o pai, e o filho que estava na casa paterna deixando de entrar na festa do pai. O que estava fora entra para a festa; o que estava dentro fica fora da festa.

O filho mais moço se humilha e é recebido; o filho mais velho é confrontado e não se humilha. Um termina a trajetória na casa do pai, no meio da festa e com o coração feliz; o outro termina a caminhada fora da casa do pai, longe da festa e com o coração amargurado. Warren Wiersbe diz que, neste capítulo, todos se alegram, exceto o filho mais velho.[16]

O Pai amoroso que nunca desiste de amar os perdidos (15.20-32)

A personagem central dessa parábola não é o filho pródigo nem o filho mais velho, mas o pai. Na verdade, essa parábola não deveria ser chamada "a parábola do filho pródigo", mas "a parábola do pai que ama os dois filhos perdidos". Deus está sempre buscando o perdido. Ele não desiste de amar os que caíram, não desiste de esperar os que estão

---

[16] WIERSBE, Warren W. *Comentário bíblico expositivo.* Vol. 5, p. 308.

longe, nem desiste de insistir com os que não querem entrar. Concordo com David Neale quando ele escreve: "O amor do pai irradia do centro da história, iluminando todos ao seu redor – o ressentido filho mais velho e o humilhado filho mais novo".[17]

Vejamos algumas características desse pai amoroso.

Em primeiro lugar, *o pai amoroso é o Deus que insiste em procurar o perdido* (15.4,5,8,20). Em todas as três parábolas, há uma procura. O bom pastor procura a ovelha perdida. A mulher busca a moeda perdida. O pai espera o filho perdido. O nosso Deus não desiste de nós. Ele nos ama com amor eterno e nos atrai para si com cordas de amor. Ele nos cerca com seu cuidado e nos disciplina em seu amor. Ele não cansa de nos procurar até nos ter de volta ao lar.

Em segundo lugar, *o pai amoroso é o Deus da segunda oportunidade* (15.20-24,28). O pai corre ao encontro do filho mais novo e sai para conciliar o filho mais velho. Para ambos, ele oferece uma segunda oportunidade de recomeçar a vida.

Em terceiro lugar, *o pai amoroso é o Deus que perdoa e restaura completamente o perdido que se volta para Ele* (15.22-24). O filho pródigo não conseguiu nem terminar sua confissão, quando o pai já havia dado ordens para honrá-lo, restaurá-lo e começar a festa de sua restauração. Deus perdoa e esquece. Deus perdoa e lança nossos pecados nas profundezas do mar. Deus perdoa e nunca mais lança em nosso rosto nossos fracassos. Deus perdoa e nos coloca num lugar de honra!

Em quarto lugar, *o pai amoroso é o Deus que celebra e festeja a volta dos perdidos ao lar* (15.23,24,32). A parábola não destaca a alegria do filho que voltou, mas a alegria do pai que o recebeu. Em todas as três parábolas, há comemoração de alegria. Há festa na terra e no céu. Você é muito importante para Deus. Ele ama você a ponto de dar uma festa por sua volta. Hoje, eu convido você! A igreja convida você! As Escrituras convidam você! O Espírito Santo o chama! O Filho de Deus de braços abertos conclama: *Vinde a Mim todos vós que estais cansados e sobrecarregados e Eu vos aliviarei*. O Pai espera por você!

---

[17]NEALE, David A. *Novo comentário bíblico Beacon Lucas 9-24*, p. 176.

47

Como lidar com as
riquezas terrenas

Lucas 16.1-18

OS CAPÍTULOS 15 E 16 DE LUCAS FORMAM UM PAR: o primeiro expõe a atitude incorreta para com pessoas; o segundo, a atitude pecaminosa com relação ao uso de riqueza.[1]

O texto em apreço é considerado uma das passagens mais difíceis de interpretar da Bíblia.[2] Por não ter um entendimento correto da parábola, alguns intérpretes chegam a dizer que Jesus elogia a infidelidade do mordomo e nos recomenda a fazer o mesmo. É claro que o "senhor" não elogia a infidelidade do mordomo (16.10-12). Morris, citando T. W. Manson, escreve: "Há um mundo de diferença entre: aplaudo o administrador infiel porque agiu com habilidade e aplaudo o administrador hábil porque agiu com desonestidade".[3] John Charles Ryle, nessa mesma linha de pensamento, diz: "O administrador é um exemplo a ser evitado, e não um modelo a ser seguido".[4]

Destacamos alguns pontos na análise do texto.

---

[1] HENDRIKSEN, William. *Lucas*. Vol. 2, p. 315.
[2] MORRIS, Leon L. *Lucas: introdução e comentário*, p. 231.
[3] MORRIS, Leon L. *Lucas: introdução e comentário*, p. 231.
[4] RYLE, John Charles. *Meditações no Evangelho de Lucas*, p. 267.

A denúncia (16.1)

O rico fazendeiro, que confiou a administração de seus negócios a seu mordomo, é informado de que este, no exercício de seu trabalho, estava defraudando os seus bens. Um mordomo era uma pessoa de irrestrita confiança. Seu principal compromisso era a fidelidade (1Co 4.2). Ele tomava conta de tudo o que era de seu senhor. Mas este mordomo abandona a integridade e claudica na fidelidade e seus maus feitos chegam aos ouvidos de seu senhor.

A demissão (16.2)

O rico fazendeiro não apenas escuta sobre os prejuízos que estava levando com a infidelidade do seu mordomo, mas o chama para uma prestação final de contas, informando-o de que já estava sumariamente demitido e não poderia mais continuar à frente de seus negócios. A irrestrita confiança, não correspondida, desemboca na sua imediata dispensa.

O dilema (16.3)

O mordomo infiel é apanhado pelas cordas de seu pecado. Aquilo que ele fez às ocultas veio à tona. O que ele tramou nos bastidores apareceu à luz do dia. O que foi feito escondido de seu senhor agora chega aos seus ouvidos. Sua demissão é certa, e seu futuro é incerto. Sua mente é um turbilhão. Ele cogita algumas possibilidades para sobreviver após a demissão justa por causa de sua injustiça, como trabalhar na terra ou mesmo mendigar. Mas o homem estava sem forças para a primeira opção e tinha vergonha de enfrentar a segunda.

A decisão (16.4-7)

Depois de ponderar várias possibilidades, o homem encontrou uma saída para garantir sua segurança no futuro. Chamou os devedores e deu a eles um desconto generoso em sua dívida. A parábola apenas menciona dois devedores como símbolo do que ele fez com os demais. Ao primeiro, que devia cem cados de azeite, ou seja, quatro mil litros, ele deu um desconto de 50% e baixou a dívida para 50%. Ao segundo, que devia cem coros de trigo, ou seja, quatro mil litros, deu um desconto de 20% e baixou para 80%.[5]

Não há nada no texto que incrimine os devedores ao receberem tão expressivo desconto. Muito provavelmente, eles presumiram que a mudança na nota promissória era legítima. Pensaram que o administrador convencera o proprietário a fazer a redução das contas. A redução da conta – às vezes devido a condições desfavoráveis do clima que afetavam as colheitas – era algo comum. O administrador, portanto, com o livro-caixa agora "em ordem", entrega-o ao proprietário.[6]

O elogio (16.8)

A maioria dos comentaristas bíblicos pensa que o "senhor" aqui é Jesus Cristo. Concordo, entretanto, com Hendriksen quando ele diz que o senhor aqui é o dono das terras.[7] Isso está de acordo com o mesmo uso da palavra nos versículos 3 e 5. Qual é a reação do proprietário ao receber a prestação de contas do mordomo? Ele certamente compreende que os arrendatários e o povo da vila em geral já estão celebrando, elogiando tanto o administrador quanto o proprietário. Se o proprietário voltasse atrás e cancelasse o que fez o seu mordomo, sua reputação cairia a zero. Por isso, ao ver a esperteza do mordomo, elogiou-o.[8] Prestou tributo à sabedoria do ato, mas não à sua moralidade.[9]

Rienecker diz que o princípio de poder aprender coisas boas de maus exemplos não deve ser aqui descartado.[10] Certamente o fazendeiro elogiou não o caráter do mordomo, mas sua ação para se proteger. Elogiou não sua infidelidade, mas sua sagacidade. Elogiou não a maneira como ele lidou com o dinheiro alheio, mas como usou o dinheiro para preparar sua segurança futura. Isso mostra que os filhos do mundo são

---

[5] HENDRIKSEN, William. *Lucas*. Vol. 2, p. 317.
[6] HENDRIKSEN, William. *Lucas*. Vol. 2, p. 317.
[7] HENDRIKSEN, William. *Lucas*, p. 318.
[8] HENDRIKSEN, William. *Lucas*. Vol. 2, p. 317,318.
[9] MORRIS, Leon L. *Lucas: introdução e comentário*, p. 234.
[10] RIENECKER, Fritz. *Lucas: introdução e comentário*, p. 334.

mais hábeis na sua própria geração do que os filhos da luz. Ou seja, se os filhos da luz usassem a mesma destreza para as coisas certas que os filhos do mundo usam para as coisas erradas, o reino de Deus avançaria com muito mais vigor.

Robertson diz corretamente que o senhor não absolve o mordomo da sua culpa, e a premissa da história é de que ele seria demitido do cargo. A sua prudência consistiu em encontrar um lugar para onde ir depois da demissão Ele continuou sendo o mordomo da injustiça, embora a sua prudência fosse elogiada. A moral da história é que os homens do mundo, em suas tratativas com homens como eles mesmos, são mais prudentes do que os filhos da luz, nos seus relacionamentos uns com os outros.[11]

A recomendação (16.9)

Jesus não está dizendo que devemos ter uma mente mundana em relação aos nossos compromissos financeiros. Não está dando um aval à desonestidade. Mas está ensinando que as riquezas de origem iníqua devem estar a serviço do bem, e não do mal. Devem ser distribuídas com generosidade, em vez de serem retidas com avareza. Devem aliviar a fome do próximo, em vez de explorar o próximo. Devem estar a serviço da promoção do evangelho, e não da luxúria egoísta. Robertson enfatiza que, em Mateus 6.24, a riqueza é posta em oposição a Deus, tal qual em Lucas 16.13. Jesus conhece o poder maligno no dinheiro, mas os servos de Deus devem usá-lo para o reino de Deus. O propósito é que aqueles que foram abençoados e auxiliados pelo dinheiro possam receber os seus benfeitores quando eles chegarem ao céu.[12]

Leon Morris diz que os seguidores de Jesus devem usar seu dinheiro para propósitos espirituais tão sabiamente quanto os filhos deste mundo o utilizam para seus alvos materiais.[13] Já Rienecker diz que propriedades terrenas passam; os filhos da luz, no entanto, podem fazer um uso

---

[11] ROBERTSON, A. T. *Comentário Lucas à luz do Novo Testamento grego*, p. 290.
[12] ROBERTSON, A. T. *Comentário Lucas à luz do Novo Testamento grego*, p. 290, 291.
[13] MORRIS, Leon L. *Lucas: introdução e comentário*, p. 234.

inteligente delas ao levarem a eternidade em conta ao administrá-las.[14] É um fato incontroverso que aquele que passa de largo dos pobres prepara para si acusadores para a eternidade. Quem, porém, doa e ajuda, cria amigos para a eternidade (Mt 25.37-40; 1Tm 6.7,17-19).

Aqueles que usam o dinheiro com propósitos elevados terão lá no céu uma comitiva de recepção dando-lhes as boas-vindas de chegada. Esses recepcionistas celestiais são aquelas pessoas alcançadas pelo evangelho ou mesmo socorridas nas suas aflições por esses fiéis mordomos de Deus. Os *tabernáculos eternos* sobre os quais Jesus fala (16.9) contrastam com as "casas" citadas na parábola (16.4). Trata-se das moradas além desse tempo de vida terrena. A Palavra de Deus diz que aquele que ganha alma é sábio (Pv 11.30). O mordomo sábio é aquele que ajunta tesouros no céu e investe em causas de consequências eternas.

A fidelidade (16.10-12)

Estas palavras de Jesus indicam claramente que Ele não aprovava e nem sequer justificava a desonestidade e a infidelidade do mordomo da parábola. Concordo com Morris quando ele diz que a fidelidade não é acidental: surge daquilo que uma pessoa é de fio a pavio.[15] Quem não é fiel no pouco não o será no muito. Quem não é fiel nas coisas materiais não o será nas coisas espirituais. Quem não lida com integridade com as coisas da terra não está habilitado a receber a possessão das riquezas do céu. Quem não tem integridade com as riquezas deste mundo não está apto a entrar na posse do reino, preparado desde a fundação do mundo (Mt 25.34).

A fidelidade no trato com o dinheiro não é meritória nem é um substituto da graça. Mas a infidelidade no trato com o dinheiro é uma evidência da desqualificação de uma pessoa para possuir as riquezas espirituais. Concordo com Warren Wiersbe quando ele escreve: "Não é possível ser ortodoxo na teologia e, ao mesmo tempo, ser herético no uso dos recursos financeiros".[16] Quem não consegue ser fiel com o alheio, ou seja, com os bens materiais, que são temporais e não nos pertencem,

---

[14]RIENECKER, Fritz. *Evangelho de Lucas*, p. 332.
[15]MORRIS, Leon L. *Lucas: introdução e comentário*, p. 235.
[16]WIERSBE, Warren W. *Comentário bíblico expositivo*. Vol. 5, p. 311.

uma vez que nada trouxemos para este mundo e nada dele levaremos, não pode receber as verdadeiras riquezas, que são espirituais e eternas.

A impossibilidade (16.13)

Jesus chama aqui as riquezas de "senhor". O dinheiro é um grande senhor de escravos, um senhor que exige dedicação exclusiva e devoção absoluta. É impossível servir a Deus e às riquezas ao mesmo tempo. Um escravo não pode viver debaixo de dois jugos nem ter dois senhores. Warren Wiersbe diz que quem escolhe servir ao dinheiro não pode servir a Deus. Quem escolhe servir a Deus não servirá ao dinheiro. Se Deus é nosso Senhor, o dinheiro será nosso servo. Mas, se Deus não é nosso Senhor, nós nos tornaremos servos do dinheiro.[17]

A hipocrisia (16.14,15)

Embora Jesus estivesse falando a Seus discípulos (16.1), os fariseus estavam escutando, e não com deleite e humildade, mas de nariz empinado e contrariados. Eles eram avarentos e amantes do dinheiro. Gostavam de disfarçar seu pecado e encarar seu dinheiro como evidência da bênção de Deus sobre suas atividades.[18]

O discurso de Jesus atingiu como flecha a hipocrisia deles. Jesus arranca-lhes a máscara e diz que Deus conhece o coração avarento deles. A religião deles era apenas uma fachada. A espiritualidade deles era uma propaganda enganosa. Pareciam muito piedosos diante dos outros, mas eram reprovados diante de Deus. Jesus, põe de ponta-cabeça os valores mesquinhos dos fariseus, dizendo que aquilo que é elevado entre os homens (o que eles avidamente buscavam) é abominação diante de Deus.

A lei (16.16-18)

Jesus conclui Seu ensino mostrando aos fariseus que o evangelho não era um ataque à lei, mas uma consumação da lei. A lei e os profetas,

---

[17] WIERSBE, Warren W. *Comentário bíblico expositivo*. Vol. 5, p. 311.
[18] MORRIS, Leon L. *Lucas: introdução e comentário*, p. 235.

ou seja, o Antigo Testamento, vigoraram até João. Este veio como a dobradiça entre a antiga e a nova dispensação. Ele preparou o caminho do Messias, para quem apontou como o Cordeiro de Deus que tira o pecado do mundo. Desde então, vem sendo anunciado o evangelho do reino de Deus, e todo homem se esforça para entrar nele.

A lei cerimonial cumpriu-se com a chegada do reino, porém a lei moral permanece como reguladora da ética do reino. Essa lei é eterna e jamais passará. Nas palavras de John Charles Ryle, "a parte cerimonial da lei era uma figura de seu próprio evangelho e seria cumprida literalmente. Sua parte moral era uma revelação da eterna mente de Deus e seria perpetuamente ordenada aos crentes".[19] O apóstolo Paulo diz: *A lei é boa, se alguém dela se utiliza de modo legítimo* (1Tm 1.8). E dá seu testemunho: *No tocante ao homem interior, tenho prazer na lei de Deus* (Rm 7.22).

Jesus, então, dá um exemplo do caráter permanente da lei moral, em oposição às tentativas de evasão dos fariseus, citando a questão do divórcio e do novo casamento (16.18). Alguns dos judeus eram bastante liberais em suas ideias acerca do divórcio e de um segundo casamento, enquanto outros eram bastante rígidos. O famoso rabino Hillel, que viveu na metade do primeiro século antes de Cristo, ensinou que um esposo tinha o direito de divorciar-se de sua mulher se ela lhe servisse comida que estivesse ligeiramente queimada; e o rabino Akiba, que viveu no começo do segundo século depois de Cristo, ainda permitia que um esposo se divorciasse de sua esposa se encontrasse uma mulher mais bela.[20] Jesus, na contramão desse pensamento liberal, diz que a lei está em vigor. Portanto, divorciar-se e casar novamente é adultério.

---

[19] RYLE, John Charles. *Meditações no Evangelho de Lucas*, p. 271.
[20] HENDRIKSEN, William. *Lucas*. Vol. 2, p. 325.

48

Contrastes na vida, na morte e na eternidade

Lucas 16.19-31

HÁ UMA COISA NOTÁVEL ACERCA DESTA PASSAGEM das Escrituras: ela é fácil de entender. Podemos discordar dela, negar sua veracidade, ou desprezar seus ensinamentos, mas só uma coisa não se pode fazer: negar sua clareza.

A verdade básica é que a vida é mais do que simplesmente viver, e a morte é mais do que simplesmente morrer. Há muitas especulações sobre o que acontece depois da morte. Há um profundo mistério acerca da morte, e milhões de pessoas recorrem aos médiuns para tentar falar com os mortos.

Jesus neste texto abre a cortina, levanta a ponta do véu e nos mostra o que vem depois da morte: o seio de Abraão (16.22) ou o inferno (16.23). Esta parábola fala-nos a respeito de dois homens: o rico e o Lázaro. A parábola está dividida em dois atos. O primeiro deles é o que acontece do lado de cá da sepultura. O segundo deles é o que acontece do lado de lá da sepultura.

O texto aponta três contrastes: 1) contraste na vida; 2) contraste na morte; 3) contraste na eternidade.[1] Na vida, um é rico e o outro

---

[1] WIERSBE, Warren W. *Comentário bíblico expositivo*. Vol. 5, p. 312,313.

pobre; na morte, um é sepultado e o outro, como indigente, talvez não tenha tido um sepultamento digno; na eternidade, um está no céu e o outro no inferno.

Contraste na vida – o que acontece do lado de cá da sepultura (16.19-21)

Duas realidades diametralmente opostas são colocadas aqui. Vejamos.

Em primeiro lugar, *a ostentação egoísta do rico* (16.19). No primeiro ato, tudo na vida deste homem reflete alegria, felicidade e prazer. Ele vive regaladamente em festas e banquetes. Suas roupas são caras e luxuosas: a púrpura era um tecido tingido com um corante muitíssimo caro (obtido do crustáceo só encontrado nos mares profundos); o linho finíssimo era para a roupa de baixo. Juntos, representavam a última palavra em luxo.[2]

Além das vestes cheias de requinte, ele fazia da vida uma festa contínua, pois "todos os dias se regalava esplendidamente".

O rico não é acusado de crimes horrendos. Não é tachado de caluniador, fraudulento, assassino, adúltero, ébrio ou imoral. Tampouco é acusado por ser rico. Seu problema não é possuir dinheiro, mas ser possuído por ele. O problema dele não é a riqueza, mas a riqueza sem Deus. Esse rico não tem tempo para Deus nem para o próximo necessitado à sua porta. Seu deus é o dinheiro. Seu problema não era a riqueza, mas a riqueza sem Deus e sem amor. William Barclay tem razão ao dizer que não foi o que o rico fez que o condenou, mas foi o que o rico não fez que o levou ao inferno.[3]

Em segundo lugar, *a miséria extrema de Lázaro* (16.20,21). Esta é a única personagem que recebe um nome nas parábolas de Jesus. A miséria absoluta de Lázaro pode ser vista em quatro fatos dramáticos apontados no texto: 1) era mendigo; 2) estava com fome; 3) estava coberto de chagas; 4) os cães lambiam suas úlceras.

---

[2] Morris, Leon L. *Lucas: introdução e comentário*, p. 237.
[3] Barclay, William. *Lucas*, p. 209.

Contraste na morte – o que acontece no sepultamento (16.22)

O texto não traz nenhuma informação acerca da situação religiosa de um ou de outro. Mas Lázaro era evidentemente um fiel servo de Deus, pois, quando morreu, os anjos o levaram para o seio de Abraão. O rico, por sua vez, por causa de seu estilo de vida, fazia do prazer o seu deus.

As privações do mendigo e a suntuosa abastança do rico por fim terminaram de modo igual. Chegou o momento em que ambos morreram. Rienecker diz que, para Lázaro, a morte trouxe o fim de seu sofrimento terreno, e, para o rico, o fim de sua felicidade na terra.[4]

Lucas contrasta a pobreza extrema de um e a riqueza imensa do outro do lado de cá da sepultura. Um banqueteava todos os dias, e o outro passava fome todos os dias. Um vestia-se de púrpura e linho finíssimo, e o outro, de trapos. Mas há diferenças entre eles que não aparecem nas roupas, nas casas nem na posição social.

A morte chegou para ambos. A morte não respeita idade nem condição social. É o sinal de igualdade na equação da vida. Ricos e pobres vieram do pó, são pó e voltam para o pó. Ricos e pobres não trouxeram nada para este mundo e nada levarão dele. Não há caminhão de mudança em enterro nem gaveta em caixão.

A morte um dia bateu à porta de Lázaro. No seu sepultamento, não houve cortejo fúnebre, nem flores, nem hinos, nem discursos, pois ninguém se importava com ele ou sentiu falta dele. Lázaro desceu à sepultura sem pompa, sem holofotes, sem aplausos humanos. O texto silencia completamente sobre seu funeral. Não sabemos ao certo o que fizeram com o corpo de Lázaro. Do que sabemos acerca dos cães do Oriente, podemos até afirmar que eles foram os seus agentes funerários, o seu cortejo e a sua sepultura. Com um estremecimento de nojo nos afastamos, dizendo: "Que tragédia!" Mas, até aqui vimos apenas um lado da história. Agora, Jesus levanta a ponta do véu e mostra que a vida depois da morte é real. Mostra que a sepultura não é o fim da existência.

---

[4] RIENECKER, Fritz. *Evangelho de Lucas*, p. 346.

Um dia a morte chegou também ao rico e arrancou o copo da alegria de seus dedos cheios de anéis. A doença chegou à sua vida sem mandar telegrama. E ele morreu. Embora o texto nada fale sobre a pompa de seu funeral, ela deve ter manifestado a pujança de sua riqueza. E que funeral! Todos os parentes estavam lá. Muitos amigos de banquetes. A urna mortuária refletia o seu imenso poder econômico. Enfim, o esquife baixou à sepultura. Agora, todos dizem: "Descansou!" Ah, não se esqueça, esse é apenas um lado da história. Há mais, muito mais.

Contraste na eternidade (16.23-31) – o que acontece do lado de lá da sepultura (16.22-31)

Depois da morte, o contraste no destino destes dois homens continuou, mas agora a situação está invertida. Uma vez que uma pessoa tenha morrido, sua condição, seja de bem-aventurança ou de condenação, está fixada para sempre. Não existe uma segunda chance. Vejamos.

Em primeiro lugar, *a bem-aventurança eterna de Lázaro* (16.22). Quando a cortina foi levantada depois da morte de Lázaro, vemos anjos carregando Lázaro para o seio de Abraão, para o céu.

O nome Lázaro significa "Deus é o meu auxílio". Embora desprezado pelos homens e considerado escória da sociedade, no ostracismo social, esquecido, doente, faminto, só rodeado por cães leprentos, ele confiava em Deus. "O rico tinha tudo menos Deus; Lázaro não tinha nada senão a Deus."

No seio de Abraão, havia consolo. Quão cedo Lázaro se esqueceu dos seus andrajos, de sua fome, dos cães, das noites frias, do homem rico que não o assistiu na miséria. Ele foi afinal consolado!

Em segundo lugar, *a desventura intérmina do rico* (16.22b-31). Aquele que viveu aqui sem Deus, depois da morte, abriu os olhos e estava no inferno, um lugar de tormentos. Se isso não bastasse, das chamas do inferno, ainda conseguia ver Lázaro e notar sua felicidade. Enquanto Lázaro repousava no seio de Abraão, o rico não teve repouso nenhum no inferno.

O julgamento não acontece nesta vida. A Palavra de Deus diz: *Ao homem está ordenado morrer uma só vez, vindo depois disto o juízo* (Hb 9.27). Primeiro vem a morte, depois o juízo. Quando transgredimos as leis da natureza, sofremos imediatamente as consequências. Quando colocamos a mão no fogo, logo sentimos dor. Mas as leis de Deus podem ser aparentemente transgredidas repetidas vezes sem nenhum castigo. O homem que blasfema não parece sofrer com isso. O homem que rouba parece ter motivos para se vangloriar, pois aparentemente vive melhor do que quando não roubava. Aquele que vive sem freios morais pode deleitar-se com os prazeres efêmeros do pecado. Mas as Escrituras não dizem que toda vez que pecamos Deus envia um anjo com vara de ferro para nos bater. A Bíblia diz que Deus marcou um dia em que vai julgar os homens. e eles não poderão fugir de Deus, mas terão de prestar contas por todas as palavras frívolas, todas as obras injustas, todas as omissões pecaminosas e todos os pensamentos impuros. Será o dia do juízo! Ah, o Dia do juízo!

O homem rico não despertou santo. A morte não transforma um pecador num santo. Quem morre na impiedade passa toda a eternidade na impiedade. O texto em apreço mostra várias imagens aterradoras do inferno.

O inferno é lugar de tormento 16.23). O inferno é descrito aqui como um lugar de tormento, de chamas inextinguíveis, de fogo que não se apaga, de fumaça que sobe pelos séculos dos séculos. O inferno é descrito por Jesus como um lugar onde o bicho jamais deixa de roer. O inferno é lugar de total ausência de comunhão. Lá é uma prisão, um lugar de trevas eternas.

O inferno é um lugar onde não há consolo (16.23-25). O homem ali verá a bem-aventurança sem dela usufruir (16.23), clamará sem ser atendido (16.24), será atormentado sem receber refrigério (16.25).

O inferno é um lugar de onde não se pode sair (16.26) O inferno é definido na Bíblia como uma prisão de algemas eternas (Jd 6,13). Não haverá chance de arrependimento no inferno. Será uma prisão eterna. Será o castigo eterno. Há um abismo intransponível que separa o inferno do céu. Há um caráter de irreversibilidade da sorte de uma pessoa depois da morte.

O inferno é um lugar onde o pedido de socorro não é atendido (16.27). Não há alívio no inferno. Não há pedidos atendidos no inferno. Não há chance de reverter a situação no inferno.

O inferno é um lugar de lembranças das oportunidades perdidas (16.27,28). Se as memórias amargas já atormentam os homens nesta vida, quanto mais os afligirão por toda a eternidade. Ah, quantas oportunidades perdidas! No primeiro minuto de inferno, os ímpios se lembrarão dos avisos solenes de Deus. Não haverá ateus no inferno. Não haverá agnósticos no inferno.

O inferno é um lugar de onde não se pode mais ajudar a família (16.28-30). O tempo de se arrepender é agora. O tempo de evangelizar é agora. O tempo de ajudar alguém é agora. No inferno, os ímpios são inteiramente responsáveis por não terem ouvido as advertências das Escrituras (16.27-31). Alguém ressuscitado dentre os mortos não trará convicção alguma àqueles que recusam as Escrituras. Quão equivocado ele estava! Realmente apareceu ao povo alguém dentre os mortos. E o seu nome era Lázaro (ainda que não o Lázaro da parábola). A história encontra-se em João 11. O resultado foi que todos se converteram? Absolutamente não! O resultado foi que os inimigos de Cristo planejaram a morte de Lázaro que fora ressuscitado (Jo 12.10) e estavam decididos mais do que nunca a destruírem a Cristo (Jo 11.47-50).[5]

O inferno é um lugar de duração eterna (16.26). O que é eternidade? É um conceito que vai para além do entendimento humano. Podemos entender o tempo, mas não a eternidade. Imagine um beija-flor afiando o seu bico de mil em mil anos num grande rochedo. Quando esta pedra estiver totalmente gasta, terá passado um pouco da eternidade. O profeta Isaías menciona chamas eternas (Is 66.24). O profeta Daniel fala em vergonha eterna (Dn 12.2). João Batista e Jesus se referem a um fogo que não se apaga (Mt 3.12; Mc 9.43). O apóstolo Paulo fala sobre destruição eterna (2Ts 1.9). O apóstolo João diz que os ímpios serão atormentados pelos séculos dos séculos (Ap 14.11). Thomas Brooks afirma que os ímpios viverão no inferno enquanto Deus viver no céu.

Concluímos com as lições solenes da passagem apontada por John Charles Ryle:[6]

---
[5]ROBERTSON, A. T. *Comentário Lucas à luz do Novo Testamento Grego*, p. 297.
[6]RYLE, John Charles. *Meditações no Evangelho de Lucas*, p. 272,273.

A posição que um homem ocupa diante dos outros nem sempre é a mesma que ele ocupa diante de Deus. O pobre tinha graça, algo que o rico não possuía. O pobre tinha fé e andava nas pegadas de Abraão, enquanto o rico era egoísta e estava morto nos seus delitos e pecados.

A morte vem a todas as pessoas. A morte vem a todas as classes de pessoas. Tanto o sofrimento do pobre quanto a luxúria do rico findaram com a morte. A morte é o sinal de igualdade na equação da vida. Houve um tempo em que ambos morreram.

Deus leva os salvos para o seio de Abraão na hora da morte. Lázaro era pobre, mas possuía tudo; o outro era rico, mas não possuía nada. Um morreu e foi para o céu; o outro foi sepultado e foi para o inferno.

As pessoas não convertidas descobrirão o valor da alma tarde demais. Enquanto viveu, o rico jamais pensou em sua alma. Estava apenas buscando deleites para o seu corpo e não fez nenhuma provisão para sua alma. Quando estava no inferno, despertou para a realidade da alma, mas já era tarde demais.

Os milagres não ajudam as pessoas que desobedecem à Palavra de Deus. O maior dos milagres é insuficiente para ajudar alguém que rejeita a Palavra de Deus. A confiança na Palavra de Deus é a condição para a salvação (16.31). A pessoa que escuta a Palavra de Deus, mas ainda espera por mais evidências para se converter, está enganando a si mesma e poderá acordar no inferno.

Concordo com Rienecker quando ele diz que o testemunho das Escrituras se reveste de tanta relevância e validade que sozinho já é suficiente para produzir uma conversão. Um sinal milagroso que age sobre os sentidos de forma alguma é comparável ao testemunho extraordinário das Escrituras.[7]

Concluo dizendo que a doutrina do inferno não é uma verdade popular. Não agrada aos ouvidos. Choca as pessoas mais sensíveis. O ser humano não gosta de ouvir sobre o inferno. Contudo, pior do que ouvir sobre o inferno é ser lançado nele.

---

[7] RIENECKER, Fritz. *Evangelho de Lucas*, p. 347,348.

49

Advertências solenes

Lucas 17.1-37

A ESTRUTURA DA NARRATIVA para este capítulo continua sendo a viagem para Jerusalém. Jesus acabara de falar sobre o inferno (16.23,24), mostrando que, uma vez nesse lugar terrível, é impossível escapar (16.26-31).

Os discípulos de Jesus, portanto, devem estar atentos e vigilantes para não serem pedra de tropeço na vida daqueles que estão se aproximando de Cristo. Fazer alguém tropeçar, se desviar e perecer eternamente é algo muitíssimo grave (17.1).

Na passagem em apreço, Jesus traz solenes advertências, que passaremos a considerar.

Cuidado com os **escândalos**! (17.1,2)

Três verdades nos chamam a atenção nesta passagem.

Em primeiro lugar, *a inevitabilidade dos escândalos* (17.1). Vivemos num mundo caído, rendido ao pecado, e, enquanto vivermos aqui, teremos de lidar com tropeços, armadilhas e escândalos. Isso, entretanto, não é uma permissão para pecar, mas um alerta sobre a gravidade e a extensão do pecado. A palavra grega *scandala*, traduzida aqui por "escândalos", significa literalmente a lingueta de um alçapão que o faz fechar-se sobre a vítima.[1] Trata-se de um laço, uma armadilha, um tropeço colocado no caminho de alguém.

Em segundo lugar, *a malignidade dos escândalos* (17.1b). Embora os escândalos sejam inevitáveis, aqueles que são seus agentes estão debaixo de um *ai* do Senhor Jesus. O escândalo não produz apenas tropeço para os pequeninos que vêm a Cristo, mas também uma grande dor ao coração de Cristo. David Neale diz que a exclamação *ai* nunca é usada para os que estão no aprisco em Lucas, somente para os que estão de fora. Ela é usada para os ricos, os bem-alimentados e os falsos profetas (6.24-26). Ela é usada para Corazim (10.13) e para os escribas e fariseus (11.42-52). Também é usada para Judas Iscariotes (22.22).[2] Ser pedra de tropeço na vida de alguém é entrar para esse triste rol.

Em terceiro lugar, *a punição severa dos escândalos* (17.2). É melhor amarrar uma pedra no pescoço e se lançar ao mar e afogar-se aqui e agora do que ser um tropeço a um dos pequeninos que se chegam a Cristo. Concordo com Rienecker quando ele diz que o termo "pequeninos" aqui não se refere a crianças, mas a "iniciantes na fé", em comparação com membros mais antigos do grupo dos discípulos.[3] Essa pedra de moinho era uma pedra pesada, usada para triturar grãos. Era a pedra superior, girada tipicamente por um boi, quando os grãos eram moídos.[4] O que Jesus está dizendo é que uma morte horrível é preferível a causar danos espirituais a uma pessoa que dEle se aproxima.

Perdoe, sem jamais cessar! (17.3-6)

Da mesma forma que é um terrível pecado ser uma pedra de tropeço às pessoas que se achegam a Cristo, também é um grave delito não perdoar as pessoas que pecam contra nós. Como podemos perdoar?

Em primeiro lugar, *o perdão exige cautela* (17.3a). Precisamos nos acautelar para não sermos arrogantes até mesmo na maneira de lidar com o perdão. A falta de humildade no trato ou a abordagem errada

---

[1] Morris, Leon L. *Lucas: introdução e comentário*, p. 240.
[2] Neale, David A. *Novo comentário bíblico Beacon Lucas 9-24*, p. 192.
[3] Rienecker, Fritz. *Evangelho de Lucas*, p. 350.
[4] Richards, Lawrence O. *Comentário histórico-cultural do Novo Testamento*, p. 178.

pode agravar o problema e aprofundar a ferida, em vez de trazer cura e libertação.

Em segundo lugar, *o perdão legitima o confronto* (17.3b). A palavra "repreender" aqui vem do verbo grego *epitimeo* e indica uma forte reprovação ou uma severa advertência.[5] Não podemos confundir o fazer vista grossa ou o ignorar com o perdoar. É claro que Jesus não orienta aqui a condenação judicial, mas uma reprimenda fraterna, uma ajuda com toda longanimidade e amor.[6] O processo deve ser completo: pecado--repreensão-arrependimento-perdão.[7] Jesus disse que, se o nosso irmão pecar contra nós, devemos repreendê-lo; se ele se arrepender, devemos perdoá-lo. O silêncio, portanto, não é sinônimo de perdão. O tempo não atenua a dor nem cura a ferida. O confronto é o caminho da restauração. Não é sensato adiar a solução de um problema interpessoal. Não devemos subestimar o poder da mágoa. A única maneira de estancar esse fluxo venenoso é pelo confronto que desemboca no arrependimento e no perdão.

Em terceiro lugar, *o perdão deve ser ilimitado* (17.4). Jesus disse que, se por sete vezes no dia, alguém pecar contra você, e sete vezes vier ter com você arrependido, você deve perdoá-lo. O perdão que devemos dar é ilimitado, porque o perdão que recebemos de Deus também é ilimitado, e a Bíblia nos ensina a perdoar como Deus em Cristo também nos perdoou (Cl 3.13). Deus nos perdoa completamente, ilimitadamente, eternamente. Aqueles que são filhos de Deus imitam o Pai e perdoam também de forma ilimitada. Warren Wiersbe, citando o poeta George Herbert, diz: "Quem não é capaz de perdoar destrói a ponte sobre a qual ele próprio deve passar".[8]

Em quarto lugar, *o perdão é uma atitude que vai além das forças humanas* (17.5,6). Quando Jesus terminou de falar sobre evitar que outros tropecem por sua causa e sobre o caráter ilimitado do perdão, os discípulos disseram ao Senhor: *Aumenta-nos a fé* (17.5). O perdão não é

---

[5] RICHARDS, Lawrence O. *Comentário histórico-cultural do Novo Testamento*, p. 178.
[6] RIENECKER, Fritz. *Evangelho de Lucas*. 351.
[7] RICHARDS, Lawrence O. *Comentário histórico-cultural do Novo Testamento*, p. 178.
[8] WIERSBE, Warren W. *Comentário bíblico expositivo*. Vol. 5, p. 316.

algo natural. Requer força do alto. Nossa natureza caída clama por retaliação e vingança. Porém, recebemos um novo coração, uma nova mente, uma nova vida. Agora, o Espírito de Deus habita em nós e podemos, pela força do Onipotente, exercitar o perdão. Contudo, esse exercício só é possível quando o próprio Senhor aumenta a nossa fé. O que não podemos fazer por nós, podemos fazê-lo pela força que vem do alto.

A fé é capaz de coisas humanamente impossíveis (17.6). É uma virtude que admite graus. Existe a pequena e a grande fé, a fé vigorosa e a frágil. Uma pequena fé no grande Deus é capaz de desarraigar árvores robustas, cujas raízes estão entrelaçadas e aprofundadas na terra, e lançá-las ao mar. As raízes da amoreira ficavam na terra durante seiscentos anos, de modo que a remoção dela seria muito difícil. Portanto, o que Jesus está dizendo é que nada é impossível à fé. A fé genuína pode realizar aquilo que a experiência, a razão e a probabilidade negariam.[9] Jesus usa essa ilustração radical para mostrar que, pela fé, podemos fazer coisas humanamente improváveis e impossíveis, como perdoar ilimitadamente.

Faça, mas faça com a **motivação certa**! (17.7-10)

Quando as pessoas têm uma fé tão robusta assim, podem ser tentadas à soberba espiritual. O orgulho apega-se automaticamente, como um verme roedor, à raiz da obediência da fé.[10] Jesus, então, passa a ensinar sobre a necessidade da humildade, através da parábola do servo inútil.

No fim do serviço do dia, o senhor não convida o escravo a jantar (embora nosso Mestre faça isso e muito mais! 12.37; 22.27). Pelo contrário, chama o servo para servi-lo enquanto ele come. E nem agradece ao escravo por fazer aquilo que lhe foi ordenado (17.9). Aquilo nada mais era do que o seu dever. Assim também acontece com os servos de Deus (17.10). Nosso melhor serviço não nos dá nenhum direito sobre Deus (1Co 9.16). Na melhor das hipóteses, fizemos apenas o que devíamos fazer.[11]

---

[9]Morris, Leon L. *Lucas: introdução e comentário*, p. 241.
[10]Rienecker, Fritz. *Evangelho de Lucas*, p. 354.
[11]Morris, Leon L. *Lucas: introdução e comentário*, p. 241.

Nessa mesma linha de pensamento, David Neale diz que essa história é uma exortação à humildade cristã e a evitar a arrogância em fazer simplesmente aquilo que se espera que façamos.[12] De acordo com Barclay, essa parábola nos ensina a seguinte lição: não podemos jamais pretender que Deus fique em dívida conosco.[13]

Rienecker interpreta corretamente o texto quando escreve:

> A ideia básica desta parábola é que todo recurso, toda confiança e todo apoio na *realização própria* são condenados. Tudo é pura graça. O juízo de Jesus sobre a obra de seu servo aniquila plena e cabalmente o fariseísmo, apagando de maneira radical qualquer pensamento meritório por parte do ser humano e qualquer compromisso e obrigação de Deus perante o ser humano.[14]

Esta parábola também nos ensina por contraste. Devemos servir ao Senhor que deu Sua vida pelos servos, ao Senhor que serve a Seus servos e lava os pés dos Seus servos, que se fez servo e o menor dos servos, para dar Sua vida pelos servos. Devemos servir a Cristo não com a mentalidade de escravo, apenas com o senso de dever, mas com profunda gratidão e amor.

Warren Wiersbe coloca essa verdade assim: "Se um servo comum é fiel em obedecer às ordens de seu senhor que não O recompensa nem O agradece, quanto mais os discípulos de Cristo devem servir a seu Senhor amoroso, que prometeu recompensá-los fartamente".[15] Servir ao Senhor deve ser um deleite, e não uma obrigação pesada. O cristão deve dizer como Davi: *Agrada-me fazer a tua vontade, ó Deus meu...* (Sl 40.8).

Volte para **agradecer**! (17.11-19)

A caminho de Jerusalém, Jesus ia passando pelo meio de Samaria e da Galileia. Ao entrar numa aldeia, saíram ao seu encontro dez leprosos.

---

[12] NEALE, David A. *Novo comentário bíblico Beacon Lucas 9-24*, p. 194.
[13] BARCLAY, William. *Lucas*, p. 211.
[14] RIENECKER, Fritz. *Evangelho de Lucas*, p. 354.
[15] WIERSBE, Warren W. *Comentário bíblico expositivo*. Vol. 5, p. 316.

Nessa colônia havia judeus e samaritanos. A miséria nivela os homens, e a dor quebra barreiras raciais. De que vale, num leprosário, as diferenças culturais e raciais? Charles Spurgeon diz que "a desgraça faz de estranhos amigos íntimos".[16]

Os leprosos não se aproximaram, mas de longe gritaram: *Mestre, compadece-Te de nós* (17.13). Eles não pedem para ser purificados; clamam apenas por compaixão. Jesus, em resposta, apenas ordena que eles vão e se mostrem aos sacerdotes. Isso era o que a lei exigia. Só os sacerdotes, autoridades sanitárias e inspetoras de saúde, podiam diagnosticar a lepra ou declarar uma pessoa curada da lepra. Jesus não tocou neles como fez com o homem tomado de lepra (5.12-16), nem mesmo declarou que eles estavam limpos. Apenas os enviou aos sacerdotes.

Enquanto os homens caminhavam, o poder da cura de Jesus lhes restaurou a saúde, e eles ficaram limpos. Dos dez leprosos, apenas um voltou, dando glória a Deus em alta voz (17.15). Neste, a cura despertou acordes de gratidão.[17] Este se prostrou com o rosto em terra aos pés de Jesus, agradecendo pelo milagre. Enfaticamente, Lucas registra que este era um samaritano (17.16).

A ausência dos outros nove curados chama a atenção de Jesus, que pergunta: *Não eram dez os que foram curados? Onde estão os nove? Não houve, porventura, quem voltasse para dar glória a Deus, senão este estrangeiro?* (17.17,18). Diz Larry Richards que o texto não explora o motivo dos nove, mas a melhor coisa que tem sido dito sobre eles é que foram ingratos.[18] Àquele samaritano curado e grato, rendido aos Seus pés, Jesus diz: *Levanta-te e vai; a tua fé te salvou* (17.19).

Dessa parábola aprendemos algumas lições.

Em primeiro lugar, **o terrível sofrimento causado pela lepra** (17.12,13). A lepra era a mais temida e a mais terrível doença daquela época. A lepra é uma doença contagiosa que separa, insensibiliza, deixa marcas e mata. Um leproso não podia viver junto de sua família, mas devia ser recolhido a uma aldeia de leprosos. Esses dez homens estavam

---

[16]SPURGEON, Charles H. *Milagres e parábolas do nosso Senhor*, p. 79.
[17]MORRIS, Leon L. *Lucas: introdução e comentário*, p. 242.
[18]RICHARDS, Larry. *Todos os milagres da Bíblia*, p. 269.

vivendo segregados, cobertos de trapos, vendo o corpo apodrecer e a morte aproximar-se a cada dia.

Em segundo lugar, *o poder de Jesus para curar* (17.14). Jesus não precisou tocá-los nem mesmo declará-los limpos. Apenas os enviou aos sacerdotes, as autoridades sanitárias, e enquanto eles iam foram purificados. Jesus é o mesmo hoje. Ele tem poder para curar os enfermos e salvar os pecadores.

Em terceiro lugar, *a importância da obediência* (17.14). Jesus não realizou nenhum ritual de cura nem lançou mão de algum expediente místico para curar os dez leprosos. Apenas deu uma ordem; eles prontamente obedeceram e foram purificados. A obediência é o caminho da cura.

Em quarto lugar, *o valor inestimável da gratidão* (17.15-18). Somente um dos dez voltou para agradecer a cura. Este que voltou era um samaritano. Ele deu glória a Deus, prostrou-se aos pés de Jesus e rendeu-Lhe seu tributo de gratidão. Charles Spurgeon tem razão ao dizer que existem mais pessoas que recebem benefícios do que agradecem por eles. O número dos que suplicam a Deus é bem maior do que o número dos que O louvam.[19] Ryle destaca que a gratidão é uma flor que nunca vicejará de qualquer outro caule, exceto da raiz profunda da humildade.[20] Spurgeon, expondo essa passagem, destaca três verdades solenes: a singularidade da gratidão, as características da verdadeira gratidão e a bênção da gratidão.[21]

Em quinto lugar, *a bênção suprema da salvação* (17.19). Nove homens contentaram-se apenas com a cura física e seguiram seu caminho. Apenas um voltou para agradecer e, ao voltar, recebeu a maior de todas as curas, a cura espiritual. Jesus lhe disse: *Vai, a tua fé te salvou*. A cura é uma bênção temporal, mas a salvação é uma bênção eterna. A palavra grega usada aqui para salvação é *sosoken*, um termo que expressa cura completa.[22]

---

[19]SPURGEON, Charles H. *Milagres e parábolas do nosso Senhor*, p. 80.
[20]RYLE, John Charles. *Meditações no Evangelho de Lucas*, p. 281.
[21]SPURGEON, Charles H. *Milagres e parábolas do nosso Senhor*, p. 80-83.
[22]RICHARDS, Lawrence O. *Comentário histórico-cultural do Novo Testamento*, p. 178.

David Neale ressalta o fato de só o samaritano sair daquele encontro curado pela fé. Os excluídos são convidados a entrar, enquanto os incluídos falham em demonstrar gratidão.[23] Warren Wiersbe é oportuno quando escreve: "Os nove amigos do samaritano foram declarados cerimonialmente puros pelo sacerdote, mas ele foi declarado salvo pelo Filho de Deus".[24]

Esteja preparado: **Jesus voltará!** (17.20-37)

Jesus é, agora, interrogado pelos fariseus sobre o tempo da chegada do reino de Deus. Eles estavam esperando a chegada de um reino exterior, terreno, visível, um reino no qual os judeus ocupariam um lugar muito proeminente.[25] Essa pergunta dá oportunidade a Jesus de ensinar verdades solenes sobre o reino de Deus e sua segunda vinda. Vejamos.

Em primeiro lugar, *o reino de Deus não vem com exibição externa* (17.20,21). O reino de Deus é diferente de quaisquer reinos com os quais os fariseus tinham familiaridade.[26] Não é uma estrutura governamental com palácios, cortes e casas de leis. Não tem aparato militar nem visível aparência. Por isso, não pode ser identificado geograficamente: Ei-lo aqui ou lá está. O reino de Deus é uma realidade espiritual invisível. Está entre nós e dentro de nós. Ou seja, onde uma pessoa se submete ao governo de Deus, onde um indivíduo se rende ao senhorio de Cristo, aí chegou o reino de Deus.

Em segundo lugar, *a segunda vinda de Cristo será repentina* (17.22-25). Jesus, agora, se volta novamente para seus discípulos, a fim de ensiná-los que, antes de Sua gloriosa vinda, Ele mesmo precisa padecer muitas coisas e ser rejeitado por aquela geração (17.25). Então, haveria um tempo também em que Seus seguidores teriam de passar momentos difíceis, dias de profunda opressão e perseguição. Nesse tempo, eles estariam ansiosos para contemplá-Lo. Também nesse tempo de tribulação surgiriam falsos mestres, apontando para falsos

---

[23] NEALE, David A. *Novo comentário bíblico Beacon Lucas 9-24*, p. 198.
[24] WIERSBE, Warren W. *Comentário bíblico expositivo*. Vol. 5, p. 318.
[25] HENDRIKSEN, William. *Lucas*. Vol. 2, p. 364.
[26] MORRIS, Leon L. *Lucas: introdução e comentário*, p. 243.

cristos (17.23). E, em vez de dar ouvidos a essas falsas mensagens messiânicas, Seus discípulos devem estar atentos para o caráter repentino de Sua volta. Será como o relâmpago que risca os céus, brilhando de uma extremidade à outra. Nas palavras de Barclay, "a segunda vinda de Cristo é segura, mas se desconhece o momento de Sua chegada".[27] Ele virá, e virá inesperada e repentinamente.

Em terceiro lugar, *a segunda vinda de Cristo acontecerá num tempo de descuido espiritual* (17.26-30). Jesus compara a Sua volta aos dias de Noé e aos dias de Ló. Duas catástrofes aconteceram: o dilúvio e a subversão das cidades de Sodoma e Gomorra. Essas duas gerações foram alertadas antecipadamente, mas ambas continuaram sua vida sem dar atenção ao alerta de juízo. Os antediluvianos continuaram comendo, bebendo, casando e dando-se em casamento (17.27); já os habitantes de Sodoma continuaram comendo, bebendo, comprando, vendendo, plantando e edificando (17.28). Não há nenhum mal nessas atividades. Todas elas são lícitas. O problema é que essas pessoas só fizeram investimentos na vida terrena e nenhum investimento na vida espiritual. Colocaram as bênçãos de Deus no lugar do Deus das bênçãos. Transformaram as dádivas de Deus na única razão para viver e se esqueceram de Deus. Assim estará o mundo quando Jesus voltar: as pessoas estarão pensando apenas em seus interesses imediatos e terrenos, não fazendo nenhuma provisão para a vida espiritual. O Dia do Senhor as apanhará de surpresa!

Em quarto lugar, *a segunda vinda de Cristo será inescapável* (17.31). Jesus ilustra a realidade da segunda vinda com um fato histórico que brevemente aconteceria: a invasão de Jerusalém no ano 70 d.C. Quando Jerusalém foi invadida pelo general Tito, a cidade ficou devastada, o templo foi arrasado e incendiado, os muros foram quebrados, e o povo que não foi passado ao fio da espada acabou disperso pelo mundo. Nesse dia, era impossível pensar em resgatar algo de valor dentro de casa. O cerco de Roma tornou-se inescapável. Assim também será na segunda vinda de Cristo. Naquele dia, as pessoas devem prestar toda

---

[27] BARCLAY, William. *Lucas*, p. 215.

a sua atenção no Filho do homem, e não nos seus bens materiais.[28] Elas não escaparão. Nenhuma caverna conseguirá esconder as pessoas dAquele que virá com grande poder e glória. Nem mesmo a morte poderá servir de escape naquele dia (Ap 6.12-17).

Em quinto lugar, *na segunda vinda de Cristo será inútil um falso compromisso* (17.32,33). Jesus ordena: *Lembrai-vos da mulher de Ló* (17.32). A mulher de Ló avançou bastante em sua confissão religiosa. Era a esposa de um homem "justo". Por meio de Ló, ela estava ligada a Abraão, o pai da fé. Juntamente com seu marido, ela fugiu de Sodoma, no dia da destruição. Mas a mulher de Ló deixou seu coração em Sodoma e desobedeceu à ordem do anjo, olhando para trás. Imediatamente ela foi morta e transformou-se numa estátua de sal.[29]

John Charles Ryle, no seu livro *Santidade*[30], diz que aquele olhar para trás da mulher de Ló parecia algo insignificante, mas revelava sua desobediência interior. O mandamento do anjo foi enfático: *Não olhes para trás* (Gn 19.17). A mulher de Ló recusou-se a obedecer a este mandamento. Ao olhar para trás, ela mostrou sua incredulidade soberba. Ela parecia duvidar que Deus fosse realmente destruir Sodoma. Parecia não acreditar que Deus estava falando sério. Os avisos de Deus são solenes e é melhor obedecer-Lhes. Aquele olhar parecia ser insignificante, mas revelava o amor secreto que a mulher de Ló tinha pelo mundo. Seu coração estava em Sodoma, embora seu corpo estivesse fora da cidade. Ela havia deixado suas paixões para trás ao fugir de seu lar. Seus olhos voltaram-se para o lugar onde estava o seu tesouro. Este foi o ponto crucial do seu pecado, o amor ao mundo. A amizade do mundo é inimizade contra Deus (Tg 4.4). Na verdade, a mulher de Ló nunca abandonou o mundo. O mundanismo prendia sua alma em Sodoma. Ainda hoje há muitos crentes professos que estão junto do povo de Deus, mas continuam amando o mundo. Jesus, porém, é enfático ao dizer que ganhar a vida amando o mundo é perdê-la. E perder a vida, na perspectiva do mundo, é ganhá-la (17.33).

---

[28]MORRIS, Leon L. *Lucas: introdução e comentário*, p. 245.
[29]RYLE, John Charles. *Meditações no Evangelho de Lucas*, p. 285.
[30]RYLE, John Charles. *Santidade*. São José dos Campos, SP: Fiel, 2009.

Em sexto lugar, *na segunda vinda de Cristo haverá apenas dois grupos de pessoas* (17.34-36). Esses dois grupos são formados por aqueles que serão tomados no arrebatamento (1Ts 4.17) e aqueles que serão deixados para o juízo (Mt 13.41,42; 2Ts 1.7-9; Ap 14.17-20). Nem intimidade física (dois na mesma cama) nem sociedade de trabalho (duas mulheres juntas moendo, dois homens no campo) pode impedir essa separação. O mundo hoje está dividido entre ricos e pobres, doutores e iletrados, grandes e pequenos. Mas a verdadeira divisão é outra: os que estão salvos e os que ainda permanecem perdidos, os que estão preparados para se encontrarem com Deus e aqueles que não encontrarão oportunidade de se preparar na última hora. É digno de nota que esse fato ocorra para uns de noite (17.34) e para outros de dia (17.35,36). Quando Jesus voltar, por causa do fuso horário, será dia para uns e noite para outros.

Em sétimo lugar, *na segunda vinda não haverá mais tempo para se preparar* (17.37). Jesus usa aqui, possivelmente, um ditado popular: "Onde estiver o corpo, aí se ajuntarão também os abutres". O que isso significa? Onde estiverem os espiritualmente mortos, ali haverá julgamento.[31] Ali, o juízo final os surpreenderá.[32]

---

[31] MORRIS, Leon L. *Lucas: introdução e comentário*, p. 246.
[32] HENDRIKSEN, William. *Lucas*. Vol. 2, p. 370.

50

Deus responde à oração

Lucas 18.1-14

JESUS PASSA DAS AGRURAS QUE O MUNDO ENFRENTARÁ nos dias que antecederão à sua segunda vinda, para a necessidade de orar nessas aperturas da vida. Se a sociedade é comparada a um cadáver em estado de decomposição (17.37), então, a oração é a maneira de respirarmos o ar puro do céu na terra (18.1). John Charles Ryle tem razão ao dizer que o cristianismo autêntico começa e floresce na prática da oração; ou decai com a falta dela.[1]

As duas parábolas de 18.1-14 se relacionam estreitamente. A oração deve ser tanto com perseverança (18.1-8) quanto com humildade (18.9-14).[2]

Quando Deus **responde** à oração (18.1-8)

No texto em apreço, Jesus dá primeiro a lição, depois conta a parábola. A lição é sobre o dever de orar sempre e nunca esmorecer (18.1). Lucas mais uma vez usa o argumento do menor para o maior. Se um juiz injusto concede o pedido por causa da persistência da requerente, quanto

---
[1] RYLE, John Charles. *Meditações no Evangelho de Lucas*, p. 287.
[2] HENDRIKSEN, William. *Lucas*. Vol. 2, p. 376.

mais o Pai celestial irá responder à persistência de quem O pede? Esse, portanto, é um contraste não só do humano e do divino, mas também do injusto e do santo.[3] Vemos nessa parábola algumas lições importantes.

Em primeiro lugar, *a oração é o antídoto contra o desânimo* (18.1). Mesmo que a oração seja um exercício espiritual que demanda toda a nossa energia, o que nos leva ao esmorecimento não é a oração, mas a falta dela. É quando deixamos de orar que somos suplantados pelo desânimo. É quando falta oração em nossa vida que somos esmagados pelo esmorecimento. Sem oração, perdemos o vigor espiritual. Sem oração, não há poder para o enfrentamento das lutas e perseguições que sobrevêm. Sem oração, perdemos a conexão com as alturas.

Em segundo lugar, *a oração perseverante é um dever* (18.1). Jesus poderia ter falado que oração é um privilégio, e realmente é, pois orar é falar com Deus. A oração é unir a fraqueza humana à onipotência divina. É conectar o altar com o trono. Porém, Jesus afirmou que a oração perseverante é um dever. Deixar de orar é um pecado de omissão. É não apenas deixar de desfrutar de um privilégio, mas é, também, deixar de cumprir um dever. O tema da oração perseverante é uma das ênfases de Lucas (11.1-4; 11.5-8; 11.9-13).

Em terceiro lugar, *a oração não é um pedido de um desconhecido a um magistrado injusto* (18.2-6). A parábola deixa claro o contraste entre a viúva e os escolhidos de Deus. A viúva é uma mulher desprotegida e indefesa, que não possui mais um protetor natural.[4] Ela não conhece o juiz, não é respeitada por ele nem tem acesso ao tribunal. Jesus não diz que o povo de Deus é como essa viúva. Que contrastes encontramos aqui? A viúva era anônima, desconhecida e desprotegida, mas nós somos filhos de Deus. Nosso nome está arrolado no céu. A viúva não tinha acesso ao juiz; nós temos livre acesso ao trono da graça, por meio de Cristo. A viúva não tinha amigo algum no tribunal; nós temos junto ao Pai Jesus Cristo, o Advogado, o Justo. Ele é o nosso grande Sumo Sacerdote que nos assiste em nossa fraqueza. Ela não tinha nenhuma garantia ou promessa do juiz em atender à sua causa; nós temos as

---

[3] NEALE, David A. *Novo comentário bíblico Beacon Lucas 9-24*, p. 206.
[4] RIENECKER, Fritz. *Evangelho de Lucas*, p. 365.

Escrituras com centenas de promessas do cuidado generoso de Deus. A viúva dirigiu-se a um tribunal, mas nós entramos confiadamente no trono da graça (Hb 4.14-16).

Em quarto lugar, *a oração é um pedido dos escolhidos ao Deus justo* (18.7). Jesus faz aqui um claro contraste entre o juiz e Deus. O juiz é arrogante e egoísta. Não teme a Deus nem respeita aos homens. Era desprezível e nem sequer tinha amor pela justiça. Sentimentos de ternura, de igual modo, eram completamente estranhos para ele.[5] Só atendeu a viúva por medo de importunação e para ficar livre dela. Até mesmo ao fazer justiça à viúva, ele o fez por amor a si mesmo, e não por senso de justiça ou amor a ela. Deus, porém, não é assim. Ele é o Pai de misericórdias e o Deus de toda consolação (2Co 1.3). Ele responde à nossa oração porque nos ama. Ele tem pressa em fazer-nos justiça. Deleita-se em ouvir nossa voz e em socorrer-nos em nossas necessidades. David Neale tem razão ao dizer que, se entendermos Deus como um Pai amoroso e não como um juiz severo, nós nos aproximaremos dEle confiadamente em oração.[6]

Nós somos os escolhidos de Deus. Se Deus nos escolheu, e escolheu-nos desde a eternidade, se Deus nos atraiu para si, e nos atraiu com cordas de amor, se Deus já começou sua boa obra em nós, e não só começou, mas há de completá-la até o dia final, então, podemos ter plena convicção de que Ele ouvirá nossa oração e se apressará em nos fazer justiça.

Em quinto lugar, *a oração não é atendida conforme a agenda dos homens, mas segundo a vontade soberana de Deus* (18.7,8). Mesmo quando os escolhidos de Deus clamam a Ele dia e noite, e mesmo sabendo que Deus os defende, nem sempre a oração é atendida imediatamente. A demora de Deus, entretanto, não é prova da insensibilidade, mas evidência de Sua sábia e generosa providência. Quando Deus demora, é porque está nos preparando para a realização de Sua vontade. A demora de Deus não é um indeferimento ao nosso clamor. Quando Ele demora, é porque está preparando algo maior e melhor para a nossa vida.

Em sexto lugar, *o fim dos tempos será marcado pelo declínio da fé, portanto pelo esfriamento da prática da oração* (18.8b). Antes desta

---

[5] HENDRIKSEN, William. *Lucas*. Vol. 2, p. 377.
[6] RICHARDS, Lawrence O. *Comentário histórico-cultural do Novo Testamento*, p. 181.

parábola, Jesus falou sobre Sua segunda vinda e terminou apontando novamente para Sua volta. Entre a Sua primeira e Sua segunda vinda, precisamos orar sempre e nunca esmorecer. Porém, à medida que a história caminha para sua consumação, as pessoas se tornarão mais desatentas às coisas espirituais, como ocorreu com a geração de Noé e Ló (17.26-30). Daí, a pergunta perturbadora de Jesus: ... *contudo, quando vier o Filho do homem, achará, porventura, fé na terra?* (18.8). Warren Wiersbe cita as oito pessoas que foram salvas no dilúvio no tempo de Noé e as três que escaparam de Sodoma, para dizer que não haverá uma grande fé no fim dos tempos.[7] Concordo, entretanto, com William Hendriksen quando ele diz que essa pergunta é formulada não com o propósito de especulação, mas de autoexame. Que cada um responda por si mesmo.[8]

Quando Deus **não responde** à oração (18.9-14)

Esta é outra parábola unicamente lucana. Dá continuidade ao tema apresentado na história do juiz iníquo. Como devemos entender a Deus, e como devemos nos relacionar com Ele?[9]

Jesus dirige essa parábola, muito provavelmente, a um grupo de fariseus, uma vez que propôs a parábola a alguns que confiavam em si mesmos, por se considerarem justos, e desprezavam os outros (18.9). A parábola do fariseu e do publicano é a história de dois homens, duas orações e dois resultados.[10] Os dois foram ao mesmo templo, em uma mesma hora e com o mesmo propósito: orar. O resultado, porém, foi diferente. Deus ouviu a oração do publicano, mas não respondeu à oração do fariseu. Por quê?

Em primeiro lugar, *porque sua oração foi apenas um discurso retórico para exaltar suas próprias virtudes* (18.11,12). Orar não é proferir fórmulas bonitas, bem colocadas retoricamente, ainda que regadas de lágrimas. Orar não é se exaltar nem proclamar suas próprias virtudes.

---

[7]WIERSBE, Warren W. *Comentário bíblico expositivo.* Vol. 5, p. 323.
[8]HENDRIKSEN, William. *Lucas.* Vol. 2, p. 380.
[9]RICHARDS, Lawrence O. *Comentário histórico-cultural do Novo Testamento*, p. 181.
[10]HENDRIKSEN, William. *Lucas.* Vol. 2, p. 381-384.

O fariseu não orou; ele fez um discurso eloquente para se autopromover. Ele não orou; ele tocou trombetas. Ele não orou; ele aplaudiu a si mesmo. Ele não orou; ele fez cócegas no seu próprio ego. Ele não orou; ele fez um solo do hino "Quão grande és tu" diante do espelho. William Barclay diz que o fariseu não foi orar; foi apenas informar a Deus acerca do grande homem que ele era.[11] Não existe nada mais abominável aos olhos de Deus do que o orgulho. É impossível orar sem primeiro calçar as sandálias da humildade. Soberba e oração não podem habitar no mesmo coração ao mesmo tempo.

Em segundo lugar, *porque sua oração não se dirigia precisamente a Deus* (18.11). Sua oração era voltada para a exaltação de si mesmo e dirigida ao plenário que estava ali concentrado. Deus era apenas uma moldura para realçar os seus feitos notáveis e a perfeição de suas ações. Deus era apenas um trampolim para o fariseu alcançar a notoriedade pública e a admiração do povo. Ele agradece a Deus não as dádivas divinas, mas suas próprias virtudes. A oração do fariseu estava empapuçada de orgulho, recheada de vaidade, entupida de soberba. O fariseu estava tão cheio de si mesmo que não conseguia ver a Deus nem amar o próximo. A oração do fariseu não foi dirigida ao céu, mas às profundezas da sua própria vaidade. Ele não falou com o Deus supremo que está no trono do universo, mas se dirigiu ao seu próprio eu, encastelado na torre de sua soberba insana.

Em terceiro lugar, *porque sua oração estava fora dos princípios de Deus*. A oração do fariseu estava fora dos princípios de Deus em quatro áreas.

Pela sua posição (18.11). Ele orou de pé, em lugar elevado, à vista de todos. Sua oração foi rejeitada não por causa de sua posição física, mas por sua altivez diante de Deus e do próximo. Ele se colocou de pé para melhor destacar a sua pessoa e os seus decantados méritos. Ele orou perto do altar, o lugar do sacerdote. Buscava as luzes do palco e queria que os holofotes estivessem com o seu feixe de luz concentrado nele.

Pelas suas palavras (18.11,12). Engenhosamente, ele escolheu as palavras que melhor enfocaram as suas virtudes e tornaram mais abomináveis e desprezíveis a pessoa dos outros. Avultou o pronome

---

[11] BARCLAY, William. *Lucas*, p. 218.

eu em igualdade ao nome de Deus e superior aos demais homens. Considerou-se o melhor de todos os crentes e viu as demais pessoas como ladrões, injustos e adúlteros.

Pelas suas intenções (18.9,10). O fariseu procurou o templo no momento em que havia muita gente. Ele queria plateia. Desejava destaque e evidência. Entrou no templo para orar e não orou, dirigindo-se a Deus como alguém autossuficiente. Ele entrou no santuário sem amor no coração pelo próximo e, por isso, sem amor a Deus.

Pelos seus sentimentos (18.11). Sua oração é uma peça de acusação leviana contra todos os homens e mais particularmente contra o humilde publicano. O fariseu olha para o próximo com desdém e desfere contra ele perversas acusações e caluniosas referências. O fariseu nada pediu. Ele tinha tudo e era tudo. Ele pensava ser quem não era. Ele era um megalomaníaco, uma pessoa adoecida pelo sentimento de autoexaltação.

Em quarto lugar, *porque sua oração não se baseava na misericórdia de Deus, mas na confiança própria* (18.14). A base da sua oração não era a graça de Deus. Ele confiava não em Deus, mas em si mesmo. E orava não para se quebrantar, mas para exaltar-se. Podemos concluir que nenhum orgulhoso que menospreze seu semelhante pode prevalecer na oração. O fariseu entrou no templo cheio de nada e saiu vazio de tudo.

A oração arrogante do fariseu foi rejeitada, mas a oração humilde do publicano foi aceita (18.13,14). E por quê? Primeiro, porque foi uma petição genuína. O publicano se apresenta a Deus como um suplicante necessitado de misericórdia. Segundo, porque foi uma oração pessoal. Ele não falou a respeito de seu próximo, mas de si mesmo. Terceiro, porque foi uma oração humilde. Ele reconheceu seu pecado e o confessou. Quarto, porque foi uma oração que brotou de um coração quebrantado. Ele suplicou misericórdia. Quinto, porque foi uma oração profunda, que brotou do seu coração. Ele batia no peito e dizia: *Ó Deus, sê propício a mim, pecador!*[12]

O texto bíblico conclui dizendo que o publicano, e não o fariseu, desceu para a sua casa justificado diante de Deus, porque todo aquele

---

[12] RYLE, John Charles. *Meditações no Evangelho de Lucas*, p. 291.

que se exaltar será humilhado, e todo aquele que se humilhar será exaltado (18.14). Não há espaço para soberba diante de Deus, pois o Senhor declara guerra contra os soberbos. Ninguém pode orar verdadeiramente a não ser que tenha um coração quebrantado. Nenhuma oração prospera diante de Deus a não ser que o coração esteja vazio de vaidade e cheio de amor. Onde há inveja, mágoa ou desprezo pelo próximo, podemos encontrar abundante religiosidade, mas não comunhão com Deus; podemos ver pomposa encenação, mas não oração que chega aos céus.

51

As crianças são bem-vindas ao reino de Deus

Lucas 18.15-17

SÓ COMPREENDEREMOS A BELEZA DESTA PASSAGEM ao observar quando esse fato aconteceu. Jesus estava indo para Jerusalém. Ele marchava para a cruz. Foi nessa caminhada dramática, dolorosa, que Ele encontrou tempo em Sua agenda e espaço em Seu coração para acolher as crianças, orar por elas e abençoá-las.

Jesus, apesar de caluniado e perseguido pelos escribas e fariseus, era considerado pelo povo um profeta (24.19). Daí a confiança de as crianças serem levadas a Ele para que orasse por elas e as abençoasse.[1] O simples fato de Jesus tomar as crianças em Seus braços revela a personalidade doce do Senhor Jesus.

Há dois grupos que merecem destaque aqui.

Em primeiro lugar, *os que levam as crianças a Jesus* (18.15). Não somos informados sobre quem levou as crianças. As crianças não vieram; elas foram levadas. Algumas delas eram crianças de colo, outras vieram andando, mas todas foram levadas. Devemos ser facilitadores, e não obstáculos, para as crianças se achegarem a Cristo.

Os pais ou mesmo parentes reconheceram a necessidade de levar as crianças a Cristo. Eles não as consideraram insignificantes nem

---

[1] GIOIA, Egidio. *Notas e comentários à harmonia dos Evangelhos*, 1969, p. 269.

acharam que elas pudessem ficar longe de Cristo. Esses pais olharam para seus filhos como bênção, e não como fardo; como herança de Deus, e não como um problema (Sl 127.3). Lucas usa a palavra grega *brephos* para descrever essas crianças (18.15). A palavra grega significa "bebê", depois também "criança pequena". Rienecker diz que eram crianças lactentes.[2] As crianças podem e devem ser levadas a Cristo. Na cultura grega e judaica as crianças não recebiam o valor devido, mas no reino de Deus elas não apenas são acolhidas, mas também tratadas como modelo para os demais que ali querem entrar.

Em segundo lugar, *os que impedem as crianças de irem a Cristo* (18.15). Os discípulos de Cristo mais uma vez demonstram dureza de coração e falta de visão. Em vez de serem facilitadores, tornaram-se obstáculos para as crianças irem a Cristo. Eles não achavam que as crianças fossem importantes, mesmo depois de Jesus ter ensinado claramente sobre isso (9.46-48).

Os discípulos repreendiam aqueles que levavam as crianças por acharem que Jesus não devia ser incomodado com questões irrelevantes. O verbo grego usado pelos discípulos indica que eles continuaram repreendendo enquanto as pessoas levavam seus filhos. Eles agiam com preconceito. Ainda hoje podemos impedir as pessoas de levarem as crianças a Cristo por comodismo, por negligência ou por uma falsa compreensão espiritual.

O texto em tela tem quatro grandes lições: um encorajamento, uma reprovação, uma revelação e uma advertência.

Um **encorajamento** (18.16)

O encorajamento era para os pais das crianças e para as próprias crianças, embora a palavra tenha sido dirigida aos discípulos: *Deixai vir a mim os pequeninos e não os embaraceis, porque dos tais é o reino de Deus* (18.16). Jesus manda abrir o caminho de acesso a Ele para que as crianças possam se aproximar dEle. Algumas verdades são enfatizadas aqui.

---

[2]RIENECKER, Fritz. *Evangelho de Lucas*, p. 372.

Em primeiro lugar, *a afeição de Jesus pelas crianças* (18.16). Não é a primeira vez que Jesus demonstra amor às crianças. Ele diz que receber uma criança em Seu nome é o mesmo que receber a Ele próprio (9.48).

Em segundo lugar, *a ordem de Jesus para levarem as crianças* (18.16). Jesus encoraja os pais ou qualquer outra pessoa a levar as crianças a Ele. As crianças podem crer em Cristo e são exemplo para aqueles que creem. Levar as crianças a Cristo é a coisa mais importante que podemos fazer por elas. Devemos aprender com esta passagem a grande atenção que as crianças devem receber da igreja de Cristo. Nenhuma igreja pode ser considerada saudável se não acolhe bem as crianças. Jesus, o Senhor da igreja, encontrou tempo para dedicar-se às crianças. Ele demonstrou que o cuidado com as crianças é um ministério de grande valor.

Em terceiro lugar, *o convite de Jesus para as crianças irem a Ele* (18.16). As crianças de colo precisam ser levadas a Cristo, mas outras podiam ir por si mesmas. Elas não deveriam ser vistas como impossibilitadas ou impedidas de irem a Cristo. Na religião judaica somente depois dos 13 anos uma criança podia iniciar-se no estudo da lei. Mas Jesus revela que as crianças devem ir a Ele para receberem Seu amor e Sua graça.

Uma **reprovação** (18.15,16)

Lucas registra que Jesus, ao ver a repreensão dos discípulos àqueles que levavam as crianças a Cristo, volta-se para os pequenos, chama-os para perto de si e dá uma ordem expressa, em tom de repreensão aos discípulos: *Deixai vir a mim os pequeninos e não os embaraceis...* O evangelista Marcos vai mais longe em seu registro e diz que Jesus ficou indignado com a atitude dos discípulos (Mc 10.14). Jesus fica indignado quando a igreja fecha a porta às crianças, em vez de abri-la. Jesus fica indignado quando identifica o pecado do preconceito na igreja. Jesus já ficara indignado com Seus inimigos, mas agora fica indignado com os discípulos. É a única vez que o desgosto de Jesus se direcionou aos próprios discípulos, quando eles se tornaram estorvo em vez de facilitadores, quando eles levantaram muros em vez de construir pontes.

A indignação de Jesus aconteceu concomitantemente com o Seu amor. A razão pela qual ele se indignou com os discípulos foi o seu amor profundo e compassivo para com os pequeninos, e com todos os que os levaram até Ele. Uma ordem dupla reverte as medidas deles: *Deixai vir a mim os pequeninos e não os embaraceis.*

Por que Jesus repreende os discípulos? Primeiro, porque a conduta deles foi errada com aqueles que levavam as crianças. Os pais daquelas crianças as levaram a Jesus porque criam que Ele era um profeta que poderia orar por elas e abençoá-las. Elas estavam indo à pessoa certa com a motivação certa, e mesmo assim foram barradas pelos discípulos. Segundo, porque a conduta deles foi errada com o próprio Jesus. A atitude deles fazia que as pessoas concluíssem que Jesus era uma pessoa esnobe, preconceituosa e sofisticada, tal como as autoridades religiosas de Israel. Jesus, entretanto, já havia dado fartas provas de Sua compaixão com os necessitados e excluídos. Terceiro, porque a conduta deles era contrária ao ensino de Cristo. O ensino de Jesus é claro: *Em verdade vos digo: Quem não receber o reino de Deus como uma criança de maneira alguma entrará nele* (18.17). Jesus está demonstrando que não há nenhuma virtude em nós que nos recomende ao reino. Se quisermos entrar no reino, precisamos despojar-nos de toda pretensão como uma criança. Quarto, porque a conduta deles era contrária à prática de Cristo. Jesus nunca escorraçou as pessoas. Jamais mandou embora aquele que O busca (Jo 6.37). Ele convida a todos (Mt 11.28). Jesus tomou as crianças em Seus braços, impôs sobre elas as mãos, as abençoou (Mc 10.16) e orou por elas (Mt 19.13).

Uma **revelação** (18.16)

Jesus é enfático quando afirma: ... *porque dos tais é o reino de Deus* (18.16). Isso tem que ver com a natureza do reino de Deus. O que Jesus *não* quis dizer com essa expressão?

Em primeiro lugar, *que as crianças são criaturas inocentes*. O pecado original atingiu toda a raça (Rm 5.12). Somos concebidos em pecado e nos desviamos desde a concepção (Sl 58.3). A inclinação do nosso coração é para o mal, e as crianças não são salvas por serem crianças inocentes. Elas também precisam nascer de novo e crer no Senhor Jesus. À luz do Novo Testamento, as crianças não são anjinhos. Elas são briguentas (1Co 3.1-3), imaturas (1Co 13.11; Hb 5.13), imprudentes (1Co 14.20), volúveis (Ef 4.14) e dependentes (Gl 4.1,2).

Em segundo lugar, *que as crianças estão salvas pelo simples fato de serem crianças*. A salvação não tem que ver com faixa etária. Nenhuma pessoa é salva por ser criança ou por ser idosa, mas por crer no Senhor Jesus. Quando uma criança morre antes da idade da razão, ela vai para o céu não por ser criança, mas porque o Espírito Santo aplica nela a obra da redenção. Nenhuma criança entra no céu pelos seus próprios méritos, mas pelos méritos de Cristo.

Vejamos agora, o que Jesus *quis* dizer, quando declarou que às crianças pertence o reino de Deus.

Primeiro, *as crianças vão a Cristo com total confiança*. Elas creem e confiam. Elas se entregam e descansam. Jesus está dizendo que o reino de Deus não pertence aos que dele se acham "dignos"; ao contrário, é um presente aos que são "tais" como crianças, isto é, insignificantes e dependentes. Não porque merecem recebê-lo, mas porque Deus deseja conceder-lhes (12.32). Os que reivindicam seus méritos não entrarão no reino, pois Deus o entrega àqueles que dEle nada podem reivindicar.

Segundo, *as crianças vivem na total dependência*. Assim como as crianças descansam na provisão que os pais lhe oferecem, devemos também descansar na obra de Cristo, na providência do Pai e no poder do Espírito.

Uma **advertência** (18.17)

Jesus não apenas acolhe as crianças e repreende os discípulos, mas faz delas um exemplo para todos: *Em verdade vos digo: Quem não receber o reino de Deus como uma criança de maneira alguma entrará nele* (18.17).

As crianças são modelos em sua humilde e dependência dos outros, receptividade e aceitação de sua condição.[3] Nós entramos no reino de Deus pela fé, como crianças: inaptos para salvar-nos, totalmente dependentes da graça de Deus. Desfrutamos do reino de Deus pela fé, crendo que o Pai nos ama e irá atender às nossas necessidades diárias. Quando uma criança é ferida, o que ela faz? Corre para os braços do pai ou da mãe. Esse é um exemplo para o nosso relacionamento com o Pai celestial. Sim, Deus espera que sejamos como crianças!

---

[3] MORRIS, Leon L. *Lucas: introdução e comentário*, p. 250.

52

O **perigo** das riquezas

Lucas 18.18-30

DE TODAS AS PESSOAS QUE SE ENCONTRARAM COM CRISTO, este homem é o único que saiu pior do que chegou. Ele foi amado por Jesus, mas, mesmo assim, desperdiçou a maior oportunidade da sua vida. A despeito de ter buscado a pessoa certa, de ter abordado o tema certo e de ter recebido a resposta certa, ele tomou a decisão errada.[1] Ele amou mais o dinheiro do que a Deus, mais a terra do que o céu, mais os prazeres transitórios desta vida do que a salvação da sua alma.

As riquezas **não satisfazem** (18.18)

Destacamos a seguir vários predicados excelentes desse jovem. Buscamos nos outros evangelhos sinóticos informações para termos uma visão completa de suas virtudes. Apesar disso, seus atributos não conseguem preencher o vazio da sua alma.

Em primeiro lugar, *ele era jovem* (Mt 19.20). Esse jovem estava no alvorecer da vida. Tinha toda a vida pela frente e toda a oportunidade de investir o seu futuro no reino de Deus. Possuía saúde, vigor, força, sonhos.

---

[1] WIERSBE, Warren W. *Comentário bíblico expositivo*. Vol. 5, p. 324.

Em segundo lugar, *ele era riquíssimo* (18.23). Os três evangelhos sinóticos descrevem esse jovem como uma pessoa muito rica (18.23; Mt 19.22; Mc 10.22). Ele possuía tudo o que este mundo podia lhe oferecer: casa, bens, conforto, luxo, banquetes, festas, joias, propriedades, dinheiro. Era dono de muitas propriedades. Embora jovem, já era muito rico. Certamente era um jovem brilhante, inteligente e capaz. William Hendriksen diz que o problema desse jovem não era possuir muito, mas o muito o possuir.[2]

Em terceiro lugar, *ele era proeminente* (18.18). Lucas diz que ele era um "homem de posição", ou seja, possuía elevado *status* na sociedade. Apesar de ser jovem, já era rico; e, além de ser rico, era também líder famoso e influente na sociedade. Talvez ele fosse um oficial na sinagoga. Tinha reputação e grande prestígio.

Em quarto lugar, *ele era virtuoso* (18.21). Considerava-se um fiel cumpridor da lei. Chegou a dizer a Jesus: *Tudo isso tenho observado, que me falta ainda?* (Mt 19.20). Aquele jovem se olhava no espelho da lei e dava nota máxima para si mesmo. Considerava-se um jovem íntegro. Não vivia em orgias nem saqueava os bens alheios. Vivia de forma honrada dentro dos mais rígidos padrões morais

Em quinto lugar, *ele era insatisfeito com sua vida espiritual* (Mt 19.20). "Que me falta ainda?" Ele tinha tudo para ser feliz, mas seu coração ainda estava vazio. Na verdade, Deus pôs a eternidade no coração humano, e nada deste mundo pode preencher esse vazio. Seu dinheiro, sua reputação e sua liderança não preencheram o vazio da sua alma. Ele estava cansado da vida que levava. Nada satisfazia seus anseios. Ser rico não basta; ser honesto não basta; ser religioso não basta. Nossa alma tem sede de Deus.

Em sexto lugar, *ele era uma pessoa sedenta de salvação* (18.18). Sua pergunta foi enfática: *Bom Mestre, que farei para herdar a vida eterna?* Ele estava ansioso por algo mais que não havia encontrado no dinheiro. Ele sabia que não possuía a vida eterna, a despeito de viver uma vida correta aos olhos dos outros. Ele não queria enganar a si mesmo. Ele queria ser salvo.

---

[2] HENDRIKSEN, William. *Lucas*. Vol. 2, p. 400.

Em sétimo lugar, *ele foi a Jesus, a pessoa certa* (18.18). Ele buscou a Jesus, o único que pode salvar. Já tinha ouvido falar de Jesus e sabia que Ele salvara muitas pessoas. Estava certo de que Jesus era a solução para sua vida, a resposta para seu vazio. Ele não buscou atalhos; buscou a Jesus, o único que pode levar o ser humano ao céu.

Em oitavo lugar, *ele foi a Jesus com pressa* (Mc 10.17). *E, pondo-se Jesus a caminho, correu um homem ao Seu encontro*. Naquela época, pessoas tidas como importantes não corriam em lugares públicos, mas esse jovem correu. Ele tinha pressa. Ele não se importou com a opinião das pessoas, tal era a urgência para salvar a sua alma.

Em nono lugar, *ele foi a Jesus de forma reverente* (Mc 10.17). *... e ajoelhando-se, perguntou-lhe: Bom Mestre, que farei para herdar a vida eterna?* Esse jovem se humilhou caindo de joelhos aos pés de Jesus. Demonstrou ter um coração quebrantado e uma alma sedenta. Não havia dureza de coração nem resistência alguma. Ele se rendeu aos pés do Senhor.

Em décimo lugar, *ele foi amado por Jesus* (Mc 10.21). *E Jesus, fitando-o, o amou* (Mc 10.21). Jesus viu o seu conflito, o seu vazio, a sua necessidade; Jesus viu o seu desespero existencial e se importou com ele e o amou.

As riquezas **enganam** (18.18-23)

As virtudes do jovem rico eram apenas aparentes. Ele superestimava suas qualidades. Deu a si mesmo nota máxima, mas Jesus tirou sua máscara e revelou que a avaliação que fazia de si, da salvação, do pecado, da lei e do próprio Jesus eram superficiais.

Em primeiro lugar, *ele estava enganado a respeito da salvação* (18.18). Ele viu a salvação como uma questão de mérito e não como um presente da graça de Deus. Ele perguntou: ... *Bom Mestre, que farei de bom para herdar a vida eterna?* (10.17). Seu desejo de ter a vida eterna era sincero, mas ele estava enganado quanto à maneira de alcançá-la. Ele queria obter a salvação por obras, e não pela graça. Todas as religiões do mundo ensinam que o ser humano é salvo pelas suas obras. Na Índia, multidões que desejam a salvação deitam sobre camas de prego ao sol escaldante; balançam-se sobre um fogo baixo; sustentam uma mão erguida até ela se tornar imóvel; fazem longas caminhadas de joelhos. No Brasil, vemos as romarias, nas quais pessoas sobem conventos de joelhos e fazem penitência pensando alcançar com isso o favor de Deus.

Em segundo lugar, *ele estava enganado a respeito de si mesmo* (18.20,21). O jovem rico não tinha consciência de quão pecador era. O pecado é uma rebelião contra o Deus santo. Não é simplesmente uma ação, mas uma atitude interior que exalta o ser humano e desonra a Deus. O jovem rico pensou que suas virtudes externas podiam agradar a Deus. Porém, as Escrituras dizem que somos todos como o imundo, e todas as nossas justiças são como trapo da imundícia aos olhos do Deus santo (Is 64.6).

O jovem rico pensou que guardava a lei, mas havia quebrado os dois principais mandamentos da lei de Deus: amar a Deus e ao próximo. Ele era idólatra. Seu deus era o dinheiro. Seu dinheiro era apenas para seu deleite. Sua teologia era baseada em não fazer coisas erradas, em vez de fazer coisas certas. Concordo com Warren Wiersbe quando ele diz que Jesus não cita a lei para ele como um meio de alcançar a salvação, pois o propósito da lei não é salvar. Antes, Ele coloca a lei diante do jovem como um espelho para revelar seus pecados (Rm 3.19,20; Gl 2.21; 3.21).[3]

Jesus disse para o jovem rico: ... *uma coisa ainda te falta: vende tudo o que tens, dá-o aos pobres e terás um tesouro nos céus; depois, vem e segue-Me* (18.22). O que faltava a ele? O novo nascimento, a conversão, o buscar a Deus em primeiro lugar. Ele queria a vida eterna, mas não renunciou aos seus ídolos.

Em terceiro lugar, *ele estava enganado a respeito da lei de Deus* (18.20,21). Ele mediu sua obediência apenas por ações externas, e não por atitudes internas. Aos olhos de um observador desatento, ele passaria no teste, mas Jesus identificou a cobiça em seu coração. O décimo mandamento da lei de Deus trata do pecado da cobiça. Este é o mandamento subjetivo da lei. Ele não pode ser apanhado por nenhum tribunal humano. Só Deus consegue diagnosticá-lo. Jesus viu no coração

---

[3]WIERSBE, Warren W. *Comentário bíblico expositivo*. Vol. 5, p. 324.

daquele jovem o amor ao dinheiro como a raiz de todos os seus males (1Tm 6.10). O dinheiro era o seu deus; ele confiava nele e o adorava.

Em quarto lugar, *ele estava enganado a respeito de Jesus* (18.18). Ele chama Jesus de *Bom Mestre*, mas não está pronto para Lhe obedecer. Ele pensa que Jesus é apenas um rabi, e não o Deus encarnado. Jesus queria que o jovem se visse como um pecador antes de se ajoelhar diante do Deus santo. Não podemos ser salvos pela observância da lei, pois a lei exige perfeição, e nós somos rendidos ao pecado. A lei é como um espelho; ela mostra a nossa sujeira, mas não remove as manchas. O propósito da lei é levar o pecador a Cristo (Gl 3.24). A lei pode levar o pecador a Cristo, mas não pode fazer o pecador semelhante a Cristo. Somente a graça pode fazer isso.

Em quinto lugar, *ele estava enganado acerca da verdadeira riqueza* (18.23). Depois de perturbar a complacência do jovem com a constatação de que uma coisa lhe faltava, Jesus o desafia com uma série de quatro imperativos: *Vende* tudo o que tens, *dá-o* aos pobres e terás um tesouro nos céus; depois, *vem* e *segue-Me* (18.23). Esses quatro imperativos são uma única ordem que exige uma só reação. O jovem deve renunciar aquilo que se constitui no objeto de sua afeição antes de poder viver debaixo do senhorio de Deus.

O jovem rico perdeu a riqueza eterna por causa da riqueza temporal. Ele preferiu ir para o inferno a abrir mão do seu dinheiro. Mas que insensatez! Ele não pode levar um centavo para o inferno. O jovem rejeitou a Cristo e a vida eterna. Agarrou-se ao seu dinheiro e com ele pereceu. Saiu triste e pior, por ter rejeitado a verdadeira riqueza, aquela que não perece. O jovem rico se tornou o mais pobre entre os pobres.

As riquezas podem ser um **estorvo para a salvação** (18.24-30)

Há duas verdades que enfatizamos aqui.

Em primeiro lugar, *os que confiam na riqueza não podem confiar em Deus* (18.24,25). O dinheiro é mais do que uma moeda; é um ídolo. A confiança em Deus implica o abandono de todos os ídolos. Quem põe a sua confiança no dinheiro não pode confiar em Deus para a própria salvação. Nosso coração só tem espaço para uma única devoção, e só podemos nos entregar para um único Senhor.

Jesus não está condenando a riqueza, mas a confiança na riqueza. A raiz de todos os males não é o dinheiro, mas o amor ao dinheiro (1Tm 6.10). Há pessoas ricas e piedosas. O dinheiro é um bom servo, mas um péssimo patrão. A questão não é possuir dinheiro, mas ser possuído por ele.

Jesus ilustrou a impossibilidade da salvação daquele que confia no dinheiro: *É mais fácil passar um camelo pelo fundo de uma agulha do que entrar um rico no reino de Deus* (18.25). O camelo era o maior animal da Palestina, e o fundo de uma agulha era o menor orifício conhecido na época. Alguns intérpretes tentam explicar que esse fundo da agulha era uma porta da muralha de Jerusalém pela qual um camelo só podia passar ajoelhado e sem carga. Mas isso altera o centro do ensino de Jesus: a impossibilidade definitiva de salvação para aquele que confia no dinheiro.[4]

Em segundo lugar, *a salvação é uma obra milagrosa de Deus* (18.26,27). Os que ouviram a explicação ficaram aturdidos com a posição radical de Jesus e perguntam: ... *sendo assim, quem pode ser salvo?* (18.26). O Mestre respondeu: *Os impossíveis dos homens são possíveis para Deus* (18.27). A conversão de um pecador é uma obra sobrenatural do Espírito Santo. Ninguém pode salvar-se a si mesmo. Ninguém pode regenerar-se a si mesmo. Somente Deus pode fazer de um amante do dinheiro, um adorador do Deus vivo. Concordo com Leon Morris quando ele escreve: "A salvação, para os ricos ou para os pobres, sempre é um milagre da graça divina. Sempre é uma dádiva de Deus".[5]

A **pobreza rica** (18.28-30)

Três fatos nos chamam a atenção acerca dos discípulos.

Em primeiro lugar, *a abnegação* (18.28). E disse Pedro: *Eis que nós deixamos nossa casa e Te seguimos*. Seguir a Cristo é o maior projeto da

---

[4] HENDRIKSEN, William. *Lucas*. Vol. 2, p. 401,402.
[5] MORRIS, Leon L. *Lucas: introdução e comentário*, p. 252.

vida. Vale a pena abrir mão de tudo para ganhar a Cristo. Ele é a pérola de grande valor. Alguns intérpretes acusam Pedro de demonstrar aqui um espírito mercantilista ao dizer: *Eis que nós tudo deixamos e te seguimos; que será, pois, de nós?* (Mt 19.27). Para esses intérpretes, a afirmação de Pedro revela uma visão comercial da vida cristã.

Em segundo lugar, *a motivação* (18.29). Não basta deixar tudo por Cristo; é preciso fazê-lo pela motivação certa. Jesus é claro em sua exigência: ... *por causa do reino de Deus* (18.29). Marcos ainda é mais enfático no seu registro: ... *por amor de Mim e por amor do evangelho* (Mc 10.29). Precisamos fazer a coisa certa, com a motivação certa. O objetivo da abnegação não é receber recompensa. Não servimos a Deus por aquilo que Ele dá, mas por quem Ele é (Dn 3.16-18). Muitos hoje pregam um evangelho de barganha com Deus. Você dá para receber de volta. Você oferece algo para Deus a fim de receber uma recompensa maior.

Em terceiro lugar, *a recompensa* (18.30). Jesus garante aos discípulos que todo aquele que O segue não perderá o que realmente é importante, quer nesta vida quer na vida por vir. Jesus fala sobre duas recompensas e duas realidades.

Primeiro, há uma recompensa imediata. Seguir a Cristo é um caminho venturoso. Deus não tira; Ele dá. Ele dá generosamente. Quem abre mão de alguma coisa ou de alguém por amor ao reino de Deus recebe já no presente muitas vezes mais.

Segundo, há uma recompensa futura. No mundo por vir, receberemos a vida eterna. Essa vida é superlativa, gloriosa e feliz. Então, receberemos um novo corpo, semelhante ao corpo da glória de Cristo. Reinaremos com Ele para sempre.

53

Jesus a caminho de Jerusalém

Lucas 18.31-43

ESTA PASSAGEM REGISTRA O ÚLTIMO ANÚNCIO DE JESUS acerca de Seu sofrimento e morte, já a caminho de Jerusalém. Duas verdades essenciais são relatadas aqui: a primeira delas, a subida a Jerusalém (18.31-34); e a segunda, a passagem por Jericó (18.35-42).

A subida para Jerusalém, a **marcha da salvação** (18.31-34)

Esta é a terceira vez que Jesus fala de Sua morte e, à medida que Ele torna o assunto mais claro, vê os discípulos mais confusos. Quando Jesus falou pela primeira vez a respeito de Sua morte, Pedro O reprovou. Quando Jesus falou pela segunda vez sobre Seu sofrimento e morte, os discípulos discutiram entre si sobre quem era o maior entre eles. Agora, quando Jesus fala pela terceira vez e com mais detalhes, Tiago e João buscam glórias pessoais, e os outros dez se irritam com eles, porque se sentem traídos (Mc 10.35-45). Nas duas primeiras predições, Jesus havia falado sobre o que haveria de Lhe acontecer; agora, Ele fala sobre onde as coisas vão acontecer, na santa cidade de Jerusalém (18.31-34). Os discípulos, porém, pareciam cegos para o significado da cruz.

Destacamos quatro verdades sobre a marcha da salvação.

Em primeiro lugar, *a determinação de Jesus* (18.31). A cruz não foi um acidente na vida de Jesus, mas uma agenda. Ele veio ao mundo para morrer. Não há nada de involuntário ou desconhecido na morte de Cristo. Ele jamais foi demovido desse plano, quer pela tentação de satanás, quer pelo apelo das multidões, quer pela agrura desse caminho. Resolutamente, Ele marchou para Jerusalém e para a cruz como um rei caminha para a sua coroação. A cruz foi o trono de onde Ele despojou os principados e potestades e glorificou o Pai, dando Sua vida em resgate de muitos.

O sofrimento de Cristo foi amplamente preanunciado pelos profetas (18.31). Jesus, por três vezes, alertou os discípulos acerca dessa hora, mas eles nada compreendiam acerca destas coisas (18.34). Para eles, a ideia de um Messias morto não fazia sentido, mesmo com a predição adicional: ... *mas, ao terceiro dia, ressuscitará* (18.33).

Em segundo lugar, **a liderança de Jesus** (18.31). Jesus ia adiante dos seus discípulos nessa marcha para Jerusalém (Mc 10.32). Não havia nEle nenhum sinal de dúvida ou temor. Quando subimos a estrada da perseguição, do sofrimento e da morte, temos a convicção de que Jesus vai à nossa frente. Ele nos lidera nessa jornada. Não precisamos temer os perigos nem mesmo o pavor da morte, pois Jesus foi e vai à nossa frente, abrindo a caminho e tirando o aguilhão da morte.

Em terceiro lugar, **o sofrimento de Jesus** (18.32,33). O evangelista Lucas enumera os vários sofrimentos que Jesus enfrentou nas mãos dos gentios e nas mãos dos líderes de Israel. O Sinédrio entregou Jesus a Pilatos, o governador romano. No pretório romano, Jesus foi escarnecido. Tiraram Sua túnica e despojaram-No de suas roupas. Zombaram dele, colocando uma coroa de espinhos em Sua cabeça. Blasfemavam contra Ele, pedindo que profetizasse enquanto cobriam seu corpo de bofetadas. Jesus foi cuspido. Essa era a forma mais humilhante de desprezar uma pessoa. Jesus foi açoitado, surrado, espancado, ferido e traspassado. Esbordoaram sua cabeça. Arrancaram sua carne e esborrifaram seu sangue com açoites crudelíssimos. Jesus foi morto. Judeus e romanos se uniram para matar a Jesus, condenando-O à morte de cruz. Suas mãos foram rasgadas, Seus pés foram feridos, e Seu lado foi traspassado com uma lança.

Em quarto lugar, **a vitória de Jesus sobre a morte** (18.33). Jesus preanunciou não apenas Sua morte, mas também Sua ressurreição.

Seu plano eterno passava pelo vale da morte, mas a morte não O poderia reter. Ele quebrou o poder da morte, abriu o sepulcro de dentro para fora, matou a morte e conquistou para nós imortalidade. Agora, a morte não tem mais a última palavra. A morte foi vencida. Lucas 18.34 conclui informando-nos que mais uma vez os discípulos não compreenderam a verdade essencial do cristianismo. O sentido dessas palavras sobre a paixão e a ressurreição de Jesus lhes era encoberto.

A passagem por Jericó, um encontro da salvação (18.35-42)

William Hendriksen diz que podemos sintetizar o episódio da cura de Bartimeu em quatro pontos: sua condição miserável (18.35-38); sua dificuldade adicional (18.39a); sua louvável persistência (18.39); a maravilhosa bênção que Jesus lhe outorgou (18.40-43).[1] Antes de entrarmos na exposição do texto, três aspectos preliminares devem ser considerados.

As aparentes contradições do texto. A cura do cego Bartimeu está registrada nos três evangelhos sinóticos. Porém, existem nuances diferentes nos registros. Mateus cita dois cegos, e não apenas de um (Mt 20.30), e Lucas registra que Jesus estava entrando em Jericó (18.35-43), e não saindo de Jericó como nos informa Marcos (Mc 10.46). Como entender essas aparentes contradições?

Primeiro, nem Marcos nem Lucas afirmam que havia apenas um cego. Eles destacam Bartimeu, talvez por ser o mais conhecido e aquele que se destacava em seu clamor.

Segundo, havia duas cidades de Jericó. No primeiro século havia duas Jericós: a velha Jericó, quase toda em ruínas, e a nova Jericó, cidade bonita construída por Herodes logo ao sul da cidade velha.[2] A cidade antiga estava em ruínas, mas Herodes, o Grande, havia levantado essa nova Jericó, onde ficava seu palácio de inverno, uma bela cidade ornada de palmeiras, jardins floridos, teatro, anfiteatro, residências e piscinas

---

[1] Hendriksen, William. *Lucas.* Vol. 2, p. 411,412.
[2] Wiersbe, Warren W. *Comentário bíblico expositivo.* Vol. 5, p. 325.

para banhos. Aparentemente, o milagre aconteceu na divisa entre a cidade nova e a velha, enquanto Jesus saía de uma e entrava na outra.³

A última oportunidade. A cidade de Jericó, além de ser um posto de fronteira e alfândega (19.2), também era a última oportunidade de abastecimento de provisões e local de reuniões, em que grupos pequenos se organizavam para a viagem em conjunto à cidade de Jerusalém. Desta forma, protegidos contra os salteadores de estrada (10.30), os peregrinos partiam deste último oásis no vale do Jordão para o último trecho de uns 25 quilômetros, uma subida íngreme de perto de mil metros de altitude, através do deserto acidentado da Judeia até a cidade do templo.

Jesus estava indo para Jerusalém. Ele marchava resolutamente para o calvário. Era a festa da Páscoa. Naquela mesma semana, Jesus seria preso, julgado, condenado e pregado na cruz. Era a última vez que Jesus passaria por Jericó. Aquela era a última oportunidade de Bartimeu. Se ele não buscasse a Jesus, ficaria para sempre cativo de sua cegueira.

A grande multidão. Por que a numerosa multidão está seguindo Jesus de Jericó rumo a Jerusalém? Aquele era o tempo da festa da Páscoa, a mais importante festa judaica. A lei estabelecia que todo varão, maior de 12 anos, que vivesse dentro de um raio de 25 quilômetros, estava obrigado a assistir à festa da Páscoa. Certamente muitas pessoas deviam estar acompanhando atentamente a Jesus, impressionadas pelos seus ensinos; outras estariam curiosas acerca desse rabino que desafiava os grandes líderes religiosos da nação. Era no meio dessa multidão mista que Bartimeu se encontrava.

Voltemos, agora, nossa atenção para a exposição do texto. *Algumas verdades devem ser destacadas.*

Em primeiro lugar, *sua condição antes de Cristo* (18.35). Há vários aspectos dramáticos na vida de Bartimeu antes do seu encontro com Cristo, que comentamos a seguir.

Ele vivia numa cidade condenada (18.35). Jericó foi a maior fortaleza derrubada por Josué e seu exército na conquista da terra prometida

---

³RICHARDS, Larry. *Todos os milagres da Bíblia*, p. 270.

(Js 6.20,21). Josué fez o povo jurar e dizer: *Maldito diante do Senhor seja o homem que se levantar e reedificar esta cidade de Jericó; com a perda do seu primogênito lhe porá os fundamentos e, à custa do mais novo, as portas* (Js 6.26). Jericó tinha cinco características que faziam dela uma cidade peculiar: 1) era uma cidade sob maldição. Herodes, o Grande, reconstruiu a cidade e a adornou, mas isso não fez dela uma bem-aventurada. Jericó era uma cidade encantadora. Era chamada a cidade das palmeiras e dos sicômoros. Quando o vento batia na copa das árvores, as palmeiras esvoaçavam suas cabeleiras, espalhando sua fragrância e seu encanto. Jericó era a cidade dos prazeres. Ali estava o palácio de inverno do rei Herodes. Ali ficavam as fontes termais. Ali moravam milhares de sacerdotes que trabalhavam no templo de Jerusalém. Jericó era a cidade da diversão. Era a cidade que ficava no lugar mais baixo do planeta, quatrocentos metros abaixo do nível do mar. É a maior depressão da terra. Jericó era uma cidade próxima ao mar Morto. O mar Morto é um lago de sal. Nele não existe vida. Trinta e três por cento da água desse mar são sal. Nada floresce às margens desse grande lago de sal.

Ele era cego e mendigo (18.35). Faltava-lhe luz nos olhos e dinheiro no bolso. Ele estava entregue às trevas e à miséria. Vivia a esmolar à beira da estrada, dependendo totalmente da benevolência dos outros. Um cego não sabe para onde vai, um mendigo não tem para onde ir.

Ele não tinha nome (18.35). Nem Mateus nem Lucas citam o nome desse cego. Marcos diz que seu nome era Bartimeu, que em aramaico significa filho de Timeu (Mc 10.46). Portanto, Bartimeu não é nome próprio, significa apenas filho de Timeu. Este homem não somente era cego e mendigo, mas estava também com sua autoestima achatada. Não tinha saúde, nem dinheiro, nem valor próprio. Certamente carregava não apenas sua capa, mas também seus complexos, seus traumas, suas feridas abertas (Mc 10.50).

Ele estava à margem do caminho (18.35). A multidão ia para a festa da Páscoa, mas ele não podia ir. A multidão celebrava e cantava, mas ele só podia clamar por misericórdia. Ele vivia à margem da vida, da paz, da felicidade.

Em segundo lugar, **seu encontro com Cristo** (18.36-41). Consideremos alguns aspectos do encontro de Bartimeu com Jesus.

Bartimeu buscou a Jesus na hora certa (18.36). Aquela era a última vez que Jesus passaria por Jericó. Era a última vez que Jesus subiria a Jerusalém. Aquela era a última oportunidade daquele homem.

Bartimeu buscou a pessoa certa (18.36-38). Com sua cegueira, Bartimeu enxergou mais do que os sacerdotes, escribas e fariseus. Estes tinham olhos, mas não tinham discernimento. Bartimeu era cego, mas enxergava com os olhos da alma.

Bartimeu chamou Jesus de *Filho de Davi*, Seu título messiânico. O fato de esse cego mendigo chamar Jesus de *Filho de Davi* revela que ele reconhecia Jesus como o Messias, enquanto muitos que haviam testemunhado os milagres de Jesus estavam cegos a respeito da Sua identidade, recusando-se a abrir seus olhos para a verdade.

Bartimeu buscou a Jesus com perseverança (18.38,39). Bartimeu revelou uma insubornável persistência. Ninguém pôde deter o seu clamor, sua exigência de ser levado a Jesus. Ele estava determinado a dialogar com a única pessoa que podia ajudá-lo. Seu desejo de estar com Cristo não era vago, geral ou nebuloso. Era uma vontade determinada e desesperada. A multidão tentou abafar sua voz, mas ele clamava ainda mais alto: *Filho de Davi, tem misericórdia de mim* (18.39). A multidão foi obstáculo para Zaqueu ver a Jesus e estava sendo obstáculo para Bartimeu falar com Jesus. Bartimeu não se intimidou nem desistiu de clamar pelo nome de Jesus diante da repreensão da multidão. Ele tinha pressa e determinação. Sabia da sua necessidade e sabia que Jesus era o único que poderia libertá-lo de sua cegueira e dos seus pecados.

Bartimeu buscou a Jesus com humildade (18.38,39). Bartimeu sabia que não merecia favor algum e apelou apenas para a compaixão de Jesus. Ele não pediu justiça, mas misericórdia. Não reivindicou direitos, mas pediu compaixão.

Bartimeu buscou a Jesus com objetividade (18.40,41). Bartimeu sabia exatamente do que necessitava. Quando chegou à presença de Jesus, este lhe fez uma pergunta pessoal: *Que queres que eu te faça?* Ele foi direto ao ponto: *Senhor, que eu torne a ver*. Ele não era cego de nascença. Queria voltar a ver. Antonio Vieira diz que há cegos piores do que Bartimeu. São aqueles que não querem ver. Ao cego de Jericó que não tinha olhos, Cristo o fez ver. Mas aos cegos que têm olhos e não querem ver, estes permaneceram em sua cegueira espiritual. A segunda cegueira pior do que a de Bartimeu é ver uma coisa e enxergar outra bem diferente. Eva viu exatamente o que não devia ver e como devia ver. Viu o que não devia ver, porque o fruto era venenoso. Viu como não devia ver, porque viu apenas aquilo que lhe agradava à vista e ao paladar. O terceiro tipo de cegueira pior do que a cegueira de Bartimeu é a daqueles que enxergam a cegueira dos outros, e não a própria. Os cegos deste tipo são capazes de descobrir um pequeno argueiro no olho do vizinho e não se aperceber de uma trave atravessada nos próprios olhos. São aqueles que investigam pequeninas falhas nos outros para alardeá-las como grandes crimes e pecados, esquecidos dos seus grandes e perniciosos defeitos. Finalmente, existe ainda outro tipo de cegueira pior que a do pobre mendigo de Jericó. É a daqueles que não permitem que os outros vejam. Os acompanhantes de Cristo naquela caminhada eram mais cegos do que aquele cego porque impediam que o clamor e os gritos de angústia daquele infeliz chegassem até Jesus, burocratizando a misericórdia divina. É a cegueira daqueles que, por serem infelizes, não permitem a felicidade dos outros.[4]

Em terceiro lugar, *a sua nova vida com Cristo* (18.42,43). Três fatos merecem destaque aqui.

Bartimeu foi salvo por Cristo (18.42). Aquela era uma caminhada decisiva para Jesus. Ele tinha pressa e determinação. Mas o clamor de um mendigo o fez parar. Jesus disse a Bartimeu: *Recupera a tua vista; a tua fé te salvou* (18.42). Jesus diagnosticou uma doença mais grave e mais urgente do que a cegueira. Não apenas seus olhos estavam em trevas, mas também sua alma. John Charles Ryle diz que "a enfermidade do pecado é mais crônica do que a falta de visão".[5] Bartimeu viu coisas que Anás, Caifás e as hostes de mestres em Israel não viram. Ele viu que Jesus era o Messias esperado, o Todo-poderoso Deus. Estou de acordo com Morris quando ele diz que a expressão "a tua fé te salvou" não significa que foi a fé de Bartimeu que criou a cura, mas, sim, que a fé foi o meio pelo qual ele recebeu a cura.[6]

---

[4]VIEIRA, Antonio. *Mensagem de fé para quem não tem fé*, 1981, p. 74-77.
[5]RYLE, John Charles. *Meditações no Evangelho de Lucas*, p. 301.
[6]MORRIS, Leon L. *Lucas: introdução e comentário*, p. 254.

Bartimeu foi curado por Cristo (18.42,43). Jesus não apenas perdoa pecados e salva a alma, mas também cura e redime o corpo. Bartimeu teve seus olhos abertos. Ele saiu de uma cegueira completa para uma visão completa. Num momento, cegueira total; no seguinte, visão intacta. A cura foi total, imediata e definitiva.

Bartimeu foi guiado por Cristo (18.43). *Imediatamente, tornou a ver e seguia-O glorificando a Deus...* Bartimeu demonstra gratidão e provas de conversão. Ele não queria apenas a bênção, mas, sobretudo, o abençoador. Ele seguiu Jesus para onde? Para Atenas, a capital da filosofia? Para Roma, a capital do poder político? Não, ele seguiu Jesus para Jerusalém, a cidade onde Jesus chorou, suou sangue, foi preso, sentenciado, condenado e pregado na cruz. Ele seguiu não uma estrada atapetada, mas um caminho juncado de espinhos. Não o caminho da glória, mas o caminho da cruz. Bartimeu trilhou o caminho do discipulado.

Jesus passou por Jericó. Ele está passando hoje também pela nossa vida, cruzando as avenidas da nossa existência. Temos duas opções: clamar pelo Seu nome ou perder a oportunidade.

54

O encontro da salvação

Lucas 19.1-10

A CONEXÃO ENTRE O FINAL DO CAPÍTULO 18 e o começo do 19 é meridianamente clara. Ambos os relatos se referem a fatos ocorridos em Jericó. No primeiro caso, um homem cego foi curado e salvo por Cristo; no segundo caso, um homem rico foi alcançado pela graça.[1]

Jericó era uma belíssima e rica cidade próxima do rio Jordão e do mar Morto. Adornada por muitas palmeiras e fontes de águas quentes, era a cidade de inverno dos reis e a residência predileta dos sacerdotes. Seu nome significa "lugar de fragrância". Ali foram construídos um teatro e um hipódromo. Suas ruas eram enfeitadas com sicômoros enfileirados.[2] Jesus estava passando por Jericó. A cidade do lazer, do luxo, do comércio e da riqueza estava agora sendo visitada pelo próprio Filho de Deus. Jesus em Jericó era a visitação de Deus naquela cidade, a oportunidade de Deus para o Seu povo.

Jesus estava passando pela última vez por Jericó. Ele estava indo para a cruz. Naquela semana, ele seria morto. Aquele era o dia da oportunidade de Jericó. Era o céu aberto sobre Jericó. Era a salvação oferecida a Jericó. Era o dia mais importante na agenda da cidade de Jericó.

---

[1] HENDRIKSEN, William. *Lucas*. Vol. 2, p. 423.
[2] HENDRIKSEN, William. *Lucas*. Vol. 2, p. 424.

Uma multidão se acotovelava para ver Jesus, mas só dois homens foram salvos: um rico e outro pobre. Um à beira do caminho e o outro empoleirado em uma árvore. Para se encontrar com Cristo, um precisou se levantar, e o outro precisou descer. Um era esquecido, e o outro era odiado. Um era aristocrata e o outro era mendigo, mostrando que Deus não faz acepção de pessoas. Não importa a sua posição política, financeira, a cor da sua pele ou a sua religião, Jesus veio aqui para salvar você. Esta pode ser também a sua última oportunidade. O tempo é agora para o encontro da salvação.

Warren Wiersbe resume a história de Zaqueu em cinco fatos: 1) um homem que se tornou uma criança; 2) um homem que procurava e foi encontrado; 3) um homem pequeno que se tornou grande; 4) um homem pobre que se tornou rico; 5) um anfitrião que se tornou convidado.[3]

Destacamos a seguir alguns pontos importantes nesse episódio.

Obstáculos enfrentados por **Zaqueu** para se encontrar com Jesus

Zaqueu enfrentou alguns obstáculos para ter um encontro com Jesus.

Em primeiro lugar, *o obstáculo de sua profissão* (19.2). O nome Zaqueu significa "justo, puro", mas esse homem não fazia jus a seu nome.[4] Ele era o chefe dos publicanos. A palavra grega traduzida por "maioral" é *architelones*. Este é o único lugar no Novo Testamento em que se menciona um líder de coletores. Um publicano era um cobrador de impostos, um arrendatário da Receita Federal de Roma. Ele tinha autorização para cobrar os impostos do povo e repassar o dinheiro para os cofres de Roma. Rienecker diz que, desde os tempos de César Augusto, os tributos não eram recolhidos diretamente pelo Estado, mas arrendados por um tempo considerável a quem oferecia mais. O arrendatário da tributação arrendava as alfândegas de determinado distrito por uma soma estabelecida, de sorte que lhe cabia o excedente dos tributos combinados.[5]

---

[3]Wiersbe, Warren W. *Comentário bíblico expositivo.* Vol. 5, p. 327.
[4]Wiersbe, Warren W. *Comentário bíblico expositivo.* Vol. 5, p. 327.
[5]Rienecker, Fritz. *Evangelho de Lucas,* p. 381,382.

Richards Lawrence, nessa mesma linha de pensamento, diz que no sistema romano o direito de cobrar impostos era vendido aos homens que davam lances pelo privilégio. Esses homens então contratavam outros para fazerem o trabalho real e, em cada nível desta operação, o lucro dependia de quanto a população podia ser sobretaxada. Visto que a cobrança de impostos era forçada pelo exército romano, a compra de uma concessão de impostos era, na realidade, uma licença para roubar.[6]

Fica evidente que os publicanos não só cobravam impostos pesados, mas também extorquiam o povo. Um publicano tinha pouco patriotismo e nenhuma religião. Preocupava-se mais com o lucro do que com o próximo. Os publicanos eram considerados ladrões e classificados entre as prostitutas. Eram vistos como inimigos do povo, por quem eram odiados. Rienecker diz que o trabalho dos publicanos era visto como uma traição nacional.[7]

Zaqueu era maioral ou o chefe dos publicanos. Embora seu nome signifique "puro", ele era considerado um homem repugnante pelo povo. Zaqueu era a antítese do seu nome. Seu nome significa justo, mas ele enriquecera por meios fraudulentos. Ele era o cabeça daquele odiado esquema de corrupção. Era um homem inteligente e esperto que usava o trabalho de outros para se fortalecer. Mas, a despeito da sua posição, ele procurou ver a Jesus (19.3). Espiritualmente, era um homem infeliz, necessitado, insatisfeito, perdido e incompleto. Sua vida era marcada por um vazio que nem a fama, nem o dinheiro, nem o sucesso podia preencher. Ele tinha dinheiro, mas não tinha paz. Era rico, mas não feliz. *Melhor é o pouco havendo temor do* SENHOR, *do que grande tesouro onde há inquietação* (Pv 15.16).

Em segundo lugar, **o obstáculo do status social** (19.2). Zaqueu era rico. A conversão de Zaqueu ilustra a verdade ensinada por Jesus: *Quão dificilmente entrarão no reino de Deus os que têm riquezas! Porque é mais fácil passar um camelo pelo fundo de uma agulha do que entrar um rico no reino de Deus... Sendo assim, quem pode ser salvo? Mas Ele respondeu:*

---

[6]RICHARDS, Lawrence O. *Comentário histórico-cultural do Novo Testamento*, p. 182.
[7]RIENECKER, Fritz. *Evangelho de Lucas*, p. 382.

Os impossíveis dos homens são possíveis para Deus (18.24-27). Zaqueu não deixou que o dinheiro o impedisse de encontrar-se com Jesus. Ele sabia que o dinheiro não preenchia o vazio do seu coração. Ele sabia que sua alma estava sedenta de algo que o dinheiro não podia comprar. O jovem rico trocou a salvação da sua alma pela sua riqueza. Seu deus era o dinheiro, e o dinheiro o levou à perdição. O problema não é ser rico, mas ser amante do dinheiro. O problema não é possuir dinheiro, mas ser possuído por ele. O problema não é carregar dinheiro no bolso, mas o guardar no coração.

Em terceiro lugar, *o obstáculo da condição física* (19.3b). Zaqueu era um homem de pequena estatura. Para ver o rosto das pessoas, precisava olhar para cima. No meio da multidão, ele não tinha nenhuma chance. Ele devia ter os seus complexos e traumas de adolescência. Certamente sofreu quando era jovem. As pessoas riam dele. As pessoas faziam chacota da sua condição física. Mas Zaqueu não deixou que um problema físico interferisse na sua vida espiritual. Ele queria ver Jesus, por isso subiu num sicômoro, uma árvore de copa aberta, com ramos baixos.[8] Se Zaqueu tivesse a altura dos grandes jogadores de Basquete da NBA ou fosse um descendente de Golias, ou mesmo tivesse uma estatura normal, estaria no meio da multidão. Ele transformou o seu problema num instrumento para aproximá-lo de Jesus. Ele correu. Ele demonstrou pressa para encontrar-se com Jesus.

Em quarto lugar, *o obstáculo do orgulho* (19.4). Zaqueu não se importou com sua condição de homem rico. Deixou de lado seu *status*, seus títulos e sua fama e subiu em uma árvore para ver Jesus. Abriu mão da sua vaidade e do seu orgulho. Embora sendo rico e maioral dos publicanos, não se importou com a opinião da multidão. Ele não deu atenção às críticas, zombarias, chacotas ou escárnios. Queria ver Jesus. Para subir naquela árvore, ele precisou descer do pedestal do seu orgulho. Zaqueu subiu com o desejo de ver Jesus e desceu a toda pressa por causa da Palavra de Jesus. Ele desceu do seu pedestal. Desceu da sua condição e abriu seu coração e sua casa para receber Jesus. Zaqueu

---

[8]ROBERTSON, A. T. *Comentário Lucas à luz do Novo Testamento grego*, p. 322.

admitiu diante de todos as falhas do seu caráter. Tirou a máscara, reconheceu a sua doença, confessou o seu pecado.

Em quinto lugar, *o obstáculo da multidão* (19.3). A multidão sempre foi um obstáculo para as pessoas verem Jesus. A mesma multidão quis calar o cego Bartimeu em Jericó. A multidão apertava Zaqueu e não o deixava ver Jesus. Cuidado com a multidão, que pode ser um estorvo na sua vida. Não deixe que a multidão sufoque o seu grito de socorro nem que ela impeça você de ter um encontro com Cristo. Quantas vezes um indivíduo se sente constrangido de ir ao Salvador por causa de parentes, amigos, opinião pública e do povo. Zaqueu não se intimidou por causa da multidão. Seu desejo de ver Jesus foi maior do que o obstáculo da multidão.

Em sexto lugar, *o obstáculo dos murmuradores* (19.7). Quem são os murmuradores? São aqueles que se enxergam como justos e únicos merecedores da salvação. São aqueles que chegam aos ouvidos de Jesus para dizer: Esse Zaqueu é lalau; ele é sujo, ele é indigno. Os murmuradores são aqueles que acham que são melhores do que os outros.

A **determinação de Jesus** em salvar Zaqueu

Destacamos aqui alguns pontos.

Em primeiro lugar, **Jesus buscou Zaqueu antes de Zaqueu buscá-lo** (19.5). Jesus viu Zaqueu primeiro. Assim como Jesus viu Mateus na coletoria e Natanael debaixo da figueira, agora Jesus vê Zaqueu empoleirado na árvore. A iniciativa do encontro pessoal foi de Jesus. Ele veio buscar e salvar o perdido. Zaqueu na árvore era como um fruto maduro que Jesus precisava colher. Walter Liefeld diz que o desejo de Zaqueu de ver Jesus foi suplantado pelo desejo de Jesus de vê-lo.[9]

Em segundo lugar, **Jesus mostra a Zaqueu que a sua salvação era uma questão urgente** (19.5). O Mestre lhe disse: *Desce depressa*. É hoje. É agora. Não é possível adiar mais. Aquele era o último dia. Aquela era a última hora. Jesus nunca mais passaria por Jericó. Jesus tem pressa

---

[9]LIEFELD, Walter L. "Luke." In: *Zondervan NIV Bible Commentary*. Vol. 2. Grand Rapids, MI: Zondervan, 1994, p. 271.

para salvar você. Hoje é o dia da visitação de Deus à sua vida. Não perca o dia da sua oportunidade. Não endureça o seu coração. Busque o Senhor enquanto se pode achar. A eternidade jaz à porta.

Em terceiro lugar, *Jesus quer ter comunhão com Zaqueu* (19.5). Esta é a única vez que Jesus entra numa casa sem ser convidado. Ele nunca entrou numa casa sem ser chamado e nunca ficou sem ser acolhido. Jesus disse: [...] *me convém ficar em sua casa*, ou seja, "eu preciso ficar em sua casa". Estava na agenda de Cristo salvar Zaqueu, como estava na agenda de Cristo passar em Samaria e salvar a mulher samaritana (Jo 4.1,2). Isso prova o amor de Jesus e o propósito urgente de Jesus em salvar Zaqueu. O prazer de Deus é perdoar os seus pecados. Jesus revela que o seu amor é desprovido de preconceitos. A cidade inteira murmurou ao ver Jesus se hospedando com Zaqueu (19.7). Eles sabiam que Zaqueu era um grande pecador. Mas Jesus é o amigo dos publicanos e pecadores. Ele não veio buscar aqueles que se acham justos e bons. Como médico, ele veio curar os que se consideram doentes.

Em quarto lugar, *Jesus dá a Zaqueu o presente da salvação* (19.9,10). A salvação não é obtida por meio da religião. Jericó era a cidade dos sacerdotes, mas é o negociante mais inescrupuloso da cidade que vai procurar Jesus e ser salvo. A salvação não é obtida mediante uma vida correta. Havia muitas pessoas de caráter ilibado em Jericó, mas Jesus salva o homem mais odiado da cidade. O passado de Zaqueu era repugnante para todos. A salvação não é obtida pelas obras. Jesus ordenou ao jovem rico que vendesse tudo e desse aos pobres, e ele se recusou. Uma pessoa pode distribuir todos os seus bens aos pobres e isso de nada valer. Zaqueu deu a metade dos seus bens e isso foi aceito. Ele não foi salvo porque deu; ele foi salvo porque creu. Não importa quem você é, o que você fez, por onde andou. Agora mesmo, se você se arrepender dos seus pecados, abandoná-los e confiar em Jesus, você pode ser salvo.

Walter Liefeld diz com razão que o versículo 10 bem pode ser considerado o versículo-chave deste evangelho, porque ele expressa o coração do ministério de Jesus como apresentado por Lucas.[10]

---

[10] LIEFELD, Walter L. "Luke." In: *Zondervan NIV Bible Commentary*. Vol. 2, p. 272.

As **evidências da salvação** de Zaqueu

David Neale diz que, em resposta ao ato de arrependimento de Zaqueu, Jesus reitera sua mensagem de salvação aos marginalizados (19.9).[11] Aqui está a mensagem central desse interesse de Jesus pelos perdidos: *Porque o Filho do homem veio buscar e salvar o perdido* (19.10).

Vamos listar aqui três evidências da salvação de Zaqueu.

Em primeiro lugar, ***prontidão em obedecer ao chamado de Jesus*** (19.6). Zaqueu desceu depressa. Ele obedeceu sem questionar e sem adiar. Recebeu Jesus em sua casa e em seu coração. Abriu seu coração e seu lar para Jesus. Levou Jesus para dentro da sua casa. Abriu sua vida, seu coração, sua consciência e seu cofre e deixou que Jesus entrasse em cada área da sua vida.

Em segundo lugar, ***coração aberto para socorrer os necessitados*** (19.8). Zaqueu demonstrou profunda mudança em sua vida. Jesus transformou seu coração, sua vida, seu caráter e seu bolso. O primeiro sinal de conversão na vida de Zaqueu foi o amor, a generosidade, a disposição de dar. "Eu resolvo dar." Até então, sua vida era marcada por receber e tomar o que era dos outros. Ele, que sempre tomou, agora quer dar. O eixo da sua vida mudou. Ele, que queria sempre levar vantagem em tudo, quer ajudar. Ele, que sempre pensava em si mesmo, agora pensa nos outros. Agora não é a ganância, mas o amor que governa a sua vida. Se a nossa religião é verdadeira, ela atinge o nosso bolso, toca a nossa carteira. Quando você abre o coração para a generosidade, destrói o demônio da ganância. Zaqueu não dá para ganhar a salvação. Ele dá porque recebeu a salvação. Quando o nosso coração é atingido pelo amor de Jesus, o bolso, a conta bancária, tudo passa a ser também do Senhor. John Charles Ryle está correto em dizer que, quando um crente rico começa a distribuir sua riqueza e um extorsionário começa a fazer restituições, certamente podemos crer que as coisas velhas já passaram e que tudo se fez novo.[12]

Em terceiro lugar, ***prontidão para corrigir as faltas do passado*** (19.8). Zaqueu desviou muita coisa de gente inocente. Pisou nos menos

---

[11] NEALE, David A. *Novo comentário bíblico Beacon Lucas 9-24*, p. 221.
[12] RYLE, John Charles. *Meditações no Evangelho de Lucas*, p. 305.

favorecidos. Ganhou muita propina pelos cambalachos que fazia para os ricos. Adulterou muitas notas fiscais. Aceitou muitas notas frias, tudo isso para aumentar a própria riqueza. Um dia, porém, sua consciência transbordou, e ele não aguentou mais. Ao encontrar-se com Jesus, ele se dispôs a corrigir as faltas do seu passado. Uma pessoa convertida torna-se honesta. Zaqueu quer agora reparar os erros do passado. Quer restituir às pessoas a quem tinha lesado. Quer limpar o seu nome. Quer uma vida certa. Concordo com A. T. Robertson quando ele escreve: "A restituição é boa prova de uma mudança de mentalidade e intenção".[13] O caráter de Zaqueu é curado por Cristo. Ele abandona a mentira, a esperteza comercial, as vantagens fáceis do enriquecimento ilícito. Agora quer andar na luz. Um idólatra se arrepende e abandona os ídolos. Um maldizente abandona os palavrões. Um mentiroso, a mentira. Um adúltero, o adultério. Um homossexual, o homossexualismo. Um viciado abandona as drogas. Um ladrão deixa o roubo e devolve o que não é seu. Um feiticeiro larga a feitiçaria. Não há salvação sem abandono do pecado. *O que encobre as suas transgressões jamais prosperará, mas aquele que as confessa e deixa, alcançará misericórdia* (Pv 28.13). Quando Zaqueu demonstrou seu sincero arrependimento, Jesus lhe disse: *Hoje houve salvação nesta casa. Porque também este é filho de Abraão. Pois o Filho do homem veio buscar e salvar o perdido* (19.10). Concluo com as palavras de Rienecker quando diz que a história de Zaqueu representa a melhor prova de que não é impossível que uma pessoa rica entre no reino de Deus (18.25-27).[14]

---

[13]ROBERTSON, A. T. *Comentário Lucas à luz do Novo Testamento grego*, p. 323.
[14]RIENECKER, Fritz. *Evangelho de Lucas*, p. 384.

55

Jerusalém, o rei está chegando

Lucas 19.11-48

JESUS JÁ HAVIA SAÍDO DE JERICÓ PARA JERUSALÉM, acompanhado de um grande séquito. Ele saiu da cidade mais antiga e mais baixa do mundo, Jericó, há quase 400 metros abaixo do nível do mar, para Jerusalém, a cidade de Davi, há 800 metros acima do nível do mar. Era uma estrada íngreme pelo deserto da Judeia, uma escalada de 25 quilômetros. Por já estarem perto de Jerusalém, crescia entre a caravana que o seguia a expectativa de que, com sua entrada em Jerusalém, o reino de Deus se manifestaria imediatamente (19.11).

Era a Páscoa, a maior festa de Israel. Nesse tempo, a população de Jerusalém quintuplicava. A festa era a alegria dos judeus e o terror dos romanos. Durante o evento, a residência oficial do governador e todo o seu aparato militar seriam transferidos de Cesareia para Jerusalém.

O texto em tela destaca dois pontos que merecem ser comentados.

O **acerto de contas** com o Rei (19.11-27)

Para corrigir o conceito equivocado acerca da natureza do seu reino, pois até mesmo seus discípulos pensavam num reino terreno e político (At 1.6), Jesus conta a parábola das dez minas. Com certa semelhança com a parábola dos talentos (Mt 25.14-30), a parábola fala sobre um homem nobre que se ausenta para tomar posse de um reino e depois voltar. Antes de partir, o nobre entrega uma mina, ou seja, cem dracmas, a dez de seus servos, dando-lhes a ordem de negociar esses valores até sua volta. Na sua volta, ele recompensou os servos fiéis, porém repreendeu severamente o servo negligente, além de ordenar sumariamente a execução dos inimigos. A parábola nos oferece quatro lições.

Em primeiro lugar, *o trabalho dos servos durante a ausência de seu senhor* (19.11-14). O homem chama dez de seus servos e lhes confia dez minas (uma mina era uma moeda grega que valia cem dracmas, sendo a dracma o preço do trabalho de um dia de um operário),[1] dizendo-lhes: *Negociai até que eu volte* (19.13). Este nobre, entretanto, enfrenta a hostilidade de seus concidadãos, que o odiavam. Logo que ele partiu, seus inimigos enviaram após ele uma embaixada, dizendo que *não* queriam se submeter ao seu reinado (19.14). Essa parábola de Jesus tinha uma estreita conexão com um fato histórico muito conhecido de seus ouvintes. No ano 4 a.C., com a morte de Herodes, o Grande, seu filho Arquelau foi a Roma para ser coroado rei da Judeia pelo imperador César Augusto. Porém, uma embaixada de judeus contrários ao seu governo foi a Roma protestar, dizendo que não queriam que Arquelau reinasse sobre eles. O imperador manteve Arquelau na Judeia, mas não lhe deu o título de rei. Nomeou-o apenas como etnarca.[2] Outras representações foram feitas contra Arquelau, que acabou deposto no ano 6 d.C.[3] Esse homem nobre da parábola é um símbolo de Jesus. Ele inaugurou seu reino de graça e voltará para estabelecer o seu reino de glória. Até sua volta, incumbiu-nos de fazer discípulos de todas as nações e pregar o evangelho a toda criatura.

Em segundo lugar, *a recompensa dos servos fiéis na volta de seu senhor* (19.15-19). A embaixada dos concidadãos contra o nobre não o impediu de tomar posse do reino. Então, ele volta e chama os servos para uma prestação de contas. A título de exemplo, chamou dois servos para se apresentarem. Estes demonstraram sua fidelidade e fizeram um relatório positivo. O primeiro disse que a mina do seu senhor havia

---

[1] HENDRIKSEN, William. *Lucas*. Vol. 2, p. 431.
[2] BARCLAY, William. *Lucas*, p. 230,231.
[3] HENDRIKSEN, William. *Lucas*. Vol. 2, p. 432.

rendido dez vezes mais; o segundo, que sua mina havia rendido cinco vezes mais. A ambos, o homem nobre elogiou, confiando ao primeiro autoridade sobre dez cidades, e ao segundo, sobre cinco cidades. A fidelidade deles foi recompensada pelo seu senhor. Aqueles que foram encontrados fiéis no pouco foram colocados no muito. Receberam maiores privilégios e mais amplas responsabilidades. Ryle, aplicando o ensino deste texto, diz que virá o dia em que o Senhor Jesus julgará todo o seu povo e recompensará a cada um segundo suas obras.[4] Hendriksen, por sua vez, diz que, em sua gloriosa vinda, Jesus enaltecerá os servos fiéis e os galardoará em proporção ao grau de fidelidade que tiverem mostrado. Ele lhes dará a oportunidade de prestar serviço ainda maior no novo céu e na nova terra.[5]

Em terceiro lugar, *a punição dos servos infiéis na volta de seu senhor* (19.20-26). O terceiro servo, sendo infiel, se apresentou e fez um relatório negativo. Para encobrir sua preguiça e omissão, disse que temeu a seu senhor e ainda o acusou de ser homem rigoroso e injusto, que tira o que não põe e ceifa o que não semeia. O nobre, sem meias palavras, chamou-o de servo mau. Esse servo infiel lavrou sua condenação pelas suas próprias palavras. Rienecker tem razão ao dizer que aquilo que o servo preguiçoso apresenta em sua defesa abre caminho justamente para sua condenação.[6] Se, de fato, ele fosse coerente com suas palavras, não teria guardado o dinheiro do seu senhor, mas teria, no mínimo, colocado esses valores no banco para render juros. A ordem do homem nobre foi incisa e imediata: *Tirai-lhe a mina e dai-a ao que tem as dez* (19.24). Diante da ponderação de que este já tinha dez minas, o senhor respondeu: *A todo o que tem dar-se-lhe-á; mas o que não tem, até o que tem lhe será tirado* (19.26). Não há espaço para negligência no reino de Deus. A neutralidade e a omissão são ofensas ao Senhor e prejuízos à sua causa.

Concordo com Warren Wiersbe quando ele diz que o problema do servo infiel é seu conceito errado de seu senhor. Ele considerava seu senhor um homem severo, exigente e injusto. Não o amava; ao

---

[4]RYLE, John Charles. *Meditações no Evangelho de Lucas*, p. 307.
[5]HENDRIKSEN, William. *Lucas*. Vol. 2, p. 433.
[6]RIENECKER, Fritz. *Evangelho de Lucas*, p. 389.

contrário, tinha medo dele. É triste quando um cristão é motivado por um medo servil, e não por uma fé amorosa. Não há nada que distorça e deforme mais a alma do que um conceito baixo ou indigno de Deus.[7]

Em quarto lugar, *a severa punição dos inimigos na volta do senhor* (19.14,27). Aqueles que se opuseram ao homem nobre dizendo: *Não queremos que este reine sobre nós* (19.14), que foram seus inimigos e não quiseram se submeter ao seu reinado, acabaram punidos severamente. Uma ordem expressa foi dada: *Trazei-os aqui e executai-os na minha presença* (19.27). Isso implica a ausência de qualquer indulgência branda. A aplicação de Jesus não poderia ser mais clara, pois Ele estava perto de Jerusalém e, em poucos dias, ouviria a multidão gritar: *Não temos rei, senão César* (Jo 19.15). Em outras palavras: "Não queremos que este reine sobre nós".[8]

A **manifestação pública** do Rei (19.28-48)

Terminada a parábola, Jesus continua subindo para Jerusalém (19.28). Esta era a hora mais esperada de seu ministério. William Hendriksen diz que a entrada triunfal em Jerusalém foi um evento de máxima importância.[9] Por três vezes ele preanunciou sua entrada em Jerusalém. Cumpria-se uma agenda estabelecida na eternidade. Agora havia chegado o grande momento. Não há nada de improvisação. Nada de surpresa. Ele veio para esta hora.

Seis verdades são destacadas na passagem em tela.

Em primeiro lugar, *a preparação* (19.25-36). A entrada de Jesus em Jerusalém foi externamente despretensiosa. Ele não entrou brandindo uma espada nem acompanhado de um exército. Não veio como um conquistador político, mas como o redentor do seu povo. A entrada de Jesus em Jerusalém foi totalmente diferente daquelas celebradas pelos conquistadores romanos. Quando um general romano retornava a Roma depois da vitória sobre os inimigos, era recebido por

---
[7]WIERSBE, Warren W. *Comentário bíblico expositivo*. Vol. 5, p. 329.
[8]WIERSBE, Warren W. *Comentário bíblico expositivo*. Vol. 5, p. 329.
[9]HENDRIKSEN, William. *Lucas*. Vol. 2, p. 447.

grande multidão. O general vitorioso desfilava em carruagem de ouro. Os sacerdotes queimavam incenso em sua honra e o povo gritava seu nome, enquanto seus cativos eram levados às arenas para lutar com animais selvagens. Esta era a entrada triunfal de um romano.[10]

Ao montar um jumentinho, porém, Jesus estava dizendo que sua missão era de paz e que seu reino era espiritual. Estava cumprindo a profecia de Zacarias: *Alegra-te muito, ó filha de Sião; exulta, ó filha de Jerusalém: eis aí te vem o Teu rei, justo e salvador, humilde, montado em jumento, num jumentinho, cria de jumenta* (Zc 9.9). Jesus demonstrou onisciência, sabendo onde estava o jumentinho. Demonstrou autoridade, dando ordens para trazer o jumentinho. Demonstrou domínio sobre o reino animal, pois montou um jumentinho que ainda não havia sido amansado. Demonstrou ainda que gênero de Messias Ele é. Não o messias terreno dos sonhos de Israel, aquele que promove guerra contra o opressor terreno, mas Aquele que veio promover e estabelecer *as coisas que pertencem à paz* (19.42); uma paz duradoura: a reconciliação entre o ser humano e Deus e entre o ser humano e seu semelhante.[11]

Em segundo lugar, *a celebração* (19.37,38). A multidão de discípulos passou, jubilosa, a louvar a Deus em alta voz, por todos os milagres que eles tinham visto, dizendo: *Bendito é o rei que vem em nome do Senhor! Paz no céu e glória nas maiores alturas!* O evangelista Marcos diz que a multidão que subiu com Jesus encontrou a multidão que já estava em Jerusalém, e essas duas multidões clamaram: *Hosana! Bendito o que vem em nome do Senhor! Bendito o reino que vem, o reino de Davi, nosso pai! Hosana, nas maiores alturas!* (Mc 11.9,10). O rei havia chegado, e as multidões se puseram a celebrar!

O tema da celebração da multidão era a paz. Lucas começa seu evangelho anunciando paz na terra (2.14), mas agora o tema é *paz no céu* (19.38). Uma vez que o Messias havia sido rejeitado, não poderia haver paz na terra. Graças à obra de Cristo na cruz, entretanto, os seres humanos poderiam ser reconciliados com Deus, e então, ter paz com Deus e experimentarem a paz de Deus.

---

[10] WIERSBE, Warren W. *Be Diligent*, p. 109.
[11] HENDRIKSEN, William. *Lucas*. Vol. 2, p. 447.

Em terceiro lugar, *a resistência* (19.39,40). Os fariseus que acompanharam toda a trajetória de Jesus, não para se deleitarem em seus ensinos nem para darem glória pelos seus milagres, tentam mais uma cartada, pedindo para Jesus repreender a multidão de discípulos que, jubilosamente, o aclamava como o Rei bendito que vem em nome do Senhor. Em vez de atender ao acintoso pedido dos fariseus, Jesus lhes disse: *Asseguro-vos que, se eles se calarem, as próprias pedras clamarão* (19.40). Os fariseus se recusaram a professar o nome de Jesus e agora querem impedir que outros também o professem. Se os discípulos se calarem, as pedras clamarão. Rienecker diz que essa é uma expressão proverbial que representa uma alusão velada à destruição de Jerusalém, com as pedras da cidade e do templo representando o juízo condenatório de Deus.[12]

Em quarto lugar, *o choro* (19.41-44). A marcha de Jesus levou-O para o centro nervoso da cidade assassina de profetas. Ali estava o templo, o Sinédrio, a resistência mais radical ao seu ministério. Quando Jesus viu a cidade, explodiu em lágrimas e chorou copiosamente (19.41). Jesus chorou em três diferentes ocasiões: junto ao túmulo de Lázaro, sobre a impenitente cidade de Jerusalém e no Getsêmani (Hb 5.7). Ali ele não apenas suou sangue, mas também orou com forte clamor e lágrimas.

Veremos mais detidamente agora o choro de Jesus sobre Jerusalém. A palavra grega *eklausen*, usada aqui, é mais do que chorar (19.41). Jesus não apenas verteu lágrimas, mas foi tomado por um forte lamento.[13] Ele irrompeu em prantos.[14] A palavra grega traz a ideia de um choro com soluços e gemidos. Jesus lamentou sobre a cidade. Para todos os lados que Jesus olhava, encontrava motivos para chorar.[15] Quando olhou para trás, viu quanto a nação tinha desperdiçado suas oportunidades e sido ignorante a respeito do tempo da sua visitação. Quando olhou ao redor, viu atividades religiosas que estavam caducas. O templo havia se transformado num covil de salteadores, e os líderes religiosos, por

---

[12] RIENECKER, Fritz. *Comentário bíblico expositivo*. Vol. 5, p. 394.
[13] RIENECKER, Fritz. *Evangelho de Lucas*, p. 394.
[14] MORRIS, Leon L. *Lucas: introdução e comentário*, p. 263.
[15] WIERSBE, Warren W. *Comentário bíblico expositivo*. Vol. 5, p. 330.

inveja, queriam matá-Lo. Havia religiosidade, mas não conhecimento de Deus. Quando Ele olhou para frente, chorou ao perceber o terrível julgamento que estava prestes a vir sobre Jerusalém. No ano 70 d.C., Jerusalém foi saqueada e destruída, e o povo foi massacrado e vendido como escravo por todo o mundo.

As lágrimas de Jesus foram tão profundas que Ele não pôde contê-las a despeito da ocasião. Enquanto a multidão celebrava, Jesus chorava. Os discípulos haviam trazido o jumentinho. Jesus estava entrando triunfalmente na cidade. Toda a multidão dos discípulos passou, jubilosa, a louvar a Deus em alta voz, por todos os milagres que tinham visto, dizendo: *Bendito é o Rei que vem em nome do Senhor! Paz no céu e glória nas maiores alturas* (19.37,38). No meio da alegre procissão, enquanto as multidões que precediam e sucediam a Jesus colocavam suas roupas na estrada e galhos de árvores (Mt 21.8), os discípulos desfraldavam suas palmas e em coro davam glória a Deus, Jesus parou e chorou. Jesus sabia da superficialidade de todos os louvores que estava recebendo. Ele sabia que a mesma multidão que agora gritava hosanas, em breve, gritaria: Crucifica-O. Ele sabia que a alegre procissão de entrada em Jerusalém se converteria na triste procissão para fora dos muros da cidade, para o Calvário, onde Ele seria crucificado.

Jesus não interrompeu a alegria dos Seus discípulos como queriam os fariseus (19.39,40). Mas também não entrou no espírito daquela alegria. Todos celebravam, mas Ele chorava. Aquele dilúvio de lágrimas não era por Si mesmo, contudo, mas pelos impenitentes da cidade. Jesus não chora por Si; ele chora por nós. Mais tarde, enquanto caminhava para a cruz, Jesus disse às mulheres rendidas ao pranto: *Filhas de Jerusalém, não choreis por mim; chorai, antes, por vós mesmas e por vossos filhos!* (23.28). Ele chorou pela cidade que o rejeitaria e O crucificaria, e não pelas dores que iria sofrer.

Jesus lamenta a falta pela qual eles perecem (19.42). Ignorância, terrível ignorância, foi a ruína de Israel. "Ah, se conheceras!" Eles não conheceram o que poderiam ter conhecido, o que deveriam ter conhecido. Jesus chorou sobre Jerusalém porque, embora fosse a cidade dos profetas, dos escribas e dos mestres, ela estava perecendo por não conhecer a Deus. Eles odiaram o verdadeiro conhecimento e não escolheram temer o Senhor. A cidade desprezou a Palavra de Deus e se entregou a uma obstinada incredulidade. Eles escolheram morrer em trevas em vez de aceitar a luz do Filho de Deus.

Jesus lamenta a felicidade que eles tinham perdido (19.42). O nome da cidade de Jerusalém significa "a cidade da paz". Mas Jerusalém tinha perdido a sua paz, porque não havia conhecido o Príncipe da Paz.

Jesus lamenta porque viu a grande ruína que desabaria sobre Jerusalém (19.43,44). A invasão de Jerusalém por Tito Vespasiano no ano 70 d.C. foi a tragédia das tragédias. Nada se compara àquela sangrenta e brutal invasão. Milhares de milhares de pessoas morreram de fome, pestilência ou passadas ao fio da espada. Mulheres devoraram as carnes de seus próprios filhos. Não havia escape. A cidade foi cercada. A fome reinava do lado de dentro, e o cerco do inimigo dominava do lado de fora. Os mortos eram lançados para fora dos muros. Quando Tito invadiu a cidade, havia uma multidão de corpos em estado de putrefação do lado de dentro dos muros. William Hendriksen, citando o historiador Flavio Josefo, escreve:

> Enquanto o santuário era queimado, não se mostrou piedade por idade nem respeito por posição. Ao contrário, crianças e idosos, leigos e sacerdotes, igualmente foram massacrados. O imperador ordenou que toda a cidade e o povo fossem arrasados completamente, e que fossem deixadas somente as partes mais altas das torres e a porção do muro que fecha a cidade do lado ocidental. Todo o restante do muro que circunda a cidade foi tão completamente destruído, que os futuros visitantes ao local não conseguiriam acreditar que a cidade fora um dia habitada.[16]

Em quinto lugar, *a acusação* (19.45,46). No Novo Testamento há duas palavras estreitamente relacionadas ao templo. A primeira é *hieron*, que significa "o lugar sagrado". Isso incluía toda a área do templo, que cobria o cume do monte Sião e tinha uns 15 hectares de extensão. Estava rodeado por grandes muralhas. Havia um amplo espaço exterior chamado *pátio dos gentios*. Nele podia entrar qualquer judeu ou gentio.

---

[16] HENDRIKSEN, William. *Lucas*. Vol. 2, p. 456.

O pátio seguinte era *pátio das mulheres*. As mulheres não podiam ir além desse pátio. Logo vinha o pátio chamado *pátio dos israelitas*. Ali se reunia a congregação nas grandes ocasiões e dali entregavam as oferendas aos sacerdotes. A outra palavra importante é *naos*, que significa *o templo propriamente dito*, o qual se levantava no pátio dos sacerdotes. Toda a área incluindo os diferentes pátios, eram os recintos sagrados (*hieron*). O edifício especial levantado no pátio dos sacerdotes era o templo (*naos*).[17]

Jesus entra no templo, expulsa os que ali vendiam e acusa os mercantilistas da fé: *A minha casa será casa de oração. Mas vós a transformastes em covil de salteadores* (19.46). Jesus mostra com isso o propósito da casa de Deus. Ele faz uma faxina ali, pois a Casa de Deus tinha perdido a sua razão de ser. Os sacerdotes a haviam transformado num mercado. O lucro tinha substituído o relacionamento com Deus. Jesus, então, declara que Sua Casa não devia ser um lugar para excluir as pessoas pela barreira do comércio, mas um lugar de oração para todos os povos. Jesus chama a Casa de Deus de "Minha casa". Ele é o próprio Deus e tem zelo pela Sua casa. Sua Casa precisa cumprir o propósito de aproximar as pessoas de Deus, em vez de afastá-las. William Hendriksen apresenta essa cena da expulsão dos vendilhões do templo com as seguintes palavras:

> Jesus vê que o átrio está sendo profanado. Mais parecia um mercado. Os negócios vão de vento em popa e são também lucrativos. Alguns homens estão vendendo bois e ovelhas. Nessa época do ano, com a Páscoa tão próxima e os peregrinos de todas as partes enchendo os átrios, há muitos compradores. Eles pagam elevados preços por esses animais destinados ao sacrifício. Os mercadores do templo pagavam generosamente aos sacerdotes por essa concessão. Parte desse dinheiro finalmente chega aos cofres do cobiçoso e rico Anás e também do matreiro Caifás. Portanto, é compreensível que os comerciantes e a estirpe sacerdotal fossem sócios nesse negócio. Jesus nota a grande azáfama de todos esses compradores e vendedores e, além disso, o ruído, a

---

[17] William BARCLAY. *Marcos*. 1974, p. 283,284.

sujeira e o mau cheiro de todos aqueles animais. Porventura isso poderia, em algum sentido, ser chamado adoração?[18]

A Casa de Oração tinha sido transformada em um covil de salteadores. O covil dos salteadores é o lugar para onde os ladrões correm quando desejam se esconder. Em vez de as pessoas buscarem o templo para romperem com o pecado, elas estavam tentando se esconder da consequência do pecado no templo. O templo estava se transformando num covil, ou seja, num esconderijo de ladrões.

O templo havia perdido o seu propósito e a fé estava sendo mercantilizada. Deus havia sido substituído pelo dinheiro. A oração tinha sido substituída pelo lucro.

Em sexto lugar, *a oposição* (19.47,48). Jesus ensinava diariamente no templo, mas os principais sacerdotes, os escribas e os maiorais do povo, em vez de se arrependerem, endureceram ainda mais o coração. Em vez de obedecerem ao Messias, tramaram sua morte. Só não deram curso ao seu intento maligno porque todo o povo, ao ouvir Jesus, ficava dominado por Ele.

---

[18]HENDRIKSEN, William. *Lucas*. Vol. 2, p. 457.

56

O dia das **perguntas** em Jerusalém

Lucas 20-21.1-4

JESUS JÁ HAVIA ALERTADO AOS SEUS DISCÍPULOS que esperassem conflitos e sofrimentos em Sua chegada a Jerusalém (9.22). As tensões desse dia foram imensas. Os líderes religiosos O emparedaram em busca de uma prova contra Ele. Fizeram perguntas capciosas e subornaram emissários para tentá-lo com lisonjas.

Vamos agora examinar o que aconteceu com Jesus nesse dia, conhecido como "o dia das perguntas".[1] De acordo com Warren Wiersbe, é interessante observar como Jesus usou de sabedoria, virando a mesa e colocando os líderes na defensiva. Primeiro, Ele fez uma pergunta (20.3-8); em seguida, apresentou uma parábola (20.9-16); por fim, citou uma profecia (20.17,18). Em cada uma dessas abordagens, revelou os pecados de Israel como nação.[2]

A **autoridade** do Messias (11.18,19,27-33)

Destacamos quatro pontos neste texto.

Em primeiro lugar, *uma pergunta maliciosa* (20.1,2). Jesus estava no templo ensinando e evangelizando quando chegaram os principais

---
[1]BARCLAY, William. *Lucas*, p. 236.
[2]WIERSBE, Warren W. *Comentário bíblico expositivo*. Vol. 5, p. 332.

sacerdotes, os escribas e os anciãos. Esses três grupos compunham o Sinédrio, o conselho supremo dos judeus. Esses líderes estavam irritados porque Jesus expulsara os vendilhões do templo e ainda chamara o próprio templo de covil de salteadores (19.45,46). Como reação, eles buscam, sofregamente, um meio de acusá-Lo. Querem encontrar uma causa legítima para condená-Lo à morte. Certamente, visam extrair de Jesus uma declaração acerca de seu envio celestial, a fim de terem motivos para acusá-Lo de blasfêmia.[3] Morris diz que, no mesmíssimo momento em que Seus inimigos estavam tramando contra Jesus, Ele estava levando as boas-novas de Deus ao povo.[4] Os líderes, irritados e inconformados com a atitude de Jesus no templo, perguntam-Lhe: *Com que autoridade fazes estas coisas? Ou quem te deu essa autoridade?* (20.1,2). Em outras palavras: "Mostra-nos as Tuas credenciais".[5]

Em segundo lugar, **uma contrapergunta corajosa** (20.3,4). Jesus não dá uma resposta aos inimigos, mas retruca: Também eu vos farei uma pergunta; dizei-me: *O batismo de João era dos céus ou dos homens?* (20.4). A pergunta de Jesus não foge do foco. O batismo de João tinha tudo que ver com Sua autoridade. João era um profeta de Deus, reconhecido pelo povo, e eles rejeitaram a mensagem de João, o precursor do Messias, que apontou para Jesus e disse: *Eis o Cordeiro de Deus que tira o pecado do mundo* (Jo 1.29). A festa da Páscoa, na qual um cordeiro sem defeito deveria ser imolado, já tinha começado. Estava bem ali diante dos olhos deles, Jesus, o Cordeiro de Deus, Aquele de quem João havia testemunhado. Se eles respondessem não à pergunta de Jesus, o povo os condenaria. Se respondessem sim, estariam reafirmando a autoridade divina de Jesus.

Em terceiro lugar, **uma farsa dolorosa** (20.5-7). Os principais sacerdotes, escribas e anciãos, encurralados pela pergunta de Jesus, preferiram mentir para não enfrentar a verdade. Abafaram a voz da consciência, taparam os ouvidos à verdade e mergulharam nas sombras espessas da hipocrisia. Warren Wiersbe diz que eles foram dissimulados

---

[3]RIENECKER, Fritz. *Evangelho de Lucas*, p. 398.
[4]MORRIS, Leon L. *Lucas: introdução e comentário*, p. 265.
[5]HENDRIKSEN, William. *Lucas*. Vol. 2, p. 467.

ao perguntar e desonestos ao evitar responder.[6] Rienecker acentua que foi o medo das pessoas, e não o temor de Deus, que impediu que os inimigos falassem contra a opinião do povo. Nisso se revela sua miserável hipocrisia.[7]

Em quarto lugar, *uma firmeza gloriosa* (20.8). Jesus não entrou numa discussão infrutífera com seus inimigos nem perdeu tempo com suas perguntas de algibeira, mas replicou: *Pois nem Eu vos digo com que autoridade faço estas coisas.*

Uma **parábola** de Jesus sobre o **amor rejeitado** (20.9-18)

William Barclay diz que esta é uma parábola cujo significado é claro como cristal. A vinha representa a nação de Israel. Os lavradores são os líderes religiosos de Israel. Os mensageiros são os profetas que foram desprezados, perseguidos e mortos. O filho é Jesus. E o castigo é que a posição que Israel havia ocupado seria transferida para a igreja.[8]

Esta parábola contada por Jesus contém algumas lições solenes.

Em primeiro lugar, *o privilégio de Israel, o povo amado de Deus* (20.9). Depois de entrar no templo (19.45), purificar o templo (19.45,46) e discutir a questão da autoridade no templo (20.1,2), a parábola da vinha também gira em torno da relação de Israel com Jesus, pois, de acordo com escritores antigos como Josefo e Tácito, havia por sobre o pórtico do santuário herodiano uma grande videira dourada. O Talmude também aplicava o ramo da videira ao templo de Jerusalém. Portanto, Jesus endereça essa parábola aos representantes do templo.

Israel é a vinha de Deus. Ele chamou esse povo não porque era o mais numeroso, mas por causa do Seu amor incondicional. Deus cercou Israel com Seu cuidado: libertou, sustentou, guiou e abençoou esse povo. Deus plantou essa vinha. Cercou-a com uma sebe. Construiu nela um lagar. Colocou uma torre (Mc 12.1). Toda a estrutura estava pronta. Nada ficou por fazer. Tudo Deus fez por Seu povo. Ele deu a

---

[6]WIERSBE, Warren W. *Comentário bíblico expositivo.* Vol. 5, p. 333.
[7]RIENECKER, Fritz. *Evangelho de Lucas,* p. 399.
[8]BARCLAY, William. *Lucas,* p. 238,239.

Israel suas boas leis e ordenanças. Enviou-os a uma boa terra. Expulsou as sete nações. Passou por alto os grandes impérios e demonstrou Seu profundo amor a esse pequeno povo. Nenhuma família debaixo do céu recebeu tantos privilégios como a família de Abraão (Am 3.2). De igual forma, Deus também tem nos revelado o seu amor, mesmo sendo nós pecadores. Nada merecemos de Deus e, ainda assim, Ele nos demonstra sua imensa bondade e misericórdia.

Em segundo lugar, **Deus tem direito de buscar frutos na vida do Seu povo** (20.10a). A graça nos responsabiliza. Deus esperava frutos de Israel. Mas Israel se tornou uma videira brava (Is 5.1-7). Servo após servo veio a Israel procurando frutos e foi maltratado e despedido vazio. Profeta após profeta foi enviado a eles, mas eles a uns maltrataram, a outros mataram. Milagre após milagre foi operado entre eles, sem nenhum resultado. Israel só tinha folhas, e não frutos (Mc 11.12-14). Deus nos escolheu em Cristo para darmos frutos (Jo 15.8).

Em terceiro lugar, *a rejeição contínua e deliberada do amor de Deus* (20.10b-15). Ao longo dos séculos, Deus mandou seus profetas para falar à nação de Israel, mas eles rejeitaram a mensagem, perseguiram e mataram os mensageiros (2Cr 36.16). Quanto mais Deus demonstrava seu amor, mais o povo se afastava e endurecia a sua cerviz. Finalmente, Deus enviou o seu Filho, mas eles não O receberam (Jo 1.11). A parábola agora atinge o seu clímax. Eles estavam prestes a matar o Filho enviado pelo Pai. Os ouvintes de Jesus, ao mesmo tempo que ouviam a parábola, estavam urdindo um plano para matarem o Filho de Deus. Hendriksen pergunta: "É porventura possível ler essa passagem sem recordar imediatamente passagens como João 3.16; Romanos 5.8; Romanos 8.32; e Gálatas 4.4?"[9]

Em quarto lugar, *o juízo de Deus aos que rejeitam Seu amor* (20.16-18). Deus pune os rebeldes e passa a vinha a outros. A oportunidade de Israel cessa e aos gentios é aberta a porta da graça. Israel rejeitou o tempo da sua visitação. Rejeitou Aquele que poderia resgatá-lo. A pedra era um conhecido símbolo do Messias (Êx 17.6; Dn 2.34; Zc 4.7;

---

[9]HENDRIKSEN, William. *Lucas*. Vol. 2, p. 472.

Rm 9.32,33; 1Co 10.4; 1Pe 2.6-8). Jesus anunciou um duplo veredicto: eles não apenas tinham rejeitado o Filho, mas também tinham rejeitado a pedra. Só lhes restava então o julgamento.[10] Se corretamente entendida, essa passagem os ajudaria a reconhecer que o Filho, rejeitado pelas autoridades do templo, viria a ser certamente a "pedra angular" do novo templo de Deus. Com essa guinada de ênfase na metáfora, Jesus olha para além de Sua morte, para Sua vindicação na ressurreição, a edificação de uma nova "casa para todas as nações".

Em quinto lugar, *o endurecimento em vez do quebrantamento* (20.19). A parábola foi uma centelha na pólvora da oposição a Jesus.[11] Os líderes religiosos interpretaram corretamente a parábola de Jesus, mas não se dispuseram a obedecer a Jesus. Ao contrário, endureceram ainda mais o coração e buscaram uma forma de eliminar Jesus. Apenas conhecimento e convicção não podem nos salvar. É perfeitamente possível saber que estamos errados e, ainda assim, seguirmos obstinadamente agarrados ao nosso pecado e perecermos miseravelmente.

Um **plano malfadado** para apanhar Jesus em contradição (20.20-26)

Os líderes têm um propósito: matar Jesus! Precisam encontrar o modo certo de fazê-lo. Decidem, então, propor-lhe perguntas embaraçosas, com o fim de apanhá-Lo em alguma contradição. Desta maneira, poderiam acusá-Lo e levá-Lo à morte.

David Neale diz que esses acontecimentos têm o tenebroso contorno de uma conspiração. Jesus já havia Se deparado com intenções letais e sinistras anteriormente (4.29; 13.31). Mas a primeira foi o ato de uma multidão; e a segunda, uma tentativa direta de assassinato. Em Jerusalém, porém, a tentativa de matá-Lo é uma trama envolvendo uma cilada, um informante e subterfúgios que tentam burlar o escrutínio público.[12] O termo grego usado aqui em Lucas 20.20 para os

---

[10] WIERSBE, Warren W. *Be Diligent*, p. 115,116.
[11] MORRIS, Leon L. *Lucas: introdução e comentário*, p. 269.
[12] NEALE, David A. *Novo comentário bíblico Beacon Lucas 9-24*, p. 241.

emissários subornados é *enkatheos*, que significa "espiões". São agentes secretos que vigiam Jesus de perto, fingindo ser honestos, para pegá-Lo no contrapé.[13]

Duas foram as tentativas malfadadas dos inimigos de Jesus.

Em primeiro lugar, **a questão do tributo** (20.20-26). A pergunta se era lícito ou não pagar tributos a César propicia-nos algumas lições importantes.

As forças opostas se unem para atacar Jesus (20.19). Os escribas pertenciam ao partido dos fariseus, e os principais sacerdotes pertenciam ao partido dos saduceus. Esses dois grupos de conservadores e progressistas, ortodoxos e liberais não eram unidos (At 23.6-9), mas se uniram contra Jesus. O evangelista Marcos acrescenta que os fariseus e os herodianos, que eram inimigos irreconciliáveis, se ajuntaram contra Jesus (Mc 3.6). Estavam em lados opostos, mas, quando se tratou de condenar Jesus, eles se uniram (Mc 12.13). Forças opostas se unem contra a verdade. Os herodianos apoiavam a família de Herodes, que recebera poder de Roma para governar e cobrar impostos. Os fariseus, contudo, consideravam Herodes um usurpador do trono de Davi. Eles se opunham à taxa de impostos que os romanos tinham colocado sobre a Judeia e assim se ressentiam da presença de Roma em sua terra, mas contra Jesus esses inimigos se uniram.

A bajulação é uma arma do inimigo (20.21). A bajulação é uma armadilha camuflada com lisonja. Os inimigos de Jesus, no caso aqui, são espiões contratados que Lhe desfiam desabridos elogios, numa linguagem bajuladora, insincera e hipócrita. Jesus, porém, tira a máscara de seus inquiridores e expõe sua hipocrisia.

Uma pergunta maliciosa (20.22). Perguntaram a Jesus: *É lícito pagar tributo a César?* Eles estavam seguros de que, qualquer que fosse a resposta de Jesus, ele estaria em situação embaraçosa. Se Jesus respondesse sim, o povo estaria contra Ele, pois seria visto como alguém que apoia o sistema romano idólatra. Se respondesse não, Roma estaria contra Ele, e os herodianos se apressariam em denunciá-Lo às autoridades

---

[13]NEALE, David A. *Novo comentário bíblico Beacon Lucas 9-24*, p. 241.

romanas, acusando-O de rebelião (23.2).[14] Se Sua resposta fosse sim, Ele perderia Sua credibilidade junto ao povo; se Sua resposta fosse não, seria acusado de insubordinado e rebelde contra Roma.

Uma resposta desconcertante (20.23-26). Jesus responde: *Mostrai-me um denário. De quem é a efígie e a inscrição?* Ao responderem: "De César", Jesus recomenda: *Dai, pois, a César o que é de César e a Deus o que é de Deus.* Jesus não absolutiza o poder de Roma nem isenta o povo do seu compromisso com Deus. Somos cidadãos de dois reinos. Devemos lealdade tanto a um quanto ao outro. Devemos pagar nossos tributos bem como devolver o que é de Deus. O governo humano é estabelecido por Deus para o nosso bem (Rm 13.1; 1Tm 2.1-6; 1Pe 2.13-17). Mesmo quando a pessoa que ocupa o ofício não é digna de respeito, o ofício que ela ocupa deve ser respeitado.[15] Jesus rejeitou a tendência de ver o diabo no Estado tanto como a de divinizá-lo. Demonizar pessoas ou instituições humanas são atitudes injustas. Não é necessário existir um conflito entre o espiritual e o temporal. Em síntese, Jesus diz para os orgulhosos fariseus não se omitirem em seu dever com César e diz para os mundanos herodianos não se omitirem em seu dever com Deus. A armadilha deles falhou, e eles não puderam acusar Jesus nem de sedição nem de se curvar a Roma.

Em segundo lugar, ***a questão da ressurreição*** (20.27-40). Uma delegação de saduceus espera que uma pergunta teológica possa ter sucesso onde uma armadilha política falhou. Depois que os fariseus, versados nas Escrituras, haviam sido devidamente despachados pelo Senhor, também os saduceus fizeram sua tentativa, propondo-Lhe uma pergunta capciosa.[16] É digno de nota que essa é a única menção dos saduceus no evangelho de Lucas. Eles aparecerão com maior frequência no livro de Atos.

Essa passagem ensina-nos várias lições solenes.

O perigo de os hereges assumirem a liderança religiosa (20.27). Os saduceus formavam a classe aristocrática da religião judaica. Essa

---

[14]RIENECKER, Fritz. *Evangelho de Lucas*, p. 243.
[15]WIERSBE, Warren W. *Be Diligent*, p. 117.
[16]RIENECKER, Fritz. *Evangelho de Lucas*, p. 406.

aristocracia sacerdotal colaborou com as autoridades romanas e, no processo, ficou rica e orgulhosa da posição secular que conquistou. Contrariamente aos fariseus, que aceitavam tanto a lei escrita quanto a lei oral, eles só aceitavam o Pentateuco e negavam as tradições orais, bem como os outros livros do Antigo Testamento. Os saduceus sentiram-se ameaçados pelas ações de Jesus no templo, do qual a manutenção de seu poder e de sua riqueza dependiam. Aqueles que ocupavam as funções mais importantes da religião judaica eram hereges doutrinariamente: negavam a vida depois da morte, a doutrina da ressurreição, a existência da alma, a existência dos anjos e demônios, e o julgamento final (At 23.8). Os saduceus eram os liberais da época. Eram tidos como os intelectuais da época, mas negavam os fundamentos essenciais da fé.

Uma pergunta maliciosa (20.28-33). Os saduceus fazem uma pergunta usando um caso hipotético e absolutamente improvável, ligado à prática do levirato (Dt 25.5-10). O termo "levirato" vem do latim *levir*, que significa "o irmão do marido".[17] Sete irmãos casaram-se com a mesma mulher. Na ressurreição, perguntam, quem vai ser o marido dessa mulher, visto que os sete a desposaram? A pergunta hipotética deles não era sincera. Eles nem acreditavam na doutrina da ressurreição. Estavam propondo um enigma para Jesus, a fim de colocá-lo num beco sem saída.

Uma resposta esclarecedora (20.34-40). Jesus afirmou aquilo que os saduceus negavam: a existência dos anjos, a realidade da vida depois da morte e a esperança da ressurreição futura – e o fez usando uma passagem de Moisés (a única parte do Antigo Testamento que eles aceitavam). É evidente que Jesus poderia ter citado outras passagens para ensinar sobre a ressurreição futura, mas tratou com Seus adversários dentro do território deles.[18] A resposta de Jesus sinaliza vários fatos importantes. Para termos uma visão mais ampla da resposta de Jesus, vamos recorrer também aos outros evangelistas.

Primeiro, a heresia é consequência do desconhecimento das Escrituras, bem como do poder de Deus (Mt 22.29; Mc 12.24).

---

[17]WIERSBE, Warren W. *Comentário bíblico expositivo*. Vol. 5, p. 334.
[18]WIERSBE, Warren W. *Comentário bíblico expositivo*. Vol. 5, p. 335.

Os saduceus pensaram que eram espertos, mas Jesus revelou a ignorância deles em duas coisas: o poder de Deus e a verdade das Escrituras. Se os saduceus conhecessem as Escrituras, saberiam que não existe nada em Deuteronômio 25.5,6 que se aplique à vida futura, e também saberiam que o Antigo Testamento, em várias passagens, ensina a ressurreição do corpo. E, se conhecessem o poder de Deus (Rm 4.17; Hb 11.19), teriam entendido que Deus é capaz de ressuscitar os mortos de tal modo que o casamento não seja mais necessário. Eles laboravam em erro porque não conheciam as Escrituras nem o poder de Deus. Os saduceus eram analfabetos da Bíblia e queriam embaraçar o Mestre dos mestres com perguntas capciosas.

Segundo, a morte coloca um fim no relacionamento conjugal (20.34,35). O casamento é uma relação apenas para esta vida. Não existe casamento eterno. A morte é o fim do relacionamento conjugal. Marido e mulher são uma só carne, mas não são um só espírito. Se fossem, a morte não poderia dissolver a relação conjugal. O ensino mórmon sobre casamento eterno, portanto, está em total desacordo com a Palavra de Deus. É uma crassa heresia. Na vida futura, não haverá relacionamento conjugal, nem necessidade de procriação para preservação da raça.

Terceiro, a morte não coloca um fim no nosso relacionamento com Deus (20.35-40). Jesus corrige a teologia distorcida dos saduceus que entendiam ser a morte um sinônimo de extinção. Abraão, Isaque e Jacó já estavam mortos, quando Deus se revelou a Moisés na sarça ardente, dizendo: *Eu sou o Deus de Abraão, Isaque e Jacó*. Para Deus os patriarcas estão vivos, pois a morte não interrompeu a relação de Deus com eles, como interrompeu o relacionamento deles com seus respectivos cônjuges. Esse registro revela que Moisés acreditava piamente na vida depois da morte. Os mesmos saduceus que professavam crer em Moisés erravam por não conhecer o ensino de Moisés.

A **pergunta** de Jesus (20.41-44)

De interrogado, Jesus passa a interrogador (20.41-44). Ele agora parte para o contra-ataque e começa a interrogar os escribas, chegando, assim, ao apogeu da discussão. As perguntas versaram sobre tributo e ressurreição. Mas agora tocam na pessoa de Cristo. Essa é a maior questão: Quem é Jesus? Essa é a maior questão porque se, nós estivermos errados sobre Jesus, estaremos errados sobre a salvação, perdendo, assim, a nossa própria alma.

Jesus é ao mesmo tempo filho de Davi e Senhor de Davi. Ele veio da descendência de Davi segundo a carne (Rm 1.3), mas precede a Davi, é o Senhor de Davi e Seu reino jamais terá fim. John Charles Ryle diz que eles não puderam ver a sublime verdade de que o Messias deveria ser Deus e homem, assim como não perceberam que, embora como homem o Messias fosse Filho de Davi, como Deus o Messias era o Senhor de Davi.[19]

O mesmo Jesus que ocultou durante o Seu ministério a Sua verdadeira identidade, rogando às pessoas que não dissessem ao povo quem Ele era, agora a revela com diáfana clareza. Chegara o tempo de cumprir cabalmente Sua missão. Ele está indo para a cruz, mas sabe que é o Filho de Davi, o Senhor de Davi, o Messias prometido, cujo reinado não tem fim.

A **advertência** de Jesus (20.45-47)

Jesus alerta para três fatos, detalhados a seguir.

Em primeiro lugar, *o exibicionismo religioso condenado por Jesus* (20.45,46). Os escribas tentavam demonstrar sua espiritualidade no vestuário, nas palavras e nos gestos. Vestiam-se impecavelmente, faziam longas orações e apreciavam as saudações nas praças, as primeiras cadeiras nas sinagogas e os primeiros lugares nos banquetes. Eles gostavam de aparecer, por isso Jesus adverte: *Guardai-vos dos escribas* (20.46).

Em segundo lugar, *a hipocrisia religiosa desmascarada por Jesus* (20.47a). Depois de mostrar os enganos teológicos dos líderes religiosos, Jesus adverte sobre a hipocrisia. Os escribas, com todo esse aparato de piedade externa, devoravam as casas das viúvas. As viúvas, por serem mulheres, não eram emancipadas perante a lei. Por isso, precisavam do auxílio de um homem para administrar legalmente o inventário do

---

[19]RYLE, John Charles. *Meditações no Evangelho de Lucas*, p. 325.

marido falecido. Nessas circunstâncias, os professores da lei, versados no direito, em vez de defenderem a causa das viúvas, roubavam seus bens. Eles quebravam o mandamento mais importante da lei, que é o amor. Por serem gananciosos, viviam para explorar os fracos, em vez de socorrê-los e ensiná-los. Os escribas tentavam acobertar seus pecados de avareza e exploração fazendo longas orações.

Em terceiro lugar, *o juízo inevitável proclamado por Jesus* (20.47b). Os escribas sofrerão maior juízo, porque eram os doutores da lei. Eles tinham profundo conhecimento da verdade. Eram mestres. Tinham a cabeça cheia de luz, embora tivessem o coração vazio de amor.

A **observância** de Jesus (21.1-4)

Este texto destaca três lições importantes.

Em primeiro lugar, *Jesus observa aqueles que vão ao gazofilácio* (21.1). Jesus não apenas está presente no templo, mas observa os adoradores. E observa atentamente como o povo faz suas ofertas. Ele vê o coração e o bolso. Vê quanto cada um entrega e também a motivação com que cada um faz a sua oferta. Nas palavras de John Charles Ryle, "Jesus não leva em conta o total das ofertas que os homens dão; Ele considera o grau de renúncia pessoal que está envolvido na contribuição ofertada".[20]

Em segundo lugar, *Jesus não se impressiona com quantidade; ele espera proporcionalidade* (21.2,3). Jesus não despreza o donativo dos ricos, mas não se impressionou com as grandes quantias depositadas por eles no gazofilácio. Ao contrário, Jesus destacou as duas moedas depositadas no gazofilácio pela viúva pobre. O original diz duas *leptas*. Quanto era isso? Duas *leptas* correspondiam 1/16 de um denário, que era o salário corrente por um dia de trabalho de um operário.[21] A questão não é quanto damos, mas quanto retemos. A questão não é a porção que damos, mas a proporção.[22] Jesus qualifica o sacrifício como grande ou pequeno não pela quantia dada, mas pela quantia retida para

---

[20] RYLE, John Charles. *Meditações no Evangelho de Lucas*, p. 329.
[21] HENDRIKSEN, William. *Lucas*. Vol. 2, p. 509.
[22] WIERSBE, Warren W. *Comentário bíblico expositivo*. Vol. 5, p. 337.

nós mesmos. O sistema de valores de Jesus inverte completamente conceitos como "o maior é melhor" e "dar com vistas a receber". Os ricos deram a sobra, mas a viúva pobre deu uma oferta sacrificial.

Em terceiro lugar, *o que é desprezível aos olhos humanos é grandioso aos olhos de Deus* (21.3,4). Jesus disse que aquela viúva pobre deu mais do que os ricos, porque de sua pobreza deu tudo o que possuía, todo o seu sustento. Sua confiança estava no provedor, e não na provisão. Deus não vê apenas o que temos em nossas mãos, mas o que trazemos em nosso coração. Na matemática de Deus, o pouco pode ser muito e o muito pode ser pouco. Na matemática de Deus, o que conta não é a quantidade, mas a fidelidade, a prodigalidade do amor. Concluo com as palavras de David Neale:

> A doação da viúva ao templo demonstra a economia na qual o reino de Jesus irá operar: o pobre, em vez do rico, será honrado; o impotente governará o poderoso; as mulheres fiéis envergonharão os homens gananciosos; os marginalizados suplantarão a elite religiosa; e as viúvas esquecidas terão o primeiro lugar. Alguém pode facilmente reler o *Magnificat* (1.46-56) e ver o espírito da oferta dessa mulher para o templo. Ali, a humilhação da serva é celebrada (1.48), a queda do soberbo é predita (1.51), a elevação do humilde é anunciada (1.52), a exaltação do faminto e o contrastante vazio do rico são declarados (1.53).[23]

---

[23]NEALE, David A. *Novo comentário bíblico Beacon Lucas 9-24*, p. 248.

57

Os sinais e a preparação para a segunda vinda de Cristo

Lucas 21.5-38

AQUI ESTÁ POSTO O DISCURSO ESCATOLÓGICO DE JESUS, registrado pelos três evangelhos sinóticos. Jesus anuncia um fim vindouro do mundo, mas com um intervalo indefinido antes do fim. Ele expressa a certeza do triunfo final, embora tenha destacado dias escuros pela frente. E termina o discurso com um desafio animador aos seus seguidores, no sentido de serem vigilantes e não se deixarem sobrecarregar com os pecados e dificuldades deste mundo.[1]

A segunda vinda de Cristo é a consumação apoteótica da história, um dos temas mais enfatizados em toda a Bíblia. Há cerca de trezentas referências sobre a primeira vinda de Cristo nas Escrituras e oito vezes mais sobre a segunda vinda.

Este é um tema distorcido por uns e desacreditado por outros. Muitos falsos mestres negam que Jesus voltará; outros caem na armadilha de marcar datas. Há aqueles, entretanto, que dizem crer na segunda vinda de Cristo, mas, ao mesmo tempo, vivem como se Ele jamais fosse voltar.

Destacamos aqui alguns pontos.

---
[1] MORRIS, Leon L. *Lucas: introdução e comentário*, p. 277.

Não ficará pedra sobre pedra (21.5,6)

Algumas pessoas falavam a respeito do templo com vívido entusiasmo e deslumbramento, chamando a atenção para as belas pedras que o ornavam e as muitas dádivas que o cercavam (21.5). Essas dádivas seriam ofertas decorativas, tais como a videira de ouro que Herodes deu, com "cachos de uvas tão grandes como um homem".[2]

O evangelista Marcos diz que esse deslumbramento vem de um dos discípulos de Jesus (Mc 13.1), enquanto Mateus diz que se originava de todos os discípulos (Mt 24.1). Como os discípulos eram galileus, estavam admirados com a magnificência do templo. Na verdade, o templo ampliado e embelezado por Herodes, o Grande, não tinha paralelos em seu tempo quanto à beleza e magnificência de sua arquitetura. Aquele majestoso templo de mármore branco, bordejado de ouro, o terceiro templo de Jerusalém, era um espetáculo maravilhoso, um dos mais belos monumentos arquitetônicos do mundo. No exterior do edifício, não faltava nada que pudesse deixar extasiada a alma ou os olhos.[3] O grande e belo templo era o centro da vida nacional de Israel, o símbolo da relação da nação com Deus. Walter Liefeld diz que era algo impensável o templo ser totalmente destruído, pois estava cercado por uma grande e sólida estrutura. Era o símbolo tanto da religião judaica como do esplendor de Herodes.[4]

O templo de Jerusalém foi idealizado por Davi, construído por Salomão e destruído por Nabucodonosor. Depois, foi reedificado por Esdras, profanado por Antíoco Epifânio e purificado por Judas Macabeu. A seguir, foi ampliado e embelezado por Herodes, o Grande, e destruído pelo general Tito, no ano 70 d.C.

Os discípulos revelam mais do que admiração pela pujança arquitetônica do templo; expressam seu assombro religioso, sua fé na indestrutibilidade da construção. Jesus, porém, que deixa o templo pela última vez (Mc 13.1), prepara Seus seguidores para a futura destruição. O mesmo escritor esclarece: A liderança do templo em Jerusalém

---
[2]HENDRIKSEN, William. *Lucas*. Vol. 2, p. 518.
[3]HENDRIKSEN, William. *Lucas*. Vol. 2, p. 517.
[4]LIEFELD, Walter L. "Luke." In: *Zondervan NIV Bible commentary*. Vol. 2, p. 276.

era irreverente nos rituais (19.45,46), confusa na teologia (20.1-8) e corrompida na ética (20.45-47). Jesus responde: *Vedes estas coisas? Dias virão em que não ficará pedra sobre pedra que não seja derribada* (21.6).

A predição de Jesus de que não ficaria pedra sobre pedra cumpriu-se no ano 70 d.C., literalmente. O templo foi arrasado pelos romanos quarenta anos depois, no terrível cerco de Jerusalém. Devemos aprender com essa solene profecia de Jesus que a verdadeira glória da igreja não consiste em seus prédios de adoração pública, mas na fé e piedade de seus membros. Hendriksen alerta: "Quando a purificação do templo não produziu um arrependimento genuíno, sua destruição deveria vir em seguida".[5]

A profecia acerca da **destruição de Jerusalém** e da **segunda vinda** (21.7)

Uma pergunta foi feita a Jesus: *Mestre, quando sucederá isto? E que sinal haverá de quando estas coisas estiverem para se cumprir?* (21.7). Marcos assegura que essa pergunta foi feita por Pedro, Tiago, João e André (Mc 13.3,4).

Os discípulos perguntam quando e que sinal haveria quando todas essas coisas estivessem prestes a acontecer. A resposta de Jesus tem que ver com a destruição de Jerusalém e também com Sua segunda vinda, a consumação dos séculos. Jesus fez uma conexão entre o julgamento sobre a nação judaica e o julgamento final. O primeiro era um tipo, uma sombra, do segundo. A destruição do templo é um símbolo do que acontecerá na segunda vinda.

O cumprimento dessa profecia de Jesus acerca da destruição do templo aconteceu quando os judeus se rebelaram contra os romanos no ano 66 d.C., ocasião em que uma sinagoga judaica foi profanada pelos romanos em Cesareia marítima. Então, Roma enviou para lá o general Tito. A rebelião perdurou até o ano 70 d.C., quando Jerusalém foi então cercada, invadida e dominada por Tito, filho do imperador Vespasiano (69-79 d.C.). O templo foi destruído. Alguns historiadores creem que

---

[5]HENDRIKSEN, William. *Lucas*. Vol. 2, p. 519.

mais de um milhão de judeus, que tinham inundado a cidade como refugiados, pereceu. Mesmo que esse número tenha sido superestimado, a invasão romana deu-se na época da Páscoa, quando a cidade estava abarrotada de gente. Israel deixou de existir como unidade política. Flávio Josefo, no seu livro *História da guerra judaica*, diz que, enquanto o santuário ardia em chamas, [...] não se demonstrava nenhuma piedade ou respeito para com a idade das pessoas. Muito pelo contrário. Crianças e anciãos, leigos e sacerdotes, todos eram massacrados (VI.271).

Os sinais da segunda vinda de Cristo (21.8-28)

Os sinais da segunda vinda de Cristo podem ser classificados como segue.

Em primeiro lugar, ***engano religioso*** (21.8). O engano religioso é descrito aqui de duas formas. Primeiro, o surgimento de muitos falsos cristos, ... *porque muitos virão em meu nome, dizendo: Sou eu*. Segundo, a marcação de datas para a segunda vinda: ... *chegou a hora!* Jesus dá dois alertas: *Vede que não sejais enganados* e *Não os sigais*. Warren Wiersbe diz que satanás é um falsificador que, há séculos, tem feito que as pessoas se desviem, enganando sua mente e cegando seu coração.[6]

É significativo que o primeiro sinal que Cristo apontou para a Sua segunda vinda tenha sido o surgimento de falsos cristos, falsos cristãos e falsos irmãos pregando e promovendo um falso evangelho nos últimos dias. Cristo declarou que um falso cristianismo marcará os últimos dias. Estamos vendo o ressurgimento do antigo gnosticismo, de outro evangelho, de um falso evangelho nestes dias.

A segunda vinda será precedida por um abandono da fé verdadeira. O engano religioso estará em alta. Novas seitas e novas doutrinas se multiplicarão. Haverá falsos profetas, falsas doutrinas e falsos milagres.

Vivemos hoje a explosão da falsa religião. O islamismo domina mais de um bilhão de pessoas. O catolicismo romano também tem um bilhão de seguidores. O espiritismo kardecista e os cultos afro-brasileiros proliferam. As grandes religiões orientais — budismo, hinduísmo e xintoísmo — mantêm milhões de pessoas num berço de cegueira espiritual.

---

[6]WIERSBE, Warren W. *Comentário bíblico expositivo*. Vol. 5, p. 338.

As seitas orientais e ocidentais têm florescido com grande força. Os desvios teológicos são graves: liberalismo, misticismo, sincretismo. A maioria dos grandes seminários ortodoxos, os quais formaram teólogos e missionários que influenciaram o mundo, hoje está rendida aos liberais. Muitas igrejas históricas já se renderam ao liberalismo teológico e não aceitam mais a inerrância das Escrituras. Há igrejas mortas na Europa, na América e no Brasil, vitimadas por essa apostasia da fé cristã.

O misticismo está tomando conta de muitas igrejas. A verdade é torcida. Há igrejas se transformando numa empresa, o púlpito num balcão, o templo numa praça de barganha, o evangelho num produto de consumo, e os crentes em consumidores.

Em segundo lugar, *guerras e revoluções* (21.9,10). Ao longo da história, tem havido treze anos de guerra para cada ano de paz. Desde 1945, após a segunda guerra mundial, o número de guerras tem aumentado vertiginosamente. A despeito dos inúmeros tratados de paz, os últimos cem anos foram denominados "o século da guerra". Nesse período, já morreram mais de duzentos milhões de pessoas nas guerras.

Segundo pesquisa do *Reshaping International Order Report*, quase 50% de todos os cientistas do mundo estão trabalhando em pesquisas de armas de destruição. Quase 40% dos recursos das nações são investidos na pesquisa e fabricação de armas. Falamos de paz, mas gastamos com a guerra. Gastamos mais de um trilhão de dólares por ano em armas e guerras. Poderíamos resolver o problema da fome, do saneamento básico, da saúde pública e da moradia do terceiro mundo com esse dinheiro. O mundo está encharcado de sangue.

Na Primeira Guerra Mundial (1914-1918), cerca de trinta milhões de pessoas foram trucidadas. Ninguém podia imaginar que, no mesmo palco dessa barbárie, vinte anos depois explodisse outra guerra mundial. A Segunda Guerra Mundial (1939-1945) ceifou mais sessenta milhões de pessoas. Foram gastos mais de um trilhão de dólares. Hoje falamos em armas atômicas, nucleares, químicas e biológicas. O terrorismo, com sua barbárie, desafia as nações mais poderosas. As guerras por motivos religiosos, étnicos e econômicos ainda deixam a terra bêbada de sangue. A cada guerra, erguemos um monumento de paz só para começar outra encarniçada batalha.

Em terceiro lugar, ***terremotos, epidemias e fome*** (21.11). Essas perturbações na esfera física são prefigurações e representações daquilo que, em uma escala muito mais extensa e em um grau de muito maior intensidade, ocorrerá na esfera da natureza no final da era.[7] Vamos aqui destacar essas três realidades.

Terremotos. Os terremotos sempre existiram, mas alguns deles devem ser vistos como evidência da ira de Deus (Ap 6.12; 8.5; 11.13; 16.18). De acordo com a pesquisa geológica dos Estados Unidos:

a. De 1890 a 1930 – houve apenas oito terremotos medindo 6.0 na escala Richter.
b. De 1930 a 1960 – Houve dezoito terremotos.
c. De 1960 a 1979 – Houve 64 terremotos catastróficos.
d. De 1980 a 1996 – Houve mais de duzentos terremotos dramáticos.

O mundo está sendo sacudido por terremotos em vários lugares. Os tufões e maremotos têm sepultado cidades inteiras. Desde o ano 79 d.C., no primeiro século, quando a cidade de Pompeia, na Itália, foi sepultada pelas cinzas do Vesúvio, o mundo está sendo sacudido por terremotos, maremotos, tufões, furacões e tempestades. Em 1755, cerca de sessenta mil pessoas morreram por um terrível terremoto em Lisboa. Em 1906, um terremoto avassalador destruiu a cidade de São Francisco, na Califórnia. Em 1920, a província de Kansu, na China, foi arrasada por um terremoto. Em 1923, Tóquio foi devastada por um terremoto. Em 1960, o Chile foi abalado por um terremoto que deixou milhares de vítimas. Em 1970, o Peru foi atingido por um imenso terremoto. Nos últimos anos, vimos o *tsunami* na Ásia invadindo, com ondas gigantes, cidades inteiras. O furacão Katrina deixou a cidade de *New Orleans* debaixo de água. Dezenas de outros tufões, furacões, maremotos e terremotos têm sacudido os alicerces do planeta, destruído cidades e levado milhares de pessoas à morte.

Só no século XX houve mais terremotos do que em todo o restante da história. A natureza está gemendo e entrando em convulsão.

---

[7] HENDRIKSEN, William. *Lucas.* Vol. 2, p. 522.

O aquecimento do planeta está levando os polos a um derretimento que pode provocar grandes inundações, conforme matéria da revista *Veja* de junho de 2006.

Apocalipse 6.12-17 fala que as colunas do universo são todas abaladas. O universo entra em colapso. Tudo o que é sólido é balançado. Não há refúgio nem esconderijo para o homem em nenhum lugar do universo. O ser humano desesperado busca fugir de Deus, esconde-se em cavernas e procura a própria morte, mas nada nem ninguém pode oferecer-lhe refúgio. Ele terá de enfrentar a ira de Deus.

Quando Cristo vier, os céus se desfarão em estrepitoso estrondo. Deus redimirá a própria natureza do seu cativeiro. Nesse tempo, a natureza estará harmonizada. Então as tensões vão acabar, e a natureza será totalmente transformada.

Epidemias. A ciência, mesmo com seu espantoso crescimento, é desafiada, todos os dias, com o surgimento de novas pragas nos campos e de novas doenças entre os humanos. Em virtude do crescimento demográfico colossal, bem como da promiscuidade sem fronteiras, essas epidemias avançam mais açodadamente ainda.

Fome. A fome é um subproduto das guerras (2Rs 25.2,3; Ez 6.11). É causada também pelo abuso da natureza ou enviada como um juízo de Deus (1Rs 17.1). Como já ressaltamos, gastamos hoje mais de um trilhão de dólares com armas de destruição. Esse dinheiro resolveria o problema da miséria no mundo. A fome, hoje, mata mais do que a guerra. O presidente americano Eisenhower, em 1953, disse: "O mundo não está gastando apenas o dinheiro nas armas. Ele está despendendo o suor de seus trabalhadores, a inteligência dos seus cientistas e a esperança das suas crianças. Nós gastamos num único avião de guerra quinhentos mil sacos de trigo e num único míssil casas novas para oitocentas pessoas".

A fome é um retrato vergonhoso da perversa distribuição de renda. Enquanto uns acumulam, outros passam fome. A fome alcança quase 50% da população mundial. Crianças e velhos, com o rosto cabisbaixo de vergonha e o ventre fuzilado pela fome estonteante, disputam com os cães leprentos os restos apodrecidos das feiras.

Em quarto lugar, **perseguição religiosa** (21.13-19). A perseguição religiosa não é apenas uma tragédia que desaba sobre a igreja, mas um tempo de oportunidade para a igreja dar testemunho de sua fé. Em tais ocasiões, Jesus dá aos Seus discípulos boca e sabedoria (12.11,12), eloquência e entendimento. E isso será tão eficaz que inimigo algum terá capacidade de resistir ou contradizer o seu testemunho.[8]

Essa perseguição virá não apenas dos inimigos externos (21.12-15), mas também de dentro da própria família (21.16). Essa perseguição será generalizada: *De todos sereis odiados por causa do Meu nome* (21.17). Jesus deixa claro que o motivo da perseguição é o compromisso que Seus discípulos têm com o Seu nome. O mundo odeia Cristo em nós e, por isso, nos persegue.

Embora essa perseguição aos discípulos seja cruel e possa levar alguns à morte, Deus continua no controle, pois não se perderá um só fio de cabelo da nossa cabeça. Ou seja, o mundo não pode fazer dano algum aos servos de Deus a menos que Deus permita ou tenha um propósito para tanto (21.18). Rienecker corrobora dizendo que a expressão proverbial *não se perderá um só fio de cabelo da vossa cabeça* visa declarar que sua vida verdadeira e eterna não sofrerá o menor dano. Ainda que Jesus não garanta a sobrevivência dos discípulos em toda e qualquer circunstância, eles permanecem na terra o tempo que for preciso para o serviço do Senhor. Até mesmo sua morte redunda em salvação e glorificação de Cristo.[9]

Jesus conclui dizendo que não serão salvos os covardes que negam a Cristo na hora do aperto, mas sim aqueles que permanecem inabaláveis apesar da tempestade da perseguição: *É na vossa perseverança que ganhareis a vossa alma* (21.18). Nessa mesma linha de pensamento, Leon Morris diz: "A perseverança até o fim, e não algum momento espalhafatoso, porém isolado de resistência, é o que é necessário".[10]

O **cerco de Jerusalém**, um símbolo do **anticristo** (21.20-24)

Este parágrafo só aparece no evangelho de Lucas, sem nenhum paralelo em Mateus e Marcos, que mencionam, com referência à profecia

---

[8]MORRIS, Leon L. *Lucas: introdução e comentário*, p. 278.
[9]RIENECKER, Fritz. *Evangelho de Lucas*, p. 418.
[10] MORRIS, Leon L. *Lucas: introdução e comentário*, p. 279.

de Daniel, o horror da devastação. O que Mateus e Marcos chamam de *o abominável da desolação* (Dn 9.27; 12.11), Lucas retrata como o cerco da cidade pelos exércitos romanos.[11] Para Lucas, a própria aparição dos exércitos hostis diante de Jerusalém já representa um sinal funesto pelo qual os discípulos deveriam constatar que não se poderá mais esperar salvação a despeito da mais destemida defesa. Em Sua solene entrada em Jerusalém, Jesus já vislumbrara e anunciara o sítio e a destruição da cidade (19.41-44); agora, ao sair do templo, Ele prenuncia o desmantelamento completo do esplendoroso edifício do santuário.[12]

Quarenta anos depois de Jesus proferir essas palavras, o general romano Tito cercou Jerusalém. Seus exércitos acamparam ao redor dos muros de uma cidade abarrotada de peregrinos que vieram para a Páscoa, bem como daqueles que temiam um ataque, julgando que estariam seguros dentro dos muros. Destacamos alguns pontos aqui.

Em primeiro lugar, *uma devastação iminente* (21.20). Quando os exércitos romanos sitiaram Jerusalém, sua devastação estava decretada. O mal estava lavrado, e a tragédia era inevitável.

Em segundo lugar, *uma fuga urgente* (21.21,22). Tendo em vista a destruição de Jerusalém, Jesus alerta que aquele que estava na Judeia devia fugir para os montes e não procurar abrigo dentro dos muros da cidade. Quem estava dentro da cidade de Jerusalém deveria fugir e ficar tão longe quanto possível. Os que trabalhavam nos campos não deveriam entrar na cidade, pois depois do cerco seria impossível fugir. Quando os romanos invadiram Jerusalém no ano 70 d.C., todos os que estavam dentro da cidade pereceram. A única maneira de ter a vida poupada era fugir ou não entrar na cidade (21.21). Com isso, Jesus nos ensina que a prudência para poupar nossa vida é uma atitude recomendável. Vemos essa atitude na vida de Jacó (Gn 32.9-15), do rei Ezequias (2Cr 32.8) e do apóstolo Paulo (At 9.25; 27.31). Aquele seria o momento da vingança que cairia sobre a cidade, para o cumprimento da profecia.

Em terceiro lugar, *um lamento profundo* (21.23). O coração compassivo de Jesus revela um cuidado especial com as mulheres, especialmente

---

[11] Ash, Anthony Lee. *O Evangelho segundo Lucas*, p. 293.
[12] Rienecker, Fritz. *Evangelho de Lucas*, p. 419.

as grávidas e as que amamentam (21.23). As grávidas e as mães com bebês em fase de aleitamento estavam em situação mais adversa para fugir do cerco romano. De igual forma, Jesus alerta para o perigo de esse ataque se dar num período de inverno, quando a fuga seria quase impossível (Mc 13.18). Esse seria um momento de grande aflição na terra e de grande ira contra o povo judeu.

Em quarto lugar, *uma tragédia avassaladora* (21.24). Quando Tito entrou na cidade, destruiu seus muros, incendiou o templo e jogou tudo por terra, ele não poupou velhos nem crianças, nem homens nem mulheres, mas promoveu uma chacina sem precedentes. Os restantes foram levados cativos pelo mundo, na maior diáspora de todos os tempos, desde o ano 70 d.C. até 14 de maio de 1948, quando Israel retornou ao seu território como nação. Jesus ainda proclama: ... *até que os tempos dos gentios se completem, Jerusalém será pisada por eles* (21.24b). O que essas palavras significam? Concordo com S. Greijdanus, Lenski e William Hendriksen ao apontarem que o tempo de opressão para Jerusalém durará desde sua destruição até o tempo da parousia. A pretensão, portanto, de que esse tempo se findou em 14 de maio de 1948, quando Israel se tornou um Estado independente, não nos parece plausível, pois ainda hoje somente um de cada cinco judeus vive em Israel. Também essa cidade está dividida entre judeus e árabes e vive em permanente conflito. Finalmente, a imensa maioria dos judeus que moram em Jerusalém não considera Jesus como seu Senhor e Salvador.[13]

A **descrição** da segunda vinda de Cristo (21.25-28)

Destacamos alguns pontos importantes sobre a segunda vinda de Cristo.

Em primeiro lugar, *será precedida por grandes convulsões cósmicas* (21.25,26). A segunda vinda de Cristo será precedida por grandes convulsões naturais. Tudo aquilo que é firme e sólido no universo estará abalado. As colunas do universo estarão bambas, e o universo inteiro cambaleará. O apóstolo Pedro descreve essa cena assim: *Virá, entretanto, como ladrão, o Dia do Senhor, no qual os céus passarão com estrepitoso*

---

[13]HENDRIKSEN, William. *Lucas*. Vol. 2, p. 535.

estrondo, e os elementos se desfarão abrasados; também a terra e as obras que nela existem serão atingidas (2Pe 3.10).

Deus encerra as funções dos astros e dá início ao julgamento do mundo. O tempo da ação humana na história passou. É hora do balanço. O firmamento do céu, com os astros fixos nele, que parecia ser eternamente confiável, natural e protetor, estremece, balança, perde a segurança e não funciona mais. Isso atinge e causa pânico em pessoas que tinham nos elementos da criação o seu deus (21.25,26; Ap 6.12-17). Deus vem julgar. O abalo do mundo traz o juiz. Warren Wiersbe diz que esses sinais aterradores serão motivo de pânico para os perdidos, mas trarão esperança aos que creram no Senhor.[14]

Em segundo lugar, **será visível** (21.27). A aparição de Cristo será súbita, gloriosa e poderosa. Ele virá pessoalmente, visivelmente e publicamente. Todo o olho O verá (Ap 1.7). Depois que o telhado do mundo tiver sido abalado e retirado, as pessoas olharão fixamente como que para um buraco negro. *Então, verão o Filho do homem vir numa nuvem, com grande poder e glória* (21.27). Aqui a nuvem não ocultará as coisas como a nuvem em Lucas 9.34; antes, revelará *grande poder e glória* (21.27). Na Sua primeira vinda, muitas pessoas não reconheceram Jesus. Mas, na Sua segunda vinda, todos O verão. Não será necessário apresentá-Lo ou fazê-Lo conhecido. Isso será uma forma de juízo para um mundo que não quis ouvi-Lo.

Em terceiro lugar, **será gloriosa** (21.27). Não haverá um arrebatamento secreto e só depois uma vinda visível. A vinda de Jesus é única, poderosa e gloriosa. Ele aparecerá no céu, montado em um cavalo branco. Estará acompanhado de um séquito celestial e virá do céu ao soar da trombeta de Deus. Descerá nas nuvens, rodeado por seus santos anjos e pelos remidos. Virá com grande esplendor. Todos os povos que o rejeitaram lamentarão. Aquele será um dia de trevas, e não de luz para eles. Será o dia do juízo, no qual sofrerão penalidade de eterna destruição. As tribos da terra, conscientes de sua perdição, se golpearão no peito, atemorizadas pela exibição da majestade de Cristo em toda a sua glória. O terror dos iníquos é descrito graficamente em Apocalipse 6.15-17.

---

[14]WIERSBE, Warren W. *Comentário bíblico expositivo*. Vol. 5, p. 340.

Em quarto lugar, *será exultante* (21.28). A vinda visível e gloriosa de Cristo infundirá terror nas pessoas (21.26), mas trará grande alegria aos remidos. Será um dia de trevas para os ímpios e um dia de luz para os salvos. Enquanto uns estarão lamentando, outros exultarão. Quando as cortinas do tempo se fecharem e a luz da eternidade começar a lançar seus raios de luz, os remidos devem erguer a cabeça, certos de que sua redenção se aproxima.

A **preparação** para a segunda vinda de Cristo (21.29-38)

Destacamos quatro pontos para análise a respeito da preparação para a segunda vinda.

Em primeiro lugar, *será precedida por avisos claros* (21.29-33). Esta parábola está presente nos três evangelhos sinóticos, embora só Lucas acrescente a expressão *e todas as árvores* à referência à figueira. Quando essas coisas começarem a acontecer, devemos saber que está próxima a nossa redenção. A figueira já começou a brotar; as outras árvores também. Os sinais já estão gritando aos nossos ouvidos. O tempo está próximo, mas a data permanece indeterminada. O livro de Apocalipse nos mostra que Deus não derrama as taças do Seu juízo sem antes tocar a trombeta. Os sinais da segunda vinda são trombetas de Deus embocadas para dentro da história. Jesus está avisando que Ele vem. Ele prometeu isso: *Eis que venho sem demora* (Ap 22.12). Seus anjos disseram que, assim como Ele foi para o céu, ele voltará (At 1.11). A Bíblia diz que Jesus virá em breve. Os sinais da Sua vinda indicam que Sua segunda vinda está próxima. A Palavra de Deus não pode falhar. Passarão o céu e a terra, mas a Sua Palavra não passará. Essa Palavra é verdadeira. Prepare-se para encontrar com o Senhor seu Deus.

Concordo com William Hendriksen quanto ao fato de o provável significado da declaração de Jesus ... *certamente esta geração não passará sem que isso aconteça* ser uma referência ao povo judeu, que não cessará de existir até que todas essas coisas profetizadas se concretizem.[15] Na mesma linha de pensamento, Rienecker diz: "A difundida exegese

---

[15] HENDRIKSEN, William. *Lucas*. Vol. 2, p. 540.

de que *esta geração* deve ser relacionada com o povo judeu é a melhor e mais segura".[16] Já Robertson, citando Plummer, diz que a referência a esta geração que não passará sem que isso aconteça é uma alusão à destruição de Jerusalém, considerada o tipo do fim do mundo, que viria sobre a mesma geração que estava ouvindo esse sermão.[17]

Em segundo lugar, **será precedida de decadência moral** (21.34). Jesus alerta o Seu povo dizendo que naqueles dias os homens estarão sobrecarregados de orgia, embriaguez e preocupações do mundo. A vida moral estará em franca decadência. Os valores morais estarão em declínio. Aqueles que mergulham de cabeça nessas práticas serão surpreendidos pela segunda vinda de Cristo, que os apanhará como um laço. É fato que não há nenhum santo tão grande que não possa cair num grande pecado. Acautelemo-nos!

Em terceiro lugar, **será universal em seu escopo** (21.35). Jesus é absolutamente enfático ao dizer que ninguém escapará do esplendor de Sua volta. Ela há de sobrevir a todos os que vivem sobre a face de toda a terra. Os palácios, as torres, os castelos, as fortalezas, os esconderijos mais blindados não poderão esconder as pessoas dAquele que virá com grande poder e majestade.

Em quarto lugar, **será inesperada** (21.36). A ordem de Jesus é expressa: *Vigiai, pois, a todo tempo, orando* [...] [para que possais] *estar de pé na presença do Filho do homem*. Os cristãos devem vigiar, porque Sua vinda será inesperada, e devem orar, porque sua vinda será precedida de grande angústia à qual muitos sucumbirão. É necessário que, naquele grande e glorioso dia, estejamos de pé na presença do Filho do homem.

Quando Jesus voltar, as pessoas estarão desatentas como na geração diluviana (Mt 24.38,39), entregues aos próprios interesses, sem se aperceberem da hora. Elas comiam, bebiam, casavam e davam-se em casamento. Essas coisas não são más; fazem parte da rotina da vida. Mas viver a vida sem se aperceber que Jesus está prestes a voltar é viver desatentamente às portas do juízo. Por não sabermos qual é o dia, devemos viver alertas todos os dias. A palavra de ordem de Jesus é: Vigiai!

---

[16] RIENECKER, Fritz. *Evangelho de Lucas*, p. 423.
[17] ROBERTSON, A. R. *Comentário Lucas à luz do Novo Testamento grego*, p. 349.

Lucas encerra o sermão profético informando onde Jesus passou esses poucos dias e noites finais antes de Sua crucificação (21.37,38; Mc 11.19). Ele ensinava todos os dias no templo e, no final do dia, pousava fora dos muros da cidade, no monte das Oliveiras. Por ser a festa da Páscoa, todas as pensões e hospedarias da cidade deviam estar superlotadas. O povo tinha tanto desejo de ouvir Jesus, que madrugava no templo, chegando mais cedo que o Mestre, com o propósito de garantir seu espaço.

58

A paixão de Jesus

Lucas 22.1-38

A ORDEM CRONOLÓGICA DA PAIXÃO DE CRISTO não é tão precisa em Lucas. Sua narrativa do Getsêmani é menos completa e organizada que nos demais evangelhos. Sumárias e gerais são suas comunicações sobre o episódio no tribunal de Pilatos. Entretanto, Lucas nos oferece algumas preciosas informações que não constam nos outros evangelhos. Lucas é o único que cita Pedro e João como aqueles que prepararam a Páscoa (22.8). Só Lucas transmite as comoventes palavras com as quais o Senhor iniciou a ceia (22.15). Somente ele, entre os sinóticos, relata a competição dos discípulos à mesa (22.24), o que provavelmente motivou o lava-pés. Lucas é o único evangelista que registra o consolo do anjo no Getsêmani e o suor de sangue (22.43,44). Todos os evangelistas relatam a negação de Pedro, mas apenas Lucas fala do olhar do Senhor (22.61). Sem Lucas, não ficaríamos sabendo da primeira acusação dos judeus perante Pilatos (23.2) e do suplício do Senhor perante Herodes (23.5-16). Fazem parte do material exclusivo de Lucas as palavras de Jesus às mulheres que choram (23.27-31), sua primeira palavra na cruz (23.34), sua segunda palavra na cruz (23.43) e sua sétima e última palavra (23.46). Somente Lucas registra o comportamento de José de Arimateia no conselho judaico (23.51). E é peculiar de Lucas a menção das mulheres que estiveram em contato com Jesus durante a paixão (23.27-31, 55,56).[1]

Jesus está vivendo Sua última semana em Jerusalém. À medida que Ele se aproxima da cruz, diferentes reações podem ser vistas: as autoridades religiosas querem matá-Lo, enquanto o povo simpatiza com Ele; Judas O trai e Pedro é advertido sobre sua arrogante autoconfiança. Desta maneira, Lucas confronta o leitor com a necessidade de tomar uma posição; ninguém pode ficar neutro diante de Jesus.

O texto aborda vários aspectos apontando para o fato de Jesus já estar vivendo à sombra da cruz. John Charles Ryle chama a atenção para o fato de que somente dois evangelistas narraram o nascimento de Jesus, mas todos eles contaram minuciosamente os fatos de Sua morte.[2]

Principais sacerdotes e escribas: uma conspiração planejada (22.1,2)

Duas coisas nos chamam a atenção neste ponto.

Em primeiro lugar, *o cenário já estava montado* (22.1). A entrada triunfal de Jesus em Jerusalém deu-se no período de maior fluxo de gente na cidade santa, a festa dos Pães Asmos, chamada Páscoa. A Páscoa era a alegria dos judeus e o terror dos romanos. Warren Wiersbe diz que a festa tinha forte conotação política e seria a ocasião ideal para algum pretenso messias tentar subverter o domínio romano. Isso explica por que o rei Herodes e o governador Pôncio Pilatos estavam em Jerusalém, e não em Tiberíades e Cesareia, respectivamente. Sua grande preocupação era manter a paz.[3]

A. T. Robertson diz que, a rigor, a Páscoa era no dia 14 de nisã, e os Pães Asmos, de 15 a 21 do mesmo mês.[4] As duas festas corriam juntas e podiam ser consideradas uma única festa.[5] A festa dos Pães Asmos era seguida pelo dia em que acontecia o sacrifício do cordeiro.

---

[1] RIENECKER, Fritz. *Evangelho de Lucas*, p. 426.
[2] RYLE, John Charles. *Meditações no Evangelho de Lucas*, p. 344.
[3] WIERSBE, Warren W. *Comentário bíblico expositivo*. Vol. 5, p. 342.
[4] ROBERTSON, A. T. *Comentário Lucas à luz do Novo Testamento grego*, p. 353.
[5] MORRIS, Leon L. *Lucas: introdução e comentário*, p. 283,284.

Então, prolongava-se por sete dias a celebração. A ligação entre a ceia da Páscoa e a Festa dos Pães Asmos é tão grande, que o termo *páscoa*, algumas vezes, cobre ambas (22.1). No tempo de Jesus, a Páscoa e a Festa dos Pães Asmos tinham sido reunidas numa única "Festa da Páscoa" com a duração de sete dias. Nesse evento, a população da cidade quintuplicava. Judeus de todos os recantos do Império Romano subiam a Jerusalém para uma semana inteira de festejos. Era quando o povo judeu celebrava a libertação do Egito. A festa girava em torno do cordeiro que devia ser morto, bem como dos pães asmos que relembravam os amargos sofrimentos do êxodo.

Jesus escolhe esta festa para morrer, pois ele é o Cordeiro de Deus que tira o pecado do mundo (Jo 1.29), o cordeiro pascal que foi imolado por nós (1Co 5.7).

Em segundo lugar, *a trama já estava costurada* (22.2). Os principais sacerdotes e os escribas, os grandes líderes da religião judaica, preocupavam-se em como tirar a vida de Jesus. O evangelista Marcos diz que esses líderes já estavam mancomunados para prenderem Jesus à traição, com o propósito de O matarem depois da festa (Mc 14.1,2). Esse plano não era novo. Já vinha de certo tempo. Eles já tinham escolhido a forma de fazê-lo, à traição. Mas aguardavam uma ocasião oportuna para O matarem e decidiram que deveria ser depois da festa, não porque tivessem escrúpulos, mas porque temiam o povo. Ryle tem razão ao dizer que altas posições no ministério da igreja não protegem aqueles que as ocupam contra a cegueira espiritual e o pecado.[6] Nessa mesma linha de pensamento, Warren Wiersbe afirma: "É incrível que esses homens religiosos tenham cometido o maior crime da história no feriado mais sagrado de Israel".[7]

Vale ainda destacar que a iniciativa de opor-se a Jesus é tomada pelos principais sacerdotes e os escribas. Em todos os evangelhos, os fariseus eram os principais oponentes de Jesus no decurso de todo o Seu ministério, mas o partido sumo-sacerdotal, o partido saduceu, assumiu a liderança no final. Eram eles que detinham o poder político.[8]

---

[6] Ryle, John Charles. *Meditações no Evangelho de Lucas*, p. 344,345.
[7] Wiersbe, Warren W. *Comentário bíblico expositivo*. Vol. 5, p. 342.
[8] Morris, Leon L. *Lucas: introdução e comentário*, p. 284.

Judas, uma traição armada (22.3-6)

Não há consenso acerca dos motivos que levaram Judas a trair Jesus. Alguns dizem que ele traiu Jesus porque era um mercenário. Outros explicam que sua motivação foi a desilusão com a atitude política de Jesus, que abdicou de um reino terreno para implantar um reino espiritual. Outros ainda argumentam que Judas traiu Jesus porque lhe faltou coragem ao ver o perigo ao seu redor.[9] As Escrituras, entretanto, asseguram que foi a ganância que levou Judas a cometer esse terrível pecado (22.5).

Destacamos cinco fatos sobre Judas Iscariotes.

Em primeiro lugar, **Judas, um homem dominado por satanás** (22.3). Judas, embora apóstolo, nunca foi convertido. Ele era ladrão (Jo 12.6). Suas motivações não eram puras. Dominado pela ganância, ele é possuído por satanás, que doravante governa sua mente, seu coração, suas palavras e suas ações. A. T. Robertson diz que satanás agora renova o seu ataque contra Jesus, que havia suspenso temporariamente (4.13). Ele retornara, usando Simão Pedro (Mt 16.23). Agora, usa Judas. Evidentemente, Judas abriu a porta do seu coração e permitiu a entrada de satanás. Então, satanás assumiu o controle, e Judas se tornou um demônio, como Jesus disse (Jo 6.70). Esta rendição a satanás, entretanto, de modo algum isenta Judas da sua responsabilidade moral.[10] A vida de Judas é um solene alerta. Quão profundamente uma pessoa pode cair depois de ter feito uma sublime confissão a respeito de Cristo![11] De apóstolo a ladrão. De ladrão a traidor. De traidor a possesso pelo diabo. É importante ressaltar que a possessão de Judas não o fez mudar o tom da voz nem revirar os olhos, mas o levou a vender Jesus por trinta moedas de prata.

Em segundo lugar, **Judas, um entreguista** (22.4). Judas Iscariotes era um dos doze. Andou com Jesus, ouviu Jesus, viu os milagres de Jesus, mas perdeu a maior oportunidade da sua vida. Sabendo da trama dos principais sacerdotes e dos capitães do templo para prenderem e matarem Jesus, procurou-os para entregá-Lo.

---

[9]ASH, Anthony Lee. *O Evangelho segundo Lucas*, p. 300.
[10]ROBERTSON, A. T. *Comentário Lucas à luz do Novo Testamento grego*, p. 354.
[11]RYLE, John Charles. *Meditações no Evangelho de Lucas*, p. 345.

Em terceiro lugar, *Judas, um avarento* (22.5). Judas entrega Jesus por ganância. Os principais sacerdotes de bom grado deram dinheiro para ele. Compraram sua consciência e sua lealdade. O evangelista Mateus deixa clara a motivação de Judas em procurar os principais sacerdotes: *Que me quereis dar, e eu vo-lo entregarei? E pagaram-lhe trinta moedas de prata* (Mt 26.15). A motivação de Judas em entregar Jesus era o amor ao dinheiro. Ele era ladrão (Jo 12.6). Seu deus era o dinheiro. Ele vendeu sua alma, sua consciência, seu ministério, suas convicções, sua lealdade. Tornou-se um traidor. A recompensa pela traição representou somente um décimo do valor do óleo da unção usado por Maria para ungir Jesus (Mc 14.3,4). O dinheiro recebido por Judas era o preço de um escravo ferido por um boi (Êx 21.32). Por essa insignificante soma de dinheiro, Judas traiu o seu Mestre. Judas constitui-se numa solene advertência contra os perigos do amor ao dinheiro (1Tm 6.10).

Em quarto lugar, *Judas, um dissimulado* (22.21-23). Jesus vai com seus discípulos ao Cenáculo, para comer a Páscoa. E Judas está entre eles. No Cenáculo, Jesus demonstrou seu amor por Judas, lavando seus pés (Jo 13.5), mesmo sabendo que o diabo já tinha posto em seu coração o propósito de traí-Lo (Jo 13.2). Judas não se quebranta nem se arrepende. Ao contrário, finge ter plena comunhão com Cristo, ao comer com Ele (22.19-21). Jesus pronuncia um *ai* de juízo sobre Judas, que dissimuladamente estava à mesa da comunhão depois de ter recebido dinheiro para traí-Lo. Nesse momento, satanás entra em Judas (Jo 13.27), e ele sai da mesa para unir-se aos inimigos de Cristo a fim de entregá-Lo.

Jesus já havia dito que seria traído (9.44; 18.32), mas agora declara especificamente que será traído por um amigo. O traidor não é nomeado; pelo contrário, a ênfase está na participação dele na comunhão como um dos doze (22.19-23). Toda comunhão à mesa é, para o oriental, concessão de paz, fraternidade e confiança. Comunhão à mesa é comunhão de vida. A comunhão à mesa com Jesus tinha o significado de salvação e comunhão com o próprio Deus. Abalados e entristecidos, os discípulos estão confusos. Cada um preocupa-se com a acusação como se fosse contra si: *Então, começaram a indagar entre si quem seria, dentre eles, o que estava para fazer isso* (22.23). Marcos é mais enfático: *Porventura sou eu?* (Mc 14.19). A autoconfiança dos discípulos foi abalada.

Em quinto lugar, *Judas, o advertido* (22.21,22). Judas trai a Jesus à surdina, na calada da noite, mas Jesus o desmascara na mesa da comunhão. Jesus acentua sua ingratidão e o fato de estar traindo seu Mestre. Jesus diz: *Todavia, a mão do traidor está comigo à mesa* (22.21). Aqui o supremo bem e o supremo mal encontram-se lado a lado à mesa. O mal parece vitorioso na morte de Jesus, mas o bem é justificado na ressurreição.[12]

Jesus declara que ele sofrerá severa penalidade por atitude tão hostil ao seu amor: ... *ai daquele por intermédio de quem Ele está sendo traído!* (22.22). Marcos acrescenta: ... *melhor lhe fora não haver nascido!* (Mc 14.20,21).

Todos os escritores sinóticos registram que essa traição era, de fato, parte do plano divino (22.22; Mt 26.24; Mc 14.21). Lucas sustenta que o mal triunfa somente segundo a permissão divina e que os homens assumem plena responsabilidade por suas más escolhas. Assim, o traidor participa cumprindo o plano de Deus. Ele o faz por livre vontade, não como um robô. A soberania divina não diminui a responsabilidade humana. Somos responsáveis pelos nossos próprios pecados. Judas foi seduzido pelo amor ao dinheiro; Pedro, pela autoconfiança. Morris é meridianamente claro a esse respeito: "O fato de que Deus exerce sua providência sobre o mal que homens maus praticam, enquanto Ele leva a efeito o Seu propósito, não os torna menos maus. Permanecem sendo homens responsáveis".[13]

Páscoa, uma preparação ordenada (22.7-18)

A Páscoa era a maior festa de Israel. Olhando para o passado, ela remete à libertação do cativeiro egípcio, quando Deus desbancou as divindades do Egito e tirou de lá Seu povo com mão forte e poderosa. Olhando para o futuro, a Páscoa apontava para a cruz, onde Jesus abriria as portas da nossa escravidão e nos declararia livres. A cidade de Jerusalém está em total efervescência. Chegou a Páscoa!

Três fatos nos chamam a atenção:

Em primeiro lugar, *a preparação da Páscoa* (22.7-13). A grande hora havia chegado, a hora marcada na eternidade. A Festa da Páscoa, seguida

---

[12]NEALE, David A. *Novo comentário bíblico Beacon Lucas 9-24*, p. 266.
[13]MORRIS, Leon L. *Lucas: introdução e comentário*, p. 288.

da Festa dos Pães Asmos, era o tempo histórico do cumprimento desse plano eterno.[14] Jesus manda Pedro e João preparar a Páscoa. O cordeiro, o pão sem levedo, o vinho e as ervas amargas não podiam faltar. O local espaçoso já tinha sido escolhido. Jesus demonstra seu conhecimento sobrenatural acerca do local, do dono e das circunstâncias. Tudo foi encontrado rigorosamente conforme o predito por Jesus.

Em segundo lugar, *o desejo de Jesus de comer a Páscoa* (22.14,15). Jesus coloca-se à mesa com Seus discípulos e revela Seu desejo intenso de comer com eles a Páscoa antes de Seu sofrimento. Jesus sabia que nessa mesma noite seria preso, cuspido, esbordoado, acusado e condenado pelo Sinédrio por blasfêmia contra Deus e conspiração contra César. Jesus já havia anunciado Seu sofrimento duas vezes (9.22; 17.25). Agora chegara a hora do cumprimento dessas previsões, e Jesus aguardava esse tempo com profundo anseio.[15]

Em terceiro lugar, *a profecia de Jesus sobre a consumação da Páscoa* (22.16-18). A referência ao cumprimento no reino de Deus indica que a Páscoa tinha significado tipológico.[16] Jesus deixa claro para Seus discípulos que não comerá mais a Páscoa com eles, até que esta festa se cumpra no reino de Deus, e não mais beberá do fruto da videira, até que venha o reino de Deus. A Páscoa será cumprida na morte de Cristo, e a Ceia que será inaugurada apontará para a consumação de todas as coisas!

A instituição da **Ceia do Senhor**, um pacto selado (22.18-23)

A Páscoa chega ao fim. Não há mais necessidade de sacrificar cordeiros, pois o Cordeiro sem defeito e sem mácula, o Cordeiro de Deus que tira o pecado do mundo, será imolado, para realizar um sacrifício único, perfeito, eficaz e irrepetível. Jesus institui o sacramento da Ceia como memorial de Sua morte, até a Sua gloriosa volta. A nova aliança é inaugurada. Um novo pacto passa a vigorar. Alguns pontos devem ser destacados aqui.

---

[14]NEALE, David A. *Novo comentário bíblico Beacon Lucas 9-24*, p. 260.
[15]NEALE, David A. *Novo comentário bíblico Beacon Lucas 9-24*, p. 264.
[16]MORRIS, Leon L. *Lucas: introdução e comentário*, p. 286,287.

Em primeiro lugar, *os símbolos do pacto* (22.19,20). Jesus abençoa e parte o pão; toma o cálice e dá graças. Pão e vinho são os símbolos de Seu corpo e de Seu sangue. Com estes dois elementos, Jesus instituiu a Ceia do Senhor. O sacramento é um símbolo visível de uma graça invisível. Por meio do pão e do vinho, contemplamos o corpo e o sangue de Cristo, e nos apropriamos pela fé de seus benefícios. A linguagem da nova aliança aqui é a única referência à nova aliança nos sinóticos. Foi também adotada por Paulo como uma referência ao evangelho (1Co 11.25; 2Co 3.6). Leon Morris diz, com razão, que o derramamento do sangue indica para nós a morte de Jesus na cruz, em que uma nova aliança é inaugurada. Sua morte iminente substituirá os sacrifícios da lei antiga como novo modo de aproximação de Deus.[17]

Há cinco verdades que destaco a respeito.

Primeiro, a Ceia do Senhor é uma ordenança (22.19). *Fazei isto em memória de mim.*

Segundo, a Ceia do Senhor é uma comemoração (22.19). ... *em memória de mim.* O sacramento da Ceia é para recordarmos quem Jesus foi, o que Jesus fez por nós e quem Jesus representa para nós.[18]

Terceiro, a Ceia do Senhor é um agradecimento (22.19). *E, tomando um pão, tendo dado graças, o partiu...* Jesus não parte o pão, símbolo de sua dolorosa morte, com lamentos e gemidos, mas com ações de graças.

Quarto, a Ceia do Senhor é uma comunhão (22.19). ... *isto é o meu corpo oferecido por vós...* Jesus se refere a uma coletividade. A igreja deve se reunir para celebrar a Ceia. É um ato comunitário.

Quinto, a Ceia do Senhor é uma garantia (22.20). *Semelhantemente, depois de cear, tomou o cálice, dizendo: Este é o cálice da nova aliança no meu sangue derramado em favor de vós.* Jesus inaugura a nova aliança em Seu sangue. Somos aceitos não por aquilo que fazemos para Deus, mas por aquilo que Ele fez por nós. Pelo sangue, temos livre acesso à presença de Deus.

O significado da Ceia do Senhor tem sido motivo de acirrados debates na história da igreja. Não é unânime o entendimento desses símbolos. Há quatro linhas de interpretação.

---

[17] MORRIS, Leon L. *Lucas: introdução e comentário*, p. 288.
[18] HASTINGS, James. *The Great texts of the Bible – Luke*. Vol. 10, p. 434.

A transubstanciação. A igreja romana crê que o pão e o vinho se transubstanciam na hora da consagração dos elementos e se transformam em corpo, sangue, nervos, ossos e divindade de Cristo.

A consubstanciação. A Igreja Luterana crê que os elementos não mudam de substância, mas Cristo está presente fisicamente nos elementos e sob os elementos.

O memorial. O reformador Zuínglio entendia que os elementos da Ceia são apenas símbolos e que ela é apenas um memorial para trazer-nos à lembrança o sacrifício de Cristo.

O meio de graça. O calvinismo entende que a Ceia é mais do que um memorial; é também um meio de graça, de tal forma que somos edificados pela participação na Ceia, pois Jesus está presente espiritualmente e nos alimentamos espiritualmente dEle pela fé.

Em segundo lugar, *o significado do pacto* (22.20). O que Jesus quis dizer quando afirmou: *Este é o cálice da nova aliança no meu sangue derramado em favor de vós?* (22.20). A palavra "aliança" ou "pacto" é comum na religião judaica. A base da religião judaica consistia no fato de Deus ter entrado num pacto com Israel. A aceitação do antigo pacto está registrada em Êxodo 24.3-8. O pacto dependia inteiramente de Israel guardar a lei. A quebra da lei implicava a quebra do pacto entre Deus e Israel. Era uma relação totalmente dependente da Lei e da obediência à lei. Deus era o juiz. E, posto que ninguém podia guardar a lei, o povo sempre estava em débito. Mas Jesus introduz e ratifica um novo pacto, uma nova classe de relacionamento entre Deus e o ser humano. Esta não depende da lei, mas do sangue que Jesus derramou. O antigo pacto era ratificado com o sangue de animais, mas o novo pacto é ratificado com o sangue de Cristo.

A nova aliança está firmada no sangue de Jesus, derramado em favor de muitos. Na velha aliança, o ser humano buscava fazer o melhor para Deus e fracassava. Na nova aliança, Deus fez tudo pelo ser humano. Jesus Se fez pecado e maldição por nós. Seu corpo foi entregue; Seu sangue foi vertido. Ele levou sobre o Seu corpo, no madeiro, nossos pecados.

A redenção não é universal. Jesus derramou Seu sangue para remir a muitos, e não para remir a todos (Is 53.12; Mt 1.21; 20.28; Mc 10.45;

Jo 10.11,14,15,27,28; 17.9; At 20.28; Rm 8.32-35; Ef 5.25-27). Se fosse para remir a todos, ninguém poderia se perder. A morte de Cristo foi vicária, substitutiva. Ele não morreu para possibilitar a salvação do Seu povo; Ele morreu para efetivá-la (Ap 5.9).

Em terceiro lugar, *a consumação do pacto* (22.18). A Ceia do Senhor aponta para o passado, e ali vemos a cruz de Cristo e Seu sacrifício vicário em nosso favor. Mas ela também aponta para o futuro, e ali vemos o céu, a festa das bodas do Cordeiro, quando Ele como Anfitrião nos receberá para o grande banquete celestial. A ênfase está na reunião festiva com Ele, não na duração ou dificuldade do tempo de espera. O crucificado, agora ressurreto, glorificado e entronizado, será o centro do banquete que Deus vai oferecer (Is 25.6; 65.13; Ap 2.7), e o sem-número de Ceias desembocará na *Ceia das bodas do Cordeiro* (Ap 19.9).[19]

A Ceia do Senhor não é um sacrifício, mas uma cerimônia iminentemente celebrativa. Não é um funeral, mas uma festa. Não é apenas uma lembrança, mas um meio de graça. Não pode ser interrompida ao longo dos anos; deve ser realizada até que Jesus volte!

Mania de grandeza entre os discípulos, um pecado reprovado (22.24-30)

Lucas cria uma irônica justaposição do comportamento dos discípulos e da aproximação da morte de Jesus. Em um versículo, os discípulos perguntam uns aos outros quem entre eles trairia Jesus (22.23) e, no próximo, discutem sobre quem é o maior dentre eles (22.24).[20] Enquanto Jesus estava à sombra da cruz, no seu mais profundo gesto de autossacrifício e humilhação, os discípulos estavam discutindo entre si qual deles parecia ser o maior. O orgulho e o amor à proeminência estão firmemente arraigados no coração até dos homens mais piedosos.[21] William Barclay chega a dizer que uma das coisas mais tristes do relato evangélico é que os discípulos discutiram acerca de seus

---

[19]POHL, Adolf. *Evangelho de Marcos*, p. 404.
[20]NEALE, David A. *Novo comentário bíblico Beacon Lucas 9-24*, p. 266.
[21]RYLE, John Charles. *Meditações no Evangelho de Lucas*, p. 350.

privilégios mesmo à sombra da cruz.[22] Estando Jesus tão perto da cruz, seus discípulos mais íntimos estavam tão longe do espírito dEle.[23]

Alguns pontos devem ser aqui destacados.

Em primeiro lugar, **uma discussão inapropriada** (22.24). Esta é a tragédia da situação: quando Jesus está encarando a Cruz com o traidor à mesa, os discípulos estão mais preocupados com sua própria primazia e prestígio.[24]

Em segundo lugar, **uma ordem de valores invertida** (22.25-27). A pirâmide no reino de Deus está invertida; está de ponta-cabeça. Os reis e aqueles que exercem autoridade no mundo são chamados de benfeitores, mas, no reino de Deus, o maior deve ser como o menor e aquele que dirige deve ser como aquele que serve. Lawrence Richards diz que, no primeiro século, *euergetes*, "benfeitor", era um título, em vez de uma descrição. Os governantes antigos, que exploravam cruelmente seus súditos, queriam o nome de Benfeitor sem o custo de verdadeiramente servi-los.[25] No reino de Deus, maior é o que serve. O que Jesus está dizendo é: *No meu reino não é o rei, senão o servo quem recebe este título*.[26] Morris tem razão ao dizer que o lava-pés que João registra foi uma ilustração notável da disposição de Jesus de tomar o lugar daquele que serve. Além do mais, todos os três exemplos da palavra "servir" traduzem *diakonos*, verbo que significa em primeiro lugar o serviço do garçom.[27]

Em terceiro lugar, **uma fidelidade destacada** (22.28). A despeito da fraqueza dos discípulos, eles permaneceram com Jesus no fragor da batalha, no miolo da tempestade e na efervescência da prova. Enquanto os grandes líderes da religião judaica tramavam a morte de Jesus, Seus discípulos estavam ao Seu lado. Enquanto as autoridades religiosas e políticas se mancomunavam para levá-Lo à morte, Seus discípulos estavam junto dEle em Suas tentações.[28]

---

[22]BARCLAY, William. *Lucas*, p. 259.
[23]MORRIS, Leon L. *Lucas: introdução e comentário*, p. 288.
[24]ROBERTSON, A. T. *Comentário Lucas à luz do Novo Testamento Grego*, p. 359.
[25]RICHARDS, Lawrence O. *Comentário histórico-cultural do Novo Testamento*, p. 187.
[26]BARCLAY, William. *Lucas*, p. 259.
[27]MORRIS, Leon L. *Lucas: introdução e comentário*, p. 289.
[28]RYLE, John Charles. *Meditações no Evangelho de Lucas*, p. 352.

Em quarto lugar, *uma recompensa oferecida* (22.29,30). Para os discípulos que participam com Cristo de Sua humilhação e sofrimento há uma recompensa. Assim como o Pai confiou um reino a Jesus, Jesus confia também esse reino a eles. Jesus levanta a ponta do véu e mostra para Seus discípulos a gloriosa recompensa futura: eles se assentarão com Ele à mesa no seu reino de glória, além de também se assentarem em tronos para julgar as doze tribos de Israel.

Autoconfiança, a causa do fracasso (22.31-34)

Pedro foi um líder incontestável entre seus pares. Foi líder antes de sua queda e depois de sua restauração. Pedro, porém, estava demasiadamente seguro de si. Era capaz de alçar os voos mais altos, para depois despencar das alturas. Era capaz de fazer os avanços mais audaciosos, para depois dar macha à ré com a mesma velocidade. Era capaz de prometer fidelidade irrestrita, para depois cair nas malhas da covardia mais vergonhosa. Vejamos alguns pontos sobre essa questão.

Em primeiro lugar, ***Pedro na peneira de satanás*** (22.31). Embora satanás tenha requerido peneirar todos os discípulos, Jesus intercede especialmente por Pedro. Jesus usa o plural, *vós*, para falar da peneira de satanás, mas usa o singular, "por ti", quando se trata da intercessão por Pedro. A frase *peneirá-los como trigo* significa algo como "despedaçar alguém".[29] Leon Morris diz que a metáfora não tem paralelo, mas é óbvio que significa grandes provações.[30] Pelo fato de Pedro ser um líder, satanás usou seu arsenal mais pesado contra ele. Embora todos os discípulos estivessem em perigo, a intercessão é focada em Pedro. A ameaça aos discípulos procedia do maligno e também deles mesmos. Satanás os atacava por um flanco, mas eles conspiravam contra si mesmos, ao abrigar no coração, mesmo à sombra da cruz, sentimentos soberbos. Os discípulos estavam sendo sutilmente atacados por satanás e nem se apercebiam disso. John Charles Ryle alerta os crentes sobre a personalidade, a atividade e o poder do diabo nessas palavras:

---

[29] BOCK, Darrell L. "Luke 1.1-9.50." In: *Baker Exegetical commentary on the New Testament*. Grand Rapids, MI: Baker Books, 1994, p. 353.
[30] MORRIS, Leon L. *Lucas: introdução e comentário*, p. 290.

Foi o diabo quem no princípio trouxe o pecado ao mundo, através da tentação de Eva. Satanás é descrito no livro de Jó como aquele que vive a "rodear a terra e a passear por ela"; é aquele que o nosso Senhor chamou de "príncipe deste mundo", assassino e mentiroso. Ele é o leão que ruge, a serpente venenosa e o dragão furioso. Ele é o acusador dos nossos irmãos. Aquele que rouba a semente do evangelho dos corações, semeia o joio no meio do trigo e suscita perseguições, sugerindo falsas doutrinas e suscitando divisões. O mundo é uma armadilha contra o crente. A carne é um fardo. Mas não existe inimigo tão perigoso quanto o diabo, um inimigo incansável, invisível e experiente.[31]

Em segundo lugar, *Pedro na mira da intercessão de Jesus* (22.32). A defesa de Pedro não vem dele mesmo, mas da intercessão de Jesus. Na sua autoconfiança, Pedro coloca os pés no portal da queda, mas Jesus se coloca na brecha em seu favor e intercede por ele. Jesus ora para que sua fé não desfaleça no fragor da tentação. Morris diz, com razão, que Jesus não pediu que Pedro fosse libertado de apuros, mas confia no resultado final e fala sobre a finalidade de sua restauração, o fortalecimento de seus irmãos. Aquele que passou por águas profundas tem a experiência que o capacita a ajudar a outras pessoas.[32] O propósito de Jesus, portanto, é que, depois da vitória, Pedro possa fortalecer seus irmãos. A vitória numa batalha espiritual nunca deve ser usada como trampolim para o autoengrandecimento, mas sempre como uma ferramenta para fortalecer os irmãos. A expressão "quando te converteres" não quer dizer que Pedro ainda não era salvo. Há robustas evidências nos evangelhos de que, exceto Judas, o filho da perdição, todos os demais apóstolos fossem homens salvos pela graça (Jo 13.10; 15.3; 17.12). Rienecker é oportuno quando escreve: "Ao peneirar os discípulos, satanás recebe tão somente a palha, ao passo que Deus guarda os próprios grãos. Embora Pedro chegue quase a perder a fé por causa de sua profunda queda, o Senhor apesar disso lhe promete que continuará sendo apóstolo e, depois de se arrepender, fortalecerá seus irmãos".[33]

---

[31] RYLE, John Charles. *Meditações no Evangelho de Lucas*, p. 354.
[32] MORRIS, Leon L. *Lucas: introdução e comentário*, p. 290.
[33] RIENECKER, Fritz. *Evangelho de Lucas*, p. 437.

Em terceiro lugar, **Pedro na armadilha da autoconfiança** (22.33). A despeito do alerta de Jesus, Pedro estava desprovido de discernimento espiritual. Confiante em si mesmo, considerou-se melhor do que seus condiscípulos e prometeu a Jesus lealdade total. Pensou que era mais crente, mais forte e mais confiável que seus pares. Queria ser uma exceção na totalidade apontada por Jesus. Pensou jamais se escandalizar com Cristo. Achou que estava pronto para ir à prisão e até à morte. Jesus, entretanto, revela a Pedro que, naquela mesma noite, sua fraqueza seria demonstrada e suas promessas seriam quebradas. Os outros falharam, mas a falta de Pedro foi maior. Aquele que se sente seguro e se considera diferente de todos os demais cairá ainda mais profundamente. O apóstolo Paulo exorta: *Aquele, pois, que pensa estar em pé, veja que não caia* (1Co 10.12). A Palavra de Deus alerta: *O que confia no seu próprio coração é insensato* (Pv 28.26).

Em quarto lugar, **Pedro no palco da negação** (22.34). Diante da arrogante autoconfiança de Pedro, Jesus expõe sua fraqueza extrema e seu completo fracasso. Pedro veria sua valentia carnal se transformar em covardia vergonhosa. Pedro desceria vertiginosamente do topo de sua autoconfiança para as profundezas de sua queda. Ele, que afirmara com vívido entusiasmo *És o Cristo de Deus* (9.20), agora dirá àqueles que escarneciam de seu Senhor com juras e praguejamentos: *Eu não conheço esse homem* (Mt 26.70-74).

O **confronto inevitável**, a batalha à sombra da cruz (22.35-38)

Este é um dos textos mais difíceis de interpretar de Lucas. O que Jesus quis dizer? A. T. Robertson explica que os discípulos deveriam esperar perseguição e amarga hostilidade (Jo 15.18-21). Jesus não quis dizer que os seus discípulos deveriam repelir a força pela força, mas deveriam estar preparados para defender a sua causa dos ataques. Condições diferentes pedem atitudes diferentes.[34]

David Neale interpreta esta passagem dizendo que o significado das palavras de Jesus é que os discípulos deveriam esperar conflitos mais

---

[34]ROBERTSON, A. T. *Comentário Lucas à luz do Novo Testamento Grego*, p. 360.

severos. No exato momento em que os discípulos, os novos juízes de Israel, assumem a liderança, eles recebem a promessa de uma vida difícil.[35]

John Charles Ryle ressalta que é mais seguro entender as palavras de Jesus no sentido proverbial. Elas se aplicam a todo o período entre a primeira e a segunda vinda de Cristo. Até que o Senhor retorne, os crentes precisam utilizar com diligência todas as faculdades que Deus lhes outorgou. Eles não devem esperar que milagres aconteçam a fim de que sejam livrados de problemas. Não podem esperar que inimigos sejam vencidos e dificuldades superadas, se não lutarem e não se esforçarem. Porém, esperar que o sucesso resulte de nossa "bolsa" ou "espada" é orgulho e justiça própria.[36]

É claro que estas palavras de Jesus podem ser mal interpretadas hoje como foram então. Os discípulos interpretaram literalmente Suas palavras. Em nenhum lugar no corpo do ensinamento de Jesus, existe um convite à resistência armada. Logo, a exortação aos discípulos não pode ser vista como uma virada do entendimento geral do pacifismo de Jesus. Quando é preso no jardim, Jesus rejeita a violência como reação à Sua prisão (22.51,52).[37]

Naquela quinta-feira à noite, no Getsêmani, Pedro usou sua espada para cortar a orelha de Malco, no que foi imediatamente repreendido por Jesus (22.50,51; Mt 26.51,52; Mc 14.47; Jo 18.10,11). Jesus foi enfático com Pedro: *Porque todos os que lançarem mão da espada à espada morrerão* (Mt 26.52). Fica evidente que Jesus não tinha o propósito de que as Suas palavras sobre a espada fossem interpretadas literalmente. Jesus encerra o assunto com ironia e tristeza, dizendo aos discípulos: *Basta!* A fala de Jesus é de exasperação, e não de aprovação. Os discípulos ainda falham em entender a natureza da iminente condenação. Ainda estão preparados para usar a espada literalmente a fim de receberem o reino, mas Jesus os repreende.[38] Jesus vincula a Sua paixão com a profecia de Isaías 53 (22.37) em Sua identificação com os pecadores.

---

[35]NEALE, David A. *Novo comentário bíblico Beacon Lucas 9-24*, p. 269.
[36]RYLE, John Charles. *Meditações no Evangelho de Lucas*, p. 356.
[37]NEALE, David A. *Novo comentário bíblico Beacon Lucas 9-24*, p. 269.
[38]NEALE, David A. *Novo comentário bíblico Beacon Lucas 9-24*, p. 270.

59

Getsêmani, a agonia à sombra da cruz

Lucas 22.39-46

A AGONIA DO SENHOR JESUS NO JARDIM DO GETSÊMANI contém elementos que os mais sábios expositores não puderam expor plenamente. Ninguém jamais passou pelo que Jesus experimentou no Getsêmani. Seu sacrifício vicário, em completa obediência à vontade do Pai, era o único tipo de morte que poderia salvar os pecadores. O inferno, como ele é, veio até Jesus no Getsêmani e no Gólgota, e o Senhor desceu até ele, experimentando todos os seus horrores. Moisés Ribeiro diz que aquela era a batalha decisiva de Jesus.[1]

À guisa de introdução, destacamos três fatos.

O local onde Jesus agonizou é indicado (22.39,40). Lucas não menciona o jardim do Getsêmani, mas apenas o monte das Oliveiras, onde ele está localizado. Esse jardim fica do lado ocidental do ribeiro de Cedrom, defronte do monte Moriá, onde ficava o glorioso templo. Getsêmani significa "prensa de azeite, lagar de azeite". Foi neste lagar, onde as azeitonas eram esmagadas, que Jesus experimentou a mais intensa agonia. Enquanto o primeiro Adão perdeu o paraíso num jardim, o segundo Adão o reconquista noutro.

---

[1] RIBEIRO, Moisés Pinto. *O Evangelho segundo Lucas*. São Paulo, SP: Cultura Cristã, 1988, p. 277.

O contexto da agonia é descrito. O evangelista João nos informa que Jesus saiu do Cenáculo para o jardim (Jo 18.1). Não foi uma saída de fuga, mas de enfrentamento. Ele não saiu para esconder-Se, mas para preparar-Se. Ele não saiu para distanciar-se da cruz, mas para caminhar em sua direção.

O propósito da agonia é evidenciado. Jesus sabia que a hora agendada na eternidade havia chegado (Mc 14.35). Não havia improvisação nem surpresa. Para esse fim, Ele havia vindo ao mundo. Sua morte estava determinada desde a fundação do mundo (Ap 13.8). No decreto eterno, no conselho da redenção, o Pai O entregou para morrer no lugar dos pecadores (Jo 3.16; Rm 5.8; 8.32), e ele mesmo, voluntariamente, dispôs-se a morrer (Gl 2.20).

Vamos destacar as mensagens centrais desse drama doloroso de Jesus no Getsêmani.

A **oração** é necessária (22.39,40)

Jesus buscou esse lugar de oração não apenas na hora da agonia. Lucas nos informa que este lugar secreto de oração era caro para Jesus. Ir a esse lugar de oração era o Seu costume (22.39). Porque Judas conhecia o hábito de Jesus de ir ao Getsêmani à noite, dispôs-se a liderar a turba para prendê-Lo nesse jardim.[2] Lucas, diferentemente dos outros evangelistas sinóticos, não menciona o fato de Jesus deixar oito discípulos assentados no jardim e ir um pouco adiante para orar, levando consigo Pedro, Tiago e João (Mt 26.36,37; Mc 14.32,33).

Lucas destaca mais o cuidado pastoral de Jesus, alertando a todos eles acerca da necessidade de orar para não entrar em tentação (22.40). Robertson diz: "Aqui, trata-se de uma tentação real, e não apenas de uma provação. Jesus conhecia o poder da tentação e a necessidade da oração.[3] A oração é um antídoto contra o medo e uma armadura contra as investidas do mal. Diante do cerco das trevas, não resistiremos à tentação sem oração. Quando Jesus retorna de Suas orações e encontra

---

[2] ROBERTSON, A. T. *Comentário Lucas à luz do Novo Testamento grego*, p. 361.
[3] ROBERTSON, A. T. *Comentário Lucas à luz do Novo Testamento grego*, p. 361.

os discípulos dormindo, Ele novamente os exorta: *Levantai-vos e orai, para que não entreis em tentação* (22.46). Que tentação? A tentação de negá-Lo! Anthony Ash tem razão ao dizer, porém, que o registro de Lucas não é tão severo em relação aos discípulos como o registro de Mateus e Marcos, pois Lucas oferece uma espécie de atenuante, dizendo que eles estavam dormindo de tristeza.[4] Champlin no mesmo viés diz que, ao adicionar essa ideia de tristeza, Lucas uma vez mais poupa os apóstolos, mitigando-lhes a culpa.[5]

A **solidão** é perturbadora (22.41)

Lucas dá mais ênfase do que Mateus e Marcos à agonia da luta solitária de Jesus. Tendo dito aos discípulos que orassem para evitar a tentação, Jesus orou a fim de vencer a Sua própria.[6] Na hora mais intensa da peleja, Jesus se afastou, cerca de um tiro de pedra, e, de joelhos, orava. Nessa hora, Ele estava só. Muitas coisas Jesus disse às multidões. Quando, porém, falou de um traidor, foi apenas para os doze. E unicamente para três desses doze é que Ele disse: *A minha alma está profundamente triste até à morte; ficai aqui e vigiai comigo* (Mt 26.38). E, por fim, quando Ele começou a suar sangue, já estava completamente sozinho (22.44). Nessa hora, os discípulos estavam dormindo (22.45). Mas ali, na solidão do jardim, Jesus ganhou a batalha.

Quando o apóstolo Paulo estava na prisão romana, na antessala do martírio, disse: *Na minha primeira defesa, ninguém foi a meu favor; antes, todos me abandonaram* (2Tm 4.16). Mas foi nessa arena da solidão que ele contemplou a coroa e ganhou sua mais esplendida vitória.

Quando o apóstolo João foi exilado na Ilha de Patmos, o imperador Domiciano o jogou no ostracismo da solidão, mas Deus lhe abriu a porta do céu. E, no vale escuro de sua solidão, ele contemplou as glórias do céu.

---

[4] ASH, Anthony Lee. *O Evangelho segundo Lucas*, p. 310.
[5] CHAMPLIN, Russell Norman. *O Novo Testamento interpretado versículo por versículo*, p. 281.
[6] ASH, Anthony Lee. *O Evangelho segundo Lucas*, p. 309.

A **rendição** é voluntária (22.42)

Jesus entra nessa batalha orando, chorando e suando sangue não para fugir da vontade do Pai, mas para realizá-La. Mesmo sabendo que o cálice era amargo, Jesus submete Sua vontade à vontade do Pai, dizendo: *Pai, se queres, passa de mim este cálice; contudo, não se faça a Minha vontade, e sim a Tua*. O apóstolo Paulo diz que Ele se humilhou e foi obediente até a morte, e morte de cruz (Fp 2.8).

O cálice que estava à Sua frente transbordava. Ninguém poderia bebê-lo. Nenhum anjo nem mesmo o homem mais piedoso. O que significa esse cálice? As cusparadas, os açoites, as bofetadas, a coroa de espinhos, a zombaria, os sofrimentos indescritíveis da cruz? Não, mil vezes não! Esse cálice era a santa ira de Deus contra o nosso pecado que deveria cair sobre a nossa cabeça. Nas palavras do profeta Isaías, *Ele foi traspassado pelas nossas transgressões e moído pelas nossas iniquidades; o castigo que nos traz a paz estava sobre Ele, e pelas suas pisaduras fomos sarados* (Is 53.5).

Mesmo sabendo de todas as implicações daquela hora, Jesus se submete à vontade do Pai e se rende ao seu soberano e eterno propósito. Para Jesus, oração não é determinar a Deus o que queremos, mas nos submeter à Sua soberana vontade.

A **consolação** é restauradora (22.43)

É curioso que Lucas registre o conforto trazido pelo anjo antes da agonia mais intensa (22.43,44). É como se o anjo viesse prepará-Lo para a hora mais escura da agonia. O anjo não apenas o consola na angústia, mas o conforta para lidar com a agonia mais intensa. Vale destacar que é no Getsêmani que Jesus enfrenta Sua mais profunda angústia. Aqui o inferno lança sobre Ele todo o bafo do diabo. A partir do Getsêmani, não há mais nenhum vestígio de angústia em Jesus. Mesmo sendo cuspido, esbordoado, vilipendiado e exposto ao mais horrendo espetáculo público no topo do Gólgota, Jesus não demonstrou mais nenhum sinal de angústia. Foi no Getsêmani que Ele travou a mais sangrenta batalha e foi lá que Ele conquistou a mais retumbante vitória!

Jesus entrou cheio de pavor e angustiado no Jardim do Getsêmani (Mc 14.33) e saiu de lá consolado (22.43). Sua oração tríplice e insistente trouxe-Lhe paz depois da grande tempestade. Quais foram as fontes de consolação que Ele encontrou nessa hora do maior drama de Sua vida?

Em primeiro lugar, *a consolação da comunhão com o Pai*. A oração em si já é uma fonte de consolação. Por meio dela, derramamos nossa alma diante do Pai. Por meio dela, temos intimidade com Deus. Jesus se dirigiu a Deus chamando-O de *Aba, Pai* (Mc 14.36). Quando estamos na presença dAquele que governa os céus e a terra e temos a consciência de que Ele é o nosso Pai, nossos temores se vão e a paz enche a nossa alma.

Em segundo lugar, *a consolação do anjo de Deus*. Lucas é o único que menciona o suor de sangue e também a consolação angelical (22.43,44). No instante em que Jesus orava, submetendo-Se à vontade do Pai, dispondo-se a beber o cálice, símbolo do Seu sofrimento atroz e de sua morte vicária, *apareceu-lhe um anjo do céu que o confortava* (22.43). Charles Childers diz que a necessidade desse conforto testemunha a intensidade da angústia mental do conflito pelo qual a Sua alma estava passando.[7] Os anjos serviram a Jesus no deserto da tentação (Mt 4.11), e um anjo do céu conforta Jesus no jardim do sofrimento (22.43). William Hendriksen enfatiza que a angústia que levou Jesus a suar sangue foi "por nós". Era uma indicação do eterno amor do Salvador pelos pobres pecadores perdidos que viera salvar.[8]

Em terceiro lugar, *a consolação da firmeza de propósito*. Jesus levanta-se da oração sem pavor, sem tristeza, sem angústia (22.45). A partir da agora, Ele caminha para a cruz como um rei caminha para a coroação. Ele triunfou de joelhos no Getsêmani e está pronto a enfrentar os inimigos e a morrer vicariamente na cruz.

A agonia é incomparável (22.44)

Depois do conforto do anjo, Jesus ainda precisa lidar com uma agonia ainda mais intensa. A palavra "agonia" só é encontrada aqui em todo

---

[7] CHILDERS, Charles L. *O Evangelho segundo Lucas*, p. 485.
[8] HENDRIKSEN, William. *Lucas*. Vol. 2, p. 592.

o Novo Testamento.⁹ Para uma compreensão melhor dessa angústia, vamos olhar também pelas lentes dos outros evangelistas. Entre a ramagem soturna das oliveiras, sob o manto da noite trevosa, Jesus começou a sentir-se tomado de pavor e de angústia (Mc 14.33) e declara: *A Minha alma está profundamente triste até à morte* (Mc 14.34). Fritz Rienecker, citando Cranfield, diz que essa expressão de Jesus denota que Ele estava dominado por um horror que O fazia tremer diante da terrível perspectiva à sua frente.¹⁰ Egidio Gioia diz que no Getsêmani Jesus viu a negra nuvem da tormenta que se aproximava, célere, ao Seu encontro, e tão aterrorizantes eram os seus prenúncios que o Senhor, na Sua natureza humana, sentiu profunda necessidade até da companhia e simpatia de Seus queridos discípulos, a quem disse: *Ficai aqui e vigiai comigo* (Mt 26.38).¹¹ Duas coisas merecem destaque aqui.

Em primeiro lugar, ***no que não consistia a essência da agonia de Jesus***. Havia toda uma orquestração das forças das trevas contra Jesus. Isso não era surpresa para Ele. Ele estava plenamente consciente das implicações daquela noite fatídica. Mas Sua tristeza e Seu pavor não se relacionavam ao medo do sofrimento, da tortura e da morte. Por que Jesus, então, estava em agonia, especialmente depois de ter sido confortado pelo anjo (22.43,44)? Porque sabia que Judas estava se aproximando com a turba assassina? Porque estava dolorosamente consciente de que Pedro o negaria? Porque sabia que o Sinédrio o condenaria? Porque sabia que Pilatos o sentenciaria? Porque sabia que o povo gritaria diante do pretório romano: *Crucifica-O, crucifica-O*? Porque sabia que Seus inimigos cuspiriam em Seu rosto e Lhe dariam bofetadas? Porque sabia que o Seu povo preferiria Barrabás a Ele? Porque sabia que os soldados romanos rasgariam Sua carne com açoites, feririam Sua fronte com uma zombeteira coroa de espinhos e o encravariam na cruz no topo do Gólgota? Porque sabia que Seus discípulos o abandonariam na hora da Sua agonia e morte? Certamente essas coisas estavam incluídas na Sua tristeza, mas não era por essas razões que Jesus estava triste até a

---

⁹Ash, Anthony Lee. *O Evangelho segundo Lucas*, p. 310.
¹⁰Rienecker, Fritz; Rogers, Cleon. *Chave linguística do Novo Testamento Grego*, p. 96.
¹¹Gioia, Egidio. *Notas e comentários à harmonia dos Evangelhos*, p. 344.

morte. Não foi por causa do sofrimento físico que Jesus estava tomado de pavor e angústia, mas pela antevisão de que seria desamparado pelo Pai (Mc 15.34). Este era o cálice amargo que Ele estava prestes a beber (Jo 18.11) e que o levou ao forte clamor e lágrimas (Hb 5.7).

Em segundo lugar, **no que consistia a profunda agonia de Jesus**. Egidio Gioia diz que a essência desta profundíssima tristeza de Jesus estava no seu extremo horror ao pecado. Ele sentia que a pureza imaculada de Sua alma ia ser manchada e completamente enegrecida pelo pecado, não dEle, mas do mundo. Jesus sentia a realidade da maldição da cruz. Sentia que seria maldito pela justíssima lei de Deus. Sentia que a espada da justiça divina iria cair, inexorável, sobre Ele, traspassando-Lhe o coração.[12] Muitas pessoas já O haviam deixado (Jo 6.66), e os Seus discípulos O abandonariam (Mc 14.50). O pior de tudo era que, na cruz, Ele estaria clamando: *Deus meu, Deus meu, por que Me desamparaste?* (Mc 15.34). A tristeza de Jesus era porque Sua alma pura estava recebendo toda a carga do nosso pecado. O Getsêmani foi o prelúdio do Calvário. Foi a porta de entrada para a cruz. Foi no Getsêmani que Jesus travou a maior de todas as guerras. Ali o destino da humanidade foi selado. Ali Ele se dispôs a cumprir plenamente o plano do Pai e humilhar-Se até a morte e morte de cruz (Fp 2.8).

A oração é triunfadora (22.44-46)

Esta é a terceira ocasião em que Jesus orou sozinho, à noite, em momentos críticos no Seu ministério (Mc 1.35; 6.46; 14.35). No Getsêmani, Jesus orou humildemente, agonicamente, perseverantemente, triunfantemente.

Jesus é o nosso maior exemplo de oração em tempos de angústia. Nosso primeiro grito na hora da dor deveria sair em forma de oração. O que diz o livro dos Salmos? *Invoca-me no dia da angústia; eu te livrarei e tu me glorificarás* (Sl 50.15). O conselho de Tiago, irmão de Jesus, é: *Está alguém entre vós sofrendo? Faça oração* (Tg 5.13). Jesus não apenas orou no Getsêmani; Ele também ordenou aos discípulos que orassem e

---

[12] GIOIA, Egidio. *Notas e comentários à harmonia dos Evangelhos*, p. 344.

apontou a vigilância e a oração como um modo de escapar da tentação (22.40). Consideremos alguns aspectos especiais desta oração de Jesus.

Em primeiro lugar, *a posição em que Jesus orou* (22.41). O Deus eterno, criador do universo, sustentador da vida está de joelhos, com o rosto em terra. Assim registram os evangelistas: Jesus prostrou-Se sobre o Seu rosto (Mt 26.39), prostrou-Se em terra (Mc 14.35) e pôs-Se de joelhos (22.41). O Rei da glória está prostrado em humílima posição.

Em segundo lugar, *a atitude com que Jesus orou* (22.42). Três coisas nos chamam a atenção sobre a atitude de Jesus na oração.

A submissão. Jesus orou: *Pai, se queres, passa de mim este cálice; contudo, não se faça a Minha vontade, e sim a Tua* (22.42). Ryle diz que aquele que fez este pronunciamento possuía duas naturezas distintas em uma só pessoa. Ele teve uma vontade humana e, ao mesmo tempo, uma vontade divina. Quando Jesus orou *Não se faça a Minha vontade*, Ele pretendia mostrar que era a Sua vontade humana, visto que possuía carne, ossos e um corpo semelhante ao nosso".[13] O que tinha nesse cálice que levou Jesus a fazer esse tipo de oração? Aquele que estava ligado a Deus como nenhum outro haveria de ser abandonado por Deus como nenhum outro. "Seja feita a minha vontade e não a Tua" levou o primeiro Adão a cair. Mas "Seja feita a Tua vontade e não a Minha" abriu a porta de salvação para os pecadores caídos. Jesus não simplesmente teve de sofrer, mas no fim também quis sofrer. Sua cruz foi a cada momento, apesar das lutas imensas, uma ação Sua e um caminho trilhado conscientemente (Jo 10.18; 17.19). Ele foi entregue, mas também entregou a Si mesmo (Gl 1.4; 2.20).

A intensidade. Mateus e Marcos informam que Jesus orou três vezes, mas Lucas esclarece que a persistência de Jesus era dupla: Ele orou não apenas três vezes (Mc 14.39), porém mais intensamente (22.44). Robertson diz que aqui satanás pressionou Jesus de modo mais duro do que em qualquer outro momento.[14]

A agonia. Jesus não apenas foi tomado de pavor e angústia (Mc 14.33); Ele não apenas disse que Sua alma estava profundamente triste até a

---

[13] RYLE, John Charles. *Meditações no Evangelho de Lucas*, p. 357.
[14] ROBERTSON, A. T. *Comentário Lucas à luz do Novo Testamento grego*, p. 362.

morte (Mc 14.34), mas o evangelista Lucas registra: *E, estando em agonia, orava mais intensamente. E aconteceu que o Seu suor se tornou como gotas de sangue caindo sobre a terra* (22.44). A ciência médica denomina este fenômeno de diapedese, causado por uma violenta comoção mental. E foi este, realmente, o ponto culminante do sofrimento de Jesus, à sombra da cruz.[15]

Em terceiro lugar, *a intimidade na oração*. O evangelista Marcos diz que Jesus orava e dizia: *Aba, Pai* (Mc 14.36). Esse termo aramaico significa "meu Pai" ou "Papai". Denota intimidade, confiança e familiaridade. Joaquim Jeremias diz que Jesus fala a Deus "como uma criança com seu pai: confiantemente e com firmeza, e ainda, ao mesmo tempo, reverente e obedientemente".[16] O mesmo escritor ainda diz que não possuímos um único exemplo do uso de *Aba* em relação a Deus no judaísmo, mas Jesus sempre falou com Deus desse modo em Suas orações.[17]

Em quarto lugar, *o triunfo da oração*. Depois de orar três vezes e mais intensamente pelo mesmo assunto, Jesus apropriou-Se da vitória. Ele encontra paz para o Seu coração e estava pronto a enfrentar a prisão, os açoites, o escárnio, a morte. Ele disse aos discípulos: *Basta! Chegou a hora* (Mc 14.41). Jesus levantou-Se não para fugir, mas para ir ao encontro da turba (Jo 18.4-8). Ele estava preparado para o confronto. Jesus não mais falará de Seu sofrimento. A preparação para Seu sofrimento e morte está concluída; a paixão começa. As mãos de Deus se retiram, os pecadores põem as mãos nEle (22.54). Como único que nesta noite não foi vencido pela escuridão, Ele é entregue à escuridão.

Os discípulos de Jesus não oraram nem vigiaram, por isso dormiram (22.40,45). Porque não oraram, caíram em tentação e fugiram (Mc 14.50). Sem oração, a tristeza nos domina (22.45). Sem oração, agimos na força da carne (Jo 18.10). Pedro, aquele que acabara de se apresentar para o martírio, não possui nem mesmo a força para manter os olhos abertos. Aqueles que conhecem suas próprias fraquezas, e reconhecem a necessidade de orar e vigiar, são fortalecidos para não

---

[15] GIOIA, Egidio. *Notas e comentários à harmonia dos Evangelhos*, p. 345.
[16] JEREMIAS, Joachuim. *New Testament Theology*. NY, EUA: Charles Scribner Sons, 1971, p. 67.
[17] JEREMIAS, Joachuim. *New Testament theology*, p. 66.

caírem em tentação. Rienecker diz que, como médico, Lucas sabia que alguém pode adormecer de tristeza. Quando a tristeza é extrema, todo o ser humano, físico e interior, pode desfalecer, a ponto de cair em um estado de letargia.[18]

---

[18]RIENECKER, Fritz. *Evangelho de Lucas*, p. 441.

60

A prisão, a negação e o processo

Lucas 22.47-71

DEPOIS DA LUTA ESPIRITUAL TRAVADA NO GETSÊMANI, Jesus é traído por Judas Iscariotes, preso pela turba e levado à casa do sumo sacerdote pelos capitães do templo. Ali, no pátio da casa do sumo sacerdote, Pedro nega Jesus três vezes. Lucas inverte o relato das agressões físicas e morais sofridas por Jesus, colocando-as antes do interrogatório, e não depois, como fazem os outros evangelistas. No outro dia, ao amanhecer, Jesus é levado ao Sinédrio pleno, onde é interrogado e sentenciado à morte e imediatamente levado a Pilatos.

David Neale é oportuno quando diz que os eventos da ocasião da prisão de Jesus são uma jornada do mundo particular para o mundo público. A narrativa começa na intimidade do Cenáculo, onde ele prediz sua traição (22.14-23). A cena avança para a sua captura no monte das Oliveiras com uma *multidão* (22.47). O cenário faz a transição para a casa do sumo sacerdote (22.54), onde há uma reunião particular de Jesus com os anciãos, os principais sacerdotes e escribas (22.66). Dali conduzem Jesus ao Sinédrio, onde Ele é interrogado (22.66) e considerado culpado de blasfêmia (22.71). Depois, virá a audiência pública com Pilatos (23.4) e Herodes (22.8). A ação contra Jesus torna-se completamente pública na assembleia de Pilatos com os principais sacerdotes e as autoridades do povo (23.13). Ali, a cena passa para as deliberações mais judiciais das sessões privadas para as cenas dominadas pelas multidões enfurecidas, que pressionaram até que Jesus fosse sentenciado à morte, e morte de cruz (23.13-25).[1]

Alguns pontos importantes são aqui destacados.

A prisão de Jesus no Getsêmani (22.47-53)

O relato que Lucas dá a respeito da detenção de Jesus é mais curto que o dos demais evangelistas; mesmo assim, inclui matéria exclusiva, como a pergunta dos discípulos (22.49), a cura da orelha de Malco (22.51) e a referência ao poder das trevas (22.53).[2] Várias pessoas fizeram parte da trágica cena da prisão de Jesus no Getsêmani. Vamos analisar a participação de cada uma delas para o nosso ensino.

Em primeiro lugar, *o próprio Jesus* (22.52,53). Tanto os inimigos como os discípulos de Jesus tinham ideias distorcidas a seu respeito. Seus inimigos pensavam que Ele era um impostor, um blasfemo, que arrogava para Si o título de Messias. Seus discípulos, por sua vez, pensavam que Ele era um Messias político que restauraria a nação de Israel e os colocaria numa posição de privilégios. Jesus, por sua vez, mostrou à multidão que veio prendê-Lo, bem como aos Seus discípulos, que nada estava acontecendo de improviso nem de forma acidental, mas estas coisas estavam acontecendo para que se cumprissem as Escrituras (Mc 14.49).

Todas as etapas da caminhada de Jesus do Getsêmani ao Calvário foram preanunciadas séculos antes de Jesus vir ao mundo (Sl 22; Is 53). A ira de Seus inimigos, a rejeição pelo Seu próprio povo, o tratamento que recebeu como um criminoso, tudo foi conhecido e profetizado antes.

Jesus revela que o Seu reino é espiritual e Suas armas não são carnais. A hora da Sua paixão havia chegado, por isso Ele não foi preso, mas se entregou (Jo 18.4-6). Em toda essa desordenada cena, Jesus é o único oásis de serenidade. Ao lermos o relato, temos a impressão de que

---

[1] NEALE, David A. *Novo comentário bíblico Beacon Lucas 9-24*, p. 274.
[2] MORRIS, Leon L. *Lucas: introdução e comentário*, p. 293.

era Ele, e não a polícia do Sinédrio, quem dirigia as coisas. A luta no Jardim do Getsêmani havia terminado, e agora Jesus experimentava a paz de quem tinha a convicção que estava fazendo a vontade de Deus.[3]

Em segundo lugar, *Judas Iscariotes* (22.47,48).

Destacamos três fatos acerca de Judas.

Judas, o ingrato (22.47). Lucas diz que Judas era um dos doze. Ele foi chamado por Cristo. Recebeu deferência especial entre os doze a ponto de cuidar da bolsa como tesoureiro do grupo. Ouviu os ensinos de Jesus e viu Seus milagres. Foi amado por Cristo e desfrutou do subido privilégio de ter comunhão com Ele. Jesus lavou seus pés e advertiu-o na mesa da comunhão. Mas Judas, dominado pelo pecado da avareza, abriu brecha para o diabo entrar em sua vida e, agora, associa-se aos inimigos de Cristo para prendê-Lo.

Judas, o traidor (22.48). Jesus desafia abertamente o ato de Judas e o chama de traição, mas não o impede de prosseguir.[4] A traição é uma das atitudes mais abomináveis e repugnantes. O traidor é alguém que aparenta ser inofensivo. É um lobo com pele de ovelha. Ele traz nos lábios palavras aveludadas, mas no coração carrega setas venenosas. Já na primeira menção de sua pessoa, ele foi marcado como aquele que entregaria Jesus (6.16). Na segunda referência a ele, nós o encontramos de tocaia, aguardando sua oportunidade (22.3,4). Nesta terceira e última ocasião, ele tem a sua chance (22.48), o momento da sua vida! Fica evidente o que havia dentro de Judas. Depois ele sai de cena, pois nos interrogatórios já não precisam mais dele. Assim, ele é totalmente "aquele que entregou".

Judas, o dissimulado (22.47,48). João 13.30 e 18.2-11 registram as atividades de Judas na noite em que ele entregou Jesus. A senha de Judas para entregar Jesus era um beijo (22.47,48). William Barclay diz que era costume saudar um rabi com um beijo. Era um sinal de afeto e respeito para um superior amado.[5] Quando Judas disse: *Aquele a quem eu beijar, é esse; prendei-o, e levai-o em segurança* (Mc 14.44),

---

[3]BARCLAY, William. *Lucas*, p. 266.
[4]ROBERTSON, A. T. *Comentário Lucas à luz do Novo Testamento Grego*, p. 362.
[5]BARCLAY, William. *Marcos*, p. 354,355.

usou a palavra *filein*, que é o termo comum. Mas, quando o texto diz que Judas, aproximando-se, o beijou (Mc 14.45), a palavra empregada é *katafilein*. A palavra *kata* está na forma intensiva, e *katafilein* é o termo com o significado de beijar como um amante beija a sua amada.[6] Assim, Judas não apenas beija Jesus, mas o beija efusiva e demoradamente.[7] A palavra *katafilein* significa não apenas beijar fervorosamente, mas também prolongadamente. O beijo prolongado de Judas tinha a intenção de dar à multidão uma oportunidade de ver a pessoa que devia ser presa.[8] Judas usa o símbolo da amizade e do amor para trair o Filho de Deus, e Jesus mais uma vez tirou sua máscara, dizendo-lhe: *Judas, com um beijo trais o Filho do homem?* (22.48). Esta frase deve ter ressoado nos ouvidos de Judas como uma marcha fúnebre durante o breve período de estéril remorso que precedeu sua vergonhosa morte.

É digno de nota que, na mesa da comunhão, todos os discípulos chamaram Jesus de Senhor, apenas Judas o chamou de Mestre. Agora, Judas não ousa novamente chamá-Lo de Senhor. Na verdade, nenhum homem pode dizer que Jesus é o Senhor, senão pelo Espírito Santo (1Co 12.3). Enquanto Judas trai Jesus com um beijo, este o chama de amigo (Mt 26.50). De fato, Jesus era amigo dos pecadores. O amor divino estava abrindo a porta da última oportunidade de arrependimento e salvação para Judas. Mas ele estava completamente obcecado pelo diabo, ao qual havia voluntariamente permitido entrar em seu coração.[9]

Em terceiro lugar, **os discípulos e Pedro** (22.49-51). Os discípulos definitivamente não haviam interpretado corretamente o que Jesus havia lhes dito sobre a espada (22.36). Então, no aceso da batalha, no Getsêmani, quando a turba chega armada com espadas e porretes para prenderem Jesus (22.52), eles tentam a resistência armada e perguntam: *Senhor, feriremos à espada?* (22.49). Pedro nem esperou a resposta, sacou sua espada e cortou a orelha de Malco (Jo 18.10,11). O Pedro dorminhoco é agora o Pedro valente. Porque não orou nem vigiou, está

---

[6] BARCLAY, William. *Marcos*, p. 355.
[7] TRENCHARD, Ernesto. *Una exposición del Evangelio según Marcos*, p. 190.
[8] RIENECKER, Fritz; ROGERS, Cleon. *Chave linguística do Novo Testamento Grego*, p. 96.
[9] GIOIA, Egidio. *Notas e comentários à harmonia dos Evangelhos*, p. 346.

travando a batalha errada, com as armas erradas. Pedro fez uma coisa tola ao atacar Malco (Jo 18.10), pois não lutamos batalhas espirituais com armas físicas (2Co 10.3-5). Ele usou a arma errada, no tempo errado, para o propósito errado, com a motivação errada. Não tivesse Jesus curado Malco, Pedro poderia ter sido preso também; e, em vez de três, poderia haver quatro cruzes no Calvário. Ele ainda não havia compreendido que Jesus tinha vindo exatamente para aquela hora e estava decidido a beber o cálice que o Pai O havia dado (Jo 18.11). Jesus impede Seus discípulos de pagar o mal com o mal, e ainda cura Malco, o homem ferido por Pedro. Concordo com Anthony Ash quando ele diz que a cura de Malco demonstrou o amor de Jesus pelos Seus inimigos, a aceitação voluntária de Sua missão e Sua política de não violência.[10]

Em quarto lugar, *a multidão* (22.47,52,53). A turba capitaneada por Judas e destacada para prender a Jesus era composta pelos principais sacerdotes, escribas e anciãos, bem como pelos guardas do templo. Lucas menciona uma multidão (22.47). O Sinédrio tinha a seu dispor um grupo de soldados para manter a ordem do templo. João 18.3 menciona uma "escolta" que consistia em seiscentos homens, um décimo de uma legião. O Sinédrio entendeu que um destacamento de soldados seria prudente e necessário. As autoridades romanas, por outro lado, estavam muito desejosas de evitar tumultos em Jerusalém durante a celebração das festividades, e rapidamente concordaram em fornecer o apoio da escolta de soldados.

Esse grupo foi armado até os dentes, com tochas, lanternas, espadas e porretes, para prender a Jesus (Mc 14.43). Até então, não tinham conseguido "apanhá-Lo" nem com palavras (Mc 12.13); agora o próprio Deus O entrega. As palavras de reprovação do Senhor a Seus aprisionadores no versículo 53 soa idêntica nos evangelhos. Ele mostra que Sua detenção não se concretizou por meio da astúcia e do poderio deles, mas aconteceu segundo o desígnio de Deus.[11]

Jesus encara, sozinho Seus inimigos, sofre sozinho nas mãos deles, e sozinho dará a sua vida para que aqueles que O aceitam como Senhor

---

[10]Ash, Anthony Lee. *O Evangelho segundo Lucas*, p. 311.
[11]Rienecker, Fritz. *Evangelho de Lucas*, p. 443.

e Salvador nunca estejam sozinhos. Assim Jesus se entrega. A importância moral do Seu sacrifício de expiação sobre a cruz consiste na voluntariedade de Sua morte. As autoridades das trevas tiveram a sua vez![12] Concordo com Moisés Ribeiro quando ele diz que o poder das trevas só pode agir com a permissão divina, por um tempo determinado e com alcance limitado.[13] Nessa mesma linha de pensamento, John Charles Ryle diz que os inimigos dos crentes têm sua "hora", porém um dia nunca mais a terão. Após a prisão, condenação e morte de Jesus, vem a ressurreição. Após a perseguição a Estêvão, ocorre a conversão de Paulo. Após o martírio de John Huss, aconteceu a reforma na Alemanha. Após as perseguições da rainha Maria Tudor, na Inglaterra, veio o estabelecimento do protestantismo inglês. Os invernos mais intensos foram seguidos pela primavera. As tempestades mais severas foram sucedidas pelo céu azul.[14]

A **negação de Pedro** na casa do sumo sacerdote (22.54-62)

Pedro foi um homem de fortes contrastes. Tinha arroubos de intensa ousadia e atitudes de extrema covardia. Era um homem de altos e baixos, de escaladas e quedas, de bravura e fraqueza. O texto em tela nos fala sobre alguns aspectos da vida de Pedro, que comentamos a seguir.

Em primeiro lugar, **Pedro, o que segue a Jesus de longe** (22.54). A queda de Pedro foi progressiva. Ele desceu o primeiro degrau nessa queda quando, fundamentado na autoconfiança, quis ser mais espiritual que os outros. Agora, ele desce mais um degrau quando, depois da fuga covarde, tenta remediar a situação, seguindo a Jesus de longe. Sua coragem desvaneceu. Ele não queria perder Jesus de vista, mas também não estava disposto a assumir os riscos do discipulado. Seguir a Jesus de longe é caminhar pela estrada escorregadia da tentação.

Em segundo lugar, **Pedro, o que se assenta na roda dos escarnecedores** (22.55). Pedro assentou-se na roda dos escarnecedores. Tornou-se

---

[12]ROBERTSON, A. T. *Comentário Lucas à luz do Novo Testamento grego*, p. 363.
[13]RIBEIRO, Moisés Pinto. *O Evangelho segundo Lucas*, p. 279.
[14]RYLE, John Charles. *Meditações no Evangelho de Lucas*, p. 361.

parte deles. Procurou esquentar-se junto à fogueira enquanto sua alma estava mergulhada numa geleira espiritual. Misturou-se com gente que blasfemava do nome de Cristo. Colocou uma máscara e tornou-se um discípulo disfarçado no território do inimigo. Essa mistura com o mundo custou-lhe muito caro. Aquele ambiente tornou-se um terreno escorregadio para seus pés e um laço para sua alma. Enquanto Jesus está sofrendo abuso físico e psicológico, não longe dali, no pátio da casa do sumo sacerdote, Pedro se esquenta ao fogo. Moisés Ribeiro chama a atenção para o fato de que foi o próprio Pedro que se colocou naquela situação difícil. É no meio das tentações que vencemos, mas não quando voluntariamente as procuramos.[15]

Em terceiro lugar, **Pedro, o covarde** (22.56,57). Uma criada identifica Pedro e o aponta como discípulo de Cristo, mas ele nega isso peremptoriamente. O Pedro seguro do Cenáculo torna-se um homem medroso e covarde no pátio da casa do sumo sacerdote. O Pedro autoconfiante, que prometeu ir com Jesus à prisão e sofrer com Ele até a morte, agora nega a Jesus. O Pedro que pensou ser mais forte do que seus colegas, agora, cava um abismo na sua alma, agredindo sua consciência e negando o que de mais sagrado possuía. Ele estava negando seu nome, sua fé, seu apostolado, seu Senhor. Um abismo chama outro abismo. Uma queda leva a outros tombos. Pedro não conseguiu manter-se disfarçado no território do inimigo. Logo foi identificado como um seguidor de Cristo e, quando interpelado por uma criada, O negou diante de todos, dizendo: *Não sei o que dizes* (Mt 26.70). Marcos registra: *Não O conheço, nem compreendo o que dizes* (Mc 14.68). Pedro negou sua fé diante de todos. Negou seu Senhor mesmo depois de advertido pelo Senhor. Quebrou o juramento de seguir a Cristo até a prisão e até a morte. O medo dominou a fé, e ele caiu vertiginosamente.

Em quarto lugar, **Pedro, o perjuro** (22.58). Pedro não apenas nega que é discípulo de Cristo, mas faz isso com juramento (Mt 26.72). Ele nega com forte ênfase. Empenha sua palavra, sua honra e sua fé para negar sua relação com o Filho de Deus. Quanto mais alto fala, mais demonstra que está mentindo.

---

[15] RIBEIRO, Moisés Pinto. *O Evangelho segundo Lucas*, p. 282.

Em quinto lugar, **Pedro, o praguejador** (22.59,60). Além de negar a Cristo com juramento, Pedro desce o último degrau da sua queda, quando começa a praguejar e a falar impropérios na tentativa de esquivar-se de Cristo (Mt 26.74). Ele quis ser o mais forte e tornou-se o mais fraco. Quis ser melhor que os outros e tornou-se o pior. Quis colocar seu nome no topo da lista dos fiéis e caiu de forma mais vergonhosa para o último lugar. Pedro, abalado com as acusações, começa a amaldiçoar e jurar, negando o seu mais sagrado relacionamento.

Pedro negou a Cristo três vezes. Negou na primeira vez (Mt 26.70), jurou na segunda vez (Mt 26.72) e praguejou na terceira vez (Mt 26.74). A boca de Pedro está cheia de praguejamento e blasfêmia, e não de votos de fidelidade. Ele caiu das alturas da autoconfiança para o abismo da derrota mais humilhante. Três vezes é tentado e três vezes é vencido! John Charles Ryle tem razão quando diz: "O mais nobre dos crentes é apenas uma criatura frágil, mesmo em seus melhores momentos".[16]

Em sexto lugar, **Pedro, o arrependido** (22.60b-62). Mesmo não tendo falado contra Jesus, Pedro O nega de três modos: pleiteando ignorância, negando fazer parte da comunidade dos discípulos e recusando qualquer relação com Jesus. Diferentemente de Judas, Pedro e os outros discípulos não tentam destruir Jesus para se salvar. "Eles não estão contra Jesus. Eles falham em ser por Ele".[17]

O arrependimento de Pedro passa pelo canto do galo. De que maneira o canto do galo encorajou Pedro? Serviu para lhe garantir que, mesmo sendo um prisioneiro, atado e aparentemente indefeso diante de Seus captores, Jesus continuava no controle de todas as coisas. O canto do galo foi uma garantia a Pedro de que ele poderia ser perdoado, pois naquele instante ele se *lembrou da palavra do Senhor* (22.61). Essa lembrança lhe deu esperança. O canto do galo mostrou a Pedro que um novo dia começava.[18] Deus não despreza o coração

---

[16] RYLE, John Charles. *Meditações no Evangelho de Lucas*, p. 363.
[17] RHOADS, David; DEWEY, Joanna; MICHIE, Donald. *Mark as story: an introduction to the narrative of a gospel*. Minneapolis, MN: Fortress Press, 1984, p. 128.
[18] WIERSBE, Warren W. *Comentário bíblico Beacon*. Vol. 5, p. 351.

compungido. Na manhã da ressurreição, o anjo enviou uma mensagem especial de ânimo para Pedro (Mc 16.7) e o próprio Jesus ressurreto apareceu a ele (24.34).

O arrependimento de Pedro passa também pelo olhar penetrante de Jesus (22.61). *Então, voltando-se o Senhor, fixou os olhos em Pedro, e Pedro se lembrou da palavra do Senhor, como lhe dissera: Hoje três vezes Me negarás, antes de cantar o galo.* Charles Childers diz que provavelmente o olhar de Jesus ocorreu quando Jesus estava sendo levado de Seu interrogatório diante de Anás para o Seu julgamento perante Caifás e o Sinédrio. João se refere a essa mudança de local, ao dizer: *Então, Anás o enviou, manietado, à presença de Caifás, o sumo sacerdote* (Jo 18.24). Jesus foi levado pelo pátio enquanto Pedro estava veementemente engajado em sua terceira negação.[19]

Jesus olhou para Pedro exatamente no momento em que este insistia em dizer que não conhecia a Cristo. Os olhos de Cristo penetraram na alma de Pedro, devassaram seu coração, radiografaram suas mazelas. Foi o olhar de Jesus que desatou Pedro das amarras da situação em que se encontrava. O galo faz Pedro lembrar; o olhar de Jesus desperta nele a confiança do Seu pleno perdão.

O arrependimento de Pedro foi demonstrado pelo seu choro amargo (22.62). *Então, Pedro saindo dali, chorou amargamente.* Mateus diz: *E saindo dali, chorou amargamente* (Mt 26.75). Marcos registra: *E caindo em si, desatou a chorar* (Mc 14.72). Em vez de engolir o veneno como Judas, Pedro o vomitou. O remorso é a consciência do pecado, sem a ferida do arrependimento e sem o remédio do perdão. O remorso leva à morte, mas o perdão produz vida. O choro de Pedro foi o choro do arrependimento, da vergonha pelo pecado, da tristeza segundo Deus. Logo que as lágrimas do arrependimento rolaram pelo rosto de Pedro, seus pés se apressaram a sair daquele ambiente. Pedro saiu e chorou. Mas, antes de desatar em choro, ele caiu em si. Vejamos então os passos: ele caiu em si; ele saiu dali; ele desatou a chorar; ele chorou amargamente.

---

[19] CHILDERS, Charles L. *O Evangelho segundo Lucas*, p. 486.

O **processo religioso** contra Jesus no Sinédrio (22.63-71)

O relato de Lucas inverte a ordem de Mateus e Marcos em vários aspectos. Primeiro, coloca a negação de Pedro antes do interrogatório na casa do sumo sacerdote, enquanto os outros sinóticos situam esse episódio depois. Segundo, Lucas não menciona as falsas testemunhas que acusaram Jesus acerca da destruição do templo. Terceiro, Lucas nada diz sobre o fato de as autoridades procurarem algum falso testemunho contra Jesus. Quarto, Lucas não menciona o interrogatório do sumo sacerdote. Quinto, Lucas só menciona os açoites e zombarias na quinta à noite, porém registra a reunião formal do Sinédrio na sexta pela manhã, enquanto os outros evangelistas sinóticos mencionam as duas reuniões do Sinédrio, tanto a reunião informal da quinta à noite quanto a reunião formal da sexta pela manhã. Consequentemente, Lucas menciona os açoites e as zombarias a Jesus antes do interrogatório, e não depois dele, como outros evangelistas sinóticos.

William Barclay interpreta corretamente quando diz que durante a noite Jesus havia sido levado ante o sumo sacerdote. Este foi um interrogatório privado e extraoficial. As autoridades tinham o propósito de arrancar de Jesus alguma declaração que pudesse incriminá-Lo. Depois disto, Jesus foi entregue aos guardas do templo. Estes zombaram dEle e O açoitaram. Ao chegar no outro dia de manhã, levaram-No ao Sinédrio. Isso porque o Sinédrio não podia reunir-se oficialmente à noite.[20]

Daqui até a ressurreição de Jesus, o poder das trevas atua com toda a sua força (22.53). Dividimos em dois pontos esse processo eclesiástico.

Em primeiro lugar, *o julgamento na noite da prisão* (22.63-65). Os que detinham Jesus, ou seja, a turba que O prendeu no jardim do Getsêmani e O levou para a casa do sumo sacerdote, não poupou Jesus de bofetadas e zombarias. Isso revela a injustiça do julgamento, pois o réu (Jesus) é maltratado antes de começar o julgamento. Eles não estavam interessados em investigar a verdade, mas sim em dar vazão à sua perversidade. A lei romana dizia que, *in dubio pro reo*, mas no tribunal

---
[20]BARCLAY, William. *Lucas*, p. 267.

eclesiástico dos judeus, o inocente é castigado antes de ser investigado. A perversidade deles pode ser vista em três aspectos.

Zombaria e pancadaria (22.63). Aqueles que prenderam Jesus zombaram dEle e deram-Lhe pancadas. Jesus foi esbordoado, cuspido e espancado na casa do sumo sacerdote.

Escárnio (22.64). Eles vendaram os olhos de Jesus e escarneceram dEle, dizendo: *Profetiza-nos: quem é que Te bateu?*

Blasfêmias (22.65). Lucas diz que esses algozes falavam muitas outras coisas contra Ele, blasfemando.

Em segundo lugar, *o julgamento do Sinédrio na manhã do dia seguinte* (22.66-71). A cena muda do pátio do sumo sacerdote para a câmara do concílio, a "Sala de Pedras Lavradas". Passa-se ao longo de um dos átrios interiores do templo, de acordo com as tradições rabínicas, ou um átrio na esquina sudoeste da área do templo, de acordo com Josefo (*Guerra dos Judeus*, V.4.2).[21] A acusação religiosa forjada contra Jesus na quinta-feira à noite foi de blasfêmia. Agora, eles precisam lançar sobre Jesus uma acusação política, que encontraria mais eco no pretório romano. Por isso, reuniram-se bem cedo na sexta-feira, agora com o Sinédrio pleno, não apenas para dar legitimidade à reunião ilegal da quinta-feira à noite, mas também para acusá-Lo de conspiração contra César.

Destacamos aqui cinco fatos.

Uma reunião ilegal (22.66). As autoridades já haviam decidido matar Jesus antes mesmo de interrogá-Lo (22.1,2; Mc 14.1; Jo 11.47-53). Eles haviam planejado fazer isso depois da festa, para evitarem uma revolta popular (Mc 14.2), mas a atitude de Judas de O entregar adiantou o intento deles (Mc 14.10,11). O processo não era senão um simulacro de justiça do princípio até o fim, pois não tinha outra finalidade que a de dar uma aparência de legalidade ao crime predeterminado. As leis não permitiam um prisioneiro ser interrogado pelo Sinédrio à noite. No dia antes de um sábado ou de uma festa, todas as sessões estavam proibidas. Nenhuma pessoa podia ser condenada senão por meio do testemunho de duas testemunhas, mas eles contrataram testemunhas falsas.

---

[21]CHAMPLIN, Russell Norman. *O Novo Testamento interpretado versículo por versículo*, p. 285.

O anúncio de uma pena de morte só podia ser feito um dia depois do processo. Nenhuma condenação podia ser executada no mesmo dia, mas eles sentenciaram Jesus à morte durante a noite e logo cedo O levaram a Pilatos para que este lavrasse Sua pena de morte. A reunião do Sinédrio foi ilegal, uma vez que foi à noite, e o método usado também foi ilegal, visto que eles ouviram apenas testemunhas contra Jesus.

Robertson diz que esta é a segunda vez que Jesus comparece diante do Sinédrio, meramente mencionada por Marcos 15.1 e Mateus 27.1, que relatam com detalhes a primeira vez e o julgamento. Lucas menciona esta reunião de ratificação depois do amanhecer, para dar a aparência de legalidade ao seu voto de condenação, já decidido (Mt 26.66; Mc 14.64).[22]

Um interrogatório hipócrita (22.67,68). Os membros do Sinédrio perguntam a Jesus se Ele era o Cristo, o Messias. Jesus responde desmascarando a hipocrisia da pergunta deles, que não estavam interessados na verdade, mas apenas em disfarçar suas intenções malignas atrás de formalidades legais.

Uma declaração ousada (22.69). Jesus não se intimida como Pedro, mas afirma corajosamente Sua identidade. Em vez de declarar que agora é o Cristo sofredor, enfatiza que será o Cristo vencedor, que estará à direita do Todo-poderoso Deus. Leon Morris diz que "a mão direita" era o lugar de honra, e "sentar-se" era a posição de descanso. Feita a sua obra salvífica, Jesus teria o lugar da mais alta honra.[23] Jesus faz alusão à Sua glorificação como algo tão certo que já tinha começado. O evangelista Marcos diz que Jesus falou não apenas de Sua glorificação, mas também de sua segunda vinda nas nuvens (Mc 14.62). Robertson diz que Jesus responde à pergunta deles sobre "o Messias" afirmando que Ele é "o Filho do homem", e assim eles o entendiam. Ele também declara ser igual a Deus, e eles aceitam.[24]

Uma confirmação corajosa (22.70). Os juízes, julgando que haviam colhido uma declaração incriminatória de Jesus, forçam uma confirmação:

---

[22]ROBERTSON, A. T. *Comentário Lucas à luz do Novo Testamento grego*, p. 366,367.
[23]MORRIS, Leon L. *Lucas: introdução e comentário*, p. 298.
[24]ROBERTSON, A. T. *Comentário Lucas à luz do Novo Testamento grego*, p. 367.

Então, disseram todos: Logo, Tu és o Filho de Deus? Jesus, sem nenhum temor, diante da plena convicção que estava lavrando Sua sentença de morte, reafirmou: *Vós dizeis que Eu Sou*. Robertson recomenda: Observe como estes três epítetos são usados como praticamente equivalentes. Eles perguntam sobre "o Messias". Jesus afirma que Ele é o Filho do homem, e que se assentará à direita do Deus Todo-poderoso. Eles entendem que isto é uma declaração de que Ele é o Filho de Deus (tanto humanidade quanto divindade). Jesus aceita o desafio e admite ter uma tríplice identidade (o Messias, o Filho do homem, o Filho de Deus).[25]

Uma sentença condenatória (22.71). O Sinédrio parecia ter conseguido o seu intento. Lucas registra: "Clamaram, pois: Que necessidade mais temos de testemunho? Porque nós mesmos o ouvimos da sua própria boca". A sentença de morte foi lavrada. O Seu caminho era a cruz, para que o nosso caminho fosse o céu.[26] Agora é só levar o caso ao governador romano para bater o martelo. O juízo dos membros do Sinédrio está correto, a menos que Jesus não fosse quem Ele afirmava ser. Mas eles estariam eternamente errados, pois ele é o Cristo, o Filho do homem, o Filho de Deus. Eles fizeram sua escolha e devem enfrentar Cristo como juiz.[27] É muito conhecido o desafio feito por C. S. Lewis, quando ele diz que em relação a Jesus só temos três possibilidades: ou Jesus é um mentiroso, ou um lunático ou Deus. Se Ele não é quem disse ser, é um mentiroso; se Ele não é quem pensou ser, é um lunático; mas se Ele é quem disse ser, então, Ele é Deus!

Para que o leitor tenha uma compreensão plena do julgamento de Jesus, faremos um apanhado de outras importantes informações contidas nos evangelhos de Mateus, Marcos e João. Jesus passou por dois julgamentos: um eclesiástico e outro civil; o primeiro aconteceu nas mãos dos judeus, o segundo, nas mãos dos romanos. Tanto o julgamento judaico quanto o romano tiveram três estágios. O julgamento judaico foi aberto por Anás, o antigo sumo sacerdote (Jo 18.13-24). Em seguida, Jesus foi levado ao tribunal pleno para ouvir as testemunhas

---

[25]ROBERTSON, A. T. *Comentário Lucas à luz do Novo Testamento grego*, p. 367.
[26]RIBEIRO, Moisés Pinto. *O Evangelho segundo Lucas*, p. 286.
[27]ROBERTSON, A. T. *Comentário Lucas à luz do Novo Testamento grego*, p. 367.

(Mc 14.53-65), e então à sessão matutina do dia seguinte para o voto final de condenação (Mc 15.1). Jesus foi a seguir enviado a Pilatos (Mc 15.1-5; Jo 18.28-38), que o enviou a Herodes (23.6-12), que o mandou de volta a Pilatos (Mc 15.6-15; Jo 18.39-19.6). Pilatos atendeu ao clamor da multidão e entregou Jesus para ser crucificado.

Os juízes de Jesus foram: Anás, ganancioso, venenoso como uma serpente e vingativo (Jo 18.13); Caifás, rude, hipócrita e dissimulado (Jo 11.49,50); Pilatos, supersticioso e egoísta (Jo 18.29); e Herodes Antipas, imoral, ambicioso e superficial. Esses foram Seus juízes. Vejamos quais foram os passos nesse processo.

Primeiro, *Jesus diante de Anás* (Jo 18.13). Antes de Jesus ser levado ao Sinédrio, Ele foi conduzido até Anás manietado pela escolta, o comandante e os guardas dos judeus. Este era sogro de Caifás, o sumo sacerdote. Apesar de ter sido destituído pelos romanos, muitos judeus consideravam Anás o verdadeiro sumo sacerdote, pois esse cargo era vitalício e sumamente honroso; e, como cabeça de toda a família, ele exercia enorme influência na direção da política da nação por meio do seu genro Caifás. O interrogatório de Jesus por este potentado tinha por objeto orientar o sumo sacerdote, ao mesmo tempo que oferecia tempo suficiente para a convocação de um quórum do Sinédrio durante as altas horas da noite.

Segundo, *Jesus diante do Sinédrio* (Mc 14.53-65). O Sinédrio era a suprema corte dos judeus, composta por 71 membros. Entre eles, havia saduceus, fariseus, escribas e homens respeitáveis, que eram os anciãos. O sumo sacerdote presidia o tribunal. Nesta época, os poderes do Sinédrio eram limitados porque os romanos governavam o país. O Sinédrio tinha plenos poderes nas questões religiosas. Parece que tinha também certo poder de polícia, embora não tivesse poder para infligir a pena de morte. Suas funções não eram condenar, mas preparar uma acusação pela qual o réu pudesse ser julgado pelo governador romano.[28]

Embora ilegalmente, o Sinédrio reuniu-se naquela noite da prisão de Jesus para o interrogatório. Eles já tinham a sentença, mas

---

[28]BARCLAY, William. *Marcos*, p. 358.

precisavam de uma forma para efetivá-la. Os membros do Sinédrio estavam movidos pela inveja (Mc 15.10), pela mentira (Mc 14.55,56), pelo engano (Mc 14.61) e pela violência (Mc 14.65). Os que interrogaram Jesus não buscavam a verdade, e sim evidências contra Ele, diz Dewey Mulholland.[29]

Vamos destacar alguns pontos importantes desse julgamento e, para uma melhor compreensão, examinaremos o que os outros evangelistas também registraram.

As testemunhas (Mc 14.56-59). Segundo a lei, não era lícito condenar ninguém à morte senão pelo testemunho concordante de duas testemunhas (Nm 35.30), de modo que não havia "causa legal" contra ninguém até que se houvesse cumprido este requisito. No caso de Jesus, as primeiras testemunhas desqualificam-se, pois suas histórias não concordam entre si (Dt 17.6). Quão trágico é que um grupo de líderes religiosos estivesse encorajando o povo a mentir, e isso durante uma sessão muito especial.

O testemunho (Mc 14.55). O Sinédrio procurou testemunho contra Jesus, mas não achou. Muitos testemunharam contra Jesus, mas os testemunhos não eram coerentes (Mc 14.56). Outros testemunharam falsamente, baseando-se nas palavras do Senhor em João 2.19: *Jesus lhes respondeu: Destruirei este santuário, e em três dias o reconstruirei.* O próprio evangelista João interpreta as palavras de Jesus: *Ele, porém, se referia ao santuário do Seu corpo* (Jo 2.21). Mas os acusadores torceram a fala de Jesus, acrescentando palavras que Ele não havia dito: "Nós o ouvimos declarar: Eu destruirei este santuário *edificado por mãos humanas* e em três dias construirei *outro, não por mãos humanas*" (Mc 14.58). Essas falsas testemunhas mantiveram a velha e falsa versão dos judeus (Jo 2.20), dando a ideia de que Jesus havia planejado uma conspiração, um atentado militar contra o santuário de Jerusalém, destruindo, assim, o centro religioso da nação. Adolf Pohl diz que esta acusação foi explosiva porque naquele tempo a profanação de templos era um dos delitos mais monstruosos.[30] Marcos nos informa que nem assim o testemunho

---

[29] MULHOLLAND, Dewey M. *Marcos: introdução e comentário*, 2005, p. 220.
[30] POHL, Adolf. *Evangelho de Marcos*, p. 419.

deles era coerente (Mc 14.59). Aliás, Marcos classifica essas acusações de *falso testemunho* (Mc 14.57-59), porque Jesus nunca disse que destruiria o templo em Jerusalém. Não havendo testemunho contra Jesus, Ele devia ser solto.

O solene juramento (Mc 14.60-62). Diante das falsas acusações, Jesus guardou silêncio e não Se defendeu, cumprindo assim a profecia: *... como ovelha muda perante os seus tosquiadores, ele não abriu a boca* (Is 53.7; 1Pe 2.23). O complô corria o risco de fracassar, mas Caifás estava determinado a condenar Jesus. Então, deixa de lado toda diplomacia e sob juramento faz a pergunta decisiva a Jesus: "És tu o Cristo, o Filho do Deus bendito?" Jesus respondeu: *Eu sou, e vereis o Filho do homem assentado à direita do Todo-poderoso e vindo com as nuvens do céu* (Mc 14.61,62). O evangelista Mateus registra esta pergunta sob juramento: *Eu te conjuro pelo Deus vivo que nos digas se tu és o Cristo, o Filho de Deus* (Mt 26.63). Ernesto Trenchard diz que a resposta tão elevada e digna do Senhor a Caifás foi a primeira declaração pública na qualidade de Messias que o Senhor deu ao povo, e isso no momento em que, humanamente falando, a afirmação significava a morte.[31] À declaração acrescentou o Senhor a profecia da Sua segunda vinda em glória. Com esta resposta, Jesus demonstra Seu valor e Sua confiança, pois sabia que sua resposta significava Sua morte, mas não titubeou em proferi-la com clareza, pois tinha a total confiança do Seu triunfo final. Assim, Jesus proporciona ao Sinédrio todas as evidências que eles buscavam para o condenarem à morte.[32]

A condenação (Mc 14.63,64). A condenação de Jesus por blasfêmia da parte do Sinédrio foi tão ilegal quanto a pergunta sob juramento feito por Caifás, pois a lei exigia larga meditação antes de promulgar-se uma sentença condenatória. Não deram a Jesus nenhum direito de defesa, pois já haviam fechado os olhos contra a luz que resplandecia da vida do Senhor, assim como os ouvidos contra a Palavra divina que saía da Sua boca (At 13.27), diz Ernesto Trenchard.[33]

---

[31] TRENCHARD, Ernesto. *Una exposición del Evangelio según Marcos*, p. 195.
[32] MULHOLLAND, Dewey M. *Marcos: introdução e comentário*, p. 220.
[33] TRENCHARD, Ernesto. *Una exposición del Evangelio según Marcos*, p. 195,196.

Os insultos (Mc 14.65). Havia pouca consideração para um réu condenado e, imediatamente depois da sentença condenatória, os servidores dos sacerdotes começaram a esbofetear o Senhor, cuspindo-Lhe, escarnecendo dEle e iniciando, assim, o cumprimento dos desprezos e sofrimentos físicos que Ele haveria de sofrer (Is 50.6; 52.14-53.10). Dewey Mulholland diz que, embora Roma proibisse o Sinédrio de exercitar a penalidade de morte, seus membros manifestam sua ira contra Jesus. Alguns cospem, outros batem nEle. Alguns zombam dEle e exigem que profetize. Os guardas O espancam. Ironicamente, as ações deles só confirmam o papel profético e a messianidade de Jesus, cumprindo as predições que Ele fizera (Mc 8.31; 10.33,34).[34]

---

[34]MULHOLLAND, Dewey M. *Marcos: introdução e comentário*, p. 222.

61
O julgamento civil de Jesus

Lucas 23.1-25

ENCERRADA A SEÇÃO DO SINÉDRIO NA SEXTA PELA MANHÃ, Jesus foi levado a Pilatos, o governador romano (23.1). Essa condução de Jesus até Pilatos é enfatizada por todos os evangelistas. Assim, o processo passa por um novo estágio. Agora Jesus é levado ao tribunal secular.[1]

O julgamento civil de Jesus é divido em três estágios. Na primeira fase, Jesus está diante de Pilatos (23.1-7). Na segunda fase, Jesus está diante de Herodes (23.8-12). E, na terceira fase, Jesus volta a Pilatos, que cede à pressão do povo e o entrega para ser crucificado (23.13-25).

A **primeira fase** do julgamento civil – Jesus diante de Pilatos (23.1-7)

Destacamos a seguir alguns pontos importantes desta primeira fase do julgamento civil de Jesus diante de Pilatos.

Em primeiro lugar, ***Jesus é acusado*** (23.1,2). Os homens da religião e da lei, por ciúmes e inveja, acusaram Jesus porque não queriam perder a popularidade nem queriam abrir mão do poder. Jeitosamente haviam criado mecanismos para enriquecerem por meio da religião e estavam

---
[1] RIENECKER, Fritz. *Evangelho de Lucas*, p. 448.

mais interessados na glória pessoal do que na salvação do povo. Como eles não tinham poder para matar ninguém (Jo 18.31), levaram Jesus ao governador Pôncio Pilatos (26 d.C. a 36 d.C.), o quinto procurador de Samaria e Judeia. Inflexível, sem compaixão e obstinado, Pilatos se deleitava em molestar os judeus. Era um homem orgulhoso, egoísta, cruel e supersticioso.[2]

Logo que levaram Jesus ao pretório, Pilatos saiu para lhes falar e indagou: *Que acusação trazeis contra este homem?* (Jo 18.29). Os principais sacerdotes acusaram Jesus de muitas coisas (Mc 15.3) e com grande veemência (23.10). Jesus, porém, ficou em silêncio e não abriu a boca. Há momentos que o silêncio é mais eloquente do que as palavras, porque pode dizer coisas que as palavras não podem. Durante as últimas horas de sua vida, em quatro ocasiões diferentes, Jesus "não abriu a sua boca": na presença de Caifás (Mc 14.60,61), de Pilatos (Mc 15.4,5), de Herodes (23.9) e, novamente, de Pilatos (Jo 19.9). Isso falou mais alto do que qualquer palavra que Ele pudesse ter dito. Esse silêncio se transformou em condenação dos seus atormentadores e era prova de sua identidade como o Messias.

Quais foram as primeiras acusações contra Jesus? Lucas registra: *E ali passaram a acusá-Lo, dizendo: Encontramos este homem pervertendo a nossa nação, vedando pagar tributo a César e afirmando ser Ele o Cristo, o Rei* (23.2). É digno de nota que Lucas não registra a verdadeira acusação que traziam contra Ele, que era blasfêmia (22.71). Eles sabiam que essa acusação religiosa não lograria êxito diante do governador romano. Por isso, concentraram suas baterias contra Jesus fazendo acusações de cunho político. Qual foi o teor dessas acusações? Vejamos.

Insubordinação (23.2). Três foram as acusações levantadas contra Jesus. Eles disseram a Pilatos que encontraram Jesus pervertendo a nação, vedando pagar tributo a César e afirmando ser Ele o Cristo, o Rei. As duas primeiras acusações eram mentirosas. A terceira, resultado de um falso entendimento. Jesus não era rei no sentido que eles acusavam, um rei político, mas era rei no sentido que eles rejeitavam, o Messias. O termo grego *diastréphonta*, usado para dizer que Jesus

---

[2]HENDRIKSEN, William. *Lucas*. Vol. 2, p. 623,624.

estava pervertendo a nação, significa que Ele dava ao povo um rumo errado, tornando-os confuso e rebelde. Jesus desviava o povo do bom caminho, em que os superiores religiosos e os romanos tanto o queriam ver andar.[3] David Neale diz que a acusação apontava para uma ameaça de Jesus desviar a nação para a heresia.[4] Quanto à acusação de que Jesus proibia pagar tributo a César, tratava-se de uma mentira deslavada, pois Jesus ensinou exatamente o contrário (20.25). Itamir Neves diz que a essência dessas três acusações é que Jesus era um subversivo e estava provocando distúrbios nas três áreas fundamentais da sociedade: 1) ideológica: ele perverte a nação; 2) econômica: ele proíbe o pagamento de tributo a César; 3) política: ele afirma ser rei.[5]

Agitador do povo (23.5,14). Eles afirmaram diante de Herodes: "Ele alvoroça o povo, ensinando por toda a Judeia, desde a Galileia, onde começou, até aqui". Sua tática astuta era colocar em primeiro plano o aspecto "político" de sua queixa. Desse modo, visavam encobrir a verdadeira motivação de seu agir.[6]

Malfeitor (Jo 18.30). Os acusadores inverteram a situação. Eles eram malfeitores, mas Jesus havia andado por toda parte fazendo o bem (At 10.38).

Blasfêmia (Jo 19.7). Eles disseram a Pilatos que Jesus Se fazia a Si mesmo Filho de Deus e, segundo a lei judaica, isso era blasfêmia, um crime capital para os judeus.

Conspiração (Jo 19.12). Os judeus clamavam a Pilatos: *Se soltas a este, não és amigo de César; todo aquele que se faz rei é contra César.* Os judeus, por inveja, acusaram Jesus de conspiração política. Colocaram-No contra o Estado, contra Roma, contra César. A acusação contra Cristo é que Ele era o "Rei dos judeus". Embora Jesus tenha admitido que era Rei, explicou que o Seu reino não era deste mundo, de forma que não constituía nenhum perigo para César em Roma.[7]

---

[3]RIENECKER, Fritz. *Evangelho de Lucas*, p. 449.
[4]NEALE, David A. *Novo comentário bíblico Beacon Lucas 9-24*, p. 276.
[5]NEVES, Itamir. *Comentário bíblico de Lucas*, p. 227.
[6]RIENECKER, Fritz. *Evangelho de Lucas*, p. 449.
[7]TRENCHARD, Ernesto. *Una exposición del Evangelio según Marcos*, p. 202.

Adolf Pohl diz que, seja o que for que "Rei dos judeus" tenha significado para Jesus, pelo menos não era derramar o sangue de outros, mas o Seu próprio pelos outros (Mc 10.45; 14.24).[8] Essa acusação foi pregada em sua cruz em três idiomas: hebraico, grego e latim (Jo 19.19,20). O hebraico é a língua da religião, o grego é a língua da filosofia, e o latim é a língua da lei romana. Tanto a religião como a filosofia e a lei se uniram para condenar a Jesus. John Charles Ryle oportunamente diz que o servo de Cristo não deve ficar surpreso se tiver de beber do mesmo cálice. Elias foi chamado de *perturbador de Israel* (1Rs 18.17). Jeremias foi acusado de ser o homem que não procurava *o bem-estar para o povo, e sim o mal* (Jr 38.4). Os apóstolos foram chamados de *uma peste* que havia *transtornado o mundo* (At 24.5; 17.6).[9]

Em segundo lugar, **Jesus é interrogado** (23.3). Pilatos faz uma pergunta objetiva e direta a Jesus: *És tu o rei dos judeus?* Respondeu Jesus: *Tu o dizes*. Quando Jesus afirmou diante de Pilatos que era o rei dos judeus, ele não estava falando no sentido de um reinado temporal, terreno e político. Esse reinado Ele rejeitou. Antonio Vieira, comentando sobre esse episódio, afirma que Jesus é acusado de que queria ser o rei dos judeus, mas é precisamente condenado porque não quis ser rei dos judeus. No pretório, Pilatos pergunta a Jesus se Ele era rei. Qual o conceito de rei para Pilatos, para os acusadores, para o povo e para o próprio Jesus? Se o conceito de realeza era o entendido pelos acusadores, o crime era religioso. Se o conceito de realeza era o entendido por Pilatos, caracterizava-se um crime político. Havia, pois, o conceito de realeza do próprio Jesus, quando Ele diz solenemente que o seu reino não é deste mundo. Aquela não era uma escola filosófica ou academia jurídica para discutir os conceitos doutrinários sobre realeza. Jesus estava ali para construir, com o próprio sangue, este reinado de amor e justiça. O primeiro governo e autoridade existente no mundo foi instalado por Deus, ainda no Paraíso, quando Ele criou o homem à Sua imagem e semelhança, e mandou que dominasse os peixes do mar, as aves do céu, os animais da selva. Para governar animais irracionais, quis

---

[8] POHL, Adolf. *Evangelho de Marcos*, p. 428.
[9] RYLE, John Charles. *Meditações no Evangelho de Lucas*, p. 368.

Deus que o homem tivesse entranhas divinas, tendo sido feito à Sua imagem e semelhança, tão sublime e tão grande era aos olhos de Deus a missão de governar. Mas Adão foi contaminado pelo orgulho e pela autossuficiência e quis ser igual a Deus. Este é o grande pecado dos que governam: tornar-se grandes como deuses para governarem os homens como demônios. Historicamente, todos aqueles que se autoatribuíram poderes divinos e se tornaram absolutos governaram como se Deus não existisse. Quando Jesus disse diante de Pilatos que seu reino não era deste mundo, traçava as coordenadas que o distinguiam de todos os poderes terrenos, ou seja, seu reino não teria as características dos impérios humanos.[10]

Em terceiro lugar, **Pilatos apresenta a primeira defesa de Jesus no início do julgamento** (23.4). No início do julgamento, quando o Sinédrio lhe apresentou o caso, Pilatos disse: *Não vejo neste homem crime algum*. Pilatos estava convicto da inocência de Jesus e demonstrou isso três vezes. Pilatos percebeu a intenção maldosa dos sacerdotes. Ele sabia que as acusações contra Jesus eram meramente para proteger a instituição religiosa, não o trono de César. O que faltou em Pilatos foi coragem para sustentar aquilo em que ele cria.

Em quarto lugar, **Jesus é acusado de agitador social** (23.5). Os acusadores não desistem diante da defesa de Pilatos e da eloquência dos fatos. Ao contrário, ampliam as acusações, dizendo que Jesus é um agitador social que promove alvoroço desde a Galileia até a Judeia.

Em quinto lugar, **Jesus é transferido para outra jurisdição** (23.6,7). Ao saber Pilatos que Jesus era galileu, portanto, da jurisdição de Hero-des, e estando este, naqueles dias, em Jerusalém, remeteu Jesus a Herodes. Pilatos sente-se aliviado, transferindo para Herodes Antipas a responsabilidade da decisão. Morris diz que, no Império Romano, um processo jurídico era usualmente realizado na província onde o delito havia sido cometido, embora pudesse ser referido à província à qual pertencia o acusado. Pilatos, portanto, poderia ter prosseguido com o processo. Era, porém, um elogio gracioso a Herodes encaminhar o processo a ele, e era tecnicamente possível, porque, como galileu,

---

[10] VIEIRA, Antonio. *Mensagem de fé para quem não tem fé*, p. 144-147.

Jesus era da jurisdição de Herodes. Herodes provavelmente subira para Jerusalém a fim de observar a Páscoa, tática que, segundo esperava, agradaria seus súditos. Ele estava, portanto, disponível.[11]

A **segunda fase** do julgamento civil – Jesus diante de Herodes (23.8-12)

Somente Lucas registra este episódio em que Jesus é enviado a Herodes. Este Herodes é filho de Herodes, o Grande. É conhecido como Herodes Antipas. Era o tetrarca da Galileia e Pereia (3.1). Foi este Herodes que se casou ilegalmente com Herodias, sua cunhada e sobrinha. Pelo pecado de haver tomado "a esposa de seu irmão Herodes Filipe", foi severa e reiteradamente repreendido por João Batista (3.19,20). Em vez de arrepender-se, mandou João para o cárcere. Mais, tarde, ordenou que João fosse decapitado, a pedido de Herodias (9.7-9). Quando soube dos milagres operados por Jesus, exclamou: *Este é João Batista, ressurreto dentre os mortos* (Mt 14.1,2), nutrindo o desejo de vê-lo (9.9). Já a caminho de Jerusalém, alguns fariseus advertiram Jesus: *Retira-Te e vai-Te daqui, porque Herodes quer matar-Te* (13.31). Jesus, em vez de fugir diante da ameaça, chamou Herodes de raposa. Agora, Jesus é levado como prisioneiro à sua presença. Ele se alegra sobremaneira em ver Jesus, pois havia ouvido falar a respeito daquele homem, mas jamais estivera face a face com Ele. Sua alegria, entretanto, era carnal. Herodes não estava interessado em Seus ensinos nem em reconhecer Sua missão redentora. Queria apenas ver algum espetáculo sobrenatural. Agora Jesus, o Filho de Deus, está diante desse homem lascivo, assassino, impenitente, intranquilo, inquisitivo e supersticioso. Herodes espera ver um milagre operado por Jesus, mas de Jesus não escuta sequer uma palavra.[12]

Duas coisas nos chamam a atenção aqui.

Em primeiro lugar, *a frivolidade de Herodes* (23.8,9,11,12). Herodes quer ver milagres, mas não quer reconhecer Jesus como o Messias. Usa toda a sua esperteza para interrogar Jesus de muitos modos. Quer

---

[11] Morris, Leon L. *Lucas: introdução e comentário*, p. 301.
[12] Hendriksen, William. *Lucas*. Vol. 2, p. 629.

apanhar alguma informação para incriminá-lo. Percebendo Herodes que Jesus reagiu às suas perguntas com imperturbável silêncio, juntamente com seus asseclas, passou a tratá-lo com desprezo e escárnio, vestindo-o de um manto aparatoso, antes de devolvê-lo a Pilatos.

Em segundo lugar, *a ferocidade dos acusadores* (23.10). Os principais sacerdotes e os escribas acompanharam a soldadesca romana que foi levar Jesus a Herodes. Ali, diante dessa raposa sutil, ergueram seu libelo acusatório contra Jesus, acusando-O com grande veemência. Morris diz que Herodes não cumpriu os desejos nem de Pilatos nem dos judeus. Ele não tinha interesse no caso e recusou-se a julgar o processo, devolvendo Jesus a Pilatos.[13] A partir desse episódio, a inimizade entre Pilatos e Herodes foi desfeita. Qualquer que tenha sido a causa dessa inimizade, foi abandonada quando diante deles se colocou um objeto comum de desprezo, temor e ódio. Não importa sobre o que eles discordavam, mas Herodes e Pilatos concordaram em desprezar e perseguir a Cristo (At 4.27).[14]

A **terceira fase** do julgamento civil – Jesus novamente diante de Pilatos (23.13-25)

Chamamos a atenção para alguns pontos aqui.

Em primeiro lugar, **Pilatos apresenta a segunda defesa da inocência de Jesus no meio do julgamento** (23.13-15). Agora, no meio do julgamento, Pilatos volta a defender a inocência de Jesus. Quando Jesus voltou, depois de ter sido examinado por Herodes, Pilatos disse aos sacerdotes e ao povo: *Apresentastes-me este homem como agitador do povo; mas, tendo-O interrogado na vossa presença, nada verifiquei contra Ele dos crimes de que O acusais. Nem tampouco Herodes, pois no-Lo tornou a enviar. É, pois, claro que nada contra Ele se verificou digno de morte*. Na realidade, Pilatos reconheceu a inocência de Jesus três vezes (23.4,14,15,22; Jo 18.38; 19.4,6).

Em segundo lugar, **Pilatos tentou meias-medidas** (23.16,22). Pilatos disse aos judeus: *Portanto, depois de castigá-Lo, soltá-Lo-ei*. Essa foi uma

---

[13]MORRIS, Leon L. *Lucas: introdução e comentário*, p. 301.
[14]RYLE, John Charles. *Meditações no Evangelho de Lucas*, p. 369.

ação covarde, pois, se Jesus era inocente, deveria ser imediatamente solto e não primeiramente açoitado. O açoite romano era algo terrível. O réu era atado e dobrado, de tal maneira que suas costas ficavam expostas. O chicote era uma larga tira de couro com pedaços de chumbo, bronze e ossos nas pontas. Através desses açoites, as vítimas tinham o corpo rasgado e, às vezes, um olho chegava a ser arrancado. Alguns morriam durante os açoites, outros ficavam loucos. Poucos eram os que suportavam esse flagelo sem desmaiar. Foi isso o que fizeram com Jesus, diz William Barclay.[15] Nesta mesma trilha de pensamento, Adolf Pohl esclarece que a flagelação romana era executada de maneira bárbara. O delinquente era desnudado e amarrado a uma estaca ou coluna, às vezes também simplesmente jogado no chão e chicoteado por vários carrascos, até que estes se cansavam, e pedaços de carne ensanguentada do açoitado ficavam pendurados.[16]

Em terceiro lugar, **Pilatos tentou fazer a coisa certa da forma errada** (23.17-19). Pilatos tentou fazer a coisa certa (soltar Jesus) da forma errada (pela escolha da multidão). Propôs anistiar um prisioneiro criminoso esperando que a multidão escolhesse Jesus, mas o povo preferiu Barrabás. Marcos descreve Barrabás como um homicida e tumultuador (Mc 15.7), enquanto Mateus o chama de *um preso muito conhecido* (Mt 27.16). João descreve-o como *um salteador* (Jo 18.40), e Lucas assim o retrata: *Barrabás estava no cárcere por causa de uma sedição na cidade e também por homicídio* (23.19). William Barclay diz que a escolha da multidão por Barrabás revela as escolhas do homem sem Deus: a ilegalidade em lugar da lei; a guerra em lugar da paz; o ódio e a violência em lugar do amor.[17] Rienecker, nessa mesma linha de pensamento, diz que a escolha entre Jesus e Barrabás representa uma nítida demonstração de como é perigoso deixar a voz do povo decidir sobre as questões mais importantes da vida, sobre verdade e justiça. Os motivos que levam um povo a uma escolha tão fatídica são sempre os mesmos. É a rebelião contra o Senhor e seu Cristo (At 3.14).[18]

---

[15]BARCLAY, William. *Marcos*, p. 367.
[16]POHL, Adolf. *Evangelho de Marcos*, p. 430.
[17]BARCLAY, William. *Marcos*, p. 366.
[18]RIENECKER, Fritz. *Evangelho de Lucas*, p. 453.

Em quarto lugar, **Pilatos tentou soltar Jesus e pacificar os judeus** (23.20,21). Pilatos estava plenamente convencido de duas coisas: a inocência de Jesus e a inveja dos judeus (Mc 15.10). Pilatos não apenas reconhece a inocência de Jesus, mas pessoalmente quer soltá-Lo. Por isso, insistiu com Seus acusadores acerca de Sua inculpabilidade diante das graves acusações. Seu desejo de soltar Jesus não logrou êxito. Os acusadores, com gosto de sangue na boca, gritavam mais ainda: *Crucifica-O, crucifica-O*. Hendriksen destaca que vezes e mais vezes essas terríveis palavras foram pronunciadas aos gritos, até que se converteram em um refrão monótono, um canto espantoso. A multidão ia aos poucos se convertendo em uma turba alvoroçada, um populacho emocionado, que gritava furiosamente.[19]

Em quinto lugar, **Pilatos apresenta a terceira defesa da inocência de Jesus no final do julgamento** (23.22,23a). Lucas nos informa que pela terceira vez Pilatos perguntou ao povo: *Que mal fez este? De fato, nada achei contra Ele para condená-Lo à morte; portanto, depois de O castigar, soltá-Lo-ei*. Pilatos revela aqui mais uma vez sua covardia, pois, se estava convencido da inocência de Jesus, não deveria castigá-Lo, mas soltá-Lo. O governador está encurralado pela sua própria consciência. Sabe que o réu é inocente, que os acusadores são culpados, mas não quer tomar uma decisão impopular. O evangelista João registra com grande ênfase o drama vivenciado por Pilatos nesse julgamento. Chegou um momento em que Pilatos temeu (Jo 19.8) e procurou soltar Jesus (Jo 19.12).

Em sexto lugar, **Pilatos cedeu, entregando Jesus para ser crucificado** (23.23b-25). Embora Pilatos considerasse Jesus inocente de qualquer crime, sucumbiu à pressão e entregou Jesus para ser crucificado, mandando soltar Barrabás. Morris diz que é possível ver nesse episódio um indício da morte substitutiva de Jesus. Aquele que é culpado da morte é perdoado, e o inocente morre no seu lugar.[20]

Disseram a Pilatos: *Se soltas a este, não és amigo de César! Todo aquele que se faz rei é contra César!* (Jo 19.12). Morris diz que os gritos da turba ganharam a contenda.[21] Hendriksen tem razão ao dizer que essa

---
[19]HENDRIKSEN, William. *Lucas*. Vol. 2, p. 638.
[20]MORRIS, Leon L. *Lucas: introdução e comentário*, p. 304.
[21]MORRIS, Leon L. *Lucas: introdução e comentário*, p. 304.

afirmação dos judeus fez que o irresoluto Pilatos se rendesse, de modo que ele pronunciou a sentença para que Jesus fosse crucificado. Esse pronunciamento, feito por um juiz que reiteradas vezes declarou que Jesus era inocente, é a mais espantosa tergiversação da justiça que a história já registrou.[22] O apóstolo Pedro, quando se referiu à morte de Cristo, menciona-a como um ato praticado pela nação judaica: *Matastes o Autor da vida* (At 3.15). E Paulo, referindo-se aos judeus, declarou aos tessalonicenses: *Os que não somente mataram o Senhor Jesus e os profetas* (1Ts 2.15).

John Stott diz que foram quatro as razões que levaram Pilatos a entregar Jesus para ser crucificado. Primeiro, o clamor da multidão (23.23) – o clamor da multidão prevaleceu. Segundo, o pedido da multidão (23.24) – Pilatos decidiu atender ao pedido deles. Terceiro, a vontade da multidão (23.25) – quanto a Jesus, entregou-O à vontade deles. Quarto, a pressão da multidão (Jo 19.12) – os judeus disseram a Pilatos: *Se soltas a este, não és amigo de César*. A escolha é entre a verdade e a ambição, entre a consciência e a conveniência.[23] A partir desse momento, os soldados romanos começam a escarnecer de Jesus (Mc 15.16-20), principalmente em relação às duas principais acusações apresentadas contra Ele: a acusação política de que Ele se fazia rei e a acusação religiosa de que Ele se fazia Filho de Deus. Jesus foi escarnecido pelas acusações de blasfêmia e sedição. Zombaram dEle como rei (Mc 15.17,18), vestindo-O com púrpura e colocando em sua cabeça uma coroa de espinhos. Também zombaram dEle como Filho de Deus (Mc 15.19,20), esbordoando Sua cabeça e cuspindo nEle. Pondo-se de joelhos, O adoravam. Depois de terem escarnecido dEle, conduziram Jesus para fora, com o fim de crucificá-Lo. Pilatos, por sua vez, tentando protestar sua inocência, lavou as mãos, dizendo: *Estou inocente do sangue deste justo* (Mt 27.24). Warren Wiersbe tem razão ao dizer que Pilatos estava mais preocupado com sua reputação do que com seu caráter, pois, apesar de estar convencido da verdade, por conveniência, amordaçou a voz de sua consciência e entregou Jesus para ser crucificado.[24]

---

[22]HENDRIKSEN, William. *Lucas*. Vol. 2, p. 640.
[23]STOTT, John. *A cruz de Cristo*, 1991, p. 44.
[24]WIERSBE, Warren W. *Comentário bíblico expositivo*. Vol. 5, p. 354.

62

A via dolorosa, o calvário, a morte e o sepultamento de Jesus

Lucas 23.26-56

CONDENADO NO TRIBUNAL RELIGIOSO E NO TRIBUNAL CIVIL, agora, Jesus carrega publicamente o instrumento de Seu patíbulo, uma cruz infame, e isso de forma pública, pelas apinhadas ruas de Jerusalém. Ele seria crucificado fora dos muros da cidade, pois a lei determinava que as execuções deviam ser feitas fora da cidade (Lv 24.14; Nm 15.35,36; 19.3; 1Rs 21.13; Jo 19.20; Hb 13.12,13). Destacamos aqui alguns pontos.

A via dolorosa (23.26-32)

Em primeiro lugar, ***Simão carrega a cruz de Jesus*** (23.26). Depois de carregar a própria cruz (Jo 19.16,17), Jesus sucumbiu debaixo do lenho maldito. Suas forças já estavam esgotadas. Desde a noite anterior, Ele estivera preso, sendo castigado. No pretório de Pilatos, acabara de ser açoitado e escarnecido. Seu corpo estava sangrando. Sob o peso da cruz, Jesus marcha do pretório romano para o Gólgota sob os apupos da multidão tresloucada e sedenta de sangue. Os açoites dos soldados romanos eram crudelíssimos (Jo 19.16,17). Não aguentando mais o desmesurado castigo, Jesus cai, exangue, sob o lenho pesado. Nesse ínterim, os soldados obrigam Simão Cireneu a carregar a cruz. Simão Pedro, orgulhosamente, disse que iria com Jesus até à prisão e à morte (Lc 22.33), mas foi

Simão Cireneu, e não Simão Pedro, que ajudou o Mestre.[1] Este homem vai a Jerusalém para participar da Festa da Páscoa e encontra-se com o Cordeiro de Deus. Sua vida é transformada; seus filhos, Alexandre e Rufo, são convertidos ao evangelho; e sua esposa torna-se como uma mãe para o apóstolo Paulo (Rm 16.13).

Em segundo lugar, *as mulheres choram por Jesus* (23.27-32). O evangelho de Lucas dá especial destaque às mulheres. A. T. Robertson chega a dizer que, nos evangelhos, não há um só exemplo de uma mulher sendo hostil a Cristo. O evangelho de Lucas é, apropriadamente, chamado de evangelho de Sexo Feminino (1.39-56; 2.36-38; 7.11-15,37-50; 8.1-3; 10.38-42; 11.27; 13.11-16).[2] Foram as mulheres que sustentaram financeiramente o ministério de Jesus (8.1-3). Foram elas que seguiram Jesus em sua via dolorosa (23.27-32). Foram elas que subiram o monte e testemunharam a crucificação de Jesus (23.49). Foram elas que acompanharam o sepultamento de Jesus (23.55). Foram elas que se dirigiram ao sepulcro de Jesus no domingo cedo (24.1). Foram elas que testemunharam de primeira mão a ressurreição de Jesus (24.9).

É claro que essas mulheres que estão chorando aqui não são discípulas de Jesus, mas, mesmo assim, demonstram compaixão pelo sofrimento atroz imposto a Ele. Três fatos devem ser aqui destacados.

O lamento das mulheres (23.27). As mulheres, sensíveis à agonia de Jesus, batiam no peito e lamentavam, demonstrando, assim, sua compaixão.

A ordem de Jesus (23.28). Mesmo ferido, sangrando e caminhando para o lugar de sua execução, Jesus ordena às mulheres que não chorem por Ele. Ele não caminhava para a cruz como um mártir. Não fazia aquela marcha porque estava impotente diante do poder religioso e político que O prendera e O sentenciara à morte. Ele caminhava com firmeza pétrea, não levando em conta a ignomínia da cruz, pela alegria que Lhe estava proposta. Jesus ordena que as mulheres chorem por si mesmas e por seus filhos. O Filho de Deus não precisava ser objeto de comiseração. As mulheres e seus filhos sim. William Hendriksen tem razão ao dizer que, ainda que justamente naquele momento Jesus

---

[1]WIERSBE, Warren W. *Be Diligent*, p. 146.
[2]ROBERTSON, A. T. *Comentário Lucas à luz do Novo Testamento Grego*, p. 377.

esteja sofrendo os tormentos do inferno, Seu futuro é seguro. Contudo, a menos que aquelas mulheres se arrependam, o futuro delas de modo algum o é, tampouco o de seus filhos.³ Jesus dirige o olhar delas sobre si mesmo para o futuro delas e de seus filhos.⁴

A profecia de Jesus (23.29-31). Jesus profetiza o cerco de Jerusalém como um sinal do que acontecerá em Sua segunda vinda. O massacre romano foi inescapável e crudelíssimo. O general Tito destruiu a cidade e dispersou o povo. Matou à espada velhos e crianças, homens e mulheres, e vendeu os restantes como escravos. Esse amargo episódio do ano 70 d.C. é um símbolo do que acontecerá na Sua segunda vinda, quando os homens buscarão a morte e não a acharão. O que aconteceu com Jesus, o lenho verde, foi um símbolo daquilo que acontecerá às pessoas impenitentes, o lenho seco, no dia do juízo. Nessa mesma linha de pensamento, Morris pondera:

> Se Jesus, o inocente, sofria assim, qual será a sorte dos judeus culpados? Se os romanos tratam assim aquele que reconhecem ser inocente, o que farão aos culpados? Se os judeus tratam assim a Jesus que viera trazer a salvação, qual será seu castigo por matá-lo? Se os judeus se comportam assim antes da sua iniquidade chegar à sua consumação, como serão quando assim acontecer? Se pesar está despertado pelos eventos presentes, como será quando a calamidade futura sobrevier?⁵

A expressão *montes caí sobre nós* aparece três vezes nas Escrituras. A primeira é em Oseias 10.8 e está ligada à queda de Samaria em 722 a.C. A segunda é em Lucas 23.30 e está LIGADA à queda de Jerusalém (13.33-35; 19.41-44; 21.20-24; 23.27-31) no ano 70 d.C. A terceira é em Apocalipse 6.16,17 e está ligada ao dia da ira do Cordeiro, o dia do juízo.⁶

Concordo com Hendriksen quando ele diz que não se fará justiça a essa passagem a menos que seja ressaltado que todo o discurso de

---
³HENDRIKSEN, William. *Lucas*. Vol. 2, p. 647.
⁴RIENECKER, Fritz. *Evangelho de Lucas*, p. 455.
⁵MORRIS, Leon L. *Lucas: introdução e comentário*, p. 305.
⁶HENDRIKSEN, William. *Lucas*. Vol. 2, p. 647,648.

Jesus às "filhas de Jerusalém" é uma inesquecível manifestação da plena ausência de autocomiseração do Salvador e de Seu ardente desejo, mesmo agora, de que os impenitentes se arrependam e sejam salvos.[7]

Em terceiro lugar, *os malfeitores são levados com Jesus* (23.32). Para cumprir a profecia de Isaías: ... *foi contado com os transgressores...* (Is 53.12), Jesus foi levado ao Calvário com dois malfeitores, para ser executado com eles e entre eles. Provavelmente, ao crucificar Jesus entre esses dois criminosos, a intenção de Pilatos teria sido a de insultar ainda mais os judeus, dizendo: "É esse seu rei, ó judeus, um rei que nem mesmo é melhor que um bandido, e que por isso merece ser crucificado entre dois deles".[8]

A **crucificação** (23.33-38)

Em primeiro lugar, *o local da crucificação* (23.33). Gólgota, o local onde Jesus foi crucificado, era também conhecido como Lugar da Caveira. Naquele tempo, os criminosos condenados à morte de cruz não tinham o direito de um sepultamento digno. Muitos deles eram deixados apodrecendo na cruz. Talvez esse monte tenha recebido esse nome não apenas por causa da sua aparência de caveira, mas também por causa do horror de ter sempre ali corpos putrefatos.

Em segundo lugar, *o ato da crucificação* (32.33). A morte de Cristo foi o mais horrendo crime. Judeus e gentios, religiosos e políticos, todos se uniram para condenar Jesus. Pedro denunciou as autoridades judaicas por matarem o Autor da vida (At 3.15) e O crucificarem por mãos de iníquos (At 2.23). Destacamos alguns pontos importantes aqui.

A dor física da crucificação. A crucificação era a forma de os romanos aplicarem a pena de morte. Os judeus consideravam maldito aquele que era dependurado na cruz (Gl 3.13). A pessoa morria de câimbras, asfixiada e com dores crudelíssimas. Dewey Mulholland diz que a morte vinha por sufocação, esgotamento ou hemorragia.[9] Concordo com Morris quando ele escreve: "A crucificação era uma morte lenta e

---

[7]HENDRIKSEN, William. *Lucas*. Vol. 2, p. 649.
[8]HENDRIKSEN, William. *Lucas*. Vol. 2, p. 651.
[9]MULHOLLAND, Dewey M. *Marcos: introdução e comentário*, p. 228.

dolorosa, mas é digno de nota que nenhum dos evangelistas dá ênfase ao tormento que Jesus suportou. O Novo Testamento concentra-se na relevância da morte de Jesus, e não em atormentar nossos sentimentos".[10]

A dor moral e espiritual da crucificação. Jesus foi escarnecido como Profeta (Mc 15.29), como Salvador (Mc 15.31) e como Rei (Mc 15.32). Foi crucificado entre dois ladrões como um criminoso. Foi despido de Suas vestes, que acabaram repartidas pelos soldados. Foi zombado quando pregaram em Sua cruz a acusação que O levou à morte (Mc 15.26). Foi escarnecido pelos transeuntes que ainda alimentavam as mentiras espalhadas pelas falsas testemunhas (Mc 15.29). Foi vilipendiado pelos principais sacerdotes e escribas que o acusaram de impotente para ajudar a Si mesmo (Mc 15.31). Foi insultado até mesmo por aqueles que com Ele terminaram crucificados (Mc 15.32).

Em terceiro lugar, **os condenados à crucificação** (32.33). Jesus foi crucificado no Calvário, bem como os dois malfeitores, um à direita, outro à esquerda. Esses dois homens crucificados com Jesus viveram à margem da lei e estavam colhendo o resultado de seus pecados. O evangelista Mateus informa que, no começo, após serem crucificados, ambos os malfeitores blasfemaram contra Jesus: *E os mesmos impropérios Lhe diziam os ladrões que haviam sido crucificados com Ele* (Mt 27.44). Marcos, de igual modo, registra: *Também os que com Ele foram crucificados O insultavam* (Mc 15.32).

Em quarto lugar, **a Palavra de Jesus na cruz** (23.34). Esta é a primeira palavra que Jesus proferiu na cruz, a palavra do perdão. Jesus não apenas roga ao Pai para perdoar seus executores, mas também lhes atenua a culpa, dizendo que eles não sabiam o que estavam fazendo. Sete foram as palavras proferidas por Jesus na cruz:

1. *Pai, perdoa-lhes, porque não sabem o que fazem* (23.34);
2. *Em verdade Te digo que hoje estarás Comigo no paraíso* (23.43);
3. *Mulher, eis aí teu filho. Eis aí tua mãe* (Jo 19.26,27).
4. *Deus Meu, Deus Meu, por que Me desamparaste?* (Mt 27.46; Mc 15.34);

---

[10] MORRIS, Leon L. *Lucas: introdução e comentário*, p. 306.

5. *Tenho sede* (Jo 19.28);
6. *Está consumado* (Jo 19.30);
7. *Pai, nas Tuas mãos entrego o Meu espírito* (23.46).

Em quinto lugar, **as atitudes ao pé da cruz** (23.35-37). Satanás sempre tentou desviar Jesus da cruz. Agora, dá sua última cartada. O povo gritou para Jesus salvar-Se a Si mesmo (23.35), e os principais sacerdotes e escribas disseram-Lhe: *Desça agora da cruz o Cristo, o rei de Israel, para que vejamos e creiamos* (Mc 15.32). Os soldados escarneceram dEle e, aproximando-se, trouxeram-Lhe vinagre, dizendo: *Se Tu és rei dos judeus, salva-Te a ti mesmo* (23.36,37). Se Jesus salvasse a Si mesmo, não poderia salvar a nós. Se ele descesse da cruz, nós desceríamos ao inferno. Porque ele não desceu da cruz, nós podemos subir ao céu.

Em sexto lugar, **a epígrafe na cruz** (23.38). Pilatos mandou confeccionar uma tabuleta para pregar no cimo da cruz de Cristo, com os dizeres: "ESTE É O REI DOS JUDEUS". Mateus e Marcos dizem que essa escrita acima da cabeça de Jesus era a acusação contra Ele (Mt 27.37; Mc 15.26). Esses dizeres estavam escritos em letras gregas, romanas e hebraicas, ou seja, no idioma religioso, político e filosófico. Certamente, o propósito de Pilatos era escarnecer de Jesus. Hendriksen diz que, por meio da inscrição, Pilatos está dizendo: "Aqui está Jesus, o rei dos judeus, o único rei que eles puderam produzir, um rei crucificado de conformidade com o próprio pedido urgente deles".[11] Entretanto, o que foi escrito retratava a verdade insofismável de que Jesus é não apenas o Rei dos judeus, mas também o Rei dos reis!

Os dois malfeitores crucificados com Jesus (23.39-43)

Jesus foi crucificado no meio de dois malfeitores. Ele está na cruz do centro porque os homens O julgaram como o maior criminoso. A verdade dos fatos é que Jesus está na cruz do centro porque aquela cruz do centro divide a história e os homens. Um dos ladrões se perdeu; o outro foi salvo. Um se arrependeu; o outro permaneceu impenitente.

---

[11] HENDRIKSEN, William. *Lucas*. Vol. 2, p. 656.

Vejamos o que aconteceu a esses dois ladrões.

Em primeiro lugar, *a cruz da esquerda*. O ladrão da esquerda pereceu porque, mesmo na hora da morte, continuou rebelde contra Deus. Pereceu porque perdeu sua última oportunidade. Pereceu porque rejeitou a Cristo ao morrer. Pereceu porque, embora estivesse perto de Cristo, não o reconheceu como seu Salvador. Ele se perdeu porque, embora tivesse orado, quis que sua vontade fosse feita. Perdeu-se porque quis ser salvo da sua própria maneira. O outro tinha o mesmo estilo de vida, recebeu a mesma sentença, estava exposto às mesmas circunstâncias, disse inicialmente os mesmos insultos, mas se arrependeu e foi salvo. Esse ladrão que foi salvo é um símbolo de todos aqueles que se arrependem e recebem de graça a salvação. O ladrão impenitente é um símbolo de todos aqueles que, a despeito do que veem e ouvem, rejeitam a salvação.

Em segundo lugar, *a cruz da direita*. Vamos nos deter na história desse ladrão que foi crucificado à direita de Jesus. Ele se arrependeu e foi salvo. O que podemos ver a seu respeito?

Ele era um ladrão (Mt 27.38). Ele não era apenas um larápio, um batedor de carteira, alguém que furtivamente roubava as pessoas. Não era um *cleptes*, como Judas Iscariotes, que roubava a bolsa. Era um *lestes*, como Barrabás, um homem que assaltava afrontosamente à mão armada. Era um criminoso que matava para roubar. Não respeitava a vida alheia nem a propriedade alheia. Esse homem passou a vida levando dor às pessoas. Sua vida foi um inferno para os outros. Era desonesto e violento, um monstro social. Era um perturbador da ordem pública, um câncer maligno da sociedade, alguém que só trouxe alívio para a sociedade quando recebeu pena de morte.

Ele era um malfeitor (23.32,33). Não apenas o caráter desse homem era pervertido, mas tudo quanto fazia também o era. Suas obras eram más. Seus frutos eram amargos. Ele é um instrumento do malfeitor, um agente do mal. Aonde ele chegava, o ambiente tornava-se tenso. A Bíblia diz que o pecado é a transgressão da lei. Somos diferentes uns dos outros em grau, mas não em natureza. O mal está dentro de nós. Ele brota do nosso coração. Todos somos malfeitores. O coração que batia no peito desse malfeitor bate também em nosso peito.

Ele estava enganado quanto a Cristo (Mt 27.40-43). A Bíblia diz que esse homem falou impropérios a Jesus e contra Jesus (Mt 27.44). Ele acompanhou os escribas, o povo e os soldados nesses impropérios. Era como um deles. Seus impropérios revelam quão equivocado ele estava a respeito de Cristo. Que impropérios foram esses? Primeiro, *Salva-Te a Ti mesmo se Tu és Filho de Deus* (Mt 27.40). Fica evidente que não apenas a vida desse ladrão estava errada, mas também sua teologia estava errada. Seu conceito de Jesus estava errado. No início, ele queria uma salvação sem a morte expiatória de Cristo. Era um humanista. Segundo, *Desça da cruz e creremos nEle* (Mt 27.42). Ele estava enganado quanto a Cristo e quanto a si mesmo. Jesus, porém, jamais buscou agradar a homens para que esses cressem nEle. Esse ladrão queria o Cristo dos milagres, e não o Cristo sofredor. Queria um herói, e não um redentor. Terceiro, *Salvou os outros, a si mesmo não pode salvar* (Mt 27.42). Jesus salvou os outros: ele curou, libertou, perdoou e salvou a todos quantos O buscaram. Porém, Jesus não poderia salvar-Se a si mesmo e ao mesmo tempo salvar a nós. Jesus não estava preso àquela cruz impotente como os ladrões. Ele estava ali voluntariamente. Ele decidiu ir para a cruz na eternidade (Ap 13.8). A cruz não foi um acidente, mas um apontamento. Ele não foi para a cruz porque Judas O traiu, porque Pedro O negou, porque os judeus O entregaram, porque Pilatos O sentenciou. Ele foi à cruz por amor. Quarto, *Confiou em Deus; pois venha livrá-Lo agora, se de fato Lhe quer bem* (Mt 27.43). Esse ladrão estava errado quanto à relação de Jesus com Deus Pai. Pensou que Jesus era um embusteiro que se dizia Filho de Deus sem o ser. Achou que Deus não O queria bem, por isso estava desamparado ali na cruz.

Ele tem seus olhos abertos e seu coração tocado (23.40-42). As palavras de Jesus na cruz e Sua atitude de não fuzilar seus executores com impropérios, antes rogar ao Pai perdão para eles, tocaram o coração desse criminoso crucificado à direita de Jesus. As palavras e a atitude de Jesus na cruz diante dos Seus algozes mudaram a vida daquele homem. Ele começou falando impropérios a Jesus e terminou quebrantado e arrependido ao lado de Jesus. Ele foi convertido na última hora. Foi tocado na undécima hora. John Charles Ryle cita os seis passos que esse homem deu em sua salvação: 1) uma preocupação com a atitude ímpia de seu companheiro em ultrajar a Cristo; 2) um pleno conhecimento de seu próprio pecado; 3) uma confissão sobre a inocência de Cristo; 4) uma demonstração de fé no poder e vontade de Cristo para salvá-lo; 5) uma oração; 6) uma humildade notória, pois pede apenas para Jesus se lembrar dele no seu reino futuro.[12]

Vamos detalhar um pouco mais o milagre da conversão desse criminoso salvo na última hora. Primeiro, ele temeu a Deus (23.40). Ele não apenas é tomado pelo temor a Deus, mas repreende aquele que não tem temor a Deus. No mesmo instante em que se arrepende, torna-se um evangelista. Ele, que viveu a vida toda sem temor a Deus e sem amor ao próximo, agora teme a Deus e se esforça para levar o próximo a Cristo. Segundo, ele reconheceu seu pecado (23.40,41). Ele reconhece que está na cruz por causa de suas mazelas, de seus crimes, de seus pecados. Sabe que está recebendo a justa e merecida punição dos seus erros. Ninguém pode ser salvo a menos que saiba que é pecador. Terceiro, ele reconhece que Jesus é inocente (23.41). Um pecador não poderia morrer vicariamente por outros pecadores. Jesus não tinha pecado, mas Se fez pecado. Ele foi feito pecado. Não tinha pecado pessoal, mas o nosso pecado foi lançado sobre Ele. Quarto, ele reconhece que Jesus é o Salvador e o Rei (23.41,42). Ele chama Jesus de Salvador. Sabe que Ele tem um reino. Compreende que está diante do próprio Filho de Deus. Seus olhos são abertos. Seu coração é tocado. A eternidade se descortina diante dele, que reconhece que está diante de quem pode perdoar, salvar e dar a vida eterna. Quinto, ele clamou a Jesus na última hora (23.42). Ele não pede a Jesus um lugar de honra. Apenas se lança completamente sob a graça do Salvador, pedindo que se lembre dele quando entrar no Seu reino. Ele pediu uma bênção em um futuro remoto, mas recebe uma promessa imediata: Hoje mesmo! O homem pediu para Jesus se lembrar dele e recebeu uma certeza inabalável: Hoje mesmo estarás comigo no paraíso.[13]

Jesus lhe garante a vida eterna (23.43). Quatro verdades são aqui destacadas. Primeiro, a salvação que Jesus oferece é certa (23.43). Jesus inicia sua resposta dizendo: *Em verdade te digo...* Ele vai tratar de um assunto certo, seguro, garantido. Ele não mente, não engana. Ele é o Salvador.

---
[12] RYLE, John Charles. *Meditações no Evangelho de Lucas*, p. 376.
[13] HENDRIKSEN, William. *Lucas*. Vol. 2, p. 658,659.

Segundo, a salvação que Jesus oferece é imediata (23.43). Jesus disse ao ladrão: *Hoje mesmo estarás comigo no paraíso*. Não amanhã. Não na hora da morte. Não depois da morte. Não num tempo indefinido após a morte. Não existe purgatório. Não existe reencarnação. Hoje mesmo. Terceiro, a salvação que Jesus oferece é gratuita (23.43). Aquele homem não tinha obras. Ele era malfeitor. Não tinha tempo para descer da cruz e ser batizado. Não tinha tempo de pagar suas dívidas. Aquele homem foi salvo sem mérito pessoal, sem obras pessoais, sem rituais religiosos. Jamais foi batizado, não pertenceu a uma igreja, nem recebeu a Ceia do Senhor. Mas se arrependeu e creu, e, por isso, foi salvo.[14] Concordo com Warren Wiersbe quando ele escreve: "Esse homem foi salvo inteiramente pela graça. Não merecia e não podia fazer coisa alguma para obter sua salvação, de modo que esta foi uma dádiva de Deus (Ef 2.8,9)".[15] Quarto, a salvação que Jesus oferece é comunhão com Ele no paraíso (23.43). A salvação é estar com o Salvador. O Salvador tem um paraíso, um jardim, um lar, uma cidade santa, o céu. Ele nos levará para Seu reino de luz. Lá estaremos para sempre com Ele. Lá o pecado não vai entrar; a morte não vai entrar; a dor e o luto não vão entrar. Esse é um lugar de bem-aventurança e um estado de felicidade eterna, pois estaremos para sempre com Aquele que é a fonte da felicidade.

Harold Willmington registra quatro contrastes na vida desse homem: 1) de manhã, o ladrão foi pregado à cruz; à noite, estava usando uma coroa; 2) de manhã, ele era um inimigo de César; à noite, era um amigo de Deus; 3) durante a manhã, ele foi desprezado pelos homens; à noite, estava em companhia dos anjos; 4) de manhã, ele morreu como um criminoso na terra; à noite, viveu como um cidadão dos céus.[16]

A **morte** de Jesus (23.44-49)

Destacamos aqui alguns pontos.

Em primeiro lugar, *as trevas* (23.44). A penúltima praga que assolou o Egito antes da morte do cordeiro pascal foram três dias de trevas.

---

[14]RYLE, John Charles. *Meditações no Evangelho de Lucas*, p. 377.
[15]WIERSBE, Warren W. *Comentário bíblico expositivo*. Vol. 5, p. 356.
[16]WILLMINGTON, Harold L. *Guia de Willmington para a Bíblia*, p. 426.

Agora, antes de Jesus, o nosso Cordeiro Pascal, ser imolado na cruz, também houve três horas de trevas sobre a terra.[17] É como se o sol sentisse vergonha da crueldade com que os homens trataram o Criador. É conhecida a expressão de Douglas Webster, que disse: "No nascimento do Filho de Deus, houve luz à meia-noite; na morte do Filho de Deus, houve trevas ao meio-dia".[18] William Hendriksen diz que a escuridão simbolizou julgamento: o julgamento de Deus sobre o nosso pecado; sua ira consumindo-se no coração de Jesus, para que Ele, como nosso substituto, pudesse sofrer a agonia mais intensa, a aflição mais indescritível e o desamparo e isolamento mais terrível. O inferno veio até o Calvário nesse dia, e o Salvador desceu a ele, experimentando os seus horrores em nosso lugar.[19]

Em segundo lugar, *o véu do santuário rasgado* (23.45). O véu rasgado significa a abolição e o término de toda a lei cerimonial judaica. Significa que o Santo dos Santos está aberto para toda a humanidade por meio da morte de Cristo (Hb 9.8).[20] Hendriksen tem razão ao dizer que o véu rasgado tinha um sentido típico (Hb 9.3), ou seja, por meio da morte de Cristo, simbolizada pela ruptura da cortina, o caminho para o santo dos santos, isto é, para o céu, foi aberto a todos quantos buscam refúgio nele.[21] Jesus abriu um novo e vivo caminho para Deus (Hb 10.12-22). Ele mesmo é o caminho (Jo 14.6). Estava abolido o antigo sistema de ritos e sacrifícios. As restrições étnicas do templo em Jerusalém não mais vigoram.[22] Warren Wiersbe é oportuno quando diz que esse milagre do véu rasgado de alto a baixo anunciou aos sacerdotes e ao povo que o acesso à presença de Deus estava aberto a todos os que se aproximassem dele pela fé em Jesus Cristo (Hb 9.1-10.25). Os pecadores não precisam mais de templos, altares, sacrifícios e sacerdotes para se achegarem a Deus, pois todas essas

---

[17]Wiersbe, Warren W. *Comentário bíblico expositivo*. Vol. 5, p. 357.
[18]Webster, Douglas. *In the debt of Christ*, 1957, p. 46.
[19]Hendriksen, William. *Lucas*. Vol. 2, p. 661.
[20]Ryle, John Charles. *Mark*, p. 254.
[21]Hendriksen, William. *Lucas*. Vol. 2, p. 661,663.
[22]Mulholland, Dewey M. *Marcos: introdução e comentário*, p. 232.

coisas se cumpriram na obra consumada do Filho de Deus.²³ Fritz Rienecker ainda esclarece este ponto:

O culto sacrificial do Antigo Testamento fora suspenso, o que acarretaria a decadência do templo judeu. Rasgando-se o véu, o templo deixava de ser a morada de Deus entre seu povo. Pela morte de Jesus, o templo, portanto, foi demolido, para que, ressuscitado após três dias, fosse edificado o novo templo. Para os sumos sacerdotes descrentes, a ruptura do véu visava ser um sinal de Deus de que aquele que fora rejeitado por eles de fato era o Cristo, o Filho de Deus, e que o templo e seu culto, ao qual defendiam fanaticamente, estava fadado ao desaparecimento.²⁴

Em terceiro lugar, *a rendição* (23.46). Jesus foi crucificado na terceira hora do dia, ou seja, às 9 horas da manhã (Mc 15.25). Da hora sexta à hora nona, ou seja, do meio-dia às 3 horas da tarde, houve trevas sobre toda a terra (23.44). Nessas seis horas em que Jesus ficou na cruz, ele proferiu, como já dissemos, sete palavras. Três delas foram em relação às pessoas: 1) palavra de perdão – *Pai, perdoa-lhes, porque não sabem o que fazem* (23.34); 2) palavra de salvação – *Hoje estarás comigo no paraíso* (23.43); 3) palavra de afeição – *Mulher, eis aí teu filho* [...] *eis aí tua mãe*. Uma palavra foi em relação a Deus: *Deu Meu, Deus Meu, por que Me desamparaste?* (Mc 15.34); e três frases foram em relação a Si mesmo: 1) palavra de agonia – *Tenho sede* (Jo 19.28); 2) palavra de vitória – *Está consumado* (Jo 19.30); 3) palavra de rendição – *Pai, nas Tuas mãos entrego o Meu espírito* (23.46).

A morte de Cristo é o fato mais importante do cristianismo. Jesus clamou em alta voz: *Pai, nas Tuas mãos entrego o meu espírito! E, dito isto, expirou* (23.46). Não devemos entender esse brado como um grito de desespero, mas como uma voz de triunfo de quem estava consumando a obra da redenção ao custo infinito de Sua morte.²⁵ Jesus estava consumando Sua obra, esmagando a cabeça da serpente, triunfando sobre o diabo e suas hostes e comprando-nos para Deus. Ele morre como um vencedor. Jesus não foi morto; Ele voluntariamente deu Sua vida

---

²³WIERSBE, Warren W. *Comentário bíblico expositivo*. Vol. 5, p. 357.
²⁴RIENECKER, Fritz. *Evangelho de Lucas*, p. 459.
²⁵TRENCHARD, Ernesto. *Una exposición del Evangelio según Marcos*, p. 209.

(Jo 10.11,15,17-18). Ele não morreu como um mártir; Ele se entregou como sacrifício pelos pecados do Seu povo. Qualquer pensamento de derrota é abafado pela força surpreendente do grito de Jesus. As trevas acabam no momento em que Jesus morre. Com a Sua morte, Ele quebrou o poder das trevas.

Em quarto lugar, *o reconhecimento tardio* (23.47,48). O homem encarregado da centúria, a corporação de 100 soldados romanos que acompanhou o séquito até o calvário, ao ouvir as palavras de Jesus, teve seu coração tocado e reconheceu que verdadeiramente Jesus era o Filho de Deus. De igual modo, todas as multidões reunidas para este espetáculo, vendo o que havia acontecido, retiraram-se a lamentar, batendo no peito. Hendriksen comenta:

Isso não é difícil de compreender. Pense no que essa gente havia presenciado, ouvido e experimentado. Foram três horas de trevas, o terremoto, o partir de rochas, a abertura de túmulos. A isso acrescente-se a conduta de Jesus, inclusive suas palavras de confiança no Pai celestial e as de perdão para os homens. Além disso, muitas dessas pessoas teriam sido dominadas por um profundo senso de culpa. Teriam dito repetidas vezes a si mesmas: Nós fizemos isso. E nisso elas tinham toda razão (At 2.36; 1Ts 2.14,15).[26]

Em quinto lugar, *as testemunhas fiéis* (23.49). Enquanto os discípulos de Jesus fugiram, com exceção de João (Jo 19.26,27), as mulheres observavam o drama do Calvário. Elas demonstraram mais coragem e mais compromisso do que aqueles que prometeram ir com Jesus para a prisão e para a morte (Mt 26.35). Elas assistiram Jesus em seu ministério e O acompanharam até a cruz. Elas observaram onde o corpo de Jesus foi sepultado e compraram aromas para embalsamar o Seu corpo. Elas foram as primeiras a ver o Cristo ressuscitado e as primeiras a anunciar Sua ressurreição. Warren Wiersbe escreve: "É bastante significativo que essas mulheres tenham sido as últimas a deixar o lugar da crucificação e as primeiras a ir ao túmulo na manhã de domingo."[27]

---

[26] HENDRIKSEN, William. *Lucas*. Vol. 2, p. 664.
[27] WIERSBE, Warren W. *Comentário bíblico expositivo*. Vol. 5, p. 357.

O **sepultamento** de Jesus

Destacamos duas verdades importantes aqui.

Em primeiro lugar, *a coragem de José de Arimateia* (23.50-53). Pela lei romana, os condenados à morte perdiam o direito à propriedade e até mesmo o direito de serem enterrados. Frequentemente, o corpo dos acusados de traição permanecia apodrecendo na cruz.[28] É digno de nota que nenhum parente ou discípulo tenha vindo reivindicar o corpo de Jesus.

José de Arimateia era um ilustre membro do Sinédrio, o tribunal que havia condenado Jesus à morte. Ele certamente não fez parte daquela decisão ensandecida. Era um homem rico, mas esperava o reino de Deus. Sabia quem era Jesus. Por isso, dirigiu-se, resolutamente, a Pilatos e pediu o corpo para ser sepultado. Quando José de Arimateia pediu o corpo de Jesus, usou a palavra grega *soma*; porém, quando Pilatos cedeu o corpo, usou a palavra grega *ptoma*. A primeira palavra se refere à personalidade total, fato que implica o cuidado e amor de José de Arimateia. A palavra usada por Pilatos dá ao corpo apenas o significado de cadáver ou carcaça. Essas diferentes palavras representam diferentes atitudes dos homens acerca da vida e da morte.[29]

John Charles Ryle destaca o fato de que, no próprio tempo em que os apóstolos abandonaram Jesus, José de Arimateia não se envergonhou de manifestar seu amor e respeito. Outros haviam confessado o Senhor enquanto ele vivia e realizava milagres. Foi reservado a José de Arimateia confessá-lo quando já havia morrido.[30]

Depois de baixar o corpo da cruz, José de Arimateia envolveu-o em um lençol e o depositou em um túmulo que tinha sido aberto numa rocha, rolando uma pedra na entrada do túmulo. Ele não se intimidou de ser vinculado a Jesus, um homem sentenciado à morte. Teve coragem para se posicionar. Hendriksen tem razão ao dizer que, com esse gesto, José de Arimateia estava professando publicamente, aos olhos do mundo, inclusive do Sinédrio, que era crente em Jesus Cristo.[31]

---

[28]MULHOLLAND, Dewey M. *Marcos: introdução e comentário*, p. 234.
[29]MCGEE, J. Vernon. *Mark*, 1991, p. 196.
[30]RYLE, John Charles. *Meditações no Evangelho de Lucas*, p. 381.
[31]HENDRIKSEN, William. *Lucas*. Vol. 2, p. 672.

A morte e o sepultamento de Jesus foram acontecimentos públicos. Sua veracidade é inegável. As tentativas para negar ou falsear esse fato incontroverso foram inúteis. Jesus Cristo veio para morrer, e morreu pelos nossos pecados. E precisava ser assim, pois nossa redenção depende da Sua morte. Se Cristo não tivesse morrido, acabariam todas as consolações fornecidas pelo evangelho. Nada menos do que Sua morte poderia ter quitado a dívida do homem para com Deus. Sua encarnação, seus milagres, seus ensinos e sua obediência à lei não teriam proveito algum, se Ele não houvesse morrido. A essência do evangelho está alicerçada nessa verdade: Cristo Jesus morreu pelos nossos pecados segundo as Escrituras, foi sepultado e ressuscitou segundo as Escrituras (1Co 15.1-3).

Em segundo lugar, *a presença das mulheres* (23.54-56). Algumas mulheres não apenas subiram o Gólgota, mas desceram ao lugar da tumba. Elas tudo viram e a tudo testemunharam. E saíram dali para preparar aromas e bálsamos. O sábado estava começando, e elas descansariam, segundo o mandamento, até o domingo, quando voltariam ao túmulo para testemunharem a maior e a melhor de todas as notícias!

63

Jesus ressuscitou e voltou ao céu

Lucas 24.1-53

AS MELHORES NOTÍCIAS QUE O MUNDO já ouviu vieram do túmulo vazio de Jesus. A história da Páscoa não termina num funeral, mas sim com uma festa. O túmulo vazio de Cristo foi o berço da igreja. Nós não pregamos um Cristo que esteve vivo e está morto; pregamos o Cristo que esteve morto e está vivo pelos séculos dos séculos.

A morte é o rei dos terrores. Mas Jesus é o Rei dos reis. A morte foi vencida por Jesus. Ele matou a morte. Ele arrancou o aguilhão da morte. A morte será lançada no lago do fogo. A ressurreição de Cristo é a demonstração do supremo poder de Deus (Ef 1.23,24).

A ressurreição de Cristo é uma das fraudes mais maldosas da história ou então é o fato mais extraordinário. A ressurreição de Cristo e o cristianismo permanecem em pé ou caem juntos. Sem a ressurreição de Cristo, o cristianismo seria uma religião vazia de esperança, um museu de relíquias do passado.

O apóstolo Paulo diz que sem a ressurreição de Cristo: 1) nossa fé seria vã; 2) nossa pregação seria inútil; 3) nossa esperança seria vazia; 4) nosso testemunho seria falso; 5) nossos pecados não seriam perdoados; 6) seríamos os mais infelizes de todos os homens (1Co 15.14-19). Sem a ressurreição de Cristo, a morte teria a última palavra, e a esperança do céu seria um pesadelo. Sem a ressurreição de Cristo, o cristianismo seria o maior engodo da história, a maior farsa inventada pelos cristãos. Os mártires teriam morrido por uma mentira, e uma mentira teria salvado o mundo. Mas de fato Cristo ressuscitou (1Co 15.20)! A grande diferença entre o cristianismo e as grandes religiões do mundo é que o túmulo de Jesus está vazio. Você pode visitar o túmulo de Buda, Confúcio, Maomé e Alan Kardec, mas o túmulo de Jesus está vazio. Ele venceu a morte. Está vivo pelos séculos dos séculos (Ap 1.18).

A ressurreição de Jesus é um fato histórico robustamente comprovado. Os adversários tentaram apagar esse acontecimento auspicioso, dizendo que Jesus não chegou a morrer e, ao ser colocado no túmulo, reanimou-Se. Alegaram ainda que os discípulos subornaram os guardas e roubaram seu corpo. Argumentaram também que as mulheres foram ao túmulo errado. Finalmente, declararam que os romanos removeram o corpo de Jesus para outro túmulo. Todas essas tentativas fracassaram diante da verdade incontroversa da ressurreição, pois Jesus, depois de ressurreto, apareceu a Maria Madalena, às mulheres, a Pedro, aos dois discípulos no caminho de Emaús, aos apóstolos sem Tomé, aos apóstolos com Tomé, aos sete apóstolos no mar da Galileia, a uma multidão de quinhentos irmãos, a Tiago, a Paulo, a Estêvão e a João na Ilha de Patmos. O célebre sermão de Pedro no Pentecoste versou sobre a ressurreição de Jesus (At 2.23,24). Se Cristo não tivesse mesmo ressuscitado, bastaria terem apresentado o Seu corpo morto à multidão, e o cristianismo teria sido esquecido naquela manhã.

A ressurreição de Jesus é, também, um fato psicológico marcante. Os discípulos, esmagados pelo desânimo e acuados pelo medo, foram poderosamente transformados. Tornaram-se ousados, valentes e poderosos no testemunho, enfrentaram ameaças, açoites, prisões, morte e martírio sem jamais recuar. Eles não teriam morrido por uma mentira. A mudança dos discípulos é uma prova incontroversa da ressurreição de Jesus. Muitos dos discípulos morreram como mártires por causa dessa verdade. Ao longo dos quatro primeiros séculos, uma multidão de crentes morreu nas arenas e foi queimada viva por causa dessa verdade. Os apóstolos Pedro, André, Filipe, Bartolomeu, Tiago, filho de Alfeu, e Simão, o zelote, foram crucificados; Tiago, filho de Zebedeu, foi morto à espada; Tomé foi morto por uma lança; Mateus foi morto à espada; Tadeu foi morto por flechas; João, filho de Zebedeu, foi banido para a Ilha de Patmos.

A ressurreição de Jesus é, ainda, um fato sociológico. Uma igreja cristã foi estabelecida sobre a rocha desta verdade incontestável. Gente de todas as nações, raças, línguas e povos uniu-se em torno desta verdade suprema. O túmulo vazio de Cristo foi o berço da igreja.

Voltemos ao texto de Lucas 24.1-53. O registro de Lucas acerca da ressurreição, embora seja o mais longo dos quatro evangelhos, diferentemente de Mateus, não menciona o terremoto nem o fato de o anjo ter rolado a pedra do túmulo (Mt 28.2). Diferentemente de Marcos, as mulheres não se preocupam com quem irá rolar a pedra para elas (Mc 16.3) e não ficam sem fala quando têm medo (Mc 16.8). Mateus e Marcos citam apenas um anjo (Mt 28.2,3; Mc 16.5) enquanto Lucas e João mencionam dois anjos (24.4; Jo 20.12). Somente Lucas registra a maravilhosa história da caminhada para Emaús. Lucas concentra-se nas aparições de Jesus em Jerusalém e arredores e nada diz acerca dos aparecimentos do Senhor ressurreto na Galileia.[1] Somente Lucas registra a ascensão de Jesus. Faz isso de um modo mais abreviado no evangelho (24.50-53) e de forma mais abrangente no livro de Atos (At 1.9-11).

Moisés Pinto Ribeiro diz que o capítulo 24 de Lucas deixa claro que a ressurreição de Cristo é um fato eloquentemente comprovado por quatro razões. Primeiro, pelo estado de alma dos discípulos. Eles não pensavam na ressurreição (24.1-5). A esperança que eles tinham se havia perdido (24.21). A mente deles estava dominada pela dúvida (24.24,27,38,41). Apesar do testemunho das mulheres, eles não creram (14.11). Segundo, pelos fatos sobrenaturais: a pedra grande e pesada foi removida (24.2). O túmulo estava vazio, apesar de ter o selo do governador e ainda estar protegido pelos guardas romanos (24.3). E, além disso, havia presença dos dois anjos comunicando a ressurreição de Jesus às mulheres (24.5-7). Terceiro, pelo encontro de Jesus com Seus discípulos para ensiná-los (24.27), censurá-los (24.25), recordar Seus ensinamentos (24.44), incumbi-los de serem testemunhas às nações (24.47,48) e prometer a eles o poder do Espírito Santo (24.49). Quarto, pelo efeito produzido nos discípulos: alegria, adoração e louvor (24.50-53).[2] Vamos à análise do texto.

---

[1]MORRIS, Leon L. *Lucas: introdução e comentário*, p. 312.
[2]RIBEIRO, Moisés Pinto. *O Evangelho segundo Lucas*, p. 292,293.

O **túmulo está vazio**: a perplexidade das mulheres e a incredulidade dos discípulos (24.1-12)

As mesmas mulheres que acompanharam Jesus desde a Galileia subiram ao Calvário, assistiram ao sepultamento e voltaram, agora, no raiar do primeiro dia da semana, ao túmulo de Jesus, a fim de levar aromas para embalsamar seu corpo. Hendriksen diz que a cruz havia destroçado suas esperanças. Elas foram ungir o corpo de um morto, o cadáver de Jesus de Nazaré, seu Amigo e Ajudador.[3] Não aguardavam a ressurreição, mas, chegando ao túmulo, viram a pedra removida, entraram no túmulo e não encontraram o corpo de Jesus. Essas valorosas mulheres foram as primeiras a testemunhar esse auspicioso acontecimento. Destacamos, aqui, algumas lições.

Em primeiro lugar, *a mensagem do túmulo vazio, a evidência da ressurreição* (24.1-3). O túmulo de Jesus não foi aberto de fora para dentro, mas de dentro para fora. Havia uma grande pedra tapando o túmulo. Havia o selo do governador garantindo a sua inviolabilidade. Havia os guardas protegendo a porta do túmulo. A despeito de tudo isso, Jesus saiu vivo, com um corpo de glória, como primícia de todos os que dormem. Jesus não foi retido pela morte. Ele não viu corrupção. Jesus matou a morte com sua morte e arrancou o aguilhão da morte ao ressuscitar com um corpo de glória. Esse glorioso acontecimento se deu no primeiro dia da semana, ou seja, no domingo. A partir da ressurreição de Jesus, o primeiro dia da semana passou a ser chamado de "o dia do Senhor". Com o primeiro dia da semana, começava o novo mundo e a nova história, marcados pelo triunfo da vida sobre a morte.[4]

Em segundo lugar, *a mensagem dos anjos, uma lembrança do ensino sobre a ressurreição* (24.4-8). Como aconteceu no Seu nascimento, os anjos anunciaram a ressurreição de Jesus.[5] Lucas, diferentemente de Mateus e Marcos, diz que são dois anjos que falam às mulheres, e não apenas um. Duas são as mensagens: A primeira trata de uma pergunta em tom de censura: *Por que buscais entre os mortos ao que vive? Ele não*

---
[3]HENDRIKSEN, William. *Lucas*. Vol. 2, p. 697.
[4]NEVES, Itamir. *Comentário bíblico de Lucas*, p. 241.
[5]ASH, Anthony Lee. *O Evangelho segundo Lucas*, p. 330.

está aqui, mas ressuscitou (24.5,6a). A Páscoa não terminou num funeral, mas na festa gloriosa da ressurreição. A segunda mensagem é uma ordem em tom de exortação. Os anjos levam essas mulheres de volta às palavras de Cristo, quando Ele falou claramente sobre sua crucificação e ressurreição no terceiro dia: *Lembrai-vos de como vos preveniu, estando ainda na Galileia, quando disse: Importa que o Filho do homem seja entregue nas mãos de pecadores, e seja crucificado, e ressuscite no terceiro dia* (24.6b,7). A exortação angelical foi eficaz, pois elas se lembraram imediatamente das palavras de Cristo (24.8).

Em terceiro lugar, *a mensagem das mulheres aos discípulos, a incredulidade deles* (24.9-12). Recebida a mensagem dos anjos, as mulheres Maria Madalena, Joana e Maria, mãe de Tiago, bem como as demais que estavam com elas, foram imediatamente ao encontro dos onze apóstolos e anunciaram o que viram e ouviram, mas as palavras das mulheres soaram como um delírio para eles, que não acreditaram nelas. A palavra grega *leros,* para "delírio", significa "disparate" e era aplicada na terminologia médica ao falar sobre as pessoas com febre muito alta.[6] Rienecker diz que esse termo só aparece nesta passagem em todo o Novo Testamento. Pode ser traduzido também por "tolice", "fofoca" ou "mentira". É como se todos os onze apóstolos considerassem essas mulheres doidas.[7] Mas longe de falarem disparates, as mulheres tinham dito a verdade. Pedro, então, levantou-se e correu ao sepulcro. Entrando nele, viu apenas os lençóis de linho. Ao retirar-se para casa, ficou maravilhado com o que havia acontecido.

Os discípulos de Emaús **antes** do impacto da ressurreição (24.13-27)

Esse episódio da aparição de Jesus aos discípulos de Emaús resume-se em cinco pontos: 1) o encontro de Jesus com os discípulos no caminho para Emaús (24.13-16); 2) o diálogo dos peregrinos com o Ressuscitado (24.17-24); 3) a interpretação de Jesus dos escritos do

---

[6]Ash, Anthony Lee. *O Evangelho segundo Lucas*, p. 331.
[7]Rienecker, Fritz. *Evangelho de Lucas*, p. 466.

Antigo Testamento (24.25-27); 4) a entrada do Ressuscitado na pousada em Emaús (24.28-32); 5) a mensagem dos discípulos de Emaús sobre o Ressuscitado aos apóstolos do Senhor (24.33-36).[8]

Destacamos aqui alguns pontos importantes.

Em primeiro lugar, *seus olhos estavam cegos a despeito da proximidade de Jesus* (24.13-15). Dois discípulos caminham onze quilômetros, já no final do dia, de Jerusalém para Emaús. Durante a jornada, conversam sobre os últimos acontecimentos ocorridos na cidade: a prisão, o julgamento e a crucificação de Jesus. Enquanto falavam, Jesus se aproximou e seguiu com eles, mas seus olhos estavam fechados para reconhecerem a Cristo. Muitas vezes, caminhamos pela vida vencidos, como se a morte tivesse a última palavra e como se Jesus não tivesse ressuscitado. Embora Jesus esteja perto, não percebemos. Às vezes Jesus vem ao nosso encontro, como foi ao encontro dos discípulos no mar da Galileia, mas pensamos que Ele é um fantasma e ficamos cheios de medo.

Em segundo lugar, *seus pés estavam na estrada da fuga a despeito das várias evidências da ressurreição* (24.13,22-24). Aqueles dois discípulos já tinham informações suficientes quanto à ressurreição de Cristo, sobretudo o testemunho das Escrituras sobre esse magno assunto e também o explícito ensinamento de Jesus sobre Sua morte e ressurreição. Apesar de tudo, eles se acovardaram e colocaram os pés na estrada da dúvida, do ceticismo e da incredulidade. Desistiram de Jesus. Renderam-se a uma decepção amarga. A história deles havia terminado na sexta-feira da paixão, e não no domingo da ressurreição.

Em terceiro lugar, *seus olhos estavam impedidos e seu coração estava tomado de profunda tristeza* (24.16,17). Jesus caminhava com eles, mas seus olhos estavam impedidos. Jesus pergunta sobre o teor da conversa pelo caminho e o conteúdo da preocupação, e eles pararam entristecidos. Sem a verdade da ressurreição, nossa vida será marcada de tristeza e dor. Eles estavam tristes, quando deveriam estar exultando de alegria. Quantas vezes nossa vida é uma via sacra de lamento, dor e tristeza porque não tomamos posse do poder da ressurreição? A vida cristã é uma vida de esperança e alegria.

---

[8] RIENECKER, Fritz. *Evangelho de Lucas*, p. 479.

Em quarto lugar, *seu coração estava perturbado pelo drama da cruz* (24.18-20). Como conciliar o fato de Jesus ser o amado de Deus, poderoso em obras e palavras, e mesmo assim ser pregado na cruz como um criminoso? David Neale diz que o evangelho fornece a resposta para essa luta emocional e intelectual: a crucificação era o plano de Deus desde sempre. A narrativa no caminho de Emaús conta aos leitores que esse drama está finalizando como Deus queria. A crucificação não é o desastre caótico que parecia ser. Dessa forma, Lucas conduz seus leitores à conclusão que deseja vê-los alcançar: Jesus está vivo![9] Leon Morris destaca o fato de que não são os romanos, mas, sim, os principais sacerdotes e as autoridades do povo, que tanto entregaram Jesus quanto o crucificaram. A referência à morte de Jesus implica os romanos, mas a culpa principal é colocada diretamente sobre os judeus.[10]

Em quinto lugar, *seu coração estava cheio de esperanças frustradas* (24.21). O caminho de Emaús é o caminho da desistência do discipulado, dos sonhos desfeitos, da esperança morta. É o caminho da falência dos projetos, daqueles que acham que não há mais jeito. Pedro disse a seus condiscípulos: *Eu vou pescar* (Jo 21.3). Os discípulos disseram: "Ora, nós esperávamos que fosse ele quem havia de redimir a Israel..." (24.21).

Em sexto lugar, *seus olhos estavam fechados a despeito do testemunho dos irmãos* (24.22-24). Aqueles discípulos já tinham várias evidências da ressurreição de Cristo: 1) as promessas de Jesus de que morreria e ressuscitaria ao terceiro dia; 2) o túmulo vazio; 3) as mulheres que o viram ressuscitado; 4) os anjos que deram testemunho da ressurreição; 5) alguns dos discípulos que já haviam visto o túmulo vazio, mas ainda estavam carregados de dúvidas. Hoje, muita gente vive esse achatamento da esperança, porque não dá crédito ao testemunho de outras pessoas sobre o poder da ressurreição.

Em sétimo lugar, *seus olhos estavam fechados a despeito do relato das Escrituras* (24.25). A incredulidade coloca uma venda em nossos olhos. Jesus abre as Escrituras e as expõe para os discípulos. Mostra-lhes como todas as Escrituras apontam para Ele e para a Sua vitória sobre

---

[9] NEALE, David A. *Novo comentário bíblico Beacon Lucas 9-24*, p. 293.
[10] MORRIS, Leon L. *Lucas: introdução e comentário*, p. 317.

a morte, mas eles não compreendem. Não entendem não porque lhes falte luz, mas porque lhes falta visão. Quando os nossos olhos não são iluminados pela Palavra de Deus, para entendermos a centralidade de Cristo nas Escrituras e na história, caminhamos pela vida cabisbaixos, achando que a morte é mais forte que a vida, que o mal é mais forte que o bem. John Charles Ryle, falando sobre a centralidade de Cristo nas Escrituras, escreve:

> Cristo era a essência de todos os sacrifícios ordenados na lei de Moisés. Cristo era o verdadeiro Libertador e Rei, do qual todos os juízes e libertadores da história de Israel eram apenas figura. Ele era o Profeta vindouro, maior do que Moisés, cujo glorioso advento enchia as páginas dos profetas. Cristo era a verdadeira semente da mulher, que pisaria a cabeça da serpente. Ele era o verdadeiro descendente em quem todas as nações seriam benditas. Ele era o verdadeiro bode da expiação, a verdadeira serpente de bronze, o verdadeiro Cordeiro, para o qual todos sacrifícios diários apontavam. Cristo era o verdadeiro Sumo Sacerdote, de quem todos os descendentes de Arão eram apenas figuras. Esses fatos e outros semelhantes, com certeza, foram alguns dentre os fatos que nosso Senhor explicou aos dois discípulos no caminho para Emaús.[11]

Os discípulos de Emaús **depois** do impacto da ressurreição (24.26-35)

Destacamos quatro pontos importantes aqui.

Em primeiro lugar, *olhos abertos pela exposição das Escrituras* (24.26,27,31). Jesus revelou-Se pelas Escrituras. *Examinai as Escrituras, porque são elas que testificam de mim* (Jo 5.39). Quando reconhecemos em nosso caminho que Jesus está vivo, não há mais espaço para a preocupação (24.17), tristeza (24.17), desesperança (24.21) e incredulidade (23.25). Morris destaca o fato de que o Cristo precisava padecer. Mas este não é o fim de tudo. Ele devia também entrar na Sua glória. Deus não está derrotado. Triunfa através dos sofrimentos do Seu Cristo.[12]

---

[11]Ryle, John Charles. *Meditações no Evangelho de Lucas*, p. 388.
[12]Morris, Leon L. *Lucas: introdução e comentário*, p. 318.

Em segundo lugar, *corações ardentes pela comunhão com o Cristo vivo* (24.28,29,32). Quando temos comunhão com Jesus, nosso coração arde e o fogo de Deus nos inflama. Há entusiasmo em nosso coração. O vento do Espírito sopra sobre nós e remove as cinzas do comodismo, reacendendo as brasas do zelo em nosso coração. Quando o coração arde, acaba a frieza espiritual e o marasmo. Então, estar na Casa de Deus é alegria, orar é necessidade, louvar a Deus é prazer, andar com Jesus é o sentido da vida. Quando o nosso coração arde, nossa vida se torna um graveto seco para o fogo do Espírito.

Em terceiro lugar, *pés velozes para ir anunciar a ressurreição* (24.33). Quem tem olhos abertos e coração ardente tem pés velozes para falar de Jesus. Os mesmos que fugiram de Jerusalém agora voltam a Jerusalém. Eles, que disseram que já era tarde, não se importam com os perigos da noite. Eles, que deixaram o convívio com os outros discípulos, voltam à companhia de seus pares.

Em quarto lugar, *lábios abertos para proclamar que Cristo está vivo* (24.34,35). Nem a distância nem a noite os impede. Eles voltam para ter comunhão e para proclamar que Jesus está vivo. Voltam para dizer que a morte não tem a última palavra. A última palavra é que Jesus venceu a morte. A tristeza não pode mais nos dominar. Caminhamos para o glorioso amanhecer da eternidade, e não para a noite fatídica da desesperança.

A ressurreição de Jesus abriu os olhos, aqueceu o coração, apressou os pés e descerrou os lábios dos discípulos de Emaús. E em você, que tipo de impacto a ressurreição tem provocado? Como você tem caminhado pela vida? Você tem se encontrado com o Cristo ressurreto? O Senhor nos encontra nas angústias da nossa caminhada. O Senhor nos encontra na exposição da Palavra de Deus. O Senhor nos encontra no partir do pão. Ele abre nossos olhos, nossa mente, nosso coração e nossos lábios.

Jesus aparece aos discípulos em Jerusalém e impacta-os (24.36-49)

Enquanto Cleopas e seu companheiro de jornada relatavam sua experiência com o Cristo ressurreto aos onze discípulos e aos que com eles estavam, Jesus apareceu no meio deles. Aquilo que seus ouvidos ouviam, seus olhos puderam confirmar. Destacamos aqui algumas lições.

Em primeiro lugar, ***Jesus leva paz aos que estão perturbados*** (24.36-38a). Ao grupo de discípulos atemorizados, o Jesus ressurreto aparece, não para condená-los pela sua deserção e covardia, mas para ministrar-lhes Sua paz. Essa paz foi prometida a eles (Jo 14.27). É a paz que o mundo não conhece, não pode dar nem pode tirar.

Em segundo lugar, ***Jesus dá provas de Sua ressurreição aos que estão assaltados pela dúvida*** (24.38b-43). Subiam dúvidas ao coração desses discípulos. Eles já tinham ouvido o testemunho das mulheres. Pedro já havia ido ao túmulo vazio e visto os lençóis de linho. Os dois discípulos de Emaús haviam acabado de chegar, narrando como seus olhos foram abertos e como seu coração foi aquecido pelo Cristo ressurreto. Agora, Jesus aparece para eles e mostra-lhes as marcas dos cravos em Suas mãos e em Seus pés. Ajuda-os a vencer seu ceticismo e incredulidade, dizendo-lhes: *Apalpai-Me e verificai, porque um espírito não tem carne nem ossos, como vedes que Eu tenho* (24.39). A. T. Robertson diz que Jesus reprova aqui a tese dos gnósticos docetistas que negavam a realidade do seu corpo físico e material.[13] Depois de ordenar a verificação, Jesus mostrou-lhes as mãos e os pés (24.40). Os discípulos que já haviam dormido de tristeza no Getsêmani (22.45) agora não acreditam no que estão vendo, por causa da alegria (24.41). O que estavam vendo parecia ser bom demais para ser verdade. Então, Jesus dá mais um passo para provar a Seus discípulos que era Ele mesmo, e não um espírito (24.37): pede a eles algo para comer. Apresentaram-lhe um pedaço de peixe assado e um favo de mel. E Ele comeu na presença deles (24.41-43). Barclay tem razão ao dizer que o cristianismo não se fundamenta em sonhos de mentes transtornadas nem em visões de olhos cerrados, mas na realidade histórica dAquele que enfrentou a morte, lutou contra ela, venceu-a e ressuscitou.[14]

Em terceiro lugar, ***Jesus abre as Escrituras para descerrar o entendimento aos que estão tomados pela incredulidade*** (24.44-46). O argumento irresistível e cabal de Jesus para provar Sua ressurreição, depois de mostrar as marcas dos cravos em Suas mãos e em Seus pés e depois de comer pão e mel, foi abrir as Escrituras e mostrar aos discípulos que

---

[13]ROBERTSON, A. T. *Comentário Lucas à luz do Novo Testamento Grego*, p. 396.
[14]BARCLAY, William. *Lucas*, p. 288.

Sua morte não foi um acidente nem sua ressurreição uma surpresa. Ele morreu pelos nossos pecados segundo as Escrituras, foi sepultado segundo as Escrituras e ressuscitou segundo as Escrituras (1Co 15.1-3). Barclay ainda diz: "A cruz não foi algo forçado para Deus. Não foi uma medida de emergência quando tudo o mais havia fracassado e quando os planos haviam fracassado. A cruz estava na agenda de Deus desde a eternidade".[15] As três divisões da Bíblia Hebraica (Lei de Moisés, Profetas e Salmos) indicam que não há parte alguma das Escrituras que deixe de dar testemunho de Jesus.

Jesus mostra a seus discípulos que Ele mesmo é chave hermenêutica para se compreender a essência da Lei, dos Profetas e dos Salmos. Só compreenderemos o Antigo Testamento se entendermos que a totalidade dele aponta para Cristo, Sua morte e ressurreição, Sua humilhação e sua exaltação. David Neale diz que aqui o Senhor ressurreto Se torna um Mestre ressurreto e interpreta as Escrituras à luz de Sua crucificação e ressurreição. Isso significa dizer que o propósito da Lei, dos Profetas e dos Salmos deve ser entendido como Escrituras que predizem a vida de Jesus enquanto contam a jornada de Israel com o Senhor. Eles são lidos através de novas lentes messiânicas, que são esclarecidas pela paixão e pela ressurreição de Jesus. Assim, as Escrituras adquiriram um nível de significado completamente novo – um nível messiânico.[16] Os discípulos que haviam escutado de Jesus essas verdades ao longo de Seu ministério, agora, porém, têm o entendimento aberto para compreenderem as Escrituras (24.45,46).

Em quarto lugar, *Jesus dá a grande comissão aos que são testemunhas de Sua ressurreição* (24.47,48). Aqueles que tiveram seu entendimento aberto para compreenderem as Escrituras agora são comissionados a pregar, no nome de Cristo, arrependimento para remissão de pecados, a todas as nações, a partir de Jerusalém (24.47). Essa pregação era mais do que simplesmente uma proclamação; era, também, um testemunho (24.48). Isso está de acordo com o que o próprio Lucas registra na introdução do livro de Atos (At 1.8).

---

[15] BARCLAY, William. *Lucas*, p. 288.
[16] NEALE, David A. *Novo comentário bíblico Beacon Lucas 9-24*, p. 286.

Quatro verdades devem ser aqui destacadas.

O conteúdo da mensagem (24.47a). Os discípulos são incumbidos de pregar arrependimento para remissão de pecados. Não há perdão de pecados sem arrependimento. A fé decorre do arrependimento, em vez de ser um substituto dele. Os pecadores só correrão para Cristo, para colocarem sua confiança nEle, depois que tiveram plena consciência de que estão arruinados pelos seus pecados. Só os doentes reconhecem que precisam de médico, e só os pecadores sabem que carecem do Salvador.

A autoridade da mensagem (24.47b). A mensagem deve ser pregada em nome de Cristo, e não em nome dos discípulos. A autoridade do pregador não está nele mesmo nem mesmo na igreja; está em Jesus, Aquele que venceu a morte.

O alcance da mensagem (24.47c). A mensagem do arrependimento para remissão de pecados não é apenas para os judeus. Embora comece em Jerusalém, deve alcançar todas as nações, até os confins da terra (At 1.8; Ap 5.9). Lucas, mais do que qualquer outro evangelista, mostra a universalidade do evangelho. Jesus veio para trazer salvação não apenas ao povo judeu, mas a todos os povos. David Neale tem razão ao dizer que a mensagem da salvação irá transcender Israel fisicamente, geograficamente e espiritualmente.[17]

O trabalho dos mensageiros (24.48). Os discípulos não são apenas pregadores, mas também testemunhas. Eles falam sobre o que ouviram, viram e experimentaram. Por essa mensagem, devem estar dispostos a dar sua própria vida. David Neale diz que o termo "testemunha" tem uma conotação jurídica em Lucas. Os discípulos não são simplesmente observadores desses fatos; ao contrário, eles serão chamados para dar testemunho em ambientes do tribunal (At 5.32). Outros ambientes são simplesmente aqueles na tribuna da opinião pública (At 2.32; 3.15; 10.39,41; 13.31).[18] A palavra "testemunha" está conectada com a ideia de mártir. Uma testemunha de Cristo é aquela que está disposta a selar com o seu sangue a verdade que proclama.

---

[17]NEALE, David A. *Novo comentário bíblico Beacon Lucas 9-24*, p. 301.
[18]NEALE, David A. *Novo comentário bíblico Beacon Lucas 9-24*, p. 301.

Em quinto lugar, *Jesus dá capacitação para o cumprimento da grande comissão* (24.49). Depois de dar aos discípulos a grande comissão, Jesus promete a eles poderosa capacitação, dizendo-lhes: *Eis que envio sobre vós a promessa de meu Pai; permanecei na cidade, até que do alto sejais revestidos de poder* (24.49). Jesus se refere a uma espera obediente, perseverante e cheia de expectativa. Essa promessa do Pai é o batismo com o Espírito (At 1.4-8). Os discípulos receberiam poder ao descer sobre eles o Espírito Santo (At 1.8). Essa promessa cumpriu-se no Pentecoste, quando o Espírito foi derramado sobre eles, que ficaram cheios do Espírito (At 2.1-4). A capacitação precede a ação. Barclay diz: "Há um momento para esperar em Deus e um momento para trabalhar para Deus".[19] Anthony Ash diz que a ordem era: espere Deus agir e depois vá! Atue no poder dEle![20] Primeiro Jesus envia o Espírito Santo à igreja, depois Ele envia a igreja ao mundo!

Jesus volta para o céu, de onde veio (49.50-53)

Após quarenta dias ressuscitado, Jesus volta ao céu (At 1.3). Lucas termina onde Atos começa. Lucas relata o que Jesus fez, e Atos relata o que Jesus continuou fazendo através da igreja. Jesus volta para o céu, mas deixa um glorioso legado aos discípulos: uma nova compreensão das Escrituras, um novo comissionamento para pregar o arrependimento e o perdão de pecados a todas as nações, e a promessa do poder do alto.[21] Três verdades preciosas devem ser ditas acerca da ascensão de Jesus.

Em primeiro lugar, *o lugar da ascensão* (24.50). Jesus lidera seus discípulos, levando-os para Betânia, nas adjacências do monte das Oliveiras. O próprio Lucas nos informa que os discípulos, após a ascensão de Jesus, voltaram para Jerusalém, do monte chamado Olival, ou seja, o monte das Oliveiras. O mesmo monte de sua agonia (22.39) é o monte de sua vitória retumbante (At 1.12).

---

[19]BARCLAY, William. *Lucas*, p. 289.
[20]ASH, Anthony Lee. *O Evangelho segundo Lucas*, p. 338.
[21]NEALE, David A. *Novo comentário bíblico Beacon Lucas 9-24*, p. 303.

Em segundo lugar, *o significado da ascensão* (24.51). A ascensão de Cristo foi o selo da Sua vitória sobre o pecado, o mundo, o diabo e a morte. Sua ascensão foi visível, vitoriosa e gloriosa. Somente Lucas relata a ascensão de Cristo (24.50-53; At 1.9-11) Duas implicações decorrem da ascensão de Cristo.

Ele consumou a obra da redenção (24.51). "Aconteceu que, enquanto os abençoava, ia-se retirando deles, sendo elevado para o céu." Essa subida pública, visível e gloriosa era uma mensagem eloquente da obra consumada de Cristo. Seu sacrifício vicário foi aceito, a vontade do Pai foi cumprida, a redenção foi realizada e agora, o Filho está de volta à mesma glória que sempre teve junto ao Pai (Jo 17.5).

Ele foi elevado ao céu para continuar Seu ministério de Sumo Sacerdote e Rei (24.51). A ascensão de Jesus foi uma obra do Pai, um dos componentes de sua exaltação. Paulo interpreta essa verdade, assim: *Pelo que também Deus o exaltou sobremaneira e lhe deu o nome que está acima de todo nome, para que ao nome de Jesus se dobre todo joelho, nos céus, na terra e debaixo da terra e toda língua confesse que Jesus é Senhor, para a glória de Deus Pai* (Fp 2.9-11). Manford Gutzke diz que Jesus Cristo ascendeu à mão direita de Deus Pai. Está intercedendo pela igreja. Está conduzindo os destinos da história e aguardando o dia em que o Pai o enviará de volta para buscar sua noiva e estabelecer Seu reino de glória.[22] Barclay diz corretamente que a ascensão de Jesus deu aos discípulos a segurança de que eles agora tinham um amigo não só na terra, mas também no céu.[23] Charles Childers corrobora: "Os discípulos sabem que não o perderam, mas de algum modo misterioso Ele estará mais próximo deles do que antes".[24]

Em terceiro lugar, *o resultado da ascensão* (24.52,53). Três foram os resultados.

Adoração (24.52). Quando Jesus ascendeu ao céu, os discípulos não se renderam mais à tristeza. Seu entendimento foi iluminado, seus olhos

---

[22]GUTZKE, Manford George. *Plain talk on Acts*. Grand Rapids, MI: Zondervan Publishing House, 1966, p. 28.
[23]BARCLAY, William. *Lucas*, p. 290.
[24]CHILDERS, Charles L. *O Evangelho segundo Lucas*, p. 499.

foram abertos, seu coração foi aquecido e eles entenderam que Ele era, de fato, o Messias. Sabiam que, embora Ele tivesse partido, estava sempre com eles (Mt 28.20). Sabiam que, apesar das aflições vindouras, ninguém poderia separá-los dEle (Rm 8.38,39). Em vez de ficarem assaltados pela dúvida ou pela incredulidade, passaram a adorá-Lo.

Alegria (24.52). Lucas começa seu evangelho com a boa-nova de grande alegria do nascimento de Jesus (2.11) e termina com o grande júbilo da ascensão de Jesus (24.52). A alegria é a marca registrada dos salvos.

Louvor (24.53). Os discípulos que estavam com as portas trancadas, com medo dos judeus (Jo 20.19), agora, diariamente, por falta de medo, estão no templo, louvando a Deus. Anthony Ash diz que o livro chega ao seu término, mas não se trata de um final. A promessa de poder não tinha sido cumprida, e o leitor sabe, assim, que um grande capítulo deve ainda ser escrito, ficando bem preparado para Atos 1 e os poderosos feitos registrados nesse livro.[25] Warren Wiersbe diz que, se Lucas começa e termina o evangelho em Jerusalém, Atos explica como o evangelho percorreu o caminho de Jerusalém a Roma.[26] Encerro com as palavras de Ivo Storniolo, quando diz, corretamente, que Lucas termina seu evangelho como começou: em Jerusalém e no templo. A cidade e o santuário eram o coração do antigo povo de Deus. Dali partiriam o anúncio e a ação dos cristãos para todos os tempos e lugares, formando o novo povo de Deus. Dessa forma, Jerusalém e o novo templo, que é a igreja, se tornaram o ponto de chegada e o ponto de partida de toda a história.[27]

---

[25] Ash, Anthony Lee. *O Evangelho segundo Lucas*, p. 339.
[26] Wiersbe, Warren W. *Comentário bíblico expositivo*. Vol. 5, p. 363.
[27] Storniolo, Ivo. *Como ler o Evangelho de Lucas*. São Paulo, SP: Paulus, 2004, p. 219.

³⁰ Wiersbe, Warren W. Comentário bíblico expositivo. Vol. 5, op. cit., p. 304.

João

As glórias do Filho de Deus

Introdução

PRECISAMOS TIRAR AS SANDÁLIAS DOS NOSSOS PÉS. O território no qual vamos caminhar doravante é terra santa. O evangelho de João é o santo dos santos de toda a revelação bíblica. É o livro mais importante da história. Steven Lawson chama-o de o monte Everest da teologia, o mais teológico dos evangelhos.[1] Charles Erdman o considera o mais conhecido e o mais amado livro da Bíblia. Provavelmente, é a mais importante peça da literatura que há no mundo.[2] Para William Hendriksen, o evangelho de João é o livro mais maravilhoso já escrito.[3] Lawrence Richards o descreve como "o evangelho universal".[4]

Mateus apresentou Jesus como Rei, Marcos como servo e Lucas como homem perfeito. João, por sua vez, apresenta Jesus como Deus. Os três primeiros evangelhos são chamados sinóticos porque têm grandes semelhanças entre si. João, porém, distingue-se dos demais em seu conteúdo, estilo e propósito.

Charles Swindoll diz que não temos quatro evangelhos; temos apenas um evangelho, escrito de quatro pontos de vista diferentes. Temos uma biografia elaborada por quatro testemunhas, cada escritor provendo uma perspectiva peculiar.[5] Nessa mesma linha de pensamento, Andreas Kostenberger afirma: "Os quatro evangelhos bíblicos apresentam o único evangelho da salvação em Jesus Cristo, segundo quatro testemunhas importantes: Mateus, Marcos, Lucas e João".[6]

Destacaremos a seguir alguns pontos importantes para uma introdução ao livro.

---

[1] LAWSON, Steven J. *Fundamentos da graça*. São José dos Campos: Fiel, 2012, p. 383.
[2] ERDMAN, Charles. *O evangelho de João*. São Paulo: Casa Editora Presbiteriana, 1965, p. 11.
[3] HENDRIKSEN, William. *João*. São Paulo: Cultura Cristã, 2004, p. 13.
[4] RICHARDS, Lawrence O. *Comentário histórico-cultural do Novo Testamento*, 2012, p. 192.
[5] SWINDOLL, Charles R. *Insights on John*. Grand Rapids: Zondervan, 2010, p. 15.
[6] KOSTENBERGER, Andreas J.; PATTERSON, Richard D. *Convite à interpretação bíblica*. São Paulo: Vida Nova, 2015, p. 205.

O autor

Embora os quatro evangelhos sejam anônimos, ou seja, não tragam o nome de seu autor, há inconfundíveis e irrefutáveis evidências internas e externas de que esse evangelho foi escrito pelo apóstolo João, irmão de Tiago, filho de Zebedeu, empresário de pesca do mar da Galileia. Sua mãe era Salomé (Mc 15.40; Mt 27.56), a qual contribuiu financeiramente com o ministério de Jesus (Mt 27.55,56) e pode ter sido irmã de Maria, mãe de Jesus (Jo 19.25). Se essa interpretação for verdadeira, então João e Jesus eram primos.[7] Sem apresentar seu nome, o autor se identifica como testemunha, em sua conclusão do evangelho: *E é esse o discípulo que dá testemunho dessas coisas e que as escreveu* (21.24).

Junto com Pedro e Tiago, João formou o grupo mais íntimo dos três discípulos que estiveram com Jesus na ressurreição da filha de Jairo (Mc 5.37), na transfiguração (Mc 9.2) e na sua angústia no jardim de Getsêmani (Mc 14.33). Dos três, João era o mais íntimo de Jesus. Ele é conhecido como o discípulo amado (13.23). Foi João quem se inclinou sobre o peito de seu mestre durante a ceia pascal; foi ele quem acompanhou seu Senhor ao julgamento, quando os demais discípulos fugiram (Jo 18.15).[8] De todos os apóstolos, foi ele o único que esteve ao pé da cruz para receber a mensagem do Senhor antes de expirar (19.25-27) e cuidou de Maria, após a morte de Jesus (19.27). Depois da ascensão de Cristo, João tornou-se um dos grandes líderes da igreja de Jerusalém (At 1.13; 3.1-11; 4.13-21; 8.14; Gl 2.9).

De acordo com a tradição, João mudou-se para Éfeso, capital da Ásia Menor, onde viveu os últimos anos de sua vida, como líder da igreja na região. Foi banido para a ilha de Patmos, no governo de Domiciano, onde escreveu o livro de Apocalipse. Com a ascensão de Nerva, João recebeu permissão para retornar a Éfeso, onde morreu aos 98 anos, no início do reinado de Trajano (98-117). João foi o único apóstolo de Jesus que teve morte natural. Os demais morreram pelo viés do martírio.

---

[7]MacArthur, John. *The MacArthur New Testament Commentary – John 1-11*. Chicago: Moody Publishers, 2006, p. 7-8.
[8]Pearlman, Myer. *Através da Bíblia*. Miami: Vida, 1987, p. 215.

A antiga literatura patrística faz referências ocasionais ao apóstolo, deixando evidente que ele era morador de Éfeso. Westcott cita Jerônimo, que relatou: "Permanecendo em Éfeso até uma idade avançada – podendo ser transportado para a igreja apenas nos braços de seus discípulos, e incapaz de pronunciar muitas palavras –, João costumava dizer não muito mais do que: *Filhinhos, amai-vos uns aos outros*. Por fim, os discípulos que ali estavam, cansados de ouvir sempre as mesmas palavras, perguntaram: – Mestre, por que sempre dizes isto? – É o mandamento do Senhor – foi a sua digna resposta – e, se apenas isto for feito, será o suficiente".[9]

F. F. Bruce diz que a evidência interna da autoria joanina para esse evangelho decorre do fato de que ele foi escrito: a) por um judeu palestino; b) por uma testemunha ocular; c) pelo discípulo que Jesus amava; d) por João, filho de Zebedeu.[10]

Tanto João quanto seu irmão Tiago foram chamados de *filhos do trovão*, possivelmente por causa de seu temperamento impetuoso. Eles queriam que fogo do céu caísse sobre os samaritanos que se recusaram a hospedar Jesus (Lc 9.54). Foi João quem relatou como ele e seus amigos tentaram impedir um homem de expulsar demônios em nome de Jesus, porque o tal não fazia parte de seu grupo (Lc 9.49). Certa feita, João e Tiago tentaram tirar vantagens de seu relacionamento mais próximo com Jesus, cobiçando um lugar de honra em seu reino futuro (Mc 10.35-45).

Na mesa da ceia (13.24), no túmulo vazio (20.2-10) e à beira do lago (21.7,20), João é associado de maneira especial com Pedro. Essa associação continua em vários episódios registrados no livro de Atos (At 3.1-23; 8.15-25). O apóstolo Paulo chama Pedro, Tiago (irmão do Senhor) e João de colunas da igreja de Jerusalém (Gl 2.9).

Pais da igreja como Papias, Irineu, Eusébio, Tertuliano, Clemente de Alexandria, dentre outros, deram amplo testemunho da autoria joanina para esse evangelho. O *Cânon muratoriano*, do segundo século d.C.,

---

[9]WESTCOTT, B. F. *The Gospel According to St. John*. London: John Murray, 1908, p. 34.
[10]BRUCE, F. F. *João: introdução e comentário*. São Paulo: Vida Nova, 2000, p. 11.

também atribui esse evangelho a João.¹¹ F. F. Bruce escreve: "No fim do segundo século, o evangelho de João era reconhecido normalmente nas igrejas cristãs como um dos evangelhos canônicos. Nossa principal testemunha desse período é Ireneu, que veio de sua terra natal, na província da Ásia, pouco depois de 177 d.C., para se tornar bispo de Lion".¹² Ireneu era discípulo de Policarpo, que por sua vez era discípulo de João. Ireneu tinha plena convicção tanto da autoria joanina como da canonicidade desse evangelho.

Os críticos, besuntados de soberba intelectual e dominados pelo ceticismo, questionam a autoria joanina desse evangelho; no entanto, as robustas evidências, tanto internas como externas, confirmam que o apóstolo João, o discípulo amado, foi seu autor.

Os destinatários

Mateus escreveu precipuamente para os judeus; Marcos, principalmente para os romanos; e Lucas, especialmente para os gregos. O evangelho de João, porém, é endereçado ao público geral, a judeus e gentios. O escopo desse evangelho possui abrangência universal.

Concordo com Joseph Mayfield no sentido de que os primeiros leitores do quarto evangelho provavelmente eram cristãos da segunda ou terceira geração. O que sabiam sobre a vida, o ministério, a morte e a ressurreição de Jesus aprenderam ou de ouvir falar, ou por meio da leitura dos primeiros relatos cristãos.¹³

Local e data

É consenso entre os estudiosos conservadores, estribados nas evidências históricas, que João escreveu esse evangelho da cidade de Éfeso, capital da Ásia Menor, onde morou por longos anos, pastoreou a maior igreja gentílica da época, liderou as igrejas da região e morreu já em avançada velhice, nos dias do imperador Trajano.

---

¹¹MILNE, Bruce. *The Message of John*. Downers Grove: InterVarsity Press, 1993, p. 18.
¹²BRUCE, F. F. *João: introdução e comentário*, p. 22.
¹³MAYFIELD, Joseph H. *O evangelho segundo João*. In: *Comentário bíblico Beacon*. Vol. 7. Rio de Janeiro: CPAD, 2005, p. 21.

Não podemos afirmar a data precisa em que esse evangelho foi escrito; todavia, há fortes evidências de que tenha sido entre os anos 80 e 96 d.C. Para F. F. Bruce, "parece provável que o evangelho foi publicado na província da Ásia uns sessenta anos depois dos acontecimentos que narra".[14]

Propósito

O evangelho de João tem um propósito específico: apresentar Jesus como o Verbo divino que se fez carne, o criador do universo, revelador do Pai, o Salvador do mundo, por meio de quem recebemos, pela fé, a vida eterna (20.30,31). Concordo com John MacArthur quando ele diz que o objetivo de João era tanto apologético, "para que creiais que Jesus é o Cristo, o Filho de Deus, como evangelístico, *e que crendo tenhais vida em seu nome*" (20.31).[15]

O propósito de João nos capítulos 1-12 é apresentar o ministério público de Jesus e, nos capítulos 13-21, apresentar seu ministério privado. Os capítulos 1-12 abrangem um período de três anos; os capítulos 13-21, exceto o capítulo 21, abrangem um período apenas de quatro dias. A primeira parte do livro enfatiza os milagres de Jesus, enquanto a segunda parte recorda os discursos feitos aos Seus discípulos.

F. F. Bruce diz com acerto que todo o evangelho enfatiza que Jesus é o Filho eterno do Pai, enviado ao mundo para sua salvação.[16] Gundry declara que, acima de qualquer consideração, João é o evangelho da fé. De fato, o verbo "crer" é a palavra-chave do presente evangelho.[17] A palavra grega *pisteuo*, traduzida por "crer", aparece 98 vezes no evangelho de João. Mas o que significa "crer"? Não se trata apenas de um assentimento intelectual acerca de Jesus. Significa confessar a verdade como verdade; e mais: significa confiar. Crer em Jesus, portanto,

---

[14]BRUCE, F. F. *João: introdução e comentário*, p. 12.
[15]MACARTHUR, John. *The MacArthur New Testament Commentary – John 1-11*, p. 9.
[16]BRUCE, F. F. *João: introdução e comentário*, p. 26.
[17]GUNDRY, Robert H. *Panorama do Novo Testamento*, 1978, p. 113.

é colocar plena confiança nEle como Salvador.[18] Isso quer dizer que devemos colocar nossa confiança nEle, e não apenas em Sua mensagem.

Peculiaridades

João não aborda os principais temas abordados nos evangelhos sinóticos, mas, por outro lado, traz uma gama enorme de material que nem sequer foi mencionado nos outros três evangelhos.

Diferentemente dos evangelistas sinóticos, João não trata da vida e do ministério de Jesus, nem faz um acompanhamento minucioso de Sua trajetória na Galileia e Pereia. Não registra as parábolas nem as muitas curas operadas por Jesus. Antes, foca sua atenção em provar que Jesus é o Filho de Deus e que, crendo nEle, recebemos a vida eterna.

Os quatro evangelhos conjugam as histórias narrativas de Jesus com os discursos, mas João enfatiza mais os discursos. João não traz as parábolas nem menciona o discurso escatológico. Não há nenhum episódio de expulsão de demônios e nenhum relato de cura de leprosos. Não encontramos nesse evangelho a lista dos doze apóstolos nem a instituição da ceia. João não faz referência ao nascimento de Jesus, a Seu batismo, transfiguração, tentação, agonia no Getsêmani nem à Sua ascensão. Na verdade, cerca de 90% desse evangelho não é encontrado nos sinóticos.[19]

A vasta maioria do conteúdo do evangelho de João é peculiar a esse livro, como mostra a descrição do Cristo preexistente e sua encarnação (1.1-18), o milagre na festa de casamento (2.1-11), a conversa com Nicodemos sobre o novo nascimento (3.1-21), seu encontro com a mulher samaritana (4.1-42), a cura do paralítico no tanque de Betesda (5.1-15), o discurso sobre o pão da vida (6.22-71), a reivindicação de ser a água da vida (7.37-39), a apresentação de si mesmo como o bom pastor (10.1-39), a ressurreição de Lázaro (11.1-46), o lava-pés (13.1-15), o discurso do Cenáculo (13–16), a Oração Sacerdotal (17.1-24), a pesca milagrosa depois da ressurreição (21.1-6) e a restauração e recondução

---

[18]SWINDOLL, Charles R. *Insights on John*, p. 17.
[19]MACARTHUR, John. *The MacArthur New Testament Commentary – John 1-11*, p. 1.

de Pedro ao ministério (21.15-19). João, outrossim, dá maior ênfase à pessoa e obra do Espírito Santo do que os demais evangelistas.[20]

Ênfases

Bruce Milne afirma corretamente que o evangelho de João é explicitamente o mais teológico dos quatro evangelhos.[21] Desde o prólogo, João antecipa o conteúdo de todo o seu evangelho, mostrando-nos que Jesus é o Verbo eterno, pessoal e divino. Aquele que tem vida em Si mesmo é o criador do universo. Sem descrever o nascimento de Jesus e sua infância, João apenas nos informa que o Verbo divino se fez carne e habitou entre nós.

Sete vezes em João, Jesus emprega a gloriosa expressão "Eu Sou", a mesma revelada por Deus a Moisés no Sinai.

1. *Eu sou o pão da vida* (6.35,48)
2. *Eu sou a luz do mundo* (8.12)
3. *Eu sou a porta das ovelhas* (10.7,9)
4. *Eu sou o bom pastor* (10.11)
5. *Eu sou a ressurreição e a vida* (11.25)
6. *Eu sou o caminho, a verdade e a vida* (14.6)
7. *Eu sou a videira verdadeira* (15.1,5).

Além dessas declarações diretas, Gundry ressalta aquelas que envolvem a expressão "Eu Sou", que sugerem a reivindicação de ser Ele o eterno Eu Sou – o Iavé do Antigo Testamento (4.25,26; 8.24,28,58; 13.19).[22] Destacaremos, agora, algumas das principais ênfases desse evangelho.

- Primeiro, *a natureza e os atributos de Deus* (1.1,2; 1.14-18; 3.16; 4.24; 5.19-23; 6.45-46; 8.16-19; 10.27-30,34-38; 12.27,28,49,50; 13.3; 14.6-10; 16.5-15,27,28; 17.11; 20.20-22).

---

[20]MacArthur, John. *The MacArthur New Testament Commentary – John 1-11*, p. 2.
[21]Milne, Bruce. *The Message of John*, p. 25.
[22]Gundry, Robert H. *Panorama do Novo Testamento*, p. 114.

- Segundo, *a humanidade, a queda e a redenção* (2.24,25; 3.3-8,19-21,36; 5.40; 6.35,53-57; 7.37-39; 8.12,31-47; 10.27-29; 11.25,26; 14.17; 15.1-8,18-25; 16.3,8; 17.2,3,6-9; 20.22,31).
- Terceiro, *a pessoa e a obra de Cristo* (1.29,51; 2.19; 3.14,34; 4.22,42; 5.25,28; 6.33,40,44,51,53,62; 10.9,11,15; 12.24,32; 13.8; 14.3,18; 16.33; 17.2; 18.14,36; 20.1–21.14).
- Quarto, *a pessoa e a obra do Espírito Santo* (1.13,32; 3.5; 4.24; 6.63; 7.39; 14.16,26; 15.26; 16.7-15; 19.34; 20.22).
- Quinto, *a vida do novo mundo* (3.15,36; 4.14; 5.24; 6.27,37,39,47,51, 58; 8.24,51; 10.28; 11.25; 12.25; 14.2).
- Sexto, *a divindade de Cristo* (1.1,14,18,49; 2.11,19; 3.3,13,18,19,31, 34; 5.17,22,26,28; 6.20,27,33,35,38,45,54,69; 7.28; 8.12,16,23,28, 42,55,58; 9.5; 10.7,11,14,18,30,38; 14.4,25,27,44; 14.1,6,9,14; 16.7,15,23,28; 17.5,10,24,26; 18.5; 20.1-21,25; 20.28).
- Sétimo, *a humanidade de Cristo* (1.14; 4.6; 6.42; 8.6; 11.33,35,38; 12.27; 19.5,30,31-42).
- Oitavo, *a soberania de Deus na salvação*. De acordo com Steven Lawson, as grandes doutrinas da graça são fortemente apresentadas pelo apóstolo João nesse evangelho.[23] A depravação total é amplamente explorada, pois o homem sem Deus está cego (3.3) e alienado (3.5), incapaz (6.44), escravo (8.34), surdo (8.43-47) e tomado de ódio por Deus (15.23). A eleição incondicional é igualmente tratada, pois é Deus quem escolhe (6.37-39). Deus nos escolheu do mundo (15.19), e os eleitos são dados pelo Pai a Jesus (17.9). A expiação eficaz é clara, pois Cristo morreu por Suas ovelhas (10.14,15) e dá a vida eterna a todos os que o Pai Lhe deu (17.1,2,9,19). A graça irresistível é acentuada, uma vez que o novo nascimento é obra soberana do Espírito (3.3-8), os mortos espirituais ouvem a voz de Jesus e vivem (5.25; 6.63), e todos aqueles que o Pai dá a Jesus são atraídos irresistivelmente (6.37,44,65) e convocados individualmente (10.1-5,8,27). A perseverança dos santos é claramente ensinada, pois os que creem recebem vida eterna (3.15), salvação eterna (3.16),

---

[23]LAWSON, Steven J. *Fundamentos da graça*, p. 383-434.

satisfação eterna (4.14), proteção eterna (6.38-44), segurança eterna (10.27-30), sustentação eterna (6.51,58), duração eterna (11.25,26) e visão eterna (17.24).

1

Jesus, perfeitamente Deus, perfeitamente homem

João 1.1-18

O EVANGELHO DE JOÃO, COMO UMA ÁGUIA, voa nas alturas excelsas. Atinge os cumes mais altos da revelação bíblica, penetra pelos umbrais da eternidade e traz para o palco da história as verdades mais estonteantes e gloriosas. Mostra com eloquência singular como o transcendente torna-se imanente, como o infinito entra nos limites do finito, como o eterno invade o tempo e como Deus veste pele humana para habitar entre nós.

Vamos, agora, tirar as sandálias dos pés e pisar em terreno santo. Vamos abrir as cortinas da eternidade e receber a mais audaciosa revelação da pessoa e da obra do Verbo divino, Jesus de Nazaré. Warren Wiersbe diz que, enquanto os três primeiros evangelhos se concentram em descrever *acontecimentos* da vida de Cristo, João enfatiza o *significado* desses acontecimentos.[1]

D. A. Carson assevera que o prólogo do evangelho de João é o vestíbulo para o restante do quarto evangelho, pois resume a forma como "O Verbo", que estava junto com Deus no princípio, entrou na esfera do tempo, da história e da tangibilidade; em outras palavras, como o

---

[1] WIERSBE, Warren W. *Comentário bíblico expositivo*, 2006, p. 366.

Filho de Deus foi enviado ao mundo para tornar-se o Jesus da história, de forma que a glória e a graça de Deus pudessem ser manifestadas de modo singular e perfeito. O restante do livro não é nada mais que uma ampliação desse tema.[2] Nessa mesma linha de pensamento, F. F. Bruce realça que o prólogo do quarto evangelho antecipa a temática de toda a obra. E mais: o prólogo de João traça o mesmo paralelo entre a atuação de Deus na primeira criação e na nova criação.[3]

Quatro verdades devem ser destacadas no preâmbulo do livro.

Os **atributos** do Verbo (1.1-4)

João não começa com a genealogia de Jesus como Mateus e Lucas. Isso porque seu propósito é apresentar Jesus como Deus; e, como tal, Ele não tem árvore genealógica. Seis verdades acerca do Verbo devem ser colocadas em relevo aqui.

Em primeiro lugar, *o Verbo é eterno* (1.1a). *No princípio era o Verbo* [...]. Ao referir-se ao *logos*, Verbo, João recua aos refolhos da eternidade, antes do princípio de todas as coisas. Quando tudo começou (Gn 1.1), o Verbo já existia. Ele já existia antes que a matéria fosse criada e antes que o tempo começasse. Ele é antes do tempo. É o Pai da eternidade. F. F. Bruce diz que, em Gênesis 1.1, *no princípio* inicia a história da primeira criação; aqui, a expressão inicia a história da nova criação. Nas duas obras de criação, o agente é a Palavra de Deus.[4] Na eternidade passada, antes do começo de todas as coisas – espaço, tempo, matéria –, no princípio, antes do início de tudo, o Verbo já existia no eterno e infinito presente.[5] John Charles Ryle diz que não está escrito: "No princípio o Verbo foi feito", mas "No princípio era o Verbo". Estas duas palavras "princípio" e "era" são duas âncoras que mantêm firmes o navio da alma humana diante das tempestades das heresias que possam vir.[6] Wescott tem razão ao enfatizar: "O tempo verbal no imperfeito

---

[2]CARSON, D. A. *O comentário de João*. São Paulo: Shedd Publicações, 2007, p. 111.
[3]BRUCE, F. F. *João: introdução e comentário*, p. 33.
[4]BRUCE, F. F. *João: introdução e comentário*, p. 33.
[5]SWINDOLL, Charles R. *Insights on John*, p. 23.
[6]RYLE, John Charles. *John*. Vol. 1. Grand Rapids: Banner of the Truth Trust, 1997, p. 6.

sugere nesta relação, até onde a linguagem humana pode ir, a noção de uma existência supratemporal absoluta".[7]

David Stern diz que, embora *logos* tenha desempenhado um papel no gnosticismo pagão – como um dos passos através dos quais a pessoa desenvolveu seu caminho em direção a Deus, e como tal é encontrado dessa forma em numerosas heresias judaicas e cristãs –, não temos aqui uma inclusão pagã no Novo Testamento. No pensamento filosófico grego, *logos* era usado em relação ao princípio racional ou à mente que regia o universo. No pensamento hebraico, o Verbo de Deus era sua autoexpressão ativa, a revelação de si mesmo para a humanidade através da qual uma pessoa não só recebe a verdade a respeito de Deus, mas se encontra com Deus face a face.[8]

Jesus, o *logos*, existia antes da criação (17.5). O *logos* não era um ser criado, como ensinou Ário, o herético do século quarto, e como ensinam hoje as testemunhas de Jeová.[9] F. F. Bruce esclarece esse ponto dizendo que o termo *logos* era conhecido em algumas escolas gregas de filosofia, onde significava o princípio da razão ou ordem imanente no universo, o princípio que dá forma ao mundo material e constitui a alma racional no ser humano. Entretanto, não devemos procurar o pano de fundo do pensamento e da linguagem de João no contexto filosófico grego, mas na revelação hebraica do Antigo Testamento, onde a "Palavra de Deus" indica Deus em ação. Portanto, se entendermos *logos* nesse prólogo como "palavra em ação", começaremos a fazer-lhe justiça.[10]

Em segundo lugar, **o Verbo é uma pessoa igual ao Pai em essência, mas distinto em natureza** (1.1b,2). [...] *e o Verbo estava com Deus* [...] *Ele estava no princípio com Deus*. Antes da criação do universo, nos recônditos da eternidade, o Verbo desfrutava plena comunhão com Deus Pai. A expressão grega *pros ton Theon* traz a ideia de "face a face com Deus". Deus Pai e o Verbo, embora sejam duas pessoas, estão unidos por

---

[7]WESTCOTT, B. F. *The Gospel According to St. John*, p. 34.
[8]RICHARDS, Lawrence O. *Comentário histórico-cultural do Novo Testamento*, p. 193.
[9]STERN, David H. *Comentário judaico do Novo Testamento*, 2008, p. 180.
[10]BRUCE, F. F. *João: introdução e comentário*, p. 34.

inefável união.¹¹ Charles Swindoll diz que a preposição *pros*, quando usada nesse contexto, significa familiaridade. O Verbo e Deus Pai existiam face a face, compartilhando intimidade e propósito.¹² Ao mesmo tempo que o Verbo é distinto de Deus, é igual a Ele, pois é da mesma substância. O Verbo conhecia o Pai, era igual ao Pai, embora distinto, e tinha com Ele profunda comunhão. Portanto, o Verbo não é uma energia cósmica, mas uma pessoa. O Verbo é Jesus. O Verbo compartilha da natureza e do ser de Deus. Nas palavras de F. F. Bruce, o Verbo de Deus é distinto de Deus em si, mas tem uma relação pessoal muito íntima com Ele, pois participa da própria natureza de Deus.¹³

Em terceiro lugar, *o Verbo é divino* (1.1c). [...] *e o Verbo era Deus*. O Verbo não é meramente um anjo criado ou um ser inferior a Deus Pai e investido por Ele com autoridade para redimir pecadores. Ele mesmo é Deus, coigual com o Pai.¹⁴ João agora trata da natureza do Verbo. O Verbo é divino! O apóstolo João abre seu evangelho fazendo uma afirmação categórica e insofismável da divindade do Verbo. Jesus não é apenas um mestre moral; Ele é Deus.

Essa é a grande tese de João nesse evangelho. Numa só sentença, o primeiro versículo do evangelho de João declara a eternidade, a personalidade e a deidade de Cristo.¹⁵ João pretende que o todo de seu evangelho seja lido à luz desse versículo. Os feitos e as obras de Jesus são os feitos e as obras de Deus; se isso não é verdade, o livro é blasfemo.¹⁶

Em quarto lugar, *o Verbo é criador* (1.3). *Todas as coisas foram feitas por intermédio dele, e, sem ele, nada do que foi feito existiria*. William Barclay tem razão em dizer que o Verbo não é uma parte do mundo que começou a existir no tempo; o Verbo estava com Deus na eternidade, antes do tempo. O Verbo é Deus.¹⁷ O Verbo é o agente divino

---

¹¹RYLE, John Charles. *John*. Vol. 1, p. 2.
¹²SWINDOLL, Charles R. *Insights on John*, p. 24.
¹³BRUCE, F. F. *João: introdução e comentário*, p. 36.
¹⁴RYLE, John Charles. *John*. Vol. 1, p. 3.
¹⁵ERDMAN, Charles. *O evangelho de João*, p. 16.
¹⁶BRUCE, F. F. *João: introdução e comentário*, p. 36; CARSON, D. A. *O comentário de João*, p. 117.
¹⁷BARCLAY, William. *Juan I*. Buenos Aires: La Aurora, 1974, p. 45.

na criação do universo. Foi Ele quem trouxe à existência as coisas que não existiam. Deus disse: *Haja luz. E houve luz* (Gn 1.3). O Verbo é a palavra criadora de Deus, por meio de quem todas as coisas foram feitas, tanto as visíveis como as invisíveis, tanto as terrenas como as celestiais (Cl 1.16). Hebreus 1.2 fala a respeito do Filho de Deus *por meio de quem também fez o universo*. Concordo com F. F. Bruce, quando ele diz que Deus é o criador, e o Verbo é o agente. William Hendriksen é enfático ao escrever: "Todas as coisas, uma a uma, vieram a existir por meio dEle. De tudo o que existe hoje, não há nada que tenha se originado à parte dEle".[18] As duas partes do versículo dizem a mesma coisa, primeiro positivamente (todas as coisas foram feitas por intermédio dEle) e depois negativamente (sem Ele, nada do que foi feito se fez).[19]

Lawrence Richards diz corretamente que aqui, como em toda a Escritura, João tem em vista um princípio para o mundo material e para aqueles seres criados que povoam o universo espiritual, sendo Cristo o agente ativo nessa criação.[20]

Em quinto lugar, *o Verbo é autoexistente* (1.4). *A vida estava nEle e era a luz dos homens*. Todos os seres que existem no universo foram criados e por isso não têm vida em si mesmos. Só Deus tem vida em Si mesmo. Só Deus é autoexistente. O Verbo não recebeu vida; Ele é a vida. Dele decorrem todas as coisas. Ele é a fonte de tudo o que existe. Ele é a vida, a luz dos homens. Embora Jesus seja a fonte de toda a vida biológica, a palavra grega usada aqui, e outras 35 vezes nesse evangelho, nunca é *bios*, vida biológica, mas *zoe*, vida espiritual, ou seja, vida do alto (3.3), vida eterna (3.15,16; 20.31), vida abundante (10.10). Como o Verbo é a fonte de toda a vida, também Ele é a fonte de toda a luz (Sl 36.9). Ele é a luz do mundo (8.12). F. F. Bruce escreve oportunamente:

> A expressão [...] *e a vida era a luz dos homens* vale tanto para a iluminação natural da razão concedida à mente humana como para a iluminação espiritual que acompanha o novo nascimento; nenhuma das duas

---

[18]HENDRIKSEN, William. *João*, p. 106.
[19]BRUCE, F. F. *João: introdução e comentário*, p. 37.
[20]RICHARDS, Lawrence O. *Comentário histórico-cultural do Novo Testamento*, p. 195.

pode ser recebida sem a luz que está no Verbo. O que o evangelista tem em mente aqui é a iluminação espiritual que dissipa a escuridão do pecado e da descrença.[21]

William Barclay diz que a luz aqui tem três significados: é a luz que faz desaparecer o caos (1.5); é a luz reveladora que tira as máscaras e os disfarces e mostra as coisas como de fato são (3.19,20); e é a luz que guia (12.35; 12.46).[22]

Em sexto lugar, *o Verbo é a luz que prevalece* (1.5). *A luz resplandece nas trevas, e as trevas não prevaleceram contra ela*. Onde a luz chega, ela espanta as trevas. A luz desmascara e dissipa as trevas. O mundo está em trevas, porque o diabo cegou o entendimento dos incrédulos. Mas onde Jesus se manifesta salvificamente, as vendas dos olhos são arrancadas e os cativos são trasladados do império das trevas para o reino da luz. Na primeira criação *havia trevas sobre a face do abismo* (Gn 1.2), até que Deus chamou a luz à existência. Da mesma forma, a nova criação abrange a expulsão da escuridão espiritual pela luz que brilha no mundo. Sem a luz, que é Cristo, o mundo das pessoas está envolto em trevas.[23]

Atitudes em relação ao Verbo (1.5-13)

João deixa de apresentar o Verbo para introduzir seu arauto e as reações a Ele. Destaco a seguir três fatos relacionados.

Em primeiro lugar, *o arauto do Verbo* (1.6-9). João foi enviado por Deus. João Batista foi enviado para testemunhar de Jesus, a fim de que todos colocassem sua confiança nEle. João sabia o seu lugar. Ele era o arauto da luz, e não a luz; era o amigo do noivo, e não o noivo; era a voz, e não a mensagem; era o servo, e não o senhor. Jesus é a verdadeira luz. As outras que vieram foram apenas sombras da luz verdadeira. Para D. A. Carson, são numerosas as testemunhas da verdade da autorrevelação de Deus no Verbo: há o testemunho da mulher samaritana (4.39), das obras de Jesus (5.36; 10.25), do Pai (5.32,37; 8.18), do Antigo

---

[21]Bruce, F. F. *João: introdução e comentário*, p. 38.
[22]Barclay, William. *Juan I*, p. 54-56.
[23]Bruce, F. F. *João: introdução e comentário*, p. 38-39.

Testamento (5.39,40), da multidão (12.17), do Espírito Santo e dos apóstolos (15.26,27). Todos esses dão testemunho de Jesus, e Ele próprio dá testemunho da verdade (18.37), em conjunção com o Pai (8.13-18).[24] Todo esse testemunho foi dado com o propósito de promover a fé em Jesus. Esse é o objetivo com o qual esse evangelho foi escrito (20.31).

João anuncia Jesus como a luz verdadeira, que alumia todo homem (1.9). Fritz Rienecker diz que Cristo é a luz perfeita em cuja radiância as demais luzes parecem tenebrosas. Somente Ele pode tornar claro a cada indivíduo o significado e o propósito da sua vida.[25] John Charles Ryle diz corretamente que Cristo é para a alma dos seres humanos o que o sol é para o mundo. Ele é o centro e a fonte de toda luz espiritual, calor, vida, saúde, crescimento, beleza e fertilidade. Como o sol, Ele brilha para o benefício de toda a humanidade – para grandes e pequenos, ricos e pobres, judeus e gentios. Todos podem olhar para Ele e receber livremente Sua luz.[26]

Nesse versículo, João emprega um vocábulo bastante significativo para descrever Jesus. No grego, há duas palavras para definir "verdade". A primeira delas é *alethes*, que significa "verdadeiro em oposição a falso". A outra palavra é *alethinos*, que significa "real ou genuíno em oposição a irreal". Jesus é a luz genuína que veio alumiar e esclarecer a humanidade. Jesus é a única luz genuína, a luz verdadeira, que guia as pessoas em seu caminho.[27]

Em segundo lugar, *a rejeição do Verbo* (1.10,11). *O Verbo estava no mundo, e este foi feito por meio dEle, mas o mundo não o reconheceu.* John Charles Ryle diz que Cristo estava no mundo, invisivelmente, muito antes do nascer da virgem Maria. Ele estava desde o começo, reinando, ordenando e governando toda a criação. Ele é antes de todas as coisas. Ele deu a vida a todas as criaturas. Deu a chuva do céu e as estações frutíferas. Por Ele, todos os reis governaram e todas as nações se levantaram e caíram. Mesmo assim, as pessoas não O reconheceram nem o

---

[24]CARSON, D. A. *O comentário de João*, p. 121.
[25]RIENECKER, Fritz; ROGERS, Cleon. *Chave linguística do Novo Testamento*, 1985, p. 161.
[26]RYLE, John Charles. *John*. Vol. 1, p. 15.
[27]BARCLAY, William. *Juan I*, p. 61.

honraram. Antes, serviram à criatura em lugar do criador (Rm 1.25). Ele veio para os judeus, o povo escolhido. Revelou a Si mesmo pelos profetas. Veio para os judeus que liam o Antigo Testamento e viam-No sob os tipos e figuras em seu culto, professando esperar por sua vinda. E, mesmo assim, quando Ele veio, os judeus não O receberam. Eles O rejeitaram, O desprezaram e O pregaram na cruz.[28] Jesus veio para o que era Seu, e os Seus não O receberam. Embora presente, Jesus foi rejeitado. Embora onipotente, não foi reconhecido. Embora tenha amado Seu povo, foi por ele rejeitado.

Em um estilo majestoso, João retrata o fato, o propósito e o resultado da vinda de Jesus ao mundo. O fato: Ele *estava no mundo*. O propósito: Ele *veio para o que era Seu*. O resultado: *mas os Seus não O receberam*.[29] João coloca, assim, em chocante contraste a oferta divina e a rejeição humana. Veremos que esse evangelho não se refere apenas à tragédia da incredulidade; apresenta igualmente o magnífico drama do desenvolvimento da fé.[30]

Concordo com o parecer de D. A. Carson: "Quando João nos diz que Deus ama o mundo, isso é um testemunho do caráter de Deus (3.16) e está longe de ser um endosso do mundo. O amor de Deus deve ser admirado não porque o mundo é tão grande, mas porque o mundo é tão mau".[31] "O mundo" no uso de João não compreende ninguém que tenha fé. Aqueles que alcançam a fé não são mais deste mundo; eles foram tirados deste mundo (15.19). Se Jesus é o Salvador do mundo (4.42), isso diz muito sobre Jesus, mas nada de positivo sobre o mundo. De fato, isso significa que o mundo precisa do Salvador.[32]

Precisamos deixar claro que a palavra grega *kosmos*, "mundo", tem vários significados nesse evangelho: 1) universo (17.5); 2) habitantes humanos da terra (16.21); 3) público em geral (7.4; 14.22); 4) a humanidade alienada de Deus, levada pelo pecado, exposta ao julgamento e necessitada de salvação (3.19); 5) os seres humanos de cada tribo

---

[28]Ryle, John Charles. *John*. Vol. 1, p. 15-16.
[29]Mayfield, Joseph H. *O evangelho segundo João*, p. 29-30.
[30]Erdman, Charles. *O evangelho de João*, p. 18.
[31]Carson, D. A. *O comentário de João*, p. 123.
[32]Carson, D. A. O comentário de João, p. 123.

e nação, não somente os judeus, mas também os gentios (1.29; 4.42; 3.16,17; 6.33; 8.12; 9.5; 12.46); 6) o reino do mal (7.7; 8.23; 12.31; 14.30; 15.18; 17.9,14).[33] Concordo, portanto, com F. F. Bruce quando ele diz que, por mundo, *kosmos,* João entende especialmente o mundo das pessoas, alienado de Deus.[34]

Como podemos ver o Verbo de Deus no mundo em que vivemos? 1) Devemos olhar para fora e perceber que existe ordem no universo e, para tal, uma mente onipotente precisa estar por trás dessa ordem. Olhar para fora implica defrontar cara a cara com Deus, o criador do mundo. 2) Devemos olhar pra cima e perceber a grandeza insondável do mundo. Os cientistas dizem que o nosso universo tem mais de 92 bilhões de anos-luz de diâmetro, ou seja, se pudéssemos voar à velocidade da luz, trezentos mil quilômetros por segundo, demoraríamos nessa velocidade mais de noventa bilhões de anos para ir de uma extremidade à outra. Os estudiosos afirmam que há mais estrelas no firmamento do que todos os grãos de areia de todas as praias e desertos do nosso planeta. 3) Devemos olhar para dentro. O grande pensador Immanuel Kant declarou que havia duas coisas que o encantavam: o céu estrelado acima de sua cabeça e a lei moral dentro de seu coração. 4) Devemos olhar para trás. Toda a história é uma demonstração da lei moral de Deus em ação.[35]

Em terceiro lugar, **a aceitação do Verbo** (1.12,13). A salvação sai das fronteiras de Israel e se estende para o mundo inteiro. Pessoas de todas as tribos, raças e povos, que receberem Cristo, receberão o poder de serem feitas não apenas filhos de Abraão, mas filhos de Deus, de fazerem parte da família de Deus. Esse poder é conferido não aos que se julgam merecedores por suas obras, mas aos que creem no Seu nome. Esse *nome* é muito mais do que a designação pela qual uma pessoa é conhecida; abrange o caráter verdadeiro ou, às vezes, como aqui, a própria pessoa.[36]

Três verdades merecem atenção. Primeiro, a fé é universal em seu escopo (1.12). Segundo, a fé oferece uma posição de suprema honra (1.12). Terceiro, a fé não opera pelos meios naturais, mas pela

---

[33]HENDRIKSEN, William. *João*, p. 112.
[34]BRUCE, F. F. *João: introdução e comentário*, p. 41.
[35]BARCLAY, William. *Juan I*, p. 63-66.
[36]BRUCE, F. F. *João: introdução e comentário*, p. 43.

forma sobrenatural (1.13). Concordo com David Stern quando ele diz que ser filho de Deus aqui significa muito mais do que simplesmente ser criado à imagem e semelhança de Deus (Gn 1.26,27); é ter um relacionamento íntimo e pessoal com Ele.[37] Na mesma linha de pensamento, Fritz Rienecker explica que os homens não são pela natureza filhos de Deus; somente ao receberem Cristo, é que eles obtêm o direito de se tornarem filhos de Deus.[38] Fica patente que o nascimento na família de Deus é bem diferente do nascimento físico. Esse direito do nascimento divino não tem nada que ver com laços raciais, nacionais ou familiares. O nascimento espiritual, a entrada na família cujo Pai é Deus, depende de fatores bem diferentes – a recepção pela fé dAquele a quem Deus enviou.[39] Concordo com Fritz Rienecker quando Ele diz que o texto em apreço enfatiza que nenhuma agência humana é responsável por semelhante nascimento, nem pode sê-lo.[40]

A **encarnação** do Verbo (1.14)

Depois de afirmar a perfeita divindade do Verbo, João agora assevera sua perfeita humanidade. Jesus é tanto Deus como homem. É perfeitamente Deus e perfeitamente homem. O Verbo que criou o mundo, a razão que controla a ordem do mundo, fez-se carne e veio morar entre os seres humanos. Possui duas naturezas distintas. É Deus de Deus, luz de luz, coigual, coeterno e consubstancial com o Pai. Não obstante, fez-se carne.

Charles Swindoll chama a atenção para o fato de que nos dias em que João escreveu esse evangelho, ao final do primeiro século, quando já florescia o gnosticismo, uma perigosa heresia que atacou o cristianismo, muitas pessoas tinham mais dificuldades de aceitar a humanidade de Cristo do que sua divindade. A influência do dualismo de Platão – espírito bom/matéria má – permeava a religião e a filosofia. Os gregos viam a morte como libertação da alma (o aspecto bom da humanidade) da prisão do corpo (o aspecto mau). Os gregos tinham intransponível

---

[37]STERN, David H. *Comentário judaico do Novo Testamento*, p. 181.
[38]RIENECKER, Fritz; ROGERS, Cleon. *Chave linguística do Novo Testamento*, p. 161-162.
[39]BRUCE, F. F. *João: introdução e comentário*, p. 43.
[40]RIENECKER, Fritz; ROGERS, Cleon. *Chave linguística do Novo Testamento*, p. 162.

dificuldade de entender como Deus, sendo santo, podia assumir um corpo material, já que a matéria era em si má. A fim de preservar a impecabilidade divina, os filósofos inventaram vários mitos para explicar como Cristo apareceu em forma humana sem ter um corpo material. O mais comum foi o *docetismo*, afirmando que o corpo de Cristo era apenas aparente, mas não real e tangível. A afirmação de João de que o Verbo se fez carne é, portanto, assaz contundente.[41]

Destacamos aqui algumas verdades preciosas.

Em primeiro lugar, **o Verbo assumiu a natureza humana** (1.14). *E o Verbo se fez carne e habitou entre nós* [...] William Hendriksen diz corretamente que a expressão *se fez* tem aqui um sentido muito especial. Não é um "se fez" ou "se tornou", no sentido de ter cessado de ser o que era antes. Quando a mulher de Ló "se tornou" uma estátua de sal, deixou de ser a esposa dele. Mas, quando Ló "se tornou" pai de Moabe e Amom, permaneceu sendo Ló. Esse é também o caso aqui. O Verbo se fez carne, mas permaneceu sendo o Verbo de Deus (1.1,18). A segunda pessoa da Trindade assume a natureza humana sem deixar de lado a natureza divina. Nele as duas naturezas, divina e humana, estão presentes.[42] Bruce Milne amplia o entendimento dessa gloriosa verdade, ao escrever:

> O verbo "se fez" (*egeneto*) expressa que a pessoa muda sua propriedade e entra em uma nova condição e se torna alguma coisa que não era antes. O tempo verbal no aoristo implica uma definitiva e completa ação; ou seja, não há volta na encarnação. O fato de o Filho de Deus ter se esvaziado e assumido a forma humana é irreversível. Deus, o Filho, sem cessar por um momento de ser divino, uniu-se a à plenitude da natureza humana e se tornou uma autêntica pessoa humana, exceto no pecado. Em Jesus Cristo, Deus "se fez homem".[43]

Quando o Verbo se fez carne, as duas naturezas, divina e humana, se uniram inconfundível, imutável, indivisível e inseparavelmente. Vemos, portanto, a presença de Deus entre os seres humanos. O Verbo

---

[41]SWINDOLL, Charles R. *Insights on John*, p. 30.
[42]HENDRIKSEN, William. *João*, p. 118.
[43]MILNE, Bruce. *The Message of John*, p. 46.

eterno, pessoal, divino, autoexistente e criador esvaziou-se de sua glória, desceu até nós e vestiu pele humana. "A carne de Jesus Cristo tornou-Se a nova localização da presença de Deus na terra. Jesus substituiu o antigo tabernáculo".[44] Fez-se um de nós, em tudo semelhante a nós, exceto no pecado. Eis o grande mistério da encarnação!

Concordo com Charles Erdman quando ele diz que o termo grego *sarx*, "carne", denota natureza humana, mas não natureza pecaminosa, como usualmente é seu sentido nos escritos de Paulo.[45] Aquele que nem o céu dos céus pode conter, que mediu as águas na concha de sua mão, que pesou o pó da terra em balança de precisão, que mediu os céus a palmo e que espalhou as estrelas no firmamento, agora nasce entre os homens e é colocado numa manjedoura. *Nele habita corporalmente toda a plenitude da divindade* (Cl 2.9).

Há muitos exemplos da aparição de Deus como homem no Antigo Testamento: a Abraão (Gn 18), a Jacó (Gn 32.25-33), a Moisés (Êx 3), a Josué (Js 5.13–6.5), ao povo de Israel (Jz 2.1-5), a Gideão (Jz 6.11-24), a Manoá e sua esposa, pais de Sansão (Jz 13.2-23). Mas aqui, na encarnação, é o Verbo de Deus que se torna um ser humano![46] Usando o verbo *skenoo* para traduzir "habitou", João diz que o Verbo armou seu tabernáculo, ou morou em sua tenda, entre nós. O termo traria à mente o *skene*, o tabernáculo onde Deus se encontrava com Israel antes da construção do templo (Êx 25.8).[47]

Em segundo lugar, *o Verbo trouxe salvação para a raça humana* (1.14b). [...] *pleno de graça e de verdade* [...]. Vemos aqui a graça de Deus para os homens. Jesus manifestou-se cheio de graça e de verdade. Esses dois grandes conceitos, graça e verdade, não podem estar separados. Em Cristo, eles estão em plena harmonia. Graça é um dom completamente imerecido, algo que jamais poderíamos alcançar por nosso esforço. O fato de Jesus ter vindo ao mundo para morrer na cruz pelos pecadores está além de qualquer merecimento humano.[48]

---

[44]RIENECKER, Fritz; ROGERS, Cleon. *Chave linguística do Novo Testamento*, p. 162.
[45]ERDMAN, Charles. *O evangelho de João*, p. 18.
[46]STERN, David H. *Comentário judaico do Novo Testamento*, p. 182.
[47]CARSON, D. A. *O comentário de João*, p. 127.
[48]BARCLAY, William. *Juan I*, p. 73.

Em terceiro lugar, *o Verbo veio revelar a glória do Pai* (1.14c). [...] *e vimos a Sua glória, como a glória do unigênito do Pai*. Encontramos aqui a glória de Deus sobre os homens. Jesus é a exata expressão do ser de Deus. *Nele habita corporalmente toda a plenitude da divindade* (Cl 2.9). Ele é coigual, coeterno e consubstancial com o Pai. Deus de Deus, luz de luz, eternamente gerado do Pai. Jesus é a exegese de Deus. Quem o vê, vê ao Pai, pois Ele e o Pai são um. A glória vista no Verbo encarnado foi a mesma glória revelada a Moisés quando o nome de Javé soou em seus ouvidos; mas, agora, essa glória foi manifestada na terra em uma vida humana, cheia de graça e de verdade.[49]

O **testemunho** acerca do Verbo (1.15-18)

João Batista, como arauto de Jesus, abre as cortinas e faz sua apresentação. Quatro verdades essenciais são apresentadas.

Em primeiro lugar, **o Verbo preexistente tem primazia** (1.15). *João testemunhou a respeito dEle, exclamando: É sobre este que eu falei: Aquele que vem depois de mim está acima de mim, pois já existia antes de mim.* Ora, se Jesus nasceu seis meses depois de João Batista e veio depois dele, como já existia antes dele? A única resposta é que, antes de Jesus nascer como homem, já existia eternamente como Deus, por isso tem a primazia.

Em segundo lugar, *o Verbo tem plenitude de graça* (1.16). *Pois todos recebemos da Sua plenitude, graça sobre graça.* Aquele que é a plenitude de Deus veio para oferecer-nos sua plenitude. Nele temos não apenas graça, mas graça sobre graça. A graça está encarnada nEle, e quem está nEle tem graça abundante. O que os seguidores de Cristo tiram do oceano da plenitude divina é graça – cada onda é constantemente substituída por outra. Não há limites no suprimento de graça que Deus coloca à disposição do Seu povo.[50]

Em terceiro lugar, **o Verbo é o fim da lei** (1.17). *Porque a lei foi dada por meio de Moisés; a graça e a verdade vieram por meio de Jesus Cristo.*

---

[49]Bruce, F. F. *João: introdução e comentário*, p. 47.
[50]Bruce, F. F. *João: introdução e comentário*, p. 48.

A lei é boa, santa e justa, porém nós somos pecadores. Ela é perfeita, mas somos imperfeitos. Por isso, a lei não pode justificar. A lei não tem poder para curar. A lei pode ferir, mas não pode fechar a ferida.[51] A lei é inflexivelmente exigente, e nunca conseguimos atender às suas exigências. Por isso, pela lei estamos condenados. O papel da lei, portanto, nunca foi nos salvar, mas convencer-nos do pecado, tomar-nos pela mão e conduzir-nos a Cristo. Ele é o fim da lei. Nele encontramos graça e verdade. Nele temos copiosa redenção. Concordo com Warren Wiersbe quando ele diz que, em sua vida, morte e ressurreição, Jesus Cristo cumpriu todos os requisitos da lei; agora, Deus pode compartilhar a plenitude da graça com os que creem em Cristo. A graça sem a verdade seria enganosa, e a verdade sem a graça seria condenatória.[52] F. F. Bruce explica de forma extraordinária esse ponto:

> O evangelista João gosta de colocar a ordem antiga e a nova em termos antitéticos. Na lei que foi dada através de Moisés, também não faltavam ênfases na graça e na verdade, mas tudo o que destas qualidades foi manifesto nos tempos do Antigo Testamento foi revelado em plenitude concentrada no Verbo encarnado [...]. Aqui, portanto, como nos escritos de Paulo, Cristo substitui a lei de Moisés como ponto central da revelação divina e do estilo de vida. Este evangelho mostra de diversas maneiras que a nova ordem cumpre, ultrapassa e substitui a antiga: o vinho da nova criação é melhor que a água usada na religião judaica (2.10); o novo templo é mais excelente que o antigo (2.19); o novo nascimento é a porta de entrada para um nível de vida que não pode ser alcançado pelo nascimento natural, mesmo dentro do povo escolhido (3.3,5); a água viva do Espírito, que Jesus concede, é muito superior à água do poço de Jacó e à água derramada no ritual da festa dos tabernáculos, no pátio do templo (4.13ss.; 7.37-39); o pão do céu é a realidade da qual o maná no deserto foi só um vislumbre (6.32ss.). Moisés foi o mediador da lei; Jesus Cristo é mais que mediador, é a corporificação da graça e da verdade. "O Verbo era o que Deus era".[53]

---

[51]RYLE, John Charles. *John*. Vol. 1, p. 36.
[52]WIERSBE, Warren W. *Comentário bíblico expositivo*. Vol. 5, p. 369.
[53]BRUCE, F. F. *João: introdução e comentário*, p. 49.

Em quarto lugar, *o Verbo é o revelador do Pai* (1.18). *Ninguém jamais viu a Deus. O Deus unigênito, que está ao lado do Pai, foi quem O revelou.* Deus é invisível, pois é Espírito. Ele habita em luz inacessível. Contudo, a segunda pessoa da Trindade, o Verbo eterno, chamado claramente aqui pelo apóstolo João de Deus unigênito, eternamente gerado do Pai, veio ao mundo exatamente para nos revelar Deus Pai. Concordo com David Stern quando ele diz que João ensina que o Pai é Deus, que o Filho é Deus, contudo faz uma distinção entre o Filho e o Pai, para que ninguém possa dizer que o Filho é o Pai.[54] João declara que o Verbo encarnado tornou Deus conhecido. Veio para revelar o Pai. O verbo grego que emprega é *exegesato*, de onde vem nossa palavra exegese. Podemos assim dizer que Jesus é a exegese de Deus.[55] Nem Abraão, o amigo de Deus, nem Moisés, com quem o Senhor tratava face a face, puderam ver a glória divina em sua plenitude. Contudo, a glória que nem Abraão nem Moisés puderam ver, agora foi apresentada a nós em Jesus.[56]

Só Jesus pode nos tomar pela mão e nos levar a Deus. Ninguém pode ir ao Pai senão por Ele. Ninguém pode conhecer o Pai senão através de Sua revelação. Deus outrora nos falou muitas vezes, de muitas maneiras, mas agora Ele nos fala pelo Seu Filho. Em Jesus habita corporalmente toda a plenitude da divindade. Ele é a imagem do Deus invisível. Ele é o resplendor da glória, a expressão exata do ser de Deus. Jesus é a exegese de Deus. Quem o vê, vê o Pai, pois Ele e o Pai são um.

Jesus pode ser o revelador de Deus por três razões: Primeiro, porque Ele é único. A palavra grega usada é *monogenes*, "unigênito". Jesus é o único que pode trazer Deus às pessoas e levar as pessoas a Deus. Segundo, porque Ele é Deus. Ele é Deus da mesma substância do Pai. Vê-lo é o mesmo que ver Deus. Terceiro, porque Ele está no seio do Pai. Esse termo era usado para o relacionamento estreito do filho com a mãe, do marido com a esposa (Is 62.5; Ct 4.8).[57]

---

[54]STERN, David H. *Comentário judaico do Novo Testamento*, p. 183.
[55]CARSON, D. A. *O comentário de João*, p. 135.
[56]BRUCE, F. F. *João: introdução e comentário*, p. 49.
[57]BARCLAY, William. *Juan I*, p. 82-83.

2

O testemunho sobre Jesus, o Messias

João 1.19-51

APÓS O PRÓLOGO DO EVANGELHO, João passa a apresentar Jesus como o Cristo, o Filho de Deus. No prólogo, João Batista *veio como testemunha, a fim de dar testemunho da luz* (1.7); agora o evangelista se volta rapidamente para o testemunho de João Batista às delegações oficiais enviadas de Jerusalém. Vamos examinar, a seguir, alguns pontos importantes nesse contexto.

O testemunho do **precursor** (1.19-34)

Após quatrocentos anos de silêncio profético, João Batista começa a pregar às margens do Jordão. O impacto de sua pregação é notória. As multidões desabalam das mais diferentes cidades e rumam para o deserto a fim de ouvir essa voz que clama no deserto. Jesus chegou a dizer que, *entre os nascidos de mulher, ninguém era maior que João Batista* (Mt 11.11). Ele era a voz que clamava no deserto; era uma lâmpada que ardia. Seu propósito não era exaltar a si mesmo. Seu prazer era ver Cristo crescendo e ele diminuindo.

A pregação de João Batista perturbou o sinédrio, que enviou uma comitiva para investigá-lo. Em virtude da ampla influência exercida por João Batista (Mt 3.5,7), teria sido irresponsável da parte dos líderes deixar de investigá-lo.¹ Como o sinédrio era largamente controlado pela família do sumo sacerdote, os enviados eram sacerdotes e levitas. Estes estavam mais interessados em questões de purificação ritual, por isso manifestaram tanta preocupação com o batismo de João. Havia muitos questionamentos a respeito de João Batista. Muitas dúvidas pairavam no ar acerca de sua identidade. Destacaremos aqui alguns pontos relacionados a essas questões.

Em primeiro lugar, *quem o precursor não era* (1.19-21). William Hendriksen diz que o quarto evangelho não se propõe a enfatizar o aparecimento de João Batista, seu estilo de vida, sua pregação, o entusiasmo que sua presença criou entre o povo, ou mesmo seus batismos. O autor parece aceitar como fato que os leitores estão familiarizados com tudo isso, por terem recebido a tradição oral e lido os evangelhos sinóticos.²

João Batista declarou categoricamente que não era o Cristo (1.19,20). Não era o Elias (1.21) nem o profeta apontado por Moisés (1.21). João Batista era o precursor do Messias, mas não o Messias. Era o amigo do noivo, mas não o noivo. João Batista veio no espírito de Elias, mas não era Elias. João Batista não era o profeta apontado por Moisés, mas o precursor desse profeta. Embora os interrogadores estivessem confusos acerca de sua identidade, João Batista tinha plena consciência de quem era e do que viera fazer. Tinha plena consciência de sua identidade e de sua missão.

F. F. Bruce diz que o primeiro registro do testemunho de João Batista é sua resposta a uma delegação enviada pelo sistema religioso de Jerusalém. A essa altura, deparamo-nos pela primeira vez, nesse evangelho, com o termo "judeus", identificando não o povo como um todo, mas um grupo específico – no caso, o sistema religioso institucional em Jerusalém, incluindo o sinédrio e as autoridades do templo. Em certas passagens, o termo distingue os judeus dos galileus (7.1); outras vezes, o significado é bem geral. Prestar atenção no sentido que a palavra tem em cada texto evita que o leitor suponha que o evangelista (que

---

[1] CARSON, D. A. *O comentário de João*, p. 141.
[2] HENDRIKSEN, William. *João*, p. 128.

também era judeu) fosse hostil aos judeus.³ Concordo com William Hendriksen quando ele diz que o que temos aqui é uma *comissão investigadora*. Um falso Messias poderia fazer um grande estrago, e competia ao sinédrio cuidar dos interesses religiosos em Israel.⁴

Em segundo lugar, **quem o precursor era** (1.22-28). Depois de ouvirem da boca de João quem ele não era, os sacerdotes e levitas queriam ouvir de João Batista uma resposta positiva, para que pudessem prestar o relatório dessa perquirição ao sinédrio (1.22). João Batista, então, esclarece quem era.

Ele era o preparador do caminho do Messias (1.23). João Batista não era um eco; era uma voz. Não era a voz que ecoava no templo, nos lugares sagrados, mas a voz que ecoava no deserto. Ele veio preparar o caminho para o Messias, aterrando os vales, nivelando os montes, endireitando os caminhos tortos e aplainando os caminhos escabrosos. O texto citado por João é Isaías 40.3, repetido nos quatro evangelhos (Mt 3.3; Mc 1.3; Lc 3.4; Jo 1.23). Como explica William Barclay, a ideia que está por trás disso é: os caminhos do Oriente não estavam nivelados. Eram apenas sendas toscas. Quando um rei ia visitar uma província, mandava seus engenheiros à frente a fim de abrir estradas e colocar essas sendas em boas condições para o rei passar. João Batista não era o Messias, mas apenas o preparador do Seu caminho.⁵

Ele era o batizador com água (1.24-26a). A maior preocupação dos emissários do sinédrio não era com a mensagem de João, mas sim com seu batismo. Tanto o Cristo quanto Elias, assim como o profeta, viriam purificando o povo com ritos de purificação. O batismo de João era um batismo de arrependimento. Não era o batismo cristão, pois este só foi instituído após a ressurreição de Cristo. O batismo de João era um batismo preparatório. Hendriksen é oportuno quando escreve: "Ao dizer *Eu batizo com água*, João aponta para o fato de que existe uma grande diferença entre o que ele está fazendo e o que o Messias fará. Tudo o que João pode fazer é administrar o sinal (água). Somente

---

³BRUCE, F. F. *João: introdução e comentário*, p. 51.
⁴HENDRIKSEN, William. *João*, p. 131
⁵BARCLAY, William. *Juan I*, p. 87.

o Messias pode conceder aquilo que a água simboliza (o poder purificador do Espírito Santo).⁶

Ele se considerava indigno de ser escravo do Messias (1.26b-28). Os sacerdotes e levitas, embora trabalhassem no templo e estivessem estreitamente ligados ao culto judaico, não conheciam o Messias. Seus olhos estavam cegos e a mente deles permanecia embotada. Hendriksen diz que, na ansiedade de detectar os falsos Messias, eles ignoraram o Messias verdadeiro.⁷ João, por sua vez, sabia que Jesus viria depois dele e ele próprio não era digno de desatar-Lhe as correias das sandálias. Mesmo sendo o maior de todos os homens, conforme a afirmação de Jesus (Mt 11.11), João se considerava o menor, pois essa função de desatar as correias de um hóspede era o papel de um escravo.⁸ A humildade de João reprovava o orgulho dos fariseus.

Em terceiro lugar, **o testemunho que o precursor dava acerca do Messias** (1.29-34). Depois de denunciar que os fariseus não conheciam Jesus, João Batista passa a descrevê-Lo para seus interrogadores. Cinco verdades solenes são afirmadas, como vemos a seguir.

1. *Jesus é o Cordeiro de Deus* (1.29). Embora a figura do Cordeiro possa apontar para a mansidão de Jesus, esse não é o foco de João Batista. Sua ênfase está em Jesus ser o sacrifício escolhido por Deus para expiar nossos pecados.⁹ Jesus é o Cordeiro de Deus que tira o pecado do mundo. John Charles Ryle diz corretamente que Jesus é o cordeiro mencionado por Abraão a Isaque no monte Moriá como provisão de Deus (Gn 22.8). Jesus é o cordeiro que Isaías disse que seria imolado (Is 53.7). Jesus é o verdadeiro cordeiro do qual o cordeiro da Páscoa no Egito tinha sido um tipo vívido (Êx 12.5).¹⁰

Fritz Rienecker explica que o termo grego *amnos* é uma referência aos vários usos do animal como sacrifício no Antigo Testamento. Tudo o que esses sacrifícios preanunciaram foi perfeitamente cumprido no

---

⁶HENDRIKSEN, William. *João*, p. 134.
⁷HENDRIKSEN, William. *João*, p. 134.
⁸BARCLAY, William. *Juan I*, p. 88.
⁹ERDMAN, Charles. *O evangelho de João*, p. 23.
¹⁰RYLE, John Charles. *John*. Vol. 1, p. 56.

sacrifício de Cristo.[11] Seu sacrifício varreu dos altares os cordeiros mortos. Ele ofereceu um sacrifício único: perfeito, completo, cabal. Nessa mesma linha de pensamento, David Stern escreve:

> João identifica Jesus como o animal sacrificial usado nos rituais do templo, particularmente como oferta pelo pecado, já que Ele é aquele que tira o pecado do mundo. Paulo o chama de Cordeiro pascal (1Co 5.7). A figura do Cordeiro relaciona Jesus com a passagem que identifica o Messias como o servo sofredor (Is 53; At 8.32). Sua morte sacrificial na cruz é comparada com um cordeiro imaculado e incontaminado (1Pe 1.19). No livro de Apocalipse, Jesus é referido como "Cordeiro" por cerca de trinta vezes.[12]

Jesus é o cordeiro providenciado por Deus desde toda a eternidade. *O cordeiro foi morto desde a fundação do mundo* (Ap 13.8). Aqui o cristianismo se distingue de todas as outras religiões do mundo. Nas demais religiões, o ser humano providencia sacrifício para seus deuses. No cristianismo, Deus providencia o sacrifício para o ser humano. Jesus é o Cordeiro de Deus. Ele foi preparado por Deus. Ele foi enviado por Deus. Ele veio da parte de Deus.

Nossos pensamentos acerca de Jesus precisam ser realinhados conforme essa apresentação de João Batista. Devemos servi-Lo fielmente como nosso mestre. Devemos obedecer-Lhe lealmente como nosso rei. Devemos estudar seus ensinos zelosamente como nosso profeta. Devemos andar diligentemente em Seus passos como nosso Exemplo. Acima de tudo, porém, devemos olhar para Ele como nosso Sacrifício, como nosso Substituto, Aquele que levou nossos pecados sobre a cruz.

Devemos olhar para Seu sangue derramado que nos limpa de todo pecado. Devemos nos gloriar apenas na cruz de Cristo. Devemos pregar apenas Cristo, e este crucificado. Aqui está a pedra de esquina da fé cristã. Aqui está a raiz que sustenta o cristianismo.

Cristo veio ao mundo não como um rei político. Não veio como um filósofo. Não veio como um mestre moral. Não veio como um operador

---

[11] RIENECKER, Fritz; ROGERS, Cleon. *Chave linguística do Novo Testamento*, p. 163.
[12] STERN, David H. *Comentário judaico do Novo Testamento*, p. 188.

de milagres. Ele veio para morrer. Veio como Cordeiro de Deus. Veio para derramar Seu sangue em nosso favor e fazer expiação dos nossos pecados. Veio fazer o que nenhuma religião, dinheiro ou esforço humano podia fazer. Veio para tirar o pecado do mundo! Cristo é o Salvador soberano e completo. Sua obra foi consumada. Sua obra na cruz foi perfeita, cabal, suficiente para tirar o pecado do mundo.[13]

No entanto, por que o cordeiro era tão necessário? O cordeiro se manifestou para tirar o pecado do mundo. O pecado é tão mau, tão repulsivo e tão maligno aos olhos de Deus que, para tirá-lo e lançá-lo fora, Deus precisou sacrificar o próprio Filho amado. Não havia outro meio. Não havia outra possibilidade de sermos libertos do pecado. Foi por causa do pecado que Jesus suou sangue no Getsêmani. Foi por causa do pecado que Ele foi cuspido, esbordoado e pregado na cruz.

Porque o Cordeiro de Deus Se manifestou para tirar os pecados do mundo, três verdades precisam ser destacadas:

A natureza dessa missão. O Cordeiro de Deus veio para tirar o pecado. Ele não veio para encobrir o pecado. Não veio para mudar o nome do pecado. Não veio para desculpar o pecado. Não veio para promover o pecado. Ele veio para tirar o pecado. O ser humano não pode livrar-se do seu pecado. Não pode expiar o seu pecado. Ele é escravo do pecado. O ser humano não pode ser salvo em seu pecado; ele precisa ser salvo do pecado. O ser humano não providenciou a redenção; esta procede de Deus.

O Cordeiro de Deus tira o pecado pelo seu sacrifício, e não pelos seus milagres. Foi na cruz que o Cordeiro triunfou sobre o pecado. Ele se fez pecado. Ele se tornou nosso representante e nosso substituto. Ele tomou sobre si o nosso pecado. Ele carregou sobre o Seu corpo no madeiro o nosso pecado. Ele foi transpassado pelas nossas transgressões. Para sermos salvos do pecado, Deus fez a maior transação do universo. Ele não colocou o pecado em nossa conta. Ele transferiu para a conta de Cristo a nossa dívida, o nosso pecado, e depositou em nossa conta a infinita justiça de Cristo.

---

[13] RYLE, John Charles. *John*. Vol. 1, p. 57.

O alcance dessa missão. O cordeiro tira o pecado do mundo, ou seja, de homens de todas as tribos e raças, perdidos por natureza, e não simplesmente de uma nação em particular. Veja que não são os pecados, mas o pecado. Todo tipo de pecado é tirado. Não há pecado que Jesus não perdoe. Não há mancha que Ele não apague. Não há culpa que ele não remova. Isso é mais do que o conjunto de pecados de pessoas individuais. É o pecado do mundo inteiro. Não apenas de alguns, mas de todos. Todos sem acepção, não todos sem exceção. Não apenas os judeus, mas também os gentios. A salvação não é apenas para um povo, mas para todos os povos. Concordo com F. F. Bruce quando ele diz que o mundo aqui engloba todos, sem distinção de raça, religião ou cultura.[14] O Cordeiro é o Salvador do mundo. Jesus é o Cordeiro suficiente para uma pessoa (Gn 22). É o Cordeiro suficiente para uma família (Êx 12). É o Cordeiro suficiente para uma nação (Is 53). É o Cordeiro suficiente para o mundo inteiro (1.29). Ele é o Cordeiro que *foi morto e comprou com o seu sangue os que procedem de toda tribo, raça, povo, língua e nação* (Ap 5.9). Mas fica evidente que a passagem não ensina uma expiação universal. João Batista não ensinou isso nem o evangelista (1.12,13; 10.11,27,28). O sacrifício do Cordeiro é suficiente para todas as pessoas do mundo, mas eficiente apenas para aqueles que creem.

A eficácia dessa missão. Jesus é o Cordeiro de Deus que tira o pecado do mundo. O Cordeiro não apenas tirou; Ele *tira* o pecado do mundo. O verbo está no presente. O Cordeiro de Deus morreu há dois mil anos, mas os efeitos da Sua morte são tão atuais, poderosos e eficazes como no momento do Calvário. Todos os dias pessoas são libertadas de seus pecados. Todos os dias pessoas são lavadas de suas manchas. Todos os dias pessoas são arrancadas da masmorra da culpa. Todos os dias pessoas são perdoadas e transferidas do reino das trevas para o reino da luz, da potestade de satanás para Deus.

Se Cristo é o Cordeiro de Deus que tira o pecado do mundo, devemos ir a Ele ou pereceremos. Não há outro meio de sermos perdoados do pecado, libertados da culpa, e de fugirmos da ira vindoura.

---

[14]BRUCE, F. F. *João: introdução e comentário*, p. 58.

Se Jesus é o Cordeiro de Deus, precisamos ir e anunciar isso ao mundo. João Batista apresentou Jesus aos discípulos. Ele não guardou essa preciosa informação para si. Ele proclamou essa verdade. Preparou o caminho para que outras pessoas conhecessem e seguissem Cristo. Nós temos a melhor, a maior e a mais urgente mensagem do mundo.

Jesus é o que tem primazia (1.30,31). Embora fosse seis meses mais velho que Jesus, João Batista reconhecia que Jesus existia antes dele, pois é o Verbo eterno, o Pai da eternidade. Embora nesse momento as multidões procurassem João para serem batizadas, ele confessa abertamente que Jesus, e não ele, tinha a primazia. Afirmava que seu ministério tinha como propósito preparar o caminho para a manifestação de Jesus (1.31).

Jesus é o ungido de Deus (1.32). João Batista, como testemunha presencial, viu o Espírito Santo descendo e pousando sobre Jesus, logo depois do batismo no rio Jordão. O Espírito Santo revestiu Jesus em seu batismo. Lendo o livro de Isaías na sinagoga de Nazaré, Jesus disse: *O Espírito do Senhor Deus está sobre mim* (Lc 4.18).

Jesus é aquele que batiza com o Espírito Santo (1.33). João batizava com água, o símbolo; Jesus batiza com o Espírito Santo, o simbolizado. Charles Erdman diz corretamente: "Ele, João, podia batizar com água, podia celebrar um rito meramente externo, mas àqueles verdadeiramente arrependidos, Jesus podia conceder uma renovação interior, real, sobrenatural e espiritual".[15] Nessa mesma linha de pensamento, F. F. Bruce destaca que Jesus que foi ungido pelo Espírito com um sinal tão claro que era o único qualificado a repassar a mesma unção ao povo – embora, como este evangelho deixa claro mais adiante, a concessão completa do Espírito só tenha ocorrido depois da glorificação de Jesus (7.39).[16] John Charles Ryle é enfático ao ressaltar que o batismo com o Espírito não é o batismo com água. Não consiste em aspergir nem em imergir. Não é batismo de infantes nem de adultos. É o batismo que nenhuma denominação pode ministrar. Nenhum ser humano tem essa competência. É o batismo que o grande Cabeça da igreja reservou apenas para si ministrar. Esse batismo é a infusão da graça no coração do

---

[15] ERDMAN, Charles. *O evangelho de João*, p. 25.
[16] BRUCE, F. F. *João: introdução e comentário*, p. 59.

pecador. É o mesmo que novo nascimento (At 11.15-17). É o batismo absolutamente necessário para a salvação.[17]

Jesus é o Filho de Deus (1.34). João Batista conclui seu testemunho acerca de Jesus afirmando categoricamente que Ele é o Filho de Deus. Jesus é eternamente gerado do Pai, coigual, coeterno e consubstancial com o Pai. Tem a mesma essência, a mesma substância, é luz de luz.

O **testemunho** dos discípulos (1.35-51)

Um dia depois do testemunho de João Batista, diante da comitiva do sinédrio, João estava na companhia de dois de seus discípulos e, vendo Jesus passar, disse: *Este é o Cordeiro de Deus!* (1.35,36). Vamos destacar a seguir alguns pontos importantes.

Em primeiro lugar, ***jamais desista de apresentar Jesus às pessoas*** (1.35-39). Quando João Batista apresentou Jesus como o Cordeiro de Deus pela primeira vez, não há registro de que alguém O tenha seguido, mas, agora, André e outro discípulo de João Batista seguiam Jesus e O reconheciam como o Messias. João Batista não nutria nenhum ciúme pelo fato de alguns de seus discípulos terem abandonado suas fileiras para seguir Jesus. Ele deixou de ser o primeiro para dar primazia a Cristo. Para ele, convinha que Cristo crescesse e ele diminuísse!

Em segundo lugar, ***jamais desista de levar outros a Jesus*** (1.40-42). André ouviu o testemunho de João Batista acerca de Jesus e o seguiu. Depois que André abriu os olhos de sua alma para reconhecer que Jesus era o Messias, encontrou seu irmão Simão e o levou a Cristo. André era o tipo de homem que estava disposto a ocupar o segundo lugar, pois, não obstante tenha levado seu irmão Pedro a Cristo, jamais exerceu a mesma influência que seu irmão. André era o tipo de homem que está sempre levando alguém a Cristo. Mais tarde, foi ele quem levou o menino com os cinco pães e dois peixes a Cristo (6.8,9) e também foi ele quem apresentou os gregos a Jesus (12.22).

André levou seu irmão a Jesus, e Jesus mudou o nome de Simão para Pedro, fazendo dele um discípulo, um apóstolo. André teve um

---

[17] RYLE, John Charles. *John*. Vol. 1, p. 58-59.

ministério discreto em comparação ao ministério de Pedro, mas André teve o privilégio de levar Pedro a Cristo. E, quando Simão, fraco, impulsivo, volúvel e apaixonado, aproximou-se de Cristo, então houve a promessa: *Tu [...] serás chamado Cefas*, ou seja, pedra ou fragmento de pedra. Se alguém de fato crer em Cristo, o resultado será uma completa transformação do seu caráter; em lugar de fraqueza, haverá força, coragem, paciência e verdadeira varonilidade.[18]

Em terceiro lugar, *saiba que há várias formas de levar pessoas a Jesus* (1.43-46). As pessoas são diferentes e recebem abordagens diferentes do evangelho, mas todas devem ser conduzidas a Cristo. André seguiu Cristo porque João Batista lhe apontou Jesus como o Cordeiro de Deus. Pedro foi a Cristo porque André o levou. Filipe seguiu a Cristo porque foi diretamente chamado por ele. Filipe encontrou Natanael e lhe anunciou sua extraordinária descoberta. John Charles Ryle diz corretamente que há diversidade de operações na salvação das almas. Todos os verdadeiros cristãos foram regenerados pelo mesmo Espírito, lavados no mesmo sangue, servem ao único Senhor, creem na mesma verdade e andam pelos mesmos princípios divinos. Mas nem todos são convertidos da mesma maneira. Nem todos passam pelo mesmo tipo de experiência. Na conversão, o Espírito Santo age de forma soberana. Ele chama cada um conforme Sua soberana vontade.[19]

Em quarto lugar, *use as Escrituras para apresentar Cristo* (1.45). Ao ser chamado por Jesus, Filipe o seguiu imediatamente, compreendendo que Ele era o Messias sobre quem Moisés e os profetas falaram. Filipe compreendeu Jesus por intermédio das Escrituras. Cristo é o resumo e a substância do Antigo Testamento. Para Ele apontavam as antigas promessas desde os dias de Adão, Enoque, Noé, Abraão, Isaque e Jacó. Para Ele apontavam todos os sacrifícios cerimoniais. Dele todo sumo sacerdote era um tipo, toda parte do tabernáculo era uma sombra, e todo juiz e libertador de Israel era uma figura. Ele era o profeta semelhante a Moisés que o Senhor prometeu enviar, o rei da casa de Davi que veio para ser tanto Senhor de Davi como seu filho. Ele é o filho da

---

[18] ERDMAN, Charles. *O evangelho de João*, p. 27.
[19] RYLE, John Charles. *John*. Vol. 1, p. 78.

virgem e o cordeiro preanunciado por Isaías. Ele é o verdadeiro pastor anunciado por Ezequiel.[20]

Em quinto lugar, *use os melhores métodos para apresentar Cristo* (1.46). Filipe enfrenta a oposição de Natanael não com uma refutação contundente, mas com uma convocação à experiência. Concordo com D. A. Carson quando ele diz que a pesquisa honesta é uma cura maravilhosa para o preconceito.[21] Nazaré podia ser tudo o que Natanael pensava, mas há uma exceção que põe à prova toda regra; e que exceção esse jovem encontrou![22]

Em sexto lugar, *confie no poder de Jesus para atingir as pessoas mais céticas* (1.47-51). Natanael tinha um conhecimento limitado, mas um coração sincero. Era um homem em quem não havia dolo. Ele aguardava o Messias. E por isso, diante da onisciência de Jesus, ele se rendeu e confessou que Jesus era o mestre, o Filho de Deus, o rei de Israel (1.49). Jesus destacou que aqueles que reconhecem Sua onisciência verão também Sua glória, pois Ele é o Filho do homem. Charles Swindoll esclarece que a passagem em apreço ilustra quatro abordagens distintas sobre levar pessoas a Cristo: 1) evangelismo de massa (1.35-39); 2) evangelismo pessoal (1.40-42); 3) evangelismo através de contatos (1.43,44); 4) evangelismo por meio da Palavra (1.45-51).[23]

---

[20]Ryle, John Charles. John. Vol. 1, p. 78,79.
[21]Carson, D. A. *O comentário de João*, p. 160.
[22]Bruce, F. F. *João: introdução e comentário*, p. 65.
[23]Swindoll, Charles R. *Insights on John*, p. 54.

3

Glória, autoridade e conhecimento

João 2.1-25

AQUI COMEÇAM OS GRANDES SINAIS OPERADOS POR JESUS. Nos onze primeiros capítulos de João, Jesus revela Sua glória operando sete grandes sinais. Nos dez últimos capítulos, Jesus recebe glória quando é glorificado pelo Pai. A palavra mais usada por João para descrever os milagres de Jesus é *semeion*, um termo alternativo para "milagres" e "maravilhas". A palavra *semeion* demonstra que Jesus queria que as pessoas olhassem além dos milagres, ou seja, para o seu significado.[1] Os sinais de Jesus apontavam para Ele mesmo, lançavam luz sobre Sua pessoa e obra.

O texto em tela apresenta a glória, a autoridade e o conhecimento de Jesus. Três fatos ocorrem aqui, e nos três Jesus prova Sua divindade, Seu poder e Sua onisciência.

A glória de Jesus manifestada no **casamento** (2.1-12)

Na agenda de Jesus, havia espaço para celebrar as alegrias da vida. É muito significativo que Jesus tenha aceitado o convite para um casamento, pois Ele não veio tirar a alegria e o prazer dos seres

---
[1] MILNE, Bruce. *The message of John*, p. 62.

humanos.² Esse primeiro milagre de Jesus repele o temor desarrazoado de que a religião rouba da vida, a felicidade da vida, ou de que a lealdade a Cristo não se coaduna com a expansividade dos espíritos e com os prazeres inocentes. Corrige ainda a falsa impressão de que o azedume é um índice de santidade, ou que a taciturnidade é uma condição de vida piedosa.³

As Escrituras dizem: *Sejam honrados entre todos o matrimônio* (Hb 13.4). Foi Deus quem instituiu o casamento (Gn 2.24). Proibir o casamento é doutrina do anticristo, e não de Cristo (1Tm 4.3). O casamento é uma instituição divina e uma fonte de felicidade tanto para o homem como para a mulher. Jesus foi a essa festa com Seus discípulos em Caná da Galileia, mostrando que Ele aprova as alegrias sãs e santifica o casamento, bem como nossas relações sociais. Ele celebra conosco nossas alegrias. Nas palavras de Werner de Boor, Jesus não foi um asceta.⁴

John MacArthur corrobora esse pensamento:

> Ao comparecer à festa de casamento e realizar ali seu primeiro milagre, Jesus santificou a ambos: tanto a instituição do casamento como a cerimônia pública de casamento. O casamento é a sagrada união entre um homem e uma mulher, na qual ambos se tornam uma só carne aos olhos de Deus.⁵

Larry Richards explica que os casamentos judaicos eram realizados em duas etapas. O noivado envolvia um contrato entre duas famílias. O casal que noivava já era considerado marido e mulher. A união em si acontecia um ano depois, quando o noivo ia à casa da noiva com seus amigos e a trazia para o seu novo lar. A festa podia durar até uma semana (Jz 14.10-18), e a noiva e o noivo eram tratados como rainha e rei.⁶

---

²HENDRIKSEN, William. *João*, p. 162.
³ERDMAN, Charles. *O evangelho de João*, p. 30.
⁴BOOR, Werner de. *Evangelho de João I*. Curitiba: Editora Evangélica Esperança, 2002, p. 72.
⁵MACARTHUR, John. *The MacArthur New Testament Commentary – John 1-11*, p. 78.
⁶RICHARDS, Larry. *Todos os milagres da Bíblia*, 2003, p. 193.

William Hendriksen mostra que, de acordo com João 3.29 e Apocalipse 19.7, Jesus é o noivo que, com Sua encarnação, obra de redenção e Sua manifestação final, vem para a Sua noiva (a igreja). Como, então, Jesus não honraria aquilo que simboliza o próprio relacionamento com Seu povo?[7] O ministério terreno de Jesus começou com um casamento, e a história humana terminará com um casamento. No final da história humana, o povo de Deus celebrará as *bodas do Cordeiro* (Ap 19.9).

Destacamos a seguir alguns pontos relevantes na exposição do texto em estudo.

Em primeiro lugar, *Jesus deve ser convidado para estar em nossa casa* (2.1,2). Maria, mãe de Jesus, estava no casamento. Provavelmente, ela era próxima da família dos nubentes. O evangelista João não a cita nominalmente, e a omissão do nome de José pode ser uma evidência de que ele já tivesse falecido. Jesus, como filho mais velho, foi convidado, junto com os discípulos. Temos informação de que Natanael, discípulo de Cristo, era da cidade de Caná (21.2). A maior necessidade da família é pela presença de Jesus. Mais do que bens, conforto e sucesso, a família precisa da presença de Jesus.

Em segundo lugar, *mesmo quando Jesus está presente, pode faltar alegria no casamento* (2.3a). No presente contexto, o vinho era a principal provisão no casamento e também simbolizava a alegria (Ec 10.19). Às vezes, o vinho da alegria acaba no casamento, desde o início. A vida cristã não é um parque de diversões nem uma colônia de férias. Ser cristão não é viver numa estufa espiritual nem mesmo ser blindado dos problemas naturais da vida. Um crente verdadeiro enfrenta lutas, dissabores, tristezas e decepções. Os filhos de Deus também lidam com doenças, pobreza e escassez. Mesmo quando Jesus está conosco, somos provados para sermos aprovados.

Hendriksen destaca corretamente o fato de que o vinho, de acordo com passagens como Gênesis 14.18, Números 6.20, Deuteronômio 14.26, Neemias 5.18 e Mateus 11.19, era considerado um artigo indispensável

---

[7]HENDRIKSEN, William. *João*, p. 161.

para alimentação. Isso não significa, porém, que a embriaguez fosse aceitável, pois seu uso era proibido na execução de certas funções; e a indulgência excessiva era sempre definitivamente condenada (Lv 10.9; Pv 23.29-35; 31.4,5; Ec 10.17; Is 28.7; 1Tm 3.8). A intemperança, portanto, contraria o espírito tanto do Antigo quanto do Novo Testamentos. Assim, não há nada nessa história que possa, de alguma maneira, dar abrigo àqueles que abusam ou fazem uso excessivo das dádivas divinas.[8] Concordo com John Charles Ryle quando ele escreve: "Feliz é aquele que pode usar sua liberdade cristã sem dela abusar".[9]

É comum as pessoas perguntarem sobre o teor alcoólico do vinho que Jesus proveu. Vale lembrar que a maioria das prescrições rabínicas determinava três partes de água para uma de vinho; outras prescrições indicavam sete partes de água para cada uma de vinho.[10]

Em terceiro lugar, *precisamos diagnosticar o problema com urgência* (2.3b). Carson diz que Maria provavelmente tinha alguma responsabilidade na organização e distribuição da comida, daí sua tentativa de lidar com a escassez de vinho.[11] Uma ocasião festiva como essa podia prolongar-se por uma semana inteira, e o término do vinho antes do fim seria um sério golpe que afetaria principalmente a reputação do hospedeiro.[12]

No Oriente, a hospitalidade é um dever sagrado. Qualquer falta de provisão numa festa de casamento era vista como um constrangimento enorme e uma profunda humilhação para a família. Maria, mãe de Jesus, percebeu que a família poderia passar por um grande vexame. A provisão era insuficiente para atender todos os convidados. Parece-nos que as mulheres têm uma percepção mais aguçada para ver o que está faltando na família. Por isso, não foi o noivo nem os garçons que perceberam a falta de vinho, mas uma mulher. Quanto mais cedo forem identificados os problemas que atingem a família, mais rápida e fácil será a solução do problema. Warren Wiersbe destaca o fato de que,

---

[8]HENDRIKSEN, William. *João*, p. 157.
[9]RYLE, John Charles. *John*. Vol. 1, p. 92.
[10]RICHARDS, Larry. *Todos os milagres da Bíblia*, p. 194.
[11]CARSON, D. A. *O comentário de João*, p. 169.
[12]BRUCE, F. F. *João: introdução e comentário*, p. 69.

embora Maria tenha percebido a falta de vinho, não disse a Jesus o que fazer; simplesmente lhe contou o problema.[13] Esse é o ponto que enfatizaremos a seguir.

Em quarto lugar, *precisamos levar o problema à pessoa certa* (2.3). Como já dissemos, as festas de casamento naquela época duravam até uma semana e, embora a responsabilidade financeira por todo o suprimento da festa coubesse ao noivo, Maria não espalhou a notícia da falta de vinho entre os convidados, evitando um clima de murmuração. Ela levou o problema a Jesus. Antes de comentarmos as crises que atingem a família, devemos levar o assunto aos pés de Jesus. Nossos dramas familiares não devem se tornar motivos de murmuração, mas de intercessão; em vez de envergonharmos a família com a divulgação de nossas limitações e fraquezas, devemos confiadamente apresentar essa causa a Deus em oração.

Em quinto lugar, *precisamos aguardar o tempo certo de Jesus* (2.4). Jesus não foi indelicado com Maria ao responder: *Mulher, que tenho eu contigo? A minha hora ainda não chegou*. Essa é a mesma palavra que Jesus usou com Sua mãe, quando estava pendurado na cruz (19.26), e com Maria Madalena ao aparecer ressurreto dentre os mortos (20.13). Em Homero, "mulher" é o título com o qual Odisseu se dirige a Penélope, sua esposa amada. É o título com o qual Augusto, o imperador romano, se dirige a Cleópatra, a famosa rainha egípcia. Dessa forma, longe de ser uma palavra descortês e grosseira, era um título de respeito.[14]

Nessa mesma linha de pensamento, F. F. Bruce diz que nosso Senhor, ao dirigir-se à Sua mãe com o mesmo termo *gynai* (mulher) que usou quando estava na cruz (19.26), demonstrou extrema cortesia, uma vez que esse termo poderia ser traduzido por "madame" ou "minha senhora".[15] Concordo com David Stern quando ele diz que Jesus tanto honrou Sua mãe quanto lhe proveu cuidado: na agonia de ser executado, confiou Sua mãe ao discípulo amado (19.25-27). E, no final, ela veio a honrá-lo como Senhor, pois estava presente e orava com os demais

---

[13] WIERSBE, Warren W. *Comentário bíblico expositivo*. Vol. 5, p. 374.
[14] BARCLAY, William. *Juan I*, p. 106.
[15] BRUCE, F. F. *João: introdução e comentário*, p. 70.

discípulos no Cenáculo após a ressurreição (At 1.14).[16] Hendriksen lança mais luz sobre o assunto:

> Ao dizer "Mulher", o Senhor não intencionava ser rude. Muito pelo contrário. Ele foi muito gracioso ao enfatizar, com o uso dessa palavra, que Maria não devia mais pensar nEle como sendo apenas seu filho, pois, quanto mais ela o visse como seu filho, mais haveria de sofrer, ao vê-lo sofrendo. Maria devia começar a vê-Lo como *seu Senhor*.[17]

Jesus disse a Maria que agia de acordo com uma agenda celestial, determinada pelo Pai. Não era pressionado pelas circunstâncias nem pelas pessoas, mesmo que fossem as mais achegadas. Seu cronograma de ação já havia sido traçado na eternidade. Jesus deixa claro que, iniciado o seu ministério público, tudo, incluindo os laços de família, estava subordinado à sua missão divina. Todos, incluindo seus familiares, precisavam ter consciência de que Ele andava conforme a agenda do céu, não conforme as pressões da terra.

No evangelho de João, "a hora" de Jesus está estreitamente relacionada à Sua morte (7.30; 8.20; 12.23,27; 13.1; 17.1). Carson faz uma aplicação do texto: "Tratando o desenvolvimento das circunstâncias como uma parábola encenada, Jesus está inteiramente correto ao dizer que a hora do grande vinho, a hora de Sua glorificação, ainda não chegara".[18]

Em sexto lugar, **precisamos obedecer prontamente às ordens de Jesus** (2.4-8). D. A. Carson esclarece que, em João 2.3, Maria aborda Jesus como sua mãe, e é repreendida; em João 2.5, ela reage como crente, e sua fé é honrada. Maria ainda não sabia o que Jesus faria, mas entrega o problema ao filho e nEle confia.[19] Nas palavras de Hendriksen, "há em Maria uma completa submissão e uma contundente expectativa".[20] Jesus ordenou que os servos enchessem as talhas de água. Estes poderiam ter argumentado e até questionado Jesus. Mas, obedeceram

---

[16] STERN, David H. *Comentário judaico do Novo Testamento*, p. 190.
[17] HENDRIKSEN, William. *João*, p. 158.
[18] CARSON, D. A. *O comentário de João*, p. 172.
[19] CARSON, D. A. *O comentário de João*, p. 173.
[20] HENDRIKSEN, William. *João*, p. 158.

prontamente, completamente. Não é nosso papel discutir com Jesus, mas obedecer-Lhe. Suas ordens não devem ser discutidas, mas obedecidas. Concordo com Werner de Boor quando ele diz: "O milagre de Caná começa com uma ordem que parece totalmente absurda. Falta vinho, e Jesus manda trazer água".[21]

Aquelas seis talhas feitas de pedra tinham a capacidade de armazenar cerca de seiscentos litros, uma vez que cada uma comportava duas a três medidas ou metretas, ou seja 32 litros.[22] Cada metreta, portanto, correspondia a 8,5 galões. A provisão de Jesus é farta e generosa.

F. F. Bruce informa que a função da água armazenada naquelas talhas era permitir aos hóspedes enxaguarem as mãos e possibilitar a lavagem dos utensílios usados na festa, de acordo com a tradição antiga (Mc 7.3-13). A referência que João faz às suas purificações é a chave para o sentido espiritual da presente narrativa. A água que servia para a purificação exigida pela lei e pelos costumes judaicos representa toda a antiga ordem do cerimonial judaico, a qual Cristo haveria de substituir por algo melhor. O vinho simboliza a nova ordem, assim como a água nas talhas simboliza a antiga.[23]

Um ponto digno de destaque é que todos os milagres de Jesus tinham propósitos bem definidos. John MacArthur é oportuno quando diz que todos os milagres de Jesus atenderam a necessidades específicas, seja abrindo os olhos aos cegos, seja dando audição aos surdos, libertando os oprimidos pelos demônios, alimentando os famintos ou acalmando a fúria da tempestade. Nesse milagre especial, Jesus atendeu à genuína necessidade de uma família e seus convidados, a fim de que não enfrentassem um vexame social.[24] Esse milagre foi visto como um "sinal", que apontava para a nova ordem inaugurada por Cristo: o vinho novo em substituição à antiga ordem dos rituais judaicos.

Em sétimo lugar, *precisamos entender que com Jesus o melhor sempre vem depois* (2.9,10). A narrativa evidencia que Cristo veio ao mundo

---
[21]Boor, Werner de. *Evangelho de João I*, p. 74.
[22]Hendriksen, William. *João*, p. 159.
[23]Bruce, F. F. *João: introdução e comentário*, p. 71.
[24]MacArthur, John. *The MacArthur New Testament Commentary – John 1-11*, p. 79.

para cumprir e encerrar a ordem antiga, substituindo-a por um culto novo, *em espírito e em verdade*, que excede o antigo da mesma forma que o vinho é melhor do que a água.[25]

O responsável pela festa, ao provar o vinho novo, chama o noivo, porque cabia a ele a provisão para o casamento. O homem pensou que o noivo tinha quebrado o protocolo, ao deixar o melhor vinho para o final da festa. Mal sabia ele que aquele vinho era o resultado do milagre de Jesus! Quando Jesus intervém, o melhor sempre vem depois. "Naquele milagre, Jesus trouxe plenitude onde havia vazio; alegria onde havia decepção e algo interior onde havia apenas algo exterior."[26] Quando Jesus opera o Seu milagre no casamento, o melhor sempre vem depois. Carson, fazendo uma aplicação cristocêntrica, diz que o vinho que Jesus forneceu é inigualavelmente superior, como deve ser tudo que está ligado à nova era messiânica, a qual Jesus está trazendo.[27]

Em oitavo lugar, **quando Jesus realiza um milagre em nossa casa, grandes coisas acontecem** (2.11,12). João usa a palavra *semeion*, "sinal", para descrever os milagres de Jesus. O termo aparece 77 vezes no Novo Testamento, sempre autenticando quem faz o sinal como pessoa enviada por Deus.[28] Essa palavra não descreve cruas manifestações de poder, mas manifestações significativas de poder que apontam para além de si mesmas, para realidades mais profundas que podiam ser percebidas com os olhos da fé.[29] Warren Wiersbe escreve:

> O termo que João usa neste evangelho não é *dunamis*, que enfatiza o poder, mas sim *semeion*, que significa "um sinal". O que é um sinal? É algo que aponta para além de si, para outra coisa maior. Não bastava o povo crer nas obras de Jesus; precisa crer nEle e no Pai que O havia enviado (5.14-24). Isso explica por que, em várias ocasiões, Jesus fez um sermão depois de um milagre e explicou o sinal. Em João 5, a cura do paralítico no sábado deu-lhe a oportunidade de falar sobre Sua

---

[25]BRUCE, F. F. *João: introdução e comentário*, p. 72.
[26]WIERSBE, Warren W. *Comentário bíblico expositivo*. Vol. 5, p. 375.
[27]CARSON, D. A. *O comentário de João*, p. 175.
[28]RICHARDS, Larry. *Todos os milagres da Bíblia*, p. 197.
[29]CARSON, D. A. *O comentário de João*, p. 175.

divindade como "o Senhor do sábado". Ao alimentar os cinco mil em João 6, fez uma transição natural para o sermão sobre o Pão da Vida.[30]

Estou de acordo com o que escreve Charles Erdman: "Nenhum milagre de Jesus jamais foi operado como simples manifestação de força prodigiosa para impressionar os espectadores. Aqui está Ele a obviar um vexame; a produzir alegria".[31] Warren Wiersbe é oportuno ao defender que, ao contrário dos outros três evangelhos, João compartilha o significado interior – a relevância espiritual – dos atos de Jesus, de modo que cada milagre é, na verdade, um "sermão prático".[32]

Depois do milagre, são registradas duas consequências: a glória de Jesus Se manifestou, e os discípulos creram nEle. Concordo com Carson quando ele diz que os servos viram o sinal, mas não a glória; os discípulos, pela fé, perceberam a glória de Jesus por trás do sinal e creram nEle.[33]

John Charles Ryle, citando Lightfoot, sugere cinco razões pelas quais esse milagre que estamos considerando foi o primeiro realizado por Jesus: 1) Como o casamento foi a primeira instituição divina, Cristo realizou seu primeiro milagre numa festa de casamento. 2) Como Cristo tinha manifestado a Si mesmo de forma tão discreta no jejum no monte da tentação, agora se manifestava publicamente oferecendo provisão. 3) Jesus não transformou pedras em pães para atender a satanás, mas transformou água em vinho para manifestar Sua glória. 4) O primeiro milagre operado pelo homem no mundo foi um milagre de transformação (Êx 7.9), e o primeiro milagre operado pelo Filho do homem foi da mesma natureza. 5) Na primeira vez em que ouvimos falar sobre João Batista, somos informados a respeito de sua dieta restrita, mas na primeira vez em que ouvimos falar sobre Cristo em Seu ministério público, nós o vemos em uma festa de casamento.[34]

---

[30] WIERSBE, Warren W. *Comentário bíblico expositivo*. Vol. 5, p. 375.
[31] ERDMAN, Charles. *O evangelho de João*, p. 28.
[32] WIERSBE, Warren W. *Comentário bíblico expositivo*. Vol. 5, p. 374.
[33] CARSON, D. A. *O comentário de João*, p. 175-176.
[34] RYLE, John Charles. *John*. Vol. 1, p. 102.

A **autoridade** de Jesus manifestada na **purificação do templo** (2.13-22)

Jesus sai de uma festa familiar e vai para a festa mais importante dos judeus, a festa da Páscoa, na cidade de Jerusalém. Naquela época, a população de Jerusalém, que girava em torno de cinquenta mil pessoas, quintuplicava. A Páscoa era a alegria dos judeus e ao mesmo tempo o terror dos romanos. Havia grande temor de conflitos e insurreições, uma vez que pessoas de todo o Império Romano se dirigiam a Jerusalém nessa semana. O templo era o centro nevrálgico dessa festa; e foi exatamente aí que Jesus agiu.

No casamento, Jesus exerceu misericórdia; no templo, exerceu juízo e disciplina. No casamento, Ele transformou água em vinho; no templo, pegou o chicote e expulsou os cambistas. No entanto, o zelo intenso pela casa de Seu Pai não é menos revelação da glória do Filho que Sua participação no poder criador e doador de Deus ao realizar o milagre por ocasião das bodas. Um aspecto não pode ser dissociado do outro nem pode ser eliminado pelo outro. Somente na simultaneidade dos dois traços básicos Jesus revela o Deus verdadeiro, que ama o mundo com a entrega do melhor, e cuja ira, apesar disso, é manifesta com uma seriedade inflexível.[35]

Alguns estudiosos afirmam que a purificação do templo descrita aqui no evangelho de João (2.13-22) é a mesma purificação realizada por Jesus no final do Seu ministério e descrita pelos evangelhos sinóticos (Mt 21.12-16; Mc 11.15-18; Lc 19.4,46). Os fatos, porém, provam o contrário. O relato de João se dá no começo do ministério de Jesus, e o fato narrado pelos evangelhos sinóticos acontece no final de seu ministério. Nos sinóticos, Jesus cita o Antigo Testamento como autoridade (Mt 21.13; Mc 11.17; Lc 19.46), mas, em João, Ele usa suas próprias palavras. Os sinóticos não mencionam a importante declaração de Jesus de que destruiria o templo e em três dias o reedificaria, declaração que mais tarde foi usada contra Ele em seu julgamento no sinédrio (Mt 26.61; Mc 15.58).

---

[35] BOOR, Werner de. *Evangelho de João I*, p. 77.

Charles Erdman diz que só havia um lugar e uma ocasião para nosso Senhor inaugurar de modo próprio o Seu ministério público: o lugar devia ser Jerusalém, a capital, no templo, o centro da vida do povo e do culto; a ocasião devia ser a festa da Páscoa, a quadra mais solene do ano, quando a cidade se enchia de peregrinos de todas as partes da terra. Aqui Jesus deixa a vida privada para encetar Sua carreira pública.[36]

William Barclay explica que Jesus purificou o templo motivado pelo menos por três razões: 1) porque o templo, a casa de oração, estava sendo dessacralizada; 2) para demonstrar que todo o aparato de sacrifícios de animais carecia completamente de permanência; 3) porque o templo estava sendo transformado em covil de ladrões. O templo era formado por uma série de pátios que conduziam ao templo propriamente dito e ao Lugar Santo. Primeiro, havia o Pátio dos Gentios; logo depois, o Pátio das Mulheres; então, o Pátio dos Israelitas; e, depois, o Pátio dos Sacerdotes. Todo o comércio de compra e venda era feito no Pátio dos Gentios, o único lugar onde os gentios podiam transitar. Aquele pátio fora destinado aos gentios para que eles viessem meditar e orar. Aliás, era o único lugar de oração que os gentios conheciam. O problema é que os sacerdotes transformaram esse lugar de oração numa feira de comércio onde ninguém conseguia orar. O mugido dos bois, o balido das ovelhas, o arrulho das pombas, os gritos dos vendedores ambulantes, o tilintar das moedas, as vozes que se elevavam no regateio do comércio; todas essas coisas se combinavam para converter o Pátio dos Gentios em um lugar onde ninguém podia adorar a Deus.[37]

Esse episódio nos ensina duas lições, que descrevemos a seguir.

Em primeiro lugar, *a casa de Deus é lugar de adoração, e não de comércio* (2.13-17). O único espaço aberto no templo a pessoas de "todas as nações" (além dos israelitas) era o pátio externo (às vezes chamado de Pátio dos Gentios); e, se essa área fosse ocupada para o comércio, não poderia ser usada para o culto. A ação de Jesus reforçou Seu protesto verbal.[38] Mudar o propósito da casa de Deus e instrumentalizá-la para

---
[36]ERDMAN, Charles. *O evangelho de João*, p. 31.
[37]BARCLAY, William. *Juan I*, p. 122.
[38]BRUCE, F. F. *João: introdução e comentário*, p. 75.

auferir lucro é uma distorção intolerável. Isso provoca a ira de Deus. O mesmo Jesus que compareceu cheio de ternura ao casamento está, agora, irado no templo. Ele tem uma profunda paixão pela reverência. A casa de Deus havia sido profanada. Jeitosamente, transformaram-na em covil de ladrões e salteadores. O templo virou uma praça de negócios. O lucro, e não a face de Deus, era buscado avidamente.

Carson diz que, em lugar da solene dignidade e do murmúrio de oração, havia o rugido do gado e o balido das ovelhas. Em lugar do quebrantamento e da contrição, da santa adoração e da prolongada petição, havia apenas o barulho do comércio.[39] A purificação do templo demonstra de forma eloquente a preocupação de Jesus com a verdadeira adoração e o correto relacionamento com Deus.

Precisamos entender o contexto para compreender a atitude de Jesus. A lei definia os animais a serem oferecidos nos sacrifícios. Deveriam esses peregrinos trazer esses animais de longas distâncias ou poderiam comprá-los na praça do templo? Deuteronômio 14.24-26 já havia permitido levar os dízimos em dinheiro em vez dos produtos agrícolas propriamente ditos. Além disso, havia o imposto do templo (Mt 17.24), que cada judeu devia pagar anualmente. Os sacerdotes, dissimuladamente, proibiam que dinheiro estrangeiro fosse aceito na compra de animais para o sacrifício. Os peregrinos que vinham de outras paragens precisavam trocar a moeda estrangeira com os cambistas do templo. O problema é que esses cambistas, em parceria com os sacerdotes, cobravam taxas abusivas dos adoradores, a fim de auferirem lucros mais expressivos. Com o tempo, o propósito não era mais facilitar a vida dos peregrinos, mas alcançar gordos lucros com o comércio dentro da casa de Deus. O dinheiro, e não a glória de Deus, era a motivação deles. A casa de Deus estava sendo profanada.

A reação de Jesus é contundente. Ele não usa apenas palavras para reprovar essa profanação, mas adota uma ação enérgica. O que move Jesus não é uma ira descontrolada, mas seu zelo pela casa do Pai (Sl 69.10). Jesus fez uma faxina geral no templo. Expulsou os vendedores e os cambistas, virou as mesas e ordenou aos que vendiam pombas

---

[39]CARSON, D. A. *O comentário de João*, p. 179.

que as retirassem daquele lugar sagrado. Matthew Henry diz que Jesus nunca usou a força para levar alguém ao templo, mas somente para expulsar de lá aqueles que o profanavam.[40]

Warren Wiersbe acrescenta que não apenas o vinho havia se esgotado no casamento, como também a glória havia deixado o templo.[41] Werner de Boor tem razão em destacar que esse zelo pela casa de Deus podia "consumi-Lo" em sentido mais profundo, levando-O à morte.[42] Quando Jesus purificou o templo, acabou declarando guerra a esses líderes religiosos. William Hendriksen diz que, ao purificar o templo, Jesus atacou o espírito secularizado dos judeus, expôs sua corrupção e ganância e atacou seu espírito antimissionário, pois o Pátio dos Gentios havia sido construído para que estes pudessem adorar o Deus de Israel (Mc 11.17), mas Anás e seus filhos o estavam usando para propósitos pessoais. Isso havia sido planejado como bênção para as nações, e, finalmente, se cumpriu a profecia messiânica (Sl 69 e Ml 3).[43] Jesus tocou no bolso dos sacerdotes que governavam o templo. Por isso, eles se tornaram inimigos cruéis. Foram os sacerdotes administradores do templo que prenderam Jesus e O levaram à morte. De fato, o zelo da casa de Deus O consumiu!

Em segundo lugar, *a casa de Deus é lugar de contemplar Jesus, o verdadeiro santuário de Deus entre os homens* (2.18-22). Jesus não apenas purificou o templo, mas também o substituiu, cumprindo seus propósitos.[44] Quando pediram a Jesus um sinal de Sua autoridade, Ele deu como exemplo sua morte e ressurreição. A morte e a ressurreição de Jesus são os argumentos mais eloquentes e decisivos em favor de Sua pessoa divina e de Sua missão redentora. Jesus veio para substituir o templo. Sua morte varreu dos altares os animais do sacrifício. Com Sua morte e ressurreição, cessaram todos os sacrifícios cerimoniais. Ele veio para oferecer um único e irrepetível sacrifício. Ele morreu pelos nossos

---

[40]HENRY, Matthew. *Matthew Henry Comentário bíblico Novo Testamento – Mateus-João*, 2010, p. 769.
[41]WIERSBE, Warren W. *Comentário bíblico expositivo*. Vol. 5, p. 376.
[42]BOOR, Werner de. *Evangelho de João I*, p. 78.
[43]HENDRIKSEN, William. *João*, p. 173-174.
[44]CARSON, D. A. *O comentário de João*, p. 183.

pecados e ressuscitou para a nossa justificação. Agora, a verdadeira adoração não tem mais que ver com a geografia do templo. Devemos adorar a Deus em espírito e em verdade.

Com Sua vinda, Jesus estava colocando fim a toda forma de adoração arranjada pelos homens, colocando em seu lugar a adoração espiritual. A ameaça de Jesus era: a adoração de vocês com pomposos rituais, incensos aromáticos e pródigos sacrifícios de animais chegou ao fim. Eu sou o novo templo, onde pessoas do mundo inteiro podem vir e adorar o Deus vivo em espírito e em verdade.[45]

Carson corrobora essa ideia:

> É o corpo humano de Jesus que unicamente manifesta o Pai e torna-se o ponto focal da manifestação de Deus ao homem, a habitação viva de Deus sobre a terra, o cumprimento de tudo o que o templo significava e o centro de toda a verdadeira adoração (contra todas as outras reivindicações de lugar santo). Nesse templo, o sacrifício definitivo aconteceria; após três dias de sua morte e sepultamento, Jesus Cristo, o verdadeiro templo, levantar-se-ia dos mortos.[46]

Os judeus e até mesmo os discípulos não compreenderam a linguagem de Jesus. É à luz da ressurreição que podemos entender a Bíblia e interpretar as palavras e afirmações de Cristo. Erdman diz que, como a morte de Jesus envolvia a destruição do templo literal e o respectivo culto, da mesma forma a Sua ressurreição asseguraria a ereção de um santuário espiritual, mais verdadeiro, que era Sua igreja. Desse modo, em lugar de um ritual de fórmulas, sombras e tipos, erigir-se-ia uma religião de culto mais verdadeiro e de comunhão mais real com Deus.[47] Werner de Boor é oportuno quando escreve:

> O verdadeiro e incontestável "sinal" da autoridade de Jesus, apesar de todos os demais milagres, é – tanto em João quanto nos sinóticos (Mt 12.38-40) – que Ele rendeu dessa maneira sua vida e que

---

[45]BARCLAY, William. *Juan I*, p. 125.
[46]CARSON, D. A. *O comentário de João*, p. 182.
[47]ERDMAN, Charles. *O evangelho de João*, p. 33.

receberá de volta dessa maneira, pela ressurreição dentre os mortos, a Sua vida e Sua glória. Somente a morte de Jesus e Sua ressurreição hão de demonstrar Seu poder divino de uma maneira tal que surja a fé em Jesus até entre as fileiras dos sacerdotes (At 6.7).[48]

Herodes, o Grande, mandou substituir o pequeno templo construído após o cativeiro babilônico (Ag 2.1-3) por um edifício suntuoso e magnificente no ano 20 a.C. Esse magnífico templo ainda não estava plenamente concluído na época de Jesus, o que só aconteceu no ano 64 d.C.[49] Já se haviam passado 46 anos que a obra estava em andamento. Os judeus ressaltaram esse fato. As palavras de Jesus não foram compreendidas por eles nem mesmo pelos discípulos. Pensaram que Jesus estivesse falando de uma conspiração para derrubar o templo, o centro da adoração judaica. Viram-no como um revolucionário iconoclasta. Acusaram-No diante do sinédrio fazendo menção desse caso (Mt 26.59-61). Alguns do povo usaram essas palavras para zombar de Jesus, quando Ele morria na cruz (Mt 27.40). Os inimigos de Jesus e até Seus discípulos não conseguiram ver o antítipo no tipo; ou, pelo menos, não discerniram que o físico simbolizava o espiritual. O templo, junto com toda a sua mobília e suas cerimônias, era somente um tipo, destinado à destruição (Sl 40.6,7; Jr 3.16).[50]

O evangelho de João usou várias figuras para enfatizar a morte de Cristo. A primeira delas está em João 1.29, mostrando Jesus como o Cordeiro de Deus que morre substitutivamente pelo Seu povo. A segunda é a figura da destruição do templo, evidenciando que Sua morte violenta terminaria em ressurreição vitoriosa (2.19). A terceira figura é a da serpente de bronze erguida por Moisés no deserto (3.14), mostrando o Salvador feito pecado por nós. A quarta figura mostra Jesus como o bom pastor que voluntariamente dá sua vida por suas ovelhas (10.11-18). Finalmente, temos a figura da semente que precisa morrer para frutificar abundantemente (12.20-25). Se o corpo de

---

[48]BOOR, Werner de. *Evangelho de João I*, p. 80.
[49]WIERSBE, Warren W. *Comentário bíblico expositivo*. Vol. 5, p. 376-377.
[50]HENDRIKSEN, William. *João*, p. 171.

Cristo é o templo que foi destruído em Sua morte, Jesus estava profetizando o fim do sistema religioso judaico. O sistema legal chegou ao fim, e a "graça e a verdade" vieram por meio de Cristo. Ele é o novo sacrifício (1.29) e o novo templo (2.19). A nova adoração dependerá da integridade interior, e não da geografia exterior (4.19-24).[51]

A **onisciência** de Jesus manifestada no **conhecimento dos corações** (2.23-25)

A atuação pública de Jesus não começa na Galileia, mas em Jerusalém, a capital da religião judaica. Muitas pessoas, ao verem seus milagres operados em Jerusalém, naqueles sete dias de festa da Páscoa, creram nEle, mas com uma fé deficiente e insuficiente. Até mesmo Nicodemos, um mestre entre o povo, ficou impactado com os sinais operados por Jesus (3.2). Carson diz que, infelizmente, a fé que eles tinham era espúria, e Jesus sabia disso. Diferentemente de outros líderes religiosos, Jesus não podia ser enganado por bajulação, seduzido por elogios ou surpreendido por ingenuidade.[52]

O problema é que essas pessoas viram Jesus apenas como um operador de milagres. Creram nEle apenas para as coisas desta vida. Não acreditaram nEle como o Cristo, Filho de Deus. Jesus conhecia os corações e sabia que essa fé temporária não era a fé salvadora. Concordo com Warren Wiersbe quando ele diz: "Uma coisa é reagir a um milagre; outra bem diferente é assumir um compromisso com Jesus Cristo e permanecer em Sua palavra (8.30,31)".[53] Tasker é claro nesse ponto: "Embora eles cressem em Jesus, Jesus não cria neles. Jesus não tinha fé na fé deles. Jesus considerou toda a crença que depositavam nEle como algo superficial, desprovida do mais essencial elemento, a necessidade de perdão e a convicção de que Jesus somente é o mediador do perdão".[54]

Werner de Boor tem razão em ressaltar que Jesus "conhece" não apenas Natanael, vendo-o numa hora especial de sua vida (1.47-49),

---

[51]Wiersbe, Warren W. *Comentário bíblico expositivo*. Vol. 5, p. 377.
[52]Carson, D. A. *O comentário de João*, p. 185.
[53]Wiersbe, Warren W. *Comentário bíblico expositivo*. Vol. 5, p. 377.
[54]Tasker, R. G. V. *The gospel according to St. John*. Grand Rapids: Eerdmans, 1975, p. 65.

mas conhece "todos", todos em Jerusalém que estão entusiasmados com Seus milagres e "confiam" nEle, mas enganam a si mesmos e não sabem qual é a sua verdadeira situação.[55]

MacArthur alerta do perigo de confundir a fé salvadora com a fé espúria. A diferença entre a fé espúria e a fé salvadora é crucial. É a diferença entre a fé viva e a fé morta (Tg 2.17); entre o ímpio que irá para a condenação e o justo que entrará na vida eterna (Mt 25.46), entre aqueles que ouvirão: *Muito bem, servo bom e fiel* [...] *participa da alegria do teu senhor!* (Mt 25.21) e aqueles que ouvirão: *Nunca vos conheci; afastai-vos de mim, vós que praticais o mal* (Mt 7.23).[56]

Jesus não pode confiar-Se aos homens; pode apenas morrer por eles. Entre Jesus e nós, há uma grande distância. Ele conhece o nosso coração e as nossas motivações. E não Se deixa enganar. Ele jamais confunde trigo com joio, pois conhece verdadeiramente Suas ovelhas.

---

[55] BOOR, Werner de. *Evangelho de João I*, p. 82.
[56] MACARTHUR, John. *The MacArthur New Testament commentary – John 1-11*, p. 95.

4

Novo nascimento, uma necessidade vital

João 3.1-21

AQUELE QUE CONHECIA TODOS e *não precisava que Lhe dessem testemunho sobre o homem* (2.24,25), agora entra em um número de conversas nas quais Ele instantaneamente chega ao coração dos indivíduos com histórias de vida e necessidades diferentes – Nicodemos (3.1-15), a mulher samaritana (4.1-26), o oficial gentio (4.43-53), o homem no tanque de Betesda (5.1-15) e vários outros.[1]

O encontro de Nicodemos com Jesus está logicamente conectado ao texto anterior (2.23-25). Isso significa que Jesus não aceita uma fé superficial como suficiente para a salvação. Embora Nicodemos tivesse reconhecido Jesus como um mestre vindo da parte de Deus, com capacidade de operar grandes sinais, sua fé era deficiente, pois se baseava apenas no testemunho dos milagres (3.2). Jesus, porém, destacou a necessidade da fé salvadora que produz a transformação da vida.

Nicodemos vai a Jesus de noite (3.2). Por quê? Para se beneficiar da cobertura da escuridão? Por temor dos olhos do público? Por não querer se associar ao mestre operador de sinais? Por querer se manter no anonimato? Concordo com D. A. Carson quando ele diz que Nicodemos

---

[1]CARSON, D. A. *O comentário de João*, p. 185.

se aproximou de Jesus à noite, mas que a noite de Nicodemos era mais escura do que ele pensava.² Por outro lado, conforme destaca Matthew Henry, quando houve oportunidade, posteriormente, Nicodemos reconheceu Cristo publicamente (7.50; 19.39). A graça, que a princípio é apenas um grão de mostarda, pode crescer e se tornar uma árvore frondosa.³

O novo nascimento é a mais importante e a mais urgente necessidade de sua vida: você precisa nascer de novo. Sem o novo nascimento, sua vida é vã, sua esperança é vã e sua religião é vã. Sem o novo nascimento, Deus estará contra você no dia do juízo. Sem o novo nascimento, a Palavra de Deus condenará você no dia final. Sem o novo nascimento, o céu estará de portas fechadas para você.

Jesus disse que, se alguém não nascer de novo, não poderá ver o reino de Deus (3.3). Se alguém não nascer da água e do Espírito, não poderá entrar no reino de Deus (3.5). Jesus é enfático: *Necessário vos é nascer de novo* (3.7). Você pode ser uma pessoa rica, culta, respeitável e religiosa como Nicodemos, mas, se não nascer de novo, estará perdido. Você pode ser uma pessoa zelosa, conservadora e observadora dos preceitos religiosos como Nicodemos, mas, se não nascer de novo, não haverá esperança para sua alma. Você pode praticar muitas boas obras, dar esmolas, ter uma vida bonita e até fazer orações que são ouvidas no céu como Cornélio fazia, mas, se não nascer de novo, não poderá entrar no reino de Deus.

É notório que Jesus não falou a respeito do novo nascimento para Zaqueu, um homem que enriquecera ilicitamente. Ele não falou a respeito nem para a mulher samaritana, que já havia passado por cinco divórcios e agora vivia com um homem que não era seu marido. E não falou a respeito nem mesmo para o ladrão na cruz, um homem que vivera à margem da lei. Mas falou a respeito do novo nascimento para um homem religioso, um rabi, um mestre, um líder, um dos principais dos judeus.

---

²Carson, D. A. *O comentário de João*, p. 187.
³Henry, Matthew. *Matthew Henry Comentário bíblico Novo Testamento – Mateus-João*, p. 773.

A **necessidade** do novo nascimento

Por que você precisa nascer de novo?

Em primeiro lugar, *porque a inclinação do seu coração é contra Deus*. Você jamais desejará conhecer Deus se o próprio Deus não tocar o seu coração. Você jamais terá sede de Deus se o próprio Deus não provocar essa sede em você. A inclinação da sua carne é inimizade contra Deus. Sua natureza é pecaminosa e totalmente caída. Os maus desígnios vêm do seu coração, mas não o desejo de ser salvo.

Você não pode mudar a si mesmo. Você está cego para as coisas de Deus, insensível como um morto à voz do Espírito. Se você for deixado à própria sorte, perecerá. Da mesma forma que um ser humano jamais é o autor da sua existência, assim também nenhum ser humano pode dar vida à própria alma.

Para você ser salvo, é preciso que um poder do alto lhe dê vida, assim como Deus chamou à existência as coisas que não existiam. Você pode fazer muitas coisas, mas não pode dar vida a si mesmo nem a qualquer outro indivíduo. Dar vida é uma prerrogativa divina.

Sem o novo nascimento, você não pode chegar ao céu nem se encantar com o céu. Você pode entrar no céu sem dinheiro, sem fama, sem cultura e até sem religião, mas jamais sem o novo nascimento.

Em segundo lugar, *porque sem o novo nascimento você não pode ver o reino de Deus e não pode entrar nesse reino* (3.3,5). A não ser que Deus mude as disposições íntimas da sua alma, que transplante seu coração de pedra e que lhe dê um coração de carne, a não ser que você receba o toque regenerador do Espírito Santo, jamais poderá entrar no reino de Deus, nem mesmo vê-lo. O homem natural não compreende as coisas de Deus. Ele as considera como loucura. As coisas que Deus proíbe são aquelas que lhe dão prazer. As coisas de Deus lhe são canseira e enfado. D. A. Carson está coberto de razão quando diz que o que deve ser percebido na insistência de Jesus sobre o novo nascimento como pré-requisito para a entrada no reino de Deus é o fato de que essa verdade se aplica a um homem do calibre de Nicodemos. Se Nicodemos, com seus conhecimentos, talentos, entendimento, posição e integridade, não podia entrar no reino prometido em virtude de sua posição e obras, que esperança há para alguém que procura salvação por essas vias? Mesmo para um Nicodemos deve haver uma transformação radical, a geração de uma nova vida. Não se trata do conserto de uma parte, mas da renovação de toda a natureza.[4]

F. F. Bruce esclarece o significado de "ver o reino" e "entrar no reino" com as seguintes palavras:

> "Ver o reino" é a mesma coisa que a "vida eterna". Ser nascido de cima ou de novo no sentido que estas palavras têm aqui é "ser nascido de Deus". Na acepção de João 1.13 é entrar imediatamente na vida da era vindoura. Não há diferença entre ver o reino de Deus e entrar nele; assim como não há distinção entre ver a vida (3.36) e entrar nela (Mt 19.17). Também não há diferença entre nascer de novo e nascer da água e do Espírito.[5]

Em terceiro lugar, *porque uma fé intelectual ou emocional é insuficiente para você entrar no reino de Deus*. Algumas pessoas, ao verem os milagres de Jesus, creram nEle (2.23-25). Nicodemos foi a Jesus admirado pelos milagres que o mestre praticava (3.2). Ainda hoje as pessoas procuram Jesus por causa de milagres. Contudo, para ser salvo, você deve olhar não para os milagres, mas para aquele que foi levantado na cruz (3.14,15).

Muitos foram atraídos a Jesus com uma fé apenas intelectual ou emocional ao observarem seus prodígios. Nicodemos também ficou impressionado com os sinais que Jesus fazia. Isso o levou a reconhecer que Jesus era vindo de Deus e que Deus estava com ele. Mas essa fé não é suficiente para salvar sua alma. Crer em milagres não é o bastante para levar você para o céu. Quando Nicodemos se aproximou de Jesus tecendo-lhe os mais altos elogios, Jesus desviou o assunto para a necessidade urgente de Nicodemos nascer de novo. MacArthur diz que Jesus não estava interessado em discutir Seus milagres, que tinham como resultado apenas uma fé superficial. Pelo contrário, Ele foi direto ao ponto, mostrando a Nicodemos a necessidade da transformação de seu coração por intermédio do novo nascimento.[6]

---

[4]CARSON, D. A. *O comentário de João*, p. 190-191.
[5]BRUCE, F. F. *João: introdução e comentário*, p. 81.
[6]MACARTHUR, John. *The MacArthur New Testament commentary – John 1-11*, p. 102.

Em quarto lugar, *porque o novo nascimento é uma ordem expressa de Jesus* (3.7). Jesus é categórico: *Necessário vos é nascer de novo* (3.7). Lá no céu, você não entrará por ser presbiteriano, batista, metodista, assembleiano ou católico. Lá no céu, só entrarão aqueles que nasceram de novo, aqueles que foram remidos e lavados no sangue do Cordeiro. Sem o novo nascimento, o céu não apenas seria impossível para você, mas também não seria um lugar desejável para sua alma. Aqueles que nunca nasceram de novo amam mais as trevas do que a luz; por isso, o destino deles é de trevas eternas. Concordo com F. F. Bruce quando ele diz que, pelo nascimento natural, as pessoas tornam-se membros de uma família terrena; para que elas se tornem membros da família de Deus, para receberem a natureza espiritual, que é o único meio de ser admitido em seu reino, faz-se necessário um nascimento "do alto".[7]

Quem não nasceu de novo não se deleita nos banquetes de Deus. O que lhes dá prazer não são as coisas de Deus. O que lhes enche a alma de entusiasmo não são as iguarias da mesa de Deus. Sem o novo nascimento, o ser humano ama o mundo e as coisas que há no mundo. Sem o novo nascimento, o ser humano é amigo do mundo e inimigo de Deus. Sem o novo nascimento, o ser humano se conforma com o mundo e vive segundo o seu curso.

A **natureza** do novo nascimento

Antes de tratar da natureza do novo nascimento, é importante deixar claro o que não é novo nascimento. Muitas pessoas confundem a verdadeira natureza do novo nascimento. Vejamos a seguir o que ele *não é*.

Em primeiro lugar, *o novo nascimento não equivale a ser bem-sucedido financeiramente* (19.39). Nicodemos era um homem rico, mas o dinheiro não satisfazia a sua alma. Seu dinheiro não garantia a segurança da sua alma. Quando você morrer, o máximo que o seu dinheiro lhe dará é um belo funeral. Seu dinheiro pode lhe dar uma casa, mas não um lar. Pode lhe dar remédios, mas não saúde. Pode lhe dar conforto na terra, mas não um lugar no céu. Nicodemos era rico, mas não

---

[7]BRUCE, F. F. *João: introdução e comentário*, p. 82.

era salvo. Ele tinha muito dinheiro, mas não tinha paz em seu coração nem salvação em sua alma.

Em segundo lugar, *o novo nascimento não equivale a ter um profundo conhecimento da Bíblia* (3.10). Nicodemos era mestre em Israel. Era um rabi, um doutor em Bíblia. Mas ele não estava salvo. Há muitas pessoas que conhecem a verdade, mas nunca foram transformadas por essa verdade. Há muitas pessoas que pregam, expulsam demônios e profetizam, mas nunca entrarão no céu. Talvez você seja um intelectual. Você conhece muitas coisas e tem muitos diplomas. Mas todo esse conhecimento não pode salvar a sua alma. Nicodemos era mestre, mas estava perdido.

Em terceiro lugar, *o novo nascimento não equivale a ser uma pessoa profundamente religiosa* (3.1). Nicodemos era um fariseu. Ele era membro do grupo mais radical e conservador da religião judaica. Os fariseus se levantaram fortemente contra a helenização da religião judaica. Eram separatistas que consideravam indignos do reino de Deus aqueles que deles discordavam. Os fariseus, contudo, deram mais atenção às observações externas da lei do que à transformação interior do coração. Hendriksen diz que a conformidade exterior com a lei era muitas vezes considerada pelos fariseus o alvo da existência humana.[8] Eles tinham regras e mais regras. Na verdade, eles construíram um sistema de salvação pelas obras. Jesus denunciou os fariseus por causa de seu exibicionismo e pseudossantidade (Mt 5.20; 16.6,11,12; 23.1-39; Lc 18.9-14). Nicodemos era um fariseu zeloso da sua religião. Ele jejuava duas vezes por semana. Frequentava a sinagoga regularmente. Dava o dízimo de tudo quanto ganhava. Ele mantinha uma vida moralmente irrepreensível, mas não estava salvo.

Em quarto lugar, *o novo nascimento não equivale a ocupar um cargo de liderança na igreja* (3.1). Nicodemos era um dos principais dos judeus. A palavra grega *archon*, usada aqui, demonstra que ele era um membro do sinédrio.[9] O sinédrio era composto por 71 membros e presidido pelo sumo sacerdote. Era formado por saduceus e fariseus, escribas e anciãos. Sob o governo de Roma, o sinédrio exercia um importante trabalho na

---

[8]HENDRIKSEN, William. *João*, p. 179.
[9]BARCLAY, William. *Juan I*, p. 132.

área civil, criminal e religiosa.[10] Tinha autoridade para prender e julgar. Apenas não tinha autoridade para executar os criminosos sentenciados. O sinédrio velava pela vida espiritual, moral e familiar de toda a nação de Israel. Nicodemos era um homem influente na sociedade, um líder destacado de sua religião. Mas ocupar um cargo de liderança na igreja não é suficiente para levar você ao céu. Ninguém entra no céu por ser pastor, presbítero, diácono, missionário ou líder na igreja. Somente aqueles que nascem de novo podem entrar no reino de Deus.

Em quinto lugar, *o novo nascimento não equivale a ter apenas informações certas sobre a pessoa de Jesus* (3.2). Nicodemos reconheceu que Jesus era mestre. Reconheceu que Jesus tinha poder para fazer milagres. E reconheceu que Jesus tinha vindo da parte de Deus. Ele desejou profundamente conhecer Jesus. Rompendo barreiras e preconceitos de seus pares, foi ter com Jesus, ainda que de noite. Mas saber quem Jesus é e ir até Ele não é o bastante para levar você para o céu. O jovem rico também se prostrou aos pés de Jesus, mas saiu sem se entregar a Ele. Nenhuma pessoa entra no céu apenas por ter abraçado a teologia ortodoxa, embora isso seja fundamental. Somente aqueles que nascem de novo podem entrar no reino de Deus.

Em sexto lugar, *o novo nascimento não equivale a uma reforma moral* (3.6). O que é nascido da carne é carne, e carne aqui tem o sentido da natureza do ser humano separado de Deus. O novo nascimento, portanto, não é uma reforma do velho homem, não é apenas uma fina camada de verniz religioso. Não é algo que o ser humano possa fazer. Há muitas pessoas decentes que nunca nasceram de novo. Há muitas pessoas honradas da sociedade, como Nicodemos, que nunca se entregaram aos vícios, mas nunca viram o reino de Deus e jamais nele entraram. Não dê descanso à sua alma até ter certeza de que você já nasceu de novo.

Depois de examinar cuidadosamente o que não é novo nascimento, é hora de explicar, à luz do texto bíblico, o que é novo nascimento:

O novo nascimento é algo radicalmente novo (3.3). Hendriksen tem razão ao dizer que Nicodemos não faz nenhuma pergunta para Jesus;

---

[10] MACARTHUR, John. *The MacArthur New Testament commentary – John 1-11*, p. 101.

no entanto, mesmo assim, Jesus lhe responde. Isso porque Jesus leu a pergunta que se encontrava profundamente sepultada em seu coração. Com base na resposta de Cristo, podemos seguramente presumir que a pergunta de Nicodemos era semelhante à do jovem rico (Mt 19.6). Ele queria saber que tipo de boas obras deveria praticar a fim de entrar no reino do céu.[11] Jesus respondeu a Nicodemos que, se alguém não nascesse de novo, não poderia ver o reino de Deus. A palavra grega *anothen*, significa "absolutamente novo, inédito, que nunca existiu". É uma espécie de ressurreição do que estava morto. É passar da morte para a vida. A Bíblia diz que, se alguém está em Cristo é nova criatura, as coisas antigas já passaram e tudo se fez novo (2Co 5.17). Ocorre uma transformação de dentro para fora, que implica ter um novo coração, uma nova mente, um novo nome, uma nova família, uma nova pátria, novos desejos, novos gostos, novas preferências, novos temores.[12]

Jesus deixa claro para Nicodemos que uma pessoa só pode ver o reino de Deus, ou seja, ter a vida eterna, se o Espírito Santo implantar em seu coração a vida que tem sua origem não na terra, mas no céu. A salvação implica uma mudança radical.

O novo nascimento é uma obra exclusiva de Deus (3.3). É nascer do céu, de Deus. A palavra *anothen* traz a ideia *de cima, do alto* (3.31; 19.11). O céu não é apenas o nosso destino, mas também a nossa origem. Nascemos não do sangue, não da vontade da carne, nem da vontade do homem, mas de Deus (1.12). Nenhum ser vivo pode operar em si mesmo esse novo nascimento, como nenhum ser morto pode dar a vida a si mesmo. O ser humano pode muitas coisas, mas não pode dar vida a si mesmo. Só Deus pode dar vida. Nascemos de cima, do alto, de Deus, do Espírito. Concordo com Charles Spurgeon quando ele diz que é mais fácil ensinar um leão a ser vegetariano do que converter uma alma pelo esforço humano. Da mesma forma que um etíope não pode mudar sua pele nem o leopardo suas manchas, assim também não podemos produzir esse nascimento de cima. Só o Espírito de Deus pode dar vida ao que está morto. Só o Espírito pode soprar num vale de ossos secos.

---

[11] HENDRIKSEN, William. *João*, p. 181.
[12] RYLE, John Charles. *John*. Vol. 1, p. 122.

Só o Espírito pode abrir nosso coração, convencer-nos do pecado, regenerar-nos, batizar-nos no corpo de Cristo e selar-nos para o dia da redenção. Concordo com John Charles Ryle quando ele diz que, sem o novo nascimento, não podemos entrar no céu nem poderíamos nos deleitar nele caso fôssemos para lá.[13]

O novo nascimento é uma transformação interior realizada pelo Espírito (3.5). Charles Erdman diz que "água", aqui, refere-se ao batismo de João e aos ritos similares com os quais Nicodemos estava familiarizado. É verdade que deve haver arrependimento, confissão, perdão e purificação do pecado para alguém capacitar-se a entrar no reino. Deve, porém, haver mais que isso: é preciso que o poder renovador e transformador do Espírito de Deus intervenha.[14] Enfatizo, portanto, que Jesus usa uma figura conhecida por Nicodemos. Jesus tinha falado a respeito das talhas de água para a purificação e do batismo de arrependimento pregado por João. Nascer da água, portanto, é arrepender-se do pecado e ser purificado. Ninguém pode ser salvo a menos que seja interiormente purificado, assim como a água nos lava externamente.

William Hendriksen destaca que a chave para a interpretação dessas palavras está em João 1.33, em que *água* e *Espírito* são mencionados, lado a lado, em ligação com o batismo. Portanto, o significado evidente é este: não é suficiente ser batizado com água. O *sinal* de fato é de grande valor; é de grande importância tanto como uma figura quanto como um selo. Mas o *sinal* deve ser acompanhado pela coisa que ele representa: a obra purificadora do Espírito Santo.[15]

MacArthur diz que água e Espírito eram os termos mais precisos e conhecidos do Antigo Testamento para falar sobre a transformação interior (Is 32.15; 44.3; Ez 36.24-27; Jl 2.28,29). Sem a purificação da alma, operada pelo Espírito Santo (Tt 3.5), mediante a Palavra de Deus (Ef 5.26), ninguém pode entrar no reino de Deus.[16] Nessa mesma trilha de pensamento, D. A. Carson diz que a passagem mais

---

[13]RYLE, John Charles. *John*. Vol. 1, p. 123.
[14]ERDMAN, Charles. *O evangelho de João*, p. 36.
[15]HENDRIKSEN, William. *João*, p. 183.
[16]MACARTHUR, John. *The MacArthur New Testament commentary – John 1-11*, p. 105.

esclarecedora para explicar João 3.5 é Ezequiel 36.25-27, em que água e Espírito aparecem ligados muito estreitamente, a água significando purificação da impureza, e o Espírito retratando a transformação do coração que capacitará as pessoas a seguir Deus integralmente.[17]

Nascer do Espírito é nascer de cima, do alto, de Deus. É ser transformado pelo Espírito Santo (Ez 36.25-27; Is 44.3). É ser nova criatura. O novo nascimento não é algo superficial. Não é uma mera reforma moral. É uma mudança completa do coração, do caráter e da vontade. É uma ressurreição, uma nova criação. É passar da morte para a vida. É uma mudança tão radical que você passa a ter uma nova natureza, novos hábitos, novos gostos, novos desejos, novos apetites, novos julgamentos, novas opiniões, nova esperança, novos temores.

O novo nascimento é uma obra livre, soberana e misteriosa do Espírito Santo (3.8). A comparação com o vento é especialmente plausível porque os termos *ruach* no hebraico e *pneuma* no grego significam vento ou espírito. O vento sopra onde quer. Não sabemos de onde vem nem para onde vai. Assim é todo o que é nascido do Espírito. O vento é livre, soberano e misterioso. O Espírito também sopra onde quer e em quem quer. Ninguém segura o vento nem pode detê-lo ou domesticá-lo. A obra do Espírito é soberana e eficaz. Não podemos explicar o vento, mas podemos senti-lo e ouvir sua voz. Assim é a obra do Espírito Santo no novo nascimento. O Espírito Santo sopra onde jamais sopraríamos. Ele sopra em quem jamais sopraríamos. Ele sopra na rua, na boate, no campo de futebol, no botequim, no lar, na igreja.

Permita-me ilustrar melhor esse ponto. Era uma segunda-feira, e eu estava no gabinete pastoral na Primeira Igreja Presbiteriana de Vitória. Um homem entrou, cumprimentou-me e disse: "Eu estive ontem à noite no culto desta igreja". Congratulei-me com ele e expressei minha alegria pelo fato de ele ter participado do culto conosco. Então o homem respondeu: "Mas eu não vim participar do culto". Perguntei-lhe: "Então o que o senhor veio fazer na igreja?" Ele olhou fundo nos meus olhos e disse: "Vim roubar um carro. Eu era um traficante". Perguntei-lhe de pronto: "E o que aconteceu ontem à noite?" Comovido, o homem

---

[17] CARSON, D. A. *O comentário de João*, p. 196.

confessou: "Enquanto eu estava observando os carros, fui atraído irresistivelmente por uma música que saía do templo. Como eu estava com o revólver na cintura, entrei e me deparei com uma força maior do que a minha. A Palavra de Deus entrou no meu coração como uma flecha. Saí correndo para casa chorando, e minha esposa me perguntou: 'O que aconteceu com você? Alguém o feriu?' Respondi: 'Não, mulher, aquele homem que você conhecia morreu. Sou uma nova criatura. Deus salvou a minha vida'".

A comparação que Jesus faz da obra do Espírito com o vento nos ensina, outrossim, que muitas vezes não conseguimos entender essa obra, mas podemos ver seus efeitos. Embora algumas vezes não consigamos entender como o Espírito Santo trabalha, podemos ver Seu efeito na vida dos convertidos. Da mesma maneira, poucas pessoas sabem como funciona a eletricidade, o rádio e o televisor, e nem por isso negam sua existência. Muitos de nós dirigimos um carro com um mínimo de conhecimento do que se passa debaixo do capô. Mas, nossa falta de conhecimento não nos impede de desfrutar os benefícios que o automóvel nos proporciona. Podemos, assim, não compreender como trabalha o Espírito Santo e, ainda assim, comprovar o efeito do Espírito Santo na vida das pessoas.[18]

A **condição** para o novo nascimento

Nicodemos não duvida da necessidade do novo nascimento, mas questiona sua possibilidade. Ele não compreende como alguém pode ser totalmente transformado, a ponto de ter um novo coração. E imaginou que teria de nascer novamente do ventre de sua mãe. Jesus corrige sua confusão, explicando que aquele que é nascido da carne é carne. O novo nascimento não é obra humana, mas divina. Não é obra terrena, mas celestial. Jesus, então, usa a comparação do vento para evidenciar o aspecto misterioso do novo nascimento.

Nicodemos porém, continuou não entendendo. Jesus passou então de uma explicação do novo nascimento em termos das categorias

---

[18] BARCLAY, William. *Juan I*, p. 141.

"água" e "Espírito", usadas por Ezequiel (Ez 36.25-27), para uma passagem narrativa, o conhecido relato da serpente de bronze no deserto (Nm 21.4-9).[19] Assim o mestre traz à memória de Nicodemos a história de Israel no deserto. A Bíblia diz que o povo de Israel se insurgiu contra Deus e O provocou à ira, desprezando o maná como se fosse um pão vil. Então, Deus castigou o povo com serpentes abrasadoras e venenosas que o mordiam. Desesperado, o povo rogou a Moisés, que intercedeu por ele.

Deus deu uma ordem a Moisés para fazer uma serpente de bronze; todo aquele que fosse picado pela serpente abrasadora e olhasse para a serpente de bronze seria curado imediatamente. William Hendriksen diz acertadamente que Números 21 é um tipo profético da futura ascensão do Filho do homem. Em ambos os casos (Nm 21 e Jo 3), a morte é apresentada como uma punição pelo pecado; em ambos os casos, é o próprio Deus que, em Sua graça soberana, provê o remédio; em ambos os casos, o remédio consiste em algo (ou alguém) sendo levantado à vista do público; em ambos os casos, aqueles que, com um coração crente, olham para aquilo (ou aquele) que foi levantado são curados. No caso do tipo (a serpente de bronze), a libertação é da morte física; mas, no caso do antítipo (Cristo), a libertação é da morte eterna.[20]

Jesus, então, diz: *Assim como Moisés levantou a serpente no deserto, também é necessário que o Filho do homem seja levantado; para que todo aquele que nEle crê tenha a vida eterna* (3.14,15). O ponto de conexão mais profundo entre a serpente de bronze e Jesus estava no ato de ser "levantado".[21] Warren Wiersbe acrescenta que o verbo "levantar" possui duplo sentido: ser crucificado (8.28; 12.32-34) e ser glorificado e exaltado. João ressalta que a crucificação de Jesus foi um meio para sua glorificação (12.23ss.). A cruz não foi o fim de sua glorificação, mas um instrumento para alcançá-la (At 2.33).[22] Quando Nicodemos pergunta como uma pessoa pode alcançar o novo nascimento, a nova vida, aqui é citado o passo decisivo: olhar para o carregador de pecados

---

[19] CARSON, D. A. *O comentário de João*, p. 202.
[20] HENDRIKSEN, William. *João*, p. 189.
[21] CARSON, D. A. *O comentário de João*, p. 202.
[22] WIERSBE, Warren W. *Comentário bíblico expositivo*. Vol. 5, p. 381.

alçado à cruz traz a vida.[23] David Stern diz que, assim como os israelitas foram salvos da praga das serpentes quando contemplaram a serpente de bronze levantada por Moisés (Nm 21.6-9), todas as pessoas são salvas da morte, da separação de Deus e do tormento eterno ao contemplar com seus olhos espirituais a pessoa do Messias, Jesus, levantada na cruz.[24] Corroborando, ainda com o entendimento da passagem em apreço, acrescento as oportunas palavras de Charles Erdman:

> A figura usada por Jesus não deve ser considerada em todos os seus possíveis pormenores; contudo, as seguintes sugestões se impõem: 1) A humanidade, como aqueles israelitas do passado, foi mordida por uma serpente, mas o veneno mortal que ela lhe instilou nas veias é o ferrão do pecado. 2) Deus providenciou um remédio na pessoa de Seu Filho; na crucificação deste, vemos o aniquilamento do pecado, pois a serpente levantada na haste figurava a morte do destruidor. Mas, como a serpente levantada não era cobra de verdade, e sim de metal, assim Cristo não era de fato pecador, senão somente feito "em semelhança de carne pecaminosa". 3) Como foi necessário que os israelitas moribundos aceitassem a provisão de Deus e, com submissão e fé, olhassem para a serpente de cobre, também é necessário que atentemos, arrependidos e cheios de fé, para o Salvador crucificado, e nos entreguemos a Deus como Se revela graciosamente em Jesus Cristo. Se recusarmos aceitar a Cristo, pereceremos; mas a fé nEle resulta em vida eterna. 4) Tal provisão é feita por Deus em Seu amor, e é oferecida livremente a todo aquele que crer.[25]

Destacamos a seguir duas verdades.

Em primeiro lugar, *é preciso reconhecer seus pecados*. Somente aqueles que reconhecem a malignidade do veneno da antiga serpente, somente aqueles que sabem que foram inoculados por um veneno mortal, chamado pecado, é que correm desesperadamente para Deus clamando por misericórdia. O pecado é maligníssimo. O pecado adoece, escraviza e mata. O salário do pecado é a morte.

---

[23] BOOR, Werner de. *Evangelho de João I*, p. 91.
[24] STERN, David H. *Comentário judaico do Novo Testamento*, p. 192-193.
[25] ERDMAN, Charles. *O evangelho de João*, p. 37.

Primeiro você reconhece que é pecador, depois você olha para Jesus. Antes da fé, vem o arrependimento. Antes do arrependimento, vem a convicção de pecado. Antes da convicção de pecado, vem a consciência de que o pecado é maligníssimo. O pecado é pior que a pobreza, que a doença, que a morte. Pois o pecado nos afasta de Deus agora e eternamente. Somente os que se reconhecem pecadores olharão para Jesus como Salvador. Voltando a atenção para Nicodemos, John MacArthur diz que sua descrença tinha dois lados. Intelectualmente, enquanto confessa que Jesus era um mestre vindo da parte de Deus, Nicodemos não estava pronto a aceitá-Lo como Deus. Espiritualmente, o homem relutava em admitir-se como pecador, uma vez que era quase impensável que um orgulhoso fariseu, cheio de justiça própria, admitisse tal realidade. Assim também, muitos ainda hoje, mesmo impressionados com os milagres de Jesus, se recusam a confiar nEle como seu Senhor e Salvador.[26]

Em segundo lugar, *é preciso crer que Jesus levou sobre si os seus pecados na cruz*. O propósito de Jesus ser levantado fica agora mais explícito: *para que todo aquele que nEle crê tenha a vida eterna* (3.15). Cristo precisou ser levantado na cruz para ser o nosso redentor. Ele assumiu o nosso lugar, como nosso representante, fiador e substituto. Quando Jesus estava na cruz, Deus lançou sobre Ele todos os nossos pecados. Ele foi ferido e traspassado pelas nossas transgressões. Cristo Se fez maldição por nós. Ele Se fez pecado por nós. Ele foi cuspido pelo sinédrio. Foi escarnecido pela multidão e açoitado pelos soldados. Cruelmente, os soldados arrancaram Sua barba e esbordoaram Sua cabeça. Naquele momento, não havia beleza em Jesus. Todo o veneno que nos matava foi lançado sobre Ele. O sol escondeu Seu rosto. O Pai não pôde ampará-Lo. Ele morreu em nosso lugar. Mas, antes de morrer, deu um brado de vitória. Rasgou o escrito de dívida que era contra nós, esmagou a cabeça da serpente e, com Seu sangue, nos remiu para Deus.

Quando olhamos para Cristo, quando cremos nEle e confiamos no que Ele fez por nós, então somos salvos e recebemos a vida eterna. Aí acontece o novo nascimento. Concordo com a defesa de D. A. Carson

---

[26] MACARTHUR, John. *The MacArthur New Testament Commentary – John 1-11*, p. 112.

de que aqui está a resposta mais franca à pergunta de Nicodemos: *Como pode ser isso?* (3.9). O reino de Deus pode ser visto ou adentrado por intermédio da obra salvadora de Cristo na cruz, recebida pela fé; assim, experimenta-se o novo nascimento, e a vida se inicia.[27]

F. F. Bruce destaca o fato de que essa é a primeira ocasião nesse evangelho em que ocorre a expressão frequente, *zoe aionios*, "vida eterna". Significa vida da era vindoura, vida da ressurreição, que os crentes em Cristo desfrutam em antecipação por causa de sua união com alguém que já ressuscitou. A vida eterna aqui é a própria vida de Deus que está no Verbo eterno (*A vida estava nEle*) e por Ele é transmitida a todos os crentes.[28] A vida eterna é a vida da era vindoura que é recebida pela fé e que não pode ser destruída; é uma possessão presente daquele que crê.[29]

Os **resultados** do novo nascimento

Três resultados são destacados por Jesus no texto em tela.

Em primeiro lugar, *o livramento da condenação* (3.16). Há uma condenação inexorável para todos aqueles que permanecem em seus pecados. O salário do pecado é a morte. A alma que pecar, essa morrerá. Contudo, quando você olha para Jesus e O recebe como Seu Salvador, essa condenação é cancelada, porque o Justo morreu pelo injusto. Como seu substituto, Ele sofreu a penalidade que você deveria sofrer. Ele morreu em seu lugar, e agora você está livre de condenação. John Charles Ryle diz acertadamente que Deus amou o mundo não para que toda a humanidade fosse finalmente salva; ele amou o mundo e deu o seu Filho unigênito para que todo o que nEle crer não pereça, mas tenha a vida eterna. Seu amor é oferecido a todas as pessoas livremente, plenamente, honestamente, irreservadamente, mas unicamente através da redenção que há em Cristo.[30] O mesmo autor afirma que a morte de Cristo é a nossa vida e a fé em Cristo é o nosso único passaporte para

---

[27]CARSON, D. A. *O comentário de João*, p. 203.
[28]BRUCE, F. F. *João: introdução e comentário*, p. 86.
[29]RIENECKER, Fritz; ROGERS, Cleon. *Chave linguística do Novo Testamento*, p. 165.
[30]RYLE, John Charles. *John*. Vol. 1, p. 143.

o céu.³¹ Portanto, se a oferta da salvação é a maior das misericórdias, a rejeição da salvação é a maior das culpas!

Em segundo lugar, *a garantia da vida eterna* (3.16-18). Crer no Filho de Deus é semelhante a olhar para a serpente de bronze. Aqueles que foram amados por Deus e creem no Seu Filho, em vez de condenação, recebem vida eterna. John Charles Ryle diz que sem fé não há salvação, mas pela fé em Cristo o mais vil pecador pode ser salvo.³² Este jamais perecerá eternamente. Assim como a morte era afastada daqueles que olhavam para a serpente de bronze, os pecados são perdoados daqueles que creem no Filho de Deus. Concordo com Werner de Boor quando ele escreve: "Quem não quer aceitar o ato redentor de Deus na entrega do Filho está forçosamente sujeito ao juízo e, consequentemente, já está julgado, ainda que isso venha a ser definitivamente manifesto apenas naquele dia diante do trono".³³ Fritz Rienecker esclarece que a expressão "já está condenado" indica que a pessoa entrou num estado contínuo de condenação porque se recusou a entrar num estado contínuo de fé.³⁴ Nessa mesma linha de pensamento, William Hendriksen ressalta que ninguém precisa aguardar o dia da grande consumação para receber sua sentença. Certamente, naquele grande dia, algo muito importante acontecerá: o veredito será publicamente proclamado (5.25-29). Mas a decisão em si, que é básica para essa proclamação pública, já foi tomada há muito tempo.³⁵

Em terceiro lugar, *a caminhada na luz* (3.18-21). Aqueles que nascem de novo e creem no Filho de Deus têm mudado não apenas seu destino, mas também seu estilo de vida. Agora eles não amam mais as trevas. Seu prazer está em Deus. Seu deleite está em fazer a vontade de Deus. Eles agora têm uma nova mente, um novo coração, uma nova vida, novos gostos, novas preferências, novos desejos. Passaram das trevas para a luz. Não vivem mais em pecado, mas têm prazer em Cristo, a luz que ilumina todo ser humano.

---

[31] Ryle, John Charles. *John*. Vol. 1, p. 145.
[32] Ryle, John Charles. *John*. Vol. 1, p. 146.
[33] Boor, Werner de. *Evangelho de João I*, p. 94.
[34] Rienecker, Fritz; Rogers, Cleon. *Chave linguística do Novo Testamento*, p. 166.
[35] Hendriksen, William. *João*, p. 194.

Werner de Boor, com razão, afirma que Nicodemos veio apenas para ter um diálogo teológico com o "mestre" Jesus e entender qual posição Ele na realidade reivindicou para Si. Jesus, porém, o colocou diante da decisão de praticar a verdade e vir para a luz ou permanecer na perdição.[36] F. F. Bruce diz que a pessoa que despreza Cristo, ou O considera indigno de sua confiança, julga a si mesmo, e não a Cristo. Tal pessoa não precisa esperar até o dia do julgamento; o veredito sobre ela já foi pronunciado. Sem dúvida, haverá um julgamento final (5.26-29), mas servirá somente para confirmar o que já foi decidido. Aqueles que creem no nome do Filho de Deus tornam-se filhos de Deus (1.12); para aqueles que não creem, não há alternativa além do juízo no qual incorrerão.[37]

Conclamo você, em nome dos patriarcas, dos profetas, dos apóstolos, dos mártires, clamo à sua alma em nome do Deus vivo, em nome da igreja, que você nasça de novo.

Nada é mais urgente do que sua salvação. Não basta que seus pais sejam crentes. Não basta que seu nome esteja no rol de membros da igreja. Você precisa nascer de novo. Deus é a favor da sua salvação. Cada batida do seu coração significa Deus lhe dando mais uma oportunidade de voltar-se para Ele. Hoje é o dia. Agora é o tempo.

---

[36]BOOR, Werner de. *Evangelho de João I*, p. 95.
[37]BRUCE, F. F. *João: introdução e comentário*, p. 88.

5

A grande salvação

João 3.16

O TEXTO EM APREÇO, JOÃO 3.16, é tão sublime, tão profundo, tão exaustivo e tão importante que Lutero o chamou de "miniatura do evangelho". Vamos nos deter aqui nesse versículo para explorar suas riquezas e cavar nessa mina esgotável.

D. A. Carson diz que os judeus estavam familiarizados com a verdade de que Deus amava os filhos de Israel; aqui, porém, o amor de Deus não se restringe a uma raça. O amor de Deus deve ser admirado não porque o mundo é tão grande e inclui tanta gente, mas porque o mundo é tão mau. O mundo é tão ímpio que João em outras passagens proíbe os cristãos de amá-lo ou de amar qualquer coisa do mundo (1Jo 2.15-17). Não há contradição entre essa proibição e o fato de que Deus realmente o ama. Os cristãos não devem amar o mundo com amor egoísta de participação; Deus ama o mundo com o amor altruísta e valioso de redenção.[1]

Se você pode ser salvo ou perecer eternamente – e você pode... Se essa salvação já foi providenciada por Deus – e ela foi... Se essa salvação só pode ser recebida pela fé, não pelas obras – e isso é verdade... Se hoje é o dia da salvação e amanhã pode ser tarde demais para tomar

---

[1] CARSON, D. A. *O comentário de João*, p. 206.

uma decisão – e isso é fato... Se Deus já declarou Seu amor por você, apesar de você ser pecador – e Ele já fez isso... Se Deus já enviou Seu Filho unigênito ao mundo para ser o Seu Salvador – e Ele realmente fez isso... Se Deus lhe deu uma única alternativa para ser salvo, qual seja, a de crer em Jesus – e Ele já deixou isso claro... Se você tem a possibilidade de escolher a vida ou a morte – então o conclamo a escolher a vida, para que você viva e viva para sempre.

Você não pode ser salvo em seus pecados. Não pode salvar a si mesmo nem pode ser salvo por ritos sagrados. Deus providenciou uma saída para você e agora lhe diz que você não pode escapar se negligenciar tão grande salvação.

A carta aos Hebreus pergunta: *Como escaparemos se desconsiderarmos tão grande salvação?* Por que essa salvação é grande? Jesus respondeu a essa pergunta em João 3.16. Ouvi, certa feita, um sermão de Marcelo Gualberto a respeito desse texto e jamais me esqueci de seus pontos, que destaco a seguir.

A salvação é grande por causa de sua **procedência**

Porque Deus amou [...]. Destacamos aqui, três verdades sobre amor de Deus, a fonte da nossa salvação.

Em primeiro lugar, *o amor de Deus por você é eterno e incondicional*. O criador dos céus e a da terra colocou seu coração em você desde toda a eternidade. O amor de Deus por você é eterno, incondicional e perseverante. O amor de Deus é espontâneo e autogerado. Não merecemos o amor de Deus. Ele nos amou quando éramos inimigos. Ele nos amou apesar de sermos pecadores. Deus não sente nojo de nós. Ele nos deseja assim como um noivo se alegra com sua noiva. Ele nos ama com amor eterno e nos atrai para si com cordas de amor. Seu amor é incondicional. Não há nada que você possa fazer para Deus o amar mais nem há nada que você possa fazer para Deus O amar menos.

Em segundo lugar, *de onde veio esse amor?* Não podia vir de outra fonte que não fosse o próprio Deus. O amor de Deus vem dEle mesmo. A causa do amor de Deus não está no seu objeto, mas no próprio Deus. Ele ama porque é de sua natureza amar. *Deus é amor* (1Jo 4.8). A causa do amor de Deus não está em você; está no próprio Deus.

Em terceiro lugar, *qual é a dimensão do amor de Deus?* Devemos conhecer o comprimento, a largura, a altura e a profundidade do amor de Deus. O comprimento do Seu amor alcança todos os homens desde Adão até o último homem. Deus ama toda a raça humana e não quer que ninguém pereça. A largura envolve todas as nações, raças, povos e tribos. O amor de Deus não é endereçado apenas aos judeus, como pensavam os fariseus, mas também aos gentios. A altura mostra que esse amor brotou no coração de Deus e a profundidade revela que este amor desce ao encontro do mais miserável pecador.

A salvação é grande por causa de sua **amplitude**

Porque Deus AMOU [...] *O MUNDO* [...]. Destacamos, novamente, três pontos importantes.

Em primeiro lugar, *a extensão do mundo amado por Deus*. Quando Jesus conversou com Nicodemos, este possivelmente pensou que o Messias viria apenas para sua nação, para os judeus. Imaginou que o amor de Deus estava destinado apenas a uma raça. Mas Jesus declara que o amor de Deus é extensivo a todo o mundo, aos judeus e aos gentios, a todas as raças, a todos os povos, a todas as tribos. Deus não faz acepção de pessoas. Ele ama o pobre e o rico, o doutor e o analfabeto, o jovem e o velho, o religioso e o ateu. Para um fariseu, esse conceito era chocante. Isso porque os fariseus acreditavam que Deus odiava o mundo e tinha prazer em destruir o mundo, mas Jesus anuncia que Deus ama o mundo, ama os pecadores, a tal ponto de dar não um anjo ou outro ser criado, mas o Seu Filho eterno.

Em segundo lugar, *o que havia no mundo para que Deus o amasse?* Não havia nele nada que fosse digno de amor. A ênfase não é que Deus seja capaz de amar um mundo tão grande, mas capaz de amar um mundo tão mau. Deus amou o mundo mau para redimi-lo. Nenhuma flor perfumada crescia nesse deserto árido. Havia inimizade com Ele, ódio à Sua vontade, desprezo à Sua lei, rebelião contra os Seus mandamentos. Todavia, *Deus amou o mundo*.

Em terceiro lugar, *a quem Deus amou?* Deus amou o mundo, amou os perdidos, pecadores de todas as raças, povos, tribos e línguas. Deus ama aqueles que não são dignos de serem amados. Deus ama apesar de ser rejeitado. Deus ama você, caro leitor, e a mim. Pensamos que é uma grande honra sermos amados por alguém especial, conhecido, famoso. Você, porém, é amado pelo criador do universo. Ele não apenas ama você, mas escolheu você, deu-lhe seu Filho para salvá-lo e conduzi-lo ao Seu reino de glória.

A salvação é grande por causa de sua **intensidade**

Porque Deus amou TANTO *o mundo* [...]. Destacamos, outra vez, três pontos.

Em primeiro lugar, *o amor de Deus é indescritível*. O amor de Deus não pode ser traduzido em palavras. Ele amou sacrificialmente. Ele amou e deu Seu Filho. Ele amou e entregou tudo. O poeta disse: "Ainda que todos os mares fossem tinta e todas as nuvens fossem papel... Ainda que todas as árvores fossem penas e todos os homens escritores, nem mesmo assim se poderia descrever o grande amor de Deus".

Em segundo lugar, *o amor de Deus é eterno*. Deus amou você antes de você nascer. Antes de lançar os fundamentos da terra, Deus já amava você. Antes que o sol brilhasse no firmamento, Deus já havia colocado seu coração em você. Antes que a terra desse o seu primeiro fruto, Deus já havia derramado seu coração em você. Ele amou você na eternidade. Planejou você. Pensou em você. Estava lá formando você no ventre da sua mãe. Viu seus primeiros batimentos cardíacos. Viu quando você respirou pela primeira vez. Ele conhece cada pensamento, cada palavra, cada desejo, cada sussurro da sua alma. Ele nunca desistiu de amar você. Ele não abre mão de você.

Em terceiro lugar, *o amor de Deus é deliberado*. Deus resolveu amar você e o escolher para Ele. Ele pôs Seu coração em nós e nos escolheu em Cristo para a salvação. Ele nos amou e nos adotou em Sua família. Ele nos amou e nos escolheu para sermos Seus filhos e herdeiros. Ele nos amou com amor eterno e nos atraiu para Ele com cordas de amor.

A salvação é grande por causa de sua **dádiva**

Porque Deus amou tanto o mundo, que DEU O SEU FILHO UNIGÊNITO [...]. Alguns pontos merecem destaque aqui.

Em primeiro lugar, *o preço da nossa salvação*. Quem muito ama, muito dá. O amor que não se sacrifica é um simulacro do amor. Cristo é a dádiva de Deus Pai a um mundo pecador e mau. Cristo é o pão do céu para um mundo faminto. É água da vida para os sedentos. Cristo é o Cordeiro substituto para o pecador condenado. Cristo é o dom inefável de Deus a você.

Em segundo lugar, *a dádiva de Cristo implica sua encarnação e morte*. O amor de Deus revela o preço que Deus pagou por sua redenção. Não foi mediante coisas corruptíveis como prata ou ouro que Deus remiu você. Deus comprou você mediante o preço de sangue, o sangue do Seu Filho. Deus não levou em conta a sua dívida. Ele a transferiu para a conta de Jesus, que foi levado à cruz pelos seus pecados e na cruz pagou sua dívida, rasgou seu escrito de dívida e gritou: Está pago! Deus, então, transferiu a justiça de Cristo para sua conta e declarou você justo.

Em terceiro lugar, *o que foi esse dom?* Foi o seu Filho unigênito, em quem Deus se compraz. O Pai deu Aquele que era um com Ele mesmo. Deus nos deu tudo; deu-nos Seu Filho, deu-nos a si mesmo. O que mais poderia dar? Durante uma época de fome no Oriente, um pai e uma mãe se viram reduzidos à possibilidade de morrerem à míngua, e a única maneira de preservar a vida da família seria vender um dos filhos como escravo, pois a fome se tornava insuportável, e eles não aguentavam mais a dor de ouvir o choro de seus pequenos implorando por comida. Mas qual deveria ser vendido? Não podia ser o mais velho – como abrir mão do primogênito? O segundo filho era muito parecido com o pai – e a mãe disse que jamais se separaria dele. O terceiro filho lembrava a mãe – e o pai disse que preferia morrer a permitir que ele fosse escravo; o caçula – era o Benjamim e não podiam abrir mão dele. Concluíram, enfim, que prefeririam morrer juntos, como família, a se separar voluntariamente de qualquer um dos seus filhos. No entanto, Deus nos amou de tal maneira que deu Seu Filho unigênito (3.16). Deus nos amou a tal ponto de não poupar o próprio Filho (Rm 8.32). Ele entregou Seu Filho para ser ferido, transpassado, esbordoado, cuspido e pregado numa cruz para que nós fôssemos perdoados.

Em quarto lugar, *como Ele nos deu seu Filho unigênito?* Deus enviou o Seu Filho para o exílio entre os homens. Jesus Se esvaziou. Nasceu numa estrebaria, cresceu numa carpintaria e morreu numa cruz. O Senhor enviou o herdeiro de todas as coisas para uma cidade pobre, uma família pobre, e Ele, sendo rico, se fez pobre, não tendo onde reclinar a cabeça. O Pai o enviou para o meio de escribas e fariseus, cujos olhos astutos O observavam e cuja língua cruel o açoitava com calúnias do mais baixo nível. Ele O mandou para sofrer fome e sede e para viver em pobreza total. Enviou Seu Filho ao mundo para ser escorraçado, pisado, açoitado, esbordoado e pregado numa cruz. Deu Seu Filho para tornar-Se pecado e maldição, para sofrer as mais terríveis angústias.

Em quinto lugar, *a cruz não é a causa do amor de Deus, mas seu resultado*. Deus não nos amou porque Cristo morreu por nós; Cristo morreu por nós porque Deus nos amou. O amor de Deus é a causa; a cruz é a consequência. Não foi a cruz que deu à luz o amor de Deus; foi o amor de Deus que trouxe ao mundo a cruz.

Em sexto lugar, *quando Deus deu o Seu Filho unigênito?* Ele nos deu Seu Filho antes da fundação do mundo. A cruz estava incrustada no coração do Pai desde a eternidade. *O Cordeiro foi morto desde a fundação do mundo* (Ap 13.8). Jesus sempre foi o dom de Deus. Sua promessa foi dada na queda do homem. Através dos tempos, o Pai se manteve fiel à sua promessa. Ele olhava para Seu unigênito e via a cruz. Todos os sacrifícios realizados pelos sacerdotes prenunciavam que, na plenitude dos tempos, o Senhor certamente entregaria seu Filho para morrer em nosso lugar. Até quando Deus dá o Seu Filho? A dádiva de Jesus foi um ato permanente de Deus. Ele nunca retrocedeu, mesmo vendo as agruras e o sofrimento do Seu Filho. Mesmo o vendo traspassado, escarnecido, ferido, o Senhor *não poupou nem o próprio Filho, mas, pelo contrário, O entregou* (Rm 8.32). Esse é o amor que as muitas águas não podem apagar: amor eterno, amor infinito. Assim como esse dom não se refere só à morte de Cristo, e sim a todas as eras que a precederam, também inclui todas as eras posteriores. Deus deu e continua dando Seu Filho. O Senhor está oferecendo Jesus neste momento. A fonte eterna está aberta e jorra hoje como quando foi aberta. Esse dom é inexaurível e inesgotável.

George Matheson estava noivo quando descobriu que ficaria cego. Ao comunicar o fato à sua noiva, às vésperas do casamento ela o abandonou. Desprezado pela noiva, mas acolhido pelo amor de Deus, o jovem escreveu um dos hinos mais conhecidos e ainda cantados por milhões de cristãos no mundo inteiro:

> Amor, que por amor desceste!
> Amor, que por amor morreste!
> Ah! Quanta dor não padeceste!
> Minha alma vieste resgatar
> E meu amor ganhar!
> Amor sublime, que perduras;
> Que em tua graça me seguras,
> Cercando-me de mil venturas!
> Aceita agora, ó Salvador,
> O meu humilde amor. Amém.[2]

A salvação é grande por causa de sua **oportunidade**

Porque Deus amou tanto o mundo, que deu o Seu Filho unigênito, PARA QUE TODO AQUELE QUE NELE CRÊ [...]. A salvação não é resultado das obras que fazemos para Deus, mas da fé que depositamos em Cristo. A aliança da graça difere tanto da aliança das obras como as trevas diferem da luz. O texto não diz que Deus deu o seu Filho a todos os que guardam a lei; a todos os que forem eticamente sadios; a todos os religiosos; a todos os que praticam boas obras; a todos os sinceros; a todos os que amam a si mesmos. Mas o grande Deus deu Seu Filho unigênito a *todo aquele que nele crê* [...]. Essa expressão é tanto convite indiscriminado dirigido a todos os que creem como também uma exclusão absoluta de todos os que não creem.

Mas o que é crer em Cristo?

Em primeiro lugar, *é acreditar firmemente na verdade do evangelho*. É preciso aceitar que Cristo levou nossos pecados sobre o madeiro, que se fez pecado e maldição por nós. Precisamos crer que *o castigo que nos traz a paz estava sobre ele, e por seus ferimentos fomos sarados* (Is 53.5). Precisamos entender que Cristo nos substituiu na cruz e foi ferido por

---

[2][NR]: "Amor que vence", *Harpa cristã*.

Deus e traspassado por causa das nossas transgressões. Ele morreu por mim. Deus puniu meus pecados em Jesus. Na cruz, Jesus satisfez a justiça violada de Deus em meu lugar. Na cruz, Jesus sofreu o golpe da lei que eu deveria ter recebido, bebeu o cálice do juízo que eu deveria ter bebido e morreu a morte que eu deveria ter morrido.

Em segundo lugar, *é apropriar-se da verdade do evangelho*. Não basta saber que Cristo morreu na cruz; é preciso entender e aceitar que ele morreu por você. Seu sangue foi vertido para purificar você. É preciso saber que ele comprou para você a vida eterna. Sua morte foi vicária, substitutiva. Ele morreu em seu lugar. É preciso colocar sua fé em Jesus e aceitar o que ele fez por você.

Em terceiro lugar, *é descansar unicamente nessa fé para sua salvação*. Lance fora qualquer outra confiança: nos seus méritos, nas suas obras, na sua moralidade, na sua religiosidade. Não há outro nome dado entre os homens para que você seja salvo. Quem nEle crer tem a vida eterna. Deus faz aqui uma limitação: *Todo aquele que nEle crê* (3.15). Entra aqui um limite imposto pelo próprio Deus. Deus não amou o mundo de maneira que alguém que não crê em Cristo seja salvo, nem deu seu Filho para que alguém que rejeita Cristo seja salvo. Aqui todo incrédulo está excluído. Não há universalismo na salvação. Quem não crê já está condenado. Todavia, a pior pessoa, que tenha sido culpada de todas as luxúrias da carne, que tenha vivido desregrada e despudoradamente, que tenha sido uma leprosa moral, cativa dos vícios mais degradantes – se essa pessoa crer em Cristo Jesus, será purificada; não perecerá, mas terá a vida eterna. Deus faz aqui, também, uma oferta: *todo aquele que nEle crê*. Essa oferta é endereça a você, leitor!

A salvação é grande por causa da segurança do livramento

Porque Deus amou tanto o mundo, que deu o Seu Filho unigênito, para que todo aquele que nEle crê NÃO PEREÇA [...]. Há um perigo eterno. Há uma condenação eterna. A única maneira de escapar dessa ira vindoura é crer em Cristo. O juízo divino alcançará todos. Aqueles que creem são selados, lavados, justificados, guardados e têm seu nome escrito no livro da vida. Quem crer jamais perecerá eternamente. Como pode alguém perder uma coisa que é eterna? Se você a pudesse perder, seria uma prova de que ela não é eterna, e você pereceria, tornando a Palavra de Deus sem efeito. Se você crer em Cristo, embarcará num navio que não pode naufragar, mesmo que o mar se revolte. Aquele que crê é membro do corpo de Cristo; poderia Cristo perder seus membros? Como Cristo poderia ser perfeito se seu corpo fosse incompleto?

Aquele que crê já passou da morte para a vida. Está justificado, e nenhuma condenação há mais para ele. Tornou-se filho de Deus. É nova criatura. Nasceu de novo. Foi selado com o Espírito Santo da promessa. Nunca perecerá eternamente, porque tem a vida eterna.

A salvação é grande por causa de sua **oferta**

Porque Deus amou tanto o mundo, que deu o Seu Filho unigênito, para que todo aquele que nEle crê não pereça, MAS TENHA A VIDA ETERNA. Deus tem para você a vida eterna. Não é vida passageira; é vida eterna. É a mesma vida de Deus. É vida abundante, superlativa, maiúscula, eterna. É comunhão com Ele. É fruição bendita. É uma festa que nunca pode acabar, no melhor lugar, com a melhor companhia, com as melhores roupas, com as melhores iguarias, com as melhores músicas.

Essa vida eterna estará com você na infância, na adolescência, na juventude, na velhice, na eternidade. Estará com você se você viver até os 70 anos; estará com você se ultrapassar o centenário. É vida que continuará a florescer quando estiver a um passo da sepultura, que permanecerá depois de deixar o corpo, que continuará quando seu corpo for ressuscitado e você comparecer diante do trono de Deus.

Essa vida brilhará mais que as estrelas. Enquanto houver o Deus eterno, os salvos viverão. Enquanto houver o céu, os salvos se deleitarão nele. Enquanto Jesus, o Verbo eterno, existir, os salvos viverão e se deleitarão no Seu amor. Enquanto houver eternidade, os salvos continuarão a enchê-la com regozijo.

6

Jesus, o noivo e a testemunha

João 3.22-36

JOÃO BATISTA TEVE UM MINISTÉRIO PODEROSO. E isso mesmo sendo um homem de hábitos estranhos, pois escolheu o deserto para exercer seu ministério. Mesmo usando roupas estranhas, porque vestia peles de camelo, e mesmo adotando um cardápio estranho, pois comia gafanhotos e mel silvestre, as multidões afluíam dos centros urbanos para ouvi-lo.

João Batista era um homem cheio do Espírito; era cheio de coragem e ao mesmo tempo humilde. Seu nascimento foi um milagre, sua vida foi um portento e seu ministério foi vitorioso. Não era um caniço, mas homem de estrutura granítica; não era um eco para apenas reproduzir um som incerto, mas uma voz. Não era um profeta da conveniência, mas um arauto do Altíssimo.

João Batista exerceu seu ministério com um propósito claro. Foi chamado para ser o precursor do Messias. Jamais se deixou seduzir pelo orgulho a ponto de querer atrair a atenção para si mesmo. Sabia que seu papel era preparar o caminho do Senhor e apontar para Jesus como o Cordeiro de Deus que tira o pecado do mundo.

O texto em tela aponta-nos duas verdades que devem ser aqui observadas.

Jesus, o **noivo** (3.22-30)

O evangelista João registra o ministério de Jesus na Judeia, região na qual João batizava. João Batista e Jesus estiveram atuando por certo tempo lado a lado como enviados de Deus, se bem que em locais distintos.[1] Alguns pontos merecem aqui destaque.

Em primeiro lugar, *o ministério de batismo de João e Jesus* (3.22,23). O batismo de João era um batismo de arrependimento. Era um batismo preparatório. Seu propósito era conduzir as pessoas ao arrependimento e preparar o caminho para o Senhor. Os vales eram aterrados; os montes, nivelados; os caminhos tortos, endireitados; e os caminhos escabrosos, aplanados. Jesus estava na mesma região batizando. É bem verdade que Jesus mesmo não batizava, e sim os Seus discípulos (4.1,2).

O precursor e o Messias agora exercem o ministério paralelamente, tanto geográfica como temporalmente. Esse fato provocou uma espécie de ciúmes por parte dos discípulos de João. Eles pensaram estar competindo. E, nesse dilema, foram buscar uma orientação de João. Concordo com John MacArthur quando ele enfatiza que João Batista era um profeta sob a antiga aliança (Lc 16.16); Jesus veio como o mediador da nova aliança (Hb 8.6; 12.24), que foi ratificada por Sua morte sacrificial (Lc 22.20; 1Co 11.25). João começa seu ministério com grande popularidade (Mt 3.4-6), enquanto Jesus estava na obscuridade. Contudo, depois que Jesus começou Seu ministério, João se retirou da linha de frente e se alegrou com o crescimento de Jesus.[2]

Em segundo lugar, *o crescimento expressivo do ministério de Jesus e a diminuição do ministério de João* (3.24-26). Ao verem pessoas saindo de suas fileiras para engrossar o grupo liderado por Jesus, e movidos ainda pelo questionamento acerca da purificação, os seguidores de João Batista buscam o profeta, preocupados com o esvaziamento de suas fileiras. Warren Wiersbe mostra que quatro dos maiores homens da Bíblia enfrentaram esse problema de comparação e competição: Moisés (Nm 11.26-30), João Batista (Jo 3.26-30), Jesus (Lc 9.46-50) e Paulo

---

[1] BOOR, Werner de. *Evangelho de João I*, p. 97.
[2] MACARTHUR, John. *The MacArthur New Testament commentary – John 1-11*, p. 124-125.

(Fp 1.15-18). Muitas vezes, um líder sofre mais com seus discípulos zelosos do que com seus inimigos.[3] João Batista não ficou aborrecido com a queda de sua popularidade. Isso porque, a despeito de sua tremenda influência, ele sempre esteve focado no propósito precípuo de seu ministério, que era preparar o caminho do Senhor e testificar acerca de Cristo (1.27,30). Portanto, João Batista não vê o decréscimo de seu ministério e o crescimento do ministério de Jesus como um fracasso, mas como o cumprimento de seu ministério. Longe de ficar triste, ele se regozija copiosamente. Concordo com a observação de John MacArthur: "A medida do sucesso de qualquer ministro não é quantas pessoas o seguem, mas quantas pessoas seguem a Cristo por seu intermédio".[4]

Em terceiro lugar, *o ministério é recebido por Deus, portanto não há espaço para competição* (3.27). João Batista tinha plena consciência de que tanto seu ministério de precursor do Messias quanto o ministério de Jesus como o Messias vinha de Deus. Logo, eles não estavam numa arena de luta, disputando espaço e prestígio, mas cada um cumpria cabalmente o mandato recebido de Deus.

Em quarto lugar, *João Batista mostra consistência em seu ministério ao não aceitar ser mais do que Deus o nomeou para ser* (3.28). Muitos líderes, ao perceberem o próprio sucesso, enchem-se de soberba e querem ir além daquilo que receberam. João Batista já havia falado isso a seus discípulos, e agora, quando eles se sentiram enciumados por verem os discípulos de João deixando as fileiras para seguir Jesus, João reafirmou que tudo estava saindo de acordo com o propósito original. Ele não veio para ser o Messias, mas para ser Seu precursor. O precursor abre o caminho e se retira. O precursor aponta para o Messias e sai de cena. O precursor não tenta ofuscar aquele que veio proclamar.

Em quinto lugar, *João Batista não é o noivo; apenas o amigo do noivo* (3.29). O amigo não pode querer substituir o noivo. João Batista tem consciência da natureza de seu chamado e ministério. Contenta-se em ser amigo do noivo. A noiva, a igreja, pertence a Jesus, e não a ele.

---

[3] WIERSBE, Warren W. *Comentário bíblico expositivo*. Vol. 5, p. 382.
[4] MACARTHUR, John. *The MacArthur New Testament commentary – John 1-11*, p. 127.

Seu papel é preparar o caminho para que a noiva encontre o noivo. Seu papel é alegrar-se com o noivo.

Em sexto lugar, **João Batista anseia por ver Jesus crescendo e ele mesmo diminuindo** (3.30). João Batista tinha plena consciência de que o seu papel era mostrar o Cordeiro de Deus que tira o pecado do mundo e sair de cena. Seu ministério era apenas preparar o caminho e deixar o noivo se manifestar. Seu prazer era ver Cristo crescendo e ele mesmo diminuindo. Werner de Boor diz que João, o poderoso cabeça do movimento de avivamento, desaparecerá no cárcere solitário e perderá a vida por causa do ódio de uma mulher e da dança sensual de uma moça. Jesus, porém, há de "crescer" para ser *Kyrios*, Senhor e Salvador, o Cabeça da nova igreja dos renascidos, que agora já podem ter a vida da era vindoura.[5]

Um pastor presbiteriano de Melbourne, na Austrália, apresentou Hudson Taylor usando uma porção de superlativos e, especialmente, a palavra "grande". Taylor foi até o púlpito e disse calmamente: "Queridos amigos, sou um pequeno servo de um mestre ilustre". Se João Batista estivesse na plateia, provavelmente teria gritado: "Aleluia!"[6]

Jesus, a **testemunha** (3.31-36)

A ênfase desse parágrafo é sobre o "testemunho", um dos temas-chave do evangelho de João. O termo grego traduzido por "testemunho" é usado 47 vezes nesse livro.[7] Por que devemos dar ouvidos ao testemunho de Jesus?

Em primeiro lugar, *porque Jesus veio do céu e está acima de todos* (3.31). Aquele que é o Pai da eternidade e criador do universo fez-se carne. Ele veio do céu e recebeu todo o poder do céu. João Batista não era do céu e jamais afirmou ser. Nenhum dos mensageiros de Deus afirmou vir do céu. Essa prerrogativa pertence exclusivamente a Cristo. Portanto, não apenas Sua origem é superior, mas também Sua natureza.

---

[5]Boor, Werner de. *Evangelho de João I*, p. 99.
[6]Wiersbe, Warren W. *Comentário bíblico expositivo*. Vol. 5, p. 383.
[7]Wiersbe, Warren W. *Comentário bíblico expositivo*. Vol. 5, p. 383.

Ele, Jesus, é pessoalmente maior que todos, maior que todas as pessoas que já existiram e que todas aquelas que virão a existir.

Em segundo lugar, *porque Jesus dá um testemunho de primeira mão* (3.32,33). Jesus fala sobre o que viu e ouviu do Pai (8.38). Aqueles que recebem seu testemunho têm experiência de que Ele é verdadeiro. Esse que vem do céu é o único capaz de ser uma verdadeira "testemunha" das coisas celestiais, da verdade e da realidade de Deus.[8]

Em terceiro lugar, *porque Jesus foi enviado pelo Pai* (3.34,35). Jesus foi enviado pelo Pai. O Pai deu-Lhe a palavra, assim como o Espírito Santo. Werner de Boor diz que aqui não se trata das "palavras" (*logoi*) de Deus, mas daquelas "palavras" (*rhemata*) que são "palavras-ação", palavras eficazes, criadoras de história. Jesus é capaz de proferir de forma tão direta essas palavras de Deus que acontecem, porque Ele é o receptor e portador do Espírito de Deus.[9] Na verdade, o Pai, além de amar o Filho, confiou todas as coisas em suas mãos. Constituiu-o como regente de todas as coisas. Ele é o Cabeça da igreja. É o Senhor do universo. É sustentador de todas as coisas. Nele tudo subsiste.

Em quarto lugar, *porque em Jesus temos a vida eterna* (3.36a). A vida eterna está em Jesus, e fora dEle não há salvação (4.12). Quem tem o Filho tem a vida; quem se mantém rebelde contra o Filho não verá a vida. Um homem muito rico concentrava sua grande fortuna em quadros famosos de pintores consagrados. Esse abastado milionário tinha um único filho. Fazendo certa feita uma viagem com um amigo, seu filho sofreu um grave acidente e acabou falecendo. O amigo, buscando consolar o pai enlutado, pintou um quadro do rosto de seu filho e o deu ao amigo. O pai colocou o quadro numa bela moldura e dependurou-o entre seus quadros famosos. Antes de morrer, fez seu testamento, ordenando ao mordomo que fizesse um leilão dos quadros e doasse os recursos angariados para uma instituição de caridade. Depois de sua morte, o leilão foi divulgado nas rodas mais seletas dos amantes da arte. Um salão ricamente adornado recebeu os convidados ilustres e endinheirados. Para surpresa dos presentes, o leiloeiro apresentou o quadro do filho

---

[8] Boor, Werner de. *Evangelho de João I*, p. 100.
[9] Boor, Werner de. *Evangelho de João I*, p. 100.

como o primeiro a ser vendido. Ninguém se interessou. Todos aguardavam os quadros famosos. Até que um indivíduo fez um lance e comprou o quadro do filho. Nesse momento, o mordomo interrompeu o leilão e disse: "O leilão acabou". Todos protestaram. Então, ele leu o testamento de seu senhor: "Aquele que tiver o filho, tem tudo". D. A. Carson está correto em afirmar: "Se a fé no Filho é a única forma de herdar a vida eterna, e se ela é ordenada pelo próprio Deus, então não confiar nEle é tanto desobediência quanto descrença".[10]

Em quinto lugar, *porque manter-se rebelde contra Jesus é permanecer sob a ira de Deus* (3.36b). A única maneira de o pecador fugir da ira vindoura é crer em Cristo. Em relação a Cristo não há neutralidade. Os que creem têm a vida eterna; os que se mantêm rebeldes permanecem debaixo da ira. Concordo com Werner de Boor quando ele diz que a ira de Deus foi anulada unicamente onde o Filho de Deus sem pecado se tornou pecado e onde, como Cordeiro de Deus, Cristo tirou o pecado do mundo. Quem, porém, se recusa a dar o obediente passo de fé até Jesus permanece necessariamente sob a ira de Deus. Nem a religiosidade própria, nem "ser bom" por si mesmo, é capaz de salvar ninguém da ira de Deus.[11]

Muitas pessoas tentam colocar o amor de Deus em oposição à ira de Deus, alegando que o primeiro anula a segunda. Nada mais distante da verdade. Mais uma vez, Werner de Boor é oportuno ao escrever:

> Somente falaremos de forma correta da "ira" de Deus se proclamamos com toda a força o amor de Deus, que nos preparou a salvação da ira. Porém, apenas proclamaremos corretamente o "amor" de Deus se não ocultarmos nesse ato toda a seriedade da ira de Deus. Cumpre dizer que sobre cada pessoa que despreza o amor de Deus revelado na entrega do Filho "permanece" a ira de Deus. Essa palavra proíbe que brinquemos com a ideia de uma "reconciliação universal".[12]

---

[10] CARSON, D. A. *O comentário de João*, p. 215.
[11] BOOR, Werner de. *Evangelho de João I*, p. 101.
[12] BOOR, Werner de. *Evangelho de João I*, p. 102.

7

o testemunho de Jesus em Samaria e na Galileia

João 4.1-54

JESUS FAZ A TRANSIÇÃO DE UM DIÁLOGO com um doutor da lei para um diálogo com uma mulher samaritana. O contraste entre Nicodemos e a samaritana é gritante: ele, homem, judeu, fariseu, mestre, membro do sinédrio; ela, mulher, samaritana, inculta, vivendo uma vida imoral. Ambos, porém, precisavam de Jesus e foram alvos do amor de Jesus. O Senhor prova, outrossim, ser capaz de salvar os dois. Charles Erdman acrescenta que, em vibrante contraste com a fria incredulidade com que nosso Senhor fora recebido em Jerusalém e na Judeia, temos Sua experiência em Samaria, onde uma cidade inteira O aceitou como o Messias prometido, o Salvador do mundo.[1]

Uma **agenda** traçada no **céu** (4.1-6)

Jesus foge do conflito sobre o batismo (4.1,2) e sai da Judeia rumo à Galileia (4.3). Frequentemente vemos Jesus pregando e orando, mas nunca batizando. Matthew Henry diz que Jesus deixou a Judeia porque era provável que fosse perseguido até a morte pelos fariseus, e Sua hora ainda não havia chegado. A ira dos fariseus contra Jesus era como

---
[1] ERDMAN, Charles. *O evangelho de João*, p. 42.

aquele plano iníquo para devorar o menino-Deus em Sua infância. Para escapar dessas intenções malignas, Jesus foi para a Galileia.[2]

Nessa jornada em direção ao norte, ele opta por passar pela província de Samaria (4.4). A agenda de Jesus começa no céu. Era-Lhe necessário passar por Samaria. Havia três estradas para fazer esse trajeto do sul ao norte: uma nas proximidades da costa, outra através da Pereia, e outra que passava pelo centro de Samaria.[3] Esta era a mais curta,[4] porém algumas vezes evitada por causa do conflito entre judeus e samaritanos.[5]

Antes de prosseguir na exposição do texto, precisamos falar sobre a origem do povo samaritano. Com a morte do rei Salomão em 931 a.C., Israel foi dividido em dois reinos. Das doze tribos, dez seguiram a liderança cismática de Jeroboão I, formando o que conhecemos como Israel, ou Reino do Norte, distinto de Judá, ou Reino do Sul. O rei Onri chamou a capital do Reino do Norte de Samaria (1Rs 16.24). Esse reino durou 209 anos e teve 19 reis em 8 diferentes dinastias. Nenhum desses reis andou com Deus. Em 722 a.C., o Reino do Norte foi levado cativo pela Assíria. Sargão II deportou os israelitas de posses e povoou a terra com estrangeiros, os quais se casaram com os israelitas sobreviventes, formando um povo racialmente híbrido e religiosamente sincrético. Em 586 a.C., o Reino do Sul também foi levado para o cativeiro, dessa feita pela Babilônia. Depois de setenta anos, os judeus retornaram à sua terra para reconstruir o templo e reedificar a cidade de Jerusalém. Os samaritanos tentaram fazer aliança com os judeus que retornaram, mas foram rejeitados não por questão racial, mas por sua apostasia religiosa. Os samaritanos, então, enciumados, fizeram de tudo para atrapalhar a reconstrução do templo (Ed 3 e 4). Esse ódio dos samaritanos continuou. Quando mais tarde, por volta do ano 444 a.C., Neemias veio da Babilônia com o propósito de reconstruir os muros de Jerusalém, os samaritanos tornaram-se seus principais inimigos (Ne 4.1,2). Por volta

---

[2] HENRY, Matthew. *Matthew Henry Comentário bíblico Novo Testamento – Mateus-João*, p. 788.
[3] HENDRIKSEN, William. *João*, p. 209.
[4] BRUCE, F. F. *João: introdução e comentário*, p. 95.
[5] MACARTHUR, John. *The MacArthur New Testament commentary – John 1-11*, p. 141.

do ano 400 a.C., os samaritanos erigiram um templo rival no monte Gerizim; e esse templo, no final do século 2 a.C., foi destruído por João Hircano, o governador asmoneu da Judeia. Essa combinação de eventos estimulou uma ferrenha animosidade entre judeus e samaritanos. Nos dias de Jesus, esse muro de separação, essa parede de inimizade entre judeus e samaritanos, era uma barreira intransponível. Esse é o pano de fundo dessa passagem.

Concordo com D. A. Carson quando ele diz que João talvez tivesse a intenção de fazer um contraste entre a mulher dessa narrativa e o Nicodemos do capítulo 3. Nicodemos era um erudito, poderoso, respeitado, ortodoxo, teologicamente preparado; a samaritana era inculta, sem influência, desprezada, capaz somente de praticar uma religião popular. Ele era um homem, um judeu, um líder; ela era uma mulher, uma samaritana, uma pária moral. E ambos necessitavam de Jesus.[6]

Jesus nos ensina aqui algumas importantes estratégias para ganhar uma pessoa. Ele não começou acusando a mulher, mas ganhando sua atenção. Não começou apontando seus pecados, mas pedindo-lhe um favor.[7] Começou onde ela estava. Depois, apresentou a ela todos os passos do evangelho. Para alcançar o coração da mulher samaritana, Jesus superou vários preconceitos e rompeu várias barreiras. Que barreiras?

Primeiro, *a barreira cultural*. O nome *Sicar* significa "cidade dos bêbados". Jesus, porém, mandou que seus discípulos comprassem comida em Sicar. Os judeus consideravam imunda a comida dos samaritanos. Além do mais, um rabino não podia conversar com uma mulher em público. Jesus não só conversou com ela, mas lhe pediu um favor. A mulher tinha uma vida moral reprovada pela lei. Já tinha tido cinco maridos e agora vivia com um amante. Era uma mulher desprezada, mas Jesus a valorizou. William Barclay diz que os mais radicais proibiam que um rabino saudasse uma mulher em público. Um rabino não podia falar em público com a própria mulher. A quebra dessa regra por Jesus podia significar para a cultura o fim de sua reputação.[8]

---

[6]CARSON, D. A. *O comentário de João*, p. 217.
[7]RYLE, John Charles. *John*. Vol. 1, p. 203.
[8]BARCLAY, William. *Juan I*, p. 160.

Segundo, *a barreira racial*. Como já deixamos claro, o povo samaritano era uma espécie de caldeamento de raças (2Rs 17.6,24). O povo samaritano era meio judeu e meio gentio. Havia perdido sua identidade racial. No tempo de Jesus, a desavença entre judeus e samaritanos perdurava por mais de quinhentos anos. Um judeu considerava um samaritano combustível para o fogo do inferno. Eles não se davam. Não bebiam nos mesmos vasos. No entanto, Jesus conversou com a samaritana e lhe pediu um favor. Concordo com William Barclay quando ele diz que a postura de Jesus sinaliza o rompimento do nacionalismo, o que demonstra a universalidade do evangelho.[9]

Terceiro, *a barreira religiosa*. A separação entre judeus e samaritanos se relacionava, também, com a apostasia religiosa dos samaritanos. Eles haviam perdido a integridade doutrinária. Os samaritanos não preservaram a fé intacta. Diziam que o monte Gerizim era o lugar do verdadeiro templo e o lugar da verdadeira adoração. Rejeitaram o Antigo Testamento. Criam apenas nos livros da lei, o Pentateuco. Está provado que os samaritanos tinham uma religião sincrética, misturada e herética. Quando João Hircano, o general caudilho judeu, em 129 a.C., atacou Samaria e destruiu o templo samaritano, o ódio dos samaritanos pelos judeus agravou-se intensamente. A conversa de Jesus com a mulher samaritana tem todo esse cenário religioso como pano de fundo. Jesus supera todos esses obstáculos, vence todas essas barreiras e triunfa sobre todos esses preconceitos para alcançar o coração dessa mulher.

Charles Erdman fala sobre algumas estratégias de Jesus para salvar essa mulher samaritana.[10] Vejamos a seguir quais foram.

Jesus desperta sua **simpatia** (4.7-9)

Jesus fez um ponto de contato com aquela mulher pedindo-lhe: *Dá-me um pouco de água*. Concordo com William Hendriksen quando ele diz que, se alguém deseja penetrar o coração de outra pessoa, pode usar dois métodos: fazer-lhe um favor ou pedir-lhe um favor. Com frequência,

---

[9]BARCLAY, William. *Juan I*, p. 160.
[10]ERDMAN, Charles. *O evangelho de João*, p. 42-46.

a segunda opção é mais eficaz que a primeira. Jesus, no entanto, combinou as duas.¹¹

Jesus se identificou com a mulher. Ele deu valor a ela, quando todos fugiam. Jesus quebrou a barreira cultural, conversando com a mulher em público. Ele não fugiu dela nem a desprezou, mas a olhou com simpatia. Não a julgou nem a condenou. Ele começou onde ela estava. Concordo com Charles Erdman quando ele diz que Jesus a fez acreditar que algo mais, além da simples sede, levou-O a lhe falar.¹² John Charles Ryle explica: "É em vão esperar que as pessoas virão a nós em busca de conhecimento. Nós devemos começar por elas. Devemos entender qual é o melhor acesso ao coração delas".¹³

Jesus desperta sua **curiosidade** (4.10-12)

A mulher lembra a Jesus a muralha que separava seu povo do povo judeu. Para entendermos melhor essa barreira racial e religiosa, precisamos fazer mais uma retrospectiva. Oseias foi o último rei do Reino do Norte, Israel. Depois de pagar tributos à Assíria, transferiu sua lealdade ao Egito. Em retaliação, a Assíria cercou a cidade de Samaria e, no ano 722 a.C., esta foi tomada por Sargão, e a maioria do povo foi levada cativa para a Assíria (2Rs 17.3-6). Sargão, estrategicamente, levou para a região conquistada estrangeiros que se casaram com os israelitas que haviam permanecido na área. O povo samaritano, portanto, era um miscigenado, híbrido, misto, um verdadeiro caldeirão racial.

O muro de separação entre judeus e samaritanos parecia intransponível. A hostilidade estava à flor da pele. A tensão era visível. A intolerância era gritante. A mulher samaritana fez questão de trazer à baila todo esse histórico, empapuçado de dor e revolta.

Diante das dificuldades levantadas pela mulher samaritana para dar água a Jesus, este lhe mostrou que era ela quem precisava de água, a água da vida. A mulher precisava conhecer o dom de Deus, a água da vida (4.10). William Hendriksen aponta uma leve reprovação nas

---

¹¹HENDRIKSEN, William. *João*, p. 214.
¹²ERDMAN, Charles. *O evangelho de João*, p. 43.
¹³RYLE, John Charles. *John*. Vol. 1, p. 203-204.

palavras de Jesus, como se Ele dissesse: "Eu lhe pedi água comum, um dom de menor importância, mas você hesitou em Me oferecer água; se você tivesse me pedido a água viva, o dom supremo de Deus, eu não teria hesitado, mas lha teria dado imediatamente".[14]

A água da vida que Jesus oferece não vem de um poço comum. É uma dádiva que só o Messias pode conceder. Muitas pessoas vivem uma vida infeliz, vazia e prisioneira porque não conhecem Jesus, o supremo dom de Deus. A mulher samaritana talvez não esperasse nada de Deus. Estava desiludida. Por isso, Jesus tocou no nervo exposto de sua curiosidade: *Se conhecesses* [...] *não conheceis*. Essa fala de Jesus aguçou na mulher o desejo de saber quem era aquele interlocutor. Seria Ele maior do que Jacó, o doador do poço? Quem pretendia ser? Que diria de si? Assim como Nicodemos não conseguiu compreender as palavras de Jesus sobre novo nascimento, a mulher também não conseguiu entender as palavras de Jesus sobre a água viva.

Jesus desperta seu **senso de necessidade** (4.13-15)

Jesus foi categórico com a mulher samaritana, ao declarar: *Quem beber desta água voltará a ter sede*. Nicodemos não entendeu quando Jesus falou sobre novo nascimento, e a mulher samaritana não entendeu quando Jesus falou sobre a água da vida. Tanto o erudito Nicodemos quanto a ignorante samaritana não entenderam a linguagem espiritual de Jesus.

As coisas deste mundo não satisfazem. Nada que o homem jogue para dentro do coração satisfaz. A água do poço de Jacó não satisfaz para sempre. A água do poço de Jacó fica fora da alma e não é capaz de satisfazer as necessidades do coração. A água do poço de Jacó é de quantidade limitada, diminui e desaparece. Concordo com Charles Erdman quando ele diz: "Satisfação era exatamente aquilo a que essa pobre mulher aspirava. Atrás disso andara toda a vida, e nessa busca não respeitara nem as leis de Deus, nem as dos homens. Entretanto, continuava sedenta; e a sede nunca seria satisfeita, senão quando achasse em Cristo o Senhor e Salvador pessoal".[15]

---

[14]HENDRIKSEN, William. *João*, p. 218.
[15]ERDMAN, Charles. *O evangelho de João*, p. 43-44.

A água que Jesus concede é um manancial completo e perpétuo que jorra para a vida eterna. Que água é essa, a água da vida? A promessa de Deus é derramar água sobre o sedento (Is 44.3). Deus convida todos: *Vós, todos os que tendes sede, vinde às águas* (Is 55.1). Deus prometeu que Seu povo tiraria com alegria águas do poço da salvação (Is 12.3). Jesus disse: *Se alguém tem sede, venha a mim e beba* (Jo 7.37). O Espírito que flui como rio dentro de nós é essa fonte que jorra para a vida eterna (Jo 7.38). William Barclay diz que, para o judeu, água viva significava água corrente. Tratava-se da água que fluía de uma nascente, em oposição à água estancada de uma cisterna.[16] Há no texto duas palavras distintas para "fonte". A primeira delas é *pegue*, provavelmente com o significado de mina de água ou olho d'água (4.6,14); a segunda é *phrear*, que denota um poço cavado ou uma cisterna. Dessa palavra vem o conhecido termo "lençol freático", traduzido aqui por *poço* (4.11,12). F. F. Bruce considera as duas palavras apropriadas para o poço de Jacó; o poço foi escavado, mas é alimentado por uma veia subterrânea que raramente falha.[17]

A vida dessa mulher era como uma cisterna cavada, um poço de águas paradas (*phrear*), mas Jesus ofereceu a ela uma fonte de águas refrescantes, que jorraria de dentro dela para a vida eterna (*pegue*).

No milagre realizado em Caná da Galileia (2.6-11) e na conversa com Nicodemos (3.5), a água já tinha um sentido espiritual. Aqui, a água do poço de Jacó, simbolizando a antiga ordem herdada tanto por samaritanos como por judeus, é contrastada com a nova ordem, o dom do Espírito, a vida eterna.[18] Concordo com D. A. Carson quando ele diz que há ecos de promessas do Antigo Testamento nessa promessa de Jesus. No dia da salvação, o povo de Deus tirará águas das fontes da salvação com alegria (Is 12.3); eles *não sentirão fome nem sede* (Is 49.10). O derramar do Espírito de Deus será como o derramar de água sobre o sedento e torrentes sobre a terra seca (Is 44.3). A linguagem da satisfação e transformação interior traz à mente uma série de profecias, antecipando o novo coração e a troca do falido formalismo religioso por

---

[16]BARCLAY, William. *Juan I*, p. 161.
[17]BRUCE, F. F. *João: introdução e comentário*, p. 96-97.
[18]BRUCE, F. F. *João: introdução e comentário*, p. 98.

um coração que conhece e experimenta Deus, ansioso por fazer Sua vontade (Jr 31.29-34; Ez 36.25-27; Jl 2.28-32).[19] Warren Wiersbe tem razão ao dizer que o evangelho de João revela claramente que existe um novo sacrifício (1.29), um novo templo (2.19-21; 4.20-24), um novo nascimento (3.1-7) e uma nova água (4.11).[20]

Jesus desperta sua consciência (4.16-18)

Jesus faz uma transição radical na conversa com a mulher e ordena: *Vai, chama teu marido* (4.16). Essa transição, porém, tem uma ligação estreita entre o pedido da mulher e a ordem de Cristo. A mulher quer essa água viva, mas tem sede suficiente para recebê-la? Hendriksen comenta: "Essa sede não será completamente despertada a menos que haja um senso de culpa, uma consciência de pecado. A menção de seu *marido* é a melhor maneira de lembrá-la de sua vida imoral. O Senhor está, agora, falando à consciência da samaritana.[21] Jesus mostra que, antes de beber a água da vida, ela precisa ter convicção de pecado e passar pelo arrependimento. Não há salvação sem arrependimento. Jesus destampa tanto o passado quanto o presente da mulher samaritana, preparando seu coração para receber o dom de Deus (4.14-16).

John Charles Ryle sustenta que, a menos que homens e mulheres sejam levados à consciência de sua pecaminosidade e de sua necessidade, nenhum bem poderá ser feito à sua alma. Até que o pecador veja a si mesmo como Deus o vê, ele continuará sem nenhuma ajuda. Nenhum pecador desejará o remédio da graça até se reconhecer como doente. Ninguém está habilitado a ver a beleza de Cristo até ver a própria hediondez. A ignorância do pecador levará à negligência a Cristo.[22] Como diz Warren Wiersbe, a única maneira de preparar o solo do coração para a semente do evangelho é ará-lo com a convicção do pecado.[23] Erdman é oportuno ao escrever:

---

[19]CARSON, D. A. *O comentário de João*, p. 221.
[20]WIERSBE, Warren W. *Comentário bíblico expositivo*. Vol. 5, p. 387.
[21]HENDRIKSEN, William. *João*, p. 221.
[22]RYLE, John Charles. *John*. Vol. 1, p. 206.
[23]WIERSBE, Warren W. *Comentário bíblico expositivo*. Vol. 5, p. 386.

Por que ordenou Jesus à mulher para chamar seu marido? Porque por mais que admitamos a veracidade de Cristo, no que afirma de si, ou por mais que compreendamos suas promessas, nunca acharemos satisfação e paz se não corrigirmos o que de errado houver em nossa vida. Jesus pôs o dedo em cima da chaga daquela vida.[24]

Nessa mesma linha de pensamento, Matthew Henry escreve: "Este é o método de lidar com as almas. Elas devem, primeiro, estar cansadas e sobrecarregadas pelo fardo do pecado, e então devem ser levadas a Cristo para descansar".[25]

A mulher samaritana dá uma resposta verdadeira, mas incompleta. A resposta era formalmente correta, mas potencialmente enganosa.[26] Nas palavras de Werner de Boor, a mulher proferiu uma meia verdade, por meio da qual esperava esquivar-se para uma escuridão protetora.[27] Nessa mesma linha de pensamento, D. A. Carson diz que a resposta ríspida da mulher (*Não tenho marido*) era formalmente verdadeira, caso seus cinco ex-maridos estivessem todos mortos ou caso ela tivesse deles se divorciado; mas, sem dúvida, sua intenção era evitar qualquer outra investigação nessa área sensível de sua vida, ao mesmo tempo que disfarçava a culpa e o sofrimento. Jesus elogiou sua sinceridade formal, enquanto afirmou que ela já havia tido cinco maridos (mortos ou divorciados), e o homem com quem ela vivia agora não era de forma alguma legalmente seu marido. O conhecimento preciso de Jesus sobre o seu passado provava que Jesus é o Messias.[28] A mulher percebeu que Jesus conhecia sua vida. A mulher samaritana reconheceu que estava diante de um profeta.

Jesus desperta seu **sentimento religioso** (4.19-24)

A mulher até então tão falante se calou quando Jesus tocou no seu pecado. Outros acreditam que ela mudou de assunto, passando a uma

---

[24]ERDMAN, Charles. *O evangelho de João*, p. 44.
[25]HENRY, Matthew. *Matthew Henry comentário bíblico Novo Testamento – Mateus-João*, p. 793.
[26]BRUCE, F. F. *João: introdução e comentário*, p. 101.
[27]BOOR, Werner de. *Evangelho de João I*, p. 109.
[28]CARSON, D. A. *O comentário de João*, p. 222.

discussão teológica, uma vez que a conversa havia se tornado incômoda. É mais fácil discutir teologia do que enfrentar os próprios pecados. Nas palavras de D. A. Carson "é mais fácil falar de teologia que tratar com uma verdade pessoalmente angustiante".[29]

Contudo, como os samaritanos só acreditavam no Pentateuco e como Deuteronômio diz que Deus suscitaria outro profeta semelhante a Moisés, esse profeta seria o Messias. Assim, essa mulher fez uma pergunta honesta: Onde adorar? Jesus respondeu que o importante não é *onde*, mas *como* e *quem* adorar. A verdadeira adoração a Deus é em espírito e em verdade. É de todo o coração e também prescrita pela Palavra de Deus. Os samaritanos adoravam o que não conheciam. Assim, qualquer religião que consista apenas em formalidade, sem fundamentação nas Escrituras, é absolutamente inútil. D. A. Carson registra oportunamente:

> A resposta de Jesus à mulher nos versículos 21 a 24 é dada em três partes. No início Ele anuncia o fim iminente tanto do templo de Jerusalém quanto do monte Gerizim como lugares definitivos de adoração (4.21). Não obstante, Ele insiste que a salvação vem dos judeus, e não dos samaritanos (4.22). E, finalmente, Ele explica de forma mais positiva a natureza da adoração que torna para sempre obsoletas as reivindicações confiantes de Jerusalém e Gerizim (4.23,24).[30]

A verdadeira adoração é um dos temas centrais das Escrituras. A veneração de imagens de escultura é uma abominação para Deus, pois Deus é plenamente espiritual em Sua essência. Quando Jesus diz que Deus é Espírito, isso significa que Deus é invisível, intangível e divino, em oposição a humano. É desconhecido para os seres humanos a menos que decida Se revelar (1.18). Da mesma forma que Deus é luz (1Jo 1.5) e amor (1Jo 4.8), também é Espírito (4.24). Esses são elementos da forma em que Deus se apresenta aos seres humanos, da bondosa autorrevelação em seu Filho. Deus escolheu se revelar quando o Verbo se fez carne. Quem vê Jesus, vê o próprio Pai.[31]

---

[29]CARSON, D. A. *O comentário de João*, p. 222.
[30]CARSON, D. A. *O comentário de João*, p. 223.
[31]CARSON, D. A. *O comentário de João*, p. 226.

O culto prestado a outros deuses é uma ofensa a Deus, pois Deus é um só e não há outro. A adoração a Deus, entrementes, não pode ser do nosso modo nem ao nosso gosto, pois Deus mesmo estabeleceu critérios claros como exige ser adorado. Muitas igrejas, com o propósito de agradar às pessoas, estabelecem formas estranhas de adoração que não estão prescritas nas Escrituras. Isso é como fogo estranho no altar. O pragmatismo religioso está substituindo a verdade de Deus em muitas igrejas. Muitas pessoas buscam o que funciona, não o que é certo. Procuram o que dá resultado, não a verdade. Estabelecem um culto sensório, não um culto em espírito e em verdade.

Jesus orienta a mulher samaritana que não é ao judaísmo que os samaritanos devem ser convertidos, nem é para Jerusalém que devem fazer peregrinações a fim de adorar. Em Jerusalém, Jesus também não encontrou "verdadeiros adoradores". Ali eles haviam transformado a casa de Seu Pai numa casa de comércio.[32] Os verdadeiros adoradores não podem ser identificados por sua ligação com um santuário particular. Os verdadeiros adoradores são aqueles que adoram o Pai em espírito e em verdade.

A adoração falsa é abominação para Deus, e a adoração hipócrita provoca o desgosto de Deus. O profeta Isaías já havia demonstrado o desgosto divino, quando disse que o povo de Israel honrava a Deus com os lábios, mas seu coração estava distante de Deus (Is 29.13). Nessa mesma linha, Amós foi contundente quando escreveu em nome de Deus: *Eu detesto e desprezo as vossas festas; não me agrado das vossas assembleias solenes [...]. Afastai de mim o som dos vossos cânticos, porque não ouvirei as melodias das vossas liras* (Am 5.21,23).

Jesus diz à mulher samaritana o que adoração não é.

Primeiro, ***não é adoração centrada em lugares sagrados*** (4.20). Não é neste monte nem naquele. Não existe lugar mais sagrado que outro. Não é o lugar que autentica a adoração, mas a atitude do adorador.

Segundo, ***não é adoração sem entendimento*** (4.22). Os samaritanos adoravam o que não conheciam. Havia uma liturgia desprovida de entendimento. Havia um ritual vazio de compreensão.

---

[32] BOOR, Werner de. *Evangelho de João I*, p. 111.

Terceiro, *não é adoração descentralizada da pessoa de Cristo* (4.25,26). Os samaritanos adoravam, mas não conheciam o Messias. Cristo não era o centro do seu culto. Nossa adoração será vazia se Cristo não for o centro. O culto não serve para agradar as pessoas. A música não serve para entreter os adoradores. A verdadeira música vem do céu e é endereçada ao céu (Sl 40.3). Vem de Deus por causa de sua origem e volta para Deus por causa de seu propósito.

Jesus também diz à mulher samaritana o que a adoração é.

Primeiro, *a adoração precisa ser bíblica* (4.24). O nosso culto é bíblico ou é anátema. Deus não se impressiona com pompa; Ele busca a verdade no íntimo.

Segundo, *a adoração precisa ser sincera* (4.24). A adoração precisa ser em espírito, ou seja, de todo o coração. Precisa ter fervor. Não é um culto frio, árido, seco, sem vida.

Jesus desperta em seu coração a **fé verdadeira** (4.25,26)

A mulher menciona o Messias que havia de vir. Então, Jesus diz: *Sou Eu, o que está falando contigo*. A declaração *sou Eu* lembra a própria revelação de Deus *Eu sou o que sou* (Êx 3.14). Jesus disse este "Eu sou" nove vezes nesse evangelho (6.20; 8.24,28,58; 13.9; 18.5,6,8). Até aqui, seis vezes Jesus se dirigiu à mulher, e seis vezes ela Lhe respondeu. Na sétima vez, quando Jesus declarou ser o Messias, ela não Lhe diz palavra; o que lemos é que ela deixou ali seu cântaro, foi à cidade e disse ao povo: *Vinde, vede um homem que me disse tudo o que tenho feito; será Ele o Cristo?*

A samaritana encontrou o Messias. Saciou sua alma e bebeu da água da vida. De acordo com William Barclay, o fato de a mulher samaritana ter deixado o cântaro aponta para dois fatos: 1) ela estava com pressa para ir à cidade e compartilhar sua experiência com o Messias; 2) ela tinha convicção de que voltaria para estar com Jesus.[33]

Podemos elencar várias evidências de sua verdadeira conversão. Primeiro, a samaritana deixou o cântaro (4.28). Segundo, ela correu à cidade para anunciar Jesus (4.28b-30). Ela testemunhou para toda a

---
[33] BARCLAY, William. *Juan I*, p. 171.

cidade ter encontrado um homem que para ela era o Messias. Quem encontra Jesus tem pressa em compartilhar essas boas-novas com todos. Sua compreensão sobre Jesus foi progressiva: primeiro, pensou ser um viajante judeu cansado; daí passou a considerá-Lo "profeta"; e finalmente, "Cristo", a quem o povo de sua cidade chama de "o Salvador do mundo".

Concordo com John MacArthur quando ele diz que o diálogo de Jesus com a mulher samaritana ilustra três verdades inegociáveis sobre a salvação. Em primeiro lugar, a salvação vem somente para aqueles que reconhecem sua desesperada necessidade de vida espiritual. Segundo, a salvação vem somente para aqueles que confessam e se arrependem de seus pecados e desejam perdão. Terceiro, a salvação vem somente para aqueles que recebem Cristo como o seu Messias e Salvador.[34]

A **atitude** dos **discípulos** (4.27,31-33)

Os discípulos de Jesus andavam com Ele, mas não cultivavam a mesma percepção. Jesus tinha uma agenda estabelecida no céu (4.4), sua comida era fazer a vontade do Pai (4.32,34). Mas os discípulos eram desprovidos de compaixão pelos samaritanos. Eram capazes de ir a Sicar comprar pão dos samaritanos, mas não há uma única palavra deles acerca do Messias. Eles conversavam com as pessoas no mercado, talvez falassem sobre o tempo, a política, os costumes, a religião, mas nada diziam sobre a salvação.

Quando os discípulos retornaram com o pão dos samaritanos, demonstraram duas atitudes, que comentamos a seguir.

Primeiro, *preconceito* (4.27). Os discípulos ficaram escandalizados porque Jesus estava conversando com uma mulher samaritana. Eles estavam apegados aos preconceitos, costumes e tradições de seu tempo. Na agenda deles, não havia espaço para derrubar barreiras nem para compartilhar as boas-novas da salvação com uma mulher.

Segundo, *ignorância das coisas espirituais* (4.31-33). Os discípulos não tinham abertura para uma nova agenda, já que era hora de comer. Eles não haviam entendido ainda que Jesus se alimentava

---

[34] MacArthur, John. *The MacArthur New Testament commentary – John 1-11*, p. 150.

prioritariamente de outra comida, ou seja, de fazer a vontade do Pai. Eles só pensavam nas coisas terrenas. Não tinham discernimento espiritual. Concordo com F. F. Bruce quando ele diz que ouvir a voz do Pai e fazer Sua vontade era a alegria e a força de Jesus. Perto do fim de Seu ministério, Ele pôde dizer ao Pai: *Eu te glorifiquei na terra, completando a obra da qual me encarregaste* (17.4). Parte da tarefa que Seu Pai lhe deu era transmitir sua bênção à mulher de Sicar e, através dela, aos demais habitantes do lugar; a satisfação que Ele agora experimentava por ter feito a vontade do Pai era maior do que qualquer satisfação que o pão poderia proporcionar.[35] A esse respeito, Warren Wiersbe diz que Jesus não considerava a vontade de Deus um fardo pesado nem uma tarefa desagradável. Para Ele, seu trabalho nutria Sua alma. Fazer a vontade do Pai O alimentava e O satisfazia interiormente.[36]

A atitude da mulher samaritana (4.28-30)

A mulher samaritana teve os olhos abertos progressivamente. Agora, ela compreende que está diante do Messias, o esperado Salvador do mundo. Sua alma é dessedentada pela água da vida, e não consta que Jesus tenha bebido a água do poço de Jacó. A transformação da mulher samaritana pode ser confirmada por suas atitudes, como vemos a seguir.

Primeiro, **ela abandona o seu cântaro**. *A mulher deixou ali seu cântaro* [...] (4.28a). A água que ela foi buscar não tinha mais vital importância agora. A mulher havia encontrado a água da vida. Havia saciado sua alma. Sua vida fora penetrada pela luz do céu, e os segredos do seu coração foram revelados pelo Messias. Havia pressa para contar essa boa-nova à sua cidade, e a samaritana estava disposta a desvencilhar-se de qualquer obstáculo para ganhar celeridade.

Segundo, **ela proclama o Messias**. [...] *foi à cidade e disse ao povo: Vinde, vede um homem que me disse tudo o que tenho feito; será Ele o Cristo? Saíram, pois, da cidade e foram ao encontro dEle* (4.28b-30). No mesmo dia da conversão dessa mulher, ela se tornou uma missionária.

---

[35]BRUCE, F. F. *João: introdução e comentário*, p. 107.
[36]WIERSBE, Warren W. *Comentário bíblico expositivo*. Vol. 5, p. 387.

O testemunho da mulher samaritana tem alguns componentes que merecem destaque, como veremos a seguir.

Ela faz uma proclamação pública (4.28b). Até então, essa mulher, provavelmente, fazia de tudo para passar despercebida. Preferia as sombras do anonimato. Sua reputação era duvidosa, e sua palavra tinha pouco peso entre os homens daquela cidade. Agora, porém, ela anunciava altissonantemente o Messias. Não havia constrangimento nem temor.

Ela faz um convite veemente (4.29). Sabiamente, essa mulher fez um convite: *Vinde*. Usando a mesma tática que Filipe empregou com Natanael, ela disse: *Vinde, vede um homem que me disse tudo o que tenho feito* [...]. Ela não desperdiçou tempo usando argumentos confusos; antes, conclamou à verificação. Desejava que aqueles homens tivessem a mesma experiência que ela havia tido. Queria que vissem o mesmo Messias que ela havia visto. Esperava que bebessem a mesma água da vida que ela havia bebido.

Ela faz uma confissão corajosa (4.29). A vida dessa mulher era conhecida na cidade. Todos sabiam que ela já estava morando com o sexto homem. Sua fama de amante das aventuras era o cardápio preferido dos bisbilhoteiros. Mas ela não tem mais a preocupação de encobrir seus pecados. Diz abertamente que o Messias destampou a câmara de horrores do seu coração e trouxe à luz todos os seus pecados ocultos.

Ela vê um resultado extraordinário. Saíram, pois, da cidade e foram ao encontro dEle (4.30). Os discípulos de Jesus vão à cidade e voltam sozinhos, com as mãos cheias de pães. A mulher vai à cidade e traz consigo muitas pessoas para conhecerem Jesus. Os discípulos tornaram-se profissionais da religião; ela, uma missionária apaixonada. Ainda hoje, fazemos o mesmo que os discípulos. Entramos nos supermercados, nas lojas, nas farmácias e compramos, vendemos, trocamos e entramos mudos e saímos calados quanto ao evangelho. Essa mulher samaritana reprova nosso silêncio e nossa covardia.

A **atitude** de **Jesus** (4.31-38)

Aproveitando o fato de a mulher samaritana ter se ausentado, os discípulos rogam a Jesus: *Rabi, come!* Jesus aproveita o ensejo para ensinar a eles uma profunda lição, dizendo que a comida mais saborosa e mais necessária era fazer a vontade do Pai. Uma cidade estava vinda ao Seu encontro, e eles deveriam entender que aquele era um momento de colheita para o reino de Deus. Nenhuma necessidade era mais urgente. Nenhuma atividade lhe dava mais prazer. F. F. Bruce chama a atenção para o fato de que, assim como a mulher entendera mal as primeiras palavras de Jesus sobre a água viva, tomando-as em seu sentido material, agora, também, os discípulos pensam que Ele está falando sobre comida física, pois perguntam: *Acaso alguém lhe trouxe o que comer?*[37]

Chamo a atenção para cinco verdades a seguir.

Em primeiro lugar, **precisamos ter visão**. *Não dizeis vós faltarem ainda quatro meses para a colheita? Mas eu vos digo: Levantai os olhos e vede os campos já prontos para a colheita* (4.35). Os discípulos eram míopes espirituais. Eles não tinham discernimento do momento que estavam vivendo. Jesus está dizendo: "Vocês acham que deve existir certo intervalo entre a semeadura e a colheita, mas eu lhes digo que acabei de semear a semente, e a colheita já está acontecendo (referindo-se ou à mulher samaritana ou ao povo de Sicar que estava se aproximando).[38] Apesar de a colheita de grãos estar ainda distante (quatro meses), a colheita de almas já poderia ser feita.[39] Nós, também, precisamos ter visão: visão de que, sem Cristo, o ser humano está perdido. Visão de que as falsas religiões prosperam. Visão de que a ignorância não é um caminho para Deus. Visão de que a obra de Deus precisa ser realizada agora. Se perdermos a nossa geração, perderemos o tempo da nossa oportunidade. Concordo com D. A. Carson quando ele diz que a era escatológica raiou no ministério de Cristo, no qual a semeadura e a ceifa acontecem juntas na colheita do fruto.[40]

Werner de Boor diz com propriedade que justamente onde nenhum judeu podia imaginar, na desprezada e odiada Samaria, a colheita já havia chegado. Madura para a ceifa, a terra estende-se diante do olhar de Jesus. Seus discípulos devem aprender com Ele esse olhar.[41]

---

[37]BRUCE, F. F. *João: introdução e comentário*, p. 107.
[38]CARSON, D. A. *O comentário de João*, p. 230.
[39]HENDRIKSEN, William. *João*, p. 233.
[40]CARSON, D. A. *O comentário de João*, p. 231.
[41]BOOR, Werner de. *Evangelho de João I*, p. 116.

Em segundo lugar, ***precisamos ter paixão***. *Disse-lhes Jesus: A minha comida é fazer a vontade dAquele que me enviou e completar a Sua obra* (4.34). Faltava aos discípulos paixão pelas almas perdidas. Falta-nos também essa mesma paixão. Sem paixão seremos apáticos e lentos. Sem paixão, seremos omissos e covardes. Precisamos clamar como Paulo: *E ai de mim, se não anunciar o evangelho!* (1Co 9.16). Precisamos clamar como John Knox: "Dá-me a Escócia para Jesus, senão eu morro".

Em terceiro lugar, ***precisamos ter compromisso*** (4.35). Uma lavoura madura não pode esperar para ser colhida. Ou é colhida imediatamente, ou a colheita é perdida. Sicar estava madura para ser colhida. A cidade estava a caminho, e não havia tempo a perder. Aquela não era hora de comer, mas de trabalhar e fazer a vontade do Pai. A evangelização não é um programa, mas um estilo de vida. Esse compromisso deve arder em nosso peito. Quando o presidente americano John Kennedy foi assassinado em Dallas, em 22 de novembro de 1963, dentro de seis horas a metade do mundo já sabia de sua morte. Jesus, o Filho de Deus, foi crucificado pelos nossos pecados há dois mil anos, e quase a metade do mundo ainda não ouviu essa maior notícia do mundo.

Em quarto lugar, ***precisamos ter parceria*** (4.36-38). Jesus falou a respeito do semeador e do ceifeiro. Um planta, e o outro ceifa. Jesus havia semeado na vida da mulher samaritana, e os discípulos agora fariam uma colheita do que não haviam semeado. Jesus é o semeador por excelência; mais do que isto, Ele é o grão de trigo que cai na terra e morre, para produzir fruto em abundância (12.24). Não há ceifa onde não há semeadura. Nem sempre aquele que semeia é o que ceifa. Tanto o que semeia como o que ceifa, entretanto, têm sua recompensa. Não há maior alegria de que levar uma pessoa a Cristo. Não há maior recompensa do que entesourar frutos para a vida eterna.

D. A. Carson diz que Jesus faz aqui uma referência à unidade da vida e à diversidade dos dons. Um semeia, e o outro colhe. O trabalho de ambos, do semeador e do ceifeiro, é essencial. O semeador trabalha em antecipação do que está para vir; o ceifeiro nunca deve esquecer que a colheita que ele desfruta é fruto do trabalho de outro.[42]

---

[42] CARSON, D. A. *O comentário de João*, p. 231.

Na ceifa do Senhor, não há competição; deve existir parceria: um planta, outro rega e outro ainda ceifa (1Co 3.6-9). No caso em apreço, tanto Jesus quanto a mulher samaritana estiveram trabalhando entre os samaritanos. Jesus, indiretamente, por meio da mulher samaritana; ela, por sua vez, diretamente, entre seus vizinhos. Agora, os discípulos entram também nessa obra.[43] No caso de Samaria, tempos depois, Filipe, Pedro e João participaram de outra colheita entre os samaritanos (At 8.5-25). Os que semeiam talvez não vejam o resultado de seu trabalho, mas os que colhem veem e dão graças pelo esforço dos semeadores.[44]

Em quinto lugar, *precisamos ter a certeza da recompensa* (4.36). O ceifeiro recebe desde já sua recompensa e entesoura seu fruto para a vida eterna. Quando um pecador se volta para Deus, deve haver alegria não apenas diante dos anjos no céu, mas também diante dos ceifeiros na terra. Quando esses ceifeiros chegarem ao céu, serão recebidos por aqueles que foram alcançados por intermédio de seu ministério (Lc 16.9).

A atitude dos samaritanos (4.39-42)

Em resposta ao convite da mulher samaritana, muitos samaritanos foram encontrar-se com Cristo no poço de Jacó. O testemunho da mulher foi impactante, e o resultado foi notório. Charles Erdman escreve: "Em vibrante contraste com a fria incredulidade com que nosso Senhor fora recebido em Jerusalém e na Judeia, temos Sua experiência em Samaria, onde uma cidade inteira o aceitou como o Messias prometido".[45] Essa recepção dos samaritanos se torna mais vívida quando percebemos que Jesus permaneceu entre eles apenas dois dias, não operou ali nenhum milagre e ainda judeus e samaritanos eram considerados inimigos.

Destacamos três fatos importantes nesse ponto.

Em primeiro lugar, *a fé dos samaritanos*. *E muitos samaritanos daquela cidade creram nEle, por causa da palavra da mulher, que testemunhava: Ele me disse tudo quanto tenho feito* (4.39). A fé vem pelo ouvir a Palavra de Cristo. Quando falamos a respeito de Cristo às pessoas,

---

[43]HENDRIKSEN, William. *João*, p. 235.
[44]WIERSBE, Warren W. *Comentário bíblico expositivo*. Vol. 5, p. 388.
[45]ERDMAN, Charles. *O evangelho de João*, p. 42.

Deus concede a elas a fé salvadora. O milagre da salvação raiou na cidade samaritana, e muitos foram salvos. Concordo com F. F. Bruce quando ele diz que a água viva que a mulher recebeu de Jesus certamente se tornou uma fonte transbordante em sua vida, e outras pessoas começaram a participar do refrigério que ela passara a fruir. Não nos cansemos de proclamar o evangelho; a pessoa mais improvável pode se tornar a testemunha mais eficiente.[46]

Em segundo lugar, *o pedido dos samaritanos*. *Então os samaritanos foram até Ele e pediram-lhe que ficasse; e Ele ficou ali dois dias* (4.40). A barreira da inimizade entre judeus e samaritanos estava caindo. Aonde o evangelho chega, os preconceitos são vencidos. Jesus agora é convidado a permanecer com eles. Os samaritanos não querem apenas ver e ouvir. Querem também ter comunhão com Jesus.

Em terceiro lugar, *o testemunho dos samaritanos*. *E muitos outros creram por causa da sua palavra. E diziam à mulher: Já não é pela tua palavra que cremos; pois agora nós mesmos temos ouvido e sabemos que este é verdadeiramente o Salvador do mundo* (4.41,42). Os samaritanos não queriam ouvir apenas a mulher; queriam ouvir diretamente o Messias. E, ao ouvirem o Messias, muitos outros também abraçaram a fé. E todos testemunham que sua experiência pessoal com o Messias lhes deu a plena convicção de que Ele verdadeiramente é o Salvador do mundo. Aqui cessa a ideia provinciana de um salvador tribal, de uma divindade regional. Jesus não é um salvador dentre outros; Ele é o Salvador do mundo, e não há outro. D. A. Carson é oportuno, quando escreve:

> Era apropriado que o título "Salvador do mundo" fosse aplicado a Jesus no contexto do ministério aos samaritanos, representando o primeiro evangelismo transcultural, empreendido pelo próprio Jesus e resultando o primeiro padrão a ser seguido pela igreja: "Recebereis poder ao descer sobre vós o Espírito Santo e sereis minhas testemunhas tanto em Jerusalém, como em toda a Judeia, Samaria e até aos confins da terra" (1.8).[47]

---

[46]Bruce, F. F. *João: introdução e comentário*, p. 108.
[47]Carson, D. A. *O comentário de João*, p. 233.

Depois de passar dois dias na cidade de Sicar, com os samaritanos, Jesus chega novamente à Galileia, região onde passou a maior parte de Sua vida terrena. Na Galileia, Jesus era conhecido como um carpinteiro. Na Galileia, as pessoas conheciam sua família. Na Galileia, Ele iniciou Seu ministério, quando, na sinagoga de Nazaré, leu no livro do profeta Isaías: *O Espírito do Senhor Deus está sobre mim, porque o Senhor me ungiu* [...] (Is 61.1) e disse que aquela profecia apontava para Ele como o Messias, o ungido de Deus. Longe de aceitarem essa declaração, os nazarenos galileus pegaram em pedras para matá-Lo. Jesus passou, então, a residir em Cafarnaum. Depois de uma peregrinação pela Judeia e de uma passagem pela província de Samaria, estava de volta à Galileia.

A **recepção** dos **galileus** (4.43,44)

Em Samaria, Jesus experimentou grande sucesso em Sua jornada evangelística. Em vez de encontrar hostilidade e oposição, foi acolhido de coração aberto como o Messias e o Salvador do mundo. Agora, Ele retorna ao seu povo (1.11), e, consistente com o padrão desenvolvido até agora, a resposta é no mínimo ambígua. Embora em João 2 os discípulos tenham crido nEle (2.11), os judeus O questionam (2.18,20) e os discípulos não O entendem (2.22). Até mesmo os muitos que parecem crer nEle eram convertidos espúrios (2.23-25), cuja fé era gerada, em grande parte, pelos sinais miraculosos que Jesus estava realizando (2.23).[48]

Ao chegar à Galileia depois de uma manifestação marcada por milagres estupendos na Judeia, Jesus faz duas declarações contundentes, que veremos a seguir.

Em primeiro lugar, *a familiaridade com o sagrado pode privar-nos de bênçãos extraordinárias* (4.43,44). *Passados os dois dias, Ele partiu dali para a Galileia. Porque Jesus mesmo havia declarado que um profeta não recebe honras em sua terra.* Os galileus viam Jesus apenas como um homem comum. Conheciam-No apenas como filho de José e Maria, cujos irmãos viviam entre eles. Jesus era apenas o carpinteiro de Nazaré.

---

[48]CARSON, D. A. *O comentário de João*, p. 237.

A familiaridade com Jesus obscureceu o entendimento espiritual deles. Jamais Jesus foi honrado por eles como o Messias, o Salvador do mundo. Aqueles que eram considerados inimigos, os samaritanos, acolheram-No com entusiasmo e foram salvos, mas os galileus, pela proximidade com Jesus, nada viam nEle além de um cidadão comum.

Em segundo lugar, *a fé produzida apenas pelos milagres pode ser bastante superficial* (4.45). *Logo que chegou à Galileia, os galileus O receberam, porque tinham visto todas as coisas que fizera em Jerusalém por ocasião da festa da Páscoa; pois também eles tinham ido à festa.* As festas judaicas eram frequentadas por todo o povo. Jesus jamais deixou de comparecer a essas festas. Na festa da Páscoa, Jesus foi a Jerusalém, e muitos, vendo seus sinais, creram no Seu nome. Mas, não era uma fé genuína (2.23-25). Entre esses muitos, estavam os galileus que tinham concorrido à mesma festa. Agora, ao chegar Jesus à Galileia, os galileus recebem Jesus, porque viram seus milagres. Mas essa recepção não é um sinal de fé genuína. O milagre pode produzir impacto, mas não a fé verdadeira. Aqueles que são atraídos a Cristo apenas por causa de milagres possuem apenas uma fé passageira, superficial e insuficiente.

O **desabrochar** da fé salvadora (4.46-53)

Jesus está de volta a Caná da Galileia, onde operara seu primeiro milagre ao transformar água em vinho numa festa de casamento. Exatamente nesse momento, sobe de Cafarnaum a Caná um oficial do rei Herodes, com seu filho enfermo, à beira da morte, para suplicar o socorro de Jesus. Aqui está não um homem que ocupa uma posição importante, mas um pai ansioso. As aparências externas e sua posição social não significavam nada; ele só conseguia pensar no filho que parecia estar morrendo.[49]

O primeiro milagre em Caná foi realizado a pedido da mãe de Jesus (2.1-5); o segundo milagre, Jesus realizou a pedido de um pai (4.47). William Hendriksen observa que esse pai cometeu pelo menos dois erros. Primeiro, ele acreditava que, para realizar aquela cura, Jesus teria de viajar de Caná a Cafarnaum e precisaria estar ao lado da cama do garoto.

---

[49]RICHARDS, Larry. *Todos os milagres da Bíblia*, p. 198.

Segundo, ele também estava convencido de que o poder de Cristo não se estenderia além da morte.[50] Não obstante as limitações desse pai, Jesus identificou nele uma necessidade desesperada, e não mera curiosidade.

Larry Richards destaca como é importante distinguir os curiosos dos necessitados. Deus não nos chamou para debater teologia e servir aos interesses daqueles que adoram especular sobre religião. Existem pessoas necessitadas à nossa volta, as quais apenas um relacionamento pessoal com Jesus pode curar. A essas pessoas devemos dedicar nosso tempo e demonstrar a compaixão de Cristo.[51]

John Charles Ryle diz que o relato desse pai aflito buscando socorro em Jesus para a cura de seu filho nos enseja algumas lições.[52] A primeira delas é que a posição social não é segurança contra as tragédias da vida. O rico tem aflições da mesma forma que o pobre. Esse homem era oficial do rei, vivia na corte; contudo, seu dinheiro, sua alta posição e seu prestígio não afastaram a doença de sua casa nem a aflição de seu coração. O dinheiro pode nos dar um bom plano de saúde, mas não pode comprar saúde. O dinheiro pode nos dar uma casa luxuosa, mas não um lar. O dinheiro pode comprar serviçais e bajuladores, mas não amigos. Sedas e cetins geralmente cobrem corações turbados. Moradores nos palácios dormem com mais dificuldade do que aqueles que habitam em tendas. A segunda lição é que as aflições e a morte vêm para os jovens assim como para os velhos. A morte estava espreitando um jovem. A ordem natural das coisas fora invertida aqui. O pai estava rogando a Jesus pelo filho à beira da morte. Os jovens são vulneráveis. A força e o vigor da juventude não são garantia contra tempos turbulentos.

Matthew Henry diz que o desejo profundo desse pai era que Jesus descesse com ele até Cafarnaum para curar seu filho. Cristo curará seu filho, mas não descerá. E, dessa forma, a cura é operada mais cedo, o engano do oficial do rei é corrigido, e sua fé é confirmada, de modo que as coisas foram realizadas da melhor maneira, ou seja, da maneira de Cristo.[53]

---

[50]HENDRIKSEN, William. *João*, p. 244.
[51]RICHARDS, Larry. *Todos os milagres da Bíblia*, p. 199.
[52]RYLE, John Charles. *John*. Vol. 1, p. 253-257.
[53]HENRY, Matthew. *Matthew Henry comentário bíblico Novo Testamento – Mateus-João*, p. 805.

Esse episódio nos ensina o desenvolvimento gradativo da fé, da fé verdadeira. Três estágios podem ser observados na fé desse oficial do rei.

Em primeiro lugar, *ele olha para Jesus como um operador de milagres* (4.46-48). A fama de Jesus já corria por toda a Galileia. Era do conhecimento popular que o Nazareno realizava grandes prodígios. Era sabido de todos que multidões o seguiam, buscando alívio de suas enfermidades. Quando esse oficial do rei ouve falar que Jesus viera da Judeia, vai imediatamente a Caná com seu pedido urgente. A resposta de Jesus à súplica do oficial nos faz crer que ele via Jesus apenas como um operador de milagres. Seu interesse era apenas na cura do filho, e nada mais. Nenhuma fé salvadora brotara ainda em seu coração. Werner de Boor alerta sobre o fato de que, como já havia ficado explícito em João 2.23-25, a fé que brota da experiência de milagres carrega o perigo da deformação e não possui raízes suficientemente profundas diante de provações severas. Por isso, Jesus usou essa abordagem tão contundente com o oficial do rei. Foi exatamente a mesma abordagem que Jesus usou com a mulher siro-fenícia, para desarraigar de seu coração uma fé superficial e estabelecer aí uma fé genuína e robusta.[54]

Muitas vezes, Deus usa as aflições da vida, como uma enfermidade grave, um acidente traumático, uma separação amarga, um luto doloroso, para despertar nos corações a fé. Foi assim com esse oficial do rei. Ele tinha posição social, prestígio político, dinheiro e fama, porém a doença entrou em sua casa, e os tentáculos gelados da morte estavam ameaçando levar precocemente seu filho. Nenhum recurso da terra poderia lhe socorrer. Por isso, ele recorreu a Jesus!

Em segundo lugar, *ele crê na Palavra de Jesus* (4.49-52). A fé desse oficial avança para um segundo estágio. Ele se dirige pessoalmente a Jesus e conta com Sua misericórdia para com o filho moribundo. Ele, que vira Jesus apenas como um operador de milagres, agora é instado a voltar para casa com a promessa de que seu filho estava curado. O oficial de Herodes não questiona. Não duvida. Ele crê na Palavra de Jesus e volta. Entende agora que Jesus tem poder não apenas para curar, mas para curar a distância. Ele crê no poder da Palavra de Jesus. A fé não

---

[54] BOOR, Werner de. *Evangelho de João I*, p. 121.

exige evidências. A fé se agarra à promessa. A fé não está fundamentada naquilo que vemos, mas está ancorada na Palavra de Cristo. Fé é certeza e convicção. Certeza de coisas e convicção de fatos. Concordo com Larry Richards quando ele escreve:

> Da mesma forma, não existe nenhum obstáculo para Jesus hoje. Cristo está no céu, mas também aqui conosco. Qualquer palavra que Ele disser será obedecida até os confins do universo. Não importa qual seja nossa emergência, podemos alcançá-Lo instantaneamente. Ele ouve nossas orações hoje, assim como ouviu as súplicas do pai ansioso tantos séculos atrás. Como Cristo, em compaixão, agiu à distância para suprir a necessidade daquele pai, ele também age hoje para suprir nossas necessidades.[55]

O homem não precisou sequer chegar à sua casa. Os servos do oficial foram ao seu encontro no meio do caminho, informando que seu filho já estava curado e que a febre já o havia deixado. E isso acontecera no exato momento em que Jesus dera a ordem. Werner de Boor é preciso quando diz: "A fé que Jesus deseja ver é uma fé que não exige mais ver sinais e prodígios, mas que confia exclusivamente na palavra e, assim, na própria pessoa que a profere. É a fé nEle por meio da palavra".[56]

Em terceiro lugar, **ele crê em Jesus com toda a sua casa** (4.53,54). Esse homem chegou ao último estágio da fé, a fé salvadora. Ele creu com toda a sua casa. E não apenas creu, mas compartilhou essa mesma fé com sua esposa, com seu filho, com seus servos. Houve salvação naquela casa. Concordo com Werner de Boor quando ele diz que a fé é uma força viva que cresce e amadurece através de muitos estágios e de experiências sempre renovadas. O oficial da corte teve fé na Palavra de Jesus e correu com fé para casa. Agora, porém, após a experiência plena do poder e da graça de Jesus, *ele creu* de um modo abrangente. Já não confiava apenas nessa única palavra. Agora ele olhava com confiança permanente e integral para Jesus. E arrastou toda a sua casa

---

[55] RICHARDS, Larry. *Todos os milagres da Bíblia*, p. 200.
[56] BOOR, Werner de. *Evangelho de João I*, p. 121.

nessa confiança. Todos eles reconhecem agora que Jesus é o Salvador, que vence a morte e é capaz de conceder vida.[57]

Warren Wiersbe resume esse progresso espiritual do oficial do rei, dizendo que a fé que se manifestou em um momento crítico se transformou em *fé confiante*: ele creu na palavra e teve paz no coração. Sua fé confiante tornou-se uma *fé confirmada*. De fato, o menino havia sido completamente restabelecido. Levando toda a sua casa à mesma fé, demonstrou uma *fé contagiante*.[58]

Em resumo, esse pai deu quatro passos para alcançar o milagre da cura de seu filho. Primeiro, demonstrou humildade (4.46). Ele desceu do pedestal do orgulho. Buscou Jesus e rogou seu auxílio. Segundo, demonstrou coragem (4.46). Esse homem era um alto oficial da corte de Herodes. As relações entre Herodes e Jesus não eram boas. Herodes matou João Batista. Jesus chamou Herodes de raposa. Esse homem podia sofrer retaliação de Herodes por procurar Jesus, mas venceu corajosamente todos os obstáculos e enfrentou todos os riscos para buscar a cura de seu filho. Terceiro, demonstrou persistência (4.47,49). Esse pai negou-se a sentir-se desencorajado. Ele insistiu com Jesus. Seu filho estava morrendo. Ele não desistiu de ver um milagre na vida de seu filho. Ele buscou, pediu, insistiu. Quarto, demonstrou fé (4.50). Ele creu sem duvidar. Não questionou nem protelou a ação. Obedeceu prontamente à ordem de Jesus. Quem crê sossega o coração. Quem crê volta em paz para casa. Quem crê toma possa da vitória!

O versículo 54 nos informa que foi esse o segundo sinal que Jesus fez depois de vir da Judeia para a Galileia. Dois milagres foram operados em Caná da Galileia, e cada um deles assinala lições importantes. Há um estranho contraste nas circunstâncias que cercaram os dois referidos sinais. No primeiro, o lar estava cheio de alegria numa festa de casamento e, no segundo, o lar estava entristecido pela enfermidade e a carranca da morte que se aproximava. Jesus supre a necessidade para preservar a alegria e cura a enfermidade para restaurar a alegria. Em ambos os sinais, a fé é aprofundada, e a alegria advém da confiança em Cristo.[59]

---

[57]Boor, Werner de. *Evangelho de João I*, p. 122.
[58]Wiersbe, Warren W. *Comentário bíblico expositivo*. Vol. 5, p. 390.
[59]Erdman, Charles. *O evangelho de João*, p. 48.

8

o médico divino
manifesta Seu **poder**

João 5.1-16

JESUS FOI A UMA FESTA EM JERUSALÉM. Mas, enquanto o povo se alegrava, Ele se dirigiu ao tanque de Betesda, ou "Casa de Misericórdia", onde havia uma multidão de gente sofrendo (5.1,2). Como Sua comida era fazer a vontade do Pai, e a vontade do Pai é a salvação dos perdidos e o socorro dos aflitos, Jesus caminha para esse local, onde havia gente deformada, destruída emocionalmente, com o coração sangrando por feridas ainda abertas. Warren Wiersbe chama a atenção para o fato de que esse milagre registrado em João 5 não foi apenas público, mas também realizado num sábado, despertando a oposição dos líderes religiosos. Aqui tem início a perseguição oficial contra o Salvador.[1]

Jesus visita o **tanque de Betesda** (5.1-7)

O tanque de Betesda era uma espécie de hospital público da cidade. Conhecido como "Casa de Misericórdia", abrigava uma multidão de pacientes sem perspectiva de cura. O texto é assaz chocante: *Neles ficava deitada uma grande multidão de doentes: cegos, mancos e paralíticos* [...] (5.3). Essa multidão era alimentada pela crença de que um anjo

---
[1] WIERSBE, Warren W. *Comentário bíblico expositivo*. Vol. 5, p. 391.

desceria em algum momento para agitar a água do tanque, e o primeiro que se lançasse na água era curado. Jesus caminha no meio dessa multidão e distingue um homem, um paralítico, entrevado em sua cama. A palavra grega usada para descrever os paralíticos significa literalmente "ressequidos", "paralisados", "secos". Aparentemente, o homem curado por Jesus era um desses *ressequidos*.[2]

Destacamos aqui alguns pontos importantes.

Em primeiro lugar, ***o divino conhecimento de Jesus*** (5.6). *Vendo-o deitado e sabendo que vivia assim havia muito tempo, Jesus lhe perguntou: Queres ser curado?* Jesus distinguiu esse enfermo no meio da multidão. Aquele homem era a maquete da desesperança. Ele já não tinha mais sonhos para embalar. Sua causa estava totalmente perdida. Não foi ele quem viu a Jesus; foi Jesus quem o viu. Jesus viu o seu passado, a sua condição e o seu futuro. Viu que a causa da sua tragédia era o pecado da juventude. Viu que ele estava colhendo o que havia plantado. Viu uma triste história de pecado (5.14). Aquele homem não estava apenas preso à sua cama, mas também preso ao seu passado, às suas memórias amargas, à sua culpa.

Jesus olhou para a mulher samaritana e viu que ela estava vivendo em adultério. Jesus olhou para Zaqueu na árvore e viu que havia sede de Deus no seu coração. Jesus viu o amor às riquezas no coração do jovem rico. Viu a hipocrisia nas atitudes dos fariseus. Viu falsidade no beijo de Judas Iscariotes. Viu o arrependimento sincero no coração do ladrão na cruz.

Jesus também está vendo a sua vida, caro leitor. Ele sabe qual é a sua doença. Nada pode ficar oculto aos olhos dEle. Caim tentou fugir de Deus. Acã tentou encobrir o seu roubo. Davi tentou esconder o seu adultério. Mas o Senhor estava vendo. Jesus sabia que aquele homem estava enfermo havia 38 anos. Conhecia a causa do seu sofrimento. De igual forma, Jesus conhece a sua dor, a sua angústia, o seu vazio, a sua crise. Ele tem nas mãos o diagnóstico da sua vida. Jesus sabe há quanto tempo você está sofrendo. Conhece a dor de ser abandonado. Conhece a dor da desesperança. Conhece os sonhos frustrados. Conhece a virulência do pecado que assola sua vida, o peso da culpa que esmaga sua consciência.

---

[2] HENDRIKSEN, William. *João*, p. 253.

Esse texto mostra que o pecado é maligníssimo, porque esse homem está sofrendo por causa do seu pecado (5.14). Esse homem estava sem amigos, sem ajuda e sem esperança. Os anos passavam, e ele continuava entregue à sua desventura, sem nenhum socorro. Esse é o preço do pecado. O homem está colhendo os frutos malditos de sua semeadura insensata. Muitos hoje ainda se apegam ao pecado que Deus abomina. Mas o pecado é uma fraude: promete prazer e paga com o desgosto; promete liberdade e escraviza; aponta um caminho de vida, mas seu fim é a morte!

Em segundo lugar, *a divina compaixão de Jesus* (5.6). Jesus viu aquele homem com uma doença incurável. Era uma causa perdida. Por isso, Jesus foi ao encontro dele. Jesus o viu. Tomou a iniciativa. Abordou-o. Jesus abriu para ele a porta da esperança. Sentiu sua dor, seu drama. Talvez também você, caro leitor, já não tenha mais forças para clamar. Talvez você já tenha desistido de esperar uma cura. Talvez você só tenha encontrado incompreensões e lute sozinho para uma cura que não acontece. Mas Jesus se importa com você e se compadece de sua vida. Talvez você pense que foi longe demais e agora já não tem mais saída. Talvez você já tenha batido em todas as portas e esteja cansado de esperar. Mas Jesus vê você. Ele sabe o que está acontecendo com você e se importa com sua vida.

Oh, divina misericórdia! Jesus nos vê quando estamos prostrados, sozinhos, abandonados, sem ajuda, sem saída. Jesus nos vê quebrados, desanimados, conformados com o caos. Ele nos distingue no meio da multidão e se importa conosco. Tem prazer na misericórdia! É o caminho para os pés perdidos. É a verdade para a mente inquieta. É a vida para os que estão mortos. É a luz para sua escuridão. É o pão para sua fome e a água para sua sede. É a paz para o seu tormento. Quando os nossos recursos acabam, somos fortes candidatos a um milagre de Jesus (5.7,8).

Aquele homem estava só. Não tinha ninguém por ele. Não tinha saúde. Não tinha paz. A solidão era a marca da sua vida. Ele havia chegado ao fim da linha, ao fundo do poço. Mas, quando se viu desamparado, Jesus lhe estendeu a mão.

John MacArthur faz uma oportuna aplicação do texto em tela:

Esse incidente ilustra perfeitamente a soberana graça de Deus em ação. De todos os enfermos presentes no tanque de Betesda, Jesus escolheu apenas esse paralítico. Não havia nada nesse homem que o fizesse mais merecedor do que os outros. Ele jamais havia procurado Jesus, mas mesmo assim Jesus se aproxima dele. Jesus não o escolheu porque previu que ele teria fé para ser curado. Ele jamais demonstrou acreditar que Jesus iria curá-lo. A salvação acontece da mesma forma. Da multidão de pessoas mortas em seus delitos e pecados, Deus escolheu redimir Seus eleitos não porque merecessem isso, nem porque previu que haveriam de crer, mas por causa de Sua soberana graça (6.37).[3]

Jesus **diagnostica** a doença (5.5-7)

Destacamos aqui duas verdades importantes.

Em primeiro lugar, *precisamos reconhecer nossas próprias doenças* (5.5,6). Para ser curado, aquele homem precisava entender qual era seu problema. É preciso identificar quais as áreas de sua vida precisam de cura. Muitas pessoas não querem se apresentar como fracas. Querem fazer de conta que não existe nada. Mas todos nós somos feridos. Ninguém vem de uma família perfeita. Todos temos feridas emocionais que precisam ser curadas: na área da família, dos relacionamentos, das perdas significativas.

Quando não saram de forma apropriada, as feridas emocionais são como as feridas físicas. Como farpas no coração, se não forem tiradas, produzem "pus emocional". Muita gente tem medo de tirar as farpas. Tem medo de enfrentar a doença. Tem medo de voltar ao passado. Mas as cicatrizes da cura são cicatrizes de vitória – como as cicatrizes das mãos e dos pés de Jesus.

Aquele enfermo precisava lidar com os dramas da sua consciência (5.14) e com o abandono da família, a solidão, a amargura e a rejeição. Ele disse: *Senhor, não há ninguém*. Estes são os passos necessários para a cura: 1) admitir que você foi ferido e que há uma ferida no seu coração; 2) identificar a ferida; 3) perdoar as pessoas envolvidas nas suas feridas; 4) entregar agora sua causa a Jesus. Jesus sabia qual era a doença

---

[3]MacArthur, John. *The MacArthur New Testament commentary – John 1-11*, p. 175.

daquele homem. Ele queria curá-lo, mas, antes disso, Jesus o tornou consciente da sua doença.

Em segundo lugar, *precisamos remover as farpas do coração* (5.7). Quando Jesus perguntou ao homem do tanque de Betesda se ele queria ser curado, esse homem lhe respondeu com uma desculpa: "Sim, mas..." (5.7). Ele poderia ter dito simplesmente sim ou não. Se a cura traz tantos benefícios, por que as pessoas apresentam tantas desculpas para serem curadas? Existem muitas razões.

Eu não tenho ninguém. Sou vítima do esquecimento, abandono e ingratidão da família e dos amigos. Aquele homem de Betesda despeja a sua mágoa diante de Jesus. Além de doente do corpo, estava também com a alma enferma. Ele atribuía a sua falta de cura às pessoas. Os outros eram os responsáveis. Ele dizia algo como: "Não fui curado porque não há ninguém que se interesse realmente por mim".

Eu tenho medo. Será muito doloroso remexer o passado. O que passou, passou. O processo de cura dói. Muitas vezes significa olhar para trás e reparar danos, recordar experiências dolorosas: um abuso sexual, a falta de amor do pai ou da mãe, as cenas de violência, o abandono. Cada pessoa tem farpas que causam dor, e, para sarar, é preciso recordá-las. Não adianta tapar uma ferida. É preciso limpá-la.

Eu não posso perdoar. Perdoar? Mas eu fui a vítima! O perdão, porém, nos liberta e nos cura. A mágoa adoece. A falta de perdão torna a vida um inferno. Quem não perdoa não tem paz. Quem não perdoa não ora, não adora, não é perdoado. Quem não perdoa adoece. Quem não perdoa é entregue aos verdugos. Não espere a pessoa que o feriu mudar. Perdoe essa pessoa. Fique livre!

Eu não posso esquecer. Esquecer? Deus tem um lugar específico para colocar as nossas lembranças: o mar do esquecimento (Mq 7.19). Esquecer não significa fazer de conta que nada aconteceu. Significa viver além do que aconteceu. Esquecer é não sofrer nem cobrar mais a dívida da pessoa que o feriu. Perdoar é lembrar sem sentir dor.

Você quer ser curado? Deus nos chama para viver em sanidade e em santidade. A única diferença entre sanidade e santidade é um "T", que é um símbolo da cruz de Cristo. Se não sararmos, ainda que formos para o céu (como aleijados emocionais), não viveremos tudo o que Deus tem para nós aqui na terra.

Jesus cura o paralítico (5.8-16)

Quatro verdades devem ser destacadas aqui.

Em primeiro lugar, *uma pergunta maravilhosa* (5.6). Jesus pergunta ao paralítico: *Queres ser curado?* Werner de Boor entende que há uma promessa embutida nessa pergunta. A própria pergunta torna-se um chamado à fé. É como se Jesus estivesse dizendo: "Em tua precariedade, confia-te a mim, que tenho o poder de te ajudar".[4] Essa pergunta nos enseja algumas reflexões.

Não importa há quanto tempo você está sofrendo. A mulher hemorrágica sofreu doze anos. A mulher encurvada andou dezoito anos corcunda. Esse homem estava doente havia 38 anos. Jesus viu um homem cego de nascença. Jesus levantou um morto da sepultura. Ele curou a todos. Ele pode curar você também.

Não importa a gravidade do seu problema. Trinta e oito anos de sofrimento. Mas Jesus pergunta: Você quer ser curado? Lázaro já cheirava mal. Mas Jesus ordenou: *Vem para fora!* (Jo 11.43).

Não importam as desastradas consequências do seu problema. Sua saúde acabou, seu nome foi jogado na lama, sua família está arrebentada. Jesus pode pegar os cacos e fazer tudo de novo. Ele transformou uma mulher possessa, Maria Madalena, e fez dela a primeira missionária da Sua ressurreição. Ele transformou a mulher samaritana com cinco casamentos fracassados e fez dela uma embaixadora de boas-novas.

Não importa quão desesperançado você esteja. O homem paralítico disse a Jesus: *Não há ninguém.* Mas Jesus está presente com você. Ele pode tudo. Ele é o Senhor das causas perdidas.

Não importam quantas tentativas fracassadas você já tenha experimentado. Todo ano aquele homem via gente sendo curada, e ele continuava mofando em cima da cama. Mas agora Jesus o toma e o cura!

Em segundo lugar, *uma ordem maravilhosa* (5.8). *Levanta-te, pega a tua maca e anda.* Charles Swindoll diz que Jesus não pregou. Não corrigiu a teologia do paralítico. Não fez uma palestra sobre graça para ele. Pessoas que têm falta de esperança não precisam de mais conhecimento;

---
[4]Boor, Werner de. *Evangelho de João I*, p. 125.

precisam de compaixão. Jesus deu ao homem o que lhe faltava e aquilo de que ele desesperadamente necessitava. Deu a ele graça em forma de uma ordem: *Levanta-te, pega a tua maca e anda*.[5]

Charles Erdman diz que a primeira palavra, *Levanta-te*, sugere a necessidade de resolução e ação imediatas. *Pega a tua maca* lembra ao homem a ser curado que ele precisará pensar em recaída, nem fazer provisão para uma volta ao velho gênero de vida, nem temer o futuro, mas apenas confiar em Cristo. *Anda* declara a necessidade de passar logo a experimentar a nova vida que Cristo outorga.[6] A maca ou leito, *krabattos*, era uma esteira, catre ou colchão de palha, fácil de enrolar e levar sob o braço.[7] Era uma espécie de colchão usado pelos pobres.[8]

Jesus dá a ordem e também o poder para cumpri-la. Jesus dá o que ordena e ordena o que ele quer. Nas palavras de Werner de Boor, "é uma ordem criadora, que torna possível não seria: o que o impossível exige?".[9] Uma ordem de Cristo sempre encerra uma promessa. Ele sempre nos capacita a executar suas ordens. Na verdade, Jesus dá o que ordena e ordena o que deseja. A Palavra de Jesus tem poder. A natureza Lhe obedece, os ventos ouvem Sua voz, o mar escuta Suas ordens, os anjos obedecem a Seu comando, os demônios batem em retirada diante de Sua autoridade. Ele tem toda a autoridade no céu e na terra.

Ele disse ao homem da mão ressequida: *Estende a mão* (Mt 12.13), e o que era impossível aconteceu. Jesus ordenou: *Lázaro, vem para fora* (Jo 11.43), e o morto lhe obedeceu! Jesus disse ao paralítico: *Levanta-te*, e ele se colocou de pé.

Em terceiro lugar, **um resultado maravilhoso** (5.9). *Imediatamente o homem ficou curado; e, pegando a maca, começou a andar. E aquele dia era sábado.* O milagre de Jesus é imediato, completo e público. A cura de Jesus não é parcial nem gradual. Jesus não oferece meias soluções. Ele não usa artifícios para enganar. William Hendriksen diz que, quando

---

[5] SWINDOLL, Charles. *Insights on John*, p. 110.
[6] ERDMAN, Charles. *O evangelho de João*, p. 50-51.
[7] BRUCE, F. F. *João: introdução e comentário*, p. 115.
[8] RIENECKER, Fritz; ROGERS, Cleon. *Chave linguística do Novo Testamento*, p. 169.
[9] BOOR, Werner de. *Evangelho de João I*, p. 126.

Jesus emitiu Sua ordem, uma força e um vigor renovados tomaram conta do corpo daquele homem; e ele, tomando o seu leito, pôs-se a andar.[10]

Em quarto lugar, **uma advertência maravilhosa** (5.10-16). Mesmo sendo sábado, o homem pegou sua maca e começou a andar. Mesmo repreendido pelos judeus, manteve-se firme, confiante na palavra daquele que havia realizado um milagre em sua vida. Agora, ao encontrar-se com Jesus no templo, é advertido de não voltar ao pecado para não lhe suceder coisa pior. Concordo com Charles Swindoll quando ele diz que, nesse caso, existe uma relação entre pecado e doença. Por exemplo, quando uma mulher grávida abusa de álcool ou drogas durante a gravidez, seu bebê sofrerá as consequências físicas de seu vício não apenas porque Deus pune seu pecado, mas porque suas decisões insensatas geram consequências negativas.[11]

Charles Erdman coloca essa advertência nas seguintes palavras:

> Trinta e oito anos de padecimentos, ocasionados pelo pecado, podiam parecer bastantes para fazer o homem acautelar-se de, outra vez meter-se debaixo do seu jugo. A triste verdade, porém, é que, por mais que o pecado faça sofrer, ninguém por isso o detesta; entretanto, não deixa de sentir as agonias das suas consequências. Nossa única segurança está na submissão de nossa vontade ao Salvador.[12]

Larry Richards destaca o fato de que o homem curado não conhecia Jesus antes do milagre nem depois dele. A cura do inválido foi um ato de graça soberana. Não houve pedido do inválido a Jesus; ele não teve fé – nem sequer sabia quem era Jesus: *Mas o que fora curado não sabia quem [Jesus] era* (5.13).[13]

Os judeus, longe de se alegrarem com o glorioso feito, passaram a perseguir Jesus, porque o milagre ocorreu num dia de sábado (5.15,16). Esse é o assunto do qual trataremos no capítulo seguinte.

---

[10]HENDRIKSEN, William. *João*, p. 256.
[11]SWINDOLL, Charles. *Insights on John*, p. 112.
[12]ERDMAN, Charles. *O evangelho de João*, p. 51.
[13]RICHARDS, Larry R. *Todos os milagres da Bíblia*, p. 220.

9

Jesus dá testemunho de si mesmo

João 5.17-47

A CURA DO PARALÍTICO NO TANQUE DE BETESDA num dia de sábado provoca uma onda crescente de hostilidade a Jesus. Isso dá azo a que Jesus faça uma esplêndida apresentação de Sua pessoa e de Sua obra diante de Seus opositores. Warren Wiersbe coloca essa realidade nas seguintes palavras:

> Jesus havia curado um endemoninhado no sábado (Lc 4.31-37), levantando, desse modo, as suspeitas do sinédrio. Alguns dias depois do milagre relatado em João 5, Jesus defendeu os discípulos, quando foram acusados de transgredir o sábado por apanhar espigas no campo (Mt 12.1-8), e, mais adiante, ainda curaria num sábado um homem com uma das mãos ressequida (Mc 12.9-14). Jesus desafiou deliberadamente as tradições legalistas dos escribas e fariseus, pois haviam transformado o sábado — uma dádiva de Deus aos seres humanos — numa prisão de regulamentos e restrições.[1]

Concordo com William Hendriksen quando ele diz que os fariseus tinham acrescentado à lei de Deus suas próprias distinções minuciosas,

---

[1] WIERSBE, Warren W. *Comentário bíblico expositivo*. Vol. 5, p. 392.

além das tradições rabínicas. Para eles, o sábado significava inatividade; para Cristo, significava trabalho. Para eles, o sábado representava sofrimento; para Cristo, descanso. Na visão deles, o ser humano foi feito para o sábado; na de Jesus, o sábado foi feito para o ser humano.² Deus instituiu o sábado como um dom, um dom para renovar nossas forças, para entendermos que Ele é o nosso provedor e a Ele devemos nos voltar em adoração. Os fariseus, porém, transformaram o sábado numa longa lista de proibições. Estabeleceram 39 atividades proibidas. Assim, em vez de ser um tempo de descanso, o sábado se tornou um fardo pesado e difícil de ser observado.

D. A. Carson deixa essa realidade clara quando destaca que os capítulos 5 a 7 de João registram a mudança da mera reserva e hesitação sobre Jesus para uma oposição franca e, às vezes, oficial. O primeiro ponto de controvérsia é o sábado, mas este é logo substituído por uma questão fundamentalmente cristológica que surge na disputa sobre o sábado (5.16-18), o que, por sua vez, leva a um extenso discurso sobre o relacionamento de Jesus com o Pai e as Escrituras que dEle dão testemunho (5.19-47). Embora os milagres do capítulo 6 evoquem uma aclamação superficial (6.14,15,26), essa fidelidade não pode suportar o ensino de Jesus: até mesmo muitos de Seus discípulos O abandonam (6.66). No capítulo 7, Jesus é acusado de ser possuído de demônios (7.20), e as autoridades, em meio à profunda confusão das massas, tentam prendê-Lo (7.30), porém sem sucesso (7.45-52). Durante esse clamor crescente, Jesus se revela progressivamente como o obediente Filho de Deus, Seu Pai (5.19ss.); o pão da vida, o verdadeiro maná que pode dar vida ao mundo (6.51); o único que pode prover a água do Espírito que sacia (7.37-39).³

Jesus revela Sua **íntima relação com o Pai** (5.17-29)

A perseguição a Jesus, promovida pelos judeus em virtude da cura do paralítico num dia de sábado, dá-Lhe a oportunidade de manifestar-Se

---

²Hendriksen, William. *João*, p. 257.
³Carson, D. A. *O comentário de João*, p. 241.

aos Seus opositores. John Charles Ryle diz que, embora o Pai tenha descansado no sétimo dia de Sua obra da criação, Ele jamais descansou por nem um momento sequer de Seu providencial governo no mundo e de Sua obra misericordiosa em cuidar diariamente de Suas criaturas. Consequentemente, Jesus não estava quebrando a lei do sábado ao curar o paralítico, assim como o Pai não quebra a lei do sábado quando faz o sol se levantar e a relva crescer no sábado.[4] John MacArthur diz que Jesus é igual a Deus em Sua pessoa (5.17,18), em Suas obras (5.19,20), em Seu poder e soberania (5.21) e em seu julgamento (5.22).[5]

Há oito verdades fundamentais que Jesus revela acerca de si mesmo no texto em tela, como veremos a seguir.

Em primeiro lugar, *o Filho é coigual com o Pai* (5.17,18). Fílon diz que Deus nunca cessa de trabalhar, da mesma maneira que é próprio do fogo queimar e da neve gear. Deus sempre trabalha. O sol brilha, os rios fluem e os processos de nascimento e morte continuam durante o dia de sábado como durante qualquer outro dia; essa é a obra de Deus. É certo que Deus descansou no sétimo dia, mas descansou da criação; Suas obras supremas de juízo, misericórdia, compaixão e amor não cessam.[6]

Jesus afirmou que Sua obra era idêntica à de Deus e que Ele mantinha uma relação absolutamente única com Deus, que Ele declarava ser Seu Pai. A conclusão óbvia é que ou Jesus era um blasfemo e enganador, ou era mesmo o Filho de Deus.[7] Jesus é igual ao Pai em dois aspectos. É igual em natureza, pois tem a mesma essência. Ele é Deus de Deus e luz de luz. É coigual, coeterno e consubstancial com o Pai. Nele habita corporalmente toda a plenitude da divindade. Ele e o Pai são um. Mas Jesus é igual ao Pai, também, em Suas obras. Ele realiza as mesmas obras. O Pai e ele estão trabalhando na mesma obra. Diante dessa solene afirmação, só podemos concluir que Jesus era ou um blasfemo enganador ou era verdadeiramente o Filho de Deus. William

---

[4]Ryle, John Charles. *John*. Vol. 1, p. 279.
[5]MacArthur, John. *The MacArthur New Testament commentary – John 1-11*, p. 185-189.
[6]Barclay, William. *Juan I*, p. 193.
[7]Erdman, Charles. *O evangelho de João*, p. 52.

Hendriksen é enfático: "Essa afirmação de Jesus era ou a maior das blasfêmias, que merecia ser punida com a morte, ou era a mais gloriosa verdade, que deveria ser aceita pela fé".[8]

A afirmação de Jesus leva os judeus a duas considerações sobre Ele: Jesus é violador do sábado e também blasfemo (5.18). Começa aqui uma progressiva hostilidade a Jesus. Procuraram matá-Lo (5.18). Murmuraram contra Ele (6.41). Novamente se dispuseram a matá-Lo (7.1). Induziram as pessoas a terem medo de assumir sua fé nEle (7.13; 19.38; 20.19). Falavam contra Ele (8.22,48,52,57). Não criam nEle (9.18). Pegaram pedras para apedrejá-Lo (10.31; 11.18). Afirmaram que Ele deveria morrer (19.7) e exerceram pressão política sobre Pilatos para matar Jesus (19.14). O rígido legalismo dos judeus privou-os da graça de Cristo. Charles Swindoll diz que o legalismo é um assassino silencioso. Uma organização permeada pelo legalismo transforma o ar fresco da graça num gás venenoso. O legalismo precisa ser identificado, combatido e vencido.[9]

Em segundo lugar, *o Filho está sujeito ao Pai* (5.19). *E disse-lhes Jesus: Em verdade, em verdade vos digo que o Filho nada pode fazer por si mesmo, senão o que vir o Pai fazer; porque tudo quanto Ele faz, o Filho faz também.* Jesus veio ao mundo para cumprir a vontade do Pai, para realizar a agenda do Pai e, nesse sentido, Ele é absolutamente submisso ao Pai. Não há divergência nem conflito entre a vontade do Pai e Sua vontade. Nas palavras de D. A. Carson, "o Pai inicia, envia, ordena, comissiona, concede; o Filho responde, obedece ao Pai, realiza a vontade do Pai, recebe autoridade. Nesse sentido, o Filho é o agente do Pai".[10] Fica evidente que filiação perfeita envolve perfeita identidade de vontade e ação com o Pai. Alguém que pode fazer o que o Pai faz deve ser tão grande quanto o Pai e tão divino quanto Ele.

Em terceiro lugar, *o Filho tem o amor do Pai* (5.20). *Porque o Pai ama o Filho e mostra-Lhe tudo o que Ele mesmo faz; e Lhe mostrará obras maiores que estas, para que vos admireis.* O amor do Pai pelo Filho é único,

---

[8]HENDRIKSEN, William. *João*, p. 261.
[9]SWINDOLL, Charles. *Insights on John*, p. 115-116.
[10]CARSON, D. A. *O comentário de João*, p. 252.

singular, incomparável. É o amor eterno, pleno e perfeito que existe entre as pessoas da Trindade. Não há conflito nem disputa entre as pessoas da Trindade. Elas são movidas pelo mesmo amor e trabalham juntas com a mesma motivação.

Em quarto lugar, *o Filho dá vida aos mortos espirituais* (5.21,25). Jesus se apresenta como o doador da vida, Aquele que vivifica os mortos. Aqui não se trata da ressurreição física, mas da ressurreição espiritual. O homem sem Deus está morto em seus delitos e pecados (Ef 2.1). Somente Jesus pode dar vida aos mortos espirituais. Só em Cristo os pecadores podem sair da morte para a vida. Só Jesus pode curar os moralmente incapacitados. Somente Ele pode erguer as almas de sua morte espiritual. É a voz do Filho de Deus, ou seja, Sua Palavra (5.24; 6.63,68; 11.43) que chama os mortos, *e os que a ouvirem viverão*. De acordo com F. F. Bruce, Jesus não está dizendo que é simplesmente um instrumento nas mãos de Deus para restaurar os mortos à vida, como o foram Elias e Eliseu; Ele afirma ter recebido autoridade para erguer os mortos não somente para voltarem a esta vida mortal, mas para receberem a vida da era vindoura. Ele não somente está prometendo a vida eterna aos que nEle creem (3.5,16,36), mas Ele exerce a prerrogativa divina de conceder essa vida.[11] Concordo com John MacArthur quando ele diz que o tema central do evangelho de João é que Cristo veio para dar vida eterna aos mortos espirituais (1.4; 3.14-16,37; 4.14; 5.39,40; 6.27,33,35,40,47,48,51,54; 8.12; 10.10,28; 11.25; 14.6; 17.2,3; 20.31).[12]

Em quinto lugar, *o Filho é o juiz constituído pelo Pai* (5.22,23,27). Jesus declara como Seu propósito que o Filho possa ser um com o Pai não só em atividade, mas também em honra. A glorificação do Filho é precisamente o que glorifica o Pai.[13] Deus Pai constituiu Jesus como o juiz que julgará vivos e mortos. Diante do Filho de Deus terão de comparecer grandes e pequenos; todos se curvarão diante da majestade do Filho, todo joelho se dobrará diante dAquele que recebeu o nome

---

[11] BRUCE, F. F. *João: introdução e comentário*, p. 120.
[12] MACARTHUR, John. *The MacArthur New Testament commentary – John 1-11*, p. 197.
[13] CARSON, D. A. *O comentário de João*, p. 256.

sobre todo nome, e toda língua confessará que Jesus, o supremo juiz, é também o Senhor dos senhores (Fp 2.9-11). Jesus e só Jesus tem autoridade para julgar. Esse mandato, recebeu de Seu Pai.

Aparentemente existe uma tensão entre João 5.22 e 3.17. Como entender isso? D. A. Carson lança luz sobre o assunto quando escreve:

> Existe certa tensão entre 3.17 e 5.22, mas ela é mais formal que real. O Pai não envia o Filho para condenar (*krino*) o mundo, mas Ele confia todo julgamento (*krisis*) ao Filho. A solução depende em parte do campo semântico de *krino* e seus cognatos: ele pode se referir a um (geralmente judicial) princípio de discriminação, ou a uma condenação completa. João 3.17 fala do último; João 5.22 refere-se mais amplamente ao primeiro – embora, claramente, qualquer discriminação judicial resulte em alguma condenação. Mais importante, João 3.17 se refere ao *propósito* da vinda do Filho: *não* foi para trazer condenação. Em contraste, João 5.22 se refere às funções distintivas de Pai e Filho: o Pai confia todo julgamento ao Filho. Isso deixa espaço para o *propósito* da vinda do Filho ter sido primariamente salvífico (3.16,17), mesmo que todos devam enfrentá-Lo como seu juiz, e mesmo que o *resultado* inevitável de sua vinda seja que alguns serão condenados.[14]

Em sexto lugar, **o Filho tem autoridade para dar vida eterna** (5.24). Jesus proclama uma das verdades mais solenes nesse versículo. A vida eterna é oferecida a todos aqueles que ouvem sua Palavra e creem no Deus que O enviou. Esses jamais serão condenados. Ao contrário, recebem a vida eterna, uma vez que já passaram da morte para a vida. D. A. Carson destaca corretamente que o Filho curou o paralítico junto ao tanque de Betesda com Sua *palavra*, e também é Sua *palavra* que traz vida eterna (6.63,68), e purificação (15.3), ou julgamento (12.47). O crente não vai a julgamento final, mas deixa a corte já absolvido. Nem é necessário para o crente esperar até o último dia a fim de experimentar um pouco da vida da ressurreição: o crente *tem a vida eterna e não vai a julgamento, mas já passou da morte para a vida*.[15] F. F. Bruce diz

---

[14] CARSON, D. A. *O comentário de João*, p. 255.
[15] CARSON, D. A. *O comentário de João*, p. 257.

que essa antecipação do veredito favorável e da vida ressurreta resume o que, em tempos mais recentes, começamos a chamar de "escatologia realizada".[16]

Em sétimo lugar, *o Filho tem vida em si mesmo* (5.26). Jesus destaca o fato de que só Deus tem vida em si mesmo. Todos os seres que existem foram criados por Deus e, por isso, dependem de Deus. Jesus, assim como o Pai, não deriva Sua vida de ninguém. Ele é autoexistente. Está além da criação. Existe desde a eternidade. É o Pai da eternidade, o criador de todas as coisas. Mais uma vez F. F. Bruce é oportuno quando explica que o Pai não transferiu essa vida para o Filho somente quando este iniciou Seu ministério na terra, ou na encarnação; é um ato eterno, uma parte integrante do relacionamento especial entre Pai e Filho que já existia "no princípio".[17] John MacArthur tem razão ao dizer que ninguém pode dar aos outros o que falta em si mesmo. Assim, nenhum pecador pode gerar por si mesmo vida eterna nem concedê-la a outrem. Somente Deus possui vida em si mesmo, e Ele garante essa vida a todos aqueles a quem Ele quer, por meio de Seu Filho.[18]

Em oitavo lugar, *o Filho tem autoridade para ressuscitar os mortos no último dia* (5.27-29). O mesmo Jesus que tem vida em Si mesmo e autoridade para ressuscitar os mortos espirituais também tem autoridade para ressuscitar os mortos, fisicamente, no último dia. Nesse dia, quando a trombeta de Deus ressoar e quando Jesus vier em Sua majestade e glória, na companhia de Seus poderosos anjos, todos os mortos, salvos e perdidos, ouvirão Sua voz e sairão dos túmulos, uns para a ressurreição da vida e outros para a ressurreição do juízo. Jesus, pois, refere-se a duas ressurreições: uma espiritual (5.21,24,25), já experimentada agora, na era presente, pelos que nEle creem, os quais se levantam da morte para a nova vida; e uma ressurreição corporal, ainda futura. De uma e outra, porém, Ele é o autor e agente.[19] Assim, a ênfase na "escatologia realizada", nas palavras precedentes de Jesus

---

[16]BRUCE, F. F. *João: introdução e comentário*, p. 122.
[17]BRUCE, F. F. *João: introdução e comentário*, p. 122.
[18]MACARTHUR, John. *The MacArthur New Testament commentary – John 1-11*, p. 197.
[19]ERDMAN, Charles. *O evangelho de João*, p. 53.

(5.24,25), não exclui o enfoque na "escatologia futura" (5.28,29). A ressurreição de pessoas, da morte espiritual para a vida em Cristo, durante esta era, antecipa a ressurreição do corpo, no fim desta era. Há um vínculo estreito entre as duas ressurreições. O fato de que aqui e agora os mortos são vivificados quando ouvem a voz do Filho de Deus é a garantia de que Sua voz ressuscitará os mortos no último dia.[20]

Jesus confirma Sua divindade com **vários testemunhos** (5.30-47)

Depois de mostrar Sua íntima relação com o Pai, Jesus dá mais um passo e confirma Sua divindade por meio de vários testemunhos. Esse testemunho não é dado pelo ser humano, mas pelo próprio Deus. Embora João Batista tenha sido um altissonante testemunho a Seu respeito, a confirmação da pessoa e da obra de Jesus não vem da terra, mas do céu; não vem das pessoas, mas de Deus.

Em primeiro lugar, *o testemunho de Jesus não é de Si próprio* (5.30-32). Jesus não entra na História sem credenciais. Ele vem enviado pelo Pai, em nome do Pai, para fazer a vontade do Pai. O autotestemunho não tem valor (8.13). Com isso, Jesus mostra que não é um impostor, mas o Filho de Deus verdadeiro e legítimo, enviado por Deus para realizar as obras de Deus. F. F. Bruce, comentando o texto em tela, registra:

> Autotestemunho não é testemunho. Ninguém pode autenticar sua própria assinatura. Se as afirmações de Jesus fossem feitas sem a autoridade do Pai, Seus ouvintes não teriam nenhuma obrigação de aceitá-Las. Na verdade, este argumento foi levantado contra Jesus por Seus adversários, durante uma visita posterior a Jerusalém: "Tu dás testemunho de Ti mesmo, logo o Teu testemunho não é verdadeiro" (8.13). Ele não deixou a acusação sem resposta: "Posto que Eu testifico de mim mesmo, o Meu testemunho é verdadeiro" – porque é confirmado pelo testemunho do Pai (8.14,18). Esta ênfase no testemunho, desde João 1.7 é um aspecto de destaque deste evangelho, e é o assunto do restante do capítulo 5.[21]

---

[20]Bruce, F. F. *João: introdução e comentário*, p. 123.
[21]Bruce, F. F. *João: introdução e comentário*, p. 124.

Em segundo lugar, *o testemunho de João Batista* (5.33-35). Quando os judeus enviaram mensageiros a João, perguntando se ele era o Cristo, o profeta o negou de pronto. Quando viu Jesus, porém, apontou para Ele e disse: *Este é o Cordeiro de Deus que tira o pecado do mundo* (Jo 1.29). João não era o noivo, apenas o amigo do noivo. João não era a luz, apenas uma lâmpada que ardia e alumiava. As pessoas quiseram por um instante alegrar-se nEle como se Ele fosse a luz. A luz do mundo, porém, estava agora, em pessoa, diante deles, com muito mais credenciais do que João poderia fornecer.

Em terceiro lugar, *o testemunho de Suas obras* (5.36). Os milagres operados por Jesus são um testemunho de Sua divindade ainda mais eloquente do que o próprio testemunho de João. Seus milagres foram uma prova inconteste de Sua divindade. Ninguém realizou tamanhos prodígios! Essas obras realizadas por Jesus provaram que Ele, de fato, é o Filho de Deus.

Em quarto lugar, *o testemunho do Pai* (5.37,38). O próprio Pai é quem testifica acerca de Seu Filho. Os judeus nunca ouviram nem viram o Pai, porém recusaram Aquele que se fez carne e habitou entre eles, enviado pelo Pai. A Palavra de Deus jamais habitou permanentemente neles, porque eles rejeitaram deliberadamente o enviado de Deus e recusaram Seu testemunho. O testemunho do Pai acerca do Filho foi público no batismo e também na transfiguração. Quando os gregos desejaram ver Jesus, a voz divina veio novamente do céu, confirmando o testemunho do Pai ao Filho.

Em quinto lugar, *o testemunho das Escrituras* (5.39-47). Charles Erdman diz que Jesus conclui seu discurso condenando os judeus por causa dessa rejeição de Sua pessoa. Declaravam-se crentes nas Escrituras e estavam cônscios de que, rejeitando Jesus, eram leais a Moisés. Jesus, porém, declara que uma verdadeira lealdade a Moisés os levaria a aceitá-Lo, porque nas Escrituras Moisés testificara dEle. O mestre insiste que a razão da incredulidade dos judeus não é falta de evidência, e sim falta de amor a Deus.[22] Os testemunhos de Moisés e Jesus estão

---

[22] ERDMAN, Charles. *O evangelho de João*, p. 54.

inter-relacionados de tal forma que crer num implica crer no outro; rejeitar um significa rejeitar o outro.

Com Seu testemunho, Jesus não veio para anular a lei e os profetas, mas para cumpri-los (Mt 5.17). A promessa que Deus fizera através deles foi cumprida em Jesus. As Palavras do Senhor dos profetas são idênticas às palavras dos profetas. Ao rejeitarem as palavras de Jesus, seus adversários rejeitaram o testemunho de Moisés.[23] Concordo com F. F. Bruce quando ele afirma: "As Escrituras podem tornar seus leitores sábios com respeito à salvação, mas elas deixam claro que essa salvação é obtida somente *pela fé em Cristo Jesus* (2Tm 3.15).[24] John Stott diz que o Jesus autêntico deve ser encontrado na Bíblia – o livro que pode ser descrito como o retrato que o Pai fez do Filho, colorido pelo Espírito Santo. Portanto, a ignorância das Escrituras é ignorância de Cristo.[25]

Jesus está mostrando aos judeus que as Escrituras que eles julgavam ter autoridade máxima davam testemunho a Seu respeito. As mesmas Escrituras que os judeus julgavam conter a vida eterna apontavam para Jesus como o Filho de Deus. Jesus veio em nome do Pai, e os judeus o rejeitaram. Se outro tivesse vindo no próprio nome, teriam recebido. A incredulidade dos judeus não é intelectual, mas moral. Eles procuravam a glória vinda dos homens, e não a glória que vem de Deus, por isso não podiam crer. O arremate de Jesus é dado quando Ele diz aos judeus que quem os acusará perante o Pai será o próprio Moisés, em quem eles supostamente firmavam sua confiança. E Jesus é peremptório: "Se vocês cressem verdadeiramente em Moisés, creriam também em mim, pois foi Moisés quem escreveu a meu respeito". Logo, os judeus estavam rejeitando Jesus, porque não davam crédito ao testemunho de Moisés.

---

[23]Bruce, F. F. *João: introdução e comentário*, p. 129.
[24]Bruce, F. F. *João: introdução e comentário*, p. 126.
[25]Stott, John. *O discípulo radical*. Viçosa: Ultimato, 2010, p. 38.

10

Uma multidão alimentada

João 6.1-15

NO CAPÍTULO ANTERIOR, ESTÁVAMOS EM JERUSALÉM; no seguinte, estaremos outra vez na santa cidade; mas, neste capítulo, encontramo-nos na Galileia, perto do mar de Tiberíades. Esse nome foi dado por Herodes Antipas, por volta do ano 20 d.C., em homenagem ao imperador romano Tibério César. Não tardou para que o nome da cidade fosse também transferido para o lago. Daí o mar da Galileia ser conhecido também como o lago de Tiberíades.[1] Por ter curado um homem em um sábado, Jesus sofreu forte oposição dos judeus e já não podia estar seguro em Jerusalém, razão pela qual se afastou para a Galileia.[2]

O evangelista João tem um propósito bem claro nesse livro: levar seus leitores a contemplarem a pessoa e a obra de Cristo, a fim de colocarem nEle sua fé (20.31). Por isso, João seleciona alguns milagres de Jesus para reforçar seu argumento. Os únicos milagres mencionados por João registrados também nos outros evangelhos são esses narrados nesse capítulo: a multiplicação dos pães e dos peixes, e Jesus andando sobre o mar. Obviamente, esses dois milagres atendem perfeitamente ao seu propósito de enfatizar a divindade de Cristo.

---

[1] CARSON, D. A. *O comentário de João*, p. 269.
[2] ERDMAN, Charles. *O evangelho de João*, p. 54.

O milagre da multiplicação dos pães e dos peixes é o mais documentado e o mais público dos milagres. Está registrado em todos os evangelhos. Embora João omita vários detalhes do registro dos evangelhos sinóticos, oferece outros pormenores que não estão contemplados naqueles. Os evangelhos sinóticos, por exemplo, mencionam dois motivos pelos quais Jesus e Seus discípulos foram para o lado oriental do mar da Galileia. Primeiro, eles andavam muito atarefados com as demandas variegadas das multidões e nem sequer tinham tempo para comer. Segundo, estavam abatidos com a notícia trágica da morte de João Batista, por ordem do rei Herodes.

Antes da multiplicação de pães e peixes por Jesus, os sinóticos ainda nos informam que Ele curou seus enfermos (Mt 14.14) e falou a eles sobre o reino de Deus (Lc 9.11), porque estava movido de profunda compaixão, já que eram como ovelhas sem pastor (Mc 6.34).

Warren Wiersbe diz que, com respeito ao milagre da multiplicação dos pães e dos peixes, foram propostas quatro soluções. Em primeiro lugar, os discípulos sugeriram que Jesus mandasse o povo embora (Mc 6.35). A segunda solução veio de Filipe, em resposta ao "teste" de Jesus: juntar dinheiro suficiente para comprar pão para o povo (6.5-7). A terceira sugestão veio de André, mas ele não estava seguro de como o problema seria resolvido (6.8,9). A quarta solução foi apresentada por Jesus: a verdadeira solução (6.10-13).[3]

Sete verdades devem ser destacadas nesse sentido, como veremos a seguir.

Uma **necessidade** a ser **suprida** (6.1-4)

O cansaço físico e o esgotamento emocional sinalizam a necessidade do descanso. É nesse contexto que os discípulos saem com Jesus para um lugar deserto, com o propósito de descansarem. Eles vão para o lado oriental do lago, região conhecida como as montanhas de Golã. Ao desembarcarem, porém, uma numerosa multidão segue Jesus, porque tinham visto os sinais que Ele fazia na cura dos enfermos.

---
[3]WIERSBE, Warren W. *Comentário bíblico expositivo*. Vol. 5, p. 398.

O evangelista João contextualiza esse trecho bíblico na proximidade da Páscoa e do célebre sermão de Jesus sobre o pão da vida. Os milagres de Jesus são pedagógicos. Jesus estava multiplicando os pães para ilustrar a gloriosa verdade de que Ele é o pão da vida.

A multidão que desabala de Cafarnaum e arredores para encontrar Jesus naquela região deserta não O busca movida pela fé genuína. Ela o vê apenas como um operador de milagres. Busca-O apenas como alguém que pode ajudá-la em suas necessidades imediatas. Mesmo assim, os evangelhos sinóticos dizem que Jesus sentiu compaixão dessa multidão, pois eram como ovelhas sem pastor. Ele passou a ensiná-los e a curar seus enfermos. Dessa forma, Jesus nos ensina que ele, como divino provedor, se importa com nossas necessidades e nos atende segundo sua imensa bondade.

Uma **visão** a ser **compreendida** (6.5-7)

Antes mesmo de a grande multidão chegar, Jesus já tinha visto suas necessidades e decidido supri-las. Ele sabia que as pessoas estavam exaustas e sem rumo, como ovelhas sem pastor. E sabia que precisavam ser alimentadas.

Jesus, entretanto, aproveita a ocasião para colocar Filipe em prova. Então lhe pergunta: *Onde compraremos pães para que comam?* Filipe, com sua mente pragmática, responde: "Senhor, o problema não é onde, mas como. Para atender essa grande multidão, era preciso ter pelo menos 200 denários. Esse dinheiro nós não temos". Filipe era bom em economia. Sabia muito bem calcular valores para constatar que havia um gritante abismo entre a receita e as despesas. Mas no quesito fé ele estava reprovado, pois não tinha nenhuma visão espiritual. Ele só viu o problema, mas não divisou a solução. Só viu a limitação humana, mas não a onipotência divina.

D. A. Carson diz corretamente que a resposta de Filipe revela o fato de que ele pode pensar somente na esfera do mercado, o mundo natural. Um *denarius* era o pagamento de um dia para um trabalhador comum; 200 *denarii*, portanto, representavam oito meses de salário.[4] Na mente

---
[4]CARSON, D. A. *O comentário de João*, p. 271.

pragmática de Filipe, eles estavam lidando com um problema sem solução. Havia uma multidão faminta, num lugar deserto, numa hora avançada, sem comida, sem dinheiro e sem lugar para comprar alimento.

Um **déficit humano** a ser **superado** (6.8,9)

André, irmão de Pedro, entra em cena para informar a Jesus que, no meio da multidão, havia um rapaz com uma pequena provisão de cinco pães de cevada e dois peixinhos. Mas ele mesmo, tomado pela lógica, deu seu parecer: [...] *mas o que é isso para tanta gente?* Os pães nem sequer eram de trigo. Eram pães de cevada, um produto agrícola usado na época para alimentar os animais. Somente o quarto evangelho especifica que eram pães de cevada, o pão barato das classes mais pobres.

F. F. Bruce diz que os outros evangelistas usam a palavra comum para "peixe" (*ichthys*), mas João os chama de *opsaria*, indicando que eram peixes pequenos (talvez salgados) que davam um gosto especial aos pães de cevada. Pelo tamanho da multidão, essa pequena refeição dificilmente era digna de nota. André a mencionou apenas para mostrar que não havia o suficiente para tantas pessoas famintas. Mas para o propósito do Senhor ela era suficiente.[5]

Se Filipe acentua a falta de dinheiro para alimentar a multidão, André destaca a pequena provisão disponível para alimentar tanta gente. Nenhum dos dois conseguiu discernir a disposição de Jesus para resolver o problema. Quando olhamos para a insignificância dos nossos recursos e a grandeza dos desafios, ficamos desesperados. Jamais poderemos atender à demanda das multidões se nos fiarmos em nossos próprios recursos.

O milagre de Deus ocorre quando o homem decreta sua falência. Eles tinham um déficit imenso. Era um orçamento desfavorável: cinco pães e dois peixes para alimentar uma grande multidão. O rapaz entregou seu lanche a André, que o levou a Jesus, e Jesus então o multiplicou. Não podemos fazer o milagre, mas podemos levar o que temos às mãos de Jesus. Concordo com Charles Swindoll quando ele diz que Deus não nos chama para prover para Sua obra. Essa é a responsabilidade dEle.

---

[5]BRUCE, F. F. *João: introdução e comentário*, p. 131.

Deus nos chama para colocarmos em Suas mãos o que nós temos, ainda que sejam apenas alguns pães e peixes, e Ele cuidará da multiplicação.[6]

Uma **organização** necessária (6.10)

Antes de realizar o milagre da multiplicação, Jesus mandou a multidão assentar-se. O milagre divino não dispensa a organização humana. A obra de Deus precisa ser feita com ordem e decência. Uma multidão sem organização pode causar imensos transtornos. Sobretudo, uma multidão faminta como aquela.

Uma **multiplicação** generosa (6.11)

Jesus opera o milagre valendo-Se do pouco que eles tinham. O pouco nas mãos de Jesus é uma provisão suficiente para uma grande multidão. Há um ritual seguido por Jesus: Ele toma os pães e os peixes e dá graças; Ele os entrega aos discípulos, que os repartem com a multidão. A multidão come a fartar. Nenhuma necessidade. Nenhuma escassez de provisão. Jesus tem pão com fartura. Aquele que se alimenta dEle não tem mais fome. Ele satisfaz plenamente. Assim como Deus alimentou o povo com maná no deserto, agora Jesus está alimentando a multidão. O mesmo Deus que multiplicou o azeite da viúva está agora multiplicando pães e peixes. O mesmo Jesus que transformou a água em vinho está agora exercendo o Seu poder criador para multiplicar os pães e os peixes. O milagre da multiplicação é da economia de Cristo; a obra da distribuição é da responsabilidade dos discípulos. Jesus sempre tem pão com fartura para os famintos; cabe-nos, porém, a sublime tarefa de alimentá-los! Somos cooperadores de Deus. O milagre vem de Jesus, mas nós o repartimos com a multidão. Não temos o pão, mas o distribuímos a partir das mãos de Jesus.

Foram cinco mil homens, além de mulheres e crianças alimentadas com pães e peixes (Mt 14.21). Esses cinco mil formariam um exército guerrilheiro à mão de quem quisesse tornar-se seu líder, e

---

[6]SWINDOLL, Charles. *Insights on John*, p. 134.

o versículo 15 dá a entender que um líder era exatamente o que eles estavam procurando.[7]

Uma **mordomia** necessária (6.12,13)

A fartura da provisão não autoriza o desperdício da sobra. Concordo com as palavras de William Hendriksen: "Os recursos infinitos não são desculpa para desperdício. O desperdício é pecado".[8] Quando o Senhor supre as necessidades do Seu povo, há abundância, mas não desperdício. Depois que todos se fartaram, Jesus ordenou que os discípulos recolhessem os pedaços que haviam sobrado, para que nada se perdesse. Os discípulos recolheram doze cestos cheios de pães de cevada, um cesto para cada discípulo. Com isso, o Senhor nos ensina que, mesmo havendo fartura, o desperdício jamais é permitido.

O dom de Deus não deve ser desperdiçado. O pão é fruto da graça de Deus, e não podemos jogar fora a graça de Deus. O que sobeja precisa ser aproveitado.

Hoje temos mais de sete bilhões de habitantes no planeta. Mais de um bilhão de pessoas vão para a cama com o estômago roncando de fome. O problema do mundo não é falta de provisão, mas a distribuição injusta. O que falta no mundo não é pão, mas compaixão. O que é desperdiçado na mesa do rico é o alimento que falta na mesa do pobre. Em vez de desperdiçar o pão que sobra em nossa mesa, deveríamos recolhê-lo e reparti-lo com os famintos.

Uma **tentação** perigosa (6.14,15)

Quando a multidão viu o sinal que Jesus fizera, declarou entusiasmada ser Ele o profeta que deveria vir ao mundo. Alimentados por suas esperanças messiânicas, de um reino terreno e político, resolveram arrebatá-lo com o intuito de O proclamarem rei. Concordo com William Hendriksen quando ele diz que o presente capítulo revela, talvez mais claramente do que qualquer outra porção das Escrituras, o tipo de

---

[7] BRUCE, F. F. *João: introdução e comentário*, p. 131.
[8] HENDRIKSEN, William. *João*, p. 293.

Messias que o povo queria, ou seja, alguém que tudo fizesse a fim de suprir as necessidades físicas do povo e tivesse poder para tanto.[9]

D. A. Carson destaca um ponto importante: o número total de pessoas pode muito bem ter ultrapassado vinte mil. À luz do versículo 15, em que o povo tenta tornar Jesus rei à força, é fácil pensar que, pelo menos em João, a especificação dos cinco mil homens é uma forma de chamar a atenção para uma potencial força de guerrilha formada por recrutas dispostos e capazes de servir ao líder certo.[10] F. F. Bruce descreve essa situação da seguinte forma:

Jesus já demonstrara Seu poder de curar doenças; agora mostrara poder também para expulsar a fome. Se agora Ele mostrasse Seu poder de libertar Seu povo, nada O poderia deter. Este certamente era o líder que eles estavam esperando; com Ele como general e rei, vitória e paz estavam garantidas. Se Ele não tomava a iniciativa de apresentar-Se como líder, eles O levariam a fazê-Lo. Porém, Jesus viu na atitude deles uma reincidência das Suas tentações do deserto. Ele sabia que não seria desta maneira que deveria cumprir a vontade de Seu Pai e conquistar a libertação do Seu povo. Por isso, evitou a multidão, retirando-Se para as colinas de Golã.[11]

Não apenas sua fé em Jesus era insuficiente, mas também suas esperanças sobre o futuro eram infundadas. Charles Erdman diz que a fé em Jesus atingira o auge naquele povo, mas não era verdadeira fé; era apenas aquela crença de ser Ele um realizador de milagres, como se viu na Judeia. As multidões eram levadas, por essa crença, a esperar uma série de prodígios que acudiriam o povo em seus sofrimentos físicos e nas aperturas sociais em que ele vivia, e ainda lhe assegurariam independência política. No dia seguinte, essa crença foi submetida à prova, revelando-se enganosa.[12]

Percebendo que essa bandeira levantada pela multidão não era o propósito de Sua vinda e que isso seria uma tentação para Seus

---

[9] HENDRIKSEN, William. *João*, p. 284.
[10] CARSON, D. A. *O comentário de João*, p. 271.
[11] BRUCE, F. F. *João: introdução e comentário*, p. 133.
[12] ERDMAN, Charles. *O evangelho de João*, p. 56.

discípulos, Jesus Se retirou sozinho para o monte. Os outros evangelistas nos informam que primeiro Jesus compeliu os discípulos a embarcarem para o outro lado do mar, enquanto Ele mesmo ficou despedindo as multidões. Só então Jesus se retirou para o monte a fim de orar e orar pelos Seus discípulos, que enfrentariam uma terrível tempestade!

11
Um mar **revolto**
acalmado

João 6.16-21

O DIA JÁ ESTAVA DECLINANDO quando os discípulos entraram no barco, por ordem de Jesus. Para trás haviam ficado a multidão e Jesus. Já que Jesus decidiu não acompanhar os discípulos, eles esperavam, no mínimo, fazer uma viagem segura de volta para casa. O coração dos discípulos ainda deveria estar exultando de entusiasmo por terem contemplado um milagre tão esplêndido. O barco em que atravessavam o mar levava a rebarba da multiplicação, os doze cestos cheios.

Logo que começaram a viagem rumo a Cafarnaum, algo estranho começa a acontecer. O tempo muda repentinamente. O vento encurralado pelas montanhas de Golã de um lado e pelas montanhas da Galileia do outro levanta as ondas que açoitam o frágil batel dos discípulos. A embarcação oscila de um lado para o outro sem obedecer a nenhum comando. O perigo é iminente. A ameaça é real. O naufrágio parecia inevitável.

Esse episódio nos enseja algumas lições, que vemos a seguir.

Quando Jesus **parece demorar** (6.16,17)

Os discípulos não voltam a Cafarnaum por conta própria. Eles foram compelidos a entrar no barco e atravessar o mar. Jesus não pediu, não sugeriu nem aconselhou os discípulos a passarem para o outro lado do mar. Ele os compeliu e os obrigou (Mc 6.45). Os discípulos não tinham opção; deviam obedecer. E, ao obedecerem, foram empurrados para o olho de uma avassaladora tempestade. Como entender isso? Por que Jesus permite que sejamos apanhados de surpresa por situações adversas? Por que Jesus nos empurra para o epicentro da crise? Por que somos sacudidos por vendavais maiores que nossas forças? Por que acidentes trágicos, perdas dolorosas e doenças graves assolam aqueles que estão fazendo a vontade Deus?

É mais fácil aceitar que a obediência sempre nos leva aos jardins engrinaldados de flores, e não à fornalha da aflição. É mais fácil aceitar que a obediência nos livra da tempestade, e não que ela nos arrasta para as torrentes mais caudalosas. A existência de problemas, porém, não significa que estamos fora do propósito de Deus, nem que Deus está indiferente à nossa dor. Na verdade, a vida cristã não é uma sala *vip* nem uma estufa espiritual. A vida cristã não é um paraíso na terra, mas um campo de lutas renhidas. A diferença entre um salvo e um ímpio não é o que acontece a ambos, mas o fundamento sobre o qual cada um constrói sua vida. Jesus disse que o insensato constrói sua casa na areia, mas o sábio a edifica sobre a rocha. Sobre ambas as casas, cai a mesma chuva no telhado, sopra o mesmo vento na parede e bate o mesmo rio no alicerce. Uma casa cai, e a outra permanece de pé. O que diferencia uma casa da outra não são as circunstâncias, mas o fundamento. Um cristão enfrenta as mesmas intempéries que as demais pessoas, mas a tempestade não o destrói; antes, revela a solidez da sua confiança no Deus eterno.

Davi foi ungido rei sobre Israel em lugar de Saul. Mas a unção, longe de levá-lo ao palácio, levou-o às cavernas úmidas e escuras. A insanidade de Saul levou-o a perseguir Davi por todos os cantos de Israel. As perseguições de Saul eram apenas ferramentas pedagógicas de Deus para preparar Davi para o trono. Na verdade, Deus estava tirando Saul do coração de Davi antes de colocar Davi no trono de Saul. O sofrimento é a escola superior do Espírito Santo que nos ensina as maiores lições da vida. As tempestades não vêm para nos destruir, mas para nos fortalecer. As tempestades não são uma negação do amor divino, mas uma oportunidade para experimentarmos o livramento amoroso de Deus.

Não fique desanimado por causa das tempestades da sua vida. Elas podem ser inesperadas para você, mas não para Deus. Elas podem estar fora do seu controle, mas não do controle do Altíssimo. Você pode não entender a razão por trás delas, mas pode ter certeza de que são instrumentos pedagógicos de Deus na sua vida.

Somos informados pelo evangelista Marcos que Jesus despediu os discípulos antes de despedir a multidão (Mc 6.45). A pergunta é: Por quê? Pelo menos por duas razões, que explicamos a seguir.

Primeiro, *para livrá-los de uma tentação*. João nos informa que a intenção da multidão era fazê-Lo rei (6.14,15). Jesus estava poupando os Seus discípulos dessa tentação, ou seja, de uma visão distorcida da sua missão. Os doze não estavam prontos para enfrentar esse tipo de teste, visto que sua visão do reino era ainda muito nacional e política.[1] Jesus não Se curvou à tentação da popularidade; antes, manteve-Se em Seu propósito e resistiu à tentação por meio da oração.

Segundo, *para interceder por eles na hora da prova*. Jesus não tinha tempo para comer (Mc 3.20), mas tinha tempo para orar. A oração era a própria respiração de Cristo.[2] Jesus estava no monte orando quando viu os discípulos em dificuldade (Mc 6.48). O Senhor nos vê quando a tempestade nos atinge. Não há circunstância que esteja fora do alcance de sua intervenção. Os nossos caminhos jamais estão escondidos aos Seus olhos. Ele está junto ao trono do Pai, intercedendo por nós. Segundo Dewey Mulholland, Jesus orou por duas razões fundamentais: Ele estava preocupado com a falta de entendimento dos discípulos sobre Sua identidade e com a falta de compaixão deles para com as muitas ovelhas sem pastor.[3]

João nos informa: *Havia escurecido, e Jesus ainda não havia ido encontrá-los* (6.17). Isso nos faz crer que Jesus deve ter prometido ir ao encontro deles sem tardança. Enquanto havia uma nesga de luz sobre a superfície do lago, eles olhavam esperando a vinda de Jesus. Contudo,

---

[1] WIERSBE, Warren W. *Be Diligent*, p. 66.
[2] HENDRIKSEN, William. *Marcos*, p. 331.
[3] MULHOLLAND, Dewey M. *Marcos: introdução e comentário*, 2005, p. 111.

a noite já cobria a região com suas asas, e Jesus ainda não havia chegado. Talvez nenhum fato nos deixe mais aflitos do que lidarmos com a demora de Jesus. Como reconhecer o amor de Deus se, na hora da nossa maior angústia, ele não chega para nos socorrer? Como entender o poder de Deus com a perpetuação da crise que nos asfixia? Como conciliar a fé no Deus que intervém quando o mar da nossa vida fica cada vez mais agitado, a despeito de todos os nossos esforços? Como conciliar o amor de Deus com o nosso sofrimento? Como aliançar a providência divina com Sua demora em atender ao nosso clamor? Essa certamente foi a maior tempestade que os aflitos discípulos enfrentaram no fragor daquele mar revolto.

Esse foi o drama vivido pela família de Betânia. Quando Lázaro ficou enfermo, Marta e Maria mandaram um recado para Jesus: *Senhor, aquele a quem amas está doente* (11.3). Quem ama tem pressa em socorrer a pessoa amada. Quem ama se importa com o objeto do seu amor. As irmãs de Lázaro tinham certeza de que Jesus viria socorrê-las. Certamente as pessoas perguntavam a elas: "Será que Jesus ama mesmo vocês? Será que Ele virá curar Lázaro? Será que vai chegar a tempo?" A todas essas perguntas perturbadoras, Marta deve ter respondido com segurança: "Certamente Ele vem. Ele nunca nos abandonou. Ele nunca nos decepcionou". A certeza foi substituída pela ansiedade, esta pelo medo, e este pela decepção. Lázaro morreu, e Jesus não chegou. Marta ficou engasgada com essa dolorosa e constrangedora situação. Quatro dias se passaram depois do sepultamento de Lázaro. Só então Jesus chegou. Marta correu ao seu encontro e logo despejou sua dor: *Senhor, se estivesses aqui, meu irmão não teria morrido* (11.21). A demora de Jesus havia aberto uma ferida na sua alma. Sua expectativa de livramento fora frustrada. Sua dor não fora tratada. Suas lágrimas não foram enxugadas. A vida do seu irmão não fora poupada. Marta estava tão machucada que não pode mais crer na intervenção sobrenatural de Jesus (11.39,40). Antes de censurar Marta, deveríamos sondar o nosso coração. Quantas vezes as pessoas nos ferem com perguntas venenosas: "O seu Deus, onde está? Se Deus se importa com você, por que você está passando por problemas? Se Deus ama você, por que você está doente? Se Deus satisfaz todas as suas necessidades, por que você está sozinho, nos braços da solidão? Se Deus é bom, por que ele não poupou você ou a pessoa que você ama daquele trágico acidente? Se Deus é o Pai de amor, por que a pessoa que você ama foi arrancada dos seus braços pelo divórcio ou pela morte?" Muitas vezes, o maior drama que enfrentamos não é a tempestade, mas a demora de Jesus em vir nos socorrer. Além da tempestade, curtimos a solidão e o sentimento do total abandono.

Talvez, enquanto lê essas páginas, você esteja cruzando o mar encapelado da vida e as ondas estejam passando por cima da sua cabeça. Talvez você esteja orando por um assunto há muitos anos e, quanto mais você ora, mais a situação se agrava. Talvez o seu sonho mais bonito esteja sendo adiado há anos e você ainda não ouviu nenhuma resposta ou explicação de Deus.

Jesus, na verdade, não estava longe nem indiferente ao drama dos Seus discípulos; Ele estava no monte orando por eles (Mc 6.46-48). Quando você pensa que o Senhor está longe, na verdade Ele está trabalhando a seu favor, preparando algo maior e melhor para você. Ele não dorme nem cochila, mas trabalha para aqueles que nEle esperam. Ele não chega atrasado, nem a tempestade está fora do Seu controle. Jesus não chegou atrasado a Betânia. A ressurreição de Lázaro foi um milagre mais notório do que a cura de um enfermo. Caro leitor, acalme o Seu coração; Jesus sabe onde você está, como você está e para onde Ele o levará.

Quando as circunstâncias **fogem do nosso controle** (6.18)

À beira da noite, quando os discípulos estavam no meio do mar, a tempestade chega, e o vento rijo começa a soprar. Os discípulos tentam remediar a situação. Alguns deles eram pescadores. Conheciam como ninguém aquele lago de 21 quilômetros de comprimento por 14 quilômetros de largura. O mar da Galileia tem uma peculiaridade: fica cerca de 180 metros abaixo do nível do mar, encurralado pelas montanhas de Golã do lado oriental e pelas montanhas da Galileia do lado ocidental. O ar frio vindo dos planaltos, a sudeste, e, sobretudo, do monte Hermom, ao norte, pode entrar de repente para deslocar o ar úmido e aquecido sobre o lago, agitando a água em uma violenta tempestade.[4]

---

[4] CARSON, D. A. *O comentário de João*, p. 276.

Apanhados de surpresa por uma tempestade indomável, os discípulos tentam, em vão, controlar a situação. Quanto mais se esforçam, porém, mais o mar se agiganta. Aquilo que lhes parecia doméstico torna-se um monstro indomável. O barco começa a encher de água. O pavor começa a tomar conta dele. As circunstâncias mostram sua carranca. A morte, e não Cafarnaum, parecia ser o seu destino.

Quando o **medo é infundado** (6.19)

Diz o evangelista Mateus que, na quarta vigília da noite, Jesus veio ter com os discípulos (Mt 14.25). Isso significa que já passava das três horas da madrugada. Todos os recursos humanos já haviam se esgotado. Todas as tentativas haviam sido inúteis.

Quando já estavam nocauteados pelo problema, com a esperança morta, eles viram Jesus andando sobre o mar, aproximando-se do barco. Em vez de trazer-lhes conforto e segurança, essa visão agravou ainda mais seu tormento. Eles ficaram possuídos de temor. No monte da multiplicação, não discerniram o poder criador de Jesus para alimentar os famintos e agora, no mar, não discernem o poder de Jesus para dominar a criação.

Jesus vai ao encontro dos discípulos quando todas as esperanças humanas já haviam chegado ao fim. Caminha sobre o mar, para mostrar a eles que aquilo que os ameaçava estava literalmente debaixo de Seus pés. Os nossos problemas estão debaixo dos pés de Jesus. Eles podem ser maiores do que nossas forças e desafiar nossos limites, mas estão debaixo dos pés de Jesus. O temor dos discípulos era absolutamente infundado. Temeram o que devia inspirar neles a maior confiança. Temeram aquele que trazia para eles o livramento da morte.

Destacamos a seguir algumas lições.

Em primeiro lugar, *Jesus sempre vem ao nosso encontro na hora da tempestade*. Jesus não chegou atrasado no mar da Galileia. O Seu socorro veio na hora oportuna. Aquela tempestade só tinha uma finalidade: levar os discípulos a uma experiência mais profunda com Jesus. As tempestades não são autônomas nem chegam por acaso. Elas estão na agenda de Deus. Fazem parte do currículo de Deus para nossa vida. Não aparecem simplesmente; são enviadas pela mão da providência.

É conhecida a expressão usada pelo poeta inglês William Cowper: "Por trás de toda providência carrancuda, esconde-se uma face sorridente".

As tempestades não vêm para nos destruir, mas para nos fortalecer. As tribulações são recursos pedagógicos de Deus para nos levar à maturidade. Os discípulos conheceram Jesus de forma mais profunda depois daquele livramento. Deus não quer que você tenha uma experiência de segunda mão.

Semelhantemente, Jesus não chegou atrasado na aldeia de Betânia. Ele sabia o que estava prestes a realizar. A ressurreição de Lázaro já estava em sua agenda. Jesus também sabe a crise que chegou à sua vida, caro leitor. Ele sabe a dor que assalta o seu peito. Ele vê as suas lágrimas. Está perto de você nas madrugadas insones e nas longas noites sem dormir. Sonda o latejar da sua alma agonizante. E vai ao seu encontro para o socorrer, estender-lhe a mão, acalmar os torvelinhos da sua alma e as tempestades da sua vida.

Em segundo lugar, *Jesus vem ao nosso encontro na hora em que nossos recursos acabam*. O evangelista Mateus nos informa que Jesus foi ao encontro dos discípulos na quarta vigília da noite. A noite era dividida pelos judeus em quatro vigílias: a primeira, das 6 horas da tarde às 9 horas da noite; a segunda, das 9 horas da noite à meia-noite; a terceira, da meia-noite às 3 horas da madrugada; e a quarta, das 3 horas da madrugada às 6 horas da manhã. Aqueles discípulos entraram no mar ao cair da tarde. Ainda era dia quando chegaram ao meio do mar (Mc 6.47). De repente, o mar começou a agitar-se, varrido pelo vento forte que soprava (6.18), e o barco foi açoitado pelas ondas (Mt 14.24). Eles remaram com todo o empenho do cair da tarde até as 3 horas da madrugada e ainda estavam no meio do mar, no centro dos problemas, no lugar mais fundo, mais perigoso, sem sair do lugar.

Às vezes, temos a sensação de que os nossos esforços são inúteis. Remamos contra a maré. Esforçamo-nos, choramos, clamamos, jejuamos, mas o perigo não se afasta. Nessas horas, os problemas tornam-se maiores que as nossas forças. Sentimo-nos esmagados debaixo dos vagalhões. Perdemos até mesmo a esperança do salvamento (At 27.20). Mas, quando tudo parece perdido, quando chega a hora mais escura, a madrugada da nossa história, Jesus aparece para pôr fim à nossa crise.

O Senhor não vem quando desejamos; Ele vem quando necessitamos. O tempo de Deus não é o nosso. Deus não livrou os amigos de Daniel da fornalha; livrou-os na fornalha. Deus não livrou Daniel da cova dos leões; livrou-o na cova. Deus não livrou Pedro da prisão, mas na prisão.

Em terceiro lugar, *Jesus vem ao nosso encontro caminhando sobre o mar*. Os discípulos esperavam com ansiedade o socorro de Jesus, mas, quando ele veio, eles não o discerniram. Aquela era uma noite trevosa. O mar estava coberto por um manto de total escuridão. Ocasionalmente os relâmpagos luzidios riscavam os céus e despejavam um faixo de luz sobre as ondas gigantes que faziam o barco rodopiar. Exaustos, desesperançados e cheios de pavor, num desses lampejos, os discípulos enxergam uma silhueta caminhando resolutamente sobre as ondas. Assustados e tomados de medo, gritam: "É um fantasma!"

Eles esperavam por Jesus, mas não de maneira tão estranha. O Senhor vem a eles de forma inusitada, andando sobre as ondas. Não apenas a tempestade era pedagógica, mas também o era a maneira como Jesus chega aos discípulos.

Esse episódio nos ensina duas grandes lições: A primeira é que as as ondas que nos ameaçam estão literalmente debaixo dos pés de Jesus. O mar era um gigante imbatível, e as ondas suplantavam toda a capacidade de resistência dos discípulos. Eles estavam impotentes diante daquela tempestade. Somos absolutamente impotentes para lidar com as forças da natureza. As ondas gigantes do *tsunami* desafiaram as fortalezas humanas e levaram mais de duzentas mil pessoas à morte na Ásia em 26 de dezembro de 2004. O furacão Katrina, vindo do golfo do México, assolou a costa americana e inundou a rica cidade de New Orleans em 2005. Tempestades, terremotos, tufões e furacões deixam as grandes e poderosas nações absolutamente impotentes. Assim são os problemas que nos assaltam. São maiores que as nossas forças. Mas aquilo que era maior do que os discípulos e que conspirava contra eles estava literalmente debaixo dos pés do Senhor Jesus. Ele é maior do que os nossos problemas. As tempestades da nossa vida podem estar fora do nosso controle, mas não fora do controle de Jesus. Ele calca sob seus pés aquilo que se levanta contra nós. Talvez você esteja lidando com um problema que tem o desafiado há anos. Suas forças já se esgotaram.

Quem sabe já se dissipou no seu coração toda esperança de salvamento: seu casamento está afundando, sua empresa está falindo, sua saúde está abalada. Você fez tudo o que podia fazer, mas seu barco continua rodopiando no meio do mar, no lugar mais fundo e mais perigoso. Nessas horas, é preciso saber que Jesus vai ao seu encontro pisando sobre essas ondas. O perigo que o ameaça está debaixo dos pés do Senhor. Ele é maior do que todas as crises que conspiram contra você. Diante dEle, todo joelho se dobra. Diante dEle, até as forças da natureza se rendem. Ele tem todo poder e toda autoridade no céu e na terra.

A segunda lição é que Jesus faz da própria tempestade o caminho para chegar à sua vida. Ele não apenas anda sobre a tempestade, mas a torna a estrada para ter acesso à sua vida. Muitas vezes, o sofrimento é a porta de entrada de Jesus em nosso coração. Ele usa até os nossos problemas para aproximar-se de nós. O profeta Naum diz que o Senhor tem o seu caminho na tormenta e na tempestade (Na 1.3). Mais pessoas encontram-se com o Senhor nas noites escuras da alma do que nas manhãs radiosas de folguedo. As mais ricas experiências da vida são vivenciadas no vale da dor. Com certeza, os caminhos de Deus não são os nossos. Eles são mais altos e mais excelentes!

Quando Jesus **aquieta a alma aflita** (6.20)

A primeira Palavra de Jesus não foi ao vento nem ao mar, mas aos discípulos. Antes de acalmar a tempestade, Ele acalmou os discípulos. Antes de aquietar o vento, Ele fez serenar a alma dos discípulos. Jesus mostrou que a tempestade que estava dentro deles era maior do que a tempestade que estava fora deles. A tempestade da alma era mais avassaladora do que a tempestade das circunstâncias. O problema interno era maior que o externo. Jesus compreendeu que o maior problema deles não era circunstancial, mas existencial; não eram os fatos, mas os sentimentos.

Jesus disse aos assustados discípulos: *Sou eu; não temais* (6.20). Antes de mudar o cenário que rodeava os discípulos, Jesus acalmou o coração deles. Jesus assegura que Sua presença é o antídoto para o nosso medo. Ele usa um único argumento para banir o medo dos discípulos: Sua presença com eles. Ele disse aos discípulos: *Sou eu; não temais*. A cura para o medo é a presença de Jesus. Onde Cristo está, a tempestade se aquieta, o tumulto se converte em paz, o impossível se torna possível, o insuportável se torna suportável, e as pessoas atravessam o vale do desespero sem se desesperarem. A presença de Cristo conosco é a nossa conquista da tempestade. O criador dos céus e da terra está conosco. Aquele que sustenta o universo é quem nos socorre. Jesus prometeu estar conosco todos os dias. Mesmo quando não O vemos, ele está presente. Mesmo quando a tempestade vem, Ele está no controle.

Muitas vezes, as maiores tempestades que enfrentamos não são aquelas que acontecem fora de nós, mas aquelas que agitam a nossa alma e levantam vendavais furiosos em nosso coração. Os tufões mais violentos não são aqueles que agitam as circunstâncias, mas aqueles que deixam turbulentos os nossos sentimentos. Não são aqueles que ameaçam nos levar ao fundo do mar, mas aqueles que se derretem dentro de nós como avalanches rolando impetuosamente das geleiras alcantiladas da nossa alma.

Jesus acalma os discípulos, dando-lhes uma ordem: *Não temais*. O medo embaça os olhos da alma. O medo embota o discernimento espiritual. O medo empalidece a fé. Onde reina o medo, a fé tropeça. Mas como vencer o medo? Sabendo que Jesus chegou! Que irrompeu em nossas crises. Que calca debaixo dos Seus pés os nossos problemas. Que está no controle daquilo que foge ao nosso controle. Vencemos o medo quando, mesmo surrados por rajadas de vento, ouvimos Sua ordem: *Não temais*.

Quando **Jesus vai conosco**, sempre chegamos ao nosso destino (6.21)

Jesus chegou na hora da crise mais aguda, acalmou os discípulos, acalmou o mar, entrou no barco com eles, e todos chegaram salvos e seguros ao seu destino. O destino daqueles discípulos não era o fundo do mar, mas Cafarnaum (6.17). Aqui cruzamos vales, atravessamos desertos, pisamos espinheiros, mas temos a garantia de que, ainda que enfrentemos mares revoltos, rios caudalosos e fornalhas ardentes, o Senhor está conosco para nos dar livramento e nos conduzir em triunfo ao nosso destino final.

O evangelista Marcos nos informa que, quando Jesus subiu ao barco dos discípulos, o vento cessou (Mc 6.51). Quando os discípulos receberam Jesus no barco, [...] *este logo chegou ao seu destino* (6.21). Você também chegará salvo e seguro ao seu destino. A tempestade pode ser terrível e longa. Pode até retardar a sua chegada. Mas nunca impedirá que você chegue salvo e seguro ao porto celestial.

12

Jesus, o **pão** da vida, um poderoso discurso

João 6.22-71

O MILAGRE DA MULTIPLICAÇÃO DOS PÃES foi uma ilustração viva do sermão sobre o pão da vida. Esse sermão vem na forma de três discursos de Jesus. O primeiro deles é precedido por uma interrogação dos judeus (6.22-40). O segundo vem em resposta à murmuração dos judeus (6.41-51). E o terceiro decorre de uma disputa dos judeus (6.52-59). O sermão termina com duas reações: uma negativa, quando muitos dos discípulos saem escandalizados e cheios de descrença, abandonando as fileiras de Jesus, e outra positiva, quando Pedro, em nome de seus condiscípulos, reafirma sua confiança em Cristo como o único que possui palavras de vida eterna.

Warren Wiersbe diz que, em Sua graça, Jesus alimentou o povo faminto, mas, em Sua verdade, lhe deu a Palavra de Deus. O povo queria a comida, mas não a verdade. E, no final, quase todos abandonaram Jesus e se recusaram a andar com Ele. Jesus "perdeu" Sua multidão com um único sermão![1]

---

[1] WIERSBE, Warren W. *Comentário bíblico expositivo*. Vol. 5, p. 400.

O **primeiro discurso** de Jesus resulta de uma interrogação dos judeus (6.22-40)

Quando a multidão que se alimentou dos pães e dos peixes do outro lado do mar chegou a Cafarnaum e encontrou Jesus, não vendo nenhum barco que o tivesse transportado, e movida pela curiosidade, fez a Jesus a primeira pergunta: *Rabi, quando chegaste aqui?* (6.25). Em vez de responder à pergunta feita, Jesus lança uma acusação aos interlocutores: *Em verdade, em verdade vos digo que Me buscais, não porque vistes sinais, mas porque comestes do pão e ficastes satisfeitos* (6.26). Depois da acusação solene, Jesus dá uma ordem expressa: *Trabalhai não pela comida que se acaba, mas pela comida que permanece para a vida eterna, a qual o Filho do homem vos dará. Deus, o Pai, o aprovou, pondo nEle o seu selo* (6.27). Jesus quer direcionar a atenção dos judeus, que estavam interessados apenas nas coisas terrenas, às realidades espirituais, mostrando que as coisas espirituais são mais urgentes e mais importantes do que as temporais e terrenas.

A segunda pergunta dos judeus vem como um pedido de esclarecimento: *Que faremos para realizar as obras de Deus?* (6.28). Uma vez que a ordem de Jesus era para trabalharem pela comida que não perece, eles querem saber como é que se faz esse trabalho. Jesus responde de forma surpreendente: *A obra de Deus é esta: Crede naquele que Ele enviou* (6.29). A salvação não é uma obra que fazemos para Deus, mas uma obra que Deus fez por nós. Não alcançamos a vida eterna por aquilo que fazemos para Deus, mas pela fé que depositamos no Filho de Deus, que fez tudo por nós. O ensino do evangelho de João é que a salvação é inteiramente pela graça, o dom gratuito de Deus (1.13,17,29; 3.3,5,16; 4.10,14,36,42; 5.21; 6.27,33,37,39,44,51,55,65; 8.12,36; 10.7-9,28,29; 11.25,51,52; 14.2,3,6; 15.5; 17.2,6,9.12,24; 18.9).

A terceira pergunta dos judeus é dupla: *Que sinal fazes, para que O vejamos e creiamos em Ti? Que realizas?* (6.30) e argumentam: *Nossos pais comeram o maná no deserto, como está escrito: Deu-lhes pão do céu para comer* (6.31). Jesus responde à pergunta insincera deles, corrigindo-lhes o entorpecido entendimento e dizendo que não foi Moisés quem deu a eles o pão do céu, pois o verdadeiro pão do céu só lhes é concedido pelo Pai. O pão que Moisés deu era apenas um símbolo do pão verdadeiro, aquele que desce do céu e dá vida ao mundo (6.32,33). D. A. Carson diz acertadamente que o maná do céu era, comparativamente, imperfeito: estragava com o tempo, e o povo que o comia perecia com o tempo. Uma de suas principais funções era servir como um tipo do *verdadeiro* pão do céu. Da mesma forma, a lei de Moisés, importante e verdadeira como era, seria substituída (1.16) por aquilo para o qual ela apontava, aquilo que a cumpria.[2]

Depois de interpelarem Jesus três vezes, agora os judeus fazem um pedido desprovido de entendimento: *Senhor, dá-nos sempre desse pão* (6.34). Jesus, então, faz a aberta declaração: *Eu sou o pão da vida* (6.35) e emenda com uma solene promessa: [...] *quem vem a mim jamais terá fome, e quem crê em mim jamais terá sede*. Antes, porém, de prosseguir no seu discurso, Jesus faz quatro advertências soleníssimas, como veremos a seguir.

Em primeiro lugar, *o ser humano é totalmente incapaz de ir a Cristo por si mesmo* (6.36). *Mas como já vos disse, vós Me tendes visto e mesmo assim não credes*. Jesus estava ensinando aqui que o ser humano é incapaz de crer por si mesmo. Ele vive num estado de inabilidade total. A não ser que Deus tire de seus olhos a venda e de seus ouvidos o tampão, jamais conseguirá ver e ouvir. A não ser que Deus tire seu coração de pedra, jamais terá condições de sentir. A não ser que Deus o ressuscite espiritualmente, jamais receberá vida. A inabilidade total de o ser humano buscar por si mesmo a salvação é fartamente comprovada nesse evangelho, como podemos verificar: cegueira espiritual (3.3), alienação espiritual (3.5), morte espiritual (5.25), incapacidade espiritual (6.44,63-65), escravidão espiritual (8.34,44,45), surdez espiritual (8.43-47) e ódio espiritual (15.18,24,25).[3]

Em segundo lugar, *a salvação é resultado da eleição incondicional de Deus* (6.37). *Todo aquele que o Pai me dá* [...]. A salvação não é uma escolha que nós fazemos por Deus, mas uma escolha que Deus faz por nós. Não somos nós que escolhemos Deus; é Deus quem nos escolhe. A fé não é a causa da eleição, mas sua consequência; a eleição é a mãe da fé. Só vão a Jesus aqueles que o Pai Lhe dá. O evangelista João enfatiza

---

[2]CARSON, D. A. *O comentário de João*, p. 288.
[3]LAWSON, Steven J. *Fundamentos da graça*, p. 386-393.

essa verdade em todo esse evangelho. A escolha é eterna (6.37-39). Não somos nós quem escolhemos Cristo; foi Ele quem nos escolheu (15.16). A escolha é seletiva (15.19). A escolha é possessiva (17.9).

Em terceiro lugar, *o chamado eficaz de Deus para a salvação é invencível* (6.37). *Todo aquele que o Pai me dá virá a mim* [...]. Ninguém pode ir a Cristo se isso primeiro não lhe for dado por Deus, e todo aquele que o Pai dá a Cristo irá a Ele. Ou seja, o mesmo Deus que elege é também o Deus que chama, e chama eficazmente. Steven Lawson diz que a graça irresistível ou a chamada eficaz pode ser verificada nos seguintes textos de João: somos renascidos espiritualmente (3.3-8), ressuscitados espiritualmente (5.25; 6.63), atraídos irresistivelmente (6.37,44,65), libertados poderosamente (8.32,36), convocados individualmente (10.1-5,8,27).[4]

Em quarto lugar, *a salvação dos que vão a Cristo é garantida* (6.37-40). [...] *e de modo algum rejeitarei quem vem a Mim*. Quando uma pessoa vai a Cristo, descobre que Cristo assume toda a responsabilidade por sua salvação completa e definitiva. Ele não a despede quando ela se achega nem a rejeita depois.[5] A vontade expressa do Pai é que todo aquele que procure Cristo não se perca (6.39), mas tenha a vida eterna (6.40). A salvação é obra de Deus do início ao fim. O mesmo Deus que a planejou na eternidade e a executa na história, irá consumá-la na volta de Cristo. João deixa claro esse ensino em todo o evangelho, como segue. Ele fala sobre vida eterna (3.15), salvação eterna (3.16), satisfação eterna (4.14), segurança eterna (10.27-30), sustentação eterna (6.51,58), duração eterna (11.25,26) e visão eterna (17.24).[6]

O **segundo discurso** de Jesus nasce de uma murmuração (6.41-51)

O segundo discurso de Jesus sobre o pão da vida emerge de uma murmuração dos judeus. Destacamos nesse segundo discurso de Jesus cinco pontos importantes.

---

[4]Lawson, Steven J. *Fundamentos da graça*, p. 412-421.
[5]Bruce, F. F. *João: introdução e comentário*, p. 139.
[6]Lawson, Steven J. *Fundamentos da graça*, p. 422-429.

Em primeiro lugar, *uma procedência celestial* (6.41). Os judeus passaram a murmurar sobre Jesus, tão logo este afirmou ser o pão que desceu do céu. Os judeus viam os milagres de Jesus, mas ainda não criam que Ele vinha do céu, que era o Filho de Deus, o verdadeiro pão da vida.

Em segundo lugar, *um conhecimento limitado* (6.42,43). Os judeus não tinham nenhuma dificuldade de aceitar a perfeita humanidade de Jesus; o que não conseguiam entender era sua perfeita natureza divina. Estavam certos quanto à sua família terrena, mas nada compreendiam acerca de sua procedência celestial.

Em terceiro lugar, *uma incapacidade absoluta* (6.44-46). Jesus deixa claro para os murmuradores judeus que sua incredulidade tem que ver com a eleição divina. Eles jamais poderão ir a Cristo e crer nEle por si mesmos. A menos que o Pai os conduza, jamais irão. A menos que Deus tire as vendas dos seus olhos, jamais verão. A menos que o tampão seja tirado dos ouvidos, jamais ouvirão. A menos que recebam vida do alto, jamais viverão eternamente. O ser humano possui uma incapacidade absoluta de crer, a menos que Deus opere nele a fé verdadeira. As pessoas que nunca nasceram de novo estão mortas em seus delitos e pecados, são escravas da injustiça, alienadas e hostis a Deus, espiritualmente cegas e incapazes de entender as coisas espirituais.

Em quarto lugar, *uma promessa segura* (6.47). Aqueles que o Pai leva a Jesus e nEle creem, esses têm a garantia da vida eterna. Não há salvação a não ser por intermédio da fé em Cristo. A vida eterna não é resultado do mérito, mas consequência da fé. A fé em Cristo é absolutamente suficiente para a salvação. Concordo com F. F. Bruce quando ele diz que todo aquele que crê no Filho tem a vida eterna aqui e agora, sem precisar esperar pelo último dia; Ele já antecipa as condições da época da ressurreição futura que será inaugurada pelo último dia do tempo presente.[7]

Em quinto lugar, *uma apropriação necessária* (6.48-51). Jesus agora vai direto ao ponto e afirma abertamente: *Eu sou o pão da vida* (6.48). Aqueles que comeram o maná no deserto morreram, mas aqueles que comem do pão da vida jamais morrerão, eternamente. O maná do deserto era comido com os dentes, mas o pão da vida é tomado pela fé.

---

[7]BRUCE, F. F. *João: introdução e comentário*, p. 142.

O maná era ingerido fisicamente e alimentava o estômago; o pão da vida é recebido pela fé e alimenta a alma. O pão não é apenas para ser conhecido, mas, sobretudo, para ser apropriado. Só quem se alimenta de Cristo, vive por Ele.

O **terceiro discurso** de Jesus decorre de uma disputa (6.52-59)

O terceiro discurso de Jesus brota de uma disputa dos judeus. A respeito desse discurso, damos cinco destaques a seguir.

Em primeiro lugar, *um literalismo equivocado* (6.52). A Bíblia deve ser interpretada literalmente sempre que o contexto o permitir. Aqui, entretanto, a fala de Jesus não pode ser literalista. Os judeus disputavam entre si exatamente sobre isso: [...] *Como pode ele nos dar Sua carne para comer?* É claro que comer a carne de Cristo (6.51) não é uma ação física, mas espiritual. O entendimento literalista dos judeus levou-os à repugnante ideia do canibalismo. Essa mesma equivocada interpretação deu origem à transubstanciação, doutrina romana que prega que o corpo e o sangue de Cristo, após a consagração, se transubstanciam.[8]

John Charles Ryle diz que essas palavras de Jesus não nos remetem aos elementos da ceia do Senhor, ao pão e ao vinho. Podemos participar da ceia do Senhor sem nos alimentarmos do corpo de Cristo e sem bebermos do Seu sangue. Por outro lado, podemos comer o corpo de Cristo e beber o Seu sangue sem participarmos da ceia do Senhor.[9] A carne e o sangue de Jesus significam o sacrifício de Seu corpo oferecido sobre a cruz quando Ele morreu por nós, pecadores. Representam a expiação feita pela Sua morte, a satisfação feita pelo Seu sacrifício, como nosso substituto, a redenção conquistada por Ele, por ter suportado, em Seu corpo, a penalidade do nosso pecado. Essa é a ideia fundamental que devemos ter diante dos nossos olhos.[10]

Em segundo lugar, *uma experiência pessoal necessária* (6.53). A vida de Cristo só é experimentada pelo ser humano quando este se

---

[8]MacArthur, John. *The MacArthur New Testament commentary – John 1-11*, p. 259.
[9]Ryle, John Charles. *John*. Vol. 1, p. 396.
[10]Ryle, John Charles. *John*. Vol. 1, p. 398.

apropria, pela fé, do Salvador. Não basta conhecer intelectualmente a verdade. Não basta ter conhecimento acerca de Cristo; é preciso ter intimidade com Cristo. Não basta informação; é preciso apropriação. Concordo com D. A. Carson quando ele diz que comer a carne do Filho do homem é uma forma chocante e metafórica de dizer que o dom do verdadeiro "pão da vida" de Deus (6.35) é apropriado pela fé (6.47). Nós devemos nos apropriar dEle em nosso íntimo.[11]

Essa linguagem metafórica é usada em nossos dias em outros contextos, como por exemplo: devoramos livros, bebemos preleções, engolimos histórias, ruminamos ideias, mastigamos um assunto e engolimos nossas próprias palavras.[12] John MacArthur diz corretamente que a comida não tem utilidade alguma até que você a coma. Ninguém se alimenta até que esteja com fome. Quando nos alimentamos, a comida passa a fazer parte integrante do nosso corpo. Comer é um ato pessoal; ninguém pode se alimentar por outra pessoa. Da mesma forma, ninguém pode crer por nós. Todas essas realidades podem ser aplicadas espiritualmente. E era isso o que Jesus tinha em mente![13]

Em terceiro lugar, *uma promessa segura* (6.54,55). A vida eterna agora e a ressurreição futura são garantidas a todos aqueles que comem a carne e bebem o sangue de Cristo, uma vez que sua carne é verdadeira comida, e seu sangue é verdadeira bebida. Aqueles que experimentam Cristo e se apropriam dEle pela fé têm segurança da vida eterna. F. F. Bruce diz corretamente que aqueles que comem a carne e bebem o sangue são os mesmos que O veem e nEle creem; são estes que têm a vida eterna; são estes que Ele ressuscitará no último dia. Nessas palavras estranhas, então, vemos uma metáfora poderosa e vívida para o ato de ir a Ele, crer nEle e apropriar-se dEle pela fé.[14]

Em quarto lugar, *uma união mística inseparável* (6.56, 57). Aquele que se alimenta de Cristo permanece nEle e, de igual forma, Cristo nEle permanece, de forma inseparável. Essa é a união mística que nos torna

---

[11]CARSON, D. A. *O comentário de João*, p. 280.
[12]CARSON, D. A. *O comentário de João*, p. 280.
[13]MACARTHUR, John. *The MacArthur New Testament commentary – John 1-11*, p. 257-258.
[14]BRUCE, F. F. *João: introdução e comentário*, p. 144.

um com Cristo. Morremos com Ele. Ressuscitamos com Ele. Vivemos nEle. Estamos assentados com Ele nas regiões celestes e permanecemos nEle, agora e eternamente, como o corpo está ligado à cabeça e como os ramos estão ligados à videira.

Em quinto lugar, *uma distinção esclarecedora* (6.58,59). Jesus pontua mais uma vez que Ele, o pão da vida, é totalmente diferente daquele pão que os israelitas comeram no deserto e, mesmo assim, morreram. O maná não era o verdadeiro pão, mas apenas símbolo e sombra do verdadeiro pão, que é Cristo.

Reações ao discurso de Jesus (6.60-71)

William Barclay diz que essa passagem retrata a tragédia do abandono. Houve um momento em que as multidões acudiam a Jesus em massa. Quando esteve em Jerusalém para a Páscoa, muitos viram Seus milagres e creram em Seu nome (2.23). Tantos eram os que acudiam para ser batizados por Seus discípulos que eles preferiram sair da Judeia para a Galileia (4.1-3). Em Samaria, sucederam coisas maravilhosas (4.1,39,45). Na Galileia, a multidão O havia seguido (6.2). Mas as coisas haviam mudado de tom. De agora em diante, o ódio do povo para com Jesus aumentaria até culminar na cruz.[15]

Quando Jesus terminou esse longo discurso na sinagoga de Cafarnaum (6.59), duas reações foram vistas em Seu auditório.

Em primeiro lugar, *reações negativas* (6.60-66). Muitos dos Seus discípulos julgaram o discurso de Jesus duro demais. Queriam coisas mais amenas. Desejavam uma panaceia para seus males imediatos. Buscavam apenas curas e milagres. MacArthur com razão diz que a reação identificada aqui é típica dos falsos discípulos: enquanto achavam que Jesus era a fonte de cura, comida e libertação da opressão do inimigo, eles o seguiram. Mas, quando Jesus mostrou que eles estavam falidos espiritualmente e deviam confessar seus pecados e se voltar para Ele como a única fonte de salvação, ficaram ofendidos e O abandonaram.[16]

Três foram as reações negativas, como veremos a seguir.

---

[15] BARCLAY, William. *Juan I*, p. 245.
[16] MACARTHUR, John. *The MacArthur New Testament commentary – John 1-11*, p. 269.

Decepção (6.60,61). Em vez de os ouvintes correrem apressadamente para Jesus, endureceram a cerviz e murmuraram escandalizados. Jesus não pregou para agradar Seus ouvintes; pregou para levá-los ao arrependimento. Como pregador, Jesus não transformou Sua prédica numa plataforma de relações públicas. A luz é insuportável para os olhos doentes. Os ouvintes querem as benesses de Cristo, mas nenhum compromisso com Ele. D. A. Carson resume bem a postura de decepção dos judeus:

> O que foi que ofendeu a sensibilidade dos ouvintes de Jesus? Julgando pelo discurso precedente, há quatro características na Palavra de Jesus com as quais se ofenderam. 1) Eles estavam mais interessados em comida (6.26), no messianismo político (6.14,15) e nos milagres manipuladores (6.30,31) que nas realidades espirituais para as quais o milagre da alimentação apontava. 2) Eles não estavam preparados para abandonar sua própria autoridade soberana mesmo em questões religiosas e, portanto, eram incapazes de dar os primeiros passos de fé genuína (6.41-46). 3) Eles se ofenderam particularmente com as declarações que Jesus apresentou, afirmando ser maior do que Moisés, singularmente enviado por Deus e autorizado a dar vida (6.32-58). 4) A metáfora estendida do "pão" é ela mesma ofensiva para eles, especialmente quando ataca tabus evidentes e se torna uma questão de "comer carne" e "beber sangue".[17]

Descrença (6.62-65). Jesus fala sobre Sua ascensão. Fala sobre Sua Palavra, que é espírito e vida. Mas, sendo o perscrutador dos corações, Jesus acentua que, no meio de seus ouvintes, havia descrentes e até mesmo um traidor. Mais uma vez, Jesus enfatiza aos ouvintes que só poderão ir a Ele aqueles que assim o Pai conduzir.

Abandono (6.66). Esse pesado discurso de Jesus não produziu um estupendo resultado numérico; ao contrário, provocou uma debandada geral. Jesus jamais negociou a verdade para atrair pessoas. Seu propósito era ser fiel, e não popular. Ele não buscava aplausos humanos, mas o sorriso do Pai; não sucesso na terra, mas aprovação no céu.

F. F. Bruce diz que essas pessoas queriam o que Jesus não podia dar; e o que Ele oferecia, elas não queriam receber. Foram atraídas pelos

---

[17] CARSON, D. A. *O comentário de João*, p. 301.

sinais, mas não passaram pelo teste da fidelidade. Não eram discípulos genuínos; apenas temporários. Não andavam mais com Jesus, nem tinham o mesmo espírito dEle.[18]

Warren Wiersbe destaca que, em decorrência dessa mensagem, Jesus perdeu a maioria de seus discípulos. Quase todos voltaram para sua antiga vida, sua antiga religião e sua antiga situação desesperadora. Jesus Cristo é o caminho, mas eles se recusaram a andar por ele.[19]

John Charles Ryle ressalta que os homens podem ter sentimentos, desejos, convicções, resoluções, esperanças e até sofrimentos na vivência religiosa e, ainda assim, jamais experimentar a graça salvadora de Deus. Eles podem ter corrido bem por um tempo, mas depois voltam para o mundo e se tornam como Demas, Judas Iscariotes e a mulher de Ló.[20]

Em segundo lugar, *reações positivas* (6.67-71). Em virtude da debandada geral da sinagoga de Cafarnaum, Jesus se volta para Seus discípulos. Destacamos três fatos a seguir.

Uma pergunta confrontadora (6.67). Talvez, a essa altura, os discípulos tenham pensado: "Se o mestre não aliviar o discurso, todo mundo acabará indo embora". Nesse momento, Jesus se volta para os doze e pergunta: *Vós também quereis retirar-vos?* Longe de mudar o rumo de sua mensagem, Jesus a endurece ainda mais, confrontando Seus discípulos mais próximos.

Uma confissão confiante (6.68,69). Pedro responde pelo grupo, dizendo que eles não teriam outro para seguir: *Senhor, para quem iremos? Tu tens as palavras de vida eterna. E nós cremos e sabemos que tu és o Santo de Deus.* Pedro confessa que só Jesus tem as palavras de vida eterna e reafirma a crença de que Jesus é o Santo de Deus.

Uma traição surpreendente (6.70,71). Depois de ver a multidão de discípulos bater em retirada, Jesus diz que, no pequeno círculo dos doze, um deles é um diabo e vai traí-Lo. Mais uma vez, Jesus demonstra conhecer os corações, devassa os escaninhos do futuro e desmascara a falsa confissão religiosa.

---

[18] BRUCE, F. F. *João: introdução e comentário*, p. 148.
[19] WIERSBE, Warren W. *Comentário bíblico expositivo*. Vol. 5, p. 403.
[20] RYLE, John Charles. *John*. Vol. 1, p. 418-419.

13

Jesus, a água da vida

João 7.1-53

A NARRATIVA DO CAPÍTULO 6 destaca o ministério de Jesus na Galileia. O capítulo 7 começa com Jesus ainda na Galileia. Durante uma festa em Jerusalém, Jesus curou o homem paralítico num dia de sábado, e isso precipitara uma onda de perseguição contra Jesus (5.16). Agora, outra festa se aproxima, a festa dos tabernáculos (7.2).

Jesus, como cumpridor da lei, devia frequentar as festas religiosas de Seu povo. Os requerimentos para essa festa estão descritos em Levítico 23 e Deuteronômio 16. Levítico 23.34 diz que a festa devia durar sete dias. Joe Amaral ressalta que havia três aspectos básicos nessa festa: as atividades de Deus no passado, presente e futuro.[1]

A festa dos tabernáculos relembra-nos a intervenção sobrenatural de Deus na libertação do Seu povo da escravidão no Egito. Deus demonstrou Seu poder sobre os deuses do Egito. Deus revelou Seu braço forte abrindo o mar Vermelho. Providenciou durante quarenta anos maná do céu e água da rocha. Dirigiu Seu povo durante o dia por uma coluna de nuvem e durante a noite por uma coluna de fogo. Nesses quarenta anos, eles habitaram em tendas, e Deus os protegeu, os abençoou e os conduziu.

---

[1] AMARAL, Joe. *Understanding Jesus*. Ontario: Almond Publications, 2009, p. 110.

Os judeus, nos dias de Jesus, celebravam essa festa no final das colheitas para agradecer a Deus Sua provisão. Habitavam em cabanas para relembrar como Deus os havia protegido na peregrinação pelo deserto. Separavam-se do conforto para habitar em tendas improvisadas com vistas a se identificarem com os peregrinos do passado e demonstrarem que sua alegria estava em Deus, e não no conforto dos bens materiais.

F. F. Bruce diz que os hebreus davam a essa festividade o nome de festa das tendas (*sukkôth*) porque durante toda a semana de duração as pessoas viviam em barracas feitas de galhos e folhas (Lv 23.40-43), construídas pelos moradores das cidades no quintal ou sobre o telhado plano das casas. Muitos judeus de regiões distantes da Palestina e da Dispersão iam a Jerusalém para a festa, que marcava uma das três grandes peregrinações do ano judaico.[2]

No entanto, essa festa também apontava para o futuro, para aquele glorioso dia em que Deus armará sua morada definitiva com os remidos, quando, então, veremos nosso Senhor face a face (Ap 21.1-4).

Joe Amaral relaciona cada um dos aspectos dessa festa a um fato bíblico importante. A primeira área se refere à dedicação do templo de Salomão ocorrida durante essa festa (2Cr 7.1-10). Por causa disso, o povo associava essa festa ao retorno da glória de Deus ao templo (2Cr 7.1-3). Essa expectativa cumpriu-se em Cristo, pois aquele que é a própria glória de Deus em carne estava no templo.[3]

Outra tradição ligada a essa festa era a cerimônia da libação da água. Isaías 12.3 era uma profecia messiânica, mostrando que, quando o Messias viesse, o povo tiraria com alegria água das fontes da salvação. Havia, portanto, em cada dia dessa festa, a expectativa de que Deus lhes daria a água viva. Foi no auge dessa festa que Jesus clamou: [...] *Se alguém tem sede, venha a mim e beba. Como diz a Escritura, rios de água viva correrão do interior de quem crê em Mim* (Jo 7.37,38). Mais uma vez, Jesus é o cumprimento dessa festa!

Finalmente, a essa festa é associada outra tradição, chamada de "a cerimônia da iluminação do templo" e representada pelo candelabro.

---

[2] BRUCE, F. F. *João: introdução e comentário*, p. 151.
[3] AMARAL, Joe. *Understanding Jesus*, p. 113-114.

Jesus também cumpriu esse aspecto, ao afirmar: *Eu sou a luz do mundo* (8.12). E Ele não apenas afirmou essa verdade, mas a demonstrou, curando um homem cego de nascença (9.1-7), milagre que os judeus acreditavam que só Deus poderia realizar.

Resumindo: Os judeus tinham três festas principais: a Páscoa, o Pentecostes e a festa dos tabernáculos. Todo o enredo do capítulo 7 está ligado à última, a festa em que o povo, durante uma semana, desabalava de todos os cantos para Jerusalém, habitando em tendas improvisadas, para agradecer a Deus pelas colheitas e pelo livramento e, ao mesmo tempo, renovar sua esperança messiânica.

Em concordância com a visão de Charles Erdman, dividimos esse texto em três pontos distintos: antes da festa (7.1-13), durante a festa (7.14-36) e o último dia da festa (7.37-53).

Antes da festa (7.1-13)

Nas vésperas da festa dos tabernáculos, Jesus ainda andava pela Galileia, uma vez que não desejava subir à Judeia porque os judeus procuravam matá-lo. Jesus tinha plena consciência de que os judeus não poderiam matá-lo antes da hora; entretanto, não queria expor-Se desnecessariamente. Três fatos nos chamam a atenção nesse período.

Em primeiro lugar, *a incredulidade dos irmãos de Jesus manifestada* (7.3-5). José e Maria tiveram filhos (Mt 13.55, 56; Mc 6.1-6), que eram, portanto, meios-irmãos de Jesus. Certamente, esses irmãos de Jesus não são "irmãos" no sentido espiritual (como em 20.17), porque o versículo 5 afirma explicitamente que eles não acreditavam nEle.[4]

Os irmãos de Jesus não acreditavam em Jesus, embora, a essa altura, já tivessem percebido que Suas afirmações e Suas obras não eram de um homem comum. O raciocínio deles era o seguinte: Se Jesus de fato era quem dizia ser, então devia proclamar e demonstrar isso publicamente, para receber o reconhecimento. Os irmãos de Jesus pensavam que uma pessoa pública que quer avançar deveria causar impacto na capital. Para os irmãos de Jesus, parecia inacreditável que alguém

---

[4]BRUCE, F. F. *João: introdução e comentário*, p. 152.

que tivesse certeza de ser o Messias evitasse intencionalmente a publicidade. Ninguém que desejasse ser uma personagem pública permaneceria na obscuridade. Jesus deveria se mostrar ao mundo, e, com isso, eles queriam dizer a todo o mundo. Os irmãos de Jesus queriam que ele fizesse uma demonstração; mas, essa demonstração se prestaria a motivos corruptos (6.14,15), em vez de assegurar fé genuína (2.23-25; 4.48).[5] Provavelmente, os irmãos de Jesus já soubessem da deserção dos discípulos que seguiam Jesus após seu discurso sobre "comer sua carne e beber o seu sangue" (6.60-66) e viram nessa subida a Jerusalém uma possibilidade de retomar seu prestígio.

Os irmãos de Jesus estavam subindo a Jerusalém para comemorar uma festa religiosa; no entanto, não aceitavam o próprio Messias. Como é fácil seguir as tradições sem assimilar a verdade eterna![6] As Escrituras deixam claro que os irmãos de Jesus só se tornaram Seus seguidores após a ressurreição (At 1.14), e isso porque Jesus Se revelou a, pelo menos, um deles pessoalmente (1Co 15.7).

Em segundo lugar, *a exatidão da agenda de Jesus estabelecida* (7.6-10). Jesus tinha plena consciência do Seu tempo, da Sua hora. Sabia que Sua agenda tinha sido estabelecida na eternidade. Que andava segundo o cronograma do céu. Estava totalmente sintonizado com o plano do Pai. Não atendeu à sugestão de seus irmãos para manifestar-Se abertamente em Jerusalém, porque Sua hora ainda não tinha se cumprido. Sabia que não seria na festa dos tabernáculos, mas na festa da Páscoa, que Ele seria imolado como o Cordeiro que tira o pecado do mundo. F. F. Bruce diz que a ida de Jesus para Jerusalém *em oculto* forma um contraste intencional com a insistência dos Seus irmãos para que Ele fosse granjear publicidade.[7]

Jesus sabia que o mundo não odeia aqueles que andam segundo a Sua agenda, mas Ele, Jesus, é odiado pelo mundo, pois não procura agradar ao mundo; antes, denuncia seus pecados. Nessa mesma linha de pensamento, Charles Erdman escreve:

---
[5]CARSON, D. A. *O comentário de João*, p. 307.
[6]WIERSBE, Warren W. *Comentário bíblico expositivo*. Vol. 5, p. 405.
[7]BRUCE, F. F. *João: introdução e comentário*, p. 154.

O intuito de Jesus, aí, não foi iludir, nem houve contradição Sua nem sequer uma súbita mudança de ideia. Sabia que o tempo ainda não havia chegado para sua pública e final manifestação a Israel. Não haveria de ser numa festa dos tabernáculos que Ele devia morrer, mas numa festa de Páscoa, como Cordeiro pascal que tira o pecado do mundo. Seu ministério ainda não findara na terra e, por isso, não queria precipitar a crise. A hora da tragédia e da vitória finais ainda não soara. Foi isso o que Ele quis significar quando afirmou que Seu tempo ainda não chegara. Não queria subir à festa na maneira e com o propósito que os irmãos sugeriram. Subiu, sim, "não publicamente, mas em oculto".[8]

Em terceiro lugar, *a procura por Jesus é notória* (7.11-13). Não eram apenas os irmãos de Jesus que O queriam na festa em Jerusalém, mas também os judeus. Ele era uma figura nacional, o centro das atenções. É bem verdade que as opiniões divergiam. Uns O julgavam um homem bom; outros O reputavam como um enganador do povo. Mas, como Jesus conquistara a simpatia de muitos, ninguém ousava falar dEle abertamente.

Durante a festa (7.14-36)

Quando a festa já estava em andamento, mesmo chegando a Jerusalém secretamente (7.10), Jesus subiu ao templo e passou a ensinar em público. De acordo com F. F. Bruce, se Jesus tivesse ido com os peregrinos para o início da festa, poderia ter havido uma tentativa de dar-Lhe uma entrada triunfal, como ocorrera seis meses mais tarde. Uma demonstração prematura dessa natureza seria muito perigosa, caso essa ocasião tivesse ocorrido pouco depois do massacre de galileus no pátio do templo, mencionado em Lucas 13.1. Jesus agiu em silêncio, chegando à cidade no meio da semana da festa, e as pessoas que estiveram discutindo sobre sua atuação de repente perceberam que Ele estava ali, no meio deles, ensinando no pátio exterior do templo.[9]

Destacamos alguns pontos a esse respeito.

---

[8]ERDMAN, Charles. *O evangelho de João*, p. 63.
[9]BRUCE, F. F. *João: introdução e comentário*, p. 155.

Em primeiro lugar, *o ensino de Jesus produz admiração* (7.14,15). O evangelista Mateus nos informa que Jesus não ensinava como os escribas, mas como quem tem autoridade (Mt 7.28,29). Quando os judeus ouviram Seu ensino, ficaram admirados e logo perguntaram: *Como este homem tem tanta instrução sem ter estudado?* (7.15). Jesus não havia frequentado as escolas rabínicas, nem estudado em um dos grandes centros rabínicos de erudição; no entanto, expunha com domínio notável e poder sem igual as Escrituras. Seu conhecimento não derivava de nenhuma instituição humana; ao contrário, Seu ensino refutava os mestres do judaísmo.[10]

Em segundo lugar, *o ensino de Jesus procede de Deus* (7.16-18). O ensino de Jesus não procede dos escribas e fariseus, dos mestres do judaísmo, mas procede do céu, emana de Deus. Ele não fala de si mesmo. Tem o próprio testemunho do Pai e busca a glória do criador. O conhecimento de Sua doutrina está aberto a todos aqueles que sinceramente desejam realizar a vontade de Deus. Concordo com D. A. Carson quando ele diz que Jesus insiste em não ser um inovador arrogante. Diferentemente de Seus contemporâneos rabínicos, seu ensino não se baseia em uma longa cadeia de tradição humana: vem de Deus. Profetas anteriores podiam trovejar: *Assim diz o Senhor*. Mas as palavras e os feitos de Jesus estão de tal modo em acordo com o Pai, e não só por causa de Sua obediência irrestrita, mas também porque Jesus faz tudo o que o Pai faz, que Ele pode legitimar e repetidamente introduzir Suas declarações com um autorizado: *Digo-lhes a verdade*.[11]

Em terceiro lugar, *o ensino de Jesus acusa os judeus de desobedecerem à lei de Moisés* (7.19-24). Jesus está no epicentro da mesma crise levantada na festa anterior. Eles perseguiram Jesus (5.16) e chegaram a ponto de querer matá-Lo (5.18) por ter curado um homem paralítico num dia de sábado. Ao quererem matar Jesus por realizar esse milagre num sábado, longe de serem zelosos na observância da lei, na verdade a estavam desrespeitando. E Jesus explica: a lei de Moisés permitia que um homem fosse circuncidado no sábado (7.22,23), e eles estavam querendo matar

---

[10]MacArthur, John. *The MacArthur New Testament commentary – John 1-11*, p. 289.
[11]Carson, D. A. *O comentário de João*, p. 313.

Jesus por curar um homem num sábado. Isso era julgar segundo a aparência, e não pela reta justiça (7.24). Ora, a circuncisão era vista como um ritual de aperfeiçoamento: um membro do corpo, por esse rito, era aperfeiçoado, e isso precisava ser feito no oitavo dia de vida; quanto mais, portanto, deveria um ato ser realizado, mesmo no sábado, se ele aperfeiçoasse o corpo inteiro, isto é, se salvasse uma vida.[12]

Em quarto lugar, *o ensino de Jesus acusa os judeus de não conhecerem a Deus* (7.25-29). Diante dos comentários do povo acerca de Jesus e sua origem, Jesus aproveita o ensino para dizer a esses judeus que procedia do Pai, a quem eles não conheciam. Os mesmos judeus que O acusavam de violar o sábado, queriam matá-Lo, os mesmos judeus que se julgavam os guardiões da lei são agora acusados por Jesus não apenas de transgressores da lei, mas de nem mesmo conhecerem Deus.

Em quinto lugar, *o ensino de Jesus desperta a fúria dos judeus* (7.30-32). Diante do buchicho da multidão a respeito de Jesus, os fariseus se mancomunaram com os principais sacerdotes para enviar os guardas do templo a fim de prendê-Lo. Mas os guardas jamais poderiam fazê-lo, pois ainda não havia chegado a hora de Jesus ser entregue nas mãos dos pecadores.

Em sexto lugar, *o ensino de Jesus mostra que a oportunidade para recebê-Lo pode ser perdida* (7.33-36). Jesus permaneceria mais um pouco de tempo entre eles e, então, regressaria ao Pai, onde eles não mais poderiam encontrá-Lo nem sequer alcançá-Lo. Os judeus, cegos espiritualmente, não entenderam que as palavras de Jesus se referiam à Sua ascensão. Pensaram que Jesus estava falando sobre uma retirada para a dispersão.

O **último dia** da festa (7.37-53)

O ritual da festa dos tabernáculos era uma alegre celebração. Havia sete dias de festejos regulares. O povo habitava em tendas, trazia oferendas e levava água do poço de Siloé ao altar do sacrifício no templo. Essa festa encerrava o ciclo das festividades anuais.

Em todos os sete dias da festa, um sacerdote enchia uma jarra de ouro com água do tanque de Siloé, acompanhado de uma solene

---

[12]CARSON, D. A. *O comentário de João*, p. 317.

procissão, voltava ao templo em meio ao toque de trombetas e aos gritos das alegres multidões e derramava a água sobre o altar.

Essa cerimônia não só lhes recordava as bênçãos outorgadas a seus antepassados no deserto (água da rocha), mas também apontava para a abundância espiritual da era messiânica.

O sétimo dia era a apoteose da festa. À tarde, as tendas eram desarmadas, e a festa terminava.[13] Nesse dia, havia sete procissões do tanque ao templo. O sacerdote ia cantando: *Tirareis águas das fontes da salvação com alegria* (Is 12.3). D. A. Carson diz que a cerimônia de derramar água é interpretada nessas tradições como uma prévia dos rios escatológicos de água viva previstos por Ezequiel (47.1-9) e Zacarias (13.1). Nessas tradições, o milagre da água no deserto (Êx 17.1-7; Nm 20.8-13; Sl 78.16-20) é, por sua vez, um precursor do ritual da água da festa das cabanas.[14]

No sétimo dia, o último e o auge da festa, o sacerdote acompanhado pela multidão, ao som de trombeta, fazia a procissão de tanque de Siloé ao templo sete vezes. Jesus, então, coloca-se no meio e brada: *No último dia da festa, o dia mais importante, Jesus se colocou em pé e exclamou: Se alguém tem sede, venha a mim e beba. Como diz a Escritura, rios de água viva correrão do interior de quem crê em mim.* Jesus é a Rocha ferida da qual brota água viva. Jesus é a água da vida. Ele é o manancial das águas vivas.

Destacamos a seguir quatro verdades importantes nesse trecho.

Em primeiro lugar, **um convite maravilhoso** (7.37). John MacArthur diz que esse não é o primeiro convite público para crer em Jesus (3.12-18; 5.24,38-47; 6.29,35,36,40,47), nem a primeira vez que Ele usava a figura da água viva como símbolo da salvação (4.10-14; 6.35).[15] Jesus é o Siloé, a fonte espiritual. Jesus é aquele que pode satisfazer todos os anseios da alma humana. Ele supre cada aspiração, cada necessidade. A profecia apontava para Ele, quando dizia: *Ó vós, todos os que tendes sede, vinde às águas, e vós que não tendes dinheiro, vinde, comprai e comei; vinde e comprai vinho e leite, sem dinheiro e sem custo* (Is 55.1). É Jesus quem disse à mulher samaritana: *Mas quem beber da água que Eu lhe der nunca mais*

---

[13] HENDRIKSEN, William. *João*, p. 353.
[14] CARSON, D. A. *O comentário de João*, p. 323.
[15] MACARTHUR, John. *The MacArthur New Testament commentary – John 1-11*, p. 312.

terá sede [...] (Jo 4.14). É Jesus quem convida: [...] *Quem tem sede, venha; e quem quiser, receba de graça a água da vida* (Ap 22.17). Charles Erdman tem razão ao dizer que, com essas palavras, Jesus arrogava o poder de ser, para todos os cansados, insatisfeitos e sedentos, o que a pedra ferida no deserto havia sido para o antigo Israel.[16]

Quais são as marcas desse convite?

O convite de Jesus é universal. Se alguém [...]. Esse alguém pode ser o pobre e o rico, o ateu, o cético e o agnóstico, o idólatra, o feiticeiro e o místico, o descrente e o religioso. Esse alguém pode ser o jovem cheio de saúde e vigor e o ancião no avançar de seus dias. Esse alguém pode ser o homem e a mulher, a criança e o adulto, o doutor e o analfabeto. O convite é para quem já bateu em todas as portas e só colheu decepção. É para quem já desistiu de mudança. É para quem está com suas cisternas vazias. É para você, que está lendo este livro. É para você, que foi criado na igreja, mas ainda não sentiu o toque de Deus, ainda não nasceu de novo.

O convite de Jesus é para uma relação pessoal. [...] *venha a mim* [...]. O convite de Jesus não é para aderir a uma religião, mas para iniciar um relacionamento com Ele. Só Jesus pode saciar a alma sedenta. Só Ele é o caminho. Só Ele é a porta. Só Ele é o pão da vida. Só Ele tem a água da vida. Só Ele pode perdoar pecados. Só Ele transforma corações. Os judeus estavam festejando o ritual, mas a religião não pode matar a sede da alma. Só Jesus pode! Sem Jesus, toda religião é vã.

O convite de Jesus exige um profundo anseio por salvação. Se alguém tem sede [...]. Só os sedentos podem ir a Jesus. Enquanto você não estiver com sede, jamais procurará a fonte. A sede não dá trégua. A sede exige uma solução imediata e urgente.

O convite de Jesus exige rompimentos imediatos. Se alguém tem sede, venha [...]. Ninguém é naturalmente cristão. Ser cristão é a coisa mais revolucionária do mundo. Ninguém é neutro com respeito a Cristo. Jesus disse: *Quem não está comigo, está contra mim; e quem comigo não ajunta, espalha* (Lc 11.23). A indecisão é a decisão de não decidir. Ninguém é irrecuperável. Não há poço tão profundo que a graça de Deus não suplante em profundidade. Não há caso irrecuperável para

---

[16] ERDMAN, Charles. *O evangelho de João*, p. 67.

Deus. Eu conversava certa feita com um homem que era ateu e comunista. Depois, ele caminhou pelos abismos da feitiçaria. Num centro espírita, um pai de santo incorporou diante dele e disse: "Eu sou o diabo. Você quer fazer um pacto comigo?" Ele, então, lhe respondeu: "Se você é quem eu penso que é, quero fazer um pacto com Deus". Então, saiu dali e entregou a vida a Jesus.

O convite de Jesus é para uma experiência pessoal. Se alguém tem sede, venha a mim e beba. Jesus não está convidando as pessoas para olhar a água, analisar a água, admirar a água, conversar sobre a água, nem para criticar a água. Jesus convida as pessoas para beberem a água. Muitos ouvem falar de Jesus, leem sobre Jesus, mas não O experimentam. São religiosos, mas não convertidos. Muitos são criados na igreja, frequentam os cultos, mas nunca beberam da água da vida. Nicodemos era mestre, fariseu e líder religioso, mas Jesus disse que ele precisava nascer de novo.

O convite de Jesus é condicional. Se alguém [...]. Esse convite é condicional. Jesus coloca um *se*. É para quem deseja. Não é imposto. Caro leitor, esse convite é pessoal e intransferível. Sua mãe não pode tomar essa decisão por você. Seu pai não pode representar você. Só você pode ir a Jesus. Só você pode beber essa água.

O convite de Jesus é oferecido com grande fervor. Jesus se colocou em pé e exclamou [...]. Não é o sedento que grita por água; é o libertador que oferece água com veemência. Jesus expressa um grande desejo de salvar o pecador. Ele quer dar a você, leitor, a água da vida. Ele deseja satisfazer sua alma. Vá à fonte. Vá a Cristo. Hoje é o dia da sua salvação. Hoje os anjos preparam uma festa para celebrar sua volta para Deus. Chega de viver sedento. Chega de viver sem paz. Chega de buscar em fontes rotas satisfação para a sua alma.

Em segundo lugar, **uma promessa maravilhosa** (7.38). Há quatro verdades sobre essa promessa de Jesus que destacamos a seguir.

Jesus oferece vida pura (7.38). Jesus não fala a respeito de um poço, de uma cacimba ou de águas paradas e lodacentas. Ele fala sobre rios que fluem, que correm, que levam vida limpa e pura. São rios de água viva, e não água morta. Água limpa, e não água suja. Chega de viver na impureza. Chega de alimentar seus olhos com a lascívia. Chega de entupir seu coração de sujeira. Chega de abastecer sua alma com os banquetes do pecado. Jesus tem vida santa, pura e limpa para você. Seu sangue purifica você. Ele dá a você o lavar regenerador do Espírito Santo. O mundo oferece prazeres, mas as pessoas estão se empanturrando de drogas, sexo e álcool, intoxicando a alma de impureza. Essas coisas geram um vazio na alma. Mas Jesus oferece vida verdadeira!

Jesus oferece vida abundante (7.38). Cristo veio para dar vida plena, abundante, maiúscula e eterna. Jesus não menciona um filete de água, um riacho, nem um rio. Ele fala sobre rios de água viva. Um rio apenas pode trazer vida a um deserto. Um exemplo disso é o rio Nilo. O Egito é um presente do Nilo. Noventa e seis por cento das terras do Egito não são cultiváveis. Mas, onde o rio Nilo passa, há vida. O deserto do Neguev tem florescido porque Israel está levando água para o deserto, e, onde existe água, toda terra é terra boa. Caro leitor, seu deserto pode florescer. Agora mesmo você pode tomar posse de uma vida plena! Do seu interior fluirão rios de água viva! Haverá alegria! Haverá paz! Haverá entusiasmo!

Jesus promete fazer de você uma bênção para outras pessoas (7.38). William Hendriksen diz que não somente aqueles que bebem da fonte, Cristo, recebem satisfação eterna em si mesmos – vida eterna e completa salvação –, mas, somando a isso, a vida, de uma maneira generosa, é comunicada a outros. O que é abençoado se torna, pela graça soberana de Deus, um canal de bênçãos abundantes para os outros.[17]

A figura usada por Jesus é sugestiva: rios de água viva! Através de um rio, podemos gerar eletricidade, irrigar campos e fazer funcionar fábricas. Tudo isso com um rio, quanto mais com vários rios! A vida de Deus fluirá através de você. O profeta Ezequiel, no capítulo 47 do seu livro, fala sobre um rio que brota do altar e vai crescendo, crescendo. Por onde passa, leva a vida de Deus às outras pessoas. Até aqui, talvez, você venha sendo motivo de dor, de lágrima. Mas, agora, você será motivo de alegria para sua família.

Jesus oferece uma vida de poder (7.38). Quando as águas de um rio são represadas, você dispõe de uma fonte imensa de energia. Você terá

---

[17]HENDRIKSEN, William. *João*, p. 357.

uma poderosa usina hidrelétrica dentro do seu peito. Quando as lutas chegarem, haverá poder para viver uma vida vitoriosa.

Em terceiro lugar, *o cumprimento da gloriosa promessa* (7.39). Jesus estava falando a respeito daquela plenitude do Espírito Santo que é dada à igreja. Essa dádiva se cumpriria no Pentecostes, pois, antes de o Espírito Santo descer, Jesus precisava subir. Quando Jesus concluiu Sua obra expiatória, subiu aos céus e derramou o Espírito Santo para ficar para sempre com a igreja. Hoje, nós podemos usufruir o cumprimento dessa gloriosa promessa. De acordo com D. A. Carson, João não pôde dizer que o Espírito ainda não existia, ou que ainda não havia operado nos profetas. O próprio João mencionou a operação do Espírito sobre Jesus e nele próprio (1.32; 3.34). O que o evangelista quer dizer é que o Espírito do reino que está chegando vem como resultado – de fato, consequência – da obra completa do Filho, e, até aquele ponto, o Espírito Santo não fora dado no sentido cristão ou pleno do termo.[18]

Nessa mesma linha de pensamento, Charles Erdman ressalta que o cumprimento de tal promessa não se daria enquanto Jesus não fosse glorificado na morte, ressurreição e ascensão. Quando isto se completasse, uma vez revelado Jesus no Seu verdadeiro caráter de Filho divino, Filho de Deus, Salvador do mundo, então Seu Espírito seria dado, como foi no Pentecostes, vindo sobre todos quantos nEle depositam sua confiança.[19]

Em quarto lugar, *as diferentes reações ao discurso de Jesus* (7.40-53). Como aconteceu no final do discurso sobre o pão da vida, aqui também, no discurso sobre a água da vida, os ouvintes de Jesus se dividiram em diferentes reações. Alguns disseram que Jesus era profeta (7.40); outros afirmaram que Ele era o Cristo (7.41); outros, ainda, questionaram se o Cristo poderia proceder da Galileia, uma vez que devia ser um descendente de Davi (7.41b-43). Outros, entretanto, queriam prendê-Lo (7.44). Os guardas não conseguiram detê-Lo, porque ficaram impactados com Suas palavras: *Nunca ninguém falou como este homem* (7.46). O que eles queriam dizer era: tão divinamente, com tal graça e verdade,

---

[18]CARSON, D. A. *O comentário de João*, p. 330.
[19]ERDMAN, Charles. *O evangelho de João*, p. 67.

e, portanto, de modo tão convincente e efetivo.[20] Os principais sacerdotes e fariseus, aqueles que tinham maior conhecimento, entretanto, zombaram, dizendo que só a plebe que nada conhece da lei é que estava crendo em Jesus (7.47-49). Nicodemos, aquele que se encontrara com Jesus de noite em Jerusalém, tenta arrazoar com seus pares, mas é por eles repreendido (7.50-53). William Hendriksen diz que Nicodemos enfrentou a oposição de uma máquina religiosa poderosa e numerosa. Ele mostrou grande coragem, embora ainda não tivesse alcançado o pináculo da confissão cristã.[21] A essa altura, os contendores se dispersam, e cada um vai para sua casa, enquanto Jesus segue para o monte da Oliveiras, provavelmente para orar, pois era o lugar onde Se recolhia para buscar a face do Pai. Enquanto Seus ouvintes tinham uma casa para onde ir e repousar, o Filho de Deus não tinha nenhum local onde reclinar a cabeça (Mt 8.20).

---

[20] HENDRIKSEN, William. *João*, p. 360.
[21] HENDRIKSEN, William. *João*, p. 361.

14

Condenada pelos homens, perdoada por Jesus

João 8.1-11

MUITOS ERUDITOS AO LONGO DOS SÉCULOS questionaram a autenticidade do texto em apreço, afirmando que os melhores e os mais antigos manuscritos não contêm essa história. A. T. Robertson considera-o uma glosa marginal que, por causa de um erro cometido por um escriba, foi inserida no texto.[1] No entanto, Papias, um discípulo de João, parece ter conhecido e exposto essa história. O historiador Eusébio faz referência ao fato de uma mulher que havia cometido muitos pecados ter sido acusada na presença do Senhor.[2]

Agostinho declarou, em caráter definitivo, que algumas pessoas tinham removido de seus códices a seção a respeito da adúltera, por temerem que as mulheres encontrassem nesse texto uma justificativa para a infidelidade.[3] Concordo com Hendriksen quando ele diz que a passagem em tela pode ser entendida como preparação e elucidação do discurso do Senhor em João 8.12. Lembremo-nos de que essa mulher e seus acusadores estavam numa densa escuridão moral. É provável que

---

[1] ROBERTSON, A. T. *Introduction to the textual criticism of the New Testament*. New York: George H. Doran, 1925, p. 154.
[2] *História eclesiástica* III, xxxix, 17.
[3] HENDRIKSEN, William. *João*, p. 367.

Jesus tenha dispersado tal escuridão. Assim, não nos surpreendemos ao ler: *Eu sou a luz do mundo*.⁴ Vamos, portanto, à análise da passagem!

A noite ainda se despedia, e os raios do sol nem sequer haviam surgido no pico dos montes, quando Jesus retorna do monte das Oliveiras para o templo. Como todo o povo foi ter com Ele, Jesus se assentou e passou a ensiná-lo. É nesse cenário que os escribas e fariseus trazem uma mulher apanhada em flagrante adultério e atiram-na aos Seus pés. Esses fiscais da vida alheia não estavam interessados na lei, nem na mulher, nem no ensino de Cristo. Queriam apenas usar de forma desonesta essa situação para apanhar Jesus no contrapé.

Esse episódio nos leva a entender que o tribunal dos homens é mais rigoroso que o tribunal de Deus, pois no tribunal dos homens a mulher saiu envergonhada e condenada; mas, no tribunal de Cristo, ela foi exortada a deixar seu pecado e a recomeçar sua vida.

O tribunal dos homens é mais rigoroso do que o tribunal de Deus. Davi quis cair nas mãos de Deus, e não nas mãos dos homens. No tribunal dos homens, vemos um Herodes no trono e um João Batista na prisão. No tribunal de Deus, mesmo um ladrão condenado e à beira da morte é salvo. No tribunal dos homens, José do Egito, mesmo inocente, vai para a prisão. No tribunal dos homens, Jesus, um inocente, é condenado à morte de cruz, e Barrabás, um salteador, recebe indulto. No tribunal dos homens, essa mulher apanhada em adultério está prestes a ser apedrejada; mas, no tribunal de Deus, ela é perdoada e absolvida.

A dolorosa **condição da acusada** (8.1-3)

Chamo a atenção a seguir para cinco fatos em relação a essa mulher.

Em primeiro lugar, *ela aproveita a festa para pecar*. A festa dos tabernáculos estava chegando ao fim. As caravanas já se haviam dispersado. O povo que tinha vindo de todas as cidades, vilas e campos e permanecido uma semana habitando em cabanas improvisadas, já estava enrolando suas tendas para voltar para casa. Ela aproveitou o burburinho da multidão para dar vazão aos seus desejos e cair nas teias do pecado.

---

⁴HENDRIKSEN, William. *João*, p. 367.

Em segundo lugar, *ela traiu seu marido*. Essa mulher era casada. A palavra grega usada aqui para adultério é *moikeia*, que descreve uma relação extraconjugal. Ela violou os votos de fidelidade conjugal, quebrou a aliança, feriu a lei de Deus e transgrediu o sétimo mandamento. Conforme William Hendriksen, muitos comentaristas dizem que essa mulher não poderia ser casada, porque a lei de Moisés especifica a morte por apedrejamento somente no caso de uma moça prometida em casamento que fosse culpada de adultério (Dt 22.23-30). No entanto, para uma mulher casada que viesse a cometer esse pecado, a ordem era que perdesse sua vida, embora não se indique a maneira pela qual essa punição devesse ser aplicada. Mas, em oposição a esse entendimento, permanece o fato de que o termo "adultério" aponta, em caráter definitivo, para alguém que já está casado.[5] O adultério era considerado um dos mais terríveis pecados na concepção dos judeus. Os rabinos diziam: "Todo judeu deve morrer antes de cometer idolatria, assassinato e adultério".[6]

Em terceiro lugar, *ela foi flagrada no ato do seu pecado*. Essa mulher não tinha desculpa. Não havia como fugir ou negar seu envolvimento sexual com outro homem. Há muitas pessoas que mentem, enganam e escapam. Não era o caso dessa mulher.

Em quarto lugar, *ela foi humilhada publicamente*. A mulher foi arrastada à força. Seus acusadores não a trataram com dignidade. Não a viram como uma pessoa que tem nome e sentimentos, mas apenas como mais um caso. Levaram-na para o pátio do templo, um lugar público, e a colocaram de pé diante da multidão, na frente de Jesus. Expuseram-na ao opróbrio. Esmagaram-na emocionalmente. Ultrajaram-na em público.

Em quinto lugar, *ela cometeu um pecado passível de morte*. A lei de Moisés previa a morte para o homem e a mulher flagrados no ato do adultério (Lv 20.10). No caso de moça virgem desposada, ou seja, noiva, a lei estabelecia a pena do apedrejamento tanto para a moça como para quem se deitasse com ela (Dt 22.23,24). Portanto, no tribunal da lei, essa mulher estava condenada. No tribunal dos religiosos, ela é acusada.

---

[5]HENDRIKSEN, William. *João*, p. 369.
[6]BARCLAY, William. *Juan II*. Buenos Aires: La Aurora, 1974, p. 7.

No tribunal da opinião pública, ela é condenada como uma ninguém. No tribunal da consciência, ela é condenada, pois não se defende. Ela era a própria figura da miséria.

A **crueldade** dos acusadores (8.4-7a)

Era festa em Jerusalém, e os escribas e fariseus estavam cheios de inveja de Jesus. Eles queriam matá-Lo (7.19) ou prendê-Lo (7.30,31). Mandaram os guardas detê-Lo (7.32). Os guardas voltam extasiados com as palavras de Jesus, e os judeus ficam furiosos (7.47). A multidão se dispersa para o outro dia. De madrugada, Jesus volta a falar à multidão. Então, eles se lançam contra Jesus nesse incidente. Levam a prisioneira ao tribunal (8.3), apresentam acusação contra ela (8.4), anunciam os estatutos sobre os quais ela era acusada (8.5) e pedem que Jesus julgue o caso (8.5,6).[7]

A seguir, destacamos quatro atitudes dos acusadores.

Em primeiro lugar, *a conduta dos acusadores foi grosseira* (8.3,4). Charles Erdman diz que o motivo dos fariseus não era o amor a Deus, nem o zelo pela justiça, nem a paixão pela pureza e pela santidade, muito menos a indignação contra o pecado, mas apenas o desejo de confundir Jesus, forçando-O a dizer alguma palavra ou frase que pudesse servir de base para Sua prisão, condenação e morte.[8]

Os fariseus usavam a autoridade para condenar, e não para restaurar. Eram detetives, e não pastores. E foram grosseiros com a mulher e com Jesus. Em relação à mulher, não se importaram com ela nem com sua família. Ela era apenas uma peça de um jogo sujo contra Jesus. Usaram-na para os seus propósitos nefandos. Expuseram-na à execração pública. Concordo com William Barclay quando ele diz que, para os acusadores, aquela mulher não tinha nome, personalidade, coração, sentimento, nem emoções; não era mais que uma peça no jogo com o qual tratavam destruir Jesus.[9]

---

[7]Henry, Matthew. *Matthew Henry Comentário bíblico Novo Testamento – Mateus-João*, p. 860-861.
[8]Erdman, Charles. *O evangelho de João*, p. 68.
[9]Barclay, William. *Juan II*, p. 11.

Em relação a Jesus, eles queriam encontrar um motivo para acusá-Lo e matá-Lo. E assim intentaram três coisas contra Ele. Em primeiro lugar, tentaram jogar Jesus contra a lei de Moisés; segundo, tentaram jogar Jesus contra a lei romana; terceiro; tentaram jogar Jesus contra o povo. O alvo dos fariseus era colocar Jesus diante de um dilema: se Ele perdoasse e absolvesse a mulher, estaria em oposição à lei de Moisés e contra Ele se poderia argumentar que estava fomentando as pessoas a cometerem adultério (Lv 20.10; Dt 22.22-24); se Ele a condenasse à morte, estaria usurpando atribuições do governo romano (18.28-31), porque os romanos haviam retirado dos judeus o poder de infligir penas capitais.[10]

D. A. Carson corrobora essa interpretação quando diz que, se Jesus rejeitasse a lei de Moisés, Sua credibilidade seria instantaneamente minada: Ele seria descartado como uma pessoa sem lei e talvez fosse acusado de crimes graves nos tribunais. Se Ele mantivesse a lei de Moisés, não somente estaria apoiando uma atitude largamente impopular, como também algo que provavelmente não era aplicado na vida pública e, pior, que teria sido difícil harmonizar com Sua conhecida compaixão pelos subjugados e desacreditados e Sua rapidez para perdoar e restaurar. Se, em nome de Moisés, Jesus pronunciasse a sentença de morte sobre essa mulher, e ela fosse de fato executada, Ele teria infringido os direitos exclusivos do governador romano, o único que nesse período detinha autoridade para impor sentenças de morte.[11]

Erdman ainda constata que a religião de algumas pessoas parece consistir em ódio a seus semelhantes ou na paixão de ver os outros castigados. O caráter dessas pessoas revela-se muitas vezes pelos meios que elas empregam para atingir seus propósitos.[12]

Em segundo lugar, *a conduta dos acusadores foi hipócrita* (8.5). Hipocrisia é falar ou fazer alguma coisa e sentir outra. Podemos ver vários sinais de hipocrisia neles.

Eles professaram grande zelo e reverência pela lei. Pareciam ser guardiões dos oráculos divinos. Eram santos homens que velavam pelo

---

[10]ERDMAN, Charles. *O evangelho de João*, p. 69.
[11]CARSON, D. A. *O comentário de João*, p. 336.
[12]ERDMAN, Charles. *O evangelho de João*, p. 69.

cumprimento fiel das Escrituras, mas maquinavam matar Jesus. Por isso, zombaram de Deus e desrespeitaram a lei que pareciam defender.

Eles professavam grande preocupação pela moralidade privada e pública. Apresentaram-se como defensores da família. Gente que não pode permitir o erro. O adultério é, de fato, um atentado contra Deus, o cônjuge, os filhos, o corpo, a igreja. Mas eles não eram zelosos da família. A intenção deles eram matar Jesus.

Eles demonstraram grande respeito para com Cristo. Eles O chamaram de mestre, de Rabi, enquanto no coração maquinavam o mal contra Ele. São traidores, falsos e mentirosos. São cheios de veneno e enganadores.

Eles professaram estar em grandes dificuldades e ansiosos por luz e ajuda. Eles não estavam interessados na mulher, nem na lei, nem na moralidade pública. Estavam cheios não de zelo pelo cumprimento da lei, mas de inveja por Cristo. Eles queriam mesmo era pegar Jesus no contrapé. Não buscavam a glória de Deus, mas a projeção de si próprios.

Em terceiro lugar, *a conduta dos acusadores foi maliciosa.* A malícia dos escribas e fariseus pode ser demonstrada por quatro aspectos, como veremos a seguir.

Eles não se importaram com a vida da mulher (8.3,5). Eles expuseram a mulher a uma situação de vergonha pública. Queriam eliminá-la como um objeto descartável. No coração deles, não havia amor. Evocavam a lei para matar, e não para amar. Concordo com William Hendriksen quando ele diz que o interesse principal dos acusadores não era a mulher. Eles apenas a estavam usando como um laço para pegar Jesus. Este, sim, era a verdadeira vítima! E, para realizarem esse propósito diabólico contra Jesus, jogaram para o alto qualquer gentileza ou vergonha que tivessem. A vergonha e os temores da mulher, ao ser exposta publicamente, não lhes significavam nada, conquanto alcançassem o objetivo que tinham proposto. Assim eram os líderes religiosos de Jerusalém.[13]

Eles usaram a lei para tentar (8.5). O propósito deles era tentar Jesus. Fizeram da lei uma isca, uma armadilha. Usaram a lei para alcançar seus propósitos malignos. satanás também usa a Palavra de Deus para tentar.

---

[13] HENDRIKSEN, William. *João*, p. 370-371.

Eles bajularam Jesus para tentá-Lo (8.4). Eles chamavam Jesus de mestre, mas não O honravam, não O ouviam, nem Lhe obedeciam. Aquela era um lisonja falsa, um elogio falaz, uma bajulação hipócrita.

Eles persistiram no mesmo erro (8.7). Aqueles fiscais da vida alheia estavam cegos e com o coração endurecido. Só conseguiam ver o pecado dos outros, mas não os próprios. O zelo pela lei não era para salvar vidas, mas para condená-las. Eles eram acusadores, e não ajudadores.

Em quarto lugar, *a conduta dos acusadores foi reprovável*. Podemos concluir que a atitude daqueles homens foi reprovável por vários aspectos.

Eles não amavam a lei nem aborreciam o pecado. Não buscavam a glória de Deus, mas a glória pessoal. Não estavam preocupados com a honra do nome de Deus, mas com o próprio prestígio.

Eles revelaram ser parciais e preconceituosos. Só trouxeram a mulher e deixaram o homem escapar. A lei previa morte para o homem também. Acusaram o mais fraco. Revelaram parcialidade e preconceito.

Eles se tornaram mais culpados do que a acusada. Tornaram-se culpados pela lei que defendiam. Foram declarados culpados no tribunal da consciência, pela dureza do coração. A ré saiu perdoada, e eles acabaram ainda mais endurecidos. Ela absolvida; eles condenados. MacArthur diz que, ironicamente, aqueles que quiseram montar uma armadilha para Jesus saíram envergonhados; aqueles que desejaram condenar a mulher saíram condenados. Infelizmente, o senso de culpa deles não os levou ao arrependimento e à fé em Cristo.[14]

Esse episódio nos enseja uma solene lição: os mais depravados e maus são os mais severos acusadores!

A **misericórdia** de Jesus (8.7b-11)

Destaco quatro atitudes de Jesus nesse julgamento.

Em primeiro lugar, **Jesus demonstra que só aquele que está livre de pecado tem o direito de exercer seu juízo sobre as faltas dos outros** (8.7). Jesus já havia advertido no Sermão do Monte que não devemos julgar para não sermos julgados. Jesus falou que, com a medida que

---

[14] MacArthur, John. *The MacArthur New Testament commentary – John 1-11*, p. 329.

julgarmos, seremos julgados. Alertou acerca do perigo de querermos tirar o cisco do olho do outro, enquanto temos uma trave no nosso. Exigimos dos outros aquilo que não praticamos. Somos intolerantes com os outros e complacentes com nós mesmos. Somos críticos com os outros e tolerantes com nós mesmos. Jesus usa aqui uma referência direta de Deuteronômio 17.7 e Levítico 24.14 – as testemunhas do crime devem ser as primeiras a atirar a pedra, e não podem ter participação no crime em si.

Em segundo lugar, **Jesus rasga o véu e demonstra o pecado dos acusadores** (8.6-9). Jesus poderia ter tornado público o segredo do coração desses acusadores. Poderia ter exposto a condição deles diante de todos. Mas, guardou silêncio diante da acusação e passou a escrever no chão. William Hendriksen diz que não aprouve ao Senhor nos revelar se ele escreveu algumas palavras ou se desenhou alguma figura no chão; e, se escreveu, a quem direcionou Suas palavras, o que escreveu e por que escreveu.[15]

É claro que o texto não nos diz o que Jesus escreveu, mas a palavra *katagrafein* é sugestiva. Significa escrever uma sentença contra alguém. Barclay é da opinião de que Jesus enfrentou esses sádicos tão seguros de si com a lista de seus próprios pecados.[16] Jesus disse: *Quem dentre vós estiver sem pecado seja o primeiro a atirar uma pedra nela* (Jo 8.7). É digno de nota que a palavra grega *anamartetos*, "sem pecado", significa não só sem pecado, mas também sem um desejo pecaminoso. Portanto, Jesus estava dizendo: Vocês só podem apedrejá-la se nunca desejaram no coração fazer o mesmo.[17] A referência é a Deuteronômio 17.7: *A mão das testemunhas será a primeira contra ele para matá-lo, e depois a mão de todo o povo; assim exterminarás o mal do meio de ti*. Jesus tocou no nervo exposto, na ferida. O pecado deles era pior do que o pecado daquela mulher. Ela estava envergonhada e sem coragem de levantar o rosto por causa do seu pecado, mas eles nutriam indiferença para com a mulher e inveja e ódio de Jesus a ponto de tramarem matá-Lo.

---

[15]HENDRIKSEN, William. *João*, p. 371.
[16]BARCLAY, William. *Juan II*, p. 9.
[17]BARCLAY, William. *Juan II*, p. 9.

Concordo com Warren Wiersbe quando ele diz que, em vez de julgar a mulher, Jesus julgou os juízes.[18]

Joe Amaral é assaz oportuno quando aponta que o contexto desse episódio é ainda a afirmação pública de Jesus, realizada no templo: *Se alguém tem sede, venha a Mim e beba*. Os judeus estão rejeitando essa oferta feita pelo Messias. Quais são as implicações dessa rejeição? Há uma profecia em Jeremias 17.13 que diz: *Ó Senhor, esperança de Israel, todos aqueles que Te abandonarem serão envergonhados. Os que se apartam de Ti terão seus nomes escritos no solo; porque abandonam o Senhor, a fonte de águas vivas*. Oh, que passagem! Esses acusadores conheciam essa profecia, por isso deixando as pedras, se foram.[19]

Em terceiro lugar, *Jesus não esmaga a cana quebrada* (8.10,11). Podemos testificar como segue.

Jesus valoriza a lei, expõe a gravidade do pecado, mas ama o pecador para restaurá-lo (8.7). Com o Seu silêncio e poucas palavras, Jesus ensinou três verdades profundas: a lei é santa; o pecado é maligno; o Seu amor pelos pecadores é infinito. Estou de pleno acordo com o que diz Warren Wiersbe sobre o fato de a lei e a graça serem complementares, e não concorrentes. Ninguém jamais foi salvo por guardar a lei, mas ninguém foi salvo pela graça sem que antes tivesse sido convencido de seus pecados pela lei.[20]

Jesus não expõe os próprios acusadores ao opróbrio (8.7-9). Ele age de maneira diferente daqueles que expuseram a mulher ao ridículo. Jesus conhecia seus pensamentos. Sabia do plano abominável deles. Ele poderia ter exposto esses acusadores à execração. Poderia denunciar o segredo do coração deles. A derrota dos acusadores foi patentíssima. Acusados pela consciência, retiraram-se, começando a debandada pelos mais velhos, que evidentemente idearam o plano, seguindo-se os mais moços, até o último.[21] Diz D. A. Carson que aqueles que tinham vindo para envergonhar Jesus saíram por fim envergonhados.[22]

---

[18]Wiersbe, Warren W. *Comentário bíblico expositivo*. Vol. 5, p. 411.
[19]Amaral, Joe. *Understanding Jesus*, p. 121.
[20]Wiersbe, Warren W. *Comentário bíblico expositivo*. Vol. 5, p. 412.
[21]Erdman, Charles. *O evangelho de João*, p. 70.
[22]Carson, D. A. *O comentário de João*, p. 337.

Jesus age com misericórdia com a mulher (8.10,11). Ele veio não para condenar, mas para salvar. A mulher merecia morrer, mas Ele usa Seu poder para restaurar. Ele veio buscar e salvar o que se havia perdido. Ele veio para os doentes. O perdão não é barato. Jesus deu Sua vida. Ele valoriza aquela mulher, chamando-a por um título honroso, o mesmo que usou para sua mãe: *Mulher*. Concordo, entretanto, com MacArthur, quando Ele diz que o perdão não é um salvo-conduto para pecar. Jesus não condenou a mulher, mas ordenou que ela abandonasse seu estilo de vida pecaminoso.[23]

Em quarto lugar, ***Jesus restaura a dignidade da mulher*** (8.10,11). Quatro verdades nos provam esse ponto, como vemos a seguir.

Jesus não diminuiu a gravidade do seu pecado. Ele não disse que ela era inocente ou que seu pecado não tinha importância. Jesus não tratou o pecado com leviandade. Ele não mandou a mulher para casa como se nada tivesse acontecido.

Jesus não a condena. Somente Jesus tinha condições morais de condenar aquela mulher, mas escolheu dar a ela uma oportunidade de se arrepender.

Jesus a encorajou. Ele disse a ela: *Vai*. Volta à vida. Não fique carregando seus traumas, recalques e culpa. Ela vai livre, perdoada, restaurada e com dignidade.

Jesus a exortou a não voltar ao pecado. A natureza do verdadeiro arrependimento não é o arrependimento e novamente o arrependimento, mas o arrependimento e frutos dignos do arrependimento. O arrependimento é mais do que um sentimento; é a firme atitude de abandonar o pecado. O perdão de Cristo em sua graça não é uma desculpa para pecar. Nada de reincidência. Jesus aborrece o pecado. Ele está abrindo uma avenida de obediência para ela. A lição eloquente que fica é esta: os mais santos são os mais misericordiosos.

---

[23]MacArthur, John. *The MacArthur New Testament commentary – John 1-11*, p. 330.

15

Jesus, a luz do mundo

João 8.12-59

JESUS ESTAVA ENSINANDO NO TEMPLO, quando foi interrompido pelos escribas e fariseus que traziam uma mulher apanhada em adultério. Depois que Jesus frustrou os desígnios dos acusadores da mulher e a despediu com a recomendação de que não pecasse mais, voltou a falar aos que estavam no templo.

Jesus apresenta-Se aqui como a luz do mundo, o libertador dos cativos, o Filho de Deus, que tem vida em Si mesmo, o único que pode dar vida eterna. Os judeus não conseguem compreender a fala de Jesus, pois não discernem Sua natureza divina nem Sua obra salvadora. Do alto de sua arrogância espiritual, consideram-se livres e seguros por ter o sangue de Abraão correndo em suas veias. Jesus, porém, reduz a nada essa pretensa segurança dos judeus, mostrando a eles que, por quererem matá-Lo, não praticavam as obras de Abraão; por isso, não eram filhos de Abraão, mas filhos do diabo, a quem imitavam em suas obras.

Vamos destacar a seguir alguns pontos importantes.

O testemunho que Jesus dá de Si mesmo como a **luz do mundo** (8.12-20)

Jesus já havia se apresentado como *o pão da vida* para os famintos e *a água viva* para os sedentos. Agora, faz mais uma declaração solene:

Eu sou a luz do mundo para aqueles que estão em trevas. Carson diz que a metáfora da luz está impregnada de alusões ao Antigo Testamento. A glória da própria presença de Deus na nuvem conduziu o povo para a terra prometida (Êx 13.21,22) e o protegeu daqueles que o destruiriam (Êx 14.19-25). Os israelitas foram treinados para cantar: *O Senhor é a minha luz e a minha salvação* (Sl 27.1). A Palavra de Deus é lâmpada para os nossos pés e luz para o nosso caminho (Sl 119.105). A luz de Deus é irradiada nas outras nações em revelação (Ez 1.4) e salvação (Hc 3.3,4). A luz é o próprio Deus em ação (Sl 44.3).[1]

Alguns pontos devem ser aqui observados.

Em primeiro lugar, *uma afirmação gloriosa* (8.12a). F. F. Bruce diz que, no Antigo Testamento, Deus é a luz do Seu povo (Sl 27.1); na luz da Sua presença, eles encontram graça e paz (Nm 6.24-26). O servo do Senhor é nomeado luz das nações, para que a salvação de Deus alcance até os limites da terra (Is 49.6). A Palavra ou lei de Deus também é chamada de luz que orienta o caminho dos obedientes (Sl 119.105). Dessa forma, Jesus, o Filho do Pai, o servo do Senhor, o Verbo encarnado, personifica essa linguagem do Antigo Testamento.[2]

Jesus é a luz do mundo. Sem Jesus, o mundo está mergulhado em densas trevas. Sem Jesus, prevalece a ignorância espiritual. Sem Jesus, as pessoas estão cegas e não sabem para onde vão. Sem Jesus, as pessoas estão perdidas, confusas e sem rumo. Sem Jesus, as pessoas caminham para as trevas eternas. Concordo com William Hendriksen quando ele diz que Jesus é a luz do mundo, o que significa que, para os ignorantes, Ele proclama sabedoria; para o impuro, santidade; e para os dominados pela tristeza, alegria.[3] Nessa mesma linha de pensamento, MacArthur diz que Jesus traz salvação a este mundo amaldiçoado pelo pecado. Para as trevas da falsidade, Ele é a luz da verdade; para as trevas da ignorância, Ele é a luz da sabedoria; para as trevas do pecado, Ele é a luz da santidade; para as trevas do sofrimento, Ele é a luz da alegria; e para as trevas da morte, Ele é a luz da vida.[4]

---

[1]CARSON, D. A. *O comentário de João*, p. 338.
[2]BRUCE, F. F. *João: introdução e comentário*, p. 166.
[3]HENDRIKSEN, William. *João*, p. 376.
[4]MACARTHUR, John. *The MacArthur New Testament commentary – John 1-11*, p. 334.

Em segundo lugar, *uma promessa bendita* (8.12b). Jesus é categórico em afirmar que aqueles que O seguem não andarão em trevas, mas terão a luz da vida. A vida com Jesus é uma jornada na luz da verdade, na luz da santidade e na luz da mais completa felicidade. William Barclay diz que a palavra grega *akolouthein*, traduzida aqui por "seguir", tem cinco significados: 1) um soldado que segue seu capitão; 2) o escravo que acompanha seu senhor; 3) a aceitação de uma opinião, veredito ou juízo de um conselheiro sábio; 4) a obediência às leis de uma cidade ou Estado; 5) alguém que segue a linha de argumentação de um mestre. Portanto, necessitamos de sabedoria do céu para seguir o caminho na terra. A pessoa que tem um guia seguro e um mapa correto chegará, sem dúvida, a seu destino sã e salva. Jesus Cristo é esse guia; Ele é o único que possui o mapa da vida. Segui-Lo significa transitar a salvo pela vida e depois entrar na glória.[5]

Em terceiro lugar, *uma contestação infundada* (8.13). Por não aceitarem a verdade de que Jesus é o enviado de Deus, que não fala por Si mesmo, mas veio em nome do Pai, a fim de cumprir a vontade do Pai, eles contestam Sua declaração, argumentando que o testemunho de Si mesmo é desprovido de valor e não pode suster-se.

Em quarto lugar, *uma explicação irrefutável* (8.14-18). Jesus refuta a falácia do argumento dos judeus, mostrando que Seu testemunho era verdadeiro por causa de Sua origem. Jesus sabe de onde vem e para onde vai. Ele veio do Pai e volta para o Pai. Ele vem de cima, do alto, do céu, de Deus. O julgamento dos judeus é segundo a carne. Eles são movidos pela cegueira espiritual, pelo preconceito e pelo ódio. Se Jesus vinha do Pai, se era um com o Pai e estava no mundo para fazer a vontade do Pai, não estava em desacordo com o ensino de Moisés acerca da necessidade de duas pessoas para validar um testemunho. Logo, Jesus deixa claro que Ele e o Pai estão em plena harmonia no testemunho que Jesus dá de Si mesmo como a luz do mundo.

Os judeus tentam arrazoar com Jesus, perguntando-Lhe: *Onde está Teu Pai?* (8.19). Jesus responde que o problema é que eles não O

---

[5] BARCLAY, William. *Juan II*, p. 19.

conheciam nem a Seu Pai, pois, se O conhecessem, também conheceriam Seu Pai. Ninguém pode conhecer verdadeiramente Deus a não ser através de Jesus (1.18). Jesus veio para nos mostrar o Pai (14.8,9). Ele e o Pai são um (10.30). Essas palavras de Jesus foram proferidas no lugar do gazofilácio, local de segurança máxima do templo, onde as ofertas eram depositadas. A hostilidade a Ele era tanta que João nos informa que Jesus não foi preso ali, porque ainda não havia chegado a Eua hora (8.20). F. F. Bruce diz que prisão, julgamento e execução, quando viessem, seriam apenas estágios em Eua viagem de volta para aquele que O enviara ao mundo.[6]

A importância suprema da **pessoa de Jesus** (8.21-30)

Em outra ocasião, Jesus volta a falar com os judeus e, nessa fala, revela a suprema importância de Sua pessoa. Destacaremos alguns pontos importantes nesse sentido.

Em primeiro lugar, *sem Jesus, o ser humano perece em seus pecados* (8.21). Jesus em breve morreria numa cruz, ressuscitaria dentre os mortos e voltaria para o céu. Mas os judeus obstinados em seus pecados pereceriam inevitavelmente, pois fechariam a porta da graça, recusando o enviado de Deus.

Em segundo lugar, *sem fé em Jesus, o grande Eu sou, o ser humano está condenado a morrer em seus pecados* (8.22-24). Os judeus já haviam pensado que Jesus se retiraria para a dispersão dos gregos (7.35). Agora, chegam ao extremo de pensar que Jesus se referia a cometer suicídio (8.22). Jesus corrige esse pensamento às avessas dizendo aos judeus que a diferença entre eles é de origem. Os judeus, bem como todos os seres humanos, são cá de baixo, terrenos, mas Jesus é de cima, do céu, vem de Deus. Por isso, rejeitar Jesus é fechar a única porta da salvação. Não crer que Ele é o Filho de Deus, a luz do mundo, é morrer em seus pecados. E morrer em pecado é a pior maneira de morrer, pois é não apenas morrer fisicamente, mas também ser banido eternamente da face de Deus para um lugar de trevas e ranger de dentes.

---

[6]Bruce, F. F. *João: introdução e comentário*, p. 168.

Jesus deixa claro que o homem precisa crer nEle como o Eu sou. Não há aqui nenhuma adjetivação. Ele não é apenas o pão da vida, a água da vida, a luz do mundo, a porta, o bom pastor, a ressurreição e a vida, o caminho, a verdade e a vida, a videira verdadeira. Ele é o Eu sou. O Deus que tem vida em si mesmo. O Deus incausado e o causador de todas as coisas. Não crer que Jesus é o próprio Deus autoexistente, eterno, imenso, infinito, imutável, onipotente, onisciente, onipresente e transcendente é morrer em seus pecados.

Em terceiro lugar, *Jesus é o enviado de Deus* (8.25-30). Os judeus perguntaram a Jesus: *Quem és tu?* (8.25). Jesus responde, mostrando o que já lhes dissera outras vezes. Ele reafirma que o testemunho que dá de Si mesmo é o mesmo testemunho dAquele que O enviou, mas os judeus não conseguem compreender que Jesus está falando sobre o Pai. Jesus esclarece, então, que, quando for levantado, ou seja, crucificado pelos próprios judeus, então entenderão que Ele de fato é o Eu sou, o enviado do Pai. E, mesmo que Ele seja abandonado pelas multidões, pelos discípulos e até pelos apóstolos, jamais será abandonado por Seu Pai, uma vez que sempre fez o que Lhe agrada. Com essas palavras, muitos creram nEle (8.30). É bem verdade que essa fé ainda era deficiente e não passaria pela prova.

A **liberdade** oferecida por Jesus (8.31-36)
Jesus, agora, se dirige aos que creram nEle, aprofundando o entendimento das implicações da fé. Alguns pontos merecem destaque em Seu discurso.

Em primeiro lugar, *a exigência do discipulado* (8.31). Um discípulo não é um crente superficial, mas alguém que permanece em Cristo. Não basta ter um entusiasmo inicial e depois retroceder, como a semente que caiu em solo rochoso. Não basta crer e alimentar no coração outras preocupações, como a semente que caiu no meio do espinheiro. A verdadeira fé que desemboca no verdadeiro discipulado é evidenciada por um relacionamento estreito com Cristo.

Em segundo lugar, *a condição da liberdade* (8.32). Jesus agora se apresenta como a verdade. O conhecimento da verdade traz plena liberdade. Onde reina o engano, prevalece a escravidão. Onde grassa e sopita a mentira, as amarras não se rompem. Onde medra a superstição, as pessoas não são livres. Jesus é categórico: *E conhecereis a verdade, e a verdade vos libertará* (8.32).

Em terceiro lugar, *a escravidão do pecado* (8.33-35). Quando Jesus falou sobre liberdade, os judeus arrotaram sua arrogância espiritual, dizendo: *Somos descendentes de Abraão e nunca fomos escravos de ninguém; por que dizes: Sereis livres?* (8.33). O povo de Israel fora escravizado por sete nações, conforme registrado no livro de Juízes. As dez tribos do Norte foram levadas cativas pela Assíria, enquanto as duas tribos do Sul passaram setenta anos no cativeiro na Babilônia. E, naquele exato momento, os judeus se encontravam sob o domínio de Roma.[7] Embora os judeus estivessem subjugados politicamente, jamais se sentiram escravos espiritualmente; embora fossem cativos externamente, jamais se julgaram escravos interiormente. Jesus refuta a tola ideia deles dizendo que eram escravos, e escravos da pior espécie. Eles eram escravos do pecado. O pecado os dominava como um severo senhor de escravos. Eram subjugados e dominados pelo pecado (8.34). D. A. Carson tem razão em afirmar que, para Jesus, o cativeiro máximo não é a escravidão a um sistema político ou econômico, mas a viciosa escravidão ao fracasso moral, à rebelião contra o Deus que nos fez. O senhor despótico não é César, mas um vergonhoso egocentrismo, uma má e escravizante devoção às coisas criadas à custa da adoração ao criador.[8]

William Hendriksen enfatiza que Jesus apresenta Seus inimigos como escravos em cadeias, sem nenhuma liberdade verdadeira. Agora – mudando um pouco a figura –, Ele indica outro aspecto dessa condição de escravidão. Um escravo pode desfrutar dos privilégios da casa de seu senhor por um pouco de tempo, mas nunca para sempre. Ele pode ser expulso, dispensado ou vendido a qualquer momento, mas o filho, porém, sempre fica na casa. Os judeus, que se vangloriavam de ser descendência de Abraão, fariam bem em se lembrar disso. A antiga dispensação, com seus privilégios para Israel, havia terminado. Os verdadeiros filhos de Abraão continuarão em sua casa e desfrutarão,

---

[7] WIERSBE, Warren W. *Comentário bíblico expositivo*. Vol. 5, p. 414.
[8] CARSON, D. A. *O comentário de João*, p. 350-351.

permanentemente, de seus privilégios, mas os escravos de Abraão terão de sair. Somente um filho usufrui de liberdade.[9]

Em quarto lugar, *Jesus é o verdadeiro libertador* (8.36). Jesus arremata seu argumento apresentando-se mais uma vez aos judeus como o Filho de Deus e, agora, especialmente, como o único que pode libertá-los da escravidão do pecado. O pecado escraviza, mas Jesus liberta. O pecado produz morte, mas Jesus é a vida. O pecado condena, mas Jesus perdoa. O pecado mata, mas Jesus dá a vida eterna.

O grave perigo do **autoengano** religioso (8.37-47)

Jesus mostrará, com cores fortes, a triste possibilidade de existirem filhos do diabo entre a semente de Abraão. Chamo a atenção para três pontos a seguir.

Em primeiro lugar, *a verdadeira filiação implica a correta imitação* (8.37-40). Jesus reconhece que os judeus são descendência de Abraão. Contudo, apenas ter o sangue de Abraão correndo nas veias não é o que os define como filhos de Abraão, e sim seguir o exemplo de Abraão e praticar as mesmas obras. A descendência de Abraão procurava matar aquele cuja vinda Abraão previu com alegre expectativa (8.56). Logo, as obras dos judeus que queriam matar Jesus eram diametralmente opostas às obras de Abraão. Jesus, como Filho de Deus, falava e fazia o que via no Seu Pai; os judeus também estavam falando e fazendo o que viam em seu pai; mas, como os judeus queriam matá-Lo e se recusavam terminantemente a recebê-Lo como o enviado de Deus, provavam que esse pai não era Abraão. Os judeus estavam enganados acerca de sua filiação. Julgavam ser quem não eram, uma vez que o importante não é ter o sangue de Abraão correndo nas veias, mas ter a fé de Abraão habitando no coração.

Em segundo lugar, *os verdadeiros filhos de Deus amam Jesus* (8.41-43). Quando Jesus falou aos judeus que eles não eram filhos de Abraão, porque a obra que faziam não eram as mesmas de Abraão, replicaram de imediato: [...] *Não somos filhos de prostituição. Temos um*

---

[9] HENDRIKSEN, William. *João*, p. 391-392.

Pai, que é Deus (8.41). Jesus argumenta que, se de fato Deus fosse pai deles, haveriam de amá-Lo, pois havia vindo da parte de Deus (8.42). Por causa da filiação, eles teriam uma incapacidade irremediável de compreender sua linguagem e ouvir Sua Palavra (8.43). Conforme argumenta D. A. Carson, é óbvio que Jesus não nega as verdades dos textos do Antigo Testamento, mas nega sua aplicação a Seus oponentes. O motivo implícito já havia sido dado: a filiação espiritual, no único sentido que importa, é atestada por semelhança e conduta, seja o "pai" Abraão ou Deus.[10]

Em terceiro lugar, *os verdadeiros filhos de Deus ouvem as palavras de Deus* (8.44-47). Jesus chega ao auge de sua acusação aos judeus dizendo que eles não eram filhos de Abraão nem consequentemente filhos de Deus, como pensavam. Eram filhos do diabo, pois estavam fazendo a vontade do diabo: não queriam a verdade como o diabo; viviam agarrados à mentira como o diabo; e estavam cheios de ódio a ponto de quererem matá-Lo, tal qual o diabo é assassino (8.44). Fisicamente, esses judeus certamente eram filhos de Abraão, mas, moral e espiritualmente, eram filhos do diabo. Porque eram filhos do pai da mentira, não criam em Jesus, que lhes falava a verdade (8.45). Concordo com D. A. Carson quando ele diz que a tragédia do mentiroso não é somente que ele engana a si mesmo e aos outros, mas, sobretudo, que ele não sustenta a verdade.[11]

Jesus acentua a impecabilidade dos judeus (8.46). Não obstante, eles não creem em Jesus, embora o mestre lhes proclame a verdade. Jesus deixa claro que só ouvem as palavras de Deus aqueles que são de Deus. Se os judeus não O ouvem, logo não são de Deus (8.47).

As evidências da **divindade** de Jesus (8.48-59)

Quanto mais luz era lançada sobre os judeus, mais cegos e prisioneiros da escuridão eles ficavam. Em vez de capitularem às evidências, aceitarem a verdade e crerem em Jesus, os judeus assacaram contra Jesus pesadas acusações. Destacamos dois pontos a seguir.

---

[10]CARSON, D. A. *O comentário de João*, p. 353.
[11]CARSON, D. A. *O comentário de João*, p. 354.

Em primeiro lugar, *as falsas acusações contra Jesus* (8.48,52). Os judeus levantaram contra Jesus duas acusações levianas. A primeira delas era eivada de preconceito. Chamaram-no de samaritano (8.48). Carimbaram Jesus como um homem mestiço, híbrido, sincrético, abominável. A segunda acusação estava empapuçada de blasfêmia. Disseram que Jesus tinha demônio. O rotularam de possesso e endemoninhado. Afirmaram que Jesus, em vez de ser o enviado do Pai, era regido por satanás.

Em segundo lugar, *a defesa que Jesus faz de Si mesmo* (8.49-59). Jesus já havia afirmado sua impecabilidade (8.46). Agora, diz com todas as letras: "Eu não tenho demônio" e contra-ataca: *Eu não busco glória para Mim mesmo* [...] *Se eu glorificar a Mim mesmo, a minha glória não tem valor. Quem me glorifica é meu Pai, do qual dizeis ser o vosso Deus* (8.50,54). A essa altura, Jesus faz uma afirmação gloriosa: *Em verdade, em verdade vos digo que, se alguém obedecer à minha palavra, nunca verá a morte* (8.51). Jesus está dizendo que Ele pode dar a vida eterna. Embora a morte física possa atingir os que guardam a sua palavra, jamais impedirá que estes desfrutem a vida eterna.

Os judeus compreenderam o discurso de Jesus e atacaram-No novamente. Reafirmaram que Ele tinha demônio, pois julgaram muita petulância querer ser maior do que o pai Abraão e os profetas que morreram. Como Jesus poderia prometer que aqueles que guardassem Sua palavra não veriam a morte eternamente (8.52,53)? Jesus, entretanto, nocauteia os judeus, dizendo-lhes que Abraão viu o seu dia e se alegrou (8.54). Obtusos de entendimento, questionaram: *Ainda não tens cinquenta anos e viste Abraão?* (8.57). Jesus, então, arremata: *Em verdade, em verdade vos digo que, antes que Abraão existisse, Eu sou* (8.58). A existência de Jesus transcende o tempo. Ele é, portanto, exaltado infinitamente acima de Abraão.[12] Concordo com William Barclay quando ele diz que em Jesus não vemos só um homem que viveu e morreu. Vemos o Deus atemporal, que foi o Deus de Abraão, de Isaque e de Jacó, que era antes do tempo, que será depois do tempo, que sempre é. Em Jesus,

---

[12]HENDRIKSEN, William. *João*, p. 408.

o Deus eterno se manifestou aos seres humanos.¹³ Aqui só restavam duas possibilidades: ou os judeus estavam diante do maior embusteiro e blasfemo, ou diante do Filho de Deus. Movidos pela incredulidade, pegaram em pedras para matá-Lo, mas Jesus se ocultou e saiu do templo (8.59). Charles Swindoll elenca cinco razões pelas quais os judeus rejeitaram o Messias: 1) falta de conhecimento (8.14); 2) falta de percepção (8.15,23); 3) falta de apropriação (8.37); 4) falta de desejo (8.44); 5) falta de humildade (8.52,53).¹⁴

---

¹³BARCLAY, William. *Juan II*, p. 46.
¹⁴SWINDOLL, Charles R. *Insights on John*, p. 174-175.

16

Jesus, a verdadeira luz que traz luz ao cego

João 9.1-41

NO CAPÍTULO 8 DO EVANGELHO DE JOÃO, Jesus se apresentou como a luz do mundo. Agora, Ele ilustra Seu ensino curando um homem cego de nascença. Jesus dá mais uma prova de Sua divindade, uma vez que era crença comum que só Deus poderia dar vista a um cego de nascença. Uma vez que a cegueira era considerada maldição divina, só Deus poderia remover essa maldição. Além disso, dar vista a um cego de nascença é uma obra criadora, e só Deus tem poder para criar.[1]

Esse é um dos milagres mais bem documentados nas Escrituras, pois os vizinhos, os pais e os opositores precisaram admitir que, de fato, o homem era cego de nascença e agora estava enxergando.

O capítulo contém sete cenas: 1) o milagre (9.1-7); 2) o homem interrogado pelos vizinhos (9.8-12); 3) o homem interrogado pelos fariseus (9.13-17); 4) os pais interrogados (9.18-23); 5) o homem interrogado novamente (9.24-34); 6) a procura de Jesus pelo homem (9.35-38); 7) o significado do milagre (9.39-41).[2]

Destacamos a seguir alguns pontos importantes na exposição do texto em tela.

---

[1] AMARAL, Joe. *Understanding Jesus*, p. 123.
[2] RICHARDS, Larry. *Todos os milagres da Bíblia*, p. 258.

Um **milagre** singular (9.1-7)

Jesus ainda está em Jerusalém. Ao caminhar, vê um homem cego de nascença (9.1). Nos evangelhos, esse é o único milagre relatado no qual se diz que alguém sofria desde seu nascimento. Um homem cego é visto ou, então, permanecerá na escuridão. Há algumas pessoas que ou Jesus as enxerga ou, então, ficarão esquecidas, marginalizadas, cobertas pelo manto escuro das trevas. Cinco fatos nos chamam a atenção nesse milagre operado por Jesus.

Em primeiro lugar, *uma pergunta perturbadora* (9.2). Ao verem o homem cego, os discípulos sacaram da algibeira uma questão perturbadora: *Rabi, quem pecou para que ele nascesse cego: ele ou seus pais?* Em vez de buscar uma solução para o problema alheio, eles queriam especular sobre o mais intrincado problema filosófico: a origem do mal. William Hendriksen diz que os judeus relacionavam cada infelicidade a um pecado em particular. Dessa forma, os amigos de Jó relacionaram suas aflições a seus supostos pecados de crueldade em relação às viúvas e aos órfãos (Jó 4.7; 8.20; 11.6; 22.5-10); e no tempo de Jesus esse tipo de raciocínio ainda prevalecia (Lc 13.2-5). Obviamente, Jesus não aprovava essa ênfase exagerada.[3]

Em segundo lugar, *uma resposta esclarecedora* (9.3). Jesus responde que nem o homem pecou nem seus pais, mas ele nasceu cego para que se manifestassem as obras de Deus. É claro que Jesus não estava com isso insinuando haver pessoas sem pecado nem induzindo os discípulos a crer que todo sofrimento é resultado imediato de um pecado imediato. Também Jesus não estava afirmando que aquele homem havia nascido cego especificamente para ser, agora, alvo de seu milagre. Jesus estava dizendo que o sofrimento alheio não deveria ser alvo de especulação, e sim de uma ação misericordiosa. F. F. Bruce, na mesma linha de pensamento, diz que isso não significa que Deus intencionalmente fez a criança nascer cega para, depois de muitos anos, revelar sua glória tirando-lhe a cegueira; pensar assim também seria uma afronta ao caráter de Deus. O sentido é que Deus é soberano sobre a infelicidade

---

[3]HENDRIKSEN, William. *João*, p. 415.

da cegueira da criança e, quando ela se tornou adulta, a fez recuperar a vista, a fim de que visse a glória de Deus na face de Cristo.[4] Larry Richards diz que tragédias dão a Deus uma oportunidade de se revelar de formas singulares. Foi uma tragédia que tirou de Joni Eareckson Tada sua capacidade de andar. Por meio de Joni, no entanto, o Senhor tem encorajado milhares de pessoas e demonstrado sua glória.[5]

Em terceiro lugar, *uma ordem urgente* (9.4). Jesus confirma Sua declaração, dizendo que as obras do Pai devem ser feitas com presteza e urgência, pois haverá um tempo, quando a noite chegar, que não será mais possível trabalhar.

Em quarto lugar, *uma declaração magnífica* (9.5). Antes de abrir os olhos ao cego, Jesus reafirmou a Seus discípulos o que havia dito aos judeus: *Eu sou a luz do mundo* (8.12; 9.5).

Em quinto lugar, *um milagre inédito* (9.6,7). Esse milagre é inédito na história. Não havia ainda nenhum registro de que um cego de nascença tivesse sido curado (9.32). Larry Richards diz que Jesus concedeu visão a um homem que nascera cego. Não foi a restauração de visão perdida. Foi um ato de criação: criar algo que não existia.[6]

Cada cura de Jesus tinha um ritual diferente. Ele nunca tratou as pessoas como massa. Sempre cuidou de cada indivíduo de forma pessoal e singular. Nesse caso, Jesus usou um método aparentemente estranho. Antes de curar o homem, cuspiu na terra, fez um lodo com a saliva e passou essa terra molhada nos olhos do cego. William Barclay explica que a saliva era muito comum no mundo antigo como recurso terapêutico.[7] Depois, Jesus mandou o homem ir ao tanque de Siloé se lavar. O homem foi, levou-se e voltou vendo. Jesus produziu nele um desconforto e depois o curou. Jesus o tocou e depois o sarou. Jesus o desafiou a crer em Sua palavra e depois o milagre ocorreu. Concordo com Matthew Henry quando ele diz que há mais glória nesta narrativa concisa: Ele *foi, lavou-se e voltou enxergando* do que na frase de César:

---

[4] Bruce, F. F. *João: introdução e comentário*, p. 183.v
[5] Richards, Larry. *Todos os milagres da Bíblia*, p. 259.
[6] Richards, Larry. *Todos os milagres da Bíblia*, p. 257.
[7] Barclay, William. *Juan II*, p. 52.

Veni, vidi, vici ("Vim, vi, venci"). Quando o lodo foi lavado dos olhos do cego, todas as outras limitações foram removidas também, de modo que as dores e os sofrimentos do nascimento acabaram, e as dores e os terrores passaram, as ligações com o pecado se foram, e uma luz e uma liberdade gloriosas surgiram.[8]

O **interrogatório** dos **vizinhos** (9.8-12)

O extraordinário milagre operado por Jesus desperta nos vizinhos do homem cego três questionamentos.

Em primeiro lugar, *eles querem saber quem* (9.8,9). Quando os vizinhos viram curado o homem que haviam conhecido cego, perguntaram: "É ele mesmo, aquele que vivia a pedir esmolas?" Outros disseram: "Não, mas se parece com ele". A essa altura, o próprio homem curado esclarece: "Sou eu!" O milagre, assim, é certificado por aqueles que conheciam o homem de vista e sabiam de sua história.

Em segundo lugar, *eles querem saber como* (9.10,11). Tendo verificado a veracidade do milagre, os vizinhos fazem uma segunda pergunta: *Então, como os teus olhos foram abertos?* (9.10). O cego mendigo, agora curado, não tinha respostas claras, mas informou o que sabia: *O homem que se chama Jesus* era o autor desse poderoso milagre. E aproveitou o ensejo para narrar todos os detalhes da sua cura: o ato de Jesus, a ordem de Jesus e o resultado maravilhoso de sua obediência.

Em terceiro lugar, *eles querem saber onde* (9.12). Sendo informados de que o homem Jesus era o protagonista da extraordinária façanha, os vizinhos quiseram saber onde Ele estava. O homem, porém, não tinha ainda todas as respostas. Só sabia o que Jesus havia feito em sua vida, mas não sabia onde Ele estava.

O **interrogatório** dos **fariseus** (9.13-34)

A essa altura, os vizinhos levam o homem curado aos fariseus, e aí começa uma saga cheia de coragem por um lado e cheia de arrogante

---

[8]HENRY, Matthew. *Matthew Henry comentário bíblico Novo Testamento – Mateus-João*, p. 889.

cegueira espiritual por outro. Na mesma medida em que os olhos da alma do homem curado são abertos para aprofundar sua fé, os fariseus mergulham cada vez mais fundo no obscurantismo espiritual. Erdman diz que, custasse o que custasse, eles precisavam desmoralizar o milagre. E é o que procuram fazer, mas sem resultado. Assim é hoje também, só que trocando as fórmulas religiosas dos fariseus por axiomas da ciência dos céticos e racionalistas. Muitos dizem que o sobrenatural não existe, milagres não acontecem e, por consequência, os decantados feitos de Jesus não passam de fábulas. Ele não nasceu de uma virgem. Não restaurou vista a cegos e jamais ressurgiu dos mortos. Tais pessoas têm suas teorias e, por causa delas, rejeitam fatos.[9]

Houve cinco interrogatórios dos fariseus com esse homem. Vamos examiná-los a seguir.

Em primeiro lugar, *a pergunta da dúvida* (9.13-16). Os fariseus fazem a mesma pergunta dos vizinhos: Como? E o homem dá a mesma resposta, agora de forma mais abreviada: *Ele aplicou barro sobre os meus olhos, lavei-me e passei a enxergar* (9.15). O problema é que essa cura, à semelhança do que ocorreu com o paralítico de Betesda, também se deu num sábado e, na distorcida hermenêutica dos fariseus, Jesus estava quebrando a guarda do sábado. Por isso, Ele não podia ser um homem de Deus. Larry Richards diz que a interpretação legalista dos fariseus de guardar o sábado era muito mais importante para eles do que um ato surpreendente de Deus. Devemos ter cuidado para não permitir que nossa teologia nos impeça de reconhecer a verdadeira obra de Deus.[10]

Outros, porém, fisgados pela dúvida, perguntam: *Como pode um homem pecador fazer tamanhos sinais?* (9.16). E houve dissensão entre eles. Segundo F. F. Bruce, havia dois pontos de vista opostos. O primeiro baseava-se na premissa de que "um homem que quebra a lei do sábado não pode ser de Deus". Se, no entendimento dos opositores, Jesus havia quebrado a lei do sábado, ele não poderia ser de Deus. O segundo ponto de vista baseava-se na premissa de que "qualquer pessoa que cura um cego – especialmente um cego de nascença – é de

---

[9]ERDMAN, Charles. *O evangelho de João*, p. 77-78.
[10]RICHARDS, Larry. *Todos os milagres da Bíblia*, p. 259.

Deus".[11] A conclusão óbvia é que Jesus não havia transgredido a lei do sábado, mas transgredido a interpretação equivocada dos escribas sobre o sábado. A partir daí, era inevitável concluir que a interpretação vigente sobre a lei do sábado precisava ser revista.

Em segundo lugar, **a pergunta do testemunho pessoal** (9.17). Novamente, os fariseus sabatinam o cego. Agora, querem saber o que ele pessoalmente pensa acerca do homem que lhe abriu os olhos. A resposta foi imediata: *Ele é profeta* (9.17). O fariseus vão se complicando à medida que tentam desconstruir a realidade inegável desse milagre.

Em terceiro lugar, **a pergunta aos pais do cego** (9.18-23). Os fariseus, prisioneiros do preconceito, não acreditaram que esse homem fosse verdadeiramente cego e que agora via. Então, decidem tirar a prova dos noves com o pai do cego. Eles fazem duas perguntas aos pais. A primeira é: *É este o vosso filho, que dizeis ter nascido cego?* A segunda: *Como, pois, ele está enxergando?* Dessas duas perguntas, os pais respondem com firmeza à primeira. *Sabemos que este é o nosso filho e que nasceu cego.* Da outra pergunta, porém, eles se esquivaram, jogando o problema para o próprio filho. A motivação para essa postura era a intolerância religiosa dos judeus, pois a decisão já havia sido tomada. Quem ficasse do lado de Jesus seria expulso da sinagoga. William Barclay diz que a excomunhão da sinagoga era uma poderosa arma usada pelas autoridades (12.42; 16.2). Havia dois tipos de excomunhão: 1) A proibição mediante a qual se expulsava alguém da sinagoga pelo resto da vida. Nesse caso, a pessoa era anatematizada em público. O entendimento era que a pessoa expulsa estava excluída da presença de Deus e dos homens. 2) A sentença de excomunhão temporária, que mantinha a pessoa afastada da comunhão com Deus e com as pessoas. Foi por essa razão que os pais do homem curado esquivaram-se de responder com mais profundidade às autoridades.[12]

Aquele que fosse expulso da sinagoga não tinha direito a assistência se ficasse pobre ou passasse por necessidades muito grandes. Quem tivesse um comércio não poderia negociar com pessoas da

---

[11]BRUCE, F. F. *João: introdução e comentário*, p. 186.
[12]BARCLAY, William. *Juan II*, p. 57.

comunidade. Os amigos deixariam de falar com o banido. Confessar Cristo diante da ameaça de ser "expulso da sinagoga" exigia uma coragem que os pais desse homem não tinham.[13] O dilema dos fariseus, porém, só aumentava, pois agora não havia mais do que duvidar. Eles estavam diante de um milagre notório, Jesus era o Seu agente, e esse sinal acontecera num sábado.

Em quarto lugar, *a estratégia de colocar o cego curado contra Jesus* (9.24,25). Os fariseus tentaram criar uma fenda irreconciliável entre Deus Pai e Jesus, induzindo o homem curado a passar para o lado deles e se posicionar contra Jesus, considerando-O um pecador. Longe de ceder à sedução e pressão dos fariseus, o que fora cego deu outro ousado testemunho: *Se é pecador, não sei. Uma coisa sei: eu era cego e agora estou enxergando!* (9.25). William Hendriksen diz que, com ousadia, ele coloca tanto seu *não sei* quanto seu *sei* contra o *nós sabemos* deles. É como se o cego dissesse: "Contra a palavra de autoridade de vocês, eu coloco este grande fato da experiência: embora eu fosse cego antes, agora enxergo. Fatos são mais palpáveis do que opiniões infundadas".[14]

Em quinto lugar, *a tentativa da contradição* (9.26-34). Os fariseus tentam induzir o homem a uma contradição, com a mesma pergunta: *O que Ele te fez? Como te abriu os olhos?* (9.26). Perdendo a paciência com seus incansáveis interrogadores, o homem não detalha mais os fatos, porém alfineta-os com outra pergunta: *Acaso também quereis tornar-vos discípulos dEle?* Querendo humilhar o homem com arrogância autogratificante, disseram que ele, sim, podia ser discípulo de Jesus, mas eles, os guardiões da lei, eram discípulos de Moisés (não se dando conta de que Moisés iria condená-los).

A essa altura, os fariseus tentam atacar Jesus, dizendo que tinham convicção de que Deus havia falado a Moisés, mas nem sequer sabiam de onde procedia Jesus. Mais uma vez, o cego os espicaça com seu arrazoado contundente: *Isto é de fato surpreendente; não sabeis de onde Ele vem, mas Ele me abriu os olhos!* Em outras palavras, vocês deveriam saber. E acrescenta que, se Jesus fez esse milagre inédito,

---

[13] RICHARDS, Larry. *Todos os milagres da Bíblia*, p. 260.
[14] HENDRIKSEN, William. *João*, p. 435.

certamente Deus o atendeu, uma vez que só Deus opera um milagre dessa natureza. O argumento do cego é demolidor: *Se Ele não fosse de Deus, nada poderia fazer* (9.33), uma vez que Deus não escuta a oração de homem mau (Jó 27.9; Sl 66.18; Is 1.15; Ez 8.18; Pv 15.29). Mas, longe de se renderem à verdade, os fariseus preferem hostilizar o homem, dizendo-lhe: *Tu nasceste totalmente em pecado e vens ensinar a nós? E o expulsaram* (9.34). Quantas vezes ainda hoje os insultos tomam lugar dos argumentos, e quão frequentemente as pessoas voltam as costas, com aparente desdém, para fatos que não podem negar nem refutar![15]

Erdman diz com razão que os fariseus se viram diante de um dilema: lá estava o homem, de vista perfeita, que nascera cego e Jesus lhe abriu os olhos. Ou eles negavam o fato, ou admitiam a natureza divina de Jesus. Aos céticos de hoje, igualmente, os fatos deixam perturbados. Por exemplo, eles negam os milagres, mas admitem que Jesus era mestre supremo no terreno da moral e louvam-No como homem bom.[16] É preciso deixar claro que esta é uma incoerência gritante. Jesus não pode ser um homem bom se o que diz de si mesmo não é verdade. Se Jesus não é o Filho de Deus, então é um mentiroso. Se Jesus não fez as obras que diz ter feito, então é um impostor. Logo, afirmar que Ele é um homem bom e negar Sua natureza divina e Suas obras miraculosas é cair numa contradição insuperável.

O **encontro** de Jesus com o **cego** (9.35-38)

Ouvindo Jesus que os fariseus o haviam expulsado, foi ao seu encontro e lhe perguntou: Crês no Filho do homem? O homem redarguiu: *Quem é Ele, senhor, para que eu nEle creia? Jesus lhe disse: Tu já o viste, e é Ele quem está falando contigo. Disse o homem: Eu creio, Senhor! E O adorou* (9.35-38). O mesmo Jesus que abriu os olhos do cego abre, agora, os olhos de sua alma. Ele não apenas recebe uma cura; mas também adora o Filho do homem, o Senhor. É maravilhoso constatar que, ao mesmo

---

[15] ERDMAN, Charles. *O evangelho de João*, p. 79.
[16] ERDMAN, Charles. *O evangelho de João*, p. 78.

tempo que os judeus o expulsam do templo, o Senhor do templo vai ao seu encontro para buscá-lo.[17]

Na mesma proporção que os fariseus faziam uma viagem rumo ao abismo mais profundo da incredulidade, esse homem fazia uma viagem rumo à maturidade e ao aprofundamento da fé. Sua compreensão sobre Jesus foi crescente. No começo, era apenas o homem Jesus (9.11). Depois, o ex-cego O considerou um profeta (9.17). Em seguida, admitiu que Jesus era um operador de milagres (9.27). Avançou para a compreensão de que era um homem de Deus (9.33). Creu nEle como o Filho do homem (9.35) e, finalmente, O adorou como Senhor (9.38).

Jesus expõe a cegueira dos fariseus (9.39-41)

Enquanto o homem curado se prostra para adorá-Lo, Jesus aproveita o momento para enfatizar diante dos olhos estupefatos dos fariseus Sua missão de abrir as janelas do entendimento para uns e fechar as portas da compreensão para outros (9.39). Os cegos veem e os que se julgam entendidos ficam cegos. As palavras e as obras de Jesus abrem os olhos de uns e entenebrecem outros.

Alguns dentre os fariseus, inconformados e sentindo-se atingidos por essa fala, perguntam a Jesus: *Será que nós também somos cegos?* Jesus já havia chamado os judeus de filhos do diabo. Agora, Jesus deixa claro que o pecado deles é se julgarem iluminados, guardiões da correta interpretação. William Hendriksen, nessa mesma linha de pensamento, escreve:

> Se vocês estivessem não apenas sem luz (o verdadeiro conhecimento de Deus, santidade, justiça, alegria), mas também conscientes dessa condição deplorável, e desejando ansiosamente pela salvação de Deus, nenhuma acusação seria feita a vocês. Mas, porque vocês dizem: nós enxergamos, seu pecado permanece. Em outras palavras: Se não conseguem ver a enormidade de suas misérias e de seus pecados, vocês não poderão gozar do verdadeiro conforto. Seu pecado permanece, pois vocês rejeitaram a salvação de Deus.[18]

---

[17] BARCLAY, William. *Juan II*, p. 60.
[18] HENDRIKSEN, William. *João*, p. 442.

17

Jesus, o bom pastor

João 10.1-42

O CAPÍTULO 10 DE JOÃO É UMA SEQUÊNCIA do capítulo anterior. Jesus ainda está enfrentando os fariseus, os líderes cegos que se julgavam sábios e grandes intérpretes da lei. Concordo com Charles Erdman quando ele diz que a metáfora que inicia o capítulo 10 de João está inseparavelmente ligada ao episódio do capítulo precedente. É de fato a continuação do discurso que nosso Senhor começou na presença dos fariseus e do ex-cego. Sua finalidade foi, primeiro, censurar a maneira como os fariseus trataram o homem a quem Jesus dera a visão; segundo, animar o ex-cego em sua fé e confiança; e, terceiro, salientar o ministério amoroso e Salvador de nosso Senhor.[1] William Hendriksen explica esse fato da seguinte maneira:

> O bom pastor dá sua vida pelas ovelhas; os fariseus, por outro lado, como maus pastores, não estão preocupados com as ovelhas, e as lançam fora. O homem cego de nascença, uma verdadeira ovelha, tinha sido excomungado pelas autoridades judaicas, mas Jesus, o bom pastor, foi procurá-lo e o encontrou. Portanto, torna-se evidente que 10.1-21 é a continuação lógica e cronológica de 9.35-41.[2]

---

[1] ERDMAN, Charles. *O evangelho de João*, p. 79.
[2] HENDRIKSEN, William. *João*, p. 446.

O texto em tela pode ser dividido em oito partes bem distintas, como veremos a seguir.

A parábola do **verdadeiro pastor** (10.1-6)

O Antigo Testamento frequentemente se refere a Deus como pastor e ao povo como rebanho (Sl 23.1; 77.20; 79.13; 80.1; 95.7; 100.3; Is 40.11). F. F. Bruce afirma que essa parábola deve ser lida observando o pano de fundo de Ezequiel 34. Ali, Deus é o pastor do seu povo e nomeia pastores subordinados para cuidar do seu rebanho. Mas esses pastores, como o pastor inútil de Zacarias 11.17, alimentam-se das ovelhas, em vez de alimentarem as ovelhas. Longe de cuidar das ovelhas, esses pastores se omitiam e sacrificavam as ovelhas, arrancando-lhes a lã e comendo-lhes as carnes. Esses pastores indignos são expulsos, e Deus mesmo cuidará de apascentar Suas ovelhas. Deus entregará Suas ovelhas a alguém digno de confiança: *E sobre elas levantarei um só pastor, o meu servo Davi, que cuidará delas e lhes servirá de pastor* (Ez 34.23). Essa é uma referência inequívoca ao Messias, da linhagem de Davi (Ez 34.24,25). Uma pessoa que fala como Jesus nessa parábola do bom pastor está dizendo, indiretamente, ser Ele mesmo o Messias davídico.[3]

A parábola que Jesus narra só pode ser compreendida plenamente se nos reportarmos à prática pastoril daquela época, naquela região. Na Judeia, lugar de montanhas e vales, havia poucos lugares seguros com pastos suficientes para as ovelhas. Os pastores saíam com seus rebanhos e à noite precisavam colocar essas ovelhas no aprisco, um lugar seguro para protegê-las dos lobos e hienas. Havia dois tipos de aprisco. No inverno, havia um grande aprisco para onde vários pastores levavam seus rebanhos. Esse aprisco tinha uma porta forte que ficava trancada, e a chave era confiada ao porteiro. No dia seguinte, o pastor chamava suas ovelhas e saía com elas em busca de pastos verdes e águas tranquilas. No verão, os pastores ficavam com seus rebanhos nos campos e os recolhiam a um pequeno aprisco de pedras. Esse aprisco tinha uma abertura por onde as ovelhas entravam e saíam, e o próprio pastor era a

---

[3]Bruce, F. F. *João: introdução e comentário*, p. 194.

porta. Jesus está se referindo a esses dois apriscos. No primeiro aprisco (10.1-3), os ladrões tentavam roubar as ovelhas subindo as paredes. No segundo aprisco, o próprio pastor servia de porta para as ovelhas. Jesus disse: *Eu sou a porta das ovelhas* (10.7).

Jesus explicita na parábola a gritante diferença entre o ladrão e o pastor das ovelhas. O ladrão não entra pela porta do aprisco das ovelhas. Não é legítimo; é usurpador. Não tem interesse em cuidar das ovelhas, mas em roubá-las. Seu propósito não é servi-las, mas delas servir-se.

Já o pastor pode ser conhecido por seis marcas. Em primeiro lugar, para o pastor, o porteiro abre a porta. Ele é legítimo. Tem credenciais. É o dono das ovelhas cujo trabalho é cuidar das ovelhas. Segundo, as ovelhas conhecem a sua voz. Distinguem sua voz da voz dos estranhos. O pastor tem cheiro de ovelhas. Ama as ovelhas e tem intimidade com elas. Terceiro, o pastor conhece cada ovelha particularmente e chama cada uma pelo seu nome. O relacionamento do pastor com as ovelhas é individual. Ainda que seu rebanho seja numeroso, ele conhece cada ovelha pelo nome. Quarto, o pastor conduz suas ovelhas para fora do aprisco. Leva-as para os campos verdes e as águas tranquilas. Guia suas ovelhas nas veredas da justiça. Mesmo quando atravessa com elas o vale da sombra da morte, jamais as desampara; ao contrário, consola-as com seu cajado e bordão. Mesmo nos desertos mais cáusticos, prepara para elas uma mesa e, diante de seus inimigos, unge sua cabeça com óleo. Quinto, o pastor vai adiante das ovelhas. Jesus lidera; Ele não induz![4] Vai adiante para abrir o caminho, para afugentar os predadores, para livrar suas ovelhas de perigos. O pastor não toca as ovelhas como um vaqueiro toca o gado, empurrando-o; o pastor é um guia. Sexto, o pastor é seguido pelas ovelhas. Elas não seguem estranhos; seguem apenas o pastor.

Os fariseus não compreenderam a parábola de Jesus, pois na verdade eles não eram pastores, mas ladrões e salteadores. Não cuidavam das ovelhas, mas buscavam apenas seus interesses. Erdman diz que os fariseus não tinham adquirido o poder que exerciam entrando "pela porta" de algum ofício ou função divinamente instituídos. Haviam subido "por

---

[4] HENDRIKSEN, William. *João*, p. 456.

outra parte". O Seu poder despótico tinha sido conquistado por meios ilegais. Eram tais quais ladrões, no engano e hipocrisia que revelavam, e tais quais salteadores, na sua violência e audácia. Cristo, ao contrário, viera comissionado divinamente no ofício designado de Messias. Ele era o verdadeiro pastor.[5]

A **porta** das ovelhas (10.7-10)

Se antes Jesus fez um contraste na parábola entre o pastor e os ladrões e salteadores (10.1-6), agora Ele faz um contraste entre a porta e os ladrões e salteadores (10.7-10). Jesus afirma categoricamente que Ele mesmo é a porta: *Eu sou a porta das ovelhas* (10.7). Ninguém pode entrar no aprisco de Deus senão por meio de Jesus. Não há outra porta. Não há outro caminho. Não há outro Salvador. Não há outro mediador. O próprio Jesus é a porta. Não se trata de uma cerimônia ou de uma doutrina. Não se trata de uma igreja nem de uma denominação. A porta é Jesus!

Quatro verdades podem ser observadas acerca de Jesus como a porta das ovelhas, como veremos a seguir.

Em primeiro lugar, *Jesus é a porta da salvação* (10.9). *Eu sou a porta. Se alguém entrar por Mim, será salvo* [...]. Jesus é a porta da salvação, a porta do céu. Há uma porta larga que conduz à perdição, mas só Jesus é a porta da salvação. Só Jesus é a porta do céu. Ninguém poderá entrar na bem-aventurança senão por Jesus. Ninguém poderá ir ao Pai senão por Jesus.

Em segundo lugar, *Jesus é a porta da libertação* (10.9). [...] *Entrará e sairá* [...]. Há portas que conduzem à escravidão, mas Jesus é a porta que conduz à liberdade. Quem entra pela porta que é Jesus entra e sai. As ovelhas de Cristo são livres. Deus nos chamou para a liberdade.

Em terceiro lugar, *Jesus é a porta da provisão* (10.9). [...] *e achará pastagem*. Quem entra pela porta que é Jesus encontra pastagem. Nele há provisão farta e vida abundante. A nossa provisão espiritual é encontrada em Cristo. Ele é o nosso alimento. Ele é o pão da vida. Ele é a água da vida. O legalismo farisaico estava matando as pessoas; mas quem vai a Jesus encontra uma vida maiúscula, superlativa e abundante.

---

[5]ERDMAN, Charles. *O evangelho de João*, p. 80.

Em quarto lugar, *Jesus é a porta da vida abundante* (10.10). [...] *Eu vim para que tenham vida, e a tenham com plenitude.* Jesus é a vida e veio para dar vida, vida plena, abundante, eterna.

Vimos os predicados da porta das ovelhas. Agora, veremos duas marcas dos ladrões e salteadores.

Primeira, *quanto ao seu ofício, os ladrões e salteadores não têm legitimidade* (10.8). Os que vieram antes de Cristo são ladrões e salteadores. E, obviamente, Jesus não está se referindo a João Batista nem aos profetas, pois estes apontaram para Jesus e foram fiéis em seu ministério. É claro que Jesus está falando sobre os líderes que, em vez de conduzirem as ovelhas em segurança ao aprisco de Deus, afugentaram as ovelhas como os fariseus fizeram com o homem que foi expulso (9.34). Os fariseus, chamados por Jesus de filhos do diabo, agiam como o ladrão que vem roubar, matar e destruir (10.10).

Segunda, *os ladrões e salteadores quanto à sua ação são devastadores* (10.10). *O ladrão vem somente para roubar, matar e destruir* [...]. Em primeira instância, o ladrão aqui é o fariseu (10.1). Esses líderes religiosos matavam e destruíam as pessoas que eles tinham roubado (Mt 23.15).[6] O ladrão não tem outra agenda a não ser roubar, matar e destruir. Ele vem somente para isso. Esse é um retrato imediato dos fariseus. Também aponta para todos os líderes religiosos que oprimem e destroem o povo em vez de apascentá-lo. Essa é uma descrição clara do próprio diabo, inspirador de todos os falsos pastores.

O **bom pastor** (10.11-18)

Jesus faz mais um contraste, agora entre o pastor e o mercenário. O mercenário é alguém contratado para cuidar das ovelhas, mas ele não é pastor nem dono das ovelhas. Faz o seu trabalho para receber um salário. Não está ali para arriscar sua vida e, sim, para ganhar seu sustento. O pastor, porém, sendo dono das ovelhas, importa-se com elas, defende-as e até está pronto a dar sua vida por seu animais.

---

[6]HENDRIKSEN, William. *João*, p. 461.

Entre tantos nomes de Jesus, bom pastor é um dos que mais nos chamam a atenção. Jesus nos chama de ovelhas, e a ovelha é um animal indefeso, inseguro e míope, que não pode alimentar a si mesma, proteger a si mesma nem limpar a si mesma. A ovelha é totalmente dependente. Há um gritante contraste entre o poder do divino pastor com a fragilidade da ovelha. Há um gritante contraste entre as necessidades da ovelha e a rica provisão oferecida pelo pastor.

Os grandes líderes do povo de Deus exerceram a função de pastor. Os patriarcas Abraão, Isaque e Jacó eram pastores de ovelhas. Moisés era pastor de ovelhas. O rei Davi também era pastor de ovelhas. Deus é chamado de pastor de Israel. Israel é chamado de rebanho de Deus. A Judeia, lugar de montanhas e vales, não era adequada para a agricultura. Prevalecia a pecuária. Havia muitos rebanhos de ovelhas.

O Messias nos é apresentado no livro de Salmos como o bom pastor que dá a vida pelas ovelhas (Sl 22), como o grande pastor que vive para as ovelhas (Sl 23) e como o supremo pastor que voltará para as ovelhas (Sl 24).

Em João 10.11, Jesus se apresenta como o bom pastor que dá vida pelas suas ovelhas. O adjetivo "bom" aqui não é *agathos*, mas *kalos*. O sentido básico da palavra é "maravilhoso". A palavra *kalos* indica o caráter excelente de Jesus. Esse pastor corresponde a um ideal tanto em caráter como em Sua obra. Ele é único em sua categoria.[7] O autor aos Hebreus, no capítulo 13, versículo 20, nos fala que o Jesus ressurreto dentre os mortos é o grande pastor das ovelhas, Aquele que nos aperfeiçoa em todo o bem para cumprirmos a vontade de Deus. E o apóstolo Pedro, em sua primeira epístola, capítulo 5, versículo 4, fala-nos do supremo pastor que se manifestará para dar às suas ovelhas a imarcescível coroa da glória.

Várias verdades devem ser destacadas sobre Jesus como o bom pastor.

Em primeiro lugar, ***o bom pastor sacrifica-se pelas ovelhas*** (10.11,15b). Jesus não é apenas pastor. Ele é o bom pastor. O bom pastor não é aquele que oprime, explora e devora as ovelhas, mas aquele que dá a vida por

---

[7] HENDRIKSEN, William. *João*, p. 461.

elas. Jesus deixa isso explícito nos versículos 11 e 15. Os fariseus haviam acabado de expulsar da sinagoga o cego curado por Jesus. Eles usaram Seu poder eclesiástico para oprimir as pessoas e lançá-las fora. Jesus, o bom pastor, veio não para expulsar as ovelhas, mas para dar a vida por elas. Jesus veio para morrer pelas ovelhas. Ele amou as ovelhas e por elas se entregou. Concordo com William Barclay quando ele diz que Jesus não foi uma vítima das circunstâncias. Não foi como um animal que se arrasta para o sacrifício contra sua vontade. Jesus entregou sua vida voluntariamente.[8] Como Jesus deu sua vida pelas ovelhas?

Ele se deu voluntariamente. As pessoas não puderam tirar sua vida. Ele voluntariamente a entregou para tornar a reassumi-la (10.17). Não foi Judas que, por ganância, levou Jesus à cruz. Não foi Pedro que, por covardia, negou a Jesus que O levou à cruz. Não foi o sinédrio judaico que, por inveja, julgou Jesus réu de morte e O levou à cruz. Não foi Pilatos que, por conveniência política, sentenciou Jesus à morte e O levou à cruz. Não foi a multidão ensandecida, insuflada pelos sacerdotes, que levou Jesus à cruz. Ele foi para a cruz voluntariamente. Ele se entregou por amor. Ele se deu voluntariamente.

Ele se deu sacrificialmente. Ele não amou Suas ovelhas apenas de palavras. Verteu Seu sangue pelas ovelhas. Não havia outro meio mais ameno. Não havia outro caminho de salvação. Para salvar Suas ovelhas, a lei de Deus que foi violada precisava ser obedecida. A justiça de Deus ultrajada precisava ser satisfeita. Somente o sacrifício de Cristo, o Cordeiro sem mácula, poderia salvar as ovelhas.

Ele se deu vicariamente. Jesus morreu em lugar das ovelhas. Sua morte não apenas possibilitou a salvação das ovelhas, mas realmente a efetivou. O sacrifício de Cristo foi substitutivo. Ele morreu em lugar das ovelhas. Ele pagou sua dívida. Não morreu para abrandar o coração de Deus, mas como expressão do amor de Deus. Não foi a cruz que inundou o coração de Deus pelas ovelhas, mas foi o coração inundado de amor pelas ovelhas que providenciou a cruz. A cruz é o maior arauto do amor de Deus. Nela, Jesus morreu por pecadores. Nela, o Justo morreu

---

[8] BARCLAY, William. *Juan II*, p. 78.

pelos injustos. Nela, encontramos uma fonte de vida e salvação. Em cinco ocasiões ao longo desse sermão, Jesus afirma claramente a natureza sacrificial de Sua morte (10.11,15,17,18). Ele não morreu como um mártir, executado por homens; morreu como um substituto, entregando a vida voluntariamente por Suas ovelhas. Concordo com Warren Wiersbe quando ele diz que, "apesar de o sangue de Cristo ser *suficiente* para a salvação do mundo, só é eficaz para os que creem".[9]

Em segundo lugar, *o bom pastor conhece intimamente suas ovelhas* (10.14,15). Entre o pastor e suas ovelhas, há um conhecimento mútuo profundo. O pastor conhece as ovelhas, e as ovelhas conhecem o pastor. Esse conhecimento não é apenas teórico e intelectual, mas íntimo, estreito, místico. O bom pastor tem intimidade com suas ovelhas. Deleita-se no relacionamento com elas. Não somos chamados mais de servos, mas de amigos. Assim como o Pai O conhece e como Ele conhece o Pai, da mesma forma Suas ovelhas O conhecem. É um relacionamento pessoal, profundo, íntimo. A vida eterna é comunhão com Deus e com Cristo. A vida eterna é intimidade com Deus e com Jesus. Vamos estar com Ele, vê-Lo face a face. Vamos ser como Ele é. Vamos glorificá-Lo e reinar com Ele. Vamos servi-Lo e fruí-Lo por toda a eternidade.

Em terceiro lugar, *o bom pastor tem outras ovelhas que ainda não estão no aprisco* (10.16). Deus prometeu dar a Abraão uma numerosa descendência. Pessoas de todas as tribos, povos, línguas e nações foram compradas por Deus, e essas pessoas precisam ouvir a voz do pastor e ser agregadas ao aprisco de Deus. O rebanho de Cristo ainda não está completo. Há outras ovelhas dispersas que precisam ser levadas para o aprisco (10.16). Isso significa que precisamos fazer missões até os confins da terra. O bom pastor morreu para comprar com o Seu sangue os que procedem de toda tribo, língua, povo e nação (Ap 5.9). As ovelhas que ainda estão dispersas precisam ser conduzidas por Cristo. É Ele quem chama essas ovelhas e as chama pelo evangelho (10.16b; 17.20). Jesus disse que elas ouvirão a sua voz (10.16c). Isso significa que a proclamação do evangelho é uma missão vitoriosa, pois a vocação é eficaz, e

---

[9]WIERSBE, Warren W. *Comentário bíblico expositivo*. Vol. 5, p. 425.

o chamado é irresistível. Jesus não apenas estabelece a missão e garante a vocação eficaz, mas também promete comunhão universal com todos os salvos: [...] *e haverá um rebanho e um pastor* (10.16d).

A igreja de Cristo, o rebanho do bom pastor, não é uma denominação. É um rebanho composto por todas as ovelhas, por todos aqueles e só aqueles que foram lavados no sangue de Jesus. Concordo com William Hendriksen quando ele diz que uma grande verdade é proclamada aqui, a saber: o rebanho de Cristo não estaria mais confinado aos crentes dentre os judeus. Um novo período estava alvorecendo. A igreja se tornaria internacional. A grande bênção do Pentecostes e a era evangélica que o seguiria são preditas aqui.[10]

Em quarto lugar, *o bom pastor tem uma voz poderosa* (10.16). Quando uma ovelha pela qual Jesus, o bom pastor, verteu o Seu sangue ouve e atende à voz do evangelho, Jesus a conduz ao aprisco. O evangelho é o poder de Deus para a salvação de todo aquele que crê. A eleição divina, longe de ser um desestímulo à pregação, é a garantia do seu sucesso.

Em quinto lugar, *o bom pastor tem um só rebanho* (10.16). Há muitas igrejas e muitas denominações, mas um único rebanho. Há um só povo, uma só igreja verdadeira, uma só família, uma só noiva, uma só cidade santa. Todos aqueles que creem em Cristo e seguem-No como o bom pastor fazem parte desse rebanho.

Em sexto lugar, *o bom pastor morreu voluntariamente e ressuscitou pelas ovelhas* (10.17,18). O bom pastor é o Filho de Deus, o amado do Pai. Ele não morreu como um mártir, nem como uma vítima do sistema. Embora os judeus e gentios se tenham mancomunado para pregá-lo na cruz, Sua morte foi voluntária. Sua morte não foi um acidente, nem sua ressurreição foi uma surpresa. O bom pastor tem poder para dar Sua vida e reassumi-La.

Vejamos, agora, três características do mercenário. O mercenário não é o ladrão nem o salteador, mas um empregado contratado para cuidar das ovelhas. Ele toma conta delas em troca do seu salário. Não há nele nenhuma disposição de enfrentar riscos para defender as ovelhas. Quais são suas peculiaridades?

---

[10]HENDRIKSEN, William. *João*, p. 466.

Primeira, *o mercenário não é pastor* (10.12). O mercenário não conhece as ovelhas, não ama as ovelhas, não se interessa pelas ovelhas. Ele é apenas um empregado, um assalariado que cuida de animais em troca de seu sustento.

Segunda, *o mercenário não é o dono das ovelhas* (10.12). Ele não tem cuidado pelas ovelhas. Se uma delas se desgarra do rebanho, ele não vai atrás dela. Se as ovelhas ficam enfermas, ele não se esmera para curá-las. Se alguma é atacada por uma fera, ele não lamenta. Jesus, porém, é o dono das ovelhas. Ele nos comprou com o Seu sangue (1Pe 1.18). Nós somos Suas ovelhas. Somos propriedade exclusiva dEle. Somos a Sua herança, a Sua delícia, a menina dos Seus olhos. Fomos selados por Deus. O selo nos diz que somos propriedade exclusiva de Deus. O selo nos diz que somos propriedade inviolável de Deus. O selo nos diz que somos propriedade legítima e genuína de Deus.

Terceira, *o mercenário não se sacrifica pelas ovelhas* (10.12b, 13). Quando um lobo ataca o rebanho, o mercenário foge. Seu interesse é poupar sua vida, e não as ovelhas. Ele está interessado em sua segurança, e não no bem-estar das ovelhas. Ele foge porque não tem cuidado com as ovelhas. Ele não é o pastor nem o dono das ovelhas. Ele não serve às ovelhas; serve-se delas.

A **dissensão** (10.19-21)

Quando os judeus ouviram Jesus falar novamente sobre Seu profundo relacionamento com o Pai, ou seja, Seu amor e Seu mandato de dar a vida e reassumi-la (10.17,18), muitos tentaram demover seus ouvintes, lançando uma blasfema acusação: *Ele está endemoniado e perdeu o juízo* (10.20). Outros, porém, refutaram prontamente: *Essas palavras não são de um endemoninhado* [...] e argumentaram: [...] *Será que um demônio pode abrir os olhos aos cegos?* (10.21). William Barclay tem razão em dizer que os atos de Jesus não são os atos de um louco. Ele curou os enfermos, alimentou os famintos, consolou os aflitos. A loucura do megalomaníaco é egoísta. Busca sua glória e seu prestígio. A vida de Jesus, ao contrário, estava dedicada a servir aos outros.[11]

---

[11] BARCLAY, William. *Juan II*, p. 80.

A festa (10.22-26)

Celebrava-se em Jerusalém a festa da Dedicação. A cidade de Jerusalém estava apinhada de gente, e o templo era buscado por todos. Destacamos aqui quatro pontos a respeito.

Em primeiro lugar, *a ocasião* (10.22). Era a festa da Dedicação. Multidões rumavam para a cidade de Jerusalém. Essas festas eram sombras da realidade que haveria de vir. Todas apontavam para a era messiânica.

Em segundo lugar, *o local* (10.23). Jesus estava passeando no templo, no pórtico de Salomão, o mesmo local onde os apóstolos mais tarde ensinariam (At 3.11). Jesus não era um eremita. Ele estava onde o povo estava. Aproveitava as oportunidades para ensinar o povo.

Em terceiro lugar, *a pergunta inquietante* (10.24). Jesus já havia feito muitas declarações perturbadoras para os judeus: *Eu Sou o pão da vida. Eu Sou a luz do mundo. Eu Sou o bom pastor*. Mas ainda não havia dito a eles claramente, como dissera à mulher samaritana, "Eu Sou o Messias". Esse era o ponto decisivo. Eles esperavam o Messias.

Em quarto lugar, *a resposta esclarecedora* (10.25,26). Jesus reprova a incredulidade dos judeus, respondendo-lhes que já havia dito para eles quem era, e que as obras que Ele fazia em nome do Pai testificavam a Seu respeito. O problema da incredulidade dos judeus devia-se ao fato de não serem eles Suas ovelhas (10.26). Aqueles que não são Suas ovelhas endurecerão o coração. Esses seguirão a voz de estranhos e mercenários, em vez de dar ouvidos à voz do pastor. Há dois tipos de chamado: um externo e outro interno. Um é dirigido aos ouvidos, e outro, ao coração. Jesus disse que muitos são chamados, mas poucos escolhidos. Jesus faz ver aos Seus inquiridores que não é por falta de provas que eles não creem, mas porque não têm perfeita disposição moral.

As ovelhas (10.27-29)

Depois de dizer aos judeus que eles não criam porque não eram Suas ovelhas, Jesus passa a falar sobre os privilégios de Suas ovelhas.

Em primeiro lugar, *as ovelhas ouvem a voz do pastor* (10.27). Não ouvem a voz de estranhos, mas a voz do pastor. A graça é irresistível.

Os que são de Cristo ouvem as palavras de Cristo. Os que são de Deus ouvem a voz de Deus. Um dia, você ouviu a voz do pastor e atendeu a ela. Você ouviu uma mensagem. Você leu um folheto. Você foi tocado por uma passagem das Escrituras, e o Espírito Santo abriu seu coração. O Espírito Santo plantou em você a divina semente. O Espírito Santo regenerou você. Você então atendeu ao chamado e respondeu com arrependimento e fé. Você foi justificado e selado com o Espírito Santo.

Em segundo lugar, **as ovelhas são conhecidas do pastor** (10.27). As ovelhas são amadas pelo pastor e conhecidas por ele pessoalmente. O Senhor conhece os que lhe pertencem (2Tm 2.19). As ovelhas de Cristo têm o Seu selo. Jesus conhece você pessoalmente, profundamente, amorosamente. Ele sabe o seu nome. Jesus conhecia Simão (Jo 1.42) e chamou Zaqueu pelo nome (Lc 19.5). Antes de você nascer, Jesus já o amava. Antes de você ser formado no ventre da sua mãe, ele já tinha colocado os seus olhos em você. Ele amou você primeiro. Escolheu você não por causa dos seus méritos, mas por causa da generosa graça dEle. Jesus conhece sua natureza. Embora todos sejamos iguais, cada ovelha possui uma característica especial. Jesus conhece as nossas necessidades. Ele supre as nossas necessidades.

Em terceiro lugar, **as ovelhas seguem o pastor** (10.27). As ovelhas ouvem e seguem. O pastor é seu guia. O pastor é seu líder. Elas andam nas veredas da justiça. O bom pastor vai à nossa frente. Ele não nos empurra. Não nos fustiga. Não nos ameaça com açoites. Ele vai à nossa frente. Prepara-nos pastos verdes. Leva-nos às águas tranquilas. Atravessa conosco o vale da sombra da morte. Prepara para nós uma mesa no deserto. Unge a nossa cabeça com óleo e faz o nosso cálice transbordar.

Em quarto lugar, **as ovelhas recebem vida eterna** (10.28). A vida eterna não é uma conquista das obras, mas uma oferta da graça. É um presente concedido pelo pastor. As bênçãos da ovelha de Cristo não são apenas terrenas, mas também celestiais. Não são apenas temporais, mas também eternas. Não são apenas para agora, mas também para a eternidade. Essa vida não pode ser interrompida nem perdida; do contrário, não seria eterna. As ovelhas de Cristo nasceram de novo. Nasceram de cima, do céu. Têm seu nome arrolado no livro da vida. Elas pertencem ao rebanho de Deus. Estão no aprisco de Deus. Foram predestinadas na eternidade e, na mente e nos decretos de Deus, já estão no céu. A vida eterna não é comprada por mérito nem obtida mediante obras. Essa vida é uma dádiva divina. É um presente da graça.[12] É gratuita, mas não barata. Os dons de Deus são irrevogáveis. O Senhor nos dá a vida eterna e não a toma de volta!

Em quinto lugar, *as ovelhas recebem segurança eterna* (10.28b,29). O Pai e o Filho garantem às ovelhas segurança eterna. William Barclay diz corretamente que isso não significa que as ovelhas sejam livres de dor, sofrimento e morte. Significa que no momento mais amargo e na hora mais escura seguem sendo conscientes dos braços eternos que as rodeiam e as sustentam. Conhecem uma segurança que todos os perigos e alarmes do mundo não podem fazer naufragar. Até no mundo que se precipita para o abismo, elas conhecem a serenidade de Deus.[13] As ovelhas de Cristo jamais perecem. Elas são uma dádiva do Deus Pai ao Deus Filho. São o bem mais precioso de Jesus. São sua herança particular. Cristo não é homem para mentir. A nossa garantia não está baseada nos nossos méritos nem na nossa força. A segurança da salvação não tem como alicerce a nossa fé ou mesmo a nossa perseverança, mas a promessa daquele que não pode falhar. Nossa âncora segura é o próprio supremo pastor. Nele está nossa certeza. Ele é a âncora da nossa esperança.

Jesus está dizendo que nem os lobos (os falsos mestres) nem o diabo podem nos arrebatar das Suas mãos (Rm 8.31-39). Nossa segurança é absoluta. Nossa salvação tem sua base e sua consumação no céu. Nossa salvação tem sua garantia em Deus e nos seus decretos eternos. Nossa salvação é assegurada pelo sacrifício perfeito, suficiente, cabal e vicário de Cristo.

Jesus diz que, da mão do Pai, ninguém pode arrebatar Suas ovelhas, e Ele e o Pai são um. Estamos seguros nas mãos do Pai e do Filho. Temos a Trindade como garantia da nossa eterna salvação. Estamos escondidos com Cristo em Deus (Cl 3.3). Estamos assentados com

---

[12] HENRY, Matthew. *Matthew Henry comentário bíblico Novo Testamento – Mateus-João*, p. 911.
[13] BARCLAY, William. *Juan II*, p. 85.

Cristo nas regiões celestiais. Estamos nas mãos dAquele que se assenta no alto e sublime trono. Estamos nas mãos dAquele que governa os céus e a terra.

O **Filho** de Deus (10.30-39)

Jesus destaca, de forma mais profunda, sua relação com o Pai, deixando clara, aos olhos dos incrédulos judeus, sua inegável divindade. Ele é o Filho de Deus, e isso pode ser provado de três formas claras.

Em primeiro lugar, ***pela sua natureza*** (10.30). *Eu e o Pai somos um*. Quando Jesus disse que Ele e o Pai são *um*, não quer dizer que são a mesma pessoa, mas que são da mesma essência. Jesus é o Verbo eterno, pessoal e divino que se fez carne. Jesus é luz de luz, Deus de Deus, coigual, coeterno e consubstancial com o Pai. William Hendriksen está correto ao afirmar: "Essas duas pessoas nunca se tornaram uma *pessoa*. Daí Jesus não dizer: 'Nós somos *uma pessoa*', porém diz: 'Nós somos *uma substância*'. Embora duas pessoas, as duas são uma *substância* ou *essência*".[14]

Em segundo lugar, ***pelas suas obras*** (10.31-33). Os judeus pegaram em pedras para apedrejar Jesus (10.31), pois, no entendimento deles, ao se fazer um com Deus, Ele estava blasfemando, e o pecado da blasfêmia era castigado com apedrejamento (Lv 24.16). Então, usando a estratégia da ironia, Jesus lhes pergunta: *Eu vos mostrei muitas boas obras da parte de Meu Pai; por qual delas quereis me apedrejar?* (10.32). Eles respondem que o que os incomoda não são Suas obras, mas Suas declarações.

Em terceiro lugar, ***pelas Escrituras*** (10.34-38). Jesus lança mão das Escrituras para selar seu argumento de que não está blasfemando ao se apresentar como o Filho de Deus, pois o Pai O santificou e O enviou ao mundo para fazer Suas obras. E reafirma categoricamente: [...] *o Pai está em mim e eu no Pai* (10.38). Mais uma vez, a reação dos judeus é hostil. Em vez de crerem em Cristo, resolveram prendê-Lo, mas Jesus Se livrou de suas mãos (10.39).

---

[14]HENDRIKSEN, William. *João*, p. 481.

O **retiro** (10.40-42)

Diante da contínua e severa resistência dos judeus, Jesus se retira definitivamente e vai para a distante região da Pereia (10.40). Cumpre-se o que havia sido escrito: *Ele veio para o que era seu, mas os seus não o receberam* (1.11). Jesus saiu de Jerusalém para não voltar antes do domingo de Ramos, uns três ou quatro meses mais tarde.[15]

Longe do cenário religioso de Jerusalém, os judeus, exasperados com as declarações de Jesus, se aquietam. Muitos, entretanto, vão ter com Jesus e testificam que, embora João Batista não tenha realizado nenhum milagre, tudo quanto disse a Seu respeito conferia com a verdade (10.41). Longe do carregado clima religioso de Jerusalém, fora do alcance da fiscalização dos escribas e fariseus, muitos creram em Jesus (10.42).

Falando sobre a influência póstuma de João Batista, F. F. Bruce esclarece:

> João Batista já havia sido aprisionado e assassinado tempos atrás, mas suas palavras não tinham sido esquecidas. Ninguém chamado para ser testemunha poderia desejar um elogio maior do que o de todas as coisas que ele disse serem verdadeiras. Se os discípulos de João ao sepultá-lo (Mc 6.29) tivessem procurado um epitáfio adequado para ele, não poderiam ter pensado em palavras melhores do que o testemunho destes seus antigos ouvintes em Betânia dalém do Jordão. Na verdade, algumas das coisas que João dissera sobre Jesus ainda não tinham se tornado realidade; ele ainda não tirara o pecado do mundo nem começara a batizar com o Espírito Santo, porque ainda não tinha sido glorificado (7.39). Mas o testemunho de João foi confirmado de maneira tão completa pela evidência que viam e ouviam, durante o breve período de tempo que Jesus passou entre eles, que muitos creram em Jesus. Assim, o testemunho de João permanece eficaz depois de ele mesmo sair de cena.[16]

---

[15]BRUCE, F. F. *João: introdução e comentário*, p. 205.
[16]BRUCE, F. F. *João: introdução e comentário*, p. 206.

18

Jesus, a **ressurreição** e a vida

João 11.1-57

ESTE É O SÉTIMO, o último e o maior dos milagres públicos operados por Jesus e registrados nesse evangelho. Foi realizado na última semana antes de Jesus ser preso e morto na cruz. Seu propósito foi despertar a fé nos salvos e a fúria definitiva dos inimigos. O mesmo sol que amolece a cera endurece o barro. O mesmo milagre que produz fé em alguns provoca a fúria de outros.

A hora havia chegado, e Jesus estava pronto para enfrentá-la. Na mesma trilha de pensamento, Charles Erdman diz que essa singular narrativa é de importância vital para a história desse evangelho. O milagre que ela focaliza foi o mais admirável e o mais significativo de todos os "sinais" operados por nosso Senhor; àqueles que o presenciaram, serviu para lhes despertar e fortalecer a fé, enquanto provocou temor e ódio mortal nas autoridades que agora se dispuseram finalmente a levar Jesus à morte.[1]

Charles Erdman nos ajuda a entender o texto em tela, mostrando que essa passagem tratará de amizade (11.1-6), coragem (11.7-16), promessa (11.17-27), simpatia (11.28-37), poder (11.38-44) e conspiração (11.45-57).[2] Vamos examinar esses pontos a seguir.

---

[1] ERDMAN, Charles. *O evangelho de João*, p. 86.
[2] ERDMAN, Charles. *O evangelho de João*, p. 86-95.

A **amizade** (11.1-6)

No meio do deserto de hostilidades enfrentado por Jesus em Jerusalém, havia um oásis em Betânia: a amizade de Marta, Maria e Lázaro. Jesus se hospedara na casa deles. Agora, essa família enfrenta um grave problema, uma enorme aflição. Vejamos.

Em primeiro lugar, *uma enfermidade grave* (11.1,2). Lázaro, irmão de Marta e Maria, estava enfermo. O amor de Jesus por ele não manteve longe de sua vida a doença, nem a amizade de Jesus o blindou das dificuldades. Algumas lições podem ser aprendidas com esse episódio.

As crises são inevitáveis. Lázaro, mesmo sendo amigo de Jesus, ficou doente.

As crises podem aumentar. Lázaro piorou e chegou a morrer. Há momentos em que somos bombardeados por problemas que escapam ao nosso controle: enfermidades, perdas, prejuízos, luto. Oramos, e nada acontece. Aliás, as coisas pioram. Queremos alívio, e a dor aumenta. Queremos subir e afundamos ainda mais.

As crises produzem angústia. Quando a enfermidade chega a nossa casa, ficamos profundamente angustiados. Nessas horas, nossa dor aumenta, pois nossa expectativa era receber um milagre, e ele não chega. Como os discípulos de Emaús, começamos a conjugar os verbos da vida apenas no passado: *Nós esperávamos que fosse Ele quem redimisse a Israel, mas* [...] (Lc 24.21, ARA).

Em segundo lugar, *um pedido urgente* (11.3). Marta e Maria enviam um mensageiro a Jesus pedindo ajuda. Apenas lhe informam que aquele a quem Jesus ama está enfermo. Nada mais era necessário acrescentar, pois quem ama tem pressa em socorrer a pessoa amada. Elas tinham plena convicção de que Jesus seria solícito em atender prontamente ao seu rogo. Concordo com Charles Erdman quando ele diz que a amizade de Jesus não nos isenta dos sofrimentos desta vida, mas nos garante Sua simpatia e alívio nas dores.[3]

Em terceiro lugar, *uma resposta misteriosa* (11.4,5). Com essa resposta, Jesus não está dizendo que Lázaro não morreria nem que

---

[3] ERDMAN, Charles. *O evangelho de João*, p. 87.

morreria apenas para ser ressuscitado, demonstrando, desse modo, a glória de Deus. Jesus sabia que Lázaro estava morto ao receber a notícia. O que Ele está dizendo é que a essa enfermidade não se seguiria um triunfo ininterrupto da morte; antes, ela seria um motivo para a manifestação da glória de Deus, na vitória da ressurreição e da vida.[4] A glória de Deus refulge nessa subjugação da morte.[5] O amor de Jesus por Lázaro e suas irmãs não impediu que eles passassem pelo vale da morte, mas lhes trouxe vitória sobre a morte. Concordo com as palavras de Charles Erdman a respeito:

> Quando a tribulação assedia um crente, é perigoso afirmar que o seu propósito é algum benefício, ou que o seu motivo é alguma bênção futura. Os propósitos de Deus estão além de nossa compreensão; o sofrimento é um mistério que nem sempre podemos desvendar. Mas é absolutamente certo que, para um amigo de Jesus, o resultado do sofrimento será algum bem eterno, alguma manifestação da glória de Deus.[6]

Como conciliar o amor de Jesus com o nosso sofrimento? Vejamos a seguir.

A família de Betânia era amada por Jesus. Jesus amava Marta, Maria e Lázaro, mas, mesmo assim, Lázaro ficou enfermo. Se Jesus amava a Lázaro, por que permitiu que ele ficasse doente? Por que permitiu que suas irmãs sofressem? Por que permitiu que Lázaro morresse? Aqui está o grande mistério do amor e do sofrimento.

Marta e Maria fizeram a coisa certa na hora da aflição. Buscaram ajuda em Jesus. Elas sabiam que Jesus mudaria sua agenda e as atenderia sem demora.

Elas buscaram ajuda na base certa. Basearam-se no amor de Jesus por Lázaro, e não no amor de Lázaro por Jesus. Quem ama tem pressa em socorrer a pessoa amada. Hoje dizemos: "Jesus, aquele a quem amas

---
[4]ERDMAN, Charles. *O evangelho de João*, p. 87.
[5]BOOR, Werner de. *Evangelho de João II*. Curitiba: Editora Evangélica Esperança, 2002, p. 24.
[6]ERDMAN, Charles. *O evangelho de João*, p. 87.

está com câncer. Jesus, aquele a quem amas está se divorciando? Jesus, aquele a quem amas está desempregado".

Por que Jesus não curou Lázaro a distância. Jesus poderia ter impedido que Lázaro ficasse doente e também poderia tê-lo curado a distância. Ele já havia curado o filho do oficial do rei a distância (4.46-54). Por que não curou Seu amigo a quem amava? A atitude de Jesus parece contradizer o Seu amor.

Alguns judeus não puderam conciliar o amor de Cristo com o sofrimento da família de Betânia (11.37). Eles pensaram que amor e sofrimento não podiam andar juntos. O fato de sermos amados por Jesus não nos dá imunidades especiais. O Pai amava o Filho, mas permitiu que Ele bebesse o cálice do sofrimento e morresse na cruz em nosso lugar. O fato de Jesus nos amar não nos torna filhos prediletos. O amor de Jesus não nos garante imunidade especial contra tragédias, mágoas e dores. Nenhum dos discípulos teve morte natural, exceto João. Jesus não prometeu imunidade especial, mas imanência especial. Nunca nos prometeu uma explicação; prometeu a si mesmo, aquele que tem todas as explicações.

Em quarto lugar, **uma demora surpreendente** (11.6). Como conciliar a nossa necessidade com a demora de Jesus? (11.6,39). Em vez de mudar Sua agenda para socorrer Lázaro, Jesus ficou ainda mais dois dias onde estava. Em vez de ir pessoalmente, mandou apenas um recado. Marta precisou lidar não apenas com a doença do irmão, mas também com a demora de Jesus. Perguntas surgiram em sua mente: Por que Ele não veio? Será que Ele virá? Será que Ele nos ama mesmo? Muitos passaram a censurar a demora de Jesus. Marta oscilou entre a fé e a lógica. Pois como entender as palavras de Jesus: *Essa doença não é para a morte, mas para a glória de Deus, para que o Filho de Deus seja glorificado por meio dela* (11.4), se, quando o mensageiro a entregou a Jesus, Lázaro já havia morrido? Charles Erdman explica esse ponto muito bem quando escreve:

> Jesus não demorou para dar tempo a que Lázaro morresse. Este já havia morrido e estava sepultado, quando Jesus recebeu o recado. O Senhor chegou a Betânia no quarto dia (11.17,39): um dia gastou-o na viagem,

outro levara o mensageiro na sua, e dois passara nosso Senhor no lugar, depois que recebeu a notícia. Ele sabia que Lázaro estava morto.[7]

A demora de Jesus põe nos lábios de Marta um profundo lamento (11.21). Muitas vezes, Jesus parece demorar. Deus prometeu um filho a Abraão e Sara, e só cumpriu a promessa 25 anos depois. Jesus só foi ao encontro dos discípulos quando eles enfrentavam uma terrível tempestade no mar da Galileia, apenas na quarta vigília da noite. Jairo foi pedir socorro a Jesus, mas, quando chegou a sua casa, sua filha já estava morta. A fé de Marta passou por três provas: a ausência de Jesus (11.3), a demora de Jesus (11.21) e a morte de Lázaro (11.39).

Uma pergunta que se impõe neste contexto é: Como conciliar o nosso tempo (*cronos*) com o tempo (*kairos*) de Jesus? A distância entre Betânia e o lugar onde Jesus estava era de mais de 32 quilômetros. Levava um dia de viagem. O mensageiro gastou um dia para chegar até Jesus. Logo que o mensageiro saiu de Betânia, Lázaro morreu. Quando deu a notícia a Jesus, Lázaro já estava morto e sepultado. Jesus demora mais dois dias. E gasta outro dia para chegar. Daí, quando chegou, Lázaro já estava sepultado havia quatro dias. Jesus se alegrou por não estar em Betânia antes da morte de Lázaro (11.15). Ele deu graças ao Pai por isso (11.41b). Jesus sempre agiu de acordo com a agenda do Pai (2.4; 7.6,8,30; 8.20; 12.23; 13.1; 17.1). Ele sabe a hora certa de agir. Ele age segundo o cronograma do céu, e não segundo a nossa agenda. Ele age no tempo do Pai, e não segundo a nossa pressa. Quando Ele parece demorar, está fazendo algo maior e melhor para nós. Marta e Maria pensaram que Jesus tinha chegado atrasado, mas Ele chegou na hora certa, no tempo oportuno de Deus (11.21,32). Jesus não chega atrasado. Ele não falha. Não é colhido de surpresa. Ele conhece o fim desde o princípio, o amanhã desde o ontem. Ele enxerga o futuro desde o passado. Jesus sabia que Lázaro estava doente e depois que Lázaro já estava morto. Ele tardou a ir porque sabia o que ia fazer.

Contudo, por que Jesus demorou mais dois dias? Havia uma crença entre os rabinos que um morto poderia ressuscitar até o terceiro dia

---

[7]ERDMAN, Charles. *O evangelho de João*, p. 88.

por intermédio de um agente divino. A partir do quarto dia, porém, somente Deus, pessoalmente, poderia ressuscitá-lo. Ao ressuscitar Lázaro no quarto dia depois do sepultamento, os judeus precisariam se dobrar diante da realidade irrefutável da divindade de Jesus.[8]

A coragem (11.7-16)

O clima em Jerusalém estava absolutamente desfavorável para Jesus. Ele se havia retirado exatamente para não acirrar ainda mais os ânimos dos judeus radicais, que queriam Sua prisão e morte. Agora, Jesus resolveu voltar à Judeia, o pivô central da crise, o miolo da tempestade. Destacamos alguns pontos nesse sentido.

Em primeiro lugar, *uma ameaça real* (11.7,8). Os discípulos alertam Jesus sobre o perigo inevitável que eles enfrentariam, caso voltassem para a Judeia. Jerusalém não era mais um lugar seguro. Ir para lá era colocar o pé na estrada da morte.

Em segundo lugar, *uma explicação oportuna* (11.9,10). Jesus animou Seus discípulos a entenderem que o lugar mais seguro onde estar é o centro da vontade de Deus e o lugar mais vulnerável, ainda que seguro, é fora da vontade de Deus. Quando nos dispomos a fazer a obra de Deus, no tempo de Deus, ainda que enfrentemos toda sorte de oposição, encontramos o sorriso do Pai, e aí está nossa máxima segurança.

Em terceiro lugar, *uma informação importante* (11.11-15). Jesus comunicou a Seus discípulos a morte de Lázaro e Sua disposição de ir a Betânia para ressuscitá-lo. Os discípulos não entenderam a linguagem de Jesus, e o Senhor explicou-lhes que a aparente demora tinha o propósito de fortalecer-lhes a fé. Nesse contexto, crer significa tirar o olhar de nós, de todas as nossas possibilidades e esperanças, e dirigi-lo a Jesus.[9]

A morte dos crentes é frequentemente comparada ao sono (Gn 47.30; Mt 27.52; At 7.60). Quem dorme, acorda. A morte não é definitiva. A morte não tem a última palavra. A morte não é um adeus, mas apenas um até logo! A Palavra de Deus diz que, para o crente, morrer

---

[8]BRUCE, F. F. *João: introdução e comentário*, p. 209-210.
[9]BOOR, Werner de. *Evangelho de João II*, p. 26.

é lucro (Fp 1.21), é bem-aventurança (Ap 14.13), é deixar o corpo e habitar com o Senhor (2Co 5.8), é partir para estar com Cristo, o que é incomparavelmente melhor (Fp 1.23). Obviamente, isso não significa o "sono da alma". Embora a alma esteja adormecida para o mundo que deixou (Jó 7.9; Ec 9.6), está desperta em seu mundo (Lc 16.19-31; 23.43; 2Co 5.8; Fp 1.21-23; Ap 7.15-17; 20.4).

Em quarto lugar, *um companheirismo corajoso* (11.16). Tomé sabia que aquela era uma missão martírica. Mas conclama seus condiscípulos a serem solidários com o Mestre quer na vida quer na morte.

A promessa (11.17-27)

O ensino essencial de todo esse episódio está contido na promessa de Jesus: *Eu sou a ressurreição e a vida; quem crê em mim, mesmo que morra, viverá; e todo aquele que vive, e crê em mim, jamais morrerá [...]* (11.25,26).[10] Quando Jesus chegou a Betânia, Lázaro já estava sepultado há quatro dias. A casa de Marta e Maria estava cheia de parentes e amigos não apenas da aldeia de Betânia, mas também de pessoas vindas de Jerusalém. Conforme o costume oriental, essas pessoas cumpriam o obrigação das exéquias e do consolo durante uma semana. Os judeus, portanto, ainda estavam consolando as duas irmãs enlutadas, quando Marta soube que Jesus estava chegando. E, com Jesus, chegavam a esperança e o consolo.

Concordo com Werner de Boor quando ele diz que somente Jesus possui a capacidade de consolar por ocasião da morte, pois só Ele é a ressurreição e a vida.[11] Como era próprio de sua personalidade irrequieta, Marta saiu ao encontro de Jesus, enquanto Maria ficou em casa com os amigos. Destacamos alguns pontos a seguir.

Em primeiro lugar, **Marta entre a decepção e a fé** (11.21,22). Marta vai ao encontro de Jesus com uma declaração que trazia uma ponta de decepção e ao mesmo tempo uma grande demonstração de fé: *Senhor, se estivesses aqui, meu irmão não teria morrido. Mas sei que, mesmo agora,*

---
[10] ERDMAN, Charles. *O evangelho de João*, p. 89.
[11] BOOR, Werner de. *Evangelho de João II*, p. 27.

Deus Te concederá tudo quanto Lhe pedires (11.21,22). William Barclay ressalta que, quando Marta se encontrou com Jesus, foi seu coração que falou através de seus lábios.[12] Marta lamenta a demora, mas crê que Jesus, em resposta à oração a Deus, pode reverter a situação humanamente irremediável. Vale destacar que Marta ainda não tem plena consciência de que Jesus é o próprio Deus.

Em segundo lugar, **Marta entre o passado e o futuro** (11.23-26). Jesus não está preso às categorias do nosso tempo. Marta crê no Jesus que poderia ter evitado a morte (11.21), ou seja, intervindo no passado. Marta crê no Jesus que ressuscitará os mortos no último dia (11.23,24), ou seja, agindo no futuro. Mas Marta não crê que Jesus possa fazer um milagre agora, no presente. Marta vacila entre a fé (11.22) e a lógica (11.24). Somos assim também. Não temos dúvida de que Jesus realizou prodígios no passado. Não temos dúvida de que Ele fará coisas extraordinárias no futuro, no fim do mundo. Mas nossa dificuldade é crer que Ele opera ainda hoje com o mesmo poder. Talvez essa seja a sua angústia. Você tem orado pelo seu casamento e o vê mais perto da dissolução. Você tem orado pela conversão do seu cônjuge e o vê mais endurecido. Você tem orado pelos seus filhos, e eles continuam mais distantes de Deus. Você tem orado pelo seu emprego, e as mudanças ainda não aconteceram. Você tem orado pela sua vida emocional, e ela ainda parece um deserto.

Ah, se tudo fosse diferente: passado e futuro! O grande erro do "Ah, se fosse diferente" de Marta foi omitir o poder presente do Cristo vivo. Marta vivia no passado ou no futuro. Mas é no presente que o tempo toca a eternidade. Não podemos viver apenas de lembranças que já se passaram nem apenas das promessas que permanecem no futuro. Precisamos crer hoje. Jesus não é o grande Eu era nem o grande Eu serei. Ele é o grande Eu sou.

Em terceiro lugar, **Marta afirma sua fé em Jesus** (11.27). Marta confirma sua fé inabalável em Jesus, confessando que Ele é o Cristo, o Filho de Deus, que deveria vir ao mundo.

---

[12] BARCLAY, William. *Juan II*, p. 104.

A **simpatia** (11.28-37)

Marta se retira e comunica a Maria: *O mestre está aqui e te chama* (11.28). Apressadamente, ela também sai ao encontro de Jesus, fazendo a mesma declaração de sua irmã: *Senhor, se estivesses aqui, meu irmão não teria morrido* (11.32). Maria se prostra aos pés de Jesus e chora. Jesus, vendo-a chorar e bem assim os judeus que a consolavam, e tomado por íntima compaixão, agitou-Se no espírito e comoveu-Se (11.33). F. F. Bruce diz que o verbo grego *embrimaomai*, traduzido por "agitou--se" (ARA), literalmente significa "bufou de indignação" e normalmente expressa algum tipo de desprazer. Esse verbo é usado para descrever a indignação dos espectadores ao verem Maria despejando um perfume caríssimo para ungir os pés de Jesus, na casa de Simão, o leproso. Aqui o verbo descreve a reação interior de Jesus. Mas qual seria a causa de Seu descontentamento? A mais provável é a presença de doença e da morte e o dano que estas causavam à vida humana.[13]

Maria aparece apenas três vezes nos evangelhos. Nas três vezes, ela está aos pés do Senhor. Na primeira vez, estava aos pés do Senhor para aprender (Lc 10.39). Dessa feita, está aos pés do Senhor para chorar (11.32,33). Finalmente, ela está aos pés do Senhor para agradecer (12.3).

Jesus perguntou aos judeus onde haviam sepultado Lázaro. Eles conclamaram Jesus a vir e ver. Jesus chorou (11.35), demonstrando Sua plena humanidade e Sua imensa simpatia. Os judeus concluíram o que já havia sido registrado no versículo 3. De fato, Jesus amava a Lázaro. Outros, porém, objetaram, dizendo que Ele poderia ter evitado a morte de Lázaro (11.37).

Jesus se identifica com a nossa dor (11.35). Aquele que cura as nossas chagas é ferido conosco. As lágrimas de Jesus revelam Sua humanidade, Sua compaixão, Seu amor (11.36). William Barclay destaca o fato de que, na mentalidade grega, a característica fundamental de Deus era a *apatheia*, ou seja, a incapacidade de sentir qualquer tipo de emoção. Os gregos pensavam que Deus era um ser solitário, sem

---

[13] BRUCE, F. F. *João: introdução e comentário*, p. 212.

paixão e sem compaixão.[14] O choro de Jesus foi uma espécie de quebra de paradigma na crença dos gregos acerca de Deus. Jesus se importa com você e com sua dor. Ele não é o Deus distante dos deístas, nem o Deus impessoal dos panteístas; não é o Deus fatalista dos estoicos, nem mesmo o Deus bonachão dos epicureus. Ele não é o Deus morto, pregado numa cruz, nem o Deus legalista, xerife cósmico dos fariseus. Ele é o Deus Emanuel. Ele chora com você, sofre por você, Se importa com você e Se identifica com você em sua dor. Ele é o Deus que chora, que sofre, que trata a nossa dor. Jesus sabe o que é a dor do sem-teto, pois Ele não tinha onde reclinar a cabeça. Jesus sabe o que é a dor da solidão, pois nas horas mais difíceis Ele estava só. Foi deixado só no Getsêmani e na cruz. Jesus sabe o que é a dor da perseguição, pois foi caçado por Herodes, vigiado pelos fariseus, odiado pelos escribas e entregue pelos sacerdotes. Jesus sabe o que é a dor da traição, pois foi rejeitado pelo Seu povo, traído por Judas Iscariotes, negado por Pedro e abandonado pelos discípulos. Jesus sabe o que é a dor da humilhação, pois foi preso, espancado, cuspido, deixado nu, pregado na cruz como um criminoso. Jesus sabe o que é a dor da enfermidade, pois tomou sobre si a nossa dor e a nossa enfermidade. Jesus sabe o que é a dor da morte, pois suportou a morte para arrancar o aguilhão da morte e nos trazer a ressurreição.

Aquele que enxuga as nossas lágrimas chora conosco. Jesus não apenas está presente com você em seu sofrimento, mas também Se compadece de você. Jesus chorou em público, diante de uma multidão, condoendo-Se daquela família enlutada. Ele chegou a ponto de descer ao Hades, em Sua identificação com a nossa dor.

Essa verdade pode ser ilustrada como segue. Sete anos antes de o navio Titanic ser encontrado, a revista *National Geographic* começou os preparativos para o dia em que o navio fosse achado e pudesse ser fotografado. Quando foi descoberto em 1985, o fotógrafo Emory Kristof começou a conferir a profundidade da água e os problemas da visibilidade. Finalmente em 1991, com ajuda de cientistas e cinegrafistas,

---

[14]BARCLAY, William. *Juan II*, p. 111-112.

Kristof tirou uma série de fotos há 3.500 metros de profundidade. E estampou-as na revista. A propaganda que precedeu o anúncio dizia: "Até que ponto chega um fotógrafo da *Geographic* para obter uma foto perfeita?" Até que ponto Deus chega para revelar seu terno amor para com os pecadores e sofredores? Até o ponto de o Seu Filho descer ao abismo, ao Hades.

O **poder** (11.38-44)

Jesus não tem compaixão apenas; tem também poder. Ele não apenas sente os nossos dramas, mas também tem poder para resolvê-los. Destacamos a seguir alguns pontos a respeito.

Em primeiro lugar, *uma ordem expressa* (11.38,39). O mesmo Jesus que levantou Lázaro da morte poderia ter rolado a pedra do seu túmulo. Mas rolar a pedra era uma obra que os homens poderiam fazer, e esta Jesus ordenou que fosse feita. Jesus não exclui a participação humana em sua intervenção milagrosa (1.39,40,44). A ordem é clara: *Tirai a pedra*. Só Jesus tem o poder para ressuscitar um morto. Isso Ele faz. Mas tirar a pedra e desatar o homem que está enfaixado, isso as pessoas podem fazer, e Ele ordena que façam. Jesus chama a Lázaro da sepultura. Se Jesus não tivesse mencionado o nome de Lázaro, todos os mortos sairiam do túmulo. Mas Lázaro, mesmo morto, pôde ouvir a voz de Jesus. No dia final, na segunda vinda de Cristo, os mortos também ouvirão a Sua voz e sairão do túmulo (5.28,29).

Em segundo lugar, *uma interferência incrédula* (11.39). Marta, oscilando entre a fé em Cristo e a impossibilidade humana, interfere na agenda de Jesus, dizendo que agora era tarde demais. Ela sabia que Jesus já havia ressuscitado a filha de Jairo e o filho de viúva de Naim, mas, agora, Lázaro era um cadáver em decomposição.

"Tirar a pedra" significa enfrentar uma situação que não queremos mais mexer. É tocar em situação que só nos trará mais dor. É abrir a porta para algo que já cheira mal. Temos medo de enfrentar o nosso passado de dor.

Em terceiro lugar, *uma correção necessária* (11.40). Jesus corrige Marta e ao mesmo tempo a encoraja a crer. A fé vê o que os olhos humanos não conseguem enxergar. A fé é o telescópio que amplia diante dos nossos olhos o fulgor da glória de Deus. A incredulidade nos impede de ver a manifestação plena do ser divino. Jesus disse: [...] *se creres, verás a glória de Deus*. Jesus quer não apenas que encontremos a solução, mas que nos tornemos a solução. Em vez de duvidar, questionar e lamentar, Marta deveria crer. A porta do milagre é aberta com a chave da fé.

Em quarto lugar, **uma oração de ação de graças** (11.41,42). Jesus dá graças ao Pai porque Sua oração já tinha sido ouvida. O milagre que Ele vai operar já estava na agenda do Pai. O milagre consolidará a fé dos discípulos e despertará a cartada final da incredulidade.

Ao mesmo tempo que tiraram a pedra e olharam para dentro do túmulo, Jesus olhou para cima e orou (11.41). Ao enfrentar o mau cheiro de um túmulo aberto, Jesus orou. Oramos nós por aqueles que estão aflitos? Cremos que Deus responde às orações? Como Jesus orou? Quando o milagre aconteceu? Quando Jesus deu graças? Não foi depois, mas antes de o milagre acontecer.

A Palavra de Deus diz que Lia era desprezada por Jacó, seu marido (Gn 29.31-35). Foi durante a quarta gestação de Lia que o milagre da graça restauradora aconteceu em seu coração: [...] *Desta vez louvarei o Senhor* [...] (Gn 29.35). O nome vem do radical da palavra "louvor". Jesus veio da tribo de Judá. Enquanto Lia baseou sua vida no "Ah, se eu fosse bonita como a minha irmã!", "Ah, se meu marido me amasse!", seus dias eram um poço de amargura. Mas, quando ela adotou uma atitude de louvor e fé e abriu-se para Deus, o Senhor lhe deu uma nova identidade: a mãe do fundador da tribo da qual veio o Messias.

Em quinto lugar, **um milagre extraordinário** (11.43,44). A voz de Jesus é poderosa. Até um morto a escuta e obedece. Lázaro ouve, atende e sai da caverna da morte. Ele sai todo enfaixado, coberto de mortalha. Jesus ordena que o desatem e o deixem ir. Lázaro agora estava vivo, mas com vestes mortuárias. Seus pés, suas mãos e seu rosto estavam enfaixados. Precisamos nos despir das vestes da velha vida. Precisamos nos revestir das roupagens do novo homem. Precisamos ajudar uns aos outros a remover as ataduras que nos prendem. Precisamos ajudar uns aos outros a remover as ataduras do passado. Somos uma comunidade de cura, restauração e cooperação.

A conspiração (11.45-57)

O maior milagre público de Jesus tem um duplo efeito: fé (11.45) e incredulidade (11.46-57). Na reta final, as coisas se invertem. Até aqui, os fariseus são os opositores mais ferrenhos de Jesus. A partir de agora, os saduceus, de cuja linhagem saíam os principais sacerdotes, assumem a dianteira para prender e matar Jesus. Da mesma forma que a ressurreição de Lázaro é o clímax dos sinais do ministério público de Jesus, também é o marco decisivo que precipita a série de acontecimentos culminando na narrativa da Paixão.[15]

William Hendriksen vê um efeito quádruplo desse colossal milagre: 1) O milagre levou muitos judeus, que antes eram hostis para com Jesus, a crerem nEle (11.45). 2) Acrescentou mais amargura aos Seus inimigos, que agora, numa sessão oficial do sinédrio, começaram a tramar Sua morte (11.46-54). 3) Causou grande excitação entre as multidões da Páscoa em Jerusalém (11.55-57). 4) Fortaleceu a fé de Maria e Marta e dos discípulos (11.4,15,26,40).[16]

Destacamos alguns pontos a esse respeito.

Em primeiro lugar, *muitos creem ao verem a ressurreição de Lázaro* (11.45). Esse era um dos propósitos desse extraordinário milagre: despertar a fé.

Em segundo lugar, *outros vão delatar Jesus aos fariseus* (11.46). Como já escrevemos, o mesmo sol que amolece a cera endurece o barro. O mesmo milagre que produz em muitos a fé desperta em outros uma atitude covarde de entreguismo.

Em terceiro lugar, *o sinédrio é convocado a tomar posição* (11.47,48). A ressurreição de um morto que já havia sido sepultado havia quatro dias era um fato tão retumbante, somado aos outros milagres operados, que, se nenhuma atitude fosse tomada, todos iriam aderir a Jesus. E o argumento construído pelos principais sacerdotes e fariseus é assustador. Se isso acontecer, os romanos virão com mão de ferro e tomarão o templo e a própria nação. Agora, a questão não era mais a precisão de

---

[15]BRUCE, F. F. *João: introdução e comentário*, p. 215.
[16]HENDRIKSEN, William. *João*, p. 523.

uma discussão teológica, mas uma situação de segurança nacional, de sobrevivência política. F. F. Bruce destaca o fato de que, quando esse evangelho foi escrito, a catástrofe que eles receavam já tinha ocorrido, porém não em razão da presença e das atividades de Jesus.[17]

Em quarto lugar, *a profecia surpreendente de Caifás* (11.49-52). Caifás, um dos membros do sinédrio e sumo sacerdote, mesmo sem saber, adverte seus pares, em profecia, dizendo que eles nada sabiam, pois era necessário que um só homem morresse pelo povo. Dessa forma, ele estava profetizando que Jesus estava prestes a morrer pela nação, e não somente pela nação, mas a fim de reunir em um só corpo os filhos de Deus, dispersos pelo mundo. Até mesmo quando os perversos pensam que estão laborando contra Jesus para destruí-Lo, na verdade estão apenas cumprindo o eterno propósito de Deus, uma vez que os planos de Deus não podem ser frustrados.

A "profecia" de Caifás levou o sinédrio a pensar que, se a segurança da nação poderia ser garantida pela morte de um homem, então a necessidade de que tal pessoa morresse resultava de um raciocínio prudente. Nesse caso, Ele morreria pelo povo.[18] Seu raciocínio foi: sigam Jesus, e a nação perecerá; matem Jesus, e a nação será salva. Conclusão: Jesus deve morrer. Por ironia da história, o exato oposto ia acontecer: quando os judeus mataram Jesus, eles selaram seu destino. Os romanos vieram, de fato, e destruíram a cidade (com seu templo) e a nação. Caifás deu um significado às suas palavras; Deus deu outro.[19]

Nessa mesma linha de pensamento, Charles Erdman diz que a profecia inconsciente se cumpriu, mas completamente ao revés de como Caifás imaginara. A morte de Jesus resultou na destruição, pelos romanos, do próprio Estado que Caifás desejou salvar e igualmente na garantia de bênçãos universais, mediante Jesus, com as quais aquele sumo sacerdote nunca sonhou. As palavras de Caifás serviram como incentivo para a conspiração mais cruel que este mundo já viu. Resolveram matar Jesus.[20]

William Hendriksen é enfático ao falar sobre o tema:

---

[17]BRUCE, F. F. *João: introdução e comentário*, p. 216.
[18]BRUCE, F. F. *João: introdução e comentário*, p. 216.
[19]HENDRIKSEN, William. *João*, p. 527-528.
[20]ERDMAN, Charles. *O evangelho de João*, p. 94.

Que Caifás era um bruto, um crápula manipulador que não conhecia o significado de retidão e justiça, e que fazia tudo do jeito que ele queria e a qualquer custo, está claro nas passagens nas quais ele é mencionado (Mt 26.3,57; Lc 3.2; Jo 11.49; 18.13,14,24,28; At 4.6). Ele não hesitava em derramar sangue inocente. Ele era, também, hipócrita, pois no final do julgamento, no exato momento em que pensou ter encontrado uma base sólida para a condenação de Cristo, rasgou suas vestes como se fosse tomado de profunda tristeza![21]

Em quinto lugar, *a firme decisão do sinédrio* (11.53). O sinédrio toma uma firme decisão e anuncia o veredito: Jesus precisa morrer. Então, resolve matá-Lo!

Em sexto lugar, *a retirada de Jesus* (11.54). Jesus retira-Se do centro da crise e vai com Seus discípulos para Efraim, uma região vizinha do deserto. A sua morte aconteceria do modo que estava traçado na agenda do céu, e não segundo as pressões criminosas da terra.

Em sétimo lugar, *a procura por Jesus* (11.55,56). A festa da Páscoa, a terceira mencionada nesse evangelho (2.13; 6.4; 11.55), estava se aproximando, e as multidões já se encaminhavam para Jerusalém. Jesus era o assunto comentado por todos. A dúvida era: Será que diante do iminente perigo de ser preso e morto Ele virá à festa?

Em oitavo lugar, *a ordem dos líderes religiosos* (11.57). Os principais sacerdotes e fariseus já haviam constituído o povo como detetives e investigadores. Qualquer um que tivesse qualquer informação sobre o paradeiro de Jesus deveria denunciá-lo imediatamente. Queriam prendê-Lo. Warren Wiersbe tem razão ao dizer que o palco estava preparado para o maior drama da história, durante o qual o ser humano mostraria o que tem de pior, e Deus Lhe daria o que tem de melhor.[22]

O propósito do milagre

Jesus tinha três propósitos bem claros com esse extraordinário milagre.

Em primeiro lugar, *a manifestação da glória de Deus* (11.4). Tudo o que Jesus ensinou e fez mirava a glória de Deus. A glória do Pai era

---
[21]HENDRIKSEN, William. *João*, p. 526.
[22]WIERSBE, Warren W. *Comentário bíblico expositivo*. Vol. 5, p. 435.

o Seu maior projeto de vida. Ele veio revelar o Pai. Veio para mostrar como é o coração de Deus. Ele nunca fugiu desse ideal. A morte de Lázaro foi uma oportunidade para que o Pai fosse glorificado. A ressurreição de um morto é um milagre maior do que a cura de um enfermo. A ressurreição de um morto de quatro dias é maior do que a ressurreição de alguém que acabou de morrer.

A coisa mais importante em nossa vida não é sermos poupados dos problemas, mas glorificarmos a Deus em tudo o que somos e fazemos. Quando somos confrontados pela doença e até mesmo pela morte, nosso único encorajamento é saber que vivemos pela fé e para a glória de Deus.

Em segundo lugar, *o despertamento da fé* (11.15,42,45). O milagre não é um fim em si mesmo. Tem o propósito de abrir portas para a fé salvadora e avenidas para uma confiança maior em Deus. Os milagres de Cristo sempre tiveram um propósito pedagógico de revelar verdades espirituais. Quando multiplicou os pães, queria ensinar que Ele é o pão da vida. Quando curou o cego de nascença, queria ensinar que Ele é a luz do mundo. Quando ressuscitou Lázaro, queria ensinar que Ele é a ressurreição e a vida. Jesus tinha o propósito de fortalecer a fé de Seus discípulos (11.15). Tinha o propósito de fazer Marta crer, antes de ver a glória de Deus (11.26,40). Tinha o propósito de despertar fé salvadora nos judeus que estavam presentes junto ao túmulo de Lázaro (11.42). Tinha o propósito de proclamar que a vida futura só pode ser alcançada pela fé nEle e que a morte não tem a última palavra para aqueles que nEle creem (11.25,26).

Em terceiro lugar, *a Sua entrega pela morte* (11.8,16, 25,26,46-57). Na última aparição de Jesus na Judeia, os judeus queriam apedrejá-lo (Jo 10.38-42; 11.8). Tomé entende que a ida de Jesus a Jerusalém era caminhar para a própria morte (11.16). Todos sabem do risco que Jesus corre na Judeia. Marta encontra Jesus fora de casa (11.20) e chama Maria em secreto (11.28). Havia uma orquestração nos bastidores para levá-Lo à morte. Quando Jesus ressuscitou Lázaro, muitos judeus creram nEle (11.45). Outros, porém, saíram para entregá-Lo (11.46-48,53,57). Os judeus resolveram matar não apenas Jesus, mas também Lázaro (12.9-11). Quando Jesus foi ao lar de Betânia, estava disposto a glorificar o Pai em dois aspectos: primeiro, pelo milagre da ressurreição de Lázaro e, segundo, pela Sua disposição de cumprir o plano do Pai de dar a Sua vida em resgate do Seu povo (17.1). Os membros do sinédrio pensaram que eles é que estavam no controle da situação, orquestrando a prisão de Jesus. Mas isso fazia parte do plano de Deus. A morte de Cristo não era apenas uma orquestração dos homens, mas também, e sobretudo, uma agenda do Pai (At 2.23).

19

A manifestação pública de Jesus

João 12.1-50

A HORA DECISIVA HAVIA CHEGADO. A festa da Páscoa estava nos seus últimos preparativos. Só faltavam seis dias, quando Jesus sai de Efraim e vai para Betânia. Enquanto em Jerusalém a morte de Jesus está sendo tramada nos bastidores do poder eclesiástico, em Betânia um jantar está sendo preparado para honrá-lo no aconchego de um lar. O sinédrio já havia decretado que, se alguém soubesse do paradeiro de Jesus, deveria denunciá-Lo (11.57), mas, em vez de tratá-Lo como um criminoso, os amigos de Jesus em Betânia lhe preparam uma ceia.[1] Jesus é recebido para um jantar, possivelmente na casa de Simão, o leproso, mesmo sabendo da trama do sinédrio para prendê-lo e matá-Lo.

Depois do jantar em Betânia, Jesus entra publicamente em Jerusalém, sendo saudado pela multidão. Enquanto os fariseus o rejeitam, os gregos querem vê-Lo. Jesus fala abertamente sobre Sua glorificação pela morte, e os judeus revelam uma rejeição aberta ou uma fé insuficiente. Aqui encerra o ministério público de Jesus. Daqui para a frente, Ele vai endereçar seu ensino apenas a Seus discípulos.

---

[1] MacArthur, John. *The MacArthur New Testament commentary – John 12-21*. Chicago: Moody Publishers, 2008, p. 3.

A **devoção** amorosa de **Maria** (12.1-3,7,8)

Essa é a terceira vez que Maria está quedada aos pés de Jesus. Na primeira vez, esteve aos pés de Jesus para aprender (Lc 10.39); na segunda, prostrou-se aos pés de Jesus para chorar (11.32). Dessa feita, demonstra a Ele seu acendrado amor por intermédio de uma generosa oferta (12.3). Esse episódio ocorre seis dias antes da Páscoa, na casa de Simão, o leproso (Mc 14.6). Não sabemos ao certo se esse Simão era o pai dos três irmãos de Betânia, o marido de Marta, ou simplesmente um amigo da família.

Tanto Marta quanto Maria demonstram sua devoção a Cristo. Marta expressa sua consideração e afeição a Jesus mediante os pratos que preparou e colocou à mesa; Maria derrama um precioso perfume sobre a cabeça e os pés do Seu Senhor.

O texto em apreço apresenta um contraste. Dessa feita, o contraste não é entre Maria e Marta (Lc 10.38-42), embora as peculiaridades das duas irmãs ainda estejam em evidência. O contraste agora é entre Maria e Judas Iscariotes. A avareza disfarçada de amor aos pobres deste e a oferta sacrificial daquela estão em flagrante oposição. Aos motivos de Maria contrapõem-se a falácia e a avareza do ladrão e traidor.[2]

Vale ressaltar que o gesto de Maria violou vários clichês culturais. Ela ofereceu o seu melhor a Jesus sem se importar com o protocolo, a etiqueta ou as regras culturais. Que regras ela violou? Primeiro, a sociedade esperava que, como mulher, ela estivesse servindo. Segundo, tocar os pés de outra pessoa era considerado algo degradante. E, terceiro, Maria não apenas tocou os pés de Jesus, mas também os enxugou com os seus cabelos, sendo estes a coroa e a glória da mulher. O gesto de soltar os cabelos em público era indigno para uma mulher naquele tempo. Quarto, o caro perfume que ela derramou sobre os pés de Jesus era um tesouro que as mulheres guardavam para as suas próprias bodas.[3] Mesmo quebrando paradigmas, o gesto de Maria, embora censurado pelos homens, foi enaltecido por Jesus. Destacaremos alguns aspectos do gesto de Maria.

---

[2]ERDMAN, Charles. *O evangelho de João*, p. 96.
[3]SWINDOLL, Charles R. *Insights on John*, p. 213.

Em primeiro lugar, *Maria deu o seu melhor* (12.3). Os evangelistas Marcos e Mateus não nos informam o nome da mulher que ungiu Jesus, mas João nos conta que foi Maria de Betânia, a irmã de Marta e Lázaro (12.1-3). Jesus estava na casa de Simão, o leproso, na cidade de Betânia, participando de um jantar. A descrição das irmãs de Lázaro – Marta servindo e Maria cultuando – novamente chama a atenção por sua semelhança com o retrato que Lucas traça no único trecho em que as menciona (Lc 10.38-41).[4] Esse jantar possivelmente foi motivado pela gratidão de Simão e Maria. Esta, num gesto pródigo de gratidão e amor, quebrou um vaso de alabastro e derramou o preciosíssimo perfume sobre a cabeça de Jesus. O perfume havia sido extraído do puro nardo, isto é, das folhas secas de uma planta natural do Himalaia, entre o Tibete e a Índia. Pelo fato a planta provir de uma região tão remota e ser transportada no lombo de camelos através de regiões montanhosas, era altamente cotada.[5]

Em segundo lugar, *Maria deu sacrificialmente* (12.3). O gesto de amor e adoração de Maria foi público, espontâneo, sacrificial, generoso, pessoal e desembaraçado.[6] A libra de bálsamo equivalia a uns 327 gramas de perfume.[7] Cada grama desse perfume excelente valia um denário. O total desse caro unguento equivalia ao salário de um trabalhador comum durante um ano inteiro. Maria deu não apenas o seu melhor, mas deu, também, sacrificialmente. Aquele perfume foi avaliado por Judas em 300 denários (12.4,5). Representava o salário de um ano de trabalho. Assim como Davi, Maria se recusou a dar ao Senhor o que não lhe havia custado coisa alguma (2Sm 24.24). Judas Iscariotes fica indignado com Maria e considera seu gesto um desperdício. Ele culpa Maria de ser perdulária e administrar mal os recursos. Murmura contra ela, dizendo que aquele alto valor deveria ser dado aos pobres. Warren Wiersbe diz que Judas criticou Maria por desperdiçar dinheiro, enquanto ele desperdiçou a própria vida.[8] O que Maria fez foi

---

[4] BRUCE, F. F. *João: introdução e comentário*, p. 219.
[5] HENDRIKSEN, William. *Marcos*, p. 704; HENDRIKSEN, William. *João*, p. 540.
[6] WIERSBE, Warren W. *Comentário bíblico expositivo*. Vol. 5, p. 436.
[7] BRUCE, F. F. *João: introdução e comentário*, p. 219.
[8] WIERSBE, Warren. *Be Diligent*, p. 133.

único em criatividade, régio em generosidade e maravilhoso em intemporalidade, diz William Hendriksen.[9] Concordo com Werner de Boor quando ele diz que o amor não é calculista; o amor esbanja![10] O amor, depois de dar tudo, só lamenta não ter mais para dar!

Em terceiro lugar, *Maria buscou agradar somente ao Senhor* (12.7). Maria demonstrou seu amor a Jesus de forma sincera e não ficou preocupada com a opinião das pessoas à sua volta. Não buscou aprovação ou aplauso das pessoas nem recuou diante das suas críticas. O amor é extravagante, sempre excede! A devoção de Maria contrasta vivamente com a malignidade dos principais sacerdotes e a vil traição de Judas.

Em quarto lugar, *Maria demonstrou amor em tempo oportuno* (12.7). Maria demonstrou seu amor generoso a Jesus antes de Sua morte e antecipou-Se a ungi-Lo para a sepultura (Mc14.8). As outras mulheres também foram ungir o corpo de Jesus, mas, quando chegaram, Ele já não estava lá, pois havia ressuscitado (Mc 16.1-6). Muitas vezes, demonstramos o nosso amor tardiamente. A mais eloquente declaração do amor de Davi por seu filho Absalão ocorreu depois da morte do filho. Absalão sempre quis ouvir isso de seu pai, mas, quando Davi declarou seu amor a ele, Absalão já não podia mais ouvir. Muitas vezes, enviamos flores depois que alguém morre, quando a pessoa já não pode mais sentir seu aroma.

Em quinto lugar, *Maria foi elogiada pelo Senhor* (12.7,8). Jesus chamou o ato de Maria de boa ação (Mc 14.6) e disse que seu gesto deveria ser contado no mundo inteiro, para que sua memória não fosse apagada (Mc 14.9). Jesus diz que os pobres precisam ser assistidos, mas eles estão sempre entre os homens; Ele, porém, morreria nessa mesma semana, e apenas Maria discerniu esse fato para honrá-Lo antecipadamente.

A **avareza hipócrita** de Judas Iscariotes (12.4-6)

O pródigo amor de Maria é contrastado com a avareza hipócrita de Judas Iscariotes. A esse respeito, destacamos dois pontos.

---

[9] HENDRIKSEN, William. *Marcos*, p. 705.
[10] BOOR, Werner de. *Evangelho de João II*, p. 42.

Em primeiro lugar, *a falsa filantropia de Judas Iscariotes* (12.4,5). Judas Iscariotes fica irritado com o gesto pródigo de Maria e justifica sua exasperação com o argumento de que o dinheiro despendido nesse caro perfume poderia socorrer muitos pobres. D. A. Carson diz que a cobiça pessoal de Judas por coisas materiais se disfarça aqui em altruísmo.[11] Judas Iscariotes, que já havia sido identificado por Cristo como aquele que haveria de traí-Lo (6.71), mais uma vez é mencionado como o traidor (12.4). F. F. Bruce acrescenta que todas as suas ações e palavras anteriores são vistas à luz desse fato. Por isso, cada vez que ele é mencionado no começo dos evangelhos, é sempre identificado como o traidor.[12]

Em segundo lugar, *a desonestidade desmascarada de Judas Iscariotes* (12.6). A motivação de Judas Iscariotes com tanto dinheiro gasto na unção de Jesus não era com o cuidado dos pobres. Como tesoureiro que era, e guardador dos recursos do colegiado, lançava mão desses valores. Judas não era um filantropo, mas um ladrão. Não era um defensor dos pobres, mas um avarento desonesto. F. F. Bruce ressalta que, por trás das palavras de Judas, havia um espírito mercenário, e não um interesse altruísta pelos pobres. Judas não só carregava a bolsa, mas também se apropriava do seu conteúdo.[13] Esse é o único lugar no Novo Testamento em que Judas Iscariotes é chamado de ladrão. Concordo com Charles Erdman quando ele diz que por certo nunca devemos esquecer nossas obrigações para com os necessitados; mas, repreendendo Judas Iscariotes, Jesus defende as dádivas que em qualquer tempo Lhe façamos por devoção, e condena a filantropia espúria que não é motivada por amor a Ele.[14]

A **decisão hostil** da liderança religiosa (12.9-11)

Ao mesmo tempo que Jesus é honrado em Betânia, os principais sacerdotes resolvem matá-Lo. A hostilidade deles não tem limites. Querem matar também Lázaro, porque este era uma testemunha viva e

---

[11]CARSON, D. A. *O comentário de João*, p. 429.
[12]BRUCE, F. F. *João: introdução e comentário*, p. 220.
[13]BRUCE, F. F. *João: introdução e comentário*, p. 221.
[14]ERDMAN, Charles. *O evangelho de João*, p. 96.

eloquente do poder de Jesus. A vida de Lázaro era um sermão poderoso e irrefutável. Se Lázaro permanecesse vivo, seria impossível abafar a verdade incontroversa do poder incomparável de Jesus. Lázaro se tornou um foco para as conspirações dos sumos sacerdotes. A vida dele dava base para a fé em Jesus; portanto, ele também tinha de ser destruído.[15] Werner de Boor chama a atenção para o fato de que Lázaro não produziu relatórios sobre o mundo dos mortos. As pessoas não se achegavam para "ouvi-lo", e sim para "vê-lo".[16]

Nessa mesma linha de pensamento, Charles Erdman afirma que Maria foi criticada por Judas, mas seu irmão Lázaro tornou-se objeto do ódio mais encarniçado dos principais sacerdotes, uma vez que era uma testemunha singular do poder de Cristo e levou muitos à fé. É por acaso de estranhar que as testemunhas de Cristo, ainda hoje, sejam alvo do ódio de Seus inimigos?[17]

Por que os principais sacerdotes resolveram matar Jesus e também Lázaro? William Barclay sugere duas razões.[18] Em primeiro lugar, uma ameaça política. Os saduceus eram a aristocracia endinheirada entre os judeus que cuidavam dos negócios do templo. Os sacerdotes eram saduceus. Ao mesmo tempo que cuidavam do sacerdócio, formavam também um partido colaboracionista. Seu interesse era assegurar a própria riqueza. Uma vez que Jesus fez uma faxina no templo, tirando de lá os cambistas e expulsando os vendilhões, eles se sentiram ameaçados. Viam Jesus como o possível líder de uma rebelião. A segunda razão era discordância teológica. Os saduceus não acreditavam na ressurreição dos mortos. A ressurreição de Lázaro não apenas aumentava a popularidade de Jesus, mas, também, jogava uma pá de cal sobre a falsa teologia que eles professavam.

A entrada triunfal em Jerusalém (12.12-19)

Da tranquilidade de um jantar em Betânia, João muda a cena para a agitação e o barulho de um cortejo na entrada de Jerusalém. Esse

---

[15] CARSON, D. A. *O comentário de João*, p. 430.
[16] BOOR, Werner de. *Evangelho de João II*, p. 45.
[17] ERDMAN, Charles. *O evangelho de João*, p. 97.
[18] BARCLAY, William. *Juan II*, p. 129.

episódio é registrado pelos quatro evangelistas e é a única manifestação pública que Jesus admitiu durante o Seu ministério. Seu propósito era cumprir a profecia do Antigo Testamento (Zc 9.9).[19]

Essa era a hora mais esperada do ministério de Jesus. Aqui se cumpria seu desejo e propósito eterno. Ele veio para morrer e, agora, estava entrando triunfalmente em Jerusalém para cumprir esse plano eterno do Pai. Warren Wiersbe aponta que a festa da Páscoa era o prazer dos judeus e o desespero dos romanos.[20] Era uma festa para aqueles e o medo de uma insurreição para estes. Nessa festa, a população de Jerusalém, que girava em torno de cinquenta mil pessoas, chegava a quintuplicar.

O texto em tela enfatiza seis realidades.

Em primeiro lugar, *a consumação de um propósito eterno* (12.12,13). A vinda de Jesus ao mundo foi um plano traçado na eternidade. Deus Pai o enviou, e ele voluntariamente obedeceu à vontade do Pai. Jesus veio para dar Sua vida. Agora havia chegado o grande momento. Não houve nenhuma improvisação. Nenhuma surpresa. Ele veio para esta hora. E essa hora havia chegado!

Charles Erdman é oportuno quando escreve:

> João tem apresentado muitas testemunhas de ser Jesus o Messias, porém nenhuma de tal modo brilhante como a multidão que Lhe presta homenagem, por ocasião de sua entrada na cidade santa, no dia seguinte àquele em que foi ungido em Betânia. Muitos aspectos desse episódio, registrado aliás pelos outros evangelistas, são aqui omitidos, mas em nenhuma outra narrativa há um testemunho mais explícito, dado por uma multidão em festa, de que na pessoa de Jesus apareceu o Messias prometido. Clamando: *Hosana! Bendito seja o que vem em nome do Senhor*, citavam um salmo que todos os judeus consideravam conter uma predição do Messias que havia de vir (Sl 118.26).[21]

Em segundo lugar, *a apresentação humilde de Jesus* (12.14,15). A entrada de Jesus em Jerusalém foi externamente despretensiosa.

---

[19] WIERSBE, Warren W. *Comentário bíblico expositivo*. Vol. 5, p. 438.
[20] WIERSBE, Warren W. *Be Diligent*, p. 107.
[21] ERDMAN, Charles. *O evangelho de João*, p. 97-98.

Ele não entrou cavalgando um cavalo fogoso, brandindo uma espada nem acompanhado de um exército. Não veio como um conquistador político, mas como o redentor da humanidade. A entrada triunfal de Jesus em Jerusalém foi totalmente diferente daquelas celebradas pelos conquistadores romanos. Quando um general romano retornava para Roma depois de sua vitória sobre os inimigos, era recebido por grande multidão. O general vitorioso desfilava em carruagem de ouro. Os sacerdotes queimavam incenso em sua honra, e o povo gritava seu nome, enquanto seus cativos eram levados para as arenas a fim de lutarem com animais selvagens. Essa era a entrada triunfal de um romano.[22] Ao montar um jumentinho, porém, Jesus estava dizendo que sua missão era de paz e que seu reino era espiritual. Estava cumprindo a profecia de Zacarias: *Alegra-te muito, ó filha de Sião; exulta, ó filha de Jerusalém; o teu rei vem a ti; ele é justo e traz a salvação; ele é humilde e vem montado num jumento, num jumentinho, filho de jumenta* (Zc 9.9).

Joe Amaral diz que, sem um claro entendimento da cultura antiga dos judeus e da cerimônia do templo, perdemos a beleza e o poder dessa manifestação de Jesus. Na festa da Páscoa, todos os cordeiros vinham de Belém.[23] O sumo sacerdote descia de Jerusalém para Belém a fim de encontrar o cordeiro perfeito para o sacrifício. Ao encontrá-lo, seguia para Jerusalém no quarto dia antes da Páscoa. Quando entrava pelo portão do templo, o povo se reunia com folhas de palmeiras para celebrar ao Senhor, clamando: "Hosana ao cordeiro de Deus que tira de nós o nosso pecado". Esse fato explica por que havia uma multidão no portão, com folhas de palmeiras e ramos nas mãos, quando Jesus entrou (Mt 21). A multidão foi ao encontro de Jesus (12.18). Aqui, mais uma profecia se cumpre. Jesus é o cordeiro perfeito, o Cordeiro de Deus que tira o pecado do mundo (1.29). Jesus é o mesmo que realizou os milagres que só o Messias poderia operar. Jesus é aquele que falou as verdades que só o Messias poderia falar.

Joe Amaral ainda chama a atenção para o fato de que Jesus entrou montando num jumentinho (Zc 9.9). No mundo antigo, quando um rei

---

[22] WIERSBE, Warren W. *Be Diligent*, p. 109.
[23] *Mishnah Shekalim* 7:4.

ia a um país vizinho em missão de paz, vinha montado num jumento; contudo, se o motivo era fazer guerra contra aquela nação, ia montado num cavalo. É maravilhoso perceber que, na sua primeira vinda, Jesus entrou em Jerusalém montado num jumentinho, pois veio para nos trazer salvação e paz. Contudo, em sua segunda vinda, quando virá para trazer juízo às nações, entrará montado num cavalo branco (Ap 19.11).[24]

Nessa linha de pensamento, D. A. Carson diz que três pontos se destacam aqui. Primeiro, a vinda do rei humilde está associada ao fim da guerra: isso, também, foi entendido por João como definidor da obra de Jesus, de tal forma que este nunca poderia ser reduzido a um zelote fanático. Segundo, a vinda do rei humilde está associada à proclamação de paz às nações, estendendo seu reino aos confins da terra (Zc 9.10; Sl 72.8). Terceiro, a vinda do rei humilde está associada ao sangue da aliança de Deus que resulta em libertação para os prisioneiros – termos já preciosos para João (1.29,34; 3.5; 6.35-58; 8.31-34) – e associados à Páscoa e à morte do servo-rei que está imediatamente à frente.[25]

Em terceiro lugar, *a exaltação pública de Jesus* (12.13). Tanto a multidão que estava em Jerusalém como aquela que O acompanhava à cidade santa, proclamava-O como o Messias, com vozes de júbilo. Essa proclamação focou duas verdades importantes: 1) *Apontou Jesus como o Salvador*. A multidão gritou: *Hosana! Bendito o que vem em nome do Senhor! Bendito o rei de Israel!* A palavra "Hosana" é um clamor pelo Salvador, cujo significado literal é: "Dê a salvação agora".[26] 2) *Apontou Jesus como o rei*. Jesus é o rei e, com Ele, chegou Seu reino. Os reinos do mundo levantam-se e caem, mas o reino de Cristo jamais passará. Jesus é maior do que Davi. Davi inaugurou um reino terreno e temporal, mas o reino de Cristo é celestial e eterno.

Em quarto lugar, *a incompreensão dos discípulos* (12.16). Embora a proclamação de Jesus como o Messias por parte da multidão tenha sido pública, Seus discípulos não compreenderam as implicações desse fato. Seus olhos só se abriram depois que Jesus foi glorificado pela ressurreição.

---

[24]AMARAL, Joe. *Understanding Jesus*, p. 144-145.
[25]CARSON, D. A. *O comentário de João*, p. 433.
[26]CARSON, D. A. *O comentário de João*, p. 432.

Em quinto lugar, *o testemunho da multidão* (12.17,18). Há aqui duas multidões. A primeira foi testemunha ocular da ressurreição de Lázaro (12.17), e a segunda ouviu a respeito desse milagre extraordinário (12.18). Tanto a multidão que viu como a multidão que ouviu dão testemunho de que Jesus é o Rei que vem em nome do Senhor.

Em sexto lugar, *a rejeição peremptória dos fariseus* (12.19). Os fariseus escarneceram da multidão que exaltava Jesus e, em uma linguagem hiperbólica e cheia de desprezo, disseram: *Vede que nada conseguistes! O mundo inteiro vai atrás dele!* De acordo com Charles Erdman, João finaliza a narrativa salientando um ponto que não é apresentado nos outros evangelhos, mas que está perfeitamente subordinado ao escopo de seu livro. Ele mostra que a crença do povo se deve, em larga escala, ao "sinal" da ressurreição de Lázaro, e que a popularidade sem precedentes de Jesus só faz incitar seus inimigos, as autoridades, a adotarem o mais depressa possível a sugestão extrema de Caifás e levar a cabo a morte de Cristo. Continuamente, João contrapõe as manifestações da fé às da incredulidade.[27]

D. A. Carson comenta que a cena estava carregada de potencial explosão. Jesus podia ter começado uma revolta armada exatamente naquele momento. Os fariseus observavam as multidões, inquietos. Embora menos acomodados aos senhores romanos que os saduceus, eles pensavam que o caminho da sabedoria era suportar a ocupação e se aborreciam com a crescente popularidade de Jesus. O sinédrio tomou sua decisão (11.49-53), mas teve de executá-la furtivamente por causa das multidões.[28]

O desejo dos gregos de verem Jesus (12.20-36)

Na mesma medida em que os fariseus rejeitavam peremptoriamente Jesus, os gregos buscavam Jesus (12.20-22). Enquanto o povo da aliança rechaçava o Messias, os gentios queriam vê-Lo. MacArthur diz que o texto não deixa claro quem eram esses gregos, de onde vinham,

---

[27]ERDMAN, Charles. *O evangelho de João*, p. 98-99.
[28]CARSON, D. A. *O comentário de João*, p. 435.

porque queriam ver Jesus nem porque procuraram Filipe.[29] Talvez isso se deva ao fato de seu nome ter origem grega. Ou talvez por serem da região gentílica de Decápolis, na Galileia. Provavelmente, esses gregos eram forasteiros que ocasionalmente subiam a Jerusalém para adorar nas festas (como o eunuco etíope em Atos 8.27), ou mesmo viviam na Galileia como prosélitos. O que importa é que, enquanto o povo da aliança rejeitou Jesus, eles, como gentios, procuravam o mestre. Filipe leva o caso a André, que o comunica a Jesus. André é o homem que sempre aparece levando alguém a Cristo. Ele levou Pedro, seu irmão, a Cristo; também levou o menino com cinco pães e dois peixes a Jesus. E, agora, está levando a pergunta dos gregos a Jesus.

O momento é cercado de dramaticidade. Os discípulos têm plena consciência da trama armada pelas autoridades judaicas para matarem Jesus. Esse desejo dos gregos de verem Jesus poderia soar como um escape. Não seria uma saída para Jesus e Seus discípulos, à qual os próprios adversários já haviam aludido (7.35)? Ah, se eles apenas pudessem escapar desse círculo de desconfiança, rejeição e ódio, que os rodeava de modo sufocante![30]

Em vez de Jesus conceder uma entrevista aos gregos, como era seu desejo, Ele aproveitou para dar um profundo esclarecimento acerca de Sua glorificação, pelo sacrifício de Sua morte e pela exaltação de Sua ressurreição. Destacamos a seguir aqui alguns pontos.

Em primeiro lugar, *a hora de Jesus ser glorificado chegou* (12.23). Jesus responde aos gregos: *Chegou a hora de ser glorificado o Filho do homem*. Essa hora da qual Jesus falou várias vezes havia enfim chegado. A agenda feita na eternidade tornar-se-ia história. O ponto culminante de seu ministério chegou. Concordo com D. A. Carson quando ele diz que Jesus, estritamente falando, não atende ao pedido direto dos gentios, mas à situação que o pedido deles representa. No exato momento em que as autoridades judaicas estão se voltando mais violentamente contra Ele, alguns gentios começam a clamar por Sua atenção. Isso não é diferente de um dos grandes temas de Romanos 9–11: à parte um

---

[29] MacArthur, John. *The MacArthur New Testament commentary – John 12-21*, p. 25.
[30] Boor, Werner de. *Evangelho de João II*, p. 49.

remanescente, Israel, como um todo, rejeita o Messias, mas Ele, por intermédio de Sua morte e ressurreição, agrega em Sua comunidade da aliança grande número de gentios que haviam sido anteriormente excluídos do povo da aliança. Nessa instância, entretanto, a abordagem dos gregos é para Jesus um tipo de gatilho, um sinal de que a hora do ápice já raiou.[31] O mesmo autor ainda esclarece que, até esse ponto, a *hora* sempre era futura (2.4; 4.21,23; 7.30; 8.20). A *hora* nada mais é que o tempo apontado para a morte, ressurreição e exaltação de Jesus – em suma, Sua glorificação. Agora, dramaticamente, o pedido dos gregos muda os parâmetros. Desse momento até a Paixão, a *hora* está em perspectiva imediata (12.27; 13.1; 17.1).[32]

Em segundo lugar, **a cruz é o palco da glorificação** (12.24-26). Bruce Milne diz corretamente que a ligação feita por Jesus entre glorificação e crucificação é fundamental para a apresentação que Jesus faz do drama da Páscoa. A morte e a ressurreição de Jesus não são divididas em derrota no Calvário e subsequente vitória na ressurreição. Em vez disso, juntas, morte e ressurreição representam um único e inseparável evento em que Jesus traz glória ao nome de Deus.[33]

Charles Erdman afirma que a cruz seria a força de atração que chamaria a Jesus todas as turbas do mundo gentílico, representadas por esses gregos curiosos.[34] No pedido dos gregos, Jesus vê *sua semente*, isto é, numerosa posteridade espiritual. Isso fora prometido ao Messias como o fruto de Seu sacrifício voluntário: *Quando sua alma fizer a oferta pelo pecado, ele verá* SUA SEMENTE (Is 53.10, ARA). À parte Seu sacrifício voluntário, Jesus nada podia fazer por esses gregos. À parte a cruz, não existe nenhuma colheita espiritual.[35]

Jesus ilustra sua morte com uma linguagem agrícola. O grão só pode viver e multiplicar-se caso primeiro seja lançado na terra para morrer. Ao morrer, renasce para uma nova vida e para uma extraordinária multiplicação. Se o grão não morrer, fica só e não pode se multiplicar nem

---

[31]CARSON, D. A. *O comentário de João*, p. 437.
[32]CARSON, D. A. *O comentário de João*, p. 437.
[33]MILNE, Bruce. *The message of John*, p. 186.
[34]ERDMAN, Charles. *O evangelho de João*, p. 100.
[35]HENDRIKSEN, William. *João*, p. 565-566.

alimentar multidões. Amar a vida a ponto de preservá-la é perdê-la, mas perdê-la é preservá-la para a vida eterna. Aqueles que entregam sua vida ao serviço de Deus, como Jesus a entregaria em breve na cruz, serão honrados pelo Pai.

A glorificação não é apenas um resultado da cruz. A cruz é a própria essência da glorificação. A cruz, com todo o seu horror, é o palco mais fulgurante da manifestação da glória de Deus. É a manifestação plena de sua justiça e de seu amor, de seu horror ao pecado e seu amor infinito aos pecadores. Jesus disse: *E eu, quando for levantado da terra, atrairei todos a mim*. A palavra "todos" aí refere-se aos gregos e quantos, de todas as nações, eles representam. O sentido é que não só judeus serão atraídos a Jesus, mas gentios também; *todos*, isto é, sem distinção, e não no sentido de sem exceção.[36] A cruz ainda hoje é o supremo magneto moral do mundo. Não são os ensinamentos de Cristo, nem o exemplo de Sua vida, dissociados de Sua morte; é Sua cruz que atrai multidões, desafiando cada um, como seguidor devotado do Senhor, a tomar a cruz e segui-Lo.[37]

Hendriksen tem razão ao dizer que a verdade solene afirmada no versículo 24 se aplica a Cristo, e a Ele somente. Somente Ele morre como substituto e, ao fazê-lo, Ele dá frutos. Mesmo assim, existe um princípio semelhante que opera na esfera humana. É aquele afirmado nos versículos 25 e 26. Quanto a Cristo, para que haja fruto, Ele tem de morrer. Quanto a Seu discípulo, este deve dispor-se a morrer pela causa de Cristo (Mt 10.37-39; 16.24-26; Mc 8.34-38; Lc 9.23-26; 17.32,33).[38]

John MacArthur diz corretamente que as Escrituras enfatizam a morte substitutiva de Cristo do começo ao fim (Is 53.4-6; 2Co 5.21; 1Pe 2.24). A morte de Cristo é o cumprimento das profecias, o tema central do Novo Testamento, o principal propósito da encarnação, o constante tema de Seu ensino, o tema central da pregação dos apóstolos, o eixo principal do ensinamento das epístolas, o coração das ordenanças da igreja e o assunto de supremo interesse no céu.[39]

---

[36]Wiersbe, Warren W. *Comentário bíblico expositivo*. Vol. 5, p. 441.
[37]Erdman, Charles. *O evangelho de João*, p. 100-101.
[38]Hendriksen, William. *João*, p. 567-568.
[39]MacArthur, John. *The MacArthur New Testament commentary – John 12-21*, p. 34-38.

Em terceiro lugar, *a cruz é uma arena de muita angústia* (12.27). Mesmo sendo a cruz o palco fulgurante da glorificação do Filho e da manifestação da glória do Pai, é também uma arena de amarga angústia. Ali Jesus não apenas sofreu as agruras do sofrimento físico, mas enfrentou a maldição do pecado e o afastamento do Pai. Sua alma está angustiada, mas Jesus não recua sequer um milímetro. Ele sabe que veio para essa hora, e essa hora havia chegado. Portanto, mesmo com a alma esmagada pela angústia, Ele caminha para a cruz como um rei caminha para sua coroação. Concordo com D. A. Carson quando ele diz que essa oração é análoga à do Getsêmani. Em ambas as instâncias, seguem-se uma forte adversativa e uma intrépida resolução. É como se o horror da morte e o ardor de sua obediência estivessem se encontrando naquele momento.[40]

Em quarto lugar, *o clamor profundo de Jesus* (12.28). À sombra da cruz, o desejo mais intenso de Jesus não é escapar do sofrimento, mas glorificar o Pai e fazer Sua vontade. E por isso Ele clama: *Pai, glorifica o Teu nome!* [...]. A resposta é imediata. Do céu vem uma voz: [...] *Já O glorifiquei, e O glorificarei mais uma vez*. O Pai já havia sido glorificado pela vida, pelo ensino e pelas obras de Jesus, mas ainda seria glorificado pela Sua morte e ressurreição. O anelo do Filho é glorificar o Pai, e o anelo do Pai é ser glorificado no Filho. Estou de pleno acordo com as palavras de D. A. Carson quando ele diz que a glorificação do nome do Pai, pela qual Ele pede, depende da voluntária obediência de Jesus até a morte. O servo que não faz a própria vontade, mas realiza a vontade dAquele que O enviou – mesmo até a morte de cruz –, esse é O que glorifica a Deus.[41]

Em quinto lugar, *a profunda ignorância da multidão* (12.29,30). Quando a multidão ouviu a voz do céu, dividiu-se em dois grupos. O primeiro era formado pelos céticos. Diziam ter ouvido um trovão. Esses são aqueles que tentam interpretar as verdades espirituais apenas como fenômenos naturais. O segundo grupo era formado pelos místicos. Eles diziam: "Foi um anjo que lhe falou". Esses até acreditaram que algo sobrenatural havia acontecido, mas não entenderam que a voz do

---

[40]CARSON, D. A. *O comentário de João*, p. 440.
[41]CARSON, D. A. *O comentário de João*, p. 440.

céu era do próprio Deus. Jesus esclarece para os dois grupos que aquela voz não viera do céu por Sua causa, mas por causa deles. Era mais um testemunho para eles de Sua natureza divina e de Sua obra expiatória e, agora, um testemunho do céu, vindo da parte do Pai. Das alturas, o próprio Pai demonstrava que a cruz vexatória, e tudo o que dela fluiria, não era derrota, mas vitória retumbante; não destruição final, mas glorificação derradeira.[42]

Em sexto lugar, *as implicações da glorificação de Jesus por Sua morte* (12.31-33). D. A. Carson destaca aqui cinco ênfases sobre o significado da glorificação de Jesus através de sua paixão.[43]

A paixão/glorificação do Filho é a hora de este mundo ser julgado (12.31). O mundo pensou que estava julgando Jesus não só enquanto debatia, perpetuamente, sobre quem Ele era (6.14,42,60; 7.15; 8.48,52,53; 9.29; 10.19; 11.37), mas, de forma culminante e derradeira, na cruz. Na realidade, porém, a cruz é que estava julgando o mundo. A paixão/glorificação de Jesus significa, tanto positiva quanto negativamente, julgamento. No que diz respeito ao mundo, é julgamento negativo, pois não pode haver mais esperança para aqueles que rejeitam a única pessoa cuja morte/exaltação é a epifania da autorrevelação graciosa e salvadora de Deus. No que diz respeito aos salvos, o julgamento é positivo, pois Deus deu Seu Filho como um sacrifício, assegurando a vida de muitas sementes (12.24).[44] Charles Erdman corrobora esse pensamento quando diz que tal morte seria o julgamento deste mundo, cujo caráter moral seria nela revelado, e cujo pecado seria por ela condenado.[45]

A paixão/glorificação é o tempo em que o príncipe deste mundo será expulso (12.31). satanás, equivocadamente, pensava que a cruz seria o seu triunfo sobre Jesus, mas foi sua mais consumada derrota. Jesus já havia despojado o valente e tirado sua armadura, com a chegada do Seu reino (Lc 10.18); com Sua morte, porém, Jesus esmaga a cabeça da serpente. Agora, os seguidores do Cordeiro vencem o diabo com o

---

[42]CARSON, D. A. *O comentário de João*, p. 442.
[43]CARSON, D. A. *O comentário de João*, p. 442-444.
[44]CARSON, D. A. *O comentário de João*, p. 443.
[45]ERDMAN, Charles. *O evangelho de João*, p. 101.

sangue do Cordeiro (Ap 12.11). Na mesma medida em que Jesus foi entronizado, satanás foi destronado. D. A. Carson diz corretamente que qualquer poder residual que o príncipe deste mundo ainda desfrute é mais adiante restringido pelo Espírito Santo, o consolador (16.11).[46]

A paixão/glorificação de Jesus é equivalente a Jesus ser levantado da terra (12.32,33). A morte expiatória de Jesus e Sua exaltação vêm juntas (Fp 2.9; 1Tm 3.16; Hb 1.3). Assim, Sua morte na cruz não significava apenas ser levantado da terra (3.14), mas, também, ser levantado para a glória. D. A. Carson é claro ao afirmar: "A morte de Jesus é o caminho para a glorificação e uma parte integral dela. Sua glorificação não é uma recompensa por Sua crucificação; ela é inerente à Sua crucificação".[47]

A consequência da paixão/glorificação de Jesus é que Ele atrairá todos para Si mesmo (12.32). É claro que Jesus não está falando aqui sobre universalismo. Toda mensagem deste evangelho é uma negação dessa pretensão. Como os gregos, que eram gentios, queriam ver Jesus, fica claro que Jesus está falando sobre judeus e gentios, ou seja, pessoas de todas as raças serão atraídas a Ele. A palavra "todos" nesse contexto significa todos sem acepção, e não todos sem exceção. A salvação não depende do sangue nem da etnia (1.13). Jesus é o Salvador não apenas dos judeus, mas também dos samaritanos; portanto, Ele é o Salvador do mundo (4.42). Ele tem outras ovelhas que não são deste aprisco (10.16). Ele é o Cordeiro de Deus que tira o pecado do mundo (1.29).

William Hendriksen lança luz sobre o assunto quando escreve:

> O fato de atrair todos os homens a Cristo significa a expulsão do diabo. Ele perde Seu poder sobre as nações. Um momento antes, os gregos tinham pedido para ver a Jesus. Esse é precisamente o contexto. Esses gregos representavam as nações – eleitos de todas as nações – que viriam a aceitar a Cristo pela fé viva, mediante a soberana graça de Deus. Então, por meio da morte de Cristo, o poder de satanás sobre as nações do mundo é quebrado. Durante a antiga dispensação, essas nações estiveram sob a escravidão de satanás (embora, naturalmente,

---

[46]CARSON, D. A. *O comentário de João*, p. 443.
[47]CARSON, D. A. *O comentário de João*, p. 444.

nunca no sentido absoluto do termo). Com a vinda de Cristo, ocorre uma mudança tremenda. No Pentecostes e depois dele, começamos a ver a reunião da igreja entre todas as nações do mundo. Isso é o que Jesus vê com muita clareza quando esses gregos se aproximam dEle.[48]

Esse desenvolvimento dramático aparece duas vezes sob o poderoso "agora" (12.31). D. A. Carson tem razão em dizer que esse advérbio "agora" não só liga esses versículos aos versículos 23 e 27, mas, também, enfatiza a natureza escatológica dos eventos que são iminentes. O julgamento do mundo, a destruição de satanás, a exaltação do Pai no Filho do homem, a atração de homens e mulheres dos confins da terra – tudo isso poderia ser reservado para o fim dos tempos. Mas o fim dos tempos já começou. Não é que não esteja reservado para a consumação; antes, significa que o passo decisivo está para ser dado na morte/exaltação de Jesus.[49]

Em sétimo lugar, *a cegueira espiritual da multidão* (12.34). A multidão faz menção da lei, mas fez uma leitura errada da lei. Eles têm uma expectativa irreal do Filho do homem. Na leitura míope que fizeram da lei, não havia espaço para a morte do Filho do homem; por isso, interrogam a Jesus: *Quem é esse Filho do homem?* Os judeus estavam numa densa escuridão; não por falta de luz, mas por falta de discernimento espiritual.

Em oitavo lugar, *as trevas espirituais e a luz da salvação* (12.35,36). O Filho do homem é a luz, a luz do mundo, a luz da salvação. A imagem de luz e trevas aparece em outras partes no relato joanino (1.4-9; 3.17-20; 8.12; 9.39-41). A luz brilhava, e o povo deveria aproveitar essa oportunidade para ser salvo. Warren Wiersbe diz corretamente que, com um simples passo de fé, essa gente poderia ter passado das trevas espirituais para a luz da salvação.[50] Sejam quais forem os problemas ou os mistérios que cerquem a pessoa de Cristo e Sua obra, devemos crer nEle, segui-Lo e a Ele nos entregar. De outra sorte, seremos como aqueles que tropeçam dentro da noite, sem enxergar o caminho.[51]

---

[48]HENDRIKSEN, William. *João*, p. 574.
[49]CARSON, D. A. *O comentário de João*, p. 444.
[50]WIERSBE, Warren W. *Comentário bíblico expositivo*. Vol. 5, p. 441.
[51]ERDMAN, Charles. *O evangelho de João*, p. 101.

A **incredulidade** dos judeus (12.37-43)

A palavra-chave desta seção, usada oito vezes, é "crer". Os israelitas não criam (12.37,38), não podiam crer (12.39), não deviam crer (12.40,41). Ouviram a mensagem e viram os milagres e, ainda assim, não creram.[52] Vamos destacar aqui quatro fatos.

Em primeiro lugar, *a incredulidade a despeito do testemunho dos milagres de Jesus* (12.37). Jesus fez muitos milagres na presença dos judeus e, mesmo assim, eles permaneceram incrédulos. Dessa forma, os judeus se tornaram ainda mais culpados por sua incredulidade. Não lhes faltaram evidências. A despeito das abundantes provas, fecharam o seu coração para crer. D. A. Carson diz que nem mesmo os sinais milagrosos relatados por João, cujo propósito exato era gerar fé (20.30,31), mostram-se capazes de acender o fogo da fé nessas pessoas. Elas são como os antigos israelitas a quem Moisés se dirigiu: [...] *Vistes tudo o que o Senhor fez diante dos vossos olhos ao faraó, a todos os seus servos e a toda a sua terra no Egito; as grandes provas que os teus olhos viram, os sinais e grandes maravilhas. Mas, até hoje, o Senhor não vos deu um coração para entender, nem olhos para ver, nem ouvidos para ouvir* (Dt 29.2-4).[53]

Em segundo lugar, *a incredulidade como cumprimento de profecia* (12.38). O que aconteceu com os judeus dos dias de Jesus foi o mesmo que aconteceu com os israelitas nos dias do profeta Isaías (Is 6.10). A incredulidade dos judeus não apenas demonstrou sua obstinação, mas também o cumprimento das profecias. Corroboro o que diz D. A. Carson:

> Alguma explicação deve ser dada para uma incredulidade em tão larga escala e tão catastrófica [...]. A resposta cristã, tão claramente articulada por Paulo em Romanos 9–11, como aqui, é que essa descrença não só foi prevista pelas Escrituras, mas, exatamente por isso, era necessária para as Escrituras.[54]

---

[52]WIERSBE, Warren W. *Comentário bíblico expositivo*. Vol. 5, p. 441.
[53]CARSON, D. A. *O comentário de João*, p. 447.
[54]CARSON, D. A. *O comentário de João*, p. 447.

Em terceiro lugar, *a incredulidade como resultado do juízo divino* (12.39-41). Quando o ser humano endurece o coração, Deus o deixa endurecido. Não há maior juízo do que Deus entregar uma pessoa a si mesma, do que Deus dar ao ser humano o que ele quer. Os judeus não apenas não creram; eles não puderam crer.

Werner de Boor diz que os homens influentes de Israel se sentiam livres e superiores nessa atitude, assim como faz a pessoa incrédula em todas as épocas e no auge de sua sabedoria e liberdade. Tal pessoa não nota que em sua incredulidade ela é tudo, menos livre; antes, está acorrentada, "não é capaz de crer". Ela não vê que sua resistência contra Deus a joga justamente nas mãos desse Deus, que torna seus olhos cegos e seu coração endurecido, de modo que já não há volta nem salvação.[55] Deus cegou seus olhos e endurece-lhes o coração para não se converter e ser salva. O mesmo que Deus fez com o faraó, Ele faz aqui com esses judeus obstinados. A predestinação evidente nunca é oposta à responsabilidade humana: o versículo 37 pressupõe que há culpabilidade humana, e o versículo 43 articula um motivo humano fortemente repreensível para a incredulidade.[56] D. A. Carson esclarece esse ponto da seguinte maneira:

> A pressuposição de que Deus pode, como castigo, endurecer homens e mulheres aparece, com frequência, no Novo Testamento (Rm 9.18; 2Ts 2.11). Se uma leitura superficial achar isso duro, manipulador ou até robótico, quatro coisas devem ser levadas em consideração: 1) a soberania de Deus nessas questões nunca é colocada contra a responsabilidade humana; 2) o endurecimento como castigo de Deus não é apresentado como a manipulação caprichosa de um potentado arbitrário amaldiçoando seres moralmente neutros ou, até mesmo, moralmente puros, mas é apresentado como uma condenação santa de um povo culpado que é condenado a fazer e a ser o que eles mesmos escolheram; 3) a soberania de Deus nessas questões pode também ser motivo de esperança, pois, se Ele não é soberano nessas áreas, há pouco sentido em pedir por ajuda a Ele, enquanto que, se Ele é soberano, os apelos angustiados do profeta (Is 63.15-19) – e de crentes durante toda a história da igreja – fazem

---

[55]Boor, Werner de. *Evangelho de João II*, p. 57.
[56]Carson, D. A. *O comentário de João*, p. 447.

sentido; 4) nos dias de Isaías, o endurecimento do povo perpetrado pelo Deus soberano, o comissionamento de Isaías para um ministério aparentemente infrutífero, é um estágio na "obra muito estranha" de Deus (Is 28.21,22), que realiza os propósitos redentores definitivos de Deus. Paulo, em Romanos 9.22,23, argumenta de forma muito semelhante.[57]

Em quarto lugar, *a fé inautêntica como resultado do medo* (12.42,43). Muitas pessoas chegaram a crer em Jesus, entre elas, inclusive, muitas autoridades. Contudo, elas não demonstraram uma fé robusta e autêntica. Por causa do medo dos fariseus, não confessaram Jesus, com medo de serem expulsas da sinagoga. A fé que não tem coragem de ser publicada não é fé salvadora (Rm 10.9,10). Amaram mais a glória humana do que a glória de Deus. Essa fé medrosa e covarde não é suficiente, pois Jesus não tem seguidores anônimos. Os covardes serão lançados fora (Ap 21.8). Concordo com Warren Wiersbe quando ele diz: "É melhor temer a Deus e ir para o céu do que temer os homens e ir para o inferno".[58]

A última mensagem de Jesus à multidão (12.44-50)

Esse parágrafo contém o desafio público final de Jesus às multidões, um resumo hábil dos muitos elementos de seu ensino.[59] Essa é a última mensagem de Jesus antes de "se esconder" do povo. Mais uma vez, a ênfase é sobre a fé. Warren Wiersbe diz que vários temas essenciais do evangelho de João aparecem nessa mensagem: Deus enviou o Filho; ver o Filho significa ver o Pai; Jesus é a luz do mundo; Suas palavras são as palavras do próprio Deus; a fé em Cristo traz salvação; quem rejeita Cristo enfrentará o julgamento eterno; a própria Palavra de Jesus julgará os que rejeitaram Cristo e Sua mensagem.[60]

Fica evidente que a acusação contra Jesus é – e foi até hoje – que Ele se colocava ao lado de Deus, que praticamente tirava o lugar de Deus. Mas, o contrário é que é verdade! Jesus não se posiciona ao lado de

---

[57]Carson, D. A. *O comentário de João*, p. 448-449.
[58]Wiersbe, Warren W. *Comentário bíblico expositivo*. Vol. 5, p. 442.
[59]Carson, D. A. *O comentário de João*, p. 451.
[60]Wiersbe, Warren W. *Comentário bíblico expositivo*. Vol. 5, p. 442.

Deus como blasfemo. Quem crê em Jesus não abandona o monoteísmo puro e não tem dois deuses lado a lado, o Pai e Jesus. Tampouco crê em um ser humano de nome Jesus. O próprio Jesus estabelece que a fé nEle é em si mesma fé em Deus, e nada mais. Inversamente, toda rejeição a Jesus é ao mesmo tempo rejeição a Deus.[61]

Destacamos aqui dois pontos.

Em primeiro lugar, *as promessas de Jesus* (12.44-46). Depois de Jesus afirmar que não é apenas um enviado de Deus, como um profeta, mas o próprio Deus, Ele diz que quem nEle crê está crendo no próprio Deus. Depois de dizer que vê-Lo é o mesmo que ver Deus, Jesus afirma claramente que Ele veio como luz para o mundo, a fim de que todo aquele que crer nEle não permaneça nas trevas. Todo aquele que não crê em Jesus está em trevas, mas aqueles que nEle creem tornam-se filhos da luz e vivem na luz.

Em segundo lugar, *os juízos de Jesus* (12.47-50). Depois de fazer a promessa, Jesus pronuncia o juízo. Ouvir Sua Palavra e não guardá-la é ser julgado por essa mesma Palavra, porque é a própria Palavra que vem de Deus. Ouvir e guardar Sua Palavra produz vida eterna; mas, ouvir e não guardar desemboca em juízo e condenação. Warren Wiersbe alerta: "É assustador pensar que, em seu julgamento, o pecador será confrontado com toda e qualquer parte das Escrituras que tenha lido ou ouvido. A própria Palavra rejeitada se torna seu juiz".[62]

Caro leitor, vimos até aqui, através da vida, dos milagres e das mensagens de Jesus, evidências incontestáveis de que Ele é o Filho de Deus, o Salvador do mundo. Vimos, também, que a única maneira de alguém ser salvo é através da fé no Filho de Deus. E você? Já colocou sua confiança plena em Jesus?

Aqui, encerra-se a primeira metade do evangelho de João. Agora Jesus se volta exclusivamente para Seus discípulos. Doravante, teremos o privilégio de contemplar o brilhante contraste da vitória da fé, principal assunto da segunda parte desse livro.[63]

---

[61]Boor, Werner de. *Evangelho de João II*, p. 59.
[62]Wiersbe, Warren W. *Comentário bíblico expositivo*. Vol. 5, p. 442.
[63]Erdman, Charles. *O evangelho de João*, p. 103.

20

Jesus, o servo onipotente

João 13.1-38

A PARTIR DE AGORA, Jesus não Se dirige mais ao povo, às multidões, ao mundo como um todo, mas apenas aos Seus discípulos. A porta da oportunidade para o povo estava fechada. O ministério público de Jesus havia chegado ao fim. João 13 a 17 é a mensagem de despedida de Jesus para Seus discípulos amados, culminando com Sua oração intercessora por eles e por nós.[1] Charles Erdman diz que entramos agora no capítulo 13 de João, o lugar santo do edifício sagrado desse evangelho. Acompanhando os fatos que serão narrados em cinco capítulos sucessivos, estaremos sozinhos com nosso Senhor e Seus discípulos. É a noite em que Jesus é traído. Seu ministério público finda-se. O dia seguinte testemunhará Sua angústia e Sua morte. Ele Se recolhe com os doze a um Cenáculo para com eles comer a Páscoa, instituir a ceia, seu memorial, revelar aos discípulos Seu amor incomparável e prepará-los para a separação que sabe estar próxima.[2]

Warren Wiersbe diz que o texto em apreço nos apresenta Jesus em diferentes quadros, que veremos a seguir.

---

[1] WIERSBE, Warren W. *Comentário bíblico expositivo*. Vol. 5, p. 443.
[2] ERDMAN, Charles. *O evangelho de João*, p. 105.

Jesus e o Pai: humildade singular (13.1-5)

João 13.1-5 destaca duas verdades sublimes. A primeira delas é o que Jesus sabia, e a segunda, o que Jesus fez.

Em primeiro lugar, *o que Jesus sabia* (13.1-3). São três as coisas importantes que Jesus sabia e que são destacadas no texto.

Ele sabia que sua hora havia chegado (13.1). Jesus sabia que sua hora tinha chegado. Ele andou rigorosamente debaixo da agenda do céu. Cumpriu cabalmente a agenda traçada pelo Pai.

- 2.4 – Jesus disse para a sua mãe em Caná: *A minha hora ainda não chegou.*
- 7.30 – Os guardas não puderam prendê-Lo, *pois a Sua hora ainda não havia chegado.*
- 8.20 – E ninguém o prendeu no templo *porque a Sua hora ainda não havia chegado.*
- 12.23 – Quando Jesus entrou triunfalmente em Jerusalém, anunciou: *Chegou a hora de ser glorificado o Filho do homem.*
- 13.1 – Na festa da Páscoa, Jesus disse: [...] *sabendo Jesus que havia chegado a Sua hora de passar deste mundo para o Pai.*
- 17.1 – Tendo terminado Seus ensinos no Cenáculo, antes de ir para o Getsêmani, Jesus disse: [...] *Pai, chegou a hora. Glorifica Teu Filho, para que também o Filho Te glorifique.*

Jesus já estava à sombra da cruz. Jerusalém estava com as ruas apinhadas de gente. Cada família já se preparava para imolar o cordeiro e celebrar a Páscoa. Foram duas as razões que levaram Jesus a escolher essa data. Em primeiro lugar, o cordeiro da Páscoa era o mais vívido tipo de Cristo em toda a Bíblia. Segundo, a Páscoa era a festa onde todo o povo se reunia em Jerusalém. Sua morte seria pública. Os sacerdotes já se preparavam para a grande festa que marcava a saída do povo do cativeiro do Egito, quando Deus libertou o Seu povo pelo sangue do Cordeiro.

Jesus sabia que seria traído por Judas Iscariotes (13.2). Jesus nunca esteve enganado acerca de Judas Iscariotes. Desde o início, sabia que Judas Iscariotes haveria de traí-Lo. O discípulo traidor é mencionado oito vezes no evangelho de João. satanás havia entrado em Judas (Lc 22.3) e lhe dera a inspiração necessária para iniciar o processo que terminaria com a prisão e a crucificação de Cristo. Warren Wiersbe diz que o verbo "pôr", em João 13.2: *Enquanto jantavam, o diabo já havia posto no coração de Judas, filho de Simão Iscariotes, que traísse Jesus*, significa, literalmente, "lançar" e traz à memória os dardos inflamados do maligno (Ef 6.16).[3]

Jesus sabia que o Pai tudo Lhe havia confiado (13.3). Mesmo na hora mais angustiosa de Sua humilhação, Jesus sabia quem era, de onde tinha vindo, o que faria e para onde retornaria. Não era uma vítima indefesa. Não era um mártir. Era o Redentor, cumprindo plenamente o projeto do Pai.

Em segundo lugar, *o que Jesus fez* (13.1,4,5). João nos informa duas atitudes de Jesus, ambas sublimes e gloriosas.

Jesus amou Seus discípulos com amor perseverante (13.1). Mesmo sabendo que Seus discípulos O abandonariam vergonhosamente em pouco tempo, deixando-O nas mãos dos pecadores; mesmo sabendo que Judas O trairia, que Pedro O negaria e que os outros se dispersariam, Jesus amou os Seus discípulos até o fim.

Jesus amou-nos a ponto de deixar a glória, entrar no mundo, fazer-se carne, tornar-se pobre, ser perseguido, odiado, zombado, cuspido, pregado numa cruz, carregando sobre o Seu corpo no madeiro os nossos pecados e morrer por nós em uma rude cruz. Esse é um amor imenso, eterno, infinito. Nenhum pregador jamais pode pregar completamente esse amor. Nenhum escritor jamais pode descrever completamente esse amor. Nenhum poeta jamais conseguiu descrever esse amor. Estou certo de que, ainda que todos os mares fossem tinta, e todos as nuvens fossem papel; mesmo que todas as árvores fossem pena e todos os seres humanos fossem escritores, nem mesmo assim se poderia descrever o amor de Cristo. Seu amor excede todo o entendimento e toda possibilidade de plena descrição.

O principal dos pecadores pode ir a Jesus com ousadia e confiar no seu perdão. Jesus Se deleita em receber pecadores. Jesus não nos lança fora por causa dos nossos fracassos. Ele jamais nos rejeita por causa da nossa fraqueza. Aqueles a quem Jesus ama desde o princípio, Ele ama até o fim. Aqueles que vão a Ele jamais serão lançados fora.

---

[3] WIERSBE, Warren W. *Comentário bíblico expositivo*. Vol. 5, p. 443.

Jesus lavou os pés de Seus discípulos com humildade sincera (13.4,5). Com esse gesto, Jesus nos ensina que privilégios não implicam orgulho, mas humildade. Jesus sabia quem era. Sabia de onde tinha vindo e para onde estava indo. Sabia Sua origem e Seu destino. Sabia que era o rei dos reis, o Filho do Deus altíssimo. Sabia que o Pai tudo confiara a Suas mãos e que era o soberano do universo. Contudo, Sua majestade não O levou à autoexaltação, mas à humilhação mais profunda. O que Ele sabia determinou o que Ele fez. Sua humildade não procedeu da Sua pobreza, mas da Sua riqueza. Sendo rico, fez-se pobre. Sendo rei, fez-se servo. Sendo Deus, fez-se homem. Sendo soberano do universo, cingiu-Se com uma toalha e lavou os pés dos discípulos.

Era costume que, antes de se assentarem à mesa, as pessoas lavassem os pés. Os discípulos tinham vindo de Betânia. Seus pés estavam cobertos de poeira. Eles não podiam assentar-se à mesa antes de lavar os pés. Esse era o serviço dos escravos, principalmente do escravo mais humilde de uma casa. Jesus estava no Cenáculo com eles. Ali não havia servos. Jesus esperou que eles tomassem a iniciativa de lavar os pés uns dos outros. Mas eles eram orgulhosos demais para fazer um serviço de escravo. Ninguém tomou a iniciativa. Aliás, os discípulos abrigavam no coração a dúvida de quem era o mais importante entre eles (Lc 22.24-30). O vaso de água, a bacia, a toalha-avental, dispostos ali à vista de todos, os acusavam. Esses utensílios constituíam uma acusação silenciosa contra aqueles homens! Mesmo assim, ninguém se mexia.[4] Eles pensavam que privilégios implicava grandeza, reconhecimento, aplausos e regalias. Jesus, porém, reprova a atitude deles, mostrando-lhes que, entre os que O seguem, mede-se a grandeza de qualquer um pelo serviço prestado.[5] D. A. Carson diz corretamente que os discípulos ficariam felizes em lavar os pés de Jesus; eles não podiam conceber, entretanto, a ideia de lavar os pés uns dos outros, visto que essa era uma tarefa normalmente reservada aos servos inferiores. Pares não lavam os pés uns dos outros, exceto raramente e como sinal de grande amor.[6]

---

[4] HENDRIKSEN, William. *João*, p. 606.
[5] ERDMAN, Charles. *O evangelho de João*, p. 106.
[6] CARSON, D. A. *O comentário de João*, p. 462.

Foi no meio de tais homens que se sentiam muito importantes, entre eles Judas Iscariotes, o traidor, que Jesus se levanta. Mesmo sabendo que era o Filho de Deus e que tinha vindo do céu e voltava para o céu, Jesus cinge-se com uma toalha, deita água em uma bacia e começa a lavar os pés dos discípulos e a enxugá-los com a toalha. Jesus repreende o orgulho dos discípulos com Sua humildade. Jesus mostra que, no reino de Deus, maior é o que serve. A grandeza no reino de Deus não é medida por quantas pessoas estão a seu serviço, mas a quantas pessoas você está servindo. Devemos ter o mesmo sentimento que houve também em Cristo Jesus. Ele, sendo Deus, não julgou como usurpação o ser igual a Deus. Ele se esvaziou. Ele se humilhou. Ele sofreu morte humilhante, e morte de cruz. Devemos nos revestir de humildade. Porque aquele que se humilhar será exaltado.

Jesus, sendo o soberano do universo, cingiu-se com uma toalha. Sendo o Rei dos reis, inclinou-Se para lavar os pés sujos dos seus discípulos. Ah, como precisamos dessa lição de Jesus hoje! Temos hoje muitas pessoas importantes na igreja, mas poucos servos. Muita gente no pedestal, mas poucas inclinadas com a bacia e a toalha na mão. Muita gente querendo ser servida, mas poucas prontas a servir. A humildade de Jesus repreende o nosso orgulho. Concordo com as palavras de William Barclay: "O mundo se encontra cheio de gente que está de pé sobre sua dignidade quando deveria estar ajoelhada aos pés de seus irmãos".[7]

Humildade e amor são virtudes que as pessoas do mundo podem entender, se elas não compreendem doutrinas. O cristão mais pobre, o mais fraco e o mais ignorante podem todos os dias encontrar uma ocasião para praticar amor e humildade. Cristo nos ensinou a fazer isso. O que Jesus teve em mente não foi um rito externo, o lava-pés, mas uma atitude interna de humildade e vontade de servir.

Jesus e Pedro: eficácia da salvação e santificação diária (13.6-11)

A respeito do diálogo que se estabeleceu entre Jesus e Pedro, durante o lava-pés, destacamos aqui três pontos.

---

[7] Barclay, William. *Juan II*, p. 156.

Em primeiro lugar, *a perplexidade de Pedro* (13.6). O Senhor está ajoelhado diante dos Seus discípulos, lavando-lhes os pés. Eles até que poderiam lavar os pés de Jesus, como Maria, em Betânia, fizera com o caro perfume, mas Jesus lavar-lhes os pés? Pedro fica completamente tomado de perplexidade e pergunta a Jesus: *Senhor, Tu me lavarás os pés a mim?* Pedro revela nesse texto, mais uma vez, o seu temperamento ambíguo e contraditório. Num momento, ele proíbe Jesus de lhe lavar os pés; em outro momento, quer ser banhado dos pés à cabeça. Pedro não entende o que Jesus está fazendo. Ele vê, mas não compreende. Seu coração estava certo, mas sua cabeça estava completamente errada. Pedro tem mais amor do que conhecimento, mais sentimento do que discernimento espiritual. Ao mesmo tempo que chama Jesus de Senhor, diz-lhe: [...] *Tu lavarás os meus pés?* Pedro errou quanto ao estado de humilhação de Cristo e errou também quanto ao significado do ato realizado por Jesus. Ele pensou num ato literal enquanto Jesus estava apontando para uma purificação espiritual. A linguagem de Jesus aqui é a mesma do capítulo 3, quando Ele fala sobre o nascimento espiritual, do capítulo 4, quando Ele fala sobre a água espiritual, e do capítulo 6, quando Ele fala sobre o pão espiritual. Agora Jesus fala sobre a limpeza espiritual. Pedro já havia demonstrado essa ambiguidade: confessa Jesus e depois O repreende (Mt 16.16,22). Agora, chama Jesus de Senhor e ao mesmo tempo O proíbe de lavar-lhe os pés (13.6-8). Promete ir com Jesus até a morte e então O nega três vezes (13.36-38).

Em segundo lugar, *a incompreensão de Pedro* (13.7,8). Jesus responde a Pedro que Sua ação só seria compreendida por ele mais tarde. Pedro não estava, nesse momento, alcançando o significado espiritual do gesto de Jesus. Via apenas um ato físico, um serviço incompatível com a grandeza de seu mestre. Pedro precisava entender o que era ser lavado por Cristo. Jesus não estava falando sobre uma lavagem física, mas espiritual. Quem não for lavado, purificado, justificado e santificado por Cristo não tem parte com Ele (1Cor 6.11). Cristo precisa lavar-nos para reinarmos com Ele em Sua glória. William Hendriksen diz que o significado dessa passagem é simples, porém muito profundo. "Pedro, a menos que, por meio de minha obra completa de humilhação – da qual essa lavagem de pés é apenas parte – Eu o limpar de seus pecados, você não participará comigo dos frutos de Meu mérito redentor".[8] Concordo com as palavras de D. A. Carson: "Os dois eventos – o lava-pés e a crucificação – são, na verdade, da mesma qualidade. O reverenciado e exaltado Messias assume a função de servo desprezado para o bem de outros".[9] Judas não estava limpo, ou seja, ele não tinha sido transformado, convertido.

Em terceiro lugar, *a súplica de Pedro* (13.9-11). Pedro pula de um extremo ao outro. Essa era uma característica de sua personalidade. Como uma gangorra, oscilava de um lado para o outro (Mt 14.28,30; 16.16,22; Jo 13.37; 18.17,25). Pedro não quer apenas que seus pés sejam lavados, mas pede um banho completo. Jesus responde que isso não era necessário. O banho (símbolo da salvação) já havia acontecido. Pedro precisava agora de purificação (símbolo da santificação). Necessitava entender que, uma vez salvo, salvo para sempre. Quem já se banhou não precisa lavar senão os pés. A salvação é uma dádiva eterna. A palavra grega "lavar" nos versículos 5-6,8,12,14 é *nipto* e significa "lavar uma parte do corpo". Mas a palavra grega "lavar" no versículo 10 é *louo* e significa "lavar o corpo completamente".[10] A distinção é importante, porque Jesus estava ensinando aos discípulos a importância de uma caminhada santa. Quando um pecador confia em Jesus, é banhado completamente, seus pecados são perdoados (1 Co 6.9-11; Tt 3.3-7; Ap 1.5), e Deus nunca mais se lembra desses pecados (Hb 10.17). Contudo, como os crentes andam neste mundo, eles são contaminados e precisam ser purificados. Não precisam de nova justificação, mas de constante purificação. As Escrituras dizem: *Se confessarmos os nossos pecados, ele é fiel e justo para nos perdoar os pecados e nos purificar de toda injustiça* (1Jo 1.9). Quando andamos na luz, temos comunhão com Cristo. Quando somos purificados, andamos em intimidade com Cristo. Nessa mesma linha de pensamento. F. F. Bruce diz que o banho é uma referência ao cancelamento inicial do pecado e à purificação da culpa, que é recebida na regeneração, enquanto a repetida lavagem dos

---

[8]HENDRIKSEN, William. *João*, p. 609.
[9]CARSON, D. A. *O comentário de João*, p. 467.
[10]WIERSBE, Warren W. *Comentário bíblico expositivo*. Vol. 5, p. 445.

pés corresponde à remoção regular da impureza incidental da consciência por meio da confissão dos pecados a Deus e de uma vida de acordo com sua Palavra.[11]

Pedro precisava entender que os salvos necessitam de contínua purificação. Precisamos ser lavados continuamente e purificados das nossas impurezas. O mesmo sangue que nos lavou em nossa conversão nos purifica agora diariamente em nossa santificação. Essa verdade pode ser ilustrada pelo sacerdócio do Antigo Testamento. Em sua consagração, o sacerdote era banhado por inteiro (Êx 29.4), um ritual realizado uma só vez. No entanto, era normal que ele se contaminasse enquanto exercia seu ministério diário, de modo que precisava lavar as mãos e os pés na bacia de bronze que ficava no átrio (Êx 30.18-21). Só então ele podia entrar no santuário para cuidar das lâmpadas, comer o pão da proposição e queimar o incenso.[12]

Jesus e seus discípulos: felicidade verdadeira (13.12-17)

Concordo com Warren Wiersbe quando ele diz que a chave dessa passagem é João 13.17: *Se, de fato, sabeis essas coisas, sereis bem-aventurados se as praticardes*. A sequência é importante: humildade, santidade e felicidade. A felicidade é resultado de uma vida conduzida dentro da vontade de Deus.[13]

Jesus já havia ensinado Seus discípulos acerca da humildade e do serviço, mas agora lhes dá uma lição prática. Vamos destacar a seguir três pontos nesse sentido.

Em primeiro lugar, *a lição sublime* (13.12-14). Ao terminar de lavar os pés dos discípulos, Jesus retorna à mesa e pergunta se os discípulos tinham entendido a lição. Então afirma: *Vós me chamais mestre e Senhor; e fazeis bem, pois eu o sou. Se eu, Senhor e mestre, lavei os vossos pés, também deveis lavar os pés uns dos outros*. Os discípulos tinham uma clara compreensão de quem era Jesus. Chamavam-No de mestre

---

[11]BRUCE, F. F. *João: introdução e comentário*, p. 242-243.
[12]WIERSBE, Warren W. *Comentário bíblico expositivo*. Vol. 5, p. 445.
[13]WIERSBE, Warren W. *Comentário bíblico expositivo*. Vol. 5, p. 446.

e Senhor. A teologia deles estava certa. Tinham-No na mais alta conta. Sabiam que Ele era o próprio Filho de Deus, o Messias, o Salvador do mundo. Mas, sem deixar de ser mestre e Senhor, Jesus lhes lavou os pés. Se Jesus, sendo o maior, fez o serviço do menor, os discípulos deveriam servir uns aos outros em vez de disputar entre si quem era o maior entre eles. Jesus nocauteia aqui a disputa por prestígio e desfaz as barracas da feira de vaidades. Em vez de buscar glória para nós mesmos, devemos nos munir de bacia e toalha para servirmos uns aos outros.

Em segundo lugar, *o exemplo supremo* (13.15,16). Jesus não foi um alfaiate do efêmero, mas o escultor do eterno. Ele não ensinou apenas com palavras, mas, sobretudo, com exemplos. O exemplo não é apenas uma forma de ensinar, mas a única forma eficaz de fazê-lo. Se o servo não é maior do que o seu senhor e se o senhor serve, então, os servos não têm desculpas para não servirem uns aos outros. Warren Wiersbe argumenta de forma correta:

> O servo não é maior do que seu Senhor; assim, se o Senhor tornar-se um servo, o que é feito dos servos? Ficam no mesmo nível que o Senhor! Ao se tornar um servo, Jesus não nos empurrou para baixo; Ele nos elevou! Dignificou o sacrifício e o serviço [...]. O homem verdadeiramente grande é aquele que faz os outros se sentirem grandes, e foi isso o que Jesus fez com Seus discípulos, ensinando-os a servir.[14]

Em terceiro lugar, *o resultado extraordinário* (13.17). A vida cristã não se limita ao conhecimento da verdade. O conhecimento precisa desembocar na obediência. A felicidade não está apenas em saber, mas, sobretudo, no praticar o que se sabe, pois o ser humano não é aquilo que ele sabe nem o que ele sente, mas o que ele faz. Concordo mais uma vez com Warren Wiersbe quando ele diz que é importante manter essas lições na ordem correta: humildade, santidade, felicidade. Sujeitar-se ao Pai, manter a vida pura e servir aos outros: esta é a fórmula de Deus para a verdadeira alegria espiritual.[15]

---

[14] Wiersbe, Warren W. *Comentário bíblico expositivo*. Vol. 5, p. 446.
[15] Wiersbe, Warren W. *Comentário bíblico expositivo*. Vol. 5, p. 447.

Jesus define o que é felicidade (13.17). *Bem-aventurados*, aqui, significa muito felizes. Mas quem é feliz? É aquele que serve, e serve aos mais fracos, da maneira mais humilde. Feliz é aquele que não apenas chama Jesus de mestre e Senhor, mas também imita Jesus, servindo ao próximo. Ser feliz segundo o mundo é estar acima dos outros. É ser servido por todos. Ser feliz no reino de Deus é rebaixar-se para servir aos mais fracos. A grandeza no reino de Deus não é medida por quantas pessoas nos servem, mas a quantas pessoas nós servimos. A felicidade não é um fim em si mesma, mas um subproduto de uma vida que vivemos dentro da vontade de Deus. O mundo pensa que a felicidade é resultado de outros nos servirem, mas a real felicidade é servirmos aos outros em nome de Jesus. O mundo pergunta: "Quantas pessoas servem você?" Mas Jesus pergunta: "A quantas pessoas você está servindo?" No reino de Deus, o maior é o servo de todos.

O crente não deve se envergonhar de fazer nenhuma coisa que Jesus tenha feito (13.17). Jesus deixou a glória, o céu, os anjos, o trono e veio ao mundo para servir, para servir pecadores como eu e você. Na vida cristã, não há espaço para vaidade e orgulho. Nosso rei foi servo. Ele Se esvaziou. Despiu-Se da Sua glória. Nasceu numa manjedoura. Não tinha onde reclinar a cabeça. Cingiu-Se com uma toalha. Lavou os pés de homens fracos e cheios de vaidade. Fez um trabalho próprio dos escravos. E Seus discípulos deveriam fazer o mesmo.

Jesus nos ensina sobre a inutilidade do conhecimento religioso que não é acompanhado pela prática (13.17). Um conhecimento que não se traduz em trabalho, em obra, em serviço, é estéril e não pode trazer felicidade. Não basta conhecer a verdade se não somos transformados por ela. O conhecimento sem amor envaidece. A fé sem obras é morta. A doutrina sem vida é inútil. O conhecimento sem obediência nos torna mais culpados diante de Deus. O conhecimento sem prática não nos coloca acima do nível dos demônios (Mc 1.24; Tg 2.20). satanás conhece a verdade, mas não tem nenhuma disposição para obedecer. Conhecimento sem prática descreve o caráter de satanás, e não do crente. Por isso, satanás é sumamente infeliz. Um crente feliz é aquele que não apenas conhece, mas pratica o que conhece.

Jesus e Judas Iscariotes: hipocrisia reprovável (13.18-32)

Jesus agora separa o joio do trigo, o cabrito das ovelhas, e afirma que conhece aqueles que escolheu, mas entre Seus discípulos há um lobo com pele de ovelha, que é diabo, ladrão e traidor. Vamos destacar aqui alguns pontos.

Em primeiro lugar, *o conhecimento perscrutador de Jesus* (13.18-20). Jesus revela mais uma vez Sua divindade, por intermédio de Sua onisciência. Durante os três anos de ministério, Jesus protegeu o traidor, dando-lhe inúmeras oportunidades, mas o coração de Judas tornou-se mais e mais endurecido. Agora, chegara a hora de tirar sua máscara, e Jesus deixa claro que Judas Iscariotes não é um crente, um discípulo, um homem salvo.

Judas Iscariotes tinha sido escolhido pelo próprio Cristo no mesmo nível e ao mesmo tempo que haviam sido escolhidos Pedro, Tiago, João e os demais apóstolos. Judas Iscariotes foi escolhido depois de uma noite de oração, de acordo com a vontade de Deus, para estar com Jesus, para pregar o evangelho, para orar pelos enfermos e para expulsar demônios.

Por três anos, Judas Iscariotes andou com Cristo. Viu Seus milagres e ouviu Seus gloriosos ensinamentos. Viu Cristo curando os aleijados, dando vista aos cegos, purificando os leprosos e ressuscitando os mortos. Durante três anos, Judas Iscariotes viu Jesus andando por toda parte e libertando os oprimidos do diabo.

Durante três anos, Judas Iscariotes realizou a obra de Deus. Quando Jesus enviou os discípulos dois a dois, Judas Iscariotes estava no meio deles. Ele participou do grupo dos doze e também do grupo dos setenta. Judas Iscariotes pregou o evangelho para os outros, orou pelos enfermos e expulsou demônios em nome de Jesus. Mas agora estamos vendo esse homem possuído pelo diabo e caminhando para a destruição. Judas Iscariotes tapa os ouvidos à voz de Cristo e abre o coração aos sussurros do diabo. Ele abrigou em seu coração as sugestões do diabo; o diabo entrou nEle e o levou para o inferno. D. A. Carson ressalta que, não obstante Jesus esteja próximo de ser traído, não é uma vítima infeliz. Mesmo a deslealdade de Judas Iscariotes somente pode servir aos propósitos redentores da missão na qual Jesus foi enviado.[16]

---

[16] CARSON, D. A. *O comentário de João*, p. 471.

Concordo com as palavras de F. F. Bruce:

> O próprio Senhor afirma que a Escritura tinha de se cumprir na ação de Judas (17.12). Isto não significa que Judas foi especificamente levado a este ato de traição por um decreto do destino contra o qual teria sido impossível lutar. Mesmo estando prevista a traição de Jesus por um dos seus companheiros mais chegados, foi por escolha pessoal de Judas que ele e não outro acabou desempenhando este papel.[17]

Em segundo lugar, *a angústia de Jesus* (13.21). A exposição de Judas Iscariotes diante do grupo não era motivo de alegria, mas de profunda angústia para o Filho de Deus. Judas Iscariotes perdeu a maior de todas as oportunidades. Desperdiçou todas as suas chances. Escolheu viver sob o manto da hipocrisia. Portou-se como um santo com coração demoníaco.[18] Alimentou seu coração com o veneno da avareza. Tornou-se um ladrão e traidor. E tudo isso trouxe imensa angústia para Jesus.

Em terceiro lugar, *o traidor anunciado* (13.21-25). Jesus deixa os discípulos em suspense, ao dizer: [...] *um de vós me trairá*. Jesus tinha total controle da situação. Ele não foi tomado de surpresa. Sabia exatamente o que estava acontecendo e o que iria acontecer, nos detalhes.[19] Essa informação provoca perplexidade na mente dos discípulos. Todos querem saber quem é. Pedro pede ao discípulo amado, que estava reclinado sobre o peito de Jesus, para perguntar: *Senhor, quem é?* Essa é a primeira vez em que nos é apresentado o discípulo que o evangelista destaca como aquele a quem Ele amava. Ele aparece em quatro ocasiões nos últimos capítulos desse evangelho: 1) aqui, no Cenáculo (13.23); 2) ao pé da cruz de Jesus (19.26); 3) diante do túmulo vazio (20.2-8); 4) no lago de Tiberíades, quando o Senhor ressurreto apareceu a sete discípulos (21.20-22).[20]

Em quarto lugar, *o traidor identificado* (13.26). Jesus responde com uma senha: É aquele a quem eu der o pedaço de pão molhado. E tendo molhado o pedaço de pão, deu-o a Judas, filho de Simão Iscariotes.

---

[17]Bruce, F. F. *João: introdução e comentário*, p. 247.
[18]Barclay, William. *Juan II*, p. 161.
[19]Hendriksen, William. *João*, p. 625.
[20]Bruce, F. F. *João: introdução e comentário*, p. 248.

Judas Iscariotes nos mostra quão longe um homem pode ir em sua profissão religiosa sem ser convertido, quão profundamente uma pessoa pode se envolver com as coisas de Deus e ser apenas um hipócrita. Judas Iscariotes nos mostra a inutilidade dos maiores privilégios sem um coração sincero diante de Deus. Privilégios espirituais sem a graça de Deus não salvam ninguém. Ninguém é salvo por ser um líder religioso, por ocupar um lugar de destaque na denominação ou por exercer um ministério espetacular. Judas Iscariotes nos alerta sobre o perigo de ter apenas um conhecimento intelectual do evangelho, mas um coração ainda não convertido. Judas Iscariotes nos mostra que ser batizado ou ser membro de igreja não é garantia de que estamos certos diante de Deus.

Judas Iscariotes nos adverte sobre a necessidade de sondarmos o nosso coração. Judas Iscariotes amou mais o dinheiro do que sua alma. Amou mais o dinheiro do que a Jesus. Aquele não foi um deslize momentâneo na vida de Judas. Jesus já conhecia o seu coração. Jesus sabia que ele era um *diabo* (6.70). Jesus sabia que ele era ladrão (12.6). Aqui a máscara cai, e Judas Iscariotes acolhe a sugestão do diabo. Aqui, ele simplesmente evidencia de quem era servo, quem mandava em sua vida e a quem ele de fato obedecia. Ah, devemos orar continuamente para que o nosso cristianismo seja genuíno. Mesmo que nossa vida seja frágil, precisamos dizer: *Senhor, tu sabes todas as coisas e sabes que Te amo*.

Judas Iscariotes é um alerta para nós sobre o perfeito conhecimento que Cristo tem de todo o Seu povo. Jesus pode distinguir entre uma falsa profissão de fé e a verdadeira graça. A igreja pode ser enganada, mas Jesus não. Homens maus como Judas Iscariotes podem ocupar os postos mais altos na liderança da igreja, mas nunca enganarão Jesus. Jesus conhece aqueles a quem Ele escolheu (13.18,19; 2Tm 2.19). Esse conhecimento de Jesus alerta os hipócritas sobre o arrependimento. Jesus deu todas as oportunidades para Judas Iscariotes se arrepender. Ele o chamou, o ensinou, o comissionou e lhes lavou os pés. Jesus o tratou como amigo. Deu-lhe todos os privilégios que deu aos outros discípulos. Mas o mesmo sol que amolece a cera endurece o barro. Os discípulos foram salvos; Judas pereceu.

Em quinto lugar, *o traidor endemoninhado* (13.27). satanás, que estava por trás de todas as ações de Judas Iscariotes até aqui, agora entra nele e passa a governar suas ações até levá-lo ao suicídio. William Hendriksen destaca o fato de que satanás havia colocado uma "sugestão maligna" no coração de Judas (13.2). Judas tinha agido com base nessa sugestão. Agora, satanás entra no coração dele. Esse é o método que o diabo usa costumeiramente para com aqueles que não resistem a ele. satanás toma total posse da alma do traidor. Judas Iscariotes é agora uma pessoa completamente endurecida. As advertências de Jesus não tinham recebido a devida atenção. Agora, não mais seriam dadas. Jesus nada mais tem a fazer com relação a Judas.[21]

Em sexto lugar, *o traidor desafiado* (13.27b-29). Rapidamente, Jesus despede Judas Iscariotes e ao mesmo tempo revela que Ele, Senhor de todos, era plenamente senhor da situação. Todos os detalhes de Sua paixão, inclusive a hora certa de cada coisa, estavam em Suas mãos, e não nas mãos do traidor. Aquele não era o momento escolhido pelo sinédrio ou por Judas Iscariotes. Por essa razão, Judas teria de trabalhar mais depressa.[22] Jesus diz para Judas não adiar mais sua intenção maligna. Sua máscara havia caído. Sua identidade fora revelada. Sua ação não podia mais ser postergada. A hora de Jesus havia chegado. Jesus declara abertamente: *Em verdade, em verdade vos digo que um dentre vós Me trairá*. Ao mesmo tempo dirige-Se a Judas e diz: *O que estás para fazer, faze-o depressa*.

Em sétimo lugar, *o traidor mergulhado na escuridão* (13.30). Judas Iscariotes saiu imediatamente. E era noite. Noite lá fora e também noite em seu coração. A noite trevosa da traição levou-o à noite eterna, de escuridão sem fim. A escuridão que estava em seu coração levou-o para as trevas eternas. Jesus é a luz do mundo, mas Judas rejeitou Jesus e saiu na escuridão; e, para Judas, ainda é noite! Charles Erdman é oportuno, quando escreve:

> O caráter de Judas oferece-nos o retrato mais deplorável da incredulidade que o evangelho registra. Suas oportunidades de conhecer a Cristo foram inexcedíveis, mas resistiu à luz, alimentou o pecado da

---
[21] HENDRIKSEN, William. *João*, p. 629.
[22] HENDRIKSEN, William. *João*, p. 629-630.

avareza, não se comoveu diante da manifestação inigualável do amor do mestre, que fora a ponto de baixar-Se e lavar-lhe os pés. Agora, à mesa, Jesus lhe dá o último sinal de amizade; trava-se ali, na alma de Judas, a última batalha, porém satanás prevalece; e ele sai para dentro da noite de sua eterna desgraça e condenação.[23]

Em oitavo lugar, *o Senhor glorificado* (13.31,32). A saída de Judas Iscariotes para entregar Jesus nas mãos dos pecadores era a senha final para o começo da Paixão. Jesus vê essa hora amarga, entrementes, como o momento de sua glorificação e da glorificação do Pai nEle. Em lugar nenhum, Deus foi glorificado de modo tão puro e tão completo como no Calvário. Judas se retira. Seu caminho o leva ao sumo sacerdote. Ele conduzirá o pelotão de aprisionamento até o jardim no monte das Oliveiras e entregará Jesus.[24]

Jesus e o amor: o novo mandamento (13.33-35)

Jesus comunica aos discípulos a mais dolorosa notícia: Ele partirá, e eles não poderão acompanhá-Lo. Em seguida, dá-lhes um novo mandamento. Warren Wiersbe diz que, no texto original, o termo "amor" e seus correlatos são usados 12 vezes em João 1 a 12, enquanto em João 13 a 21 aparecem 44 vezes. Trata-se de um tema-chave no ensinamento de Jesus daqui para a frente.[25]

Destacamos aqui dois pontos.

Em primeiro lugar, **Jesus anuncia Sua partida** (13.33). Muitos já haviam abandonado Jesus por causa de Seus ensinos (6.66). Seus discípulos O abandonariam em breve (Mt 26.31,32). Mas, agora, Jesus choca os discípulos, dizendo o que dissera aos judeus. Ele partirá, e os discípulos não poderão acompanhá-Lo (13.33). Pedro havia dito a Jesus: *Senhor, para quem iremos?* (6.68). Na mente dos discípulos, havia uma incógnita: "Como Jesus pode nos amar até o fim (13.1), se Ele vai partir e nos deixar? Quem ama, fica", pensaram eles. Nessa hora em

---

[23]ERDMAN, Charles. *O evangelho de João*, p. 109.
[24]BOOR, Werner de. *Evangelho de João II*, p. 75-76.
[25]WIERSBE, Warren W. *Comentário bíblico expositivo*. Vol. 5, p. 448.

que Jesus vê diante de si a aflição de Seus discípulos, Ele emprega o termo "filhinhos".

Em segundo lugar, *Jesus dá um novo mandamento* (13.34,35). Amar ao próximo como a si mesmo não era um mandamento novo, mas uma prescrição da lei. Agora Jesus dá um novo mandamento (13.34; 15.12,17; 1Jo 3.23; 2Jo 5). Concordo com Werner de Boor quando ele diz que Jesus não está dando um 11º mandamento em acréscimo aos outros Dez Mandamentos. Pelo contrário, é um mandamento que abarca os demais, descerrando seu verdadeiro sentido.[26]

Em que sentido esse é um novo mandamento?

O mandamento é novo pelo seu exemplo (13.34). *[...] assim como Eu vos amei [...]*. Jesus amou os discípulos e andou com eles. Jesus amou os discípulos e os ensinou. Jesus amou os discípulos e os exortou. Jesus amou os discípulos e os serviu. Jesus amou os discípulos e deu Sua vida por eles. Jesus amou os discípulos não como a Si mesmo, porém mais do que a Si mesmo. Ele amou os discípulos e morreu na cruz por eles.

O mandamento é novo pela sua exigência (13.34). *[...] que também vos ameis uns aos outros*. Jesus não apenas deu sua vida pelos discípulos, mas agora ordena que os discípulos amem uns aos outros da mesma maneira como Ele os amou. O apóstolo João expressa essa ideia claramente em sua epístola: *Nisto conhecemos o amor: Cristo deu Sua vida por nós, e devemos dar nossa vida pelos irmãos* (1Jo 3.16).

O mandamento é novo pelo seu resultado (13.35). Jesus ensina que o amor é a apologética final, o argumento decisivo, a evidência mais robusta de que somos seus discípulos. O discípulo é aquele que transforma suas palavras em ações, e seu amor, em serviço sacrificial. Não há maior força evangelística do que a prática desse novo mandamento, o exercício do amor. Bruce Milne diz corretamente que uma comunidade amorosa é a autenticação visível do evangelho.[27] F. F. Bruce, citando Tertuliano, pai da igreja do século II, ressalta que os pagãos diziam dos cristãos: "Vejam como eles se amam! Como estão prontos a morrer uns pelos outros!"[28] Werner de Boor acentua essa realidade:

---

[26]Boor, Werner de. *Evangelho de João II*, p. 76-77.
[27]Milne, Bruce. *The message of John*, p. 206.
[28]Bruce, F. F. *João: introdução e comentário*, p. 254.

Quando a igreja não vive ela mesma como um povo de irmãos, no qual de fato as pessoas se amam, se suportam, se perdoam, se auxiliam e se corrigem, no qual as coisas acontecem de forma totalmente diferente do que no "mundo", então sua palavra evangelística fica sem força, sendo permanentemente refutada pela realidade deplorável da igreja. Inversamente, porém, a vida de uma comunhão humana em amor, alegria, paciência, amabilidade, bondade e brandura representa por si mesma uma poderosa evangelização, um testemunho eficaz para dentro do mundo, que em suas aflições anseia por comunhão autêntica. Numa igreja dessas torna-se visível que Jesus é verdadeiramente um Libertador e o que Ele é capaz de realizar como Libertador.[29]

John Charles Ryle diz que é importante enfatizar que Jesus não está dizendo que os dons espirituais, os milagres, a ortodoxia ou o conhecimento bíblico são as marcas do verdadeiro discípulo. O discípulo de Cristo é conhecido pelo amor. Não faz sentido para as pessoas ouvirem de nós acerca de eleição, renegeração, justificação e conversão se elas não observarem em nós a prática do amor.[30]

Jesus e Pedro: a admoestação (13.36-38)

Os discípulos estavam atordoados e muitíssimo perturbados com a comunicação de que Jesus iria deixá-los. Logo agora que a situação estava mais tensa! Eles haviam deixado tudo para segui-Lo e agora ficariam sozinhos? Destacamos três pontos desse contexto.

Em primeiro lugar, *a pergunta de Pedro* (13.36). Pedro, em nome do grupo, quer saber para onde Jesus vai. Ele não quer que Jesus vá sozinho nem quer ficar órfão. Jesus dá a resposta que Pedro não queria ouvir. "Você não pode me seguir agora; só mais tarde." Pedro fica ainda mais intrigado com essa situação. Werner de Boor diz que Jesus Se encaminha para a morte de cruz. Agora não é incumbência de Pedro acompanhá-Lo até lá e morrer ao lado de Jesus. Isso será feito por pessoas bem diferentes (Lc 23.33). Pedro primeiro terá de percorrer praticamente sua vida inteira

---

[29] BOOR, Werner de. *Evangelho de João II*, p. 78.
[30] RYLE, John Charles. *John*. Vol. 3. Grand Rapids: Banner of the Truth Trust, 1987, p. 53.

no serviço do Senhor até que, no final, virá também a sua cruz. Então, ele também terá compreendido que a trajetória para essa morte é o caminho para a glória. Em seu último diálogo com Pedro, Jesus lhe concede mais uma vez, com maior clareza, essa visão de seu futuro (21.18).[31]

Em segundo lugar, *a promessa de Pedro* (13.37). Pedro não tem respostas satisfatórias, mas muitas perguntas inquietantes. Já que ele não pode seguir o mestre, ele quer saber por quê. Será que o caminho seria muito difícil? Será que a hostilidade seria muito grande? Então, faz questão de declarar a Jesus a profundidade de sua lealdade, prometendo-lhe: [...] *Darei a miha vida por ti*. Pedro estava sendo sincero, mas estribado num fundamento roto. Pedro não conhecia o próprio coração. A gabolice de Pedro leva-o a considerar-se melhor do que seus pares (Mc 14.29) e a demonstrar a Jesus o maior de todos os sacrifícios. Pedro está disposto a morrer por Cristo.

Em terceiro lugar, *a negação de Pedro* (13.38). Jesus adverte Pedro, dizendo-lhe que, em vez de dar sua vida por Ele, o discípulo O negaria três vezes naquela mesma noite. Jesus desmonta a autoconfiança de Pedro. Coloca abaixo toda a fortaleza de sua coragem. Anuncia que, para onde Ele vai, seu discípulo mais ousado retrocederá com negação covarde e palavras de blasfêmia. Uma pergunta deve ser aqui levantada: qual é a diferença entre o Judas que traiu Jesus e o Pedro que negou Jesus? A diferença é que Judas nunca foi convertido, e Pedro era convertido. Judas traiu Jesus deliberada, refletida e calculadamente. Ele traiu Jesus a sangue frio. Já Pedro negou Jesus num impulso, num momento de fraqueza. O pecado de Judas foi premeditado; o de Pedro não.[32]

O texto que acabamos de considerar nos ensina lições fundamentais: Diante dos privilégios, devemos agir com humildade. Diante da contaminação do mundo, necessitamos de purificação constante. Diante da vaidade do mundo, precisamos aprender que a verdadeira felicidade é servir, e não ser servido. Diante da eternidade e do destino da nossa alma, precisamos vigiar para não cair no abismo da hipocrisia. Diante dos desafios da obra, devemos amar uns aos outros. E, diante das provas da caminhada, devemos depender totalmente do Senhor.

---

[31]Boor, Werner de. *Evangelho de João II*, p. 79.
[32]Barclay, William. *Juan II*, p. 169.

21

Jesus, o terapeuta da alma

João 14.1-31

O CLIMA ERA DE MUITA TENSÃO. Lá fora, os principais sacerdotes, mancomunados com os fariseus, tramavam a morte de Jesus. Depois de tantos milagres e tão profundos ensinamentos, os judeus permaneciam incrédulos ou, na melhor das hipóteses, com uma fé deficiente. No recôndito do tabernáculo, Jesus confronta o orgulho de Seus discípulos, lavando seus pés. Depois, desmascara Judas Iscariotes, apontando-o como traidor. Se não bastassem todos esses acontecimentos, Jesus comunica a Seus discípulos que partirá e que eles não poderão segui-Lo. Quando Pedro se dispõe a dar a própria vida, Jesus o admoesta dizendo que essa coragem toda se tornaria pó diante da prova, e Pedro o negaria três vezes naquela mesma noite.

Jesus estava se despedindo dos Seus discípulos. Aquela era a quinta-feira do Getsêmani, a quinta-feira do suor de sangue, a quinta-feira da traição de Judas, a quinta-feira da negação de Pedro, a quinta-feira da prisão de Jesus.

D. A. Carson diz que é Jesus quem está se dirigindo para a agonia da cruz; é Jesus quem está profundamente perturbado no coração (12.27) e no espírito (13.21); todavia, nessa noite das noites, o momento crucial de todos os tempos que seria apropriado para os seguidores de Jesus

Lhe darem apoio emocional e espiritual, ele ainda é o único que se doa, que conforta e que instrui.[1]

Diante de tudo isso, os discípulos estão com o coração turbado. O coração aqui é o eixo em torno do qual giram os sentimentos e a fé, bem como a mola mestra das palavras e ações.[2] A alma deles é uma tempestade. É nesse contexto que Jesus se levanta como terapeuta da alma, a fim de confortá-los.

John Charles Ryle diz que coração turbado é a coisa mais comum no mundo. Esse problema atinge pessoas de todos os estratos sociais, de todos os credos religiosos e de todas as faixas etárias. Nenhuma tranca consegue manter fora de nossa vida essa dor. Um coração pode ficar turbado pelas pressões que vêm de fora ou pelos temores que vêm de dentro. Até mesmo os cristãos mais consagrados precisam beber muitos cálices amargos entre a graça e a glória.[3]

William Hendriksen diz que os discípulos estavam: a) *tristes*, em razão da iminente partida de Cristo e da esmagadora solidão que os atingia; b) *envergonhados*, em razão do egoísmo que haviam evidenciado, perguntando quem era o maior entre eles; c) *perplexos*, em razão da predição de que Judas trairia Jesus e Pedro O negaria e os demais ficariam dispersos; d) *vacilantes na fé*, pensando: "Como o Messias pode ser alguém que será traído?"; e) *angustiados*, diante das aflições, açoites, perseguições, prisões e torturas que enfrentariam pela frente.[4]

Jesus os consola, dizendo: *Não se turbe o vosso coração* (ARA). O que pode confortar um coração turbado? Como podemos encontrar consolo na hora da aflição? O texto em tela nos dá a resposta.

Colocando nossa **confiança em Cristo** apesar das circunstâncias (14.1)

Jesus conforta Seus discípulos dizendo que, da mesma maneira que eles creem em Deus como seu refúgio no denso nevoeiro da vida, deveriam

---

[1]CARSON, D. A. *O comentário de João*, p. 487.
[2]HENDRIKSEN, William. *João*, p. 647.
[3]RYLE, John Charles. *John*. Vol. 3, p. 55.
[4]HENDRIKSEN, William. *João*, p. 647.

crer também em Cristo. Com isso, Jesus reafirma sua divindade. Mas o que significa crer em Jesus? A forma do verbo no indicativo e no imperativo significa: "Já que vocês confiam em Deus, continuem confiando em mim". Essa não é apenas uma fé intelectual; um assentimento racional não pode nos ajudar na hora da tempestade. Essa também não é apenas uma fé intelectual e emocional; esse é o tipo de fé dos demônios: eles creem e estremecem. Essa, finalmente, não é fé na fé.

Uma pequena fé no grande Deus vale mais do que uma grande fé no objeto errado. Muitos dizem: "Ah! Eu tenho uma grande fé". Confiam na fé que têm, e não no grande Deus. A fé em Cristo não é uma fé kierkegaardiana, um salto no escuro. Confiar em Deus e no Seu Filho é crer, confessar e descansar no Seu poder, na Sua sabedoria, na Sua providência, no Seu amor e na Sua salvação.

A fé em Cristo é o remédio para a doença do coração turbado. As crises vêm. Os problemas aparecem. As tempestades ameaçam. Os ventos contrários conspiram contra nós, mas "continuem crendo em Mim", aconselhou Jesus. As sombras cairão sobre nós. A perseguição virá. A cruz é inevitável, mas "continuem confiando em Mim", exortou Jesus. As prisões e os açoites nos alcançarão. O sofrimento e a morte nos apanharão, mas "continuem confiando em Mim", instruiu Jesus. A solidão, a crise financeira, a doença, o luto, a dor, as lágrimas, os vales profundos, as noites escuras virão, mas "continuem confiando em mim", conclamou Jesus. A cruz será um espetáculo horrendo, os homens me cuspirão no rosto e me pregarão na cruz, mas "continuem confiando em Mim", declarou Jesus. A fé em Jesus é o único remédio para um coração turbado. A fé olha para Jesus, e não para a tempestade. A fé ri das impossibilidades. A fé triunfa nas crises.

Sabendo que neste mundo somos **peregrinos**, mas o céu é o nosso lar porque Jesus **voltará** para nos buscar (14.2,3)

A partida de Jesus é para o bem dos discípulos. É verdade que Ele está indo embora, mas está indo para preparar um lugar para eles; virá e os levará para que eles possam estar onde Ele está. Concordo com as palavras de D. A. Carson: "Quando Jesus fala de ir preparar lugar, não se trata de Ele entrar em cena e, depois, começar a preparar o terreno;

ao contrário, no contexto da teologia joanina, é o próprio ato de ir, via cruz e ressurreição, que prepara o lugar para os discípulos".

Diante das provas, das tribulações e do sofrimento, precisamos levantar a cabeça e olhar para a recompensa final. Na jornada cristã, há sofrimento, dor e cruz, mas o fim desse caminho é a glória, o céu. A nossa leve e momentânea tribulação produz para nós eterno peso de glória. O sofrimento do tempo presente não pode ser comparado com as glórias por vir a serem reveladas em nós. Olhar para a frente, para a recompensa, para a herança imarcescível, para a pátria eterna, para o lar celestial, nos capacita a triunfar sobre as turbulências da vida.

Como Jesus descreve o céu?

Em primeiro lugar, *o céu é a casa do Pai* (14.2). O céu é onde se encontra o trono de Deus. Lá estão as hostes de anjos e a incontável assembleia dos santos glorificados. O céu é a nossa pátria. Lá está o nosso tesouro, o nosso galardão, a nossa herança incorruptível. No céu, Deus enxugará as nossas lágrimas. No céu, entoaremos um novo cântico ao Cordeiro pelos séculos dos séculos.

Os filhos de Deus estarão lá. Se o céu é a casa do Pai, significa que o céu é o nosso lar. Aqui no mundo somos estrangeiros, mas no céu estaremos em casa, na casa do Pai. O céu é lugar de segurança, pois lá não entrará maldição. Lá não há gente doente, aleijada, ferida, oprimida. Lá não há cortejo fúnebre. A casa do Pai é o lugar onde somos sempre bem-vindos. Lá ouviremos: *Vinde, benditos de meu Pai. Possuí por herança o reino que vos está preparado desde a fundação do mundo* (Mt 25.34). A casa do Pai é onde todos os filhos são tratados sem preconceito, sem acepção.

Em segundo lugar, *o céu é o lugar onde há muitas moradas* (14.2). No céu, há lugar para todos os filhos de Deus. Apocalipse 21.16 diz que a cidade celestial mede 2.200 quilômetros de largura por 2.200 quilômetros de comprimento. Essa é uma linguagem figurada para mostrar que há lugar para todos. No céu, não teremos apenas moradas, mas também morada permanente.

Em terceiro lugar, *o céu é o lugar preparado para um povo preparado* (14.3). Nós não compramos esse lugar no céu. Nós não o merecemos. Esse lugar nos é dado como presente. É graça, pura graça. Jesus preparou esse lugar na cruz, na sua morte, ressurreição, ascensão e intercessão. Lá na cruz, Jesus abriu-nos um novo e vivo caminho para Deus. Ele é o caminho, a verdade e a vida, e ninguém pode ir ao Pai senão por Ele. Ele entrou no céu como o nosso precursor. Ele entrou na glória primeiro, abrindo-nos a fila como irmão primogênito. Estamos a caminho da glória!

Em quarto lugar, *o céu é o lugar onde teremos comunhão eterna com Cristo* (14.3). A maior glória do céu é estarmos com Cristo para sempre e sempre. Vamos contemplar o Seu rosto, servi-Lo, exaltá-Lo. A eternidade inteira não será suficiente para nos deleitarmos nEle, para exaltarmos Sua majestade. Cristo será o centro da nossa alegria no céu. Lá veremos Jesus como Ele é. Lá não haverá dor, nem luto, nem tristeza. Lá esqueceremos as agruras desta vida. Lá não faremos perguntas. Lá nossa alegria será completa. William Barclay diz que não temos por que especular como será o céu. Basta-nos saber que estaremos com Jesus para sempre![5]

Em quinto lugar, *o céu é o lugar onde teremos plena comunhão uns com os outros* (14.3). No céu, seremos uma só família, um só rebanho, uma só igreja, uma só noiva do Cordeiro. Vamos nos conhecer. Vamos nos relacionar em pleno e perfeito amor. No céu vamos abraçar os patriarcas, os profetas, os apóstolos e os entes queridos que nos antecederam.

Jesus conforta Seus discípulos dizendo-lhes que a separação é momentânea, mas a comunhão em glória será eterna, pois Ele partirá, mas voltará. Duas perguntas devem ser aqui feitas.

A primeira pergunta é: *Como Jesus voltará?* (14.3). Jesus voltará certamente. Ele prometeu: "Eu voltarei. Venho sem demora. Eis que cedo venho. Vigiai para que este dia não vos apanhe de surpresa". Jesus voltará pessoalmente. O mesmo que subiu é o que voltará. Jesus voltará visivelmente. Todo olho o verá. Todas as nações se lamentarão sobre ele. Ele virá com o clangor da trombeta de Deus. Será o evento mais estupendo da história. Será o dia do fim. Jesus voltará gloriosamente. A última palavra não será do mal. A verdade triunfará sobre a mentira. O ímpio não prevalecerá na congregação dos justos, mas será disperso como a palha. A igreja triunfará com Cristo. Quando a voz do arcanjo soar e a trombeta de Deus ressoar, Cristo aparecerá nas nuvens como

---

[5] BARCLAY, William. *Juan II*, p. 174.

relâmpago, com poder e muita glória. Jesus matará o anticristo com o sopro da Sua boca. Ele julgará as nações. Lançará os ímpios e o diabo no lago de fogo. Receberemos, então, um novo corpo e subiremos com Ele. Oh, que consolo saber que o melhor está pela frente! Que não caminhamos para um fim triste, mas para um fim glorioso e apoteótico!

A segunda pergunta é: *quando Jesus voltará?* (14.3). Jesus voltará inesperadamente. Muitos serão surpreendidos. Muitos não estarão vigiando. Muitos não estarão preparados (Mt 25.1-11). Muitos lamentarão amargamente por terem vivido desapercebidamente. As pessoas não se aperceberão até que ouvirão o toque da trombeta. Então, será tarde demais! Jesus virá como ladrão de noite, em hora inesperada.

Sabendo que Jesus é o **caminho para Deus** (14.4-6)

Jesus havia dito aos discípulos que iria partir e que eles não poderiam ir com Ele (13.36). Agora, assegura que eles sabem o caminho para onde Ele vai (14.4). Isso provoca uma pergunta imediata de Tomé: *Senhor, não sabemos para onde vais. Como podemos saber o caminho?* (14.5). A resposta de Jesus é uma das mais importantes declarações registradas nos evangelhos: *Eu sou o caminho, a verdade e a vida; ninguém vem ao Pai senão por mim* (14.6). Jesus é a verdade que alimenta a nossa mente, a vida que satisfaz a nossa alma e o único caminho seguro para Deus. Nessa mesma linha de pensamento, D. A. Carson diz que Jesus é o caminho para Deus, precisamente porque Ele é a verdade de Deus (1.14) e a vida de Deus (1.4; 3.15; 11.25). Jesus é a verdade porque incorpora a suprema revelação de Deus. Ele próprio é a exegese de Deus (1.18) e é corretamente chamado de Deus (1.1,18; 20.28). Jesus é a vida (1.4), aquele que tem vida em si mesmo (5.26), *a ressurreição e a vida* (11.25), *o verdadeiro Deus e a vida eterna* (1Jo 5.20). Somente pelo fato de Jesus ser a verdade e a vida, é que Ele pode ser o caminho para Deus.[6]

John Charles Ryle diz que Jesus é o caminho para o céu. Ele não é apenas o guia, o mestre e o legislador como Moisés. Ele é pessoalmente a porta, a escada e a estrada através de quem nos aproximamos de Deus.

---

[6]CARSON, D. A. *O comentário de João*, p. 491.

Ele nos abriu o caminho da árvore da vida, que foi fechada quando Adão e Eva caíram. Pelo seu sangue, temos plena confiança para entrar na presença de Deus. Jesus é a verdade, toda a substância da verdadeira religião. Sem Ele, o ser humano mais sábio está mergulhado em trevas. Jesus é toda a verdade, a única verdade que satisfaz os anseios da alma humana. Jesus é a vida. Nele estava a vida. Ele veio para trazer vida, e vida em abundância.[7]

Como o caminho, Jesus é o caminho de Deus para o ser humano – todas as bênçãos divinas descem do Pai por meio do Filho – e o caminho do ser humano para Deus. Como a verdade, Ele é a realidade última em contraste com as sombras que O precederam, além de ser aquele que se opõe à mentira, a fonte fidedigna da revelação redentora, a verdade que liberta e santifica. Como a vida, Jesus é aquele que tem vida em si mesmo, é a fonte e o doador da vida, aquele que veio para que tenhamos vida em abundância.[8] Sem Cristo, não pode haver nenhuma verdade redentora, nenhuma vida eterna; portanto, nenhum caminho para o Pai.[9] Tomás à Kempis lança luz sobre essas palavras de Jesus quando escreve:

> Sigam-me. Eu sou o caminho e a verdade e a vida. Não é possível andar fora do caminho, não é possível conhecer fora da verdade, não é possível viver fora da vida. Eu sou o caminho pelo qual vocês devem andar; a verdade em que vocês devem crer; a vida na qual vocês devem pôr por esperança. Eu sou o caminho inerrante, a verdade infalível, a vida infindável. Eu sou o caminho reto, a verdade absoluta, a vida verdadeira, bendita, não criada. Se vocês permanecerem no meu caminho conhecerão a verdade, e a verdade os libertará, e tomarão posse da vida eterna.[10]

Sabendo que **Jesus é o revelador** do Pai (14.7-11)

Jesus diz aos discípulos que conhecê-Lo é conhecer o Pai. Essa declaração levou Filipe a fazer uma pergunta: *Senhor, mostra-nos o Pai, e isso*

---
[7]Ryle, John Charles. *John*. Vol. 3, p. 66.
[8]Hendriksen, William. *João*, p. 653-654.
[9]Hendriksen, William. *João*, p. 655.
[10]Kempis, Tomás de. *Imitação de Cristo*. 56.1.

nos basta (14.8). Até então, os discípulos não tinham compreendido que aquele que vê Jesus vê o Pai, pois Jesus e o Pai são um. Três verdades são enfatizadas aqui por Jesus.

Em primeiro lugar, *Jesus é a exegese do Pai* (14.7-9). Jesus já havia afirmado: *Ninguém jamais viu a Deus. O Deus unigênito, que está ao lado do Pai, foi quem O revelou* (1.18). Agora, diz que quem o conhece, conhece o Pai (14.7), e quem O vê, também vê o Pai (14.9). Jesus é a exegese de Deus. *Nele habita corporalmente toda a plenitude da divindade* (Cl 2.9). Ele é o resplendor da glória e a expressão exata do ser de Deus (Hb 1.3).

Em segundo lugar, *Jesus é o arauto do Pai* (14.10). Jesus não apenas é um com o Pai, mas é também o porta-voz do Pai. O que Ele fala não fala por si mesmo, mas fala da parte do Pai. As obras que Ele realiza não as realiza por si mesmo, mas as faz pelo poder do Pai.

Em terceiro lugar, *Jesus é o agente do Pai* (14.11). A evidência absoluta da unidade entre o Pai e o Filho é que o Filho realiza as mesmas obras do Pai. Ele é o agente do Pai. Ele é o Verbo criador. O Pai e Ele trabalham até agora.

Sabendo que podemos **buscar o Pai em oração** (14.12-15)

A oração é um dos melhores remédios para um coração perturbado.[11] Falar com Deus faz bem à alma. Falar com Deus nos satisfaz! Jesus nos ensina três princípios sobre oração aqui.

Em primeiro lugar, *devemos orar com fé* (14.12). Essa declaração de Jesus tem sido mal interpretada por muitos. As maiores obras que os discípulos crentes farão não são maiores quanto à natureza das obras, mas maiores em extensão. Aqui vale o princípio de que o servo não é maior do que o seu Senhor (13.16). Nessa mesma linha de pensamento, William Hendriksen diz que, em grande parte, as obras de Cristo consistiram em milagres no reino físico, realizados principalmente entre os judeus. Quando agora Ele fala em *obras maiores,* com toda probabilidade está pensando naquelas obras em conexão com a conversão dos gentios. Essas obras eram de caráter mais elevado e maiores em escala.[12]

---

[11] WIERSBE, Warren W. *Comentário bíblico expositivo*. Vol. 5, p. 452.
[12] HENDRIKSEN, William. *João*, p. 660.

A fé no Cristo exaltado, que está à destra do Pai, tem o governo do mundo em Suas mãos e derramou sobre a igreja o Seu Espírito, pode abrir-nos portas mais amplas para colhermos frutos mais abundantes do que aqueles colhidos por Cristo. No dia de Pentecostes, Pedro, com um único sermão, levou para o reino quase três mil pessoas. Nessa mesma linha de pensamento, John Charles Ryle diz que "maiores obras" significam mais conversões. Não há obra maior do que a conversão de uma alma.[13]

Warren Wiersbe aponta como óbvio que não é o cristão que realiza essas "coisas maiores"; antes, quem opera os milagres é Deus trabalhando no cristão e através dele: e *o Senhor cooperava com eles* (Mc 16.20).[14] Werner de Boor diz que a obra terrena de Jesus aconteceu antes da cruz e se encaminhou para a cruz. A obra dos discípulos parte da "exaltação de Jesus".[15]

Em segundo lugar, ***devemos orar em nome de Jesus*** (14.13,14). A oração com fé, endereçada a Deus, em nome de Jesus, é a chave que abre os celeiros do céu. Warren Wiersbe tem razão ao dizer que orar em nome de Jesus não é, entretanto, uma "fórmula mágica" que acrescentamos automaticamente às orações que fazemos a Deus. Significa pedir o que Jesus pediria, o que lhe agradaria e o glorificaria.[16] Não erguemos nossas orações aos céus fiados em nosso mérito, mas nos méritos infinitos de Jesus. Obviamente, esse *tudo o que pedirdes em Meu nome* (14.13) não é uma fórmula mágica. Ao contrário, é tudo aquilo que é consoante à vontade de Deus, compatível com a verdade de Deus e que glorifica o nome de Deus. Não é um cheque em branco, assinado por Cristo, para ser descontado no banco celestial. Nossas orações precisam ser estribadas nos méritos de Cristo e feitas segundo a vontade de Deus. De acordo com Werner de Boor, nenhuma pessoa que ora a Jesus pode esperar que Ele faça algo que contrarie sua essência.[17]

Em terceiro lugar, ***devemos orar em obediência amorosa*** (14.15). A vida de quem ora é a base da oração. A oração do ímpio é abominável aos

---

[13] RYLE, John Charles. *John*. Vol. 3, p. 75.
[14] WIERSBE, Warren W. *Comentário bíblico expositivo*. Vol. 5, p. 452.
[15] BOOR, Werner de. *Evangelho de João II*, p. 88.
[16] WIERSBE, Warren W. *Comentário bíblico expositivo*. Vol. 5, p. 453.
[17] BOOR, Werner de. *Evangelho de João II*, p. 89.

olhos de Deus. As Escrituras dizem: *Até a oração de quem se desvia de ouvir a lei é detestável* (Pv 28.9). Antes de aceitar a nossa oração, Deus precisa, primeiro, aceitar nossa vida. A oração é endereçada ao Pai a quem amamos, e a prova do nosso amor a Deus é nossa amorosa obediência.

Sabendo que temos o **Espírito Santo** (14.16,17)

Jesus subirá para o Pai, mas o Pai, em resposta à sua oração, enviará o Espírito Santo, o outro consolador, para estar para sempre com a igreja, consolá-la em suas angústias e guiá-la pelas veredas da verdade. Quatro verdades são aqui destacadas.

Em primeiro lugar, *o Espírito Santo é o consolador semelhante a Jesus* (14.16). *E eu rogarei ao Pai, e ele vos dará outro consolador* [...]. Há duas palavras gregas para *outro*. A primeira é *heteros*, que significa "outro diferente"; e a segunda, *allos*, que significa "outro igual, da mesma substância". Em resposta à sua oração, o Pai enviará *allos parákletos*, outro *consolador*. O Espírito é Deus, com os mesmos atributos do Pai e do Filho. Hendriksen diz que o Espírito é *outro* consolador, e não um consolador *diferente*.[18] A palavra grega *paracletos* significa "advogado", "consolador", "a pessoa que traz para o lado a outra", a fim de ajudá-la, protegê-la e livrá-la.[19] A palavra *parákletos* é o ajudador ou defensor, um amigo no tribunal.[20] D. A. Carson diz que, no grego secular, *parakletos* significa primariamente "assistente jurídico, advogado, isto é, alguém que ajuda outra pessoa no tribunal, como advogado, testemunha ou como representante".[21]

Em segundo lugar, *o Espírito Santo é o consolador permanente dos discípulos* (14.16b). [...] *para que fique para sempre convosco*. O Espírito Santo jamais deixaria os discípulos. Daria a eles consolo, direção e poder. Nas horas mais amargas, daria consolo. Nas horas mais confusas, daria direção. Nas horas mais cruciais, daria poder.

---

[18] HENDRIKSEN, William. *João*, p. 663.
[19] ERDMAN, Charles. *O evangelho de João*, p. 114.
[20] BRUCE, F. F. *João: introdução e comentário*, p. 259.
[21] CARSON, D. A. *O comentário de João*, p. 499-500.

Em terceiro lugar, *o Espírito Santo é a fonte da verdade* (14.17). O mundo não pode conhecer nem receber o Espírito Santo, pois o mundo anda enredado pelo engano, alimentado pela mentira, perdido num emaranhado de ideias. O Espírito Santo é a fonte da verdade. Ele inspirou as Escrituras e nos ilumina a mente para que as entendamos.

Em quarto lugar, *o Espírito Santo é o Deus que habita em nós* (14.17b). [...] *vós o conheceis, pois Ele habita convosco e estará em vós*. No dia de Pentecostes, o Espírito Santo veio habitar no meio, ao lado e dentro dos discípulos.[22] O Deus Emanuel, "Deus conosco", voltou para o Pai, mas o Espírito Santo, o outro consolador, não apenas está conosco, mas também está em nós. Ele não veio apenas para habitar entre nós, mas, também, para morar em nós. Nosso corpo transformou-se no lugar santíssimo, no santo dos santos de Sua habitação.

Sabendo que desfrutaremos o **amor do Pai** (14.18-24)

Antes de partir, Jesus deixou claro aos discípulos que não os deixaria órfãos nem abandonados (14.18). Conforme William Hendriksen, o que Jesus quis dizer foi o seguinte: "Minha partida não será como a de um pai cujos filhos ficam órfãos quando ele morre. No Espírito, eu mesmo estarei voltando para vocês". O Espírito revela e glorifica o Cristo, aplica Seus méritos ao coração dos crentes e torna Seus ensinamentos efetivos na vida deles. Portanto, quando o Espírito é derramado, Cristo verdadeiramente retorna.[23]

O Pai compartilha conosco o seu amor. Três verdades são destacadas.

Em primeiro lugar, *o amor de Deus manifestou-se nos discípulos no passado* (14.19,20). O mundo não verá mais Jesus quando Ele partir, porque, mesmo tendo-O visto e ouvido, o mundo O rejeitou, mas Seus discípulos O verão, porque, assim como Jesus viverá pelo poder da ressurreição, nós viveremos nEle. Então, assim como o Filho está no Pai e o Pai no Filho, nós também estaremos em Jesus, e Ele, em nós.

Em segundo lugar, *o amor de Deus manifesta-se aos cristãos no presente* (14.21,23,24). Aquele que ama a Jesus é o que guarda os Seus

---

[22] HENDRIKSEN, William. *João*, p. 667.
[23] HENDRIKSEN, William. *João*, p. 668.

mandamentos. Aquele que ama a Jesus e guarda os Seus mandamentos é aquele que é amado pelo Pai. É a estes que Jesus se manifesta.

Em terceiro lugar, *o amor de Deus manifestar-se-á na volta de Jesus Cristo* (14.22). *Disse-lhe Judas, não o Iscariotes: Donde procede, Senhor, que estás para manifestar-Te a nós e não ao mundo?"* Se Jesus se manifestasse ao mundo, seria para juízo, uma vez que o mundo O rejeitou. A cada dia que passa, é o Senhor exercendo Sua paciência e esticando Sua misericórdia, oferecendo ao mundo a oportunidade de arrepender-se.

Sabendo que podemos desfrutar a **paz de Cristo** (14.25-31)

Jesus, como terapeuta da alma, conclui Sua mensagem de consolo falando sobre quatro verdades imporantes.

Em primeiro lugar, *o Espírito ensinador virá para nós* (14.25,26). O Espírito Santo, enviado pelo Pai em nome do Filho, ensinará aos discípulos todas as coisas e trará à memória deles tudo o que eles aprenderam de Jesus. Nas horas mais graves do cerco do adversário, o Espírito Santo trará as palavras certas, nas horas certas, aos discípulos.

Em segundo lugar, *a paz consoladora estará em nós* (14.27). MacArthur fala sobre quatro características dessa paz que Cristo dá: 1) a natureza da paz: *Deixo-vos a paz* [...]; 2) a fonte da paz: [...] *a minha paz vos dou* [...]; 3) o contraste da paz: [...] *Eu não a dou como o mundo a dá* [...]; 4) a perverança na paz: [...] *Não se perturbe o vosso coração nem tenha medo*.[24]

Jesus vai para o Pai, mas deixa com Seus discípulos a Sua paz. Essa paz não é a mesma paz que o mundo dá. A paz do mundo é apenas uma trégua. É apenas ausência de problemas. Concordo com D. A. Carson quando ele diz que o mundo não tem o poder de dar paz. Há tanto ódio, egoísmo, amargura, malícia, ansiedade e medo que toda tentativa na direção da paz é rapidamente submergida.[25] A paz de Cristo é alegria inefável no meio da luta. É a presença sobrenatural na fornalha. É a proteção segura na cova dos leões. É a coragem inabalável no vale

---

[24]MACARTHUR, John. *The MacArthur New Testament commentary – John 12-21*, p. 123-127.
[25]CARSON, D. A. *O comentário de João*, p. 506.

da morte. A paz de Cristo é a paz que defende nosso coração e nossa mente da invasão da ansiedade. Werner de Boor diz que essa paz, como revela toda a história da Paixão, é uma paz completa em meio às piores aflições e na mais extrema escuridão dos suplícios. Durante todos os eventos amargos, desde a prisão até o último suspiro na cruz, não sai dos lábios de Jesus nem uma única palavra sem paz.[26]

Em terceiro lugar, *o Salvador virá para junto de nós* (14.28,29). Jesus disse que os discípulos deveriam se alegrar por Sua volta para o Pai, pois isso desembocaria no envio do outro consolador. Isso iniciaria Sua obra intercessora junto ao trono da graça (Hb 2.17,18; 4.14-16; 7.25). Warren Wiersbe afirma acertadamente: "Temos o Espírito dentro de nós, o Salvador acima de nós e a Palavra diante de nós – recursos tremendos para nos dar paz!".[27]

Quando Jesus diz: [...] *pois o Pai é maior do que eu* (14.28), Ele não nega Sua divindade nem Sua igualdade com Deus, pois, se o fizesse, cairia em contradição (10.31). Concordo ainda com as palavras de Warren Wiersbe:

> Quando Jesus estava na terra, limitou-Se, necessariamente, a um corpo humano. Em um gesto espontâneo, colocou de lado o exercício independente de Seus atributos divinos e Se sujeitou ao Pai. Nesse sentido, o Pai era maior do que o Filho. É evidente que, quando o Filho voltou para o céu, tudo o que havia colocado de lado Lhe foi restituído (17.1,5).[28]

Em quarto lugar, *o inimigo será derrotado para nosso benefício* (14.30,31). Jesus conclui esse capítulo citando dois grandes inimigos espirituais: o mundo e o diabo. Cristo venceu o mundo e o diabo (12.31), e satanás não tem poder sobre Ele. Não há nada em Jesus Cristo que o diabo possa controlar. Uma vez que estamos "em Cristo", satanás também não pode controlar nossa vida. Nem satanás nem o mundo podem perturbar nosso coração.[29]

---

[26] BOOR, Werner de. *Evangelho de João II*, p. 96.
[27] WIERSBE, Warren W. *Comentário bíblico expositivo*. Vol. 5, p. 455.
[28] WIERSBE, Warren W. *Comentário bíblico expositivo*. Vol. 5, p. 456.
[29] WIERSBE, Warren W. *Comentário bíblico expositivo*. Vol. 5, p. 456.

22

A intimidade com Jesus
e a inimizade do mundo

João 15.1–16.4

JOÃO CAPÍTULO 14 ENCERRA COM UMA DECISÃO de Jesus de sair do lugar onde estava (14.31). Seria levantar-Se da mesa onde ceavam? Seria sair do Cenáculo rumo ao Getsêmani? Provavelmente não, pois João 18.1 nos informa mais claramente que Ele só saiu do Cenáculo rumo ao Getsêmani depois da oração sacerdotal.

Aqui está a sétima e última expressão de Jesus: *Eu sou*. Já havia dito: *Eu sou o pão da vida. Eu sou a luz do mundo. Eu sou a porta. Eu sou o bom pastor. Eu sou a ressurreição e a vida. Eu sou o caminho, a verdade e a vida. Eu sou a videira verdadeira.*

Neste texto, Jesus trata da metáfora da videira, do Seu estreito relacionamento com Seus discípulos e da irreconciliável inimizade que o mundo nutre por Ele e por Seus discípulos. D. A. Carson diz que, no Antigo Testamento, a videira é um símbolo comum para Israel, o povo da aliança de Deus (Sl 80.9-16; Is 5.1-7; 27.2ss.; Jr 2.21; 12.10ss.; Ez 15.1-8; 17.1-21; 19.10-14; Is 10.1,2). Mais notável ainda é o fato de que, sempre que o Israel histórico é referido sob essa figura, enfatiza-se o fracasso da videira em produzir bom fruto, junto com a correspondente ameaça do julgamento de Deus sobre a nação. Nesse momento, em contraste com tal fracasso, Jesus declara: *Eu sou a videira* VERDADEIRA, isto é, aquela para quem Israel apontava, aquela que produz bom fruto.

Jesus, em princípio, já substituiu o templo, as festas judaicas, Moisés, vários lugares santos; nesse ponto, Ele substitui Israel como o próprio local do povo de Deus. A videira verdadeira não é, portanto, o povo apóstata, e sim o próprio Jesus, e aqueles que são incorporados a Ele.[1]

Charles Swindoll diz que, no capítulo 15 de João, Jesus destaca três relacionamentos vitais do cristão: 1) 15.1-11 – o relacionamento do crente com Cristo. O termo chave é "permanecer", usado dez vezes em onze versículos. A ênfase é união. 2) 15.12-17 – o relacionamento do crente com os demais crentes. O termo chave é "amor", usado quatro vezes em seis versículos. A ênfase é comunhão. 3) 15.18-27 – o relacionamento do crente com o mundo. O termo chave é "odiar", usado sete vezes em dez versículos. A ênfase é perseguição.[2]

Estamos **ligados** a Cristo, por isso precisamos **produzir frutos** (15.1-11)

Na metáfora da videira, Jesus mostra quão profundamente estamos ligados a Ele. Hendriksen diz que essa unidade é moral, mística e espiritual.[3] A união mística com Cristo, ilustrada pela união entre o pastor e as ovelhas, a cabeça e o corpo, o noivo e a noiva, o fundamento e o edifício, recebe agora uma nova imagem, a videira e os ramos. Trata-se de uma união orgânica, vital, profunda.

Ao expor essa vívida metáfora, Jesus trata de quatro assuntos que enriquecem nosso entendimento acerca de nosso estreito relacionamento com Ele.

Em primeiro lugar, *a videira*. Em todo o Antigo Testamento, Israel é apresentado como a videira, a vinha do Senhor. Deus a plantou e a cercou com cuidados, mas Israel produziu uvas bravas. Então, agora, Jesus diz: *Eu sou a videira verdadeira* (15.1).

Em segundo lugar, *os ramos*. Sozinho, um ramo é frágil, infrutífero e imprestável, servindo apenas para ser queimado (Ez 15.1-8). O ramo

---

[1] CARSON, D. A. *O comentário de João*, p. 514.
[2] SWINDOLL, Charles. *Insights on John*, p. 255.
[3] HENDRIKSEN, William. *João*, p. 690.

não é capaz de gerar a própria vida; antes, deve retirá-la da videira. De igual forma, é nossa união vital com Cristo que nos permite dar frutos.[4]

Em terceiro lugar, *o agricultor*. O trabalho do agricultor é cuidar da videira, a fim de que seus ramos produzam muitos frutos. Para isso, o agricultor levanta, limpa e poda os ramos. O agricultor poda os ramos de duas maneiras: a primeira é limpando e podando os ramos para que sejam renovados; a segunda, é removendo os ramos secos e sem vida para lançá-los fora e queimá-los.[5]

Em quarto lugar, *os frutos*. O propósito de uma videira não é produzir madeira nobre, lenha ou sombra, como algumas outras árvores. Tampouco a videira é uma planta ornamental. O único propósito da videira é produzir frutos. Concordo com William Hendriksen quando ele diz que esses frutos são os bons motivos, desejos, disposições (virtudes espirituais), palavras, obras – tudo isso com origem na fé, em harmonia com a lei de Deus e feito para a Sua glória.[6]

O propósito precípuo de Jesus aqui é mostrar que o Pai está trabalhando na vida dos discípulos, que permanecem em Cristo, a fim de que produzam muitos frutos. Os discípulos são os ramos, e a finalidade dos ramos que permanecem ligados a Cristo é produzir frutos. Se eles não permanecem em Cristo, não fazem parte da videira, da família, da igreja, do rebanho; secam e são lançados no fogo e queimados. Deus, como viticultor, espera de nós frutos.

Nessa metáfora, Jesus falou sobre quatro tipos de ramos: 1) nenhum fruto (15.2); 2) fruto (15.2); 3) mais fruto (15.2); 4) muito fruto (15.8). Qual é a importância de produzir frutos? Jesus diz: [...] *Eu vos escolhi e vos designei a ir e dar fruto, e fruto que permaneça* [...] (15.16). Estamos aqui para produzir frutos para Deus e dar glória ao Seu nome através de uma vida frutífera.

Qual é o nível de produção de frutos dos cristãos?

Primeiro, *nenhum fruto* (15.2). Muitos estudiosos da Bíblia interpretam o versículo 2 desse capítulo como se um crente que não produz

---

[4]WIERSBE, Warren W. *Comentário bíblico expositivo*. Vol. 5, p. 457.
[5]WIERSBE, Warren W. *Comentário bíblico expositivo*. Vol. 5, p. 458.
[6]HENDRIKSEN, William. *João*, p. 691.

fruto não pudesse ser um cristão verdadeiro, ou seja, sua ligação com Cristo é apenas aparente. Esses acreditam que tais pessoas estão ligadas a Cristo apenas por um ritual ou pela membresia em uma igreja, sem jamais ter nascido de novo. São pessoas que não têm a graça de Deus no coração. A união delas com Cristo é nominal, e não real. Têm o nome de que vivem, mas estão mortas. Onde não há fruto, não há vida.

Outros, porém, interpretam que "cortar" significa que, se você não der fruto, pode perder a salvação. Mas o ponto central do versículo 2 é: *está em mim*. É impossível estar em Cristo sem ser cristão. É impossível estar em Cristo e perder a salvação.

A. W. Pink argumenta que uma tradução mais clara da palavra grega *airo* não seria "cortar", mas "tomar" ou "levantar". Esse mesmo verbo *airo* aparece com significado diferente de "cortar", como podemos ver em Mateus 14.20 ("recolher"); Mateus 27.32 ("levar") e João 1.29 ("tirar"). Na verdade, das 24 ocorrências do verbo *airo* no evangelho de João, em 8 vezes, o sentido é de "tomar ou levantar".[7]

Bruce Wilkinson diz que, tanto na literatura grega como nas Escrituras, *airo* não significa apenas "cortar", mas também "levantar".[8] Edward Robinson destaca que *airo* significa prioritariamente "levantar, erguer, elevar", como pedras (8.59), serpentes (Mc 16.18), âncoras (At 27.13).[9] Charles Swindoll, nessa mesma linha de pensamento, aponta que o verbo grego *airo*, traduzido aqui por "cortar", deve ser primariamente entendido como "levantar do chão". Embora João tenha usado o termo *airo* tanto no sentido de "cortar" (11.39; 11.48; 16.22; 17.15) como de "levantar" (5.8-12; 8.59), nossa preferência deve ser por "levantar", uma vez que um viticultor jamais corta os ramos durante a estação do crescimento. Ao contrário, ele levanta os ramos que caem e amarra-os junto aos demais. A imagem do "cortar e lançar fora" só será introduzida no versículo 6.[10]

---

[7]PINK, A. W. *Exposition of the gospel of John*. Vol. 3. Cleveland: Cleveland Bible Truth Depot, 1929, p. 337.
[8]WILKINSON, Bruce. *Segredos da vinha*. São Paulo: Mundo Cristão, 2002, p. 36.
[9]ROBINSON, Edward. *Léxico grego do Novo Testamento*. Rio de Janeiro: CPAD, 2012, p. 21-22.
[10]SWINDOLL, Charles. *Insights on John*, p. 257.

O termo "levantar" sugere a imagem de um agricultor se abaixando para erguer um galho. É muito comum o viticultor amarrar os ramos da videira a fim de que eles não cresçam para baixo e percam sua vitalidade de produção. Os galhos novos tendem ir para baixo e a crescer perto do chão. Mas eles não produzem fruto ali. Quando os galhos crescem junto ao chão, as folhas ficam cobertas de poeira. Quando chove, ficam cheias de lama e mofam. O galho, então, adoece e fica inútil.

O que o agricultor faz com o ramo que cresce junto ao chão? Corta-o e joga-o fora? Absolutamente não! O ramo é muito valioso para ser cortado. Ele precisa ser lavado, levantado e amarrado de volta aos outros ramos, e logo começará a frutificar. Quando um cristão cai, Deus não o joga fora nem o abandona. Levanta-o, limpa-o e ajuda-o novamente a vicejar. Para o cristão, o pecado é como a sujeira que cobre as folhas da parreira. O ar e a luz não conseguem penetrar, e o fruto não se desenvolve.[11]

Como o divino viticultor nos levanta do pó? Como Ele faz um galho estéril produzir fruto? A metáfora de Jesus traz a lume o importante propósito da disciplina na vida do cristão. A disciplina tem por objetivo levantar o caído a fim de que ele frutifique para a glória Deus. Embora seja um ato doloroso, é também, e sobretudo, um ato de amor. A disciplina não é agradável nem para o filho nem para o Pai, mas é a demonstração de um amor responsável. É o método de Deus para tirar o caído da esterilidade. As Escrituras dizem que Deus toma a iniciativa de corrigir os filhos que se desviam, assim como o viticultor toma as medidas necessárias para corrigir um galho desviado (Hb 12.5,6). Mostram, ainda, que o projeto de Deus na disciplina não é provocar dor, mas produzir fruto. A disciplina não precisa ser contínua. Tão logo o galho deixa de se arrastar pelo chão, tão logo o crente se arrepende, a disciplina cessa. Deus não espera que você procure a disciplina. Ele quer que você saia dela (Hb 12.11). A Palavra de Deus é decisiva em declarar que, sem disciplina não somos filhos, mas bastardos. Deus sempre disciplina aqueles que não produzem fruto. É aí que você troca o cesto vazio por cachos suculentos de uva (Hb 12.8).

---

[11]WILKINSON, Bruce. *Segredos da vinha*, p. 36-37.

A Palavra de Deus menciona três graus da disciplina divina: 1) *A correção* (Hb 12.5). A correção ou repreensão é uma advertência verbal. Deus nos adverte por meio de Sua Palavra e de Sua providência. 2) *A reprovação* (Hb 12.5). A reprovação é um grau mais avançado na disciplina. Quando o filho não atende à repreensão verbal, ele é reprovado. 3) *O açoite* (Hb 12.6). Quando o filho não atende à advertência nem se corrige após ser reprovado, o próximo passo é o açoite, o chicote, o castigo físico.

Deus não descarta Seus filhos. Aqueles que tropeçam e caem não são lançados fora, como coisa imprestável. É como ocorre na casa de um ferreiro. Há três tipos de ferramentas. O primeiro tipo é a sucata. São ferramentas enferrujadas, quebradas, aparentemente imprestáveis. O segundo tipo é a ferramenta que está na bigorna. O ferreiro pega a sucata e a coloca no fogo, depois a açoita na bigorna, moldando-a e afiando-a para tornar-se valorosa e útil. O terceiro tipo de ferramenta é a que está afiada e pronta para ser usada. Deus não desiste de seus discípulos, como o ferreiro não desiste da sicuta nem o viticultor desiste do ramo que caiu.

Segundo, *fruto e mais fruto* (15.2). Depois que Jesus contou aos discípulos como o viticultor cuida do ramo estéril, Ele pegou um ramo que demonstrava crescimento desordenado, mas produzia apenas alguns cachos de uvas (15.2). O viticultor sabe que, para conseguir mais frutos da vide, é preciso ir contra a tendência natural da planta. Por causa da tendência da vinha em crescer vigorosamente, muitos galhos têm de ser cortados a cada ano. As parreiras podem ficar tão densas que a luz solar não alcança a área em que o fruto deve formar-se. Livre, a parreira sempre favorecerá mais crescimento de folhagem do que de uvas. É por essa razão que o viticultor corta os brotos desnecessários, independentemente de quanto pareçam vigorosos, pois o único propósito da vinha são as uvas.[12] William Hendriksen diz com razão que o propósito dessa limpeza diária na vida dos filhos de Deus é torná-los progressivamente mais frutíferos. Aquele que produziu trinta por um provavelmente pode produzir sessenta ou até mesmo uma centena.[13]

---

[12] WILKINSON, Bruce. *Segredos da vinha*, p. 63.
[13] HENDRIKSEN, William. *João*, p. 692.

Um viticultor usa quatro expedientes na poda: 1) remove os brotos mortos e prestes a morrer; 2) garante que o sol chegue aos galhos cheios de frutos; 3) corta a folhagem luxuriante que impede a produção de frutos; 4) corta os brotos desnecessários, independentemente de quanto pareçam viçosos. Como viticultor, Deus segue o mesmo processo conosco: Ele corta as partes da nossa vida que nos roubam a vitalidade e nos impedem de frutificar. O viticultor procura tanto a quantidade quanto a qualidade.

A poda é o meio que Deus usa em nossa vida para fruticarmos mais. A disciplina tem que ver com o pecado, e a poda tem que ver com a nossa vida. A disciplina é para nos corrigir e nos levar de volta para o caminho; a poda é para sermos mais produtivos. Deus nos disciplina quando estamos fazendo algo errado; Deus nos poda quando estamos fazendo algo certo. Deus nos disciplina para darmos fruto; Ele nos poda para darmos mais frutos. Na disciplina, o que precisa ser retirado é o pecado; na poda, o que precisa ser retirado é o eu.[14] A disciplina termina quando nos arrependemos do pecado; a poda só terminará quando Deus concluir Sua obra em nós na glorificação.

Os cristãos mais frutíferos são aqueles que mais têm sido podados pela tesoura de Deus. Os viticultores podam as vinhas com maior frequência com o passar dos anos. Sem a poda, a planta enfraquece, a colheita diminui. Deus jamais aplicaria a poda se um método mais suave provocasse o mesmo resultado. Nem toda experiência dolorosa resulta de poda. A dor da poda vem agora, mas o fruto virá depois.

Terceiro, *muito fruto* (15.8). O segredo para a vida frutífera é permanecer em Cristo. Nesses onze versículos, o verbo "permanecer" aparece dez vezes. Esse é o pensamento central de Jesus. O segredo para uma vida transbordante não é fazer mais por Jesus, mas estar mais com Jesus. O desafio da permanência é passar dos deveres para um relacionamento vivo com Deus.

Nos comentários finais de Jesus sobre a vinha, Ele desviou totalmente a atenção de Seus discípulos da atividade para o relacionamento com Ele. Depois da disciplina para remover o pecado, depois da poda

---

[14] WILKINSON, Bruce. *Segredos da vinha*, p. 67.

para mudar as prioridades, agora Jesus diz que o segredo da vida abundante é permanecer nEle.

Jesus é a videira, o tronco no qual o galho precisa buscar sua seiva para frutificar. Quanto maior a conexão do ramo com o tronco, maior é a capacidade de produção desse ramo. A vida, a força, o vigor, a beleza e a fertilidade do ramo estão na sua permanência no tronco. Em nós mesmos, não temos vida, nem força, nem poder espiritual. Tudo o que somos, sentimos e fazemos vem de Cristo. Ele é a fonte. Jesus disse: [...] *sem Mim, nada podeis fazer* (15.5). D. A. Carson é oportuno ao registrar:

> A partir dessa vida de oração frutífera, Jesus adverte, "Meu Pai é glorificado". No quarto evangelho é mais comum o Filho ser glorificado; mas Deus também glorifica a si mesmo no Filho (12.28), e é glorificado em Jesus ou através dEle (13.31; 14.13; 17.4). Desde que o fruto dos crentes seja uma consequência da obra redentora do Filho, o resultado da vida pulsante da videira (15.4), e a resposta do Filho às orações de Seus seguidores (14.13), segue-se que a frutificação deles traz glória para o Pai através do Filho. Mais precisamente, a frutificação dos crentes é parte e parcela da forma com a qual o Filho glorifica Seu Pai.[15]

O propósito de Deus não é que você faça mais por ele, mas que você escolha estar mais com Ele. "Permanecer" significa "ligar-se intimamente". Jesus nos ensina, aqui, oito verdades, como veremos a seguir.

Permanecer em Cristo é um imperativo, e não uma opção (15.4). Deus está mais interessado em nossa vida do que em nosso trabalho. Deus está mais interessado em relacionamento do que em atividade. Ele quer você mais do que suas obras. Permanecer não equivale a quanto você conhece de teologia, mas a quanto você tem sede de Deus. Ao permanecer, você busca, anseia, aguarda, ama, ouve e responde a Jesus. Permanecer significa ter mais de Jesus em sua vida, mais dEle em suas atividades, seus pensamentos e desejos.

Permanecer em Cristo é vital para a salvação (15.6). Se um ramo não permanece na vidadeira, esse ramo não tem vida; é lançado fora, jogado na fornalha e se queima. Jesus advertiu que, se uma videira deixasse

---

[15] CARSON, D. A. *O comentário de João*, p. 518.

de produzir fruto, sua madeira só serviria para ser lançada no fogo (Ez 15.1-8). O fogo simboliza julgamento e atesta a inutilidade daquilo que ele consome.¹⁶ William Hendriksen destaca os cinco elementos de punição para o homem que não está ligado a Cristo: 1) Ele é lançado fora como um ramo (3.18; 6.37). 2) Ele seca. Embora essa pessoa possa ter uma vida prolongada, ela não tem paz (Is 48.22) nem alegria (Jl 1.12). Ele é [...] *como árvores sem folhas nem fruto, duplamente mortas, cujas raízes foram arrancadas* (Jd 12). 3) Seus ramos são apanhados (Mt 13.30; Ap 14.18). 4) Ele é lançado no fogo (Mt 13.41,42). 5) Ele é queimado (Mt 25.46).¹⁷

Permanecer em Cristo é vital para produzir fruto (15.4,5). Jesus disse: [...] *O ramo não pode dar fruto por si mesmo* [...] *porque sem Mim nada podeis fazer*. Fora da videira, o ramo é estéril e inútil. Contudo, quando o ramo está ligado à videira, sendo podado na hora certa, ele produz muito fruto. Mas levanta-se aqui uma questão: qual é a natureza desse fruto? Obediência, novos convertidos, amor, caráter cristão? O propósito dos ramos é produzir muito fruto (15.5), porém o contexto nos mostra que esse fruto é consequência da oração, em nome de Jesus, e é para a glória do Pai (15.7,8,16). Concordo com D. A. Carson quando ele diz que o fruto na metáfora da videira representa tudo o que é produto de oração efetiva em nome de Jesus, incluindo a obediência aos mandamentos (15.10), a experiência da alegria (15.11), a paz (14.27), o amor de uns pelos outros (15.12) e o testemunho diante do mundo (15.16,27). Esse fruto não é nada menos que o resultado da perseverante dependência que o ramo tem da videira. Estou de acordo com as palavras de William Hendriksen: "Esperar que o homem frutifique sem que permaneça em Cristo é ainda mais estulto do que esperar que um ramo que foi cortado da videira produza uvas!¹⁸

Permanecer em Cristo é a evidência de que somos discípulos de Cristo (15.8). Jesus disse: *Meu Pai é glorificado nisto: em que deis muito fruto; e assim sereis Meus discípulos*. Uma vida frutífera é a melhor evidência

---

¹⁶CARSON, D. A. *O comentário de João*, p. 518.
¹⁷HENDRIKSEN, William. *João*, p. 695.
¹⁸HENDRIKSEN, William. *João*, p. 694.

para o nosso coração de que somos realmente discípulos de Cristo. Jesus disse que se conhece a árvore pelo fruto. Uma árvore boa precisa produzir bons frutos, mais fruto (15.2) e muito fruto (15.5,8). A vitalidade da videira, Jesus Cristo, é enfatizada. Essa videira permite àqueles que nela permanecem produzir não só frutos, mas muito fruto.[19] Certa feita, Jesus estava indo para Jerusalém e teve fome. Olhou para uma figueira e viu muitas folhas. Foi procurar fruto e não achou. Aquela figueira anunciava fruto, mas não tinha fruto. Então, Jesus a fez secar. A árvore nunca mais produziu fruto. Fruto é o que o Senhor espera de nós, e não folhas. Ele não se contenta com aparência; Ele quer fruto.

Permanecer em Cristo é vital para experimentar o fluir do amor de Deus (15.9). Jesus afirmou: *Como o Pai Me amou, assim também eu vos amei; permanecei no Meu amor*. Quando temos intimidade com Deus, sentimos quanto somos amados e então temos pressa para estar novamente na Sua presença. Jesus deseja compartilhar a Sua vida conosco.

Permanecer em Cristo leva consigo a promessa da oração respondida (15.7,8). A oração eficaz é fruto de um relacionamento profundo com Jesus. Ele foi claro: *Se permanecerdes em Mim, e as minhas palavras permanecerem em vós, pedi o que quiserdes, e vos será concedido*. Werner de Boor diz que, quando as palavras de Jesus determinam todo o nosso comportamento e nos transformam em praticantes de Seus mandamentos, preenchendo e formatando todo o nosso pensar, falar e agir, então estaremos verdadeiramente orando "em nome de Jesus" e, então, temos a promessa ilimitada de sermos atendidos.[20]

Permanecer em Cristo é impossível sem obediência a Ele (15.10). *Se obedecerdes aos Meus mandamentos, permanecereis no meu amor [...]*. A desobediência sempre cria uma quebra no relacionamento com Deus. Você pode sentir emoção num culto no domingo, mas, se continuar a ter um estilo de vida pecaminoso durante a semana, jamais terá sucesso na permanência. Aquele que diz que ama a Cristo e não Lhe obedece está enganando a si mesmo.

---

[19]HENDRIKSEN, William. *João*, p. 694.
[20]BOOR, Werner de. *Evangelho de João II*, p. 104.

Permanecer em Cristo é o caminho para a alegria (15.11). Eu vos tenho dito essas coisas para que a minha alegria permaneça em vós, e a vossa alegria seja plena. Quando permanecemos em Cristo, produzimos muito fruto. O Pai é glorificado. E uma alegria indizível e cheia de glória enche o nosso coração.

Somos **amigos** de Cristo, por isso precisamos **obedecer** (15.12-17)

Jesus agora lança mão de outra imagem para enfatizar o estreito relacionamento entre Ele e Seus discípulos. Ele sai da área agrícola para a área dos relacionamentos. Embora Seus discípulos continuem sendo Seus servos, passa a chamá-los de amigos (15.13). A evidência dessa amizade é o amor (15.12) e a obediência (15.14), e o propósito dessa amizade é a abundância de frutos (15.16). Destacamos aqui seis pontos importantes.

Em primeiro lugar, *o mandamento singular* (15.12,17). Jesus repete aqui a mesma ordem dada em João 13.34, quando falou sobre o novo mandamento. Mais uma vez, Ele reafirma que o amor entre os discípulos precisa ter o peso do sacrifício. Quem ama se dispõe a dar sua vida pelo irmão (1Jo 3.16).

Em segundo lugar, *o exemplo supremo* (15.13). Jesus não é um teórico, blasonando do alto de sua cátedra teorias divorciadas de sua vida. Jesus não é um alfaiate do efêmero, mas o escultor do eterno. Ele exemplifica a ordem com Sua prática. Mostra, por antecipação, que Sua morte na cruz, em favor de Seus discípulos, era o selo inviolável de Seu amor. O amor não consiste apenas em palavras; não é um mero sentimento. O amor é uma ação, uma entrega, a expressão de um sacrifício. Não somos, portanto, o que falamos nem o que sentimos, mas o que fazemos. Concordo com Werner de Boor quando ele diz que quem ama se esquece de si mesmo e se empenha pelo outro. O empenho mais sublime é o da própria vida. Mas não está sendo dito aqui que Jesus empenha seu *bios* ou sua *zoe*, mas sim sua *psyche*, sua alma. Isso caracteriza a vida como existência total, pessoal.[21]

---

[21] BOOR, Werner de. *Evangelho de João II*, p. 107.

Em terceiro lugar, *a prova cabal* (15.14). *Vós sois meus amigos, se fizerdes o que vos mando.* Há diversos tipos de amizade. Há a amizade de taberna, que nada mais é do que uma reprovável parceria no pecado. Há a amizade utilitarista, que se aproxima de alguém apenas para auferir vantagens. A amizade sobre a qual Jesus está falando aqui é um relacionamento de compromisso com os mesmos valores, com os mesmos propósitos. Por isso, ninguém pode arrogar a si o privilégio de ser amigo de Jesus, sem pronta obediência às Suas ordenanças. D. A. Carson esclarece esse ponto:

> Essa obediência não é o que os torna amigos; e sim o que caracteriza Seus amigos. Claramente, portanto, essa "amizade" não é estritamente recíproca: esses amigos de Jesus não podem se voltar e dizer que Jesus será amigo deles se Ele fizer o que eles dizem. Embora Abraão (2Cr 20.7; Is 41.8; Tg 2.23) e Moisés (Êx 33.11) sejam chamados de amigos de Deus, Deus nunca é chamado de amigo deles; embora Jesus possa se referir a Lázaro como seu amigo (11.11), Jesus não é chamado de amigo de Lázaro. Deus e Jesus jamais são referidos nas Escrituras como o "amigo" de qualquer pessoa. Obviamente, isso não quer dizer que Deus ou Jesus seja um "não amigo": se a amizade for medida estritamente na base de quem ama mais, pecadores culpados não podem encontrar amigo melhor e mais verdadeiro que no Deus e Pai de nosso Senhor Jesus Cristo, e no Filho que Ele enviou. No entanto, a amizade mútua e recíproca do tipo moderno não está em questão, e não pode estar sem rebaixar a Deus.[22]

Em quarto lugar, *a intimidade singular* (15.15). Está claramente demonstrado que Jesus não se satisfaz com obediência meramente servil. Seus amigos demonstram amizade quando fazem o que Ele manda. Obediência é uma expressão de seu amor.[23] O amigo é diferente do servo. O servo trabalha sem que o senhor compartilhe com ele seus planos, sua obra, seus sentimentos. O amigo de Jesus tem não apenas Sua Palavra e Sua companhia, mas também Seu coração. Jesus compartilha com Seus amigos tudo o que ouviu do Pai. Ele traz os anelos do

---
[22]CARSON, D. A. *O comentário de João*, p. 523.
[23]HENDRIKSEN, William. *João*, p. 702.

coração do Pai e os divide com Seus amigos. John Wesley, pensando em sua conversão, descreveu-a como o momento em que ele trocou a fé de um escravo pela fé de um filho.[24]

Em quinto lugar, *a escolha soberana* (15.16a). Nenhum discípulo pode bater no peito e exibir privilégios superiores em seu relacionamento com Jesus. Fomos escolhidos. E a escolha é fruto da graça, e não do mérito. Precisamos nos aproximar com humildade diante dAquele que, inexplicavelmente, nos amou primeiro e nos separou por Sua graça para sermos Sua propriedade exclusiva e Seus amigos achegados.

Em sexto lugar, *o propósito glorioso* (15.16b). Jesus destaca dois propósitos de nossa posição como Seus amigos. O primeiro é darmos frutos que permaneçam a fim de que o Pai seja glorificado; o segundo é obtermos pleno êxito na vida de oração.

Somos **amigos de Cristo**, por isso o **mundo nos odeia** (15.18–6.4)

Tiago, irmão do Senhor, declara que quem quiser ser amigo do mundo constitui-se inimigo de Deus (Tg 4.4), e o evangelista João diz que quem amar o mundo, o amor do Pai não está nele (1Jo 2.15). Agora, Jesus deixa claro que os discípulos serão odiados pelo mundo pelo fato de serem Seus amigos (15.18-20). William Barclay explica que, quando João escreveu seu evangelho, já fazia muito tempo que esse ódio contra os cristãos havia começado. O governo romano considerava os cristãos pessoas desleais ao império, uma vez que se recusavam a adorar o imperador como uma divindade. Os romanos viam na adoração ao imperador o grande elo desse vasto império que se estendia desde o Eufrates até a Grã-Bretanha, desde a Alemanha até o norte da África. Roma era tolerante com seus súditos. Desde que queimassem incenso ao imperador e o adorassem como *Kurios*, Senhor, podiam professar livremente sua religião. Para os cristãos, porém, Jesus era o único Senhor. O governo perseguia os cristãos porque estes insistiam que não havia outro rei além de Cristo.[25]

---

[24]WESLEY, John. *Journal*, I. London: Wesleyan Conference Office, 1872, p. 76.
[25]BARCLAY, William. *Juan II*, p. 204.

Nesse sentido, destacamos a seguir alguns pontos importantes.

Em primeiro lugar, *o mundo nos odeia porque pertencemos a Cristo* (15.18,19). O mundo aqui é o mundo sem Deus, organizado em oposição a Deus e, por essa razão, oposto ao Seu povo.[26] Porque não somos do mundo e para fora do mundo fomos escolhidos por Cristo para sermos o seu povo, o mundo nos encara como estrangeiros e nos odeia, assim como odiou Cristo. Jesus adverte Seus discípulos quanto às perseguições que deverão suportar por Sua causa: *E sereis odiados por todos por causa do Meu nome* [...] (Mt 10.22). O ódio do mundo por Jesus esteve presente desde o início do Seu ministério público e nunca se extinguiu de todo.[27] Werner de Boor diz com razão que aqueles que foram convocados para o amor, os que vivem no amor uns pelos outros, esses devem, ao mesmo tempo, saber com toda a clareza que precisam viver num mundo de ódio. A primeira resposta do mundo aos discípulos de Jesus é o ódio.[28]

Em segundo lugar, *o mundo nos persegue porque somos servos de Cristo* (15.20,21). O Senhor relembra aqui o que já havia ensinado (13.16). Uma vez que o servo não é maior do que o seu senhor, e o senhor foi perseguido pelo mundo, logo nós, servos de Cristo, que agora somos Seus amigos, certamente seremos também perseguidos pelo mundo. O mundo na verdade não nos odeia; odeia o nome de Cristo em nós. Odeia-nos porque não conhece Deus. Quando Saulo de Tarso foi derrubado ao chão no caminho de Damasco, a pergunta de Jesus a ele não foi: "Por que você persegue a igreja?", "Por que você persegue Meus discípulos?", "Por que você persegue Meus servos?" ou "Por que você persegue Meus amigos?" A pergunta foi: *Saulo, Saulo, por que me persegues?* (At 9.4). Saulo perseguia Cristo na vida dos discípulos de Cristo.

Em terceiro lugar, *o mundo torna-se culpado porque ouviu o enviado de Deus e O odiou* (15.22,23). O pecado do mundo não é de ignorância, mas de rejeição consciente e afrontosa. Jesus veio, falou as palavras do Pai, gotejou em seus ouvidos a santa doutrina vinda do céu, mas, longe

---

[26]Bruce, F. F. *João: introdução e comentário*, p. 268.
[27]João 1.5,10,11; 3.11; 5.16,18,43; 6.66; 7.1,30,32,47-52; 8.40,44,45,48,52,57,59; 9.22; 10.31,33,39; 11.50,57; 12.37-43.
[28]Boor, Werner de. *Evangelho de João II*, p. 110.

de receberem a mensagem com mansidão, odiaram o mensageiro com violência. O mundo odiou não apenas o Filho enviado, mas também o Pai que O enviou. Hendriksen comenta que os judeus tinham o costume de pensar que podiam chamar Deus de Pai (8.41), enquanto ao mesmo tempo criam que Jesus tinha demônio (8.48). Eles alegavam que amavam o Pai, embora seja evidente que odiavam o Filho. Mas, em vista do fato de que o Pai e o Filho são um em essência (10.30), essa atitude era impossível.[29]

Em quarto lugar, *o mundo torna-se culpado porque viu as obras do enviado de Deus e O odiou* (15.24-27). O mundo não apenas ouviu a voz de Deus por intermédio de Seu Filho, mas viu Suas obras portentosas, como jamais alguém no passado pudera ver. O que fez o mundo? Humilhou-se? Arrependeu-se? Não! Fechou o coração com o cadeado da incredulidade e cerrou os punhos, com ódio consumado, contra Cristo e Seu Pai. Essa rejeição tão violenta, porém, aconteceu para se cumprirem as Escrituras (15.25). O homem pensa que está no controle, que é o agente da ação, mas, mesmo quando mantém a soberba fronte erguida contra Deus, está apenas fazendo o que Deus já determinou em sua soberania inescrutável.

Jesus deixa claro para os discípulos que, mesmo que o mundo tenha uma rejeição tão radical, o Espírito Santo da verdade, que Ele enviará, dará pleno testemunho a Seu respeito e capacitará os discípulos a fazerem o mesmo (15.26,27).

Em quinto lugar, *o mundo promove perseguição religiosa por causa de sua cegueira espiritual* (16.1-4). Quando João escreveu esse evangelho, no final do século I, a igreja já estava sofrendo severa perseguição. Nesse tempo, todos os apóstolos já estavam mortos pelo viés do martírio. Muitos crentes da Ásia Menor, onde João morava, já haviam abandonado a fé (1.15). Nesse tempo, o apóstolo Paulo já havia sido decapitado, e Pedro, crucificado.

Hendriksen destaca que os seguidores do Nazareno seriam excomungados da vida religiosa e social de Israel. Seriam destituídos de todas as esperanças e prerrogativas dos judeus. Seriam vistos por

---

[29]HENDRIKSEN, William. *João*, p. 710.

seus antigos amigos como piores do que os pagãos. Ficariam sem seu emprego, seriam exilados de sua família e perderiam até mesmo o privilégio de um sepultamento honroso. A linha de raciocínio poderia ser como segue: "Por acaso não nos foi ensinado desde a infância que há somente um Deus verdadeiro e que só a Ele devemos adorar? Agora esses seguidores de Jesus alegam que Ele também é Deus. Isso é blasfêmia que deve ser punida com a morte".[30] Concordo, entretanto, com D. A. Carson quando ele diz que o maior perigo que os discípulos enfrentarão em relação à oposição do mundo não é a morte, mas a apostasia.[31]

Aqueles que **perseguem a igreja** julgam com isso **prestar culto** a Deus (16.2).

Não há nenhum radicalismo mais perigoso do que o religioso. Jesus fala que a perseguição contra os Seus servos e amigos virá com um viés religioso. Eles serão expulsos das sinagogas e mortos e, com isso, julgarão estar prestando culto a Deus. Hoje estamos vendo o crescimento espantoso da cristofobia. A religião mais perseguida do mundo é a cristã. O mundo ainda odeia Cristo, por isso persegue Cristo na igreja.

---

[30] HENDRIKSEN, William. *João*, p. 719.
[31] CARSON, D. A. *O comentário de João*, p. 531.

23

O ministério do Espírito Santo

João 16.5-33

O ESPÍRITO SANTO DESEMPENHA UM PAPEL importantíssimo no evangelho de João. O Espírito veio sobre Jesus em Seu batismo (1.32). Nenhum indivíduo pode entrar no reino de Deus sem nascer da água e do Espírito (3.5). Jesus falou que aquele que nEle crê, como dizem as Escrituras, do seu interior fluirão rios de água viva, e ainda deixou claro que essa experiência é resultado da ação do Espírito Santo (7.38,39). Reunido com Seus discípulos no Cenáculo, Jesus lhes apresentou o Espírito Santo como o outro consolador (14.16), o Espírito da verdade (14.17), o consolador que o Pai enviará em Seu nome para ensinar os discípulos e fazê-los lembrar de Seus ensinos (14.26) e o consolador que dará testemunho a Seu respeito (15.26). Agora, Jesus prossegue falando sobre o Espírito Santo no capítulo 16, tratando de Sua obra no mundo (16.7-11) e também na vida dos discípulos de Cristo (16.12-15). Concordo com Hendriksen quando ele diz que há uma transição gradativa da admoestação do capítulo 15 para a predição do capítulo 16. Assim como no capítulo 14 predominava o tom do "conforto" e no capítulo 15 de "admoestação", no capítulo 16 prevalece a "predição".[1]

---
[1] HENDRIKSEN, William. *João*, p. 717-718.

À luz do texto em apreço, vejamos a seguir algumas lições de destaque.

A obra do Espírito Santo **no mundo** (16.5-11)

Jesus comunica mais uma vez Sua partida para junto do Pai, que O enviou (16.5). Essa informação de sua partida tornou-se a principal causa da tristeza de Seus discípulos (16.6). Jesus, porém, alerta-os sobre a necessidade de ir e até os tranquiliza dizendo que é melhor Ele partir, porque dessa forma o Espírito Santo consolador virá sobre eles. Jesus deixa claro que, antes de o Espírito Santo descer, Ele próprio precisa subir. O Pentecostes somente pode acontecer depois da Sexta-feira da Paixão. Apenas a ida de Jesus para a cruz e para o trono do Pai torna possível que Ele envie o Espírito Santo, o consolador, aos discípulos. Dessa maneira, a saída de Jesus não apenas representa alegria para Si mesmo (14.28), mas também ajuda para Seus discípulos.[2] Jesus já havia dito aos discípulos que Sua partida tinha o propósito de preparar-lhes lugar (14.2), capacitá-los a fazerem obras maiores (14.12), dar-lhes maior conhecimento (14.20) e chegar mais perto deles, no Espírito (14.28).

A ênfase desse parágrafo, entretanto, é sobre a obra do Espírito Santo no mundo. Três verdades são aqui enfatizadas.

Em primeiro lugar, *a obra do Espírito Santo é convencer o mundo do pecado* (16.8,9). *E quando ele vier, convencerá o mundo do pecado [...] porque não creem em Mim*. O maior pecado das pessoas hostis a Deus, que as condena para sempre, não são seus desvios teológicos nem seus devaneios morais, mas sua resistente incredulidade, a despeito de toda verdade que tenham ouvido e de todas as obras de Deus que tenham visto. Não faltaram ao mundo evidências eloquentes de que Jesus é o enviado de Deus para a sua salvação; nada obstante, o mundo rejeitou Cristo por causa da sua culpável incredulidade. Charles Erdman diz que Cristo é bom, santo e puro; rejeitá-Lo é reconhecer-se culpado do crime de se opor à bondade, à santidade, à pureza e ao amor. Diante de Cristo apresentado na pregação, o caráter das pessoas se define. Jesus é

---

[2] Boor, Werner de. *Evangelho de João II*, p. 115-116.

a sua pedra de toque.³ Nessa mesma linha de pensamento, F. F. Bruce diz que não se trata aqui da mesma coisa que às vezes é chamada de "convicção de pecado", produzida pelo Espírito no coração, que leva ao arrependimento e à fé. Não é esse o aspecto da atividade do Espírito Santo que está em tela aqui. O Espírito ao mundo dá testemunho de que o Jesus que foi rejeitado, condenado e morto pelo mundo foi recompensado e exaltado por Deus. O fato de Ele ser rejeitado, condenado e executado expressou com clareza violenta a recusa do mundo em crer nEle; essa incredulidade agora é exposta como pecado.⁴ Werner de Boor, nessa mesma linha de pensamento, diz que o mundo tem a sua concepção de pecado e considera Jesus o pecador ímpio que merece a morte de um criminoso. O mundo também rejeita Suas testemunhas e Seus mensageiros como culpados que precisam ser exterminados (At 9.21). O Espírito Santo, porém, convencerá as pessoas de que, pelo contrário, precisamente essa incredulidade diante de Jesus é o pecado verdadeiro e crucial. O único pecado em que as pessoas se perdem definitivamente é a incredulidade, a rejeição daquele que trouxe o amor salvador de Deus até nós.⁵

Em segundo lugar, *a obra do Espírito Santo é convencer o mundo da justiça* (16.8,10). [...] *convencerá o mundo* [...] *da justiça, porque vou para Meu Pai, e não Me vereis mais*. A justiça de Deus foi plenamente manifestada ao mundo no sacrifício de Cristo na cruz. Ao se tornar nosso substituto e morrer em nosso lugar, ele cumpriu por nós cabalmente todas as demandas da lei e satisfez todos os reclamos da justiça divina. O Espírito Santo vem ao mundo para convencer o mundo dessa verdade gloriosa. Erdman esclarece esse ponto de forma vívida, quando diz que, por sua ressurreição e ascensão, Jesus provou ser um homem justo, e tudo quanto afirmou de Si, com relação à divindade, foi dado como justo ou autêntico. A ressurreição e a ascensão de Jesus ainda hoje são o fundamento sobre o qual o Espírito Santo convence o mundo de que Jesus é o Cristo, o Filho de Deus.⁶ D. A. Carson, nessa mesma

---

³ERDMAN, Charles. *O evangelho de João*, p. 121-122.
⁴BRUCE, F. F. *João: introdução e comentário*, p. 273.
⁵BOOR, Werner de. *Evangelho de João II*, p. 116.
⁶ERDMAN, Charles. *O evangelho de João*, p. 122.

linha de pensamento, afirma que um dos mais surpreendentes propósitos de Jesus, no que diz respeito ao mundo, era mostrar o vazio de suas pretensões e expor, com Sua luz, a escuridão do mundo pelo que ela é (3.19-21; 7.7; 15.22,24). Mas agora, como Jesus está indo, essa obra de condenação do mundo continuará através do Paracleto. Ele reforça essa condenação do mundo precisamente porque Jesus não está presente para realizar a tarefa.[7]

Em terceiro lugar, *a obra do Espírito Santo é convencer o mundo do juízo* (16.8,11). [...] *convencerá o mundo* [...] *do juízo, porque o príncipe deste mundo já está condenado*. A morte, a ressurreição e a ascensão de Cristo são o julgamento legal e a derrota definitiva do diabo, o príncipe deste mundo. Jesus triunfou sobre ele na cruz. Despojou-o, venceu-o e esmagou sua cabeça. Ao pé da cruz, o diabo arregimentou as forças todas de que dispunha. E ali foi derrotado para sempre. Sua condenação foi decidida, e sua sentença foi declarada. Cada vez que Cristo é proclamado na pregação, sob o poder do Espírito Santo, satanás sofre mais uma perda, e cada alma salva é nova prova de que o diabo está "julgado".[8]

Em resumo, temos aí o pecado do mundo, a justiça de Cristo e o julgamento de satanás, tudo provado pelo Espírito Santo sobre a base da rejeição de Cristo, de Seu triunfo na cruz e de sua ressurreição. Esses grandes fatos, quando apresentados por testemunhas, sob o poder do Espírito Santo, são infalíveis no convencimento do mundo. O primeiro e grande cumprimento dessa promessa ocorreu no dia de Pentecostes, quando Pedro, cheio do Espírito Santo, apresentou essas provas, e cerca de três mil pessoas foram convencidas de seus pecados, convertidas a Cristo e salvas.[9]

A obra do Espírito Santo **nos crentes** (16.12-15)

Jesus tem plena consciência de que as demais coisas reservadas para Seus discípulos eles não conseguem alcançar ainda (16.12). Só quando

---

[7] CARSON, D. A. *O comentário de João*, p. 539.
[8] ERDMAN, Charles. *O evangelho de João*, p. 122.
[9] ERDMAN, Charles. *O evangelho de João*, p. 122.

Jesus ressuscitar e os discípulos receberem o Espírito Santo, as coisas ficarão claras para o coração deles. Jesus destaca duas obras do Espírito Santo em relação aos crentes.

Em primeiro lugar, *o Espírito Santo exerce o ministério de ensino* (16.13). O Espírito Santo é o Espírito da verdade. Jesus é a verdade (14.6), e a Palavra de Deus é a verdade (17.17). Portanto, tudo o que Espírito Santo ensina está coerentemente alinhado com a pessoa e obra de Cristo e com as Sagradas Escrituras. Não há nada mais inverossímil do que alguém afirmar que experiências místicas forâneas às Escrituras e práticas que destoam da doutrina de Cristo são movidas e inspiradas pelo Espírito Santo. Ele é o Espírito da verdade que vem para nos guiar em toda a verdade. Concordo com Hendriksen quando ele diz que a função do Espírito na igreja é "guiar", literalmente, "mostrar o caminho". O Espírito não usa armas externas. Ele não *empurra,* mas *guia*.[10]

Em segundo lugar, *o Espírito Santo exerce o ministério do holofote* (16.14,15). Um holofote é uma luz cuja finalidade é iluminar não a si mesma, mas um alvo específico. O Espírito Santo não vem para glorificar a si mesmo, mas para glorificar Jesus. Se quisermos saber se uma pessoa está cheia do Espírito Santo, basta examinar se ela está vivendo uma vida cristocêntrica. O propósito do ministério do Espírito Santo é exaltar Jesus, anunciá-Lo e torná-Lo conhecido. Werner de Boor diz que, através do Espírito Santo, desenvolve-se *a iluminação do conhecimento da glória de Deus na face de Cristo* (2Co 4.6). O Filho não deseja ter outra glorificação além dessa. Quando a glória de Deus for vista em sua face, então o Filho estará maravilhosamente glorificado.[11]

A alegria triunfante da **vitória sobre a morte** (16.16-22)

Depois de enfatizar que o Espírito Santo virá para ensinar os discípulos e também para exaltá-Lo como o enviado de Deus, Jesus passa a falar a respeito da transformação que Sua ressurreição produzirá na vida deles. Destacamos aqui alguns pontos.

---

[10] HENDRIKSEN, William. *João*, p. 728.
[11] BOOR, Werner de. *Evangelho de João II*, p. 119.

Em primeiro lugar, *um enigma a ser decifrado* (16.16-19). Jesus usa uma linguagem enigmática para falar aos discípulos: *Um pouco, e já não me vereis; mais um pouco, e me vereis* (16.16). Essas palavras de Jesus deixam os discípulos confusos, e eles não entendem o que Jesus quer dizer. Estaria Jesus falando sobre Sua morte e ressurreição ou sobre Sua ascensão e parúsia? O contexto nos leva a entender que Jesus está se referindo ao pouco tempo que existirá entre Sua morte e Sua ressurreição, e não ao intervalo existente entre Sua ascensão e parúsia.

Em segundo lugar, *um princípio de transformação* (16.20). A morte de Cristo na cruz levará o diabo e o mundo a celebrarem uma estrondosa vitória sobre Jesus. Nesse momento, seus discípulos se entregarão ao choro e ao lamento. No entanto, a morte de Cristo não foi Sua derrota, mas sua glorificação. Cristo em sua morte venceu o diabo e triunfou sobre seus inimigos em Sua ressurreição. Então, os discípulos de Cristo, que estavam tristes, converterão sua tristeza em alegria. O caso aqui não é de substituição da tristeza pela alegria, mas de transformação.[12]

Em terceiro lugar, *um exemplo de transformação* (16.21). Jesus ilustra o princípio com o exemplo da mulher grávida que sofre para dar à luz, mas transforma essa dor em alegria ao ver o fruto de seu ventre. Ao nascer o filho, a mulher não se lembra mais de sua aflição. Sua tristeza é convertida em alegria. Warren Wiersbe destaca que a dor da mãe não foi substituída por sua alegria, mas foi transformada em alegria. O mesmo bebê que lhe causou dor também é o motivo de sua alegria. Deus ainda faz o mesmo, pois transforma a tribulação em triunfo e a tristeza em alegria![13]

Em quarto lugar, *uma recompensa da transformação* (16.22). Jesus aplica a lição dizendo aos discípulos que, quando eles O virem ressurreto e vitorioso, seu coração se alegrará, e essa alegria será tão robusta e duradoura que ninguém poderá tirá-la.

A oração, fonte de plena alegria (16.23-28)

Jesus já havia ensinado Seus discípulos acerca da oração no Cenáculo (14.12-14; 15.7,16). Agora, ensina que a oração é uma fonte de

---

[12] WIERSBE, Warren W. *Comentário bíblico expositivo*. Vol. 5, p. 469.
[13] WIERSBE, Warren W. *Comentário bíblico expositivo*. Vol. 5, p. 469.

bênçãos, alegria e compreensão espiritual (16.23-28). Sua partida para o Pai não os deixará mais pobres, porém mais ricos, pois Ele irá para o Pai, enviará sobre eles o Espírito Santo e, junto ao trono da graça, intercederá por eles, como sumo sacerdote e advogado. Jesus diz a eles que o Pai os ouvirá e, em Seu nome, lhes suprirá todas as necessidades. Destacamos aqui três pontos.

Em primeiro lugar, *a oração é uma fonte de bênção* (16.23). Jesus não está ensinando que a oração é um cheque em branco que podemos apresentar a Deus em nome de Jesus no banco celestial. A oração tem princípios que devem ser observados. Precisa ser remetida ao Pai, em nome de Jesus, de acordo com Sua vontade.

Em segundo lugar, *a oração é uma fonte de alegria* (16.24). Jesus diz que, a partir de agora, uma vez que Ele vai para o Pai, os discípulos devem orar em Seu nome e, ao fazê-lo, serão atendidos para que a alegria deles seja completa. A oração não é apenas um instrumento para receber o que pedimos, mas uma fonte de alegria, pois, melhor do que a dádiva de Deus, é a comunhão deleitosa com Ele. A alegria em Deus é melhor do que a dádiva de Deus.

Em terceiro lugar, *a oração é uma fonte de discernimento espiritual* (16.25-28). Jesus já havia usado várias figuras com Seus discípulos no Cenáculo: o lava-pés, a casa do Pai, a videira, os ramos e o nascimento de uma criança. Agora, em vez de usar figuras, fala diretamente acerca do Pai. O próprio Pai os ama e responde às suas orações. Jesus termina esse parágrafo fazendo um resumo de Seu ministério: *Vim do Pai para o mundo; outra vez deixo o mundo e vou para o Pai*. Aqui está a mais gloriosa promessa a respeito da oração, pois Jesus volta para o Pai como Sumo Sacerdote, intercedendo por nós (Rm 8.34; Hb 7.25) e também como nosso Advogado (1Jo 2.1). Warren Wiersbe diz que, na função de Sumo Sacerdote, Jesus nos dá graça a fim de nos guardar do pecado. Como nosso Advogado, Ele nos restaura quando confessamos nossos pecados. Seu ministério no céu é o que possibilita nosso ministério de testemunho na terra, pelo poder do Espírito.[14]

---

[14] WIERSBE, Warren W. *Comentário bíblico expositivo*. Vol. 5, p. 471.

Pretensão – advertência – paz (16.29-33)

Jesus está se despedindo de Seus discípulos. Suas palavras tornam-se cada vez mais claras e diretas. Isso provoca a reação dos discípulos, que Lhe dizem que agora estão entendendo Suas palavras. Longe de parabenizá-los, Jesus adverte que eles o abandonariam, mas os conforta dizendo que eles enfrentarão aflições no mundo, mas devem ter bom ânimo, pois Ele venceu o mundo. Destacamos três pontos a seguir.

Em primeiro lugar, *uma confissão confiante* (16.29,30). A declaração dos discípulos, embora confiante, foi um tanto presunçosa, pois eles abandonariam Jesus dentro de poucas horas. Mesmo depois da ressurreição de Cristo, Seus discípulos ainda não demonstraram clara compreensão da natureza de Seu reino (At 1.4-8).

Em segundo lugar, *uma advertência solene* (16.31,32). Jesus questiona a fé dos discípulos e adverte-os de que eles o abandonariam e seriam dispersos, mas garante-lhes que não ficará só, pois o Pai estará com Ele.

Em terceiro lugar, *uma promessa consoladora* (16.33). Jesus não adverte Seus discípulos para deixá-los abatidos, mas para terem paz nEle. Alerta-os de que o futuro não seria marcado por amenidades, pois enfrentariam aflição no mundo. Não obstante essa aflição irremediável, os discípulos deveriam ficar firmes e ter bom ânimo, pois Ele venceu o mundo. Se no mundo os discípulos terão tribulação, em Cristo os discípulos terão paz. Essa mesma vitória está ao alcance de Seus discípulos. O próprio João registra isso em sua primeira carta: *Pois todo o que é nascido de Deus vence o mundo; e esta é a vitória que vence o mundo: a nossa fé. Quem vence o mundo, senão aquele que crê que Jesus é o Filho de Deus?* (1Jo 5.4,5). Concordo com Hendriksen quando ele diz que é fabuloso que, neste exato momento, quando o Homem de dores conclui Seu discurso final no Cenáculo, um pouco antes de trilhar o vale escuro da morte, Ele Se dirija a Seus discípulos com estas palavras notáveis: *Não vos desanimeis!*[15]

---

[15] HENDRIKSEN, William. *João*, p. 748.

24

A oração do Deus Filho ao Deus Pai

João 17.1-26

ESSA É A ORAÇÃO MAIS MAGNÍFICA feita aqui na terra e registrada em todas as Escrituras. Que privilégio enorme ouvir Deus, o Filho, conversar com Deus, o Pai. Aqui entramos no santo dos santos. Aqui nos curvamos para auscultar os mais profundos desejos do Filho de Deus antes de caminhar para a cruz. Charles Erdman, citando Melâncton, registra: "Nenhuma voz já se ouviu na terra, ou no céu, com maior arrebatamento, nem mais santa, mais frutífera, mais sublime, do que a do próprio Filho de Deus nesta oração".[1]

F. F. Bruce diz que, nessa oração, o Senhor consagra-Se para o sacrifício em que Ele é, ao mesmo tempo, sacerdote e vítima. Também é uma oração de consagração em favor daqueles por quem o sacrifício é oferecido – os discípulos que estavam no Cenáculo e os que depois viriam a crer através do testemunho deles.[2] Warren Wiersbe destaca que Jesus ora por Si mesmo e diz ao Pai que concluiu Sua obra aqui na terra (17.1-5), ora por Seus discípulos, pedindo ao Pai que os guarde e os santifique (17.6-19), e ora pela igreja inteira, para

---
[1] ERDMAN, Charles. *O evangelho de João*, p. 125.
[2] BRUCE, F. F. *João: introdução e comentário*, p. 279.

que possamos ser unidos nEle e, um dia, participarmos de Sua glória (17.20-26).³

À guisa de introdução, destacamos quatro pontos a respeito dessa passagem.

Em primeiro lugar, *a circunstância dessa oração*. Jesus acabara de pregar um sermão falando aos discípulos sobre o Pai. Agora, Ele fala ao Pai sobre os discípulos. No ministério de Cristo, pregação e oração sempre andaram juntos. Aqueles que pregam devem também orar. Aqueles que falam às pessoas sobre Deus devem falar a Deus sobre as pessoas. Somente têm poder para falar às pessoas aqueles que primeiro falam com Deus. Essa oração deixa claro que Jesus foi o vencedor. Ele termina o capítulo 16 encorajando Seus discípulos: [...] *não vos desanimeis! Eu venci o mundo*. John Charles Ryle, nessa mesma linha de pensamento, diz que essa é uma oração feita após o sermão aos discípulos, depois da inauguração do sacramento da ceia; é uma oração de despedida, uma oração antes do sacrifício de Jesus, uma oração intercessora.⁴

Em segundo lugar, *o conteúdo dessa oração*. Jesus fez três súplicas distintas nessa oração: ele orou por Si mesmo, dizendo ao Pai que havia concluído Sua obra aqui na terra (17.1-5); orou por Seus discípulos, pedindo ao Pai que os guardasse e os santificasse (17.6-19); e orou por Sua igreja, para que possamos ser unidos nEle e, um dia, participemos de Sua glória (17.20-26).

Em terceiro lugar, *o contexto imediato dessa oração*. Jesus estava no prelúdio do Seu sofrimento. No Cenáculo, com os discípulos, já havia instituído a ceia e partido o pão. Já havia alertado que Judas Iscariotes O trairia e que os demais se dispersariam. Já estava mergulhando nas sombras daquela noite fatídica, quando seria preso e condenado à morte.

Em quarto lugar, *a ênfase dessa oração*. William McDonald, citando Marcus Rainsford, fala sobre a ênfase da oração de Jesus. Jesus não disse nenhuma palavra contra Seus discípulos nem fez referência alguma à queda ou ao fracasso deles. Jesus concentra Sua oração no eterno propósito do Pai na vida dos Seus discípulos e na Sua relação com eles.

---

³WIERSBE, Warren W. *Comentário bíblico expositivo*. Vol. 5, p. 474.
⁴RYLE, John Charles. *John*. Vol. 3, p. 192.

Todas as petições de Jesus nessa oração são por bênçãos espirituais e celestiais. O Senhor não pede riquezas e honras, nem mesmo influência política no mundo, para Seus discípulos. O pedido de Jesus resume-se a pedir ao Pai que os guarde do mal, que os separe do mundo, os qualifique para a missão e os traga salvos para o céu. A prosperidade da alma é a melhor prosperidade.

Podemos sintetizar a petição de Jesus em quatro áreas: salvação, segurança, santidade e unidade.

Salvação (17.1-5)

Jesus destaca quatro verdades gloriosas acerca da salvação nessa primeira parte de Sua oração.

Em primeiro lugar, *o instrumento da salvação – a cruz de Cristo* (17.1). Jesus chama a atenção em Sua oração para três aspectos da cruz.

A hora tinha chegado. O nascimento, a vida e a morte de Cristo não foram acidentes, mas faziam parte de uma agenda traçada na eternidade. Muitas vezes, Cristo disse que sua hora ainda não tinha chegado; mas, agora, sua hora de ir para a cruz havia chegado, e Ele irá não como um derrotado, mas como um rei caminha para o trono. É na cruz que Ele cumpre o plano da redenção. É na cruz que Ele esmaga a cabeça da serpente. É na cruz que Ele despoja os principados e potestades. É na cruz que Ele revela ao mundo o imenso amor de Deus. Concluímos, portanto, que essa oração foi proferida na mesma noite de Sua agonia no Getsêmani e poucas horas antes de Sua paixão.

A cruz é o instrumento de glória para o Pai. A prioridade de Jesus era a glória de Deus, e Sua crucificação trouxe glória ao Pai. A cruz glorificou a sabedoria, a fidelidade, a santidade e o amor do Pai. A cruz mostrou Sua sabedoria em providenciar um plano no qual ele pôde ser justo e o justificador do pecador. A cruz mostrou Sua fidelidade em guardar Suas promessas e Sua santidade em requerer o cumprimento das demandas da lei. Jesus glorificou o Pai em Seus milagres (2.11; 11.40), mas o Pai foi ainda mais glorificado por meio dos Seus sofrimentos e da Sua morte (12.23-25; 12.31,32).

A cruz é o instrumento de glória para o Filho. A cruz glorificou Sua compaixão, Sua paciência e Seu poder em dar Sua vida por nós, dispondo-Se a sofrer por nós, a Se fazer pecado por nós, a Se tornar maldição por nós para comprar-nos com Seu sangue. Cristo não foi para a cruz como uma vítima arrastada ao altar do holocausto. Ele disse: *Ninguém a tira [a minha vida] de Mim, mas Eu a dou espontaneamente* (Jo 10.18). Paulo acrescentou: *[Cristo] me amou e Se entregou por mim* (Gl 2.20). Concordo com as palavras de D. A. Carson: "A odiosa profanidade do Gólgota significa apenas a glorificação do Filho".[5]

Em segundo lugar, **a essência da salvação** (17.2,3). Mais uma vez, duas verdades são enfatizadas.

Jesus recebeu autoridade para dar a vida eterna (17.2). A vida eterna é uma dádiva do Pai oferecida pelo Filho. Todo aquele que nEle crê tem a vida eterna. Quem nEle crê não entra em juízo, mas passou da morte para a vida. Não há vida eterna fora de Jesus Cristo. Só Ele pode nos conduzir a Deus. Só Ele é o caminho para Deus. Só Ele pode nos reconciliar com Deus. Só Ele é a porta do céu.

A vida eterna é conhecer o único Deus (17.3). A vida eterna consiste em "conhecer". Conhecer aqui não é uma mera adoção de ideias corretas sobre Deus, mas um apreender essencial mediante uma entrega plena e um relacionamento vivo. Concordo com Werner de Boor quando ele diz que o "e" na frase da oração de Jesus não denota adição, juntando duas grandezas distintas. Não reconhecemos primeiro Deus e em segundo lugar Jesus Cristo, mas em Jesus encontramos o único Deus vivo e verdadeiro. Inúmeras pessoas em todo o mundo encontram em Jesus Cristo o verdadeiro Deus e, por consequência, a vida eterna.[6]

Fica, portanto, evidente que a vida eterna é mais do que um tempo interminável nos recônditos da eternidade. Bruce Milne diz corretamente que a vida eterna é, em essência, qualidade de vida em vez de quantidade de vida. Vida eterna não é essencialmente uma vida que jamais se finda, mas o conhecimento dAquele que é eterno.[7] A vida eterna é um relacionamento íntimo e profundo com Deus, num deleite inefável do Seu amor para todo o sempre. Não é apenas conhecimento teórico,

---

[5]CARSON, D. A. *O comentário de João*, p. 555.
[6]BOOR, Werner de. *Evangelho de João II*, p. 130.
[7]MILNE, Bruce. *The message of John*, p. 240.

mas relacionamento íntimo. A vida eterna é experimentar o esplendor, a alegria, a paz e a santidade que caracterizam a vida de Deus. É claro que a vida eterna não é apenas uma experiência futura, mas presente; denota existência infinda, sim, mas igualmente uma felicidade celestial.[8] A vida eterna é conhecer Deus por meio de Jesus. Ele é o mediador que veio nos reconciliar com o Pai. Deus estava em Cristo reconciliando consigo o mundo (2Co 5.18). A vida eterna não é um prêmio das obras, mas uma comunhão profunda com Jesus por toda a eternidade.

Em terceiro lugar, *a consumação da salvação* (17.4). A salvação é uma obra consumada. A salvação não é um caminho que abrimos da terra para o céu, mas o caminho que Deus abriu do céu para a terra. A salvação foi uma obra que o Pai confiou ao Filho, e Ele veio e a terminou. Temos a salvação pela completa obediência de Jesus e pelo Seu sacrifício vicário. Na cruz Ele bradou: *Está consumado!* Não resta mais nada a fazer. Ele já fez tudo. Essa expressão significa três coisas: 1) Quando um pai dava uma missão ao filho e este a cumpria, dizia para o pai: *Tetélestai*. 2) Quando se pagava uma nota promissória, batia-se o carimbo: *Tetélestai*. 3) Quando se recebia a escritura de um terreno, escrevia-se: *Tetélestai*.

Em quarto lugar, *a recompensa da salvação* (17.5). Duas verdades são destacadas aqui.

Jesus pede para reassumir a mesma glória que tinha antes da encarnação. Cristo veio do céu, onde desfrutou glória inefável com o Pai desde toda a eternidade. Abriu mão de Sua majestade e Se esvaziou e Se humilhou a ponto de ser chamado apenas de filho do carpinteiro. Mas, agora, Ele volta para o céu e retoma Seu posto de glória, de honra e de majestade. F. F. Bruce diz que a glória que Ele receberá do Pai é a mesma que Ele desfrutou na presença dEle antes da criação, naquele "princípio" em que o Verbo era eterno com o Pai (1.2).[9] Concordo com o que Erdman escreve:

> Se desejarmos um argumento irrefutável que prove a deidade de Cristo, aí temos somente neste capítulo de João. A sublime consciência que aí

---

[8] ERDMAN, Charles. *O evangelho de João*, p. 127.
[9] BRUCE, F. F. *João: introdução e comentário*, p. 281.

revela do que era, o fato de arrogar a Si o domínio do universo, a referência que faz a uma existência anterior em unidade viva com o eterno Deus, tudo isso para nós só pode provar uma das três: ou Ele era louco, ou blasfemo, ou era Deus mesmo.[10]

Jesus pede que Sua igreja veja a mesma glória que Ele terá no céu. Vamos compartilhar a glória de Cristo (17.24). Estaremos com Ele, reinaremos com Ele e o veremos face a face (1Jo 3.2). Não apenas estaremos no céu, mas estaremos em tronos. Reinaremos com Ele por toda a eternidade.

Segurança (17.6-14)

Três verdades são destacadas.

Em primeiro lugar, *a nossa segurança está fundamentada na eleição do Pai* (17.2,6,8,9,11,12,24). Sete vezes Jesus afirmou que os discípulos Lhe foram dados pelo Pai. Não apenas Jesus é o presente de Deus para a igreja; a igreja é o presente do Pai para Jesus. Não fomos nós que encontramos Deus; foi Ele que nos encontrou. Não fomos nós que inicialmente amamos a Deus; foi Ele que nos amou primeiro. Não fomos nós que escolhemos Deus; foi Ele que nos escolheu. Não fomos nós que chegamos a Cristo; foi o Pai que nos levou até Ele. A segurança da nossa salvação não está fundamentada no nosso caráter, mas no caráter de Deus e na obra perfeita de Cristo. É Ele quem nos guarda. É Ele quem nos livra. É Ele quem nos salva, nos conduz e nos leva para o céu. Jesus deixou claro que aqueles que o Pai Lhe dá, esses é que vêm a Ele, e aqueles que vêm a Ele, de maneira alguma os lançará fora (6.37-40).

Em segundo lugar, *a nossa segurança está baseada no cuidado de Cristo* (17.12). Jesus é o bom pastor que deu Sua vida pelas ovelhas. Ele cuida das Suas ovelhas e as conduz ao céu. Jesus guardou e protegeu Seus discípulos, e nenhum deles se perdeu, exceto o filho da perdição. Por que Jesus não guardou Judas? Pelo simples motivo de que Judas nunca pertenceu a Cristo. Jesus guardou fielmente todos os que o Pai Lhe deu, mas Judas nunca Lhe foi dado pelo Pai. Judas não cria em Jesus Cristo

---

[10]ERDMAN, Charles. *O evangelho de João*, p. 125.

(6.64-71), não havia sido purificado (13.11), não estava entre os escolhidos (13.18) e não havia sido entregue a Cristo (18.8,9). Judas não é, de maneira alguma, um exemplo de cristão que "perdeu a salvação". Antes, ele exemplifica um incrédulo que fingiu ser salvo e, no final, foi desmascarado. Se Jesus pôde guardar e proteger Seus discípulos em Seu corpo de humilhação, quanto mais em Seu corpo de glória. Se Ele pôde guardar Seus discípulos enquanto viveu na terra, quanto mais pode nos guardar entronizado à destra do Pai em Seu trono de glória!

Em terceiro lugar, *a nossa segurança está baseada na intercessão de Cristo* (17.9,11,15,20). Cristo orou pelos discípulos. Nas Suas diversas dificuldades, Jesus intercedeu por eles. Orou por eles quando estavam passando por uma avassaladora tempestade (Mt 14.22-33). Orou por Pedro quando este estava sendo peneirado pelo diabo (Lc 22.31,32). Agora ora por eles antes de ir para o Getsêmani.

Jesus fez dois pedidos fundamentais em favor dos discípulos.

Que eles fossem guardados do mundo (17.14). O mundo é o sistema que se opõe a Deus. O mundo odeia os discípulos. Os discípulos precisam ser guardados para não serem tragados pelo mundo. Demas, tendo amado o mundo, abandonou a fé (2Tm 4.10).

Que eles fossem guardados do maligno (17.15). O mal aqui seria mais bem traduzido por "maligno", como na oração do Senhor (Mt 6.13). O maligno é um inimigo real. Ele entrou em Judas e o levou pelo caminho da morte. Paulo diz que ele cega o entendimento dos incrédulos (2Co 4.4). Paulo diz que devemos ficar firmes contra as ciladas do diabo (Ef 6.11). E Pedro afirma que o diabo anda ao nosso redor buscando a quem possa devorar (1Pe 5.8). Paulo pede que não lhe ignoremos os desígnios (2Co 2.11). A Bíblia assevera que Jesus está à destra de Deus e intercede por nós (Rm 8.34). E ainda diz que podemos ter segurança de salvação, porque Ele vive para interceder por nós no céu (Hb 7.25).

Santidade (17.15-20)

A nossa entrada no céu será inteiramente pela graça, e não pelas obras, mas o céu em si mesmo não seria deleitoso para nós sem um caráter santo. Nosso coração deve estar sintonizado no céu antes de nos deleitarmos nele. Somente o sangue de Cristo nos capacita a entrar no céu, mas somente a santidade nos capacita a regozijar-nos nEle. A esse respeito, destacamos dois pontos importantes.

Em primeiro lugar, *somos santificados pela Palavra de Deus* (17.8,14,17). Cristo nos transmitiu a Palavra (17.8) e nos deu a Palavra (17.14). A Palavra de Deus é a dádiva de Deus para nós. Sua origem é divina, uma dádiva preciosa do céu. Agora, somos santificados pela Palavra (17.17). A Palavra é a verdade, e não apenas contém a verdade (17.17). Ela é o instrumento da nossa santificação (17.17). Sem o conhecimento da Palavra, não há crescimento espiritual. Dwight Moody escreveu na capa de sua Bíblia: "Este livro afastará você do pecado ou o pecado afastará você deste livro". Jesus já havia ensinado: *Vós já estais limpos pela palavra que vos tenho falado* (15.3).

A Palavra é a arma da vitória. É a espada do Espírito. De que maneira a Palavra de Deus nos permite vencer o mundo? Ela nos dá alegria (17.13). A alegria do Senhor é a nossa força (Ne 8.10). A Palavra nos dá a certeza do amor de Deus (17.14). O mundo nos odeia, mas o Pai nos ama. O mundo deseja tomar o lugar do amor do Pai em nossa vida (1Jo 2.15-17). A Palavra nos transmite o poder de Deus para vivermos uma vida santa (17.17). É o instrumento pelo qual Deus chama as pessoas à salvação (17.20). A igreja não cria a mensagem; ela a proclama. Não é o conhecimento da igreja, a eloquência do pregador ou os métodos que usamos, mas é o poder da Palavra de Deus que leva o ser humano a Cristo. Hoje somos chamados de geração Coca-Cola, geração Internet, geração *shopping center* e também geração analfabeta da Bíblia.

Em segundo lugar, *somos santificados pelo correto relacionamento com o mundo*. Cinco verdades são aqui enfatizadas.

Não somos do mundo (17.14,16). Não somos do mundo. Nascemos de cima, do alto, do Espírito. Nossa origem é do alto. Devemos buscar as coisas lá do alto. Jesus disse: *Se o mundo vos odeia, sabei que primeiramente odiou a mim. Se fôsseis do mundo, o mundo amaria o que era seu. Mas o mundo vos odeia porque não sois do mundo; pelo contrário, eu vos escolhi do mundo* (15.18,19). F. F. Bruce diz com exatidão que os discípulos foram dados pelo Pai a Cristo, procedentes "do mundo" (17.6), mas eles "não são do mundo" (17.14,16), apesar de "continuarem no mundo" (17.11) e não serem imediatamente tirados dele (17.15). Eles permanecem no mundo não porque lhes falte outra saída; eles são, em termos positivos, enviados de volta ao mundo como representantes e mensageiros do seu mestre.[11]

Somos odiados pelo mundo (17.14). O mundo nos odeia porque pertencemos a Cristo. A Bíblia afirma que quem se faz amigo do mundo constitui-se em inimigo de Deus (Tg 4.4). Diz ainda que quem ama o mundo, o amor do Pai não está nele (1Jo 2.15). O apóstolo Paulo destaca que não podemos nos conformar com este mundo (Rm 12.2).

Somos chamados do mundo (17.19). Jesus se separou para salvar os discípulos, e agora devemos nos santificar para Ele. A palavra "santificar" significa "separar". Essa separação não é geográfica, mas moral e espiritual.

Estamos no mundo, mas somos guardados do mundo (17.11,15). Santidade não equivale a isolamento. Não tem que ver com geografia e espaço. Não é isolar-se entre quatro paredes ou em guetos e perder o contato com as pessoas. Precisamos estar presentes no mundo como sal e luz. Precisamos influenciar, pois somos o perfume de Cristo. Precisamos estar presentes, pois somos a carta de Cristo lida por todos os homens. Contudo, estamos no mundo como luzeiros. Estamos no mundo a fim de apontar o rumo para Deus. O objetivo da fé cristã jamais foi apartar o ser humano da vida, mas capacitá-lo para enfrentá-la vitoriosamente. Cristo não nos oferece escapes, mas poder para o enfrentamento. Oferece não uma paz fácil, mas uma luta triunfante. John Stott está certo ao dizer que a igreja tem uma dupla responsabilidade em relação ao mundo a seu redor. Por um lado, devemos viver, servir e testemunhar no mundo. Por outro, devemos evitar nos contaminar por ele. Assim, não devemos preservar nossa santidade fugindo do mundo, nem sacrificá-la nos conformando a ele.[12]

Somos enviados de volta ao mundo (17.18) Jesus nos deu uma missão e uma estratégia. Devemos ir ao mundo como Cristo veio ao mundo. Ele "tabernaculou" conosco. Fez-Se carne. Ele foi amigo dos pecadores. Recebeu os escorraçados, abraçou os indignos de ser abraçados, tocou os

---

[11]Bruce, F. F. *João: introdução e comentário*, p. 284-285.
[12]Stott, John. *O discípulo radical*, p. 13.

leprosos, hospedou-Se com publicanos. Sua santidade não O isolou, mas atraiu os pecadores para serem salvos. Isso foi explicado com eloquência por Michael Ramsay: "Nós declaramos e recomendamos a fé à medida que saímos e penetramos nas dúvidas dos duvidosos, nas perguntas dos questionadores e na solidão daqueles que perderam o rumo".[13]

Unidade (17.21-26)

Quão doloroso tem sido o fato de que divisões, contendas e desavenças na igreja têm provocado escândalos diante do mundo e enfraquecido a igreja de Cristo. Não raro, muitos cristãos têm empregado sua energia contendendo uns contra os outros, em vez de lutarem contra o pecado e o diabo. William Barclay é peremptório quando escreve: "As igrejas que competem entre si não podem evangelizar o mundo".[14]

A unidade sobre a qual Jesus está falando não é externa. Não é unidade de organização nem unidade denominacional. Jesus também não está falando sobre ecumenismo. A ideia de unir todas as religiões, afirmando que a doutrina divide, mas o amor une, é uma falácia. Não há unidade fora da verdade (Ef 4.1-6). Nessa mesma linha de pensamento, William Hendriksen diz que Jesus não está pedindo que algum dia todas as denominações se tornem uma única e grande denominação, pois nesse tempo nem havia denominações. Jesus está pedindo que os discípulos sejam constantemente um na posição deles contra o mundo; em outras palavras, que permaneçam sempre unidos em amor e na defesa da verdade.[15]

A unidade da igreja é sobrenatural, tangível e evangelizadora. Os discípulos, porém, mostraram um espírito de egoísmo, competitividade e desunião. Thomas Brooks escreveu: "A discórdia e a divisão não condizem com cristão algum. Não causa espanto os lobos importunarem as ovelhas, mas uma ovelha afligir outra é contrário à natureza e abominável".

Quais são as razões para a igreja buscar a unidade?

---

[13]Ramsay, Michael. *Images old and new*. London: SPCK, 1963, p. 14.
[14]Barclay, William. *Juan II*, p. 239.
[15]Hendriksen, William. *João*, p. 763-764.

Em primeiro lugar, *porque Jesus pediu isso ao Pai* (17.11, 20,21,22). Jesus só tem uma igreja, um rebanho, uma noiva. A unidade da igreja é o desejo expresso de Jesus, o alvo da Sua oração, a expressa vontade do Pai. Werner de Boor tem razão ao dizer que Jesus não considera a unidade organizacional, que pode ser mantida com instrumentos de poder, nem a unidade de ideias afins ou uma coligação com base em sentimentos convergentes. A unidade que Jesus pede para a igreja tem como paradigma e origem a unidade do Pai e do Filho no Espírito Santo.[16]

Em segundo lugar, *por causa da nossa origem espiritual* (17.21). Se nós somos filhos de Deus e membros de sua família, não podemos viver em desunião. Não há desarmonia entre o Pai e o Filho. Nunca houve tensão nem conflito entre a vontade do Pai e a do Filho. Se nascemos de Deus, se nascemos do Espírito, se somos coparticipantes da natureza divina e se Jesus é o nosso Senhor, não podemos viver brigando uns com os outros. Não estamos disputando uns com os outros. Somos irmãos, filhos do mesmo Pai. Nossa origem espiritual nos compele a buscar a unidade, e não a desunião (Fp 2.1,2). William Hendriksen corrobora esse pensamento quando diz que a unidade é de uma natureza definitivamente espiritual. Na verdade, Pai, Filho e Espírito Santo são um *em essência;* os crentes, por outro lado, são um em mente, esforço e propósito. Além do mais, existe mais aqui do que a mera comparação entre a unidade de todos os filhos de Deus, por um lado, e a unidade das pessoas da Santa Trindade, do outro. A última não é meramente *um modelo;* é o *fundamento* da primeira; torna a primeira possível. Somente as pessoas que nasceram de cima, e estão no Pai e no Filho, são também espiritualmente um e oferecem oposição conjunta ao mundo.[17]

Em terceiro lugar, *por causa da nossa missão no mundo* (17.21,23). O mundo perdido não é capaz de ver Deus, mas pode ver os cristãos. Se o mundo enxergar amor e harmonia nos cristãos, crerá que Deus é amor. Se enxergar ódio e divisão, rejeitará a mensagem do evangelho. As igrejas que competem entre si não podem evangelizar o mundo, mas prestam um desserviço à causa do evangelho. A unidade da igreja

---

[16]BOOR, Werner de. *Evangelho de João II*, p. 139-140.
[17]HENDRIKSEN, William. *João*, p. 773.

é a apologética final, o argumento irresistível. O maior testemunho da igreja é a comunhão entre seus irmãos, é o amor com que eles se amam. Jesus disse que a prova definitiva do discipulado é o amor (Jo 13.34,35). Inversamente, porém, toda a desunião dos discípulos dificulta a fé em Jesus, diz Werner de Boor.[18]

Não há evangelização eficaz sem a unidade da igreja. Não temos autoridade para pregar arrependimento ao mundo se estamos travando batalhas internas dentro da igreja. Alguns cristãos, em lugar de serem testemunhas fiéis, são advogados de acusação e juízes e, com isso, afastam os pecadores do Salvador.

Jesus falou sobre três níveis do amor: o amor ao próximo, o amor sacrificial e o amor da Trindade. É esse amor trinitariano que Ele pede que haja entre os crentes. Ilustro essa verdade com um fato da vida agrícola. A batata inglesa é um tubérculo. Quando se arranca um pé de batatas, há muitas batatas em cada pé. Elas estão juntas, mas não são uma unidade. Há batatas maiores e outras menores. Há batatas mais lisas e outras mais ásperas. Depois de colhê-las, o agricultor as coloca num saco e as vende no mercado. Elas estão comprimidas num vasilhame, mas não são uma unidade. O vendedor as distribui na banca do supermercado, e o comprador escolhe as que mais lhe apetecem e as leva para casa, onde as coloca numa gaveta da geladeira, mas elas ainda não são uma unidade. Ainda há algumas batatas maiores que outras, mais lisas que outras. A cozinheira, então, pega as batatas, cozinha-as, corta-as e faz delas um purê. Aí, sim, elas se tornam uma unidade. Agora é impossível distinguir umas das outras, separar umas das outras. Elas são uma unidade. Essa unidade em amor é que deve existir entre os filhos de Deus!

Em quarto lugar, *por causa do nosso destino eterno* (17.24-26). Jesus pede ao Pai que os discípulos vejam Sua glória e estejam no céu com Ele. Se vamos estar no céu, se vamos morar juntos por toda a eternidade, como podemos afirmar que não podemos conviver uns com os outros aqui? Precisamos aprender a viver como família de Deus desde já, pois vamos passar juntos toda a eternidade.

---

[18] BOOR, Werner de. *Evangelho de João II*, p. 140.

Essa parte da oração é cheia de doçura e conforto indizível. Nós não vemos Cristo agora. Nós lemos sobre Ele, ouvimos dEle, cremos nEle e descansamos nossa alma em Sua obra consumada. Mas aqui ainda andamos pela fé, e não pela vista. Contudo, em breve, estaremos no céu com Jesus e, então, essa situação vai mudar. Então, veremos Cristo face a face. Então, nós o veremos como Ele é. Então, conheceremos como também somos conhecidos. Se já temos alegria indizível andando pela fé, quanto mais quando estivermos na glória com Ele, num corpo glorificado, junto àquela gloriosa assembleia de santos. Paulo diz: [...] *e assim estaremos para sempre com o Senhor* (1Ts 4.17). E recomenda: *Portanto, consolai-vos uns aos outros com essas palavras* (1Ts 4.18). Estou de pleno acordo com o que escreveu Charles Erdman: "A oração de Jesus atinge o seu ponto culminante nessa rogativa pela glória futura da igreja. Naturalmente, os crentes já desfrutam uma glória no presente. Há, porém, uma felicidade maior em depósito para eles no futuro – uma visão real do Cristo da glória e uma participação efetiva dessa glória inefável".[19]

---

[19] ERDMAN, Charles. *O evangelho de João*, p. 130.

25

Prisão, julgamento religioso e negação de Jesus

João 18.1-27

O CENÁCULO JÁ HAVIA FICADO PARA TRÁS. Era hora de cruzar o vale de Cedrom e entrar nas encostas do monte das Oliveiras, em busca do costumeiro lugar de oração. Antes de enfrentar a carranca do inimigo, Jesus queria contemplar a face benfazeja do Pai. Jesus se afastara da multidão para estar com os discípulos. Agora, deixa os discípulos para estar a sós com o Pai. Nas palavras de Warren Wiersbe, "o ministério particular de Jesus com seus discípulos havia chegado ao fim, e o drama da redenção estava prestes a começar".[1] F. F. Bruce diz que, depois de se consagrar para o sacrifício iminente, Jesus não faz nenhuma tentativa de ocultar-Se dos Seus inimigos, mas vai para o lugar onde Judas normalmente podia esperar encontrá-Lo.[2]

Em relação à narrativa da Paixão, o evangelista João tem peculiaridades que não são encontradas nos evangelhos sinóticos. D. A. Carson escreve sobre o assunto:

As diferenças mais frequentemente levantadas entre João e os sinóticos são três: 1) Os romanos têm um papel mais central em João que

---

[1] WIERSBE, Warren W. *Comentário bíblico expositivo*. Santo André: Geográfica. Vol. 6, p. 481.
[2] BRUCE, F. F. *João: introdução e comentário*, p. 288.

nos sinóticos: eles aparecem inclusive na cena da prisão (18.3), e Pilatos toma muito mais espaço. 2) Não só não há registro em João da agonia de Jesus no Getsêmani, mas também, em geral, há muito esforço em mostrar que Jesus está no controle. Não há menção do beijo traiçoeiro de Judas: Jesus vai em direção à Sua prisão (18.1,4) e controla o curso dos eventos. Ele interroga seus captores e demonstra de tal forma sua glória que eles caem para trás no chão (18.3-8). 3) Há diversas passagens em João que não têm nenhum paralelo nos sinóticos: o ato de levar Jesus a Anás (18.12-14), sua resposta ao sumo sacerdote e ao oficial que Lhe bateu (18.19-24), os diálogos entre Jesus e Pilatos (18.28-37; 19.9-11) e entre Pilatos e os judeus (18.28-32; 19.4-7,13-16), a declaração de que Jesus levou sua própria cruz (19.17), um excurso sobre o significado da inscrição na cruz (19.20-22), a criação do elo entre sua mãe e o discípulo amado (19.26,27) e o grito na cruz (19.30).[3]

Vamos destacar alguns pontos relevantes do texto em tela.

A **prisão** de Jesus (18.1-12)

Comentando sobre a prisão e a traição de Jesus, John MacArthur diz que João apresenta quatro proeminentes aspectos da majestade e glória do nosso Salvador: 1) a suprema coragem de Cristo (18.1-4); 2) o supremo poder de Cristo (18.4b-6); 3) o supremo amor de Cristo (18.7-9); 4) a suprema obediência de Cristo (18.10,11).[4]

A hora havia chegado, e Jesus sabia muito bem disso. Em breve, Seus discípulos O abandonariam, Seus inimigos lançariam mão sobre Ele, Ele seria interrogado, insultado, cuspido, espancado e condenado na corte religiosa como um blasfemo.

Tanto os inimigos como os discípulos de Cristo tinham ideias distorcidas a Seu respeito. Seus inimigos pensavam que Ele fosse um impostor, um blasfemo, que arrogava a Si o título de Messias. Seus discípulos, por sua vez, pensavam que Ele era um Messias político que restauraria a nação de Israel e os colocaria em uma posição privilegiada. Jesus, por

---

[3]CARSON, D. A. *O comentário de João*, p. 573-574.
[4]MACARTHUR, John. *The MacArthur New Testament commentary – John 12-21*, p. 305-312.

Sua vez, mostrou à turba, bem como aos Seus discípulos, que nada estava acontecendo de improviso nem de forma acidental, mas tudo se passava daquele modo para que se cumprissem as Escrituras (Mc 14.49).

Todas as etapas da caminhada de Jesus do Getsêmani ao Calvário foram preanunciadas séculos antes de Jesus vir ao mundo (Sl 22; Is 53). A ira de Seus inimigos, a rejeição pelo Seu povo, o tratamento que recebeu como um criminoso, tudo foi conhecido e profetizado antes.[5] Concordo com as palavras de D. A. Carson: "Jesus não é um mártir, e sim um sacrifício voluntário, obediente à vontade de Seu Pai".[6]

Jesus revela que o Seu reino é espiritual e Suas armas não são carnais. A hora da Sua paixão havia chegado, por isso Ele não foi preso, mas Se entregou (18.4-6). Em toda essa desordenada cena, Jesus é o único oásis de serenidade. Ao ler o relato, temos a impressão de que foi Ele, e não a polícia do sinédrio, que dirigia as coisas. Para Jesus, a luta havia terminado no jardim de Getsêmani, e Ele agora experimentava a paz de quem tinha a convicção de que estava fazendo a vontade de Deus.

Como o propósito de João é enfatizar a divindade de Cristo, ele não descreve a agonia de Cristo no Getsêmani, nem trata da oração e do suor de sangue. Registra, porém, Sua posição de superioridade sobre Seus inimigos.

Destacamos cinco pontos aqui.

Em primeiro lugar, *um lugar de refúgio* (18.1). O relato da agonia do Senhor Jesus no jardim de Getsêmani é uma profunda e misteriosa passagem das Escrituras. Contém coisas que os mais sábios expositores não puderam explicar plenamente. Ninguém ao longo da história jamais passou por aquilo que Jesus experimentou no Getsêmani. Seu sacrifício total, em completa obediência à vontade do Pai, era o único tipo de morte que poderia salvar os pecadores. O inferno, tal como ele é, veio até Jesus no Getsêmani e no Gólgota, e o Senhor desceu até ele, experimentando todos os seus terrores.

O jardim de Getsêmani fica no sopé do monte das Oliveiras, do outro lado do ribeiro de Cedrom, defronte do monte Sião, onde situava-se o

---

[5] RYLE, John Charles. *Mark*. Wheaton: Good News, 1993, p. 237.
[6] CARSON, D. A. *O comentário de João*, p. 574.

glorioso templo. Getsêmani significa "prensa de azeite, lagar de azeite". Foi naquela "prensa de azeite", no meio do olival, que Jesus ergue aos céus forte clamor regado de abundantes lágrimas (Hb 5.7). Ali Ele trava a mais titânica batalha da humanidade, uma batalha de sangrento suor. Ali o eterno Deus feito carne dobrou Sua fronte. Ali o bendito Filho de Deus rendeu-Se incondicionalmente à vontade do Pai para remir um povo por meio do Seu sangue. Warren Wiersbe traz à baila que a história da humanidade começou em um jardim, onde o homem cometeu seu primeiro pecado. O primeiro Adão desobedeceu a Deus e foi expulso do jardim, mas o último Adão mostrou-se obediente ao entrar no jardim de Getsêmani. Foi em um jardim que o primeiro Adão trouxe o pecado e a morte para a humanidade; mas, por Sua obediência, Jesus trouxe retidão e vida a todos os que creem nEle. Um dia, a história terminará em outro jardim, a cidade celestial. Ali não haverá mais morte nem maldição alguma.[7]

João nos informa que Jesus saiu do Cenáculo para o jardim (18.1). Não foi uma saída de fuga, mas de enfrentamento. Ele não saiu para esconder-Se, mas para preparar-Se. Ele não saiu para distanciar-Se da cruz, mas para caminhar em sua direção. Estou de pleno acordo com o que escreveu D. A. Carson: "Tendo 'Se santificado' para a morte sacrificial iminente, Jesus não muda Seus hábitos para escapar dos Sseus oponentes: Ele vai ao lugar onde Judas Iscariotes podia ter certeza de que O encontraria".[8]

Jesus sabia que a hora agendada na eternidade havia chegado (Mc 14.35). Não havia improvisação nem surpresa. A "hora" refere-se ao sofrimento de Jesus nas mãos dos pecadores (Mc 14.41), com ênfase na Sua agonia final na cruz. Para esse fim, Ele havia vindo ao mundo. Sua morte já estava selada desde a fundação do mundo (Ap 13.8). No decreto eterno, no conselho da redenção, o Pai O havia entregue para morrer em lugar dos pecadores (3.16; Rm 5.8; 8.32), e Ele mesmo voluntariamente havia Se disposto a morrer.

Em segundo lugar, *um traidor ingrato* (18.2-9). Judas Iscariotes, embora apóstolo, jamais fora convertido. Era um diabo, um ladrão, um

---

[7]Wiersbe, Warren W. *Comentário bíblico expositivo*. Vol. 5, p. 481.
[8]Carson, D. A. *O comentário de João*, p. 578.

traidor. Por ganância, entregou Jesus aos sacerdotes; por míseras trinta moedas de prata, traiu sangue inocente. Agora, ele lidera a turba que vai fortemente armada ao Getsêmani para prender Jesus. Ao sinédrio interessava uma prisão secreta de Jesus, sob o manto da escuridão, para que se evitasse qualquer resistência das massas populares entusiasmadas com Jesus. Na escuridão, porém, não bastavam simples informações acerca do local. Dessa forma, Judas tornou-se diretamente aquele que "entregou" Jesus.[9] Charles Erdman tem razão ao dizer que Judas Iscariotes é simplesmente um exemplo da pessoa que acaricia um pecado habitual, cede a uma paixão má e, mesmo diante de advertências e apesar da luz abundante que possui, chega a odiar essa luz a ponto de tomar posição ao lado dos inimigos de Cristo.[10]

Judas Iscariotes é acompanhado não apenas de judeus oficiais do templo, mas também de um destacamento de soldados romanos. Tratava-se de uma coorte. Uma coorte completa tinha 1.000 homens, 760 soldados de infantaria e 240 de cavalaria. Essas tropas auxiliares de Roma ficavam estacionadas em Cesareia Marítima, quartel-general de Roma em Israel. Durante os dias de festa, elas ficavam na fortaleza Antônia, a noroeste do complexo do templo em Jerusalém. Isso garantia um policiamento mais efetivo das grandes multidões que aumentavam muito a população de Jerusalém. Na festa da Páscoa, a população de Jerusalém quintuplicava. Essa festa era a alegria dos judeus e o terror dos romanos. As tropas em Jerusalém tinham o propósito de garantir a ordem diante da qualquer possibilidade de tumulto ou rebelião alimentados pelo fervor religioso. Por essa razão é que essa coorte foi chamada para apoiar os guardas do templo: o risco de reação por parte da multidão era, sem dúvida, elevado no caso da prisão de alguém com a popularidade de Jesus.[11] Concordo com D. A. Carson quando ele diz que a combinação de autoridades judaicas e romanas nessa prisão condena o mundo todo.[12]

[9]BOOR, Werner de. *Evangelho de João II*, p. 146.
[10]ERDMAN, Charles. *O evangelho de João*, p. 132.
[11]CARSON, D. A. *O comentário de João*, p. 578.
[12]CARSON, D. A. *O comentário de João*, p. 579.

Longe de se intimidar com o aparato militar que vem para prendê-Lo, Jesus revela Sua majestade; Ele tem plena consciência desse momento e Se apresenta a Seus inimigos. Impactados por Sua presença impávida, eles caem por terra. Jesus deixa claro que não são Seus inimigos que estão no controle da situação. Jesus não está sendo preso; está se entregando. No exato momento em que está Se entregando nas mãos dos pecadores, Jesus ainda protege Seus discípulos e libera-os de enfrentar o mesmo destino. Aquele cálice era só dEle e de mais ninguém: *Por acaso não beberei do cálice que o Pai Me deu?* (Jo 18.11).

Destacamos a seguir quatro fatos acerca de Judas.

Judas, o ingrato. Judas era um dos doze. Foi chamado por Cristo. Recebeu deferência especial entre os discípulos a ponto de cuidar da bolsa como tesoureiro do grupo. Ouviu os ensinos de Jesus e viu Seus milagres. Foi amado por Cristo e desfrutou o alto privilégio de ver Seus milagres e ouvir Seus ensinos. Jesus lavou seus pés e advertiu-o na mesa da comunhão. Mas Judas, dominado pelo pecado da avareza, abriu brecha para o diabo entrar em sua vida. Agora, ele se associa aos inimigos de Cristo para prendê-Lo.

Judas, o traidor (18.2). A traição é uma das atitudes mais abomináveis e repugnantes. O traidor é alguém que aparenta ser inofensivo. É um lobo com pele de ovelha. Traz nos lábios palavras aveludadas, mas no coração carrega setas venenosas. Judas passa para a história como aquele que "entregou Jesus". Recebe a triste alcunha de "traidor".

Judas, o enganado. Judas disse aos líderes religiosos e à turba que o acompanhava: *Aquele que eu beijar, é ele; prendei-o e levai-o com segurança* (Mc 14.44). Judas sabia que todas as tentativas utilizadas até então para prender Jesus ou mesmo matá-Lo tinham fracassado. Ele pensou que Jesus reagiria à prisão ou que Seus discípulos lutariam por Ele. Judas Iscariotes não havia compreendido ainda que Jesus tinha vindo ao mundo para essa hora. Ele nada compreendia do plano eterno de Jesus de dar sua vida para a salvação dos pecadores.

Judas, o dissimulado. A senha de Judas para entregar Jesus era um beijo (Mc 14.44). O beijo era um sinal de afeto e respeito para um superior amado. Quando Judas disse: *Aquele que eu beijar*, usou a palavra *filein*, que é o termo comum. Mas, quando o texto diz que Judas se aproximou e o beijou (Mc 14.45), a palavra é *katafilein*. O termo *kata* é intensivo, e *katafilein* é o vocábulo usado para descrever como um amante beija a sua amada. Assim, Judas não apenas beija Jesus, mas beija-O efusiva e demoradamente. O beijo prolongado de Judas tinha a intenção de dar à multidão uma oportunidade de ver a pessoa que devia ser presa. Judas usa o símbolo da amizade e do amor para trair o Filho de Deus, e Jesus mais uma vez tirou sua máscara, dizendo-lhe: *Judas, com um beijo trais o Filho do homem?* (Lc 22.48). Essa frase deve ter ressoado nos ouvidos de Judas como uma marcha fúnebre durante o breve período de estéril remorso que precedeu sua vergonhosa morte. William Hendriksen diz que, para o ato mais infame que já se cometeu, Judas escolheu a mais sagrada das noites (a da Páscoa), o lugar mais sagrado (o santuário das devoções do mestre) e o símbolo mais sagrado, um beijo![13]

É digno de nota que, na mesa da comunhão, todos os discípulos chamaram Jesus de Senhor e apenas Judas o chamou de mestre. Agora, Judas não ousa novamente chamá-Lo de Senhor. Na verdade, ninguém pode dizer que Jesus é o Senhor, senão pelo Espírito Santo (1Co 12.3). Enquanto Judas trai Jesus com um beijo, este o chama de amigo. De fato, Jesus era amigo dos pecadores. O amor divino estava abrindo a porta da última oportunidade de arrependimento e salvação para Judas. Mas ele estava completamente obcecado pelo diabo, ao qual havia voluntariamente permitido entrar em seu coração.

Em terceiro lugar, **uma turba fortemente armada** (18.3). A turba capitaneada por Judas e destacada para prender Jesus era composta pelos principais sacerdotes, escribas e anciãos, bem como por guardas do templo e soldados romanos (Mc 14.43). O sinédrio tinha a seu dispor um grupo de soldados para manter a ordem do templo. João 18.3 menciona uma "escolta" que consistia em seiscentos homens, um décimo de uma legião. O sinédrio entendeu que um destacamento de soldados seria prudente e necessário. As autoridades romanas, por outro lado, estavam muito desejosas de evitar tumultos em Jerusalém durante a celebração das festividades e rapidamente concordaram em fornecer o apoio da escolta. O fato de as tropas romanas estarem ali, junto com a

---

[13] HENDRIKSEN, William. *João*, p. 790.

polícia do templo, prova que as autoridades judaicas já tinham entrado em contato com o comando militar, provavelmente dando a entender que eles esperavam que fosse oferecida resistência armada. Fica claro que a iniciativa era das autoridades judaicas, e não dos romanos, pelo fato de que, depois da prisão efetuada, elas tiveram permissão de manter Jesus sob custódia.[14]

Esse foi o grupo que seguiu armado até os dentes com tochas, lanternas, espadas e porretes para prender Jesus (Mc 14.43). Até então, eles não tinham conseguido "apanhá-Lo" nem com palavras (Mc 12.13); e agora o próprio Deus O entrega. Jesus encara sozinho os Seus inimigos, sofre sozinho nas mãos deles e, sozinho, entrega a Sua vida para que aqueles que O aceitarem como Senhor e Salvador nunca estejam sozinhos. Tochas e lanternas em busca da luz do mundo! Espadas e porretes para subjugar o Príncipe da Paz![15]

Em quarto lugar, *uma coragem inconsequente* (18.10,11). Pedro queria cumprir a promessa feita a Jesus de ir com Ele para a prisão e para a própria morte. Pedro trava a batalha errada, com a arma errada, na hora errada, com a motivação errada. Essa não era uma luta para se medir força. Se assim fosse, Jesus pediria ao Pai mais de doze legiões de anjos, ou seja, mais de 72 mil anjos. Jesus repreende Pedro e reafirma o propósito de Sua vinda ao mundo. Era hora de beber o cálice que o Pai lhe dera. Que vinha a ser esse cálice? Não era a mera morte física, senão a morte que Ele iria padecer levando sobre si mesmo o nosso pecado, fazendo-Se pecado por nós, morrendo em lugar dos pecadores.[16]

Pedro fez uma coisa tola atacando Malco (18.10), pois não lutamos batalhas espirituais com armas carnais (2Co 10.3-5). Não tivesse Jesus curado Malco, Pedro poderia ter sido preso também; e, em vez de três, poderia haver quatro cruzes no Calvário. Ele ainda não havia compreendido que Jesus tinha vindo justamente para aquela hora e estava decidido a beber o cálice que o Pai Lhe dera (18.11). Concordo com Warren Wiersbe quando ele escreve: "Pedro lutou contra o inimigo

---

[14]BRUCE, F. F. *João: introdução e comentário*, p. 289.
[15]HENDRIKSEN, William. *João*, p. 789.
[16]ERDMAN, Charles. *O evangelho de João*, p. 133.

errado, com a arma errada, pelo motivo errado e obteve o resultado errado".[17] Werner de Boor acrescenta: "O que Pedro realiza não representa nenhum ato heroico. Ele, que agora brande a espada contra um escravo, pouco depois negará Jesus diante de uma escrava".[18]

Em quinto lugar, *uma entrega voluntária* (18.12). Os inimigos de Jesus não prevaleceram sobre Ele pela força. Ele mesmo Se entregou. Ele voluntariamente deu Sua vida. Na mesma hora em que os inimigos pensaram que estavam prevalecendo sobre Ele, estavam apenas cumprindo o soberano e eterno plano de Deus.

A **negação** de Pedro (18.15-18,25-27)

A negação de Pedro não se dá num vácuo. Ele já tinha sido alertado. Atitudes anteriores sinalizaram esse fracasso de Pedro. Ele confiou em si mesmo. Julgou-se superior aos seus condiscípulos. Dormiu na hora da peleja mais intensa. Demonstrou uma coragem carnal. Seguiu Jesus de longe. Aproximou-se perigosamente dos inimigos de Jesus. Pressionado pelos adversários, não teve fibra moral para assumir os riscos do discipulado. Negou seu Senhor diante da atendente da porta e dos guardas do sumo sacerdote. E não apenas negou, mas negou três vezes, com juramento (Mt 26.72) e até com blasfêmias (Mt 26.74). Pedro foi um homem ambíguo, paradoxal, de fortes contradições. Tinha arroubos de intensa ousadia e atitudes de extrema covardia. Era um homem de altos e baixos, de escaladas e quedas, de bravura e fraqueza, de avanços e recuos. Concordo com Charles Erdman quando ele diz que Pedro tartamudeia diante de alguns criados, à luz frouxa de uma fogueira, declarando que não pertence ao grupo dos discípulos de Jesus. Assim, não foi a fé que desfaleceu em Pedro, mas a coragem.[19]

Três fatos merecem destaque aqui.

Em primeiro lugar, *o perigo dos lugares errados* (18.15). O mesmo Pedro que seguiu Jesus de longe entrou no pátio da casa do sumo sacerdote. Aquele era um terreno escorregadio. Pedro expôs-se perigosamente.

---

[17]WIERSBE, Warren W. *Comentário bíblico expositivo*. Vol. 5, p. 483.
[18]BOOR, Werner de. *Evangelho de João II*, p. 148.
[19]ERDMAN, Charles. *O evangelho de João*, p. 135.

Em segundo lugar, *o perigo das companhias erradas* (18.16). Pedro estava não apenas no lugar errado, mas também na companhia de pessoas erradas. *Assentou-se na roda dos escarnecedores* (Sl 1.1) Na noite mais trevosa de sua alma, buscou a luz lôbrega da fogueira da negação. Ali, enquanto seu corpo se aquecia do frio da noite, sua alma mergulhava na severa nevasca da sua história.

Em terceiro lugar, *o perigo de uma negação covarde* (18.17,18,25-27). Apesar de toda a confiança com que Pedro tinha declarado sua disposição de entregar a vida por seu mestre, no Cenáculo (13.37), o evento serviu para provar que seu mestre conhecia Pedro melhor do que Pedro conhecia a si mesmo (13.38).[20] Pedro negou Jesus três vezes. Primeiro, diante da encarregada da porta (18.17). Uma criada identifica Pedro e o aponta como discípulo de Cristo, mas ele nega isso peremptoriamente. O Pedro seguro do Cenáculo torna-se um homem medroso e covarde no pátio da casa do sumo sacerdote. O Pedro autoconfiante, que prometeu ir com Jesus à prisão e sofrer com Ele até a morte, agora nega Jesus. O Pedro que pensou ser mais forte do que seus colegas, agora cava um abismo na sua alma, agredindo sua consciência e negando o que de mais sagrado possuía. Ele estava negando seu nome, sua fé, seu apostolado, seu Senhor. Segundo, diante dos servos do sumo sacerdote e dos guardas do sinédrio (18.18,25). Terceiro, diante de um servo do sumo sacerdote, parente de Malco, a quem Pedro decepara a orelha com a espada (18.26,27). D. A. Carson diz que João construiu um contraste dramático pelo qual Jesus enfrenta Seus interrogadores e não nega nada, enquanto Pedro se acovarda diante de seus interrogadores e nega tudo.

O evangelista Mateus nos informa que essa negação foi não apenas tríplice, mas, também, progressiva e degradante. Na primeira vez, Pedro nega Jesus diante de todos (Mt 26.70). Na segunda vez, Pedro se torna um perjuro e nega Jesus com juramento (Mt 26.72). Pedro não apenas nega que é discípulo de Cristo, mas faz isso com juramento. Ele nega com forte ênfase. Empenha sua palavra, sua honra e sua fé para negar sua relação com o Filho de Deus. Quanto mais alto fala, mais demonstra

---

[20]BRUCE, F. F. *João: introdução e comentário*, p. 293.

que está mentindo. Na terceira vez, Pedro se torna um praguejador e nega Jesus com palavras de blasfêmia (Mt 26.74). Além de negar Cristo com juramento, Pedro desce o último degrau da sua queda, quando começa a praguejar e a falar impropérios na tentativa de esquivar-se de Cristo. Ele quis ser o mais forte e tornou-se o mais fraco. Quis ser melhor do que os outros e tornou-se o pior. Quis colocar seu nome no topo da pirâmide e caiu de forma mais vergonhosa para o último lugar.

O **julgamento** religioso (18.13-14,19-24)

Para compreendermos melhor a cena do processo contra Jesus, vamos examinar também os outros evangelistas a fim de termos uma noção mais ampla desse momento decisivo na vida de Jesus. O processo que culminou na sentença de morte de Jesus está eivado de muitos e gritantes erros. As autoridades judaicas tropeçaram nas suas próprias leis e atropelaram todas as normas no julgamento de Jesus. Tanto a sua prisão no Getsêmani como seu interrogatório diante de Anás e diante do sinédrio pleno revelam grandes deficiências na condução do processo.

Na verdade, as autoridades já haviam decidido matar Jesus antes mesmo de interrogá-Lo (11.47-53; Mc 14.1). Haviam planejado fazer isso depois da festa, para evitarem uma revolta popular (Mc 14.2), mas a atitude de Judas de entregá-lo adiantou o intento deles (Mc 14.10,11). O processo não era senão um simulacro de justiça do princípio ao fim, pois não tinha outra finalidade senão dar uma aparência de legalidade ao crime já predeterminado.

As leis não permitiam que um prisioneiro fosse interrogado pelo sinédrio à noite. No dia antes de um sábado ou de uma festa, todas as sessões estavam proibidas. Nenhuma pessoa podia ser condenada senão por meio do testemunho de duas testemunhas, mas eles contrataram testemunhas falsas. O anúncio de uma pena de morte só podia ser feito um dia depois do processo. Nenhuma condenação podia ser executada no mesmo dia, mas eles sentenciaram Jesus à morte durante a noite e logo cedo o levaram a Pilatos para que este lavrasse sua pena de morte. A reunião do sinédrio foi ilegal, uma vez que ocorreu à noite; e o método usado também foi ilegal, visto que eles ouviram apenas testemunhas contrárias a Jesus.

Jesus passou por dois julgamentos: um eclesiástico e outro civil; o primeiro aconteceu nas mãos dos judeus, o segundo, nas mãos dos romanos. Tanto o julgamento judaico quanto o romano tiveram três estágios. O julgamento judaico foi aberto por Anás, o antigo sumo sacerdote (18.13-24). Em seguida, Jesus foi levado ao tribunal pleno para ouvir as testemunhas (Mc 14.53-65), e, então, na sessão matutina do dia seguinte, foi dado o voto final de condenação (Mc 15.1). Jesus foi então enviado a Pilatos (18.28-38; Mc15.1-5), que o enviou a Herodes (Lc 23.6-12), que o mandou de volta a Pilatos (18.39–19.6; Mc 15.6-15). Pilatos atendeu ao clamor da multidão e entregou Jesus para ser crucificado.

Os juízes de Jesus foram: Anás, o ganancioso, venenoso como uma serpente e vingativo (18.13); Caifás, rude, hipócrita e dissimulado (11.49,50); Pilatos, supersticioso e egoísta (18.29); e Herodes Antipas, imoral, ambicioso e superficial. Vejamos quais foram os passos nesse processo.

Em primeiro lugar, *Jesus diante de Anás* (18.13). Antes de ser levado ao sinédrio, Jesus foi conduzido manietado pela escolta, o comandante e os guardas dos judeus até Anás. Este era sogro de Caifás, o sumo sacerdote. Apesar de haver sido destituído pelos romanos, muitos judeus consideravam Anás o verdadeiro sumo sacerdote, pois esse cargo era vitalício e sumamente honroso; além disso, cabeça de toda a família, ele exercia enorme influência na direção da política da nação por meio do seu genro Caifás. Nas palavras de F. F. Bruce, Anás continuava exercendo o cargo de sumo sacerdote no sentido de "emérito".[21] O cargo de sumo sacerdote, depois do governo romano, se converteu em tema de controvérsia, intrigas, corrupção e suborno. O cargo ia para o adulador que estivesse mais disposto a abaixar a cabeça para o governador romano. O sumo sacerdote era um colaboracionista que comprava a comodidade, o prestígio e o poder à custa de negociatas. A família de Anás tinha uma imensa fortuna. Eles não eram apenas comerciantes do templo; eram exploradores. Extorquiam o povo, vendendo os animais dos sacrifícios por preços exorbitantes e cobrando taxas abusivas nas transações cambiais.[22]

---

[21]BRUCE, F. F. *João: introdução e comentário*, p. 292.
[22]BARCLAY, William. *Juan II*, p. 251.

D. A. Carson diz que Anás ocupou o cargo de sumo sacerdote de 6 d.C. até 15 d.C., quando Valerius Gratus, predecessor de Pôncio Pilatos, o depôs. Anás continuou a exercer enorme influência não só porque muitos judeus se ressentiram com a deposição arbitrária e a indicação de sumos sacerdotes por um poder estrangeiro, mas também porque não menos que cinco dos filhos de Anás, e seu genro Caifás, ocuparam o posto em algum momento. Anás era, portanto, o patriarca de uma família sumo sacerdotal, e sem dúvida muitos ainda o consideravam o "verdadeiro" sumo sacerdote, mesmo que Caifás fosse o sumo sacerdote na concepção dos romanos.[23]

Anás era o membro dominante da máquina hierárquica judaica, um homem manipulador e esperto. Seus cinco filhos Eleazar, Jonatã, Teófilo, Matias, Anás, seu genro Caifás e um neto o seguiram no sumo sacerdotalismo. Orgulhoso, extremamente ambicioso e fabulosamente rico, Anás era o homem que deliberava. A principal fonte de sua riqueza provinha da venda dos sacrifícios dos animais, no Pátio dos Gentios. Por meio dele, a casa de oração se tornara um covil de ladrões.[24]

O interrogatório de Jesus por esse potentado tinha por objetivo orientar o sumo sacerdote, ao mesmo tempo que oferecia tempo suficiente para a convocação de um quórum do sinédrio durante as altas horas da noite. F. F. Bruce tem razão ao dizer que, se Jesus tinha de ser acusado perante o governador romano, isso precisava ser feito pelo sumo sacerdote no exercício do cargo, como líder da nação e presidente da corte suprema; por isso, Anás enviou Jesus a Caifás.[25]

Em segundo lugar, *Jesus diante do sinédrio* (Mc 15.53-65). O sinédrio era a suprema corte dos judeus, composta por 71 membros. Entre eles, havia saduceus, fariseus, escribas e homens respeitáveis, que eram os anciãos. O sumo sacerdote presidia o tribunal. Nessa época, os poderes do sinédrio eram limitados porque os romanos governavam o país. O sinédrio tinha plenos poderes nas questões religiosas. Parece que tinha também certo poder de polícia, embora não para infligir a pena

---

[23]CARSON, D. A. *O comentário de João*, p. 582.
[24]HENDRIKSEN, William. *João*, p. 801.
[25]BRUCE, F. F. *João: introdução e comentário*, p. 295.

de morte. Suas funções não eram condenar, mas preparar uma acusação pela qual o réu pudesse ser julgado pelo governador romano.

Embora ilegalmente, o sinédrio reuniu-se naquela noite da prisão de Jesus para o interrogatório. Eles já tinham a sentença pronta, mas precisavam de uma forma para efetivá-la. Os membros do sinédrio estavam movidos pela inveja (Mc 15.10), pela mentira (Mc 14.55,56), pelo engano (Mc 14.61) e pela violência (Mc14.65). Os que interrogam Jesus não buscam a verdade, e sim evidências contra Ele. Werner de Boor conclui dizendo que o processo contra Jesus foi de fachada e, de acordo com o relato de Mateus 26.57-68, todas as formalidades foram mantidas, mas o veredito estava determinado de antemão.[26]

Vamos destacar alguns pontos importantes nesse contexto.

As testemunhas (Mc 14.56-59). Segundo a lei, não era lícito condenar ninguém à morte senão pelo testemunho concordante de duas testemunhas (Nm 35.30), de modo que não existiria "causa legal" contra ninguém até que se houvesse cumprido esse requisito. As primeiras testemunhas desqualificam-se, pois suas histórias não concordam entre si (Dt 17.6). Quão trágico é que um grupo de líderes religiosos estivesse encorajando o povo a mentir, e isso durante uma sessão muito especial. D. A. Carson tem razão ao dizer que o procedimento adequado era interrogar as testemunhas, e não o réu; de fato, as testemunhas *em favor* do réu eram ouvidas antes das testemunhas *contra* ele. Por isso, Jesus diz a Anás: *Por que Me interrogas? Pergunta aos que me ouviram o que lhes falei. Eles sabem o que Eu disse.*[27]

O testemunho (Mc 14.56-59). O sinédrio procurou testemunho contra Jesus, mas não achou (Mc 14.55). Muitos testemunharam contra Jesus, mas os testemunhos não eram coerentes (Mc 14.56). Outros testemunharam falsamente, baseando-se nas palavras do Senhor em João 2.19: *Jesus lhes respondeu: Destruí este santuário, e Eu o levantarei em três dias.* O próprio evangelista João interpreta as palavras de Jesus: *Mas o santuário ao qual Ele se referia era o Seu corpo* (Jo 2.21). Mas os acusadores torceram a fala de Jesus, acrescentando palavras que Jesus não havia dito:

---

[26]BOOR, Werner de. *Evangelho de João II*, p. 150.
[27]CARSON, D. A. *O comentário de João*, p. 585.

Nós O ouvimos dizer: Eu destruirei este santuário, construído por mãos humanas, e em três dias edificarei outro, não feito por mãos humanas (Mc 14.58).

Essas falsas testemunhas mantiveram a velha e falsa versão dos judeus (2.20), dando a ideia de que Jesus havia planejado uma conspiração, um atentado militar contra o santuário de Jerusalém, destruindo, assim, o centro religioso da nação. Adolf Pohl afirma que essa acusação foi explosiva porque, naquele tempo, a profanação de templos era um dos delitos mais monstruosos. Marcos nos informa que nem assim o testemunho deles era coerente (Mc 14.59). Aliás, Marcos classifica essas acusações de "falso testemunho" (Mc 14.57-59), porque Jesus nunca dissera que destruiria o templo em Jerusalém. Não havendo testemunho contra Jesus, Ele devia ser solto.

O solene juramento (Mc 14.60-62). Diante das falsas acusações, Jesus guardou silêncio e não Se defendeu, cumprindo, assim, a profecia: [...] *como a ovelha muda diante dos Seus tosquiadores, Ele não abriu a boca* (Is 53.7; 1Pe 2.23). Havia o perigo de o complô fracassar, mas Caifás estava determinado a condenar Jesus. Então, ele deixa de lado toda diplomacia e, sob juramento, faz a pergunta decisiva a Jesus: *Tu és o Cristo, o Filho do Deus bendito? Jesus respondeu: Eu sou. E vereis o Filho do homem assentado à direita do Poderoso, vindo com as nuvens do céu* (Mc 14.61,62). O evangelista Mateus registra essa pergunta sob juramento: *Ordeno que jures pelo Deus vivo e diga-nos se Tu és o Cristo, o Filho de Deus* (Mt 26.63).

A resposta tão elevada e digna do Senhor a Caifás foi a primeira declaração pública na qualidade de Messias que o Senhor dera ao povo, e isso no momento em que, humanamente falando, a afirmação significava a morte. À declaração, acrescentou o Senhor a profecia da Sua segunda vinda em glória. Com essa resposta, Jesus demonstra Seu valor e Sua confiança, pois Ele sabia que Sua resposta significava Sua morte; no entanto, não titubeou em dá-la com clareza, pois tinha total confiança do Seu triunfo final. Jesus proclama abertamente ser o Messias de Deus, cujo destino é poder e glória. Assim, Jesus proporciona ao sinédrio todas as evidências que este buscava para O condenar à morte.

A condenação (Mc 14.63,64). A condenação de Jesus por blasfêmia da parte do sinédrio foi tão ilegal quanto a pergunta sob juramento feito por Caifás, pois a lei exigia larga meditação antes de promulgar-se uma sentença condenatória. Não deram a Jesus nenhum direito de defesa, pois já haviam fechado seus olhos contra a luz que resplandecia da vida do Senhor, assim como seus ouvidos contra a Palavra divina que saía da Sua boca (At 13.27).

Os insultos (Mc 14.65). Havia pouca consideração para um réu condenado, e, imediatamente depois da sentença condenatória, os servidores dos sacerdotes começaram a esbofetear o Senhor, cuspindo nEle, escarnecendo dEle e iniciando, assim, o cumprimento dos desprezos e dos sofrimentos físicos que Ele haveria de sofrer (Is 50.6; 52.14–53.10). Embora Roma proibisse o sinédrio de exercitar a penalidade de morte, seus membros manifestam sua ira contra Jesus. Alguns cuspiram nEle; outros bateram nEle. Alguns zombaram dEle e exigiram que profetizasse. Os guardas O espancaram. Ironicamente, as ações deles só confirmaram o papel profético e a messianidade de Jesus, cumprindo as predições que Ele próprio fizera (Mc 8.31; 10.33,34).

Vale destacar que a prisão, o interrogatório e a condenação de Jesus na quinta-feira à noite foram ações ilegais (Mc 14.54-65). De acordo com as leis dos judeus, o sinédrio não podia reunir-se à noite para interrogar uma pessoa nem mesmo para ouvir testemunhas contra ela. Mas Jesus foi preso, interrogado e sentenciado à morte por blasfêmia na mesma noite de Sua prisão (Mc 14.63,64).

O sinédrio voltou a reunir-se na manhã de sexta-feira para planejar sua estratégia (Mc 15.1). Era preciso dar validade à reunião ilegal da noite anterior e também formalizar uma nova acusação contra Jesus que pudesse encontrar guarida diante da corte romana. As autoridades religiosas julgaram Jesus digno de morte por blasfêmia, mas essa era uma questão teológica que não tinha importância para os romanos. Então, os principais sacerdotes, junto com os anciãos, os escribas e todo o sinédrio formalizaram uma acusação política contra Jesus. Tomaram a decisão de acusar Jesus de conduzir uma rebelião civil contra Roma. Acusaram Jesus diante de Pilatos de promover sedição e de querer ser rei.

Caifás considerava Jesus culpado de antemão e somente buscou um pretexto; Pilatos considerou Jesus inocente e buscou uma saída. Nos dois casos, Jesus foi "entregue", silenciou diante das acusações, recebeu a sentença de morte e foi cuspido e escarnecido.

No tribunal judaico, apresentou-se uma acusação teológica contra Jesus: blasfêmia. No tribunal romano, a acusação era política: sedição. Assim, acusaram Jesus de delito contra Deus e contra César. John Stott diz que tanto no tribunal judaico como no romano seguiu-se certo procedimento legal: 1) a vítima foi presa; 2) a vítima foi acusada e examinada; 3) chamaram-se testemunhas; 4) então, o juiz deu o seu veredito e pronunciou a sentença. Mas Marcos esclarece que 1) Jesus não era culpado das acusações; 2) as testemunhas eram falsas; e 3) a sentença de morte foi um horrendo erro judicial.[28]

Voltemos nossos olhos exclusivamente para o registro de João a fim de destacarmos alguns pontos.

Em primeiro lugar, *uma liderança desqualificada* (18.12-14). Era preceito da lei de Deus que só havia um sumo sacerdote, mas, em Jerusalém, dois homens ocupavam esse posto, Anás e Caifás. Como já afirmamos, Anás havia sido deposto pelos romanos, que constituíram seu genro Caifás como sumo sacerdote. Contudo, como o povo ainda o considerava sumo sacerdote, nenhuma decisão era tomada sem antes ouvi-lo. Foi assim que levaram Jesus primeiro a Anás. Esses homens ocupavam a posição mais elevada da religião judaica, mas viviam da forma mais execrável. Haviam se corrompido doutrinária e moralmente. A religião para eles era apenas uma fonte de lucro. Transformaram a casa de Deus num covil de ladrões. Porque Jesus virou a mesa dos cambistas e os expulsou do templo, os vendilhões tornaram-se Seus inimigos ferrenhos.

Em segundo lugar, *uma pergunta capciosa* (18.19). Anás interroga Jesus acerca de Seus discípulos e de Sua doutrina. Anás não está interessado em conhecer a verdade. Quer apenas encontrar uma ocasião para acusar Jesus diante da autoridade romana. Quer preparar uma armadilha para Jesus a fim de levá-Lo ao julgamento. Concordo com William Hendriksen quando ele afirma que todo o julgamento foi uma farsa. Foi um julgamento fraudulento, uma paródia de justiça. O julgamento foi ilegal de muitas formas, como: 1) julgamentos que pudessem resultar em pena de morte não eram permitidos durante a noite; 2) a prisão de Jesus foi feita como resultado de suborno; 3) Foi solicitado a Jesus se

---

[28] STOTT, John. *A cruz de Cristo*, p. 40-41.

autoincriminar; 4) no caso de pena capital, a lei judaica não permitia que a sentença fosse pronunciada até o dia seguinte àquele em que o acusado foi condenado.[29] Na verdade, o julgamento de Cristo foi uma conspiração, um assassinato. Entre todas as distorções da justiça, nenhuma se compara àquela em que o sumo sacerdote celestial, Jesus Cristo, permaneceu diante dos sumos sacerdotes terrenos, Anás e Caifás.[30]

Em terceiro lugar, *uma resposta audaciosa* (18.20,21). Jesus responde que Seu ensino foi público. Ele falou francamente ao mundo. Ensinou continuamente tanto no templo como nas sinagogas. Nada disse em oculto. Jesus passa da posição de interrogado para interrogador e pergunta a Anás: *Por que me interrogas? Pergunta aos que Me ouviram o que lhes falei. Eles sabem o que Eu disse* (18.20,21). Jesus não constrói provas contra Si mesmo nem dá munição ao Seu inquiridor.

Em quarto lugar, *uma agressão injustificada* (18.22). Sentindo as dores do sumo sacerdote em face da audaciosa resposta de Jesus, um de seus guardas dá uma bofetada em Jesus. Não podendo contrapor-se à verdade, os inimigos de Jesus partem para a violência e exorbitam em sua autoridade. D. A. Carson descreve essa situação da seguinte forma: "Mas, se Jesus falou a verdade, especialmente se estava questionando uma forma ilícita de interrogatório, por que o tapa? Em suma, Jesus está pedindo um julgamento justo, enquanto Seus oponentes já estão desmascarados como aqueles que, incapazes de serem vitoriosos em seu caso por meios justos, são perfeitamente felizes em recorrer à trapaça".[31]

Em quinto lugar, *uma defesa irrefutável* (18.23). Jesus inverte os papéis. De investigado, passa a ser o acusador. Em vez de reconhecer qualquer ato falho em Sua corajosa resposta, reafirma que Sua fala foi boa, e não má, portanto merecia ser ouvido em vez de ser agredido.

Em sexto lugar, *uma sentença injusta* (18.24). João nos informa que Anás envia Jesus manietado para a casa de Caifás, de onde o sinédrio o sentencia à morte por dois crimes graves: blasfêmia e sedição; rebelião contra Deus e contra César; pecado religioso e político. Os evangelhos

---

[29]HENDRIKSEN, William. *João*, p. 811.
[30]HENDRIKSEN, William. *João*, p. 812.
[31]CARSON, D. A. *O comentário de João*, p. 586.

sinóticos nos informam que o sinédrio, numa reunião ilegal, imoral e ilícita, contrata testemunhas falsas que formulam falsas acusações contra Jesus. O julgamento foi um arremedo de justiça, e a sentença, uma aberração legal.

Werner de Boor conclui esse julgamento religioso com as seguintes palavras:

> João não relata nada sobre toda a negociação no sinédrio presidida por Caifás. Já desde João 5.18 sabemos que havia a determinação de matar Jesus. A resolução de executar essa morte já havia sido tomada na sessão do sinédrio de João 11.46-53. Logo, a rigor, o processo na casa do sumo sacerdote não tem mais nenhuma importância. O relato dos acontecimentos ocorridos ali era conhecido das igrejas, devido aos sinóticos. Mas o que João deseja expor detalhadamente às igrejas é como a crucificação de Jesus se concretizou, ou seja, a execução da pena de morte romana. É por isso que Pilatos exerce um papel decisivo. É sobre ele que obtemos muitas informações agora.[32]

---

[32] BOOR, Werner de. *Evangelho de João II*, p. 154.

26

o julgamento de
Jesus no **tribunal** romano

João 18.28–19.16

DEPOIS DE SER JULGADO NO TRIBUNAL RELIGIOSO, Jesus é levado ao pretório romano para ser julgado no tribunal político. O termo "pretório" indica o quartel-general de um governador romano. O governador da Judeia tinha sua residência oficial em Cesareia (At 23.35), mas em épocas de grandes concentrações populares em Jerusalém, como a festa da Páscoa, quando a população da cidade quintuplicava, o governador transferia a sede de seu governo para Jerusalém. A fortaleza Antônia, a noroeste da área do templo, ligada ao pátio externo do templo pelos degraus (At 21.35,40), era esse quartel-general.

Pôncio Pilatos, governador da Judeia, fora nomeado pelo imperador Tibério em 26 d.C. (cerca de quatro anos antes desses acontecimentos) e permaneceu no poder até março de 37 d.C. Ele era um homem fraco que tentava encobrir sua fraqueza ostentando obstinação e violência. Sua falta de tato envolveu-o em atitudes que repetidas vezes ofenderam a opinião pública judaica, e sua gestão foi marcada por diversas rebeliões sangrentas (Lc 13.1).[1]

Jesus já saiu sentenciado de morte do tribunal religioso, acusado de blasfêmia e sedição, mas Roma havia subtraído, das nações que subjugara,

---

[1] BRUCE, F. F. *João: introdução e comentário*, p. 297.

o poder de infligir penas capitais. Quando a Judeia se tornou província romana em 6 d.C., e o imperador nomeou um prefeito romano para governá-la, a prerrogativa de pena capital foi expressamente reservada a ele.[2] Nas palavras de Hendriksen, "o sinédrio tinha o direito de decretar a morte, mas não tinha o direito de executar esse decreto".[3] Era, pois, necessário levar Jesus à presença do governador romano, a fim de que este confirmasse a sentença dos judeus.[4] Os judeus dependiam de Pilatos para colocar em execução a sentença proferida contra Jesus. Tanto no tribunal religioso como no civil, Jesus, embora condenado, deixou claro que os juízes eram culpados e que Ele era inocente. Concordo com Charles Erdman quando ele diz que, nesse tribunal civil, como sucedera no eclesiástico, os acusadores de Cristo, e não este, é que são realmente julgados; não é o preso, e sim o juiz, que por fim é condenado.[5]

Vamos destacar alguns pontos a respeito.

Pilatos recebe as **acusações** dos judeus contra Jesus

Pôncio Pilatos, o governador da Judeia, é introduzido na narrativa.
Os homens da religião e da lei, por ciúmes e inveja, acusaram Jesus, já que não queriam perder a popularidade nem abrir mão do poder. Jeitosamente haviam criado mecanismos de enriquecimento por meio da religião e estavam mais interessados na glória pessoal do que na salvação. Como eles não tinham poder para matar ninguém (18.31), levaram Jesus ao governador Pilatos.

Logo que levaram Jesus ao pretório, Pilatos saiu para lhes falar e perguntou: *Que acusação trazeis contra este homem?* (18.29). Os principais sacerdotes acusaram Jesus de muitas coisas (Mc 15.3) e com grande veemência (Lc 23.10). Jesus, porém, ficou em silêncio e não abriu a boca. Há momentos em que o silêncio é mais eloquente do que as palavras, porque pode dizer coisas que as palavras não conseguem transmitir. Durante as últimas horas de Sua vida, em quatro

---

[2] BRUCE, F. F. *João: introdução e comentário*, p. 298.
[3] HENDRIKSEN, William. *João*, p. 817.
[4] ERDMAN, Charles. *O evangelho de João*, p. 135.
[5] ERDMAN, Charles. *O evangelho de João*, p. 135.

ocasiões diferentes, Jesus "não abriu a boca": na presença de Caifás (Mc 14.60,61), de Pilatos (Mc 15.4,5), de Herodes (Lc 23.9) e, novamente, de Pilatos (19.9). Essa atitude falou mais alto do que qualquer palavra que Ele pudesse ter dito. Esse silêncio se transformou em condenação dos Seus acusadores, e era prova de Sua identidade como o Messias. Quais foram as acusações contra Jesus?

Acusaram Jesus de malfeitor (18.30). Os acusadores inverteram a situação. Eles eram malfeitores, mas Jesus havia andado por toda a parte fazendo o bem (At 10.38).

Acusaram Jesus de insubordinação (Lc 23.2). Disseram a Pilatos que encontraram Jesus pervertendo a nação, vedando o pagamento de tributos a César e afirmando ser Ele o Cristo, o rei.

Acusaram Jesus de agitador do povo (Lc 23.5,14). Eles afirmaram: *Ele coloca o povo em alvoroço e ensina por toda a Judeia, vindo desde a Galileia até aqui.*

Acusaram Jesus de blasfêmia (19.7). Eles disseram a Pilatos que Jesus fazia a si mesmo Filho de Deus e, segundo a lei judaica, isso era blasfêmia, um crime capital para os judeus.

Acusaram Jesus de sedição (19.12). Os judeus clamavam a Pilatos: *Se soltares este homem, não és amigo de César. Todo aquele que se declara rei é contra César.* Por inveja, os judeus acusaram Jesus de sedição política. Colocaram-No contra o Estado, contra Roma, contra César. Questionaram as Suas motivações e a Sua missão. Acusaram-No de querer um trono, em lugar de abraçar uma cruz. A acusação contra Cristo é de que Ele era o "rei dos judeus". Embora Jesus tenha admitido ser rei, explicou que o Seu reino não era deste mundo, de forma que não constituía nenhum perigo para César em Roma. Essa acusação foi pregada em Sua cruz em três idiomas: hebraico, grego e latim (19.19,20). O hebraico é a língua da religião, o grego é a língua da filosofia e o latim é a língua da lei romana. Tanto a religião como a filosofia e a lei se uniram para condenar a Jesus.

Voltemos nossa atenção para João 18.28-32, passagem sobre a qual destacamos alguns pontos a seguir.

A hipocrisia dos acusadores (18.28). Os acusadores de Jesus não quiseram entrar no pretório romano para não se contaminarem e poderem comer livremente a Páscoa. Não perceberam, porém, que, embora observassem os rituais externos da purificação, nutriam no coração a mentira, a inveja e a violência. Coavam mosquito e engoliam camelo. Preocupavam-se com o exterior e não cuidavam do coração. D. A. Carson escreve: "Os judeus tomam elaboradas precauções para evitar a contaminação ritual a fim de que possam participar da Páscoa, e ao mesmo tempo estão ocupados em manipular o sistema judicial para assegurar a morte dAquele que é sozinho a verdadeira Páscoa".[6]

A pergunta do julgador (18.29). Pilatos estava convencido de que a motivação dos judeus era inveja. Por isso, sai do pretório para falar com os acusadores e pergunta-lhes: *Que acusação trazeis contra este homem?* (18.29). As acusações dos judeus, conforme vimos anteriormente, eram todas falsas.

A resposta dos acusadores (18.30). Os judeus justificam a entrega de Jesus a Pilatos, afirmando que Ele era um malfeitor. Que mal Jesus fez? Curou os enfermos, purificou os leprosos, alimentou os famintos, libertou os cativos, ressuscitou os mortos, proclamou a verdade e andou por toda parte fazendo o bem! Mas, como eles viviam em trevas, foram ameaçados pela luz. Porque queriam glórias para si mesmos, repudiaram aquele que veio falar sobre a glória de Deus.

A transferência de responsabilidade (18.31). Sabendo que Jesus não era réu de morte, Pilatos o devolve aos judeus, recomendando que eles o julgassem conforme sua lei. Mas os judeus não queriam para Jesus um julgamento justo; já haviam decidido por Sua morte. Por isso, respondem: *Não nos é permitido executar ninguém*. A pena capital aplicada pelos judeus era o apedrejamento, e nunca a crucificação. Obviamente, os judeus não poderiam executar Jesus, pois, para se cumprirem as Escrituras, Jesus teria de ser crucificado, e só os romanos poderiam aplicar essa pena (18.32).

Pilatos faz solenes **perguntas** aos judeus e a Jesus

O julgamento de Jesus pode ser sintetizado com as quatro perguntas feitas por Pilatos. Duas delas foram dirigidas aos judeus acusadores

---

[6]CARSON, D. A. *O comentário de João*, p. 590.

(18.29; 19.15) e duas dirigidas a Jesus, o acusado (18.33; 19.9). Vamos examiná-las a seguir.

A primeira pergunta foi dirigida aos judeus acusadores: *Que acusação trazeis contra este homem?* (19.29). Os judeus elencaram uma série de acusações contra Jesus, que, entretanto, podem ser resumidas em duas principais: pecado contra Deus e contra César. Conspirar contra Deus e contra Roma. Praticar pecado religioso e pecado político: blasfêmia contra Deus e conspiração contra César.

A segunda pergunta, dirigida a Jesus, o acusado: *Tu és o rei dos judeus?* (18.33). Pilatos é confrontado com a realeza de Cristo, uma realeza não política, mas espiritual. Jesus diz a Pilatos que o Seu reino não é político, mas espiritual; não é terreno, mas celestial; não é defendido pelas armas convencionais, mas por armas espirituais. Seus ministros não são soldados armados, mas anjos espirituais.

A terceira pergunta, dirigida a Jesus, o acusado: *Donde vens?* (19.9). Jesus fica em silêncio diante desse questionamento. Pilatos tenta arrancar uma resposta de Jesus, ameaçando-O e dizendo que tinha autoridade tanto para soltá-Lo quanto para crucificá-Lo. Jesus não refuta Pilatos quanto à sua autoridade, porém esclarece que sua autoridade não vem de si mesmo, mas de Deus. Pilatos agora é quem ficará acuado, quando Jesus afirma: [...] *aquele que Me entregou a ti incorre em pecado maior* (19.11). Tanto os judeus que O acusavam quanto Pilatos que O julgava eram culpados diante de Deus pela Sua morte. Aqueles porque O entregaram por inveja; este porque o condenaria por conveniência.

A quarta pergunta, dirigida aos judeus acusadores: *Hei de crucificar o vosso rei?* (19.15). Pilatos tentou de todas as formas se livrar de Jesus, mas não conseguiu. Está indeciso, confuso, perturbado. Daí a pergunta: *Crucificarei o vosso rei?* Longe de se comoverem com essa pergunta de Pilatos, os principais sacerdotes deram-lhe uma resposta que decidiu a questão: *Não temos rei, a não ser César!* (19.15). Embora convencido da inocência de Jesus e da culpa dos acusadores, Pilatos tergiversa, dribla sua consciência e por conveniência entrega Jesus para ser crucificado (19.16).

Pilatos é **confrontado** pela realidade acerca de Cristo

Pilatos é confrontado por três verdades acerca de Cristo.

Em primeiro lugar, *pela realeza de Cristo* (18.33-37). Pilatos está diante de Jesus. Mesmo ultrajado e cheio de hematomas, pela crueldade como foi tratado pelo sinédrio na noite anterior, Jesus é o rei do reis, alguém maior do que César, cujo reino é eterno e cujos limites extrapolam o Império Romano.

Em segundo lugar, *pela divindade de Cristo* (19.7-9). Os judeus disseram a Pilatos que Jesus devia morrer porque a Si mesmo Se fizera Filho de Deus. Pilatos tenta checar a informação com Jesus, que nada responde. O silêncio de Jesus irrita Pilatos, pois este sente que se trata de um desacato à sua autoridade. Jesus, porém, explica a Pilatos que sua autoridade não procedia de César nem de si mesmo, mas de Deus. Pilatos fica com medo. Ele não está diante de um homem comum. Está diante dAquele que é o Filho de Deus, o próprio Deus encarnado. Os homens que julgam Jesus estão em irreconciliável conflito, mas Deus está no controle. Concordo com D. A. Carson quando ele diz que Judas, Caifás e Pilatos agiram sob a soberania de Deus.[7]

Em terceiro lugar, *pelo reino espiritual de Cristo* (18.36, 37). Jesus diz a Pilatos: *O Meu reino não é deste mundo. Se o Meu reino fosse deste mundo, os Meus servos lutariam para que Eu não fosse entregue aos judeus. Entretanto, o Meu reino não é daqui* (18.36). O reino de Cristo é o único que jamais será destruído. É reino eterno. Todos os reinos do mundo vão passar. Os grandes impérios caíram. As grandes potências mundiais entraram em colapso. Mas o reino de Cristo subsiste para sempre. Ninguém pode tomar o reino de Cristo por assalto. Ninguém pode destruí-lo por conspiração. Ele não pode ser derrotado por armas, bombas ou terrorismo. Quem não fizer parte desse reino perecerá eternamente. Se você não nascer de novo, jamais poderá entrar no reino de Deus.

---

[7] CARSON, D. A. *O comentário de João*, p. 603.

Pilatos está **convencido** da inocência de Jesus

Pilatos estava convicto da inocência de Jesus. Percebeu a intenção maldosa dos sacerdotes. Sabia que as acusações contra Jesus eram meramente para proteger a instituição religiosa, e não o trono de César. O que faltou em Pilatos foi coragem para sustentar aquilo em que ele acreditava. Para compreendermos melhor esse fato, vamos recorrer aos demais evangelistas. Pilatos constatou a inocência de Jesus três vezes.

No início do julgamento. Quando o sinédrio lhe levou o caso, Pilatos disse: *Não acho culpa alguma neste homem* (Lc 23.4).

No meio do julgamento. Quando Jesus voltou, depois de ter sido examinado por Herodes, Pilatos disse aos sacerdotes e ao povo: *Vós me apresentastes este homem como agitador do povo; mas, interrogando-O diante de vós, não achei nele culpa alguma naquilo de que o acusais; nem Herodes, pois o mandou de volta a nós. Ele não fez coisa alguma digna de morte* (Lc 23.14-15).

No final do julgamento. Lucas nos informa que, pela terceira vez, Pilatos perguntou ao povo: *Mas que mal Ele fez? Não achei nEle nenhuma culpa digna de morte. Eu O castigarei e O soltarei em seguida* (Lc 23.22). João registra com grande ênfase o drama vivenciado por Pilatos nesse julgamento. Depois de interrogar Jesus em três ocasiões distintas, Pilatos confessa aos judeus: *Não vejo nEle crime algum* (18.38; 19.4; 19.6). Chegou um momento em que Pilatos temeu (19.8) e até procurou soltar Jesus (19.12).

Pilatos **tenta soltar** Jesus e pacificar os judeus

Pilatos estava plenamente convencido de duas coisas: a inocência de Jesus e a inveja dos judeus (Mc 15.10). Mas, por covardia e conveniência política, abafou a voz da consciência e condenou Jesus; antes, porém, fez tentativas evasivas.

Pilatos tentou deixar o caso de Jesus nas mãos dos judeus. Por duas vezes, Pilatos tentou delegar aos judeus a decisão sobre o destino de Jesus. Na primeira vez, logo que trouxeram Jesus a Pilatos, ele lhes disse: *Levai-O convosco e julgai-O segundo a vossa lei. Mas os judeus disseram: Não nos é permitido executar ninguém* (18.31). Na segunda vez, Pilatos disse, ainda mais desesperado: *Levai-O e crucificai-O vós. Eu não vejo nEle crime algum* (19.6). Pilatos quer deixar a sua decisão nas mãos dos outros. Mas essa decisão era dele. E essa decisão também é sua, caro leitor.

Pilatos tentou transferir a responsabilidade enviando Jesus a Herodes. Pilatos tenta mais uma vez se esquivar e, ao saber que Jesus era da Galileia, jurisdição de Herodes, O remete à sua autoridade. Pilatos quer ficar livre de Jesus, que é levado então a Herodes, mas não abre a boca; e, então, Jesus é novamente levado à presença de Pilatos (Lc 23.5-12).

Pilatos tentou descartar Jesus com meias medidas. Pilatos disse aos judeus: *Eu O castigarei e O soltarei em seguida* (Lc 23.16,22). D. A. Carson diz que a flagelação aplicada pelos romanos podia tomar uma de três formas: a *fustigatio*, um espancamento menos severo aplicado por crimes relativamente leves, como vandalismo; a *flagelatio*, uma flagelação brutal aplicada a criminosos cujos crimes eram mais sérios; a *verberatio*, o castigo mais terrível de todos e que estava sempre associado a outras punições, incluindo a crucificação. Nessa última forma, a vítima era despida e amarrada a uma estaca para depois ser golpeada por diversos torturadores, até que eles ficassem exaustos ou seus comandantes os mandassem parar.[8]

Pilatos revela-se ao mesmo tempo cruel, açoitando o inocente, e também covarde, querendo agradar à multidão punindo o inocente. Pilatos repetidamente afirmou a inocência de Jesus (18.38; 19.6; 19.9). Seu problema era falta de coragem para sustentar aquilo em que acreditava. Ele queria agradar ao povo, com medo de um motim. Pilatos não perguntou: "Isso é certo?" Em vez disso, perguntou: "Isso é seguro? Isso é popular?" Pilatos agiu contra a lei romana, pois, se Jesus era inocente, tinha de ser imediatamente solto, e não primeiramente açoitado. Como já escrevemos, o açoite romano era algo terrível. O réu era atado e dobrado de tal maneira que suas costas ficavam expostas. O chicote era uma larga tira de couro, com pedaços de ferro e ossos nas pontas. Por esses açoites, a vítima tinha seu corpo rasgado; às vezes, um olho chegava a ser arrancado.[9] F. F. Bruce diz que esses açoites transformavam o

---

[8] CARSON, D. A. *O comentário de João*, p. 598.
[9] BOOR, Werner de. *Evangelho de João II*, p. 161.

corpo da vítima em massa sangrenta.[10] Alguns morriam durante os próprios açoites, e outros ficavam loucos. Poucos eram os que suportavam o castigo sem desmaiar. Foi isso o que fizeram com Jesus. A flagelação romana era executada de maneira bárbara. O delinquente era desnudado, amarrado a uma estaca ou coluna, e chicoteado por vários carrascos. O suplício de Jesus nos ajuda a entender Isaías 53.5: *Mas Ele foi ferido por causa das nossas transgressões e esmagado por causa das nossas maldades; o castigo que nos traz a paz estava sobre Ele, e por Seus ferimentos fomos sarados.*

Concordo com William Hendriksen quando ele diz que Pilatos ordenou esse açoitamento não como um sinal de crucificação, mas para evitar a necessidade de sentenciar Jesus a ser crucificado, uma vez que, mesmo depois do açoitamento, Pilatos ainda tentou desesperadamente libertar Jesus (19.12). Parece que Pilatos estava tentando despertar piedade pelo prisioneiro (19.5). Certamente, desejava livrar-se do caso de Jesus.[11]

Pilatos tentou a coisa certa pela forma errada. Mais uma vez, Pilatos quis se esquivar de sua responsabilidade. Ele era homem afeito a decisões. Era o governador. E queria soltar Jesus. Então, lembrou-se de uma prática costumeira: a soltura de um prisioneiro na época da Páscoa. Lembrou-se do pior homem que tinha preso, Barrabás. Pilatos tentou fazer a coisa certa (soltar Jesus), pela forma errada (a escolha da multidão). Propôs anistiar um prisioneiro criminoso, esperando que a multidão escolhesse Jesus, mas o povo preferiu Barrabás, um guerrilheiro perigoso (18.38-40). Barrabás era um homicida e tumultuador (Mc 15.7), um preso muito conhecido (Mt 27.16), um salteador (18.40).

D. A. Carson diz que Pilatos dá seu veredito (18.38) e, depois, dramaticamente, apresenta Jesus – uma figura triste, inchada, ferida, sangrando por causa daqueles espinhos cruéis e ridículos. Pilatos apresenta Jesus ao povo e diz: *Aqui está o homem!* (19.5) Pilatos está falando com intensa ironia: "Aqui está o homem que vocês acham tão perigoso e

---

[10]BRUCE, F. F. *João: introdução e comentário*, p. 304.
[11]HENDRIKSEN, William. *João*, p. 836-837.

ameaçador. Será que vocês não conseguem ver que Ele é inofensivo?" Se o governador zomba dessa forma de Jesus, ele, na verdade, está ridicularizando, com a mesma intensidade, as autoridades judaicas.[12]

A escolha da multidão por Barrabás revela as escolhas do ser humano sem Deus: ilegalidade em lugar da lei; guerra em lugar de paz; ódio e violência em lugar de amor. A situação de Pilatos ficava ainda mais grave. Ele era um homem prisioneiro da sua consciência.

Pilatos tentou se esquivar com uma pergunta filosófica: *Que é a verdade?* Jesus havia dito a Pilatos: [...] *Foi para isso que nasci e vim ao mundo, a fim de dar testemunho da verdade. Todo aquele que é da verdade ouve a Minha voz. Então Pilatos Lhe perguntou: Que é a verdade?* [...] (18.37,38). Caríssimo leitor, talvez você também venha tentando esquivar-se de sua rendição a Cristo, deixando o foco principal para distrair-se com perguntas filosóficas.

Pilatos tenta isentar-se, procurando soltar Jesus. Pilatos sabe que Jesus é inocente. Sabe que as acusações contra Ele são falsas e motivadas pela inveja. João relata que Pilatos, ao tomar consciência de que Jesus era o Filho de Deus, procurou soltá-Lo (19.12). As duas acusações contra Jesus eram gravíssimas, pois a primeira delas, a alegação de ser o rei dos judeus, era uma transgressão capital da lei romana; e, a segunda, a alegação de ser Filho de Deus, exigia a aplicação de pena máxima pela lei dos judeus. Pilatos está encurralado. As autoridades judaicas o pressionavam. Então, depois de mandar açoitar Jesus, ele o apresentou ferido e ultrajado à turma ensandecida. Mas o expediente falhou. As feras, quando viram sangue, sentiram o apetite aguçado e passaram a uivar por mais sangue ainda: *Crucifica-O! Crucifica-O!*[13] Pilatos faz a última pergunta cheia de amarga ironia: *Crucificarei o vosso rei?* Os principais sacerdotes responderam: *Não temos rei, a não ser César.* Charles Erdman diz que é assim que eles se confessam vassalos de Roma; é assim que renegam suas esperanças messiânicas, repudiam seus direitos nacionais e apostatam de Deus. Ganham na questão, conseguindo a morte de Jesus, mas tal sucesso marca o desastre e sela a condenação de uma raça.

---

[12] CARSON, D. A. *O comentário de João*, p. 599.
[13] ERDMAN, Charles. *O evangelho de João*, p. 138.

Chega-se ao ponto culminante de incredulidade dos judeus, em toda a história desse povo.[14]

Pilatos, finalmente, esquiva-se da sua decisão, levantando as mãos e afirmando sua inocência. Pilatos tenta jogar sobre os judeus a responsabilidade de sua covardia. Manda trazer uma bacia com água e lava as mãos, dizendo: *Sou inocente do sangue deste homem* (Mt 27.24). Nem toda a água do oceano poderia lavar suas mãos. Elas estão sujas de sangue. A tradição diz que Pilatos passou a vida toda com paranoia de lavar as mãos.

Pilatos cede, entregando Jesus para ser crucificado

Embora Pilatos considerasse Jesus inocente de qualquer crime, sucumbiu à pressão e entregou Jesus para ser crucificado. Destacamos aqui dois pontos importantes.

Em primeiro lugar, **Pilatos entregou Jesus porque a conveniência falou mais alto do que a consciência** (19.12). Os judeus disseram a Pilatos: *Se soltares este homem, não és amigo de César. Todo aquele que se declara rei é contra César*. A posição política falou mais alto que a voz da consciência. As vantagens do mundo prevaleceram sobre as venturas do céu. Pilatos condenou Cristo para não perder os favores de Roma.

Werner de Boor diz que, se quisermos compreender a seriedade dessa ameaça e o efeito sobre Pilatos, precisamos entender a situação histórica da época. Um imperador romano governava com poder pessoal absoluto. Instâncias como o senado romano não passavam de um impotente jogo de títeres na mão do imperador. Do favor ou da indignação de um imperador dependia não apenas a posição de uma pessoa, mas toda a sua existência. Isso se aplicava especialmente sob Tibério, sucessor de Augusto, que se tornara cada vez mais um homem desconfiado, medroso e por isso cruel. Provocar a suspeição desse César representava risco de vida. Pilatos tinha o título honorífico oficial de "amigo de César" e, por consequência, contava com a benevolência do imperador. No entanto, os sacerdotes de Jerusalém também tinham

---

[14]ERDMAN, Charles. *O evangelho de João*, p. 140.

seus contatos em Roma. Um relato bem preparado sobre Pilatos, que simplesmente tivesse deixado escapar de suas mãos um flagrante rebelde e inimigo do imperador, poderia provocar toda a suspeita de Tibério e fazer daquele que até então era "amigo de César" alguém que perderia a posição e a vida. O que os sumos sacerdotes disseram a Pilatos podia ser tudo, menos uma ameaça vazia.[15] Concordo com D. A. Carson quando ele diz que o versículo está saturado de ironia. Para executar Jesus, as autoridades judaicas se fingiram de súditos de César mais leais que o odiado oficial romano Pilatos. Demonstraram, assim, sua escravidão não somente ao pecado (8.34), mas também à servidão política que antes negavam (8.33).[16] Pilatos leva as autoridades judaicas à blasfêmia delas, ao declararem: *Não temos rei, a não ser César*. Assim, eles não apenas rejeitaram as declarações messiânicas de Jesus, mas, também, abandonaram a esperança messiânica de Israel.[17]

Em segundo lugar, **Pilatos entregou Jesus por consumada covardia**. John Stott diz que quatro foram as razões que levaram Pilatos a entregar Jesus para ser crucificado. Primeiro, o clamor da multidão (Lc 23.23). O clamor da multidão prevaleceu. Segundo, o pedido da multidão (Lc 23.24). Pilatos decidiu atender-lhes o pedido. Terceiro, a vontade da multidão (Lc 23.25). Quanto a Jesus, entregou-O à vontade deles. Quarto, a pressão da multidão (19.12). Os judeus disseram a Pilatos: *Se soltares este homem, não és amigo de César*. A escolha é entre a verdade e a ambição, entre a consciência e a conveniência.[18] Werner de Boor destaca que, mais uma vez, ocorre aqui o termo "entregar", que caracterizou a ação de Judas, foi usado por Caifás e agora marca a sentença de Pilatos. Mas, sobretudo, Jesus é aquele que foi entregue por parte do próprio Deus (Rm 8.32).[19] É digno de nota que Jesus tenha sido sentenciado a ser abatido bem na hora em que começava o abate dos cordeiros da Páscoa.[20]

---

[15]Boor, Werner de. *Evangelho de João II*, p. 166-167.
[16]Carson, D. A. *O comentário de João*, p. 604.
[17]Carson, D. A. *O comentário de João*, p. 607.
[18]Stott, John. *A cruz de Cristo*, p. 44.
[19]Boor, Werner de. *Evangelho de João II*, p. 169.
[20]Carson, D. A. *O comentário de João*, p. 605.

27

A **crucificação**, a **morte** e o **sepultamento** de Jesus

João 19.17-52

A CRUZ DE CRISTO É PRÉ-HISTÓRICA. Estava incrustrada no coração de Deus antes da fundação do mundo (1Pe 1.18-20; Ap 13.8; At 2.23). O Calvário não foi um acidente, mas um plano divino. Cristo veio para morrer. A morte na cruz sempre esteve em Sua agenda; Ele profetizou várias vezes que veio para morrer. Ele não morreu como um mártir, mas deu a Sua vida voluntariamente. Ele é o Cordeiro que tira o pecado (1.29). É como a serpente levantada (3.14). É o pastor que dá a vida pelas ovelhas (10.11-18). É o grão de trigo que cai e morre para produzir muitos frutos (12.20-25). Jesus foi para a cruz não apenas porque os judeus O entregaram por inveja; não apenas porque Judas O traiu por dinheiro; não apenas porque Pilatos O condenou por covardia. Cristo foi para a cruz porque o Pai o entregou por amor. Cristo foi para a cruz porque Ele mesmo se entregou voluntariamente por nós.

O Calvário é o maior drama da história. É o palco da justiça de Deus, de seu consumado repúdio ao pecado e, também, o palco do infinito amor de Deus, pois ali Ele não poupou o próprio Filho para nos salvar. A cruz de Cristo é o nosso êxodo, a nossa libertação.

Depois de Jesus ser sentenciado à morte pelo sinédrio por causa de crimes de blasfêmia contra Deus e rebelião contra César, a condenação à morte de cruz é autorizada por Pilatos, governador romano.

A morte por crucificação era em si considerada uma maldição (Dt 21.23; Gl 3.13).

Três fatos estupendos acontecerão em seguida: a crucificação, a morte e o sepultamento de Jesus. Vamos examinar cada um desses pontos a seguir.

A **crucificação** de Jesus (19.17-22)

Jesus já estava com as forças esgotadas. Desde a noite anterior, estivera preso, sendo castigado pelos judeus. Na sexta-feira da Páscoa, Jesus, o Cordeiro de Deus, é cuspido, torturado e escarnecido. Do pretório romano, por pressão das autoridades judaicas e por covardia conveniente de Pilatos, Jesus sai carregando o maldito lenho pelas ruas estreitas e apinhadas de gente de Jerusalém. A multidão ensandecida e insuflada pelos seus líderes religiosos grita desenfreadamente palavras de escárnio ao Filho de Deus. Os soldados romanos, sem nenhuma urbanidade e piedade, açoitam aquele que já havia sido esbordoado com desmesurado rigor (19.16,17).

Aos empurrões e chibatadas, Jesus carrega a cruz rumo ao monte da Caveira. F. F. Bruce diz, com razão, que Jesus é "levado" para o local da execução, mas não como uma vítima relutante, obrigada a ir aonde por si mesmo não iria; Ele acompanha seus carrascos por vontade própria e carregando pessoalmente a cruz.[1]

Três fatos merecem destaque aqui.

Em primeiro lugar, *Jesus carrega a Sua cruz* (19.17). Aquele lenho não era apenas um instrumento de execução, mas um emblema. O mais perverso instrumento de pena de morte transforma-se no símbolo do cristianismo, pois naquela cruz Jesus carregou em Seu corpo, sobre o madeiro, os nossos pecados (1Pe 2.24). Jesus não caminha para o Calvário como uma vítima impotente, como um derrotado pelo sistema. Ao contrário, caminha como um rei caminha para sua coroação.

Em segundo lugar, *Jesus é crucificado entre dois malfeitores* (19.18). A crucificação era o mais cruel e sórdido dos castigos. Consistia em

---
[1] BRUCE, F. F. *João: introdução e comentário*, p. 312.

fixar os braços ou mãos da vítima no travessão para então içá-lo até que ele ficasse em cima da estaca vertical, na qual seus pés eram afixados. As mãos e os pés eram presos à madeira com pregos.[2] Dores lancinantes, câimbras insuportáveis, asfixia atordoante e sede implacável torturavam as vítimas expostas ao mais vexatório espetáculo de horror. De acordo com Cícero, estadista e filósofo romano, a crucificação era o mais cruel e vergonhoso dos castigos. Essa forma de pena capital era reservada aos criminosos mais sórdidos, especialmente os que instigavam insurreições.[3]

No topo da montanha da Caveira, três cruzes foram suspensas. Do lado direito e esquerdo de Jesus, foram crucificados dois ladrões (Mt 27.38), dois malfeitores (Lc 23.33). A cruz de Jesus estava no meio, porque O reputavam como o maior criminoso, condenado por crime de blasfêmia e sedição, e também porque em Jesus todos os homens são julgados. O ladrão e malfeitor da direita arrepende-se na última hora, e é salvo. O ladrão e malfeitor da esquerda permanece impenitente, e perece. A crucificação de Jesus tornou-se, outrossim, o grande tema da mensagem evangélica. O apóstolo chegou a afirmar: *Nós pregamos Cristo crucificado, que é motivo de escândalo para os judeus e absurdo para os gentios. Mas para os que foram chamados, tanto judeus como gregos, Cristo é poder de Deus e sabedoria de Deus* (1Co 1.23,24).

A morte de Cristo foi o mais horrendo crime. Judeus e gentios, religiosos e políticos, uniram-se para condenarem Jesus. Pedro denunciou as autoridades judaicas por matarem o autor da vida (At 3.15) e o crucificarem por mãos de iníquos (At 2.23). Destacamos alguns pontos importantes aqui.

O local da crucificação. Gólgota, o local onde Jesus foi crucificado, era também conhecido como Lugar da Caveira (Mc 15.22). Naquele tempo, os criminosos condenados à morte de cruz não tinham o direito a um sepultamento digno. Muitos deles eram deixados apodrecendo na cruz. Talvez o monte tenha recebido esse nome não apenas por causa da sua aparência de caveira, mas, também, por causa do horror de haver sempre ali corpos putrefatos.

---

[2]BRUCE, F. F. *João: introdução e comentário*, p. 313.
[3]WIERSBE, Warren W. *Comentário bíblico expositivo*. Vol. 5, p. 494.

A dor física da crucificação. A morte de cruz era a forma de os romanos aplicarem a pena de morte. Os judeus consideravam maldito aquele que fosse dependurado na cruz (Gl 3.13). A pessoa morria de câimbras, asfixia e dores crudelíssimas. A morte vinha por sufocação, esgotamento ou hemorragia. Já se disse que a pessoa crucificada, "morre mil mortes".[4]

A dor moral e espiritual da crucificação. Jesus foi escarnecido como profeta (Mc 15.29), como Salvador (Mc 15.31) e como Rei (15.32). Ele foi crucificado entre dois ladrões como um criminoso. Foi despido de Suas vestes, que acabaram sendo repartidas pelos soldados. Foi zombado quando pregaram em Sua cruz a acusação que O levou à morte (Mc 15.26). Foi escarnecido pelos transeuntes que ainda alimentavam as mentiras espalhadas pelas falsas testemunhas (Mc 15.29). Foi vilipendiado pelos principais sacerdotes e escribas que O acusaram de impotente para ajudar a Si mesmo (Mc 15.31). Foi insultado até mesmo por aqueles que com Ele terminaram crucificados (Mc 15.32).

A última cartada de satanás. Satanás sempre tentou desviar Jesus da cruz. Agora, dá sua última cartada. O povo gritou para Jesus salvar a Si mesmo (Mc 15.30), e os principais sacerdotes e escribas disseram-Lhe: *Desça agora da cruz o Cristo, o rei de Israel, para que vejamos e creiamos* [...] (Mc 15.32). Se Jesus salvasse a Si mesmo, não poderia salvar-nos. Se Ele descesse da cruz, nós desceríamos ao inferno.

As trevas sobre a terra. A penúltima praga que assolou o Egito antes da morte do Cordeiro pascal foram três dias de trevas. Agora, antes de Jesus, o nosso Cordeiro pascal, ser imolado na cruz, também houve três horas de trevas sobre a terra (Mc 15.33). É conhecida a expressão de Douglas Webster, que declarou: "No nascimento do Filho de Deus, houve luz à meia-noite; na morte do Filho de Deus, houve trevas ao meio-dia".[5] A escuridão simbolizou julgamento: o julgamento de Deus sobre o nosso pecado; Sua ira consumindo-Se no coração de Jesus, para que Ele, como nosso substituto, pudesse sofrer a agonia mais intensa, a aflição mais indescritível e o desamparo e o isolamento mais terríveis. O inferno alcançou o Calvário nesse dia, e o Salvador desceu até ele,

---

[4] HENDRIKSEN, William. *João*, p. 853.
[5] WEBSTER, Douglas. *In the debt of Christ*, 1957, p. 46.

experimentando os seus horrores em nosso lugar. William Hendriksen diz que Jesus desceu das regiões de infinito prazer nas quais desfrutava a comunhão mais íntima possível com Seu Pai (1.1; 17.5) para as profundezas abismais do inferno. Na cruz Ele clamou: *Deus Meu, Deus Meu, por que Me desamparaste?* (Mt 27.46).[6]

Em terceiro lugar, **Jesus é declarado rei dos Judeus** (19.19-22). Era comum, naquela época, afixar no cimo da cruz, o crime pelo qual o réu estava sendo executado. Para escarnecer dos judeus, Pilatos manda instalar uma tábua com o título: Jesus Nazareno, rei dos judeus. Charles Erdman diz que Pilatos fez isso com acerba ironia, significando que o único rei, ou libertador, do qual os judeus, sob a dominação de Roma, se podiam gabar, ou tinham de aguardar, era um paciente desamparado, impotente, a morrer como malfeitor.[7] Pilatos mandou escrever esse título em hebraico, latim e grego. Ou seja, as línguas da religião, da política e da filosofia. Quando os principais sacerdotes tentaram demover Pilatos a fim de mudar a frase para: *Ele [Jesus] disse: Sou o rei dos judeus*, o governador romano, já contrariado com esses líderes, não aquiesceu e manteve sua posição, afirmando: *O que escrevi, escrevi* (19.22).

As vestes de Jesus (19.23,24)

Para cumprir as profecias, os soldados que crucificaram Jesus tomaram Suas vestes e Sua túnica. Duas coisas são registradas a respeito.

Em primeiro lugar, **Suas vestes foram divididas** (19.23). Os soldados tomaram as vestes de Jesus e fizeram quatro partes, uma parte para cada soldado.

Em segundo lugar, **Sua túnica foi sorteada** (19.23,24). A túnica de Jesus era sem costura. Como inteiro era Seu caráter, sem nenhuma costura ou emenda, também era inteira e sem costura sua túnica. Os soldados não a rasgaram nem a dividiram; antes, lançaram sortes para ver quem ficava com ela. Isso para cumprir a profecia de Salmo 22.18.

---

[6]HENDRIKSEN, William. *João*, p. 853.
[7]ERDMAN, Charles. *O evangelho de João*, p. 142.

A mãe de Jesus (19.25-27)

O velho Simeão havia profetizado que a alma de Maria seria traspassada por uma espada (Lc 2.35). Esse dia chegou. Maria está junto à cruz com outras mulheres vendo o indescritível sofrimento de seu filho. Oh, que espada foi aquela que transpassou sua alma! Felicidade tal como nunca houve em um nascimento humano, tristeza tal como nunca se sentiu em uma morte desumana. Maria foi a primeira a beijar aquela fronte agora coroada de espinhos. Foi a primeira a segurar aquelas mãos agora presas ao lenho. Não há registro, porém, de nenhum pranto histérico nem de um desmaio por parte de Maria. Ela estava junto à cruz. A multidão zombando, o ladrão crucificado à esquerda insultando, os sacerdotes escarnecendo, os soldados endurecidos indiferentes. O Salvador sangra e morre, e ali está Sua mãe contemplando a horrível zombaria. Em todos os anais da história da nossa raça, não há nenhum paralelo. Que coragem transcendente! Ela permaneceu junto à cruz de Jesus.[8]

Mesmo cravado naquele leito vertical da morte, suspenso entre a terra e o céu, Jesus estava no controle da situação. Vendo Sua mãe e junto a ela o discípulo amado, disse: *Mulher, aí está o teu filho. Então disse ao discípulo: Aí está tua mãe. E, a partir daquele momento, o discípulo manteve-a sob seus cuidados* (19.26,27). Essa é a terceira Palavra de Jesus na cruz. Demonstra Seu cuidado com a mãe, Seu zelo como filho. Arthur Pink diz corretamente que, na cruz, contemplamos Seu terno cuidado e solicitude para com Sua mãe, e nisso temos o padrão de Jesus Cristo apresentado a todos os filhos para que eles O imitem, ensinando-lhes como se portar para com seus pais de acordo com a leis da natureza e da graça.[9]

A morte de Jesus (19.28-30)

No breve relato que João faz da morte de Cristo, ele insere mais duas de Suas palavras na cruz. Destacamos aqui três pontos.

---

[8]PINK, Arthur W. *Os sete brados do Salvador sobre a cruz*. Disponível em: <www.monergismo.com>, p. 33-34.
[9]PINK, Arthur W. *Os sete brados do Salvador sobre a cruz*. Disponível em: <www.monergismo.com>, p. 34.

Em primeiro lugar, *Jesus demonstra Seu sofrimento físico* (19.28). A crucificação era a mais horrenda forma de pena capital. Depois de torturado, o criminoso era pregado na cruz, exposto ao calor do dia e ao frio da noite. O sangue esvaía, as câimbras torturavam, a asfixia sufocava, e a sede era esmagadora. Em vez de aliviarem sua sede, deram-lhe vinagre para agravá-la ainda mais. Esta foi a quinta Palavra de Cristo na cruz: *Estou com sede*. Essa declaração retrata tanto a perfeita humanidade como a profundidade do sofrimento de Cristo na cruz. Arthur Pink diz que, nas horas da noite anterior e durante todo aquele dia, a eternidade foi condensada. Todavia, durante todo o episódio, nem uma única palavra de murmuração passou em seus lábios. Não havia queixa alguma, nenhum rogo por misericórdia. Todos os Seus sofrimentos foram suportados em augusto silêncio. Como uma ovelha muda perante os Seus tosquiadores, Ele não abriu a Sua boca (Is 53.7). Mas, agora, com o corpo arruinado, todo dorido, e a boca ressecada, Ele clama: *Estou com sede*. Não foi um apelo por compaixão, nem um pedido pela mitigação de Seus sofrimentos; Ele expressou a intensidade das agonias pelas quais estava passando.[10]

Vemos, ainda, nesta Palavra de Jesus na cruz, Sua profunda reverência pelas Escrituras: [...] *sabendo Jesus que todas as coisas já estavam consumadas, para que se cumprisse a Escritura, disse: Estou com sede* (19.28). Ele já estava pendurado naquela cruz havia seis horas, passando por sofrimento sem paralelo; contudo, Sua mente estava clara, e Sua memória, intacta. Ele revisava o escopo todo da predição messiânica. As Escrituras precisavam se cumprir. Vale destacar, ainda, a plena submissão do Salvador à vontade de Seu Pai. Jesus suportou o castigo atroz e a sede severa não porque estava desprovido de poder para satisfazer Sua necessidade. Ele suportou toda essa agonia para cumprir cabalmente a vontade do Pai, dando Sua vida em nosso resgate![11]

Em segundo lugar, *Jesus demonstra seu retumbante triunfo* (19.30). Quando Jesus tomou o vinagre, disse: *Está consumado*. Na língua grega,

---
[10]PINK, Arthur W. *Os sete brados do Salvador sobre a cruz*. Disponível em: <www.monergismo.com>, p. 59.
[11]PINK, Arthur W. *Os sete brados do Salvador sobre a cruz*. Disponível em: <www.monergismo.com>, p. 61.

essa é uma única palavra: *Tetélestai*. É uma palavra de vitória. Arthur Pink diz que vemos aqui o cumprimento de todas as profecias que foram escritas sobre Cristo antes que viesse a morrer; o término do Seu sofrimento; o objetivo da encarnação alcançado; a realização da expiação; a remissão dos nossos pecados; o cumprimento das exigências da lei; a satisfação da justiça divina; a destruição do poder de satanás.[12]

A palavra grega *Tetélestai* tinha três significados básicos:

Missão cumprida. Quando um pai encarregava seu filho de uma tarefa, o filho, ao concluí-la, chegava para o pai e dizia: *Tetélestai* ("Está terminado o meu trabalho"). O Pai enviou Jesus, o Seu Filho unigênito, ao mundo com a missão de cumprir a lei por nós e morrer em nosso lugar, levando sobre o Seu corpo no madeiro os nossos pecados e adquirindo para nós eterna redenção. Jesus se fez carne e habitou entre nós. Viveu como um de nós, mas sem pecado. Sentiu fome, sede, cansaço, dor, fadiga. Ele não tinha onde reclinar a cabeça. Não nasceu num berço de ouro, mas num estábulo de animais. Não pisou tapetes aveludados, mas palmilhou as estradas empoeiradas da Palestina. Não veio para ser servido, mas para servir. Andou por toda parte fazendo o bem e curando todos os oprimidos do diabo. Curou os cegos, levantou os aleijados, purificou os leprosos, ressuscitou os mortos e deu esperança àqueles que estavam escorraçados pela vida. Libertou os cativos, alforriou os prisioneiros do pecado e arrancou da casa do valente os que viviam no reino das trevas. Veio como nosso libertador, Salvador e Senhor. Tomou o nosso lugar. Veio como representante e fiador. Foi à cruz por nós. Morreu em nosso lugar, em nosso favor. Cumpriu cabalmente esse plano eterno e, no topo do Calvário, bradou aos céus e proclamou ao Pai: *Tetélestai* ("Está consumado!"). Minha missão foi concluída.

Resgate definitivo. Quando um devedor ia pagar o seu débito numa agência bancária, ao saldar toda a dívida, a promissória era carimbada: *Tetélestai* ("Está pago!"). Quando Cristo foi à cruz, ele rasgou o escrito da dívida que era contra nós e o encravou na cruz. Ele pagou a nossa dívida e quitou o nosso débito. Nossa dívida com Deus era impagável.

---

[12] PINK, Arthur W. *Os sete brados do Salvador sobre a cruz*. Disponível em: <www.monergismo.com>, p. 66-77.

Todos estamos aquém das exigências da lei. A lei exige perfeição total, e nós somos imperfeitos. Jamais poderíamos cumprir a lei ou satisfazer as demandas da justiça divina. Mas o que não podíamos fazer, Cristo fez por nós. Agora, em Cristo, estamos quites com a lei de Deus. Agora, as demandas da justiça divina foram satisfeitas. Agora, fomos justificados pelo sangue de Cristo. Agora, já nenhuma condenação há mais para aqueles que estão em Cristo Jesus. Estamos perdoados. Estamos justificados. Não pesa mais sobre nós a culpa dos nossos pecados. Jesus se fez pecado por nós, para que fôssemos feitos justiça de Deus. Não apenas nossos pecados foram perdoados, mas toda a infinita justiça de Cristo foi depositada em nossa conta. Temos um crédito infinito diante do tribunal de Deus. Somos ricos. Estamos protegidos com as vestiduras alvas da justiça de Cristo. Podemos ter ousadia e confiança de nos aproximarmos do trono de Deus. Cristo é o nosso advogado e intercessor. Com o Seu sangue, Ele nos reconciliou com Deus. Ele é a nossa paz, o nosso resgatador.

Posse permanente e definitiva. Quando uma pessoa comprava um imóvel, após efetuar todo o pagamento, recebia uma escritura definitiva com o carimbo: *Tetélestai.* Quando Cristo bradou na cruz: *Está consumado,* Ele nos entregou o certificado, a garantia e a escritura registrada da nossa posse de uma herança eterna, incorruptível e gloriosa no céu. Agora, tornamo-nos filhos de Deus, herdeiros de Deus e coerdeiros com Cristo. Agora, as riquezas insondáveis de Deus são nossas. Os céus nos pertencem por herança. O céu é a casa do Pai, o nosso lar, a nossa morada, a nossa Pátria. O céu não é apenas uma vaga possibilidade, mas uma realidade concreta. Não é apenas uma esperança vazia, mas uma convicção inabalável. Cristo comprou-nos com o Seu sangue. Abriu para nós um novo e vivo caminho para Deus. Entrou no céu como o nosso precursor. Ele é a porta do céu, o caminho para Deus, O galardoador daqueles que O buscam.

Em terceiro lugar, *Jesus demonstra Sua serenidade e rende Seu espírito* (19.30). Essa é a sétima e última Palavra de Cristo na cruz. É a palavra do contentamento. Foi também o último ato do Salvador antes de expirar, um ato de plena confiança, serenidade e segurança no Pai. Vemos aqui o Salvador outra vez de volta à comunhão com o Pai. Por mais de doze horas, Jesus estivera nas mãos dos homens (Mt 17.22,23; 26.45).

Voluntariamente o Salvador havia Se entregado às mãos dos pecadores e agora, voluntariamente, Ele entrega Seu espírito nas mãos do Pai.[13] Até na hora da morte Jesus está no controle. Seu espírito não Lhe foi tomado; Ele mesmo rende Seu espírito. Ele voluntariamente Se entrega ao Pai.

O cumprimento das profecias acerca de Jesus (19.31-37)

Quatro verdades são enfatizadas por João.

Em primeiro lugar, *o pedido dos judeus* (19.31). Os judeus eram muito zelosos com sua preparação para o sábado. Por isso, voltam a Pilatos com mais um rogo. Querem sepultar logo os crucificados e, para isso, é preciso quebrar as pernas deles a fim de que morram mais depressa.

Em segundo lugar, *a ação dos soldados* (19.32,33). Aqueles que foram crucificados à direita e à esquerda de Jesus ainda estavam vivos e tiveram suas pernas quebradas. Mas, quando o soldado foi quebrar as pernas de Jesus, constatou que Ele já estava morto e, assim, Suas pernas não foram quebradas. Isso aconteceu para se cumprir a profecia (Êx 12.46; Nm 9.12; Sl 34.20).

Em terceiro lugar, *a constatação do soldado* (19.34,35). Quando o soldado abriu o lado do corpo de Jesus com uma lança, logo saiu sangue e água. Aquele que viu isso testificou a verdade e reconheceu que Jesus é o Filho de Deus (Mt 27.54). A explicação fisiológica pode ser que a morte de Jesus resultou da ruptura do coração em consequência de grande dor e agonia mental (Sl 69.20). Uma morte assim seria quase instantânea, e o sangue, ao fluir para o pericárdio, coagularia em coágulos vermelhos (sangue) e soro límpido (água). Esse sangue e água então teriam sido liberados pela abertura feita pela lança.[14] Warren Wiersbe chama a atenção para a possibilidade de uma simbologia nesses dois elementos: o sangue se refere à justificação, e a água, à purificação. O sangue trata da culpa do pecado; a água trata da mácula do pecado.[15]

Em quarto lugar, *o cumprimento das profecias* (19.36,37). Duas profecias precisavam se cumprir. A primeira é que os ossos de Jesus não

---

[13] Pink, Arthur W. *Os sete brados do Salvador sobre a cruz*. Disponível em: <www.monergismo.com>, p. 78-81.
[14] Hendriksen, William. *João*, p. 865.
[15] Wiersbe, Warren W. *Comentário bíblico expositivo*. Vol. 5, p. 498.

seriam quebrados (Sl 34.20), e a segunda é que aqueles que o traspassaram hão de ver Jesus em sua glória (Zc 12.10; Ap 1.7).

O **sepultamento** de Jesus (19.38-42)

Destacamos aqui quatro pontos a respeito do sepultamento.

Em primeiro lugar, *o pedido de José de Arimateia* (19.38). Mateus nos dá três informações sobre esse homem: ele era de Arimateia, cidade dos judeus, rico e discípulo de Jesus (Mt 27.57). Marcos nos dá duas informações novas sobre ele: era um ilustre membro do sinédrio e esperava o reino de Deus (Mc 15.43). Lucas nos oferece, também, duas informações novas: era homem bom e justo; e não tinha concordado com o desígnio e ação dos outros membros do sinédrio acerca do processo e condenação de Jesus (Lc 23.50,51). João, porém, nos dá uma informação extra. Diz que ele não teve coragem para assumir seu posicionamento acerca de Cristo publicamente, com medo de retaliação (19.38). Esse homem é quem vai a Pilatos reivindicar o corpo de Jesus para ser sepultado.

Pela lei romana, os condenados à morte perdiam o direito à propriedade e até mesmo o direito de serem enterrados. Frequentemente, o corpo dos acusados de traição permanecia apodrecendo na cruz. É digno de nota que nenhum parente ou discípulo tenha reivindicado o corpo de Jesus.

José de Arimateia empregou a palavra grega *soma* para pedir o corpo de Jesus. Pilatos o cedeu, usando a palavra grega *ptoma*. A primeira palavra fala acerca da personalidade total, fato que implica o cuidado e o amor de José de Arimateia. A palavra usada por Pilatos dá ao corpo apenas o significado de cadáver ou carcaça. Essas diferentes palavras representam diferentes atitudes acerca da vida e da morte.[16]

John Charles Ryle diz que outros tinham honrado e confessado nosso Senhor quando o viram fazendo milagres, mas José o honrou e confessou ser Seu discípulo quando o viu frio, ensanguentado e morto. Outros tinham demonstrado amor a Jesus enquanto Ele estava falando

---

[16] McGee, J. Vernon. *Mark*, 1991, p. 196.

e vivendo, mas José de Arimateia demonstrou amor quando Ele estava silencioso e morto.

Em segundo lugar, *a cooperação de Nicodemos* (19.39, 40). Nicodemos era fariseu, um dos principais dos judeus (3.1) e mestre em Israel (3.10). Foi ter com Jesus de noite e provavelmente se tornou, à semelhança de José de Arimateia, um discípulo oculto de Jesus. Charles Erdman destaca que esses dois homens, José de Arimateia e Nicodemos, não tiveram a coragem de assumir suas convicções e deixaram de dar seu apoio e estímulo ao mestre quando vivo; agora aparecem para Lhe prestar a última homenagem depois de morto. Trata-se de duas autoridades, homens de posição social e prestígio: José de Arimateia deposita o corpo de Jesus em túmulo novo, de sua propriedade; e Nicodemos envolve-o numa profusão de 45 quilos de ricas especiarias.[17] Nicodemos, que começou confuso no meio da noite (3.1-15), terminou confessando sua fé abertamente em plena luz do dia (19.39,40).[18]

Em terceiro lugar, *o jardim* (19.41). Próximo ao monte da Caveira onde Jesus fora crucificado, havia um jardim, e ali, em um sepulcro novo, depositaram o corpo de Jesus.

Em quarto lugar, *o sepultamento* (19.42). Jesus foi sepultado nesse túmulo novo, cavado na rocha, perto do Gólgota. O sepultamento é a evidência de Sua morte, e a ressurreição é a prova de Sua vitória sobre a sepultura.

---

[17] ERDMAN, Charles. *O evangelho de João*, p. 145.
[18] WIERSBE, Warren W. *Comentário bíblico expositivo*. Vol. 5, p. 498.

28

A gloriosa
ressurreição de Jesus

João 20.1-31

A RESSURREIÇÃO DE JESUS É A PEDRA DE ESQUINA, o fundamento do cristianismo. Um Cristo vencido pela morte não poderia salvar a Si mesmo e muito menos a nós. O apóstolo Paulo, tratando da importância vital dessa magna verdade, afirmou que a morte de Cristo não foi um acidente, nem sua ressurreição, uma surpresa. Ele morreu segundo as Escrituras e ressuscitou segundo as Escrituras (1Co 15.1-3). Sem a ressurreição de Cristo, nossa fé seria vã, e nossa pregação, vazia. Sem a ressurreição de Cristo, não haveria remissão de pecados quanto ao passado nem esperança quanto ao futuro.

Muitas foram as tentativas para varrer da história as evidências da ressurreição de Cristo. Alguns críticos das Escrituras chegaram a dizer que Cristo não morreu, apenas teve um desmaio na cruz e, ao ser colocado num lugar fresco, cavado na rocha, reabilitou-Se. Outros, conforme a precaução das autoridades judaicas, afirmam que os discípulos roubaram Seu corpo e divulgaram a falsa notícia de que Ele havia ressuscitado. Há aqueles, ainda, que dizem que as mulheres foram ao túmulo errado e espalharam a informação de que o túmulo de Jesus estava vazio. D. A. Carson diz que o roubo de túmulos era um crime tão comum que o imperador Cláudio (41-54 d.C.) acabou ordenando que a pena de morte fosse aplicada aos condenados por destruição de túmulos, remoção de cadáveres ou até deslocamento das pedras que fechavam a entrada dos túmulos. João não registra nada da alegação dos judeus de que os discípulos de Jesus foram os responsáveis pelo roubo do corpo de Jesus (Mt 28.13-15), mas o fato de que tal acusação pudesse ser feita demonstra que o roubo de túmulos não era incomum.[1] Outros, ainda, dizem que os romanos mais tarde colocaram o corpo de Jesus em outro túmulo.

A verdade incontroversa, entretanto, prevalece: Jesus ressuscitou como primícias de todos aqueles que dormem (1Co 15.20).

Vamos examinar com mais detalhes o texto em apreço.

A **pedra removida** (20.1-10)

William Hendriksen tem razão ao dizer que, provavelmente, João presume que os leitores estão familiarizados com os evangelhos sinóticos e limita sua história a Maria Madalena.[2] Três verdades nos chamam a atenção.

Em primeiro lugar, *a pedra removida, uma prova eloquente da ressurreição de Jesus* (20.1). A pedra era grande e ainda havia nela o selo inviolável do governador romano. O túmulo de Jesus foi aberto de dentro para fora. Jesus arrancou o aguilhão da morte e matou a morte ao ressuscitar dentre os mortos. Buda está no túmulo. Confúcio está no túmulo. Maomé está no túmulo. Alan Kardec está no túmulo. Mas Jesus está vivo. A pedra foi removida. Seu túmulo está vazio. Jesus não está mais lá. A morte não pôde detê-Lo.

Em segundo lugar, *a remoção do corpo, uma crendice infundada* (20.2). Maria Madalena é destacada no primeiro relato da ressurreição de cada um dos quatro evangelhos, mas só aqui ela aparece sozinha. Ela foi ao sepulcro de madrugada e, ao ver a pedra removida, correu ao encontro de Pedro e do discípulo amado para dar-lhes a notícia. Entretanto, no coração dela só havia uma possibilidade: alguém teria tirado o corpo do Senhor do sepulcro, e eles não sabiam onde O haviam

---

[1] CARSON, D. A. *O comentário de João*, p. 637.
[2] HENDRIKSEN, William. *João*, p. 878.

colocado. Os olhos de Maria e dos discípulos ainda não tinham sido abertos para compreenderem o fato glorioso da ressurreição.

D. A. Carson destaca o fato de que o testemunho apresentado por uma mulher normalmente não era aceito no tribunal.[3] Os evangelistas, não obstante, têm se esforçado para honrá-la, e cristãos sérios se lembrarão de que Deus gosta de escolher o que o mundo considera louco para envergonhar o sábio, a fim de que ninguém possa se vangloriar diante dele.[4]

Em terceiro lugar, *o sepulcro vazio, o berço da fé* (20.3-10). Pedro e João correm ao sepulcro. João, o discípulo amado, por ser mais jovem, chega primeiro, mas é Pedro quem entra no túmulo primeiro. Ali eles veem os lençóis e o lenço que cobria seu rosto. Estavam diante da mais contundente evidência da vitória de Cristo sobre a morte. O túmulo de Jesus vazio é o berço da fé. Warren Wiersbe diz que, ao escrever esse relato, João usou três termos gregos diferentes para *ver*. Em João 20.5, o verbo significa apenas "espiar, olhar de relance". Em João 20.6, significa "olhar com cuidado, observar". Já em João 20.8, quer dizer "perceber com uma compreensão intelectual". Sua fé na ressurreição estava nascendo como um novo dia![5] O mesmo Jesus que mandou tirar a pedra do túmulo de Lázaro para ressuscitá-lo remove, sem nenhum auxílio humano, a pedra de seu sepulcro.

O túmulo vazio (20.11-18)

Depois de constatarem que o túmulo estava vazio, Pedro e João voltaram para casa, mas Maria Madalena permaneceu na entrada do sepulcro. Para ela, não bastava ver as evidências da ressurreição; ela queria ver o Cristo ressurreto. Três fatos nos chamam a atenção na postura de Maria Madalena.

Em primeiro lugar, *olhar para dentro com lágrimas* (20.11-13). Maria Madalena olha para dentro do túmulo e vê dois anjos vestidos de branco sentados onde estava o corpo de Jesus. Eles perguntaram:

---

[3] *Mishná Rosh há-Shanah.*
[4] CARSON, D. A. *O comentário de João*, p. 637.
[5] WIERSBE, Warren W. *Comentário bíblico expositivo.* Vol. 5, p. 502.

Mulher, por que choras? Ela respondeu: *Porque levaram o meu Senhor, e não sei onde o puseram.* Maria chorava porque o túmulo vazio ainda não era, para ela, a evidência absoluta da ressurreição. Ela cogitava que alguém teria levado o corpo de Jesus para outro lugar.

Em segundo lugar, **olhar para trás com discernimento** (20.14-16). Depois de olhar para dentro do túmulo, Maria olhou para trás e viu Jesus em pé, mas não O reconheceu. Jesus lhe faz a mesma pergunta que os anjos fizeram: *Mulher, por que choras?* E acrescenta: *A quem procuras?* Maria, ainda com os olhos da alma fechados ao maior de todos os milagres, a ressurreição de Cristo, pensou ser Ele o jardineiro e respondeu: *Senhor, se tu O levaste, dize-me onde O puseste, e eu O levarei.* Nessa hora, Jesus dirige-se a ela, chamando-a pelo nome: *Maria!* Ela, voltando-se, Lhe diz, em hebraico: *Raboni (que significa mestre)!* A primeira aparição de Jesus foi a Maria Madalena. Essa mulher de quem Jesus expeliu sete demônios tornou-se a primeira testemunha ocular de Sua ressurreição e a primeira missionária dessas alvissareiras boas-novas. Warren Wiersbe chama a atenção para o fato de que as primeiras testemunhas da ressurreição de Cristo tenham sido mulheres que creram. Isso porque, entre os judeus daquela época, o testemunho das mulheres não era tido em alta consideração.[6] Essas mulheres impactadas pelo túmulo vazio e pelo Cristo vivo tornam-se pregoeiras da mais gloriosa notícia que o mundo já pôde ouvir: a morte foi vencida, Cristo ressuscitou! O túmulo vazio é o berço da igreja!

Em terceiro lugar, **olhar para a frente com testemunho** (20.17,18). Jesus ordena que Maria não O detenha, porque Ele ainda não havia subido para Seu Pai. O que Jesus quis dizer com isso? Que a comunhão ininterrupta que Maria almejava só aconteceria depois que Jesus subisse para o Pai. A comunhão, na verdade, recomeçaria, mas seria muito mais rica, bendita e permanente. Seria a comunhão com o Senhor glorioso, no Espírito e com Sua igreja.[7]

Dois fatos devem ser colocados em relevo.

A ordem dada (20.17). Jesus ordena que Maria vá ter com seus irmãos e lhes diga: [...] *estou voltando para Meu Pai e vosso Pai, Meu Deus e vosso*

---

[6]WIERSBE, Warren W. *Comentário bíblico expositivo.* Vol. 5, p. 501.
[7]HENDRIKSEN, William. *João*, p. 887.

Deus. Com razão, diz Matthew Henry, Jesus poderia ter-lhes enviado uma mensagem zangada: "Vá àqueles desertores traiçoeiros e diga-lhes que Eu nunca mais confiarei neles, nem terei nada que ver com eles". Mas não. Ele perdoa, esquece e não lança fora.[8] Ao longo desse evangelho, Jesus chamou Deus de Seu Pai e mostrou sua relação única com Ele. Agora, porém, depois de ressurreto, chama Seus discípulos de *Meus irmãos* e diz que o Seu Deus é também o Pai de Seus discípulos. Jesus já havia chamado Seus seguidores de *escravos* (13.16) e *amigos* (15.15) e aqui chama-os de *irmãos* (20.17). William Hendriksen diz, com acerto, que um novo relacionamento – a comunhão no Espírito, que está para ser derramado – requer um nome novo, um nome ainda mais íntimo do que o belo nome de "amigos". Os irmãos pertencem a uma única e mesma família. Eles têm muito em comum. Compartilham a mesma herança. Consequentemente, todo crente verdadeiro é um coerdeiro com Cristo (Rm 8.17). Do mesmo modo, no sentido espiritual, Deus não é Pai de todas as pessoas, mas somente daquelas que, tendo sido escolhidas desde a eternidade, abraçaram o Filho pela viva fé. Esses crentes – todos esses, somente esses – são irmãos de Cristo.[9] O comissionamento de Maria Madalena, portanto, é para transmitir a gloriosa mensagem do amor paternal de Deus e da nossa honrosa posição de filhos de Deus.

A obediência prestada (20.18). Maria não discute nem protela a decisão. Sai imediatamente a anunciar aos discípulos o que viu e ouviu! É impossível ter uma visão do Cristo glorificado sem ter pressa para proclamar esse fato aos outros.

As **portas trancadas** (20.19-23)

Jesus ressuscitou no domingo pela manhã e apareceu aos discípulos pela primeira vez ao cair da tarde do mesmo dia. O *shabbath* havia terminado quando Jesus ressuscitou (Mc 16.1). Sua ressurreição aconteceu no primeiro dia da semana (20.1; Mt 28.1; Lc 24.1). A mudança do sétimo para o primeiro dia não se deu por algum decreto da igreja

---

[8]HENRY, Matthew. *Matthew Henry Comentário bíblico Novo Testamento – Mateus-João*, p. 1070.
[9]HENDRIKSEN, William. *João*, p. 888.

nem do imperador romano; foi, desde o princípio, decorrente da fé e do testemunho dos primeiros cristãos.[10] Nesse dia, os discípulos estavam com as portas trancadas, com medo dos judeus. As portas trancadas são um emblema, um símbolo. Cinco fatos merecem destaque aqui.

Em primeiro lugar, *portas trancadas pelo medo* (20.19). Antes do Pentecostes, os discípulos estavam escondidos atrás de portas trancadas por causa do medo dos judeus; depois do Pentecostes, foram presos por falta de medo.

Em segundo lugar, *portas trancadas pela falta de paz* (20.19). Jesus disse aos discípulos: *Paz seja convosco!* Os discípulos não estavam apenas com medo; estavam, também, perturbados, inquietos e desassossegados. O coração deles era um turbilhão de dúvidas, incertezas e culpa.

Em terceiro lugar, *portas trancadas pela ausência de Jesus* (20.19,20). Os discípulos estavam acostumados a ter Jesus por perto em todas as horas. Mas, desde sexta-feira, quando foi pregado na cruz e depois depositado no túmulo de José de Arimateia, eles estão privados de Sua presença. Quando Jesus não está presente, nosso coração também se enche de medo. Só Sua presença pode espanar a poeira da dúvida, dissipar o nevoeiro da angústia e restaurar a paz no coração aflito. Diante do testemunho ocular do Cristo vivo, os discípulos se alegram.

Em quarto lugar, *portas trancadas pela falta de propósito* (20.21). Jesus oferece aos discípulos a paz e dá a eles um comissionamento. Assim como Jesus havia sido comissionado pelo Seu Pai, Ele também comissiona Seus discípulos. O mandato de Cristo não é apenas para fazer a obra, mas para fazer a obra da mesma maneira que Ele havia feito. Jesus veio do céu não para trazer-nos uma mensagem divorciada de Sua vida. Ele Se fez carne, habitou entre nós e inseriu-Se em nossa cultura. Tornou-se um de nós, exceto no pecado. Assim também devemos, no cumprimento da missão, aproximar-nos das pessoas para amá-las, servi-las e levar-lhes a mensagem da salvação. Concordo com D. A. Carson quando ele diz que os apóstolos receberam a comissão de continuar a obra de Cristo, e não de começar outra obra.[11]

---

[10] WIERSBE, Warren W. *Comentário bíblico expositivo*. Vol. 5, p. 506.
[11] CARSON, D. A. *O comentário de João*, p. 650.

Em quinto lugar, *portas trancadas por falta de poder* (20.22,23). Jesus não apenas comissiona Seus discípulos, dando-lhes uma missão, mas também sopra sobre eles o Espírito Santo, dando-lhes capacitação e poder. Esse sopro do Espírito Santo em breve se transformaria no derramamento do Espírito, no cumprimento da promessa do Pai, na descida definitiva do Espírito para estar para sempre com a igreja. D. A. Carson, citando Calvino, diz que os discípulos são aqui "aspergidos" com a graça do Espírito, mas não "saturados" com o Seu pleno revestimento de poder, o que só viria em Atos 2.[12]

Os discípulos seriam revestidos de poder no Pentecostes e, então, cumpririam a Grande Comissão. Concordo com F. F. Bruce quando ele diz que a expressão *Se perdoardes os pecados de alguém, serão perdoados; se os retiverdes, serão retidos* (20.23) deve ser entendida aqui não como uma referência à disciplina na igreja, como parece ser o contexto em Mateus 18, mas relacionada com a missão dos discípulos no mundo. Os dois passivos – *serão perdoados* e *serão retidos* – subentendem a ação divina. A função do pregador é declarar, e é Deus quem, na verdade, perdoa ou retém.[13]

A **fé claudicante** (20.24-29)

Nessa primeira aparição de Jesus a Seus discípulos, Tomé não estava presente. Quando foi informado do fato glorioso, duvidou fortemente. Destacamos três pontos desse episódio.

Em primeiro lugar, *Tomé, o incrédulo* (20.24,25). Tomé não acreditou no relato de seus irmãos. Estava convencido de que a morte era o fim. Não havia compreendido as palavras de Cristo e, por isso, não tinha nenhuma expectativa de que Ele ressuscitasse. O lema de Tomé era: "Ver para crer!"

Em segundo lugar, *Tomé, o confrontado* (20.26,27). Oito dias depois da primeira aparição, Jesus volta a se apresentar a Seus discípulos. Dessa feita, Tomé estava presente. Novamente, as portas estavam trancadas,

---

[12]CARSON, D. A. *O comentário de João*, p. 651.
[13]BRUCE, F. F. *João: introdução e comentário*, p. 335.

e Jesus aparece milagrosamente entre eles. Jesus confronta-o, dizendo-lhe: *Coloca aqui o teu dedo e vê as Minhas mãos. Estende a tua mão e coloca-a no Meu lado. Não sejas incrédulo, mas crente!*

Em terceiro lugar, **Tomé, o crente** (20.28,29). Ao ser confrontado, Tomé responde a Jesus: *Senhor Meu e Deus Meu!* Em seguida, Jesus reafirma que ele precisou ver para crer, mas felizes são aqueles que não viram e creram. A fé não precisa ver para crer; a fé crê e, por isso, vê. Concordo com Charles Erdman quando ele diz que temos aqui não só a culminância da fé, mas igualmente o clímax do evangelho. João, em seguida, deixa claro que seu escopo, na produção desse livro, foi levar os leitores exatamente à mesma fé em Cristo. Se uma pessoa realmente cética como Tomé se convenceu da ressurreição de Jesus, ninguém ficará sem desculpas. Se Jesus, de fato, ressurgiu, podemos concluir, como Tomé, que Ele é divino. Se Jesus permitiu que Tomé O adorasse como Deus, devemos entregar-nos a Ele em adoração e amor, que provou ser, por Sua ressurreição, "Deus verdadeiro de verdadeiro Deus".[14] D. A. Carson é oportuno ao escrever: "O cético mais obstinado legou para nós a mais profunda confissão".[15]

O **propósito** estabelecido (20.30,31)

O evangelista João destaca nos últimos versículos do capítulo 20 duas verdades, que veremos a seguir.

Em primeiro lugar, *o método do evangelho* (20.30). O apóstolo João deixa claro que não foi exaustivo em seu registro. Por maior que seja a extensão dos sinais milagrosos operados por Jesus, João selecionou apenas alguns para atestar a verdade incontroversa de que Jesus verdadeiramente é o Filho de Deus.

Em segundo lugar, *o propósito do evangelho* (20.31). João tem dois propósitos em mente ao escrever esse evangelho. O primeiro deles é apresentar Jesus como o Cristo, o Messias, o Filho de Deus. E o segundo é mostrar que a vida eterna é uma oferta dada a todos aqueles

---

[14] ERDMAN, Charles. *O evangelho de João*, p. 150.
[15] CARSON, D. A. *O comentário de João*, p. 660.

que creem em seu nome. Concordo com Warren Wiersbe quando ele diz que a vida eterna não é apenas um "tempo sem fim", mas é a própria vida de Deus vivida a partir de agora. O cristão não precisa morrer para começar a ter vida eterna; ele já a tem em Cristo hoje.[16]

D. A. Carson acrescenta que, embora o propósito de João seja primariamente evangelístico, deve-se admitir que, por toda a história da igreja, esse evangelho serviu não só como um meio para alcançar os descrentes, mas também como um meio de instrução, edificação e conforto para os crentes.[17]

---

[16]WIERSBE, Warren W. *Comentário bíblico expositivo*. Vol. 5, p. 511.
[17]CARSON, D. A. *O comentário de João*, p. 664.

29

Manifestação,
restauração e comissão

João 21.1-25

ALGUNS ESTUDIOSOS REJEITAM ESSE CAPÍTULO 21 como joanino, por entenderem que o capítulo 20 é uma perfeita conclusão do livro. Alegam que há muitos termos usados no texto em tela que não foram empregados por João ao longo do livro. Outros veem o capítulo 21 como um adendo posterior incluído por outro autor.[1] Contudo, no reverso dessa posição, afirmamos que esse capítulo é absolutamente compatível com o propósito do livro e cabe muito bem como uma coroação de toda a obra. Sem essa conclusão, onde está registrada a restauração da vida e do ministério de Pedro, teríamos dificuldade de entender sua proeminência nos doze primeiros capítulos de Atos após seu fracasso tão rotundo. Sem essa conclusão, o rumor de que João viveria para ver Cristo voltar (21.23) não teria sido refutado. Sem essa conclusão, não teríamos conhecimento de que Pedro glorificaria a Deus pelo gênero de sua morte.[2]

Esse capítulo registra mais uma manifestação do Cristo ressurreto a Seus discípulos. John Charles Ryle diz que podemos observar quatro aspectos nessa manifestação de Jesus a Seus discípulos. Primeiro,

---

[1] MILNE, Bruce. *The Message of John*, p. 309.
[2] WIERSBE, Warren W. *Comentário bíblico expositivo*. Vol. 5, p. 512.

Ele se manifestou no momento adequado, quando estavam mais confusos e desanimados. Segundo, Ele se manifestou de forma gradual. Terceiro, Ele se manifestou de forma amorosa, chamando-os de "filhos". Quarto, Ele se manifestou de forma poderosa, repetindo a cena da pesca milagrosa.[3]

Destacaremos cinco pontos na exposição desse capítulo.

Uma **pescaria frustrada** (21.1-3)

No primeiro dia da semana, as mulheres foram ao túmulo de Jesus e depararam com a pedra removida. Ao entrarem no túmulo, um anjo que estava postado do lado direito, no lugar onde o corpo de Jesus havia sido posto, pediu que elas não ficassem com medo, pois Jesus havia ressuscitado. O anjo transmitiu-lhes uma ordem: *Mas ide, dizei a Seus discípulos, e a Pedro, que Ele vai adiante de vós para a Galileia. Ali O vereis, como Ele vos disse* (Mc 16.7). Mesmo depois de ter aparecido aos discípulos duas vezes em Jerusalém, faltava o cumprimento dessa promessa.

Essa manifestação junto ao mar de Tiberíades, lugar onde Pedro e outros discípulos trabalhavam como pescadores e foram chamados para o ministério, seria, certamente, o ápice das demonstrações inequívocas da ressurreição de Jesus. Essa viagem da Judeia para a Galileia, de Jerusalém para o mar de Tiberíades, deve ter sido, especialmente para Pedro, marcada por fortes emoções. Por que Jesus queria encontrar-Se com eles na Galileia? Por que a menção especial do nome de Pedro? O que Jesus diria a Pedro, depois de sua consumada covardia e de sua reincidente negação?

É debaixo desse turbilhão de sentimentos adversos que Pedro diz a seus seis companheiros de ministério: *Vou pescar* (21.3). Como Pedro era um líder, e como liderança é sobretudo influência, os outros também disseram: [...] *Nós também vamos contigo* [...] (21.3). Então, eles saíram e entraram no barco, mas naquela noite nada apanharam. Por que foram pescar? Por que eram pobres e precisariam ganhar o próprio

---

[3] Henry, Matthew. *Matthew Henry comentário bíblico Novo Testamento – Mateus-João*, p. 1080.

sustento? Por que queriam preencher o tempo da espera com um trabalho que sabiam fazer? Por que estavam desanimados e pensavam que a única opção que lhes restava era voltar ao passado e retomar sua antiga profissão? Por que se julgavam inadequados para continuarem sendo apóstolos depois de terem abandonado o seu Senhor na hora mais crítica? Sem resposta segura para todas essas perguntas, temos uma constatação inequívoca do resultado da pescaria: naquela noite, eles nada apanharam. Naquela noite, o mar não estava para peixe. Eles tinham rompido todas as pontes com o passado, e o caminho era dali para a frente, e não uma jornada de marcha à ré.

Uma **revelação graciosa** (21.4-14)

Essa é a terceira vez que o Jesus ressurreto aparece a Seus discípulos. Dessa feita, a sete deles. Cinco fatos podem ser aqui destacados.

Em primeiro lugar, *a presença de Jesus* (21.4). No clarear da madrugada, Jesus estava na praia. Os discípulos que já voltavam da pescaria infrutífera e estavam a menos de cem metros da praia não O reconheceram. Talvez pela escuridão da noite que ainda não tinha sido de todo dissipada, ou talvez por causa da escuridão de seus olhos que ainda não tinha sido plenamente removida.

Em segundo lugar, *a pergunta de Jesus* (21.5). Com o propósito de fazer uma conexão com Seus discípulos, Jesus lhes pergunta: *Filhos, não tendes nada para comer?* O simples fato de chamá-los de "filhos", *paidia*, demonstra o profundo afeto de Jesus por eles e a manifestação plena de sua graça restauradora. Os discípulos, frustrados, responderam-Lhe: "Não". Essa pergunta acentua o fato de que o trabalho deles havia sido infrutífero naquela noite. A pescaria não lograra êxito, e, sozinhos, eles jamais poderiam suprir as próprias necessidades ou mesmo as das multidões.

Em terceiro lugar, *a ordem de Jesus* (21.6). Jesus ordena que os discípulos lancem a rede à direita do barco e garante que eles encontrarão peixes. Sem tardança, eles obedecem à ordem, mesmo sem convicção da verdadeira identidade de seu interlocutor. Essa ordem era mais uma ponte de contato para Jesus ter acesso ao coração dos discípulos e abrir seus olhos para o fato de Sua ressurreição. No começo do ministério de Jesus, eles já haviam experimentado, nesse mesmo mar, uma pesca miraculosa. A primeira pesca foi quando Jesus fez de Pedro um pescador de homens; essa foi quando Jesus restaurou Pedro para ser um pastor de ovelhas. Jesus tira das mãos de Pedro a rede de pescador e, em seu lugar, coloca o cajado de pastor.

Em quarto lugar, **o milagre de Jesus** (21.6b-8). Ao obedecerem à ordem de Jesus, a rede se enche de peixes grandes. Nesse momento, João sussurra aos ouvidos de Pedro: "É o Senhor!" E Pedro, sem titubear, lança-se ao mar e corre na direção de Jesus. O milagre era uma prova eloquente e suficiente de que estavam diante dAquele que vencera a morte.

Em quinto lugar, *a refeição de Jesus* (21.9-14). Quando os discípulos saltaram em terra, talvez esperando uma reprimenda de Jesus por causa de seus fracassos, encontraram um braseiro com peixes e pão. O braseiro era para aquecê-los do frio, e o alimento, para restaurar-lhes as forças. O desjejum estava pronto, e Jesus ordena que eles tragam mais peixes, daqueles que acabaram de apanhar. Jesus os convida a comer. Os discípulos ficam calados, perplexos, admirados diante do Senhor ressurreto. Então, Jesus toma o pão e lhes dá, e de igual modo o peixe. Estabelecia-se ali a comunhão, o compartilhamento, o cenário da plena restauração. Warren Wiersbe destaca o amor de Jesus demonstrado em alimentar Pedro antes de tratar de suas necessidades espirituais. Ele deu a Pedro a oportunidade de se secar, de se aquecer, de satisfazer sua fome e de desfrutar comunhão pessoal. Sem dúvida, o espiritual é mais importante do que o físico, mas o cuidado com o físico prepara o caminho para o ministério espiritual.[4]

Uma **restauração maravilhosa** (21.15-17)

Jesus esperou até que todos se alimentassem. Depois, no meio do grupo, dirige-se a Pedro e lhe pergunta acerca de seu amor. Pedro confirma seu amor a Jesus, e recebe dEle restauração plena e comissão imediata. Três diferentes perguntas são feitas; três respostas são dadas, e cada uma delas é seguida de uma ordem afetuosa para que Pedro O

---

[4]WIERSBE, Warren W. *Comentário bíblico expositivo*. Vol. 5, p. 514.

sirva publicamente.⁵ F. F. Bruce destaca o fato de que são usados dois verbos que significam amar (*agapao* e *phileo*), duas palavras para designar o cuidado do rebanho (*bosko* e *poimano*), duas para o rebanho em si (*arnia* e *probatia*) e duas para o verbo "saber" (*oidia* e *ginosko*). Dos quatro pares de sinônimos mencionados, *agapao* e *phileo* é considerado mais interessante pelos comentaristas em geral. O Senhor ressurreto usa *agapao* em suas duas primeiras perguntas e *phileo* na terceira; Pedro usa *phileo* nas três respostas.⁶

Algumas verdades devem ser aqui destacadas.

Em primeiro lugar, **as perguntas de Jesus** (21.15-17). Jesus se dirige a Pedro por seu nome original, Simão, filho de João. Três foram as perguntas, porque três foram as vezes que Pedro negou Jesus. Para cada vez que Pedro negou, Jesus lhe deu a oportunidade de reafirmar seu amor. Onde abundou o pecado, superabundou a graça. Jesus virou o jogo de sua vida. Quando Pedro negou Jesus a primeira vez, começou a perder de 1 a 0. Ao negar pela segunda vez, passou a perder de 2 a 0. Na terceira negação, a goleada foi de 3 a 0. Quando Pedro afirmou seu amor pela primeira vez, o resultado passou a ser 3 a 1 para a queda. Ao declarar pela segunda vez seu amor, o resultado passou a 3 a 2 para a negação. Ao declarar pela terceira vez que amava a Jesus, o jogo ficou empatado, 3 a 3. Então, Jesus lhe disse: *Segue-Me*. E foram 4 a 3 para a restauração de Pedro.

Cada pergunta feita por Jesus a Pedro tem revelações distintas.

A primeira pergunta. A pergunta feita no meio do grupo chega a ser constrangedora, pois Jesus indaga: *Simão, filho de João, tu Me amas mais do que estes?* (21.15). Por que Jesus pergunta assim? Porque Pedro havia se colocado acima de seus condiscípulos, ao prometer a Cristo fidelidade irrestrita: *Ainda que todos desertem, eu nunca desertarei* (Mt 26.33). Com essa declaração, Pedro considera-se mais leal que seus pares. Afirma ser melhor do que eles e ter um amor mais acendrado e sacrificial do que os outros. Mais do que isso, Pedro não apenas se coloca numa posição de superioridade em relação a seus condiscípulos, mas,

---
⁵ERDMAN, Charles R. *O evangelho de João*, p. 156.
⁶BRUCE, F. F. *João: introdução e comentário*, p. 344.

também, promete lealdade extrema: [...] *Ainda que seja necessário morrer contigo, de modo nenhum te negarei* [...] (Mt 26.35). Por essa razão, Jesus pergunta a Pedro: *Simão, filho de João, tu Me amas mais do que estes?*

A palavra "amor" usada por Jesus na pergunta vem do verbo *agapao*, que significa "amor sacrificial", amor que dá a vida pelo outro. Com isso, Jesus está perguntando a Pedro se ele reafirma tudo o que disse e prometeu na fatídica noite de sua prisão no Getsêmani. Nesse sentido, B. F. Westcott considera que *agapao*, o verbo que o Senhor usa nas duas primeiras perguntas, denota "o amor mais elevado que deve ser a fonte da vida cristã", enquanto Pedro, por usar *phileo*, afirma somente o amor natural da afeição pessoal. Quando, na terceira vez, o Senhor usa em sua pergunta o mesmo verbo que Pedro vem usando em suas respostas (*phileo*), o Senhor parece questionar até "esse amor moderado que ele tinha professado".[7]

A segunda pergunta. Na segunda pergunta, Jesus não usa novamente a expressão *mais do que estes*, porém repete a mesma palavra *agapao* para denotar o tipo de amor a que se refere. Estaria Pedro disposto e pronto, mesmo sem se considerar melhor do que os outros, a amar a Cristo a ponto de morrer por Ele?

A terceira pergunta. Na terceira pergunta, Jesus desceu até o nível de Pedro, usando o mesmo termo para "amor" que Pedro usara.[8] Embora a palavra "amor" tenha sido traduzida na língua portuguesa da mesma forma que a segunda pergunta, houve uma mudança de termo. Jesus agora deixa de usar o verbo *agapao* para usar *phileo*, que caracteriza a afeição de um amigo, mas que não necessariamente implica o sacrifício que encerra o amor ágape.

Em segundo lugar, **as respostas de Pedro** (21.15-17). Nas três respostas, Pedro reafirmou seu amor ao Senhor Jesus, dizendo-lhe: *Sim, Senhor; Tu sabes que Te amo*. Quando Jesus fez-lhe a terceira pergunta, Pedro entristeceu-se e acrescentou: *Senhor, Tu sabes todas as coisas e sabes que Te amo*. Nas três respostas, Pedro usou não o verbo *agapao*, mas

---

[7]WESTCOTT, B. F. *The gospel according to St. John*, p. 303; BRUCE, F. F. *João: introdução e comentário*, p. 345.
[8]HENDRIKSEN, William. *João*, p. 927.

phileo, ou seja, Pedro não tem mais coragem de dizer que ama a Jesus a ponto de dar sua vida por Ele. Pedro não ousa mais confiar em si mesmo para demonstrar sua fidelidade. Humildemente, confessa que não tem poder em si mesmo para revelar tão acendrado e sacrificial amor. Sua tristeza demonstrada em face da terceira pergunta de Jesus decorre do fato de o Senhor ter mudado a palavra para o mesmo gênero de amor (*phileo*) que Pedro estava empregando.

Em terceiro lugar, **os comissionamentos de Jesus a Pedro** (21.15-17). Diante da primeira pergunta e consequente resposta de Pedro, Jesus lhe diz: *Apascenta os Meus cordeiros* (21.15. ARA). A palavra grega *boske*, "apascentar", significa literalmente "dar-lhes alimento". Os cordeiros são as ovelhas tenras, sensíveis e frágeis.[9] Está implícito que Jesus está restaurando não apenas a vida de Pedro, mas também seu ministério. A exigência para Pedro voltar à lide pastoral é amar a Jesus, o dono do rebanho. Jesus não lhe pergunta: "Pedro, você Me teme? Você Me honra? Você Me admira?" A única condição para cuidar das ovelhas de Cristo é amar o pastor das ovelhas. John Charles Ryle diz que Jesus tem uma consideração tão carinhosa pelo Seu rebanho que não o confiará a ninguém, exceto àqueles que o amam e, portanto, amarão a todos os que são Seus, por Sua causa. Aqueles que não amam verdadeiramente a Cristo nunca irão verdadeiramente amar as ovelhas de Cristo.[10] Pedro é convocado a dar alimento aos tenros cordeiros, a velar por eles e a apascentá-los. Jesus, porém, deixa claro que os cordeiros lhe pertencem. Pedro vai cuidar do alheio. Pedro vai cuidar dos cordeiros que pertencem a Jesus, o bom, o grande e o supremo pastor!

Diante da segunda pergunta de Jesus e da correspondente resposta de Pedro, vem o segundo comissionamento: *Pastoreia as Minhas ovelhas* (21.16). A palavra grega *poimene* tem um significado mais amplo que *boske*, ou seja, fazer pelas ovelhas todas as atribuições de um pastor.[11]

---

[9] HENRY, Matthew. *Matthew Henry Comentário Bíblico Novo Testamento – Mateus-João*, p. 1086.
[10] HENRY, Matthew. *Matthew Henry Comentário Bíblico Novo Testamento – Mateus-João*, p. 1084.
[11] HENRY, Matthew. *Matthew Henry Comentário Bíblico Novo Testamento – Mateus-João*, p. 1086.

Pedro não é comissionado por Jesus para ser um bispo universal da igreja, mas para ser um pastor de ovelhas. Ele compreendeu bem isso quando escreveu sua primeira carta (1Pe 5.1-4).

Diante da terceira pergunta e consequente resposta de Pedro, Jesus lhe dá o último comissionamento: *Cuida das Minhas ovelhas* (21.17). As ovelhas não são de Pedro; são de Jesus. Ele as comprou com o preço de sangue. Pedro deve demonstrar seu amor a Jesus cuidando das ovelhas de Jesus. Concordo com F. F. Bruce quando ele diz que a missão que Pedro recebe é pastoral. Ao ser chamado pela primeira vez da sua ocupação de pescador para ser seguidor de Jesus, foi-lhe dito que dali em diante ele seria pescador de homens (Lc 5.10; Mc 1.17). Agora, ao anzol ou rede do pescador, é acrescentado o cajado de pastor.[12]

D. A. Carson diz que, estranhamente, alguns estudiosos católicos romanos usaram essa passagem para estabelecer a primazia de Pedro como o primeiro pontífice, com direitos de governo e autoridade.[13] Pedro nunca foi papa, nem o papa é sucessor de Pedro. A ordem de pastorear o rebanho de Deus é abrangente (At 20.28), e não um privilégio exclusivo de Pedro. O próprio Pedro reconheceu que ele não era um pastor acima de outros pastores, mas um presbítero entre outros presbíteros (1Pe 5.1-4).

Um futuro desvendado (21.18-23)

Três verdades devem ser aqui observadas.

Em primeiro lugar, *Jesus conhece o futuro do cristão, tanto na vida como na morte* (21.18). Jesus conhecia o passado de Pedro e também seu futuro. Sua vida do início ao fim estava sob o controle de Jesus. Este mostra a Pedro que, quando mais moço, era um homem livre para tomar suas decisões. Naquele tempo, porém, acovardou-se e negou seu Senhor para não ser preso e morto. Contudo, quando for velho, não terá mais liberdade para fugir de cerco do inimigo. Então, será apanhado e pregado numa cruz, como foi o seu senhor. Matthew Henry diz que, tendo indicado a Pedro o trabalho a realizar, Cristo lhe indica,

---

[12] BRUCE, F. F. *João: introdução e comentário*, p. 345.
[13] CARSON, D. A. *O comentário de João*, p. 678.

a seguir, o sofrimento a enfrentar. Tendo lhe confirmado a honra de ser um apóstolo, agora Cristo lhe fala sobre outra primazia que lhe fora designada – a honra de ser um mártir.[14] D. A. Carson está correto ao afirmar que o próprio Pedro veio a reconhecer o princípio: sempre que qualquer cristão segue Cristo para sofrimento e morte, esse é um meio de glorificar a Deus (1Pe 4.14-16).[15]

Em segundo lugar, *Jesus ensina que a morte do cristão tem como propósito dar glória ao nome de Deus* (21.19). Todos os apóstolos, exceto João, morreram pelo viés do martírio. Os historiadores afirmam que Pedro foi crucificado no final do governo de Nero, por volta do ano 68 d.C.[16] Por não ser um cidadão romano como Paulo, Pedro foi preso, julgado e condenado à morte de cruz. Não se sentindo digno de morrer como o seu Senhor, pediu para ser crucificado de cabeça para baixo. F. F. Bruce destaca que, na época em que esse evangelho foi escrito, Pedro já tinha glorificado a Deus com seu martírio.[17] Eusébio, ilustre pai da igreja, fez referência ao martírio de Pedro, quando escreveu: "Mas Pedro parece ter pregado no Ponto e na Galácia e na Bitínia e na Capadócia e na Ásia, aos judeus da Dispersão, e por último, tendo ido a Roma, ele foi crucificado de cabeça para baixo, pois assim ele mesmo pediu para morrer".[18] Tertuliano, no começo do século III, confirma que, de fato, Pedro foi crucificado,[19] e, dessa forma, cumpriu-se o que prometera: *Darei a minha vida por Ti* (13.37). A morte de Pedro não foi uma tragédia; sua morte glorificou a Deus! Concordo plenamente com o que diz Matthew Henry: "Aqueles que seguem a Cristo fielmente na graça certamente o seguirão rumo à glória".[20]

---

[14]HENRY, Matthew. *Matthew Henry comentário bíblico Novo Testamento – Mateus-João*, p. 1086.
[15]CARSON, D. A. *O comentário de João* p. 680.
[16]HENRY, Matthew. *Matthew Henry comentário bíblico Novo Testamento – Mateus-João*, p. 1086.
[17]BRUCE, F. F. *João: introdução e comentário*, p. 346.
[18]EUSÉBIO. *História eclesiástica* III,1.
[19]TERTULIANO, *Scorpiace* 15.
[20]HENRY, Matthew. *Matthew Henry comentário bíblico Novo Testamento – Mateus-João*, p. 1087.

Em terceiro lugar, *Jesus ensina que não devemos especular acerca da condição dos outros cristãos; antes, devemos pensar sobre nós mesmos* (21.20-23). A tarefa de Pedro era pastorear as ovelhas de Cristo e morrer por Ele. A tarefa de João era dar testemunho da história de Cristo, viver até uma idade avançada e morrer em paz. Pedro era o grande pastor, e João era a grande testemunha. Isso não os convertia em rivais ou competidores em termos de honra ou prestígio. Ambos eram servos e deviam cumprir sua vocação.[21] Quando Pedro, ansiosamente, quis saber acerca do futuro de João, Jesus lhe disse: *Se eu quiser que ele fique até que eu venha, que te importa? Segue-Me tu!* (21.22). Pedro é conclamado a seguir Jesus não rumo à riqueza e à prosperidade, não para subir o pódio do poder e da fama. Pedro foi chamado a seguir Jesus rumo à morte e ao martírio!

Em vez de especularmos sobre o destino dos outros, devemos olhar para nós mesmos enquanto caminhamos para o lar. Obviamente, Jesus não está aqui ensinando uma atitude egoísta nem uma postura de negligência em relação ao próximo. Está, sim, dizendo que jamais podemos esquecer nossa alma. As palavras de Jesus: *Segue-Me tu!* significam literalmente: "Continua a seguir-Me". No mesmo instante, Pedro começou a seguir Jesus. Mas, por um momento, ele desviou o olhar do Senhor Jesus, um erro que já havia cometido duas vezes (Lc 5.8; Mt 14.30). Devemos ter o cuidado de não desviar os olhos do Senhor e começar a olhar para outros cristãos. "Olhar para Jesus" deve ser o objetivo e a prática de todo cristão (Hb 12.1,2).[22]

Uma **grandeza inesgotável** (21.24,25)

João optou por manter-se anônimo ao longo do livro. Percebe-se que ele mesmo é o discípulo amado que se reclinou sobre o peito de Jesus na hora da ceia. Agora, João acrescenta o fato de que ele mesmo foi quem escreveu o livro e, ao mesmo tempo, confirma sua veracidade e credibilidade como testemunha dos fatos relatados nesse evangelho.

---

[21]BARCLAY, William. *Juan II*, p. 313.
[22]WIERSBE, Warren W. *Comentário bíblico expositivo*. Vol. 5, p. 516.

Reafirmando o que disse anteriormente (20.30), João, agora, lança mão de uma hipérbole: *Jesus realizou ainda muitas outras coisas; se elas fossem escritas uma por uma, creio que nem no mundo inteiro caberiam os livros que seriam escritos* (21.25). O que o evangelista está dizendo é que a grandeza de Jesus e Seus gloriosos feitos transcendem qualquer capacidade de registro. Sempre ficaremos aquém. Jamais esgotaremos a descrição e o registro de Suas obras portentosas. Jesus é maior do que o ser humano pode perceber ou conhecer. João conclui dizendo que sua obra é só uma parte minúscula de todas as honras devidas ao Filho de Deus.[23]

Concordo com Charles Erdman quando ele diz que o sentido evidente dessa hipérbole é que nenhum escrito, ainda que orientado pela verdade, pode encerrar a glória infinita do Filho de Deus. Dessa glória, o evangelho de João fornece um vislumbre. No entanto, esse vislumbre é tão esplêndido e fascinante que sentimos prazer em demorar-nos em sua claridade, ansiando ter aquela visão mais nítida, quando o defrontaremos face a face, para sermos semelhantes a Ele e para vê-Lo como Ele é.[24]

---

[23]CARSON, D. A. *O comentário de João*, p. 686.
[24]ERDMAN, Charles R. *O evangelho de João*, p. 158.

Sua opinião é importante para nós.
Por gentileza, envie-nos seus comentários pelo e-mail:

editorial@hagnos.com.br

Visite nosso site:

www.hagnos.com.br

Sua opinião é importante para nós.
Por gentiliza, envie-nos seus comentários pelo e-mail:

editorial@hagnos.com.br

Visite nosso site:

www.hagnos.com.br